METHODEN DER
ORGANISCHEN CHEMIE

METHODEN DER ORGANISCHEN CHEMIE

(HOUBEN-WEYL)

VIERTE, VÖLLIG NEU GESTALTETE AUFLAGE

BEGRÜNDET VON

EUGEN MÜLLER
1905–1976

OTTO BAYER   HANS MEERWEIN   KARL ZIEGLER
1902–1982   1879–1965   1898–1973

FORTGEFÜHRT VON

HEINZ KROPF
HAMBURG

BAND XIII/9b

METALLORGANISCHE VERBINDUNGEN
Co Rh Ir Ni Pd

GEORG THIEME VERLAG STUTTGART · NEW YORK

METALLORGANISCHE VERBINDUNGEN

Co Rh Ir Ni Pd

HERAUSGEGEBEN VON

ADOLPH SEGNITZ
IBBENBÜHREN

BEARBEITET VON

H.-F. KLEIN **A. SEGNITZ** **E. LANGER**
DARMSTADT IBBENBÜHREN LUDWIGSHAFEN / RHEIN

MIT 1 ABBILDUNG
UND 77 TABELLEN

19 GTV 84

GEORG THIEME VERLAG STUTTGART · NEW YORK

EG

In diesem Handbuch sind zahlreiche Gebrauchs- und Handelsnamen, Warenzeichen u. dgl. (auch ohne besondere Kennzeichnung), Patente, Herstellungs- und Anwendungsverfahren aufgeführt. Herausgeber und Verlag machen ausdrücklich darauf aufmerksam, daß vor deren gewerblicher Nutzung in jedem Falle die Rechtslage sorgfältig geprüft werden muß. Industriell hergestellte Apparaturen und Geräte sind nur in Auswahl angeführt. Ein Werturteil über Fabrikate, die in diesem Band nicht erwähnt sind, ist damit nicht verbunden.

CIP-Kurztitelaufnahme der Deutschen Bibliothek

Methoden der organischen Chemie / (Houben-Weyl).
Begr. von Eugen Müller ... Fortgef. von Heinz
Kropf. – Stuttgart ; New York : Thieme
  Teilw. mit Erscheinungsort Stuttgart
NE: Müller, Eugen [Begr.] ; Houben, Josef [Begr.];
Houben-Weyl, ...
Bd. 13. → Metallorganische Verbindungen

Metallorganische Verbindungen. – Stuttgart ;
New York : Thieme
  (Methoden der organischen Chemie; Bd. 13)
  Teilw. mit Erscheinungsort Stuttgart
9b. Co, Rh, Ir, Ni, Pd / Hrsg. von Adolph Segnitz.
Bearb. von H.-F. Klein ... – 4., völlig neu
gestaltete Aufl. – 1984
NE: Segnitz, Adolph [Hrsg.] ; Klein, Hans-Friedrich
[Mitverf.]

Erscheinungstermin 29.3.1984

© 1984, Georg Thieme Verlag, Rüdigerstraße 14, Postfach 732, D-7000 Stuttgart 30 – Printed in Germany

Satz und Druck: Tutte Druckerei GmbH, 8391 Salzweg-Passau

ISBN 3-13-215004-5

4-18-85

Allgemeines Vorwort

Die Methoden der organischen Chemie, 1909 von THEODOR WEYL begründet und 1913 von HEINRICH J. HOUBEN fortgeführt, haben sich zu einem wichtigen Standardwerk des chemischen Schrifttums entwickelt. Dies ist vor allem dem Einsatz des Herausgeber-Kollegiums der 1952 neubegründeten 4. Auflage

OTTO BAYER	EUGEN MÜLLER
1902–1982	1905–1976
HANS MEERWEIN	KARL ZIEGLER
1879–1965	1898–1973

zu verdanken.

Seit Erscheinen des ersten Bandes dieser Auflage hat sich die Situation sehr stark verändert. Durch das Anschwellen der chemischen Literatur, besonders der Publikationen über Syntheseverfahren der organischen Chemie, war es nicht möglich, das ursprüngliche Konzept – 16 Bände – einzuhalten. Damit wuchsen aber auch die Anforderungen an die Autoren hinsichtlich der Literaturbeschaffung und der kritischen Durchsicht und Auswahl des Stoffes sehr erheblich. Sie verdienen für ihren Idealismus und ihre Tätigkeit den Dank der gesamten Fachwelt. Ebenso gebührt für die Förderung des Werkes der Deutschen chemischen Industrie Dank, insbesondere der Bayer AG.

Während der langen Dauer der Herausgabe der 4. Auflage verstarben 1965 Herr Professor Dr. HANS MEERWEIN und 1973 Herr Professor Dr. KARL ZIEGLER. 1976, kurz vor dem Tod von Herrn Professor Dr. EUGEN MÜLLER, hat der Unterzeichnende dessen Aufgaben übernommen. 1982 ist auch Herr Professor Dr. OTTO BAYER verstorben. Die großen Verdienste der Senior-Herausgeber um den „Houben-Weyl" sind besonders zu würdigen.

Hervorzuheben ist, daß der „Houben-Weyl" nicht durch ein eigens geschaffenes Institut zustande gekommen ist, sondern durch die freie unternehmerische Zusammenarbeit zwischen dem Georg-Thieme-Verlag und einer großen Zahl von nur nebenberuflich literarisch tätigen Wissenschaftlern. Zu danken ist insofern auch Herrn Dr. BRUNO HAUFF, Herrn Dr. GÜNTHER HAUFF, Herrn Dr. ALBRECHT GREUNER und besonders Herrn Dr. H.-G. PADEKEN, für dessen wertvolle Arbeit als Lektor und Redakteur.

Das Gesamtwerk wird in wenigen Jahren mit einem Generalregister vorliegen. Es wird durch Erweiterungs- und Folgebände fortgeführt werden.

Für alle, die am „Houben-Weyl" mitgewirkt haben, ist es sicher eine große Befriedigung, ein internationales Standardwerk geschaffen zu haben, das aus der Laboratoriumspraxis nicht mehr wegzudenken ist.

HEINZ KROPF

Vorwort zu Band XIII/9b

Der vorliegende Band befaßt sich mit der Herstellung und Umwandlung von metallorganischen Verbindungen der Übergangselemente von Mangan bis zum Platin, die Metall-Kohlenstoff-σ-Bindungen aufweisen. Im ersten Teil, Band XIII/9a, werden die Organo-metall-Verbindungen von Mangan, Rhenium, Eisen, Ruthenium, Osmium und Platin beschrieben. Der zweite zunächst erscheinende Band XIII/9b beinhaltet die Elemente Kobalt, Rhodium, Iridium, Nickel und Palladium.

Nach dem bewährten Konzept des Houben-Weyls stehen die präparativen chemischen Methoden zur Herstellung der metallorganischen Verbindungen im Vordergrund. Die Organo-Übergangsmetall-Verbindungen werden nach steigender Oxidationsstufe des Metalls geordnet. Innerhalb der Oxidationsstufen wird nach Stoffklassen in Alkyl-, 1-Alkenyl-, 1-Alkinyl-, Aryl- und Acyl-Metallverbindungen eingeteilt. Als nächstes Ordnungsprinzip wird nach den Herstellungsmethoden unterschieden. Dabei steht der C–M-Aufbau nach dem „aus/mit"-Prinzip im Vordergrund. Es folgen die $\pi \rightarrow \sigma$-Umwandlungen und die Herstellungsverfahren aus anderen σ–C-Übergangsmetall-Verbindungen. Die darauf folgende Umwandlung ist relativ kurz behandelt, da die entstehenden Verbindungsklassen in anderen Houben-Weyl-Bänden ausführlich aufgenommen sind.

Während das erste Rohmanuskript zu den Metallen dieses Bandes von Professor G. Bähr aus dem Jahre 1957/58 mit nur einigen Seiten auskam, ist die Flut der Veröffentlichungen inzwischen derart angeschwollen, daß dieses Werk trotz vieler Kürzungen bereits ca. 1000 Seiten aufweist. Der große wissenschaftliche Fortschritt der letzten beiden Jahrzehnte auf diesem Gebiet der Metallorganik läßt sich zum einen erklären durch die Perfektionierung der Inertgastechnik bei der Isolierung und Charakterisierung der relativ instabilen Organo-Übergangsmetall-Verbindungen sowie durch die Entwicklung der Analytik. Zum anderen lassen sich viele chemische, chemisch-technische und biochemische Prozesse allein mit Organo-metall-π-Komplexen oder Donor-Metall-Verbindungen nicht erklären, und man versucht, über σ-Modellverbindungen Einblicke in Reaktionsmechanismen zu erhalten.

So spielen σ-Organo-kobalt- und -rhodium-Zwischenstufen eine bedeutende Rolle bei den technisch wichtigen Synthesen von Aldehyden aus Olefinen, Kohlenmonoxid und Wasserstoff (Hydroformylierung oder Oxo-Synthese). Technische Essigsäure-Verfahren aus Methanol und Kohlenmonoxid arbeiten mit Kobalt- und Rhodium-Verbindungen. Eine Vielzahl von Carbonylierungsreaktionen lassen sich in der organischen Synthese mit metallorganischen Verbindungen der VII. und VIII. Gruppe des Periodensystems durchführen. Technische Bedeutung besitzt die Acetaldehyd-Synthese durch den WACKER-Prozeß aus Ethen und Wasser mit Palladium- und Kupferchlorid als Katalysatoren. Viele Organo-metall-Verbindungen haben Katalysator-Funktion bei der Oligomerisierung von Alkenen und Alkinen. Besondere Bedeutung besitzen Organo-kobalt-, -rhodium-, -nickel- und -palladium-Verbindungen bei C–C-Knüpfungsreaktionen. Auch katalytische Hydrierungen und Isomerisierungsreaktionen verlaufen über σ–C-Metall-Zwischenstufen. Viele Naturstoff-Synthesen sowie die Herstellung wertvoller Wirkstoffe werden durch den Einsatz der Organo-palladium-Chemie wesentlich erleichtert. Besonders wichtig in biochemischen Prozessen sind σ-Organo-kobalt-Verbindungen vom Vitamin B_{12}-Typ. Viele synthetische Analoge sind hergestellt worden.

Weitere Einzelheiten über Bedeutung, Stabilität, Herstellung, Mechanismen und Umwandlung der metallorganischen Verbindungen sind in den ausführlichen Einleitungen zu den einzelnen Kapiteln beschrieben.

Mit dem Erscheinen der Houben-Weyl-Bände XIII/4, 7 und 9 wird eine Lücke auf dem Gebiet der chemischen Literatur der Herstellung und Umwandlung von σ-gebundenen metallorganischen Verbindungen der Nebengruppenelemente des Periodensystems geschlossen. Besonders wertvoll sind die ausgewählten präparativen Herstellungsmethoden der σ-Organo-metall-Verbindungen sowie allgemeine Arbeitsvorschriften für Umwandlungsreaktionen an der σ–C-Metall-Bindung. Mit dem Erscheinen dieses Bandes wird einem Bedarf der chemischen Industrie und der Hochschule Rechnung getragen.

Für die Mitarbeit an diesem Band danke ich vor allem den Herren Professor Dr. HANS-FRIEDRICH KLEIN und Dr. ERNST LANGER. Mein besonderer Dank gilt der BASF AG, die durch ihre umfangreichen Recherchemöglichkeiten und Literaturbeschaffung das Erscheinen dieses Bandes gefördert hat. Für die Herausgabe dieses Bandes und für die gute Zusammenarbeit danken die Autoren dem Georg Thieme Verlag.

A. SEGNITZ

Inhalt

σ-Organo-kobalt-Verbindungen 1
   (bearbeitet von E. LANGER)

σ-Organo-rhodium-Verbindungen 287
   (bearbeitet von E. LANGER)

σ-Organo-iridium-Verbindungen 464
   (bearbeitet von E. LANGER)

σ-Organo-nickel-Verbindungen 628
   (bearbeitet von H.-F. KLEIN)

σ-Organo-palladium-Verbindungen 702
   (bearbeitet von A. SEGNITZ)

Bibliographie 1000

Sachverzeichnis 1010

Zeitschriftenliste

Die Abkürzungen entsprechen der Sigelliste des „Beilstein", nur die mit * bezeichneten Abkürzungen sind der 2. Auflage der Periodica Chimica entnommen, die mit ○ bezeichneten den Chemical Abstracts.

A.

	LIEBIGS Annalen der Chemie
Abh. dtsch. Akad. Wiss. Berlin, Kl. Chem., Geol. Biol.	Abhandlungen der Deutschen Akademie der Wissenschaften zu Berlin. Klasse für Chemie, Geologie und Biologie, Berlin
Abh. dtsch. Akad. Wiss. Berlin, Kl. Math. allg. Naturwiss.	Abhandlungen der Deutschen Akademie der Wissenschaften zu Berlin. Klasse für Mathematik und Allgemeine Naturwissenschaften (seit 1950)
Abstr. Kagaku-Kenkyū-Jo Hōkoku	Abstracts from Kagaku-Kenkyū-Jo Hōkoku (Reports of the Scientific Research Institute, seit 1950)
Abstr. Rom. Tech. Lit.	Abstracts of Roumanian Technical Literature, Bukarest
Accounts Chem. Res.	Accounts of Chemical Research, Washington
A. ch.	Annales de Chimie, Paris
Acta Acad. Åbo	Acta Academiae Åboensis, Finnland Turku
Acta Biochim. Pol.	Acta Biochimica Polonica, Warszawa
Acta chem. scand.	Acta Chemica Scandinavica, Kopenhagen, Dänemark
Acta chim. Acad. Sci. hung.	Acta Chimica Akademiae Scientiarum Hungaricae, Budapest
Acta Chim. Sinica	Acta Chimica Sinica (Ha Hsüeh Hsüeh Pao; seit 1957), Peking
Acta Cient. Venez.	Acta Cientifica Venezolana, Caracas
Acta crystallogr.	Acta Crystallographica [Copenhagen] (bis 1951: [London])
Acta crystallogr., Sect. A	Acta Crystallographica, Section A, London
Acta crystallogr., Sect. B	Acta Crystallographica, Section B, London
Acta Histochem.	Acta Histochemica, Jena
Acta Histochem., Suppl.	Acta Histochemica (Jena), Supplementum
Acta Hydrochimica et Hydrobiologica	Acta Hydrochemica et Hydrobiologica, Berlin
Acta latviens. Chem.	Acta Universitatis Latviensis, Chemicorum Ordinis Series, Riga
Acta pharmac. int. [Copenhagen]	Acta Pharmaceutica Internationalia [Copenhagen]
Acta pharmacol. toxicol.	Acta Pharmacologica et Toxicologica, Kopenhagen
Acta Pharm. Hung.	Acta Pharmaceutica Hungarica, Budapest (seit 1949)
Acta Pharm. Suecica	Acta Pharmaceutica Suecica, Stockholm
Acta Pharm. Yugoslav.	Acta Pharmaceutica Yugoslavica, Zagreb
Acta physicoch. URSS	Acta Physicochimica URSS
Acta physiol. scand.	Acta Physiologica Scandinavica
Acta physiol. scand. Suppl.	Acta Physiologica Scandinavica, Supplementum
Acta phytoch.	Acta Phytochimica, Tokyo
Acta polon. pharmac.	Acta Poloniae Pharmaceutica (bis 1939 und seit 1947)
Advan. Alicyclic Chem.	Advances in Alicyclic Chemistry, New York
Advan. Appl. Microbiol.	Advances in Applied Microbiological, New York
Advan. Biochem. Engng.	Advances in Biochemical Engineering, Berlin
Advan. Carbohydr. Chem. and Biochem.	Advances in Carbohydrate Chemistry and Biochemistry, New York
Advan. Catal.	Advances in Catalysis and Related Subjects, New York
Advan. Chem. Ser.	Advances in Chemistry Series, Washington
Advan. Food Res.	Advances in Food Research, New York
Adv. Biol. Med. Phys.	Advances in Biological and Medical Physics, New York
Adv. Carbohydrate Chem.	Advances in Carbohydrate Chemistry
Adv. Chromatogr.	Advances in Chromatography, New York
Adv. Colloid Int. Sci.	Advance in Colloid and Interface Science, Amsterdam
Adv. Drug Res.	Advance in Drug Research, New York
Adv. Enzymol.	Advances in Enzymology and Related Subjects of Biochemistry, New York
Adv. Fluorine Chem.	Advances in Fluorine Chemistry, London

Adv. Free Radical Chem.	Advances in Free Radical Chemistry, London
Adv. Heterocyclic Chem.	Advances in Heterocyclic Chemistry, New York
Adv. Macromol. Chem.	Advances in Macromolecular Chemistry, New York
Adv. Magn. Res.	Advances in Magnetic Resonance, England
Adv. Microbiol. Phys.	Advances in Microbiological Physiology, New York
Adv. Organometallic Chem.	Advances in Organometallic Chemistry, New York
Adv. Org. Chem.	Advances in Organic Chemistry: Methods and Results, New York
Adv. Photochem.	Advances in Photochemistry, New York, London
Adv. Protein Chem.	Advances in Protein Chemistry, New York
Adv. Ser.	Advances in Chemistry Series, Washington
Adv. Steroid Biochem. Pharm.	Advances in Steroid Biochemistry and Pharmacology, London/New York
Adv. Urethane Sci. Techn.	Advances in Urethane Science and Technology, Westport, Conn.
Afinidad	Afinidad [Barcelona]
Agents in Actions	Agents in Actions, Basel
Agr. and Food Chem.	Journal of Agricultural and Food Chemistry, Washington
Agr. Biol.-Chem. (Tokyo)	Agricultural and Biological Chemistry, Tokyo
Agr. Chem.	Agricultural Chemicals Baltimore
Agrochimica	Agrochimica, Pisa
Agrokem. Talajtan	Agrokémia és Talajtan (Agrochemie und Bodenkunde), Budapest
Agrokhimiya	Agrokhimiya i Gruntoznavslvo (Agricultural Chemistry and Soil Science), Kiew
Agron. J.	Agronomy Journal, United States (seit 1949)
Aiche J. (A.I.Ch.E.)	American Institute of Chemical Engineers Journal, New York
Allg. Öl- u. Fett-Ztg.	Allgemeine Öl- und Fett-Zeitung, Berlin (1943 vereinigt mit Seifensieder-Ztg., Abkürzung nach Periodica Chimica)
Am.	American Chemical Journal, Washington
A.M.A. Arch. Ind. Health	A.M.A. Archives of Industrial Health (seit 1955)
Am. Dyest. Rep.	American Dyestuff Reporter, New York
Amer. ind. Hyg. Assoc. Quart.	American Industrial Hygiene Association Quarterly, Chicago
Amer. J. Physics	American Journal of Physics, New York
Amer. Petroleum Inst. Quart.	American Petroleum Institute Quarterly, New York
Amer. Soc. Testing Mater.	American Society for Testing Materials, Philadelphia, Pa.
Amino-acid, Peptide Prot. Abstr.	Amino-acid, Peptide and Protein Abstracts, London
Am. Inst. Chem. Engrs.	American Institute of Chemical Engineers, New York
Am. J. Pharm.	American Journal of Pharmacy (bis 1936) Philadelphia
Am. J. Physiol.	American Journal of Physiology, Washington
Am. J. Sci.	American Journal of Science, New Haven, Conn.
Am. Perfumer	Americ. Perfumer and Essential Oil Reviews (1936–1939: American Perfumer, Cosmetics, Toilet Preparations)
Am Soc.	Journal of the American Chemical Society, Washington
Anal. Abstr.	Analytical Abstracts, Cambridge (seit 1954)
Anal. Biochem.	Analytical Biochemistry, New York
Anal. Chem.	Analytical Chemistry (seit 1947), Washington
Anal. chim. Acta	Analytica Chimica Acta, Amsterdam
Anales Real Soc. Espan. Fis. Quim. (Madrid)	Anales de la Real Sociedad Española de Fisica y Química, Madrid (seit 1936)
Analyst	The Analyst, Cambridge
An. Asoc. quím. arg.	Anales de la Asociación Química Argentina, Buenos Aires
An. Farm. Bioquím. Buenos Aires	Anales de Farmacia y Bioquímica, Buenos Aires
An. Fis.	Anales de la Real Sociedad Española de Fisica y Química, Serie A, Madrid
Ang. Ch.	Angewandte Chemie (bis 1931: Zeitschrift für angewandte Chemie); engl.: Angew. Chem. Intern. Ed. Engl. Angewandte Chemie Internationale Edition in Englisch (seit 1962), Weinheim, New York, London
Angew. Makromol. Chem.	Angewandte Makromolekulare Chemie, Basel
Anilinfarben-Ind.	Анилинокрасочная Промышленность (Anilinfarben-Industrie), Moskau
Ann. Acad. Sci. fenn.	Annales Academiae Scientiarum Fennicae, Helsinki
Ann. Chim. anal.	Annales de Chimie Analytique (1942–1946), Paris
Ann. Chim. anal. appl.	Annales de Chimie Analytique et de Chimie Appliquée (bis 1941), Paris

Ann. Chim. applic.	Annali di Chimica Applicata (bis 1950), Rom
Ann. chim. et phys.	Annales de chimie et de physique (bis 1941), Paris
Ann. chim. farm.	Annali di chimica farmaceutica (1938–1940), Rom
Ann. Chimica	Annali di Chimica (seit 1950), Rom
Ann. Fermentat.	Annales des Fermentations, Paris
Ann. Inst. Pasteur	Annales de l'Institut Pasteur, Paris
Ann. Med. Exp. Biol. Fennicae (Helsinki)	Annales Medicinae Experimentalis et Biologiae Fennicae, Helsinki (seit 1947)
Ann. N. Y. Acad. Sci.	Annals of the New York Academy of Sciences, New York
Ann. pharm. Franç.	Annales Pharmaceutiques Françaises (seit 1943), Paris
Ann. Phys. (New York)	Annals of Physics, New York
Ann. Physik	Annalen der Physik (bis 1943 und seit 1947), Leipzig
Ann. Physique	Annales de Physique, Paris
Ann. Rep. Med. Chem.	Annual Reports in Medicinal Chemistry, New York
Ann. Rep. NMR Spectr.	Annual Reports of NMR Spectroscopy, London
Ann. Rep. Org. Synth.	Annual Reports on Organic Synthesis, New York
Ann. Rep. Progr. Chem.	Annual Reports on the Progress of Chemistry, London
Ann. Rev. Biochem.	Annual Review of Biochemistry, Stanford, Calif.
Ann. Rev. Inf. Sci. Techn.	Annual Review of Information Science and Technology, Chicago
Ann. Rev. phys. Chem.	Annual Review of Physical Chemistry, Palo Alto, Calif.
Ann. Soc. scient. Bruxelles	Annales de la Société Scientifique des Bruxelles, Brüssel
Annu. Rep. Progr. Rubber	Annual Report on the Progress of Rubber Technology, London
Annu. Rep. Shionogi Res. Lab. [Osaka]	Annual Reports of Shionogi Research Laboratory [Osaka]
An. Quím.	Anales de la Real Española de Física y Química, Serie B, Madrid
An. Soc. españ. [A] bzw. [B]	Anales de la Real Española de Fisica y Química (1940–1947 Anales de Física y Química). Seit 1948 geteilt in: Serie A-Física. Serie B-Química, Madrid
An. Soc. cient. arg.	Anales de la Sociedad Cientifica Argentina, Santa Fé (Argentinien)
Antibiot. Chemother.	Antibiotics and Chemotherapy, New York
Antibiotiki (Moscow)	Антибиотики, Antibiotiki (Antibiotika), Moskau
Antimicrob. Agents Chemoth.	Antimicrobial Agents and Chemotherapy, Bethesda, Md.
Appl. Microbiol.	Applied Microbiology, Baltimore, Md.
Appl. Physics	Applied Physics, Berlin
Appl. Polymer Symp.	Applied Polymer Symposia, New York
Appl. scient. Res.	Applied Scientific Research, Den Haag
Appl. Sci. Res. Sect. A u. B	Applied Scientific Research, Den Haag A. Mechanics, Heat, Chemical Engineering, Mathematical Methods B. Electrophysics, Acoustics, Optics, Mathematical Methods
Appl. Spectrosc.	Applied Spectroscopy, Chestnut Hill, Mass.
Ar.	Archiv der Pharmazie (und Berichte der Deutschen Pharmazeutischen Gesellschaft), Weinheim/Bergstr.
Arch. Biochem.	Archives of Biochemistry and Biophysics (bis 1951: Archives of Biochemistry), New York
Arch. des Sci.	Archives des Sciences (seit 1948), Genf
Arch. Environ. Health	Archives of Environmental Health, Chicago (seit 1960)
Arch. Intern. Physiol. Biochim.	Archives Internationales de Physiologie et de Biochimie (seit 1955), Liège
Arch. Math. Naturvid.	Archiv for Mathematik og Naturvidenskab, Oslo
Arch. Mikrobiol.	Archiv für Mikrobiologie (bis 1943 und seit 1948), Berlin
Arch. Pharm. Chemi	Archiv for Pharmaci og Chemi, Kopenhagen
Arch. Phytopath. Pflanzensch.	Archiv für Phytopathologie und Pflanzenschutz, Berlin
Arch. Sci. phys. nat.	Archives des Sciences Physiques et Naturelles, Genf (bis 1947)
Arch. techn. Messen	Archiv für Technisches Messen (bis 1943 und seit 1947), München
Arch. Toxicol.	Archiv für Toxikologie, Berlin, Göttingen, Heidelberg (seit 1954)
Arh. Kemiju	Arhiv za Kemiju, Zagreb (Archives de Chimie) (seit 1946)
Ark. Kemi	Arkiv för Kemi, Mineralogie och Geologi, seit 1949 Arkiv för Kemi (Stockholm)
Arm. Khim. Zh.	Армлнский Химический Журнал Armyanskii Khimicheskii Zhurnal (Armenian Chemical Journal) Erewan. UdSSR
Ar. Pth.	(NUUNYN-SCHMIEDEBERGS) Archiv für Experimentelle Pathologie und Pharmakologie, Berlin-W.
Arzneimittel-Forsch.	Arzneimittel-Forschung, Aulendorf/Württ.

ASTM Bull.	ASTM (American Society for Testing Materials) Bulletin, Philadelphia
ASTM Spec. Techn. Publ.	ASTM (American Society for Testing Materials), Technical Publications, New York
Atti Accad. naz. Lincei, Mem., Cl. Sci. fisiche, mat. natur., Sez. I, II bzw. III	Atti della Accademia Nazionale dei Lincei. Memorie. Classe di Scienze Fisiche, Matematiche e Naturali. Sezione I (Matematica, Meccanica, Astronomia, Geodesia e Geofisica). Sezione II (Fisica, Chimica, Geologia, Paleontologia e Mineralogia). Sezione III (Scienze Biologiche) (seit 1946), Turin
Atti Accad. naz. Lincei, Rend., Cl. Sci. fisiche, mat. natur.	Atti della Accademia Nazionale dei Lincei. Rendiconti. Classe di Scienze Fisiche, Matematiche e Naturali (seit 1946), Rom
Aust. J. Biol. Sci.	Australian Journal of Biological Sciences (seit 1953), Melbourne
Austral. J. Chem.	Australian Journal of Chemistry (seit 1952), Melbourne
Austral. J. Sci.	Australian Journal of Science, Sydney
Austral. J. scient. Res., [A] bzw. [B]	Australien Journal of Scientific Research. Series A. Physical Sciences. Series B. Biological Sciences, Melbourne
Austral. P.	Australisches Patent, Canberra
Azerb. Khim. Zh.	Азербайджанский Химический Журнал Azerbaidschanisches Chemisches Journal

B.	Berichte der Deutschen Chemischen Gesellschaft; seit 1947: Chemische Berichte, Weinheim/Bergstr.
Belg. P.	Belgisches Patent, Brüssel
Ber. Bunsenges. Phys. Chem.	Berichte der Bunsengesellschaft, Physikalische Chemie, Heidelberg (bis 1952).
Ber. chem. Ges. Belgrad	Berichte der Chemischen Gesellschaft Belgrad (Glassnik Chemisskog Druschtwa Beograd, seit 1940), Belgrad
Ber. Ges. Kohlentechn.	Berichte der Gesellschaft für Kohlentechnik (Dortmund-Eving)
Biochem.	Biochemistry, Washington
Biochem. biophys. Acta	Biochimica et biophysica Acta, Amsterdam
Biochem. Biophys. Research Commun.	Biochemical and Biophysical Research Communications, New York
Biochem. J. (London)	The Biochemical Journal, London
Biochem. J. (Kiew)	Biochemical Journal, Kiew, Ukraine
Biochem. Med.	Biochemical Medicine, New York
Biochem. Pharmacol.	Biochemical Pharmacology, London
Biochem. Prepar.	Biochemical Preparations, New York
Biochem. Soc. Trans.	Biochemical Society Transactions, London
Biochimiya	Биохимия (Biochimia)
Biodynamica	Biodynamica, Normandy, Mo., USA
Biofizika	Биофизика (Biophysik), Moskau
Biopolymers	Biopolymers, New York
Bios Final Rep.	British Intelligence Objectives Subcommittee, Final Report
Bio. Z.	Biochemische Zeitschrift (bis 1944 und seit 1947)
Bitumen, Teere, Asphalte, Peche	Bitumen, Teere, Asphalte, Peche und verwandte Stoffe, Heidelberg
Bl.	Bulletin de la Société Chimique de France, Paris
Bl. Acad. Belgique	Académie Royale de Belgique: Bulletins de la Classe des Sciences, Brüssel
Bl. Acad. Polon.	Bulletin International de l'Académie Polonaise des Sciences et des Lettres, Classe des Sciences Mathématiques et Naturelles, Krakau
Bl. agric. chem. Soc. Japan	Bulletin of the Agricultural Chemical Society of Japan, Tokio
Bl. am. phys. Soc.	Bulletin of the American Physical Society, Lancaster, Pa.
Bl. chem. Soc. Japan	Bulletin of the Chemical Society of Japan, Tokio
Bl. Soc. chim. Belg.	Bulletin de la Société Chimique de Belgique (bis 1944), Brüssel
Bl. Soc. Chim. biol.	Bulletin de la Société de Chimie Biologique, Paris
Bl. Soc. Chim. ind.	Bulletin de la Société de Chimie Industrielle (bis 1934), Paris
Bl. Trav. Pharm. Bordeaux	Bulletin des Travaux de la Société de Pharmacie de Bordeaux
Bol. inst. quím. univ. nal. auton. Mé.	Boletin del instituto de química de la universidad nacional autonoma de México
Boll. chim. farm.	Bolletino chimico farmaceutico, Mailand
Boll. Lab. Chim. Prov. Bologna	Bolletino dei Laboratori Chimici, Provinciali, Bologna
Bol. Soc. quím. Perú	Boletin de la Sociedad Química del Perú, Lima (Peru)
Botyu Kagaku	Bulletin of the Institute of Insect Control (Kyoto), (Scientific Insect Control)

B. Ph. P.	Beiträge zur Chemischen Physiologie und Pathologie
Brennstoffch.	Brennstoff-Chemie (bis 1943 und seit 1949), Essen
Brit. Chem. Eng.	British Chemical Engineering, London
Brit. J. appl. Physics	British Journal of Applied Physics, London
Brit. J. Cancer	British Journal of Cancer, London
Brit. J. Industr. Med.	British Journal of Industrial Medicine, London
Brit. J. Pharmacol.	British Journal of Pharmacology and Chemotherapy, London
Brit. P.	British Patent, London
Brit. Plastics	British Plastics (seit 1945), London
Brit. Polym. J.	British Polymer Journal, London
Bul. inst. politeh. Jasi	Buletinul institutului politehnic din Jasi (ab 1955 mit Zusatz [NF])
Bul. Laboratorarelor	Buletinul Laboratorarelor, Bukarest
Bull. Acad. Polon. Sci., Ser. Sci. Chim. Geol. Geograph. bzw. Ser. Sci. Chim.	Bulletin de l'Académie Polonaise des Sciences, Serie des Sciences, Chimiques, Geologiques et Géographiques (seit 1960 geteilt in … Serie des Sciences Chimiques und … Serie des Sciences Geologiques et Géographiques), Warschau
Bull. Acad. Sci. URSS, Div. Chem. Sci.	Izwestija Akademii Nauk. SSSR (Bulletin de l'Académie des Sciences de URSS), Moskau, Leningrad (bis 1936)
Bull. Environ. Contamin. Toxicol.	Bulletin of Environmental Contamination and Toxicology, Berlin/New York
Bull. Inst. Chem. Research, Kyoto Univ.	Bulletin of the Institute for Chemical Research, Kyoto University (Kyoto Daigaku Kagaku Kenkyûsho Hôkoku), Takatsoki, Osaka
Bull. Research Council Israel	Bulletin of the Research Council of Israel, Jerusalem
Bull. Research Inst. Food Sci., Kyoto Univ.	Bulletin of the Research Institute for Food Science, Kyoto University (Kyoto Daigaku Shokuryô-Kagaku Kenkyujo Hôkoku), Fukuoka, Japan
Bull. Soc. roy. Sci. Liège	Bulletin de la Société Royale des Sciences de Liège, Brüssel
C.	Chemisches Zentralblatt, Weinheim/Bergstr.
C. A.	Chemical Abstracts, Washington
Canad. chem. Processing	Canadian Chemical Processing, Toronto, Canada
Canad. J. Chem.	Canadian Journal of Chemistry, Ottawa, Canada
Canad. J. Physics	Canadian Journal of Physics, Ottawa, Canada
Canad. J. Res.	Canadian Journal of Research (bis 1950), Ottawa, Canada
Canad. J. Technol.	Canadian Journal of Technology, Ottawa, Canada
Canad. P.	Canadisches Patent
Cancer (Philadelphia)	Cancer (Philadelphia), Philadelphia
Cancer Res.	Cancer Research, Chicago
Can. Chem. Process.	Canadian Chemical Processing, Toronto (seit 1951)
Can. J. Biochem.	Canadian Journal of Biochemistry, Ottawa
Can. J. Biochem. Physiol.	Canadian Journal of Biochemistry and Physiology, Ottawa (seit 1954)
Can. J. Chem. Eng.	Canadian Journal of Chemical Engineering, Ottawa (seit 1957)
Can. J. Microbiol.	Canadian Journal of Microbiology, Ottawa
Can. J. Pharm. Sci.	Canadian Journal of Pharmaceutical Sciences, Toronto
Can. J. Plant. Sci.	Canadian Journal of Plant Science, Ottawa (seit 1957)
Can. J. Soil Sci.	Canadian Journal of Soil Science, Ottawa (seit 1957).
Carbohyd. Chem.	Carbohydrate Chemistry, London
Carbohyd. Chem. Metab. Abstr.	Carbohydrate Chemistry and Metabolism Abstracts, London
Carbohyd. Res.	Carbohydrate Research, Amsterdam
Catalysis Rev.	Catalysis Review, New York
Cereal Chem.	Cereal Chemistry, St. Paul, Minnesota
Česk. Farm.	Čechoslovenska Farmacie, Prag
Ch. Apparatur	Chemische Apparatur (bis 1943), Berlin
Chem. Age India	Chemical Age of India
Chem. Age London	Chemical Age, London
Chem. Age N. Y.	Chemical Age, New York
Chem. Anal.	Organ Komisjii Analitycznej Komitetu Nauk Chemicznych PAN, Warschau
Chem. Brit.	Chemistry in Britain, London
Chem. Commun.	Chemical Communications, London
Chem. Econ. & Eng. Rev.	Chemical Economy and Engineering Review, Tokyo

Chem. Eng.	Chemical Engineering with Chemical and Metallurgical Engineering (seit 1946), New York
Chem. Eng. (London)	Chemical Engineering Journal, London
Chem. eng. News	Chemical and Engineering News (seit 1943) Washington
Chem. Eng. Progr.	Chemical Engineering Progress, Philadelphia, Pa.
Chem. Eng. Progr., Monograph Ser.	Chemical Engineering Progress. Monograph Series, New York
Chem. Eng. Progr., Symposium Ser.	Chemical Engineering Progress. Symposium Series, New York
Chem. eng. Sci.	Chemical Engineering Science, London
Chem. High Polymers (Tokyo)	Chemistry of High Polymers (Tokyo) (Kobunshi Kagaku), Tokio
Chemical Ind. (China)	Chemical Industry [China], Peking
Chemie-Ing.-Techn.	Chemie-Ingenieur-Technik (seit 1949), Weinheim/Bergstr.
Chemie in unserer Zeit	Chemie in unserer Zeit, Weinheim/Bergstr.
Chemie Lab. Betr.	Chemie für Labor und Betrieb, Frankfurt/Main
Chemie Prag	Chemie (Praha), Prag
Chemie und Fortschritt	Chemie und Fortschritt, Frankfurt/Main
Chem. & Ind.	Chemistry & Industry, London
Chem. Industrie	Chemische Industrie, Düsseldorf
Chem. Industries	Chemical Industries, New York
Chem. Inform.	Chemischer Informationsdienst, Leverkusen
Chemist-Analyst	Chemist-Analyst, Philipsburg, New York, New Jersey
Chem. Letters	Chemistry Letters, Tokyo
Chem. Listy	Chemické Listy pro Vědu a Průmysl. Prag (Chemische Blätter für Wissenschaft und Industrie); seit 1951 Chemické Listy, Prag
Chem. met. Eng.	Chemical and Metallurgical Engineering (bis 1946), New York
Chem. N.	Chemical News and Journal of Industrial Science (1921–1932), London
Chemorec. Abstr.	Chemoreception Abstracts, London
Chemosphere	Chemosphere, London
Chem. pharmac. Techniek	Chemische en Pharmaceutische Techniek, Dordrecht
Chem. Pharm. Bull. (Tokyo)	Chemical & Pharmaceutical Bulletin (Toyko)
Chem. Process Engng.	Chemical and Process Engineering, London
Chem. Processing	Chemical Processing, London
Chem. Products chem. News	Chemical Products and the Chemical News, London
Chem. Průmysl	Chemický Průmysl, Prag (Chemische Industrie, seit 1951), Prag
Chem. Rdsch. [Solothurn]	Chemische Rundschau [Solothurn]
Chem. Reviews	Chemical Reviews, Baltimore
Chem. Scripta	Chemical Scripta, Stockholm
Chem. Senses & Flavor	Chemical Senses and Flavor, Dordrecht/Boston
Chem. Soc. Rev.	Chemical Society Reviews, London (formerly Quarterly Reviews)
Chem. Tech. (Leipzig)	Chemische Technik, Leipzig (seit 1949)
Chem. Techn.	Chemische Technik, Berlin
Chem. Technol.	Chemical Technology, Easton/Pa.
Chem. Trade J.	Chemical Trade Journal and Chemical Engineer, London
Chem. Umschau, Gebiete, Fette, Öle, Wachse, Harze (ab 1933: Fettchemische Umschau)	Chemische Umschau auf dem Gebiete der Fette, Öle, Wachse und Harze (bis 1933)
Chem. Week	Chemical Week, New York
Chem. Weekb.	Chemisch Weekblad, Amsterdam
Chem. Zvesti	Chemické Zvesti (tschech.). Chemische Nachrichten, Bratislawa
Chim. anal.	Chimie analytique (seit 1947), Paris
Chim. Anal. (Bukarest)	Chimie Analitica, Bukarest
Chim. Chronika	Chimika Chronika, Athen
Chim. et Ind.	Chimie et Industrie, Paris
Chim. farm. Ž.	Chimiko-farmazevtičeskij Žurnal, Moskau
Chim. geterocikl. Soed.	Химия гетеродиклильнских соединий (Die Chemie der hetero-cyclischen Verbindungen), Riga
Chimia	Chimia, Zürich
Chimica e Ind.	Chimica e L'Industria, Mailand (seit 1935)
Chim. Therap.	Chimica Therapeutica, Arcueil
Ch. Z.	Chemiker-Zeitung, Heidelberg
CIOS Rep.	Combinde Intelligence Objectives Sub-Committee Report
Clin. Chem.	Clinical Chemistry, New York

Clin. Chim. Acta	Clinica Chimica Acta, Amsterdam
Clin. Sci.	Clinical Science, London
Collect. czech. chem. Commun.	Collection of Czechoslovak Chemikal Communications (seit 1951), Prag
Collect. Pap. Fac. Sci., Osaka Univ. [C]	Collect Papers from the Faculty of Science, Osaka University, Osaka, Series C, Chemistry (seit 1943)
Collect. pharmac. suecica	Collectanea Pharmaceutica, Suecica, Stockholm
Collect. Trav. chim. Tchécosl.	Collection des Travaux Chimiques de Tchécoslovaquie (bis 1939) und 1947–1951; 1939: ... Tschèques), Prag
Colloid Chem.	Colloid Chemistry, New York
Comp. Biochem. Physiol.	Comparative Biochemistry and Physiology, London
Coord. Chem. Rev.	Coordination Chemistry Reviews, Amsterdam
C. r.	Comptes Rendus Hebdomadaires des Séances de l'Académie des Sciences, Paris
C. r. Acad. Bulg. Sci.	Доклады Болгарской Академии Наук(Comptes rendus de l'académie bulgare des sciences)
Crit. Rev. Tox.	Critical Reviews in Toxicology, Cleveland/Ohio
Croat. Chem. Acta	Croatica Chemica Acta, Zagreb
Curr. Sci.	Current Science, Bangalore
Dän. P.	Dänisches Patent
Dansk Tidsskr. Farm.	Dansk Tidsskrift for Farmaci, Kopenhagen
DAS.	Deutsche Auslegeschrift = noch nicht erteiltes DBP. (seit 1. 1. 1957). Die Nummer der DAS. und des später darauf erteilten DBP. sind identisch
DBP.	Deutsches Bundespatent (München, nach 1945, ab Nr. 800000)
DDRP.	Patent der Deutschen Demokratischen Republik (vom Ostberliner Patentamt erteilt)
Dechema Monogr.	Dechema Monographien, Weinheim/Bergstr.
Delft Progr. Rep.	Delft Progress Report (A: Chemistry and Physics, Chemical and Physical Engineering), Groningen
Die Nahrung	Die Nahrung (Chemie, Physiologie, Technologie), Berlin
Discuss. Faraday Soc.	Discussions of the Faraday Society, London
Dissertation Abstr.	Dissertation Abstracts Ann Arbor, Michigan
Doklady Akad. SSSR	Доклады Академии Наук СССР (Comptes Rendus de l'Académie des Sciences de l'URSS), Moskau
Dokl. Akad. Nauk Arm. SSR	Доклады Академии Наук Армянской ССР / Doklady Akademii Nauk Armjanskoi SSR (Berichte der Akademie der Wissenschaften der Armenischen SSR), Erewan
Dokl. Akad. Nauk Azerb. SSR	Доклады Академии Наук Азербайджанской ССР/ Doklady Akademii Nauk Azerbaidshanskoi SSR (Berichte der Akademie der Wissenschaften der Azerbaidschanischen SSR), Baku
Dokl. Akad. Nauk Beloruss. SSR	Д. А. Н. Белорусской ССР/ Doklady Akademii Nauk Belorusskoi SSR (Berichte der Akademie der Wissenschaften der Belorussischen SSR), Minsk
Dokl. Akad. Nauk SSSR	Д. А. Н. Советской ССR / Doklady Akademii Nauk Sowjetskoi SSR (Berichte der Akademie der Wissenschaften der Vereinigten SSR), Moskau
Dokl. Akad. Nauk Tadzh. SSR	Д. А. Н. Таджикской ССР / Doklady Akademii Nauk Tadshikskoi SSR (Berichte der Akademie der Wissenschaften der Tadshikischen SSR)
Dokl. Akad. Nauk Uzb. SSR	Д. А. Н. Узбекской ССР / Doklady Akademii Nauk Uzbekskoi SSR (Berichte der Akademie der Wissenschaften der Uzbekischen SSR), Taschkent
Dokl. Bolg. Akad. Nauk	Доклады Болгарской Академии Наук / Doklady Bolgarskoi Akademii Nauk (Berichte der Bulgarischen Akademie der Wissenschaften), Sofia
Dopov. Akad. Nauk Ukr. RSR, Ser. A u. B	Доповиди Академии Наук Украинской РСР / Dopowidi Akademii Nauk Ukrainskoi RSR (Berichte der Akademie der Wissenschaften der Ukrainischen SSR), Kiew Serie A und B
DOS	Deutsche Offenlegungsschrift (ungeprüft)
DRP.	Deutsches Reichspatent (bis 1945)
Drug Cosmet. Ind.	Drug and Cosmetic Industry, New York

Dtsch. Apoth. Ztg.	Deutsche Apotheker-Zeitung (1934–1945), seit 1950: vereinigt mit Süddeutsche Apotheker-Zeitung, Stuttgart
Dtsch. Farben-Z.	Deutsche Farben-Zeitschrift (seit 1951), Stuttgart
Dtsch. Lebensmittel-Rdsch.	Deutsche Lebensmittel-Rundschau, Stuttgart
Dyer Textile Printer	Dyer, Textile Printer, Bleacher and Finisher (seit 1934; bis 1934: Dyer and Calico Printer, Bleacher, Finisher and Textile Review), London
Electroanal. Chemistry	Electroanalytical Chemistry, New York
Endeavour	Endeavour, London
Endocrinology	Endocrinology, Boston, Mass.
Endokrinologie	Endokrinologie, Leipzig (1943–1949 unterbrochen)
Environ. Sci. Technol.	Environmental Science and Technology, England
Enzymol.	Enzymologia (Holland), Den Haag
Erdöl, Kohle	Erdöl und Kohle (seit 1948), Hamburg
Erdöl, Kohle, Erdgas, Petrochem.	Erdöl und Kohle – Erdgas – Petrochemie, Hamburg, (seit 1960)
Ergebn. Enzymf.	Ergebnisse der Enzymforschung, Leipzig
Ergebn. exakt. Naturwiss.	Ergebnisse der exakten Naturwissenschaften, Berlin
Ergebn. Physiol.	Ergebnisse der Physiologie, Biologischen Chemie und Experimentellen Pharmakologie, Berlin
Europ. J. Biochem.	European Journal of Biochemistry, Berlin, New York
Eur. Polym. J.	European Polymer Journal, Amsterdam
Experientia	Experientia (Basel)
Experientia, Suppl.	Experientia, Supplementum, Basel
Farbe Lack	Farbe und Lack (bis 1943 und seit 1947), Hannover
Farmac. Glasnik	Farmaceutski Glasnik, Zagreb (Pharmazeutische Berichte)
Farmacia (Bucharest)	Farmacia (Bucuresti), Bukarest
Farmaco. Ed. Prat.	Farmaco Edizione Pratica, Pavia
Farmaco (Pavia), Ed. sci.	Il Farmaco (Pavia), Edizione scientifica
Farmac. Revy	Farmacevtisk Revy, Stockholm
Farmakol. Toksikol. (Moscow)	Фармакология и Токсикология (Farmakologija i Tokssikologija) Pharmakologie und Toxikologie, Moskau
Farmatsiya (Moscow)	Farmatsiya (Фармация), Moskau
Farm. sci. e tec. (Pavia)	Il Farmaco, scienza e tecnica (bis 1952), Pavia
Farm. Zh. (Kiev)	Фармацевтичний Журнал (Київ), Farmazewtischni Žurnal (Kiew) (Pharmazeutisches Journal, Kiew)
Faserforsch. u. Textiltechn.	Faserforschung und Textiltechnik, Berlin
FEBS Letters	Federation od European Biochemical Societies, Amsterdam
Federation Proc.	Federation Proceedings, Washington, D.C.
Fette, Seifen, Anstrichmittel	Fette, Seifen, Anstrichmittel (verbunden mit „Die Ernährungsindustrie") (früher häufige Änderung des Titels), Hamburg
FIAT Final Rep.	Field Information Agency, Technical, United States Group Control Council for Germany, Final Report
Fibre Chem.	Fibre Chemistry, London
Fibre Sci. Techn.	Fibre Science and Technology, Barking/Essex
Finn. P.	Finnisches Patent
Finska Kemistsamf. Medd.	Finska Kemistsamfundets Meddelanden (Suomen Kemistiseuran Tiedonantoja), Helsingfors
Fiziol. Zh. (Kiev)	Физиологичний Журнал (Київ) Fisiologitschnii Žurnal (Kiew) (Physiologisches Journal (Kiew)
Fiziol. Zh. SSSR im. I. M. Sechenova	Физиологический Журнал СССР имени И. М. Сеченова, (Fisiologitschesskii Žurnal SSSR imeni I. M. Setschenowa, Setschenow Journal für Physiologie der UdSSR, Moskau
Fluorine Chem. Rev.	Fluorine Chemistry Reviews, New York
Food	Food, London
Food Engng.	Food Engineering (seit 1951), New York
Food Manuf.	Food Manufacture (seit 1939 Food Manufacture, Incorporating Food Industries Weekly), London
Food Packer	Food Packer (seit 1944), Chicago
Food Res.	Food Research, Champaign, Ill.
Formosan Sci.	Formosan Science, Taipeh
Fortschr. chem. Forsch.	Fortschritte der Chemischen Forschung, New York, Berlin

Fortschr. Ch. org. Naturst.	Fortschritte der Chemie Organischer Naturstoffe, Wien
Fortschr. Hochpolymeren-Forsch.	Fortschritte der Hochpolymeren-Forschung, Berlin
Frdl.	Fortschritte der Teerfarbenfabrikation und verwandter Industriezweige. Begonnen von P. Friedländer, fortgeführt von H. E. Fierz-David, Berlin
Fres.	Zeitschrift für Analytische Chemie (von C. R. Fresenius), Berlin
Fr. P.	Französisches Patent
Fr. Pharm.	France-Pharmacie, Paris
Fuel	Fuel in Science and Practice; ab 1948: Fuel, London
G.	Gazzetta Chimica Italiana, Rom
Gas Chromat.-Mass.-Spectr. Abstr.	Gas Chromatography – Mass-Spectrometry Abstracts, London
Gazow. Prom.	Газовая Промышленность, Gasowaja Promyschlenost (Gas-Industrie), Moskau
Génie chim.	Génie chimique, Paris
Gidroliz. Lesokhim. Prom.	Гидролизная и Лесохимическая Промышленность / Gidrolisnaja i Lessochimitscheskaja Promyschlennost (Hydrolysen- und Holzchemische Industrie), Moskau
Gmelin	Gmelin Handbuch der anorganischen Chemie, Verlag Chemie, Weinheim
Helv.	Helvetica Chimica Acta, Basel
Helv. phys. Acta	Helvetica Physica Acta, Basel
Helv. Phys. Acta Suppl.	Helvetica Physica Acta, Supplementum, Basel
Helv. physiol. pharmacol. Acta	Helvetica Physiologica et Pharmacologica Acta, Basel
Henkel-Ref.	Henkel-Referate, Düsseldorf
Heteroc. Sendai	Heterocycles Sendai
Histochemie	Histochemie, Berlin, Göttingen, Heidelberg
Holl. P.	Holländisches Patent
Hoppe-Seyler	Hoppe-Seylers Zeitschrift für Physiologische Chemie, Berlin
Hormone Metabolic Res.	Hormone and Metabolic Research, Stuttgart
Hua Hsueh	Hua Hsueh, Peking
Hung. P.	Ungarisches Patent
Hydrocarbon. Proc.	Hydrocarbon Processing, England
Immunochemistry	Immunochemistry, London
Ind. Chemist	Industrial Chemist and Chemical Manufactorer, London
Ind. chim. belge	Industrie Chimique Belge, Brüssel
Ind. chimique	L'Industrie Chimique, Paris
Ind. Corps gras	Industries des Corps Gras, Paris
Ind. eng. Chem.	Industrial and Engineering Chemistry, Industrial Edition, seit 1948: Industrial and Engineering Chemistry, Washington
Ind. eng. Chem. Anal.	Industrial and Engineering Chemistry, Analytical Edition (bis 1946), Washington
Ind. eng. Chem. News	Industrial and Engineering Chemistry. News Ediion (bis 1939), Washington
Indian Forest Rec., Chem.	Indian Forest Records. Chemistry, Delhi
Indian J. Appl Chem.	Indian Journal of Applied Chemistry (seit 1958), Calcutta
Indian J. Biochem.	Indian Journal of Biochemistry, Neu Delhi
Indian J. Chem.	Indian Journal of Chemistry
Indian J. Physics	Indian Journal of Physics and Proceedings of the Indian Association for the Cultivation of Science, Calcutta
Ind. P.	Indisches Patent
Ind. Plast. mod.	Industrie des Plastiques Modernes (seit 1949; bis 1948: Industrie des Plastiques), Paris
Inform. Quim. Anal.	Informacion de Quimica Analitica, Madrid
Inorg. Chem.	Inorganic Chemistry
Inorg. Synth.	Inorganic Syntheses, New York
Insect Biochem.	Insect Biochemistry, Bristol
Interchem. Rev.	Interchemical Reviews, New York

Intern. J. Appl. Radiation Isotopes	International Journal of Applied Radiation and Isotopes, New York
Int. J. Cancer	International Journal of Cancer, Helsinki
Int. J. Chem. Kinetics	International Journal of Chemical Kinetics, New York
Int. J. Peptide, Prot. Res.	International Journal of Peptide and Protein Research, Copenhagen
Int. J. Polymeric Mat.	International Journal of Polymeric Materials, New York/London
Int. J. Sulfur Chem.	International Journal of Sulfur Chemistry, London/New York
Int. Petr. Abstr.	International Petroleum Abstracts, London
Int. Pharm. Abstr.	International Pharmaceutical Abstracts, Washington
Int. Polymer Sci. & Techn.	International Polymer Science and Technology, Boston Spa, Wetherby, Yorks.
Intra-Sci. Chem. Rep.	Intra-Science Chemistry Reports, Santa Monica/Calif.
Int. Sugar J.	International Sugar Journal, London
Int. Z. Vitaminforsch.	Internationale Zeitschrift für Vitaminforschung, Bern
Inzyn. Chem.	Inzynioria Chemíc&inza, Warschau
Ion	Ion (Madrid)
Iowa Coll. J.	Iowa State College Journal of Science, Ames, Iowa
Iowa State J. Sci.	Iowa State Journal of Science, Ames, Iowa (seit 1959)
Israel J. Chem.	Israel Journal of Chemistry, Tel Aviv
Ital. P.	Italienisches Patent
Izv. Akad. Azerb. SSR, Ser. Fiz.-Tekh. Mat. Nauk	Известия Академии Наук Азербайджанской ССР, Серия Физико-Технических и Химических Наук Izvestija Akademii Nauk Azerbaidschanskoi SSR, Sserija Fisiko-Technitscheskichi Chimitscheskich Nauk (Nachrichten der Akademie der Wissenschaften der Azerbaidschanischen SSR, Serie Physikalisch-Technische und Chemische Wissenschaften), Baku
Izv. Akad. SSR	Известия Академии Наук Армянской ССР, Химические Науки (Bulletin of the Academy of Science of the Armenian SSR), Erevan
Izv. Akad. SSSR	Известия Академии Наук СССР, Серия Химическая (Bulletin de l'Académie des Sciences de l'URSS, Classe des Sciences Chimiques, Moskau, Leningrad
Izv. Sibirsk. Otd. Akad. Nauk SSSR	Известия Сибирского Отделения Академии Наук СССР, Серия химических Наук, Izvesstija Ssibirskowo Otdelenija Akademii Nauk SSSR, Sserija Chimetscheskich Nauk (Bulletin of the Sibirian Branch of the Academy of Sciences of the USSR), Nowosibirsk
Izv. Vyssh. Ucheb, Zaved., Neft. Gaz	Известия Высших Учебных Заведений (Баку), Нефть и Газ /Izvestija Wysschych Utschebnych Sawedjeni (Bakụ), Neft i Gas (Hochschulnachrichten [Baku], Erdöl und Gas), Baku
Izv. Vyss. Uch. Zav., Chim. i chim. Techn.	Известия Высших Учебных заведений [Иваново], Химия и химическая технология (Bulletin of the Institution of Higher Education, Chemistry and Chemical Technology), Swerdlowsk
J. Agr. Food Chem.	Journal of Agricultural and Food Chemistry, Washington
J. agric. chem. Soc. Japan	Journal of the agricultural Chemical Society of Japan. Abstracts (seit 1935) (Nippon Nogeikagaku Kaishi), Tokyo
J. agric. Sci.	Journal of Agricultural Science, Cambridge
J. Am. Leather Chemist's Assoc.	Journal of the American Leather Chemist's Association, Cincinnati (Ohio)
J. Am. Oil Chemist's Soc.	Journal of the American Oil Chemist's Society, Chicago
J. Am. Pharm. Assoc.	Journal of the American Pharmaceutical Association, seit 1940 Practical Edition und Scientific Edition; Practical Edition seit 1961 J. Am. Pharm. Assoc.; Scientific Edition seit 1961 J. Pharm. Sci., Easton, Pa.
J. Anal. Chem. USSR	Журнал Аналитической химии / Shurnal Analititscheskoi Chimii (Journal für Analytische Chemie), Moskau
J. Antibiotics (Japan)	Journal of Antibiotics (Japan)
Japan Analyst	Japan Analyst (Bunseki Kagaku)
Jap. A. S.	Japanische Patent-Auslegeschrift
Jap. Chem. Quart.	Japan Chemical Quarterly, Tokyo
Jap. J. Appl. Phys.	Japanese Journal of Applied Physics, Tokyo
Jap. P.	Japanisches Patent
Jap. Pest. Inform.	Japan Pesticide Information, Tokyo
Jap. Plast. Age	Japan Plastic Age, Tokyo

J. appl. Chem.	Journal of Applied Chemistry, London
J. appl. Elektroch.	Journal of Applied Elektrochemistry, London
J. appl. Physics	Journal of Applied Physics, New York
J. Appl. Physiol.	Journal of Applied Physiology, Washington, D.C.
J. Appl. Polymer Sci.	Journal of Applied Polymer Science, New York
-Jap. Text. News	Japan Textile News, Osaka
J. Assoc. Agric. Chemists	Journal of the Association of Official Agricultural Chemists, Washinton, D.C.
J. Bacteriol.	Journal of Bacteriology, Baltimore, Md.
J. Biochem. (Tokyo)	Journal of Biochemistry, Japan, Tokyo
J. Biol. Chem.	Journal of Biological Chemistry, Baltimore
J. Catalysis	Journal of Catalysis, London, New York
J. Cellular compar. Physiol.	Journal of Cellular and Comparative Physiology, Philadelphia, Pa.
J. Chem. Educ.	Journal of Chemical Education, Easton, Pa.
J. chem. Eng. China	Journal of Chemical Engineering, China, Omei/Szechuan
J. Chem. Eng. Data	Journal of Chemical and Engineering Data, Washington
J. Chem. Eng. Japan	Journal of Chemical Engineering of Japan, Tokyo
J. Chem. Physics	Journal of Chemical Physics, New York
J. chem. Soc. Japan	Journal of the Chemical Society of Japan (bis 1948; Nippon Kwagaku Kwaishi), Tokyo
J. chem. Soc. Japan, ind.	Journal of the Chemical Society of Japan, Industrial Chemistry Section (seit 1948; Kogyo Kagaku Zasshi), Tokyo
J. chem. Soc. Japan, pure Chem. Sect.	Journal of the Chemical Society of Japan, Pure Chemistry Section (seit 1948; Nippon Kagaku Zasshi)
J. Chem. U. A. R.	Journal of Chemistry of the U. A. R., Kairo
J. Chim. physique Physico-Chim. biol.	Journal de Chimie Physique et de Physico-Chimie Biologique (seit 1939)
J. chin. chem. Soc.	Journal of the Chinese Chemical Society
J. Chromatog.	Journal of Chromatography, Amsterdam
J. Clin. Endocrinol. Metab.	Journal of Clinical Endocrinology and Metabolism, Springfield, Ill. (seit 1952)
J. Colloid Sci.	Journal of Colloid Science, New York
J. Colloid Interface Sci.	Journal of Colloid and Interface Science
J. Color Appear.	Journal of Color and Appearance, New York
J. Dairy Sci.	Journal of Dairy Science, Columbus, Ohio
J. Elast. & Plast.	Journal of Elastomers and Plastics, Westport, Conn.
J. electroch. Assoc. Japan	Journal of the Electrochemical Association of Japan (Denkikwagaku Kyookwai-shi), Tokio
J. Electrochem. Soc.	Journal of the Electrochemical Society (seit 1948), New York
J. Endocrinol.	Journal of Endocrinology, London
J. Fac. Sci. Univ. Tokyo	Journal of the Faculty of Science, Imperial University of Tokyo
J. Fluorine Chem.	Journal of Fluorine Chemistry, Lausanne
J. Food Sci.	Journal of Food Science, Champaign, Ill.
J. Gen. Appl. Microbiol.	Journal of General and Applied Microbiology, Tokio
J. Gen. Appl. Microbiol., Suppl.	Journal of General and Applied Microbiology, Supplement, Tokio
J. Gen. Microbiol.	Journal of General Microbiology, London
J. Gen. Physiol.	Journal of General Physiology, Baltimore, Md.
J. Heterocyclic Chem.	Journal of Heterocyclic Chemistry, Albuquerque (New Mexico)
J. Histochem. Cytochem.	Journal of Histochemistry and Cytochemistry, Baltimore, Md.
J. Imp. Coll. Chem. Eng. Soc.	Journal of the Imperial Chemical College, Engineering Society
J. Ind. Eng. Chem.	The Journal of Industrial and Engineering Chemistry (bis 1923)
J. Ind. Hyg.	Journal of Industrial Hygiene and Toxicology (1936–1949), Baltimore, Md.
J. indian chem. Soc.	Journal of the Indian Chemical Society (seit 1928), Calcutta
J. indian chem. Soc. News	Journal of the Indian Chemical Society; Industrial and News Edition (1940–1947), Calcutta
J. indian Inst. Sci.	Journal of the Indian Institute of Science, bis 1951 Section A und Section B, Bangalore
J. Inorg. & Nuclear Chem.	Journal of Inorganic & Nuclear Chemistry, Oxford
J. Inst. Fuel	Journal of the Institute of Fuel, London
J. Inst. Petr.	Journal of the Institute of Petroleum, London
J. Inst. Polytech. Osaka City Univ.	Journal of the Institute of Polytechnics, Osaka City University

J. Jap. Chem.	Journal of Japanese Chemistry (Kagaku-no Ryoihi), Tokio
J. Label. Compounds	Journal of Labelled Compounds, Brüssel
J. Lipid Res.	Journal of Lipid Research, Memphis, Tenn.
J. Macromol. Sci.	Journal of Macromolecular Science, New York
J. makromol. Ch.	Journal für makromolekulare Chemie (1943–1945)
J. Math. Physics	Journal of Mathematics and Physics
J. Med. Chem.	Journal of Medicinal Chemistry, New York
J. Med. Pharm. Chem.	Journal of Medicinal and Pharmaceutical Chemistry, New York
J. Mol. Biol.	Journal of Molecular Biology, New York
J. Mol. Spectr.	Journal of Molecular Spectroscopy, New York
J. Mol. Structure	Journal of Molecular Structure, Amsterdam
J. Nat. Cancer Inst.	Journal of the National Cancer Institute, Washington, D.C.
J. New Zealand Inst. Chem.	Journal of the New Zealand Institute of Chemistry, Wellington
J. Nippon Oil Technologists Soc.	Journal of the Nippon Oil Technologists Society (Nippon Yushi Gijitsu Kyo Laishi), Tokio
J. Oil Colour Chemist's Assoc.	Journal of the Oil and Colour Chemist's Association, London
J. Org. Chem.	Journal of Organic Chemistry, Baltimore, Md.
J. Organometal. Chem.	Journal of Organometallic Chemistry, Amsterdam
J. Petr. Technol.	Journal of Petroleum Technology (seit 1949), New York
J. Pharmacok. & Biopharmac.	Journal of Pharmacokinetics and Biopharmaceutics, New York
J. Pharmacol.	Journal of Pharmacologie, Paris
J. Pharmacol. exp. Therap.	Journal of Pharmacology and Experimental Therapeutics, Baltimore, Md.
J. Pharm. Belg.	Journal de Pharmacie de Belgique, Brüssel
J. Pharm. Chim.	Journal de Pharmacie et de Chemie, Paris (bis 1943)
J. Pharm. Pharmacol.	Journal of Pharmacy and Pharmacology, London
J. Pharm. Sci.	Journal of Pharmaceutical Sciences, Washington
J. pharm. Soc. Japan	Journal of the Pharmaceutical Society of Japan (Yakugakuzasshi), Tokio
J. phys. Chem.	Journal of Physical Chemistry, Baltimore
J. Phys. Chem. Data	Journal of Physical and Chemical Data, Washington
J. Phys. Colloid Chem.	Journal of Physical and Colloid Chemistry, Baltimore, Md.
J. Phys. (Paris), Colloq.	Journal de Physique (Paris), Colloque, Paris
J. Physiol. (London)	Journal of Physiology, London
J. phys. Soc. Japan	Journal of the Physical Society of Japan, Tokio
J. Phys. Soc. Japan, Suppl.	Journal of the Physical Society of Japan, Supplement, Tokio
J. Polymer Sci.	Journal of Polymer Science, New York
J. pr.	Journal für Praktische Chemie, Leipzig
J. Pr. Inst. Chemists India	Journal and Proceedings of the Institution of Chemists, India, Calcutta
J. Pr. Roy. Soc. N. S. Wales	Journal and Proceedings of the Royal Society of New South Wales, Sidney
J. Radioakt. Elektronik	Jahrbuch der Radioaktivität und Elektronik, 1924–1945 vereinigt mit Physikalische Zeitschrift
J. Rech. Centre nat. Rech. sci.	Journal des Recherches du Centre de la Recherche Scientifique, Paris
J. Res. Bur. Stand.	Journal of Research of the National Bureau of Standards, Washington, D.C.
J.S. African Chem. Inst.	Journal of the South African Chemical Institute, Johannesburg
J. Scient. Instruments	Journal of Scientific Instruments (bis 1947 und seit 1950), London
J. scient. Res. Inst. Tokyo	Journal of the Scientific Research Institute, Tokyo
J. Sci. Food Agric.	Journal of the Science of Food and Agriculture, London
J. sci. Ind. Research (India)	Journal of Scientific and Industrial Research (India), New Delhi
J. Soc. chem. Ind.	Journal of the Society of Chemical Industry (bis 1922 und seit 1947), London
J. Soc. chem. Ind., Chem. and Ind.	Journal of the Society of Chemical Industry, Chemistry and Industry (1923–1936), London
J. Soc. chem. Ind. Japan Spl.	Journal of the Society of Chemical Industry, Japan. Supplemental Binding (Kogyo Kwagaku Zasshi, bis 1943), Tokio
J. Soc. Cosmetic Chemists	Journal of the Society of Cosmetic Chemists, London
J. Soc. Dyers Col.	Journal of the Society of Dyers and Colourists, Bradford/Yorkshire, England
J. Soc. Leather Trades' Chemists	Journal of the Society of Leather Trades' Chemists, Croydon, Surrey, England
J. Soc. West. Australia	Journal of the Royal Society of Western Australia, Perth

J. Soil Sci.	Journal of Soil Science, London
J. Taiwan Pharm. Assoc.	Journal of the Taiwan Pharmaceutical Association, Taiwan
J. Univ. Bombay	Journal of the University of Bombay, Bombay
J. Virol.	Journal of Virology (Kyoto), Kyoto
J. Vitaminol.	Journal of Vitaminology (Kyoto)
J. Washington Acad.	Journal of the Washington Academy of Sciences, Washington

Kauch. Rezina	Каучук и Резина / Kautschuk i Rezina (Kautschuk und Gummi), Moskau
Kaut. Gummi, Kunstst.	Kautschuk, Gummi und Kunststoffe, Berlin
Kautschuk u. Gummi	Kautschuk und Gummi, Berlin (Zusatz WT für den Teil: Wissenschaft und Technik)
Kgl. norske Vidensk Selsk., Skr.	Kgl. Norske Videnskabers Selskab. Skrifter
Khim. Ind. (Sofia)	Химия и Индустрия (София), Chimija i Industrija (Sofia), (Chemie und Industrie (Sofia))
Khim. Nauka i Prom.	Химическая Наука и Промышленность, Chimitscheskaja Nauka i Promyschlennost (Chemical Science and Industry)
Khim. Prom. (Moscow)	Химическая Промышленность, Chimitscheskaja Promyschlennost (Chemische Industrie), Moskau (seit 1944)
Khim. Volokna	Химические Волокна, Chimitscheskije Wolokna (Chemiefasern), Moskau
Kinetika i Kataliz	Кинетика и Катализ(Kinetik und Katalyse), Moskau
Kirk-Othmer	Kirk-Othmer, Encyclopedia of Chemical Technology, Interscience Publ. Co., New York, London, Sidney
Klin. Wochenschr.	Klinische Wochenschrift, Berlin, Göttingen, Heidelberg
Koks. Khim.	Кокс и Химия, Koks i Chimija (Koks und Chemie), Moskau
Koll. Beih.	Kolloid-Beihefte (Ergänzungshefte zur Kolloid-Zeitschrift, 1931–1943), Dreśden, Leipzig
Kolloidchem. Beih.	Kolloidchemische Beihefte (bis 1931), Dresden u. Leipzig
Kolloid-Z.	Kolloid-Zeitschrift, seit 1943 vereinigt mit Kolloid-Beiheften
Koll. Žurnal	Коллоидный Журнал, Kolloidnyi Žurnal (Colloid-Journal), Moscow
Koninkl. Nederl. Akad. Wetensch.	Koninklijke Nederlandse Akademie van Wetenschappen
Kontakte	Kontakte, Firmenschrift Merck AG, Darmstadt
Kungl. svenska Vetenskaps-akad. Handl.	Kungliga Svenska Vetenskasakademiens Handlingar, Stockholm
Kunststoffe	Kunststoffe, München
Kunststoffe, Plastics	Kunststoffe, Plastics, Solothurn

Labo	Labo, Darmstadt
Labor. Delo	Лабораторное Дело, Laboratornoje Djelo (Laboratoriumswesen), Moskau
Lab. Invest.	Laboratory Investigation, New York
Lab. Practice	Laboratory Practice
Lack- u. Farben-Chem.	Lack- und Farben-Chemie (Däniken)/Schweiz
Lancet	Lancet, London
Landolt-Börnst.	LANDOLT-BÖRNSTEIN-ROTH-SCHEEL: Physikalisch-Chemische Tabellen, 6. Auflage
Lebensm.-Wiss. Techn.	Lebensmittel-Wissenschaften und Technologie, Zürich
Life Sci.	Life Sciences, Oxford
Lipids	Lipids, Chicago
Listy Cukrov.	Listy Cukrovarnické (Blätter für Zuckerraffinerie), Prag

M.	Monatshefte für Chemie, Wien
Macromolecules	Macromolecules, Easton
Macromol. Rev.	Macromolecular Reviews, Amsterdam
Magyar chem. Folyóirat	Magyar Chemiai Folyóirat, seit 1949: Magyar Kemiai Folyóirat (Ungarische Zeitschrift für Chemie), Budapest
Magyar kem. Lapja	Magyar kemikusok Lapja (Zeitschrift des Vereins Ungarischer Chemiker), Budapest

Makromol. Ch.	Makromolekulare Chemie, Heidelberg
Manuf. Chemist	Manufacturing Chemist and Pharmaceutical and Fine Chemical Trade Journal, London
Materie plast.	Materie Plastiche, Milano
Mat. grasses	Les Matières Grasses. – Le Pétrole et ses Dérivés ‚Paris
Med. Ch. I. G.	Medizin und Chemie. Abhandlungen aus den Medizinisch-chemischen Forschungsstätten der I. G. Farbenindustrie AG. (bis 1942), Leverkusen
Meded. vlaamse chem. Veren.	Mededelingen van de Vlaamse Chemische Vereniging, Antwerpen
Melliand Textilber.	Melliand Textilberichte, Heidelberg
Mém. Acad. Inst. France	Mémoires de l'Académie des Sciences de France, Paris
Mem. Coll. Sci. Kyoto	Memoirs of the College of Science, Kyoto Imperial University, Tokio
Mem. Inst. Sci. and Ind. Research, Osaka Univ.	Memoirs of the Institute of Scientific and Industrial Research, Osaka University, Osaka
Mém. Poudre	Mémorial des Poudres (bis 1939 und seit 1948), Paris
Mém. Services chim.	Mémorial des Services Chimiques de l'État, Paris
Mercks Jber.	E. MERCKS Jahresbericht über Neuerungen auf den Gebieten der Pharmakotherapie und Pharmazie, Weinheim
Metab., Clin. Exp.	Metabolism. Clinical and Experimental, New York
Methods Biochem. Anal.	Methods of Biochemical Analysis, New York
Microchem. J.	Microchemical Journal, New York
Microfilm Abst.	Microfilm Abstracts, Ann Arbor (Michigan)
Mikrobiol. Ž. (Kiev)	Микробиологичний Журнал (Киёв) /Mikrobiologitschnii Shurnal (Kiew) (Mikrobiologisches Journal), Kiew
Mikrobiologiya	Микробиология / Mikrobiologija (Mikrobiologie), Moskau
Mikrochemie	Mikrochemie, Wien (bis 1938)
Mikrochem. verein. Mikrochim. Acta	Mikrochemie vereinigt mit Mikrochimica Acta (seit 1938), Wien
Mikrochim. Acta (bis 1938)	Mikrochimica Acta (Wien)
Mikrochim. Acta, Suppl.	Mikrochimica Acta, Supplement, Wien
Mitt. Gebiete, Lebensm. Hyg.	Mitteilungen aus dem Gebiete der Lebensmitteluntersuchung und Hygiene, Bern
Mod. Plastics	Modern Plastics (seit 1934), New York
Mod. Trends Toxic.	Modern Trends in Toxicology, London
Mol. Biol.	Молекулярная Биология Molekulyarnaja Biologija, (Molekular-Biologie), Moskau
Mol. Cryst.	Molecular Crystals, England
Mol. Pharmacol.	Molecular Pharmacology, New York, London
Mol. Photochem.	Molecular Photochemistry, New York
Mol. Phys.	Molecular Physics, London
Monatsh. Chem.	Monatshefte Chemie und verwandte Teile anderer Wissenschaften, Leipzig
Nahrung	Nahrung (Chemie, Physiologie, Technologie), Berlin
Nat. Bur. Standards (U.S.), Ann. Rept. Circ.	National Bureau of Standards (U.S.), Annual Report, Circular, Washington
Nat. Bur. Standards (U.S.), Techn. News Bull.	National Bureau of Standards (U.S.), Technical News Bulletin, Washington
Nation. Petr. News	National Petroleum News, Cleveland/Ohio
Natl. Nuclear Energy Ser., Div. I–IX	National Nuclear Energy Series, Division I–IX, New York
Nature	Nature, London
Naturf. Med. Dtschl. 1939–1946	Naturforschung und Medizin in Deutschland 1939–1946 (für Deutschland bestimmte des FIAT-Review of German Science), Wiesbaden
Naturwiss.	Naturwissenschaften, Berlin, Göttingen
Natuurw. Tijdschr.	Natuurwetenschappelijk Tijdschrift, Vennoofschap
Neftechimiya	Нефтехимия (Petroleum Chemistry)
Neftepererab. Neftekhim. (Moscow)	Нефтепереработка и Нефтехимия (Москва) / Neftepererabotka i Neftechimija, Moskau (Erdölverarbeitung und Erdölchemie)
New Zealand J. Agr. Res.	New Zealand Journal of Agricultural Research, Wellington, N. Z.
Niederl. P.	Niederländisches Patent
Nippon Gomu Kyokaishi	Journal of the Society of Rubber Industry of Japan, Tokio
Nippon Nogei Kagaku Kaishi	Journal of the Agricultural Chemical Society of Japan, Tokio

Nitrocell.	Nitrocellulose (bis 1943 und seit 1952), Berlin
Norske Vid. Selsk. Forh.	Kongelige Norske Videnskabers Selskab. Forhandlinger, Trondheim
Norw. P.	Norwegisches Patent
Nuclear Magn. Res. Spectr. Abstr.	Nuclear Magnetic Resonance Spectroscopy Abstracts, London
Nuclear Sci. Abstr. Oak Ridge	U.S. Atomic Energy Commission, Nuclear Science Abstracts, Oak Ridge
Nucleic Acids Abstr.	Nucleic Acids Abstracts, London
Nuovo Cimento	Nuovo Cimento, Bologna
Öl, Kohle	Öl und Kohle (bis 1934 und 1941–1945): in Gemeinschaft mit Brennstoff-Chemie von 1943–1945, Hamburg
Öst. Chemiker-Ztg.	Österreichische Chemiker-Zeitung (bis 1942 und seit 1947), Wien
Österr. Kunst. Z.	Österreichische Kunststoff-Zeitschrift, Wien
Österr. P.	Österreichisches Patent (Wien)
Offic. Gaz., U.S. Pat. Office	Official Gazette, United States Patent Office
Ohio J. Sci.	Ohio Journal of Science, Columbus/Ohio
Oil Gas J.	Oil and Gas Journal, Tulsa/Oklahoma
Organic Mass Spectr.	Organic Mass Spectrometry, London
Organometal. Chem.	Organometallic Chemistry
Organometal. Chem. Rev.	Organometallic Chemistry Reviews, Amsterdam
Organometal. i. Chem. Synth.	Organometallics in Chemical Synthesis, Lausanne
Organometal. Reactions	Organometallic Reactions, New York
Org. Chem. Bull.	Organic Chemical Bulletin (Eastman Kodak), Rochester
Org. Prep. & Proced.	Organic Preparations and Procedures, New York
Org. Reactions	Organic Reactions, New York
Org. Synth.	Organic Syntheses, New York
Org. Synth., Coll. Vol.	Organic Syntheses, Collective Volume, New York
Paint Manuf.	Paint incorporating Paint Manufacture (seit 1939), London
Paint Oil chem. Rev.	Paint, Oil and Chemical Review, Chicago
Paint, Oil Colour J.	Paint, Oil and Colour Journal (seit 1950), London
Paint Varnish Product.	Paint and Varnish Production (seit 1949; bis 1949: Paint and Varnish Production Manager), Washington
Pak. J. Sci. Ind. Res.	Pakistan Journal of Science and Industrial Research, Karachi
Paper Ind.	Paper Industry (1938–1949: … and Paper World), Chicago
Papier (Darmstadt)	Das Papier, Darmstadt
Pap. Puu	Paperi ja Puu – Papper och Trä (Paper and Timbre), Helsinki
P. C. H.	Pharmazeutische Zentralhalle für Deutschland, Dresden
Perfum. essent. Oil Rec.	Perfumery and Essential Oil Record, London
Periodica Polytechn.	Periodica Polytechnica, Budapest
Pest. Abstr.	Pesticides Abstracts, Washington
Pest. Biochem. Phys.	Pesticide Biochemistry and Physiology, New York
Pest. Monit. J.	Pesticides Monitoring Journal, Atlanta
Petr. Eng.	Petroleum Engineer, Dallas/Texas
Petr. Hydrocarbons	Petroleum and Hydrocarbons, Bombay
Petr. Processing	Petroleum Processing, New York
Petr. Refiner	Petroleum Refiner, Houston/Texas
Pharma. Acta Helv.	Pharmaceutica Acta Helvetica, Zürich
Pharmacol.	Pharmacology, Basel
Pharmacol. Rev.	Pharmacological Reviews, Baltimore
Pharmazie	Pharmazie, Berlin
Pharmaz. Ztg. – Nachr.	Pharmazeutische Zeitung – Nachrichten, Hamburg
Pharm. Bull. (Tokyo)	Pharmaceutical Bulletin (Tokyo) (bis 1958)
Pharm. Ind.	Die Pharmazeutische Industrie, Berlin
Pharm. J.	Pharmaceutical Journal, London
Pharm. Weekb.	Pharmaceutisch Weekblad, Amsterdam
Philips Res. Rep.	Philips Research Reports, Eindhoven/Holland
Phil. Trans.	Philosophical Transactions of the Royal Society of London
Photochem. and Photobiol.	Photochemistry and Photobiology, New York
Phosphorus	Phosphorus
Physica	Physica. Nederlandsch Tijdschrift voor Natuurkunde, Utrecht
Physik. Bl.	Physikalische Blätter, Mosbach/Baden

Phys. Rev.	Physical Reviews, New York
Phys. Rev. Letters	Physical Reviews Letters, New York
Phys. Z.	Physikalische Zeitschrift (Leipzig)
Plant Physiol.	Plant Physiology, Lancaster, Pa.
Plaste u. Kautschuk	Plaste und Kautschuk (seit 1957), Leipzig
Plasticheskie Massy	Пластические масы (Soviet Plastics), Moskau
Plastics	Plastics (London)
Plastics Inst., Trans. and J.	The (London) Plastics Institute, Transactions Journal
Plastics Technol.	Plastics Technology
Poln. P.	Polnisches Patent
Polymer Age	Polymer Age, Tenderden/Kent
Polymer Ind. News	Polymer Industry News, New York
Polymer J.	Polymer Journal, Tokyo
Polytechn. Tijdschr. (A)	Polytechnisch Tijdschrift, Uitgave A (seit 1946), Haarlem
Postepy Biochem.	Postepy Biochemii (Fortschrift der Biochemie), Warschau
Pr. Acad. Tokyo	Proceedings of the Imperial Academy, Tokyo
Pr. Akad. Amsterdam	Proceedings, Koninklijke Nederlandsche Akademie von Wetenschappen (1938–1940 und seit 1943), Amsterdam
Pr. chem. Soc.	Proceedings of the Chemical Society, London
Prep. Biochem.	Preparative Biochemistry, New York
Pr. Indiana Acad.	Proceedings of the Indiana Academy of Science, Indianapolis/Indiana
Pr. indian Acad.	Proceedings of the Indian Academy of Sciences, Bangalore/Indien
Pr. Iowa Acad.	Proceedings of the Iowa Academy of Sciences, Des Moines/Iowa (USA)
Pr. irish Acad.	Proceedings of the Royal Irish Academy, Dublin
Pr. Nation. Acad. India	Proceedings of the National Academy of Sciences, India (seit 1936), Allahabad/Indien
Pr. Nation. Acad. USA	Proceedings of the National Academy of Sciences of the United States of America, Washington
Proc. Amer. Soc. Testing Mater.	Proceedings of the American Society for Testing Materials Philadelphia, Pa.
Proc. Analyt. Chem.	Proceeding of the Society for Analytical Chemistry, London
Proc. Biochem.	Process Biochemistry, London
Proc. Egypt. Acad. Sci.	Proceedings of the Egyptian Academy of Sciences, Kairo
Proc. Indian Acad. Sci., Sect. A	Proceedings of the Indian Academy of Science, Section A, Bangalore
Proc. Japan Acad.	Proceedings of the Japan Academy (seit 1945), Tokio
Proc. Kon. Ned. Acad. Wetensh.	Proceedings, Koninklijke Nederlandse Akademie van Wetenschappen, Amsterdam
Proc. Roy. Austral. chem. Inst.	Proceedings of the Royal Australian Chemical Institute, Melbourne
Produits pharmac.	Produits Pharmaceutiques, Paris
Progress Biochem. Pharm.	Progress Biochemical Pharmacology, Basel
Progr. Boron Chem.	Progress in Boron Chemistry, Oxford
Progr. Org. Chem.	Progress in Organic Chemistry, London
Progr. Physical Org. Chem.	Progress in Physical Organic Chemistry, New York, London
Progr. Solid State Chem.	Progress in Solid State Chemistry, New York
Promysl. org. Chim.	Промышленность Органической Химии Promyschlennost Organitscheskoi Chimii (bis 1941: Shurnal Chimitscheskoi Promyschlennosti), (Industrie der Organischen Chemie, Organic Chemical Industry, bis 1940), Moskau
Prostaglandines	Prostaglandines, Los Altos/Calif.
Pr. phys. Soc. London	Proceedings of the Physical Society, London
Pr. roy. Soc.	Proceedings of the Royal Society, London
Pr. roy. Soc. Edinburgh	Proceedings of the Royal Society of Edinburgh, Edinburgh
Przem. chem.	Przemysl Chemiczny (Chemische Industrie), Warschau
Psychopharmacologia	Psychopharmacologia (Berlin), Berlin, Göttingen, Heidelberg
Publ. Am. Assoc. Advan. Sci.	Publication of the American Association for the Advancement of Science
Pure Appl. Chem.	Pure and Applied Chemistry (The Official Journal of the International Union of Pure and Applied Chemistry), London
Quart. J. indian Inst. Sci.	Quarterly Journal of the Indian Institute of Science, Bangalore
Quart. J. Pharm. Pharmacol.	Quarterly Journal of Pharmacy and Pharmacology (bis 1948), London
Quart. J. Studies Alc.	Quarterly Journal of Studies on Alcohol, New Haven, Conn.

Quart. Rev.	Quarterly Reviews, London (seit 1970 Chemical Society Reviews)
Quím. e Ind.	Química e Industria, Sao Paulo (bis 1938 Chimica e Industria)
R.	Recueil des Travaux Chimiques des Pays-Bas, Amsterdam
Radiokhimiya	Радиохимия/Radiochimija (Radiochemie), Leningrad
R. A. L.	Atti della Reale Academia Nazionale dei Lincei, Classe di Scienze Fisiche, Mathematiche e Naturali: Rendiconti (bis 1940)
Rasayanam	Journal for the Progress of Chemical Science, Poona, India
Rend. Ist. lomb.	Rendiconti dell'Istituto Lombardo di Scienze e Lettere. Classe di Scienze Matematiche e Naturali (seit 1944), Mailand
Rep. Government chem. ind. Res. Inst., Tokyo	Reports of the Government Chemical Industrial Research Institute, Tokyo
Rep. Progr. appl. Chem.	Reports on the Progress of Applied Chemistry (seit 1949), London
Rep. sci. Res. Inst.	Reports of Scientific Research Institute (Japan), Kagaku-Kenkyujo-Hokoku, Tokio
Research	Research, London
Rev. Asoc. bioquím. arg.	Reviste de la Asociación Bioquímica Argentina, Buenos Aires
Rev. Chim. (Bucarest)	Revista de Chimie (Bucuresti), Bukarest
Rev. Fac. Cienc. quím.	Revista de la Facultad de Ciencias Químicas, Universidad Nacional de La Plata, La Plata
Rev. Fac. Sci. Istanbul	Revue de la Faculté des Sciences de l'Université d'Istanbul, Istanbul
Rev. Franc. Études Clin. Biol.	Revue Française d'Études Cliniques et Biologiques, Paris
Rev. gén. Matières plast.	Revue Générale des Matières Plastiques, Paris
Rev. gén. Sci.	Revue Générale des Sciences pures et appliquées, Paris
Rev. Inst. franç. Pétr.	Revue de l'Institut Français du Pétrole et Annales des Combustibles Liquides, Paris
Rev. Macromol. Chem.	Reviews in Macromolecular Chemistry, New York
Rev. Mod. Physics	Reviews of Modern Physics
Rev. Phys. Chem. Jap.	Review of Physical Chemistry of Japan, Tokyo
Rev. Plant Prot. Res.	Review of Plant Protection Research, Tokyo
Rev. Prod. chim.	Revue des Produits Chimiques, Paris
Rev. Pure Appl. Chem.	Reviews of Pure and Applied Chemistry, Melbourne
Rev. Quím. Farm.	Revista de Química e Farmácia, Rio de Janeiro
Rev. Roumaine-Biochim.	Revue Roumaine de Biochimie, Bukarest
Rev. Roumaine Chim.	Revue Roumaine de Chimie (bis 1963: Revue de Chimie, Académie de la République Populaire Roumaine), Bukarest
Rev. Roumaine-Phys.	Revue Roumaine de Physique, Bukarest
Rev. sci.	Revue Scientifique, Paris
Rev. scient. Instruments	Review of Scientific Instruments, New York
Ricerca sci.	Ricerca Scientifica, Rom
Roczniki Chem.	Roczniki Chemii (Annales Societatis Chimicae Polonorum), Warschau
Rodd	Rodd's Chemistry of Carbon Compounds, Elsevier Publ. Co., Amsterdam
Rubber Age N. Y.	The Rubber Age, New York
Rubber Chem. Technol.	Rubber Chemistry and Technology, Easton, Pa.
Rubber J.	Rubber Journal (seit 1955), London
Rubber & Plastics Age	The Rubber & Plastics Age, London
Rubber World	Rubber World (seit 1945), New York
Russian Chem. Reviews	Chemical Reviews (UdSSR)
Sbornik Statei obšč. Chim.	Сборник Статей по Общей Химии
	Sbornik Statei po Obschtschei Chimii (Sammlung von Aufsätzen über die allgemeine Chemie), Moskau u. Leningrad
Schwed. P.	Schwedisches Patent
Schweiz. P.	Schweizerisches Patent
Sci.	Science, New York, seit 1951, Washington
Sci. American	Scientific American, New York
Sci. Culture	Science and Culture, Calcutta
Scientia Pharm.	Scientia Pharmaceutica, Wien
Scient. Pap. Bur. Stand.	Scientific Papers of the Bureau of Standards (Washington)
Scient. Pr. roy. Dublin Soc.	Scientific Proceedings of the Royal Dublin Society, Dublin
Sci. Ind.	Science et Industrie, Paris (bis 1934)

Sci. Ind. phot.	Science et Industries photographiques, Paris
Sci. Pap. Inst. Phys. Chem. Res. Tokyo	Scientific Papers of the Institute of Physical and Chemical Research, Tokio (bis 1948)
Sci. Publ., Eastman Kodak	Scientific Publications, Eastman Kodak Co., Rochester/N. Y.
Sci. Progr.	Science Progress, London
Sci. Rep. Tohoku Univ.	Science Reports of the Tohoku Imperial University, Tokio
Sci. Repts. Research Insts. Tohoku Univ., (A), (B), (C) bzw. (D)	The Science Reports of the Research Institutes, Tohoku University, Series A, B, C bzw. D, Sendai/Japan
Seifen-Oele-Fette-Wachse	Seifen-Oele-Fette-Wachse. Neue Folge der Seifensieder-Zeitung, Augsburg
Seikagaku	Seikagaku (Biochemie), Tokio
Sen-i Gakkaishi	Journal of the Society of Textile and Cellulose Industry, Japan (seit 1945)
Separation Sci.	Separation Science, New York
Soc.	Journal of the Chemical Society, London
Soil Biol. Biochem.	Soil Biology and Biochemistry, Oxford
Soil Sci.	Soil Science, Baltimore
Soobshch. Akad. Nauk Gruz. SSR	Сообщения Академии Наук Грузинской CCP / Soobschtschenija Akademii Nauk Grusinskoi SSR (Mitteilungen der Akademie der Wissenschaften der Grusinischen SSR, Tbilissi
South African Ind. Chemist	South African Industrial Chemist, Johannesburg
Spectrochim. Acta	Spectrochimica Acta, Berlin, ab 1947 Rom
Spectrochim. Acta (London)	Spectrochimica Acta, London (seit 1950)
Staerke	Stärke, Stuttgart
Steroids	Steroids an International Journal, San Francisco
Steroids, Suppl.	Steroids an International Journal, Supplements, San Francisco
Stud. Cercetari Biochim.	Studii si Cercetari de Biochemie, (Bucuresti)
Stud. Cercetari Chim.	Studii si Cercetari de Chimie (Bucuresti)
Suomen Kem.	Suomen Kemistilehti (Acta Chemica Fennica), Helsinki
Suomen Kemistilehti B	Suomen Kemistilehti B (Finnische Chemiker-Zeitung)
Suppl. nuovo Cimento	Supplemento del Nuovo Cimento (seit 1949), Bologna
Svensk farm. Tidskr.	Svensk Farmaceutisk Tidskrift, Stockholm
Svensk kem. Tidskr.	Svensk Kemisk Tidskrift, Stockholm
Synthesis	Synthesis, International Journal of Methods in Synthetic Organic Chemistry, Stuttgart, New York
Synth. React. Inorg. Metal-org. Chem.	Synthesis and Reactivity in Inorganic and Metal-organic Chemistry, New York
Talanta	Talanta, International Journal of Analytical Chemistry, London
Tappi	Tappi (Technical Association of the Pulp and Paper Industry), New York
Techn. & Meth. Org., Organo-metal. Chem.	Techniques and Methods of Organic and Organometallic Chemistry, New York
Tekst. Prom. (Moscow)	Текстил Промышленност Tekstil Promyschlennost (Textil Industrie)
Tenside	Tenside Detergents, München
Teor. Khim. Techn.	Theoretitscheskie Osnovy Chimitscheskoj, Technologie, Moskau
Terpenoids and Steroids	Terpenoids and Steroids, London
Tetrahedron	Tetrahedron, Oxford
Tetrahedron Letters	Tetrahedron Letters, Oxford
Tetrahedron, Suppl.	Tetrahedron, Supplements, London
Textile Chem. Color.	Textile Chemist and Colorist, New York
Textile Prog.	Textile Progress, Manchester
Textile Res. J.	Textile Research Journal (seit 1945), New York
Theor. Chim. Acta	Theoretika Chimica Acta (Zürich)
Tiba	Revue Générale de Teinture, Impression, Blanchiment, Apprêt et de Chimie Textile et Tinctoriale (bis 1940 und seit 1948), Paris
Tidskr. Kjemi, Bergv. Met.	Tidskrift för Kjemi, Bergvesen og Metallurgi (seit 1941), Oslo
Topics Med. Chem.	Topics in Medicinal Chemistry, New York
Topics Pharm. Sci.	Topics in Pharmaceutical Science, New York
Topics Phosph. Chem.	Topics in Phosphorous Chemistry, New York
Topics Stereochem.	Topics in Stereochemistry, New York
Toxicol.	Toxicologie, Amsterdam

Toxicol. Appl. Pharmacol.	Toxicology and Applied Pharmacology, New York
Toxicol. Appl. Pharmacol., Suppl.	Toxicology and Applied Pharmacology, Supplements, New York
Toxicol. Env. Chem. Rev.	Toxicological and Environmental Chemistry Reviews, New York
Trans. Amer. Inst. Chem. Eng.	Transactions of the American Institute of Chemical Engineers, New York
Trans. electroch. Soc.	Transactions of the Electrochemical Society, New York (bis 1949)
Trans. Faraday Soc.	Transactions of the Faraday Society, Aberdeen
Trans. Inst. chem. Eng.	Transactions of the Institution of Chemical Engineers, London
Trans. Inst. Rubber Ind.	Transactions of the Institution of the Rubber Industry, London
Trans. Kirov's Inst. chem. Technol. Kazan	Труды Казанского Химико-Технологического Института им. Кирова / Trudy Kasanskovo Chimiko-Technologitscheskovo Instituta im. Kirova (Transactions of the Kirov's Institute for Chemical Technology of Kazan), Moskau
Trans. Pr. roy. Soc. New Zealand	Transactions and Proceedings of the Royal Society of New Zealand (seit 1952 Transactions of the Royal Society of New Zealand), Wellington
Trans roy. Soc. Canada	Transactions of the Royal Society of Canada, Ottawa
Trans. Roy. Soc. Edinburgh	Transactions of the Royal Society of Edinburgh, Edinburgh
Trav. Soc. Pharm. Montpellier	Travaux de la Société de Pharmacie de Montpellier, Montpellier (seit 1942)
Trudy Mosk. Chim. Techn. Inst.	Труды Московского Химико-Технологического Института им. Д-И. Менделеева / Trudy Moskowskowo Chimiko-Technologitscheskowo Instituta im. D. I. Mendelejewa (Transactions of the Moscow Chemical-Technological Institute named for D. I. Mendeleev), Moskau
Tschechosl P.	Tschechoslowakisches Patent
Uchenye Zapiski Kazan.	Ученые Записки Казанского Государственного Университета Utschenye Sapiski Kasanskowo Gossudarstwennowo Universiteta (Wissenschaftliche Berichte der Kasaner staatlichen Universität), Kasan
Ukr. Biokhim. Ž.	Украинский Биохимичний Журнал / Ukrainski Biochimitschni Shurnal (Ukrainisches Biochemisches Journal, Kiew
Ukr. chim. Ž.	Украинский Химический Журнал (bis 1938: Украінський, Charkau bis 1938, Хемічний Журнал) Ukrainisches Chemisches Journal), Kiew
Ukr. Fiz. Ž. (Ukr. Ed.)	Украинский Физичний Журнал / Ukrainski Fisitschni Shurnal (Ukrainisches Physikalisches Journal), Kiew
Ullmann	Ullmann's Enzyclopädie der technischen Chemie, Verlag Urban und Schwarzenberg, München seit 1971 Verlag Chemie, Weinheim
Umschau Wiss. Techn.	Umschau in Wissenschaft und Technik, Frankfurt
U.S. Govt. Res. Rept.	U.S. Government Research Reports
US. P.	Patent der USA
Uspechi Chim.	Успехи Химии / Uspetschi Chimii (Fortschritte der Chemie), Moskau, Leningrad
USSR. P.	Sowjetisches Patent
Uzb. Khim. Zh.	Узбекский Химический Журнал / Usbekski Chimitscheski Shurnal (Usbekisches Chemisches Journal), Taschkent
Vakuum-Tech.	Vakuum-Technik (seit 1954), Berlin
Vestn. Akad. Nauk Kaz. SSR	Вестник Академии Наук Казахской ССР / Westnik Akademii Nauk Kasachskoi SSR (Nachrichten der Akademie der Wissenschaften der Kasachischen SSR), Alma Ata
Vestn. Akad. Nauk SSSR	Вестник Академии Наук СССР / Westnik Akademii Nauk SSSR (Mitteilungen der Akademie der Wissenschaften der UdSSR), Moskau
Vestn. Leningrad. Univ., Fiz., Khim.	Вестник Ленинградского Университета, Серия Физики и Химии / Westnik Leningradskowo Universsiteta, Serija Fisiki i Chimii (Nachrichten der Leningrader Universität, Serie Physik und Chemie), Leningrad
Vestn. Mosk. Univ., Ser. II Chim.	Вестник Московского Университета, Серия II Химия / Westnik Moskowslowo Universsiteta, Serija II Chimija (Nachrichten der Moskauer Universität, Serie II Chemie), Moskau

Virology	Virology, New York
Vitamins. Hormones	Vitamins and Hormones, New York
Vysokomolek. Soed.	Высокомолекулярные Соединения / Wyssokomolekuljarnye Sojedinenija (High Molecular Weight Compounds)
Werkstoffe u. Korrosion	Werkstoffe und Korrosion (seit 1950), Weinheim/Bergstr.
Yuki Gosei Kagaku Kyokai Shi	Journal of the Society of Organic Synthetic Chemistry, Japan, Tokio
Z.	Zeitschrift für Chemie, Leipzig
Ž. anal. Chim.	Журнал Аналитической Химии / Shurnal Analititscheskoi Chimii (Journal of Analytical Chemistry), Moskau
Z. ang. Physik	Zeitschrift für angewandte Physik
Z. anorg. Ch.	Zeitschrift für Anorganische und Allgemeine Chemie (1943–1950 Zeitschrift für Anorganische Chemie), Berlin
Zavod. Labor.	Заводская Лаборатория / Sawodskaja Laboratorija (Industrial Laboratory), Moskau
Zbl. Arbeitsmed. Arbeitsschutz	Zentralblatt für Arbeitsmedizin und Arbeitsschutz (seit 1951), Darmstadt
Ž. eksp. teor. Fiz.	Журнал экспериментальной и теоретической физики / Shurnal Experimentalnoi i Theoretitscheskoi Fisiki (Physikalisches Journal, Serie A Journal für experimentelle und theoretische Physik), Moskau, Leningrad
Z. El. Ch.	Zeitschrift für Elektrochemie und Angewandte Physikalische Chemie (seit 1952 Zeitschrift für Elektrochemie, Berichte der Bunsengesellschaft für Physikalische Chemie), Weinheim/Bergstr.
Z. Elektrochemie	Zeitschrift für Elektrochemie
Z. fiz. Chim.	Журнал физической Химии / Shurnal Fisitscheskoi Chimii (eng. Ausgabe: Journal of Physical Chemistry)
Z. Kristallogr.	Zeitschrift für Kristallographie
Z. Lebensm.-Unters.	Zeitschrift für Lebensmittel-Untersuchung und -Forschung (seit 1943), München, Berlin
Z. Naturf.	Zeitschrift für Naturforschung, Tübingen
Ž. neorg. Chim.	Журнал Неорганической Химии / Shurnal Neorganitscheskoi Chimii (engl. Ausgabe: Journal of Inorganic Chemistry)
Ž. obšč. Chim.	Журнал Общей Химии / Shurnal Obschtschei Chimii (engl. Ausgabe: Journal of General Chemistry, London)
Ž. org. Chim.	Журнал Органической Химии / Shurnal Organitscheskoi Chimii (engl. Ausgabe: Journal of Organic Chemistry), Baltimore
Z. Pflanzenernähr. Düng., Bodenkunde	Zeitschrift für Pflanzenernährung, Düngung, Bodenkunde (bis 1936 und seit 1946), Weinheim/Bergstr., Berlin
Z. Phys.	Zeitschrift für Physik, Berlin, Göttingen
Z. physik. Chem.	Zeitschrift für Physikalische Chemie, Frankfurt (seit 1945 mit Zusatz N. F.)
Z. physik. Chem. (Leipzig)	Zeitschrift für Physikalische Chemie, Leipzig
Ž. prikl. Chim.	Журнал Прикладной Химии / Shurnal Prikladnoi Chimii (Journal of Applied Chemistry)
Ž. prikl. Spektr.	Журнал Прикладной Спектроскопии / Shurnal Prikladnoi Spektroskopii (Journal of Applied Spectroscopy), Moskau, Leningrad
Ž. strukt. Chim.	Журнал Структурной Химии / Shurnal Strukturnoi Chimii (Journal of Structural Chemistry), Moskau
Ž. tech. Fiz.	Журнал Технической Физики / Shurnal Technitscheskoi Fisiki (Physikalisches Journal, Serie B, Journal für technische Physik), Moskau, Leningrad
Z. Vitamin-, Hormon- u. Fermentforsch. [Wien]	Zeitschrift für Vitamin-, Hormon- und Fermentforschung [Wien] (seit 1947)
Ž. vses. Chim. obšč.	Журнал Всесоюзного Химического Общества им. Д. И. Менделеева Shurnal Wsjesojusnowo Chimitscheskowo Obschtschestwa im. D. I. Mendelejewa (Journal of the All-Union Chemical Society named for D. I. Mendeleev), Moskau
Z. wiss. Phot.	Zeitschrift für Wissenschaftliche Photographie, Photophysik und Photochemie, Leipzig
Z. Zuckerind.	Zeitschrift für die Zuckerindustrie, Berlin

Ж. Журнал Русского Физикого-Химического Общества
Shurnal Russkowo Fisikowo-Chimitscheskowo Obschtschestwa
(Journal der Russischen Physikalisch-Chemischen Gesellschaft,
Chemischer Teil; bis 1930)

Abkürzungen
für den Text der präparativen Vorschriften
und der Fußnoten[1]

Abb. .... Abbildung
abs. .... absolut
äthanol .... äthanolisch
äther........................ ätherische
Amp........................ Ampere
Anm......................... Anmerkung
Anm......................... Anmeldung (nur in Verbindung mit der Patentzugehörigkeit)
API .... American Petroleum Institute
ASTM .... American Society for Testing Materials
asymm. .... asymmetrisch
at .... technische Atmosphäre
At.-Gew..................... Atomgewicht
atm .... physikalische Atmosphäre
BASF .... Badische Anilin- & Sodafabrik AG, Ludwigshafen/Rhein (bis 1925 und
                             wieder ab 1953), BASF AG (seit 1974)
Bataafsche (Shell)⎱ .... N. V. Bataafsche Petroleum Mij., s'Gravenhage (Holland)
  Shell Develop. ⎰   Shell Development Co., San Francisco, Corporation of Delaware
Bayer AG .... Bayer AG, Leverkusen (seit 1974)
ber. .... berechnet
bez. .... bezogen
bzw......................... beziehungsweise
cal .... Calorien
CIBA....................... Chemische Industrie Basel, AG (bis 1973)
Ciba-Geigy .... Fusionierte Firmen ab 1973
cycl........................ cyclisch
D, bzw. D^{20} .... Dichte, bzw. Dichte bei 20° bezogen auf Wasser von 4°
DAB .... Deutsches Arznei-Buch
Degussa.................... Deutsche Gold- und Silber-Scheideanstalt, Frankfurt a. M.
d. h........................ das heißt
Diglyme.................... 2-(2-Methoxy-äthoxy)-äthanol
DIN .... Norm
DK .... Dielektrizitäts-Konstante
DMF....................... Dimethylformamid
DMSO .... Dimethylsulfoxid
d. Th....................... der Theorie
Du Pont .... E. I. du Pont de Nemours & Co., Inc., Wilmington 98 (USA)
E .... Erstarrungspunkt
EMK....................... Elektromotorische Kraft
F .... Schmelzpunkt

---

[1] Alle Temperaturangaben beziehen sich auf Grad Celsius, falls nicht anders vermerkt.

Farbf. Bayer .... Farbenfabriken Bayer AG, vormals Friedrich Bayer & Co., Lever-
kusen-Elberfeld (bis 1925), Farbenfabriken Bayer AG, Leverkusen,
Elberfeld, Dormagen und Uerdingen (1953–1974)

Farbw. Hoechst .... Farbwerke Hoechst AG, vormals Meister Lucius & Brüning, Frank-
furt/M.-Höchst (bis 1925 und wieder ab 1953 bis 1974)

g .... Gramm

gem........................ geminal

ges........................ gesättigt

Gew., Gew.-%, Gew.-Tl. ...... Gewicht, Gewichtsprozent, Gewichtsteil

HMPT .... Phosphorsäure-tris-[trimethylamid]

Hoechst AG .... Hoechst AG, Frankfurt/M.-Höchst (seit 1974)

I.C.I....................... Imperial Chemicals Industries Ltd., Manchester

I.G. Farb................... I.G. Farbenindustrie AG, Frankfurt a.M. (1925–1945)

IUPAC .... International Union of Pure and Applied Chemistry

i. Vak. .... im Vakuum

$k\,(k_s, k_b)$ .... elektrolytische Dissoziationskonstanten, bei Ampholyten, Dissoziationskonstanten nach der klassischen Theorie

$K\,(K_s, K_b)$ .... elektrolytische Dissoziationskonstanten von Ampholyten nach der
Zwitterionentheorie

kcal .... Kilocalorie

kg......................... Kilogramm

konz....................... konzentriert

korr. .... korrigiert

Kp, bzw. Kp_{750} .... Siedepunkt, bzw. Siedepunkt unter 750 Torr Druck

kW, kWh .... Kilowatt, Kilowattstunde

l .... Liter

m (als Konzentrationsangabe) ... molar

M......................... Metall (in Formeln)

$[M]_\lambda^t$ .... molekulares Drehungsvermögen oder Molekularrotation

mg .... Milligramm

Min........................ Minute

mm .... Millimeter

ml......................... Milliliter

Mol.-Gew., Mol.-%, Mol.-Refr. . Molekulargewicht, Molprozent, Molekularrefraktion

n_λ^t .... Brechungsindex

n (als Konzentrationsangabe) ... normal

nm .... Nanometer

pd · sq. · inch .... 0,070307 at = 0,068046 Atm

p_H .... negativer, dekadischer Logarithmus der Wasserstoffionen-Aktivität

prim. .... primär

Py......................... Pyridin

quart....................... quartär

racem....................... racemisch

s. .... siehe

S. .... Seite

s.a......................... siehe auch

sek. .... sekundär

Sek. .... Sekunde

s.o......................... siehe oben

spez........................ spezifisch

sq. · inch .... $6{,}451589 \cdot 10^{-4}\ m^2$

Stde., Stdn., stdg............ Stunde, Stunden, stündig

s.u......................... siehe unten

Subl. p. .... Sublimationspunkt

symm....................... symmetrisch

Tab........................ Tabelle

techn....................... technisch

Temp. .... Temperatur

tert. .... tertiär

theor....................... theoretisch

THF .... Tetrahydrofuran

Tl., Tle., Tln. .... Teil, Teile, Teilen

u.a. .... und andere

usw.	und so weiter
u. U.	unter Umständen
V	Volt
VDE	Verein Deutscher Elektroingenieure
VDI	Verein Deutscher Ingenieure
verd.	verdünnt
vgl.	vergleiche
vic.	vicinal
Vol., Vol.-%, Vol.-Tl.	Volumen, Volumenprozent, Volumenanteil
W	Watt
Zers.	Zersetzung
∇	Erhitzung
$[a]_\lambda^t$	spezifische Drehung
$\varnothing$	Durchmesser
$\sim$	etwa, ungefähr
μ	Mikron

σ-Organo-kobalt-, -rhodium-, -iridium-, -nickel- und -palladium-Verbindungen

Inhalt

σ-**Organo-kobalt-Verbindungen**

(bearbeitet von E. LANGER)

σ-Organo-rhodium-Verbindungen

(bearbeitet von E. LANGER)

σ-Organo-iridium-Verbindungen

(bearbeitet von E. LANGER)

σ-Organo-nickel-Verbindungen

(bearbeitet von H.-F. KLEIN)

B. Umwandlung

σ-Organo-palladium-Verbindungen

(bearbeitet von A. Segnitz)

Methoden zur Herstellung und Umwandlung von σ-Organo-kobalt-Verbindungen

bearbeitet von

DR. ERNST LANGER

BASF, Ludwigshafen/Rhein

MIT 5 TABELLEN
UND 1 ABBILDUNG

Literatur berücksichtigt bis 1982 (teilweise 1983).

σ-Organo-kobalt-Verbindungen

Organo-kobalt-Verbindungen mit σ-C–Co-Bindung kommen in den Oxidationsstufen –I, I, II, III und IV vor[1]. Außerdem gibt es Verbindungen mit 2 oder mehr Kobalt-Atomen im Molekül, die direkte Kobalt-Kobalt-Bindungen besitzen. Da diese Verbindungen elektronisch als Einheit anzusehen sind, werden sie in separaten Abschnitten besprochen.

Organo-kobalt(I)-Verbindungen sind nach den Organo-kobalt(III)-Komplexen am zweithäufigsten beschrieben. Es gibt Alkyl-, 1-Alkenyl-, 1-Alkinyl-, Aryl- und Acyl-Verbindungen.

Die wichtigsten Methoden zur Synthese von Alkyl-kobalt(I)-Komplexen sind:

ⓐ Umsetzung von Kobalt(I)- mit Organo-metall-Verbindungen:

$$Co^I X \quad + \quad R{-}M \quad \xrightarrow[-MX]{} \quad R{-}Co^I$$

ⓑ Insertion von Olefinen in die Hydrido-kobalt-Bindung:

$$H{-}Co^I \quad + \quad \underset{/}{\overset{\backslash}{C}}{=}\underset{\backslash}{\overset{/}{C}} \quad \longrightarrow \quad H{-}\overset{|}{\underset{|}{C}}{-}\overset{|}{\underset{|}{C}}{-}Co^I$$

ⓒ Decarbonylierung von Acyl-kobalt(I)-Komplexen, wobei das abgespaltene Kohlenmonoxid im Komplex bleiben kann oder freigesetzt wird:

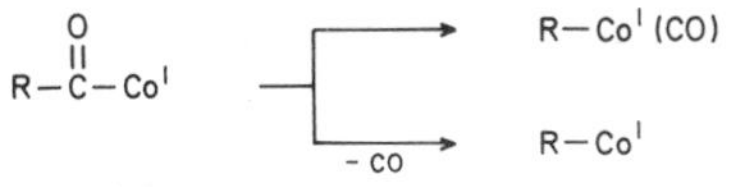

$$R{-}\overset{O}{\overset{||}{C}}{-}Co^I \quad \begin{cases} \longrightarrow & R{-}Co^I(CO) \\ \xrightarrow{-CO} & R{-}Co^I \end{cases}$$

ⓓ Umsetzung von Kobalt(–I)-aten mit Alkyl-Verbindungen unter Oxidation von Kobalt:

$$M^\oplus[Co^{-I}]^\ominus \quad + \quad R{-}X \quad \xrightarrow[-MX]{} \quad R{-}Co^I$$

Die Synthesen von 1-Alkenyl-, 1-Alkinyl- und Aryl-kobalt(I)-Komplexen sind oft ähnlich denen der Alkyl-Verbindungen. Bei Aryl-Komplexen kommt die „ortho-Metallierung" als Herstellungsmethode hinzu; z.B.:

---

[1] Die Festlegung der Oxidationsstufe des Zentralmetalls ist manchmal problematisch. So besitzt Kobalt in folgendem Komplex unter der Annahme, daß der Nitrosyl-Ligand positiv geladen ist, die Oxidationsstufe –I:

$$Co(C_2F_5)(CO)_3[(H_5C_6)_3P] \quad + \quad 2NO \quad \xrightarrow{-3CO} \quad Co(C_2F_5)(NO)_2[(H_5C_6)_3P]$$

W. Hieber u. E. Lindner, B. **95**, 2042 (1962).

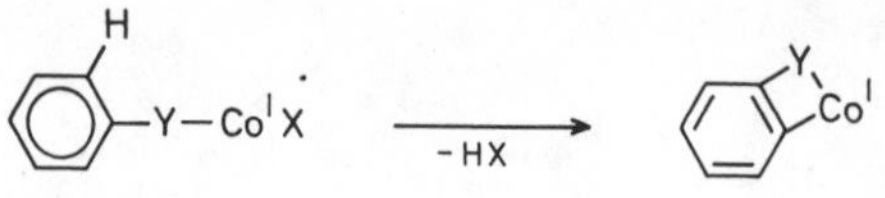

$$\text{(o-H-C_6H_4)-Y-Co^I X} \xrightarrow{-HX} \text{(benzo)-Y-Co^I}$$

Acyl-kobalt(I)-Verbindungen erhält man leicht durch Umsetzen von Acyl-Derivaten mit Kobalt(-I)-aten

$$M^{\oplus}[Co^{-I}]^{\ominus} \;+\; R-\overset{\displaystyle O}{\underset{\displaystyle \|}{C}}-X \xrightarrow{-MX} R-\overset{\displaystyle O}{\underset{\displaystyle \|}{C}}-Co^I$$

und durch Insertion von Kohlenmonoxid in die σ-C–Co-Bindung, wobei Kohlenmonoxid bereits im Komplex gebunden sein kann oder von außen zugeführt wird. Dabei kann es erforderlich sein, das im Komplex gebundene Kohlenmonoxid durch Zusatz eines Liganden zu aktivieren:

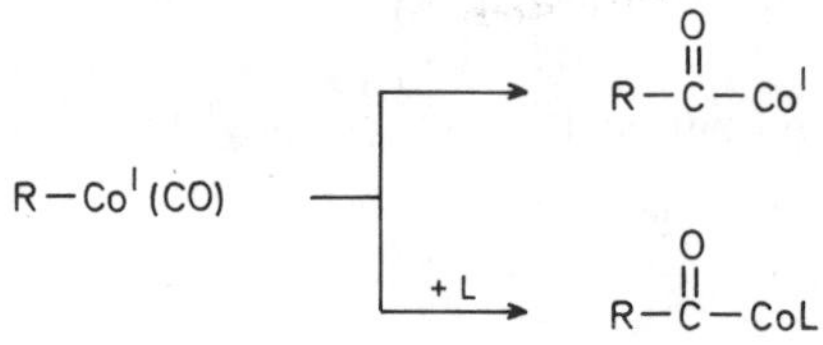

$$R-Co^I(CO) \longrightarrow \begin{cases} R-\overset{\displaystyle O}{\underset{\displaystyle \|}{C}}-Co^I \\[2em] \xrightarrow{+L} R-\overset{\displaystyle O}{\underset{\displaystyle \|}{C}}-CoL \end{cases}$$

$$R-Co^I \xrightarrow{+CO} R-\overset{\displaystyle O}{\underset{\displaystyle \|}{C}}-Co^I$$

Organo-kobalt(I)-Komplexe weisen im Gegensatz zu Rhodium und Iridium fast ausschließlich die Koordinationszahl 5 auf, bei der sie koordinativ gesättigt sind. Es sind diamagnetische Verbindungen.

Von Organo-kobalt(II)-Komplexen sind nur wenige Beispiele bekannt. Es gibt Alkyl-, 1-Alkenyl-, 1-Alkinyl-, Aryl- und Acyl-Komplexe. Die wichtigste Methode ist die Umsetzung von Kobalt(II)- mit Organometall-Verbindungen. Es sind relativ viele Di- und Polyorgano-kobalt(II)-Komplexe beschrieben worden:

$$Co^{II}X_2 \;+\; R-M \xrightarrow{-MX} R-Co^{II}X$$

$$Co^{II}X_2 \;+\; 2\,R-M \xrightarrow{-2MX} R_2Co^{II}$$

$$Co^{II}X_2 \;+\; n\,R-M \xrightarrow{-2MX} M^{\oplus}_{n-2}[R_nCo^{II}]^{(n-2)\ominus}$$

Die meisten der beschriebenen Komplexe besitzen die Koordinationszahl 4, 5 oder 6. Die monomeren Verbindungen sind paramagnetisch. Es gibt auch diamagnetische, aber dimere Komplexe mit Co–Co-Bindung, die formal Kobalt in der Oxidationsstufe II besitzen.

Zur Gruppe der Organo-kobalt(III)-Komplexe gehören weitaus die meisten Vertreter. Es gibt von allen organischen Resten zahlreiche Beispiele, besonders von Alkyl-kobalt(III)-Komplexen.

Eine allgemein anwendbare Methode ist, sofern die organischen Reste und Liganden selbst nicht angegriffen werden, die Umsetzung von Kobalt(III)- mit Alkyl-metall-Verbindungen:

$$Co^{III}X \;+\; R-M \xrightarrow{-MX} R-Co^{III}$$

Auch die Decarbonylierung von leicht zugänglichen Acyl-kobalt(III)-Komplexen ist eine häufig angewandte Methode:

$$R-\overset{\overset{\text{O}}{\|}}{C}-Co^{III} \xrightarrow[-CO]{} R-Co^{III}$$

$$R-\overset{\overset{\text{O}}{\|}}{C}-Co^{III} \xrightarrow{} R-Co^{III}(CO)$$

Organo-kobalt(III)-Verbindungen sind manchmal so stabil, daß sich die organischen Reste umwandeln lassen, ohne daß die C–Co-Bindung gespalten wird.

Manche Kobalt(II)-Verbindungen reagieren mit Alkyl-halogeniden so, daß der organische Rest an einem Kobalt und der Halogen-Rest an einen anderen Kobalt gebunden wird.

$$2\,Co^{II} + R-X \xrightarrow{} R-Co^{III} + Co^{III}X$$

Hydrido-kobalt(III)-Chelat-Komplexe und deren Anionen (Co^I) reagieren in vielen Fällen gleich. Anion und Hydrido-Komplex stehen miteinander im Gleichgewicht, dessen Lage vom pH-Wert der Lösung abhängt. In manchen Fällen entstehen jedoch Isomere, die sich über das pH der Lösung gezielt herstellen lassen; dies gilt insbesondere für die Addition an C=C-Doppelbindungen:

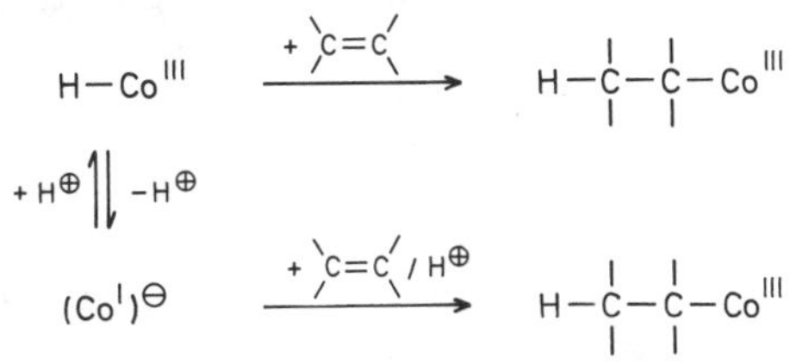

$$H-Co^{III} \xrightarrow{+\;\overset{}{C}=\overset{}{C}} H-\overset{|}{\underset{|}{C}}-\overset{|}{\underset{|}{C}}-Co^{III}$$

$$+H^{\oplus} \updownarrow -H^{\oplus}$$

$$(Co^I)^{\ominus} \xrightarrow{+\;\overset{}{C}=\overset{}{C}\,/\,H^{\oplus}} H-\overset{|}{\underset{|}{C}}-\overset{|}{\underset{|}{C}}-Co^{III}$$

$$H-Co^{III} + R-X \xrightarrow[-HX]{} R-Co^{III}$$

$$(Co^I)^{\ominus} + R-X \xrightarrow[-X^{\ominus}]{} R-Co^{III}$$

Eine besonders häufig untersuchte Methode, die zu einer Vielzahl von Alkyl-kobalt(III)-Verbindungen führt, ist die oxidative Addition von Alkyl-halogeniden an Kobalt(I)-Verbindungen.

$$Co^I + R-X \xrightarrow{} R-Co^{III}X$$

Zur Synthese von 1-Alkenyl-, 1-Alkinyl- und Aryl-kobalt(III)-Komplexen können einige der zuvor genannten Methoden verwendet werden. Zusätzlich kann die CH-Acidität von 1-Alkinen ausgenützt werden, um 1-Alkinyl-Komplexe herzustellen:

$$Co^{III}X + R-C{\equiv}CH \xrightarrow[-[HB]^{\oplus}X^{\ominus}]{+B} R-C{\equiv}C-Co^{III}$$

Eine Vielzahl von Aryl-substituierten Liganden läßt sich durch Kobalt in ortho-Stellung intramolekular metallieren. Die gebildeten Komplexe sind durch den Chelat-Effekt besonders stabil. Außerdem wird dabei die sterische Hinderung der Liganden erniedrigt. Oft tritt die ortho-Metallierung zwei- oder dreimal im Komplex auf:

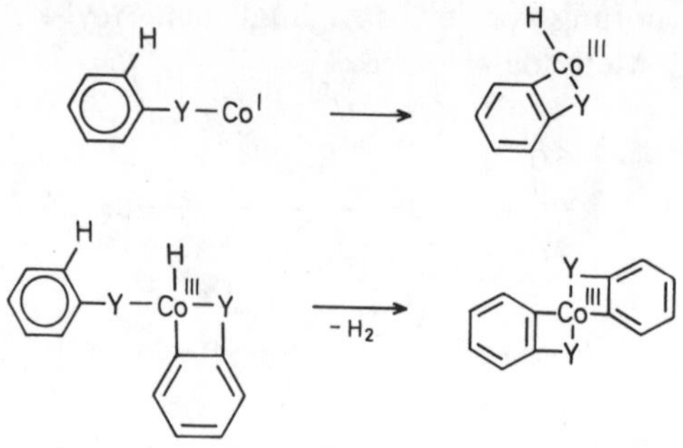

Zur Synthese von Acyl-Komplexen wählt man hauptsächlich die oxidative Addition von Carbonsäure-halogeniden oder -anhydriden an Kobalt(I)-Verbindungen sowie die Carbonylierungsmethode von Organo-kobalt(III)-Komplexen:

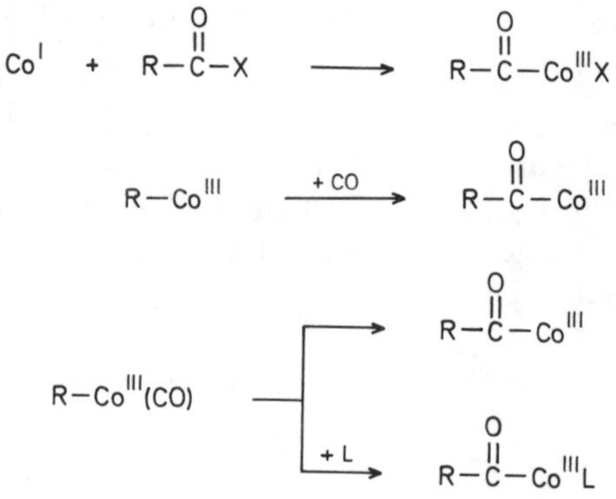

Organo-kobalt(III)-Komplexe besitzen überwiegend die Koordinationszahl 6. Weniger oft kommt die Koordinationszahl 5 vor. Durch Addition oder Eliminierung von Liganden lassen sich die Komplexe relativ einfach ineinander umwandeln. Dabei spielen sterische und elektronische Einflüsse der Liganden eine Rolle. Die Komplexe sind diagmagnetisch. Es gibt von Kobalt(III) relativ viele stabile Diorgano- und Triorgano-Komplexe, die hauptsächlich durch Umsetzung von Kobalt(III)- mit Organometall-Verbindungen hergestellt werden.

Ähnlich wie bei Rhodium und Iridium gibt es mehrere Beispiele von oxidativen Cyclo-additions-Reaktionen der Kobalt(I)-Komplexe mit ungesättigten organischen Verbindungen. Sie werden in einem eigenen Abschnitt beschrieben, z.B.:

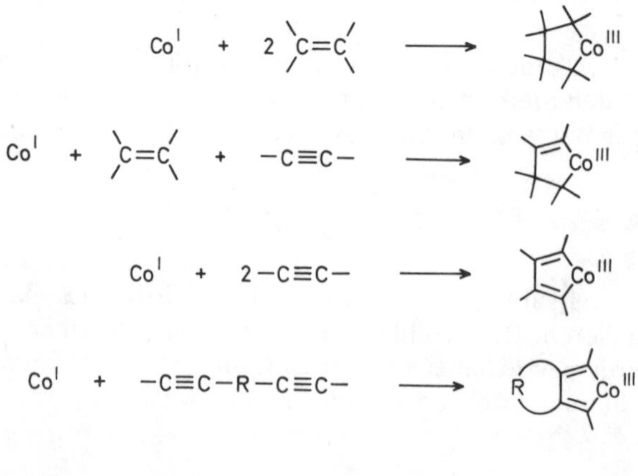

Bei den zuvor genannten Reaktionen reagieren drei (bzw. zwei) Partner miteinander. Auch Ringschluß-Reaktionen mit vier Komponenten sind möglich, z.B.:

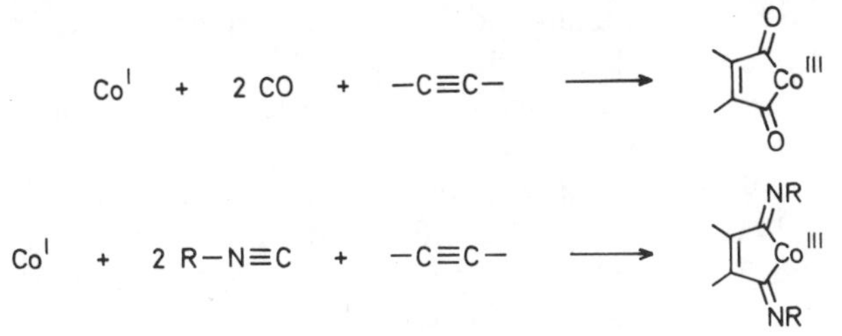

Die Reaktionen verlaufen jedoch in mehreren Schritten.

Anstelle von Olefinen können auch andere ungesättigte Verbindungen, wie Aldehyde oder Ketone in die Cyclisierungsreaktion eingesetzt werden.

Organo-kobalt(IV)-Komplexe sind infolge der für Kobalt hohen Oxidationsstufe recht instabil und können daher normalerweise nicht rein isoliert werden. Man erhält sie durch Umsetzung von Kobalt(II)- mit Grignard-Verbindungen. Nach einer anderen Methode geht man von stabilen Organo-kobalt(III)-Chelat-Komplexen aus, die durch starke Oxidationsmittel oder durch elektrochemische Oxidation in die Organo-kobalt(IV)-Komplexe umgewandelt werden. Die Verbindungen sind paramagnetisch mit einem freien Elektron.

Es gibt mehrere Organo-dikobalt-Verbindungen mit direkter Kobalt-Kobalt-Bindung, die anstelle einer Carbonyl-Brücke eine Carben-Brücke besitzen, welche formal aus 2 σ-Bindungen besteht. Es gibt verschiedene Herstellungsmethoden, die aber nicht allgemein anwendbar sind, z.B.:

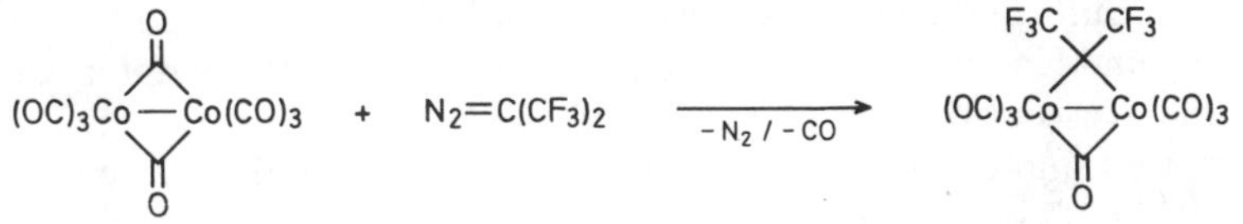

Eine große Verbindungsklasse sind die μ_3-Methylidin-cyclo-tris-(tricarbonyl-kobalt)(3Co–Co)-Derivate. Die Verbindungen entstehen aus Carbonyl-kobalt-Komplexen mit organischen Halogen-, Chalkogen-Verbindungen bzw. 1-Alkinen, z.B.:

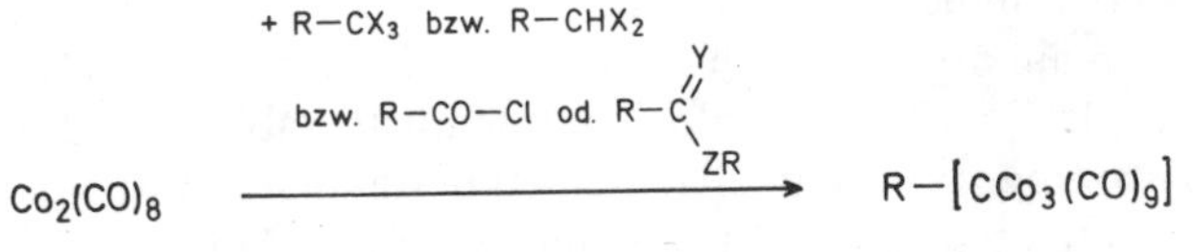

X = Hal
Y = S
Z = O, S

$$Co_2(CO)_8 + R{-}C{\equiv}CH \longrightarrow R{-}CH_2{-}[CCo_3(CO)_9]$$

Auch eine direkte Übertragung des Carbin-Restes von einem anderen Metall auf Kobalt ist möglich:

$$3\,Co_2(CO)_8 + 2\,L_nM{\equiv}C{-}R \xrightarrow[-2\,L_nM(CO)_3]{} 2\,R{-}[CCo_3(CO)_9]$$

Die CCo_3-Einheit ist außergewöhnlich stabil, so daß mit solchen „Cluster"-Komplexen verschiedene Umwandlungen am organischen Rest durchgeführt werden können, wie sie in der Aren-Chemie bekannt sind. Es sind z.B. elektrophile Substitutionen am Aren, Hydrierung von C=C-Doppelbindungen, Veresterungen und Umwandlung von Aldehyd-Funktionen möglich.

Nicht beschrieben werden Kobalt-Carboran-Verbindungen, da sie im Rahmen der Carborane in Bd. XIII/3c behandelt werden[1].

Vitamin B_{12} und verwandte Corrinoide werden hier ebenfalls nicht betrachtet, da sie den Rahmen dieses Handbuchs sprengen würden. Als Einführung in dieses umfangreiche Gebiet mit ca. 12 000 Veröffentlichungen bis zum Jahre 1975[2] wird auf die Übersichtsreferate verwiesen, die in der Bibliographie a.S.1000f. enthalten sind.

In diesem Handbuch werden keine Verbindungen referiert, die ein „nacktes" Kohlenstoff-Atom im Metallpolycluster, z.B. CCo_6 und CCo_8, enthalten, da sie eher der anorganischen Komplexchemie zuzurechnen sind.

Komplexe, wie z.B. I und II[3] werden als π-Komplexe betrachtet und werden daher nicht besprochen.

Die Eigenschaften der Organo-kobalt-Komplexe sind sehr unterschiedlich. Viele dieser Verbindungen sind gegenüber Licht empfindlich. Alle Organo-kobalt-Verbindungen sollten daher unter Ausschluß von Licht hergestellt und gelagert werden. Sie sollten im allgemeinen von Luft und oft auch von Wasser fern gehalten werden, obwohl einige Verbindungen recht Luft- und Hydrolyse-beständig sind. Grundsätzlich sollte man daher bei der Herstellung und Handhabung der Organo-kobalt-Verbindungen unter Ausschluß von Luft, Licht und Wasser arbeiten.

Besonders stabil sind Organo-kobalt(III)-Chelat- und μ_3-Methylidin-cyclo-tris-[tricarbonyl-kobalt](3Co–Co)-Komplexe. Die Stabilität der Organo-kobalt-Gruppe kann durch Wahl geeigneter Liganden beträchtlich erhöht werden. Zur Stabilisierung von Organo-kobalt(I)-Komplexen sind besonders Carbonyl-Liganden in Kombination mit Phosphanen geeignet. Da die Liganden im Gleichgewicht abdissoziieren, ist bei Carbonyl-Komplexen, vor allem bei erhöhter Temperatur, ein erhöhter Kohlenmonoxid-Druck notwendig, damit der Carbonyl-Komplex nicht zerfällt.

Auch Änderungen am organischen Rest können die Stabilität des Komplexes erhöhen. So sind Perfluoralkyl-kobalt(I)-Komplexe beträchtlich stabiler als ihre Alkyl-Analoga.

Methyl-kobalt-Komplexe sind im allgemeinen beständiger als die höheren Alkyl-Verbindungen, da bei letzteren durch β-Eliminierung leicht Olefine abgespalten werden.

Da viele Zerfallsreaktionen über Radikale als Zwischenstufen ablaufen, sind Komplexe besonders stabil, wenn die Radikal-Bildung energetisch ungünstig ist.

Besonders stabil sind Komplexe, die koordinativ abgesättigt sind, d.h. die keine freie Koordinationsstelle besitzen und nur schwer einen Liganden abspalten. Dadurch wird z.B. die β-Eliminierung erschwert, da für das gebildete Olefin keine Koordinationsstelle frei ist.

---

[1] vgl. K.P. CALLAHAN u. M.F. HAWTHORNE, Adv. Organometallic Chem. **14**, 145 (1976): *Ten Years of Metallocarboranes*.

[2] W. FRIEDRICH, *Fermente – Hormone – Vitamine*, Bd. III/2, Georg Thieme Verlag, Stuttgart 1975.

[3] B.H. FREELAND, J.E. HUX, N.C. PAYNE u. K.G. TYERS, Inorg. Chem. **19**, 693 (1980).

Die zuvor beschriebenen Stabilisierungseffekte können thermodynamische oder kinetische Ursachen haben[1]. Die Möglichkeiten zur Stabilisierung eines Komplexes sind im folgenden noch einmal zusammengefaßt:

① Die koordinative Abschirmung des Zentralatoms
  a) durch große Liganden
  b) durch Besetzen aller Koordinationsstellen
② Der Chelat-Effekt des organischen Restes oder von anorganischen 2- bzw. 3-zähnigen Liganden, die oft die sterische Hinderung im Komplex erniedrigen
③ Die Erhöhung der Eliminierungsstabilität des organischen Restes
  a) durch Vermeiden von β-ständigen Protonen
  b) durch Einbau in Ringsysteme, die die Bildung von Radikalen oder Olefinen erschweren oder unmöglich machen
④ Elektronische Effekte zur Stabilisierung niedriger Oxidationsstufen des Zentralmetalls
  a) Einführung von Elektronen-anziehenden Substituenten in den organischen Rest
  b) Einführung von π-aciden Liganden (vor allem Kohlenmonoxid), die über die „back-donation" Ladung vom Metall abziehen.

Bei der Zersetzung von Organo-kobalt-Verbindungen können Metall-Spiegel oder fein verteiltes Kobalt-Pulver entstehen, die sich bei Luft-Zutritt leicht **entzünden** können. Pyrophore Metall-Rückstände lassen sich oft durch Wasser desaktivieren. Sie sollten immer unter Wasser gehalten werden.

Auch Liganden, wie Phosphane, können heftig mit Sauerstoff reagieren.

Besondere Vorsicht ist mit **giftigen** und leicht flüchtigen Kobalt-Verbindungen, wie Carbonylen, geboten und mit Liganden, wie Kohlenmonoxid, Phosphanen und Isocyaniden. Kobalt-Staub und manche Chlormethyl-Verbindungen sind **carcinogen**. Daher muß bei Arbeiten mit solchen Verbindungen ein guter Labor-Abzug verwendet werden und jeder Kontakt mit ihnen vermieden werden.

Bei Arbeiten mit 2-Jod-perfluor-alkanen ereignete sich ein **tödlicher** Unfall, bei dem es zu einem Kreislaufkollaps und Lungenödem kam[2].

Die Substitutionsreaktionen von Liganden, die keine σ-C–Co-Bindung besitzen, werden im allgemeinen nicht behandelt, da dies den Rahmen dieses Referats sprengen würde. Auf die Bedeutung des Liganden-Austausches oder der -Addition von zusätzlichen Liganden auf die Stabilität des Komplexes wurde bereits hingewiesen. Man kann neutrale Komplexe durch Ligandensubstitution oder -addition in Kationen- oder Anionen-Komplexe umwandeln:

$$[CoRL]^{\oplus} Y^{\ominus} \quad \underset{-Y^{\ominus}/+X^{\ominus}}{\overset{+Y^{\ominus}/-X^{\ominus}}{\rightleftarrows}} \quad CoRLX \quad \underset{-Y^{\ominus}/+L}{\overset{+Y^{\ominus}/-L}{\rightleftarrows}} \quad [CoRXY]^{\ominus}$$

Die Strukturaufklärung von Organokobalt-Verbindungen ist oft nicht einfach. Man ist daher immer mehr dazu übergegangen, die Verbindungen durch röntgenographische Kristallstrukturuntersuchung zu charakterisieren.

Die Identifizierung von Verbindungen durch ihren Schmelz- und Siedepunkt ist in vielen Fällen unzureichend oder wegen Zersetzung der Komplexe nicht möglich. Daher werden zu Verbindungen oft charakteristische spektroskopische Daten angegeben. Die vollständigen spektroskopischen Daten sind in der Originalliteratur nachzulesen.

Die Kohlenstoff-Kobalt-Bindung kann nach folgenden Mechanismen gespalten werden:

ⓐ durch elektrophile Reagenzien:

$$Co-R \quad \xrightarrow{+X^{\oplus}} \quad Co^{\oplus} \quad + \quad R-X$$

---

[1] R. Taube, H. Drevs u. D. Steinborn, Z. **18**, 425 (1978).
[2] K. Ulm u. W. Weigand, Ang. Ch. **87**, 171 (1975).

ⓑ homolytisch (thermisch oder photolytisch):

$$\text{Co}-\text{R} \quad \begin{cases} \xrightarrow{+\,\text{X}\cdot} & \text{Co}\cdot \;+\; \text{R}-\text{X} \\[2mm] \xrightarrow[-\,\text{CoX}]{+\,\text{X}\cdot} & \text{R}\cdot \;\longrightarrow\; 1/2\ \text{R}-\text{R} \end{cases}$$

ⓒ durch nucleophile Reagenzien:

$$\text{Co}-\text{R} \xrightarrow{+\,|\text{X}^{\ominus}} |\text{Co}^{\ominus} \;+\; \text{R}-\text{X}$$

Organo-kobalt-Komplexe werden in unterschiedlichem Maße von Protonen-akti-ven Verbindungen und Säuren angegriffen. So reagieren Alkohole mit Organo-ko-balt(I)-Verbindungen, wie Acyl-Komplexe, bei erhöhter Temp. (∼50°). Organo-ko-balt(II)-Verbindungen werden andererseits schon bei tieferer Temp. rasch zersetzt. Die organischen Komplexe von Kobalt(III) sind im Vergleich zu den anderen Verbindungen gegen Protonen-aktive Verbindungen und Säuren am stabilsten. So wird von Diorgano-kobalt(III)-Chelat-Komplexen durch Alkohole nur ein organischer Rest abgespalten. Der zweite Rest wird erst durch Erhitzen mit starken Säuren entfernt. Organo-kobalt(IV)-Komplexe sind bei −70° in Protonen-aktiven Lösungsmitteln eine Zeitlang stabil; sie zer-setzen sich aber bei ∼20°.

Die Stabilität der Komplexe hängt jedoch sehr stark von der Art des organischen Restes ab. So reagiert Trikalium-[hexakis-(1-alkinyl)-kobaltat(III)] unter **Detonation** mit Was-ser.

Bei der Spaltung durch Säuren wird normalerweise der Kohlenstoff protoniert. Dies ist auch der Fall bei Methylen-dikobalt- und Methyliden-trikobalt-Komplexen.

Bei der Reaktion von Organo-kobalt-Verbindungen mit Basen oder nucleophilen Verbindungen in Protonen-aktiven Lösungsmitteln werden die organischen Reste norma-lerweise durch elektrophilen Angriff, d. h. durch Protonierung abgespalten. In einigen Fäl-len wird der organische Rest jedoch nucleophil angegriffen. Ein Beispiel dieser Reaktion ist die Spaltung von Acyl-kobalt(I)-Komplexen durch Alkohole oder Wasser. Die Reak-tion wird oft durch Basen begünstigt, da sie den gebildeten Hydrido-kobalt(I)-Komplex neutralisieren, z. B.:

$$\underset{\overset{\parallel}{O}}{R^1-C}-\text{Co(CO)}_4 \;+\; R^2-\text{OH} \;+\; B \;\longrightarrow\; \underset{\overset{\parallel}{O}}{R^1-C}-\text{OR}^2 \;+\; [\text{HB}]^{\oplus}[\text{Co(CO)}_4]^{\ominus}$$

Der nucleophile Angriff am organischen Rest ist bei Kobalt(III)-Komplexen im Ver-gleich zur elektrophilen Spaltung durch Protonen-aktive Reagenzien nur von untergeord-neter Bedeutung. Bei Organo-kobalt(IV)-Verbindungen dagegen ist der nucleophile An-griff infolge der geringen Elektronen-Dichte am Kobalt bevorzugt, die die C–Co-Bindung folgendermaßen polarisiert:

$$R^{\delta\oplus}-\text{Co}^{\delta\ominus}\,(\text{IV})$$

Organo-kobalt-Verbindungen werden durch elementaren Wasserstoff gespalten. Die Organo-kobalt(I)-Verbindungen reagieren zum Teil bereits unter milden Bedingun-gen. Zur Spaltung von Alkyl- und Aryl-cobaloximen durch Wasserstoff benötigt man hin-gegen Schwermetall-Katalysatoren und zur Spaltung von μ_3-Methylidin-cyclo-tris-[tricar-bonyl-kobalt] (3Co–Co)-Derivaten muß die Lösung belichtet werden:

$$R-Co^I \ + \ H_2 \qquad \longrightarrow \qquad R-H \ + \ HCo^I$$

$$\overset{O}{\underset{\|}{R-C-Co^I}} \ + \ H_2 \qquad \longrightarrow \qquad \overset{O}{\underset{\|}{R-C-H}} \ + \ HCo^I$$

$$R-[Co^{III}] \ + \ H_2 \quad \xrightarrow{\text{kat.}} \quad R-H$$

$$R-[CCo_3(CO)_9] \ + \ H_2 \quad \xrightarrow{h\nu} \quad R-CH_3 \ + \ R^2-CH=CH_2$$

Zur reduktiven Spaltung von Organo-kobalt(III)-Komplexen haben sich Metallhydride, vor allem Lithium-boranat bzw. -aluminat bewährt.

Halogene reagieren elektrophil mit dem organischen Rest von Organo-kobalt-Komplexen, z.B.:

$$\overset{O}{\underset{\|}{R-C-Co^I}} \ + \ J_2 \qquad \longrightarrow \qquad \overset{O}{\underset{\|}{R-C-J}} \ + \ Co^I J$$

$$(OC)_4Co-CF_2-CF_2-Co(CO)_4 \ + \ J_2 \quad \longrightarrow \quad J-CF_2-CF_2-J$$

$$R-Co^{III} \ + \ Br_2 \qquad \longrightarrow \qquad R-Br \ + \ Co^{III}Br$$

$$R-Co^{III}-R \ + \ 2\,J_2 \qquad \longrightarrow \qquad 2\,R-J \ + \ Co^{III}J_2$$

$$R-Co^{III} \ + \ J-Cl \qquad \longrightarrow \qquad R-J \ + \ Co^{III}Cl$$

$$R-[CCo_3(CO)_9] \ + \ Cl_2 \qquad \longrightarrow \qquad R-CCl_3$$

Eine Ausnahme ist die Umsetzung von Polyaryl-kobalt(II)-Komplexen mit Jod, bei der zwei Aryl-Reste gekuppelt werden:

$$Li_2[Co^{II}Ar_4] \ + \ 2\,J_2 \quad \xrightarrow[-\,2\,LiJ\,/\,-\,CoJ_2]{} \quad 2\,Ar-Ar$$

Die Umsetzung von Organo-kobalt-Verbindungen mit Alkyl- und Acyl-halogeniden kann nach verschiedenen Mechanismen ablaufen. Bei der Umsetzung von Organo-kobalt(I)-Komplexen kann als erster Schritt eine oxidative Addition angenommen werden, der eine Kupplung der beiden organischen Reste folgt:

$$R^1-Co^I \ + \ R^2-X \quad \longrightarrow \quad \left[\overset{R^2}{\underset{|}{R^1-Co^{III}X}}\right] \quad \longrightarrow \quad R^1-R^2 \ + \ Co^IX$$

$$\overset{O}{\underset{\|}{R^1-C-Co^I}} \ + \ R^2-X \quad \longrightarrow \quad \left[\overset{O\ \ R^2}{\underset{\| \ \ |}{R^1-C-Co^{III}X}}\right] \quad \longrightarrow \quad \overset{O}{\underset{\|}{R^1-C-R^2}} \ + \ Co^IX$$

Die Umsetzung von Organo-kobalt(III)-Chelat-Komplexen mit Polyhalogenmethan verläuft nach einem Radikal-Mechanismus:

$$R-Co^{III} \ + \ X-CCl_3 \quad \xrightarrow[-\,Co^{III}X]{} \quad R-CCl_3$$

$$\underset{/}{\overset{\backslash}{}}C=\overset{R}{\underset{|}{C}}-CH_2-Co^{III} \ + \ X-CCl_3 \quad \xrightarrow[-\,Co^{III}X]{} \quad Cl_3C-\overset{R}{\underset{|}{C}}-\overset{}{\underset{|}{C}}=CH_2$$

1*

Acyl-halogenide reagieren elektrophil mit Organo-kobalt(III)-Komplexen:

$$R^1-Co^{III} \ + \ R^2-\overset{\overset{O}{\|}}{C}-X \quad \xrightarrow[- \ Co^{III}X]{} \quad R^1-\overset{\overset{O}{\|}}{C}-R^2$$

Organo-kobalt-Verbindungen können sehr heftig mit Oxidationsmitteln reagieren, z.B. Organo-kobalt(II)-Komplexe, die ein freies Elektron besitzen und bereits mit Spuren von Sauerstoff heftig reagieren.

Relativ reaktionsträge sind viele Organo-kobalt(III)-Chelat-Komplexe, bei denen Belichten oder Erhitzen erforderlich ist, um sie mit molekularem Sauerstoff oder Schwefel umzusetzen. In einem ersten Reaktionsschritt wird das Chalkogen eingebaut:

$$R-Co^{III} \ + \ O_2 \quad \xrightarrow{h\nu \ bzw. \ \Delta} \quad R-O-O-Co^{III}$$

$$R-Co^{III} \ + \ S_x \quad \xrightarrow{h\nu} \quad R-S_x-Co^{III}$$

Eine Ausnahme sind Komplexe mit Benzyl- und Alkyl-Resten, die relativ leicht Mesomerie-stabilisierte Radikale bilden und daher leicht mit Sauerstoff reagieren.

In manchen Fällen wird molekularer Sauerstoff lediglich als π-Ligand gebunden, ohne daß er die C–Co-Bindung angreift. Des weiteren ist zu beachten, daß Liganden wie Trialkylphosphane durch Sauerstoff unter Bildung von Trialkylphosphanoxid oxygeniert werden, das ein schwacher Komplex-Bildner ist.

μ_3-Methylidin-cyclo-tris-[tricarbonyl-kobalt] (3 Co–Co)-Derivate können unterschiedlich mit Oxidationsmitteln reagieren. Bei vollständiger Oxidation der C–Co-Bindungen entsteht die entsprechende Carbonsäure:

$$R-[CCo_3(CO)_9] \quad \xrightarrow{H_2O_2 \ bzw. \ Ce^{4\oplus}/\Delta} \quad R-COOH$$

Es ist jedoch auch möglich, daß die Bindungen nicht vollständig oxidiert werden. So wird unter Insertion von Kohlenmonoxid ein Malonsäure-Derivat gebildet:

$$R^1-C[Co_3(CO)_9] \quad \xrightarrow{O_2 \ / \ R^2-OH} \quad R^1-\overset{\overset{COOR^2}{|}}{CH}-COOR^2$$

Durch partielle Oxidation können unter Dimerisierung von zwei Carbin-Resten Alkine entstehen, die auch beim thermischen Zersetzen des Komplexes gebildet werden:

$$2 \ R-[CCo_3(CO)_9] \quad \xrightarrow{Ce^{4\oplus} \ bzw. \ \Delta} \quad R-C\equiv C-R$$

Bei der thermischen und photolytischen Zersetzung von Organo-kobalt(III)-Chelat-Komplexen entstehen oft die gleichen Reaktionsprodukte. Man nimmt an, daß in beiden Reaktionen Radikal-Zwischenstufen auftreten, die sich je nach Art des Lösungsmittels und der im Komplex enthaltenen Liganden stabilisieren:

$$R-Co^{III} \quad \xrightarrow[- \ Co^{II}]{h\nu \ bzw. \ \Delta} \quad R\cdot \quad \xrightarrow{+ \ [H\cdot]} \quad R-H$$

$$\downarrow$$

$$1/2 \ R-R$$

Der hierbei aufgenommene Wasserstoff kann vom Lösungsmittel oder vom Liganden kommen.

Besonders leicht werden höhere Alkyl-kobalt-Komplexe gespalten, die in β-Stellung zu Kobalt mindestens ein Proton besitzen (β-Eliminierung):

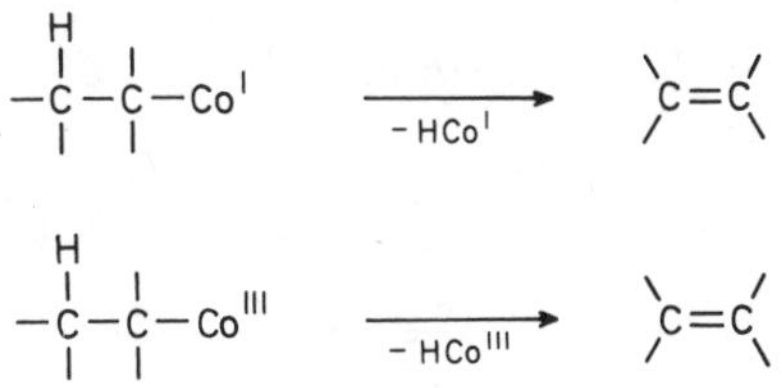

Das Verhältnis von R–H, R–R und Olefin hängt vom Komplex und von den gewählten Reaktionsbedingungen ab. Andererseits sind Verbindungen, die keine β-ständigen Protonen besitzen, besonders stabil. Dies sind Verbindungen mit Methyl-, Perfluoralkyl- und Aryl-Gruppen. Auch wenn das intermediär gebildete Radikal oder das Olefin aus sterischen Gründen ein hohes Energiepotential besitzen würde, sind die Organo-kobalt-Verbindungen außergewöhnlich stabil, wie bei folgenden Resten, bei denen Kobalt an einem Brückenkopf-C-Atom sitzt:

Die Übertragung des organischen Restes von Kobalt auf andere Metalle ist vor allem beim Quecksilber untersucht worden.

Organische Reste können zwischen Kobalt-Verbindungen über ein Gleichgewicht ausgetauscht werden:

$$R-{}^1Co^{III} \;+\; {}^2Co^{III}X \;\rightleftharpoons\; {}^1Co^{III}X \;+\; R-{}^2Co^{III}$$

Wie bereits bei der Reaktion mit elementarem Sauerstoff und Schwefel beschrieben (s. S. 10), können sich andere Atome und Moleküle in die Kohlenstoff-Kobalt-Bindung einschieben.

Dabei kann man zwischen zwei Reaktionstypen unterscheiden:

① 1,1-Addition

Hier wird ein Atom mit einem freien Elektronenpaar und einem unbesetzten Orbital in die C–Co-Bindung eingeschoben; z. B.:

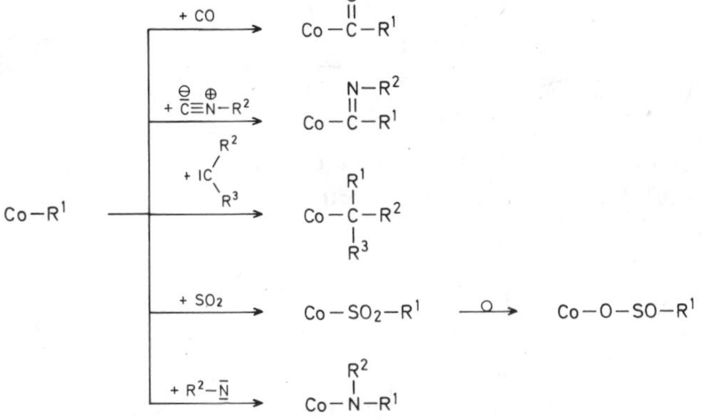

② 1,2- bzw. 1,n-Addition

Hier werden zwei bzw. mehrere Atome zwischen die Kohlenstoff-Kobalt-Bindung geschoben:

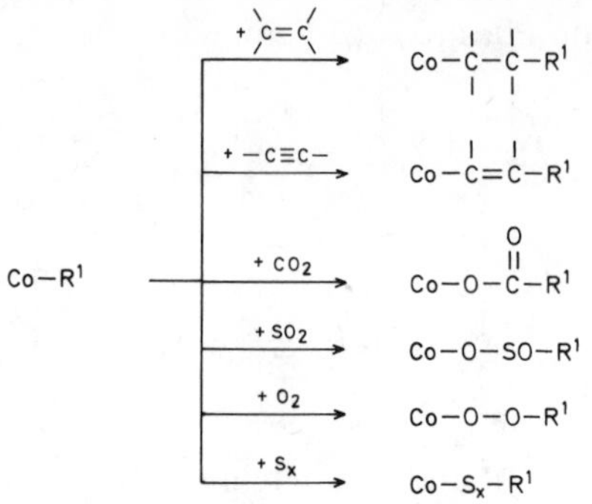

Cobaltole reagieren mit einer Reihe von ungesättigten Verbindungen unter Abspaltung des Kobalt-Restes und Cyclisierung des organischen Restes:

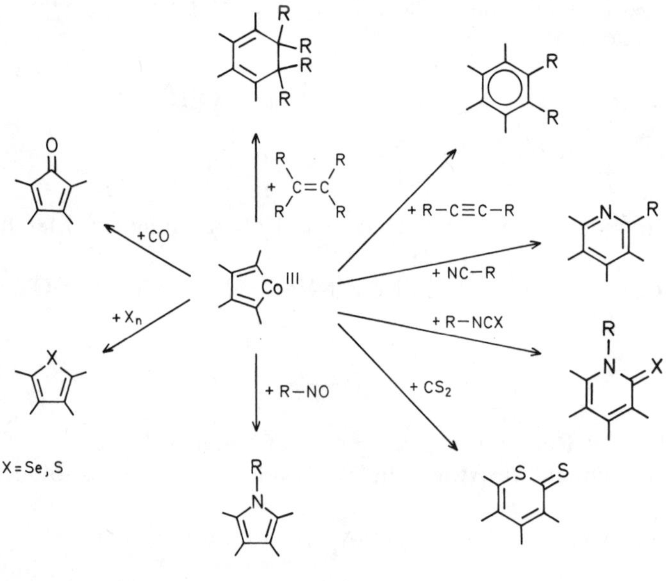

Mit molekularem Sauerstoff erhält man unter 1,4-Addition und Eliminierung von Kobalt 1,4-Dioxo-2-alkene.

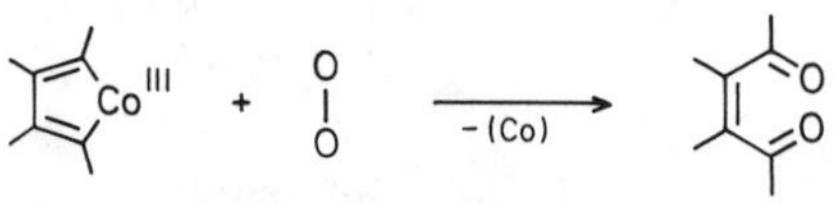

Offenkettige Verbindungen entstehen auch durch 1,4-Addition von Aminen, Thiolen, Silicium-Wasserstoff-Verbindungen und Arenen:

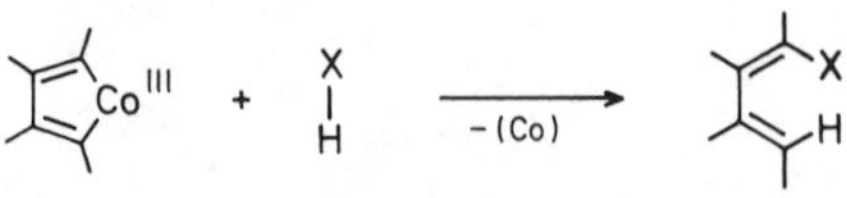

$$z.\,B.:\;\; H-X = H_3C-\overset{\overset{\displaystyle S}{\|}}{C}-NH-C_6H_5\,,\;\; HS-\!\!\left\langle\bigcirc\right\rangle\!\!-CH_3\,,\;\; H-Si(C_2H_5)_3\,,\;\; H-C_6H_5$$

Kobalt-Verbindungen sind Katalysatoren bei den technisch wichtigen Synthesen von Aldehyden aus Olefinen, Kohlenmonoxid und Wasserstoff (Hydroformylierung oder Oxo-Synthese) und bei der Synthese von Essigsäure aus Methanol und Kohlenmonoxid (Carbonylierung)[1], bei denen intermediär Organo-kobalt-Verbindungen auftreten.

Am wichtigsten ist die Hydroformylierung von Propen zu Butanal und 2-Methylpropanal:

$$H_2C{=}CH{-}CH_3 \ + \ CO \ + \ H_2 \xrightarrow{\text{(Co), 300 bar}} H_3C{-}CH_2{-}CH_2{-}CHO \ + \ H_3C{-}\underset{\underset{CHO}{|}}{CH}{-}CH_3$$

Bei der konventionellen Hydroformylierung wird in situ aus der Kobalt-Verbindung, Kohlenmonoxid und Wasserstoff ein Carbonyl-hydrido-kobalt(I)-Komplex als eigentlicher Katalysator der Reaktion gebildet [nähere Einzelheiten s. ds. Handb., Bd. E3, S. 180–191, 224 ff. (1983)].

Bei der von Shell modifizierten Oxo-Synthese werden Trialkylphosphane als Cokatalysatoren eingesetzt. Dadurch gelingt es, den für die Hydroformylierung erforderlichen Druck von ~ 300 auf 70 bar abzusenken und den Anteil an geradkettigen Verbindungen zu erhöhen. Bei dieser Variante werden in einem Reaktionsschritt hauptsächlich Alkohole erhalten. In Gegenwart von Basen entsteht bei diesem Prozeß außerdem 2-Ethyl-1-hexanol:

$$R{-}CH{=}CH_2 \ + \ CO \ + \ 2\,H_2 \xrightarrow{\text{Co/R}_3\text{P, 70 bar}} R{-}CH_2{-}CH_2{-}CH_2{-}OH \ + \ R{-}\underset{\underset{CH_2{-}OH}{|}}{CH}{-}CH_3$$

Bei der BASF-Essigsäure-Synthese aus Methanol und Kohlenmonoxid wird ein System aus Kobalt und Jod-Verbindungen als Katalysator verwendet:

$$H_3C{-}OH \ + \ CO \xrightarrow{\text{Co/J, 700 bar}} H_3C{-}COOH$$

Olefine können wie Alkohole mit Kohlenmonoxid und Protonen-aktiven Verbindungen „carbonyliert" werden:

$$R{-}CH{=}CH_2 \ + \ CO \ + \ H{-}X \longrightarrow R{-}CH_2{-}CH_2{-}\overset{\overset{O}{\|}}{C}{-}X$$

X = OH, OR, NR₂

Abgesehen von der Nickel-katalysierten Propansäure-Synthese aus Ethen, Kohlenmonoxid und Wasser hat keine Carbonylierung von Olefinen, auch nicht von langkettigen Olefinen, eine großtechnische Bedeutung erlangt.

Der wesentliche Unterschied zwischen Hydroformylierung und Carbonylierung liegt in der Spaltung des intermediär gebildeten Acyl-Komplexes:

$$R{-}\overset{\overset{O}{\|}}{C}{-}Co(CO)_nL_m \ + \ H_2 \xrightarrow[-\,H{-}Co(CO)_nL_m]{} R{-}CHO$$

$$R{-}\overset{\overset{O}{\|}}{C}{-}Co(CO)_nL_m \ + \ HX \xrightarrow[-\,H{-}Co(CO)_nL_m]{} R{-}\overset{\overset{O}{\|}}{C}{-}X$$

Durch Kobalt-Verbindungen können Olefine isomerisiert und hydriert werden. Auch hier entstehen zwischenzeitlich Alkyl-kobalt-Komplexe. Ethen kann mit Kohlenmonoxid und Wasserstoff hydroformyliert oder in 3-Pentanon übergeführt werden.

---

[1] C. A. Tolma, Chem. Soc. Rev. **1/2**, 337 (1972/73).
vgl. a. Bd. E3, S. 180–191, 224 ff. (1983).

$$2\ H_2C{=}CH_2 \ + \ CO \ + \ H_2 \xrightarrow{(Co)} H_5C_2{-}\overset{\overset{\textstyle O}{\|}}{C}{-}C_2H_5$$

$$H_2C{=}CH_2 \ + \ CO \ + \ H_2 \xrightarrow{(Co)} H_5C_2{-}CHO$$

Einige der zuvor aufgezählten Umwandlungen von Organo-kobalt-Verbindungen werden ev. eine gewisse Bedeutung als Labor-Methode erlangen. Erwähnt sei die Synthese von Arenen und Hetarenen aus Kobaltolen (vgl. S. 279–283).

A. Herstellung

I. von Organo-kobalt(-I)-Verbindungen

Tetralithium-tetraphenyldikobalt-Tetrakis-Tetrahydrofuran bildet mit Phenyl-lithium in Diethylether *Tetralithium-triphenylkobaltat(-I)-Pentakis-Tetrahydrofuran* (20%; Zers.p.: >95°.)[1]. Zur Synthese von *Bis-[nitrosyl]-(pentafluor-ethyl)-triphenylphosphan-kobalt(-I)* s.S. 27f.

II. von Organo-kobalt(I)-Verbindungen

a) Alkyl-kobalt(I)-Verbindungen

1. aus Kobalt(I)-Verbindungen

α) aus Kobalt(I)-Verbindungen ohne C–Co-Bindung mit Alkyl-metall-Derivaten

Alkyl-alkalimetall-Verbindungen reagieren in einer nucleophilen Substitution mit Halogen-kobalt(I)-Komplexen.

Chloro-trimethylphosphan-kobalt(I)-Komplexe werden durch Methyl-lithium schon bei tiefer Temperatur in glatter Reaktion alkyliert[2-4]. Ein Zusatz von Phosphan bzw. eines anderen Liganden ist erforderlich, da sonst der zunächst gebildete vierfach koordinierte Komplex bei ~−30° unter Gasentwicklung und Abscheidung von kolloidalem Kobaltmetall zerfällt, bis daß das beim Zerfall freigesetzte Phosphan ausreicht zur Bildung des stabilen fünffach koordinierten Methyl-Komplexes:

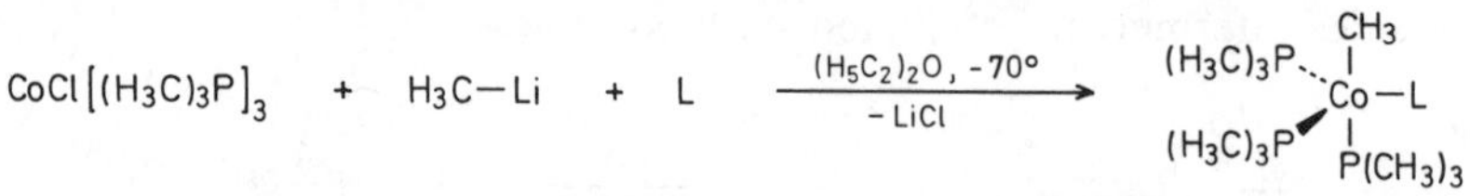

$$CoCl\big[(H_3C)_3P\big]_3 \ + \ H_3C{-}Li \ + \ L \xrightarrow[- LiCl]{(H_5C_2)_2O,\,-70°} \begin{array}{c} CH_3 \\ (H_3C)_3P_{\cdots}\,|\, \\ Co{-}L \\ (H_3C)_3P^{\nearrow}\,|\, \\ P(CH_3)_3 \end{array}$$

L = (H₃C)₃P;   *Methyl-tetrakis-[trimethylphosphan]-kobalt*; 95%
L = H₂C=CH₂; *Ethen-methyl-tris-[trimethylphosphan]-kobalt*; 90%
              F: 115–117° (Zers.); Subl.p. ₀,₁: 60–65°
R = ⬠   ; *Cyclopenten-methyl-tris-[trimethylphosphan]-kobalt*; 43%; Zers.p. >130°

[1] R. Taube u. N. Stransky, Z. Anorg. Ch. **490**, 91 (1982).
[2] H.-F. Klein u. H.H. Karsch, B. **108**, 944 (1975).
[3] H.-F. Klein, R. Hammer, J. Gross u. U. Schubert, Ang. Ch. **92**, 835 (1980).
[4] H.-F. Klein, J. Gross, R. Hammer u. U. Schubert, B. **116**, 1441 (1983).

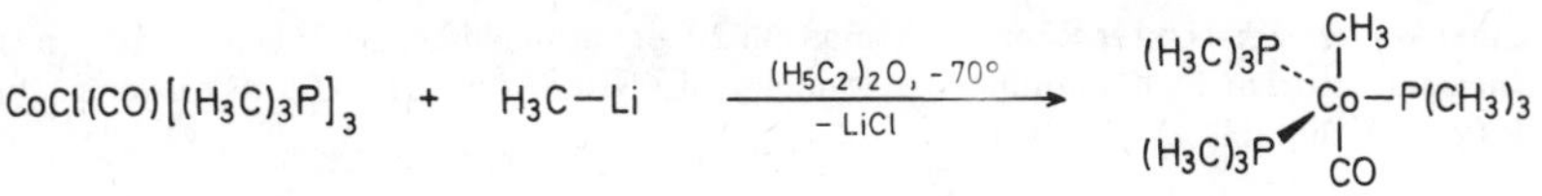

$$CoCl(CO)[(H_3C)_3P]_3 \;+\; H_3C{-}Li \xrightarrow[-\,LiCl]{(H_5C_2)_2O,\,-70°} \begin{array}{c}(H_3C)_3P\cdots\\[2pt](H_3C)_3P\end{array}\!\!\!\begin{array}{c}CH_3\\|\\Co{-}P(CH_3)_3\\|\\CO\end{array}$$

Carbonyl-methyl-tris-[trimethylphosphan]-kobalt;
93%; F: 56–58°; Zers. > 130°

Methyl-tetrakis-[trimethylphosphan]-kobalt[1, 2]:

Tetrakis-[trimethylphosphan]-kobalt: 2000 mg ((15,4 mmol) Kobalt(II)-chlorid und 7 *ml* (73,7 mmol) Trimethylphosphan in 60 *ml* Diethylether werden mit Natriumamalgam [700 mg (130,4 mmol) Natrium und 100 g Quecksilber] 24 Stdn. gerührt. Die Quecksilber-Phase wird durch Dekantieren abgetrennt, die braune ether. Lösung filtriert und ihr Rückstand bei 80°/0,1 Torr sublimiert; Ausbeute: 4030 mg (72%); Zers. > 180°.

Die Verbindung **entzündet** sich spontan bei Luftzutritt. Anstelle von Natriumamalgam kann man auch metallisches Magnesium in THF verwenden.

Chloro-tris-[trimethylphosphan]-kobalt: 3030 mg (8,35 mmol) Tetrakis-[trimethylphosphan]-kobalt, 1084 mg (8,35 mmol) Kobalt(II)-chlorid und 2 *ml* (21,0 mmol) Trimethylphosphan werden in 50 *ml* Diethylether 2 Stdn. gerührt. Durch Filtrieren und mehrmaliges Extrahieren mit Ether erhält man blaue Kristalle; Ausbeute: 5120 mg (95%); Zers. > 90°.

Methyl-tetrakis-[trimethylphosphan]-kobalt: Zu einer Lösung von 1000 mg (3,11 mmol) Chloro-tris-[trimethylphosphan]-kobalt und 0,3 *ml* (3,16 mmol) Trimethylphosphan in 30 *ml* Diethylether werden bei –78° 3,2 *ml* einer 1M Methyl-lithium-Lösung in Ether pipettiert. Man läßt langsam auf 20° erwärmen, ersetzt das Lösungsmittel durch 20 *ml* Pentan. Aus der filtrierten Lösung wachsen beim langsamen Abkühlen auf –70° orangerote Kristalle, die durch Dekantieren bei tiefer Temp. und langsames Erwärmen i. Vak. auf 20° getrocknet werden; Ausbeute: 1120 mg (95%); Zers. > 85°; ¹H-NMR (Toluol, –70°); τ CoCH₃ 10.61 q, $^3J(P_{eq}H)$ 13.2 Hz, $^3J(P_{ax}H)$ < 0.3 Hz, PCH₃ 8.98 br, s.

Bei Luftzutritt tritt Entzündung ein.

Die Alkylierung mit Methyl-lithium gelingt auch bei Chelat-Komplexen[3]:

$$CoBr(L) \;+\; Li{-}CH_3 \xrightarrow{THF/0°} H_3C{-}Co(L)$$

$L = N[CH_2{-}CH_2{-}P(C_6H_5)_2]_3$; *Methyl-[tris-(2-diphenylphosphano-ethyl)-amin(N,P¹,P²,P³)]-kobalt*

$L = P[CH_2{-}CH_2{-}P(C_6H_5)_2]_3$; *Methyl-[tris-(2-diphenylphosphano-ethyl)-phosphan(P¹,P²,P³,P⁴)]-kobalt · THF*

Die Lösungen sind unter Stickstoff, nicht aber an der Luft stabil. Die Komplexe sind diamagnetisch (d⁸ low spin).

Einen Sonderfall stellt die Reaktion von Chloro-tris-[trimethylphosphan]-kobalt mit (Dimethylphosphano)-methyl-lithium dar[4]:

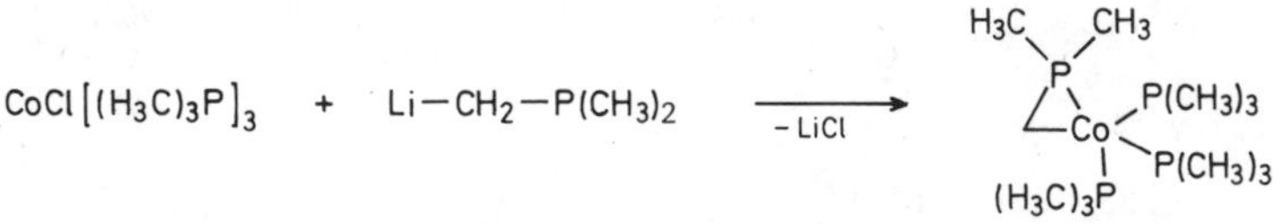

$$CoCl[(H_3C)_3P]_3 \;+\; Li{-}CH_2{-}P(CH_3)_2 \xrightarrow{-\,LiCl} \begin{array}{c}H_3C\quad CH_3\\ \diagdown P \diagup \\ \diagup \quad Co \diagup P(CH_3)_3 \\ |\quad\diagdown P(CH_3)_3\\ (H_3C)_3P\end{array}$$

[(Dimethylphosphano)-methyl-C,P]-tris-[trimethylphosphan]-kobalt[4]:

(Dimethylphosphano)-methyl-lithium: Zu 15,2 g (200 mmol) Trimethylphosphan werden 100 *ml* 2 M tert.-Butyl-lithium-Lösung in Pentan (200 mmol) gegeben. Man läßt 10 Stdn. stehen und dekantiert vom Niederschlag ab, wäscht den Niederschlag 2 mal mit Pentan und trocknet ihn zunächst vorsichtig, zum Schluß bei 80°/0,2 Torr. Insgesamt lassen sich innerhalb einer Woche durch gelegentliches Entfernen von weiterem ausgefallenem Niederschlag (wie beschrieben) bis zu 15,25 g (93%) isolieren; Zers.p.: ~ 150°.

[(Dimethylphosphano)-methyl-C,P]-tris-[trimethylphosphan]-kobalt: Auf 1,0 g (3,10 mmol) Chloro-tris-[trimethylphosphan]-kobalt und 250 mg (3,1 mmol) (Dimethylphosphano)-methyl-lithium werden

¹ H.-F. KLEIN u. H.H. KARSCH, B. **108**, 944 (1975).
² H.-F. KLEIN, R. HAMMER, J. GROSS u. U. SCHUBERT, Ang. Ch. **92**, 835 (1980).
³ P. STOPPIONI, P. DAPPORTO u. L. SACCONI, Inorg. Chem. **17**, 718 (1978).
⁴ H.H. KARSCH u. H. SCHMIDBAUR, Z. Naturf. **32b**, 762 (1977).

bei 0° 30 *ml* Ether kondensiert. Unter Rühren läßt man auf 20° erwärmen und entfernt die flüchtigen Bestandteile i. Vak. Der Rückstand wird in 30 *ml* Pentan aufgenommen, die Lösung filtriert und zur Trockene gebracht; Ausbeute: 1,02 g (91%) (dunkelrot).

β) aus Hydrido-kobalt(I)-Verbindungen

β₁) *mit Alkenen*

Hydrido-tetracarbonyl-kobalt und Alkene bilden instabile Alkyl-tetracarbonyl-kobalt-Verbindungen, die sich sehr leicht mit Kohlenmonoxid zu den stabileren Acyl-tetracarbonyl-kobalt-Komplexen umsetzen[1]. Diese Reaktion ist ein Schritt bei der durch Kobalt katalysierten Hydroformylierung von Olefinen durch Oxogas (s. S. 13)[2,3].

Bei der Addition der Hydrido-kobalt-Gruppe an das Olefin entsteht ein Isomerengemisch[4]; z.B.:

$$R-CH=CH_2 \;+\; H-Co(CO)_4 \;\longrightarrow\; R-CH_2-CH_2-Co(CO)_4 \;+\; R-\overset{\overset{\textstyle Co(CO)_4}{|}}{CH}-CH_3$$

Die Reaktion wird durch Erhöhen des Kohlenmonoxid-Partialdruckes verlangsamt, da der Hydrido-Komplex offensichtlich in der dissoziierten Tricarbonyl-Form mit dem Alken reagiert[5,6]:

$$H-Co(CO)_4 \underset{+CO}{\overset{-CO}{\rightleftharpoons}} H-Co(CO)_3 \overset{+\!\!>\!C=C\!<}{\rightleftharpoons} H-Co(CO)_3(\;>\!C=C\!<\;) \rightleftharpoons$$

$$H-\overset{|}{\underset{|}{C}}-\overset{|}{\underset{|}{C}}-Co(CO)_3 \underset{-CO}{\overset{+CO}{\rightleftharpoons}} H-\overset{|}{\underset{|}{C}}-\overset{|}{\underset{|}{C}}-Co(CO)_4$$

Distickstoff-hydrido-tris-[triphenylphosphan]-kobalt katalysiert die Dimerisierung von Propen, wobei das Additionsprodukt als aktive Spezies und ein σ-Propyl-π-propen-kobalt-Komplex sowie Hexyl-Komplexe als Zwischenstufen formuliert werden[7].

Stabile Alkyl-Komplexe erhält man durch Umsetzung von Polyfluoralkenen:

$$H-Co(CO)_4 \xrightarrow{+\;F_2C=C\overset{F}{\underset{X}{<}}} F_2CH-\overset{\overset{\textstyle F}{|}}{\underset{\underset{\textstyle X}{|}}{C}}-Co(CO)_4$$

X = F; *Tetracarbonyl-(1,1,2,2-tetrafluor-ethyl)-kobalt*[8]; 10%; F: −9 bis −8°
X = Cl; *(1-Chlor-1,2,2-trifluor-ethyl)-tetracarbonyl-kobalt*[9]

---

[1] R.F. Heck, Am. Soc. **83**, 4023 (1961).
[2] L. Markó, G. Bor, G. Almásy u. P. Szabó, Brennstoffch. **44**, 184 (1963): Während bei 1-Alkenen der geschwindigkeitsbestimmende Schritt der Hydroformylierung die Spaltung der Acyl-Komplexe mit Wasserstoff ist (s. S. 241), zeigen IR-spektroskopische Untersuchungen des Reaktionsgemisches bei den weniger reaktionsfähigen innenständigen Alkenen oder den weniger aktiven Kobalt/Phosphan-Katalysatoren, daß dort die Reaktion der Hydrido-kobalt-Gruppe mit dem Olefin geschwindigkeitsbestimmend ist.
[3] R. Whyman, J. Organometal. Chem. **81**, 97 (1974).
[4] Unter den Bedingungen der technischen Hydroformylierung entstehen noch mehr Isomere, da Carbonyl-Kobalt-Verbindungen zusätzlich die Isomerisierung vom Olefin katalysieren.
[5] H.-F. Klein, R. Hammer, J. Gross u. U. Schubert, Ang. Ch. **92**, 835 (1980): Der Ethen-hydrido-Komplex wird in O-Deutero-methanol in allen 5 Positionen deuteriert (σ-π-Umlagerung).
[6] P. Taylor u. M. Orchin, Am. Soc. **93**, 6504 (1971); das Proton wird hauptsächlich nach der Markovnikov-Regel eingebaut.
[7] F. Petit, C. Arzouyan, G. Pfeifer u. E. Gaydou, J. Organometal. Chem. **202**, 319 (1980).
[8] J.B. Wilford, A. Forster u. F.G.A. Stone, Soc. **1965**, 6519.
[9] B.N. Booth, R.N. Haszeldine u. P.R. Mitchell, J. Organometal. Chem. **21**, 203 (1970).

Bei der Umsetzung mit ungesättigten Aldehyden (z.B. Acrolein) wird der Aldehyd decarbonyliert[1]. Die Reaktion wird begünstigt, wenn der eingesetzte Kobalt-Komplex einen schwach gebundenen Liganden wie Distickstoff enthält:

$$H-Co(N_2)[(H_5C_6)_3P]_3 \ + \ H_2C=CH-CHO \ \xrightarrow[-N_2]{C_6H_6, \ 20°, \ 3 \ Stdn.} \ H_3C-CH_2-Co(CO)[(H_5C_6)_3P]_3$$

Carbonyl-ethyl-tris-[triphenylphosphan]-kobalt; 79%

(η^4-1,5-Cyclooctadien)-(η^2-4-cyclooctenyl)-kobalt reagiert aus der in Lösung im Gleichgewicht mit ihm stehenden Hydrido-Form mit Alkenen[2] zu *Alkyl-bis-[η^4-1,5-cyclooctadien]-kobalt*:

$R = C_2H_5, \ C_3H_7, \ C_7H_9, \ C_8H_{17}$

β_2) mit Carbenen unter Insertion in die H–Co-Bindung

Diazomethan reagiert mit Hydrido-tetrakis-[trifluorphosphan]-kobalt in Diethylether formal unter Insertion von intermediär gebildetem Carben in die H–Co-Bindung[3]. Bei der Umsetzung entsteht zunächst ein Diethyl-methyl-oxonium-kobaltat, das beim Erhitzen in *Methyl-* und *Ethyl-tetrakis-[trifluorphosphan]-kobalt* und Ether zerfällt:

$$H-Co[PF_3]_4 \ + \ CH_2N_2 \ + \ (H_5C_2)_2O \ \xrightarrow{-N_2} \ [(H_5C_2)_2(H_3C)O]^{\oplus}[Co(PF_3)_4]^{\ominus}$$

$$\xrightarrow[-(H_5C_2)_2O \ / \ -H_5C_2-CO-CH_3]{\Delta} \ \underset{94\%}{H_3C-Co(PF_3)_4} \ + \ \underset{6\%}{H_5C_2-Co(PF_3)_4}$$

2. aus Metall-kobalt(-I)-aten

α) mit Halogen-alkanen bzw. Trialkyloxonium-Salzen

Die wichtigste Methode zur Synthese von Alkyl-kobalt-Komplexen ist die Umsetzung von Metall-kobaltaten mit Alkylierungsreagenzien, da Metall-kobaltate relativ stabile Verbindungen sind und sich leicht aus Carbonyl-kobalt-Komplexen und Alkalimetallen herstellen lassen.

So erhält man z.B. *Methyl-tetracarbonyl-kobalt* (F: $-44°$; Zers.p.: $> -35°$) aus Natrium-tetracarbonylkobaltat mit Jodmethan[4]:

$$Na^{\oplus}[Co(CO)_4]^{\ominus} \ + \ H_3C-J \ \xrightarrow[-NaJ]{(H_5C_2)_2O, \ 0°, \ 1 \ Min.} \ H_3C-Co(CO)_4$$

Alkoxycarbonylmethyl- sowie *Cyanmethyl-tetracarbonyl-kobalt* erhält man analog in nahezu quantitativer Ausbeute[5-7].

[1] Pol.P. 81692 (1976), S. TYRLIK u. H. STEPOWSKA; C.A. **86**, 16797 (1977).
[2] H. BÖNNEMANN, C. GRARD, W. KOPP, W. PUMP, K. TANAKA u. G. WILKE, Ang. Ch. **85**, 1024 (1973).
[3] T. KRUCK, W. LANG, N. DERNER u. M. STADLER, B. **101**, 3816 (1968).
[4] W. HIEBER, O. VOHLER u. G. BRAUN, Z. Naturf. **13b**, 192 (1958).
  s.a. L. MARKÓ, G. BOR, G. ALMÁSY u. P. SZABÓ, Brennstoffch. **44**, 184 (1963).
[5] V. GALAMB, G. PÁLYI, F. CSER, M.G. FURMANOVA u. Y.T. STRUCCKOV, J. Organomet. Chem. **209**, 183 (1981).
[6] F. FRANCALANCI, A. GARDANO, L. ABIS u. M. FOÀ, J. Organomet. Chem. **251**, C 5 (1981).
[7] V. GALAMB, G. PÀLYI u. M. KAJTÁR, Inorg. Chim. Acta **55**, L 113 (1981).

Der Alkyl-kobalt-Komplex wird stabiler, wenn ein oder mehrere Carbonyl-Liganden durch Phosphane oder Phosphite ersetzt werden [1,2]; z.B.:

$$Na^{\oplus}[Co(CO)_3L]^{\ominus} \;+\; R-J \xrightarrow[-NaJ]{} R-Co(CO)_3L$$

R = CH₃: L = (H₅C₆)₃P, P(OC₆H₅)₃,
R = CH₂–OCH₃: L = (H₅C₆)₃P

(4-Ethyl-2,6,7-trioxa-1-phospha-bicyclo[2.2.2]octan)-methyl-tricarbonyl-kobalt[3]: 5,0 g (14,6 mmol) Octa-carbonyl-dikobalt in 50 *ml* Diethylether werden unter Stickstoff-Atmosphäre mit 5,0 g (30,9 mmol) 4-Ethyl-2,6,7-trioxa-1-phospha-bicyclo[2.2.2]octan, in 10 *ml* Diethylether gemischt und 10 Min. geschüttelt. Der braune Niederschlag wird abgetrennt und rasch an der Luft getrocknet (an der Luft tritt bereits nach einigen Min. Schwarzfärbung ein).

Der Niederschlag wird in ein Gefäß gegeben, das 40 g 1%ig. Natrium-Amalgam und 100 *ml* THF enthält. Die Mischung wird unter Stickstoff 12 Stdn. geschüttelt. Es entsteht eine ~ 0,1 M Natrium-kobaltat-Lösung.

10 *ml* der Lösung werden 0,5 *ml* (8,03 mmol) Jodmethan zugesetzt. IR-spektroskopische Messungen zeigen, daß die Reaktion nach ~ 30 Min. abgeschlossen ist. Nach Abziehen des Lösungsmittels i. Vak. entsteht ein Öl, das beim Anreiben mit Pentan allmählich kristallin wird. Die Verbindung zersetzt sich bei 20°.

Die Dicarbonyl-bis-[phosphan]- bzw. -[phosphit]-kobaltate werden entweder durch Reduktion der Halogen-Verbindung durch Alkalimetall-Amalgam oder durch Spaltung der Acetyl-kobalt-Komplexe durch Natrium-alkanolat in situ erzeugt[2,3]:

$$CoX(CO)_2L_2 \xrightarrow[-MX]{+M-Hg} M^{\oplus}[Co(CO)_2L_2]^{\ominus} \xrightarrow[-MJ]{+H_3C-J} H_3C-Co(CO)_2L_2$$

M = Na, K
X = Cl, Br, J
L = (H₅C₆)₃P, P(OC₆H₅)₃

$$\overset{O}{\overset{\|}{H_3C-C}}-Co(CO)_2L_2 \xrightarrow[-H_3C-COOC_2H_5]{+NaOC_2H_5} Na^{\oplus}[Co(CO)_2L_2]^{\ominus} \xrightarrow[-NaJ]{+H_3C-J} H_3C-Co(CO)_2L_2$$

L = P(OCH₃)₃ usw.

Kalium-[tetrakis-(trialkoxyphosphan)-kobalt] bildet mit Jodmethan das im Vergleich zur Tetracarbonyl-kobalt-Verbindung thermisch außerordentlich stabile *Methyl-tetrakis-[trialkoxyphosphan]-kobalt*[4]:

$$K^{\oplus}\{Co[P(OR)_3]_4\}^{\ominus} \;+\; H_3C-J \xrightarrow[-KJ]{THF,\,20°,\,10\,Stdn.} H_3C-Co[P(OR)_3]_4$$

Methyl-tetrakis-(triethoxyphosphan)-kobalt[5]: 1,53 g (2,0 mmol) Kalium-[tetrakis-(triethoxyphosphan)-ko-baltat] (**Achtung!** Die Kalium-Verbindung entflammt in Gegenwart von Luft.), 0,284 g (2 mmol) Jodmethan und 0,023 g (0,2 mmol) 18-Krone-6 werden in 30 *ml* THF 20 Stdn. bei 20° gerührt. Das Reaktionsgemisch wird fil-triert und das Lösungsmittel i. Vak. abgezogen. Der Rückstand wird in Pentan aufgelöst und mit Pentan über eine mit Aluminiumoxid gefüllte Säule (8 × 2 cm) geschickt. Die dabei verwendete Säulenfüllung wird zuvor mit Tri-ethoxyphosphan desaktiviert. Es entsteht eine gelbe feste Verbindung; Ausbeute: 1,07 g (74%); F: 110° (Zers.); ¹H-NMR (Benzol): δ CoCH₃ 0,11 (q), J(PH = 8.4 Hz).

Auf ähnliche Weise wird *Methyl-tetrakis-[trimethoxyphosphan]-kobalt* (F: 143,3°, Zers.) erhalten.

---

[1] W. Hieber u. E. Lindner, Z. Naturf. **16b**, 137 (1961).
[2] W. Hieber u. H. Duchatsch, B. **98**, 2933 (1965).
   s.a.: J.T. Martin u. M.C. Baird, Organometallics **2**, 1073 (1983).
[3] R.F. Heck, Am. Soc. **85**, 1220 (1963).
[4] E.L. Muetterties u. F.J. Hirsekorn, Chem. Commun. **1973**, 683; Am. Soc. **96**, 7920 (1974).
[5] E.L. Muetterties u. P.L. Watson, Am. Soc. **100**, 6978 (1978).

Bei der Umsetzung von Chlor-ethan mit Kalium-[tetrakis-(trimethoxyphosphan)-ko-balt] kann der analoge Ethyl-Komplex nicht isoliert werden, da durch β-Eliminierung sehr leicht Ethen abgespalten wird.

Das Tetrakis-[trimethylphosphan]-kobaltat ist eine der stärksten Metallbasen. Auch sein Reduktionspotential ist vergleichbar denen der Alkalimetalle (Alkalimetallkobaltate entzünden sich spontan mit Luft; sie sind unter Inertgas-Atmosphäre bei 20° mehrere Monate stabil mit Ausnahme der Lithium-Verbindung, die sogar mit Stickstoff reagiert)[1]. Das Anion kann in einer oxidativen Addition mit Chlor- oder Jodmethan methyliert werden. Bei Jodmethan ist ein Überschuß zu vermeiden, da ein zweites Molekül mit dem Methyl-kobalt-Komplex reagiert (s. S. 252). Überraschenderweise wird das Anion auch von Tetramethylammoniumchlorid alkyliert:

$$K^{\oplus}\{Co[(H_3C)_3P]_4\}^{\ominus} \xrightarrow[- KX \quad bzw. \quad -KCl \, / - (H_3C)_3N]{+ X-CH_3 \quad bzw. \quad [(H_3C)_4N]Cl}$$

(Co-Komplex: $(H_3C)_3P$, CH_3, $Co-P(CH_3)_3$, $(H_3C)_3P$, $P(CH_3)_3$)

Methyl-tetrakis-[trimethylphosphan]-kobalt[1]: Zu einer Lösung von 0,402 g (1 mmol) Kalium-[tetrakis-(tri-methylphosphan)-kobalt] in 50 ml Diethylether werden tropfenweise 0,95 mmol Chlor- oder Jodmethan bzw. Tetramethylammoniumchlorid gelöst in 10 ml Diethylether bei −30° (bzw. −70 oder −10°) gegeben. Die Mischung wird 3 Stdn. auf 25° gehalten, dann i. Vak. bis zur Trockene eingedampft, der Rückstand mit kleinen Portionen Pentan extrahiert und die Extrakte auf etwa 3–5 ml aufkonzentriert. Beim langsamen Kühlen auf −78° fallen Kristalle aus, die durch Dekantieren abgetrennt und durch ~1 ml kondensiertes Pentan bei dieser Temp. gewaschen werden. Die Verbindung wird i. Vak. unter langsamem Erwärmen getrocknet; Ausbeute: 65–70%; F: >85° (Zers.).

Analog erhält man mit Chlor-methoxy-methan bei −70° *Methoxymethyl-tetrakis-[triphenylphosphan]-kobalt* (55%; F: >85°, Zers.).

Kalium-[tetrakis-(trimethylphosphan)-kobaltat] wird sehr leicht durch Kohlenmonoxid carboniliert und anschließend mit Jodmethan zum *Carbonyl-methyl-tris-[trimethylphosphan]-kobalt* (42%) umgesetzt[1]:

$$K^{\oplus}\{Co[(H_3C)_3P]_4\}^{\ominus} \xrightarrow[- (H_3C)_3P]{+ CO} K^{\oplus}\{Co(CO)[(H_3C)_3P]_3\}^{\ominus} \xrightarrow[- KJ]{+ H_3C-J} H_3C-Co(CO)[(H_3C)_3P]_3$$

Benzyl-halogenide bilden mit Natrium-tetracarbonylkobaltat in Gegenwart von Triphenylphosphan stabile Benzyl-kobalt-Komplexe[2−5]:

$$Na^{\oplus}[Co(CO)_4]^{\ominus} + (H_5C_6)_3P + \text{(Y-Phenyl)}-CH_2-X \xrightarrow[- CO]{- NaX} \text{(Y-Phenyl)}-CH_2-Co(CO)_3[(H_5C_6)_3P]$$

...-*tricarbonyl-(triphenylphosphan)-kobalt*
X = Br, Cl; Y = H; *Benzyl-*...
X = Cl; Y = F; (3-*Fluor-benzyl*)-...

Benzyl-tetracarbonyl-kobalt wird stabilisiert, wenn am Phenyl-Rest eine Tricarbonyl-chrom-Gruppe π-gebunden ist[6].

[1] R. Hammer u. K.-F. Klein, Z. Naturf. **32b**, 138 (1977).
[2] Z. Nagy-Magos, G. Bor u. L. Markó, J. Organometal. Chem. **14**, 205 (1968).
[3] D.S. Breslow u. R.F. Heck, Chem. & Ind. **1960**, 467.
[4] R.F. Stewart u. P.M. Treichel, Am. Soc. **92**, 2710 (1970).
[5] A. Moro, M. Foà u. L. Cassar, J. Organometal. Chem. **185**, 79 (1980).
[6] V. Galamb u. G. Pályi, Chem. Commun. **1982**, 487.

Auch acetylierte Halogen-zucker lassen sich in entsprechende Kobalt-Verbindungen überführen[1]. Neben der Alkyl-Verbindung entsteht das Acyl-Derivat, die sich durch Säulenchromatographie unter Stickstoff isolieren lassen.

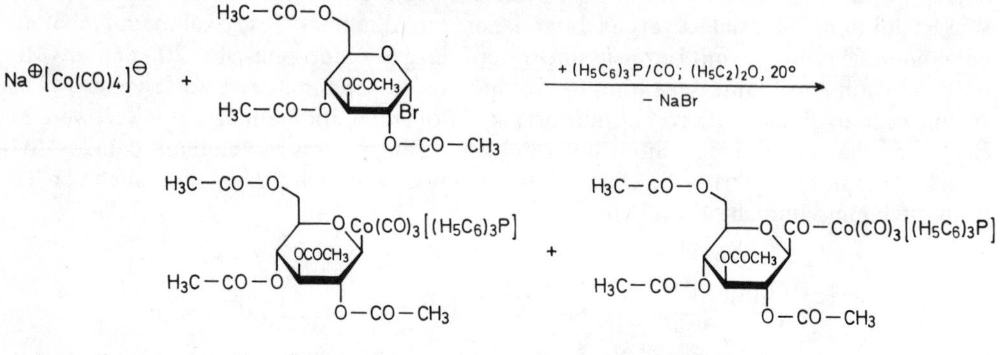

$$Na^{\oplus}[Co(CO)_4]^{\ominus} \;+\; \text{(Acetobromzucker)} \quad\xrightarrow[-\,NaBr]{+\,(H_5C_6)_3P/CO;\ (H_5C_2)_2O,\ 20°}$$

(Produkte: $\text{Zucker}-O-Co(CO)_3[(H_5C_6)_3P]$ und $\text{Zucker}-O-CO-Co(CO)_3[(H_5C_6)_3P]$)

Anstelle von Alkalimetall-kobaltaten können auch die Thallium-kobaltate eingesetzt werden[2]. Dabei fallen die schwer löslichen Thalliumhalogenide aus. Da jedoch Thallium(I)-Verbindungen sehr giftig sind, ist ihre Verwendung nicht zu empfehlen.

Andere Alkylierungsreagenzien, wie Trimethyl- und Triethyloxonium-Salze, können zur Synthese von Alkyl-kobalt-Komplexen verwendet werden[3–6]:

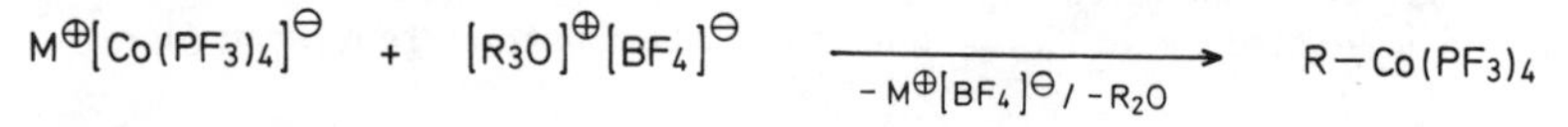

$$M^{\oplus}[Co(PF_3)_4]^{\ominus} \;+\; [R_3O]^{\oplus}[BF_4]^{\ominus} \quad\xrightarrow[-\,M^{\oplus}[BF_4]^{\ominus}\,/\,-\,R_2O]{} \quad R-Co(PF_3)_4$$

M = Na, K

...-tetrakis-[trifluorphosphan]-kobalt

R = CH_3; *Methyl-...*
R = C_2H_5; *Ethyl-...*

Octacarbonyl-dikobalt und Tetrakis-[tricarbonylkobalt] disproportionieren in wasserfreiem Diethylether nur langsam in Kobalt(II) und Tetracarbonylkobaltat. Stärkere Basen wie Amine beschleunigen die Reaktion beträchtlich, führen jedoch auch zu Nebenprodukten. Die Disproportionierung wird jedoch durch Halogenide in nicht polaren Lösungsmitteln stark beschleunigt, so daß das gebildete Kobaltat mit Benzyl-bromid wie üblich umgesetzt werden kann. Als Nebenprodukt entsteht die Acyl-Verbindung. Als Katalysator hat sich [Kalium-Kronenetherat]-tetrahalogenokobaltat(II) besonders bewährt[7]:

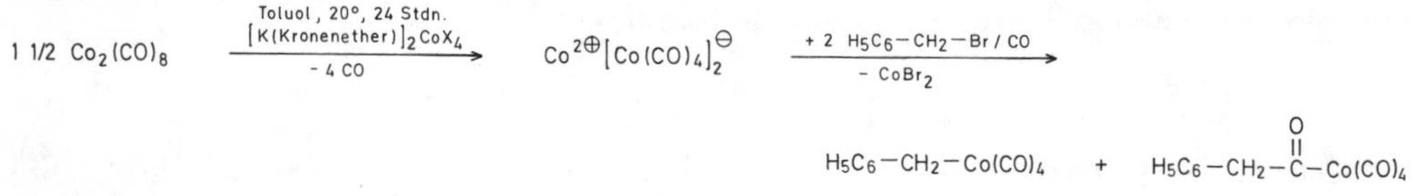

$$1\,1/2\ Co_2(CO)_8 \quad\xrightarrow[-\,4\,CO]{\substack{Toluol,\ 20°,\ 24\ Stdn. \\ [K(Kronenether)]_2CoX_4}}\quad Co^{2\oplus}[Co(CO)_4]_2^{\ominus} \quad\xrightarrow[-\,CoBr_2]{+\,2\ H_5C_6-CH_2-Br\,/\,CO}$$

$$H_5C_6-CH_2-Co(CO)_4 \quad+\quad H_5C_6-CH_2-\overset{O}{\overset{\|}{C}}-Co(CO)_4$$

Benzyl- bzw. Phenylacetyl-tetracarbonyl-kobalt

β) mit Acyl-Verbindungen unter gleichzeitiger Decarbonylierung

Perfluoracyl-chloride und Diacyl-dichloride reagieren mit Natrium-tetracarbonylkobaltat unter gleichzeitiger oxidativer Addition und Decarbonylierung am Metall[8,9]:

[1] A. Rosenthal u. H.J. Koch, Tetrahedron Letters **1967**, 871.
[2] S.E. Pedersen, W.R. Robinson u. D.P. Schuster, J. Organometal. Chem. **43**, C 44 (1972).
[3] T. Kruck, G. Sylvester u. I.P. Kunan, Z. anorg. Ch. **396**, 165 (1973).
[4] D.S. Breslow u. R.F. Heck, Chem. & Ind. **1960**, 467.
[5] R.F. Heck u. D.S. Breslow, Am. Soc. **83**, 4023 (1961).
[6] Der Ethyl-Komplex ist nur bei tiefer Temp. oder in Lösung stabil.
[7] P.S. Braterman, B.S. Walker u. T.H. Robertson, Chem. Commun. **1977**, 651.
[8] B.L. Booth, R.N. Haszeldine u. T. Inglis, Soc. [Dalton] **1975**, 1449.
[9] B.L. Booth, R.N. Haszeldine, P.R. Mitchell u. J.J. Cox, Soc. [A] **1969**, 691.

$$Na^{\oplus}[Co(CO)_4]^{\ominus} \;+\; (F_3C)_2CF-\overset{\overset{\textstyle O}{\|}}{C}-Cl \quad \xrightarrow[-NaCl\,/\,-CO]{} \quad (F_3C)_2CF-Co(CO)_4$$

Tetracarbonyl-(1,2,2,2-tetrafluor-1-trifluormethyl-ethyl)-kobalt; 71%; flüssig

$$\xrightarrow[-CO]{+\,(H_5C_6)_3P\,;\,C_6H_{14}\,,\,20°} \quad (F_3C)_2CF-Co(CO)_3[(H_5C_6)_3P]$$

(1,2,2,2-Tetrafluor-1-trifluormethyl-ethyl)-tricarbonyl-triphenylphosphan-kobalt; 59%; F: 115°

$$2\,Na^{\oplus}[Co(CO)_4]^{\ominus} \;+\; Cl-\overset{\overset{\textstyle O}{\|}}{C}-(CH_2)_n-\overset{\overset{\textstyle O}{\|}}{C}-Cl \quad \xrightarrow[-2\,NaCl\,/\,-2\,CO]{} \quad (OC)_4Co-(CH_2)_n-Co(CO)_4$$

n = 3 *1,3-Bis-[tetracarbonylkobalt]-propan*; 63%
n = 2 *1,2-Bis-[tetracarbonylkobalt]-ethan*

3. aus Kobalt(0)-Verbindungen

α) mit Alkyl- bzw. Acyl-halogeniden sowie Carbonsäureanhydriden

Paramagnetische Kobalt(0)-Komplexe reagieren mit Essigsäureanhydrid oder Acetyl-chlorid unter Decarbonylierung. Das intermediär gebildete Acetyl-Derivat ist nicht nachweisbar[1].

Die Umsetzung mit Acetyl-chlorid führt im Gegensatz zum Anhydrid zu Nebenreaktionen, wie Aceton-Bildung und Quarternisierung von Trimethylphosphan:

$$2\,Co[(H_3C)_3P]_4 \;+\; \begin{matrix}\overset{O}{\underset{\diagdown}{C}}-CH_3 \\ O \\ \overset{\diagup}{\underset{\overset{\|}{O}}{C}}-CH_3\end{matrix} \quad \xrightarrow[\substack{-Co(OOC-CH_3)[(H_3C)_3P]_3 \\ -2\,(H_3C)_3P}]{Pentan,\,20°,\,10\,Stdn.} \quad H_3C-Co(CO)[(H_3C)_3P]_3$$

Carbonyl-methyl-tris-[trimethylphosphan]-kobalt; 100%

$$2\,Co[(H_3C)_3P]_4 \;+\; 3\,Cl-\overset{\overset{\textstyle O}{\|}}{C}-CH_3 \quad \xrightarrow[\substack{-2\,[(H_3C)_3P-CO-CH_3]^{\oplus}Cl^{\ominus} \\ -CoCl[(H_3C)_3P]_3}]{(H_5C_2)_2O,\,-70°} \quad \underset{\sim\,32\%}{H_3C-Co(CO)[(H_3C)_3P]_3}$$

Halogenmethane reagieren ebenfalls mit zwei Molen Tetrakis-[trimethylphosphan]-kobalt, wobei der Alkyl-Rest von einem und das Halogen von einem anderen Kobalt-Komplex gebunden wird[2,3]. Im Falle von Brommethan ist die Reaktionsgeschwindigkeit des gebildeten Methyl-Komplexes mit diesem gleich groß wie die der Ausgangsverbindung, so daß teilweise *Bromo-dimethyl-tris-[trimethylphosphan]-kobalt(III)* gebildet wird.

$$2\,Co[(H_3C)_3P]_4 \;+\; H_3C-J \quad \xrightarrow[-CoJ[(H_3C)_3P]_3\,/\,-(H_3C)_3P]{} \quad H_3C-Co[(H_3C)_3P]_4$$

Methyl-tetrakis-[trimethylphosphan]-kobalt

β) mit Olefinen

Octacarbonyl-dikobalt reagiert mit Tetrafluorethen unter Insertion des Olefins in die Co-Co-Bindung[4,5]:

$$Co_2(CO)_8 \;+\; F_2C=CF_2 \quad \xrightarrow{20°,\,einige\,Tage\,od.\,100°,\,1\,Stde.} \quad (OC)_4Co-CF_2-CF_2-Co(CO)_4$$

---

[1] H.-F. KLEIN u. H. H. KARSCH, B. **108**, 944 (1975).
[2] H.-F. KLEIN u. R. HAMMER, Ang. Ch. **88**, 61 (1976).
[3] Die phys. Daten der Verbindung befinden sich a.S. 19.
[4] B.L. BOOTH, R.N. HASZELDINE, P.R. MITCHELL u. J.J. COX, Chem. Commun. **1967**, 529.
[5] K.F. WATTERSON u. G. WILKINSON, Chem. & Ind. **1960**, 1358.

1,2-Bis-[tetracarbonylkobalt]-tetrafluor-ethan (F: 70°, Zers.) kann unter milden Reaktionsbedingungen isoliert werden. Es lagert sich leicht in eine Dikobalt-Verbindung mit Carben-Brücke um (s. S. 172).

Hexafluor-cyclopentadien bildet beim Belichten mit Octacarbonyl-dikobalt ebenfalls ein Insertionsprodukt[1,2]:

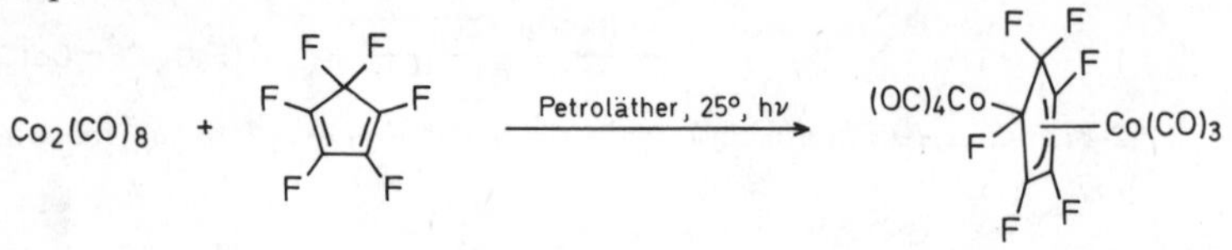
Co2(CO)8
+
Petroläther, 25°, hν
(OC)4Co
Co(CO)3

σ-(1,2,3,4,5,5-Hexafluor-η³-tricarbonylkobalt-4-dehydro-2-cyclopentenyl)-tetracarbonyl-kobalt

4. aus Kobalt(III)-Verbindungen durch reduktive Alkylierung mit Alkyl-aluminium-Verbindungen bzw. Aluminiumhydriden und Olefinen

Tris-[2,4-pentandionato]-kobalt wird von Alkyl-aluminium-Verbindungen in Gegenwart von Triphenylphosphan gleichzeitig alkyliert und reduziert. Der dabei gebildete Methyl-kobalt(I)-Komplex ist stabil, so daß man ihn isolieren kann[3–5].

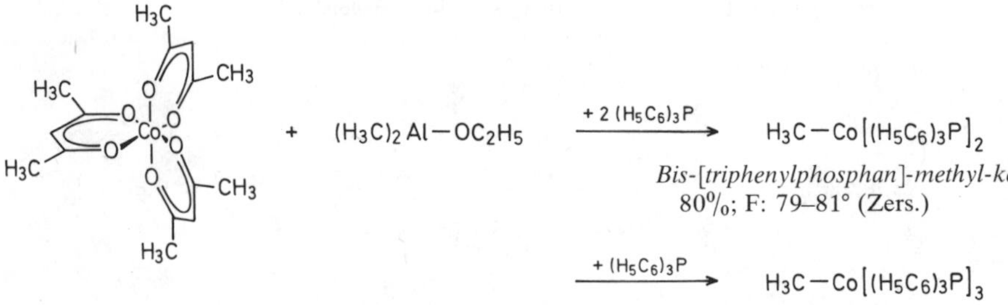
+ (H3C)2Al—OC2H5
+ 2 (H5C6)3P
H3C—Co[(H5C6)3P]2
+ (H5C6)3P
H3C—Co[(H5C6)3P]3

Bis-[triphenylphosphan]-methyl-kobalt; 80%; F: 79–81° (Zers.)

Methyl-tris-[triphenylphosphan]-kobalt; 70%; F: 79–81° (Zers.)

Der entsprechende Ethyl-Komplex kann dagegen nicht isoliert werden.

Mit Tribenzyl-aluminium in Gegenwart von Triphenylphosphan muß im molaren Verhältnis von 1:3:2 gearbeitet werden[6]. Temperaturen über 0° sind zu vermeiden, da sich der Benzyl-Komplex bereits oberhalb von 3° unter Abspaltung von Toluol zersetzt.

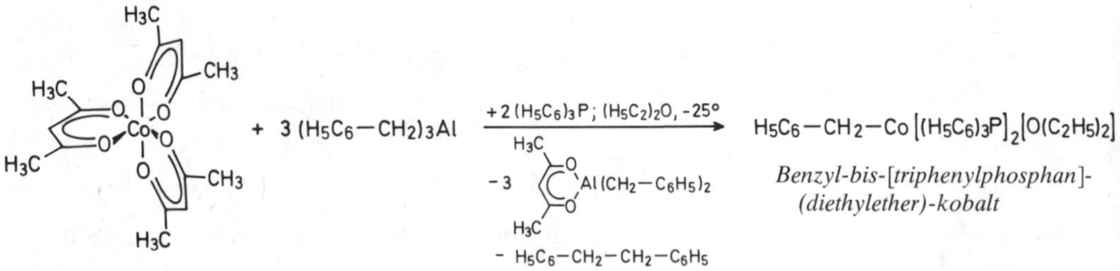
+ 3 (H5C6—CH2)3Al
+2 (H5C6)3P; (H5C2)2O, -25°
-3 Al(CH2—C6H5)2
- H5C6—CH2—CH2—C6H5
H5C6—CH2—Co[(H5C6)3P]2[O(C2H5)2]

Benzyl-bis-[triphenylphosphan]-(diethylether)-kobalt

---

[1] R. E. Banks, T. Harrison, R. N. Haszeldine, A. B. P. Lever, T. F. Smith u. J. B. Walton, Chem. Commun. **1965**, 30.

[2] P. B. Hitchcock u. R. Mason, Chem. Commun. **1966**, 503; Strukturanalyse.

[3] A. Yamamoto, S. Kitazume, L. S. Pu u. S. Ikeda, Chem. Commun. **1967**, 79.

[4] A. Yamamoto u. S. Ikeda, Am. Soc. **93**, 371 (1971).

[5] Y. Kubo, L. S. Pu, A. Yamamoto u. S. Ikeda, J. Organometal. Chem. **84**, 369 (1975).

[6] K. Jacob, E. Pietzner, S. Vastag u. K.-H. Thiele, Z. anorg. Ch. **432**, 187 (1977).

Im Gegensatz zur Reaktion mit Triphenylphosphan entsteht bei der Umsetzung mit Ethoxy-dimethyl-aluminium und 1,2-Bis-[diphenylphosphano]-ethan das stabile tiefrote *Bis-[1,2-bis-(diphenylphosphano)-ethan]-methyl-kobalt* (82%; F: 194–195°, Zers.), das sich erst beim Erhitzen auf ∼ 200° zersetzt[1].

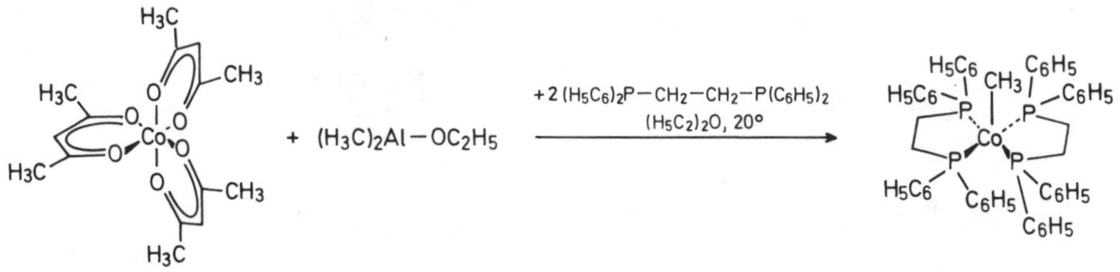

Alkyl-kobalt(I)-Komplexe können analog in Gegenwart von 1,5-Cyclooctadien hergestellt werden[2]. Die gebildeten Verbindungen werden durch 1,5-Cyclooctadien beträchtlich stabilisiert. Zur Alkylierung können Trialkylaluminium-Verbindungen eingesetzt werden:

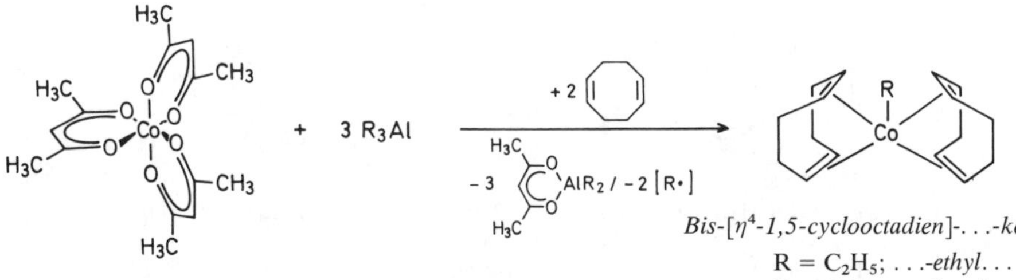

Bis-[η⁴-1,5-cyclooctadien]-...-kobalt

R = C₂H₅; ...-ethyl...
R = C₄H₉; ...-butyl-...
R = C₈H₁₇; ...-octyl-...

5. aus Kobalt-π-Komplexen

α) durch π→σ-Umwandlung von Allyl-Komplexen

Durch Addition von nucleophilen Liganden an das Metall werden π-Allyl- in σ-Allyl-Komplexe umgewandelt, ohne daß sich die Oxidationsstufe des Metalls verändert.

η³-Pentafluorallyl-kobalt-Komplexe lassen sich durch Zusatz von Liganden wie Triphenylphosphan in σ-Allyl-Komplexe umlagern[3]. Gleichzeitig wird ein Teil des Komplexes unter 1,3-Wanderung eines Fluor-Atoms in eine 1-Alkenyl-kobalt-Verbindung umgewandelt (s. S. 30):

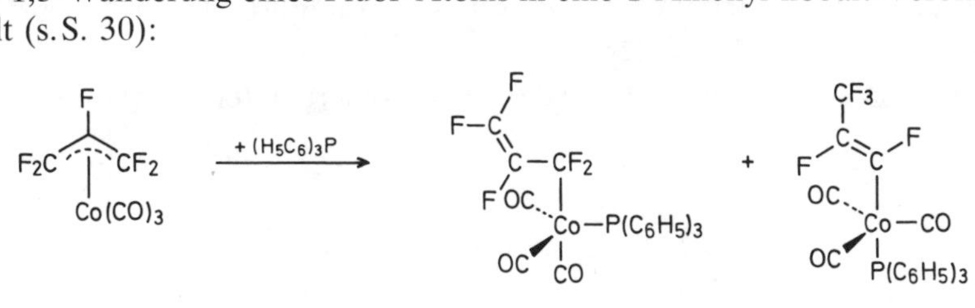

(σ-*Pentafluor-allyl*)-*tricarbonyl-triphenylphosphan-kobalt*; F: 110° (Zers.)

---

[1] T. Ikariya u. A. Yamamoto, J. Organometal. Chem. **116**, 231 (1976).
[2] H. Bönnemann, C. Grard, W. Kopp, W. Pump, K. Tanaka u. G. Wilke, Ang. Ch. **85**, 1024 (1973).
[3] K. Stanley u. D. W. McBride, Canad. J. Chem. **53**, 2537 (1975).

β) durch andere Reaktionen

Bis-[trifluormethyl]-diazomethan setzt sich mit π-Allyl-tricarbonyl-kobalt-Verbindungen unter Insertion des Carben-Derivates in die C-Co-Bindung um. Der resultierende Komplex kann mit Triphenylarsan oder -phosphan in einen stabilen Komplex übergeführt werden[1].

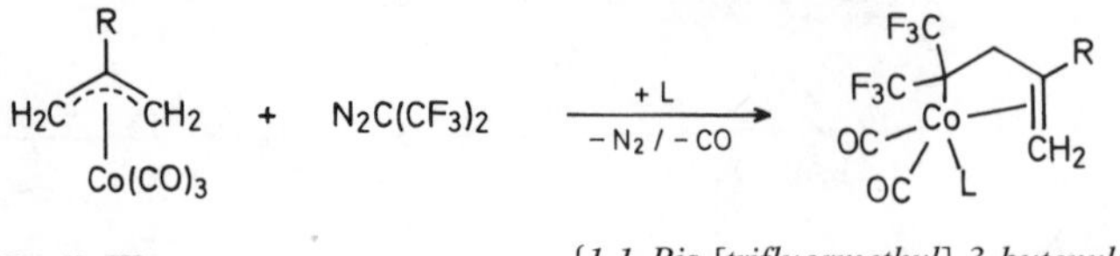

R = H, CH₃
L = (H₅C₆)₃P, (H₅C₆)₃As

{1,1-Bis-[trifluormethyl]-3-butenyl(C,η²)}-dicarbonyl-triphenylphosphan(arsan)-kobalt

Die folgenden η^3-Allyl-kobalt(I)-Verbindungen reagieren regioselektiv mit Tetrafluorethen, Hexafluorpropen oder Octafluor-2-buten unter formaler Insertion des Olefins in die Allyl-kobalt-Bindung[2,3]. Die Reaktion gelingt bei den Tricarbonyl-Komplexen bereits bei 20°. In den anderen Fällen ist es zweckmäßig, die Umsetzung durch Erhitzen auf 80° zu beschleunigen:

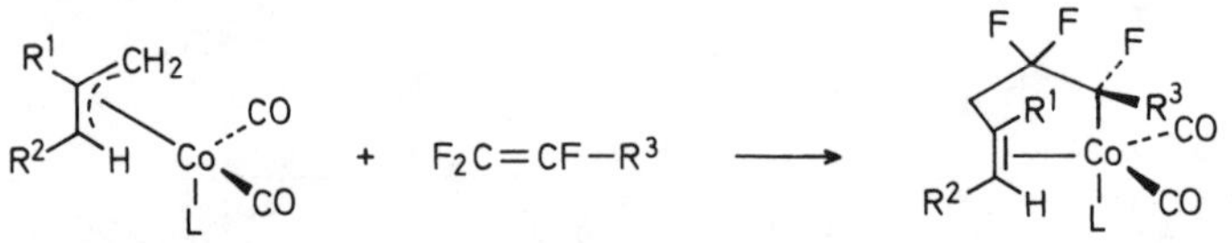

$R^1=R^2=H$; $R^3=F$; $L = P(OCH_3)_3$; *Dicarbonyl-[1,1,2,2-tetrafluor-4-pentenyl (C,η²)]-trimethoxyphosphankobalt*; 25%; F: 63°

$L = (H_3C)_2 (H_5C_6) P$; . . .-*(methyl-diphenyl-phosphan)-kobalt*; 47%; F: 79°

$R^3 = CF_3$; $L = CO$[4]; *Tricarbonyl-[1,2,2-trifluor-1-trifluormethyl-4-pentenyl (C, η²)]-kobalt*; 86%; F: 60–62°

$R^1=H$; $R^2=C_6H_5$; $R^3=F$; $L = CO$; *[cis-5-Phenyl-1,1,2,2-tetrafluor-4-pentenyl (C,η²)]-tricarbonyl-kobalt*; 66%; F: 70°

$R^1=CH_3$; $R^2=H$; $R^3=F$; $L = CO$; *[4-Methyl-1,1,2,2-tetrafluor-4-pentenyl (C,η²)]-tricarbonyl-kobalt*; 93%; F: 61–63°

$R^3=CF_3$; $L = P(OCH_3)_3$; *Dicarbonyl-[4-methyl-1,2,2-trifluor-1-trifluormethyl-4-pentenyl-(C,η²)]-trimethoxyphosphan-kobalt*; 42%; F: 70°

[1,1,2,2-Tetrafluoro-4-pentenyl-(C,η²)]-tricarbonyl-kobalt[2]: In einer 100-*ml*-Carius-Röhre werden 2,5 g (13,6 mmol) (η^3-Allyl)-tricarbonyl-kobalt in 20 *ml* Benzol vorgelegt und darin bei −196° 4,0 g (40 mmol) Tetrafluorethen kondensiert. Man läßt das Gemisch 2 Tage bei 20° stehen, entfernt das Lösungsmittel i. Vak. und löst den Rückstand in 15 *ml* Petrolether auf. Man filtriert die Lösung und kühlt sie auf −78° ab. Es fallen gelbe Kristalle aus; Ausbeute: 3,2 g (83%); F: 33–35°; IR (Nujol): 2097 (s) u. 2040 (vs, br) cm⁻¹; ¹H–NMR (CDCl₃): τ CH = C 5,5 (m), CH₂ = C 6, 4–6,7 (m), –CH₂–CF₂ 7,2–8,0 (m).

Beim Octafluor-2-buten reagiert nur das *trans*-Isomere unter Insertion in die Co-Allyl-Bindung[3]:

---

[1] J. CLEMENS, M. GREEN u. F. G. A. STONE, Soc. [Dalton] **1974**, 93.

[2] A. GRECO, M. GREEN u. F. G. A. STONE, Soc. [A] **1971**, 3476.

[3] M. BOTTRILL, R. GODDARD, M. GREEN u. P. WOODWARD, Soc. [Dalton] **1979**, 1671.

[4] Die spektroskopischen Daten sprechen für eine stereochemisch einheitliche Verbindung. Es kann aber nicht ausgeschlossen werden, daß die CF₃-Gruppe möglicherweise in β-Stellung zum Kobalt steht.

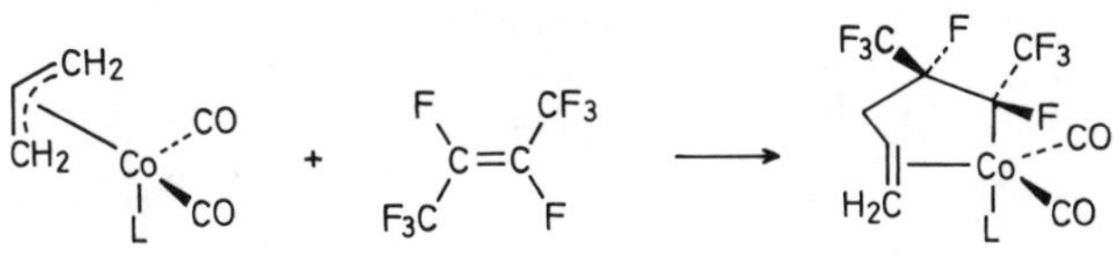

L = CO; *[1,2-Bis-(trifluormethyl)-1,2-difluor-4-pentenyl(C,η²)]-tricarbonyl-kobalt*; 86%; F: 41°
L = P(OCH₃)₃; *Dicarbonyl-. . .-trimethoxyphosphan-kobalt*; 56%; F: 61°

Die π-Olefin-kobalt-Bindung kann durch Behandeln mit Trimethoxyphosphan in siedendem Hexan gespalten werden.

6. aus anderen σ–C–Kobalt-Verbindungen

α) unter Erhalt mindestens einer C–Co-Bindung

α₁) durch Reaktionen am σ–C-gebundenen Liganden

Die Acetyl-Gruppen des Kobalt-haltigen Zucker-Derivats I können mit Natrium-methanolat in Methanol-Lösung entfernt werden, ohne daß die C–Co-Bindung gespalten wird[1]:

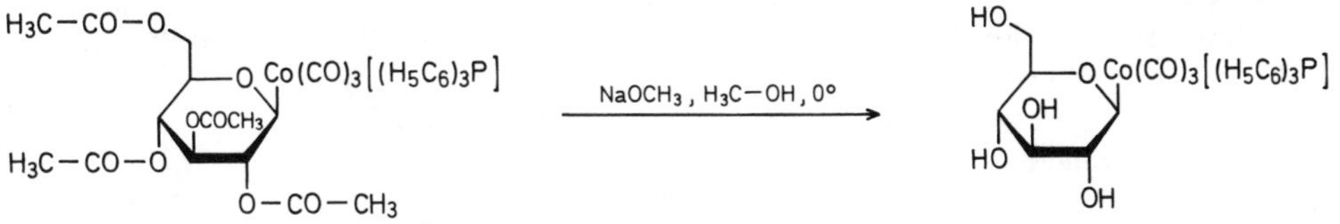

Acetyl-dicarbonyl-trimethoxyphosphan-triphenylphosphan-kobalt läßt sich mit Diboran in Benzol zu *Dicarbonyl-ethyl-trimethoxyphosphan-triphenylphosphan-kobalt* umwandeln[2]. Der analoge Bis-[trimethylphosphit]-Komplex reagiert nicht.

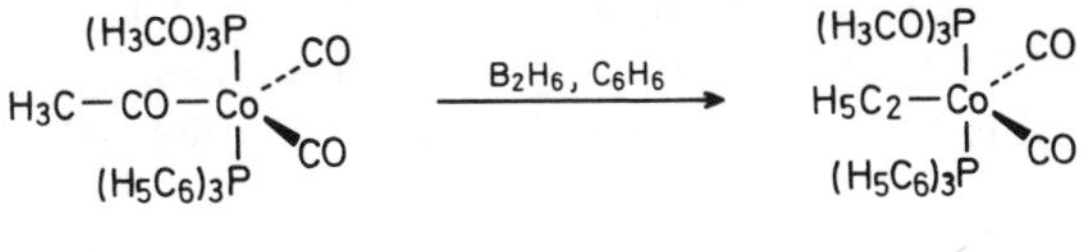

α₂) durch Reaktionen am Metall

Stabile Alkyl-kobalt(III)-Chelat-Kation-Komplexe können durch Reduktion mit Natrium-boranat in Methanol oder Natrium-Amalgam in Acetonitril in den Alkyl-kobalt(I)-Komplex umgewandelt werden[3]. Da die Chelat-bildenden Liganden keine Ladung besitzen, entstehen bei der Reduktion neutrale Komplexe:

---

[1] A. ROSENTHAL u. H.J. KOCHI, Tetrahedron Letters **1967**, 871.
[2] J.A. VAN DOORN, C. MASTERS u. H.C. VOLGER, J. Organometal. Chem. **105**, 245 (1976).
[3] K. FARMERY u. D.H. BUSCH, Chem. Commun. **1970**, 1091.

2*

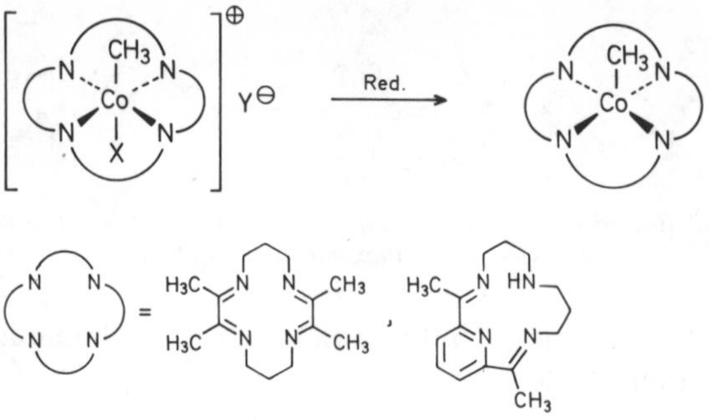

Stickstoffmonoxid verdrängt schon bei tiefen Temp. einen Phosphan-Liganden aus dem Dimethyl-kobalt(II)-Komplex[1]. Dabei wirkt der Nitrosyl-Ligand als Reduktionsmittel. Es entsteht ein diamagnetischer Kobalt-Komplex der Oxidationsstufe I:

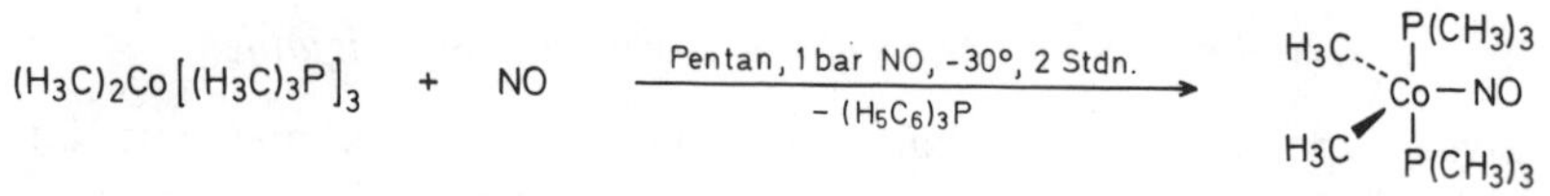

$$(H_3C)_2Co[(H_3C)_3P]_3 \quad + \quad NO \quad \xrightarrow[- (H_5C_6)_3P]{Pentan, 1\,bar\ NO, -30°, 2\ Stdn.} \quad \begin{array}{c} H_3C \cdots \\ H_3C \end{array} \begin{array}{c} P(CH_3)_3 \\ | \\ Co-NO \\ | \\ P(CH_3)_3 \end{array}$$

Bis-[trimethylphosphan]-dimethyl-nitrosyl-kobalt; 81%; F: 25–28° (Zers.)

Durch Reduktion mit metallischem Natrium in Gegenwart von Trimethylphosphan entsteht aus dem Komplex I [*Dimethylphosphano-methyl(C,P)]-tris-[trimethylphosphan]-kobalt*[2]:

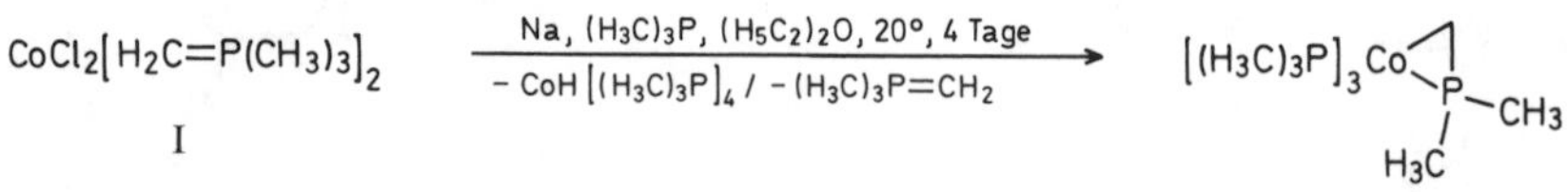

$$CoCl_2[H_2C=P(CH_3)_3]_2 \quad \xrightarrow[- CoH[(H_3C)_3P]_4 / - (H_3C)_3P=CH_2]{Na, (H_3C)_3P, (H_5C_2)_2O, 20°, 4\ Tage} \quad [(H_3C)_3P]_3Co \begin{array}{c} \\ P-CH_3 \\ | \\ H_3C \end{array}$$

I

β) unter Spaltung und Neuknüpfung einer σ–C–Co-Bindung durch Decarbonylierung von Acyl-kobalt(I)-Verbindungen

Unsubstituierte Acyl-tetracarbonyl-kobalt-Verbindungen sind stabiler als die entsprechenden Alkyl-Komplexe. Tetracarbonyl-methyl-kobalt zerfällt daher bei Temp. >−35° unter teilweiser Carbonylierung und damit Stabilisierung des verbleibenden Komplexes (s.S. 17, 43). Umgekehrt kann man solche Verbindungen nur i.Vak. decarbonylieren[3].

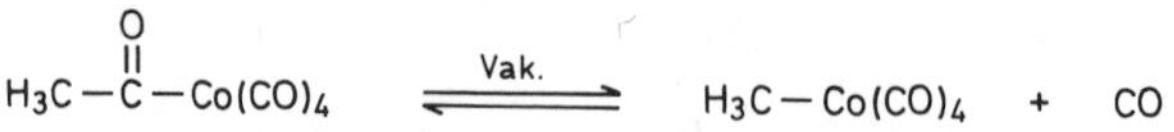

$$\begin{array}{c} O \\ || \\ H_3C-C-Co(CO)_4 \end{array} \quad \underset{}{\overset{Vak.}{\rightleftharpoons}} \quad H_3C-Co(CO)_4 \quad + \quad CO$$

Methyl-tetracarbonyl-kobalt

Acyl-Komplexe mit stark Elektronen-anziehenden Substituenten sind andererseits weniger beständig als die Alkyl-Analoga. Daher werden die Perfluoracyl-Komplexe bei der Synthese aus Natrium-tetracarbonylkobaltat und Perfluoracyl-halogeniden[4] bzw. -anhydriden[5] oder bei leichtem Erhitzen bereits decarbonyliert.

[1] H.-F. Klein u. H.H. Karsch, B. **109**, 1453 (1976).
[2] H.-F. Klein u. R. Hammer, Ang. Ch. **88**, 61 (1976).
[3] W. Beck u. R.E. Nitzschmann, B. **97**, 2098 (1964).
[4] W.R. McClellan, Am. Soc. **83**, 1598 (1961).
[5] W. Hieber u. E. Lindner, B. **95**, 2042 (1962).

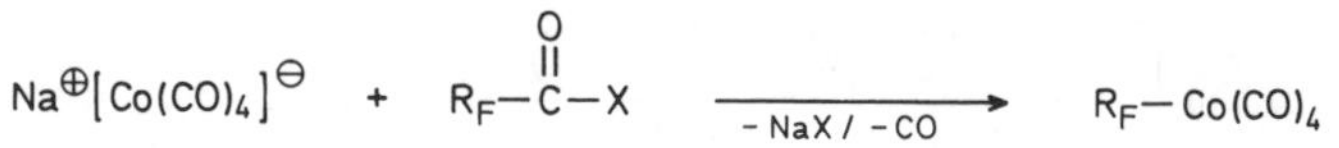

$$\text{Na}^{\oplus}[\text{Co(CO)}_4]^{\ominus} \ + \ R_F\overset{\overset{\displaystyle O}{\|}}{-C}-X \ \xrightarrow[-\text{NaX}\,/\,-\text{CO}]{} \ R_F-\text{Co(CO)}_4$$

X = Cl, R_F–COO

...-*tetracarbonyl-kobalt*

$R_F = CF_3$; *Trifluormethyl-*...[1,2]; F: 13°

$R_F = C_2F_5$; *Pentafluorethyl-*...; Kp_{16}: 32°

$R_F = C_3H_7$; *Heptafluorpropyl-*...; Kp_{16}: 44°

Das sehr flüchtige *Tetracarbonyl-trifluormethyl-kobalt* wird im Gegensatz zu den anderen Homologen erst bei 60° aus dem Acyl-Komplex gebildet. Perfluoralkyl-Komplexe sind gegenüber Licht und Wärme wesentlich stabiler als ihre Alkyl-Analoga.

Unter den Reaktionsbedingungen decarbonylieren die aus Lithium-tetracarbonyl-kobaltat und Perfluoracyl-chlorid hergestellten Acyl-tetracarbonyl-kobalt-Verbindungen bereits unterhalb von 0°. Sie werden daher nicht isoliert, sondern in situ in die entsprechenden Perfluoralkyl-kobalt-Komplexe umgewandelt[3]:

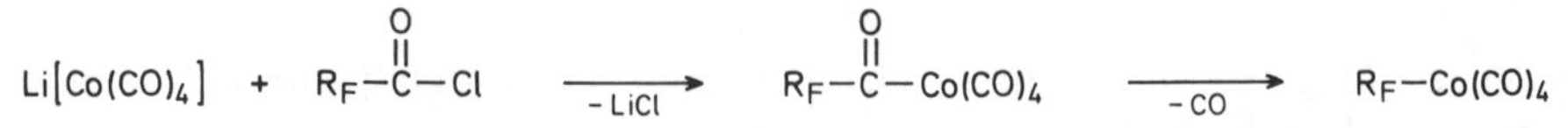

$$\text{Li}[\text{Co(CO)}_4] \ + \ R_F\overset{\overset{\displaystyle O}{\|}}{-C}-Cl \ \xrightarrow[-\text{LiCl}]{} \ R_F\overset{\overset{\displaystyle O}{\|}}{-C}-\text{Co(CO)}_4 \ \xrightarrow[-\text{CO}]{} \ R_F-\text{Co(CO)}_4$$

Heptafluorpropyl-tetracarbonyl-kobalt[3]:

Lithium-tetracarbonylkobaltat: Eine Lösung aus 34,8 g (0,10 mol) Octacarbonyl-dikobalt in 350 *ml* absol. THF und 2,65 g (0,38 mol) kurze Stückchen von Lithium-Draht werden bei –10 bis –20° mit einem Intensivrührer 3 Stdn. gerührt. Nach 20–30 Min. ist die anfänglich heftige Reaktion abgeklungen. Hierauf läßt man die Lösung auf 20° erwärmen. Die nicht umgesetzten Lithium-Stückchen werden abgetrennt. Die Lösung enthält ~ 0,58 N Lithium-kobaltat, sie wird anschließend mit dem entsprechenden Acylchlorid umgesetzt.

Heptafluorpropyl-tetracarbonyl-kobalt: Zu 80 *ml* der 0,58 N Kobaltat-Lösung tropft man innerhalb 15 Min. 10,7 g (46 mmol) Heptafluorbutansäure-chlorid. Unter Rühren wird das Reaktionsgemisch auf –25 bis –20° gehalten. Dann wird das Lösungsmittel bei –15 bis –20° i. Vak. an einem „Rinco"-Verdampfer abgezogen. In dem genannten Temperaturbereich wird das Gas so langsam freigesetzt, daß das Schäumen beim Abziehen des Lösungsmittels keine Schwierigkeit bereitet. Der Rückstand wird solange auf 20° unter Stickstoff gehalten, bis Kohlenmonoxid nicht mehr gebildet wird. Dann wird er mit Pentan ausgeschüttelt. Die vereinigten Pentan-Extrakte werden i. Vak. eingeengt und der Rückstand wird destilliert. Man erhält eine gelbbraune Flüssigkeit. Ausbeute: 6,2 g (40%); Kp_{16}: 44°.

Auf ähnliche Weise erhält man z. B.

Tetracarbonyl-trifluormethyl-kobalt   F: 10,5–11°; Kp_{28}: 31°; Kp_{700}: 91°

Pentafluorethyl-tetracarbonyl-kobalt Kp_{16}: 32°; Kp_{760}: 110°

Carbonyl-perfluoralkyl-trifluorphosphan-kobalt-Verbindungen entstehen beim Behandeln von Perfluoroacyl-tetracarbonyl-kobalt mit Trifluorphosphan unter Decarbonylierung des Acyl-Restes und Substitution von Carbonyl-Liganden[4].

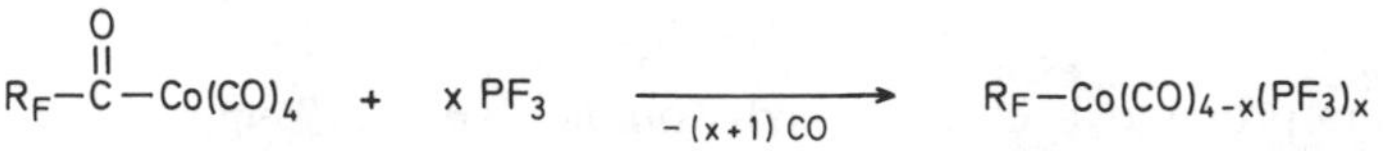

$$R_F\overset{\overset{\displaystyle O}{\|}}{-C}-\text{Co(CO)}_4 \ + \ x\,PF_3 \ \xrightarrow[-(x+1)\,\text{CO}]{} \ R_F-\text{Co(CO)}_{4-x}(PF_3)_x$$

Die Umsetzung kann so gesteuert werden, daß bevorzugt eine Verbindung entsteht. Die Trifluormethyl-kobalt-Verbindungen z. B. werden folgendermaßen hergestellt:

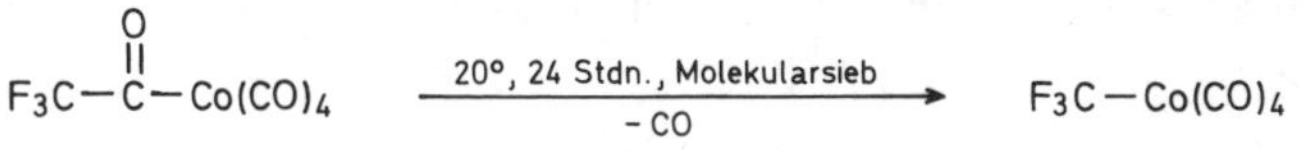

$$F_3C\overset{\overset{\displaystyle O}{\|}}{-C}-\text{Co(CO)}_4 \ \xrightarrow[-\text{CO}]{20°,\ 24\ \text{Stdn.},\ \text{Molekularsieb}} \ F_3C-\text{Co(CO)}_4$$

Tetracarbonyl-trifluormethyl-kobalt

---

[1] W. Hieber, W. Bock u. E. Lindner, Z. Naturf. **16b**, 229 (1961).

[2] G. C. v. d. Berg, A. Oskam u. K. Vrieze, J. Organometal. Chem. **69**, 169 (1974).

[3] W. R. McClellan, Am. Soc. **83**, 1598 (1961).

[4] C. A. Udovich u. R. J. Clark, Inorg. Chem. **8**, 938 (1969).

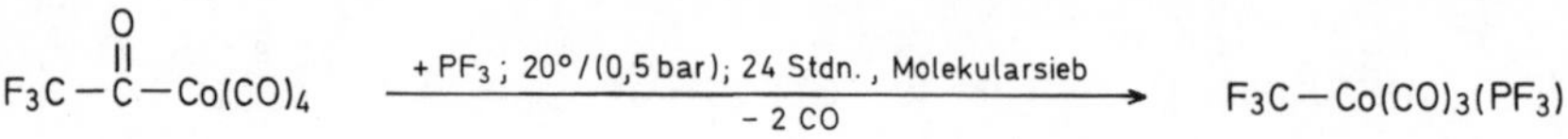

$$F_3C-\overset{\overset{\displaystyle O}{\|}}{C}-Co(CO)_4 \xrightarrow[-2\,CO]{+PF_3\,;\ 20°/(0,5\,\text{bar})\,;\ 24\ \text{Stdn.}\,,\ \text{Molekularsieb}} F_3C-Co(CO)_3(PF_3)$$

Tricarbonyl-trifluormethyl-trifluorphosphan-kobalt

$$F_3C-\overset{\overset{\displaystyle O}{\|}}{C}-Co(CO)_4 \xrightarrow[-3\,CO]{+2\,PF_3\,(15-29\,\text{bar})\,;\ 40-45°,\ 12-24\ \text{Stdn.}} F_3C-Co(CO)_2(PF_3)_2$$

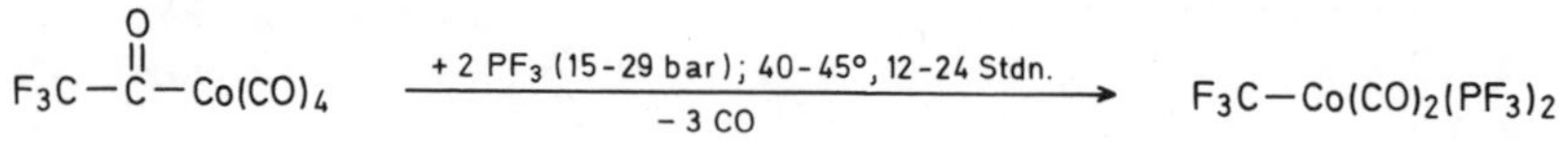

Bis-[trifluorphosphan]-dicarbonyl-trifluormethyl-kobalt

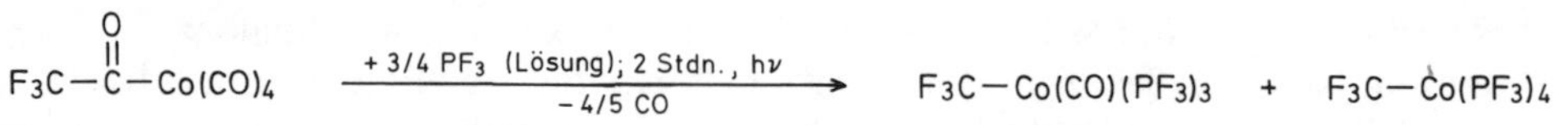

$$F_3C-\overset{\overset{\displaystyle O}{\|}}{C}-Co(CO)_4 \xrightarrow[-4/5\,CO]{+3/4\,PF_3\ (\text{Lösung})\,;\ 2\ \text{Stdn.}\,,\ h\nu} F_3C-Co(CO)(PF_3)_3 \quad + \quad F_3C-\overset{\shortmid}{C}o(PF_3)_4$$

Carbonyl-trifluormethyl-tris-[trifluorphosphan]-kobalt
+ Tetrakis-[trifluorphosphan]-trifluormethyl-kobalt

Die Verbindungen können durch Gas-Flüssigkeits-Verteilungschromatographie getrennt werden. Ihre Stabilität steigt mit zunehmender Substitution durch Trifluorphosphan. Da Trifluorphosphan und Kohlenmonoxid in ihren Eigenschaften als Liganden sehr ähnlich sind, entstehen durch Substitution Isomere mit ähnlichen Energieinhalten.

Die Pentafluorethyl- und Heptafluorpropyl-Verbindungen werden durch Bestrahlen von Tetracarbonyl-perfluoracyl-kobalt in Gegenwart von Trifluorphosphan hergestellt[1]. Ihre Decarbonylierung ist etwas rascher als die des Trifluoracetyl-Komplexes. Die Zahl der eingeführten Trifluorphosphan-Liganden kann über die Reaktionsdauer gesteuert werden; bei 15 min. Reaktionsdauer entsteht hauptsächlich das Monophosphan, bei 45 min. Reaktionsdauer das Di- und Triphosphan und nach längerer Reaktionsdauer erhält man das Tetraphosphan als Hauptprodukt.

Die ^{19}F–NMR-Spektren der oben aufgeführten Verbindungen zeigen, daß bei 20° in Lösung mehrere Isomere miteinander in raschem Gleichgewicht stehen, so daß sie deren Durchschnittsspektrum geben[2]. Bei tiefen Temp. können durch Einfrieren der Isomerisierung mehrere Isomere festgestellt werden.

Durch Substitution eines Carbonyl-Liganden durch Triphenylphosphan wird die Perfluoracyl-Verbindung beträchtlich stabilisiert, so daß z. B. der Trifluoracetyl-Komplex erst bei Temp. >130° decarbonyliert wird[3]:

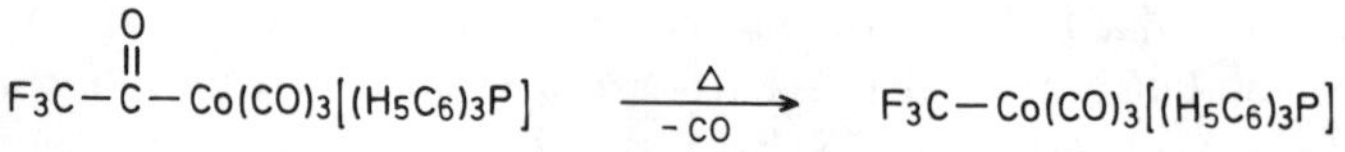

$$F_3C-\overset{\overset{\displaystyle O}{\|}}{C}-Co(CO)_3[(H_5C_6)_3P] \xrightarrow[-CO]{\Delta} F_3C-Co(CO)_3[(H_5C_6)_3P]$$

Tricarbonyl-trifluormethyl-triphenylphosphan-kobalt

Der Pentafluorpropanoyl-tetracarbonyl-Komplex wird bei Temp. ab 30° und nach Einführung eines Triphenylphosphan-Liganden erst ab 78° zum *Pentafluorethyl-tricarbonyl-triphenylphosphan-kobalt* decarbonyliert[4,5]. Eine zweite Triphenylphosphan-Gruppe kann mit dieser Methode nicht in den Komplex eingeführt werden, da bei der Decarbonylierung nicht ein Carbonyl-, sondern ein Triphenylphosphan-Ligand freigesetzt wird[6]:

[1] C. A. Udovich u. R. J. Clark, Inorg. Chem. **8**, 938 (1969).
[2] C. A. Udovich, M. A. Krevalis u. R. J. Clark, Inorg. Chem. **15**, 900 (1976).
[3] W. Hieber, W. Bock u. E. Lindner, Z. Naturf. **16b**, 229 (1961).
[4] W. Hieber u. E. Lindner, B. **95**, 2042 (1962).
[5] K. F. Wattson u. F. G. Wilkinson, Chem. & Ind. **1959**, 991; **1960**, 1358.
[6] W. Hieber u. H. Duchatsch, B. **98**, 2933 (1965).

$$Na^{\oplus}\{Co(CO)_2[(H_5C_6)_3P]_2\}^{\ominus} \;+\; F_3C-\overset{\overset{O}{\|}}{C}-O-CO-CF_3 \;\xrightarrow[-\,F_3C-COONa\,/\,-\,(H_5C_6)_3P]{}$$

$$F_3C-Co(CO)_3[(H_5C_6)_3P]$$

Tricarbonyl-trifluormethyl-triphenylphosphan-kobalt

Die Decarbonylierungstendenz nimmt mit steigendem Fluorierungsgrad in den Acetyl-Komplexen zu[1,2]. Außerdem steigt die Stabilität der fluorierten Alkyl-kobalt-Verbindungen im gleichen Sinn. Es ist also günstig, wenn durch Substitution der Alkyl-Reste negative Ladung vom Metall abgezogen wird. Die Tetracarbonyl-Verbindungen sind gelbe, Luft-empfindliche und sehr flüchtige Flüssigkeiten. Die Phosphan-Komplexe sind jedoch luftbeständig und werden in hoher Ausbeute erhalten:

$$F-\overset{\overset{H}{|}}{\underset{\underset{X}{|}}{C}}-\overset{\overset{O}{\|}}{C}-Co(CO)_3L \;\xrightarrow[-\,CO]{T,\;H_5C_6-CH_3}\; F-\overset{\overset{H}{|}}{\underset{\underset{X}{|}}{C}}-Co(CO)_3L$$

X = H; L = O	T
X = F; L = O; 70%	< 0°
X = H; L = P(C$_6$H$_5$)$_3$; L = P(OC$_6$H$_5$)$_3$	> 45°
	in siedendem Toluol

Tricarbonyl-phenylacetyl-triphenylphosphan-kobalt wird bereits bei 50° zu *Benzyl-tricarbonyl-triphenylphosphan-kobalt* decarbonyliert[3] und die analoge (3-Fluor-phenyl-acetyl)-Verbindung in siedendem Diethylether zu *[(3-Fluor-benzyl)-tricarbonyl-triphenylphosphan-kobalt*; 72%][4]. Verschieden substituierte Benzyl-Komplexe sind in der Lit. beschrieben[5].

Fluormethyl-tricarbonyl-triphenylphosphan-kobalt[2]: 0,47 g (~1 mmol) Fluoracetyl-tricarbonyl-triphenyl-phosphan-kobalt werden 3–4 Stdn. in 25 *ml* Toluol auf 55–60° erhitzt. Nach dem Abkühlen auf 20° wird Toluol i. Hochvak. abgezogen, der Rückstand mit ~50 *ml* Diethylether aufgenommen, die Lösung hierbei über eine Fritte (G3) filtriert, auf die Hälfte eingeengt und nach Zusatz von 50 *ml* Petrolether auf −78° gekühlt. Hierbei fallen zitronengelbe Kristalle aus, die filtriert (Fritte G3), 3mal mit ~10 *ml* Heptan gewaschen und i. Hochvak. getrocknet werden; Ausbeute: ~80%; F: 129–130° (Zers.); IR (KBr): ν_{CO} 2046 (s), 1972 (s) u. 1957 (vs) cm^{-1}.

Acetyl-bis-[trimethylphosphan]-dicarbonyl-kobalt kann durch Behandeln mit Kobalt- oder Nickel-Komplexen, die leicht einen Carbonyl-Ligand binden, decarbonyliert werden[6].

7. durch spezielle Reaktionen

Tetracarbonyl-trimethylstannyl-kobalt(I) reagiert mit Jod-trifluor-methan unter Bildung der Trifluormethyl-kobalt-Verbindung[7]; z.B. *Tetracarbonyl-trifluormethyl-kobalt*:

$$(H_3C)_3Sn-Co(CO)_4 \;+\; F_3C-J \;\xrightarrow[-\,[(H_3C)_3SnJ]]{}\; F_3C-Co(CO)_4$$

[1] E. Lindner u. M. Zipper, B. **107**, 1444 (1974).
[2] E. Lindner, H. Stich, K. Geibel u. H. Kranz, B. **104**, 1524 (1971).
[3] Z. Nagy-Magos, G. Bor u. L. Markó, J. Organometal. Chem. **14**, 205 (1968).
[4] R.P. Stewart u. P.M. Treichel, Am. Soc. **92**, 2710 (1970).
[5] V. Galamb u. G. Pályi, Chem. Commun. **1982**, 487.
[6] H.F. Klein u. H.H. Karsch, B. **108**, 944 (1975).
[7] A.D. Beveridge u. H.C. Clark, Inorg. Nucl. Chem. Lett. **3**, 95 (1967).
    Zur Synthese von 4-Fluor-nonacarbonyl-tricobaltatetrahedron s. S. 186.

b) 1-Alkenyl-kobalt(I)-Verbindungen

1. aus Metall-kobaltaten mit 1-Halogen-1- bzw. -2-alkenen

1,2-Dichlor-perfluor-1-cycloalkene setzen sich mit Natrium-(tricarbonyl-triphenyl-phosphan-kobaltat) unter elektrophiler Substitution zu 1-Cycloalkenyl-kobalt-Verbin-dungen um[1]:

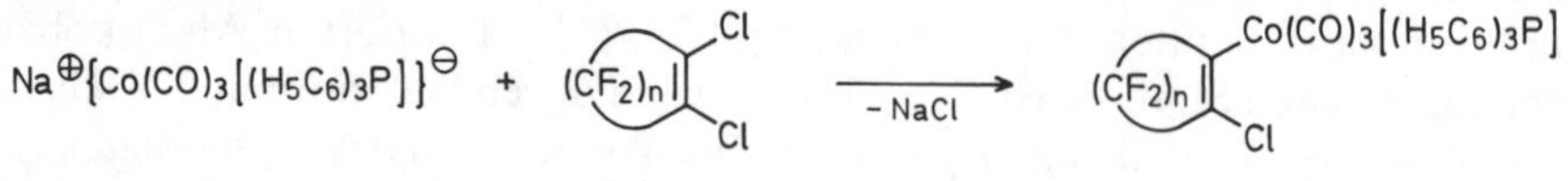

...-tricarbonyl-triphenylphosphan-kobalt

n = 2; *(2-Chlor-tetrafluor-1-cyclobutenyl)-*...; 39%; F: 110–112° (Zers.)
n = 3; *(2-Chlor-hexafluor-1-cyclopentenyl)-*...; 18%; F: 100° (Zers.)

Pentafluor-allyljodid und Zink-bis-[tetracarbonylkobaltat] bilden zwei Verbindungen, die sich destillativ trennen lassen[2]. Zum einen entsteht unter Abspaltung von Kohlenmon-oxid η^3-Allyl-tricarbonyl-kobalt (25%), zum anderen ein *σ-(Pentafluor-1-propenyl)-tetracarbonyl-kobalt* unter 1,3-Wanderung eines Fluor-Atoms (zur Umwandlung des π-Allyl-Komplexes in eine 1-Alkenyl-Verbindung s.u.):

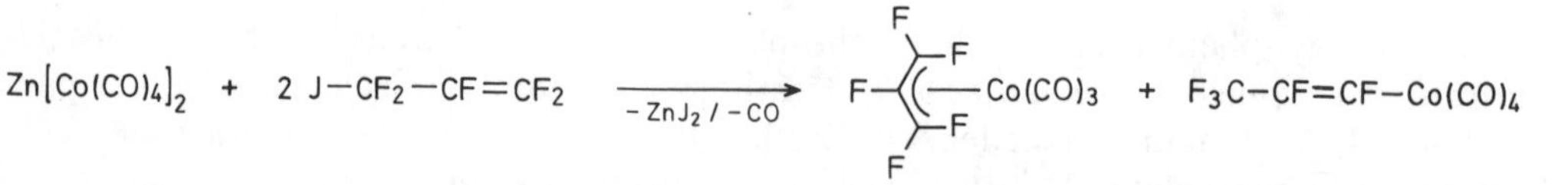

(Pentafluor-1-propenyl)-tetracarbonyl-kobalt[2]: 0,6 g (2,4 mmol) Pentafluor-allyljodid und 5 g (1,2 mmol) Zink-bis-[tetracarbonylkobaltat] werden in 40 *ml* Pentan bei 25° unter Stickstoff umgesetzt, bis die Bildung von Kohlenmonoxid aufhört. Pentan wird bei −30° i. Vak. abgezogen, das Reaktionsgemisch i. Vak. bei 20°/0,01 Torr in Kühlfallen destilliert. Zuerst geht die 1-Alkenyl-Verbindung über, die sich nicht in einer auf −30° gekühlten Falle kondensiert, sondern erst bei −196°. Sie bildet oberhalb von −15° eine gelbe Flüssigkeit; Ausbeute 20%; IR (Pentan): ν_{CO} 2130,0 (m), 2068,1 (s), 2059,8 (s), 2052,2 (s) cm^{-1}, $\nu_{C=C}$ 1640 cm^{-1}.

Bei −30° wird η^3-Allyl-tricarbonyl-kobalt kondensiert. Die Verbindung ist i. Vak. oder unter Stickstoff bei 20° stabil. Die gelbe Flüssigkeit wird unter 5° fest. Sie wird bei −80° aus Pentan umkristallisiert (Ausbeute: 25%).

2. aus Kobalt-π-Komplexen

Die Umwandlung einer η^3-Pentafluor-allyl-Gruppe in eine σ-Pentafluor-propenyl-Gruppe unter 1,3-Wanderung eines Fluor-Atoms wird durch Zusatz von Triphenylphos-phan eingeleitet[2]. Gleichzeitig wird ein σ-Allyl-Komplex gebildet (s. S. 23). Die beiden Verbindungen können durch fraktionierte Kristallisation bei −80° und 0° in Methylcyclo-hexan isoliert werden:

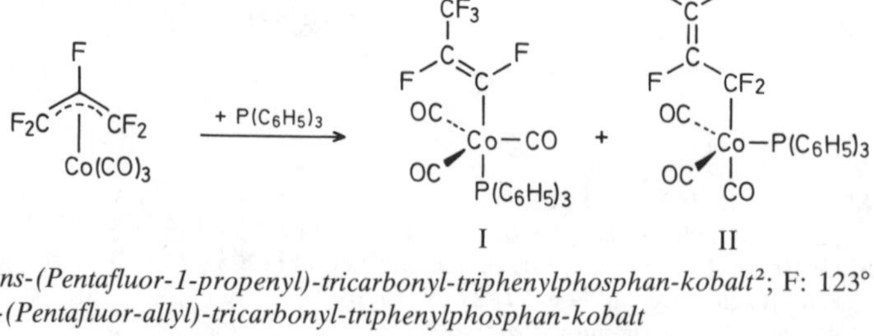

I; *trans-(Pentafluor-1-propenyl)-tricarbonyl-triphenylphosphan-kobalt*[2]; F: 123° (gelbe Kristalle).
II; *σ-(Pentafluor-allyl)-tricarbonyl-triphenylphosphan-kobalt*

---

[1] W.R. CULLEN u. A.J.T. JULL, Canad. J. Chem. **51**, 1521 (1973).
[2] K. STANLEY u. D.W. MCBRIDE, Canad. J. Chem. **53**, 2537 (1975).

Zwei Moleküle Hexafluor-2-butin reagieren mit einem Molekül (η^3-2-Methyl-allyl)-tricarbonyl-kobalt zu einem 1,3,6-Heptatrienyl-Komplex[1].

3. durch spezielle Methoden

Der Co_4–Cluster-Komplex I mit 2 π-Acetylen-di-kobalt-Gruppen wird durch Behandeln mit Triphenylphosphan, -arsan oder 1,2-Bis-[diphenylphosphano]-ethan in den Komplex II aufgespalten, in dem zwei Kobalt-Reste durch eine cis-Alken-Gruppe verknüpft sind[2]; z.B.:

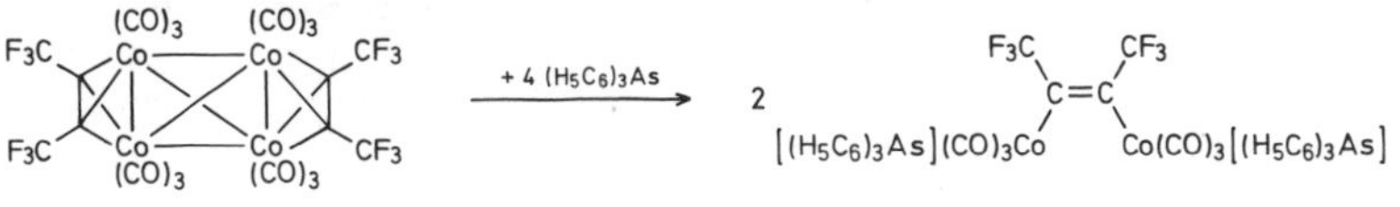

2,3-Bis-[tricarbonyl-triphenylarsan-kobalt]-1,1,1,4,4,4-hexafluor-2-buten; 70–75%; F: 130–135°

c) 1-Alkinyl-kobalt(I)-Verbindungen

Die Methyl-Gruppe der Komplexe III und IV kann von 1-Alkinen unter Freisetzung von Methan substituiert werden[3,4]. Die Diphosphan-Komplexe sind an der Luft stabil.

$$H_3C-Co[(H_3C)_3P]_4 \ + \ H_5C_6-C\equiv CH \ \xrightarrow{-CH_4} \ H_5C_6-C\equiv C-Co[(H_3C)_3P]_4$$

III

Phenylethinyl-tetrakis-[trimethylphosphan]-kobalt; 85%; Zers. >105°

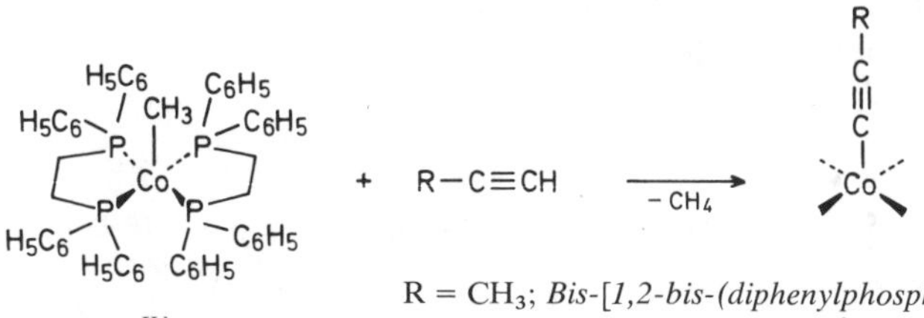

R = CH_3; *Bis-[1,2-bis-(diphenylphosphano)-ethan(P^1,P^2)]-1-propinyl-kobalt*; 80%; F: 205–207° (Zers.)

Bis-[1,2-bis-(diphenylphosphano)-ethan(P^1,P^2)]-phenylethinyl-kobalt[4]: Zu einer Lösung von 0,25 g (0,25 mmol) Bis-[1,2-bis-(diphenylphosphano)-ethan(P^1,P^2)]-methyl-kobalt werden 100 ml Phenylacetylen i. Vak. von Kühlfalle zu Kühlfalle destilliert und bei 20° 5 Stdn. gerührt. Die Farbe des Reaktionsgemisches schlägt von rot nach braun um. Methan wird zu 100% freigesetzt. Es fällt ein braunes Pulver aus. Durch Umkristallisieren aus Toluol und Hexan erhält man braune Kristalle; Ausbeute: 70%; F: 238–239° (Zers.); IR (KBr): $\nu_{C\equiv C}$: 2095 cm^{-1}.

[1] A. Greco, M. Green u. F.G.A. Stone, Soc. [A] **1971**, 3476.
[2] D.M. Roundhill u. G. Wilkinson, Soc. [A] **1968**, 506.
[3] H.-F. Klein u. H.H. Karsch, B. **108**, 944 (1975).
[4] T. Ikariya u. A. Yamamoto, J. Organometal. Chem. **116**, 231 (1976).

d) Aryl- bzw. Heteroaryl-kobalt(I)-Verbindungen

1. aus Kobalt(I)-Verbindungen

α) mit Aryl-metall-Verbindungen

Bromo- und Chloro-kobalt(I)-Verbindungen werden von Phenyl-lithium in einer nucleophilen Substitution aryliert[1-4]:

$$CoBr(CO)_3[(H_5C_6)_3P] \quad + \quad H_5C_6-Li \quad \xrightarrow[-LiBr]{} \quad H_5C_6-Co(CO)_3[(H_5C_6)_3P]$$

Phenyl-tricarbonyl-triphenylphosphan-kobalt

$$CoBrL \quad + \quad H_5C_6-Li \quad \xrightarrow[-LiBr]{} \quad H_5C_6-CoL$$

L = N[CH$_2$–CH$_2$–P(C$_6$H$_5$)$_2$]$_3$; *Phenyl-[tris-(2-diphenylphosphano-ethyl)-amin]-kobalt*
L = P[CH$_2$–CH$_2$–P(C$_6$H$_5$)$_2$]$_3$; *Phenyl-[tris-(2-diphenylphosphano-ethyl)-phosphan]-kobalt*

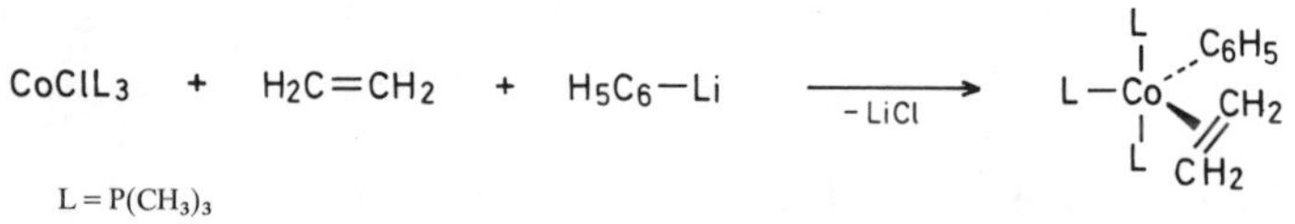

$$CoClL_3 \quad + \quad H_2C{=}CH_2 \quad + \quad H_5C_6-Li \quad \xrightarrow[-LiCl]{}$$

L = P(CH$_3$)$_3$

$η^2$-**Ethen-phenyl-tris-[trimethylphosphan]-kobalt**[4,5]: Zu einer Suspension von 470 mg (1,46 mmol) Chloro-tris-[trimethylphosphan]-kobalt in 20 *ml* Diethylether werden bei –78° unter 1 bar Ethen 1,62 *ml* einer 0,9 M Lösung von Phenyl-lithium in Diethylether pipettiert. Unter Rühren wird auf 20° erwärmt und danach 1 Stde. gerührt. Die flüchtigen Bestandteile werden i. Vak. entfernt und der braune Rückstand 2mal mit je 10 *ml* Pentan extrahiert. Beim langsamen Abkühlen über Trockeneis wachsen orangegelbe Kristalle; Ausbeute: 310 mg (55%); Zers. >60°.

Eine Arylierung ist auch möglich, wenn der Kobalt(I)-Komplex den $η^4$-(Tetraaryl-cyclobutadien)-Liganden enthält[6]:

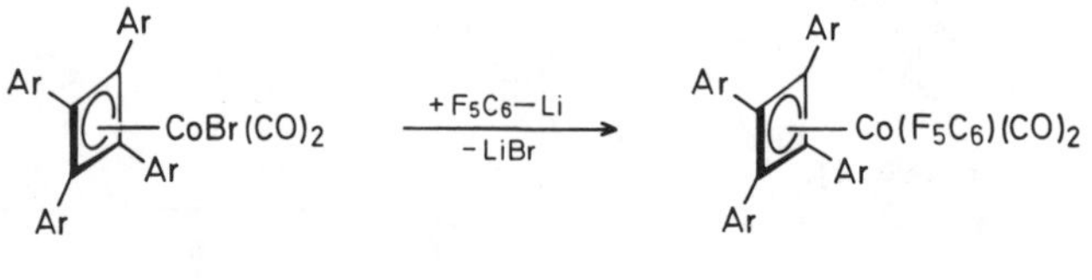

Dicarbonyl-pentafluorphenyl-($η^4$-tetraphenyl-cyclobutadien)-kobalt[6]: Eine Lösung von Pentafluorphenyl-lithium wird bei –78° aus 0,4 g (1,6 mmol) Brom-pentafluor-benzol und Butyl-lithium in 50 *ml* Diethylether hergestellt. Dazu gibt man bei 0° 0,45 g (0,82 mmol) Bromo-dicarbonyl-(tetraphenyl-cyclobutadien)-kobalt. Die Suspension wird auf 20° erwärmt und 12 Stdn. gerührt. Dann wird der gelbe Niederschlag abfiltriert, mit Diethyl-ether gewaschen und aus Dichloromethan und Methanol umkristallisiert; Ausbeute: 0,27 g (53%); F: 164° (Zers.); IR (CHCl$_3$): $ν_{CO}$ 2010, 2050 cm^{-1}.

Auf ähnliche Weise wird *Dicarbonyl-(4-methyl-phenyl)-(tetraphenyl-cyclobutadien)-kobalt* (78%; F: 172–173°, Zers.) erhalten.

---

[1] W. Hieber u. E. Lindner, B. **95**, 273 (1962).
[2] P. Stoppioni, D. Dapporto u. L. Sacconi, Inorg. Chem. **17**, 718 (1978).
[3] Weitere Beispiele der Methode: R.B. King, Adv. Organometallic Chem. **2**, 157 (1964).
[4] H.-F. Klein, R. Hammer, J. Gross u. U. Schubert, Ang. Ch. **92**, 835 (1980).
[5] H.-F. Klein, R. Hammer, J. Gross u. U. Schubert, B. **116**, 1441 (1983).
[6] A. Efraty u. P.M. Maitlis, Am. Soc. **89**, 3744 (1967).

β) durch ortho-Metallierung

Die ortho-Metallierung wird besonders häufig bei Rhodium- und Iridium-Komplexen, weniger bei Kobalt(I)-Komplexen beobachtet.

Distickstoff-hydrido-tris-[triphenylphosphan]-kobalt hydriert Styrol zu Ethylbenzol unter gleichzeitiger ortho-Metallierung von Triphenylphosphan[1]. Möglicherweise lagert sich der Hydrido-kobalt-Komplex zunächst an die C=C-Doppelbindung an. Der dabei gebildete Komplex spaltet schließlich Ethylbenzol ab.

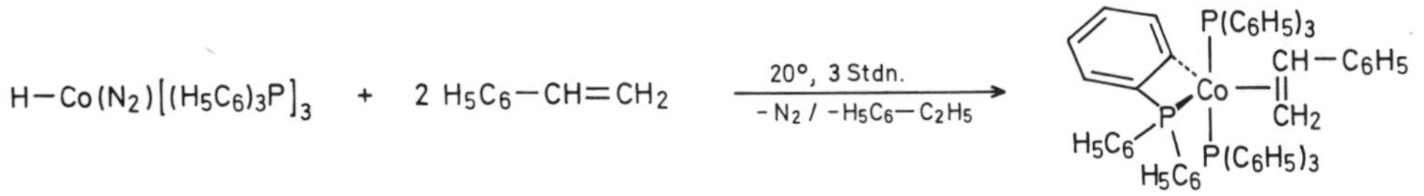

Bis-[triphenylphosphan]-[2-diphenylphosphano-phenyl(C,P)]-(η²-phenyl-ethen)-kobalt; 70%; Zers. p.: 78–80°

Eine ortho-Metallierung tritt auch mit Triphenoxyphosphan als Ligand ein; z.B.[2]:

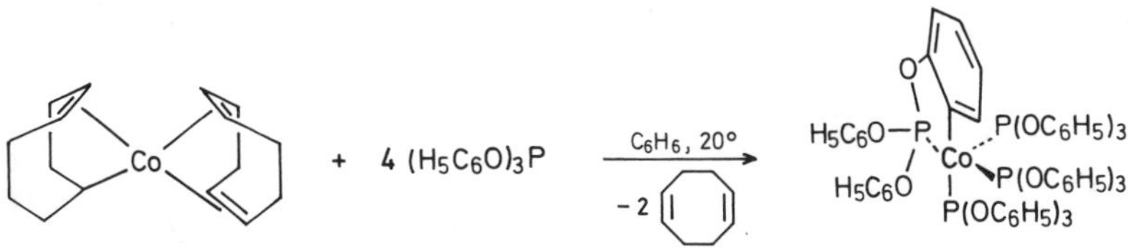

[2-(Diphenoxyphosphanoxy)-phenyl(C,P)]-tris-[triphenoxyphosphan]-kobalt[2]: Zu einer Lösung von 13 g Triphenoxyphosphan in 20 *ml* Benzol gibt man 3,6 g (13,1 mmol) (η⁴-1,5-Cyclooctadien)-(η²-4-cyclooctenyl)-kobalt. Die Lösung wird 12 Stdn. bei 20° stehen gelassen. Benzol wird i. Vak. abgezogen und der Rückstand mit Hexan behandelt. Dann wird Hexan i. Vak. entfernt und das feste Rohprodukt mit Hexan gewaschen sowie in Aceton umkristallisiert. Die Verbindung ist schwach gelb. Ausbeute: 7,0 g (7,1 mmol; 54%); F: 190–195° (Zers.).

2. aus Metall-kobalt(-I)-aten und Halogen-arenen bzw. Aryldiazonium-Salzen

1,2-Dicyan-3,4,5,6-tetrafluor-benzol und andere Fluor-arene reagieren mit Kobalt-Anion-Komplexen unter nucleophiler Substitution eines Fluor-Atoms[3,4].

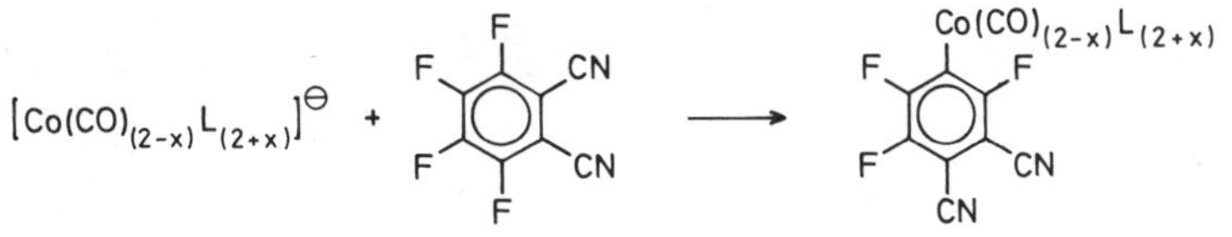

Die Reaktivität der Metall-Anion-Komplexe bei nucleophilen Substitutionen von Arenen wird erhöht, wenn anstelle von Carbonyl stärker basische Liganden wie Phosphane oder η⁵-Cyclopentadienyl-Gruppen in den Komplex eingeführt werden. Wie kinetische Versuche mit Pentafluor-pyridin zeigen, nimmt die Reaktivität von vergleichbaren Komplexen in folgender Reihe ab (s.a. S. 34)[4].

[1] Y. Kubo, A. Yamamoto u. S. Ikeda, J. Organometal. Chem. **59**, 353 (1973).
[2] L. W. Gosser, Inorg. Chem. **14**, 1453 (1975).
[3] B. L. Booth, R. N. Haszeldine u. M. B. Taylor, Soc. [A] **1970**, 1974.
[4] B. L. Booth, R. N. Haszeldine u. I. Perkins, Soc. [Dalton] **1975**, 1843.

$$[Fe(\eta^5\text{-}C_5H_5)(CO)_2]^{\ominus} > \{Rh(CO)_2[(H_5C_6)_3P]_2\}^{\ominus} > \{Ir(CO)_2[(H_5C_6)_3P]_2\}^{\ominus} > \{Co(CO)_2[(H_5C_6)_3P]_2\}^{\ominus} > [Mn(CO)_5]^{\ominus}$$

Die Reaktion dieser d^{10}-Anionen mit Pentafluor-pyridin ist 2. Ordnung. Bei d^8-Komplexen, wie z. B. Bis-[2,3-butandion-dioximato]-pyridin-metall(-I) und anderen Komplexen findet man bei S_N2-Reaktionen die umgekehrte Aktivitätsreihenfolge

$$Co > Ir > Rh$$

Die beiden folgenden Umsetzungen wurden näher untersucht[1]:

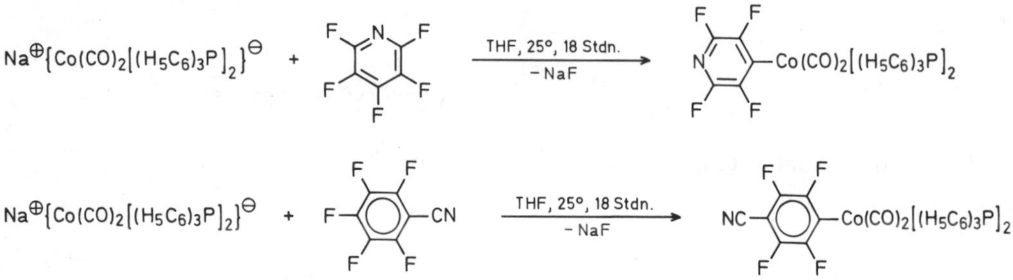

Bis-[triphenylphosphan]-(4-cyan-tetrafluorphenyl)-dicarbonyl-kobalt; 17%;
F: 154–156° (Zers.)

Bis-[triphenylphosphan]-dicarbonyl-(2,3,5,6-tetrafluor-4-pyridyl)-kobalt[1]: Alle Reaktionen werden unter einer Kohlenmonoxid-Atmosphäre durchgeführt. Eine Lösung von Bis-[triphenylphosphan]-dicarbonyl-jodokobalt[2] und Natrium-Amalgam (in 1%igem Überschuß) in 50 *ml* THF wird 4 Stdn. gerührt. Es entsteht die grüne Lösung des Anions, die ohne Abtrennen des überschüssigen Natrium-Amalgams weiter umgesetzt wird. Der Verlauf der Reaktion kann durch IR-Messungen verfolgt werden (charakteristische IR-Banden des Jodo-Komplexes ν_{CO} 1970 (s), 1910 (vs) cm^{-1}).

1,0 g (5,9 mmol) Pentafluor-pyridin wird in der Lösung von 1,3 g (2,0 mmol) Anion und 20 *ml* THF 18 Stdn. bei 20° gerührt. Der Komplex fällt als grün-gelbes Pulver aus; Ausbeute: 0,21 g (0,25 mmol, 16%); F: 114–116° (Zers.); IR (Nujol): ν_{CO} 1996 (vs) cm^{-1}.

Bei der Reaktion von Pentafluor-benzoylchlorid mit Natrium-tetracarbonyl-kobaltat wird der intermediär gebildete Acyl-Komplex decarbonyliert[3]:

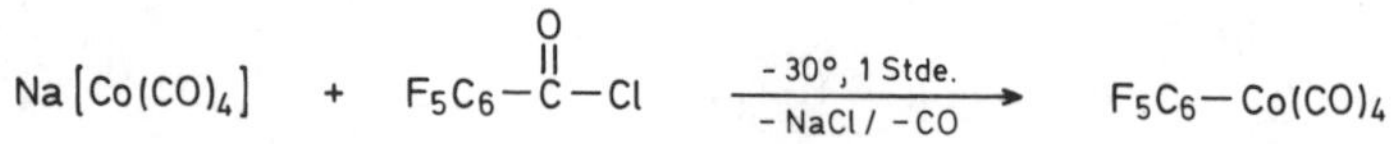

Pentafluorphenyl-tetracarbonyl-kobalt[3]; 75%; F: 38–39°

Kalium-tetrakis-[trimethoxyphosphan]-kobaltat kann durch Phenyldiazonium-tetrafluoroborat bereits bei −64° zum *Phenyl-tetrakis-[trimethoxyphosphan]-kobalt* (~100%) aryliert werden[4]:

$$K^{\oplus}\{Co[(H_3CO)_3P]_4\}^{\ominus} + [H_5C_6\text{–}N_2]^{\oplus}[BF_4]^{\ominus} \xrightarrow[-N_2/-KBF_4]{THF,\ 20\ Min.} H_5C_6\text{–}Co[(H_3CO)_3P]_4$$

[1] B. L. Booth, R. N. Haszeldine u. I. Perkins, Soc. [Dalton] **1975**, 1843.
[2] A. Sacco, G. **93**, 542 (1963).
[3] J. B. Wilford, A. Forster u. F. G. A. Stone, Soc. **1965**, 6519.
[4] E. L. Muetterties u. F. J. Hirsekorn, Chem. Commun. **1973**, 683; Am. Soc. **96**, 7920 (1974).

3. durch spezielle Methoden

Als Arylierungsreagens kann auch μ,μ-Dichloro-bis-[2-arylazo-aryl(C,N^2)]-palladium dienen[1,2]:

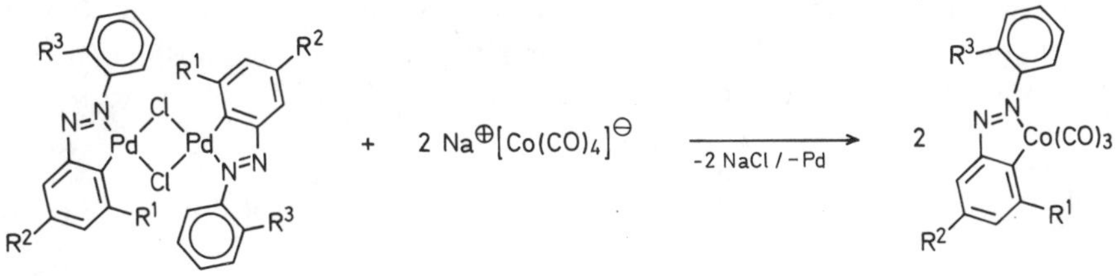

[2-Phenylazo-phenyl(C,N^2)]-tricarbonyl-kobalt[2]: Eine Mischung von 4,2 g (6,7 mmol) μ,μ-Dichloro-bis-[2-phenylazo-phenyl(C,N^2)-palladium] und 100 *ml* einer 0,13 M Natrium-(tetracarbonylkobaltat)-Lösung in THF wird bei 20° 1 Stde. gerührt. Dann wird das Lösungsmittel i. Vak. bei 0° abgezogen und der Rückstand 6mal mit je 50 *ml* Petrolether extrahiert. Das rote Extrakt wird unter Stickstoff durch ein Bett aus 3 cm Florisil filtriert, um den feinen schwarzen Palladium-Niederschlag zu entfernen. Nach Einengen und Kühlen auf −78° fallen rote Kristalle aus; Ausbeute: 2,47 g (59%); F: 60–63°. IR(C_6H_{12}): ν_{CO} 2076 (vs), 2026 (s), 2002 (vs) cm^{-1}.

[3-(2-Phenylazo-phenyl)-4,4,4-trifluor-2-trifluormethyl-2-butenoyl(C,N^1)]-dicarbonyl-kobalt (s. S. 43) wird durch Rückflußkochen in Benzol (18 Stdn.) lediglich in ein Komplexgemisch umgewandelt, das zu 4,3% einen σ-Aryl-Komplex enthält[2]. In Gegenwart von Diphenyl-methyl-phosphan erhält man in geringer Ausbeute (1 Stde. Rückfluß in Hexan) *Carbonyl-(diphenyl-methyl-phosphan)-{2-[2-(3,3,3-trifluor-1-trifluormethyl-1-propenyl)-phenylazo]-phenyl(C,N^2,η^2)}-kobalt* (2,4%)[2]:

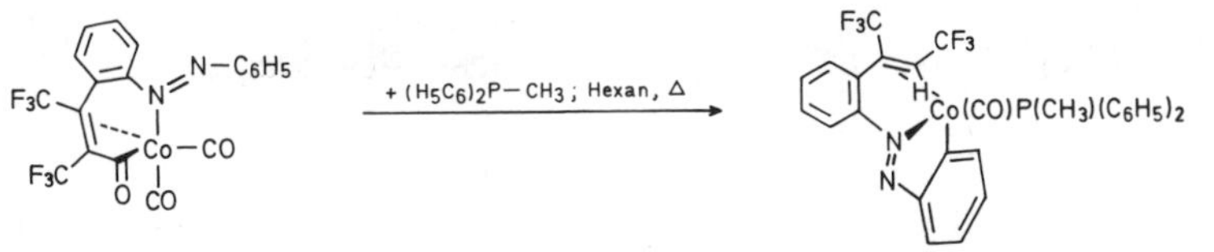

Octacarbonyl-(2,3,4,5-pentafluor-tolan)-dikobalt bildet beim Erhitzen auf 185° in Cyclohexan ein Gemisch mehrerer Verbindungen[3], das auch einen σ-Komplex enthält.

Das blaue Bis-[1,4-dioxan]-bis-[pentafluorphenyl]-kobalt reagiert in Hexan mit Kohlenmonoxid zum gelben *Pentafluorphenyl-tetracarbonyl-kobalt*[4]. Bei Zusatz von Phosphanen erhält man die besser isolierbaren Monophosphan-Komplexe[4]:

$$(F_5C_6)_2Co(1,4\text{-}Dioxan)_2 \xrightarrow[20°,\ 2\ Stdn.]{CO,\ Hexan;} F_5C_6{-}Co(CO)_4 \xrightarrow[-CO]{+L} F_5C_6{-}Co(CO)_3L$$

Pentafluorphenyl-tricarbonyl-...-kobalt

z.B.: L = $P(C_2H_5)_3$ ...*-triethylphosphan-*...; 60%; F: 46–50°
L = $P(C_6H_5)_3$ ...*-triphenylphosphan-*...; 75%; F: 120–155° (Zers.)

---

[1] R.F. Heck, Am. Soc. **90**, 313 (1968).
[2] M.I. Bruce, B.L. Goodall u. F.G.A. Stone, Soc. [Dalton] **1975**, 1651.
[3] R.S. Dickson u. L.J. Michel, Austral. J. Chem. **28**, 1957 (1975).
[4] P. Royo u. A. Vazquez, J. Organometal. Chem. **205**, 223 (1981).

e) von Acyl-kobalt(I)-Verbindungen

1. aus Carbonyl-hydrido-kobalt(I)-Derivaten mit ungesättigten Verbindungen bzw. gespannten Ringen

Alkene reagieren mit Hydrido-tetracarbonyl-kobalt unter Bildung von Alkyl-kobalt-Komplexen, die in Gegenwart von Kohlenmonoxid oder Triphenylphosphan carbonyliert werden. Normalerweise entsteht dabei ein Isomerengemisch[1, 2].

$$H-Co(CO)_4 \;+\; R-CH=CH_2 \;+\; L \;\xrightarrow{0°}\; R-CH_2-CH_2-\overset{\overset{\textstyle O}{\|}}{C}-Co(CO)_3L \;+\; R-CH-CH_3$$

L = CO, (H₅C₆)₃P
z. B.: L = CO; R = C₃H₇; I : II = 1 : 1
R = COOCH₃; I : II = 1 : 5

I

II

Bei der Umsetzung von 2-Methyl-propen entsteht *(2,2-Dimethyl-propanoyl)-tricarbonyl-triphenylphosphan-kobalt* und mit 1,3-Butadien *(4-Pentenoyl)-tricarbonyl-triphenylphosphan-kobalt*[1, 3].
Hydrido-tetracarbonyl-kobalt bildet mit Styrol in Gegenwart von Triphenylphosphan z. B. *(3-Phenyl-propanoyl)-tricarbonyl-triphenylphosphan-kobalt*[4].
Oxirane und Oxetane reagieren mit Hydrido-tetracarbonyl-kobalt in Gegenwart von Kohlenmonoxid unter Ringspaltung und Carbonylierung[5]. Auch hier ist es zweckmäßig, durch Zusatz von Triphenylphosphan den Komplex zu stabilisieren:

$$H-Co(CO)_4 \;+\; (H_2C)_n\!\!-\!\!O \;+\; CO \;\longrightarrow\; HO-(CH_2)_n-\overset{\overset{\textstyle O}{\|}}{C}-Co(CO)_4 \;\xrightarrow[-CO]{+(H_5C_6)_3P}$$

$$HO-(CH_2)_n-\overset{\overset{\textstyle O}{\|}}{C}-Co(CO)_3[(H_5C_6)_3P]$$

... -*tricarbonyl-triphenylphosphan-kobalt*

n = 2; *(3-Hydroxy-propanoyl)*...
n = 3; *(4-Hydroxy-butanoyl)*-...

Mit Methyl-oxiran entsteht ein Gemisch aus *(3-Hydroxy-butanoyl)*-(im Überschuß) und *(3-Hydroxy-2-methyl-propanoyl)-tricarbonyl-triphenylphosphan-kobalt*.
Bei der analogen Reaktion von 1,2-Epoxy-cyclohexan entsteht stereoselektiv [*trans-(2-Hydroxy-cyclohexyl)*]-*tricarbonyl-triphenylphosphan-kobalt*.

(4-Hydroxy-butanoyl)-tricarbonyl-triphenylphosphan-kobalt[5]: In einem Dreihalskolben mit Gasometer[6] werden 10 *ml* Diethylether mit Kohlenmonoxid gesättigt und mit 1 *ml* Oxetan und 3 *ml* einer 0,59 M Hydrido-tetracarbonyl-kobalt-Lösung in Pentan versetzt. Innerhalb 1 Stde. werden 41 *ml* (1,4 mmol = 78%) Kohlenmonoxid absorbiert. Bei Zusatz von 2,5 *ml* einer 1 M Lösung von Triphenylphosphan in Diethylether werden innerhalb 75 Min. 39 *ml* (1,3 mmol) Kohlenmonoxid wieder freigesetzt. Die Lösung wird hierauf i. Vak. bis zur Trockene eingedampft und mehrmals mit kleinen Portionen Diethylether aufgenommen. Der unlösliche Rückstand wird in einer Zentrifuge abgetrennt und das Zentrifugat wird i. Vak. bis auf einige *ml* eingeengt. Bei Zusatz von Pentan fallen unter Kühlen schwach gelbe, plättchenförmige Kristalle aus; Zers. p.: 115–125°; IR (CCl₄): ν_{CO} 1984 (vs), 1964 (vs), $\nu_{>CO}$ 1672 (m) cm⁻¹.

---

[1] R.F. Heck, Am. Soc. **83**, 4023 (1961).
[2] Zur Bestimmung der Isomerenverteilung werden die Acyl-Komplexe durch Jod in methanolischer Lösung gespalten und die gebildeten Ester werden analysiert (s. S. 247).
[3] R.F. Heck u. D.S. Breslow, Am. Soc. **83**, 1097 (1961).
[4] F. Ungváry u. L. Markó, Organometallics **1**, 1121 (1982).
[5] R.F. Heck, Am. Soc. **85**, 1460 (1963).
[6] Zur Apparatur s. Lit.[3].

2. aus Metallkobaltaten mit Acylhalogeniden bzw. Carbonsäureanhydriden

Die Umsetzung von Natrium-tetracarbonylkobalt mit Acylhalogeniden ist eine der am längsten bekannten Methoden zur Synthese von Acyl-kobalt-Verbindungen:

$$Na^{\oplus}[Co(CO)_4]^{\ominus} \;+\; R-\overset{\overset{\displaystyle O}{\|}}{C}-X \xrightarrow[-NaX]{} R-\overset{\overset{\displaystyle O}{\|}}{C}-Co(CO)_4$$

X = Cl, Br
R = Alkyl

Zuerst wurde nach dieser Methode das *Acetyl-tetracarbonyl-kobalt* hergestellt[1-3].

Die Umwandlung eines Acyl-tetracarbonyl-kobalt-Isomerengemisches durch Jod und Alkohol in die entsprechenden stabilen Carbonsäureester dient zur Aufklärung der Isomerenverteilung der instabilen Acyl-Komplexe[4,5].

$$R^1-\overset{\overset{\displaystyle O}{\|}}{C}-Co(CO)_4 \xrightarrow{\;+R^2-OH\,/\,J_2\,;\;Toluol\;} R^1-\overset{\overset{\displaystyle O}{\|}}{C}-OR^2$$

z.B. $R^1 = C_3H_7$, $CH(CH_3)_2$
$R^2 = C_3H_7$

Benzyl-bis-[diethylether]-bis-[triphenylphosphan]-kobalt reagiert mit Jod im Verhältnis Co:J = 1:3[6].

Bei der Synthese von Alkenoyl-kobalt-Verbindungen muß berücksichtigt werden, daß die C=C-Doppelbindung mit Kobalt eine intramolekulare π-Bindung unter Freisetzen von Kohlenmonoxid eingehen kann[7]:

$$Na^{\oplus}[Co(CO)_4]^{\ominus} \;+\; H_2C{=}CH-(CH_2)_n-\overset{\overset{\displaystyle O}{\|}}{C}-Cl \xrightarrow[-NaCl\,/\,-CO]{} \text{(Komplex)}\;Co(CO)_3$$

Voraussetzung für die Bildung des intramolekularen π-Komplexes ist, daß keine sterische Hinderung bzw. keine sterische Spannung auftritt.

So entsteht bei der Umsetzung mit 3-Butensäure-chlorid bei 0° der instabile Komplex mit nicht komplexierter C=C-Doppelbindung, der sich bei höherer Temp. unter Abspaltung von zwei Mol Kohlenmonoxid in den stabileren π-Allyl-Komplex umwandelt[8]:

$$Na^{\oplus}[Co(CO)_4]^{\ominus} \;+\; H_2C{=}CH-CH_2-\overset{\overset{\displaystyle O}{\|}}{C}-Cl \xrightarrow[-NaCl]{0°} H_2C{=}CH-CH_2-\overset{\overset{\displaystyle O}{\|}}{C}-Co(CO)_4$$

(3-Butenoyl)-tetracarbonyl-kobalt

$$\xrightarrow[-2\,CO]{>0°} \text{(Allyl)}{-}Co(CO)_3$$

[1] R.F. Heck u. D.S. Breslow, Chem. & Ind. **1960**, 467.
[2] W. Beck u. R.E. Nitschmann, B. **97**, 2098 (1964).
[3] L. Markó, G. Bor, G. Almásy u. P. Szabó, Brennstoffch. **44**, 184 (1963).
[4] R.F. Heck, Am. Soc. **83**, 4023 (1961).
[5] Y. Takegami, C. Yokokawa, Y. Watanabe, H. Masada u. Y. Okuda, Bl. chem. Soc. Japan **38**, 787 (1965).
   Y. Takegami, C. Yokokawa u. Y. Watanabe, Bl. chem. Soc. Japan **37**, 181 (1964).
[6] K. Jacob, E. Pietzner, S. Vastag u. K.-H. Thiele, Z. anorg. allg. Chem. **432**, 187 (1977).
[7] R.F. Heck u. D.S. Breslow, Am. Soc. **83**, 1097 (1961).
[8] R.F. Heck u. D.S. Breslow, Am. Soc. **82**, 750 (1960).

Ähnlich verhalten sich die längerkettigen Alkenoyl-Verbindungen[1]. Die instabilen ω-Alkenoyl-tetracarbonyl-kobalt-Verbindungen werden durch Behandeln mit Triphenylphosphan in die stabileren Phosphan-Komplexe übergeführt, die besser isoliert werden können.

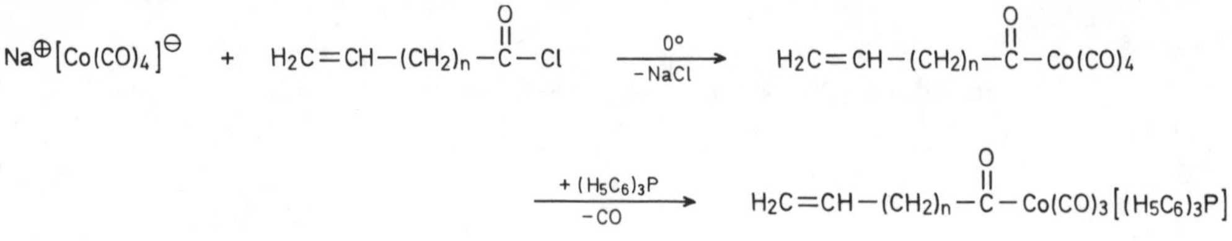

$$Na^{\oplus}[Co(CO)_4]^{\ominus} \; + \; H_2C{=}CH{-}(CH_2)_n{-}\overset{O}{\overset{\|}{C}}{-}Cl \quad \xrightarrow[-NaCl]{0°} \quad H_2C{=}CH{-}(CH_2)_n{-}\overset{O}{\overset{\|}{C}}{-}Co(CO)_4$$

$$\xrightarrow[-CO]{+(H_5C_6)_3P} \quad H_2C{=}CH{-}(CH_2)_n{-}\overset{O}{\overset{\|}{C}}{-}Co(CO)_3[(H_5C_6)_3P]$$

n = 4; *(6-Heptenoyl)-tricarbonyl-triphenylphosphan-kobalt*
n = 8; *Tricarbonyl-triphenylphosphan-(10-undecenoyl)-kobalt*

Zur Herstellung von *(Allyloxy-acetyl)-tetracarbonyl-kobalt* s. Lit.[1]

(5-Hexenoyl)-tricarbonyl-triphenylphosphan-kobalt[1]: Ein Dreihalskolben mit Gasometer[2] wird mit Kohlenmonoxid gespült und mit einer mit Kohlenmonoxid ges. Diethylether-Lösung gefüllt, bei 0° mit 30 *ml* einer ether. 0,07 M Natrium-tetracarbonyl-kobaltat-Lösung versetzt sowie mit 3,0 *ml* einer 1 M Lösung von 5-Hexensäure-chlorid in demselben Lösungsmittel. Nach 2 Stdn. bei 0° ist eine Zunahme des Gasvolumens nicht mehr festzustellen; außerdem wird IR-spektroskopisch geprüft, ob das Natrium-kobaltat vollständig reagiert hat und die charakteristische Bande des Anions bei ~ 1900 cm^{-1} verschwunden ist. Bei Zusatz von 3,5 *ml* einer 1,0 M Triphenylphosphan-Lösung in Diethylether werden 1,54 mmol Kohlenmonoxid freigesetzt. Beim Einengen der Lösung i. Vak. bei einer Temp. < 20° fallen Kristalle aus, die mehrmals bei − 80° aus Diethylether-Pentan umkristallisiert werden. Man erhält gelb-braune Prismen; F: 90,5–93° (Zers.).

Mit *trans-trans*-2,4-Hexadiensäure-chlorid erhält man ein Gemisch verschiedener Komplexe, das durch Behandeln mit Triphenylphosphan einheitliches *(trans, trans-2,4-Hexadienoyl)-tricarbonyl-triphenylphosphan-kobalt* bildet[3]:

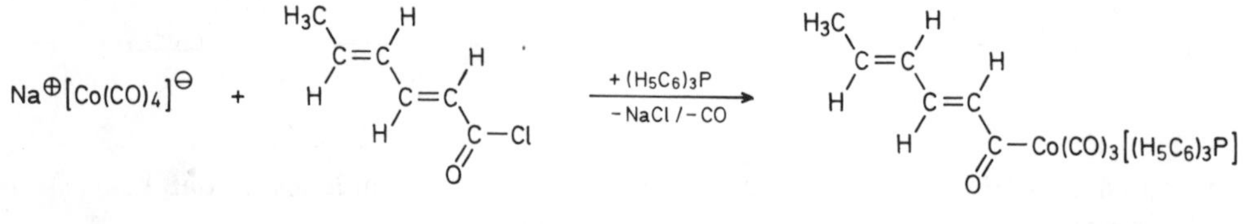

$$Na^{\oplus}[Co(CO)_4]^{\ominus} \; + \quad \xrightarrow[-NaCl/-CO]{+(H_5C_6)_3P} \quad$$

Bei der Umsetzung mit 2,4,6-Trimethyl-benzoylchlorid unter Zusatz von Triphenylphosphan entsteht *Tricarbonyl-(2,4,6-trimethyl-benzoyl)-triphenylphosphan-kobalt* [F: 151° (Zers.)][4]. Weitere Beispiele s. Lit.[5].

Tricarbonyl-phenylacetyl-triphenylphosphan-kobalt und Derivate mit verschiedenen Substituenten am Phenyl-Rest werden analog hergestellt[6].

Durch Einführung einer am Alken-Rest *trans*-ständigen Methyl-Gruppe wird die Bildung des intramolekularen π-Komplexes energetisch ungünstiger, so daß bei 0° ohne Zusatz von Triphenylphosphan ~ 50% in dieser Form vorliegen[1]:

[1] R.F. Heck, Am. Soc. **85**, 3116 (1963).
[2] S.: R.F. Heck u. D.S. Breslow, Am. Soc. **83**, 1097 (1961).
[3] R.F. Heck, Am. Soc. **85**, 3387 (1963).
[4] R.F. Heck, Am. Soc. **85**, 651 (1963).
[5] R.F. Heck u. D.S. Breslow, Am. Soc. **84**, 2499 (1962).
[6] V. Galamb u. G. Pályi, Chem. Commun. **1982**, 487.

$$Na^\oplus[Co(CO)_4]^\ominus$$

$+$

(trans-4-Hexenoyl-chlorid Struktur)

H_3C—CH=CH—CH_2—CH_2—CO—Cl

— NaCl →

H_3C—CH=CH—CH_2—CH_2—CO—$Co(CO)_4$

$\updownarrow$ $-CO$

(π-Alken-Kobalt-Komplex Struktur)

...$Co(CO)_3$

$\downarrow + (H_5C_6)_3P$

$+ (H_5C_6)_3P$
— NaCl
— CO
→

H_3C—CH=CH—CH_2—CH_2—CO—$Co(CO)_3[(H_5C_6)_3P]$

(trans-4-Hexenoyl)-tricarbonyl-triphenyl-phosphan-kobalt; F: 98–99° (Zers.)

Während beim *(η²-trans-4-Hexenoyl)-tricarbonyl-kobalt* die π-Alken-Kobalt-Bindung durch Triphenylphosphan aufgespalten wird, ist sie beim *(η²-4-Pentenoyl)-tricarbonyl-kobalt* gegenüber dem Phosphan stabil[1].

Höhere Perfluoracyl-tetracarbonyl-kobalt-Verbindungen sind oft infolge der gehäuften Elektronen-anziehenden Gruppen relativ instabil, so daß sie nicht isoliert werden können, da sie sich durch Decarbonylierung stabilisieren[2]. In diesem Fall können die Acyl-Komplexe durch Einführung des σ-Donors Triphenylphosphan anstelle eines Carbonyl-Liganden stabilisiert werden. Bei Acetyl-Komplexen hingegen nimmt die Stabilität der Tetracarbonyl-Komplexe mit dem Fluorierungsgrad des Acetyl-Restes zu[3]. Aber auch hier sind die Tricarbonyl-triphenylphosphan-Komplexe stabiler als die reinen Carbonyl-Komplexe.

Zur Synthese von Perfluoracyl-kobalt-Verbindungen empfiehlt sich die Verwendung von Perfluorcarbonsäureanhydriden anstelle der -chloride, da bei den Anhydriden weniger Nebenreaktionen auftreten[2, 4]. Ursache der Nebenreaktionen ist die starke Polarisierung von Chlor, so daß es bereits oxidierende Eigenschaften besitzt:

$$Na^\oplus[Co(CO)_3L]^\ominus + \begin{array}{c} R^1 \\ | \\ F-C-CO-O-CO-C-F \\ | \\ R^2 \end{array} \xrightarrow[\substack{-F-C-COONa}]{THF, -78°} \begin{array}{c} R^1\ O \\ |\ || \\ F-C-C-Co(CO)_3L \\ | \\ R^2 \end{array}$$

L = CO, P(C₆H₅)₃, P(OC₆H₅)₃
R¹, R² = H, F

Fluoracetyl-tricarbonyl-triphenylphosphan-kobalt[5]: Man reduziert eine Suspension von 2 g (~ 2,5 mmol) dimerem Tricarbonyl-triphenylphosphan-dikobalt in 200 *ml* THF mit 0,5%igem Natriumamalgam, filtriert über eine mit Cellulose beschickte Säule und engt die gelbe Lösung auf ~ 20 *ml* ein. Hierzu läßt man bei –78° eine Lösung von 0,68 g (~ 5 mmol) Fluoressigsäureanhydrid in 10 *ml* THF tropfen. Nach dem Erwärmen auf 20° zieht

[1] R.F. HECK u. D.S. BRESLOW, Am. Soc. **83**, 1097 (1961).
[2] W. HIEBER u. E. LINDNER, B. **95**, 2042 (1962).
[3] E. LINDNER u. M. ZIPPER, B. **107**, 1444 (1974).
[4] W. HIEBER, W. BOCK u. E. LINDNER, Z. Naturf. **16b**, 229 (1961).
[5] E. LINDNER, H. STICH, K. GEIBEL u. H. KRANZ, B. **104**, 1524 (1971).

man das Lösungsmittel i. Vak. ab, nimmt mit 75 *ml* Diethylether auf, filtriert (G3) und versetzt die bis auf 25 *ml* eingeengte Lösung mit 125 *ml* Petrolether (50–70°). Beim Abkühlen der Lösung auf –25° fallen gelbe Kristalle aus, die mehrfach mit Heptan gewaschen werden. Zur weiteren Reinigung kristallisiert man aus einem Ether/Petrolether-Gemisch (1 : 5) um; Ausbeute: 40%; IR (CH₂Cl₂): ν_{CO} 2056 (s), 1991 (vs), 1973 (vs) cm⁻¹; $\nu \rangle_{C=O}$ 1685 (s), 1657 (m) cm⁻¹ [1].

Im Gegensatz zu den fluorierten Acetyl-tetracarbonyl-kobalt-Verbindungen kann *(Chlor-difluor-acetyl)-tetracarbonyl-kobalt* durch Umsetzung des halogenierten Acetylchlorids mit Natrium-tetracarbonylkobaltat nicht isoliert werden (vgl. S. 29). Wird jedoch die Umsetzung bei –80° bis –30° in Gegenwart von Triphenylphosphan durchgeführt, wird *(Chlor-difluor-acetyl)-tricarbonyl-triphenylphosphan-kobalt* (Zers.p.: 0°) zu 22% gebildet [2]:

$$Na^{\oplus}[Co(CO)_4]^{\ominus} \;+\; ClF_2C\overset{\overset{O}{\|}}{-}C-Cl \quad \xrightarrow[- NaCl / - CO]{+ (H_5C_6)_3P;\ (H_5C_2)_2O,\ -80\ bis\ -30°} \quad ClF_2C\overset{\overset{O}{\|}}{-}C-Co(CO)_3[(H_5C_6)_3P]$$

Wie auf S. 20 beschrieben, kann die Disproportionierung von Octacarbonyl-dikobalt durch Halogenide katalysiert werden. Das so hergestellte Kobalt(II)-bis-[tetracarbonyl-kobaltat] bildet mit Acylhalogeniden bzw. Diacyldihalogeniden die entsprechenden Acyl-tetracarbonyl-kobaltate [3]:

$$1\ 1/2\ Co_2(CO)_8 \quad \xrightarrow[- 4\ CO]{C_6H_6,\ [K(Kronenether)]_2CoX_4} \quad Co[Co(CO)_4]_2$$

$$- CoCl_2$$

$+ Cl-CO-(CH_2)_8-CO-Cl$ $+ 2\ (H_3C)_2CH-CH_2-CO-Cl$

$$(OC)_4Co\overset{\overset{O}{\|}}{-}C-(CH_2)_8\overset{\overset{O}{\|}}{-}C-Co(CO)_4 \qquad\qquad 2\ (H_3C)_2CH-CH_2\overset{\overset{O}{\|}}{-}C-Co(CO)_4$$

1,10-Bis-[tetracarbonyl-kobalt]-   *(3-Methyl-butanoyl)-tetracarbo-*
1,10-dioxo-decan   *nyl-kobalt*

3. aus σ–C-Kobalt-Verbindungen durch formale Insertion von Kohlenmonoxid

Die Insertion von Kohlenmonoxid in die σ–C–Co-Bindung ist ein Reaktionsschritt in der Kobalt-katalysierten Hydroformylierung von Olefinen und der Carbonylierung von Alkenen und Alkoholen [4,5].

Bei der Insertionsreaktion sind formal drei Arten zu unterscheiden:

$$①\quad R-CoL \;+\; CO \quad \longrightarrow \quad R\overset{\overset{O}{\|}}{-}C-CoL$$

[1] Die beiden Absorptionsbanden im Acyl-Bereich sprechen für eine Rotationsisomerie.
[2] F. SEEL u. R.-D. FLACCUS, J. Fluorine Chem. **12**, 81 (1978).
[3] P.S. BRATERMAN, B.S. WALKER u. T.H. ROBERTSON, Chem. Commun. **1977**, 651.
[4] L. MARKÓ, G. BOR, G. ALMÁSY u. P. SZABÓ, Brennstoffch. **44**, 184 (1963).
[5] R. WHYMAN, J. Organomet. Chem. **66**, C 23 (1974); **81**, 97 (1974): Bei der Hydroformylierung von 1-Octen bei 150° und 280 bar kann IR-spektroskopisch *Nonanoyl-tetracarbonyl-kobalt* nachgewiesen werden. Die Acyl-Verbindung liegt in meßbarer Konzentration vor, weil die darauf folgende Spaltung der σ-C-Co-Bindung durch Wasserstoff der geschwindigkeitsbestimmende Schritt der Reaktion ist (zur Hydroformylierung von innerständigen und der langsameren Reaktion mit Kobalt/Phosphan-Katalysator s. S. 13); s.a. Bd. E3, S. 180–191.

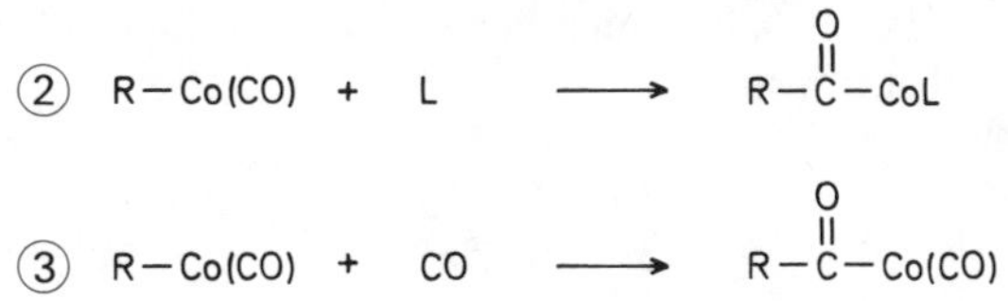

$$\text{②} \quad R-Co(CO) \quad + \quad L \quad \longrightarrow \quad R-\overset{\overset{\textstyle O}{\|}}{C}-CoL$$

$$\text{③} \quad R-Co(CO) \quad + \quad CO \quad \longrightarrow \quad R-\overset{\overset{\textstyle O}{\|}}{C}-Co(CO)$$

In Reaktion ① wird Kohlenmonoxid von außen, normalerweise aus der Gasphase, aufgenommen. Bei Reaktion ② ist es bereits im Komplex gebunden und muß durch Zusatz eines nucleophilen Liganden aktiviert werden. In Reaktion ③ wird im Komplex gebundenes oder freies Kohlenmonoxid in die C–Co-Bindung eingebaut, und man kann nicht unterscheiden, welches Kohlenoxid reagiert hat, wenn keine Isotopen-Markierung vorliegt.

α) aus Carbonyl-freien σ–C-Kobalt-Verbindungen mit Kohlenmonoxid

Methyl-tetrakis-[trimethylphosphan]-kobalt nimmt rasch Kohlenmonoxid auf[1]. Bei tiefer Temp. kann *Acetyl-bis-[trimethylphosphan]-dicarbonyl-kobalt* (85%; F: 43–44°; Zers. >129°) als einziges Produkt isoliert werden:

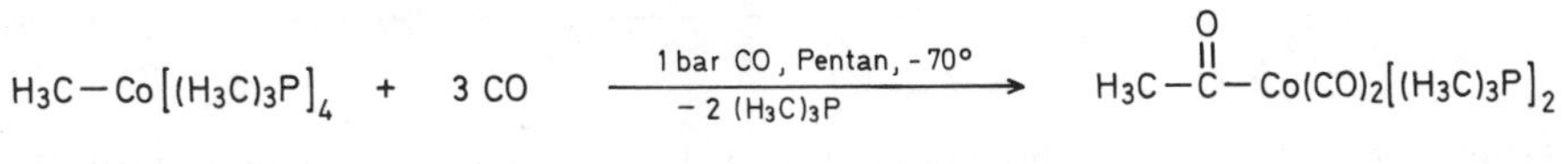

$$H_3C-Co[(H_3C)_3P]_4 \; + \; 3\,CO \xrightarrow[- 2\,(H_3C)_3P]{1\,bar\;CO,\;Pentan,\,-70°} H_3C-\overset{\overset{\textstyle O}{\|}}{C}-Co(CO)_2[(H_3C)_3P]_2$$

Als Ausgangskomplex kann auch Tris-[triphenylphosphan]-carbonyl-methyl-kobalt zur Herstellung von *Acetyl-bis-[triphenylphosphan]-dicarbonyl-kobalt* (87%) dienen:

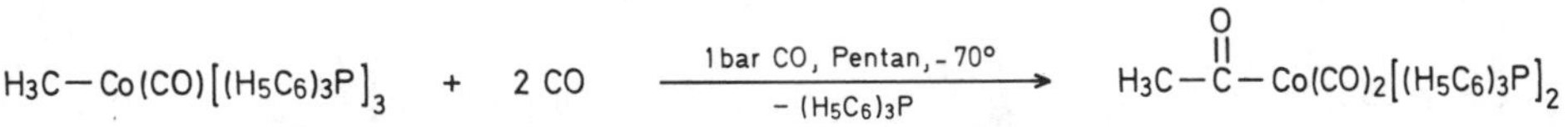

$$H_3C-Co(CO)[(H_5C_6)_3P]_3 \; + \; 2\,CO \xrightarrow[- (H_5C_6)_3P]{1\,bar\;CO,\;Pentan,\,-70°} H_3C-\overset{\overset{\textstyle O}{\|}}{C}-Co(CO)_2[(H_5C_6)_3P]_2$$

Bis-[1,2-bis-(diphenylphosphano)-ethan]-methyl-kobalt reagiert mit Kohlenmonoxid unter Insertion und Substitution eines Bi-phosphan-Liganden zum *Acetyl-(1,2-bis-[diphenylphosphano]-ethan)-dicarbonyl-kobalt* (62%; F: 121–122°, Zers.)[2]:

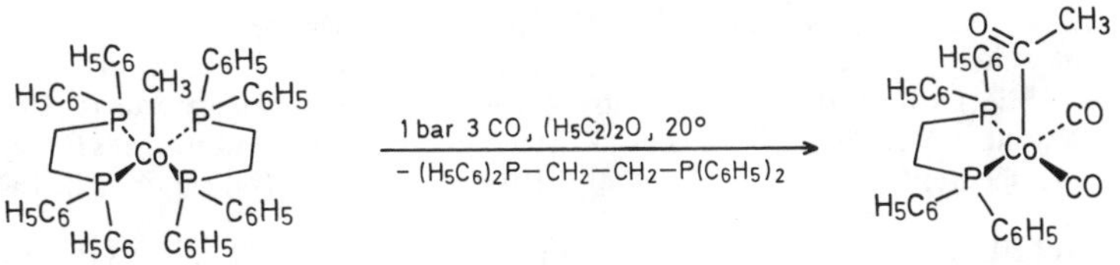

$$\xrightarrow[- (H_5C_6)_2P-CH_2-CH_2-P(C_6H_5)_2]{1\,bar\;3\,CO,\;(H_5C_2)_2O,\;20°}$$

β) aus Carbonyl-haltigen σ–C-Kobalt-Verbindungen durch Umsetzung mit
anderen Donor-Liganden oder Kohlenmonoxid

Die für die Insertion benötigte Carbonyl-Gruppe kann bereits im Komplex gebunden sein. Zur Aktivierung des Carbonyl-Liganden ist Triphenylphosphan besonders gut geeignet, da es den Acyl-tricarbonyl-kobalt-Rest im Vergleich zum Tetracarbonyl-kobalt be-

---

[1] H.-F. KLEIN u. H.H. KARSCH, B. **108**, 944 (1975).
[2] T. IKARIYA u. A. YAMAMOTO, J. Organometal. Chem. **116**, 231 (1976).

trächtlich stabilisiert[1,2]. Es wird aber auch bei Zusatz von überschüssigem Phosphan nur ein Carbonyl-Ligand substituiert[3].

$$R-Co(CO)_4 \ + \ (H_5C_6)_3P \ \longrightarrow \ R-\overset{\overset{\displaystyle O}{\|}}{C}-Co(CO)_3[(H_5C_6)_3P]$$

> . . .-*tricarbonyl-triphenylphosphan-kobalt*
> z.B.: R = C$_2$H$_5$; *Propanoyl-*. . .
> R = CH$_2$–C$_6$H$_5$; *Phenylacetyl-*. . .

Unterschiedlich zum Triphenylphosphan gelingt es, bis zu drei Trimethoxyphosphan-Liganden in den Acyl-carbonyl-kobalt-Komplex einzuführen. Zunächst wird ein Phosphit-Ligand neben Triphenylphosphan gebunden, das durch einen großen Phosphit-Überschuß ebenfalls ausgetauscht wird[4]:

$$R-CH_2-Co(CO)_3[(H_5C_6)_3P] \ + \ (H_3CO)_3P \ \longrightarrow \ R-CH_2-\overset{\overset{\displaystyle O}{\|}}{C}-Co(CO)_2[(H_5C_6)_3P][P(OCH_3)_3]$$

$$\xrightarrow[-\,(H_5C_6)_3P]{+\,(H_3CO)_3P} \ R-CH_2-\overset{\overset{\displaystyle O}{\|}}{C}-Co(CO)_2[(H_3CO)_3P)]_2$$

Die Einführung des dritten Phosphits gelingt folgendermaßen[4]. Zunächst wird der Acetyl-Rest wieder abgespalten. Das resultierende Natrium-kobaltat wird methyliert und durch Substitution von Carbonyl durch Phosphit erneut acyliert:

$$H_3C-\overset{\overset{\displaystyle O}{\|}}{C}-Co(CO)_2[P(OCH_3)_3]_2 \ \xrightarrow[-\,H_3C-COOCH_3]{+\,NaOCH_3} \ Na^{\oplus}\{Co(CO)_2[P(OCH_3)_3]_2\}^{\ominus} \ \xrightarrow[-\,NaJ]{+\,CH_3J}$$

$$H_3C-Co(CO)_2[P(OCH_3)_3]_2 \ \xrightarrow{+\,P(OCH_3)_3} \ H_3C-\overset{\overset{\displaystyle O}{\|}}{C}-Co(CO)[P(OCH_3)_3]_3$$

Acetyl-carbonyl-tris-[trimethoxyphosphan]-kobalt[4]: Eine Lösung bestehend aus 2,00 g Bis-[trimethoxyphosphan]-dicarbonyl-methyl-kobalt und 1 *ml* Trimethoxyphosphit in 10 *ml* Pentan wird unter Stickstoff in einem Bombenrohr 15 Min. im Wasserbad auf 75° erhitzt. Zur abgekühlten Mischung werden ∼ 10 *ml* Diethylether gegeben und 12 Stdn. auf –80° gekühlt. Es bilden sich Kristalle, die abgetrennt und 3mal aus Ether/Pentan umkristallisiert werden; Ausbeute: 0,5 g (19%); F: 49–50°; IR(CCl$_4$): ν_{CO} 1923 (vs) cm^{-1}; $\nu_{C=O}$ 1613 (s) cm^{-1}.

Der ortho-metallierte Aryl-kobalt(I)-Komplex I nimmt gleichzeitig Hexafluor-2-butin und Kohlenmonoxid auf[5]. Dabei werden beide Moleküle in die C–Co-Bindung eingeschoben und Kobalt wandert zum 1-ständigen Stickstoff-Atom; z.B.:

---

[1] Z. NAGY-MAGOS, G. BOR u. L. MARKÓ, J. Organometal. Chem. **14**, 205 (1968).
[2] S.a.: M.F. LAPPERT u. B. PROKAI, Adv. Organometallic Chem. **5**, 225 (1967).
[3] R.F. HECK u. D.S. BRESLOW, Am. Soc. **82**, 4438 (1960).
[4] R.F. HECK, Am. Soc. **85**, 1220 (1963).
[5] M.I. BRUCE, B.L. GOODALL, A.D. REDHOUSE u. F.G.A. STONE, Chem. Commun. **1972**, 1228; Soc. [Dalton] **1975**, 1651.

II; *Dicarbonyl-. . .-kobalt*

$R^1 = R^2 = R^3 = H$; . . .-[3-(2-phenylazo-phenyl)-4,4,4-trifluor-2-trifluormethyl-2-butenoyl(C,N^1, η^2)]-. . .[1]; 60%; F: 115–117°

$R^1 = R^2 = H$; $R^3 = CF_3$; . . .{4,4,4-trifluor-2-trifluormethyl-3-[2-(2-trifluormethyl-phenylazo)-phenyl]-2-butenoyl(C,N^1,η^2)}-. . .

$R^1 = COOC_2H_5$; $R^2 = R^3 = H$; . . .-[3-(6-ethoxycarbonyl-2-phenylazo-phenyl)-4,4,4-trifluor-2-trifluormethyl-2-butenoyl(C,N^1,η^2)]-. . .

Der Komplex zersetzt sich bei längerer Reaktionsdauer unter Bildung von N-Anilino-chinolon (s. S. 280).

Wird beim Komplex I ein Carbonyl-Ligand durch Diphenyl-methyl-phosphan substituiert und der resultierende Komplex bei 90° mit Hexafluor-2-butin behandelt, dann wird überraschenderweise der Phosphan-Ligand abgespalten, und es entsteht ebenfalls Komplex II (Der Carbonyl-Ligand kommt von Zersetzungsprodukten).

Alkyl-carbonyl-kobalt-Verbindungen reagieren mit Kohlenmonoxid unter Insertion, z.B.:

$$H_3C-Co(CO)_4 \;\; + \;\; CO \;\; \longrightarrow \;\; H_3C-\overset{\overset{\displaystyle O}{\|}}{C}-Co(CO)_4$$

Acetyl-tetracarbonyl-kobalt

$$H_5C_6-CH_2-Co(CO)_3[(H_5C_6)_3P] \;\; + \;\; CO \;\; \xrightarrow{\text{1 bar CO}} \;\; H_5C_6-CH_2-\overset{\overset{\displaystyle O}{\|}}{C}-Co(CO)_3[(H_5C_6)_3P]$$

Phenylacetyl-tricarbonyl-triphenylphosphan-kobalt

Kohlenmonoxid kann aus der Gasphase aufgenommen oder durch Zerfall eines Teils des Komplexes gebildet werden[2,3]. Bei der Umsetzung des Benzyl-triphenylphosphan-Komplexes mit ^{13}C-markiertem Kohlenmonoxid kann gezeigt werden, daß bereits am Kobalt komplexiertes Carbonyl in die C–Co-Bindung eingeschoben wird:

$$H_5C_6-CH_2-\overset{\overset{\displaystyle O}{\|}}{C}-Co(^{13}CO)(CO)_2[(H_5C_6)_3P]$$

(^{13}C-Carbonyl)-dicarbonyl-phenylacetyl-triphenylphosphan-kobalt

Analog erhält man *Acetyl-(diphenyl-methyl-phosphan)-tricarbonyl-kobalt* zu 70–90%[4].
Zur Synthese von Carbonyl-kobalt-Verbindungen geht man oft von dem leicht zugänglichen Octacarbonyl-dikobalt aus; z.B.[5]:

---

[1] Gleichzeitig entstehen 30% des Chinolon-Derivates. Die Struktur des Acyl-Kobalt-Komplexes ist durch eine röntgenographische Kristallstrukturbestimmung aufgeklärt worden. Die realtiv hohe Frequenz der Acyl-Gruppe von 1849 cm^{-1} rührt von der starken Ringspannung im Komplex her.

[2] W. BECK u. R. E. NITSCHMANN, B. **97**, 2098 (1964).

[3] D.S. BRESLOW u. R.F. HECK, Chem. & Ind. **1960**, 467.

[4] J. T. MARTIN u. M. C. BAIRD, Organometallics **2**, 1073 (1983).

[5] R.F. HECK, Am. Soc. **85**, 1220 (1963).

$$Co_2(CO)_8 \;+\; 2\,L \quad \xrightarrow[-2\,CO]{} \quad Co_2(CO)_6L_2 \quad \xrightarrow{+2\,NaHg} \quad 2\,Na^{\oplus}[Co(CO)_3L]^{\ominus}$$

$$L = P\left[\!\!\begin{array}{c}\\ \bigcirc\!\!-OCH_3\\ \\\end{array}\!\!\right]_3 \quad \xrightarrow[-2\,NaJ]{+2\,CH_3J} \quad 2\,H_3C-Co(CO)_3L \quad \xrightarrow{1\,bar\,CO,\,0°} \quad 2\;H_3C-\overset{\overset{\displaystyle O}{\|}}{C}-Co(CO)_3L$$

Acetyl-tricarbonyl-[tris-(4-methoxy-phenyl)-phosphan]-kobalt[1]: Eine Lösung von 0,34 g Octacarbonyl-di-kobalt in 5 *ml* Dichlormethan wird bei 0° mit einer Lösung von 0,8 g Tris-[4-methoxy-phenyl]-phosphan in 5 *ml* Dichlormethan behandelt. Nach 1 Stde. wird das Lösungsmittel i. Vak. abgezogen. Der ölige Rückstand wird in 5 *ml* Dichlormethan gelöst und im Bombenrohr bei 100° 1 Stde. erhitzt. Die braune, feste Verbindung wird abfiltriert und an der Luft getrocknet; Ausbeute: 0,74 g.

Der Dikobalt(0)-Komplex wird in 12 *ml* THF mit 5 g 1%ig. Natrium-Amalgam im Bombenrohr unter Stickstoff 12 Stdn. stehen gelassen. Die ∼0,1 M Lösung des Natrium-kobaltats wird durch Zentrifugieren gereinigt und bei 0° mit Jod-methan versetzt. Nach 1 Stde. bei 0° zeigt das IR-Spektrum des Reaktionsgemisches an [ν_{CO}2036 (w), 1960 (vs) cm^{-1}], daß der Umsatz vollständig ist. Der Methyl-Komplex wird bei 0° und 1 bar Kohlenmonoxid rasch carbonyliert. Nach Abziehen des Lösungsmittels i. Vak. und mehrmaligem Umkristallisieren aus Dichlormethan-Pentan erhält man den Acetyl-Komplex in guter Ausbeute; F: 125–126° (Zers.).

Es ist günstig, die Alkylierung des Kobaltates unter Kohlenmonoxid-Atmosphäre durchzuführen, weil man dadurch Zersetzungsreaktionen entgegenwirkt und sofort den in situ gebildeten Alkyl-Komplex carbonyliert[2-7]:

$$M^{\oplus}[Co(CO)_4]^{\ominus} \;+\; R-X \quad \xrightarrow[-MX]{} \quad [R-Co(CO)_4] \quad \xrightarrow{+CO} \quad R-\overset{\overset{\displaystyle O}{\|}}{C}-Co(CO)_4$$

M = Na, K
RX = CH$_3$J$^{2,\,3}$, C$_2$H$_5$–J^4, C$_3$H$_7$J^4, H$_2$C = CH–CH$_2$–Br$^{6,\,7}$, H$_3$C–CH = CH–CH$_2$–Br$^{6,\,7}$

Die Reaktionsgeschwindigkeit nimmt in folgender Reihe ab:

$$CH_3J \;>\; H_5C_6-CH_2Br \;\gg\; C_2H_5J \;\gg\; C_3H_7J$$

2-Jod-propan und 1-Jod-butan reagieren unter den beschriebenen Reaktionsbedingungen nicht.

Bei der Umsetzung von Triphenylcyclopropenylium-bromid mit Tetracarbonylkobalt entsteht nicht, wie zunächst berichtet, der σ-Cyclopropenoyl-Komplex, sondern unter Ringerweiterung um den Carbonyl-Rest ein η^3-Oxo-cyclobutenyl-Komplex[8, 9].

Da reine Alkyl- und Acyl-tetracarbonyl-kobalt-Komplexe recht instabile Verbindungen sind, ist es vorteilhaft, die Umsetzung von Metall-kobaltaten mit Alkyl-halogeniden in Gegenwart von Triphenylphosphan vorzunehmen. Der in situ gebildete Alkyl-tetracarbonyl-kobalt-Komplex wird sogleich in den stabilen Acyl-tricarbonyl-triphenylphosphan-

[1] R.F. Heck, Am. Soc. **85**, 1220 (1963).
[2] D.S. Breslow u. R.F. Heck, Chem. & Ind. **1960**, 467.
[3] W. Beck u. R.E. Nitschmann, B. **97**, 2098 (1964).
[4] Y. Takegami, C. Yokokawa, Y. Watanabe u. Y. Okuda, Bl. chem. Soc. Japan **37**, 181 (1964).
[5] R.F. Heck, Am. Soc. **84**, 2499 (1962).
[6] R.F. Heck u. D.S. Breslow, Am. Soc. **83**, 1097 (1961).
[7] R.F. Heck u. D.S. Breslow, Am. Soc. **82**, 750 (1960).
[8] C.E. Coffey, Am. Soc. **84**, 118 (1962).
[9] J. Potenza, R. Johnson, D. Mastropaolo u. A. Efraty, J. Organometal. Chem. **64**, C 13 (1974).

kobalt-Komplex umgelagert. Nach dieser Methode sind sehr viele Acyl-kobalt(I)-Komplexe hergestellt worden[1-4]:

$$M^{\oplus}[Co(CO)_4]^{\ominus} + R{-}X + (H_5C_6)_3P \xrightarrow[-MX]{} \underset{\text{O}}{R{-}\overset{\text{O}}{\overset{\|}{C}}{-}Co(CO)_3[(H_5C_6)_3P]}$$

M = Na

...-tricarbonyl-triphenylphosphan-kobalt

R = CH$_3$; X = J; *Acetyl*-...[1]; 80%
R = CH$_2$–CH = CH–CH$_3$; X = Br; *(3-Pentenoyl)*-...[2]
R = CH$_2$–CH = CH–COOCH$_3$; X = Br; *(4-Methoxycarbonyl-3-butenoyl)*-...[3]

R = CH$_2$—〈F〉 ; X = Br; *(3-Fluor-phenylacetyl)*-...[5]; 55%

Auch N-Chlormethyl-phthalimid reagiert mit Natrium-tetracarbonyl-kobaltat in Gegenwart von Triphenylphosphan unter Insertion von Kohlenmonoxid[6]. Es entsteht das farblose *(Phthalimido-acetyl)-tricarbonyl-triphenylphosphan-kobalt* (Zers.p.: 140°), das auch direkt durch Umsetzen von Phthalimido-acetylchlorid mit Natrium-tetracarbonyl-kobaltat und Triphenylphosphan gebildet wird. Der entsprechende Phosphan-freie Komplex ist bei 0° so instabil, daß er nicht isoliert werden kann.

$$Na^{\oplus}[Co(CO)_4]^{\ominus} + \text{[N–CH}_2\text{–Cl]} + (H_5C_6)_3P \xrightarrow[- NaCl/-(CO)]{(H_5C_2)_2O,\ 0°}$$

bzw.

[N–CH$_2$–C(=O)–Cl]   [N–CH$_2$–C(=O)–Co(CO)$_3$[(H$_5$C$_6$)$_3$P]]

Durch Phasen-Transfer-Katalyse können die Reaktionsgeschwindigkeit und die Ausbeute an Acyl-kobalt-Komplexen beträchtlich erhöht werden[7,8]. Ein weiterer Vorteil der Methode ist es, daß nahezu Alkali-frei gearbeitet werden kann, da die Acyl-Komplexe empfindlich gegen Alkali sind. Bei der 2-Phasen-Transfer-Katalyse wird mit Tetrabutylammonium-chlorid als Katalysator gearbeitet. Etwas langsamer als die 2-Phasen-Synthese ist die 3-Phasen-Katalyse, bei der die quaternierte Ammonium-Gruppe an Polystyrol-Matrix (Lewatit Merck M 5080) gebunden ist und die Reaktion am Polymeren (3. Phase) stattfindet; z.B.:

$$Na^{\oplus}[Co(CO)_4]^{\ominus} + R{-}CH_2{-}X + (H_5C_6)_3P \xrightarrow[- NaX]{\substack{[R_4N]^{\oplus}Cl^{\ominus},\ 1\ bar\ CO \\ CH_2Cl_2,\ H_2O,\ 20°}}$$

$$R{-}CH_2{-}\overset{\text{O}}{\overset{\|}{C}}{-}Co(CO)_3[(H_5C_6)_3P]$$

R = C$_4$H$_9$; *Hexanoyl-tricarbonyl-triphenylphosphan-kobalt*

---

[1] R.F. Heck u. D.S. Breslow, Am. Soc. **82**, 4438 (1960).
[2] R.F. Heck u. D.S. Breslow, Am. Soc. **83**, 1097 (1961).
[3] R.F. Heck, Am. Soc. **85**, 655 (1963).
[4] R.F. Heck u. D.S. Breslow, Am. Soc. **84**, 2499 (1962).
[5] R.P. Stewart u. P.M. Treichel, Am. Soc. **92**, 2710 (1970).
[6] W. Beck u. W. Petri, J. Organomet. Chem. **127**, C 40 (1977).
[7] H. des Abbayes u. A. Buloup, J. Organometal. Chem. **179**, C 21 (1979).
[8] Katalysator ist:

〈 〉—CH$_2$—$\overset{\oplus}{N}$(CH$_3$)$_3$ Cl$^{\ominus}$

Benzyl-bromid wird ohne Transfer-Katalyse in 3–4 Stdn. nur zu 10% umgesetzt.

Tab. 1: Acyl-kobalt(I)-Komplexe aus Natrium-tetracarbonylkobaltat mit Organo-halogeniden/Triphenylphosphan durch Phasen-Transfer-Katalyse[1]

R–CH₂–X	$R-CH_2-\overset{\displaystyle O}{\overset{\displaystyle \|}{C}}-Co(CO)_3\,[(H_5C_6)_3P]$ -tricarbonyl-triphenylphosphan-kobalt	Ausbeute [%]	
		2-Phasen-System	3-Phasen-System
$H_5C_6-CH_2-Br$	Phenylacetyl-...	44	–
NC–⬡–CH₂–Br	(3-Cyan-phenylacetyl)-...	57	48
CH₃–⬡–CH₂–Br	(2-Methyl-phenylacetyl)-...	51	44
⬡⬡–CH₂–Br	(2-Naphthyl-acetyl)-...	35	43
H_3C-J	Acetyl-...	36	30
$H_3COOC-CH_2-Br$	(Methoxycarbonyl-acetyl)-...	27	–

4. durch spezielle Methoden

Wenn Kobalt(II)-stearat mit Triethylaluminium in Gegenwart von Kohlenmonoxid umgesetzt wird, entstehen unter Reduktion von Kobalt *Propanoyl-tetracarbonyl-kobalt* und Octacarbonyl-dikobalt[2]. Die beste Ausbeute erhält man bei einem Atom-Verhältnis von Al/Co = 1/1 bis 2/1.

$$Co(O-CO-C_{17}H_{35})_2 \;+\; (H_5C_2)_3Al \;+\; CO \longrightarrow H_5C_2-\overset{\displaystyle O}{\overset{\displaystyle \|}{C}}-Co(CO)_4$$

mer-Trimethyl-tris-[trimethylphosphan]-kobalt wird in Kohlenmonoxid-Atmosphäre reduktiv unter Eliminierung zweier Methyl-Gruppen als Aceton und Carbonylierung des verbleibenden Alkyl-Restes gespalten[3]:

$$
\begin{array}{c}
(H_3C)_3P\diagdown\overset{\displaystyle CH_3}{\underset{\displaystyle CH_3}{\overset{\displaystyle |}{\underset{\displaystyle |}{Co}}}}\overset{P(CH_3)_3}{\diagup} \\
(H_3C)_3P\diagup\diagdown CH_3
\end{array}
\;+\; 4\,CO
\xrightarrow[-\,(H_3C)_2CO\,/\,-\,(H_3C)_3P]{}
H_3C-\overset{\displaystyle O}{\overset{\displaystyle \|}{C}}-Co(CO)_2[(H_3C)_3P]_2
$$

Acetyl-bis-[trimethylphosphan]-dicar-
bonyl-kobalt (Isomerengemisch);
97%

f) Iminoacyl-kobalt(I)-Verbindungen

Iminoacyl-kobalt(I)-Verbindungen lassen sich aus Carbonsäure-chlorid-imiden und Natrium-[tricarbonyl-triphenylphosphan-kobaltat] oder Natrium-tetracarbonyl-kobaltat und Triphenylphosphan herstellen[4]. Wird unter Ausschluß von Triphenylphosphan gearbeitet, entsteht ein zweikerniger Kobalt-Komplex mit einer Carben-Brücke, die durch Reaktion von zwei Carbonsäure-imid-Resten gebildet wird (s. S. 169). Die gelben oder gelb-braunen Iminoacyl-Komplexe sind unter Stickstoff im kristallinen Zustand stabil, sie zersetzen sich allmählich in Lösung.

---

[1] H. des Abbayes u. A. Buloup, J. Organometal. Chem. **179**, C 21 (1979).
[2] P. Szabó u. L. Markó, J. Organometal. Chem. **3**, 364 (1965).
[3] H.-F. Klein u. H.H. Karsch, B. **108**, 944, 956 (1975).
[4] H. Alper u. M. Tanaka, J. Organometal. Chem. **169**, C 5 (1979).

$$Na^{\oplus}\{Co(CO)_3[(H_5C_6)_3P]\}^{\ominus}$$

$$Na^{\oplus}[Co(CO)_4]^{\ominus} + (H_5C_6)_3P$$

(A) $+ R^1{-}C\overset{N{-}R^2}{\underset{Cl}{\Big\langle}}$; THF, 0–25°

(B) $-CO$

$-NaCl$

$$R^1{-}\overset{\overset{N^{\nearrow R^2}}{\|}}{C}{-}Co(CO)_3[(H_5C_6)_3P]$$

...-*tricarbonyl-triphenylphos-phan-kobalt*

$R^1 = C_2H_5$; $R^2 = C_6H_5$; *(1-Phenylimino-propyl)-*...; 76 (A); 78 (B)%; F: 100–102,5° (Zers.)
$R^1 = C_6H_5$; $R^2 = CH_3$; *(α-Methylimino-benzyl)-*...; 56% (A); F: 115–117°
$R^2 = C_6H_5$; *(α-Phenylimino-benzyl)-*...; 44% (A); F: 105,5–108° (Zers.)
$R^2 = 4\text{-}Cl\text{-}C_6H_4$; *[α-(4-Chlor-phenylimino)-benzyl]-*...; 85% (A); F: 99,5–102° (Zers.)

[α-(4-Methyl-phenylimino)-benzyl]-tricarbonyl-triphenylphosphan-kobalt[1]: 1,20 mmol Benzoylchlorid-(4-methyl-phenylimid) in 5 *ml* THF werden bei 0° zu 1,23 mmol Natrium-[tricarbonyl-triphenylphosphan-kobaltat] in 50 *ml* desselben Lösungsmittels gegeben, dann bei 20° 12 Stdn. gerührt. Die Lösung wird i. Vak. auf ~ 10 *ml* eingeengt, mit 10 *ml* Dichlormethan versetzt und durch Filtration von Natriumchlorid abgetrennt. Beim vollständigen Abziehen des Lösungsmittels entsteht ein braunes Öl, das in 1 *ml* Dichlormethan gelöst wird und dem 5 *ml* Diethylether und 5 *ml* Hexan zugesetzt werden. Die Lösung wird filtriert und auf –45° gekühlt. Es bilden sich gelbe, plättchenförmige Kristalle, die aus 7 *ml* Diethylether und 3 *ml* Hexan umkristallisiert werden; Ausbeute; 307 mg (43%); F: 98,5–100,5° (Zers.); IR (KBr): ν_{CO} 2040 (w), 1977 (s), 1960 (sh) u. 1951 (s) cm^{-1}; $\nu_{\searrow C=N-}$ 1620 (m) cm^{-1}.

g) Alkoxycarbonyl- bzw. Aminocarbonyl-kobalt(I)-Verbindungen

1. Alkoxycarbonyl-kobalt(I)-Verbindungen

α) aus Carbonyl-kobalt(I)-Verbindungen mit Alkanolaten

Alkoxycarbonyl-kobalt(I)-Verbindungen entstehen bei der Umsetzung von Bis-[triphenylphosphan]-tricarbonyl-kobalt-chlorid mit Kalilauge in alkoholischer Lösung[2]. Der nucleophile Angriff eines Alkanolat-Anions erfolgt an einem Carbonyl-Liganden, der dadurch in die Alkoxycarbonyl-Gruppe übergeführt wird:

$$\{Co(CO)_3[(H_5C_6)_3P]_2\}^{\oplus}[Cl\cdot HCl]^{\ominus} \xrightarrow[-2\,KCl\,/\,-2\,H_2O]{+2\,KOH,\,R{-}OH} ROOC{-}Co(CO)_2[(H_5C_6)_3P]_2$$

Dicarbonyl-...-triphenylphosphan-kobalt

$R = CH_3$; ...-*methoxycarbonyl-*...; Zers. ~ 100°
$R = C_2H_5$; ...-*ethoxycarbonyl-*...; Zers. ~ 90°

β) aus Metall-kobaltaten mit Chlorameisensäureester bzw. Organo-hypochlorit und Kohlenmonoxid

Alkoxycarbonyl-kobalt(I)-Verbindungen können durch Reaktion von Kobaltat und Chlorameisensäureester in guter Ausbeute hergestellt werden[2]; z.B.:

$$Na^{\oplus}\{Co(CO)_3[(H_5C_6O)_3P]\}^{\ominus} + H_5C_2O{-}\overset{\overset{O}{\|}}{C}{-}Cl \xrightarrow[-NaCl]{} H_5C_2O{-}\overset{\overset{O}{\|}}{C}{-}Co(CO)_3[(H_5C_6O)_3P]$$

Ethoxycarbonyl-tricarbonyl-triphenylphosphan-kobalt[2]: Unter Kühlung werden 1,5 g (~ 3 mmol) Natrium-tricarbonyl-triphenylphosphan-kobaltat in THF mit 5 *ml* Chlorameisensäure-ethylester versetzt. Nach mehrstdg.

---

[1] H. ALPER u. M. TANAKA, J. Organometal. Chem. 169, C 5 (1979).
[2] W. HIEBER u. H. DUCHATSCH, B. 98, 1744 (1965); die gelben Verbindungen sind unpolar, in kristallisiertem Zustand luftbeständig, nicht flüchtig, aber lichtempfindlich. Die Phosphan-Verbindung ist etwas beständiger als der analoge Phosphit-Komplex.

Stehenlassen bei 20° wird der überschüssige Ester i. Vak. abgezogen. Der Rückstand wird in 30 *ml* Ether aufgenommen und die gelbe Lösung abfiltriert.

Man zieht den Ether ab und kristallisiert das Rohprodukt 2–3mal aus Benzol/Petrolether um: mm-große, gelbe Kristalle, die in den gebräuchlichen organ. Lösungsmitteln außer in Petrolether gut löslich sind; Zers. p.: > 100°; IR (KBr): v_{CO} 2059 (m), 1996 (vs) u. 1977 (vs) cm^{-1}; $v_{C=O}$ 1647 (s) cm^{-1}.

tert.-Butylhypochlorit reagiert mit Natrium-tetracarbonyl-kobaltat in Gegenwart von Triphenylphosphan unter Insertion von Kohlenmonoxid zum *(tert.-Butyloxycarbonyl)-tricarbonyl-triphenylphosphan-kobalt* (F: ~ 100°, Zers.)[1]:

$$Na^{\oplus}[Co(CO)_4]^{\ominus} \ + \ (H_3C)_3C-OCl \ \xrightarrow[- \ NaCl]{(H_5C_6)_3P} \ (H_3C)_3C-O-\overset{\overset{O}{\|}}{C}-Co(CO)_3[(H_5C_6)_3P]$$

γ) durch spezielle Methoden

Natrium-tetracarbonyl-kobaltat bildet mit 3-Chlorcarbonyl-1,2-diphenyl-cyclopropen den (η^3-Oxo-cyclobutenyl)-kobalt(I)-Komplex I, der in warmer benzolischer Lösung im Gleichgewicht mit einer dimeren Verbindung II steht[2]. Der dimere Komplex kann durch Erhitzen in Hexan aus der warmen Lösung ausgefällt werden. Bei Lösen desselben in Benzol oder Dichlormethan bei 20° wird das Monomere zurückgebildet.

2. Aminocarbonyl-kobalt-Verbindungen

Carbonyl-kobalt(0)-Verbindungen reagieren mit Aminen in der „Basen-Reaktion" unter Disproportionierung von Kobalt. Daher ist es unerheblich, ob man z. B. Octacarbonyl-dikobalt einsetzt oder einen bereits disproportionierten Komplex.

Sekundäre Amine bilden mit Octacarbonyl-dikobalt (Dialkylaminocarbonyl)-kobalt(I)-Verbindungen, die sich durch Behandeln mit Triphenylphosphan in kristalline Verbindungen überführen lassen[3]:

$$Co_2(CO)_8 \ + \ 2 \ R_2NH \ \xrightarrow[- \ [R_2NH_2]^{\oplus}[Co(CO)_4]^{\ominus}]{R_2NH} \ R_2N-\overset{\overset{O}{\|}}{C}-Co(CO)_3L \ \xrightarrow[- \ L]{+ \ (H_5C_6)_3P}$$

$$L = CO, HNR_2 \hspace{5cm} R_2N-\overset{\overset{O}{\|}}{C}-Co(CO)_3[(H_5C_6)_3P]$$

(Piperidylcarbonyl)-tricarbonyl-triphenylphosphan-kobalt[3]: Zu einer Lösung von 2,83 g (8,2 mmol) Octacarbonyl-dikobalt in 60 *ml* Hexan gibt man langsam in einem Kohlenmonoxid-Strom 2,79 g (32,8 mmol) Piperidin gelöst in 30 *ml* Hexan. Die dunkelbraune Lösung wird allmählich tiefrot, und es fällt ein violetter öliger Niederschlag aus. Die Mischung wird 2 Stdn. gerührt, dann filtriert und ihr Kobalt-Gehalt bestimmt (5,4 mmol). Nach Zugabe von 1,42 g (5,4 mmol) Triphenylphosphan in 30 *ml* Hexan fallen gelbe Kristalle aus, die abfiltriert und mit Hexan gewaschen werden; Ausbeute: 2,8 g (5,4 mmol, 33% bez. a. Co); IR (THF): v_{CO} 2050 (m), 1983 (vs), 1952 (vs) cm^{-1}; $v_{C=O}$ 1591 (m) cm^{-1}.

---

[1] R.F. Heck, J. Organometal. Chem. **2**, 195 (1964).
[2] C.E. Chidsey, W.A. Donaldson, R.P. Hughes u. P.L. Sherwin, Am. Soc. **101**, 233 (1979).
[3] J. Palagyi u. L. Markó, J. Organometal. Chem. **17**, 453 (1969).

Auf ähnliche Weise wird *(Dipropylamino-carbonyl)-tricarbonyl-triphenylphosphan-kobalt* (25%) erhalten.

Ammoniak greift die am Kobalt gebundene Carbonyl-Gruppe in einer nucleophilen Addition an unter Bildung eines Aminocarbonyl-Komplexes, der sich unter milden Reaktionsbedingungen in flüssigem Ammoniak isolieren läßt[1]:

$$\{Co(CO)_2[(H_5C_6)_2P-CH_2]_3C-CH_3\}^{\oplus}[Co(CO)_4]^{\ominus} \xrightarrow[-NH_4^{\oplus}[Co(CO)_4]^{\ominus}]{\overset{+2\,NH_3}{NH_3\,fl.,\,20°,\,12\,Stdn.}}$$

Aminocarbonyl-[1,3-bis-(diphenylphosphano)-2-(diphenylphosphano-methyl)-2-methyl-propan(P¹, P², P³)]-carbonyl-kobalt[2]: Im Einschlußrohr kondensiert man auf 1097 mg (1 mmol) [1,3-Bis-(diphenylphosphano-2-(diphenylphosphano-methyl)-2-methyl-propan-P¹, P², P³]- dicarbonyl-kobalt-tetracarbonyl-kobaltat ~ 20 *ml* Ammoniak. Nach dem Abschmelzen schüttelt man das Einschlußrohr bei 20°. Der vorgelegte Komplex geht allmählich in Lösung, und es fällt die Aminocarbonyl-Verbindung aus, die man über eine Ammoniak-Fritte absaugt und mit je 10 *ml* flüssigem Ammoniak nachwäscht. Danach trocknet man die Verbindung im Hochvak.; Ausbeute: ~ 90%; F: > 214° (Zers.); IR (CH₂Cl₂): ν_{CO} 1890 (m–s); $\nu_{C(O)NH}$ 1583 (m, br), 1550 (m) cm⁻¹.

Der Kation-Komplex I bildet mit Dimethylamin das stabile *(Dimethylamino-carbonyl)-tricarbonyl-triphenylphosphan-kobalt* (~ 80%)[3]:

$$\{Co(CO)_4[(H_5C_6)_3P]\}^{\oplus}[Cl\cdot HCl]^{\ominus} \;+\; 3\,(H_3C)_2NH \xrightarrow[-2\,[(H_3C)_2NH_2]^{\oplus}Cl^{\ominus}]{(H_3C)_2NH\,;\,-30°} (H_3C)_2N-\overset{\overset{O}{\|}}{C}-Co(CO)_3[(H_5C_6)_3P]$$

I

Mit Ammoniak läßt sich kein Aminocarbonyl-Komplex isolieren, da unter Abspaltung von zwei Protonen das Cyanato-Anion entsteht.

Bei der Umsetzung von Jodo-tricarbonyl-triphenylphosphan-kobalt mit Ammoniak kann andererseits das mäßig stabile *Aminocarbonyl-ammin-dicarbonyl-triphenylphosphan-kobalt* (~ 45%) isoliert werden[3]:

$$CoJ(CO)_3[(H_5C_6)_3P] \;+\; 3\,NH_3 \xrightarrow[-NH_4J]{NH_3\,fl.,-50°} H_2N-\overset{\overset{O}{\|}}{C}-Co(CO)_2(NH_3)[(H_5C_6)_3P]$$

III. Organo-kobalt(II)-Verbindungen

Organo-kobalt(II)-Verbindungen können 1, 2, 3, 4 oder 6 organische Reste enthalten. Die Kobalt-Komplexe mit 3, 4 oder 6 organischen Resten sind negativ geladen. Solche At-Komplexe gibt es mit Alkyl-, 1-Alkinyl- und Aryl-Resten.

[1] J. ELLERMANN, J.F. SCHINDLER, H. BEHRENS u. H. SCHLENKER, J. Organometal. Chem. **108**, 239 (1976).
[2] D. BAUERNSCHMITT, H. BEHRENS u. J. ELLERMANN, Z. Naturf. **34 B**, 1362 (1979).
[3] H. KROHBERGER, H. BEHRENS u. J. ELLERMANN, J. Organometal. Chem. **46**, 139 (1972).

a) Alkyl-kobalt(II)-Verbindungen

1. aus Kobalt(II)- bzw. Kobalt(III)-Derivaten mit Alkyl-metall-Verbindungen

Alkyl-kobalt-Komplexe sind zuerst durch Umsetzung von Kobalt(II)-halogeniden mit Grignard-Verbindungen erhalten worden[1-3]. Die Verbindungen sind paramagnetisch und sogar bei tiefer Temp. instabil. Sie können nicht isoliert werden, da sie sich bereits oberhalb von −40° zersetzen. Die grünen Alkyl-bis-[phosphan]-halogeno-kobalt-Komplexe haben auf Grund von IR- und Elektronen-Spektren tetraedrische und die violett-roten Bis-[pyridin]-dimethyl-Komplexe quadratisch planare Konfiguration[2].

$$CoCl_2[(H_5C_2)_2P-C_6H_5]_2 \;+\; H_3C-MgBr \;\xrightarrow[-MgClBr]{(H_5C_2)_2O,\,-60°}\; H_3C-CoCl[(H_5C_2)_2P-C_6H_5)]_2$$

(bzw. H_3C-Li)

Bis-[diethyl-phenyl-phosphan]-chloro-methyl-kobalt

$$CoCl_2[Pyridin]_2 \;+\; 2\,H_3C-MgBr \;\xrightarrow[-MgCl_2\,/\,-MgBr_2]{(H_5C_2)_2O,\,-130°}\; (H_3C)_2Co[Pyridin]_2$$

Bis-[pyridin]-dimethyl-kobalt

Bei der Umsetzung von (1,2-Bis-[diphenylphosphano]-ethan)-dichloro-kobalt mit Grignard-Verbindungen entstehen Alkyl-(1,2-bis-[diphenylphosphano]-ethan)-hydrido-kobalt-Komplexe[3].

Komplex I reagiert mit einem Äquivalent Grignard-Verbindung lediglich unter Ersatz des Brom-Atoms[4]:

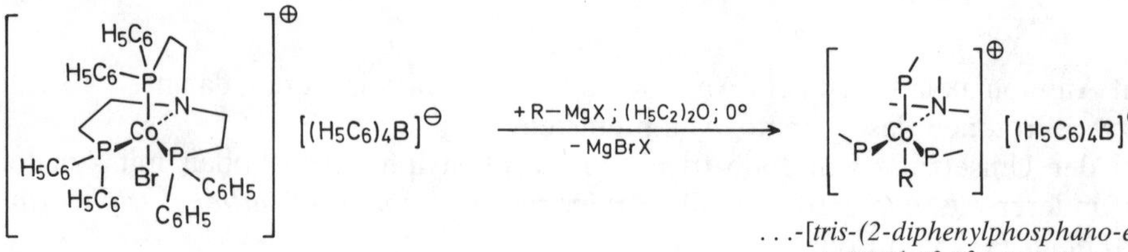

...-[tris-(2-diphenylphosphano-ethyl)-amin(N,P^1,P^2,P^3)]-kobalt
R = CH₃; X = J; *Methyl-...*
R = CH₂-C₆H₅; X = Br; *Benzyl-...*

Bei der Umsetzung von Kobalt(II)-chlorid mit Methyl-lithium in Gegenwart von Trimethylphosphan entsteht *Dimethyl-tris-[trimethylphosphan]-kobalt*[5]. Die Verbindung ist infolge der stabilisierenden Phosphan-Liganden thermisch recht beständig (Zers.p. >87°!). Dialkyl-kobalt(II)-Komplexe ohne derartige Liganden zerfallen bereits bei tiefer Temperatur. Koordinativ gesättigte Dialkyl-kobalt-Verbindungen sind stabiler als die entsprechenden Monoalkyl-Komplexe.

$$CoCl_2 \;+\; 2\,H_3C-Li \;+\; 3\,(H_3C)_3P \;\xrightarrow{-2\,LiCl}\; (H_3C)_2Co[(H_3C)_3P]_3$$

Dimethyl-tris-[trimethylphosphan]-kobalt[5]: Zu 900 mg Cobalt(II)-chlorid (6,9 mmol) und 2,0 *ml* Trimethylphosphan (21 mmol) in 40 *ml* Ether werden bei −70° langsam 25 *ml* einer 0,6 M Methyl-lithium-Lösung in Ether

[1] J. CHATT u. B.L. SHAW, Soc. **1961**, 285.
[2] K. MATSUZAKI u. T. YAZUKAWA, J. phys. Chem. **71**, 1160 (1967).
[3] G. HENRICI-OLIVÉ u. S. OLIVÉ, Chem. Commun. **1969**, 1482.
[4] P. STOPPIONI, P. DAPORTO u. L. SACCONI, Inorg. Chem. **17**, 718 (1978).
[5] H.-F. KLEIN u. H.H. KARSCH, B. **109**, 1453 (1976).

getropft. Nach 1 Stde. wird langsam erwärmt, die flüchtigen Bestandteile i. Vak. entfernt und der Rückstand mit 10 *ml* Pentan extrahiert. Beim Abkühlen der klaren braunen Lösung wachsen orangebraune Kristallbüschel, die durch Dekantieren bei −70° und Trocknen i. Vak. bei −40° isoliert werden; Ausbeute: 1700 mg (78%); Zers. >87°.

Kobalt(II)-chlorid bildet mit im Überschuß eingesetztem Alkyl-lithium in Gegenwart von 1,2-Bis-[dimethylamino]-ethan in Ether ein Tetraalkylkobaltat[1]:

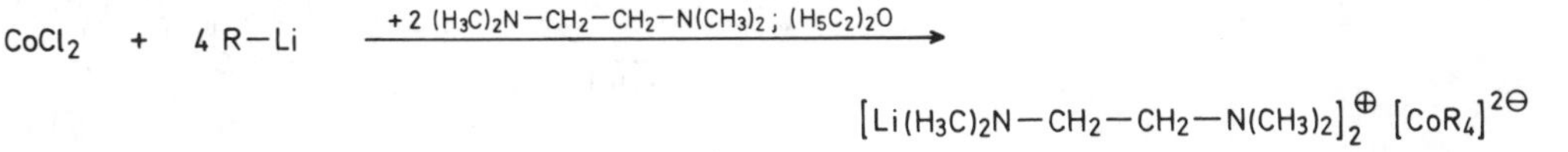

$$CoCl_2 + 4\ R-Li \xrightarrow{+2\ (H_3C)_2N-CH_2-CH_2-N(CH_3)_2\ ;\ (H_5C_2)_2O}$$

$$[Li(H_3C)_2N-CH_2-CH_2-N(CH_3)_2]_2^{\oplus}\ [CoR_4]^{2\ominus}$$

Bis-[(1,2-bis-[dimethylamino]-ethan)-lithium]-...

R = CH₃; ...-*tetramethylkobaltat*
R = CH₂–Si(CH₃)₃; ...-*tetrakis-[trimethylsilyl-methyl]-kobaltat*

Zur Herstellung von *Bis-[2,2'-bipyridyl]-diethyl-kobalt* (~85%) s. Lit.[2]:

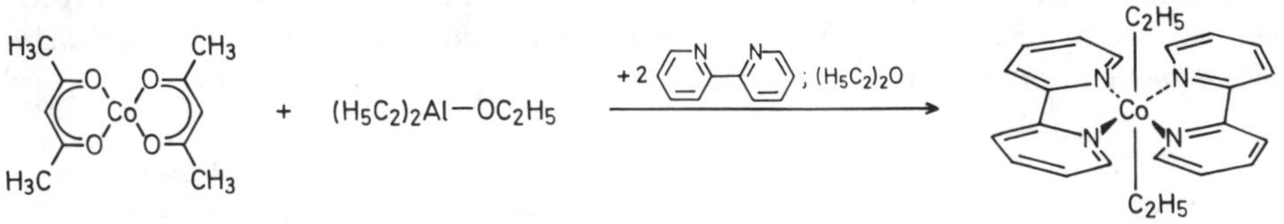

2. aus anderen σ–C-Kobalt-Verbindungen unter Erhalt mindestens einer C–M-Bindung

Dimethyl-kobalt(II)- und Trimethyl-kobalt(III)-Komplexe sind relativ stabile Verbindungen, die entsprechenden Monomethyl-Komplexe sind weniger stabil. Es ist daher nur ausnahmsweise möglich, die C–Co-Bindungen selektiv zu spalten, so daß Monomethyl-Verbindungen abgefangen werden können. Die Abspaltung von Methyl- und Phosphan-Gruppen gelingt mit Methanol und 2,4-Pentandion[3]:

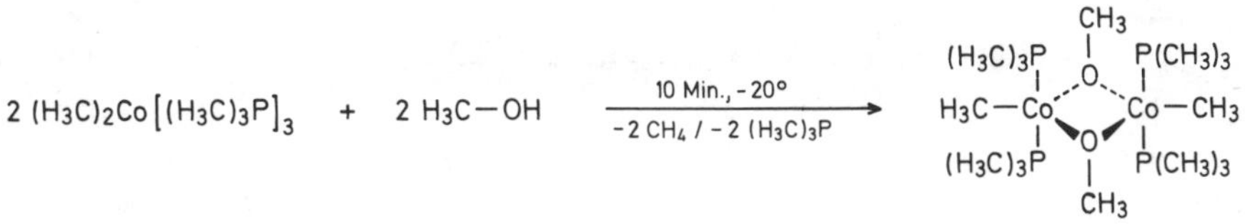

*μ,μ-Bis-[methoxy]-bis-[bis-(trimethylphosphan)-
methyl-kobalt];* 70%; Zers. >106°

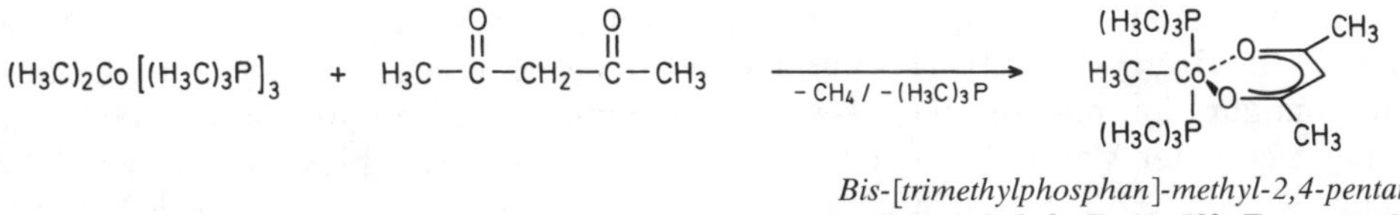

*Bis-[trimethylphosphan]-methyl-2,4-pentan-
dionato-kobalt;* F: 49–52°; Zers.p.: >120

Trimethyl-tris-[trimethylphosphan]-kobalt verliert einen Methyl-Rest durch Alkoholyse und einen anderen durch reduktive Eliminierung[3]:

[1] R. ANDERSEN, E. CARMONA-GUZMAN, K. MERTIS, E. SIGURDSON u. G. WILKINSON, J. Organometal. Chem. **99**, C 19 (1975).
[2] T. SAITO, Y. UCHIDA, A. MISONO, A. YAMAMOTO, K. MORIFUGI u. S. IKEDA, J. Organometal. Chem. **6**, 572 (1966).
[3] H.-F. KLEIN u. H.H. KARSCH, B. **109**, 1453 (1976).

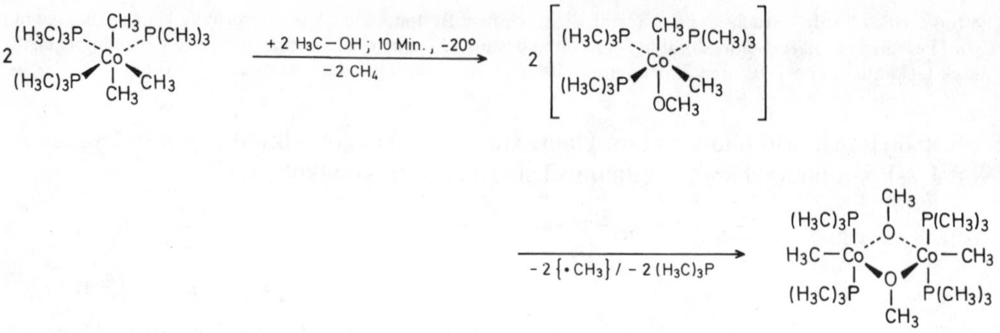

I

Der Komplex I ist auch aus Bromo-dimethyl-tris-[trimethylphosphan]-kobalt mit Natriummethanolat zugänglich (55%).

2,4-Pentandion reagiert mit Trimethyl-tris-[trimethylphosphan]-kobalt unter Protonierung eines Methyl-Restes und Homolyse des anderen zum *Bis-[trimethylphosphan]-methyl-(2,4-pentandionato)-kobalt* (86%):

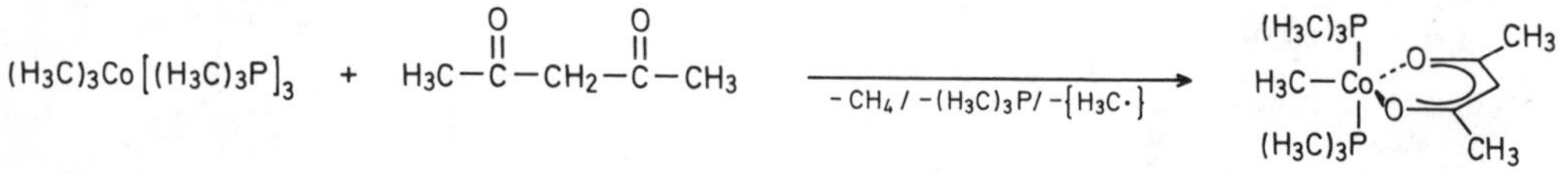

b) 1-Alkenyl-kobalt(II)-Verbindungen

Die einzige bekannte 1-Alkenyl-kobalt(II)-Verbindung erhält man durch Umsetzung von Cyclopentadienyl-dijodo-triphenylphosphan-kobalt mit 2-Propyl-magnesiumbromid in Gegenwart von Diphenylethin[1]:

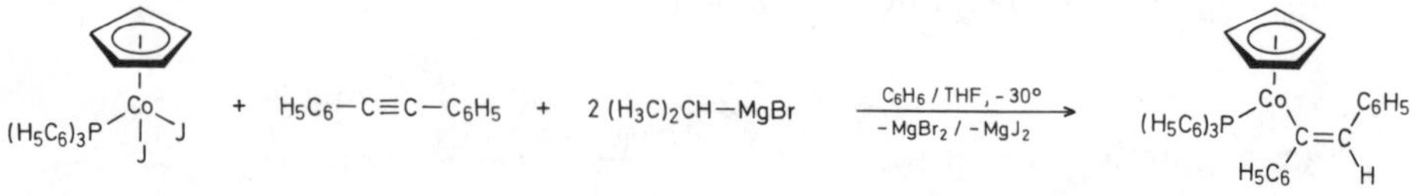

Cyclopentadienyl-(E-1,2-diphenyl-vinyl)-
triphenylphosphan-kobalt

c) 1-Alkinyl-kobalt(II)-Verbindungen

1-Alkinyl-metall-Verbindungen bilden mit Kobalt(II)-Komplexen bevorzugt Di- und Poly-(1-alkinyl)-kobalt(II)-Verbindungen, die oft eine sechsfach koordinierte low spin Konfiguration besitzen. Die 1-Alkinyl-Komplexe sind oft **pyrophor** und **explosiv** und können sich unter Verpuffen zersetzen. Die Stabilität der Komplexe nimmt parallel zur Größe des Alkinyl-Restes zu, ihre Reaktionsfähigkeit nimmt umgekehrt dazu ab. Die Lösungen der Anion-Komplexe sind besonders instabil. So zersetzt sich die blaue Lösung von *Dinatrium-[bis-[triethylphosphan]-tetraethinyl-kobalt]* in Aceton bereits innerhalb 30 Sek. Die kristallinen Komplexe sind auch in der Kälte unter Stickstoff nur beschränkt haltbar und gegen Feuchtigkeit empfindlich. Es ist zweckmäßig, die wenig beständigen Alkalimetall-Komplexe durch Behandeln mit Salzen von großen Kationen (z. B. Tetraphenylphosphonium-chlorid) in die entsprechenden Phosphonium-kobaltate umzuwandeln, die stabiler sind und besser kristallisieren als die Alkalimetall-Komplexe.

---

[1] H. Yamazaki u. N. Hagihara, J. Organometal. Chem. **21**, 431 (1970).

[Tetrammin-kobalt(II)]-thiocyanat bildet mit Ethinyl-kalium oder Propinyl-natrium in flüssigem Ammoniak *Tetrakalium-[hexaethinylkobaltat]* bzw. *Tetranatrium-[hexa-1-propinyl-kobaltat]* $(\sim 100\%)^{1,2}$:

$$\left[Co(NH_3)_4\right]^{2\oplus}(SCN)_2^{\ominus} \;+\; 6\,Na-C\equiv C-CH_3 \quad\xrightarrow[-2\,NaSCN\,/\,-4\,NH_3]{NH_3\,fl.\,,\,-78^\circ}\quad Na_4\left[Co(C\equiv C-CH_3)_6\right]$$

$$\left[Co(NH_3)_4\right]^{2\oplus}(SCN)_2^{\ominus} \;+\; 6\,KC\equiv CH \quad\xrightarrow[\substack{-2\,KSCN\,/\,-4\,NH_3 \\ \sim 100\,\%}]{NH_3\,fl.}\quad K_4\left[Co(C\equiv CH)_6\right]\cdot x\,NH_3$$

$$\xrightarrow[-x\,NH_3]{20^\circ}\quad K_4\left[Co(C\equiv CH)_6\right]$$

Der Propinyl-Komplex ist unter Stickstoff-Atmosphäre einige Wochen haltbar und gegen Stoß und Schlag relativ stabil; der Ethinyl-Komplex entsteht zunächst als rotes Ammoniak-Addukt, das etwas stabiler ist als die schwarzgrüne Ammoniak-freie Verbindung. Letztere ist außerordentlich **explosiv** und detoniert häufig ohne erkennbare Ursache. Die Verbindungen reagieren äußerst heftig mit Luft, Wasser und sogar Ethanol.

Tetranatrium-[hexapropinyl-kobaltat][1]: ~ 1 g Propinyl-natrium werden in 100 *ml* flüssigem Ammoniak gelöst. Die Lösung wird filtriert. Zu dem auf -78° gekühlten Filtrat läßt man langsam unter häufigem Umschütteln die äquivalente Menge (Kobalt: 1-Propinyl-natrium $= 1:6$) von [Tetrammin-kobalt(II)]-thiocyanat in 40 *ml* flüssigem Ammoniak zufließen. Dabei färbt sich die orangefarbene Lösung des Thiocyanats sofort intensiv rotviolett und wird undurchsichtig. Die Lösung wird nach 1 Stde. bei -33° unter Rückfluß erhitzt und 12 Stdn. bei -80° stehen gelassen. Nach Auftauen der Lösung wird filtriert und die schwarze, grünstichige Verbindung 5–6mal mit je 30 *ml* flüssigem Ammoniak gewaschen. Nach 5stdgm. Trocknen bei 20° i. Hochvak. erhält man den reinen Komplex als dunkelgrünes Pulver; Ausbeute: 40–50%.

Die Tetraalkalimetall-[hexaalkinyl-kobaltat]-Verbindungen werden durch Behandeln mit Tetraphenylphosphonium- bzw. Tetraphenylarsoniumchlorid in die stabileren und schwerer löslichen Salze umgewandelt, als es die Tetraalkalimetall-Komplexe sind[2]. Die Verbindungen sind zwar pyrophor, aber nicht mehr berührungs- oder schlagempfindlich:

$$M_4\left[Co(C\equiv C-R)_6\right] \;+\; 3\left[(H_5C_6)_4Y\right]^{\oplus}Cl^{\ominus} \quad\xrightarrow{-3\,MCl}\quad \left[(H_5C_6)_4Y\right]_3M\left[Co(C\equiv C-R)_6\right]$$

R = H; M = Na; Y = P; *Natrium-tris-[tetraphenylphosphonium]-hexaethinylkobaltat*; 25%
R = C_6H_5; M = K; Y = As; *Kalium-tris-[tetraphenylarsonium]-hexakis-[phenylethinyl]-kobaltat*; 65–75%

Natrium-tris-[tetraphenylphosphonium]-hexakis-[phenylethinyl]-kobaltat[3]: 50 *ml* einer filtrierten, aus 527,4 mg (4,25 mmol) Phenylethinyl-natrium und 92,14 mg (0,71 mmol) Kobalt(II)-chlorid in flüssigem Ammoniak hergestellten Lösung wird bei -40° zu einer klaren Lösung von 1139,9 mg (3,03 mmol) Tetraphenylarsonium-chlorid in 60 *ml* flüssigem Ammoniak gegeben. Die zunächst gebildete grüne voluminöse Fällung wird nach 5min. Sieden feinkristallin und nimmt eine orangebraune Farbe an. Nach Filtration und 6maligem Waschen mit je 25 *ml* fl. Ammoniak wird der Komplex bei -20° 12 Stdn. i. Hochvak. getrocknet; Ausbeute: 0,840 g ($\sim 70\%$); IR (KBr): $\nu_{C\equiv C}$ 2045(vs) cm^{-1}.

Durch Umsetzung von Tetrammin-kobalt(II)-thiocyanat mit Cyclohexylethinyl-kalium in flüssigem Ammoniak können zwei verschiedene sechsfach koordinierte Komplexe hergestellt werden[4]. Bei einem Co/C≡C-Verhältnis von 1:6 erhält man das grüne *Tetrakalium-hexakis-[cyclohexylethinyl]-kobaltat* (70%) und bei einem Verhältnis von 1:4 und Zusatz der Kobalt-Verbindung zum vorgelegten Cyclohexylethinyl-kalium das blaue *Diammin-tetrakis-[cyclohexylethinyl]-kobaltat*. Unter Umständen können Gemische beider Verbindungen entstehen.

[1] R. Nast u. H. Lewinsky, Z. anorg. Ch. **282**, 210 (1955).
[2] R. Nast, Ang. Ch. **72**, 26 (1960).
[3] R. Nast u. K. Fock, B. **109**, 455 (1976).
[4] E. Rojas, A. Santos, V. Moreno u. D. del Pino, J. Organometal. Chem. **181**, 365 (1979).

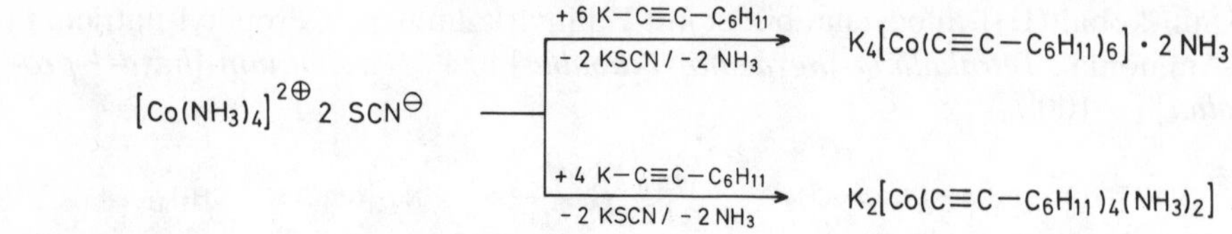

$$\left[Co(NH_3)_4\right]^{2\oplus} 2\ SCN^{\ominus}$$

$$\xrightarrow[- 2\ KSCN\ /\ -2\ NH_3]{+6\ K-C\equiv C-C_6H_{11}}\ K_4\left[Co(C\equiv C-C_6H_{11})_6\right]\cdot 2\ NH_3$$

$$\xrightarrow[- 2\ KSCN\ /\ -2\ NH_3]{+4\ K-C\equiv C-C_6H_{11}}\ K_2\left[Co(C\equiv C-C_6H_{11})_4(NH_3)_2\right]$$

Dikalium-(diammin-tetrakis-[cyclohexylethinyl]-kobaltat)[1]: Zu einer Lösung von 1,03 g (6,8 mmol) Cyclo-hexylethinyl-kalium in 70 *ml* flüssigem Ammoniak werden 0,43 g (1,7 mmol) festes [Tetrammin-kobalt(II)]-thiocyanat gegeben. Es bildet sich ein voluminöser tiefblauer Niederschlag, der mit einer Glasfritte (G-3) abfil-triert, 3mal mit 30 *ml* flüssigem Ammoniak gewaschen und i. Vak. bei 20° vom Lösungsmittel befreit wird. Man erhält ein hellblaues Pulver; Ausbeute: 0,66 g (65%); IR: $\nu_{C\equiv C}$ 2088(s) cm^{-1}.

Bei der Umsetzung von Bis-[phosphan]-kobalt(II)-Verbindungen mit 1-Alkinyl-na-trium in flüssigem Ammoniak entstehen die Bis-[phosphan]-tetrakis-[alkinyl]-kobaltate, die beim Behandeln mit Tetraphenylphosphoniumchlorid lediglich ein Alkalimetall aus-tauschen[2]:

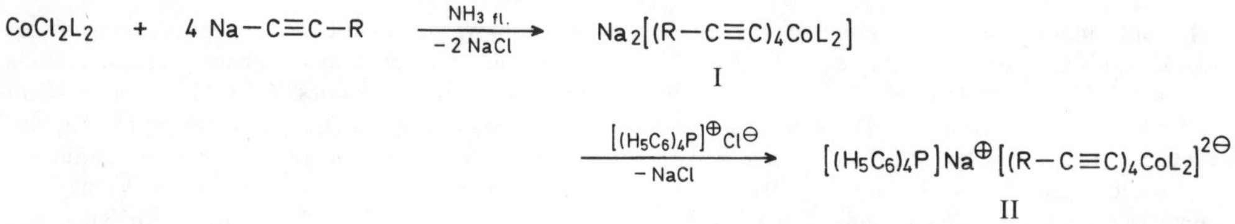

$$CoCl_2L_2\ +\ 4\ Na-C\equiv C-R\ \xrightarrow[-2\ NaCl]{NH_{3\,fl.}}\ Na_2\left[(R-C\equiv C)_4CoL_2\right]$$
$$I$$

$$\xrightarrow[- NaCl]{\left[(H_5C_6)_4P\right]^{\oplus}Cl^{\ominus}}\ \left[(H_5C_6)_4P\right]Na^{\oplus}\left[(R-C\equiv C)_4CoL_2\right]^{2\ominus}$$
$$II$$

Natrium-tetraphenylphosphonium-(. . .-cobaltat)

R = H; L = $(H_5C_2)_3P$; . . .*-bis-[triethylphosphan]-tetraethinyl-*. . .; ~ 60%
L = $(H_5C_6)_3P$; . . .*-bis-[triphenylphosphan]-tetraethinyl-*. . .; 50%
R = C_6H_5; L = $(H_5C_2)_3P$; . . .*-bis-[triethylphosphan]-tetrakis-[phenylethinyl]-*. . .; 55%

Natrium-tetraphenylphosphonium-(bis-[triphenylphosphan]-tetrakis-[phenylethinyl]-kobaltat)[2]: 911,9 mg (7,35 mmol) Phenylethinyl-natrium werden in 60 *ml* flüssigem Ammoniak unter Rückfluß erhitzt. Dazu gibt man 1210 mg (1,85 mmol) Bis-[triphenylphosphan]-dichloro-kobalt. Die gebildete dunkelrote, etwas trübe Lösung wird nach Filtration bei ~ −35° zu einer Lösung von 1578 mg (4,21 mmol) Tetraphenylphosphoniumchlorid in 60 *ml* Ammoniak gegeben. Der resultierende Niederschlag wird 1 Stde. bei −35° gerührt, abfiltriert, 8mal mit je 20 *ml* flüssigem Ammoniak bei −35° gewaschen und i. Hochvak. 12 Stdn. bei −30° getrocknet; Ausbeute: 1122 mg (~45%); IR (Nujol): $\nu_{C\equiv C}$ 2050(vs) cm^{-1}.

Das Bromo-kobalt(II)-bromid I reagiert mit 1-Alkinyl-natrium unter Erhöhung der Koordinationszahl von 5 auf 6[2]:

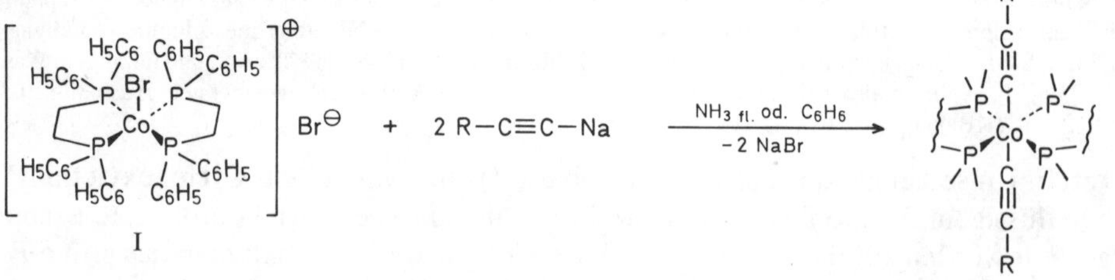

Die Dialkinyl-Komplexe sind in Benzol monomer und in Tetrahydrofuran nicht leitend. Es sind low spin-Komplexe, die sich an feuchter Luft zersetzen:

Bis-[1,2-bis-(diphenylphosphano)-ethan]-diethinyl-kobalt (R = H)[2]: In eine unter starkem Rückfluß ko-chende Lösung aus 80 *ml* flüssigem Ammoniak und 381,2 mg (7,94 mmol) Ethinyl-natrium werden 1320 mg (1,47 mmol) fein pulverisiertes Bis-[1,2-bis-(diphenylphosphano)-ethan]-bromo-kobalt-bromid eingetragen und 12 Stdn. auf derselben Temp. gehalten. Die Verbindung wandelt sich dabei allmählich von einer dunkelgrü-

---

[1] E. Rojas, A. Santos, V. Moreno u. D. del Pino, J. Organometal. Chem. **181**, 365 (1979).
[2] R. Nast u. K. Fock, B. **110**, 280 (1977).

nen Suspension in den hellbraunen Ethinyl-Komplex um, der in Ammoniak praktisch unlöslich ist. Er wird abfiltriert und 6mal mit je 20 *ml* flüssigem Ammoniak bei −35° gewaschen sowie 12 Stdn. i. Hochvak. bei −30° getrocknet; Ausbeute: 1303 mg (∼100%); IR (Nujol): $v_{\equiv CH}$ 3256(s) cm^{-1}, $v'_{C\equiv C}$ 1924(vs) cm^{-1}.

Auf ähnliche Weise wird *Bis-[1,2-bis-(diphenylphosphano)-ethan]-bis-[phenylethinyl]-kobalt* (R = C$_6$H$_5$) (50%) erhalten.

Einen vierfach koordinierten, neutralen Alkinyl-Komplex erhält man durch Umsetzung von Bis-[triphenylphosphan]-kobalt(II)-chlorid oder -bromid in Diethylether mit Cyclohexylethinyl-kalium in flüssigem Ammoniak[1]:

$$CoX_2[(H_5C_6)_3P]_2 \; + \; 2\,H_{11}C_6-C\equiv C-K \xrightarrow[-2\,KX]{} (H_{11}C_6-C\equiv C)_2Co\,[(H_5C_6)_3P]_2$$

X = Cl, Br

Bis-[cyclohexylethinyl]-bis-[triphenylphosphan]-kobalt; 60%; F: 158–165° (Zers.)

Phthalocyaninato-kobalt(II) reagiert mit Phenylethinyl-lithium unter Addition der Ethinyl-Gruppe an das Kobalt-Atom[2]:

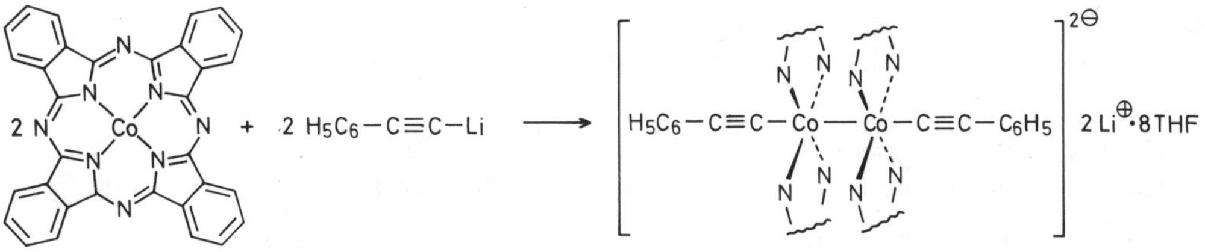

Dilithium-[bis-{phenylethinyl-phthalocyaninato-kobalt(II)}]-Octakis-tetrahydrofuran[2]: 5 g Phthalocyaninato-kobalt(II) werden in 100 *ml* THF suspendiert, mit einer Lösung von Phenylethinyl-lithium – hergestellt aus 3 g Phenylacetylen – in 30 *ml* Diethylether versetzt und 8 Stdn. geschüttelt. Man erhält eine gelbgrüne Lösung mit einem roten kristallinen Niederschlag, der abfiltriert, zunächst durch Rückdestillation aus der Mutterlauge, anschließend mit frischem THF ebenfalls durch Heißextraktion gründlich gewaschen und dann durch Sekurieren getrocknet wird; Ausbeute: ∼5 g (60%); IR (Nujol): $v_{C\equiv C}$ 2096 cm^{-1}.

Organo-dikobalt-Verbindungen mit Co–Co-Bindung werden auf S. 168 beschrieben.

d) Aryl-kobalt(II)-Verbindungen

Di-, Tri- usw. -aryl-kobalt-Verbindungen sind beständiger als die entsprechenden Alkyl- und 1-Alkinyl-Komplexe. Ihre Stabilität wird beträchtlich erhöht, wenn die Aryl-Reste in ortho-Stellung substituiert sind, wie bei 2,4,6-Trimethyl-phenyl-, 2-Methyl-1-naphthyl-, 2-Phenyl-phenyl- und Pentachlorphenyl-Komplexen.

Diese Kobalt-Verbindungen besitzen normalerweise die Koordinationszahl 4 und haben tetragonale oder quadratisch-planare Konfiguration. Ausnahmsweise entstehen Komplexe vom Typ Triarylkobaltat, wenn der Aryl-Rest sehr groß ist.

1. aus Kobalt(II)-Derivaten mit Aryl-metall-Verbindungen

Bei der Umsetzung von Bis-[diethyl-phenyl-phosphan]-dihalogeno-kobalt mit Pentachlorphenyl-magnesiumchlorid erhält man das instabile *Bis-[diethyl-phenyl-phosphan]-chloro*(bzw. *jodo*)-*pentachlorphenyl-kobalt*[3]:

---

[1] E. Rojas, A. Santos, V. Moreno u. C. del Pino, J. Organometal. Chem. **181**, 365 (1979).
[2] R. Taube, H. Drevs u. G. Marx, Z. anorg. Ch. **436**, 5 (1977).
[3] K. Matsuzaki u. T. Yasukawa, J. phys. Chem. **71**, 1160 (1967).

$$CoHal_2[(H_5C_2)_2P-C_6H_5]_2 \quad + \quad Cl_5C_6-MgCl \quad \xrightarrow[-\ MgClHal]{(H_5C_2)_2O,\ -60°} \quad Cl_5C_6-CoHal[(H_5C_2)_2P-C_6H_5]_2$$

Zwei Aryl-Gruppen lassen sich durch Umsetzen von Dihalogeno-kobalt(II)-Komplexen mit Aryl-lithium- oder -Grignard-Verbindungen in den Komplex einführen[1–3]. Bei Verwendung von Grignard-Verbindungen ist es möglich, daß der Halogenmagnesium-Rest im Komplex zurückbleibt[4].

$$CoBr_2[(H_5C_2)_2P-C_6H_5]_2 \quad + \quad 2\ R-MgBr \quad \xrightarrow[-2\ MgBr_2]{C_6H_6,\ THF,\ -30°} \quad R_2Co\,[(H_5C_2)_2P-C_6H_5]_2$$

Bis-[diethyl-phenyl-phosphan]-...

R = (2,4,6-trimethylphenyl) ; ...-*bis-[2,4,6-trimethyl-phenyl]-kobalt*[1–3]; 80%; F: 127–129° (Zers.)

R = (2-methyl-1-naphthyl) ; ...-*bis-[2-methyl-1-naphthyl]-kobalt*[1,2]; F: 144–145° (Zers.)

R = (2-biphenylyl) ; ...-*bis-[2-biphenylyl]-kobalt*[2]; 19%; F: 115–119° (Zers.)

Die Komplexe besitzen eine quadratisch-planare Konfiguration, die infolge der sterischen Hinderung der großen Aryl-Reste gegenüber der tetraedrischen Konfiguration begünstigt ist.

$$[\text{Komplex mit }Cl] \quad + \quad 2\ F_5C_6-MgBr \quad \xrightarrow{-MgBr_2\ /\ -MgCl_2} \quad [\text{Komplex mit }C_6F_5]$$

Bis-[1,2-bis-(diphenylphosphano)-ethan]-bis-
[pentafluorphenyl]-kobalt[5]; Zers.p.: 186°

$$CoCl_2[(H_5C_2)_2P-C_6H_5]_2 \quad + \quad 2\ Cl_5C_6-Li \quad \xrightarrow[-2\ LiCl]{THF,\ -78°} \quad (Cl_5C_6)_2Co\,[(H_5C_2)_2P-C_6H_5]_2$$

Bis-[diethyl-phenyl-phosphan]-bis-[pentachlorphenyl]-
kobalt[6]; 33%; F: 228–231°

Durch Umsetzung von Kobalt(II)-bromid mit Pentafluorphenyl-magnesiumbromid in Tetrahydrofuran erhält man einen *Bis-[pentafluorphenyl]-kobalt*-Komplex, der solvatisiert ist und Magnesiumbromid enthält[7]. Durch Zusatz von 1,4-Dioxan kann Magnesiumbromid teilweise als 1,4-Dioxan-Komplex ausgefällt werden[8].

Bis-[pentafluorphenyl]-kobalt kann durch Behandeln mit Tributylphosphan in das *Bis-[pentafluorphenyl]-bis-[tributylphosphan]-kobalt* (40%) übergeführt werden, das auch direkt aus Kobalt(II)-bromid, Tributylphosphan und Pentafluorphenyl-magnesiumbromid zugänglich ist[5].

Wird Bis-[1,4-dioxan]-bis-[pentafluorphenyl]-kobalt mit Triethyl- oder Tributyl-phosphan in Tetrahydrofuran-Lösung behandelt, erhält man nach dem Abziehen des Lösungsmittels und Extraktion je nach Extraktions-

[1] J. Chatt u. B. L. Shaw, Chem. & Ind. **1959**, 675.
[2] J. Chatt u. B. L. Shaw, Soc. **1961**, 285.
[3] P. G. Owston u. J. M. Rowe, Soc. **1963**, 3411; Röntgenstrukturanalyse.
[4] W. Seidel u. I. Bürger, Z. **17**, 31 (1977).
[5] J. R. Phillips, D. T. Rosevear u. F. G. A. Stone, J. Organometal. Chem. **2**, 455 (1964).
[6] T. Saito, Y. Ucheda, A. Misono, A. Yamamoto, K. Mor. Morityujin u. S. Ikeda, J. Organometal. Chem. **5**, 493 (1966).
[7] C. F. Smith u. C. Tamborski, J. Organometal. Chem. **32**, 257 (1971).
[8] P. Royo u. A. Vazquez, J. Organometal. Chem. **204**, 243 (1981).

mittel zwei verschiedene isomere Bis-phosphan-Komplexe, mit Benzol einen gelben und mit Hexan einen grünen Komplex. Dem grünen Isomeren wird *cis-* und dem gelben *trans*-Konfiguration zugeschrieben.

Zu weiteren Verbindungen dieses Typs s. Lit.[1-3].

Durch Umsetzung von Kobalt(II)-halogeniden oder Pyridinokobalt(II)-Salzen mit Aryl-lithium-Verbindungen werden Tetraarylkobaltate hergestellt; z.B.[1,4,5]:

$$[Co(pyridin)_4]^{2\oplus} \ 2\,SCN^{\ominus} \ + \ 4\,H_5C_6{-}Li \ \xrightarrow[\substack{-\,2\,LiSCN\\-\,4\,Pyridin}]{THF,\,-78°} \ [(H_5C_6)_4Co]^{2\ominus}\,2\,Li^{\oplus}\cdot 4\,THF$$

Dilithium-tetraphenylkobaltat-Tetrakis-[tetrahydrofuran]; 50–60%; Zers. 75–100°

Die Herstellung von Tetraarylkobaltaten gelingt auch aus Tetrachlorokobaltat(II) mit Aryl-lithium in Gegenwart großer Gegenionen (z.B. Tetrabutylammonium)[6]; z.B.:

$$[CoCl_4]^{2\ominus}2\,[(H_9C_4)_4N]^{\oplus} \ + \ 4\,X_5C_6{-}Li \ \xrightarrow[-\,4\,LiCl]{} \ [(X_5C_6)_4Co]^{2\ominus}\,2\,[(H_9C_4)_4N]^{\oplus}$$

Bis-[tetrabutylammonium]-. . .-kobaltat
$X = F$; . . .*-tetrakis-[pentafluorphenyl]-*. . .; F: 130° (Zers.)
$X = Cl$; . . .*-tetrakis-[pentachlorphenyl]-*. . .; F: 95° (Zers.)

(2,6-Dimethoxy-phenyl)-lithium kann gleichermaßen mit Kobalt(II)-halogenid in Tetrahydrofuran zum *Dilithium-tetrakis-[2,6-dimethoxy-phenyl]-kobaltat-Tris-[tetrahydrofuran]* (Zers.p.: 110°) umgesetzt werden[7].

Bis-[2-lithium-phenyl]-ether bildet mit Kobalt(II)-Salzen das *Dilithium-bis-[diphenyl-ether-2,2'-diyl]-kobaltat*, das durch den Chelat-Effekt stabilisiert ist[8]:

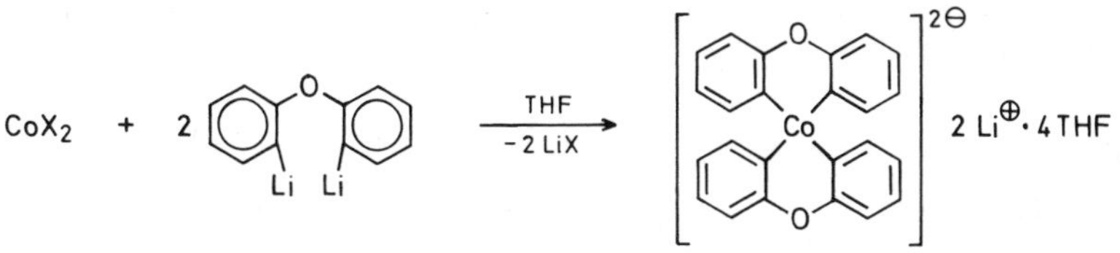

Mit 2,4,6-Trimethyl-phenyl-lithium entsteht das außerordentlich oxidationsempfindliche, aber thermisch stabile *Lithium-tris-[2,4,6-trimethyl-phenyl]-kobaltat*[7,9]:

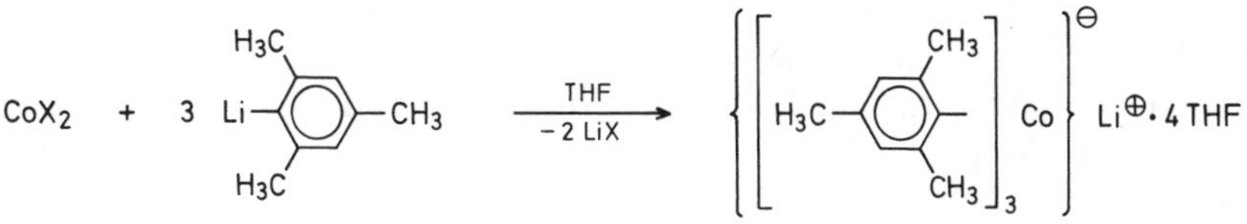

[1] R. Taube u. N. Stransky, Z. anorg. allg. Chem. **490**, 91 (1982).
[2] G. Muller, J. Sales, I. Torra u. J. Vinaixa, J. Organometal. Chem. **224**, 189 (1982).
[3] P. Royo u. A. Vazquez, J. Organometal. Chem. **223**, 223 (1981).
[4] C.F. Smith u. C. Tamborski, J. Organometal. Chem. **32**, 257 (1971).
[5] R. Taube u. N. Stransky, Z. **17**, 427 (1977).
[6] R. Uson, J. Forniés, P. Espinet, R. Navarro, F. Martinez u. M. Tomas, Chem. Commun. **1977**, 789.
[7] H. Drevs, Z. **18**, 31 (1978).
[8] H. Drevs, Z. **15**, 451 (1975).
[9] W. Seidel u. I. Bürger, Z. **17**, 31 (1977).

4*

2. aus Kobalt(III)-Derivaten mit Aryl-metall-Verbindungen

Tris-[2,4-pentandionato]-kobalt wird in Gegenwart von Triethylphosphan durch Triphenylaluminium-Etherat unter Reduktion zum Kobalt(II) aryliert[1]:

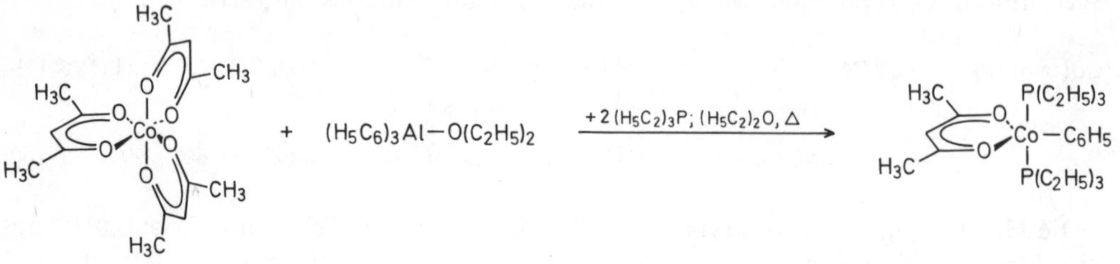

Bis-[triethylphosphan]-2,4-pentandionato-phenyl-kobalt[1]: Die dunkelgrüne Suspension von 1,6 g (4,4 mmol) Tris-[2,4-pentandionato]-kobalt,1,9 ml (12,8 mmol) Triethylphosphan und 2,8 g (8,4 mmol) Triphenylaluminium-Etherat in 60 ml Diethylether wird 6 Stdn. unter Rückfluß erhitzt. Dabei entsteht eine klare rote Lösung. Bei −78° fallen innerhalb 12 Stdn. 1,5 g rote Kristalle aus, die abfiltriert, mit Diethylether gewaschen und i.Vak. getrocknet werden. Die Verbindung wird aus Diethylether umkristallisiert; Ausbeute: 1,09 g (53%); F: 66–68°.

3. aus metallischem Kobalt mit Halogen-arenen

Durch die Metallatom-Technik ist es möglich, hoch reaktives Kobalt herzustellen, das keine Liganden besitzt und z.B. mit Brom-pentafluor-benzol unter Zerfall zu Kobalt(II)-bromid und *Bis-[pentafluorphenyl]-kobalt* abreagiert[2,3].

Der Diaryl-Komplex ist koordinativ so wenig gesättigt, daß er bereits beim Waschen mit Methylbenzol *Bis-[pentafluorphenyl]-toluol-kobalt* (10%; F: 137–138°) bildet. Toluol ist relativ schwach gebunden und läßt sich leicht durch Behandeln mit Triethylphosphan, Pyridin, Tetrahydrothiophen und sogar Tetrahydrofuran verdrängen[4,5]:

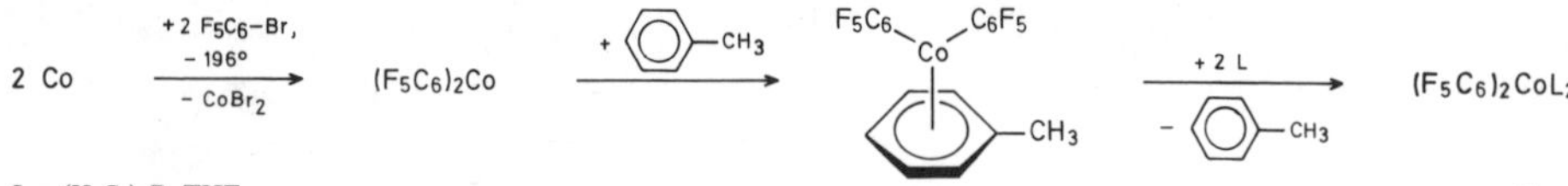

Eine Suspension von Kobalt-Metall in Diglyme oder Tetrahydrofuran [hergestellt durch Reduktion von Kobalt(II)-halogenid mit Lithium in Gegenwart von 5% Naphthalin bezogen auf Lithium] reagiert mit Pentafluor-jod-benzol bei 20° in einer schwach exothermen Reaktion zu einer tief blaugrünen Lösung, die solvatisiertes *Bis-[pentafluorphenyl]-kobalt* und Kobalt(II)-jodid enthält[5,6]. Die Ether-Liganden können leicht durch Phosphan substituiert werden:

[1] K. MARUYAMA, T. ITO u. A. YAMAMOTO, Transition Met. Chem. **5**, 14 (1980).

[2] B.B. ANDERSON, C.L. BEHRENS, L.J. RADONOVICH u. K.J. KLABUNDE, Am. Soc. **98**, 5390 (1976).

[3] Zur Metallatom-Technik s.: K.J. KLABUNDE, Accounts Chem. Res. **8**, 393 (1975).

[4] W.J. MARTIN u. K.J. KLABUNDE, C.A. **92**, 42095 (1980). Mit Kohlenmonoxid entstehen *Hexacarbonyl-tetrakis-[pentafluorphenyl]-dikobalt* und *Pentafluorphenyl-tetracarbonyl-kobalt*.

[5] K.J. KLABUNDE, Annals New York Academy of Sciences **1977**, 83.
S.a.: M.M. BREZINSKI u. K.J. KLABUNDE, Organometallics **2**, 1116 (1983).
A.V. KAVALIUNAS u. R.D. RIEKE, Am. Soc. **102**, 5944 (1980).

[6] A.V. KAVALIUNAS, A. TAYLOR u. R.D. RIEKE, Organometallics **2**, 377 (1983).

$$2 \; CoX_2^1 \;\; + \;\; 4 \; Li \;\; \xrightarrow[- 4\,LiX^1]{THF} \;\; 2 \; Co \;\; \xrightarrow[- CoX_2^2]{+2 \; F_5C_6-X^2} \;\; (F_5C_6)_2Co \cdot (THF)_n$$

$$\xrightarrow[- n \; THF]{+ 2 \; (H_5C_2)_3P} \;\; (F_5C_6)_2Co\big[(H_5C_2)_3P)\big]_2$$

Bis-[pentafluorphenyl]-bis-[triethylphosphan]-kobalt
$X^2 = Br; \; 29\%$
$X^2 = J; \; 57\%;$ Zers.: $> 140°$

e) Acyl-kobalt(II)-Verbindungen

Durch Insertion von Kohlenmonoxid in die C–Co-Bindung vom Kation Komplex I wird *Acetyl-(tris-[2-di-phenylphosphano-ethyl]-amin)-kobalt-tetraphenylborat* erhalten[1]:

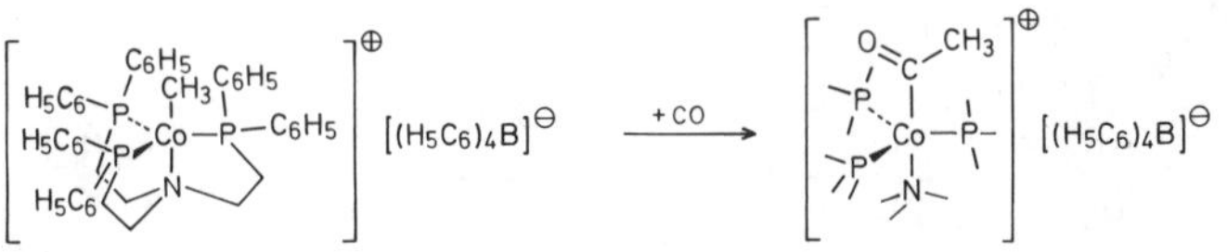

I

IV. Organo-kobalt(III)-Verbindungen

Stabile Organo-kobalt(III)-Verbindungen entstehen, wenn 4-zähnige Liganden einge-setzt werden, die mit Kobalt planare Gruppen des Typs

$$CoN_4 \qquad CoN_2O_2$$

bilden. Diese stabilisierenden Liganden können 0, 1 oder 2 negative Ladungen haben. Der organische Rest steht senkrecht auf der CoN_4- bzw. CoN_2O_2-Ebene. Er hat oft einen *trans*-ständigen Liganden, der die sechste Koordinationsstelle besetzt und leicht substitu-iert oder eliminiert werden kann. Daher gibt es in dieser Reihe 5- und 6fach koordinierte Komplexe.

Nachdem es sich herausgestellt hat, daß Vitamin B_{12} ein Alkyl-kobalt(III)-Komplex ist, der in diese Reihe gehört, sind Modell-Komplexe synthetisiert worden, deren Umwand-lungsreaktionen im Hinblick auf Vitamin B_{12} eingehend untersucht worden sind.

a) Alkyl-kobalt(III)-Verbindungen

Die Dialkyl-kobalt(III)-Komplexe sind bei $\sim 20°$ thermisch stabil, auch gegen Luft und Feuchtigkeit ungewöhnlich stabil und in vielen organischen Lösungsmitteln löslich. Sie kri-stallisieren in gelben bis orange-farbenen Prismen. Die Schmelzpunkte der Verbindungen und ihre Stabilität nehmen mit zunehmender Länge der Alkyl-Reste ab. Kleine Änderun-gen in der Stereochemie und in den elektronischen Eigenschaften der Alkyl-Reste und Li-ganden können schon einen großen Einfluß auf die Reaktivität und Stabilität der oktaedri-schen Komplexe haben[2].

---

[1] P. Stoppioni, P. Daporto u. L. Sacconi, Inorg. Chem. **17**, 718 (1978).
[2] Die Stereochemie der Komplexe wurde mit Hilfe ihrer ^{1}H-, ^{31}P- und ^{13}C-NMR-Spektren aufgeklärt. Die Phosphan-Liganden sind in Lösung teilweise dissoziiert. Vgl. T. Ikariya, Y. Nakamura u. A. Yamamoto, J. Organometal. Chem. **118**, 101 (1976).

1. aus Kobalt(III)-Verbindungen

α) durch Alkylierung

α₁) *mit Halogen-alkanen*

Da bei der Reaktion von Hydrido-kobalt-Verbindungen mit Alkylhalogeniden formal Halogenwasserstoff freigesetzt wird, der mit der äquimolaren Menge des Kobalt-Komplexes reagieren würde, setzt man i. a. das entsprechende Natriumkobaltat(I) (s. S. 76) ein[1, 2]:

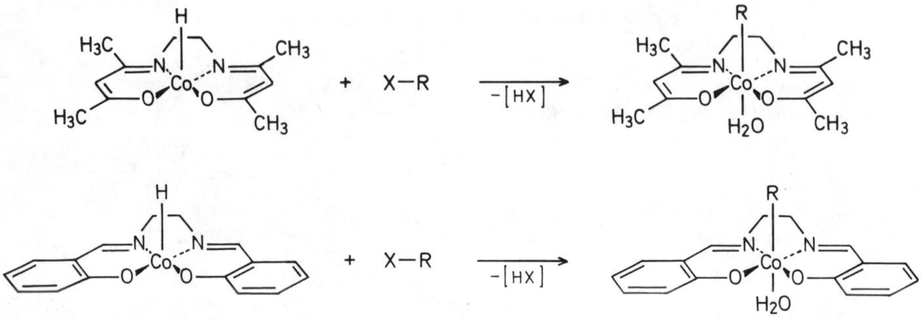

Die Stabilität der Hydrido-cobaloxim-Komplexe hängt sehr stark von der Fähigkeit des zur Hydrido-Gruppe *trans*-ständigen Liganden ab, Elektronen vom Kobalt-Atom über eine π-Rückbindung abzuziehen. Dies gelingt besonders gut mit Trialkylphosphanen[3]. Hydrido-cobaloxime reagieren mit Alkylhalogeniden mit Geschwindigkeiten, die vergleichbar mit denen der entsprechenden Kobaltat(I)-Anionen sind. In sorgfältig getrocknetem und Methanol-freiem Hexan oder Benzol vermag die Hydrido-Verbindung jedoch nicht mit Alkyl-halogeniden, Oxiranen bzw. aktivierten Olefinen (s. S. 71) zu reagieren.

Auch weniger stabile Hydrido-cobaloxim(III)-Komplexe lassen sich mit Alkyl-halogeniden umsetzen[4]:

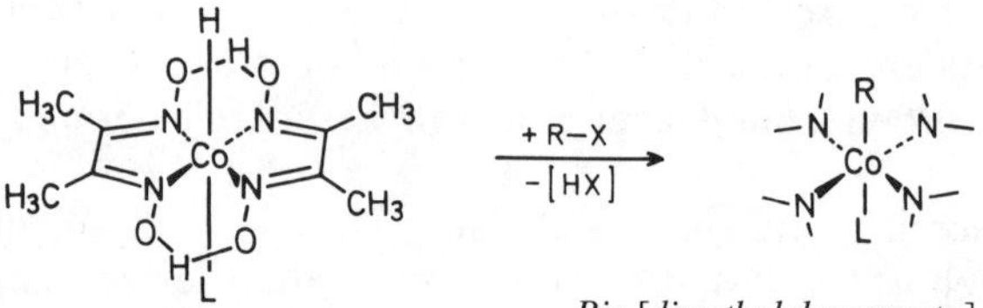

Bis-[dimethylglyoxamato]-...-kobalt

R = C₄H₉; X = Br; L = Pyridin; ...-butyl-pyridin-...[4]; 37%; F: 192° (Zers.)
R = CH₂–C₆H₅; X = Cl; L = (H₅C₆)₃P; ...-benzyl-triphenylphosphan-...[4]; 68%; F: 150°
R = CH₂–CH₂–CN; X = Br; L = Pyridin; ...-(2-cyan-ethyl)-pyridin-...[5]

Mit 1-Chlor-2-butin (Methanol, Natriumboranat) wird in einer S_E2-Reaktion *Bis-[dimethylglyoximato]-2-butinyl-pyridin-kobalt* erhalten. Eine S_E2'-Substitution zum Allenyl-Komplex (s. S. 126) tritt nicht ein, da der Angriff an der C≡C-Dreifachbindung für das Metall-Atom sterisch ungünstig ist[6].

[1] G. Costa u. G. Mestroni, J. Organometal. Chem. **11**, 325 (1968).
[2] G. Costa, G. Mestroni u. G. Pellizer, J. Organometal. Chem. **11**, 333 (1968).
[3] G. N. Schrauzer u. R. J. Holland, Am. Soc. **93**, 1505 (1971).
[4] G. N. Schrauzer u. J. Kohnle, B. **97**, 3056 (1964).
[5] A. Misono, Y. Uchida, M. Hidai u. H. Kanei, Bl. chem. Soc. Japan **40**, 2089 (1967).
[6] J. P. Collman, J. N. Cawse u. J. W. Kang, Inorg. Chem. **8**, 2574 (1969).

Mit 3-Brom-propin wird in analoger Weise (1,4-Dioxan/Wasser, 0°, 5 Min.; pH 8) *Bis-[dimethylglyoximato]-2-propinyl-pyridin-kobalt* (41%) erhalten[1].

Dihydrido-kobalt(III)-Chelatkomplexe reagieren mit Alkylhalogeniden unter Bildung von Wasserstoff, Kohlenwasserstoffen und Alkyl-kobalt(III)-Komplexen[2]. Formal werden 2 Hydrido-Reste durch einen Alkyl- und Halogen-Rest substituiert. Die Reaktion wird durch Belichten beschleunigt.

$$\{CoH_2(Chel)[R_3^2P]_2\}^{\oplus}[PF_6]^{\ominus} \;+\; R^1{-}X \quad \xrightarrow{\;H_3C-OH,\;48\;Stdn.\;} \quad \{Co(R^1)X(Chel)[R_3^2P]_2\}^{\oplus}[PF_6]^{\ominus}$$

$\dots$-*kobalt-hexafluorophosphat*

Chel = (Struktur) ; $R^2 = C_4H_9$; $R^1{-}X = C_2H_5J$; *(2,2'-Bipyridyl)-bis-[tributylphosphan]-butyl-jodo-*$\dots$

Chel = (Struktur) ; $R^2 = C_2H_5$; $R^1{-}X = CH_3J$; *Bis-[triethylphosphan]-jodo-methyl-1,10-phenanthrolin-*$\dots$

α_2) mit CH-aciden Verbindungen

Verbindungen mit stark aktivierter Methylen-Gruppe reagieren mit Kobalt(III)-Chelatkomplexen durch nucleophile Substitution am Kobalt unter Bildung von Alkyl-kobalt(III)-Verbindungen[3,4]. Die Kobalt(III)-Chelatkomplexe können leicht „in situ" durch Luft-Oxidation der entsprechenden, in Alkohol gelösten Kobalt(II)-Komplexe hergestellt werden. Die Reaktion verläuft beim Malonsäure-dinitril rasch, wohingegen die Bildung des entsprechenden Komplexes mit einer Cyanmethyl-Co-Bindung langsam abläuft[4]. Die meisten der so hergestellten Alkyl-kobalt(III)-Verbindungen sind am Kobalt 6-fach koordiniert. Die Ausbeuten können über 80% betragen.

$$CoL(OCH_3) \;+\; CH_2(CN)_2 \quad \xrightarrow[{-\,H_3C-OH}]{C_5H_5N;\;H_3C-OH\,/\,H_2O} \quad Co[CH(CN)_2]L(NC_5H_5)$$

$$1/n\,(CoL)_n \quad \xrightarrow[{2.\,+NC-CH_2-X}]{1.\;Luft,\;H_5C_2-OH\,/\,H_2O} \quad Co[CH(CN)X]L\cdot L'$$

$n = 1, 2$
$X = CN, CO{-}NH_2, COOC_2H_5$
$L' = H_2O$
$L = z.\,B.$: (Strukturen)

Dicyanmethyl-kobalt-Chelatkomplexe; allgemeine Arbeitsvorschrift[4]: 5 g Kobalt(II)-Chelatkomplex werden in 100 *ml* Ethanol suspendiert, mit 2,0 g Malonsäure-dinitril versetzt, 3 Stdn. unter Luft-Zutritt auf 78° erhitzt und 12 Stdn. stehen gelassen. Der ausgefallene Komplex wird abfiltriert, mit Ethanol gewaschen und getrocknet; Ausbeuten: 80–90%.

Die meisten Komplexe enthalten als Liganden 1 mol Wasser, das leicht durch andere Liganden substituiert werden kann.

[1] C. J. Cooksey, D. Dodd, C. Gatford, M. D. Johnson, G. J. Lewis u. D. M. Titchmarsh, Soc. [Perkin II] **1972**, 655. Zur bevorzugten Bildung des Allenyl-Komplexes durch Umsetzen von Cobaloxim(I)-Anion s. S. 132.

[2] A. Camus, C. Cocevar u. G. Mestroni, J. Organometal. Chem. **39**, 355 (1972).

[3] N. A. Bailey, B. M. Higson u. E. D. McKenzie, Inorg. Nucl. Chem. Letters **7**, 591 (1971).

[4] D. Cummins, B. M. Higson u. E. D. McKenzie; Soc. [Dalton] **1973**, 414.

Auch weniger starke CH-acide Verbindungen, wie Nitromethan, Acetonitril und Aceton, reagieren mit stark elektrophilen Kobalt(III)-Chelatkomplexen unter Bildung der entsprechenden Alkyl-kobalt(III)-Verbindungen[1].

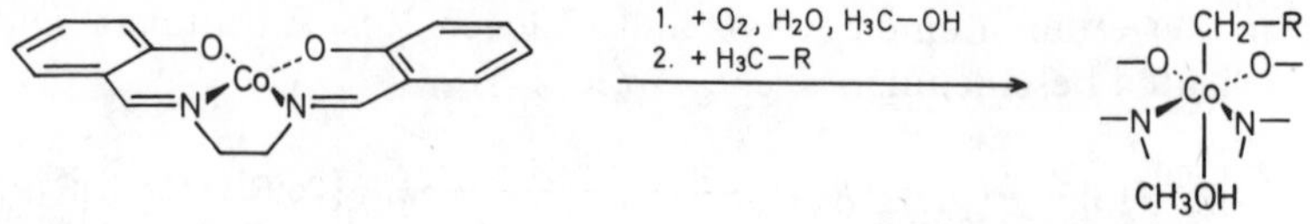

(1,2-Bis-[2-oxy-benzylidenamino]-ethan)-...kobalt

R = CO–CH₃; . . .-*methanol-(2-oxo-propyl)-*. . .[1,2]

R = CN; . . .-*cyanmethyl-methanol-*. . .[1,2]

(1,2-Bis-[2-oxy-benzylidenamino]-ethan)-methanol- (bzw. aquo)-nitromethyl-kobalt[1]: (1,2-Bis-[2-oxy-benzylidenamino]-ethan)-kobalt wird in einem Gemisch aus Wasser und Methanol (1/9) mit Luft oxidiert und der gebildete Kobalt(III)-Komplex durch Abziehen des Lösungsmittels i. Vak. isoliert. 2 mmol des so hergestellten Kobalt(III)-Komplexes werden in 50 *ml* Methanol und Wasser (9/1) gelöst und mit 2 *ml* Nitromethan umgesetzt. Nach 10 Min. erhält man ein kristallines Pulver, das mit Wasser und Diethylether gewaschen wird. Anschließend wird i. Vak. bei 20° getrocknet.

Dimethylsulfoxid reagiert nucleophil mit *meso*-Tetraphenylporphyrinato-kobalt-perchlorat in alkalischer Lösung zum *Methylsulfinylmethyl-meso-tetraphenylporphyrinato-kobalt*[3]:

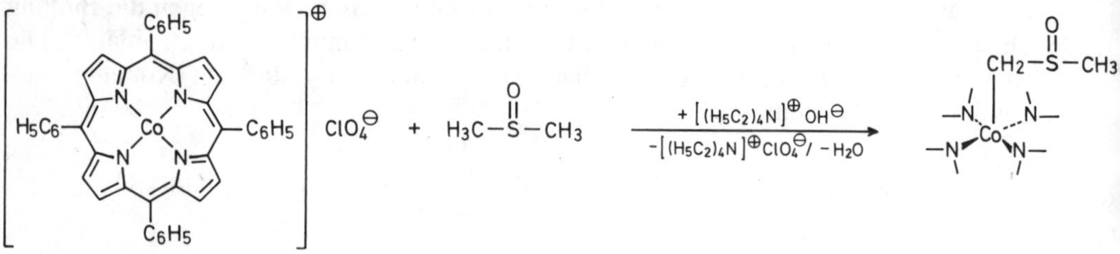

Werden Polychlormethane in Gegenwart von Sauerstoff mit (1-Phenyl-ethyl)-cobaloxim umgesetzt, so wird nicht das Chlor-Atom (vgl. S. 252), sondern das Wasserstoff-Atom substituiert[4]:

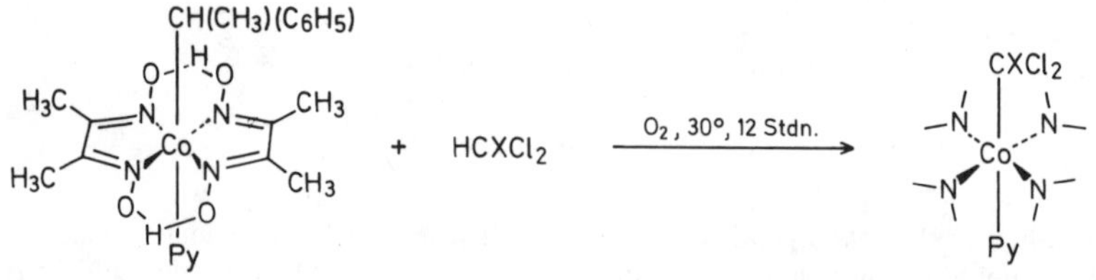

Bis-[dimethylglyoximato]-...-kobalt

X = H; . . .-*dichlormethyl-pyridin-*. . .; 46%

X = Cl; . . .-*pyridin-trichlormethyl-*. . .

Nitromethyl-pyridin-cobaloxim entsteht durch Erhitzen von Chloro-pyridin-cobaloxim in Nitromethan in Gegenwart von Silberoxid (40–50%)[5].

---

[1] A. Bigotto, G. Costa, G. Mestroni, G. Pellizer, A. Puxeddu, E. Reisenhofer, L. Stefani u. G. Tauzher, Inorg. Chim. Acta Rev. **4**, 41 (1970).

[2] M. Cesari, C. Neri, G. Perego, E. Perotti u. A. Zazzetta, Chem. Commun. **1970**, 276.

[3] P. Boucly, J. Devynck, M. Perree-Fauvet u. A. Gaudemer, J. Organometal. Chem. **149**, 65 (1978).

[4] A. Nishinaga, K. Nishizawa, Y. Nakayama u. T. Matsuura, Tetrahedron Letters **1977**, 85.

[5] L. Randaccio, N. Bresciani-Pamor, P.J. Toscano u. L.G. Marzilli, Inorg. Chem. **20**, 2722 (1981).

α_3) mit Alkyl-metall-Verbindungen

Cyclopentadienyl-halogeno- bzw. -trifluoracetato-kobalt(III)-Verbindungen können durch Alkyl-Grignard-Verbindungen einfach oder zweifach alkyliert werden. Der Cyclopentadienyl-Ligand bleibt dabei am Kobalt gebunden und stabilisiert den Komplex. Unter den genannten Reaktionsbedingungen ist der Dialkyl-Komplex oft das Hauptprodukt[1-6]. Die Dimethyl-Verbindungen sind an der Luft stabil, die Dibenzyl-Verbindungen sind weniger stabil.

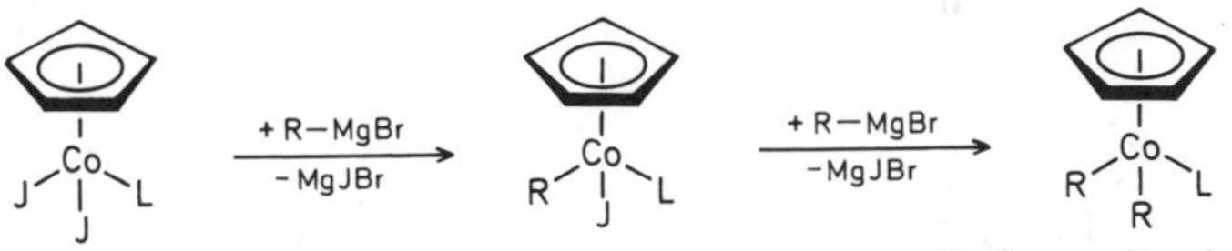

Cyclopentadienyl-. . .-kobalt

R = CH₃; L = (H₅C₆)₃P; . . .-*jodo-methyl-triphenylphosphan-. . .*[1,2]; 13%; F: 112° (Zers.)
　　　　+ . . .-*dimethyl-triphenylphosphan-. . .*[1,2]; 54%; F: 142–143° (Zers.)
　L = (H₅C₆)₂(H₃C)P; . . .-*(diphenyl-methyl-phosphan)-jodo-methyl. . .*[3]; 37%; F: 95–96° (Zers.)
　　　　+ . . .-*dimethyl-(diphenyl-methyl-phosphan)-. . .*[3]; 65%
　L = (H₅C₆)₃As; − . . .-*dimethyl-triphenylarsan-. . .*[3]; 28%
R = CH₂–C₆H₅; L = (H₅C₆)₃P; − . . .-*dibenzyl-triphenylphosphan-. . .*[1,3]; 68%; F: 102° (Zers.)

Gemischte Dialkyl-Verbindungen können durch Umsetzen eines Monoalkyl-Komplexes mit einer anderen Grignard-Verbindung hergestellt werden[7]; z.B.:

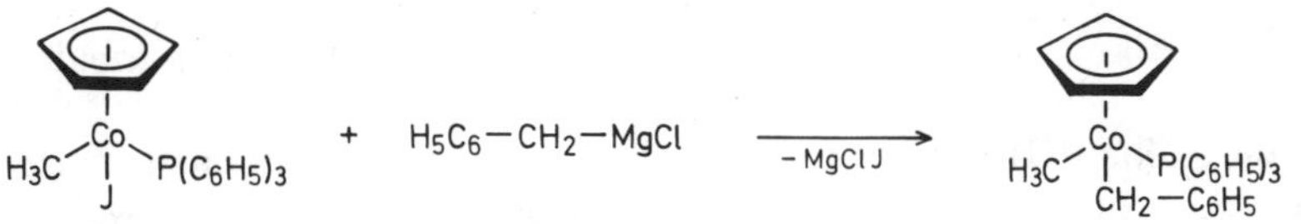

Benzyl-cyclopentadienyl-methyl-triphenylphosphan-kobalt; 51%; F: 112–113° (Zers.)

Methyl-magnesiumjodid substituiert beim Cyclopentadienyl-jodo-trifluormethyl-triphenylphosphan-kobalt nicht den Jodo-, sondern den Trifluormethyl-Rest[8] unter Bildung von *Cyclopentadienyl-jodo-methyl-triphenylphosphan-kobalt*:

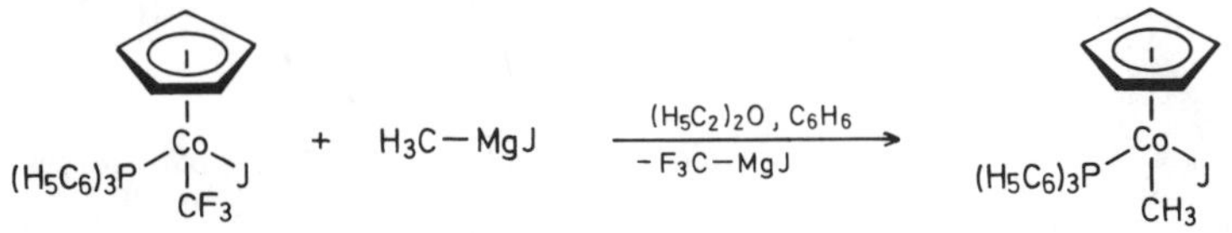

1,4-Bis-[brommagnesium]-butan oder Magnesolan bilden mit dem Dijodo-kobalt (III)-Komplex I *1-Cyclopentadienyl-1-triphenylphosphan-kobaltolan*[9]:

[1] H. Yamazaki u. N. Hagihara, Bl. chem. Soc. Japan **38**, 2212 (1965).
[2] R.B. King, Inorg. Chem. **5**, 82 (1966).
[3] H. Yamazaki u. N. Hagihara, J. Organometal. Chem. **21**, 431 (1970).
[4] H.E. Bryndza, E.R. Evitt u. R.G. Bergman, Am. Soc. **102**, 4948 (1980); Herstellung von *Bis-[trideuteromethyl]-cyclopentadienyl-triphenylphosphan* (bzw. *-trimethylphosphan)-kobalt*.
[5] E.R. Evitt u. R.G. Bergman, Am. Soc. **102**, 7003 (1980).
[6] W. Hofmann u. H. Werner, B. **115**, 119 (1982).
[7] Zur Synthese eines (1-Perfluoralkenyl)-perfluoralkyl-kobalt(III)-Komplexes s.S. 137.
[8] S.A. Gardner u. M.D. Rausch, Inorg. Chem. **13**, 997 (1974).
[9] P. Diversi, G. Ingrosso, A. Lucherini, W. Porzio u. M. Zocchi, Chem. Commun. **1977**, 811.

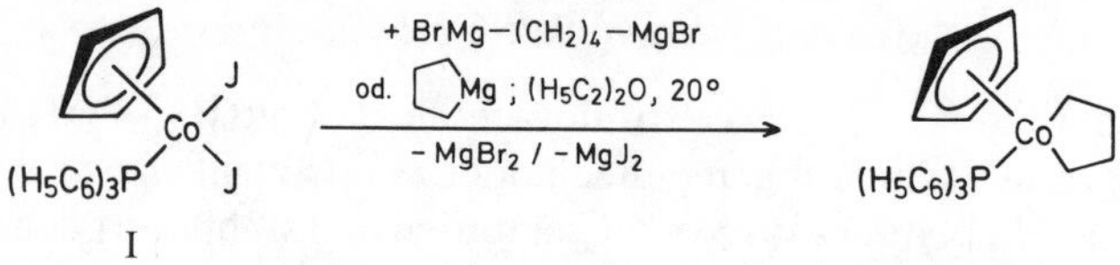

Cyclopentadienyl-tris-[trimethylphosphan]-kobalt-bis-[hexafluorophosphat] oder η^3-Allyl-cyclopentadienyl-trimethylphosphan-kobalt-hexafluorophosphat werden durch Methyl-lithium nur zweifach methyliert, da der Cyclopentadienyl-Rest sehr fest gebunden ist[1]:

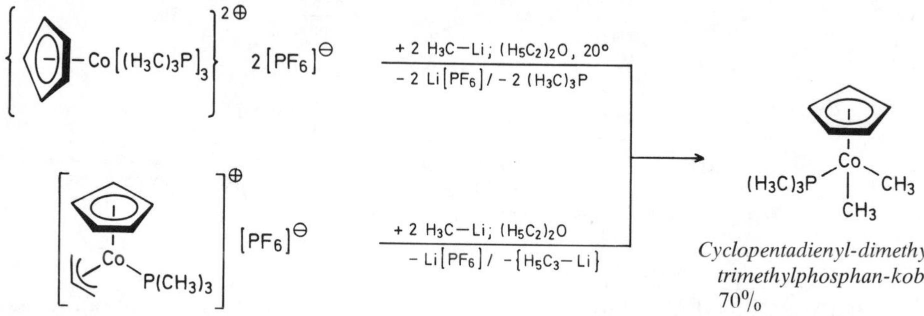

Cyclopentadienyl-dimethyl-trimethylphosphan-kobalt; 70%

Durch Umsetzung von μ,μ-Dichloro-bis-[chloro-(ethyl-tetramethyl-cyclopentadienyl)-kobalt] mit Methyl-lithium in Diethylether bei −78° erhält man in Gegenwart von Alkenen η^2-Alken-dimethyl-(ethyl-tetramethyl-cyclopentadienyl)-kobalt-Komplexe, die unterhalb −25° stabil sind[2].

Dihalogeno-kobalt(III)-Chelatkomplexe mit einem vierzähnigen, einfach geladenen Liganden werden mit Grignard-Verbindungen ebenfalls einfach oder zweifach alkyliert. Die Monoalkyl-Komplexe werden mit Natriumperchlorat in Aquo-kobalt-Kationkomplexe übergeführt[3,4]; z.B.:

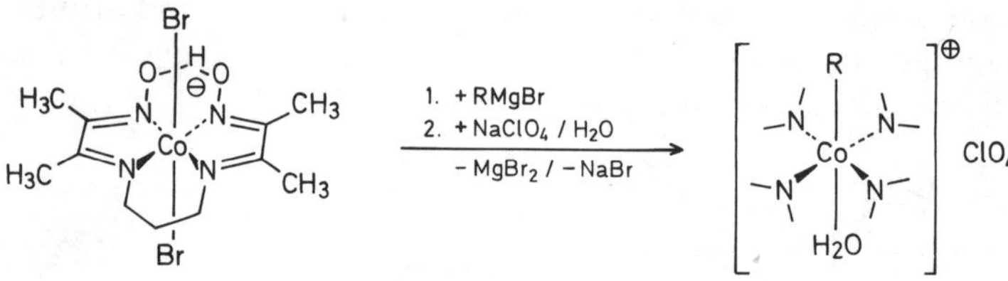

Aquo-(1,3-bis-[2-hydroximino-1-methyl-propylidenamino]-O-dehydro-propan)-. . .-kobalt-perchlorat
R = CH₃; . . .-*methyl-*. . .
R = CH₂–C₆H₅; . . .-*benzyl-*. . .

Die analogen Dialkyl-Verbindungen werden durch den Chelat-Liganden beträchtlich stabilisiert[5,6] (Herstellung durch Umsetzung mit zwei Äquivalenten Grignard-Verbindung).

Bei Komplexen mit zweifach negativ geladenen vierzähnigen Liganden und einem dritten Anion-Ligand wird i. a. lediglich das Halogen-Atom bzw. die Hydroxy-Gruppe durch

[1] T. AVILES u. M. L. H. GREEN, Soc. [Dalton] **1979**, 1116.
[2] R. B. A. PARDY, J. Organometal. Chem. **216**, C 29 (1981).
[3] G. COSTA u. G. MESTRONI, Tetrahedron Letters **1967**, 4005.
[4] G. COSTA, G. MESTRONI u. E. DE SAVORGNANI, Inorg. Chim. Acta **3**, 323 (1969).
[5] G. COSTA, G. MESTRONI, T. LICARI u. E. MESTRONI, Inorg. Nucl. Chem. Letters **5**, 561 (1969).
[6] G. COSTA, G. MESTRONI u. G. TAUZHER, Soc. [Dalton] **1972**, 450.

Alkyl-Grignard- oder -lithium-Verbindungen nucleophil ausgetauscht. Es werden daher lediglich Monoalkyl-kobalt-Komplexe erhalten.

Das Anion kann aber auch das Gegenion eines 6fach koordinierten Kobalt-Kationkomplexes sein. Dann wird bei der Alkylierung zusätzlich ein neutraler Ligand abgespalten:

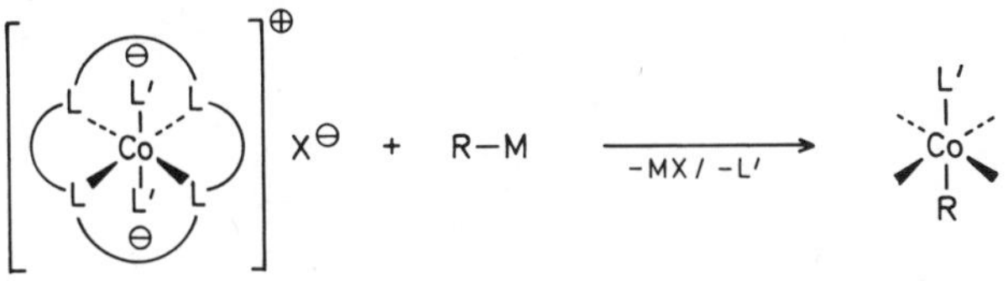

Halogeno-cobaloxim(III)-Komplexe werden ebenfalls durch Grignard-Verbindungen alkyliert[1]. Die Ausbeuten betragen $\sim 80\%$:

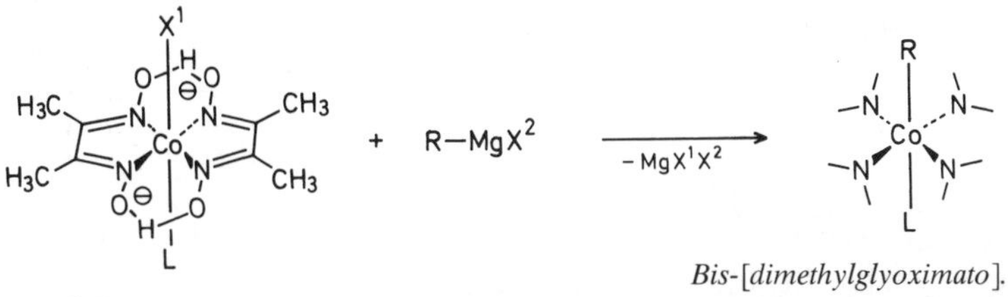

X = Cl, Br

Bis-[dimethylglyoximato]...-kobalt

$R = CH_3$; $L = (H_5C_6)_3P$; ...*-methyl-triphenylphosphan-*...; F: 190°
$R = C_2H_5$; $L = (H_5C_6)_3P$; ...*-ethyl-triphenylphosphan-*...; F: 174°
$R = CH_2-C_6H_5$; $L = Py$; ...*-benzyl-pyridin-*...; F: 238° (Zers.)

„Salcomin"-Komplexe[2] werden ebenfalls durch Grignard-Verbindungen leicht alkyliert. Dabei ist es unerheblich, ob man sechsfach koordinierte Kation- oder die fünffach koordinierten Neutral-Komplexe einsetzt[3-5].

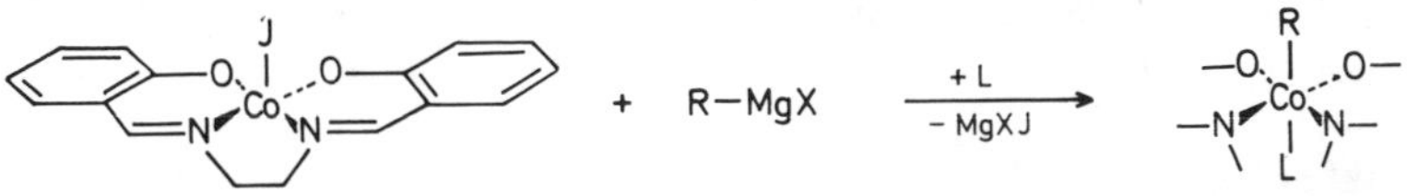

(1,2-Bis-[2-oxy-benzylidenamino]-ethan)-...-kobalt
z.B.: $R = C_2H_5$; $L = H_2O$; ...*-ethyl-aquo-*...[4]; 34% d. Th.
$R = CH(CH_3)_2$; $L = Py$; ...*-isopropyl-pyridin-*...[4]

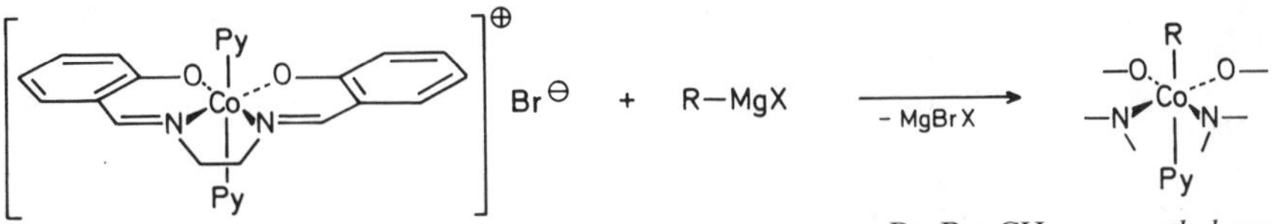

z.B.: $R = CH_3$; ...*-methyl-pyridin-*...
$R = C_4H_9$; ...*-butyl-pyridin-*...

[1] G.N. Schrauzer u. J. Kohnle, B. **97**, 3056 (1964).
[2] Komplexe mit Chelatligand-Salen werden in der Literatur oft als „Salcomin" bezeichnet. Der Komplex ist **sehr giftig**!
[3] G. Costa, G. Mestroni u. L. Stefani, J. Organometal. Chem. **7**, 493 (1967).
[4] C. Floriani, M. Puppis u. F. Calderazza, J. Organometal. Chem. **12**, 209 (1968).
[5] D.P. Graddon u. I.A. Siddiqi, J. Organometal. Chem. **133**, 87 (1977).

Ähnlich reagieren die sechsfach koordinierten Neutral- oder Kation-Komplexe mit einem (1,2-Bis-[3-oxy-1-methyl-butylidenamino]-ethan)-Ligand[1]:

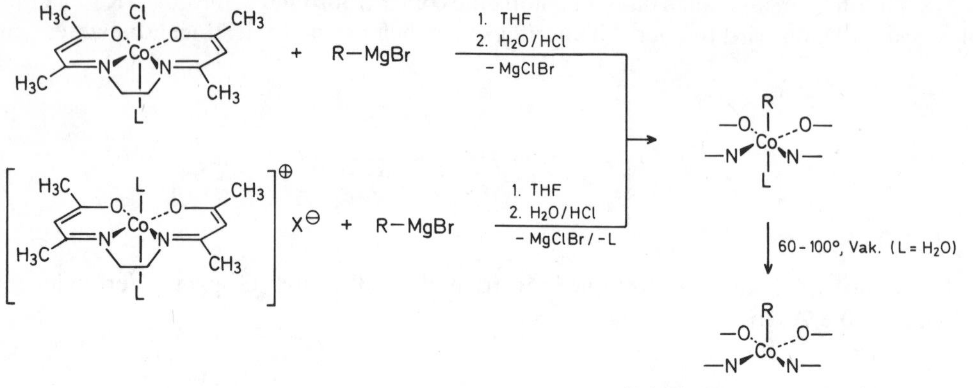

(1,2-Bis-[3-oxy-1-methyl-buty-lidenamino]-ethan)-. . .-kobalt

$R = CH_3$; . . .-methyl-. . .

$R = C_2H_5$; . . .-ethyl-. . .

Die Methyl- und Benzyl-Komplexe mit 1,2-Bis-[3-carboxy-2-oxy-benzylidenamino]-ethan als vierzähnigem Liganden sind analog hergestellt worden[2].

Aquo-[1,2-bis-[3-carboxy-2-oxy-benzylidenamino]-ethan]-methyl-kobalt[2]: 10 mmol {1,2-Bis-(3-carboxy-2-oxy-benzylidenamino]-ethan)-kobalt-chlorid-Bis-hydrat werden in 50 *ml* absol. THF gelöst und unter Rühren bei −20° mit 30 mmol der Grignard-Verbindung behandelt, die aus Bromethan und Magnesium in THF hergestellt wird. Die Mischung wird bei 20° 5 Stdn. gerührt, hierauf auf Eiswasser geschüttet und mit 2 N Salzsäure neutralisiert. Das Lösungsmittel wird i. Vak. abgezogen, der Rückstand filtriert, mit Wasser gewaschen und aus wäßr. Ethanol umkristallisiert; Ausbeute: ∼ 65%; F: 180° (Zers.).

Verschieden substituierte Porphyrinato-Komplexe lassen sich mit Grignard- bzw. Organo-lithium-Verbindungen unter Bildung von fünf- oder sechsfach koordinierten Komplexen alkylieren; z.B.:

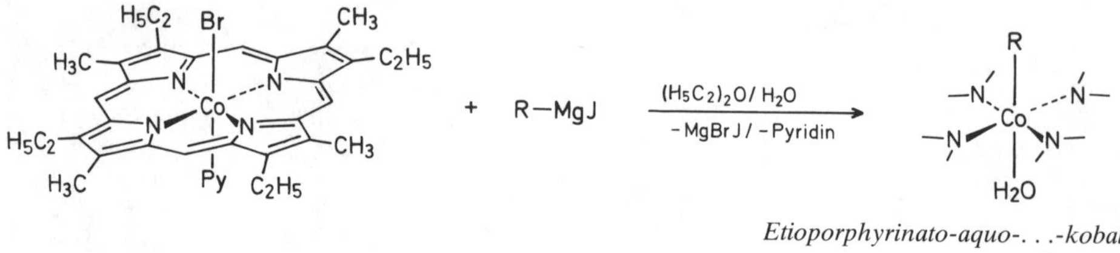

Etioporphyrinato-aquo-. . .-kobalt[3,4]

$R = CH_3$; . . .-methyl-. . .; 55%

$R = C_4H_9$; . . .-butyl-. . .; 70%

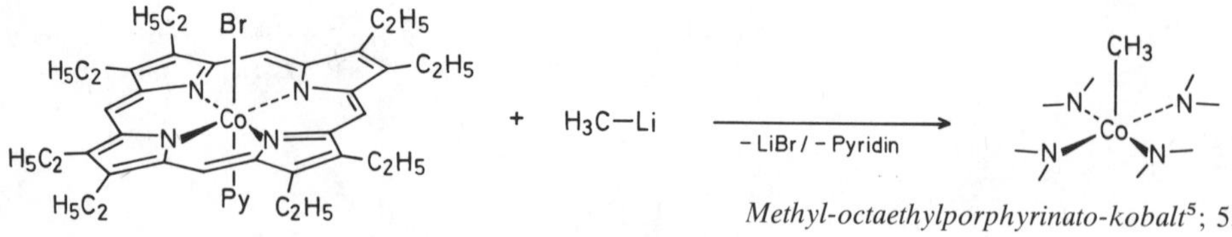

Methyl-octaethylporphyrinato-kobalt[5]; 55%

[1] G. Costa, G. Mestroni, G. Tauzher u. L. Stefani, J. Organometal. Chem. **6**, 181 (1966).

[2] K. Dey u. R.L. De, J. indian chem. Soc. **51**, 374 (1974).

[3] D. Dolphin u. A.W. Johnson, Chem. Commun. **1965**, 494.

[4] D.A. Clarke, R. Grigg u. A.W. Johnson, Chem. Commun. **1966**, 208.

[5] H. Ogoshi, E.-I. Watanabe, N. Koketsu u. Z.-I. Yoshida, Bl. chem. Soc. Japan **49**, 2529 (1976).

Die Alkylierung von Kobalt(III)-Chelatkomplexen gelingt auch mit Dimethyl-queck-silber[1]. Hierbei muß berücksichtigt werden, daß Quecksilber(II)-Verbindungen auch de-alkylieren können. So ist es oft erforderlich, das Alkylierungsreagens im Überschuß einzusetzen.

$$[Co(Chel)XL] + (H_3C)_2Hg \xrightarrow[- H_3C-HgX]{H_3C-OH\,/\,H_2O,\,2\,Stdn.} [H_3C-Co(Chel)L']$$

Chel = ; L = H$_2$O; X = OH; L'–; *(1,2-Bis-[2-oxy-benzylidenamino]-ethan)-methyl-kobalt*

Chel = ; L = L' = H$_2$O; X = OH; *Aquo-(1,2-bis-[3-oxy-1-methyl-butylidenamino]-ethan)-methyl-kobalt*

Der nur schwach gebundene 2,4-Pentandionato-Ligand im Bis- bzw. Tris-[2,4-pentan-dionato]- kobalt wird dagegen beim Behandeln mit Organo-metall-Verbindungen substi-tuiert. Unter Umständen entstehen in reduktiven Folgereaktionen Organo-kobalt(I)- und -kobalt(II)-Komplexe (s. S. 22, 23, 51).

In Gegenwart von anderen Liganden entstehen mit Alkyl-aluminium-Verbindungen je nach Reaktionsbedingungen unter Substitution der 2,4-Pentandionato-Gruppen Dial-kyl-kobalt(III)- oder unter Reduktion Alkyl-kobalt(I)-Verbindungen. Alkyl-kobalt-Verbindungen mit β-Wasserstoff-Atomen sind so instabil, daß sie oft nicht isoliert werden können.

Wird in Gegenwart von Triorganophosphan alkyliert, so werden zwei Pentandionato-Gruppen durch Alkyl-Reste substituiert und zwei Phosphan-Liganden an das Kobalt-Atom addiert[2,3]. Zur Alkylierung haben sich Dialkyl-ethoxy-aluminium-Verbindungen als besonders geeignet erwiesen.

Dialkyl-kobalt-Komplexe mit (Dimethyl-phenyl-phosphan)-Liganden sind stabiler als solche mit (Diphenyl-methyl-phosphan)-Liganden[3,4].

. . .-dimethyl-2,4-pentandionato-kobalt

$R_3^2P = (H_5C_6)_2(H_3C)P$; *Bis-[diphenyl-methyl-phosphan]-*. . .; 90%; F: 89–92°
$R_3^2P = (H_9C_4)_3P$; *Bis-[tributylphosphan]-*. . .; 54%; F: 64–69°

Bei den thermisch empfindlichen Verbindungen darf die erforderliche Reaktionstemp. nicht überschritten werden, da sich unter Abspaltung der Alkyl-Reste Hydrido-tetraphosphan-kobalt-Komplexe bilden.

Dies gilt für die nach dieser Methode hergestellten *Bis-[dimethyl-phenyl-phosphan]-diethyl-(2,4-pentandio-nato)-kobalt* [65%; F: 67–68° (Zers.)] und für das *Propyl*-Derivat [35%; F: 49–50° (Zers.)]. Die 2-Methyl-pro-pyl-Verbindung ist bereits bei 20° instabil.

Bis-[triethylphosphan]-dimethyl-(2,4-pentandionato)-kobalt[3]: Zu einer Mischung aus 1,00 g (2,8 mmol) Tris-[2,4-pentandionato]-kobalt und 1,5 *ml* (10 mmol) Triethylphosphan in 10 *ml* Diethylether gibt man bei 20° 3 *ml* Dimethyl-ethoxy-aluminium. Zum Sieden wird einige Min. auf 40–45° erhitzt. Dabei färbt sich die grüne Lösung plötzlich tief gelb unter Rückflußkochen des Ethers. Nach dem Farbumschlag wird die Reaktionsmi-schung rasch auf 0° gekühlt und bei dieser Temp. so lange gerührt, bis die Umsetzung vollständig ist. Dann kühlt

---

[1] G. Mestroni, G. Zassinovich, A. Camus u. G. Costa, Transition Met. Chem. **1**, 32 (1975/76).
[2] T. Ikariya u. A. Yamamoto, Chem. Letters **1976**, 85.
[3] T. Ikariya u. A. Yamamoto, J. Organometal. Chem. **116**, 239 (1976).
[4] T. Ikariya, Y. Nakamura u. A. Yamamoto, J. Organometal. Chem. **118**, 101 (1976).

man auf −78°. Die hierbei ausgefallenen gelben bis grünlichgelben Kristalle werden abfiltriert und mit Diethylether und Hexan 3 oder 4mal gewaschen. Die gelben Kristalle werden aus Diethylether umkristallisiert; Ausbeute: 60%; F: 78–81° (Zers.); ^{1}H–NMR (d$_8$-Toluol, −20°): τ CoCH$_3$ 9.92 (t).

Bei Einsatz von Chelat-bildenden Liganden und Trialkyl-aluminium ist es möglich, alle drei (2,4-Pentandionato)-Reste abzuspalten[1]. Man erhält einen Dialkyl-kobalt(III)-Komplex mit Tetraalkylaluminat als Gegenion. Die Komplexe sind gegenüber Luft relativ stabil und thermisch beständig bis 100°.

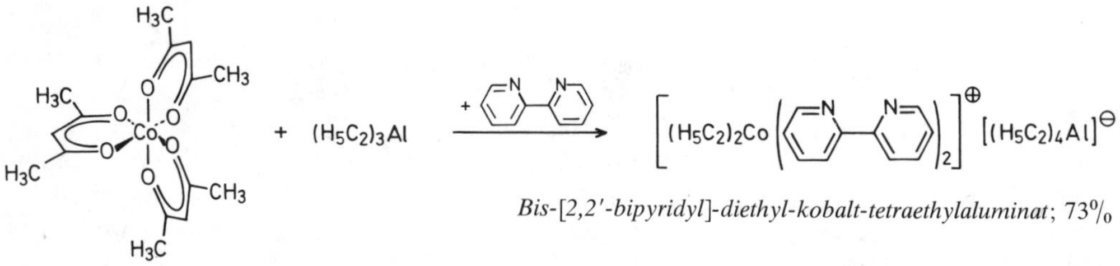

Bis-[2,2'-bipyridyl]-diethyl-kobalt-tetraethylaluminat; 73%

Bis-[2,2'-bipyridyl]-dimethyl-kobalt-tetramethylaluminat[1,2]: Eine bei −60° hergestellte Mischung aus 2,4 g (6,7 mmol) Tris-[2,4-pentandionato]-kobalt, 3,6 g (23 mmol) 2,2'-Bipyridyl und 3,8 g (53 mmol) Trimethylaluminium in 60 *ml* Diethylether wird auf 20° erwärmt. Es entsteht eine homogene braune Lösung, die 1 Stde. gerührt wird. Dabei fällt ein tiefroter Niederschlag aus, der nach 10 Stdn. abgetrennt, sorgfältig mit Hexan gewaschen und i. Vak. getrocknet wird; Ausbeute: 2,7 g (5,5 mmol; 82%); ^{1}H–NMR (CD$_2$Cl$_2$, −50°): CoCH$_3$ 0.60 (s).

Im Unterschied dazu entsteht aus Tris-[2,4-pentandionato]-kobalt, 1,3-Bis-[diphenylphosphano]-2,2-bis-[diphenylphosphano-methyl]-propan und Diethyl-ethoxy-aluminium *(1,3-Bis-[diphenylphosphano]-2,2-bis-[diphenylphosphano-methyl]-propan-P^1,P^2, P^3)-diethyl-hydrido-kobalt* und Ethen[3]:

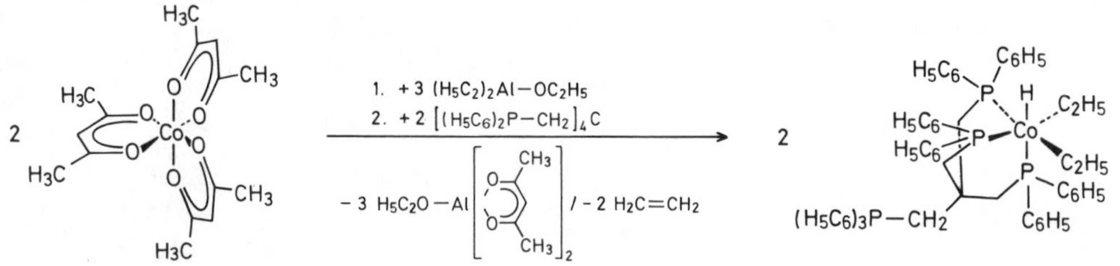

Drei Alkyl-Reste werden bei der Umsetzung von Tris-[2,4-pentandionato]-kobalt mit Methyl-lithium in Gegenwart von Trimethylphosphan eingeführt. Das erhaltene *mer-Trimethyl-tris-[trimethylphosphan]-kobalt* ist nicht analysenrein[4]. Durch Abspaltung einer Methyl- Gruppe mit Chlorwasserstoff und anschließende Methylierung der gut kristallisierenden Chloro-dimethyl-kobalt(III)-Verbindung durch Methyl-lithium kann der reine Trimethyl-kobalt-Komplex isoliert werden. Einfacher und in hohen Ausbeuten erhält man dieselbe Verbindung durch Umsetzung von Bromo- oder Jodo-dimethyl-tris-[trimethylphosphan]-kobalt mit Methyl-lithium. Analog reagiert Bis-[dimethyl-phenylphosphan]-dimethyl-(2,4-pentandionato)-kobalt mit Methyl-lithium und Dimethylphenyl-phosphan unter Abspaltung des Chelat-Liganden[5].

[1] T. Yamamoto, M. Bundo u. A. Yamamoto, Chem. Letters **1977**, 833.
[2] Vgl. S. Pasynkiewcz u. A. Pietrzykowski, J. Organometal. Chem. **142**, 205 (1977).
[3] J. Ellermann u. W.H. Gruber, Ang. Ch. **80**, 115 (1968).
[4] H.-F. Klein u. H.H. Karsch, B. **108**, 956 (1975).
[5] S. Komiya, A. Yamamoto u. T. Yamamoto, Transition Met. Chem. **4**, 344 (1979).

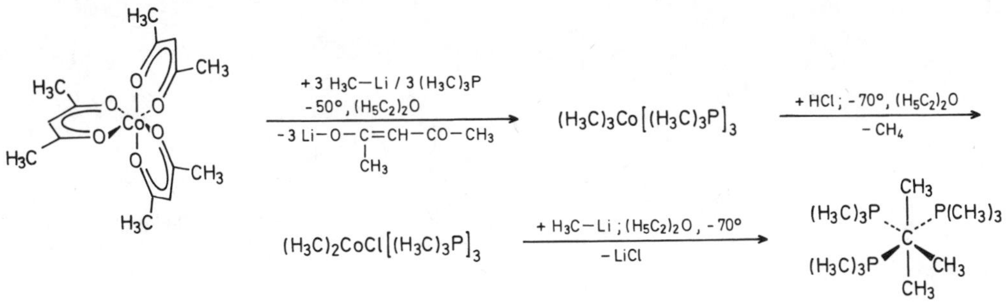

$$(H_3C)_3Co[(H_3C)_3P]_3 \xrightarrow[-CH_4]{+HCl\,;\,-70°,\,(H_5C_2)_2O}$$

$$(H_3C)_2CoCl[(H_3C)_3P]_3 \xrightarrow[-LiCl]{+H_3C-Li\,;\,(H_5C_2)_2O\,,\,-70°}$$

13–75%   95%

Die Verbindung ist gegen Sauerstoff in Lösung äußerst empfindlich. Im festen Zustand läßt sie sich an der Luft kurze Zeit handhaben.

Die Trimethylphosphan-Liganden in *mer*-Trimethyl-tris-[trimethylphosphan]-kobalt sind sehr fest gebunden, so daß sie sich nicht durch Stickstoffbasen wie Ammoniak, Triethylamin oder Pyridin verdrängen lassen. Trimethylphosphit substituiert lediglich einen Liganden und zwar den, der durch die *trans*-ständige Methyl-Gruppe labilisiert ist[1,2]. Bei der Umsetzung mit Kohlenmonoxid werden Methyl-Gruppen abgespalten (s. S. 274).

Alkyl-cobaloxim(III) überträgt seinen Alkyl-Rest langsam auf Cobaloxim(III)[3]. Die Reaktion ist bei dem Cobaloxim(I)-Anion und Cobaloxim(II) wesentlich rascher (s. S. 90 und 109). Da Cobaloxim(III) oft Spuren von Cobaloxim(II) enthält, die die Austauschreaktion katalysieren, werden rasche Reaktionen vorgetäuscht.

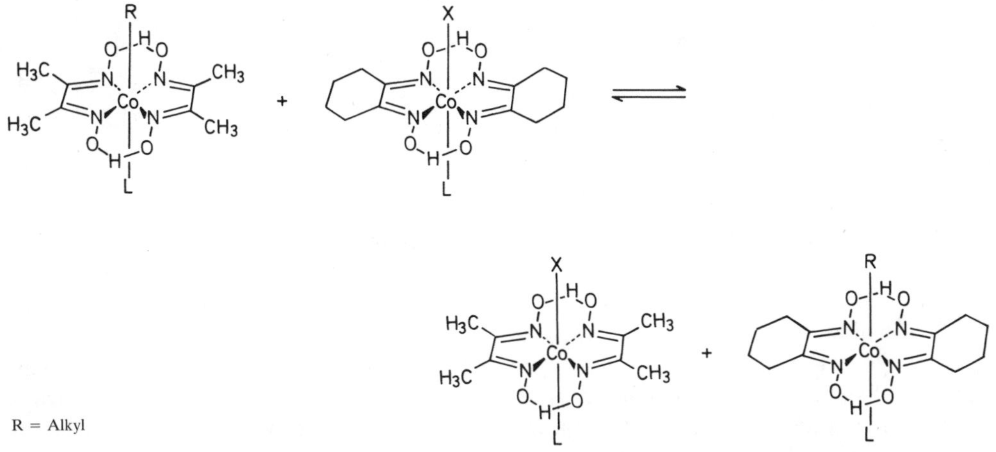

R = Alkyl

Die Methyl-Gruppe verschiedener ungeladener Methyl-kobalt(III)-Chelat-Komplexe kann auf einfach oder doppelt positiv geladene Kobalt(III)-Chelat-Komplexe übertragen werden[4]. Es hängt von der Art der Liganden ab, auf welcher Seite das Gleichgewicht liegt. Bei einigen Beispielen geht die Reaktion nahezu quantitativ in eine Richtung; z.B.:

[1] H.-F. KLEIN u. H.H. KARSCH, B. **108**, 956 (1975).
[2] Die Substitution läßt sich ¹H-NMR-spektroskopisch verfolgen.
[3] D. DODD, M.D. JOHNSON u. B.L. LOCKMAN, Am. Soc. **99**, 3664 (1977).
[4] G. MESTRONI, C. COCEVAR u. G. COSTA, G. **103**, 273 (1973).

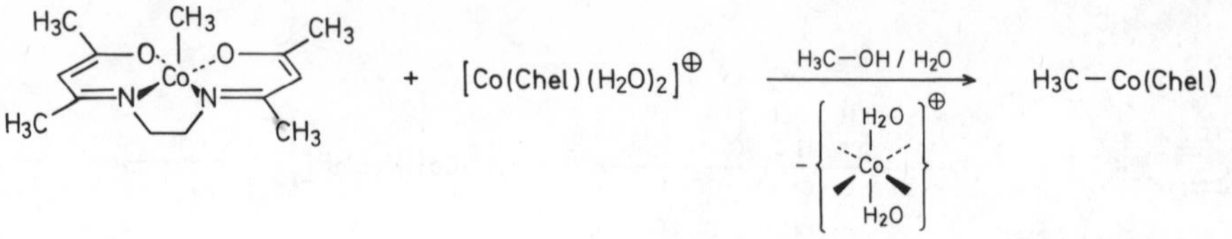

$$\text{z. B. Chel} = \text{...}$$

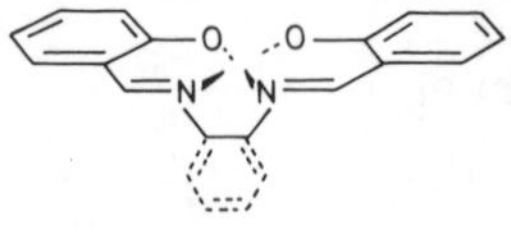

...-methyl-kobalt
(1,2-Bis-[2-oxy-benzylidenamino]-ethan)-...
bzw. (1,2-...-benzol)-...

Es kann folgende Reihe abgeleitet werden, in der das entsprechende Methyl-Derivat jeden rechts stehenden Komplex alkyliert, aber nicht den links stehenden:

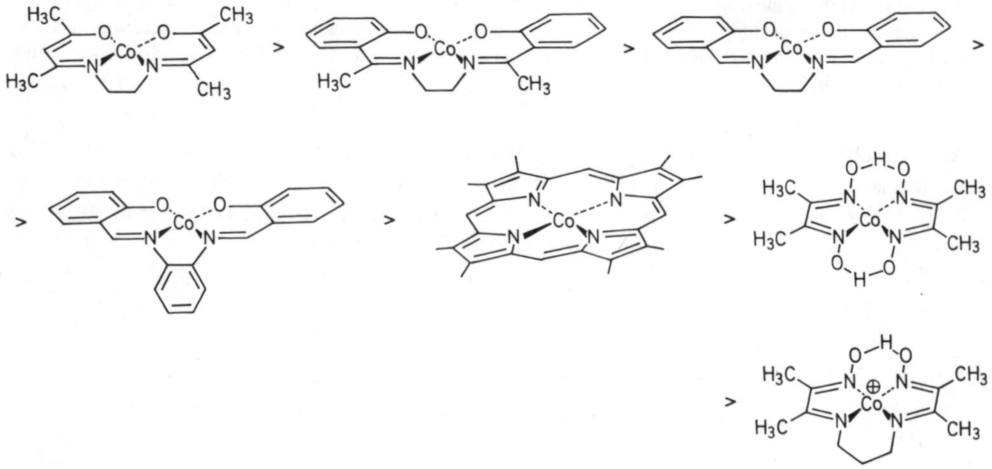

Die Übertragung einer Methyl-Gruppe gelingt besonders rasch und fast quantitativ mit   1,3-Bis-[2-hydroximino-1-methyl-propylidenamino]-dehydro-propan)-dimethyl-kobalt[1,2].

Ein Sonderfall dieser Methode ist der Austausch von σ-Alkyl-Resten zwischen Alkyl-kobalt-Verbindungen.

Durch Deuterierung der Methyl-Gruppen oder durch Einführung von Methylcyclopentadienyl- anstelle von Cyclopentadienyl-Liganden läßt sich zeigen, daß die Methyl-Gruppen intermolekular zwischen den Kobalt-Atomen ausgetauscht werden[3,4]; z.B.:

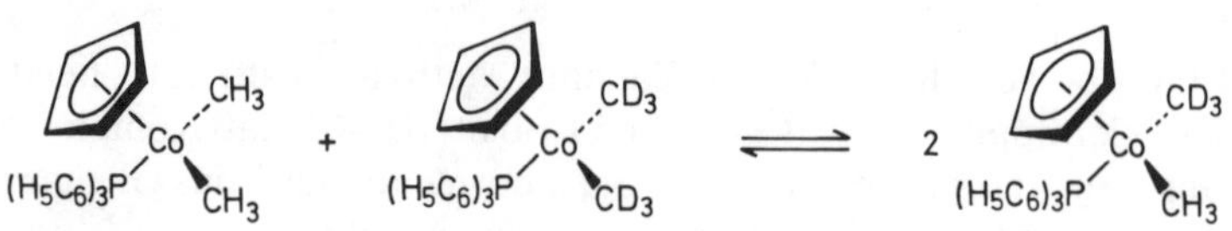

Cyclopentadienyl-methyl-tri-
deuteromethyl-triphenylphosphan-kobalt

[1] G. Mestroni, C. Cocevar u. G. Costa, G. **103**, 273 (1973).
[2] Vgl. a. J.H. Espenson, H.L. Fritz, R.A. Heckman u. C. Nicolini, Inorg. Chem. **15**, 906 (1976).
[3] H.E. Brynzda, E.R. Evitt u. R.G. Bergmann, Am. Soc. **102**, 4948 (1980).
[4] Durch Zusatz von Trimethylphosphan wird die Austauschreaktion deutlich verlangsamt. Wenn der Triphenyl-phosphan-Ligand vollständig durch Trimethylphosphan substituiert wird, findet kein Austausch statt.

α_4) *mit Alkenen*

$\alpha\alpha_1$) aus Hydrido-kobalt(III)-Verbindungen

Hydrido-cobaloxime sind normalerweise relativ instabil und werden daher in situ aus den 2- oder 3-wertigen Cobaloximen hergestellt. Der Hydrido-Komplex gibt in alkalischer Lösung ein Proton ab. Die entsprechenden Reaktionen des Cobaloxim(I)-Anions sind a. S. 87 beschrieben. Es ist nicht immer sicher, ob die Reaktion über die Hydrido- oder die Anion-Form verläuft oder gar beide Formen gleichzeitig auftreten.

Der Hydrido-cobaloxim-Komplex kann durch Einführung von Trialkyl-phosphan in die axiale Stellung beträchtlich stabilisiert werden, so daß er sich isolieren läßt (Zers.: $> 150°$)[1]. Er reagiert leicht mit aktivierten Olefinen, wie Acrylnitril und Acrylsäure-estern, unter Bildung des α-substituierten Ethyl-Komplexes. Überraschenderweise ist der Hydrido-Komplex inaktiv, wenn unter völligem Ausschluß von Protonen-aktiven Lösungsmitteln wie Methanol und Wasser gearbeitet wird. Die Olefin-Addition liegt im Gleichgewicht mit der β-Eliminierung. Bei 20fach molarem Überschuß von Acrylnitril beträgt die Ausbeute $\sim 80\%$.

Der analoge Triphenylphosphan-Komplex reagiert in 86- bzw. 91%iger Ausbeute unter Addition an die C–C-Doppelbindung mit Acrylnitril bzw. Styrol[2]. Analog entstehen *(1-Cyan-ethyl)-pyridino-cobaloxim* (und sein Diphenylglyoximato-Analoges)[3]. Zur Synthese von *(2-Cyan-ethyl)-pyridino-cobaloxim* (s.S. 88, 102):

R = CN, COOR¹

Gleichfalls in einer reversiblen Reaktion werden Styrol-Derivate mit Hydrido-pyridi-no-cobaloxim umgesetzt[4,5].

Bis-[dimethylglyoximato]-(1-phenyl-ethyl)-pyridin-kobalt

Bei der Umsetzung von Hydrido-pyridin-cobaloxim mit 2-Methyl-arylnitril entsteht in hoher Ausbeute *Bis-[dimethylglyoximato]-(1-cyan-1-methyl-ethyl)-pyridin-kobalt*[4].

Die folgenden Natrium-kobalt(I)-Chelatkomplexe sind recht stabil. Sie reagieren mit Wasser zu den entsprechenden Hydrido-kobalt(III)-Verbindungen, die ebenfalls mit Acrylnitril reagieren[6,7].

[1] G.N. Schrauzer u. R.J. Holland, Am. Soc. **93**, 1505 (1971).
[2] G.N. Schrauzer u. J. Kohnle, B. **97**, 3056 (1964).
[3] A. Misono, Y. Uchida, M. Hidai u. H. Kanai, Bl. chem. Soc. Japan **40**, 2089 (1967).
[4] G.N. Schrauzer u. R.J. Windgassen, Am. Soc. **89**, 1999 (1967).
[5] K.N.V. Duong, A. Ahond, C. Merienne u. A. Gaudemer, J. Organometal. Chem. **55**, 375 (1973).
[6] G. Costa u. G. Mestroni, J. Organometal. Chem. **11**, 325 (1968).
[7] G. Costa, G. Mestroni u. G. Pellizer, J. Organometal. Chem. **11**, 333 (1968).

$$Na^{\oplus}[CoL]^{\ominus} \xrightarrow[-NaOH]{+H_2O/THF} H-CoL \xrightarrow{+H_2C=CH-CN} \begin{array}{c} CH_2-CH_2-CN \\ | \\ CoL(H_2O)_n \end{array}$$

...-(2-cyan-ethyl)-kobalt[1]

L=   ; n = 0; *(1,2-Bis-[3-oxy-1-methyl-butylidenamino]-ethan)-...; 80%; F: 149°*

L=   ; n = 1; *Aquo-(1,2-bis-[2-oxy-benzylidenamino]-ethan)-...*

Ein Hydrido-Komplex kann auch durch Reduktion von Pentacyanokobaltat(II) durch Kalium-Amalgam hergestellt werden[2, 3]; z.B.:

$$[CoH(CN)_5]^{3\ominus} + F_2C=CF_2 \longrightarrow [(F_2HC-CF_2)Co(CN)_5]^{3\ominus}$$

Trikalium-[pentacyano-(1,1,2,2-tetrafluor-ethyl)-kobaltat][3, 4]: Eine luftfreie Lösung von 2,38 g Kobalt(II)-chlorid-Hexahydrat und 3,3 g Kaliumcyanid in 150 *ml* Wasser wird mit 50 g 3%igem Kalium-Amalgam behandelt.

Die Lösung wird geschüttelt, bis sie sich schwach-gelb verfärbt hat. Dann wird sie unter Stickstoff in einen 250-*ml*-Rundkolben dekantiert und mit Tetrafluorethen (1 bar) geschüttelt, bis die Gasaufnahme nach ~30 Min. aufhört. Bei Zusatz von 150 *ml* Ethanol entsteht eine kleine Menge von Hexakalium-μ-tetrafluorethen-bis-[pentacyanokobaltat(III)], die abfiltriert wird. Bei Zusatz von weiteren 300 *ml* Ethanol fällt der gewünschte Komplex ölig aus. Er kristallisiert langsam bei 0°. Die Kristalle werden mit Ethanol gewaschen und i. Vak. getrocknet; Ausbeute: ~50%; IR (Nujol): ν_{CN} 2145 (m), 2130 (s), 2121 (s), 2089 (m) und 2082 (m) cm^{-1}.

Durch Addition von Hydrido-pentacyano-kobaltat(III) an 1,3-Butadien entsteht unter 1,4-Addition der instabile σ-Allyl-Komplex, der unter Verlust einer Cyan-Gruppe reversibel in den π-Komplex übergeht[5, 6]. Bei großem Cyanid-Überschuß (CN/Co = 10) liegt ausschließlich der 2-Butenyl-Komplex vor (*cis:trans* = ~1:1)[7]:

$$K_3[CoH(CN)_5] + H_2C=CH-CH=CH_2 \longrightarrow K_3[Co(CH_2-CH=CH-CH_3)(CN)_5]$$

Trikalium-2-butenyl-pentacyano-kobaltat

Im Gegensatz zur Reaktion mit Vinylchlorid, bei dem durch Abspaltung von Chlorwasserstoff ein Vinyl-Komplex entsteht, wird bei der Umsetzung mit Acrylnitril *Trikalium-(1-cyan-ethyl)-pentacyano-kobaltat* gebildet[5, 8]:

$$K_3[CoH(CN)_5] + H_2C=CH-CN \longrightarrow K_3\{Co[CH(CN)-CH_3](CN)_5\}$$

Bei der Addition der Hydrido-kobalt(III)-Gruppe an 2-Vinyl-pyridin erhält man dieselbe Additions-Verbindung wie bei der Reaktion von Pentacyano-kobaltat(II) mit 2-(2-Brom-ethyl)-pyridin (s.S. 104)[8]. Als Nebenprodukt entsteht 2-Ethyl-pyridin (40% bez. auf 2-Vinyl-pyridin).

[1] G. Costa u. G. Mestroni, J. Organometal. Chem. **11**, 325 (1968).

[2] M.J. Mays u. G. Wilkinson, Nature **203**, 1167 (1964).

[3] M.J. Mays u. G. Wilkinson, Soc. **1965**, 6629.

[4] R.M. Mason u. D.S. Russell, Chem. Commun. **1965**, 182.

[5] J. Kwiatek u. J.K. Seyler, J. Organometal. Chem. **3**, 421 (1965).

[6] M.G. Burnett, P.J. Connolly u. C. Kemball, Soc. [A] **1968**, 991.

[7] H.J. Clase, A.J. Cleland u. M.J. Newlands, J. Organometal. Chem. **93**, 231 (1975).

[8] M.D. Johnson, M.L. Tobe u. L.-Y. Wong, Soc. [A] **1968**, 929.

Trikalium-[1-(2-pyridyl)-ethyl]-pentacyano-kobaltat

Überraschenderweise reagieren die entsprechenden 1-Methyl-1-alkene rascher als die 1-Alkene[1].

$\alpha\alpha_2$) aus anderen Kobalt(III)-Verbindungen

Kobalt(III)-Chelatkomplexe, wie Cobaloxim und Cobalamin (Vitamin B_{12b})[2] bilden in Gegenwart von Basen und Alkohol mit Vinylethern Formyl-kobalt(III)-Komplexe oder deren Acetale[3,4]. Das am Kobalt-Atom gebundene Halogen braucht vor der Umsetzung mit dem Olefin nicht durch Reaktion mit einem Silber-Salz abgespalten zu werden; die Reaktion kann aber dadurch aktiviert und die Reaktionstemperatur von 20 auf −78° abgesenkt werden. Die reversible Reaktion verläuft wahrscheinlich über einen π-Olefin-Kobalt(III)-Komplex. Das zunächst gebildete Acetal wird leicht hydrolysiert, so daß es nicht gelingt, das Acetal rein zu erhalten.

Durch Zusatz von Trocknungsmitteln, wie Kaliumcarbonat und Calciumsulfat, kann die Bildung des Formyl-Komplexes zurückgedrängt werden. Andererseits wird das Acetal bei der Chromatographie auf Silicagel vollständig hydrolysiert. Da der Formyl-Komplex in Wasser besser löslich ist als das Acetal, gelingt es, die Verbindungen durch Behandeln mit Wasser weitgehend zu trennen. Hierbei müssen kleine Mengen Base zugesetzt werden[5].

Bis-[dimethylglyoximato]-formylmethyl-pyridin-kobalt[5]: Zu einer luftfreien Lösung von 0,45 g (1 mmol) Bis-[dimethylglyoximato]-bromo-pyridin-kobalt in 18 *ml* abs. Dichlormethan über wasserfreiem Calciumsulfat gibt man mit einer Spritze 0,22 *ml* (1,6 mmol) gereinigtes Triethylamin, 3 *ml* (50 mmol) abs. Ethanol und 5 *ml* (50 mmol) Ethyl-vinyl-ether. Die Lösung läßt man verschlossen im Dunkeln bei 20° stehen, bis nach ~3 Tagen die Umsetzung beendet ist. Calciumsulfat wird hierauf abfiltriert und das Lösungsmittel bei weniger als 35° i. Vak. abgezogen. Der gelb-braune Rückstand wird in einer möglichst kleinen Menge Dichlormethan gelöst und auf Silicagel (Woelm, Aktivität II, Füllung 2,3 × 25 cm) mit Dichlormethan chromatographiert, das 5% Pyridin enthält. Das Eluat der orangefarbenen Bande wird i. Vak. eingeengt und der Rückstand aus Dichlormethan und Cyclohexan umkristallisiert; Ausbeute: 0,24 g (50%); IR (KBr): $\nu_{C=O}$ 1655 cm^{-1}, ^{1}H–NMR (CDCl$_3$): δ 1,83 (d, 2H, J 5Hz); 9,33 (t, 1H, J 5Hz).

[1] J. HALPERN u. L.-Y. WONG, Am. Soc. **90**, 6665 (1968).
[2] Vitamin B_{12}-Komplexe werden in diesem Handbuch nicht näher behandelt. Es sei auf die Originallit. verwiesen[3,4].
[3] R.B. SILVERMAN u. D. DOLPHIN, Am. Soc. **95**, 1686 (1973); **96**, 7094 (1974); **98**, 4626 (1976).
[4] R.B. SILVERMAN u. D. DOLPHIN, Am. Soc. **98**, 4633 (1976).
[5] R.B. SILVERMAN u. D. DOLPHIN, Am. Soc. **98**, 4626 (1976).

Wird Bis-[dimethylglyoximato]-bromo-pyridin-kobalt mit 2-Vinyloxy-ethanol umgesetzt, entsteht in einer intramolekularen Acetal-Bildung ein cyclisches Acetal, das wesentlich beständiger ist als das entsprechende offenkettige Acetal[1]:

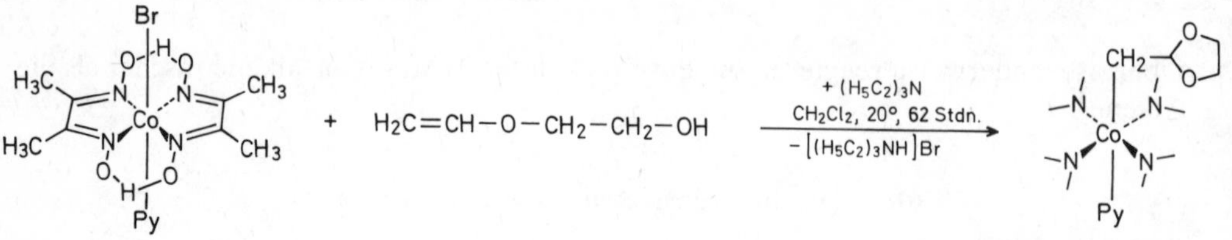

Bis-[dimethylglyoximato]-(1,3-dioxolan-2-yl-methyl)-pyridin-kobalt; 33%

$α_5$) *mit Diazoalkanen*

Diazomethan reagiert mit Bis-[dimethylglyoximato]-hydrido-triphenylphosphan-kobalt unter formaler Insertion von Carben in die H–Co-Bindung[2]. Den Hydrido-Komplex erhält man durch Reduktion des Chloro-Komplexes I mit Natriumboranat in Wasser/Methanol. Die Diazomethan-Diethylether-Lösung wird unter Luftausschluß und Eiskühlung zugesetzt.

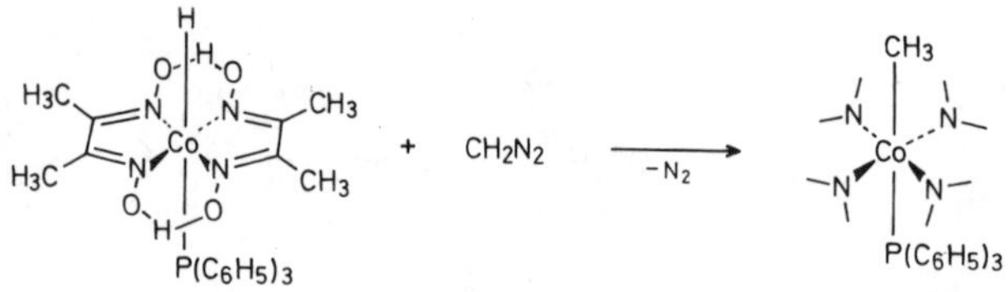

Bis-[dimethylglyoximato]-methyl-triphenyl-phosphan-kobalt; 48%; F: 189°

Bei Halogeno-porphyrinato-kobalt(III)-Komplexen tritt Insertion des Carbens in die Co–Halogen-Bindung ein[3]:

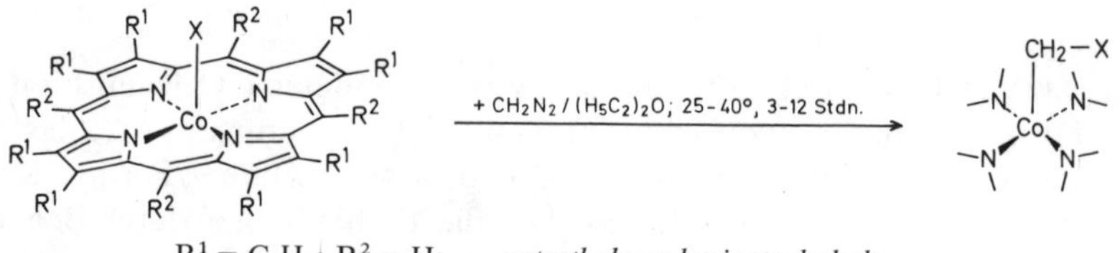

$R^1 = C_2H_5$; $R^2 = H$; . . . -octaethylporphyrinato-kobalt
X = Cl; *Chlormethyl-*. . .; 55%
X = J; *Jodmethyl-*. . .; 46–55%
$R^1 = H$; $R^2 = C_6H_5$; X = Br; *Brommethyl-tetraphenylporphyrinato-kobalt*; 62–65%

Dagegen wird das aus Diazo-essigsäure-ethylester erzeugte Ethoxycarbonyl-carben nicht in die Co-Halogen- sondern in die Co–N-Bindung eingeschoben[4,5]. Die Umsetzung ist sehr rasch. Anstelle von Kobalt(III)- kann man auch die entsprechenden Kobalt(II)-Verbindungen einsetzen[6]. In Gegenwart von Luft und Chloroform entsteht intermediär

---

[1] R. B. SILVERMAN u. D. DOLPHIN, Am. Soc. **98**, 4626 (1976).
[2] G. N. SCHRAUZER u. J. KOHNLE, B. **97**, 3056 (1964).
[3] H. J. CALLOT u. E. SCHAEFFER, J. Organometal. Chem. **145**, 91 (1978).
[4] A. W. JOHNSON, D. WARD, C. M. ELSON, P. BATTEN, A. L. HAMILTON u. G. SHELTON, Soc. [Perkin I] **1975**, 2076.
[5] A. W. JOHNSON u. D. WARD, Soc. [Perkin I] **1977**, 720.
[6] P. BATTEN, A. HAMILTON, A. W. JOHNSON, G. SHELTON u. D. WARD, Chem. Commun. **1974**, 550.

der Chloro-kobalt(III)-Komplex und die Ausbeuten sind besser:

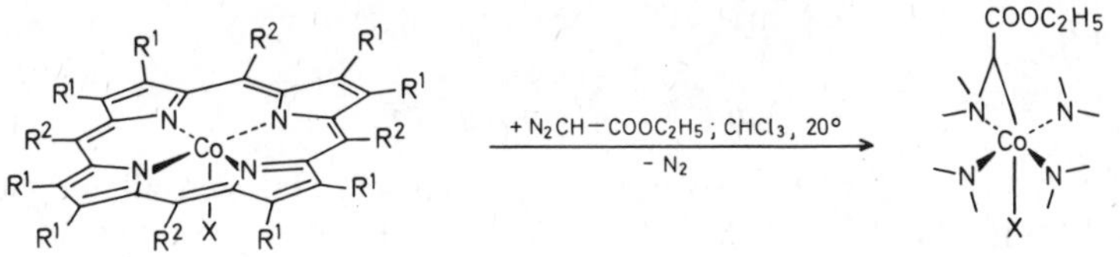

R^1 = C$_2$H$_5$; R^2 = H; X = Br; *Bromo-(Co,N-ethoxycarbonylmethandiyl)-octaethylpor-*
phyrinato-kobalt; 79%

R^1 = H; R^2 = C$_6$H$_5$; X = Br; . . .*-tetraphenylporphyrinato-kobalt*; 71%

Bromo-octaethylporphyrinato-kobalt reagiert mit zwei Molen Diazo-essigsäure-ethyl-ester unter Insertion der Carben-Reste in zwei Co–N-Bindungen (nähere Einzelheiten s. Lit.)[1].

α$_6$) mit sonstigen ungesättigten Verbindungen

Bei der Reaktion von Kobalt(II)-acetat, 2,3-Butandion-bis-oxim und Wasserstoff entsteht Hydrido-cobaloxim, das in situ mit Formaldehyd und Anilin umgesetzt werden kann[2]. Wahrscheinlich wird die H–Co-Gruppe an die intermediär gebildete C=N-Doppelbindung angelagert.

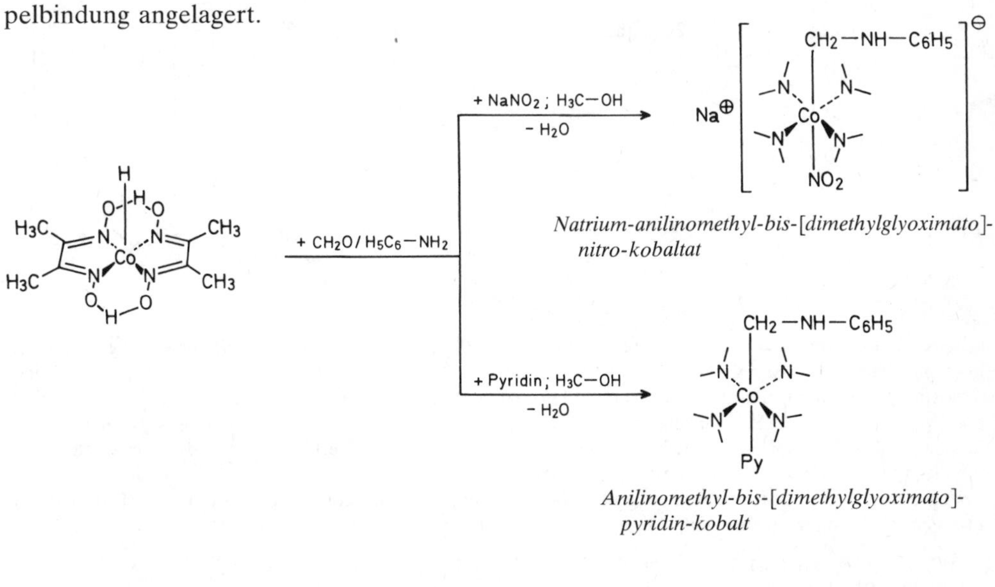

Natrium-anilinomethyl-bis-[dimethylglyoximato]-
nitro-kobaltat

Anilinomethyl-bis-[dimethylglyoximato]-
pyridin-kobalt

β) durch Decarboxylierung von Acyloxy-kobalt(III)-Verbindungen

Da die Aktivierungsenergie zur Decarboxylierung von Acyloxy-kobalt(III)-Verbindungen recht hoch liegt und andererseits Alkyl-kobalt-Komplexe relativ leicht gespalten werden, ist diese Methode nur in wenigen Fällen zur Synthese von solchen Verbindungen geeignet[3]; z. B.:

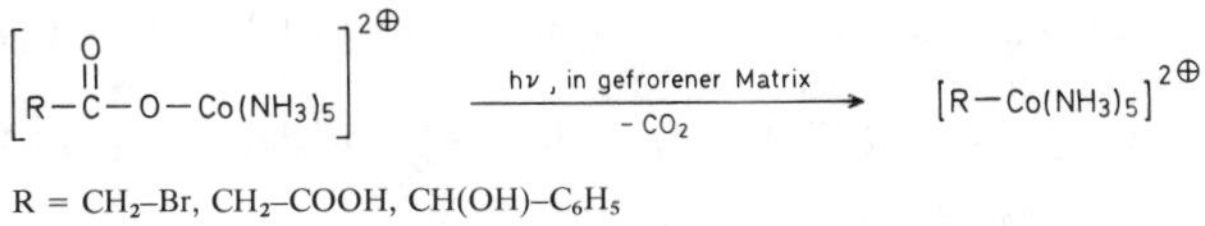

R = CH$_2$–Br, CH$_2$–COOH, CH(OH)–C$_6$H$_5$

[1] P. Batten, A. L. Hamilton, A. W. Johnson, M. Mahendran, D. Ward u. T. J. King, Soc. [Perkin I] **1977**, 1623.

[2] G. L. Blackmer, T. M. Vickrey u. J. N. Marx, J. Organometal. Chem. **72**, 261 (1974).

[3] A. L. Poznyak u. V. V. Pansevich, Vestsi Akad. Nauk. USSR, Ser. Khim. Nauk **1980**, 18; C. A. **92**, 198517 (1980).

2. aus Metall-kobalt(I)-aten

α) mit Alkylierungsmitteln

α₁) aus Metall-cobaloximaten

Die Reaktion von Cobaloxim(I)-Anionkomplexen mit Halogen-alkanen wurde eingehend untersucht (vgl. Tab. 2, S. 77). Unterschiedliche Ergebnisse in der Literatur können von verschiedenen Synthese-Methoden der Anionkomplexe herrühren. Meistens werden die Cobaloxim(II)-, seltener Cobaloxim(III)-Komplexe durch Natriumboranat in alkalischer methanolischer Lösung reduziert[1].

Als Reduktionsmittel für Halogeno-cobaloxim(III)-Komplexe haben sich ferner Natrium oder Kalium in 1,2-Dimethoxy-ethan oder Tetrahydrofuran bewährt[2]. Die dabei gebildeten Alkalimetall-cobaloxime sind in den genannten Lösungsmitteln schwer löslich und lassen sich isolieren. Sie sind außerordentlich Sauerstoff-empfindlich und an der Luft pyrophor. Die Ausbeuten sind bei Verwendung von Brom-alkanen i. a. besser als bei Chlor-Derivaten.

L = Py, (H₅C₆)₃P

Benzyl-bis-[dimethylglyoximato]-kobalt-Komplexe[2]: 4,0 g Chloro-pyridin-cobaloxim bzw. 5,9 g Chloro-triphenylphosphan-cobaloxim werden in absol. THF mit 0,46 g Natrium bzw. 0,78 g Kalium versetzt und in Stickstoff-Atmosphäre mehrere Stdn. unter Rückfluß erhitzt. Dabei wandeln sich die Ausgangskomplexe in dunkelbraun-violette, unlösliche Substanzen um, die unter Luftausschluß filtriert, mit absol. THF gewaschen und i. Ölpumpenvak. getrocknet werden. Die im trockenen Zustand hellbraunen Verbindungen sind durch Alkalihalogenid verunreinigt. Zur Analyse wird eine eingewogene Probe hydrolysiert und auf ihre Alkalität titriert.

Wegen ihrer hohen Luftempfindlichkeit empfiehlt es sich, die Anionkomplexe sofort in einer Tetrahydrofuran-Suspension weiter umzusetzen.

Zur Suspension wird bei 20° Benzylchlorid unter Rühren zugegeben.
Auf diese Weise erhält man u. a.

Benzyl-bis-[dimethylglyoxamato]-pyridin-kobalt	66%; F: 200° (Zers.)
Benzyl-bis-[dimethylglyoxamato]-triphenylphosphan-kobalt	79%; F: 149°

Kinetische Messungen sprechen für einen S_N2-Mechanismus, obwohl die Reaktivität des reduzierten Cobaloximates 10⁷ mal größer ist als vom Jodid-Ion[3].

Die Reaktionsgeschwindigkeit der Halogen-alkane nimmt in der Reihe J > Br > Cl ab. Der Einfluß dieser Gruppe ist 10mal größer als bei den typischen S_N2-Reaktionen.

Methyl-Substituenten am α-Kohlenstoff erniedrigen die Geschwindigkeit, von geringem Einfluß ist dagegen die Kettenlänge.

Substituenten am Alkyl-Rest, wie die Cyan-, Alkoxy-, Alkenyl-, Phenyl-, Naphthyl- und Aminocarbonyl-Gruppen erhöhen die Reaktionsgeschwindigkeit um den Faktor 10^3–10^5.

[1] G. N. SCHRAUZER, Inorg. Synth. **11**, 65 (1968).
[2] G. N. SCHRAUZER u. J. KOHNLE, B. **97**, 3056 (1964).
[3] G. N. SCHRAUZER u. E. DEUTSCH, Am. Soc. **91**, 3341 (1969).

Substituenten in para-Stellung am Benzyl-Rest haben eine relativ geringe Wirkung auf die Kinetik.

Die Alkylierungsgeschwindigkeit von Brom-cycloalkanen ist beim 3-Ring am geringsten, nimmt beim 4- und 5-Ring zu und ist bei Brom-cyclohexan wieder etwas geringer als bei letzteren.

Der Lösungsmitteleinfluß auf die Reaktionsgeschwindigkeit ist nicht groß. Die größere Geschwindigkeit in Wasser als in Methanol kann von einem Austausch des axialen Liganden durch Wasser oder Hydroxid herrühren.

Axiale Liganden erhöhen die Geschwindigkeit, wenn sie starke Elektronen-Donoren sind, sie erniedrigen sie andererseits, wenn sie gute Elektronen-Akzeptoren sind. Dabei ist aber darauf zu achten, daß auch das Dissoziationsgleichgewicht des *trans*-axialen Liganden eine Rolle spielt, die durch sterische Hinderung von Substituenten erhöht wird.

Tab. 2: Alkyl-bis-[dimethylglyoximato]-kobalt-Komplexe

L	R–X	Methode für Co(I)⊖	Bis-[dimethylglyoximato]-...-kobalt	Ausbeute [%]	Literatur
H_2O	H_5C_2-Hal	a	...-aquo-ethyl-...	–	1
	H_9C_4-Hal	a	...-aquo-butyl-...	–	2
	$Br–CH_2–CH_2–COOH$	a	...-aquo-(2-carboxy-ethyl)-...	–	3
	$BrCF_3$	a	...-aquo-trifluor-methyl-...	20	4
$(H_3C)_2S$	CH_3J	a	...-dimethylsulfan-methyl-...	41	5
H_2N–⟨⟩–$N(CH_3)_2$	$(H_3C)_2CH–Br$	a	...-(4-dimethylamino-anilin)-isopropyl-...	–	6. vgl. a. 1
⟨N⟩	$(H_3CO)_2SO_2$	a	...-methyl-pyridin-...	99	5
	H_5C_2-J	a	...-ethyl-pyridin-...	–	7
	$H_{13}C_6$-CH(CH_3)-Br	a	...-(1-methyl-heptyl)-pyridin-...	–	8
	$F_3C–SO_2–O–CDH–CDH–C(CH_3)_3$	a	...-(1,2-dideutero-3,3-dimethyl-butyl)-pyridin-... (Inversion)	36	9
	Br–⟨⟩–$SO_2–O–CH_2–CH_2–C(CH_3)_3$	a	...-(3,3-dimethyl-butyl)-pyridin-...	–	10
	$J–(CH_2)_2–C(C_6H_5)_3$	a	...-pyridin-(3,3,3-triphenyl-propyl)-...	60	11

[a] NaOH, NaBH$_4$ in CH$_3$OH/H$_2$O

[1] A. L. CRUMBLISS u. P. L. GAUS, Inorg. Chem. **14**, 486 (1975).
[2] N. YAMAZAKI u. Y. HOHOKABE, Bl. chem. Soc. Japan **44**, 63 (1971).
[3] K. L. BROWN, A. W. AWTREY u. R. LEGATES, Am. Soc. **100**, 823 (1978).
[4] P. L. GAUS u. A. CRUMBISS, Inorg. Chem. **15**, 2080 (1976).
[5] G. N. SCHRAUZER, Inorg. Synth. **11**, 65, 67 (1968).
[6] M. GREEN, R. J. MAWBY u. G. SWINDEN, Inorg. Nucl. Chem. Lett. **4**, 73 (1968).
[7] H. A. O. HILL u. K. G. MORALLEE, Soc. [A] **1969**, 554.
[8] R. H. MAGNUSON, J. HALPERN, I. Y. LEVITIN u. M. E. VOL'PIN, Chem. Commun. **1978**, 44.
[9] P. L. BOCK u. G. M. WHITESIDES, Am. Soc. **96**, 2826 (1974).
[10] H. L. FRITZ, J. H. ESPENSON, D. A. WILLIAMS u. G. A. MOLANDER, Am. Soc. **96**, 2378 (1974).
[11] M. R. ASHCROFT, M. P. ATKINS, B. T. GOLDING, M. D. JOHNSON u. P. J. SELLARS, J. Chem. Res. Synop. **1982**(8), 216; C. A. **97**, 198 350 (1982).

Tab. 2: (1. Forts.)

L	R–X	Methode für Co(I)⊖	Bis-[dimethylglyoximato]-...-kobalt	Ausbeute [%]	Literatur
N⟨⟩ (Forts.)	Br-$(CH_2)_3$–CH=CH_2	–	...-(4-pentenyl)-pyridin...	–	1, 2
	Tos–O–$(CH_2)_4$–CH=CH_2	–	...-(5-hexenyl)-pyridin...	–	3
	Br–CH_2–◁	C_2H_5OH, 0°	...-(cyclopropyl-methyl)-pyridin...	–	2
	Tos–O–CH_2–⬠	a	...-(cyclopentyl-methyl)-pyridin-...	–	3
	H_5C_2OOC Br–CH_2 (cyclopentanone)	a	...-(5-ethoxycarbo-nyl-2-oxo-cyclo-pentylmethyl)-pyridin-...	–	4
	Tos–O–⬡–CH_3	a	...-(4-methyl-cyclo-hexyl)-pyridin...	20–25	5
	Br–CH_2–C_6H_5	a	...-benzyl-pyridin...	57	6, 7
	Br–CH_2–(3,5-dimethylphenyl, CH_3, CH_3)	a	...-(3,5-dimethyl-benzyl)-pyridin...	65	
	Br–CH_2–⬡–CN	a	...-(4-cyan-benzyl)-pyridin...	–	8
	Cl_2CH–C_6H_5	a	...-(α-chlor-benzyl)-pyridin...	–	8
	OH Br–CH_2–CH–CH_3	a	...-(2-hydroxy-pro-pyl)-pyridin...	–	7
	OH Cl (cyclohexanol)	a	...-(2-hydroxy-cyclo-hexyl)-pyridin...	–	9
	Br–CH_2–CH_2–O–CO–CH_3	b	...-(2-acetoxy-ethyl)-pyridin...	45	10
	CH_3 Br–CH_2–CH–O–CO–CH_3	–	...-(2-acetoxy-propyl)-pyridin...	33	11
	Br–CH_2–CH_2–OC_2H_5	c	...-(2-ethoxy-ethyl)-pyridin...	69	12
	CH_2Br_2	a	...-brommethyl-pyridin...	–	13, 8
	Br–CH_2–(1,3-dioxolan)	b	...-(1,3-dioxolan-2-yl-methyl)-pyridin...	–	10

[1] C. J. Cooksey, D. Dodd, C. Gatford, M. D. Johnson, G. J. Lewis u. D. M. Titchmarsh, Soc. [Perkin II] **1972**, 655.

[2] M. P. Atkins, B. T. Golding u. R. P. Sellars, Chem. Commun. **1978**, 954.

[3] F. R. Jensen u. R. C. Kiskis, Am. Soc. **97**, 5825 (1975).

[4] M. Tada, K. Miura, M. Ukabe, S. Seki u. H. Mizukami, Chem. Letters **1981**, 33.

[5] J. D. Cotton u. G. T. Crisp, J. Organometal. Chem. **186**, 137 (1980).

[6] S. N. Anderson, D. H. Ballard u. M. D. Johnson, Soc. [Perkin II] **1972**, 311; dort weitere Beispiele.

[7] N. Yamazaki u. Y. Hohokabe, Bl. chem. Soc. Japan **44**, 63 (1971).

[8] M.-N. Ricroch, C. Bied-Charreton u. A. Gaudemer, Tetrahedron Letters **1971**, 2859.

[9] M. Naumberg, K. N. V. Duong, F. Gaudemer u. A. Gaudemer, C. r. **270** C 1301 (1970).

[10] R. B. Silverman u. D. Dolphin, Am. Soc. **98**, 4626 (1976). Methode nach H. A. O. Hill u. K. G. Morallee, Soc. [A] **1969**, 554.

[11] B. T. Golding u. S. Sakrikar, Chem. Commun. **1972**, 1183.

[12] Inorg. Synth. **20**, 131–133 (1980).

[13] R. C. Stewart u. L. G. Marzilli, Am. Soc. **100**, 817 (1978).

Tab. 2: (2. Forts.)

L	R–X	Methode für Co(I)$^\ominus$	Bis-[dimethylglyoximato]-...-kobalt	Ausbeute [%]	Literatur
 N◯ (Forts.)	CHCl₃	a	...-(dichlormethyl)-pyridin...	–	1
	Br—CH—COOC₂H₅ (C₆H₅)	–	...-(α-ethoxycarbonyl-benzyl)-pyridin...	40	2
	Cl–CH₂–CN	a	...(cyanmethyl)-pyridin...	–	3
	Cl—CH—CN (CH₃)	a	...-(1-cyan-ethyl)-pyridin...	–	4
	Br(CH₂)₃–Br	a	1,3-Bis-[bis-(dimethyl-glyoximato-pyridin-kobalt]-propan	75	5
	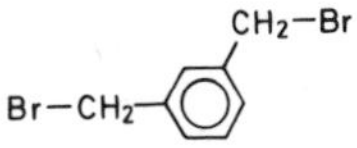 Br–CH₂◯CH₂–Br	a	1,3-Bis-{[bis-(dimethyl-glyoximato)-pyridin-kobalt]-methyl}-benzol	–	6
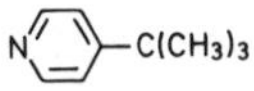 N◯–C(CH₃)₃	J–C₂H₅	a	...-(4-tert.-butyl-pyridin)-ethyl...	–	7
	Cl–CH₂–OC₂H₅	c	...-(4-tert.-butyl-pyridin)-(ethoxymethyl)-...	29	8
P(OCH₃)₃	Cl–CH₂–Si(CH₃)₃	–	...-trimethoxyphos-phan-(trimethylsilyl-methyl)...	–	9
	Br–CH₂Br	–	...-brommethyl-tri-methoxy-phosphan...	–	9
	Br–CCl₃	–	...-trichlormethyl-tri-methoxyphosphan...	–	9
(H₅C₆)₃P	H₇C₃J	a	...-propyl-triphenyl-phosphan...	–	10
	J–CH₂–CF₃	a	...-(2,2,2-trifluor-ethyl)-triphenyl-phosphan...	–	10
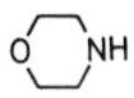 O◯NH	Cl–CH₂–C₆H₅	a	...-benzyl-mor-pholino-...	–	11

^{a} NaOH, NaBH₄ in CH₃OH/H₂O
^{b} NaBH₄ in C₂H₅OH
^{c} NaBH₄ in DMF

[1] M. RICROCH, C. BIED-CHARRETON u. A. GAUDEMER, Tetrahedron Letters **1971**, 2859.

[2] M.N. RICROCH u. A. GAUDEMER, J. Organometal. Chem. **67**, 119 (1974).

[3] G.N. SCHRAUZER u. R.J. WINDGASSEN, Am. Soc. **89**, 1999 (1967).

[4] M. NAUMBERG, K.N.V. DUONG, F. GAUDEMER u. A. GAUDEMER, C.r. **270** C 1301 (1970).

[5] G.N. SCHRAUZER u. R.J. WINDGASSEN, Am. Soc. **88**, 8738 (1966).

[6] S.N. ANDERSON, D.H. BALLARD u. M.D. JOHNSON, Soc. [Perkin II] **1972**, 311.

[7] R.C. STEWART u. L.G. MARZILLI, Am. Soc. **100**, 817 (1978).

[8] Inorg. Synth. **20**, 131–133 (1980).

[9] R.J. GUSCHL, R.S. STEWART u. T.L. BROWN, Inorg. Chem. **13**, 417 (1974).

[10] H.A.O. HILL u. K.G. MORALLEE, Soc. [A] **1969**, 554.

[11] M. VAN HOOSTE, A.T. LENSTRA, M. KWIECINSKI u. S. TYRLIK, Transition Met. Chem. **7**, 50 (1982).

Bis-[dimethylglyoximato]-(2,2-diethoxycarbonyl-propyl)-pyridin-kobalt[1]: Zu einer Lösung von 0,238 g (1 mmol) Kobalt(II)-chlorid-Hexakis-hydrat und 0,176 g (2 mmol) 2,3-Butandion-bis-oxim in 100 ml wasserfreiem Ethanol gibt man 0,112 g (2 mmol) Kaliumhydroxid und 0,076 g (1 mmol) Pyridin, beide in Form 1M alkoholischer Lösungen. Nach 15 Min. Rühren bei 25° wird die Lösung mit Argon gespült und auf −10° abgekühlt. Unter Argon und Lichtausschluß gibt man nochmals 0,056 g (1 mmol) Kaliumhydroxid und 0,076 g (2 mmol) Natriumboranat zu, tauscht Argon durch Wasserstoff aus und läßt 1 Stde. bei −10° reagieren. Nach Erwärmen auf 25° gibt man unter Rühren 1,195 g (5 mmol) Brommethyl-methyl-malonsäure-diethylester[1] zu. Die schwarze Lösung färbt sich hellorange. Nach 15 Min. wird das Lösungsmittel i. Vak. entfernt, der Rückstand in Dichlormethan aufgenommen und von Unlöslichem unter Stickstoff filtriert. Die Lösung wird an Kieselgel mit Essigsäure-ethylester als Eluierungsmittel chromatographiert; Ausbeute: 393 mg (71%). (orangerote Nadeln aus Methanol/Wasser und einem Tropfen Pyridin).

Mehrere 3-Alkenyl-pyridin-cobaloxime sind durch Reaktion des Cobaloximats mit den entsprechenden Bromiden oder Tosylaten in Methanol bei 20° hergestellt worden bei einer Reaktionsdauer von 1–48 Stdn.[2]. So erhält man z.B.

Bis-[dimethylglyoximato]-pyridin- . . .-kobalt

. . .-3-butenyl. . .	76%
. . .-(1-methyl-3-butenyl). . .	73%
. . .-(2-methyl-3-butenyl). . .	22%
. . .-(3-methyl-3-butenyl). . .	83%
. . .-(2-phenyl-3-butenyl). . .	20%

Mercapto-cobaloxime können durch Methyljodid in Gegenwart von Thiolen in Methyl-cobaloxim übergeführt werden, wenn der pH-Wert der Reaktionslösung bei 7 gehalten wird[3]. Das Thiol wird oxidiert, möglicherweise unter Bildung des Cobaloxim(I)-Anions, das mit Jodmethan reagiert.

Bei Verwendung von optisch aktivem p-Toluolsulfonsäure-2-butyl-1-methyl-heptylester entstehen optisch aktive (2-Butyl-1-methyl-heptyl)-kobalt-Komplexe; z.B. *Bis-[dimethylglyoximato-(2-butyl-1-methyl-heptyl)-pyridin-kobalt*[4,5].

Durch Umsetzen des entsprechenden Adenosin-tosylats mit dem Anionkomplex kann *Bis-[dimethylglyoximato]-5′-desoxyadenosyl-pyridin-kobalt* (74%; Zers.p. > 175°) hergestellt werden[6].

1,ω-Dibromo-alkane bilden Bis-kobalt-Komplexe[7]. Der intermediär gebildete ω-Brom-alkyl-Komplex kann bei Reaktionsabbruch isoliert werden. So entsteht z.B. *Bis-[dimethylglyoximato]-(4-brom-butyl)-pyridin-kobalt*, wenn das Cobaloxim(I)-Anion langsam in eine Lösung getropft wird, die einen großen Überschuß an 1,4-Dibrom-butan enthält. Umgekehrt erhält man das *1,4-Bis-[bis-(dimethylglyoximato)-pyridin-kobalt]-butan* (31%), wenn man den Anionkomplex im molaren Überschuß langsam zum vorgelegten 1,4-Dibrom-butan gibt[8].

---

[1] G. BIDLINGMAIER, H. FLOHR, U.M. KEMPE, T. KREBS u. J. RÉTEY, Ang. Ch. **87**, 877 (1975).
[2] M.R. ASHCROFT, A. BURY, C.J. COOKSEY, A.G. DAVIES, B.D. GUPTA, M.D. JOHNSON u. H. MORRIS, J. Organomet. Chem. **195**, 89 (1980).
[3] G.N. SCHRAUZER, Accounts Chem. Res. **1**, 97 (1968).
[4] C. BIED-CHARRETON u. A. GAUDEMER, Am. Soc. **98**, 3997 (1976).
[5] J. DENIAU u. A. GAUDEMER, J. Organometal. Chem. **191**, C1 (1980).
[6] G.N. SCHRAUZER u. J.W. SIBERT, Am. Soc. **92**, 1022 (1970).
[7] G.N. SCHRAUZER u. R.J. WINDGASSEN, Am. Soc. **88**, 3738 (1966).
[8] J.H. ESPENSON u. T.-H. CHAO, Inorg. Chem. **16**, 2553 (1977).

Zur Umsetzung von Kobalt(II)-chlorid/Pyridin mit Natriumboranat/Kaliumhydroxid sowie 10-Brommethyl-2,3,17,18-tetrakis-[hydroximino]-nonadecan bzw. 11-Chlorme-thyl-2,3,19,20-tetrakis-[hydroximino]-heneicosan s. Lit.[1,2]:

{2,2-Bis-[7,8-bis-(hydroximino)-nonyl]-7(O),8'(O)-dehydro-ethyl-
C,N¹,N²,N¹',N²'}-pyridin-kobalt

Das durch Reduktion mit Natrium-boranat in stark alkalischer Lösung hergestellte Pyridin-cobaloxim-Anion bildet mit 1-Chlor-2-propanol bzw. 2-Chlor-propanol Bis-[dimethylglyoximato]-(2-hydroxy-propyl)-pyridin-kobalt[3,4].

Bei Einsatz von 2-Brom-propanol enthält der isolierte Komplex zu 83% Bis-[dimethyl-glyoximato]-(2-hydroxy-propyl)- und zu 17% Bis-[dimethylglyoximato)-(2-hydroxy-1-methyl-ethyl)-pyridin-kobalt, wohingegen in neutraler Lösung aus Cobaloxim(II) und Wasserstoff mit 2-Brom-propanol ohne Isomerisierung des Alkyl-Restes das 2-Hydroxy-1-methyl-ethyl-Derivat entsteht (s.S. 102).

Unsubstituierte Propargyl- und Allenyl-halogenide bilden mit Cobaloxim(I)-Anion je nach Reaktionsbedingungen Propargyl- oder Allenyl-cobaloxim (s.S. 132)[5,6]. Mit Hydri-do-cobaloxim(III) oder Cobaloxim(II) entsteht bevorzugt Propargyl-cobaloxim (s.S. 60 u. 103). Allenyl-bromid bildet teilweise in einer direkten S$_N$2'-Reaktion das Bis-[dimethylglyoximato]-2-propinyl-pyridin-kobalt.

1-Chlor-2-buten und 3-Chlor-1-buten geben mit dem Cobaloxim(I)-Anion dieselbe Verbindung[5] (Bis-[dimethylglyoximato]-2-butenyl-pyridin-kobalt).

Aus sterischen Gründen reagieren andererseits 3-Chlor-1-phenyl-propen bzw. 4-Chlor-2-methyl-2-buten[5] zu Bis-[dimethylglyoximato]-(3-phenyl-allyl) bzw. -(3-methyl-2-butenyl)-pyridin-kobalt.

Brom-cyclohexane bzw. Tosyloxycyclohexane reagieren mit Cobaloxim(I)-Anion unter Inversion am C-Atom[7,8]:

---

[1] H. FLOHR, U. M. KEMPE, W. PANNHORST u. J. RÉTEY, Ang. Ch. 88, 443 (1976).

[2] J. A. ROBINSON et al. A. 1983, 181.

[3] K. L. BROWN u. L. L. INGRAHAM, Am. Soc. 96, 7684 (1974).

[4] Mit starken Basen entstehen aus α-Halogen-β-hydroxy-alkane die Epoxi-Verbindungen, die mit dem Kobaltat reagieren.

[5] C. J. COOKSEY, D. DODD, C. GATFORD, M. D. JOHNSON, G. J. LEWIS u. D. M. TITCHMARSH, Soc. [Perkin II] 1972, 655.

[6] C. J. COOKSEY, D. DODD, M. D. JOHNSON u. B. L. LOCKMAN, Soc. [Dalton] 1978, 1814.

[7] H. SHINOZAKI, H. OGAWA u. M. TADA, Bl. chem. Soc. Japan 49, 775 (1976).

[8] K. N. V. DUONG, A. AHOND, C. MERIENNE u. A. GAUDEMER, J. Organometal. Chem. 55, 375 (1973). Hier ist auch die Herstellung von Bis-[dimethylglyoximato]-pyridin-(2,2,6,6-tetradeutero-cyclohexyl)-kobalt beschrieben worden.

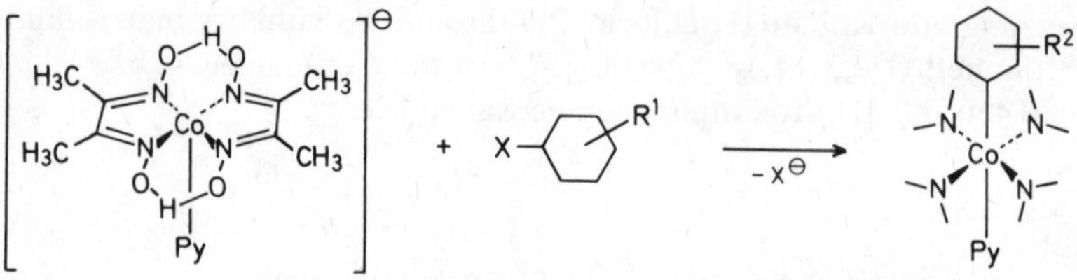

Bis-[dimethylglyoximato]-. . .-pyridin-kobalt

X = Br; R^1 = *trans-2-OCH$_3$; . . .-(cis-2-methoxy-cyclohexyl). . .*; 32%
X = TosO; R^1 = *trans-4-C(CH$_3$)$_3$; cis-*Derivat; 7,7%; F: 110–120° (Zers.)
     R^1 = *cis-4-C(CH$_3$)$_3$; . . .-(trans-4-tert.-butyl-cyclohexyl). . .*; 40%; F: 150–160° (Zers.)

Der voluminöse Kobalt-Rest bevorzugt die äquatoriale Konformation[1].

Beim 1-Brom-1a,9b-dihydro-1H-⟨cyclopropa[l]anthracen⟩ reagiert folglich nur das *exo*-Derivat[2]:

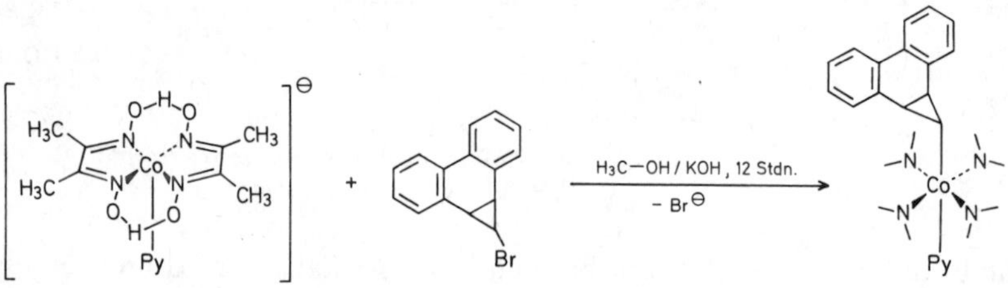

Bis-[dimethylglyoximato]-(1a, 10b-dihydro-1H-⟨cyclo-
propa[l]anthracen⟩-1-exo-yl)-pyridin-kobalt; 7%

Durch Umsetzung von Cobaloximat(I) mit 1-Brom-1-methyl-2,2-diphenyl-cyclopropan entsteht in 60%iger Ausbeute *Bis-[dimethylglyoximato]-(2,2-diphenyl-1-methyl-cyclopropyl)-pyridin-kobalt*[3].

Die sehr stabilen *Adamantyl-* und *Bicyclo[2.2.1]heptyl-bis-[dimethylglyoximato]-pyridin-kobalt-*Komplexe können durch Umsetzen von Cobaloxim(I)-Anion und den entsprechenden Brom-Derivaten hergestellt werden. Die Ausbeuten sind jedoch nur mäßig[4].

2-*exo-* und 2-*endo*-Brom-bicyclo[2.2.1]heptane ergeben den selben Komplex[4,5].

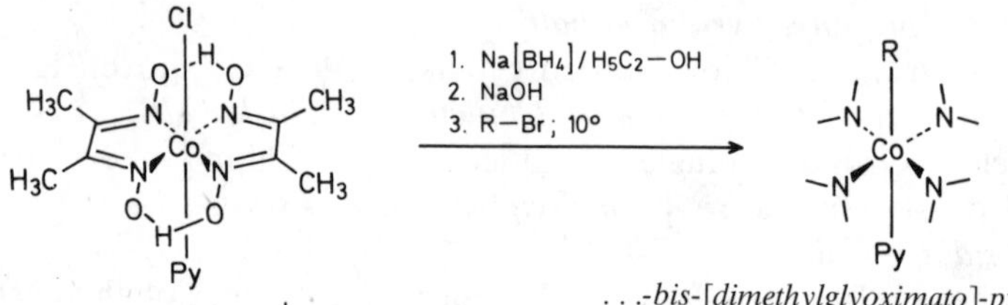

. . .-bis-[dimethylglyoximato]-pyridin-kobalt

R = 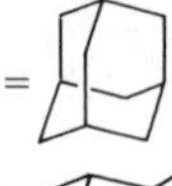   ; *1-Adamantyl-*. . .; 11%; F: 180° (Zers.)

R = 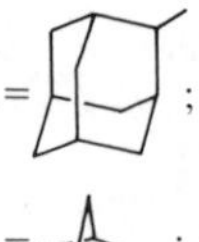   ; *2-Adamantyl-*. . .; 8%; F: 200° (Zers.)

R =    ; *Bicyclo[2.2.1]hept-2-yl-*. . .; 21 bzw. 25%; F: 180° (Zers.)
                 endo bzw. *exo*

[1] F. R. Jensen, V. Madan u. D. H. Buchanan, Am. Soc. **92**, 1414 (1970).
[2] J. Schäffler u. J. Rétey, Ang. Ch. **90**, 906 (1978).
[3] F. R. Jensen u. D. H. Buchanan, Chem. Commun. **1973**, 153.
[4] H. Eckert, D. Lenoir u. I. Ugi, J. Organometal. Chem. **141**, C 23 (1977).
[5] R. C. Stewart u. L. G. Marzilli, Am. Soc. **100**, 417 (1978).

Zur Herstellung der Alkyl-bis-[cyclohexan-1,2-dion-bis-oximimato]-pyridin-kobalt-Komplexen s. Lit.[1]; z.B:

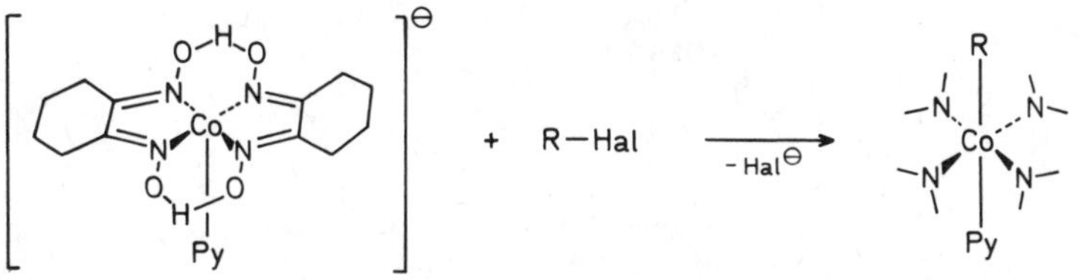

z.B.: R = CH$_3$; {*Bis-[cyclohexan-1,2-dion-bis-oximato]-1(O),2'(O)-dehydro*}-*methyl-pyridin-kobalt*; 59%

Zur Synthese von Basen-empfindlichen Alkyl-cobaloximen wird die folgende Methode empfohlen[2], z.B.:

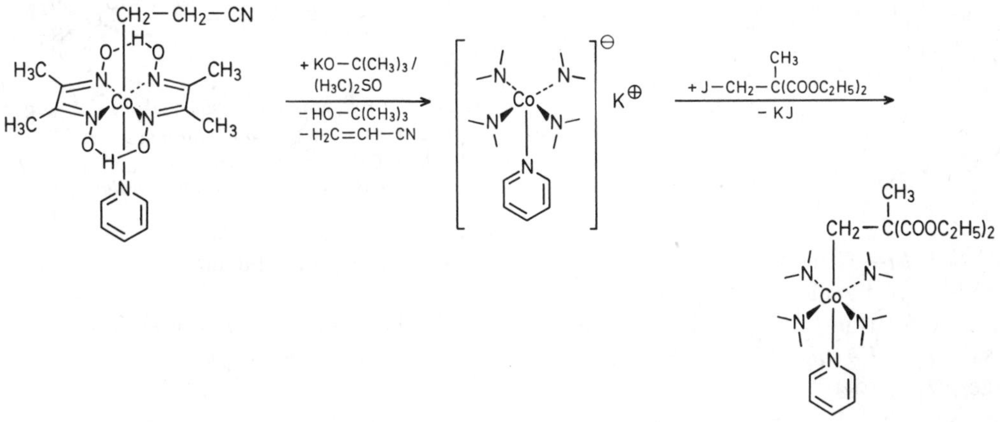

Bis-[dimethylglyoximato]-(2,2-diethoxycarbonyl-propyl)-pyridin-kobalt; 57%

α_2) *aus anderen Kobalt(I)-at-Komplexen*

Im Gegensatz zu den Cobaloximen bilden die im folgenden beschriebenen Kobalt(III)-Chelatkomplexe nur in stark alkalischem Medium (pH 13) mit Natriumboranat Kobalt(I)-Anion[3]. Dabei erweisen sich Palladium(II)-chlorid und Raney-Nickel als Katalysatoren für die Reduktion geeignet. Relativ stabile Kobalt(I)-Anionen erhält man auch durch Reduktion mit Natrium-Amalgam in aprotischen Lösungsmitteln, wie Diglym oder Pyridin, die mit Halogen-alkanen zu Alkyl-kobalt(III)-Komplexen umgesetzt werden können[4].

In stark basischen Medien können die Komplexe in Gegenwart von Edelmetall-Katalysatoren auch durch molekularen Wasserstoff reduziert werden.

Das Kobaltat kann auch durch Elektroreduktion in Dimethylformamid hergestellt werden. Die Ausbeuten bei der Synthese verschiedener Perfluoralkyl-kobalt-Chelatkomplexe betragen ~70%[5].

---

[1] G.N. Schrauzer u. R.J. Windgassen, Am. Soc. **88**, 3738 (1966).
[2] D.G.H. Livermore u. D.A. Widdowson, Soc. [Perkin I] **1982**, 1019.
[3] G.N. Schrauzer, J.W. Sibert u. R.J. Windgassen, Am. Soc. **90**, 6681 (1968).
[4] K. Dey u. R.L. De, J. indian Chem. Soc. **51**, 374 (1974): Nach dieser Methode ist *Aquo-(bis-[2-oxy-benzylidenamino]-ethan)-methyl-kobalt* hergestellt worden.
[5] A.M. van den Bergen, D.J. Brockway u. B.O. West, J. Organometal. Chem. **249**, 205 (1983).

Bei der Umsetzung mit Halogen-alkanen entstehen die entsprechenden Alkyl-kobalt-Verbindungen in 70–80%iger Ausbeute[1–6]:

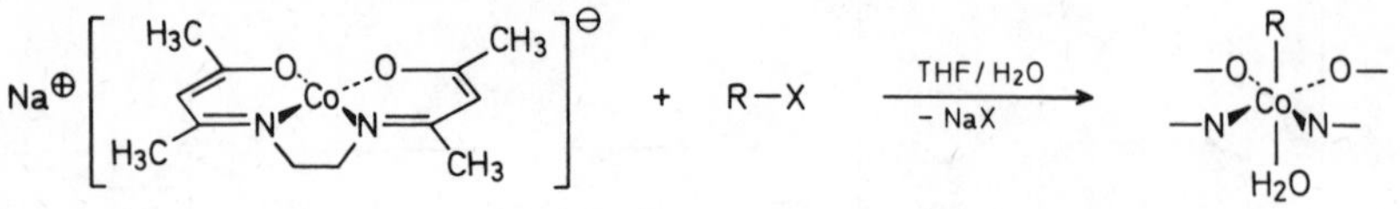

Aquo-(1,2-bis-[3-oxy-1-methyl-butylidenamino]-ethan)-...-kobalt
R = CH_3; ...*-methyl*...; 60%[6]
R = C_3H_7; ...*-propyl*...; F: 113°
R = $(CH_2)_4$–Br; ...*-(4-brom-butyl)*...; F: 139°
R = CH_2Cl; ...*-Chlormethyl-*...[6]; 23%

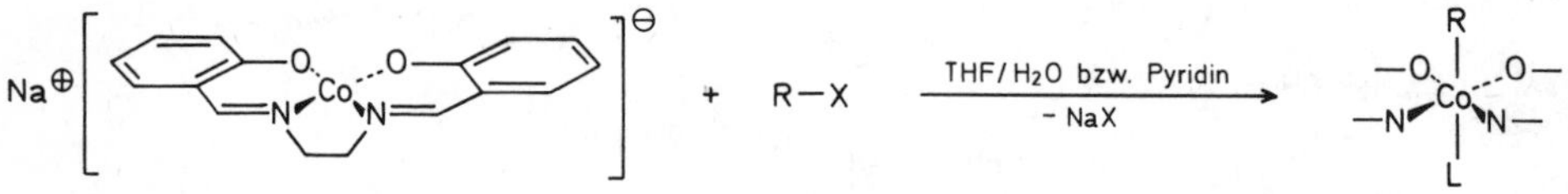

(1,2-Bis-[2-oxy-benzylidenamino]-ethan)-... -kobalt
z.B.: L = –; R = –$(CH_2)_4$–Br; ... *-(4-brom-butyl)-*...; 70%
L = H_2O; R = CH_3; ... *-aquo-methyl-*...; 56%
L = Py; R = $CH(CH_3)_2$; ... *-isopropyl-pyridin-*...; 58%

(1,2-Bis-[3-oxy-4,4,4-trifluor-1-trifluormethyl-butylidenamino]-ethan)-trifluormethyl-kobalt wird analog hergestellt[7].

Die 4-Brom-butyl-kobalt-Verbindung kann mit überschüssigem Anionkomplex langsam zum *1,4-Bis-{[1,2-bis-(3-oxy-1-methyl-butylidenamino)-ethan]-kobalt}-butan* umgesetzt werden[3].

Alkyl-aquo-(1,2-bis-[3-oxy-1-methyl-butylidenamino]-ethan)-kobalt-Komplexe; allgemeine Arbeitsvorschrift[3]: 2,81 g (10 mmol) (1,2-Bis-[3-oxy-1-methyl-butylidenamino]-ethan)-kobalt werden unter Inertgas-Atmosphäre in 200 *ml* THF gelöst und mit 1%igem Natrium-Amalgam reduziert. Das im Überschuß eingesetzte Amalgam wird anschließend entfernt. Die Lösung wird auf –80° gekühlt und mit einer stöchiometrischen Menge des Alkyl-halogenids umgesetzt. Hierauf wird das Reaktionsgemisch auf 100 *ml* Wasser geschüttet. Beim Einengen i. Vak. entstehen rote Kristalle. Die Ausbeute beträgt ~70%. Die Verbindungen werden aus Aceton und Wasser umkristallisiert[8].

Auch die durch die N–N-Brücke des Liganden variablen Komplexe I werden durch Alkyl-halogenide analog den zuvor beschriebenen Kobaltaten alkyliert[4,9,10].

[1] Der (1,2-Bis-[2-oxy-benzylidenamino]-ethan)-kobalt wird „Salcomin" genannt. **Achtung!** Der Komplex ist sehr **giftig**.
[2] G. Costa u. G. Mestroni, Tetrahedron Letters **1967**, 1783.
[3] G. Costa u. G. Mestroni, J. Organometal. Chem. **11**, 325 (1968).
[4] G.N. Schrauzer, J.W. Sibert u. R.J. Windgassen, Am. Soc. **90**, 6681 (1968).
[5] C. Floriani, M. Puppis u. F. Calderazzo, J. Organometal. Chem. **12**, 209 (1968).
[6] W.D. Hemphill u. D.G. Brown, Inorg. Chem. **16**, 766 (1977).
[7] D.G. Brown u. R.B. Flay, Inorg. Chim. Acta **57**, 63 (1982).
[8] Die Verbindungen sind identisch mit denjenigen, die in der „Grignard-Reaktion" erhalten werden.
[9] R.M. McAllister u. J.H. Weber, J. Organometal. Chem. **77**, 91 (1974).
[10] A. Bigotto, G. Costa, G. Mestroni, G. Pellizer, A. Puxeddu, E. Reisenhofer, L. Stefani u. G. Tauzher, Inorg. Chim. Acta Rev. **4**, 41 (1970).

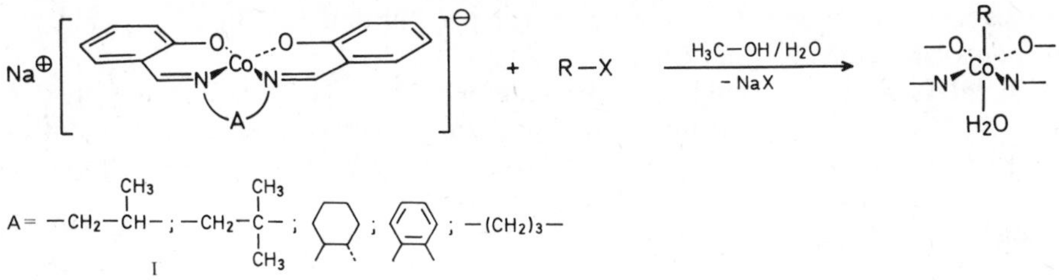

$A = -CH_2-\overset{\underset{|}{CH_3}}{CH}-\ ;\ -CH_2-\overset{\underset{|}{CH_3}}{\underset{|}{C}}-\ ;\ \bigcirc\!\!\!\!\!\diagdown\ ;\ \bigcirc\!\!\!\!\!\diagdown\ ;\ -(CH_2)_3-$

$R = CH_3, C_2H_5, C_3H_7$
$X = J, Br$

(Bis-[3-(2-oxy-benzylidenamino)-propyl]-amin)-kobalt bildet durch Reduktion mit Natriumboranat in Gegenwart von Palladium(II)-chlorid einen stark nucleophilen Kobalt(I)-Anion-Komplex, der mit einer Vielzahl prim. Halogenalkane zu den entsprechenden Alkyl-kobalt(III)-Verbindungen reagiert[1]:

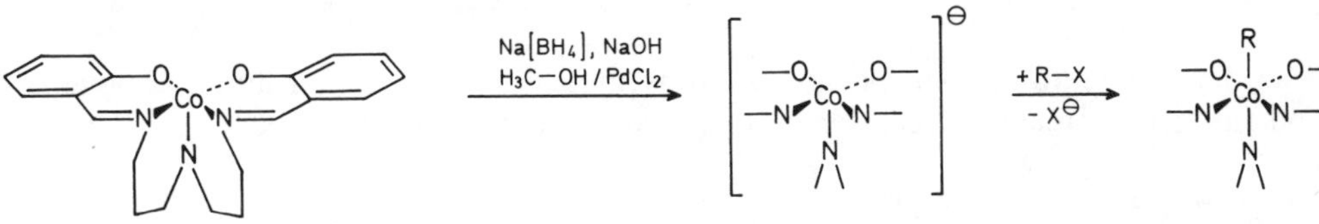

Die Alkyl-Derivate sind im Vergleich zu Komplexen mit vierzähnigen Liganden relativ stabil gegen Licht, Luft und Wasser. Sie sind thermisch stabil. Die Alkyl-bromide reagieren sehr langsam, die Alkyl-jodide aber sehr rasch, wenn der erforderliche pH-Wert eingestellt ist.

{**Bis-[3-(2-oxy-benzylidenamino)-propyl]-amino**}**-methyl-kobalt**[1]: 1,0 g (2,5 mmol) Bis-[3-(2-oxy-benzylidenamino)-propyl]-amino-kobalt werden in 75 *ml* Methanol gelöst und mit Stickstoff gespült sowie mit 1,07 g (7,5 mmol) Jod-methan in 10 *ml* Methanol versetzt. Nach Zusatz von 2 Tropfen einer 10%igen Palladium(II)-chlorid-Lösung in Methanol und 0,1 g Natriumboranat wird rasch Wasserstoff freigesetzt. Nach kurzzeitigem Rühren werden 4 *ml* einer 50%igen Natriumhydroxid-Lösung zugetropft. Es entsteht ein roter Niederschlag. Nach 1stdgm. Rühren wird er abfiltriert und i. Vak. bei 100° 12 Stdn. getrocknet.

Analog erhält man z.B. die ...-*ethyl-*; ...-*propyl-* und ...-*decyl-kobalt-*Komplexe.
Perfluoralkyl-kobalt(III)-Chelatkomplexe erhält man in guter Ausbeute durch Reaktion der Kobaltate bei −78° mit Perfluoralkyl-jodiden[2]:

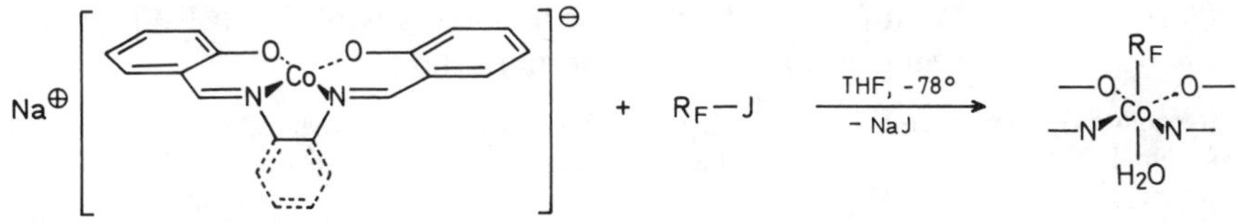

$R_F = CF_3; C_3F_7, CH_2-CF_3, CH_2-F$

Die Anion-Komplexe werden in situ hergestellt durch Reduktion der Kobalt(II)-Verbindungen mit Natrium-Amalgam oder Natrium-Sand[3]. In Abhängigkeit vom Chelatliganden entsteht in einer Nebenreaktion der entsprechende Jodo-Kobalt(III)-Komplex. Die Perfluoralkyl-Komplexe sind im allgemeinen 6fach koordiniert. Sie sind stabiler als die entsprechenden Alkyl-Verbindungen[4].

---

[1] W. M. Colman u. L. T. Taylor, Am. Soc. **93**, 5446 (1971).
[2] A. van den Bergen, K. S. Murray u. B. O. West, J. Organometal. Chem. **33**, 89 (1971).
[3] Bei Einsatz von Natrium-boranat in alkalischer Lösung als Lösungsmittel sind in einigen Fällen die Ausbeuten an Alkyl-kobalt(III)-Verbindungen gering.
[4] A. van den Bergen u. B. O. West, J. Organometal. Chem. **64**, 125 (1974).
Die analogen *Difluormethyl-kobalt-Komplexe* erhält man durch Umsetzung mit Chlor-difluor-methan.

Die Ausbeuten sind aus sterischen Gründen i. a. bei den 1,2-Bis-[2-oxy-benzyliden-amino]-benzol-Komplexen gering[1].

Der Chelat-Ligand des Komplexes I besitzt einen Alkyl-Tosylat-Rest, der bei der Reduktion von Kobalt durch Natrium-naphthalid zu Kobalt(I) intermolekular mit einem zweiten Komplex reagiert[2]. Die gebildete Di-Kobalt-Verbindung ist doppelt verknüpft:

I   50%; F: 180° (Zers.)

Bei der Alkylierung vom Octaethylporphyrinato-kobalt(I)-Anion durch Halogenalkane entsteht anstelle des sechsfach ein fünffach koordinierter Komplex[3-5]; z. B.:

...-octaethylporphyrinato-kobalt

$X = COOC_2H_5$; (2-Ethoxycarbonyl-ethyl)-...; 42%

$X = NH_2$; (2-Amino-ethyl)-...; 40%

Das durch Reduktion von Etioporphyrinato-pyridino-kobalt(II) mit 1%igem Natrium-Amalgam erhaltene Anion kann durch Umsetzen mit Ethyl-jodid gleichfalls alkyliert werden[6].

Alkyl-(tetraphenylporphyrinato)-kobalt-Komplexe, die im kristallinen Zustand einen Pyridin-Liganden enthalten, erhält man gleichfalls durch Umsetzung des Anion-Komplexes mit Halogen- oder Tosyloxy-alkanen[7]. Es ist eine stereospezifische S_N2-Reaktion, die unter Inversion am C-Atom abläuft. Der Anion-Komplex wird durch Reduktion der 2- oder 3-wertigen Verbindungen mit Natriumboranat erhalten.

Alkyl-(tetraphenylporphyrinato)-kobalt[7]: 0,201 g (0,3 mmol) (Tetraphenylporphyrinato)-kobalt(II) und 0,380 g (10 mmol) Natriumboranat werden in einer Mischung aus 12 ml Ethanol und 8 ml Pyridin unter Stickstoff 2 Stdn. gerührt, dann im Eis-Bad gekühlt und mit 3 mmol Halogen-alkan versetzt. Das Reaktionsgemisch wird zwischen 3 und 12 Stdn. gerührt und der Umsatz UV-spektroskopisch verfolgt. Hierauf wird der Komplex durch Zusatz von destill. Wasser ausgefällt, an der Luft getrocknet, mit Wasser gewaschen und schließlich i. Vak. im Exsikkator getrocknet. Die Verbindungen werden in Pyridin oder in Pyridin/Wasser umkristallisiert.

[1] A. M. VAN DEN BERGEN, J. Organometal. Chem. **92**, 55 (1975).

[2] L. SALISBURY u. H. W. WHITLOCK, J. Organometal. Chem. **136**, 259 (1977).

[3] H. OGOSHI, E.-I. WATANABE, N. KOKETSU u. Z.-I. YOSHIDA, Bl. chem. Soc. Japan **49**, 2529 (1976).

[4] Zur Synthese des Anionkomplexes s. S. 88.

[5] Stark elektronenschiebende Ligangen scheinen die Koordinationszahl 5 zu begünstigen; vgl. A. BIGOTTO, G. COSTA, G. MESTRONI, G. PELLIZER, A. PUXEDDU, E. REISENHOFER, L. STEFANI u. G. TAUZHER, Inorg. Chim. Acta Rev. **4**, 41 (1970).

[6] D. A. CLARKE, R. GRIGG u. A. W. JOHNSON, Chem. Commun. **1966**, 208.

[7] M. PERREE-FAUVET, A. GAUDEMER, P. BOUCLY u. J. DEVYNCK, J. Organometal. Chem. **120**, 439 (1976).

Zur Herstellung weiterer Alkyl-kobalt-Komplexe mit Porphyrinato-ähnlichen Liganden s. Lit.[1].

Phthalocyanino-kobalt(I)-at ist im Gegensatz zu den nur in alkalischer Lösung beständigen Cobaloximat-Derivaten und Vitamin B_{12s}, auch in neutraler alkoholischer Lösung stabil[2].

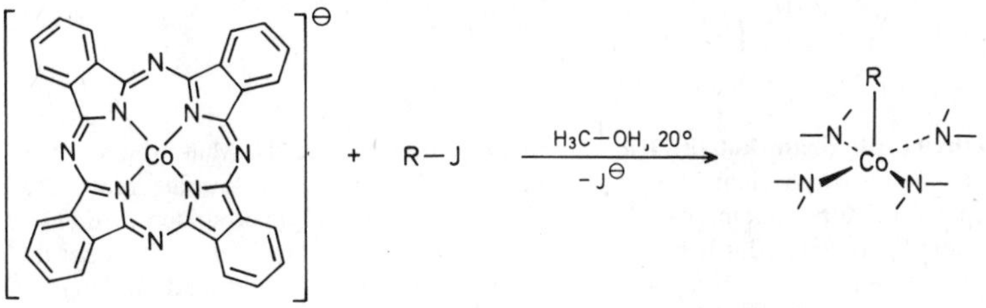

z. B.: R = CH₂–CH₂–OH; *(2-Hydroxy-ethyl)-phthalocyanino-kobalt*; 98%

Die grüne Verbindung wird durch Reduktion des Kobalt(II)-Komplexes mit 2,2'-Dilithium-benzophenon oder Naphthalin-natrium in Tetrahydrofuran bei 20° hergestellt. Sie kann in diesem Lösungsmittel umkristallisiert werden und ist gegenüber Sauerstoff und Wasser stark empfindlich. Der genannte Anion-Komplex besitzt in alkoholischer Lösung „supernucleophile" Eigenschaften und reagiert sehr leicht mit Jodmethan und 2-Bromethanol[3].

Organo-kobalt(III)-und anorganische Kobalt(III)-Komplexe können auch durch Kohlenmonoxid in Gegenwart von Natronlauge reduziert und anschließend mit Halogenalkanen alkyliert werden[4]:

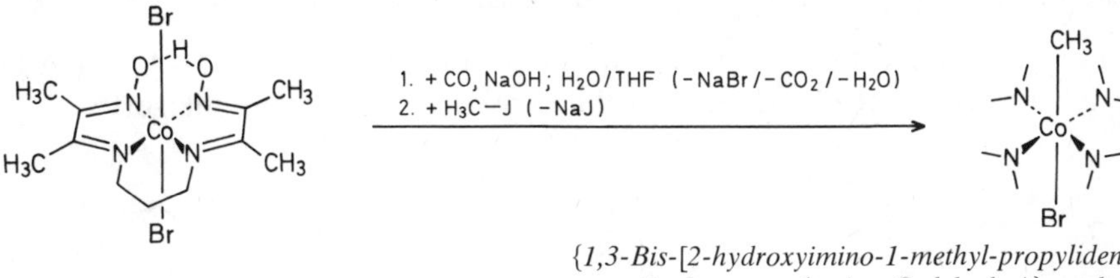

1. + CO, NaOH; H₂O/THF (−NaBr/−CO₂/−H₂O)
2. + H₃C−J (−NaJ)

{1,3-Bis-[2-hydroxyimino-1-methyl-propyliden-
amino]-propan-(amino-O-dehydro)}-methyl-kobalt

β) mit Alkenen

Die Reaktionen von Kobalt(II)-Komplexen mit Wasserstoff und Alkenen sind auf S. 105 beschrieben. Alkene können mit Kobalt(I)-Anion-Komplexen oder mit den Hydrido-kobalt(III)-Komplexen (s. S. 71) reagieren, die aus dem Anion durch Anlagerung eines Protons gebildet werden. Da Anion- und Hydrido-Komplexe in wäßriger Lösung im Gleichgewicht stehen, dessen Lage durch den pH-Wert der Lösung bestimmt wird, ist es möglich, daß vor der Reaktion mit dem Alken aus dem Anion das Hydrid gebildet wird. Andererseits entsteht bei Addition des Anions oft bevorzugt das eine und beim Hydrid das andere Isomere.

Die folgenden Alkene mit Elektronen-anziehenden Substituenten bilden mit dem Octaethylporphyrinato-kobalt(I)-Anion-Komplex in alkalischer, Wasser-haltiger Tetrahydrofuran-Lösung ausschließlich β-funktionell-substituierte Alkyl-kobalt(III)-Verbindungen, die fünffach koordiniert sind:

[1] Y. MURAKAMI, Y. AOYAMA u. K. TOKUNAGA, Inorg. Nucl. Chem. Letters **15**, 7 (1979).
[2] H. ECKERT u. I. UGI, Ang. Ch. **87**, 847 (1975).
[3] H. ECKERT u. I. UGI, J. Organometal. Chem. **118**, C 59 (1976).
[4] G. COSTA, G. MESTRONI u. G. TAUZHER, Soc. [Dalton] **1972**, 450.

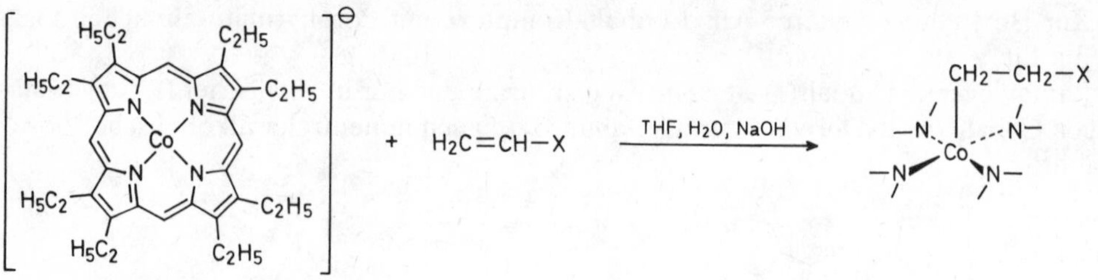

Alkyl-octaethylporphyrinato-kobalt(III); allgemeine Arbeitsvorschrift[1]: Man arbeitet unter Ausschluß von Licht. 100 mg Octaethylporphyrinato-kobalt(II) und 3,0 g 3%iges Natrium-Amalgam werden in einen 50-*ml*-Zweihalskolben gefüllt, der über eine Kühlfalle mit einem 25-*ml*-Kolben verbunden wird. 30 *ml* abs. THF werden zugegeben, die Lösung wird luftfrei gemacht und mit einem Magnetrührer 12 Stdn. gerührt. Die Farbe der Lösung ändert sich von zunächst rötlichpurpur nach orange-rot. Die Lösung wird durch eine Glasfritte in den 25-*ml*-Kolben übergeführt, der das Alken in molarem Überschuß enthält. Die Reaktionsmischung wird 15 Min. gerührt, mit einer kleinen Menge 0,5M Natronlauge versetzt und weitergerührt, bis die Farbe der Lösung in 10–30 Min. dunkelrot wird.

15 *ml* Dichlormethan werden hierauf zugesetzt. Die Mischung wird in 200 *ml* kaltes Wasser gegeben. Die organ. Schicht wird abgetrennt, 3mal mit je 200 *ml* Wasser gewaschen und über Natriumsulfat getrocknet. Das Lösungsmittel wird i. Vak. bei 20° abgezogen und der Rückstand dünnschichtchromatographisch an Kieselgel (Merck 60 PF$_{254}$; Plattengröße: 20×20 cm; Schichtdicke: 1 mm; Laufmittel: Dichlormethan/Petrolether 1:3 beim 2-Cyanmethyl-Komplex) gereinigt. Die Verbindungen werden aus Dichlormethan und Petrolether oder Aceton umkristallisiert.

Auf diese Weise erhält man u. a.

(2-Cyan-ethyl)-octaethylporphyrinato-kobalt	44%
(2-Ethoxycarbonyl-ethyl)-octaethylporphyrinato-kobalt	30%

In 2-Stellung nicht funktionell substituierte 1-Alkene reagieren nicht bzw. in anderer Weise.

Inden und 1-Phenyl-propen bilden mit dem Pyridino-cobaloxim(I)-Anion Addukte, wobei sich der Kobalt-Rest wie bei Styrol an das Benzyl-C-Atom anlagert[2,3]:

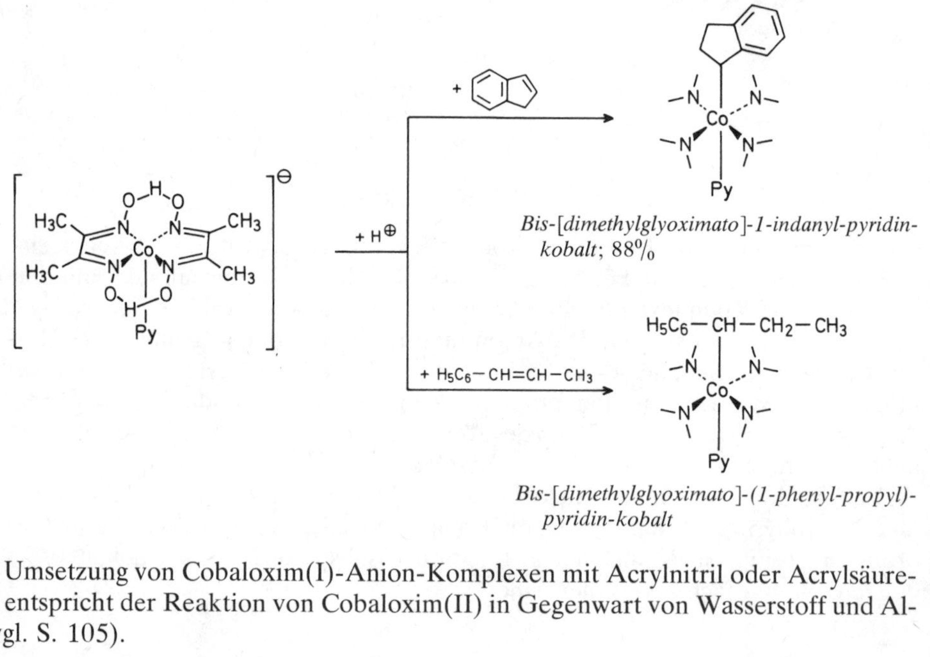

Bis-[dimethylglyoximato]-1-indanyl-pyridin-kobalt; 88%

Bis-[dimethylglyoximato]-(1-phenyl-propyl)-pyridin-kobalt

Die Umsetzung von Cobaloxim(I)-Anion-Komplexen mit Acrylnitril oder Acrylsäureestern entspricht der Reaktion von Cobaloxim(II) in Gegenwart von Wasserstoff und Alkali (vgl. S. 105).

---

[1] H. Ogoshi, E.-I. Watanabe, N. Koketsu u. Z.-I. Yoshida, Bl. chem. Soc. Japan **49**, 2529 (1976).
[2] M. Naumberg, K. N. V. Duong, F. Gaudemer u. A. Gaudemer, C. r. **270** C, 1301 (1970).
[3] C. Giannotti, C. Fontaine u. A. Gaudemer, J. Organometal. Chem. **39**, 381 (1972).

γ) mit Oxiranen bzw. Aziridinen

Der gespannte Oxiran-Ring wird durch nucleophilen Angriff von Kobalt(I)-Chelat-anion-Komplexen aufgespalten[1-3]. Dabei lagert sich das Cobaloxim-Anion z.B. an die sterisch schwächer abgeschirmte Methylen-Gruppe des Methyl-oxirans[4] [zur Reaktion von Cobaloxim(II) in neutralem Medium mit Wasserstoff und Oxiranen s. S. 106][2,5]:

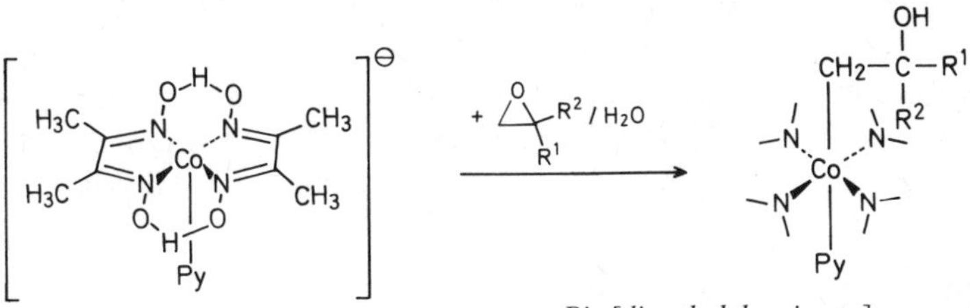

Bis-[dimethylglyoximato]-...-pyridin-kobalt
$R^1 = R^2 = H$; ...-(2-hydroxy-ethyl)-...[1,4]
$R^1 = H$; $R^2 = CH_3$; ...-(2-hydroxy-propyl)-...[1]
$R^1 = R^2 = CH_3$; ...-(2-hydroxy-2-methyl-propyl)-...[2]
$R^1 = R^2 = C_6H_5$; ...-(2,2-diphenyl-2-hydroxy-ethyl)-...[6]

Mit Phenyl-oxiran entsteht hingegen das *Bis-[dimethylglyoximato]-(2-hydroxy-1-phenyl-ethyl)-pyridin-kobalt*, da hier der elektronische Einfluß von größerer Bedeutung ist als der sterische[4]. Optisch aktives Phenyl-oxiran liefert den optisch aktiven Alkyl-Komplex[7].

Das pH beeinflußt ebenfalls die Isomeren-Verteilung der Additionsreaktion, da der Kobalt(I)-Anion-Komplex anders reagiert (S_N2-Reaktion) als der Hydrido-kobalt(III)-Komplex (S_N1-Reaktion).

Analog erhält man mit Benzyl-oxiran *(1-Benzyl-2-hydroxy-ethyl)-bis-[dimethylglyoximato]-pyridin-kobalt*[8].

Bis-[dimethylglyoximato]-(2-hydroxy-1-phenyl-ethyl)-pyridin-kobalt(III)[4]: Einer Lösung von 4 mmol Bis-[dimethylglyoximato]-pyridin-kobalt(II) in 15 *ml* Methanol werden 1*ml* (8,7 mmol) Phenyl-oxiran und 0,25 *ml* mmol. Natronlauge zugesetzt und bei 20° unter kräftigem Schütteln mit Wasserstoff behandelt. Nach Aufnahme von 44 *ml* Wasserstoff (10 Min.) wird die Reaktion durch Zusatz von 40 *ml* Wasser unterbrochen. Der Niederschlag wird getrocknet, zuerst mit Wasser und dann mit Diethylether gewaschen; Ausbeute: 1,27 g (68%).

Mit 1,2-Epoxy-cyclohexan wird *Bis-[dimethylglyoximato]-trans-(2-hydroxy-cyclohexyl)-pyridin-kobalt* (24%) erhalten[9,10,2] und mit 1,2-Epoxy-indan *Bis-[dimethyl-glyoximato]-(trans-2-hydroxy-1-indanyl)-pyridin-kobalt* (79%)[11].

Zur Herstellung von *(1,2-Bis-[2-oxy-benzylidenamino]-ethan)-(2-hydroxy-ethyl)-pyridin-kobalt* I bzw. *(Bis-O,O';O'',O'''-difluorborylen-bis-[dimethylglyoximato])-(2-hydroxy-ethyl)-pyridin-kobalt* II aus den entsprechenden Anionen mit Oxiran s. Lit.[2]:

[1] G.N. Schrauzer u. R.J. Windgassen, Am. Soc. **89**, 143 (1967).
[2] G.N. Schrauzer u. J.W. Sibert, Am. Soc. **92**, 1022 (1970).
[3] K.L. Brown u. L.L. Ingraham, Am. Soc. **96**, 7684 (1974).
[4] M. Naumberg, K.N.V. Duong u. A. Gaudemer, J. Organometal. Chem. **25**, 231 (1970).
[5] H. Aoi, M. Ishimori u. T. Tsuruta, Bl. chem. Soc. Japan **48**, 1897 (1975).
    Manche Kobalt(I)-Anion-Komplexe spalten katalytisch Methyl-oxiran auf unter Bildung von Aceton. Es gibt optisch aktive Komplexe, die bevorzugt D-Methyl-oxiran umlagern und bei Zusatz von Lewis-Säuren die L-Form.
[6] M. Tada, M. Okabe u. K. Miura, Chem. Letters **1978**, 1135.
[7] F.R. Jensen u. R.C. Kiskis, Am Soc. **97**, 5825 (1975).
[8] M. Naumberg, K.N.V. Duong, F. Gaudemer u. A. Gaudemer, C.r. **270** C, 1301 (1970).
[9] F.R. Jensen, V. Madan u. D.H. Buchanan, Am. Soc. **92**, 1414 (1970).
[10] H. Shinozaki, H. Ogawa u. M. Tada, Bl. chem. Soc. Japan **49**, 775 (1976).
[11] C. Giannotti, C. Fontaine u. A. Gaudemer, J. Organometal. Chem. **39**, 381 (1972).

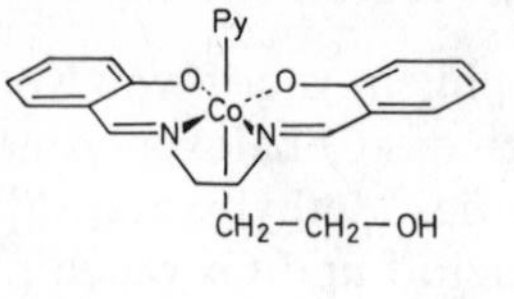

I 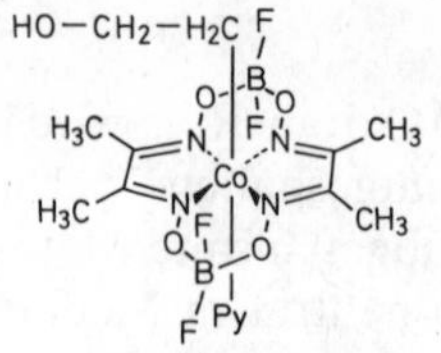   II

Der durch Reduktion mit Natrium-Amalgam in situ aus dem entsprechenden 2-wertigen Komplex hergestellte Octaethylporphyrinato-kobalt(I)-Anion-Komplex spaltet gespannte Dreiring-Verbindungen ebenfalls unter Bildung von Alkyl-kobalt(III)-Derivaten auf[1]:

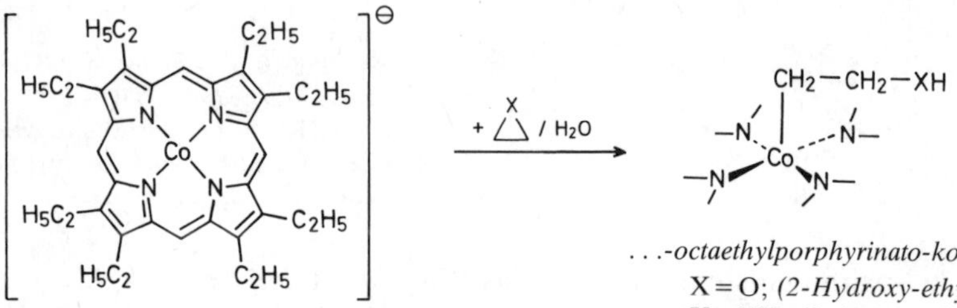

...-octaethylporphyrinato-kobalt
X = O; (2-Hydroxy-ethyl)-...; 67%
X = NH; (2-Amino-ethyl)-...; 33%

δ) mit Alkyl-metall-Verbindungen

Kobalt(I)at-Komplexe werden durch Methyl-quecksilberchlorid unter Abscheiden von metallischem Quecksilber methyliert[2]:

$$Na^{\oplus}[Co(chel)L]^{\ominus} \xrightarrow[\substack{- Hg \\ - NaCl}]{+ H_3C-HgCl} H_3C-Co(chel)L$$

Z.B.: chel =

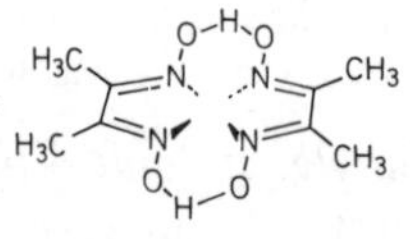

L = Py; Bis-[dimethylglyoximato]-methyl-pyridin-kobalt

chel =

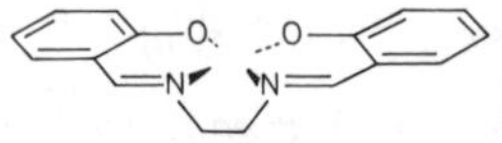

L = H₂O; Aquo-(1,2-bis-[2-oxy-benzyliden-amino]-ethan)-methyl-kobalt

Es kann zweckmäßig sein, die Quecksilber-Verbindungen vor der Reduktion zuzusetzen.

Eine weitere Methode besteht in der Übertragung eines Alkyl-Restes von einer Kobalt(III)-Verbindung auf das Kobalt(I)-at[3-5] (s.a. S. 69). Die Alkyl-Übertragung auf Kobalt(I)-at verläuft halb so schnell wie auf den Kobalt(II)-Komplex.

Bei der Umsetzung von Methyl-cobaloxim mit dem Bis-[1,2-cyclohexandion-bis-oximato]-cobalt-Anion entsteht allerdings ein Gemisch verschiedener Komplexe.

---

[1] H. OGOSHI, E.-I. WATANABE, N. KOKETSU u. Z.-I. YOSHIDA, Bl. chem. Soc. Japan 49, 2529 (1976).

[2] G. MESTRONI, G. ZASSINOVICH, A. CAMUS u. G. COSTA, Transition Met. Chem. 1, 32 (1975/76).

[3] D. DODD u. M.D. JOHNSON, Chem. Commun. 1971, 1371.

[4] C.J. COOKSEY, D. DODD, C. GATFORD, M.D. JOHNSON, G.J. LEWIS u. D.M. TITCHMARSH, Soc. [Perkin II] 1972, 655.

[5] D. DODD, M.D. JOHNSON u. B.L. LOCKMAN, Am. Soc. 99, 3664 (1977).

Das stark nucleophile (1,2-Bis-[2-oxy-benzylidenamino]-ethan)-kobalt-Anion reagiert mit dem Kobalt-Komplex I eindeutig zum *(1,2-Bis-[2-oxy-benzylidenamino]-ethan)-methyl-kobalt*[1]:

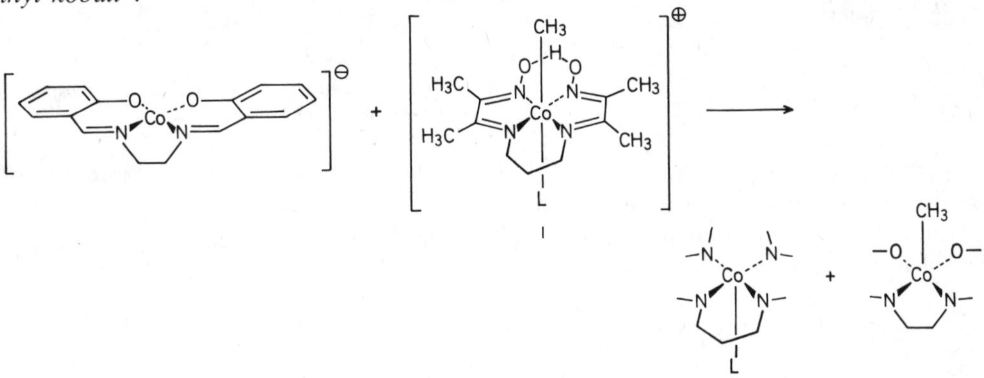

ε) mit speziellen Verbindungen

Ein Sonderfall ist die Reaktion (20°, 30 Min.) von Octaethylporphyrinato-kobalt(I)-at mit Acetyl-cyclopropan zum *(4-Oxo-pentyl)-octaethylporphyrinato-kobalt* (44%)[2].

3. aus neutralen oder positiv geladenen Kobalt(I)-Verbindungen

α) mit Alkylierungsmitteln durch oxidierende Alkylierung

Fünffach koordinierte Cyclopentadienyl-kobalt(I)-Komplexe reagieren mit Halogenalkanen unter oxidativer Addition. So bildet z.B. Carbonyl-cyclopentadienyl-triphenylphosphan-kobalt(I) mit Jodmethan in einer langsamen Reaktion das *Carbonyl-cyclopentadienyl-methyl-triphenylphosphan-kobalt(III)]-jodid*, das sich aber rasch in das *Acetyl-cyclopentadienyl-jodo-triphenylphosphan-kobalt* umlagert[3]:

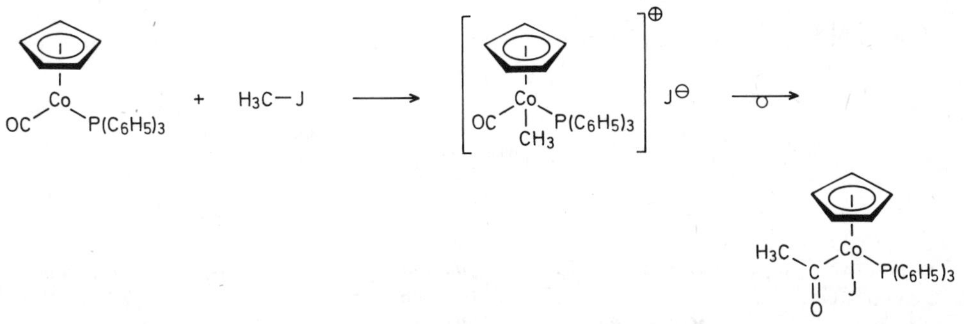

Der Carbonyl-methyl-kobalt(III)-Kation-Komplex kann durch Austausch des stark polarisierbaren und dadurch komplexbildenden Jodids durch das nicht zur Komplex-Bildung neigende Hexafluorophosphat stabilisiert werden[4]:

---

[1] G. Mestroni, C. Cocevar u. G. Costa, G. **103**, 273 (1973).

[2] H. Ogoshi, E.-I. Watanabe, N. Koketsu u. Z.-I. Yoshida, Bl. chem. Soc. Japan **49**, 2529 (1976).

[3] A.J. Hart-Davis u. W.A.G. Graham, Inorg. Chem. **9**, 2658 (1970).

[4] A. Spencer u. H. Werner, J. Organometal. Chem. **171**, 219 (1979).

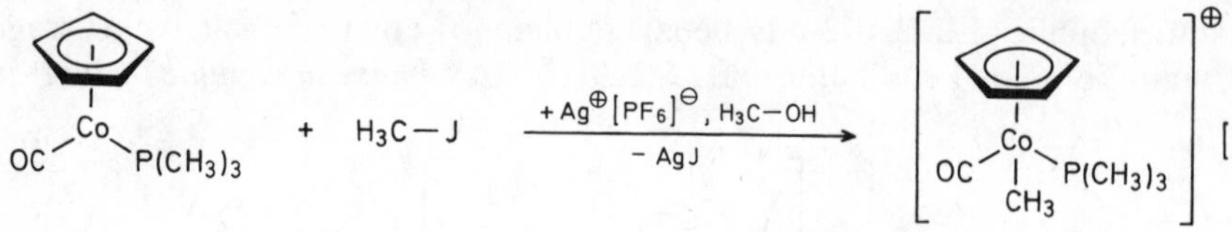

*Carbonyl-cyclopentadienyl-methyl-trimethylphosphan-
kobalt-hexafluorophosphat;* 59%

In ~80%iger Ausbeute werden die dem Carbonyl-Komplex analogen Methyl- und
tert.-Butyl-isonitril-Komplexe hergestellt[1].

Weniger Schwierigkeiten als der Carbonyl-Komplex bereiten die entsprechenden Bis-
phosphan-[2] bzw. -phosphit-Komplexe[3], wobei erstere am besten geeignet sind; z.B.:

$$Co(C_5H_5)[P(OC_2H_5)_3]_2 \;+\; H_3C-J \longrightarrow \{H_3C-Co(C_5H_5)[P(OC_2H_5)_3]_2\}^{\oplus} J^{\ominus}$$

Bis-[triethoxyphosphan]-cyclopentadienyl-methyl-kobalt-jodid; 41%

$$Co(C_5H_5)L_2 \;+\; [O(CH_3)_3]^{\oplus}[BF_4]^{\ominus} \xrightarrow[-O(CH_3)_2]{CH_2Cl_2,\ -50°} [Co(CH_3)(C_5H_5)L_2]^{\oplus}[BF_4]^{\ominus}$$

z.B.: L = P(OCH₃)₃; *Bis-[trimethoxyphosphan]-cyclopentadienyl-methyl-kobalt-
tetrafluoroborat;* 36%

Bis-[trimethoxyphosphan]-cyclopentadienyl-methyl-kobalt-jodid[3]: 560 mg (1,5 mmol) Bis-[trimethoxy-
phosphan]-cyclopentadienyl-kobalt werden in 40 *ml* Dichlormethan gelöst, die Lösung wird auf −30° gekühlt
und danach mit 1,8 *ml* Jodmethan versetzt. Nach 24 Stdn. läßt man auf 20° erwärmen und engt i. Vak. auf 5 *ml*
ein. Die so konzentrierte Lösung tropft man langsam in 50 *ml* Ether. Es entsteht ein gelber Niederschlag, der aus
Ethanol/Diethylether umkristallisiert wird; Ausbeute: 280 mg (38%); ¹H-NMR (d₆-Aceton): δ CoCH₃ 0.7 (t,
J(PH) 4,5 Hz).

Die Reaktivität der Phosphan-Komplexe gegenüber den Alkylierungsreagenzien
nimmt parallel zu ihrer Nucleophilie in folgender Reihe zu[2]:

$$(H_5C_6)_2P-CH_3 \quad < \quad (H_3C)_2P-C_6H_5 \quad < \quad (H_3C)_3P$$

Die luftstabilen Addukte scheinen zu einem Ligandenaustausch nicht fähig zu sein[4].

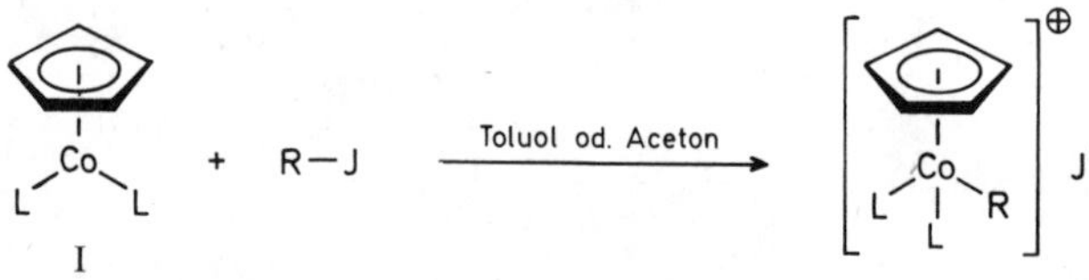

L = (H₃C)₃P; R = CH₃ (Toluol); *Bis-[trimethylphosphan]-cyclopentadienyl-methyl-kobalt-jodid;*
97%; F: 165–166°
R = C₂H₅ (Aceton); *...-ethyl-kobalt-jodid;* 93%; Zers. >96°
L = (H₃C)₂P–C₆H₅; R = CH₃ (Toluol); *Bis-[dimethyl-phenyl-phosphan]-cyclopentadienyl-methyl-
kobalt-jodid;* 98%; F: 115–116°

¹ H. WERNER, S. LOTZ u. B. HEISER, J. Organometal. Chem. **209**, 197 (1981).
² H. WERNER u. W. HOFMANN, B. **110**, 3481 (1977); Ang. Ch. **91**, 172 (1979).
³ H. WERNER, H. NEUKOMM u. W. KLÄUI, Helv. **60**, 326 (1977).
⁴ 2-Propyl- und tert.-Butyl-bromid alkylieren den Cyclopentadienyl-Rest.

Die Reaktivität der Halogen-alkane wird durch Einsatz von Aceton anstelle von Toluol erhöht[1]. Bei Verwendung von Brom-alkanen und Brom-benzol in Diethylether bei −78° werden die organischen Reste in den Cyclopentadienyl-Ligand eingeführt[2]. Die Monoalkyl- bzw. Dialkylcyclopentadienyl-Komplexe reagieren wie Komplex I mit Jodmethan.

Mit Triethyloxonium-tetrafluoroborat entsteht zusätzlich ein Hydrido-Komplex.

Halogenalkane mit Elektronen-anziehenden Substituenten, wie Jod-perfluor-alkane oder Chlor-acetonitril reagieren mit den Carbonyl-cyclopentadienyl-kobalt-Komplexen unter Abspaltung von Kohlenmonoxid, d.h. ohne Bildung der Acyl-kobalt-Verbindungen; z.B.[3]:

Cyclopentadienyl-heptafluorpropyl-triphenylphosphan-kobalt; 22%
F: 173–174° (Zers.)

Analog reagieren Dicarbonyl-kobalt-Komplexe[4−7]. Die erhaltenen Carbonyl-cyclopentadienyl-perfluoralkyl-kobalt-Komplexe können durch Behandeln mit Triphenylphosphan in den entsprechenden Phosphan-Komplex umgewandelt werden[8].

Carbonyl-cyclopentadienyl-jodo-pentafluorethyl-kobalt[6]: Zu einer Mischung aus 3,0 g (17 mmol) Dicarbonyl-cyclopentadienyl-kobalt in 50 *ml* Benzol werden 10 g (40,6 mmol) Jod-pentafluor-ethan gegeben und 17 Stdn. auf 45° erhitzt. Zur Vermeidung von Verlusten des Jod-pentafluor-ethans wird der Kondensator mit Trockeneis gekühlt. Darauf wird das Lösungsmittel bei 20 Torr und 25° entfernt und der Rückstand 12 Stdn. bei 0,1 Torr und 85° sublimiert; Ausbeute: 4,77 g (72%); F: 138°; IR (CS₂): ν_{CO} 2080 cm⁻¹.

Auf analoge Weise erhält man u.a.

Carbonyl-cyclopentadienyl-(heptafluor-propyl)-jodo-kobalt	62%; F: 120–122°
Carbonyl-cyclopentadienyl-jodo-(tetrafluor-1-trifluormethyl-ethyl)-kobalt	22%; F: 108–109°
Carbonyl-cyclopentadienyl-jodo-(pentadecafluor-heptyl)-kobalt	86%; F: 115–118°

Carbonyl-cyclopentadienyl-jodo-perfluoralkyl-kobalt bildet mit optisch aktiven Phosphan-Liganden unter Substitution von Kohlenmonoxid ein Paar von Diastereoisomeren[9]. Die weniger lösliche Form kann durch fraktionierte Kristallisation optisch rein hergestellt werden.

Bei Umsetzung mit Bis-phosphanen wird sowohl der Carbonyl- als auch der Jodo-Ligand substituiert[5]. Es entsteht ein Perfluoralkyl-kation-Komplex:

---

[1] A. Spencer u. H. Werner, J. Organometal. Chem. **171**, 219 (1979).

[2] H. Werner u. W. Hofmann, B. **114**, 2681 (1981).

[3] R.B. King, Inorg. Chem. **5**, 82 (1966).

[4] J.P. Collman u. W.R. Roper, Adv. Organometallic Chem. **7**, 53 (1968).

[5] R.B. King, R.N. Kapoor u. L.W. Houk, J. Inorg. & Nuclear Chem. **31**, 2179 (1969).

[6] R.B. King, P.M. Treichel u. F.G.A. Stone, Am. Soc. **83**, 3593 (1961).

[7] J.A. McCleverty u. G. Wilkinson, Soc. **1964**, 4200.

[8] S.A. Gardner u. M.D. Rausch, Inorg. Chem. **13**, 997 (1974); z.B. *Cyclopentadienyl-jodo-trifluormethyl-triphenylphosphan-kobalt*; 86%; F: 200–201°.

[9] H. Brunner, J. Doppelberger, P. Dreischl u. T. Möllenberg, J. Organometal. Chem. **139**, 223 (1977).

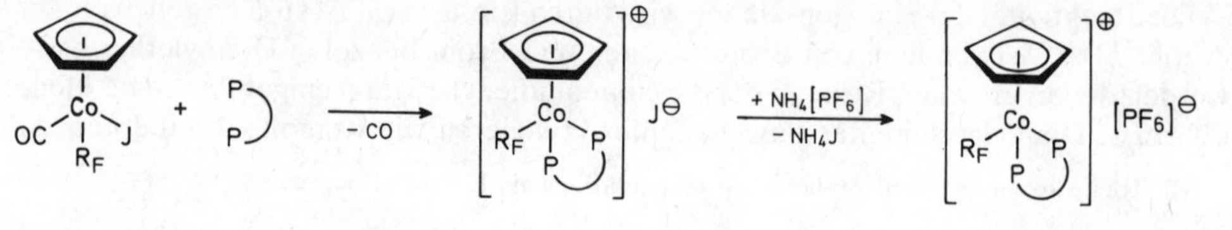

... .-kobalt-hexafluorophosphat

P–P = (H₅C₆)₂P–CH₂–CH₂–P(C₆H₅)₂; Rғ = C₃H₇; *(1,2-Bis-[diphenylphosphano]-ethan)-cyclopentadienyl-*
(heptafluor-propyl)-. . .; 78%; Zers.p.: 230°
Rғ = C₇F₁₅; *(1,2-Bis-[dimethylphosphano-ethan)-cyclopentadienyl-*
(pentadecafluor-heptyl)-. . .; 91%; Zers.p.: 260°

P–P = (H₅C₆)₂P–CH = CH–P(C₆H₅)₂; Rғ = CF(CF₃)₂; *(cis-1,2-Bis-[diphenylphosphano]-ethen)-*
cyclopentadienyl-(tetrafluor-1-trifluorme-
thyl-ethyl)-. . .; 81%; Zers. > 270°

Chlor-acetonitril reagiert leicht mit Carbonyl-cyclopentadienyl-triphenylphosphan-kobalt[1]. Wenn das Nitril im Überschuß eingesetzt wird, entsteht unter zusätzlicher Anlagerung eines Nitril-Moleküls ein Kation-Komplex, der in Lösung diesen labilen Liganden wieder verliert. Bei Behandeln des Komplexes mit 2,2′-Bipyridyl wird außerdem auch der Phosphan-Ligand abgespalten:

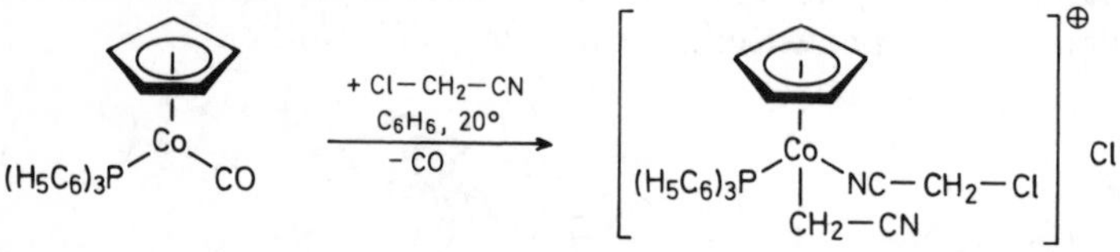

(Chlor-acetonitril)-cyanmethyl-
cyclopentadienyl-triphenylphos-
phan-kobalt-chlorid; F: 144°

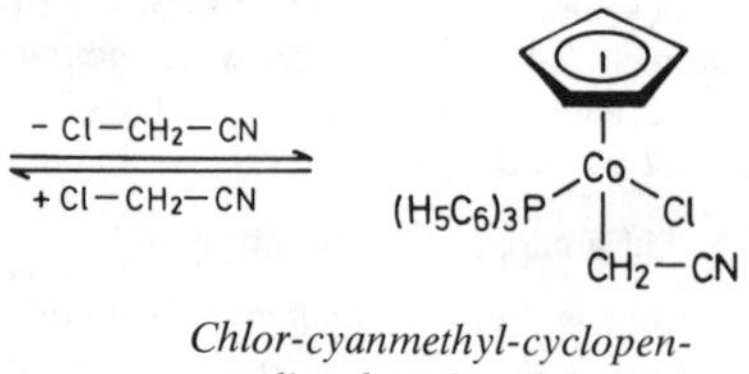

Chlor-cyanmethyl-cyclopen-
tadienyl-triphenylphosphan-
kobalt

Der Pentamethylcyclopentadienyl-Ligand ist ähnlich wie der unsubstituierte Cyclopentadienyl-Rest gut zur Stabilisierung von Perfluoralkyl-kobalt(III)-Komplexen geeignet[2]:

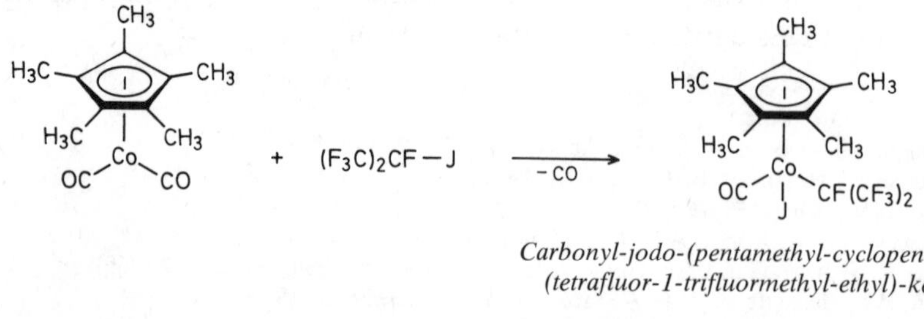

Carbonyl-jodo-(pentamethyl-cyclopentadienyl)-
(tetrafluor-1-trifluormethyl-ethyl)-kobalt; 71%

[1] P. Royo u. J. Sancho, J. Organometal. Chem. **152**, 221 (1978).
[2] R.B. King, A. Efraty u. W.M. Douglas, J. Organometal. Chem. **56**, 345 (1973).

Durch oxidative Addition von Methyljodid an einen Jodo-kobalt(I)-Komplex entsteht neben Dijido-tris-[trimethylphosphan]-kobalt(II) (75%) zu 8% *Dimethyl-jodo-tris-[trimethylphosphan]-kobalt*[1]:

$$x\ CoJ[(H_3C)_3P]_3\ +\ H_3C-J\ \longrightarrow\ y\ (H_3C)_2CoJ[(H_3C)_3P]_3\ +\ z\ CoJ_2[(H_3C)_3P]_3$$

Eine Reihe von neutralen Kobalt(I)-Chelat-Komplexen läßt sich mit Halogen-alkanen, insbesondere Jod-methan, alkylieren. Die Kobalt(I)-Komplexe werden zum Teil isoliert oder in situ durch Reduktion der Kobalt(II)- oder Kobalt(III)-Verbindungen hergestellt[2]. In Gegenwart von Salzen mit Anionen, die sehr schlechte Komplexbildner sind, wird der entsprechende Kation-Komplex gebildet[3]; z.B.:

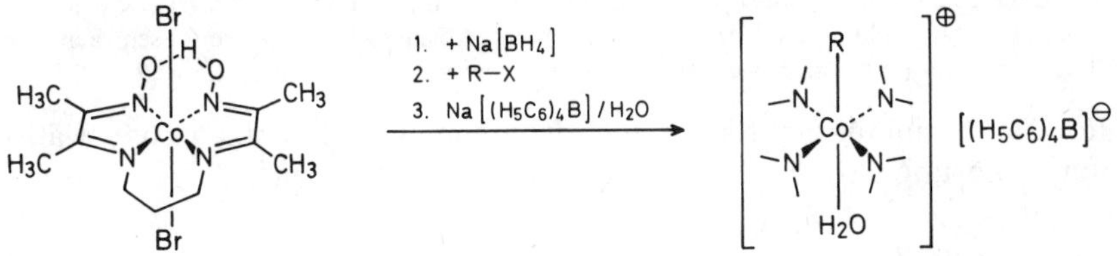

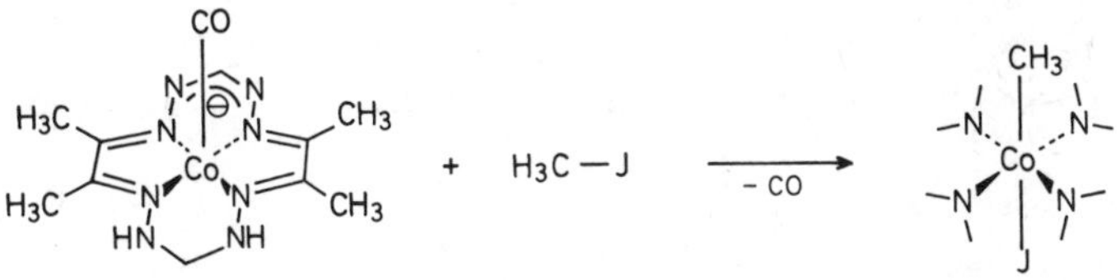

Jodo-methyl-(6,7,13,14-tetramethyl-4-dehydro-1,2,4,5,8,9,11,12-octaaza-cyclotetradeca-1^14,2,5,7,12-pentaen-N^1,N^5,N^8,N^12)-kobalt[4]

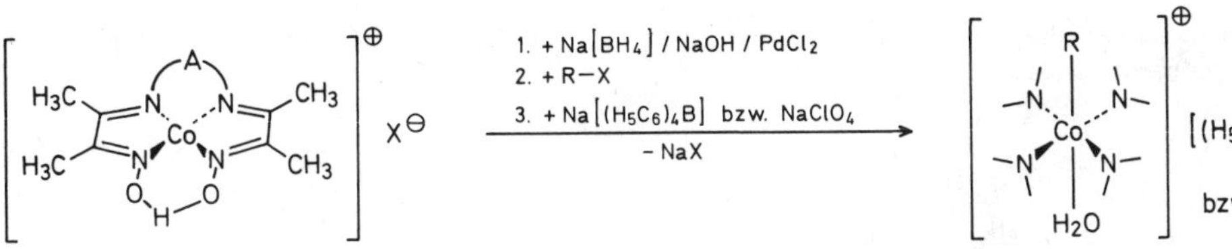

A = –(CH₂)₂–, –(CH₂)₃– [5,6 s. a. 7]
RX = CH₃J, C₂H₅Br, H₅C₆–CH₂–Cl

(1,3-Bis-[2-hydroximino-1-methyl-propylidenamino]-mono-O-dehydro-propan)-di-methyl- (bzw. *bis-[trideuteromethyl]*)-*kobalt* entsteht als Hauptprodukt, wenn der Dikation-Komplex I anstelle des Dibromo-Komplexes eingesetzt wird[7–9].

---

[1] H.-F. KLEIN u. H.H. KARSCH, B. **109**, 1453 (1976).

[2] G. COSTA u. G. MESTRONI, Tetrahedron Letters **1967**, 4005.

[3] S. BRÜCKNER, M. CALLIGARIS, G. NARDIN u. L. RANDACCIO, Inorg. Chim. Acta **3**, 278 (1969); Perchlorat.

[4] V.L. GOEDKEN u. S.-M. PENG, Chem. Commun. **1974**, 914.

[5] G.N. SCHRAUZER, J.W. SIBERT u. R.J. WINDGASSEN, Am. Soc. **90**, 6681 (1968).

[6] G. COSTA, G. MESTRONI u. E. DE SAVORGNANI, Inorg. Chim. Acta **3**, 323 (1969).

[7] M.W. WHITMAN u. J.H. WEBER, Syn. React. Inorg. Met.-Org. Chem. **7**, 143 (1977).

[8] Die Verbindung ist lichtempfindlich. Protonenaktive Verbindungen spalten einen Methyl-Rest ab. In Lösungsmitteln wie Tetrahydrofuran oder Aceton ist der Komplex stabil, auch gegenüber Sauerstoff im Dunkeln.

[9] G. COSTA, G. MESTRONI, T. LICARI u. E. MESTRONI, Inorg. Nucl. Chem. Letters **5**, 561 (1969). Wird der Dijodo-Komplex eingesetzt, so sind die Dialkyl-kobalt(III)-Verbindungen (Benzyl-, Methyl) mit dem Alkyl-jodo-kobalt-Komplex verunreinigt.

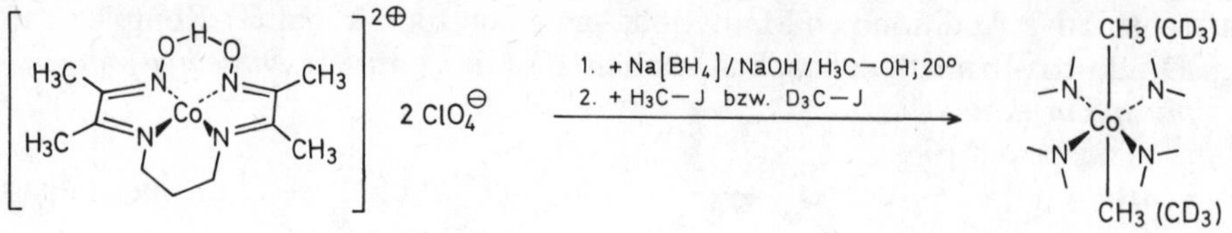

(1,3-Bis-[2-hydroximino-1-methyl-propylidenamino]-mono-O-dehydro-propan)-dimethyl-kobalt[1]:   5,3 g (10 mmol) (1,3-Bis-[2-hydroximino-1-methyl-propylidenamino]-mono-O-dehydro-propan)-kobalt-diperchlorat werden in 100 ml Methanol gelöst. Unter Rühren werden 2mal je 2 ml (10 mmol) 5 M Natriumhydroxid-Lösung zugetropft. Das Reaktionsgefäß wird im Dunkeln gehalten. Anschließend gibt man 12 ml (200 mmol) Jodmethan zu (10facher Überschuß). Nach Abkühlen im Eisbad werden 1 g (26 mmol) Natriumboranat als wäßr. Lösung zugetropft. Man erhält eine hellorange Lösung. Nach 5–10 Min. tritt eine heftige Reaktion auf. Es scheiden sich orange plättchenförmige Kristalle ab. Die Lösung wird i. Vak. unter schwachem Erwärmen eingeengt. Die abgetrennten Kristalle werden mit Wasser gewaschen; Ausbeute: 2,6 g (79%).

Anstelle von Natriumboranat kann auch Kohlenmonoxid in alkalischer, wäßriger Tetrahydrofuran-Lösung als Reduktionsmittel verwendet werden[2]:

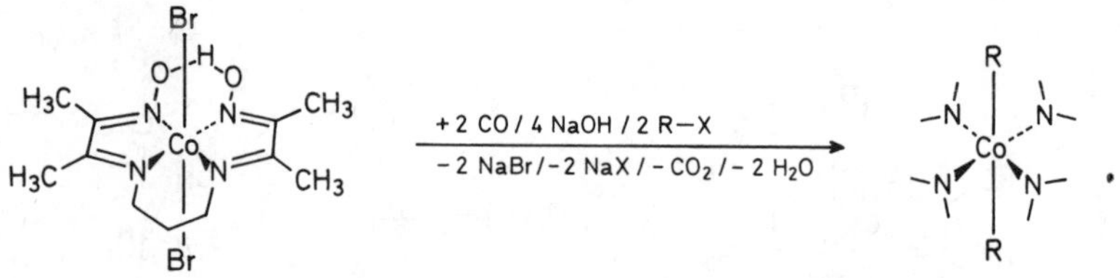

*(1,3-Bis-[2-hydroximino-1-methyl-propyliden-
amino]-mono-O-dehydro-propan)-...-kobalt*
$R = CH_3$; ...-dimethyl-...
$R = CH_2-C_6H_5$; ...-dibenzyl-...

Der analog hergestellte Kobalt(I)-Chelat-Komplex I bildet mit Halogen-alkanen und mit 4-Chlor-2-oxo-1,3-dioxolan ebenfalls oxidative Addukte[3, 4]:

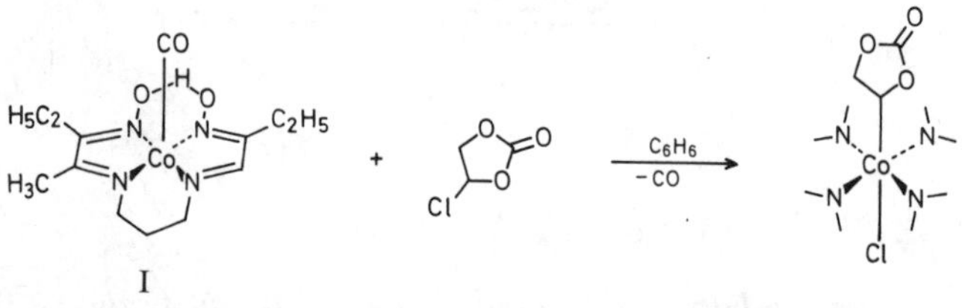

*Chloro-[3-(3-hydroximino-1-methyl-butylidenamino)-1-(2-oximino-butyliden-
amino)-propan]-(2-oxo-1,3-dioxolan-4-yl)-kobalt*; 80%

Analog erhält man *Bromo-butyl-* bzw. *Chloro-methoxymethyl-[3-(3-hydroximino-1-methyl-butylidenamino)-1-(2-oximino-butylidenamino)-propan]-kobalt*.

[1] M. W. Whitman u. J. H. Weber, Syn. React. Inorg. Met.-Org. Chem. **7**, 143 (1977).
[2] G. Costa, G. Mestroni u. G. Tauzher, Soc. [Dalton] **1972**, 450.
[3] R. G. Finke u. W. McKenna, Chem. Commun. **1980**, 460.
[4] R. G. Finke, B. L. Smith, W. A. McKenna u. P. Christian, Inorg. Chem. **20**, 687 (1981).

Auch der Komplex II läßt sich mit Halogenalkanen zum entsprechenden Alkyl-kobalt-Kationkomplex umsetzen[1]. Bei Austausch von Jodid durch Cyanid oder Thiocyanat wird Pyridin vom Zentralatom abgespalten und das Anion gebunden. Die dunkelgrünen Verbindungen sind stark lichtempfindlich.

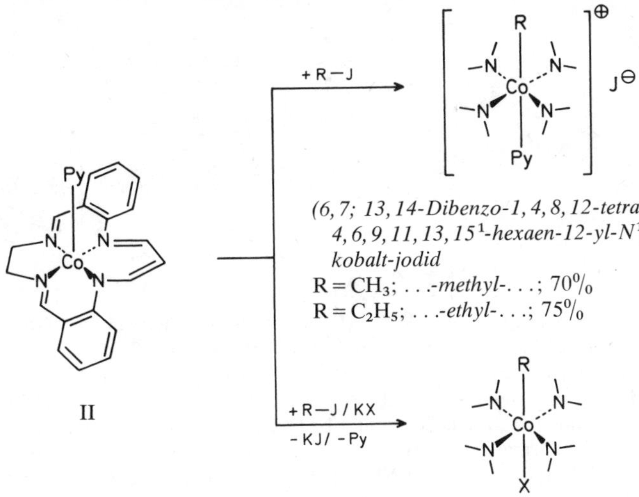

(6,7; 13,14-Dibenzo-1,4,8,12-tetraaza-cyclopentadeca-4,6,9,11,13,15^1-hexaen-12-yl-N^1,N^4,N^8). . .-pyridin-kobalt-jodid
R = CH$_3$; . . .-methyl-. . .; 70%
R = C$_2$H$_5$; . . .-ethyl-. . .; 75%

R = CH$_3$; X = CN; . . .-cyano-methyl-kobalt; 30%
R = C$_2$H$_5$; X = S-CN; . . .-ethyl-thiocyanato-kobalt; 60%

Kobalt(III)- oder Kobalt(II)-Verbindungen mit neutralen vierzähnigen Liganden werden durch Natriumboranat in Gegenwart von Halogen-alkanen umgesetzt; z.B.[2]:

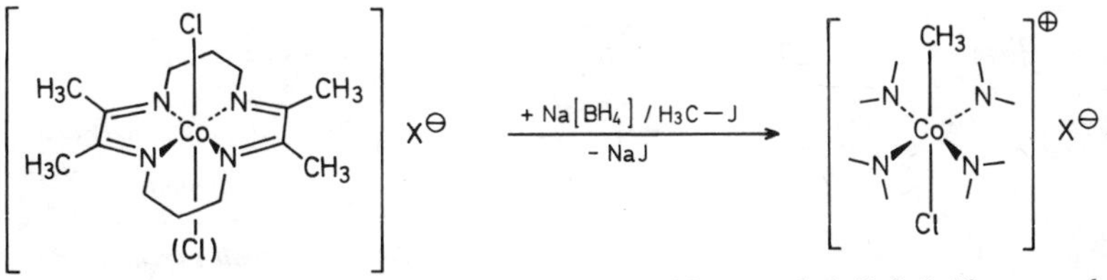

X = (H$_5$C$_6$)$_4$B, ClO$_4$

Chloro-methyl-(2,3,9,10-tetramethyl-1,4,8,11-tetraaza-cyclotetradeca-1,3,8,10-tetraen)-kobalt-tetraphenylborat bzw. *-perchlorat*

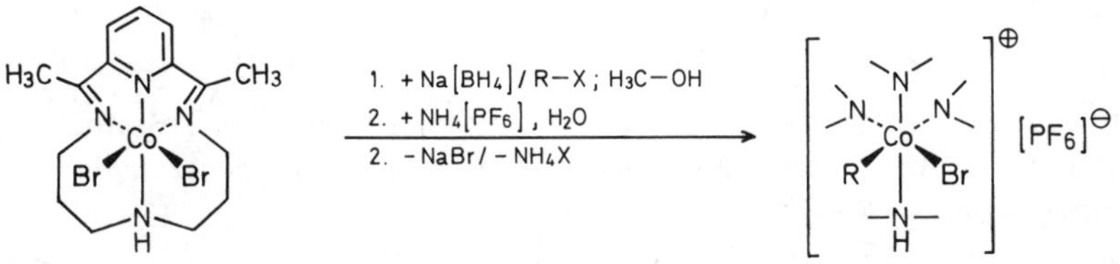

Brom-[2,6-(1,11-dimethyl-2,6,10-triaza-1,10-undecadien-1,11-diyl)-pyridin]-. . . .-kobalt-hexafluoro-phosphat[3]
RX = CH$_3$J; . . .-methyl-. . .; 45%
RX = C$_2$H$_5$Br(J); . . .-ethyl-. . .; 25%
RX = CH$_2$Cl$_2$; . . .-chlormethyl-. . .; 40%
RX = H$_5$C$_6$–CH$_2$–Cl; . . .-benzyl-. . .; 30%

[1] D.S.C. BLACK, A.J. HARTSHORN, M. HORNER u. S. HÜNIG, Austral. J. Chem. **30**, 2553 (1977).
[2] K. FARMERY u. D.H. BUSCH, Inorg. Chem. **11**, 2901 (1972).
[3] E.-I. OCHIAI, K.M. LONG, C.R. SPERATI u. D.H. BUSCH, Am. Soc. **91**, 3201 (1969).

Nach dieser Methode ist auch *Aquo-methyl-(2, 3, 9, 10-tetramethyl-1, 4, 8, 11-tetraaza-cyclotetradeca-1, 3, 8, 10-tetraen)-kobalt-diperchlorat* zugänglich[1].

(Bis-{3-[1-(2-pyridyl)-ethylidenamino]-propyl}-amin)-methyl-kobalt-dijodid[2]:

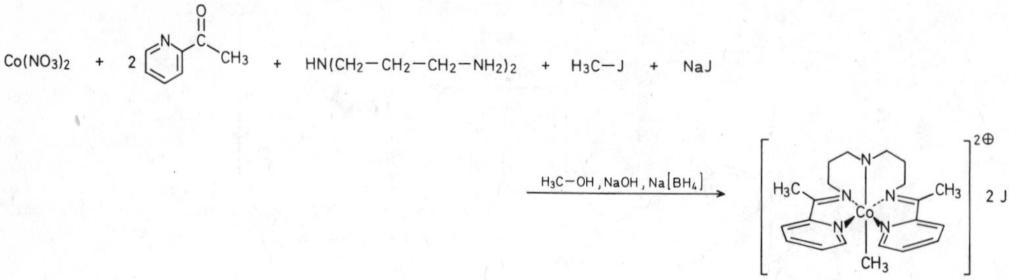

Eine luftfreie Lösung von 1,45 g (5 mmol) Kobalt(II)-nitrat-Hexakis-hydrat und 6 Tropfen Eisessig in 20 *ml* Wasser, 0,66 g (5 mmol) Bis-[3-amino-propyl]-amin in 20 *ml* Ethanol und 1,25 g (10,3 mmol) 2-Acetyl-pyridin in 20 *ml* Ethanol werden gemischt und 6 Stdn. unter Stickstoff zum schwachen Sieden erhitzt. Man läßt die rotbraune Lösung 12 Stdn. stehen. Dann werden 0,3 g (7,5 mmol) Natriumhydroxid in 5 *ml* Wasser zugesetzt. Die Lösung wird im Eisbad gekühlt und anschließend mit 0,1 g ($\sim$ 25 mmol) Natriumboranat und 3,0 g ($\sim$ 20 mmol) Jodmethan versetzt. Hierauf rührt man die Lösung bei 20° im Dunkeln 1 Stde., setzt 0,75 g (5 mmol) Natriumjodid hinzu und entfernt das Ethanol i. Vak. Der Niederschlag wird abfiltriert und i. Vak. getrocknet; Ausbeute: 1,91 g (55%).

Durch Umkristallisieren in Wasser erhält man die orangen Kristalle des Bis-hydrats.

Bei der Umsetzung von Kobalt(II)-chlorid mit Natriumboranat und Halogenalkanen in Gegenwart von zweizähnigen Liganden werden Dialkyl-kobalt(III)-Kation-Komplexe gebildet[3]:

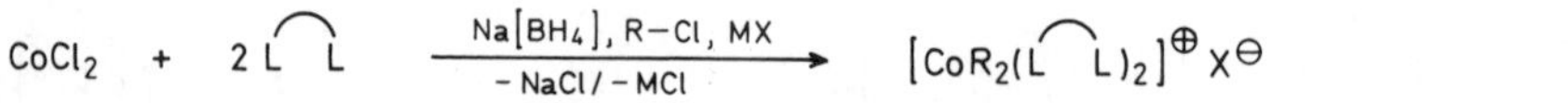

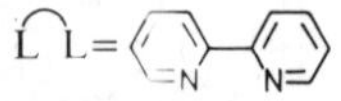

Bis-$[2, 2'$-$bipyridyl]$-...-

R = CH$_3$; X = ClO$_4$; ...-*dimethyl-kobalt-perchlorat*
R = C$_2$H$_5$; X = ClO$_4$; ...-*diethyl-kobalt-perchlorat*
R = CH$_2$-C$_6$H$_5$; X = J; ...-*dibenzyl-kobalt-perchlorat*

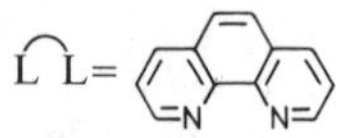

R = CH$_2$-C$_6$H$_5$; X = J; *Bis*-[1, 10-*phenanthrolin*]-*dibenzyl-kobalt-jodid*

β) mit Alkenen, Alkinen bzw. Oxiranen

Dicarbonyl-cyclopentadienyl-kobalt reagiert mit zwei Molekülen Tetrafluorethen unter oxidativer Cycloaddition zum luftstabilen *1-Carbonyl-1-cyclopentadienyl-2, 2, 3, 3, 4, 4, 5, 5-octafluor-cobaltolan* (11%; F: 106–107°; Subl. p.: $_{0,1}$: 70°)[4]:

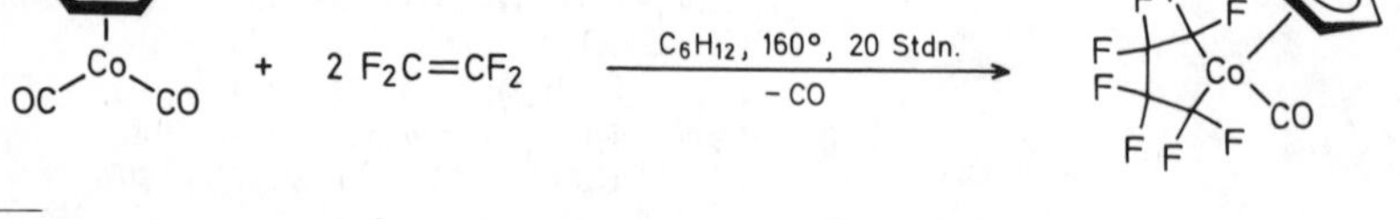

[1] C. Y. Mok u. J. F. Endicott, Am. Soc. **100**, 123 (1978).
[2] D. A. Stotter u. J. Trotter, Soc. [Dalton] **1977**, 868.
[3] G. Mestroni, A. Cjmus u. E. Mestroni, J. Organometal. Chem. **24**, 775 (1970).
[4] T. D. Coyle, R. B. King, E. Pitcher, S. L. Stafford, P. Treichel u. F. G. A. Stone, J. Inorg. & Nucl. Chem. **20**, 172 (1961).

η^2-Acrylnitril-cyclopentadienyl-triphenylphosphan-kobalt bildet mit Acrylnitril analog die beiden *cis*- und *trans*-Isomere von *1-Cyclopentadienyl-2,5-dicyan-1-triphenyl-
phosphan-cobaltolan* [4 bzw. 10%; F: 153° (Zers.) bzw. 164° (Zers.)][1].

Die Synthese von 4,5-Dihydro-cobaltol ist auf S. 143 beschrieben.

Zur Reaktion von Dicarbonyl-cyclopentadienyl-kobalt mit Octafluor-cyclooctatetraen
s. Lit.[2].

Dicarbonyl-cyclopentadienyl-kobalt bildet mit Hexafluor-2-butin bei 110° in Kohlenwasserstoffen u. a. zu 5%
7-Cyclopentadienyl-1,2,3,4,5,6-hexakis-[trifluormethyl]-7-cobalta-bicyclo[2.2.1]heptadien[3]:

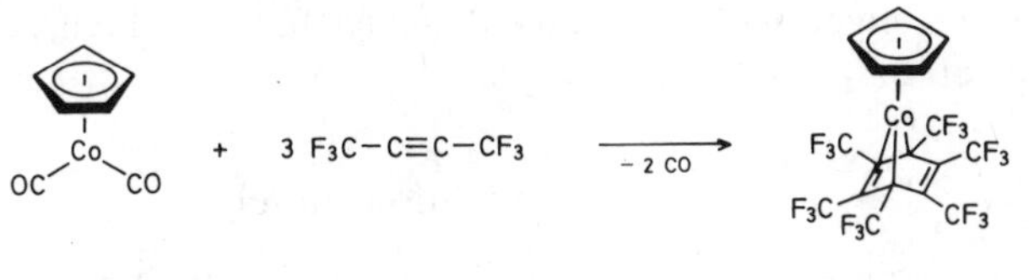

Die Umsetzung von Oxiran mit dem ungeladenen Kobalt(I)-Chelat-Komplex II[4] liefert *Aquo-(1,3-bis-[2-
hydroximino-1-methyl-propylidenamino]-mono-O-dehydro-propan)-(2-hydroxy-ethyl)-kobalt-perchlorat*:

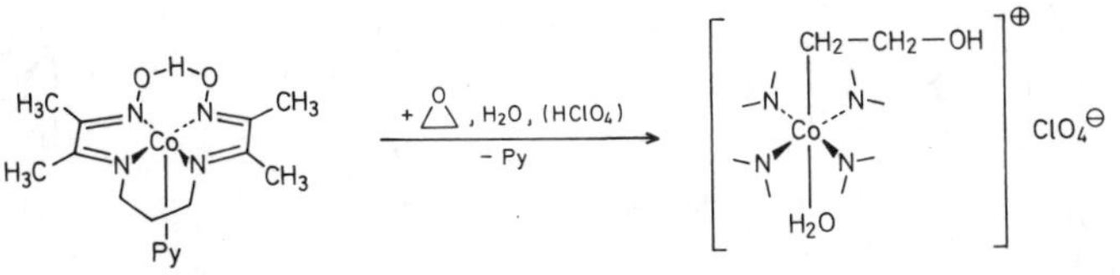

II

γ) mit anderen Verbindungen

Der neutrale Chelat-Komplex I wird von Methyl-quecksilberchlorid methyliert[5]:

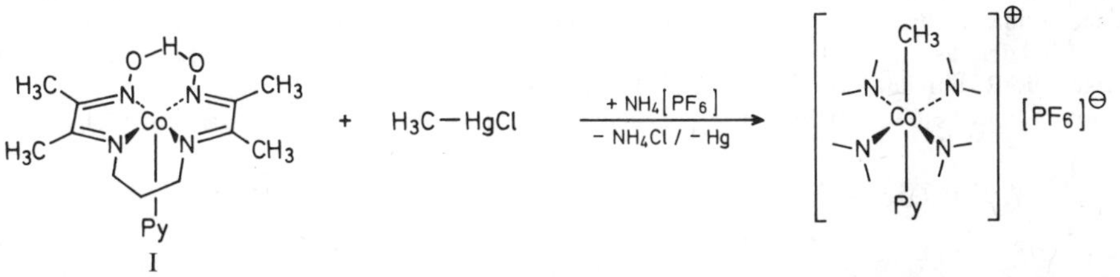

I

**(1,3-Bis-[2-hydroximino-1-methyl-propylidenamino]-mono-O-dehydro-propan)-methyl-pyridin-kobalt-
hexafluorophosphat**[5]: 0,91 g (2mmol) des (1,3-Bis-[2-hydroximino-1-methyl-propylidenamino]-mono-O-de-
hydro-propan)-dibromo-kobalt(III) werden in 60 *ml* Methanol suspendiert und mit 3 *ml* Pyridin und 2 mmol Natriumhydroxid versetzt. Es entsteht eine rote Lösung, die mit Natriumboranat reduziert wird. Die gebildete blaue
Lösung färbt sich nach Zusatz von 0,50 g (2 mmol) Methyl-quecksilberchlorid unter Ausfallen von metallischem
Quecksilber orange. Sie wird filtriert und mit einer wäßr. Lösung von Ammonium-hexafluorophosphat versetzt.
Es fallen orange-farbige Kristalle aus.

[1] Y. WAKATSUKI, T. SAKURAI u. H. YAMAZAKI, Chem. Commun. **1980**, 1270; Soc. [Dalton] **1982**, 1923.
[2] R.P. HUGHES, D.E. SAMKOFF, R.E. DAVIS u. B.B. LAIRD, Organometallics **2**, 195 (1983).
[3] R.S. DICKSON u. P.J. FRASER, Adv. Organometallic Chem. **12**, 323 (1974).
[4] G.N. SCHRAUZER u. J.W. SIBERT, Am. Soc. **92**, 1022 (1970).
[5] G. MESTRONI, G. ZASSINOVICH, A. CAMUS u. G. COSTA, Transition Met. Chem. **1**, 32 (1975/76).

4. aus Kobalt(II)-Komplexen

α) mit Alkylierungsmitteln

α₁) aus Kobalt-Chelat-Komplexen

Die Alkylierung von Cobaloxim-Komplexen ist recht unübersichtlich, da es nicht durchweg klar ist, in welcher Oxidationsstufe Kobalt bei der Reaktion mit dem Alkylhalogenid vorliegt.

Die Fälle, bei denen es sehr wahrscheinlich ist, daß Kobalt(I)- oder Hydrido-kobalt(III)-Komplexe die eigentlichen reaktiven Spezies für die Alkylierungsreaktion sind, sind auf S. 76ff. u. 60 bzw. 71ff. beschrieben.

αα₁) ohne Reduktionsmittel

Alkyl-halogenide reagieren mit Cobaloxim(II) in Abwesenheit bzw. in Gegenwart starker Basen[1]. Es werden 50% des Chelat-Komplexes in eine anorganische Form übergeführt:

z.B.; R–X = J-CF₃[1,2], Br-CCl₃[3], Br-(CH₂)₄-Br[4−6], J-C₃H₇[1], J-CH(CH₃)₂[1], Br-CH₂-CH(CH₃)-COOC₂H₅[7]

Zur Kinetik s. Lit.[8,9]

Die Geschwindigkeit der Reaktion von Kobalt(II)-Komplexen mit Alkyl-halogeniden nimmt mit folgender Reihenfolge zu[10]

$$CH_3X \quad < \quad C_2H_5X \quad < \quad (CH_3)_2CHX \quad , \quad RCl \quad < \quad RBr \quad < \quad RJ$$

Sie nimmt bei 4-subst.-Benzylhalogeniden mit steigender Elektronen-Akzeptor-Wirkung des Substituenten zu und steigt mit zunehmender Elektronen-Donor-Eigenschaft des Substituenten in 4-Stellung des Triphenylphosphans bei der Reaktion mit Benzylbromid. Voluminöse Phosphan-Liganden, wie Tricyclohexylphosphan, erniedrigen die Reaktivität, obwohl die Liganden stark basisch sind.

Die Geschwindigkeitskonstante[11] steigt mit zunehmender Basizität des axialen Liganden in folgender Reihe

$$P(C_6H_5)_3 \quad < \quad \text{Nicotinsäure-amid} \quad < \quad \text{Pyridin} \quad < \quad 4\text{-Methyl-pyridin}$$

[1] G. N. Schrauzer u. R. J. Windgassen, Am. Soc. **88**, 3738 (1966).

[2] Ohne Basen-Überschuß

[3] M. R. Ashcroft, A. Bury, C. J. Cooksey, A. G. Davies, B. D. Gupta, M. D. Johnson u. H. Morris, J. Organometal. Chem. **195**, 89 (1980).

[4] Mit Basen-Überschuß

[5] G. N. Schrauzer u. R. J. Windgassen, Am. Soc. **89**, 143 (1967).

[6] Außerdem entsteht 1,4-Bis-[pyridin-cobaloxim(III)]-butan.

[7] G. N. Schrauzer u. R. J. Windgassen, Am. Soc. **89**, 1999 (1967).

[8] P. W. Schneider, P. F. Phelan u. J. Halpern, Am. Soc. **91**, 77 (1969).

[9] J. Halpern u. P. F. Phelan, Am. Soc. **94**, 1881 (1972).

[10] J. Halpern, Ann. N. Y. Acad. Sci. **239**, 2 (1974).

[11] Nähere Einzelheiten s.
   P. B. Chock u. J. Halpern, Am. Soc. **91**, 582 (1969).
   J. Halpern u. P. F. Phelan, Am. Soc. **94**, 1881 (1972).
   L. G. Marzilli, P. A. Marzilli u. J. Halpern, Am Soc. **92**, 5752 (1970); **93**, 1374 (1971).

Auch sterische Einflüsse können von Bedeutung sein, wie die deutlich langsamere Reaktion bei den voluminösen Tricyclohexylphosphan-Liganden zeigt.

Die Reaktionsgeschwindigkeit ist praktisch Lösungsmittel unabhängig.

Aquo-{1,2-bis-[2-oxy-benzylidenamino]-benzol-(O,O′N,N′)}-(4-cyan-benzyl)-kobalt[1]: Zu einer Suspension von 0,75 g (2,0 mmol) {1,2-Bis-[2-oxy-benzylidenamino]-benzol-(O,O′,N,N′)}-kobalt(II) und 0,54 g (2,2 mmol) 4-Cyan-benzyljodid in 25 ml sauerstofffreiem Chloroform werden mit einer Spritze 0,35 ml (4,4 mmol) Pyridin zugesetzt. Die Lösung läßt man 1 Stde. stehen, konzentriert sie durch Durchleiten von Stickstoff auf ein kleines Volumen und setzt Tetrahydrofuran zu, um {1,2-Bis-[2-oxy-benzylidenamino]-benzol-(O,O′,N,N′)}- bis-[pyridin]-kobalt(III)-jodid auszufällen, das abfiltriert wird. Die Mutterlauge wird weiter eingeengt und mit luftfreiem Hexan versetzt. Dabei fällt ein purpur-schwarzer Niederschlag aus, der abfiltriert, gut mit Wasser gewaschen und unter Stickstoff getrocknet wird; Ausbeute: 0,55 g (94%).

Zur weiteren Reinigung wird die Verbindung aus wäßrigem Pyridin umkristallisiert.

Zum Mechanismus der Reaktion s. Lit.[1, 2]

Perfluoralkyl-kobalt-Chelatkomplexe werden in Dimethylsulfoxid hergestellt[3, 4].

Die Umsetzung von Cobaloxim(II) in alkalischem Medium mit Alkyl-halogeniden ergibt Alkyl-cobaloxim-Derivate oft in höherer Ausbeute als über den durch Reduktion mit Natriumboranat hergestellten Cobaloxim(I)-Anion-Komplex[5].

Aquo-methyl-cobaloxim[5]: Unter Rühren und unter Stickstoff-Atmosphäre werden 29,7 g (0,125 mol) Kobalt(II)-chlorid-Hexakis-hydrat zu einer Suspension gegeben, die aus 29,0 g (0,250 mol) 2,3-Butandion-bisoxim und 300 ml Methanol besteht. Anschließend werden 25,4 g (0,180 mol) Jodmethan und 15,0 g (0,375 mol) Natriumhydroxid gelöst in 50 ml Wasser bei −20° zugesetzt, und es wird 1 Stde. weitergerührt. Nach Abziehen von Methanol i. Vak. läßt man die resultierende wäßr. Lösung 12 Stdn. stehen. Dabei fallen dunkelrote Kristalle aus; Ausbeute: 15,8 g (80%, bez. auf 2 Co pro CH₃Co).

Gleichermaßen werden in wäßriger, methanolischer Natriumhydroxid-Lösung weitere Alkyl-cobaloxime hergestellt[6].

Analog erhält man *Aquo-(3- bzw. 4-fluor-benzyl)-cobaloxime* und *Bis-[dimethylglyoximato]-(2,2-dimethoxy-ethyl)-pyridin-kobalt* $(14\%)^{7,8}$,

sowie *Benzyl-halogeno*(bzw.*Halogeno-methyl)-(2,3,9,10-tetramethyl-1,4,8,11-tetraaza-cyclotetradeca-1,3,8,10-tetraen-kobalt-tetraphenylborate*[9, 10]:

---

[1] L. G. Marzilli, P. A. Marzilli u. J. Halpern, Am. Soc. **93**, 1374 (1971).
[2] J. Kwiatek u. J. K. Seyler, J. Organometal. Chem. **3**, 421 (1965).
  s. a. J. Halpern, Ann. N. Y. Acad. Sci. **239**, 2 (1974).
[3] L. G. Marzilli, P. A. Marzilli u. J. Halpern, Am. Soc. **92**, 5752 (1970).
[4] A. M. van den Bergen, D. J. Brockway u. B. O. West, J. Organometal. Chem. **249**, 205 (1983).
[5] N. Yamazaki u. Y. Hohokabe, Bl. chem. Soc. Japan **44**, 63 (1971).
[6] C. J. Cooksey, D. Dodd, M. D. Johnson u. B. L. Lockman, Soc. [Dalton] **1978**, 1814.
[7] G. N. Schrauzer u. R. J. Windgassen, Am. Soc. **89**, 1999 (1967).
[8] C. W. Fong u. M. D. Johnson, Soc. [Perkin II] **1973**, 986.
[9] G. Costa, G. Mestroni u. E. de Savorgnani, Inorg. Chim. Acta **3**, 323 (1969).
[10] K. Farmery u. D. H. Busch, Inorg. Chem. **11**, 290 (1972).

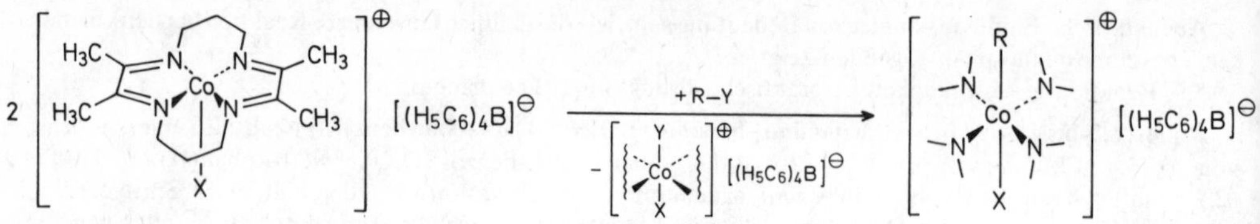

$\alpha\alpha_2$) in Gegenwart von Reduktionsmitteln

Bis-[dimethylglyoximato]-kobalt[Cobaloxim(II)] reagiert mit Halogenalkan-Derivaten in Gegenwart von Zink unter Abspaltung von Halogen vom intermediär gebildeten Halogen-cobaloxim zu Alkyl-cobaloximen[1]:

Ein Vorteil der Reaktionen ist, daß sie in nicht-nucleophilen Lösungsmitteln durchgeführt werden brauchen und so den Einsatz von Lösungsmittel-empfindlichen (z. B. gegen Wasser) Halogenalkan-Derivaten ermöglichen. Die Methode ist jedoch empfindlicher als die Schrauzer-Methode gegenüber sterischer Hinderung. Sie kann nicht angewandt werden, wenn die Halogen-Verbindung durch metallisches Zink rasch reduziert wird.

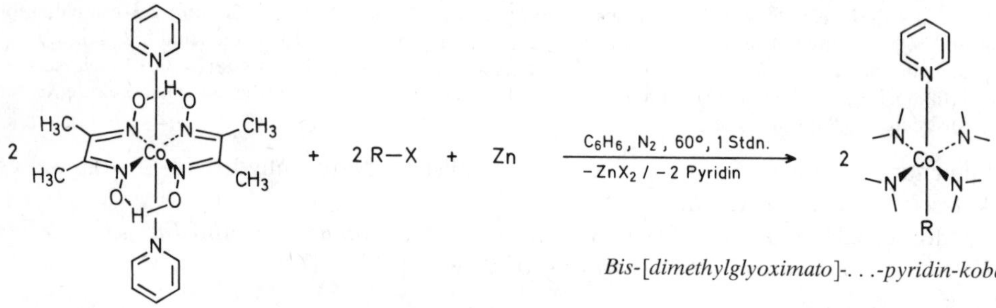

Bis-[dimethylglyoximato]-...-pyridin-kobalt

RX = CH$_3$J (40°/24 Stdn.); ...-*methyl*-...; 95%
RX = Br–CH$_2$–COOC$_2$H$_5$ (70°/2 Stdn.); ...-*(ethoxycarbonyl-methyl)*-...; 90%
RX = Br–CH(C$_2$H$_5$)–COOC$_2$H$_5$ (60°/1 Stde.); ...-*(1-ethoxycarbonyl-propyl)*-...; 85%
RX = Br–CH$_2$–CO–C$_6$H$_5$ (95°/1 Stde.); ...-*(2-oxo-2-phenyl-ethyl)*-...; 31%
RX = Cl–CH(CH$_3$)–CN (60–70°/1 Stde.); ...-*(1-cyan-ethyl)*-...; 69%
RX = Br–CH$_2$–NO$_2$ (45–60°/1 Stde.); ...-*nitromethyl*-...; 24%

Während der in basischem Medium durch Reduktion des 3-wertigen Komplexes hergestellte Bis-[dimethylglyoximato]-kobalt(I)-Anionkomplex mit Methyl-oxiran, 1-Chlor-2-propanol oder 2-Chlor-propanol *Bis-[dimethylglyoximato]-(2-hydroxy-propyl)-pyridin-kobalt* bildet (s. S. 81), erhält man in nahezu neutraler Lösung aus Cobaloxim(II) in Gegenwart von molekularem Wasserstoff mit 2-Brom-1-propanol *Bis-[dimethylglyoximato]-(2-hydroxy-1-methyl-ethyl)-pyridin-kobalt* (21%)[2,3] und mit 1-Brom-2-propanol *Bis-[dimethylglyoximato]-(2-hydroxy-propyl)-pyridin-kobalt(III)* (63%).

Cobaloxim(II)-Komplexe können auch mit speziellen Alkylierungsmitteln in basischem Medium mit Wasserstoff zu den entsprechenden Alkyl-kobalt-Verbindungen umgesetzt werden[4]; z. B.:

[1] P. F. Roussi u. D. A. Widdowson, Chem. Commun. **1979**, 810.
[2] K. L. Brown u. L. L. Ingraham, Am. Soc. **96**, 7681 (1974).
[3] Der pH-Wert der „neutralen" Lösung wird durch Tris-[2-hydroxy-ethyl]-amin (87% freie Base) und seinem Hydrochlorid auf pH $\approx$ 8 eingestellt. In basischer Lösung entsteht hingegen mit 2-Brom-propanol in 83% *Bis-[dimethylglyoximato]-(2-hydroxy-propyl)-* und in 17% *Bis-[dimethylglyoximato]-(2-hydroxy-1-methyl-ethyl)-pyridin-kobalt*.
[4] G. N. Schrauzer u. R. J. Windgassen, Am. Soc. **89**, 3607 (1967).

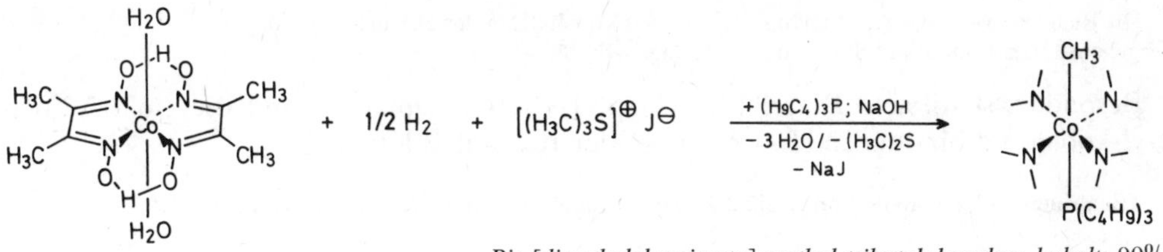

Bis-[dimethylglyoximato]-methyl-tributylphosphan-kobalt; 90%

Mit Propargyl-halogeniden werden bei tiefer Temperatur und kurzer Reaktionsdauer in einer S_N2-Substitution 2-Propinyl-kobalt-Verbindungen gebildet; z.B.[1,2]:

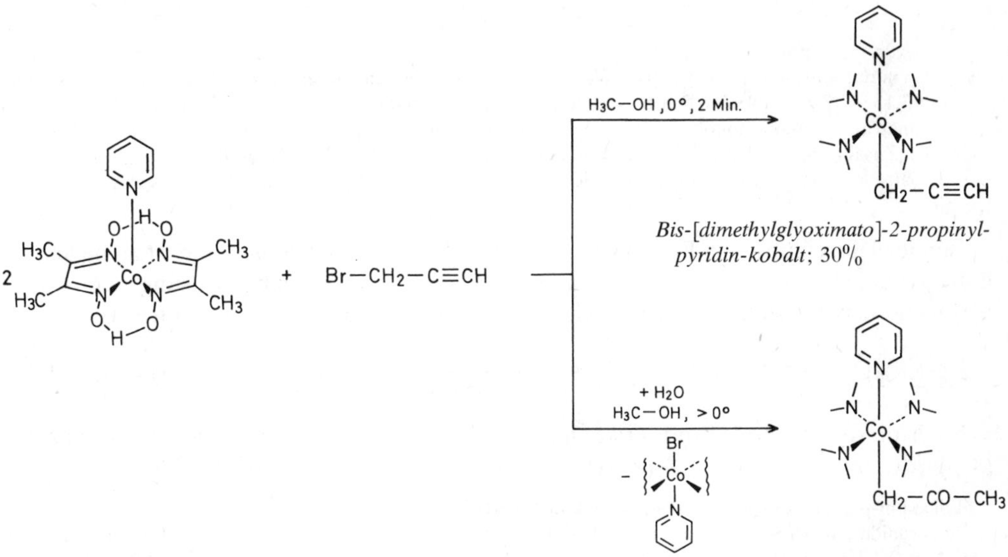

Bis-[dimethylglyoximato]-2-propinyl-pyridin-kobalt; 30%

Bis-[dimethylglyoximato]-(2-oxo-propyl)-pyridin-kobalt; 25%

Wird die Umsetzung in Gegenwart von Essigsäure durchgeführt, so wird der 2-Alkinyl-Rest hydrolysiert[2,3].

α_2) aus Pentacyano-kobaltat(II) mit Alkyl-halogeniden

Pentacyano-kobaltat(II) reagiert mit Alkyl-halogeniden unter oxidativer Addition des Halogen-Restes an ein Kobalt- und des Alkyl-Restes an ein anderes Kobalt-Atom[4]:

$$2 M_3[Co^{II}(CN)_5] \quad + \quad X{-}R \quad \xrightarrow[-M_3[CoX(CN)_5]]{} \quad M_3[Co^{III}R(CN)_5]$$

z.B.: XR = CH_3J; M = Na; *Trinatrium-methyl-pentacyano-kobaltat*[4]; 90%

XR = $Br{-}CH_2{-}C_6H_5$; M = Na; *Trinatrium-benzyl-pentacyano-kobaltat*[4]; 70%

XR = $Cl{-}CH_2{-}CN$; M = K; *Trikalium-cyanmethyl-pentacyano-kobaltat*[5]

XR = J$-CH_2$$-$F; M = K; *Trikalium-(4-fluor-benzyl)-pentacyano-kobaltat*[6]

XR = 1-Jod-adamantan; M = K; *Trikalium-(1-adamantyl)-pentacyano-kobaltat*[7]; 40%

[1] C.J. Cooksey, D. Dodd, C. Gatford, M.D. Johnson, G.J. Lewis u. D.M. Titchmarsh, Soc. [Perkin II] **1972**, 655.

[2] C.J. Cooksey, D. Dodd, M.D. Johnson u. B.L. Lockman, Soc. [Dalton] **1978**, 1814.

[3] M.D. Johnson u. C. Mayle, Chem. Commun. **1969**, 192.

[4] J. Halpern u. J.P. Maher, Am. Soc. **86**, 2311 (1964).
  Vgl. a.: J. Kwiatek, Catal. Rev. **1**, 37 (1967).

[5] J. Kwiatek u. J.K. Seyler, J. Organometal. Chem. **3**, 421 (1965).

[6] C.W. Fong u. M.D. Johnson, Soc. [Perkin II] **1973**, 986.

[7] S.H. Goh u. L.-Y. Goh, J. Organometal. Chem. **43**, 401 (1972).

Die Reaktionsgeschwindigkeit hängt sowohl vom Kobalt-Komplex als auch vom Alkyl-halogenid ab[1]. Sie ist umgekehrt proportional zur Stärke der C–Halogen-Bindung[2].

Besonders stabil sind Bicyclo[2.2.1]hept-1-yl-, 1-Adamantyl- und Bicyclo[2.2.2]oct-1-yl-kobalt-Verbindungen (Erschwerung der Radikal-Bildung).

Trinatrium-1-(2,4-dimethyl-bicyclo[2.2.2]octyl)-pentacyano-kobaltat-Tetrakis-hydrat[3]:

$$2\ [Co(CN)_5]^{3\ominus} \quad + \quad \overset{J}{\underset{H_3C}{\diagup\!\!\!\diagdown}}CH_3 \quad \xrightarrow[-\,[Co(CN)_5J]^{3\ominus}]{} \quad \left[\ \overset{Co(CN)_5}{\underset{H_3C}{\diagup\!\!\!\diagdown}}CH_3\ \right]^{3\ominus}$$

Eine wäßr. methanol. Lösung von Trinatrium-pentacyanokobaltat(II) wird aus 24,6 mmol Kobalt(II)-chlorid und 145,5 mmol Natriumcyanid in 110 *ml* Wasser und 200 *ml* Methanol unter Stickstoff hergestellt. Die Lösung wird mit 3,13 g (12,3 mmol) 2,4-Dimethyl-1-jod-bicyclo[2.2.2]octan versetzt und 33 Stdn. bei 20° gerührt, bis ~5% Trinatrium-pentacyanokobaltat(II) ausgefallen sind. Die Lösung wird hierauf auf ~10 *ml* i. Vak. eingeengt. Bei Zusatz von Methanol und Aceton fallen die Pentacyankobaltat(II)- und Jodo-pentacyan-kobaltat(III)-Salze aus. Der Rückstand wird aus Methanol und Aceton fraktionierend kristallisiert; Ausbeute: 3,4 g (58%).

Bei der Umsetzung von Pentacyano-kobaltat(II) mit Allylhalogeniden ist zu beachten, daß das zunächst gebildete *σ-Allyl-pentacyano-kobaltat* allmählich in Lösung einen Cyanid-Liganden unter Bildung eines *π*-Allyl-Komplexes verliert[4]. Die Reaktion ist reversibel.

$$2\ [Co(CN)_5]^{3\ominus} \quad + \quad Br-CH_2-CH\!=\!CH-R \quad \xrightarrow[-\,[Co(CN)_5Br]^{3\ominus}]{} \quad [R-CH\!=\!CH-CH_2-Co(CN)_5]^{3\ominus}$$

Nach dieser Methode sind *Trikalium-pentacyano-(2-pyridylmethyl)-* (27%)[5], bzw. - *(3-pyridylmethyl)-*[5] sowie *-[1-(2-pyridyl)-ethyl]-kobaltat*[6,7] zugänglich[8,5,6].

Trikalium-pentacyano-(4-pyridyl-methyl)-kobaltat-Hydrat[8]: Eine Luft-freie Lösung von 28,5 g (0,44 mol) Kaliumcyanid in Wasser wird unter Stickstoff-Atmosphäre und Rühren zu einer gekühlten Lösung von 8,76 g (0,035 mol) 4-Brommethyl-pyridinium-bromid und 22,7 g (0,069 mol) Kobalt(II)-bromid in 100 *ml* Wasser gegeben. Nach 30 Min. Rühren wird die gelbe Lösung bei 40° auf ~70 *ml* i. Vak. eingeengt. Beim Kühlen entsteht ein gelber Niederschlag, der abfiltriert wird. Durch Abziehen von Wasser i. Vak. und mehrfaches Extrahieren mit wäßr. Ethanol kann die Ausbeute erhöht werden; Ausbeute: 2,5 g (19%); Zers.p. 195–197°.

Bei Arbeiten unter Wasserstoff-Atmosphäre wird ein größerer Kobalt-Anteil in die Organo-kobalt-Verbindung umgewandelt[4].

α₃) aus anderen Kobalt(II)-Verbindungen

Bis-[cyclopentadienyl]-kobalt spaltet Tetrachlormethan unter Übertragung der Trichlormethyl-Gruppe auf ein Kobalt- und des Chlor-Restes auf ein anderes Kobalt-Atom[9]:

$$2\ Co(C_5H_5)_2 \quad + \quad Cl-CCl_3 \quad \xrightarrow[-\,Cl-Co(C_5H_5)_2]{} \quad Cl_3C-Co(C_5H_5)_2$$

Bis-[cyclopentadienyl]-trichlormethyl-kobalt

---

[1] J. Halpern u. J. P. Maher, Am. Soc. **87**, 5361 (1965).

[2] S. a. P. B. Chock u. J. Halpern, Am. Soc. **91**, 582 (1969).

[3] L.-Y. Goh, J. Organometal. Chem. **88**, 249 (1975).

[4] J. Kwiatek u. J. K. Seyler, J. Organometal. Chem. **3**, 421 (1965).

[5] M. D. Johnson, M. T. Tobe u. L.-Y. Wong, Soc. [A] **1968**, 923.

[6] M. D. Johnson, M. T. Tobe u. L.-Y. Wong, Soc. [A] **1968**, 929.

[7] Die Verbindung, hergestellt aus optisch aktivem 1-Brom-(2-pyridyl)-ethan besitzt keine optische Aktivität mehr. Verantwortlich dafür ist wahrscheinlich die β-Hydrid-Eliminierungs-Addition, die in Lösung auftritt.

[8] M. D. Johnson, M. T. Tobe u. L.-Y. Wong, Soc. [A] **1967**, 491.

[9] K. S. Katz, J. F. Weiher u. A. F. Voigt, Am. Soc. **80**, 6459 (1958).

β) mit Alkenen und Wasserstoff

Bis-[glyoximato]-kobalt(II)[Cobaloxim(II)] reagiert mit Olefinen, 1,3-Butadien oder Allen in Gegenwart von Wasserstoff in neutralem Medium[1,2]. Wahrscheinlich reagiert auch hier die intermediäre Hydrido-kobalt(III)-Verbindung mit dem Olefin. Die Ausbeuten der Umsetzungen sind oft nur gering.

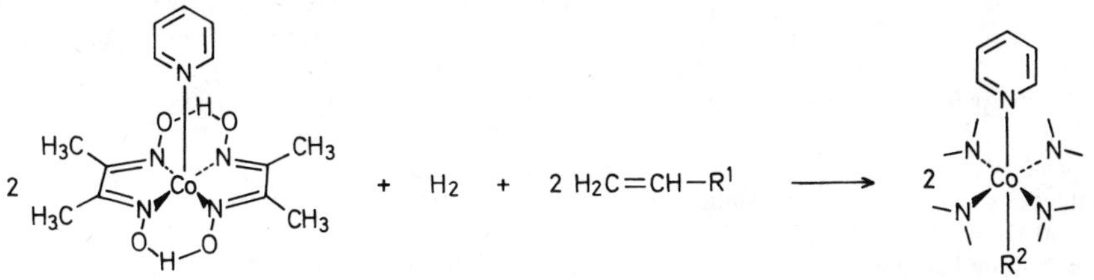

Bis-[dimethylglyoximato]-. . .-pyridin-kobalt

$R^1 = CH_3$; $R^2 = CH(CH_3)_2$; . . .-*isopropyl-*. . .; 7%
$R^1 = CH_2-OH$; $R^2 = (CH_2)_2-CH_2-OH$; . . .-*(3-hydroxy-propyl)-*. . .
$R^1 = CH=CH_2$; $R^2 = CH_2-CH=CH-CH_3$; . . .-*(2-butenyl)-*. . .; 94%

Bei der Umsetzung von Acrylsäure-estern oder Acrylnitril in schwach saurem oder neutralem Medium entstehen die α-Addukte, während in alkalischer Lösung die β-Addukte zu finden sind[3]. Die Unterschiede können erklärt werden, wenn man annimmt, daß in dem einen Falle die Hydrido-kobalt-Verbindung (vgl. S. 71) und in dem anderen Falle das Kobalt-Anion (vgl. S. 87) die aktiven Spezies sind:

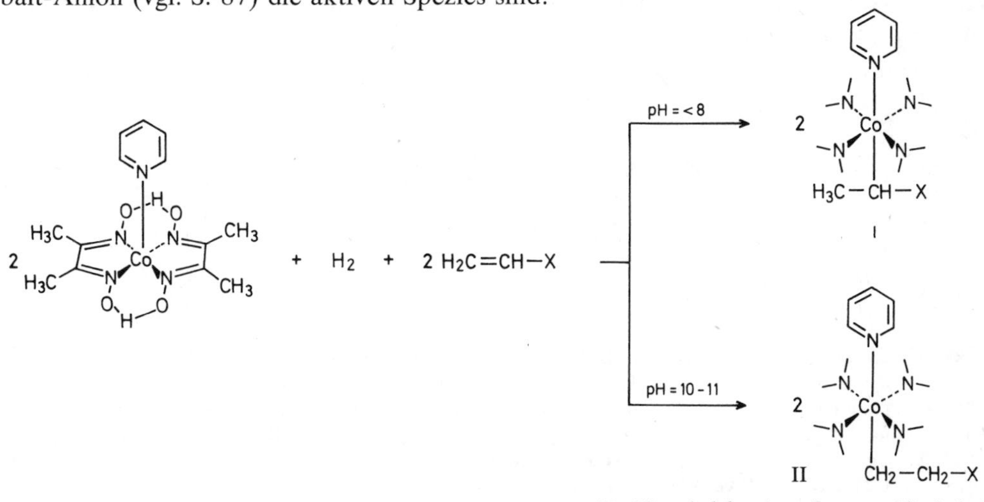

Bis-[dimethylglyoximato]-. . .-pyridin-kobalt

X = CN; I; . . .-*(1-cyan-ethyl)-*. . .; 90%
    II; . . .-*(2-cyan-ethyl)-*. . .
X = COOCH_3; I; . . .-*(1-methoxycarbonyl-ethyl)-*. . .
    II; . . .-*(2-methoxycarbonyl-ethyl)-*. . .

Styrol bildet hingegen immer das α-Isomere.

Bis-[dimethylglyoximato)-(1-cyan-ethyl)-pyridin-kobalt[3]**:** Unter Stickstoff werden in einem 1,5-*l*-Kolben 50 g (0,2 mol) Kobalt(II)-acetat, 46,4 g (0,4 mol) 2,3-Butandion-bis-oxim und 750 *ml* Methanol gegeben. Die Suspension wird so lange gerührt, bis sich das Oxim vollständig gelöst und der Kobalt-Komplex sich gebildet hat.

[1] G.N. Schrauzer u. R.J. Windgassen, Am. Soc. **88**, 3738 (1966).
[2] G.N. Schrauzer u. R.J. Windgassen, Am. Soc. **89**, 143 (1967).
[3] G.N. Schrauzer u. R.J. Windgassen, Am. Soc. **89**, 1999 (1967).

7*

Hierauf werden 13,5 g (0,25 mol) Acrylnitril zugegeben, und es wird mit Wasserstoff gespült. Unter Rühren bei 20–25° werden 2,5 *l* Wasserstoff absorbiert. Die Gasaufnahme hört auf, wenn die Mischung homogen wird. Man filtriert, verdünnt mit der doppelten Menge Wasser und rührt. Nach Zusatz von 16 g (0,2 mol) Pyridin bilden sich die Kristalle des Komplexes, die abfiltriert, mit Wasser gewaschen und an der Luft getrocknet werden; Ausbeute: 76 g (90%).

Bis-[dimethylglyoximato]-(2-cyan-ethyl)-pyridino-kobalt[1]: Eine Suspension von 95,2 g (0,4 mol) Kobalt(II)-chlorid-Hexakis-hydrat und 92,8 g (0,8 mol) 2,3-Butandion-bis-oxim in 1,5 *l* Methanol wird gerührt, bis sich das Kobalt-Salz gelöst hat. Dann werden unter Stickstoff 32,0 g (0,8 mol) Natriumhydroxid in 100 *ml* Wasser zugegeben und schließlich 32 g (0,4 mol) Pyridin. Die Suspension wird gerührt und unter Kühlung auf 20° mit 27 g (0,5 mol) Acrylnitril versetzt. Innerhalb 5 Min. werden 4,0 g (0,1 mol) Natriumhydroxid in 25 *ml* Wasser zugesetzt. Nach Spülen mit Wasserstoff werden davon in 20 Min. 5,1 *l* aufgenommen. Dabei fällt die Absorptionsgeschwindigkeit auf ∼ ¹/₃ des ursprünglichen Wertes. Die gebildete Suspension gelber Kristalle wird in 2 *l* Wasser geschüttet, dann mit 10 *ml* Essigsäure versetzt und schließlich unter Luft gerührt, um Spuren des Ausgangskomplexes zu oxidieren. Die Kristalle werden hierauf abfiltriert, mit Wasser gewaschen und unter Luft getrocknet; Ausbeute: 117 g (70%).

Die Verbindung kann aus einem Methanol-Wasser-Gemisch umkristallisiert werden.

Analog erhält man mit 7-Methyl-3-methylen-1,6-octadien 10% *Bis-[dimethylglyoximato]-(3,7-dimethyl-2,6-octadienyl)-pyridin-kobalt*[2].

γ) mit Oxiranen bzw. Oxetanen

Oxirane bzw. Oxetane setzen sich analog den Olefinen mit Kobalt-Komplexen um. Zur Umsetzung von Kobalt(I)-Anionkomplexen mit Oxiranen bzw. Oxetanen s. S. 89.

Bei der Reaktion von Bis-[glyoximato]-kobalt(II) mit Oxiran und Wasserstoff in fast neutralem Medium sind die Ausbeuten höher als bei Herstellung des Anion-Komplexes in stark basischer Lösung[3,4]. Mit Oxetan entsteht *Bis-[dimethylglyoximato]-(3-hydroxy-propyl)-pyridin-kobalt*[3].

Bis-[dimethylglyoximato]-(2-hydroxy-alkyl)-pyridin-kobalt; allgemeine Arbeitsvorschrift[3]: Eine Suspension von 23,8 g (0,1 mol) Kobalt(II)-chlorid-Hexakis-hydrat und 23,2 g (0,2 mol) 2,3-Butandion-bis-oxim werden in 300 *ml* Methanol unter Stickstoff gerührt, bis sich das gesamte Kobalt(II)-chlorid aufgelöst hat. Dann werden 8,0 g (0,2 mol) Natriumhydroxid in 30 *ml* Wasser gelöst zugegeben. Nach 15 Min. Rühren wird das Schutzgas durch Wasserstoff ausgetauscht, und es wird mit dem Oxiran umgesetzt. Unter kräftigem Rühren werden in ∼ 15 Min. 1,2 *l* Wasserstoff verbraucht. Wenn kein weiterer Wasserstoff aufgenommen wird, wird die orange Lösung filtriert, auf ∼ 100 *ml* eingeengt und mit Wasser verdünnt. Wenn der Aquo-organo-kobalt-Komplex zu gut löslich ist, wird er durch Zusatz von Pyridin in den weniger löslichen Komplex übergeführt.

δ) mit in situ erzeugten Radikalen

Radikale, die photolytisch oder thermisch durch Zersetzung von Hydroperoxiden sowie durch Oxidation von Organo-hydrazin-Derivaten erhalten werden, reagieren mit Kobalt(II)-Komplexen unter Bildung von Alkyl-kobalt(III)-Verbindungen.

---

[1] G.N. Schrauzer u. R.J. Windgassen, Am. Soc. **89**, 1999 (1967).

[2] A.E. Crease, B.D. Gupta, M.D. Johnson, E. Bialkowska, K.N.V. Duong u. A. Gaudemer, Soc. [Perkin I] **1979**, 2611.

[3] G.N. Schrauzer u. R.J. Windgassen, Am. Soc. **89**, 143 (1967).

[4] K.L. Brown u. L.L. Ingraham, Am. Soc. **96**, 7684 (1974).

Spezielle Kobalt(II)-Chelatkomplexe bilden mit Alkyl-Radikalen, die durch Photolyse aus Acyloxy-pentammino-kobalt(III)-Komplexen in wäßriger Lösung erhalten werden, die entsprechenden Alkyl-kobalt(III)-Komplexe[1, 2]:

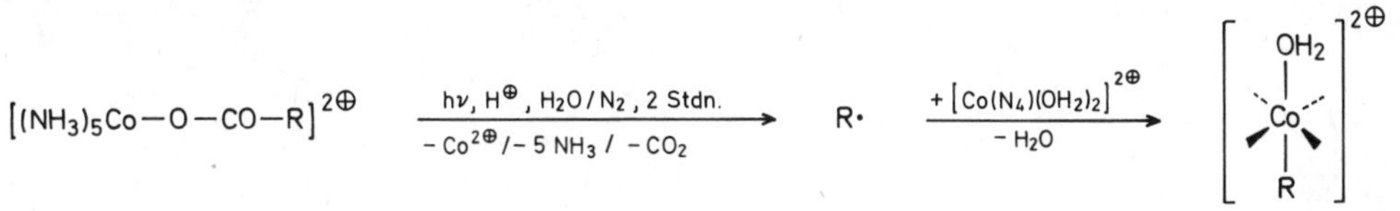

$$[(NH_3)_5Co-O-CO-R]^{2\oplus} \xrightarrow[-Co^{2\oplus}/-5\,NH_3\,/\,-CO_2]{h\nu,\,H^{\oplus},\,H_2O/N_2,\,2\,\text{Stdn.}} R\cdot \xrightarrow[-H_2O]{+[Co(N_4)(OH_2)_2]^{2\oplus}} \left[\begin{array}{c} OH_2 \\ | \\ Co \\ | \\ R \end{array}\right]^{2\oplus}$$

$Co(N_4) =$

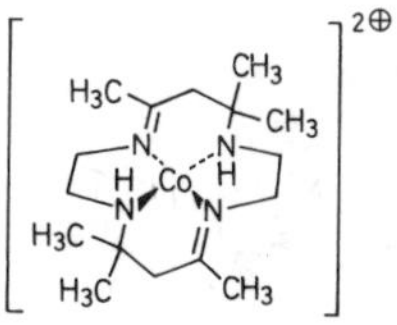

Aquo-(5,7,7,12,14,14-hexamethyl-1,4,8,11-tetraaza-tetradeca-4,11-dien)-. . .-kobalt
$R = CH_3$; . . .*-methyl-*. . .
$R = C_2H_5$; . . .*-ethyl-*. . .; 40%

Mit Alkylhydroperoxiden werden auch Alkyl-Komplexe zugänglich, die nicht durch oxidative Addition an Kobalt(I)-Verbindungen hergestellt werden können. Ein Nachteil der Methode ist es, daß man für ein mol Alkyl-Komplex mindestens zwei mol Kobalt(II)-Komplex benötigt (zur Kinetik[3]):

Im Lösungsmittelgemisch Wasser/tert.-Butanol ist der Anteil an Nebenprodukten gering, wohingegen in wäßrigem Methanol Nebenreaktionen vermehrt auftreten.

In benzolischer Lösung wird keine Alkyl-kobalt(III)-Verbindung erhalten[4].

Der Einfluß des Alkyl-Restes im Alkyl-hydroperoxid auf die Reaktionsgeschwindigkeit ist relativ gering; ebenso ist der Einfluß des pH und der Elektrolyt-Konzentration zu vernachlässigen. Kritisch ist die Gegenwart von molekularem Sauerstoff, da dieser die Radikale sehr rasch abfängt.

Die präperativen Ansätze werden in wäßriger Lösung durchgeführt und die positiv geladenen Alkyl-Komplexe als Tetraphenylborat gefällt. Das nicht geladene *Bis-[dimethyl-glyoximato]-methyl-kobalt* kann durch Dünnschichtchromatographie auf Silicagel isoliert werden.

Aquo-(5,7,7,12,14,14-hexamethyl-1,4,8,11-tetraaza-tetradeca-4,11-dien)-methyl-kobalt-bis-[tetraphenyl-borat][3]: 0,5 g (1,1 mmol) (5,7,7,12,14,14-Hexamethyl-1,4,8,11-tetraaza-tetradeca-4,11-dien)-kobalt-diperchlorat-Dihydrat werden in 100 *ml* Wasser gelöst und mit 20 *ml* einer wäßr. 0,05 mol. Lösung tert.-Butylhydroperoxid behandelt. Nach 30 Min. wird eine Lösung von 0,3 g (0,9 mmol) Natrium-tetraphenylborat in Aceton zugesetzt und die Lösung weitere 5 Min. gerührt. Der feste Niederschlag wird abfiltriert, mit Methanol und Diethylether gewaschen und an der Luft getrocknet sowie aus Aceton durch Zusatz von Wasser umkristallisiert.

Die Alkylierungsreaktion muß unter sorgfältigem Luft-Ausschluß und alle Operationen müssen in Dunkeln durchgeführt werden, da die Komplexe sehr lichtempfindlich sind.

Die durch Oxidation von Organo-hydrazinen erhaltenen Radikale können von Kobalt(II)-Chelat-Komplexen abgefangen werden[5]. Die Komplexe werden nach der Umsetzung durch Zusatz von Wasser ausgefällt. Die Ausbeuten sind nahezu quantitativ. Das Zentralatom kann 5- oder 6-fach koordiniert sein.

[1] T.S. ROCHE u. J.F. ENDICOTT, Am. Soc. **94**, 8622 (1972), Inorg. Chem. **13**, 1575 (1974).
[2] Man verwendet eine Niederdruck-Quecksilber-Lampe (254 nm, $I_o \approx 3 \times 10^{-3}$ Einstein/*l* · Min.). Durch Zusatz von Perchlorsäure wird der Komplex als Perchlorat ausgefällt. **Vorsicht!** Perchlorate können detonieren.
[3] J.H. ESPENSON u. A.H. MARTIN, Am. Soc. **99**, 5953 (1977).
[4] C. GIANNOTTI, C. FONTAINE, A. CHIARONI u. C. RICHE, J. Organometal. Chem. **113**, 57 (1976).
[5] V.L. GOEDKEN, S.-M. PENG u. Y. PARK, Am. Soc. **96**, 284 (1974).

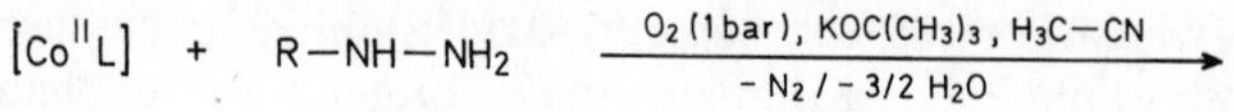

$$[Co^{II}L] \;+\; R-NH-NH_2 \;\xrightarrow[-N_2 \,/\, -3/2\,H_2O]{O_2\,(1\,bar),\ KOC(CH_3)_3,\ H_3C-CN}\; Co^{III}RLL'$$

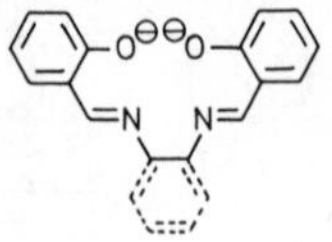

z. B.: R = CH₃; L' = –; L =

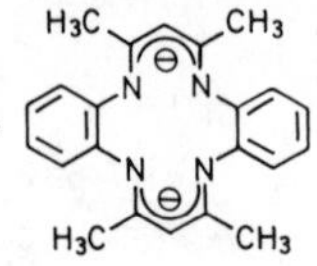

R = C₂H₅; CH(CH₃)₂, CH₂–C₆H₅; L' = –; L =

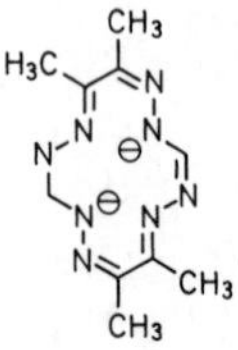

Es können auch Chelat-Liganden verwendet werden, die durch Oxidation Mesomerie-stabilisiert werden[3]:

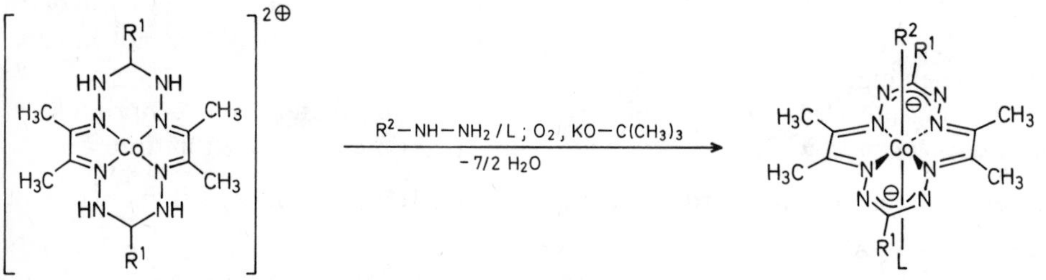

$$\xrightarrow[-7/2\,H_2O]{R^2-NH-NH_2\,/\,L\;;\;O_2,\;KO-C(CH_3)_3}$$

R¹ = H, CH₃, C₆H₅
L = Pyridin, CN, H₃C–CN; H₃C–NH–NH₂
R² = CH₃, C₂H₅

Werden einfach geladene oder neutrale Chelat-Liganden zusammen mit Perchlorat eingesetzt, so erhält man die folgenden Mono- und Di-Kation-Komplexe[3,4].

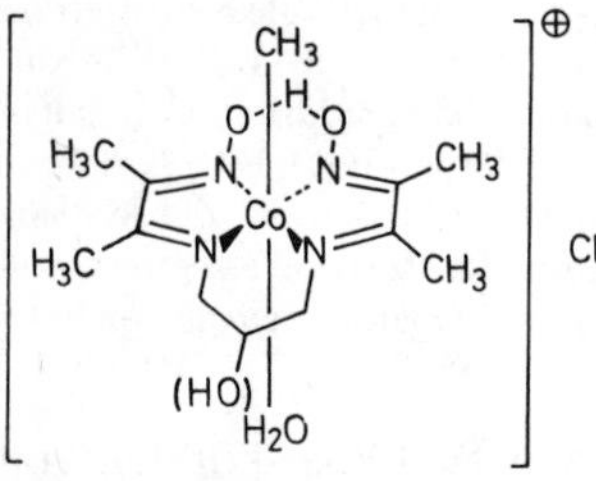

Aquo-(O-dehydro-1,3-bis-[2-hydroximino-1-methyl-propylidenamino]-propan)-methyl-kobalt-perchlorat

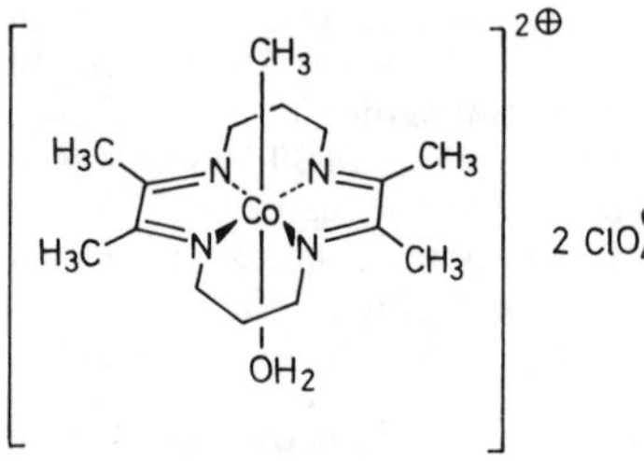

Aquo-(2,3,9,10-tetramethyl-1,4,8,11-tetraaza-cyclotetradeca-1,3,8,10-tetraen)-methyl-kobalt-diperchlorat

Beim Behandeln von Pentacyanokobaltat(II) mit Wasserstoffperoxid und Dimethyl-sulfoxid wird *Trikalium-[pentacyano-methyl-kobaltat]* gebildet[5].

[1] V.L. GOEDKEN, S.-M. PENG u. Y. PARK, Am. Soc. **96**, 284 (1974).
[2] V.L. GOEDKEN u. S.-M. PENG, Chem. Commun. **1975**, 258; Adv. Ser. **150**, 379 (1976).
[3] K. DEY u. R.L. DE, J. Inorg. & Nuclear Chem. **39**, 153 (1977).
[4] C.Y. MOK u. J.F. ENDICOTT, Am. Soc. **100**, 123 (1978).
[5] V. GOLD u. D.L. WOOD, Soc. [Dalton] **1981**, 2462.

ε) mit Alkyl-kobalt(III)-Verbindungen (s.a.S. 69, 90)

Alkyl-bis-[dimethylglyoximato]-kobalt(III) reagiert mit Bis-[dimethylglyoximato]-kobalt(II) unter Austausch des Alkyl-Restes und Transfer eines Elektrons[1,2]. Die Geschwindigkeit der Reaktion hängt sehr stark von der Natur des Alkyl-Restes ab. Sie nimmt in folgender Reihe ab:

$$CH_3 \gg C_2H_5 \gg C_3H_7 \sim C_4H_9 \sim C_8H_{17} > CH(CH_3)_2 > CH_2{-}CH(CH_3)_2 > CH(CH_3){-}\,C_2H_5$$

Zusätzlich tritt ein rascher Austausch der äquitorialen Chelat-Liganden zwischen dem eingesetzten und dem gebildeten Kobalt(II)-Komplex ein.

Die folgende Umsetzung verläuft unter Inversion am C-Atom des Alkyl-Restes[3]:

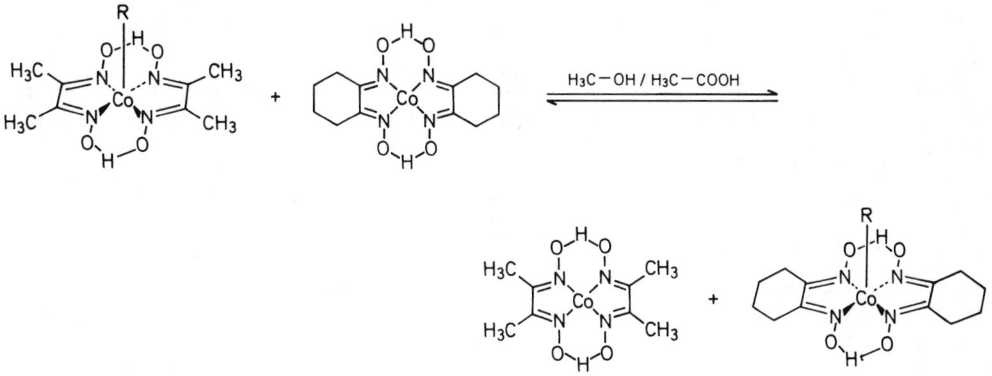

Ein rascher Austausch des Alkyl-Restes tritt auch bei weiteren Systemen auf[4,5]. Die Reaktion von 1,1,1-Trifluorethyl- und Acetyl-Komplexen ist langsam. Keine Austauschreaktion tritt bei Komplexen mit Perfluoralkyl- und Aryl-Resten auf. Die Verbindungen können durch Dünnschichtchromatographie auf Silicagel mit einer Mischung aus Methanol/Diethylether (1:9) getrennt werden.

$$Co^{II}(Chel) \quad + \quad Co^{III}R(Chel') \quad \xrightarrow{\text{DMSO}} \quad Co^{III}R(Chel) \quad + \quad Co^{II}(Chel')$$

Der Dimethyl-kobalt(III)-Chelat-Komplex I methyliert ungeladene Kobalt(II)-Chelat-Komplexe nicht, wenn der Zutritt von Sauerstoff ausgeschlossen wird. Der positiv geladene Komplex II wird im Gegensatz dazu methyliert. Möglicherweise disproportioniert Komplex II mit Kobalt(II) zuvor in Kobalt(III) und Kobalt(I).

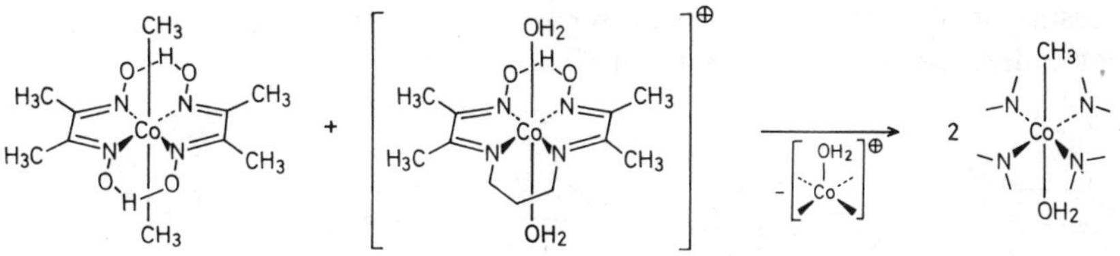

Aquo-(1,3-bis-[2-hydroximino-1-methyl-propylidenamino]-O-dehydro-propan)-methyl-kobalt

[1] D. DODD u. M. D. JOHNSON, Chem. Commun. **1971**, 1371.

[2] D. DODD, M. D. JOHNSON u. B. L. LOCKMAN, Am. Soc. **99**, 3664 (1977).

[3] J. Z. CHRZASTOWSKI, C. J. COOKSEY, M. D. JOHNSON, B. L. LOCKMAN u. P. N. STEGGLES, Am. Soc. **97**, 932 (1975).

[4] A. VAN DEN BERGEN u. B. O. WEST, Chem. Commun. **1971**, 52; J. Organometal. Chem. **64**, 125 (1974).

[5] G. MESTRONI, C. COCEVAR u. G. COSTA, G. **103**, 273 (1973).

ζ) mit speziellen Methoden

Bis-[dimethylglyoximato]-kobalt(II) wird in alkalischem Medium durch Tributylboran alkyliert[1]:

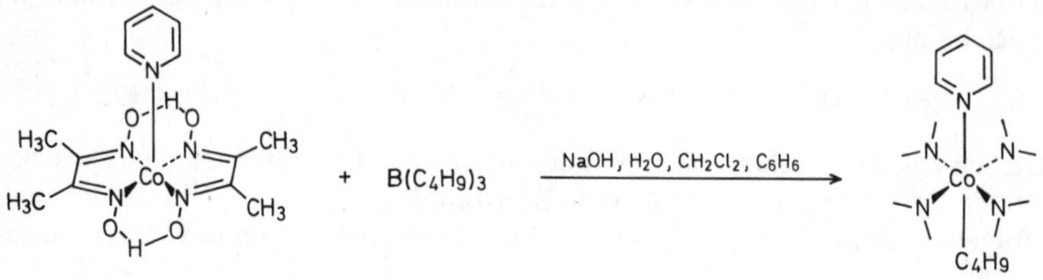

Bis-[dimethylglyoximato]-butyl-pyridin-kobalt; 51% (bez. auf Kobalt)

Tetraphenylporphyrinato-kobalt(II) bildet mit Verbindungen wie Aceton, Acetophenon und Malonsäure-dinitril in Gegenwart von Luft die entsprechenden Alkyl-kobalt(III)-Komplexe[2]:

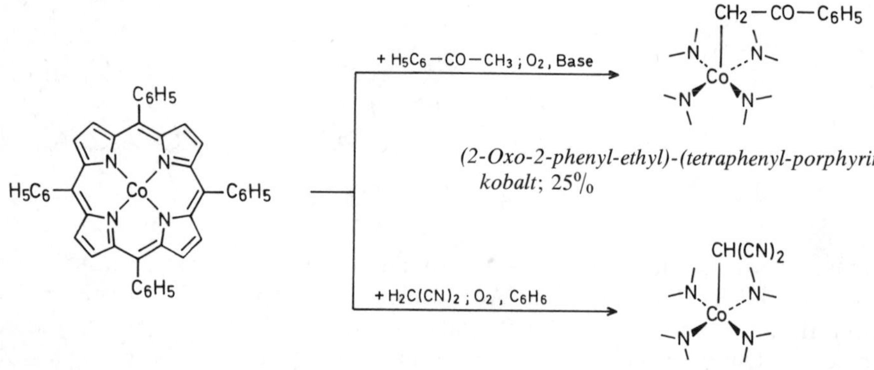

(2-Oxo-2-phenyl-ethyl)-(tetraphenyl-porphyrinato)-kobalt; 25%

(Dicyan-methyl)-...; 34%

(2-Oxo-propyl)-(tetraphenyl-porphyrinato)-kobalt[2]: Es wird Luft durch eine Lösung von 200 mg (0,30 mmol) (Tetraphenyl-porphyrinato)-kobalt(II) in 250 *ml* Aceton geleitet, die im Überschuß 1-Benzyl-2,4,5-trimethyl-imidazol enthält. Bei Bedarf wird Aceton ergänzt. Nach ~ 10 Tagen wird Aceton abgezogen, der Rückstand in Benzol gelöst und über eine Säule mit wasserfreiem Silicagel mit Benzol chromatographiert. Die erste Bande enthält den Ausgangskomplex. Durch 20% Methanol in Benzol wird der Komplex eluiert; Ausbeute: 67 mg (31%); IR (KBr): $\nu_{C=O}$ 1660 cm^{-1}; ^{1}H-NMR: τ CoCH$_2$ 13,68, CO-CH$_3$ 11,78.

Der Wasserstoff von Aceton wird wahrscheinlich auch in folgendem Beispiel durch am Kobalt gebundenen molekularen Sauerstoff abgespalten[3]:

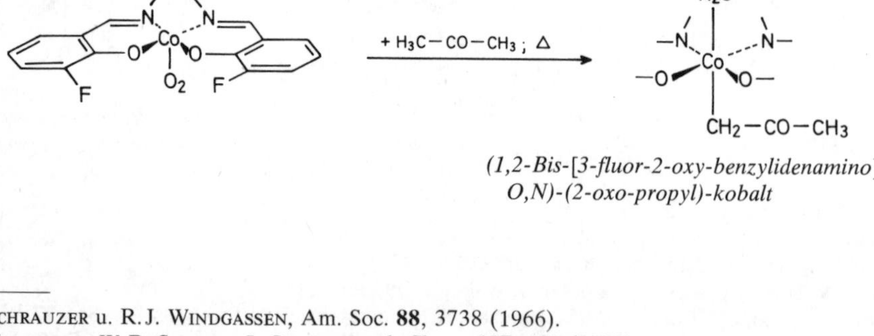

(1,2-Bis-[3-fluor-2-oxy-benzylidenamino]-ethan-O,N)-(2-oxo-propyl)-kobalt

[1] G.N. Schrauzer u. R.J. Windgassen, Am. Soc. **88**, 3738 (1966).
[2] M.E. Kastner u. W.R. Scheidt, J. Organometal. Chem. **157**, 109 (1978).
[3] W.P. Schaefer, R. Waltzman u. B.T. Huie, Am. Soc. **100**, 5053 (1978).

In einer ähnlichen Reaktion entsteht *Bis-[dimethylglyoximato]-chloro-(2-oxo-2-phe-nyl-1-pyridinio-ethyl)-kobalt* (~25%), wenn 1-(2-Oxo-2-phenyl-ethyl)-pyridinium-chloride mit Bis-[aquo]-bis-[dimethylglyoximato]-kobalt(II) in Gegenwart von Luft umgesetzt werden[1]:

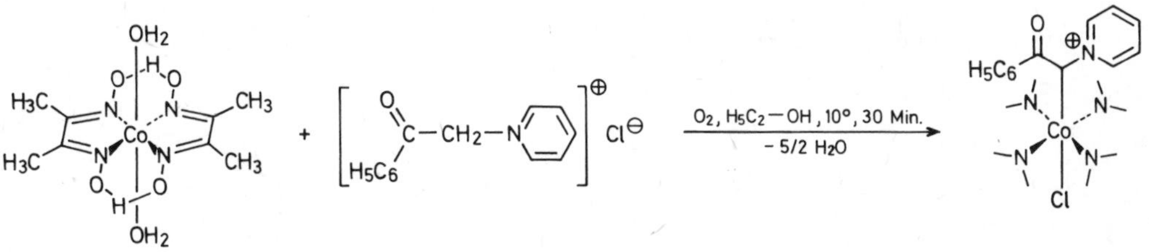

Durch Reduktion des 2-wertigen Komplexes I mit Natrium-boranat entsteht unter Wanderung der Methyl-Gruppe vom N- zum Kobalt-Atom und Oxidation *Methyl-(octa-ethyl-porphyrinato)-kobalt*[2,3]:

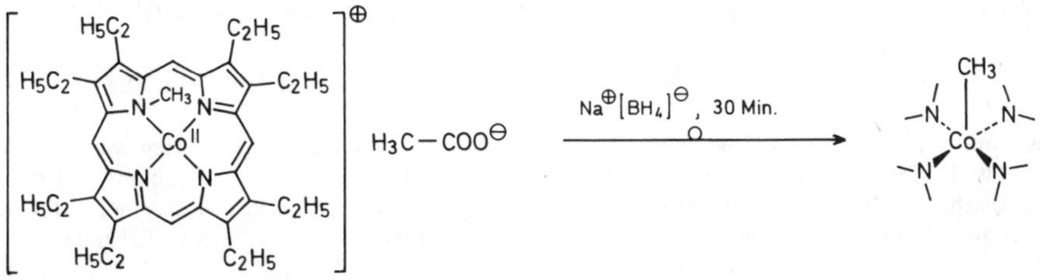

I

Methyl-octaethylporphyrinato-kobalt[2]: 80 mg (N-Methyl-octaethylporphyrinato)-kobalt(II)-acetat werden in THF gelöst. Die Lösung wird mit Argon luftfrei gespült, sodann mit 10 mg Natriumboranat in 0,5 *ml* wäßr. Natronlauge-Lösung (0,5 m) versetzt und 35 Min. gerührt. Die Farbe der Lösung schlägt von dunkelgrün nach dunkelrot um. Nach Zusatz von 10 *ml* Dichlormethan wird die Lösung mit Wasser gewaschen, über Natriumsulfat getrocknet und i. Vak. eingeengt. Der Rückstand wird auf Silicagel-Platten (20 × 20 × 0,1 cm) mit Dichlormethan-Petrolether (1:3) chromatographiert und aus denselben Lösungsmitteln umkristallisiert; Ausbeute: 42 mg (58%); ^{1}H-NMR (CDCl$_3$): τ CoCH$_3$ 15.20 (s, br).

Die [N-(Ethoxycarbonylmethyl)-octaethylporphyrinato]-halogeno-kobalt(II)-Komplexe bilden bei der Umsetzung mit Natriumboranat unter Wanderung des Ethoxycarbo-nylmethyl-Restes *Ethoxycarbonylmethyl-octaethylporphyrinato-kobalt* (12%; II)[3].

Bromo-[N-(ethoxycarbonyl-halogen-methyl)-octaethylporphyrinato]-kobalt reagiert mit Chrom(II)-bromid zum *Bromo-[(ethoxycarbonylmethyl-C,N^4-cyclo)-(N^4-Co-seco-octaethylporphyrinato)-kobalt* (19%; III)[4], die Reaktion gelingt auch durch Chromato-graphieren auf Silicagel:

---

[1] T. SAITO, Bl. chem. Soc. Japan **51**, 169 (1978).

[2] H. OGOSHI, E.-I. WATANABE, N. KOKETSU u. Z.-I. YOSHIDA, Chem. Commun. **1974**, 943; Bl. chem. Soc. Japan **49**, 2529 (1976).

[3] A. W. JOHNSON u. D. WARD, Soc. [Perkin I] **1977**, 720.

[4] A. W. JOHNSON u. D. WARD, Soc. [Perkin I] **1975**, 2076.

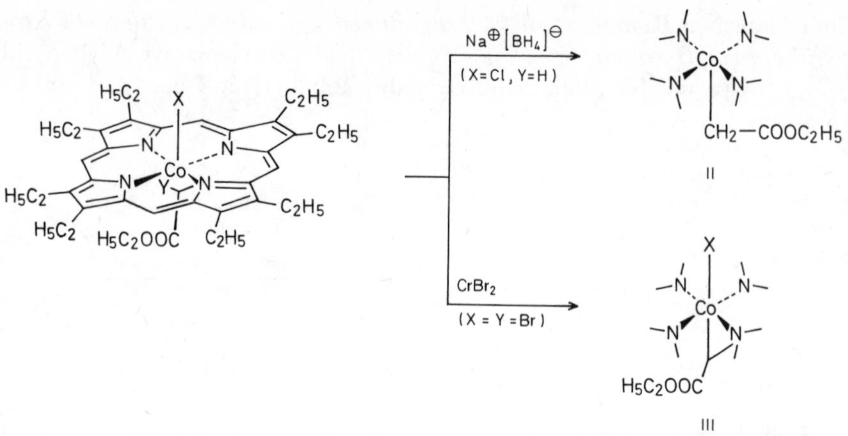

5. aus Dikobalt(II)-Komplexen mit Olefinen

Gleichermaßen wie Alkine kann das elektrophile Tetrafluorethen in die Co–Co-Bindung von Hexakalium-[bis-(pentacyanokobaltat)] eingeschoben werden[1, 2]:

$$K_6[(NC)_5Co\!-\!Co(CN)_5]^{6\ominus} \;+\; F_2C\!=\!CF_2 \longrightarrow K_6[(CN)_5Co\!-\!CF_2\!-\!CF_2\!-\!Co(CN)_5]$$

Hexakalium-[1,2-bis-(pentacyanokobaltat)-tetrafluor-ethan][2]: 100 ml einer Luft-freien wäßr. Lösung von 2,38 g Kobalt(II)-chlorid-Hexakis-hydrat und 3,3 g Kaliumcyanid werden unter Eis-Kühlung in 1 bar Tetrafluorethen geschüttelt. Nach ~ 30 Min. hört die Gas-Aufnahme auf. Die anfänglich tief-grüne Lösung wird allmählich strohgelb. Der Komplex wird durch Zusatz von Ethanol ausgefällt; die hellgelben Kristalle mit Ethanol gewaschen; Ausbeute: 3,4 g (90%); IR (Nujol): ν_{CN} 2139(m), 2129(m), 2119(s), 2116(s), 2085(w) u. 2077(w) cm^{-1}.

6. aus π-Allyl-kobalt(III)-Komplexen

Die Bildung von π-Allyl-kobalt(III)-Komplexen ist energetisch oft begünstigt, insbesondere dann, wenn sich ein Ligand vom Kobalt-Atom leicht abspalten läßt. In Lösung kann sich u. U. ein Gleichgewicht einstellen, das durch Zusatz des freien Liganden in Richtung des σ-Allyl-Komplexes verschoben wird wie z. B. bei den Pentacyanokobaltat-Verbindungen[3]:

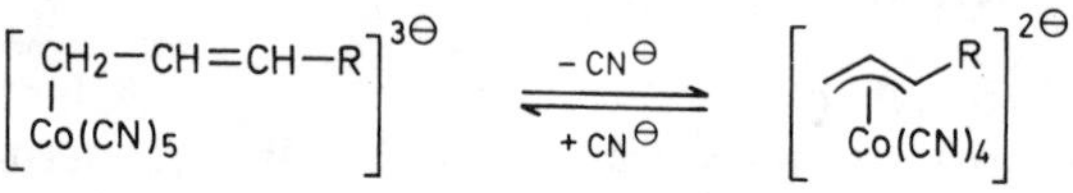

...-pentacyano-kobaltat
R = H; Alkyl-...
R = CH₃; (2-Butenyl)-...

π-Allyl-tricarbonyl-kobalt(I)-Verbindungen reagieren leicht mit elementarem Jod unter Oxidation von Kobalt und mit Kaliumcyanid unter π–σ-Allyl-Umlagerung[4]. Wird Kaliumcyanid im Unterschuß eingesetzt, bleibt der π-Allyl-Rest erhalten, der sich bei Cyanid-Überschuß in den σ-Allyl-Rest umlagert.

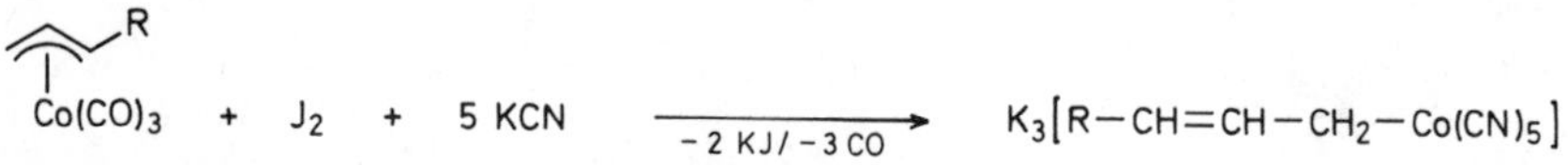

[1] M. J. MAYS u. G. WILKINSON, Nature **203**, 1167 (1964).
[2] M. J. MAYS u. G. WILKINSON, Soc. **1965**, 6629.
[3] J. KWIATEK u. J. K. SEYLER, J. Organometal. Chem. **3**, 421 (1965).
[4] J. A. DINEEN u. P. L. PAUSON, J. Organometal. Chem. **71**, 87 (1974).

Trikalium-[pentacyano-(2-propenyl)-kobaltat][1]: Zu einer Lösung von 0,55 g (3 mmol) π-Allyl-tricarbonyl-kobalt und 1,2 g (18 mmol) Kaliumcyanid in 250 ml THF tropft man bei 0° unter Rühren in 3 Stdn. 0,76 g (3 mmol) Jod gelöst in 100 ml THF. Die Reaktionsmischung wird bei 20° über 12 Stdn. gerührt, dann filtriert, i. Vak. bis zur Trockene eingeengt und an Aluminiumoxid mit Methanol chromatographiert; Ausbeute: 0,5 g (57%), F: 195° (Zers.); IR (Nujol): ν_{CN}2175(w), 2125(m) cm^{-1}; $\nu_{C=C}$ 1611(w) cm^{-1}.

Auf analoge Weise wird *Trikalium-(2-butenyl)-pentacyano-kobaltat* (52%; F: 189°, Zers.) erhalten.

7. aus anderen σ-C-Kobalt-Verbindungen

α) unter Erhalt mindestens einer C-Co-Bindung

α₁) *durch Reaktionen am σ-C-gebundenen Liganden*

Da Co-C-Bindungen relativ leicht gespalten werden, gelingt die Umwandlung von Alkyl-Gruppen nur bei stabilen Chelat-Komplexen, wie Alkyl-bis-[dimethylglyoximato]-kobalt-Komplexen.

Bis-[dimethylglyoximato]-(1-halogen-alkyl)-pyridin-kobalt-Komplexe werden in Methanol in 50–70%iger Ausbeute von Natriumboranat in die Halogen-freien Alkyl-Verbindungen umgewandelt[2]. Die entsprechenden (1,1-Dihalogen-alkyl)-Komplexe bilden intermediär die 1-Halogen-alkyl-Derivate[3].

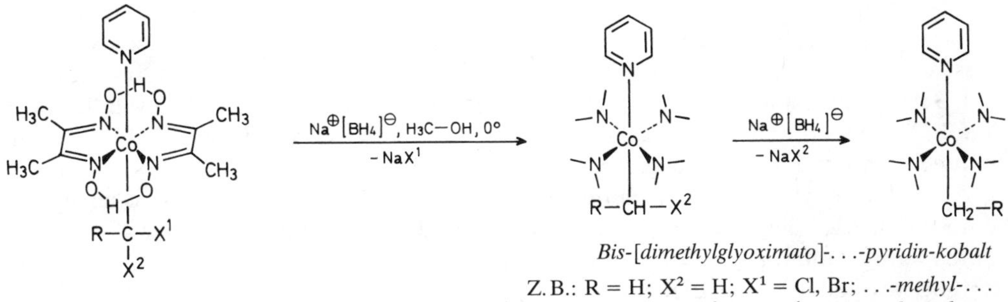

Bis-[dimethylglyoximato]-...-pyridin-kobalt

Z.B.: R = H; X² = H; X¹ = Cl, Br; ...-methyl-...
R = C₆H₅; X² = H; X¹ = Cl; ...-benzyl-...

Bei der Hydrolyse des 2-Acetoxy-propyl-Komplexes I in 1,4-Dioxan/Wasser (1:1) bei ~ 5° entsteht *Bis-[dimethylglyoximato]-(2-hydroxy-propyl)-pyridin-kobalt* in hoher Ausbeute[4]. Wird die Umsetzung in Gegenwart von 3 Äquivalenten Natriumboranat durchgeführt, werden zusätzlich 10% *Bis-[dimethylglyoximato]-propyl-pyridin-kobalt* gebildet:

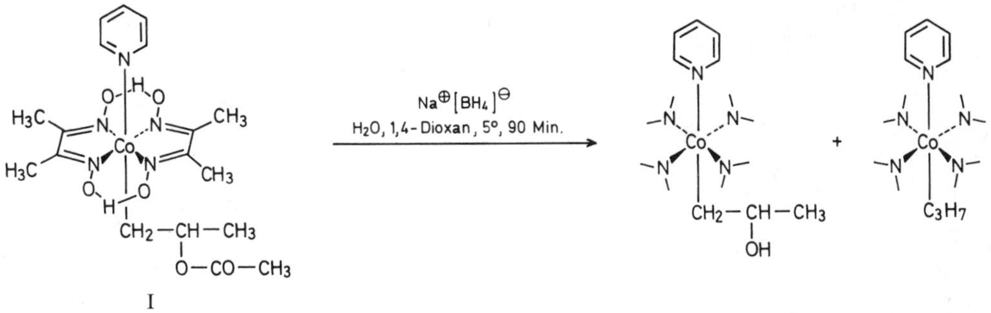

I

---

[1] J. A. DINEEN u. P. L. PAUSON, J. Organometal. Chem. **71**, 87 (1974).

[2] M.-N. RICROCH, C. BIED-CHARRETON u. A. GAUDEMER, Tetrahedron Letters **1971**, 2859.

[3] Bei Einsatz von Natrium-tetradeuteroborat/Methanol entsteht keine deuterierte Verbindung, wohl aber mit Natriumboranat/O-Deutero-methanol. Dies schließt eine direkte Substitution von X durch H⊖ aus.

[4] B. T. GOLDING, H. L. HOLLAND, U. HORN u. S. SAKRIKAR, Ang. Ch. **82**, 983 (1970).

Die entsprechenden 2-Acetoxy-alkyl-Komplexe lassen sich leicht durch Umsetzung des 2-Hydroxy-alkyl-Komplexes mit Acetanhydrid und Pyridin bei 20° herstellen[1].

Die (2-Hydroxy-ethyl)-Gruppe kann auch in Gegenwart von sauren Katalysatoren (Trifluorbor-Diethyletherat, Perchlorsäure) durch Carbonsäuren verestert oder durch Alkohole verethert werden[2]. Bei Verwendung von 4-Pentensäure oder 4-Pentenol entsteht in einer Nebenreaktion unter Austausch des Alkyl-Restes ein cyclisches Alkyl-cobaloxim (s. S. 124).

Die Veresterung des 2-Hydroxy-alkyl-Restes in Co-(2-Hydroxy-ethyl)-phthalocyanin gelingt mit Benzoyl-chlorid in Pyridin bei 20°[3]:

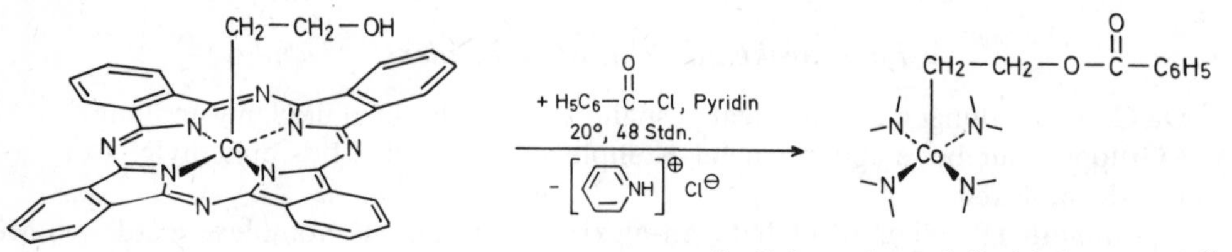

Co-(2-Benzoyloxy-ethyl)-phthalocyanin; 60%

Bei der Umsetzung von (2-Acetoxy-ethyl- oder (2-Acetoxy-propyl)-bis-[dimethylglyoximato]-kobalt mit Alkoholen entstehen die *2-Alkoxy-alkyl-Derivate*, bei denen anscheinend die ursprüngliche C-Co-Bindung erhalten bleibt[1,4,5] (z. B. *Bis-[dimethylglyoximato]-(2-methoxy-methyl)-kobalt*; 91%[5]). Es ist überraschend, wie leicht der Acetoxy-alkyl-Rest solvolysiert wird. (Halbwertszeit: wenige Stunden bei 25°). Die Ethanolyse des Propyl-Derivates ist 20mal schneller als die des Ethyl-Derivates[1]. Bei der Umwandlung des am 2-C-Atom optisch aktiven 2-Acetoxy-propyl-Komplexes mit Benzylalkohol entsteht unter Retention der Benzylether[4].

Alkoxycarbonyl-alkyl-bis-[dimethylglyoximato]-kobalt wird in saurem Medium hydrolysiert, ohne daß die C-Co-Bindung gespalten wird[6]. Die α-ständigen Ester werden erst durch warme konz. Schwefelsäure hydrolysiert. Ursache hierfür scheint die sterische Hinderung des äquatorialen Liganden zu sein. β-Ständige Ester-Gruppen werden bereits durch 1 N Salzsäure bei 20° quantitativ gespalten. In Gegenwart von Alkali reagieren letztere infolge β-Eliminierung zu Kobalt-freien Acrylsäureestern.

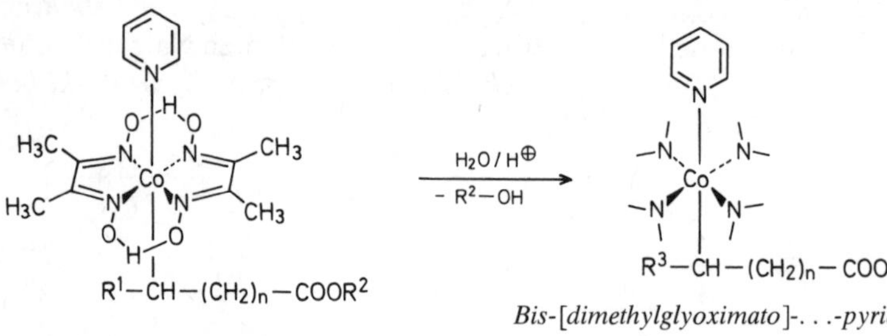

Bis-[dimethylglyoximato]-...-pyridin-kobalt

z. B.: n = 1; R² = C₂H₅; R¹ = R³ = H; ...-(2-carboxy-ethyl)-
R¹ = COOC₂H₅; R³ = COOH; ...-(1,2-dicarboxy-ethyl)-...

[1] B.T. GOLDING, H.L. HOLLAND, U. HORN u. S. SAKRIKAR, Ang. Ch. **82**, 983 (1970).
[2] T.G. CHERVYAKOVA, E.A. PARFENOV, M.G. EDELEV u. A.M. YURKEVICH, Ž. obšč. Chim. **44**,466 (1974).
[3] H. ECKERT u. I. UGI, J. Organometal. Chem. **118**, C 59 (1976).
[4] B.T. GOLDING u. S. SAKRIKAR, Chem. Commun. **1972**, 1183.
[5] R.B. SILVERMAN u. D. DOLPHIN, Am. Soc. **98**, 4626 (1976).
[6] G.N. SCHRAUZER u. R.J. WINDGASSEN, Am. Soc. **89**, 1999 (1967).

Bis-[dimethylglyoximato]-(carboxymethyl)-pyridin-kobalt[1]: Zu 70 *ml* konz. Schwefelsäure werden unter Rühren in kleinen Portionen 20 g (456 mmol) Bis-[dimethylglyoximato]-(methoxycarbonyl-methyl)-pyridin-kobalt zugegeben (die Reaktion wird hinter einem Schutzschild durchgeführt). Dann wird die Mischung auf 40° erhitzt, bis sich eine Lösung bildet, und 1 Stde. stehen gelassen. Hierauf wird sie in 2 *l* Wasser gegeben, mit Kalilauge alkalisch gestellt und anschließend wieder mit Essigsäure angesäuert. Beim Abkühlen fallen orange Plättchen aus. Ausbeute: 13,5 g (69%)

Die Verbindung kann zur weiteren Reinigung in wäßrigem Natriumhydrogencarbonat gelöst und durch Zusatz von Essigsäure wieder gefällt werden.

Die offenen und cyclischen Acetale von Bis-[dimethylglyoximato]-formylmethyl-pyridin-kobalt werden in wäßriger methanolischer Lösung durch Essigsäure, Schwefelsäure und Chlor- sowie Bromwasserstoffsäure leicht hydrolysiert unter Bildung von *Bis-[dimethylglyoximato]-formylmethyl-pyridin-kobalt*[2, 3]. Während bei den erstgenannten Säuren weniger als 2% der C-Co-Bindungen gespalten werden, spalten Chlor- und Bromwasserstoffsäure wahrscheinlich infolge Labilisierung des Alkyl-Restes durch ein *trans*-ständiges Halogen-Atom mehr als 90% der C-Co-Bindungen.

Der aromatische Ring in Benzyl-bis-[dimethylglyoximato]-kobalt-Komplexen kann durch elementares Chlor oder Brom halogeniert werden, wenn der Phenyl-Rest durch m-ständige Methyl-Substituenten aktiviert ist[4].

1,4-Bis-[aquo-bis-(dimethylglyoximato)-kobalt]-butan kann durch langsamen Zusatz von Quecksilber(II)-perchlorat einfach gespalten werden[5]:

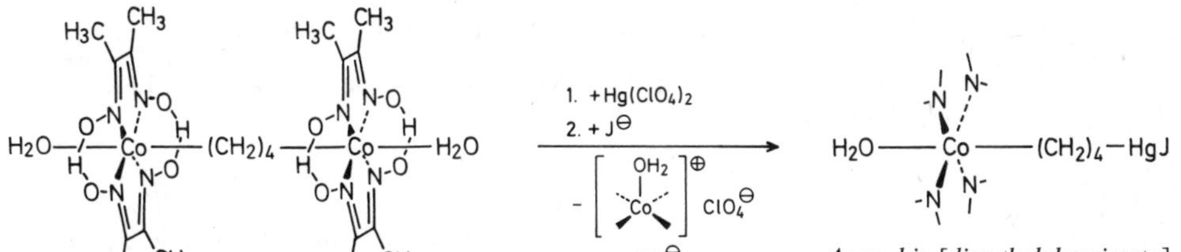

Aquo-bis-[dimethylglyoximato]-4-(jodmercuri-butyl)-kobalt

Der Anilinomethyl-Rest wird durch Natriumnitrit und Essigsäure am Stickstoff nitrosiert[6]. Unter Umständen wird der zum Methyl-Rest p-ständige Ligand durch die Nitro-Gruppe substituiert. Die Ausbeuten sind nahezu quantitativ, z.B.:

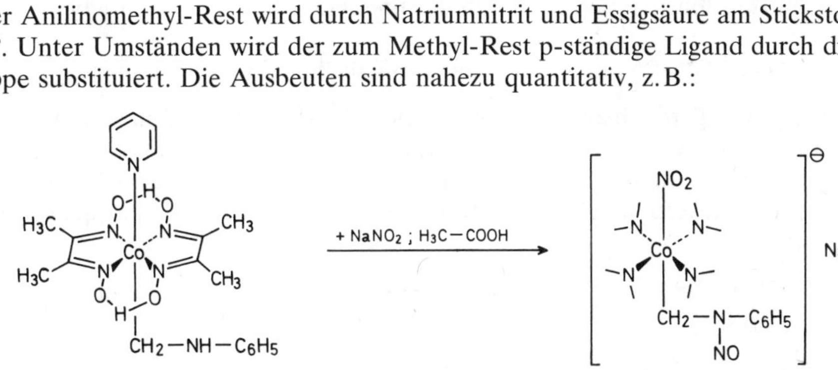

Natrium-bis-[dimethylglyoximato]-nitro-(N-nitroso-anilinomethyl)-pyridin-kobaltat; ~ 100%

[1] G.N. SCHRAUZER u. R.J. WINDGASSEN, Am. Soc. **89**, 1999 (1967).
[2] R.B. SILVERMAN u. D. DOLPHIN, J. Organometal. Chem. **101**, C 14 (1975).
[3] T.M. VICKREY, R.N. KATZ, u. G.N. SCHRAUZER, Am. Soc. **97**, 7248 (1975).
[4] S.N. ANDERSON, D.H. BALLARD u. M.D. JOHNSON, Soc. [Perkin II] **1972**, 311.
[5] J.H. ESPENSON u. T.-H. CHAO, Inorg. Chem. **16**, 2553 (1977).
[6] G.L. BLACKMER, T.M. VICKREY u. J.N. MARX, J. Organometal. Chem. **72**, 261 (1974).

Die Methylen-Gruppe im Komplex I wird durch Pyridin nucleophil unter Spaltung der N-Methylen-C-Bindung angegriffen[1]:

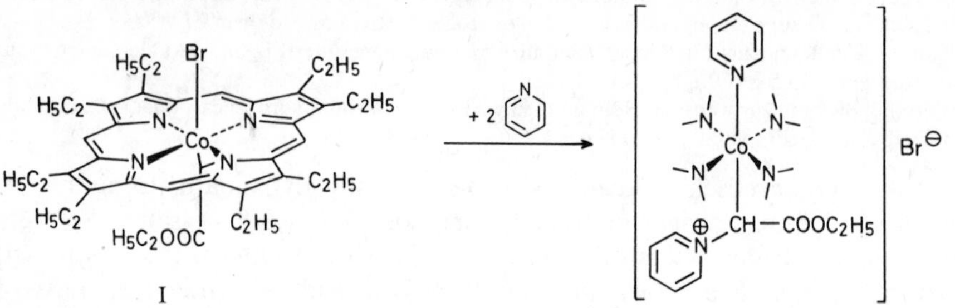

[(Ethoxycarbonyl-pyridinio-methyl)-(octaethylporphyrinato)-pyridin-kobalt]-bromid[1]: 306,5 mg (0,405 mmol) Bromo-[N-ethoxymethyl(C-Co)-N-Co-seco-octaethylphosphyrinato]-kobalt werden in 2 *ml* säurefreiem Dichlormethan gelöst und mit 1 *ml* Pyridin versetzt. Die Mischung wird bei 20° 5 Min. gerührt. Der bei Zugabe von 30 *ml* Petrolether gebildete ölige Niederschlag wird dekantiert und 2mal bei 20° umgefällt, da der Komplex gegenüber Erhitzen empfindlich ist. Der ausgefallene purpurfarbige, feste Niederschlag wird i. Hochvak. getrocknet; Ausbeute: 352 mg (95%).

α_2) *durch Reaktionen am Kobalt-Atom*

$\alpha\alpha_1$) unter Austausch eines Komplex-Liganden

Bei Alkyl-kobalt-Komplexen gelingt es ohne Spaltung der C-Co-σ-Bindung einen Phosphan-Liganden durch einen anderen Phosphan-Liganden zu ersetzen[2]; z. B.:

$$(H_3C)_3Co[(H_3C)_3P]_3 \quad + \quad (H_3CO)_3P \xrightarrow[-\,(H_3C)_3P]{} \quad (H_3C)_3Co[(H_3C)_3P]_2[(H_3CO)_3P]$$

Bis-[trimethylphosphan]-(trimethoxyphosphan)-trimethyl-kobalt; 76%; Zers. > 118°

Weitere Substitutionsreaktionen sind in der umfangreichen Lit. beschrieben.

$\alpha\alpha_2$) unter Neuknüpfung einer zusätzlichen Co-C-σ-Bindung

Halogenmethan lagert sich an stark nucleophile Alkyl-kobalt(I)-Komplexe an. Die Reaktion ist am Beispiel von Methyl-tetrakis-[trimethylphosphan]-kobalt näher untersucht worden[2]. Sie verläuft sehr glatt. Im Falle von Jodmethan muß ein weiteres Äquivalent des Halogenalkans eingesetzt werden, da der freigesetzte Phosphan-Ligand quarternisiert wird[3,4].

$$H_3C-Co[(H_3C)_3P]_4 \quad + \quad 2\ X-CH_3 \xrightarrow[-[(H_3C)_4P]^\oplus J^\ominus]{} \quad (H_3C)_2CoX[(H_3C)_3P]_3$$

z. B.: X = J

Bromo-dimethyl-tris-[trimethylphosphan]-kobalt[3]: Zu 840 mg (2,22 mmol) Methyl-tetrakis-[trimethylphosphan]-kobalt in 20 *ml* Pentan werden bei −70° 4,44 *ml* einer 0,5 m Lösung von Brommethan in Diethylether zugetropft. Man läßt langsam erwärmen und rührt bei 20° weitere 10 Stdn. Dann wird mit der gleichen Menge Diethylether als Lösungsmittel filtriert und umkristallisiert (rote Nadeln); Ausbeute: 800 mg (91%); F: 116–118° (Zers.).

Analog wird *Dimethyl-jodo-tris-[trimethylphosphan]-kobalt* (91%; Zers.p.: > 118°) erhalten.

---

[1] A. W. JOHNSON u. D. WARD, Soc. [Perkin I] **1977**, 720.

[2] H.-F. KLEIN u. H. H. KARSCH, B. **108**, 956 (1975).

[3] H.-F. KLEIN u. H. H. KARSCH, B. **108**, 944 (1975).

[4] s. a. R. HAMMER u. H.-F. KLEIN, Z. Naturf. **32 b**, 138 (1977).

Der Phenyl-kobalt(III)-Chelat-Komplex I kann nach der Reduktion mit Natrium-Amalgam in Tetrahydrofuran in situ mit Brommethan alkyliert werden (s. S. 95, 96)[1]:

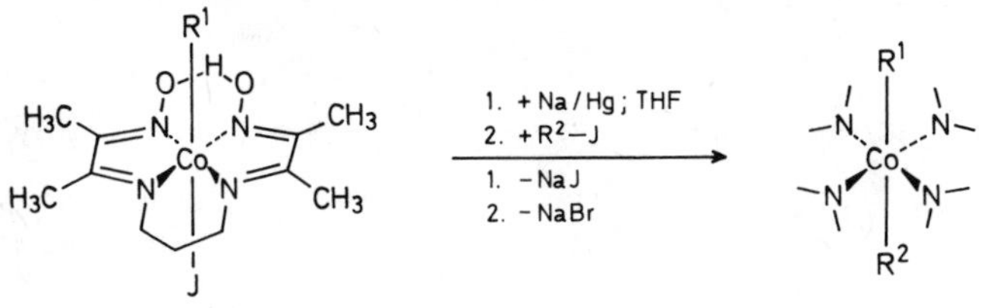

z. B.: $R^1 = C_6H_5$; $R^2 = CH_3$; *(O-Dehydro-1,3-bis-[2-hydroximino-1-methyl-propylidenamino]-propan)-methyl-phenyl-kobalt*

Bis-[triorganophosphan]-cyclopentadienyl-methyl-kobalt-jodid bzw. Cyclopentadienyl-methyl-trifluoracetato-trimethylphosphan-kobalt werden in hoher Ausbeute durch Methyl-lithium in die Dimethyl-kobalt-Komplexe übergeführt[2]; z. B.:

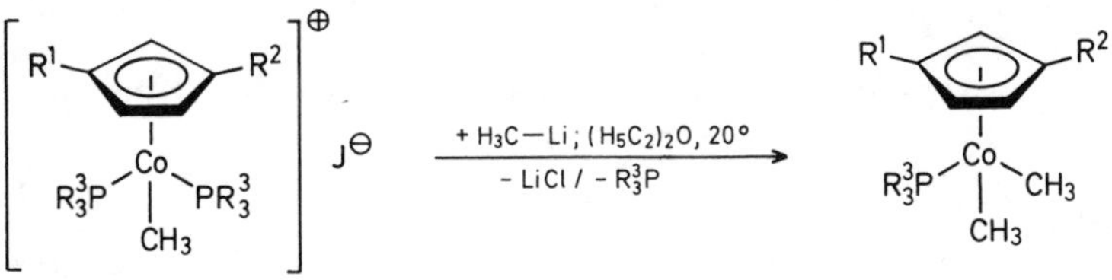

R^1, $R^2 = H$, $CH(CH_3)_2$
$R^3 = CH_3$, C_2H_5

85–90%

Nach derselben Methode erhält man *Cyclopentadienyl-methyl-phenyl-trimethylphosphan-kobalt* (45%; F: 82–83°)[2].

Dimethylphosphano-methyl-lithium reagiert als zweizähniger Ligand anders als Bis-[dimethylphosphano]-methyl-lithium mit Bromo-dimethyl-tris-[trimethylphosphan]-kobalt[3]. Komplex II wird durch Behandeln mit Dimethyl-phenyl-phosphan in die zu Komplex I analoge Verbindung III umgelagert.

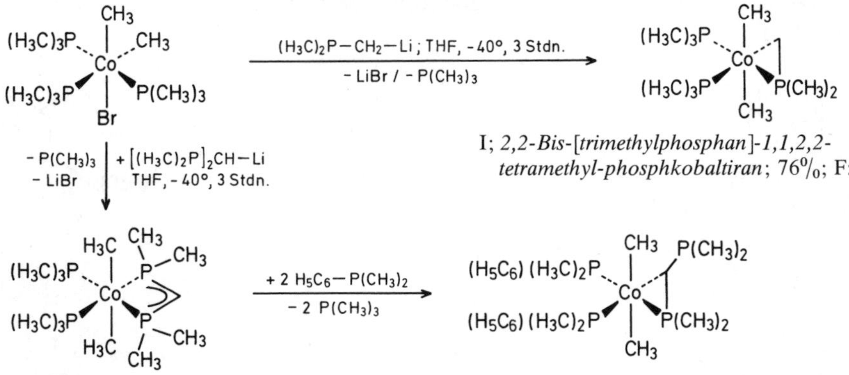

I; *2,2-Bis-[trimethylphosphan]-1,1,2,2-tetramethyl-phosphkobaltiran*; 76%; F: 68–73°

II; *(η³-Bis-[dimethylphosphano]-dehydromethan]-bis-[trimethylphosphan]-dimethyl-kobalt*; 69%; F: 95–97° (Zers.)

III; *2,2-Bis-[trimethylphosphan]-3-dimethylphosphano-1,1,2,2-tetramethyl-phosphkobaltiran*; 56%; F: 95–99° (Zers.)

[1] G. Costa, G. Mestroni, T. Licari u. E. Mestroni, Inorg. Nucl. Chem. Letters **5**, 561 (1969).

[2] W. Hofmann u. H. Werner, B. **115**, 119 (1982).

[3] H. H. Karsch, Ang. Ch. **94**, 923 (1982).

Dimethyl-(2,4-pentandionato)-kobalt-Komplexe werden durch Methyl-lithium in Gegenwart von Phosphanen unter Ersatz des 2,4-Pentandionato-Liganden bei gleichzeitiger Aufnahme des Phosphan-Liganden methyliert[1]; z.B.:

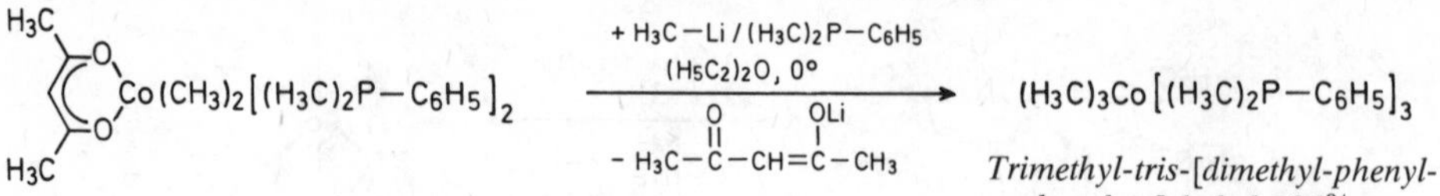

Trimethyl-tris-[dimethyl-phenyl-
phosphan]-kobalt; 36%;
F.: 85–87° (Zers.)

Dimethyl-halogeno-tris-[trimethylphosphan]-kobalt wird bei −80° durch Methyl-lithium unter Ersatz des Halogen-Atoms zum *Trimethyl-tris-[trimethylphosphan]-kobalt* (Zers.p.: > 115°) methyliert[2]:

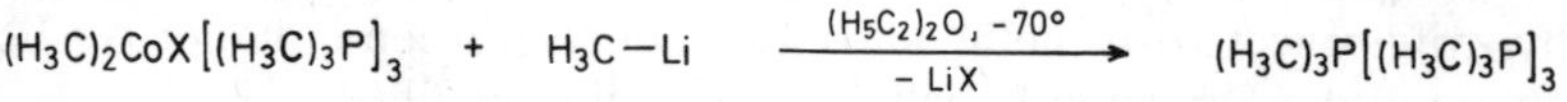

$$(H_3C)_2CoX[(H_3C)_3P]_3 \ + \ H_3C-Li \ \xrightarrow[- LiX]{(H_5C_2)_2O, -70°} \ (H_3C)_3P[(H_3C)_3P]_3$$

X = Br; 92%
X = J; 90%

Zur Alkylierung von Bis-[dimethylglyoximato]-methyl-kobalt-Komplexen können 1-Alkyliden-pyridine herangezogen werden[3]; z.B.:

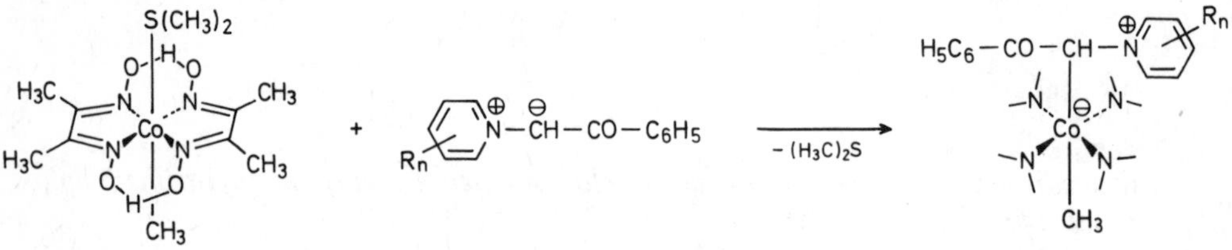

Durch Umsetzung von Bromo-dimethyl-tris-[trimethylphosphan]-kobalt mit Methylen-trimethyl-phosphoran tritt neben der Ylid-Addition unter Abspaltung von Bromwasserstoff Cyclisierung zu einem 1,3-Phosphacobaltetan-Ring ein[4,5]. Der gelbe kristalline Komplex ist gegen Hitze und Luft bemerkenswert beständig und in unpolaren Solventien gut löslich.

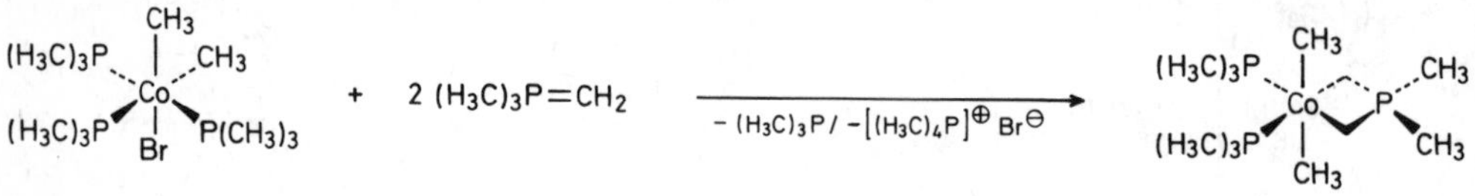

[1] S. Komiya, A. Yamamoto u. T. Yamamoto, Transition Met. Chem. **4**, 344 (1979).
[2] H.-F. Klein u. H.H. Karsch, B. **108**, 956 (1975).
[3] T. Saito, H. Urabe u. Y. Sasaki, Transition Met. Chem. **5**, 35 (1980).
[4] H.H. Karsch, H.-F. Klein, C.G. Kreiter u. H. Schmidbaur, B. **107**, 3692 (1974).
[5] D.J. Brauer, C. Krüger, P.J. Roberts u. Y.-H. Tsay, B. **107**, 3706 (1974).

3,3-Bis-[trimethylphosphan]-1,1-trans-3,3-tetramethyl-1,3-phosphacobaltetan[1]: 490 mg (1,23 mmol) Bromo-*cis*-dimethyl-*mer*-tris-[trimethylphosphan]-kobalt in 30 *ml* Diethylether werden bei −78° mit 0,35 *ml* (2,92 mmol) Methylen-trimethyl-phosphoran versetzt. Beim langsamen Erwärmen tritt bei −35° ein gelber Niederschlag auf, der sich später leicht hellblau färbt. Nun wird das Lösungsmittel i. Vak. entfernt, Pentan aufkondensiert und nach gutem Durchrühren vom farblosen Tetramethylphosphonium-bromid filtriert. Aus dem Filtrat scheiden sich beim Kühlen auf −40° gelbe Nadeln ab; Ausbeute: 390 mg (96%); Zers.p. 110°.

^{1}H-NMR (C_6D_6, 30°): τ P_ACH_3 9.03(d,br), $^2J(P_AH)$ 11.7 Hz, P_BCH_3 9.11(t',br), N = 7.1 Hz (s. Lit.), $CoCH_3$ 10.22(dt), $^3J(P_AH)$ 7.8 Hz, $^4J(P_AH)$ 0.45 Hz, $CoCH_2$ 11.34(dd,br), $^2J(P_AH)$ 5.2 Hz, $^3J(P_BH)$ 4.0 Hz.

$\alpha\alpha_3$) unter Spaltung einer oder mehrerer C–Co-Bindungen

Der Dimethyl- bzw. Dibenzyl-kobalt(III)-Komplex I wird durch Cadmium-, Zink-, Quecksilber(II)- und Blei(II)-Salze dealkyliert[2-6]. Die Abspaltung der ersten Methyl-Gruppe ist wesentlich schneller als die der zweiten. Auch Organo-quecksilber- bzw. -blei-Salze und Quecksilber(I)-nitrat spalten einen der beiden Alkyl-Reste ab. Die Bildung der Monoorgano-kobalt-Komplexe II wird durch Messung des UV-Spektrums der Lösung verfolgt. Das durch Zusatz von Natriumperchlorat erhaltene Salz kann isoliert werden[7].

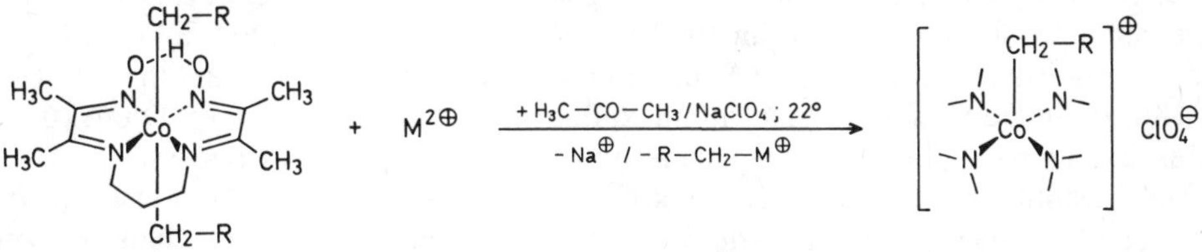

I

II; *(O-Dehydro-1,3-bis-[2-hydroximino-1-methyl-propylidenamino]-propan)-...-kobalt-perchlorat*
R = H; *...-methyl-...*
R = C_6H_5; *...-benzyl-...*

Die Entfernung eines Alkyl-Restes gelingt auch mit Protonen-aktiven Verbindungen (z.B. Perchlorsäure, Trifluoressigsäure bzw. Alkoholen)[4].

Phenyl-kobalt(III)-Komplexe werden mit Dimethyl-kobalt-Komplexen[7] methyliert.

Nach dieser Methode wird z.B. *(η^5-Cyclopentadienyl)-methyl-trifluoracetoxy-trimethylphosphan-kobalt* (50–60%; F: 79–80°) gewonnen[8].

Zur selektiven Abspaltung eines organischen Restes in anderen Diorgano-kobalt-Komplexen s. Lit.[9].

Der relativ stabile Komplex *mer*-Trimethyl-tris-[trimethylphosphan]-kobalt wird in verdünnter Lösung und bei tiefer Temperatur selektiv mit Protonen-aktiven Verbindungen in Dimethyl-kobalt-Komplexe übergeführt[10]:

[1] H.H. KARSCH, H.-F. KLEIN, C.G. KREITER u. H. SCHMIDBAUR, B. **107**, 3692 (1974).
[2] M.W. WITMAN u. J.H. WEBER, Inorg. Chem. **15**, 2375 (1976).
[3] M.W. WITMAN u. J.H. WEBER, Inorg. Chem. **16**, 2512 (1977).
[4] M.W. WITMAN u. J.H. WEBER, Syn. React. Inorg. Metal.-Org. Chem. **7**, 143 (1977).
[5] G. MESTRONI, G. ZASSINOVICH, A. CAMUS u. G. COSTA, Transition Met. Chem. **1**, 32 (1975/76).
[6] J.H. DIMMIT u. J.H. WEBER, Inorg. chem. **21**, 700; 1554 (1982).
[7] G. MESTRONI, C. COCEVAR u. G. COSTA, G. **103**, 273 (1973).
[8] W. HOFMANN u. H. WERNER, B. **115**, 119 (1982).
[9] J.H. ESPENSON, H.L. FRITZ, R.A. HECKMAN u. C. NICOLINI, Inorg. Chem. **15**, 906 (1976).
[10] H.-F. KLEIN u. H.H. KARSCH, B. **108**, 956 (1975).

$$Co(CH_3)_3[(H_3C)_3P]_3 \ + \ HX \ \xrightarrow[-CH_4]{(H_5C_2)_2O, \ -30°} \quad \begin{array}{c} CH_3 \\ (H_3C)_3P \diagdown \ | \diagup CH_3 \\ Co \\ (H_3C)_3P \diagup \ | \diagdown P(CH_3)_3 \\ X \end{array}$$

X = Hal, OC₆H₅

Chloro-dimethyl-tris-[trimethylphosphan]-kobalt[1]: Zu einer Lösung von 1500 mg (4,52 mmol) Trimethyl-tris-[trimethylphosphan]-kobalt in 50 *ml* Diethylether werden bei −70° 45 *ml* einer 0,01 M Chlorwasserstoff-Lösung in Diethylether langsam getropft. Dann läßt man auf 20° erwärmen und zieht die flüchtigen Bestandteile i. Vak. ab. Nach 3maliger Extraktion des Rückstandes mit je 10 *ml* Pentan werden die vereinigten Lösungen durch langsames Abkühlen auf −70° ausgefroren; es entstehen orangerote Nadeln; Ausbeute: 1320 mg (88%); F: 116–118° (Zers.).

Auf analoge Weise erhält man mit Phenol *Dimethyl-phenoxy-tris-[trimethylphosphan]-kobalt* (50%; Zers.p.: >84°).

2,4-Pentandion bildet bei −50° mit Trimethyl-tris-[trimethylphosphan]-kobalt unter Abspaltung eines Methyl- und Trimethylphosphan-Restes das instabile *Bis-[trimethylphosphan]-dimethyl-(2,4-pentandionato)-kobalt*, das bei Temperaturen über −20° einen weiteren Methyl-Rest verliert. Die Verbindung läßt sich nicht in reiner Form isolieren[2, 3].

Eine der drei Methyl-Gruppen im Bis-[trimethylphosphan]-trimethyl-kobalt wird sogar durch relativ schwache Säuren (Ammoniumhexafluorophosphat, Trimethylphosphonium-chlorid) in Gegenwart von Natriumhexafluorophosphat abgespalten[2]. Die Aktivität der Reagenzien wird durch Bindung von Ammoniak bzw. Trimethylphosphan am Kobalt-Atom erhöht. Die erhaltenen Kationkomplexe sind recht stabil, wobei das *Dimethyl-tetrakis-[trimethylphosphan]-kobalt-hexafluorophosphat* selbst beim Erhitzen in THF zum Rückfluß nicht zersetzt wird:

I; 79%; Zers.p. > 120°

Beim Behandeln von Komplex I mit 1,n-Bis-[dimethylphosphano]-alkanen entstehen in Abhängigkeit von der Ringgröße des Chelat-Komplexes *trans-* bzw. *cis*-Dimethyl-kobalt-Komplexe (s. Lit.)[4].

Ammin-dimethyl-tris-[trimethylphosphan]-kobalt-hexafluorophosphat[2]: 500 mg (1,72 mmol) Trimethyl-tris-[trimethylphosphan]-kobalt und 280 mg Ammonium-hexafluorophosphat in 20 *ml* THF werden 2 Stdn. gerührt, die Lösung filtriert, 30 *ml* Diethylether werden aufkondensiert, und erwärmt. Abwechselndes Erwärmen und Kühlen läßt ockergelbe Kristalle wachsen, die durch erneutes Lösen in THF, Filtrieren und Ausfällen mit Diethylether gereinigt werden; Ausbeute: 692 mg (84%), Zers. >120°. ¹H-NMR (d₈-Toluol): δCoCH₃ 0.00(dt), J(cis 2P_AH) 10.4 Hz, J(trans P_BH) 2.4 Hz, 1.00(q), J(cis 2P_AH) 10.5 Hz, J(cis P_BH) 10.5 Hz, PCH₃ 1.47(t′), N 5.0 Hz (s. Lit.) u. 1.50(d), J(PH) 5.0 Hz.

[1] H.-F. KLEIN u. H. H. KARSCH, B. **108**, 956 (1975).

[2] H. H. KARSCH, B. **110**, 2712 (1977).

[3] S. KOMIYA, A. YAMAMOTO u. T. YAMAMOTO, Transition Met. Chem. **4**, 343 (1979).

[4] H. H. KARSCH, B. **116**, 1656 (1983).

Sogar Phenylacetylen kann selektiv einen Methyl-Rest vom *mer*-Trimethyl-tris-[trimethylphosphan]-kobalt substituieren[1], und man erhält 70% *Dimethyl-phenylethinyl-tris-[trimethylphosphan]-kobalt* (Zers.p. >100°):

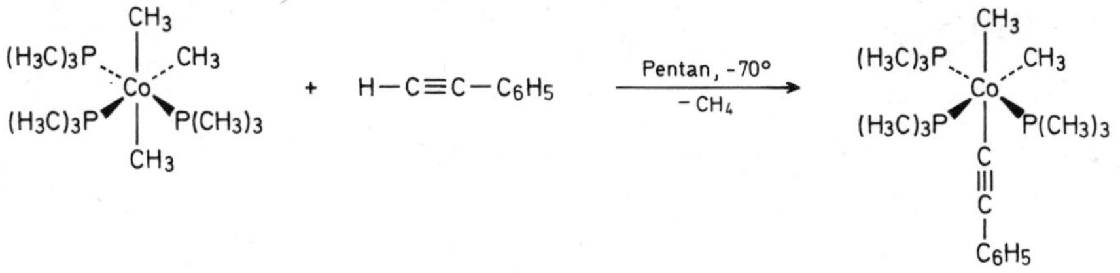

Der dimere Methyl-kobalt-Komplex I kann durch Behandeln mit Triphenylphosphan bei 20° in das [η⁵-(η⁵-*Dicarbonylkobalt-cyclopentadienylmethyl)-cyclopentadienyl]-dimethyl-triphenylphosphan-kobalt* umgewandelt werden[2]:

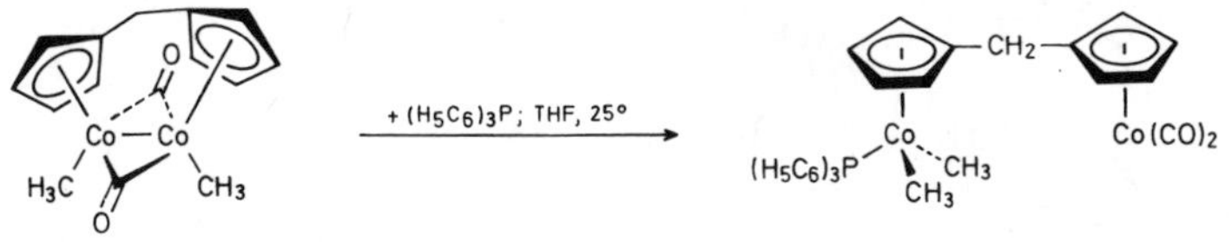

Die Substitution von Jod in Perfluoralkyl-kobalt(III)-Komplexen durch eine 1-Alkenyl-silber-Verbindung ist a. S. 137 beschrieben.

β) unter Spaltung und Neuknüpfung einer σ–C–Co-Bindung

β₁) *aus Acyl-kobalt(III)-Verbindungen durch Decarbonylierung*

Die Umlagerung von Acyl-kobalt(III)- in Alkyl-carbonyl-kobalt(III)-Verbindungen unter Decarbonylierung gelingt, wenn durch Abspalten eines Liganden eine freie Koordinationsstelle am Metall geschaffen werden kann.

Eine geeignete Methode ist die Behandlung von Halogeno-kobalt(III)-Komplexen mit Silber-Salzen von komplexen Anionen, die nicht zur Komplex-Bildung neigen, wie z.B. mit Silber-[hexafluorophosphat][3]. Die Umsetzung kann durch Behandeln mit Natriumjodid rückgängig gemacht werden; z.B.:

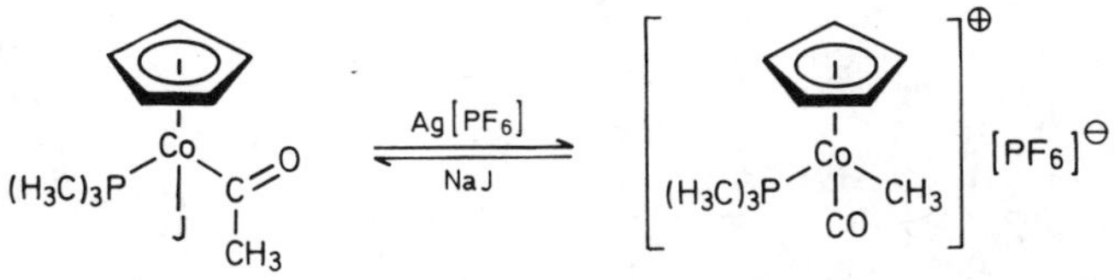

Carbonyl-(η⁵-cyclopentadienyl)-methyl-trimethylphosphan-kobalt-hexafluorophosphat

Dagegen wird der Acetyl-kobalt(III)-Kationkomplex I durch Behandlung mit Natronlauge in Tetrahydrofuran bei 25° zum *Bis-[trimethylphosphan]-(η⁵-cyclopentadienyl)-methyl-kobalt-hexafluorophosphat* decarbonyliert[4]:

[1] H.-F. KLEIN u. H.H. KARSCH, B. **108**, 956 (1975).
[2] H.E. BRYNDZA u. R.G. BERGMAN, Am. Soc. **101**, 4766 (1979).
[3] A. SPENCER u. H. WERNER, J. Organometal. Chem. **171**, 219 (1979).
[4] H. WERNER u. W. HOFMANN, Ang. Ch. **90**, 496 (1978).

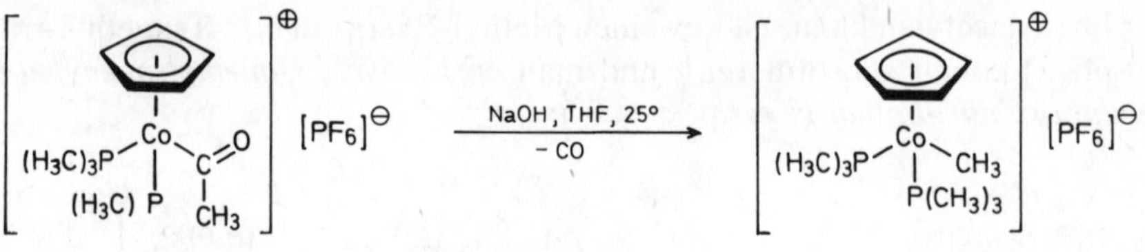

β₂) durch Umalkylierung

ββ₁) intramolekulare

Die folgenden σ-Allyl-kobalt(III)- Komplexe reagieren mit dem elektrophilen Tetra-cyan-ethen unter Cycloaddition und Bindungsisomerisierung[1-3]; z. B.:

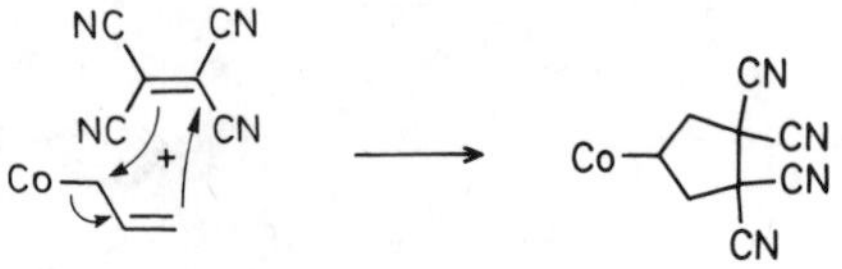

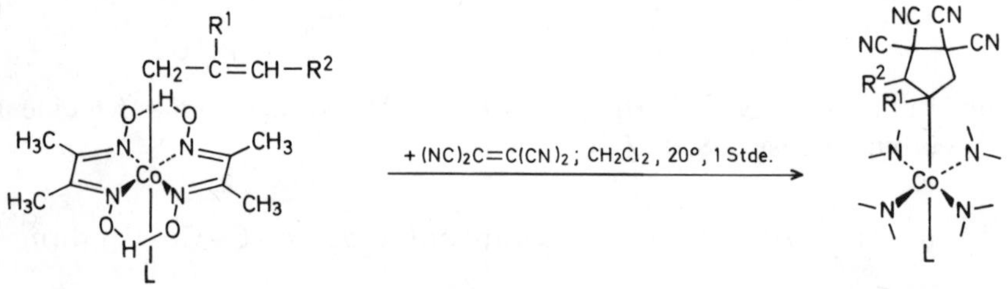

Bis-[dimethylglyoximato]-...-kobalt

$R^1 = R^2 = H$; $L = Py$; ...-*pyridin-(3,3,4,4-tetracyan-cyclopentyl)-*...; 95%; Zers.p.: 200°
$R^1 = H$; $R^2 = CH_3$; $L = Py$; ...-*(2-methyl-3,3,4,4-tetracyan-cyclopentyl)-pyridin-*...; 53%
$R^2 = C_6H_5$; $L = Imidazol$; ...-*imidazol-(trans-2-phenyl-3,3,4,4-tetracyan-cyclopentyl)-*...[4]; 60%

Bis-[dimethylglyoximato]-(2-hydroxy-1-methyl-ethyl)-pyridin-kobalt wird in wäßriger Lösung in Gegenwart von stark sauren Ionenaustauschern oder freien Säuren in *Aquo-bis-[dimethylglyoximato]-(2-hydroxy-propyl)-kobalt* (50%) umgelagert[5]. Die Isomeri-sierung ist von Zersetzungsreaktionen beider Alkyl-kobalt-Verbindungen begleitet, die die Isolierung eines reinen Produktes erschweren.

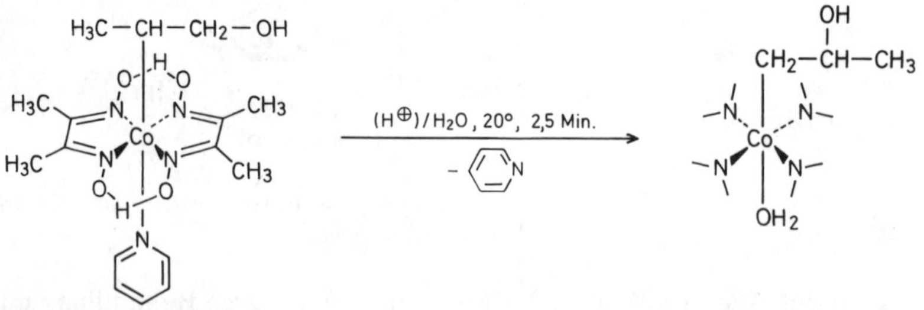

---

[1] A. CUTLER, D. EHNTHOLT, W. P. GIERING, P. LENNON, S. RAGHU, A. ROSAN, M. ROSENBLUM, J. TANCREDE u. D. WELLS, Am. Soc. **98**, 3495 (1976).

[2] D. DODD, M. D. JOHNSON, I. P. STEEPLES u. E. D. McKENZIE, Am. Soc. **98**, 6399 (1976).

[3] C. J. COOKSEY, D. DODD, M. D. JOHNSON u. B. L. LOCKMAN, Soc. [Dalton] **1978**, 1814.

[4] Struktur s. E. D. McKENZIE, Inorg. Chim. Acta **29**, 107 (1978).

[5] K. L. BROWN u. L. L. INGRAHAM, Am. Soc. **96**, 7681 (1974).

Die umgekehrte Reaktion ist nicht möglich. Dagegen lagern sich die entsprechenden Ethyl-Derivate mit in β-Stellung Elektronen-anziehenden Gruppen in die stabileren α-substituierten Derivate um[1]:

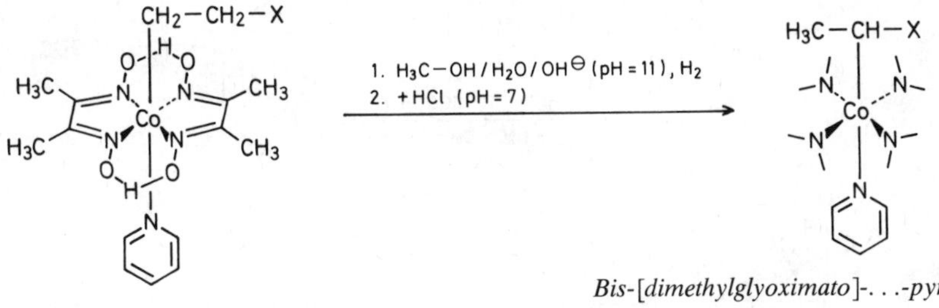

Bis-[dimethylglyoximato]-. . .-pyridin-kobalt

X = CN; . . .-(1-cyan-ethyl)-. . .
X = COOC$_2$H$_5$; . . .-(1-ethoxycarbonyl-ethyl)-. . .

Die 3-Alkenyl-Komplexe I und II stehen in Lösung miteinander im Gleichgewicht(I : II = ∼ 1 : 10)[2,3],

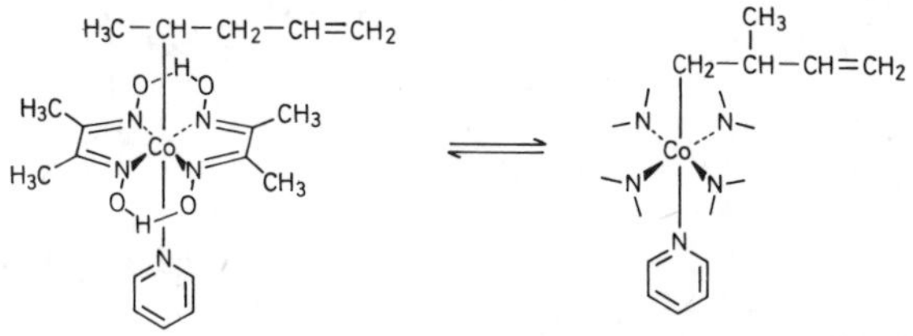

I   II

Bis-[dimethylglyoximato]-(1-methyl-3-butenyl)-
bzw. . . . -(2-methyl-3-butenyl)-pyridin-kobalt; 88%

bzw. cyclisieren unter Verminderung der sterischen Hinderung[2,4]:

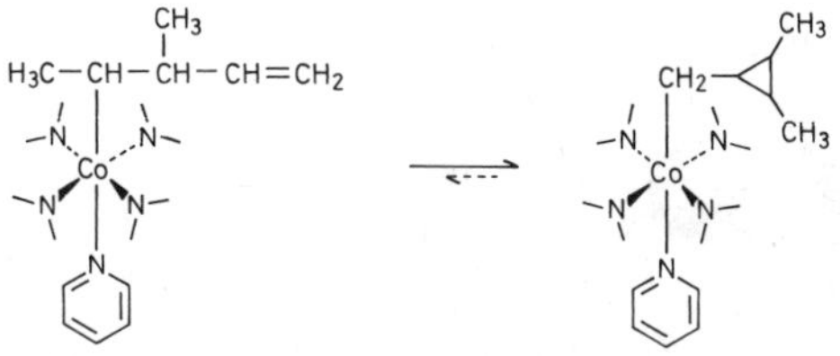

Bis-[dimethylglyoximato]-(2,3-dimethyl-cyclopropyl-
methyl)-pyridin-kobalt

Dagegen wird die Cyclopropylmethyl-Verbindung bereits oberhalb 0° zum 3-Butenyl-Komplex umgelagert[3]:

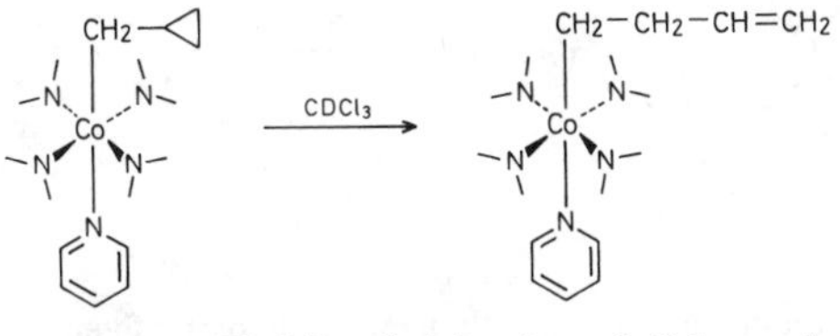

Bis-[dimethylglyoximato]-(3-butenyl)-pyridin-kobalt

[1] G.N. Schrauzer u. R.J. Windgassen, Am. Soc. 89, 1999 (1967).
[2] A. Bury, M.R. Ashcroft u. M.D. Johnson, Am. Soc. 100, 3217 (1978).
[3] M.P. Atkins, B.T. Golding u. P.J. Sellars, Chem. Commun. 1978, 954.
[4] M.R. Ashcroft, A. Bury, C.J. Cooksey, A.G. Davies, B.D. Gupta, M.D. Johnson u. H. Morris, J. Organometal. Chem. 195, 89 (1980).

ββ₂) mit Alkylierungsmitteln

Alkyl-kobalt(III)-Chelatkomplexe mit β-ständigem H-Atom reagieren mit aktivierten Olefinen bzw. Jodmethan unter β-Eliminierung der ursprünglichen Alkyl-Gruppe[1]:

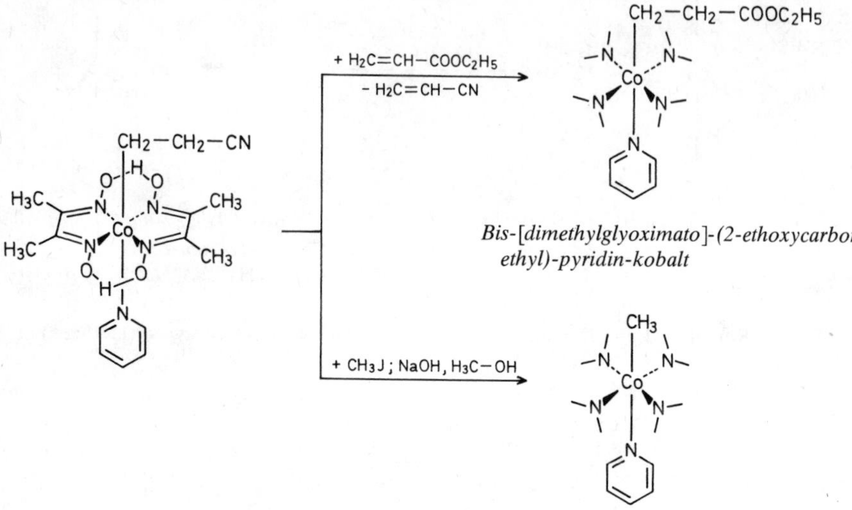

Bis-[dimethylglyoximato]-(2-ethoxycarbonyl-ethyl)-pyridin-kobalt

Bis-[dimethylglyoximato]-methyl-pyridin-kobalt; 80%

Bei der Umsetzung des (2-Hydroxy-ethyl)-Derivats mit 4-Penten-ol bzw. 4-Pentensäure entstehen neben den Veresterungs- bzw. Veretherungsprodukten in geringer Ausbeute unter Substitution des Alkyl-Restes *Bis-[dimethylglyoximato]-2-tetrahydrofurylmethyl* (bzw. *-5-oxo-2-tetrahydrofurylmethyl)-pyridin-kobalt* (4,5 bzw. 8,4%)[2]. Die Umsetzung wird sauer durch Trifluorbor-etherat oder Perchlorsäure katalysiert (s. a. S. 114).

Andere Alkyl-Chelat-kobalt-Komplexe werden mit Perfluoralkyl-jodiden leicht um-alkyliert[3]; z., B.:

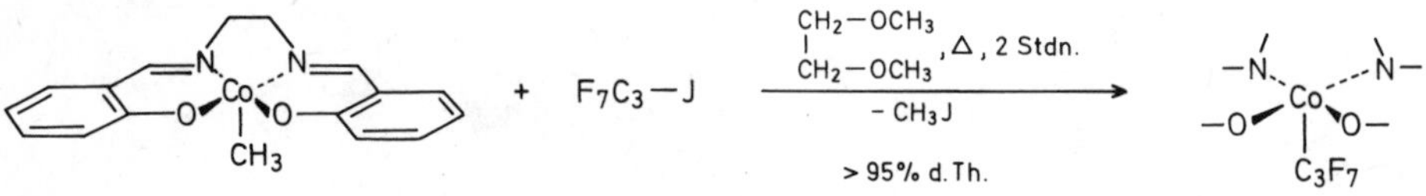

(1,2-Bis-[2-oxy-benzylidenamino]-ethan)-(heptafluor-propyl)-kobalt[3]; 95%

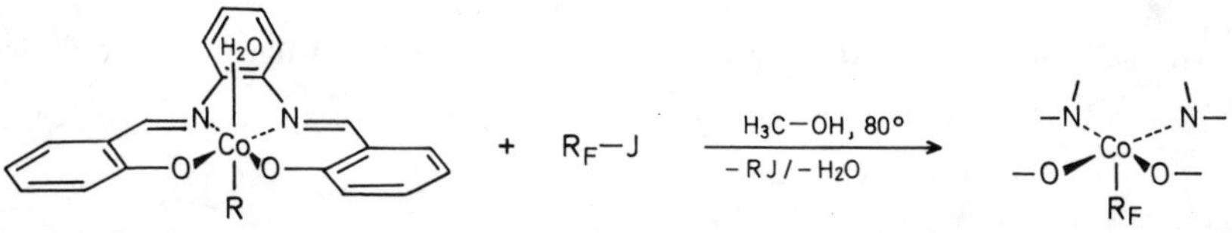

R = CH₃, C₂H₅
R_F = C₂F₅, C₃F₇

(1,2-Bis-[2-oxy- benzylidenamino]-benzol)-(perfluor-alkyl)-kobalt; allgemeine Herstellungsvorschrift[4]:
0,5 g Alkyl-aquo-(1,2-bis-[2-oxy-benzylidenamino]-benzol)-kobalt werden in Methanol gelöst und in eine Ca-rius-Röhre gefüllt. Das entsprechende Perfluoralkyljodid wird durch Kondensation i. Vak. im Überschuß zuge-

[1] G. N. SCHRAUZER u. R. J. WINDGASSEN, Am. Soc. **89**, 1999 (1967).
[2] T. G. CHERVYAKOVA, E. A. PARFENOV, M. G. EDELEV u. A. M. YURKEVICH, Ž. obšč. Chim. **44**, 466 (1974).
[3] A. M. VAN DEN BERGEN, K. S. MURRAY u. B. O. WEST, J. Organometal. Chem. **33**, 89 (1971).
[4] A. M. VAN DEN BERGEN u. B. O. WEST, J. Organometal. Chem. **92**, 55 (1975).

führt. Die Mischung wird im verschlossenen Gefäß unter Druck 24 Stdn. auf 80° erhitzt. Anschließend werden die gebildeten Komplexe durch Dünnschicht-Chromatographie voneinander getrennt. Ausbeute: ~20% (nach Umkristallisieren aus Methanol).

Bis-[dimethylglyoximato]-cyclohexyl-kobalt reagiert mit Deuterochloroform unter Belichtung und unter Sauerstoff-Ausschluß zum *Bis-[dimethylglyoximato]-(deutero-dichlor-methyl)-pyridin-kobalt*[1]:

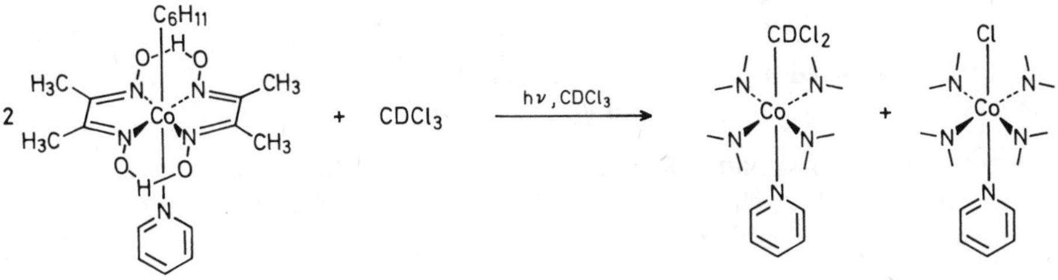

b) 1-Alkenyl-kobalt(III)-Verbindungen

1. aus Kobalt(III)-Verbindungen

α) aus Hydrido-kobalt(III)-Verbindungen

α₁) *mit 1-Alkinen*

Hydrido-kobalt(III)-Verbindungen werden durch Protonierung der entsprechenden Kobalt(I)-Anionkomplexe erhalten. Über die Einstellung des pH-Wertes der Lösung kann erreicht werden, daß das Anion (pH ≥ 12) oder der Hydrido-Komplex (pH ≤ 8) überwiegend in der Lösung vorliegt.

Dies ist von Bedeutung, da beide Verbindungen mit 1-Alkinen verschiedene Reaktionsprodukte bilden können (zu den Umsetzungen mit Kobalt(I)-Anionkomplexen a. S. 133). Hydrido-kobalt-Komplexe reagieren bevorzugt in α-Stellung am Phenylacetylen[2-5]:

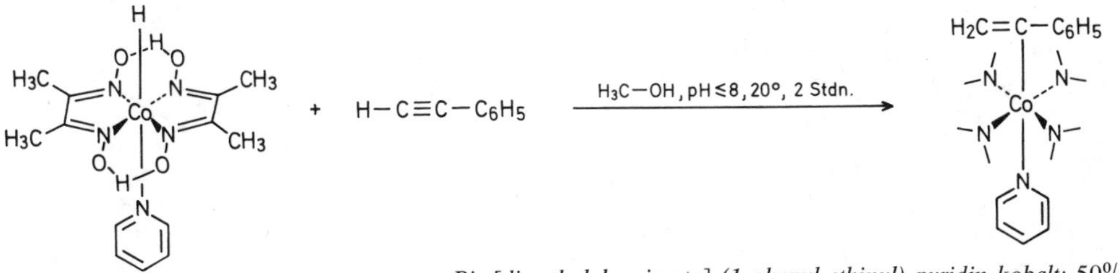

Bis-[dimethylglyoximato]-(1-phenyl-ethinyl)-pyridin-kobalt; 50%

Dagegen entsteht bei der Umsetzung mit 3,3,3-Trifluor-propin *Bis-[dimethylglyoximato]-pyridin-(3,3,3-trifluor-1-propenyl)-kobalt*[5,6] (40%), mit Acetylen entsteht *Bis-[dimethylglyoximato]-pyridin-ethenyl-kobalt* (93%; F: 181°, Zers.)[5,6].

---

[1] K.N.V. Duong, A. Ahond, C. Merienne u. A. Gaudemer, J. Organometal. Chem. 55, 375 (1973).

[2] M.D. Johnson u. B.S. Meeks, Soc. [B] 1971, 185.

[3] D. Dodd, M.D. Johnson, B.S. Meeks, D.M. Titchmarsh, K.N.V. Duong, u. A. Gaudemer, Soc. [Perkin II] 1976, 1261.

[4] K.N.V. Duong u. A. Gaudemer, J. Organometal. Chem. 22, 473 (1970).

[5] G.N. Schrauzer u. J. Kohnle, B. 97, 3056 (1964); wollen *Bis-[dimethylglyoximato]-(2-phenyl-vinyl)-pyridin-kobalt* (91%; F: 236°, Zers.) erhalten haben.

[6] M. Naumberg, K.N.V. Duong u. A. Gaudemer, J. Organometal. Chem. 25, 231 (1970).

Zur Herstellung von *Aquo- (1,2-bis- [2-oxy- benzyliden]- ethan)- ethenyl-* bzw. *Aquo- (1,2-bis- [3-oxy- 1-methyl-2-butenylidenamino]-ethan)-ethenyl-kobalt* (70%; F: 112°)[1, 2]:

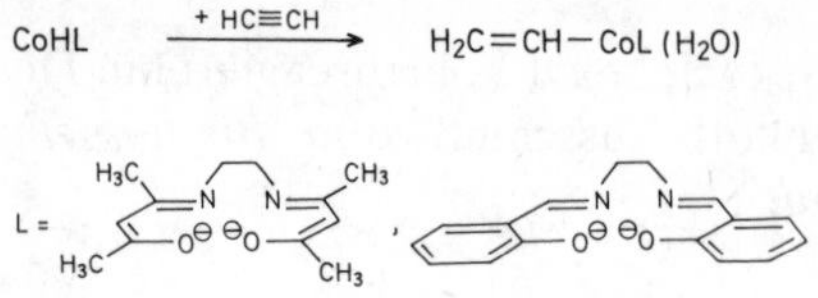

$$CoHL \xrightarrow{+ HC\equiv CH} H_2C=CH-CoL \; (H_2O)$$

α₂) mit 1-Halogen-1-alkenen bzw. 1-Halogen-2-propin- oder Halogen-allen-Verbindungen

Pentacyano-hydrido-kobaltat(III) reagiert wahrscheinlich zuerst in einer 1,2-Addition mit Vinyl-chlorid und anschließender 1,2-Eliminierung von Chlorwasserstoff zu *Trikalium-pentacyano-vinyl-kobaltat*[3]:

$$K_3[CoH(CN)_5] + Cl-CH=CH_2 \longrightarrow \{K_3[Co(Cl-CH-CH_3)(CN)_5]\}$$

$$\xrightarrow{- HCl} K_3[Co(CH=CH_2)(CN)_5]$$

Aquo-(1,2-bis-[3-oxy-1-methyl-2-butenylidenamino]-ethan)-vinyl-kobalt (F: 112°) wird nur in geringer Ausbeute gebildet (s. dagegen S. 132 u. 136)[1]:

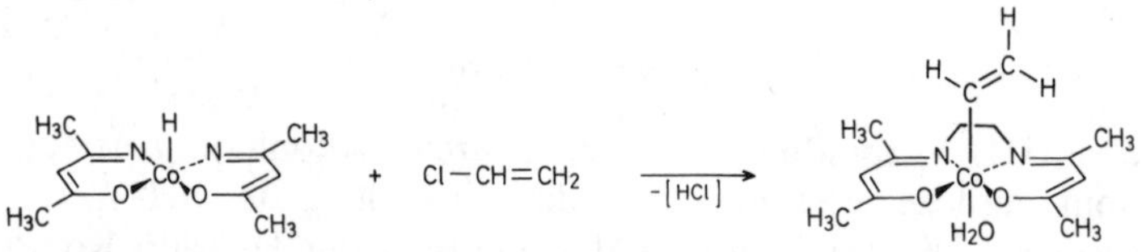

Bis-[dimethylglyoximato]-hydrido-pyridin-kobalt reagiert mit 2-Chlor-(*E*)-2-butensäure-ethylester zum *Bis-[dimethylglyoximato]-(Z-2-ethoxycarbonyl-1-methyl-ethenyl)-pyridin-kobalt* (68%)[4]:

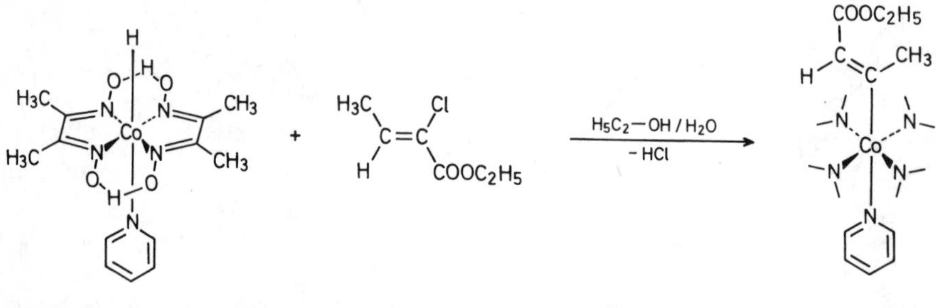

Das reduzierte Bis-[dimethylglyoximato]-hydrido-pyridin-kobalt liegt in alkalischer Lösung als Kobalt(I)-Anion oder in nahezu neutraler Lösung (pH ≤ 8) als Hydrido-kobalt(III)-Komplex vor (zur Reaktion des Anionkomplexes s. S. 130). Mit 3-Chlor- bzw. 3-Brom-propin entsteht unter Umlagerung *Allenyl-bis-[dimethylglyoximato]-pyridin-kobalt* (~25%)[5, 6]:

[1] G. COSTA u. G. MESTRONI, J. Organometal. Chem. **11**, 325 (1968).
[2] G. COSTA, G. MESTRONI u. G. PELLIZER, J. Organometal. Chem. **11**, 333 (1968).
[3] J. KWIATEK u. J. K. SEYLER, J. Organometal. Chem. **3**, 421 (1965).
[4] M. NAUMBERG, K. N. V. DUONG u. A. GAUDEMER, J. Organometal. Chem. **25**, 231 (1970).
[5] M. D. JOHNSON u. C. MAYLE, Chem. Commun. **1969**, 192.
[6] C. J. COOKSEY, D. DODD, C. GATFORD, M. D. JOHNSON, G. J. LEWIS u. D. M. TITCHMARSH, Soc. [Perkin II] **1972**, 655.

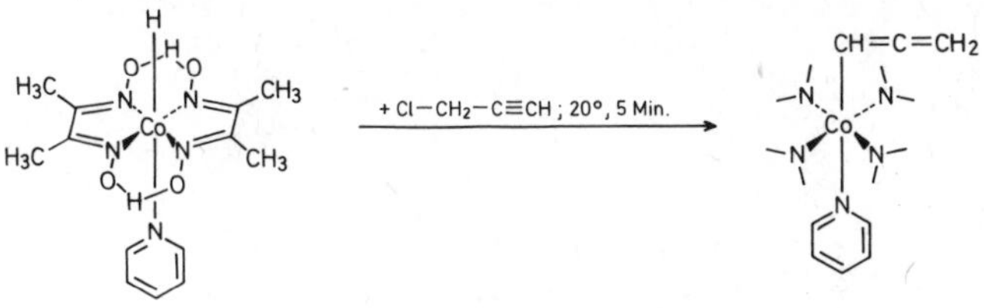

β) aus Halogeno-kobalt(III)-Verbindungen

β_1) mit Diazoalkanen bzw. Tosylhydrazonen in Gegenwart von Basen

Durch Umsetzung von Kobalt(III)-porphyrinen mit Diazoalkanen können 1-Alkenyl-kobalt(III)-porphyrine hergestellt werden, falls die Diazoalkane ein β-ständiges H-Atom besitzen[1, 2]. Die Verbindungen sind 5fach koordiniert. Spektroskopisch läßt sich nachweisen, daß in Lösung zusätzlich Pyridin gebunden wird, das beim Isolieren des Komplexes wieder abgegeben wird[1]:

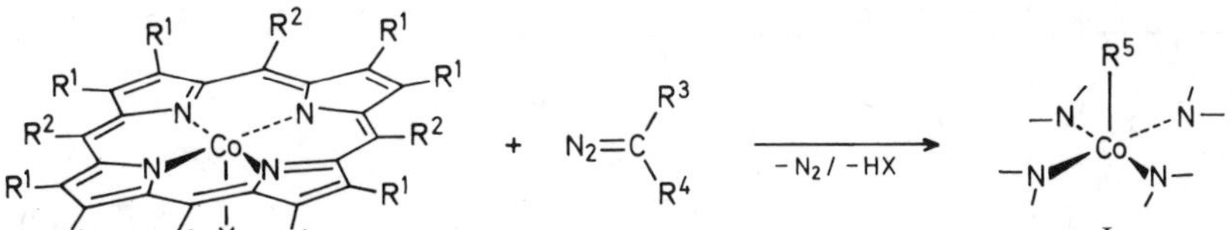

1-Alkenyl-porphyrinato-kobalt-Komplexe; allgemeine Vorschrift[1]: Man löst 150 mg Bromo- (bzw. Chloro)-(5,10,15,20-tetraphenyl-porphyrinato)-kobalt bzw. 60 mg Bromo-(octaethylporphyrinato)-kobalt in 20 ml Dichlormethan und setzt unter Rühren und Ausschluß von Licht das entsprechende Diazoalkan (nicht Diazomethan) zu. Zu den Reaktionsbedingungen s. Tab. 3 (S. 128). Es entsteht augenblicklich ein brauner Komplex, der sich mehr oder weniger rasch in eine orange (im 1. Fall) oder eine rosarote (im 2. Fall) Verbindung umwandelt. Die Lösung wird i. Vak. bei 25° eingeengt. Die meisten Verbindungen können aus Dichlormethan und Methanol oder Pentan umkristallisiert werden.

Die Verbindung mit 2-Diazo-3-oxo-cholestan wird zuvor über eine Säule, gefüllt mit Aluminiumoxid (Merck, Aktivität II–III), mit Toluol/Cyclohexan zur Filtration eluiert; die Verbindung mit Allen-Rest wird gleichermaßen mit Diethylether chromatographiert.
Auf diese Weise zugängliche Verbindungen sind in Tab. 3 (S. 128) aufgeführt.

Eine Vielzahl von Diazoalkanen wird aus den Tosylhydrazonen von Ketonen durch Spaltung mit Basen hergestellt. Da Diazoalkane als instabile und sehr reaktionsfähige Verbindungen schlecht zu handhaben sind und dabei beträchtliche Ausbeute-Verluste auftreten können, ist ihre in situ Herstellung aus Tosylhydrazonen mit Basen in Gegenwart der Kobalt-Komplexe oft zweckmäßig[3]. Nach dieser Methode können in hoher Ausbeute 1-Alkoxycarbonyl- bzw. (1-Phenyl-vinyl)-kobalt-porphyrine hergestellt werden; z.B.:

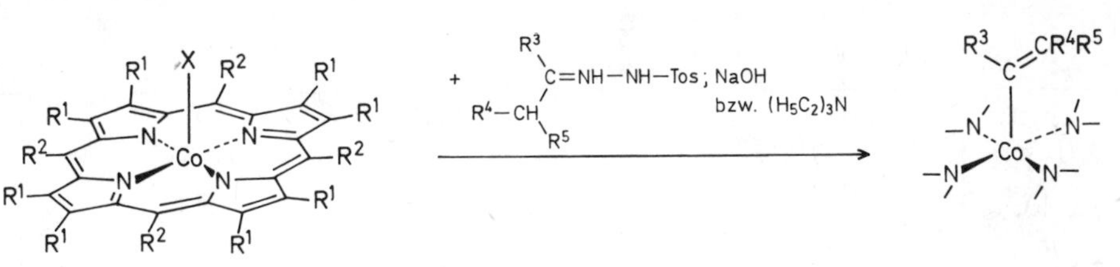

---

[1] H.J. CALLOT u. E. SCHAEFFER, Tetrahedron Letters **1977**, 239; J. Organometal. Chem. **145**, 91 (1978).
[2] Die Umsetzung mit Diazomethan ist auf S. 74 beschrieben.
[3] H.J. CALLOT u. E. SCHAEFFER, J. Organometal. Chem. **193**, 111 (1980).

Tab. 3: 1-Alkenyl-porphyrinato-kobalt-Komplexe aus den entsprechenden Co-Halogen-Komplexen mit Diazoalkanen[1]

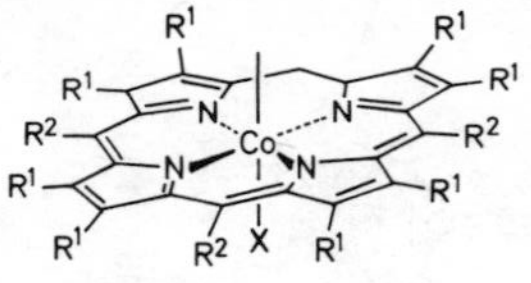

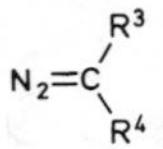

Porphyrin-Cobalt-Grundgerüst mit Substituenten R^1, R^2, X und Diazoalkan $N_2=C(R^3)(R^4)$

R^1	R^2	X	R^3	R^4	Molverhältnis Komplex	Molverhältnis Diazoalkan	Reaktionsbedingungen [Min.]	Reaktionsbedingungen [°C]	Endbindung I, s. S. 127 R^5	Komplex	Ausbeute [%]	IR(cm⁻¹) CO
C_2H_5	H	Br	CH_3	$CO-CH_3$	1	4	5	25	$CO-CH_3$, $-C=CH_2$	...(octaethylporphyrinato)-kobalt (1-Acetyl-vinyl)...	89	1670
				$P(O)(OCH_3)_2$	1	4,5	15	25	$P(O)(OCH_3)_2$, $-C=CH_2$	(1-Dimethoxphosphoryl-vinyl)...	62	–
H	C_6H_5	Br	$COOCH_3$	CH_3	1	3	5	25	$COOCH_3$, $-C=CH_2$	...-(5,10,15,20-tetraphenyl-porphyrinato-kobalt (1-Methoxycarbonyl-vinyl)...	92	1690
				$CH_2-COOCH_3$	1	4	5	25	$COOCH_3$, $-C=CH-COOCH_3$	(1,2-Dimethoxycarbonyl-vinyl)...	88	1710
				$CH_2-C_6H_5$	1	3	5	25	$COOCH_3$, $-C=CH-C_6H_5$	(1-Methoxycarbonyl-2-phenyl-vinyl)...	82	1695
		Cl	$-C-C(CH_2)_4-$ (O=)		1	12	10	25	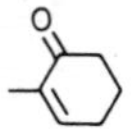 6-Oxo-cyclohexenyl (O=)	(6-Oxo-1-cyclohexenyl)...	89	1670
			$COOCH_3$	$CH(CH_3)_2$	1	30	(12 Stdn.)	25	$COOCH_3$, $-C=C(CH_3)_2$	(1-Methoxycarbonyl-2-methyl-1-propenyl)...	33	1690
			$P(O)(OCH_3)_2$	$CH=C(CH_3)_2$	1	5	(4,5 Stdn.)	25	$P(O)(OCH_3)_2$, $-C=C=C(CH_3)_2$	(1-Dimethoxphosphoryl-3-methyl-1,2-butadienyl)...	85	–
			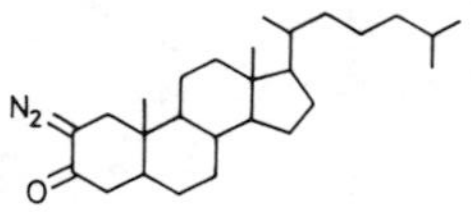 cholesten-N_2 (O=)	cholesten (O=)	1	2	10	25	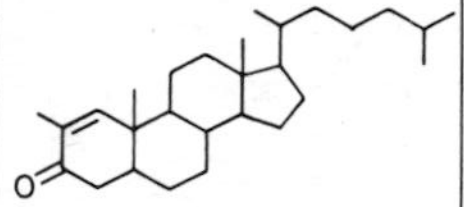 3-Oxo-cholesten (O=)	(3-Oxo-1-cholesten-2-yl)...	30	1670

[1] H. Langer u. F. Schuster, J. Organometal. Chem. 145, 91 (1978)

1-Alkenyl-porphyrinato-kobalt

Methode A: In 20 ml Dichlormethan werden nacheinander 150 mg Chloro-(5,10,15,20-tetraphenyl-porphy-rinato)-kobalt (R^1 = H; R^2 = C_6H_5; X = Cl), 1,2 Äquivalente Tosylhydrazon und 0,2 ml Triethylamin zugegeben. Die Mischung wird 20 Stdn. bei 20° gehalten. Dann wird das Lösungsmittel i. Vak. abgezogen und der Rückstand in Methanol umkristallisiert.

Auf diese Weise erhält man u.a.

R^3 = $COOC_2H_5$; R^4 = R^5 = H; *(1-Ethoxycarbonyl-vinyl)-(5,10,15,20-tetraphenyl-porphyrinato)-kobalt*; 80%
R^3 = R^4 = $COOCH_3$; R^5 = H; *(1,2-Diethoxycarbonyl-vinyl)-.* . .; 66%

Methode B: Zu einer Mischung von 4 ml Diglyme und 0,5 ml Wasser gibt man 150 mg Chloro-(5,10,15,20- te-traphenyl-porphyrinato)-kobalt (R^1 = H; R^2 = C_6H_5; X = Cl) bzw. Bromo-(octaethyl-porphyrinato)-kobalt (R^1 = C_2H_5; R^2 = H; X = Br), 4 Äquivalente Tosylhydrazon und 250 mg Natriumhydroxid. Die Mischung wird unter Stickstoff und kräftigem Rühren 1 Stde. auf 85° erhitzt. Dann extrahiert man mit 30 ml Toluol, wäscht den Extrakt 2mal mit je 50 ml Wasser, trocknet mit Natriumsulfat, filtriert und zieht das Lösungsmittel i. Vak. ab. Der Rückstand wird in Dichlormethan und Methanol umkristallisiert.

Auf diese Weise erhält man u.a.

R^3 = C_6H_5; R^4 = R^5 = H; *(1-Phenyl-vinyl)-(octaethyl-porphyrinato)-kobalt*; 73%
R^3 = 4-F–C_6H_4; R^4 = R^5 = H; *[1-(4-Fluor-phenyl)-vinyl]-(5,10,15,20-tetraphenyl-porphyrinato)-kobalt*; 80%
R^3 = 3-Br–C_6H_4; R^4 = R^5 = H; *[1-(3-Brom-phenyl)-vinyl]-(5,10,15,20-tetraphenyl-porphyrinato)-kobalt*; 76%
R^3 = 4-CH_3–C_6H_4; R^4 = R^5 = H; *[1-(4-Methyl-phenyl)-vinyl]-(5,10,15,20-tetraphenyl-porphyrinato)-kobalt*; 75%

Methode C: Eine Lösung von 150 mg Chloro-(5,10,15,20-tetraphenyl-porphyrinato)-kobalt (R^1 = H; R^2 = C_6H_5; X = Cl), 4 Äquivalenten Tosylhydrazon und 0,5 ml Triethylamin in 40 ml Benzol wird 12 Stdn. mit Stickstoff unter Rückfluß erhitzt. Der nach Abziehen des Lösungsmittels i. Vak. erhaltene Rückstand wird in Dichlormethan und Methanol umkristallisiert. In manchen Fällen (z. B. R^3 = 4-$COCH_3$–C_6H_4) ist eine vorhergehende Filtration des Reaktionsgemisches mit Toluol über eine Säule mit Aluminiumoxid (Aktivität II–III) notwendig.

So erhält man u.a.

R^3 = 3-NO_2–C_6H_4; R^4 = R^5 = H; *[1-(3-Nitro-phenyl)-vinyl]-(5,10,15,20-tetraphenyl-porphyrinato)-kobalt*; 92%
R^3 = 4-$COCH_3$–C_6H_4; R^4 = R^5 = H; *[1-(4-Acetyl-phenyl)-vinyl]-.* . .; 50%
R^3 = 4-CN–C_6H_4; R^4 = R^5 = H; *[1-(4-Cyan-phenyl)-vinyl]-.* . .; 88%

β_2) mit 1-Alkenyl-metall-Verbindungen

Die durch Behandeln von Diphenyl-ethin mit Butyl-lithium erhältliche Dilithio-Verbindung bildet mit dem Dijodo-kobalt-Komplex I ein 1-Benzokobaltol[2]; z.B.:

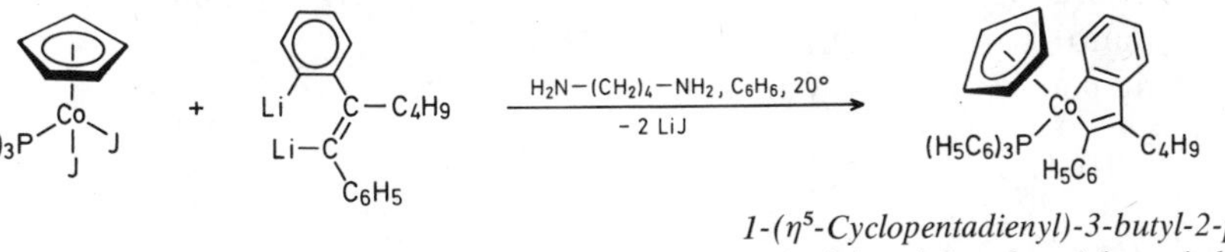

1-(η^5-Cyclopentadienyl)-3-butyl-2-phenyl-1-triphenylphosphan-1-benzokobaltol; 35%; F: 167–170°

γ) aus anderen Kobalt(III)-Verbindungen mit Alkinen

Aquo-{1,2-bis-[2-oxy-benzylidenamino-ethan (bzw. *1,3 .* . .*-propan)}-(2-methoxy-3-oxo-1-butenyl)-kobalt* erhält man durch Addition des Methoxykobalt-Restes an die C,C-Dreifachbindung von 3-Oxo-1-butin[3]:

[1] H. J. CALLOT u. E. SCHAEFFER, J. Organometal. Chem. **193**, 111 (1980).
[2] Y. WAKATSUKI, O. NOMURA, H. TONE u. H. YAMAZAKI, Soc. [Perkin II] **1980**, 1344.
[3] D. CUMMINS, E. D. MCKENZIE u. A. SEGNITZ, J. Organometal. Chem. **87**, C 19 (1975).

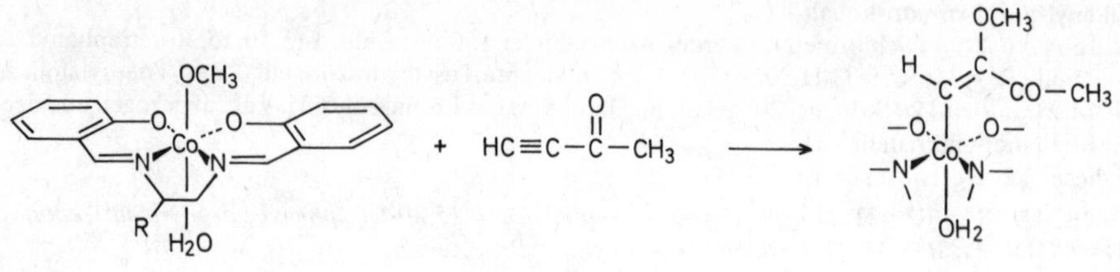

R = H, CH₃

Zur Herstellung der folgenden Komplexe s. Lit.[1, 2]:

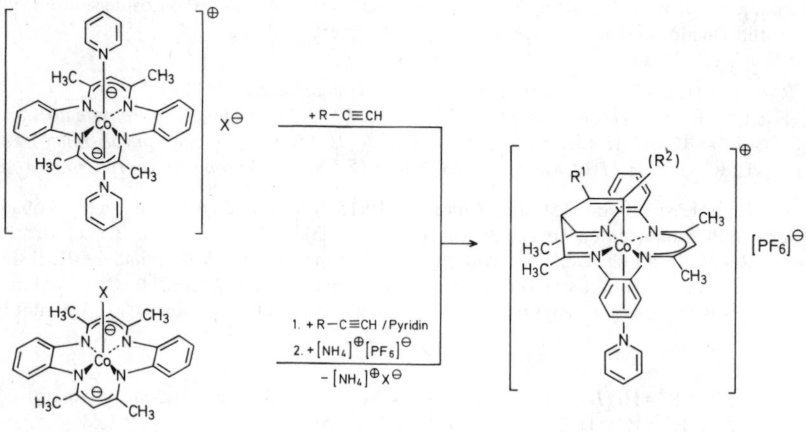

X = Cl, Br, J; PF₆
R = H, CH₃ (R¹), C₆H₅(R²)

2. aus Kobaltaten(I)

α) mit ungesättigten Halogen-Verbindungen

Die meisten Beispiele der Reaktion sind von den außergewöhnlich stabilen Bis-[dime-thylglyoximato]-kobalt-Komplexen beschrieben.

So erhält man z. B. mit Vinylchlorid *Bis-[dimethylglyoximato]-pyridin-vinyl-cobalt* $(71\%)^{3-6}$:

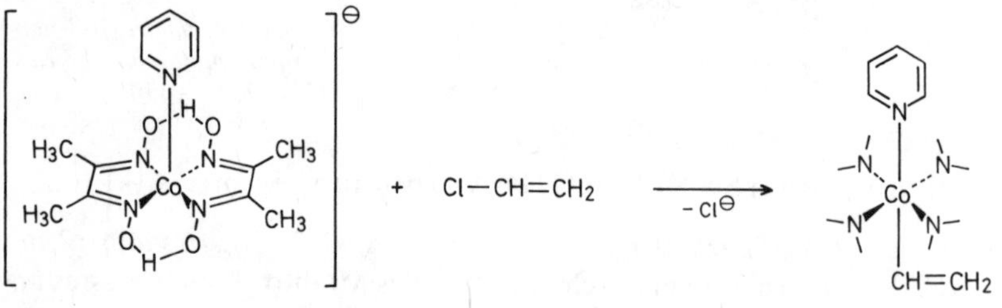

[1] M.C. WEISS u. V.L. GOEDKEN, Am. Soc. **98**, 3389 (1976).

[2] M.C. WEISS, G.C. GORDON u. V.L. GOEDKEN, Am. Soc. **101**, 857 (1979).

[3] G.N. SCHRAUZER u. R.J. WINDGASSEN, Am. Soc. **89**, 1999 (1967).

[4] M. NAUMBERG, K.N.V. DUONG u. A. GAUDEMER, J. Organometal. Chem. **25**, 231 (1970).

[5] D. DODD, M.D. JOHNSON, B.S. MEEKS, D.M. TITCHMARSH, K.N.V. DUONG u. A. GAUDEMER, Soc. [Perkin II] **1976**, 1261.

[6] Struktur s.: N. BRESCIANI-PAHOR, M. CALLIGARIS u. L. RANDACCIO, J. Organometal. Chem. **184**, C 53 (1980).

Die Umsetzungen mit ω-Halogen-styrol wurden eingehend untersucht[1, 2]. Die Reaktionsgeschwindigkeit nimmt in folgender Reihe ab[3]:

J $\geq$ Br $\gg$ Cl > F

*cis-ω-*Fluor-styrol setzt sich nicht um.

Die Reaktion verläuft bei ω-Jod- und ω-Brom-styrol stereoselektiv unter Retention der Konfiguration, wobei die Reaktionsgeschwindigkeit von *trans-ω-*Brom-styrol etwa 10mal so groß wie vom *cis-*Derivat ist (zur Reaktionsgeschwindigkeit s. Lit.)[1]; mit ω-Chlor-styrol entstehen *Bis-[dimethylglyoximato]-(cis-* und *trans-2-phenyl-vinyl)-kobalt* (40 bzw. 60%).

Bis-[dimethylglyoximato]-(trans-2-phenyl-vinyl)-pyridin-kobalt[4]: Eine Lösung von 7,36 g (0,01 mol) Natrium-bis-[dimethylglyoximato]-pyridin-kobaltat in 80 *ml* Methanol wird durch Kochen von Luft befreit und mit 0,80 g (0,02 mol) Natronlauge in 5 *ml* Wasser sowie 1,83 g (0,010 mol) 2-Brom-1-phenyl-ethen versetzt. Das käufliche Produkt enthält 86% *trans-*Isomeres. Die Mischung wird 4 Stdn. bei 20° gerührt, gekühlt, filtriert und der Rückstand mit je 3 *ml* kaltem Wasser und Petrolether gewaschen. Die gelb-orange Verbindung wird i. Vak. über Calciumchlorid getrocknet; Ausbeute: 2,52 g (54%)[5]; ^{1}H-NMR (CDCl$_3$): τ CoCH=C 3.80(d, J 14 Hz), CoC=CH– 2.88(d).

Mit *cis-* oder *trans-*1-Brom-1-octen reagiert das Komplex-Anion stereoselektiv unter Retention seiner Konfiguration[6]:

Bis-[dimethylglyoximato]-(1-octenyl)-pyridin-kobalt; ~35%; F: 149–151° (*cis*); 171–173° (*trans*)

Chlor-acrylsäure-methylester kann bereits bei −5° innerhalb 30 Min. stereoselektiv zum *Bis-[dimethylglyoximato]-(2-methoxycarbonyl-vinyl)-kobalt* umgesetzt werden[2].

Zur Umsetzung mit *cis-* und *trans-*5-Brom-4-pentensäure bzw. deren Derivaten zu den *trans-*1-Alkenyl-Komplexen s.Lit.[7].

Nur das *cis-*9-(5-Brom-4-pentenoyl)-carbazol reagiert mit dem Komplex-Anion, und man erhält *Bis-[dimethylglyoximato]-(5-carbazolo-5-oxo-trans-1-pentenyl)-pyridin-kobalt*[7]. Das Isomerengemisch von *cis/trans-*1,3-Dibrom-propen liefert in alkoholischer Lösung unter gleichzeitiger Ether-Bildung nur das *trans-*Substitutionsprodukt, z. B. *Bis-[di-*

---

[1] M.D. JOHNSON u. B.S. MEEKS, Chem. Commun. **1970**, 1227; Soc. [B] **1971**, 185.

[2] K.N.V. DUONG u. A. GAUDEMER, J. Organometal. Chem. **22**, 473 (1970).

[3] D. DODD, M.D. JOHNSON, S. MEEKS, D.M. TITCHMARSH, K.N.V. DUONG u. A. GAUDEMER, Soc. [Perkin II] **1976**, 1261.

[4] M.D. JOHNSON u. B.S. MEEKS, Soc. [B] **1971**, 185.

[5] Nach seiner ^{1}H-NMR-Analyse ist der Komplex frei von *cis-*Isomeren.

[6] M. TADA, M. KUBOTA u. H. SHINOZAKI, Bl. chem. Soc. Japan **49**, 1097 (1976).

[7] E.A. PARFENOV u. A.M. YURKEVICH, Ž.obšč. Chim. **42**, 474 (1972); *Bis-[dimethylglyoximato]-[4-carboxy-* (bzw. *4-ethoxycarbonyl)-trans-1-butenyl]-pyridin-kobalt.*

methylglyoximato]-[*3-ethoxy-* (bzw. *3-tert.-butyloxy*)- *trans-1-propenyl*]-*pyridin-kobalt*[1].
Der Pentacyano-kobalt-Anionkomplex reagiert mit *cis-* oder *trans-2-* und 1-Brom-1-phenyl-ethen zu σ-Styryl-Kobalt(III)-Komplexen[2]:

$$[Co(CN)_5]^{4\ominus} \quad + \quad Br-CH=CH-C_6H_5 \quad \xrightarrow{-Br^\ominus} \quad [H_5C_6-CH=CH-Co(CN)_5]^{3\ominus}$$

Zur Herstellung von *Aquo-(1,2-bis-[1-methyl-3-oxy-2-butenylidenamino]-ethan)-vinyl-kobalt* (50%; F: 112°) s. Lit.[3, 4].

Das durch Reduktion mit Natriumboranat erhältliche Bis-[dimethylglyoximato]-pyridin-kobaltat bildet mit Propargyl- oder Allenyl-halogeniden je nach Reaktionsbedingungen *Propargyl-* oder *Allenyl-bis-[dimethylglyoximato]-pyridin-kobalt(III)*-Komplexe[5–7]. Hierbei sind sterische Einflüsse von großer Bedeutung, so daß es oft nicht gelingt, ein einheitliches Reaktionsprodukt zu erhalten. Wird die Reaktion nach wenigen Min. abgebrochen, so erhält man den Propargyl-Komplex, und nach 120 Min. den stabileren Allenyl-Komplex[8]. Mit 3-Chlor-3-methyl-1-butin bzw. -1-pentin oder (1-Chlor-cyclohexyl)-ethin werden aus sterischen Gründen (S$_N$2′-Reaktion) die Allenyl-Komplexe *Bis-[dimethylglyoximato]-[3-methyl-1,2-butadienyl* (bzw. *1,2-pentadienyl]-pyridin-* (~60%) sowie *-(cyclohexyliden-ethenyl)-pyridin-kobalt* gebildet[5, 6].

Allenyl-bis-[dimethylglyoximato]-pyridin-kobalt[7]: 300 mg (0,75 mmol) Bis-[dimethylglyoximato]-chloro-pyridin-kobalt werden unter Stickstoff in 20 *ml* entgastem Methanol suspendiert und mit 18 mg (0,5 mmol) Natriumboranat versetzt. Dabei entsteht eine dunkelblaue Lösung. Unter Rühren werden 60 mg (0,8 mmol) 3-Chlor-propin oder Chlor-allen zugegeben. Die Lösung wird rasch hell rot-braun. Nach 10 Min. wird das Lösungsmittel i. Vak. abgezogen und der feste Rückstand aus heißem 30% wäßr. Ethanol umkristallisiert (orange Nadeln); IR (KBr): $\nu_{C=C=C}$ 1910(m) cm^{-1}. ^{1}H-NMR (CDCl$_3$): τ CoHC=C 5.10(t), J(HH′) 5.6 Hz, =C=CH$_2$′ 5.48(d).

Durch Umsetzung von Cobaloximat mit Trifluormethansulfonsäure-(1-methylen-2-propinylester) entsteht *(1-Methylen-2-propinyl)-pyridin-cobaloxim* (25%; F: 183–185° Zers.) und bei Einsatz von 1,1-Diphenylme-

---

[1] E. A. PARFENOV, T. G. CHERVYAKOVA u. M. G. EDELEV, Tezisy Dokl. Vses. Chugaevskoe Soveshch. Khim. Kompleksn. Soedin., 12th, **1975**, 454; C. A. **86**, 5599 (1977).

[2] T. FUNABIKI, S. YOSHIDA u. K. TARAMA, Chem. Commun. **1978**, 1059.

[3] G. COSTA u. G. MESTRONI, J. Organometal. Chem. **11**, 325 (1968).

[4] G. COSTA, G. MESTRONI u. G. PELLIZER, J. Organometal. Chem. **11**, 333 (1968).

[5] M. D. JOHNSON u. C. MAYLE, Chem. Commun. **1969**, 192.

[6] C. J. COOKSEY, D. DODD, C. GATFORD, M. D. JOHNSON, G. J. LEWIS u. D. M. TITCHMARSH, Soc. [Perkin II] **1972**, 655.

[7] J. P. COLLMAN, J. N. CAWSE u. J. W. KANG, Inorg. Chem. **8**, 2574 (1969).

[8] Die Reaktionsbedingungen, die bevorzugt zur Propargyl-Verbindung führen, sind auf S. 60 beschrieben. Es ist auch möglich, von Cobaloxim des zweiwertigen Kobalts auszugehen, da es unter den Reaktionsbedingungen in Gegenwart von Basen disproportioniert (s. S. 100).

thylen- bzw. 1-Isopropyliden-propinyl-trifluormethansulfonsäureester entstehen die entsprechenden Cumulenyl-cobaloxime in 11–13%iger Ausbeute[1].

Mit 1,1-Bis-[4-chlor-phenyl]-2,2,2-trichlor-ethan (DDT) wird auf ähnliche Weise unter oxidativer Addition des organischen Restes und gleichzeitiger Abspaltung von Chlorwasserstoff *(2,2-Bis-[4-chlor-phenyl]-1-chlor-ethenyl)-bis-[dimethylglyoximato]-pyridin-kobalt* (50%) erhalten[2, 3]:

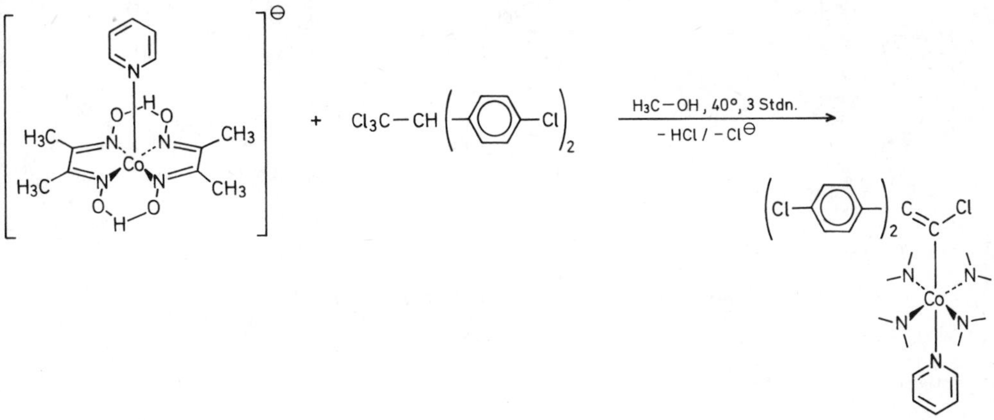

β) mit Alkinen

Kobalt(I)-Anion-Komplexe reagieren mit Acetylen bzw. Alkinen unter Bildung von Vinyl-Komplexen, die durch Hydrierung des Kobalt-Acetylen-Adduktes gebildet werden. Es gibt Beispiele, bei denen die vorgeschaltete Bildung des Hydrido-kobalt(III)-Komplexes nicht ausgeschlossen werden kann.

Bis-[dimethylglyoximato]-pyridin-kobalt bildet mit Phenyl-ethin in Methanol bei Alkali-Überschuß (pH ≥ 12) in hoher Stereoselektivität *Bis-[dimethylglyoximato]-(2-phenyl-vinyl)-pyridin-kobalt*[4]. Bei niedrigerem pH (≤ 8) wird das Anion protoniert. Der so gebildete Hydrido-kobalt(III)-Komplex setzt sich zum *(1-Phenyl-vinyl)*-Derivat um (s. S. 125)[5, 6].

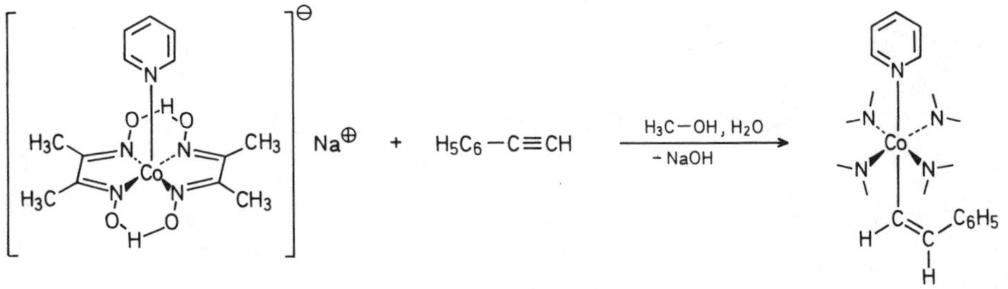

[1] P.J. STANG u. L.G. WISTRAND, J. Organometal. Chem. **204**, 405 (1981).

[2] R.H. PRINCE, G.M. SHELDRICK, D.A. STOTTER u. R. TAYLOR, Chem. Commun. **1974**, 854.

[3] D.A. STOTTER, G.M. SHELDRICK u. R. TAYLOR, Soc. [Dalton] **1975**, 2124.

[4] M.D. JOHNSON u. B.S. MEEKS, Chem. Commun. **1970**, 1027; Soc. [B] **1971**, 185.

[5] D. DODD, M.D. JOHNSON, B.S. MEEKS, D.M. TITCHMARSH, K.N.V. DUONG u. A. GAUDEMER, Soc. [Perkin II] **1976**, 1261.

[6] M. NAUMBERG, K.N.V. DUONG u. A. GAUDEMER, J. Organometal. Chem. **25**, 231 (1970).

Auch andere 1-Alkine können in die Reaktion eingesetzt werden[1-3]; dabei kann die Isomerenverteilung infolge sterischer und elektronischer Einflüsse der Substituenten sowie der Reaktionsbedingungen recht unterschiedlich sein:

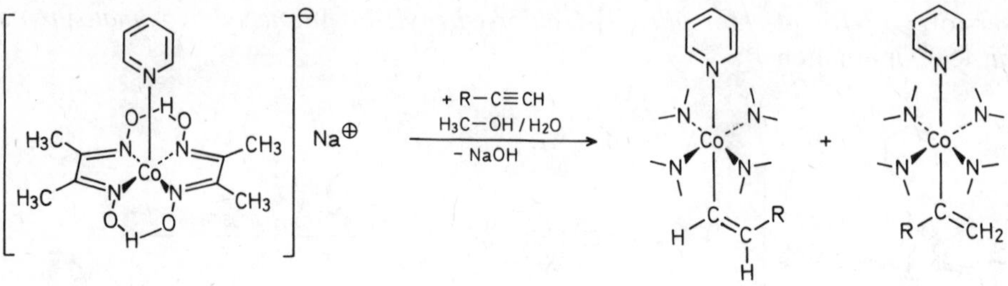

I   II

Bis-[dimethylglyoximato]- . . . -pyridin-kobalt

R = COOC$_2$H$_5$ (25 mmol NaOH[a]; 0°, 6 Min.)	I; . . .-(*cis-2-ethoxycarbonyl-vinyl*)-. . .;	60%[a]
	II; –	
R = CH$_2$–OH (25 mmol NaOH; (40°, 4 Stdn.)	I; . . .-(*cis-3-hydroxy-1-propenyl*)-. . .;	60%
	II; . . .-(*1-hydroxymethyl-vinyl*)-. . .;	40% } 60% Gesamtausbeute
R = CH$_3$ (25 mmol NaOH; 20°, 24 Stdn.)	I;	
	II; . . .-*isopropenyl*-. . .;	10%

[a] in Ethanol; in Methanol entsteht der Methylester.

Bis-[dimethylglyoximato]-(cis-2-methoxycarbonyl-vinyl)-pyridin-kobalt[2]: Einer Suspension von 5 mmol Bis-[dimethylglyoximato]-pyridin-cobalt(II) in 30 *ml* Methanol setzt man 0,25 *ml* 8 M Natronlauge und 470 mg (5,5 mmol) Propinsäure-methylester zu. Die Mischung wird bei 20° unter Wasserstoff-Atmosphäre gerührt. Innerhalb 30 Min. werden 61 *ml* Wasserstoff absorbiert. Der gebildete gelbe Niederschlag wird an der Luft getrocknet, und die wäßr. Mutterlauge mit Diethylether extrahiert; Gesamtausbeute: 790 mg (35%); ^{1}H-NMR (CDCl$_3$)[3]: δH^1 6.66(d, J(H^{1}H^2) 10.4 Hz), H^2 5.75(d), CH$_3$ 3.73(s).

Octaethylporphyrinato-kobalt(I)-Anion bildet durch Umsetzung mit Acetylen *Octaethylporphyrinato-vinyl-kobalt* (19%)[4]; mit Phenylacetylen entsteht hauptsächlich *Octaethylporphyrinato-(cis-2-phenyl-vinyl)-kobalt* (29%) (die Porphyrinato-Komplexe besitzen die Koordinationszahl 5).

Analog entsteht {*1,2-Bis-[1-(2-oxy-phenyl)-ethylidenamino]-ethan*}-*vinyl-kobalt*[5]:

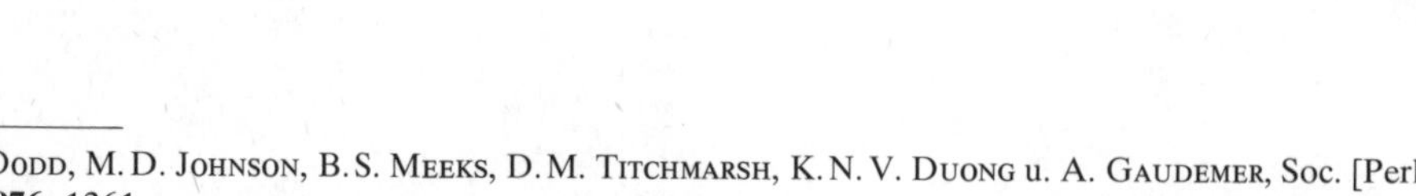

Auch 1,2-Diorgano-ethine lassen sich mit Bis-[dimethylglyoximato]-kobaltat umsetzen (s. a. S. 125)[6,7]:

[1] D. Dodd, M. D. Johnson, B. S. Meeks, D. M. Titchmarsh, K. N. V. Duong u. A. Gaudemer, Soc. [Perkin II] **1976**, 1261.

[2] K. N. V. Duong u. A. Gaudemer, J. Organometal. Chem. **22**, 473 (1970).

[3] G. N. Schrauzer u. R. J. Windgassen, Am. Soc. **89**, 1999 (1967): Die Autoren schreiben der Verbindung fälschlicherweise die *trans*-Konfiguration zu.

[4] H. Ogoshi, E.-I. Watanabe, N. Koketsu u. Z.-I. Yoshida, Bl. chem. Soc. Japan **49**, 2529 (1976).

[5] A. Bigotto, G. Costa, G. Mestroni, G. Pellizer, A. Puxeddu, E. Reisenhofer, L. Stefani u. G. tauzher, Inorg. Chim. Acta Rev. **4**, 41 (1970).

[6] M. Naumberg, K. N. V. Duong u. A. Gaudemer, J. Organometal. Chem. **25**, 231 (1970).

[7] G. N. Schrauzer u. R. J. Windgassen, Am. Soc. **87**, 1999 (1967).

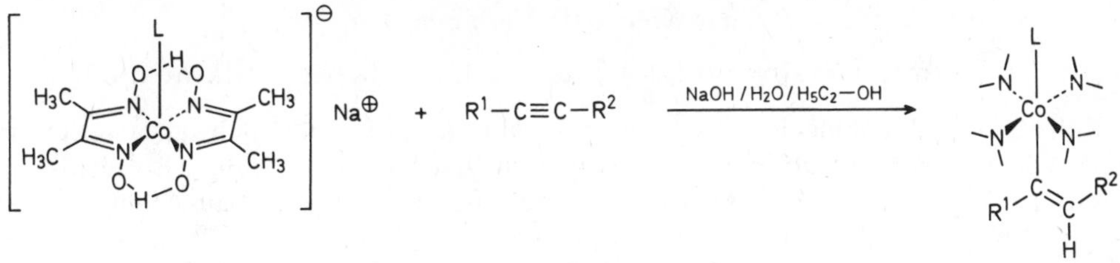

L = NH_2–C_6H_5; R[1] = CH_3; R[2] = $COOC_2H_5$; *Anilin-bis-[dimethylglyoximato]-(cis-2-ethoxycarbonyl-1-methyl-ethenyl)-kobalt*; 60%

L = Pyridin; R[1] = R[2] = $COOCH_3$; *Bis-[dimethylglyoximato]-(trans-1,2-dimethoxy-carbonyl-ethenyl)-pyridin-kobalt*; 76%

γ) mit 1-Alkenyl- bzw. 2-Alkinyl-kobalt(III)-Verbindungen

Die 1-Alkenyl-Gruppe von 1-Alkenyl-kobalt(III)-Verbindungen kann auf das Kobalt-Atom eines Kobaltats(I) übertragen werden, wobei sich die Oxidationsstufe der beiden an der Reaktion beteiligten Kobalt-Atome ändert[1]:

Mit Bis-[dimethylglyoximato]-2-propinyl-kobalt(III) werden die entsprechenden Allenyl-kobalt(III)-Komplexe erhalten[1]; z.B.:

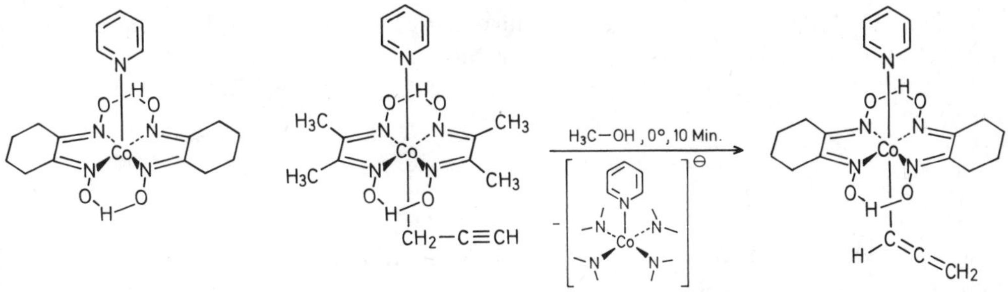

Allenyl-bis-[1,2-cyclohexandiondioximato]-pyridin-kobalt

3. aus neutralen Kobalt(I)-Verbindungen

Der durch Reduktion des Kobalt(II)-chelat-Komplexes I mit Natriumboranat in situ erzeugte neutrale Kobalt(I)-Komplex setzt sich mit Vinyl-bromid und anschließend mit Ammonium-hexafluorophosphat zum *Bromo-{2,6-(1,11-dimethyl-2,6,10-triaza-1,10-undecadien-1,11-diyl)-pyridin}-ethenyl-kobalt-hexafluorophosphat* (35%) um[2]:

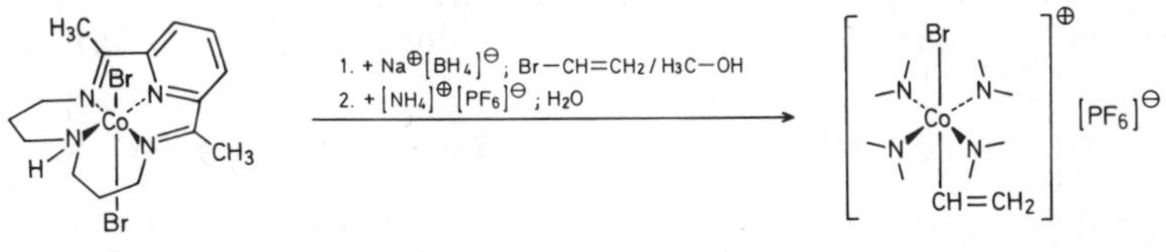

I

[1] C. J. Cooksey, D. Dodd, C. Gatford, M. D. Johnson, G. J. Lewis u. D. M. Titchmarsh, Soc. [Perkin II] **1972**, 655.

[2] E.-I. Ochiai, K. M. Long, C. R. Sperati u. D. H. Busch, Am. Soc. **91**, 3201 (1969).

4. aus Kobalt(II)-Verbindungen

α) mit 1-Halogen-1-alkenen, -allenen bzw. -2-alkinen

Kobalt(II)-Verbindungen reagieren mit ungesättigten Halogenkohlenwasserstoffen unter Erhöhung der Oxidationsstufe von Kobalt um 1 sowie Übertragung des organischen Restes auf ein Kobalt- und des Halogen-Restes auf ein anderes Kobalt-Atom:

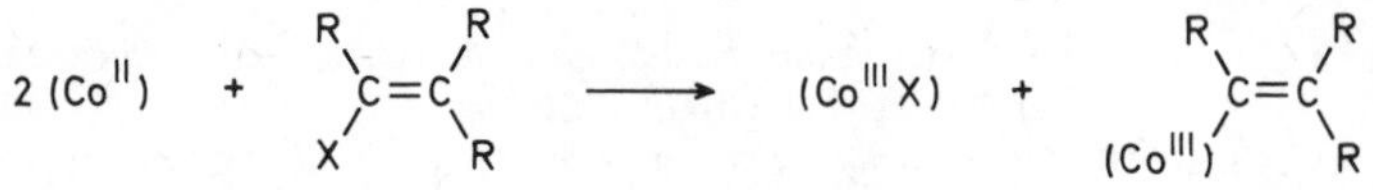

$$2\,(Co^{II}) \;+\; \underset{X}{\overset{R}{\underset{\diagdown}{C}}}=\underset{R}{\overset{R}{\underset{\diagup}{C}}} \;\longrightarrow\; (Co^{III}X) \;+\; \underset{(Co^{III})}{\overset{R}{C}}=\underset{R}{\overset{R}{C}}$$

Unsubstituierte Propargyl- und Allenyl-halogenide setzen sich mit Bis-[dimethylglyoximato]-kobalt(II)[1,2], je nach Reaktionsbedingungen zu Propargyl- oder Allenyl-Komplexen oder eine Mischung aus beiden Verbindungen um.

Die Reaktion hängt sehr stark vom pH des Reaktionsmediums ab, da durch Basen die Disproportionierung des Kobalt(II)-Komplexes in Kobalt(I) und Kobalt(III) verursacht wird. Das Verhalten des dadurch gebildeten Kobaltats(I) ist auf S. 130 und die Reaktion der entsprechenden Hydrido-Komplexe mit Propargyl- und Allenyl-halogeniden auf S. 126 beschrieben.

Bei substituierten Propargyl- und Allenyl-halogeniden spielen sterische Einflüsse für die Produktverteilung eine wichtige Rolle.

β) mit Alkinen

Kobalt(II)-Verbindungen besitzen ein ungepaartes Elektron und dimerisieren daher unter Paarung des Elektrons bzw. bilden ein Monomer-Dimer-Gleichgewicht aus.

Formal können Alkine in einer radikalischen Reaktion mit zwei Kobalt(II)-Radikalen reagieren:

$$(Co^{II}) \;+\; R-C\equiv C-R \;+\; (Co^{II}) \;\longrightarrow\; \underset{(Co^{III})}{\overset{R}{C}}=\underset{R}{\overset{(Co^{III})}{C}}$$

Entsprechend bildet Kobalt(II)-chlorid mit Kaliumcyanid gelöst in Wasser mit Ethin bzw. Acetylen-dicarbonsäure-dimethylester in Methanol trans-1,2-Bis-[pentacyanokobalto]-ethene[3-5]:

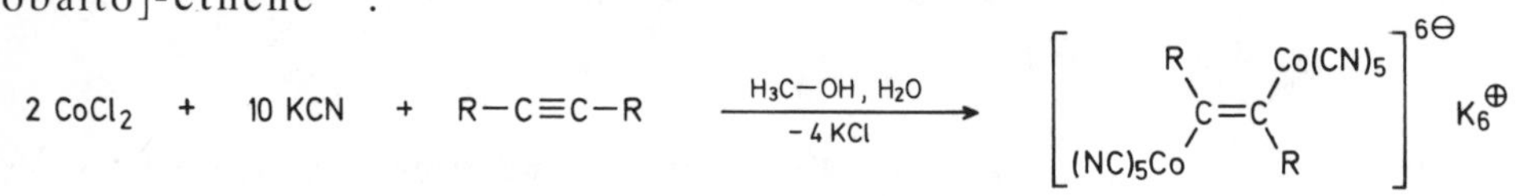

$$2\,CoCl_2 \;+\; 10\,KCN \;+\; R-C\equiv C-R \;\xrightarrow[-4\,KCl]{H_3C-OH,\,H_2O}\; \left[\underset{(NC)_5Co}{\overset{R}{C}}=\underset{R}{\overset{Co(CN)_5}{C}}\right]^{6\ominus} K_6^{\oplus}$$

R = H; Hexakalium-trans-1,2-bis-[pentacyanokobalto]-ethen[3,5,6]; 85%

R = COOCH₃; Hexakalium-bis-[pentacyanokobalto]-fumarsäure-dimethylester; 56%[4]

Zur Herstellung von 1,2-Bis-{aquo-(O-dehydro-1,3-bis-[2-hydroximino-1-methylpropylidenamino]-propan)-cobalto}-ethen-bis-[hexafluorophosphat] s. Lit.[7]:

[1] C.J. COOKSEY, D. DODD, C. GATFORD, M.D. JOHNSON, G.J. LEWIS u. D.M. TITCHMARSH, Soc. [Perkin II] 1972, 655.
[2] C.J. COOKSEY, D. DODD, M.D. JOHNSON u. B.L. LOCKMAN, Soc. [Dalton] 1978, 1814.
[3] W.P. GRIFFITH u. G. WILKINSON, Soc. 1959, 1629.
[4] M.E. KIMBALL, J.P. MARTELLA u. W.C. KASKA, Inorg. Chem. 6, 414 (1967).
[5] P.S. SANTOS, K. KAWAI u. O. SALA, Inorg. Chim. Acta 22, 155 (1977).
[6] K.D. GRANDE, A.J. KUNIN, L.S. STUHL u. B.M. FOXMAN, Inorg. Chem. 22, 1791 (1983).
[7] G. MESTRONI, G. ZASSINOVICH, A. CAMUS u. G. COSTA, J. Organometal. Chem. 92, C35 (1975).

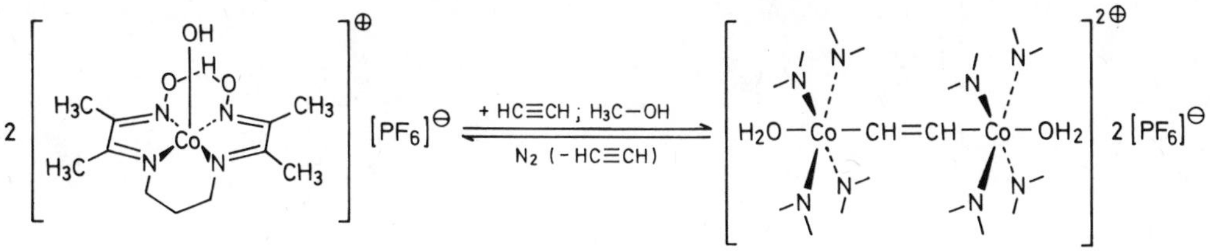

5. aus π-Alkin-kobalt-Komplexen

Der Acetylen-kobalt(I)-Komplex I reagiert mit Kohlenoxidsulfid oder Schwefelkohlenstoff unter oxidativer Cyclisierung[1]:

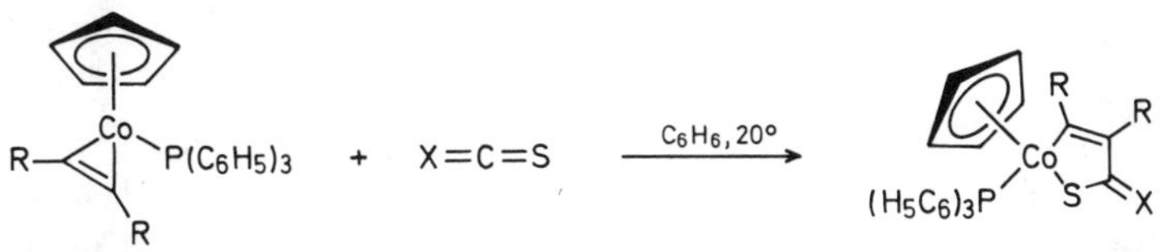

I

2-(η^5-Cyclopentadienyl)-...-2-triphenylphosphan-2,5-dihydro-1,2-thiakobaltol

X = S; R = C_6H_5; ...*-3,4-diphenyl-5-thioxo-*...; 48%; F: 174–176° (Zers.)
R = COOCH₃; ...*-3,4-dimethoxycarbonyl-5-thioxo-*...; 77%; F: 193–195° (Zers.)
X = O; R = C_6H_5; ...*-3,4-diphenyl-5-oxo-*...; 3%
R = COOCH₃; ...*-3,4-dimethoxycarbonyl-5-oxo-*...[1]; 43%

Mit Phenylisonitril soll als Hauptprodukt *1-(η^5-Cyclopentadienyl)-3,4-diphenyl-2-phenylimino-1-triphenylphosphan-1,2-dihydro-kobaltet* entstehen[2]:

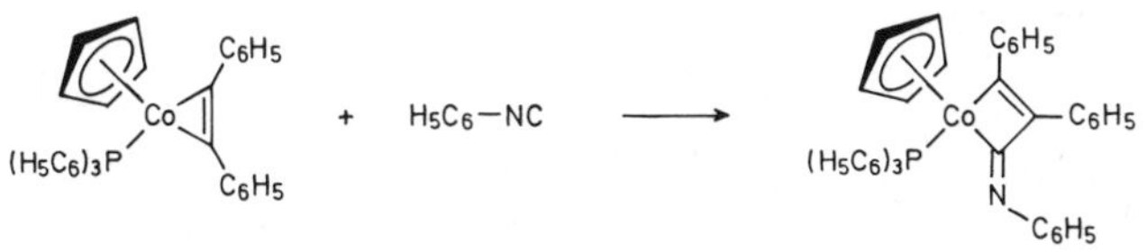

6. aus anderen σ-Organo-kobalt-Verbindungen

α) unter Erhalt der σ-Organo-Co-Bindung

Carbonyl-cyclopentadienyl-jodo-perfluoroalkyl-kobalt(III)-Komplexe setzen sich mit Perfluor-1-alkenyl-silber-Verbindungen zu den flüchtigen (Perfluor-1-alkenyl)-perfluoralkyl-kobalt-Komplexen um[3]; z.B.:

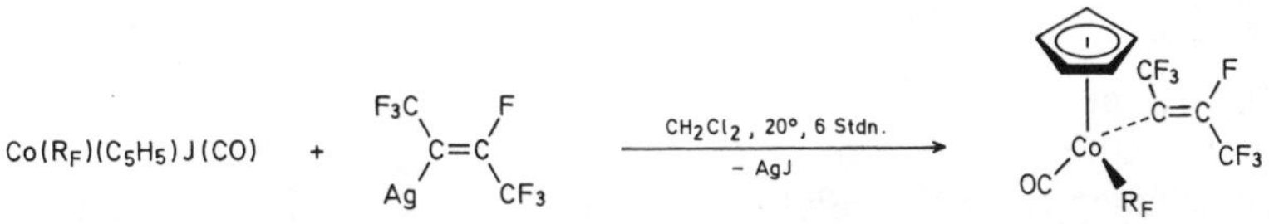

Carbonyl-(η^5-cyclopentadienyl)-...-(tetrafluor-1-trifluormethyl-1-propenyl)-kobalt
$R_F = C_2F_5$; ...*-(pentafluor-ethyl)-*...; 20%; F: 75°; Subl.p.₋₀,₀₅: 35°
$R_F = C_3F_7$; ...*-(heptafluor-propyl)-*...; 16%; F: 94°; Subl.p.₋₀,₀₅: 25°

Das im Heterocyclus I gebundene Aceton wird durch Acetonitril ausgetauscht[4]; gleichzeitig entsteht durch Protonen-Wanderung eine *exo*-cyclische Methylen-Gruppe:

---

[1] Y. WAKATSUKI, H. YAMAZAKI u. J. IWASAKI, Am. Soc. **95**, 5781 (1973).
[2] H. YAMAZAKI, K. AOKI, Y. YAMAMOTO u. Y. WAKAMUTSU, Am. Soc. **97**, 3546 (1975).
[3] R. B. KING u. W. C. ZIPPER, Inorg. Chem. **11**, 2119 (1972).
[4] H. WERNER, Pure & Appl. Chem. **54**, 177 (1982).

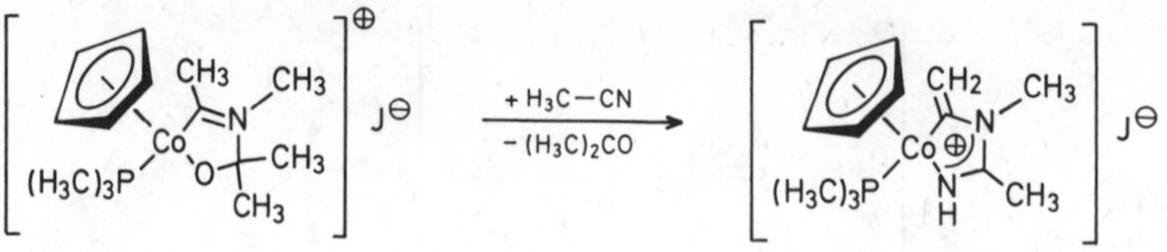

β) unter Spaltung der σ-Organo-Co-Bindung

Allenyl- und Propargyl-kobalt(III)-Komplexe setzen sich mit ungesättigten Verbindungen unter Isomerisierung der σ–C–Co-Bindung (1,2-Wanderung) und unter Cycloaddition um[1]:

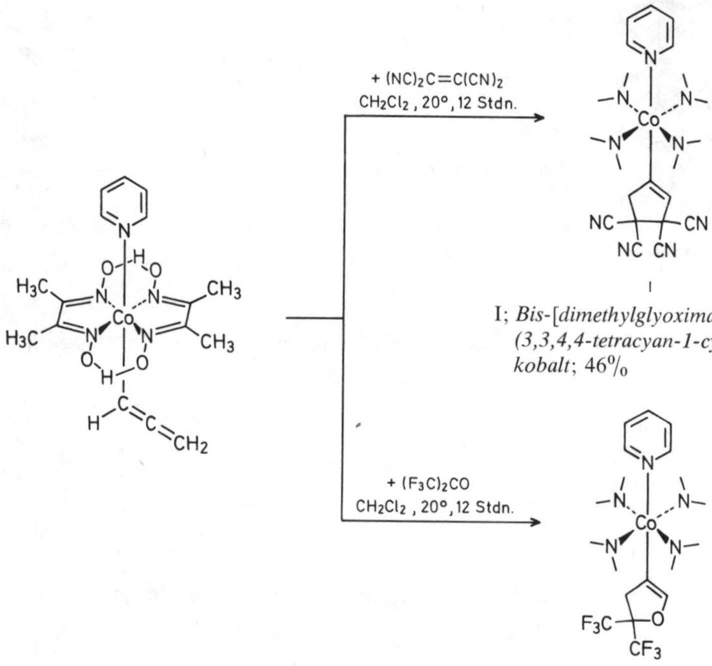

I; *Bis-[dimethylglyoximato]-pyridin-(3,3,4,4-tetracyan-1-cyclopentenyl)-kobalt*; 46%

Bis-[dimethylglyoximato]-(5,5-bis-[trifluormethyl]-4,5-dihydro-3-furyl)-pyridin-kobalt; 65%

1,3-Bis-[bis-(dimethylglyoximato)-pyridin-cobalto]-propin reagiert mit Tetracyanethen unter Abspaltung eines Kobalt-Restes ebenfalls zum Komplex I[1].

Bei der Umsetzung von Alkyl- und Cycloalkyl-bis-[dimethylglyoximato]-kobalt-Komplexen, deren organischer Rest in β-Stellung mindestens 1 Proton besitzt, mit Phenylacetylen, wird das entsprechende Alken abgespalten, und es entsteht unter 1,2-Addition des intermediär gebildeten Hydrido-kobalt-Komplexes an die C,C-Dreifachbindung *Bis-[dimethylglyoximato]-(1-phenyl-vinyl)-pyridin-cobalt*[2] (zur Umsetzung von Hydrido-kobalt(III)-Verbindungen und Alkinen s.S. 125).

---

[1] C. J. COOKSEY, D. DODD, M. D. JOHNSON u. B. L. LOCKMAN, Soc. [Dalton] **1978**, 1814.
[2] K. N. V. DUONG, A. AHOND, C. MERIENNE u. A. GAUDEMER, J. Organometal. Chem. **55**, 375 (1973).

c) Kobaltole und 4,5-Dihydro-kobaltole

1. aus Kobalt(III)-Verbindungen mit Alkinen

Zur Synthese von Kobaltol-Verbindungen kann von Cyclopentadienyl-kobalt(III)-Komplexen ausgegangen werden. Im Falle des Dijodo-Komplexes I wird Halogen mit 2-Propyl-magnesiumbromid reduktiv in Gegenwart von Alkinen abgespalten, die in einer ersten Stufe mit Kobalt einen Alkin-kobalt(I)-Komplex II und anschließend mit einem zweiten Alkin das Kobaltol III bilden[1]; z.B.:

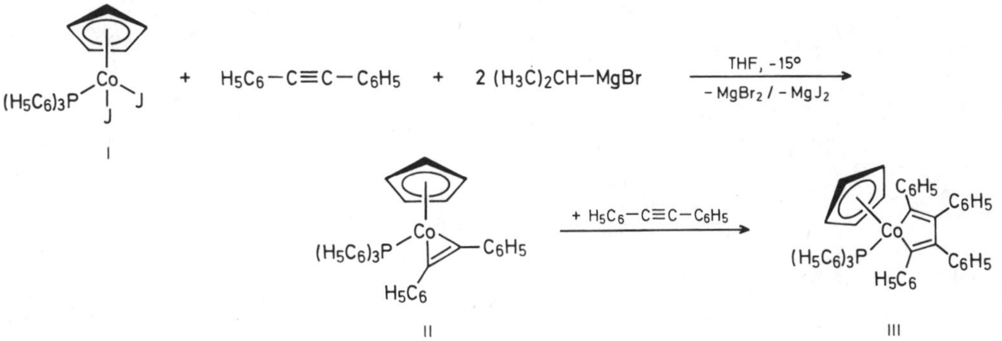

1-(η⁵-Cyclopentadienyl)-tetraphenyl-1-triphenylphosphan-kobaltol; 18%; bei Tolan-Überschuß: 20%

Die beiden Methyl-Gruppen vom Cyclopentadienyl-dimethyl-triphenylphosphan-kobalt werden z.B. durch Diphenyl-ethin reduktiv abgespalten (s.a.S. 277) und der freigesetzte Kobalt(I)-Rest bildet mit zwei weiteren Diphenyl-ethin-Molekülen das *1-(η⁵-Cyclopentadienyl)-tetraphenyl-1-triphenylphosphan-kobaltol* (F: 192–194°, Zers.) zu 49%[1,2]:

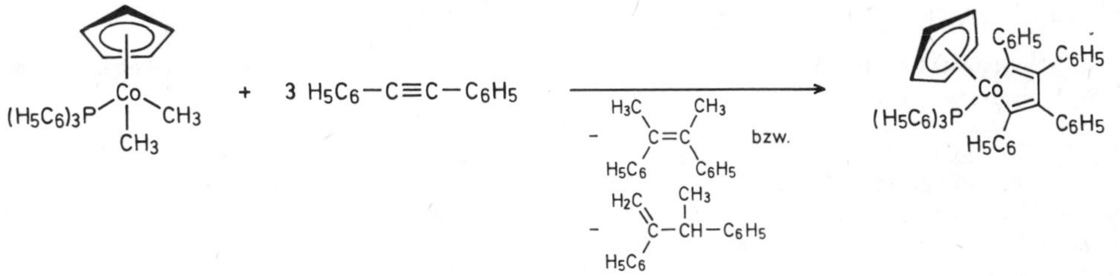

Der analoge Komplex entsteht zu 34% aus Cyclopentadienyl-dibenzyl-triphenylphosphan-kobalt mit Diphenyl-ethin[1].

2. aus Kobalt(I)-Verbindungen mit Alkinen durch oxidative Addition

In einer oxidativen Cycloaddition reagieren Kobalt(I)-Verbindungen mit zwei Molekülen Alkin zu Kobaltolen[3,4]. Der zunächst entstehende π-Alkin-kobalt(I)-Komplex läßt sich i.a. isolieren[1]. Dadurch ist es möglich, gezielt nacheinander zwei verschiedene Alkine in den Heterocyclus einzubauen.

[1] H. Yamazaki u. N. Hagihara, J. Organometal. Chem. **21**, 431 (1970).
[2] E.R. Evitt u. R.G. Bergman, Am. Chem. **100**, 3237 (1978).
[3] Y. Wakatsuki, T. Kuramitsu u. H. Yamazaki, Tetrahedron Letters **1974**, 4549.
[4] H. Yamazaki u. Y. Wakatsuki, J. Organometal. Chem. **139**, 157 (1977).

Die Isomerenverteilung der Kobaltole hängt bei Einsatz verschieden substituierter Alkine sehr stark von deren Resten ab[1, 2]. Unter Umständen werden weniger Isomere gebildet als es bei der Zahl der unterschiedlichen Reste theoretisch möglich wäre. Die Komplexe sind bei 20° sehr stabil und können in Lösung sogar der Luft ausgesetzt werden.

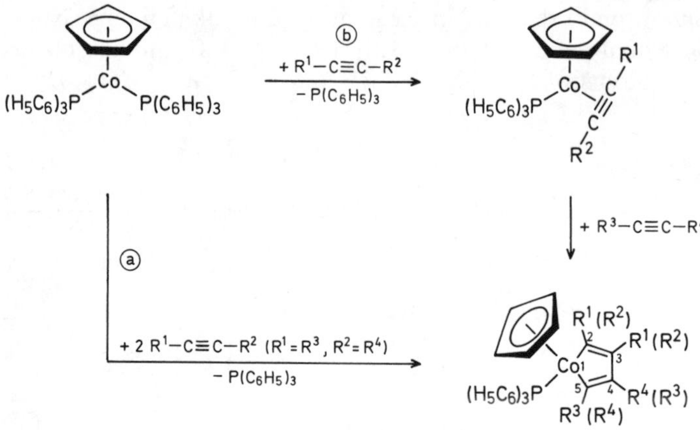

1-(η^5-Cyclopentadienyl)-. . .-1-triphenylphosphan-kobaltol

$R^1 = R^2 = R^3 = R^4 = C_6H_5$ (a) ; . . .-tetraphenyl-. . .; 88%; F: 193–194°

$R^4 = COOCH_3$ (a) ; . . .-tetramethoxycarbonyl-. . .; 14%; F: 216–217°

$R^1 = R^2 = C_6H_5$; $R^3 = R^4 = CH_2-OCH_3$ (b) ; . . .-4,5-bis-[methoxymethyl]-2,3-diphenyl-. . .; 40%; F: 174–176°

$R^1 = R^4 = C_6H_5$; $R^2 = R^3 = CH_3$ (a) ; . . .-3,4-dimethyl-2,5-diphenyl-. . .; 54%; F: 174–176°

(3 Isomere möglich, nur 1 isoliert)

$R^{2(1)} = C_6H_5$; $R^{1(2)} = R^4 = COOCH_3$; $R^3 = CH_3$ (b) ;. . .-3,5-Dimethoxycarbonyl-4-methyl-2-phenyl-. . .; 9%; F: 202–203°

+ . . .-2,5-Dimethoxycarbonyl-4-methyl-3-phenyl-. . .; 39%; F: 179–182°

(4 Isomere möglich, nur 2 isoliert)

Die Kinetik der Reaktion und weitere Beispiele sind in der Lit. beschrieben[3].

1-(η^5-Cyclopentadienyl)-2,3-diphenyl-5-methoxycarbonyl-4-methyl-1-triphenylphosphan-kobaltol; allgemeine Arbeitsvorschrift[4]:

Bis-[triphenylphosphan]-cyclopentadienyl-kobalt: Einer frisch hergestellten Lösung aus 12 g (13,6 mmol) Chloro-tris-[triphenylphosphan]-kobalt in 160 ml Benzol werden 20 ml einer 10^{-3} M Lösung von Cyclopentadienyl-natrium in THF bei 20° zugesetzt. Die gebildete dunkel-rote Lösung wird 30 Min. gerührt, der Überschuß der Natrium-Verbindung mit 10 ml Wasser bei 0° hydrolysiert und die organ. Schicht über Natriumsulfat getrocknet. Das Filtrat wird i. Vak. auf 30 ml eingeengt und mit 30 ml Hexan versetzt. Innerhalb 24 Stdn. fallen dunkel-rote Kristalle aus.

(η^5-Cyclopentadienyl)-(η^2-diphenyl-ethin)-triphenylphosphan-kobalt: 0,9 g (5 mmol) Diphenyl-ethin werden zu der Lösung von 3,6 g (5 mmol) Bis-[triphenylphosphan]-cyclopentadienyl-kobalt in 25 ml Benzol gefügt und bei 20° 1 Stde. stehengelassen. Dann werden 50 ml Hexan zugesetzt, die den π-Komplex als glänzend schwarze Kristalle ausfällen. Sie werden mit Hexan gewaschen; Ausbeute: 2,4 g (85%).

Der Komplex sollte im Kühlschrank aufbewahrt werden.

[1] K. YASUFUKU u. H. YAMAZAKI, J. Organometal. Chem. **121**, 405 (1976).

[2] K. YASUFUKU, A. HAMADA, K. AOKI u. H. YAMAZAKI, Am. Soc. **102**, 4363 (1980).

Bei der Reaktion von π-Alkin- cyclopentadienyl- triphenylphosphan-kobalt mit 1-Alkinyl-carbonyl-cyclopentadienyl-eisen(II)- oder 1-Alkinyl-cyclopentadienyl-triphenylphosphan-nickel(II)-Komplexen werden π-Cyclobutadien-kobalt(I)-Komplexe gebildet, deren Cyclobutadien-Ligand durch einen Eisen- oder Nickel-Rest substituiert ist.

[3] Y. WAKATSUKI, O. NOMURA, K. KITAURA, K. MOROKUMA u. H. YAMAZAKI, Am. Soc. **105**, 1907 (1983).

[4] H. YAMAZAKI u. Y. WAKATSUKI, J. Organometal. Chem. **139**, 157 (1977).

1-(η^5-Cyclopentadienyl)-2,3-diphenyl-5-methoxycarbonyl-4-methyl-1-triphenyl-phos-phan-kobaltol: Man gibt zu einer Lösung von 0,56 g (1 mmol) π-Alkin-Komplex in 20 ml Benzol, 0,15 ml 2-Butinsäure-methylester. Nach 1 Stde. wird die Mischung aufkonzentriert und über Aluminiumoxid chromatographiert. Die gewünschte Verbindung wird mit einem 10:1-Gemisch aus Benzol und Dichlormethan eluiert. Das Eluat wird eingeengt und mit Hexan versetzt. Es fallen braune Kristalle aus; Ausbeute: 0,45 g (68%); F: 180–182°; ^{1}H–NMR (CDCl$_3$): δCCH$_3$ 1.82 (J 2 Hz), O–CH$_3$ 3.17.

Weniger reaktionsfähige Alkine, z. B. 2-Butin, müssen bei erhöhter Temperatur umgesetzt werden[1]. Die Umsetzung läuft i. a. bei nahezu quantitativer Ausbeute rasch ab; z. B.:

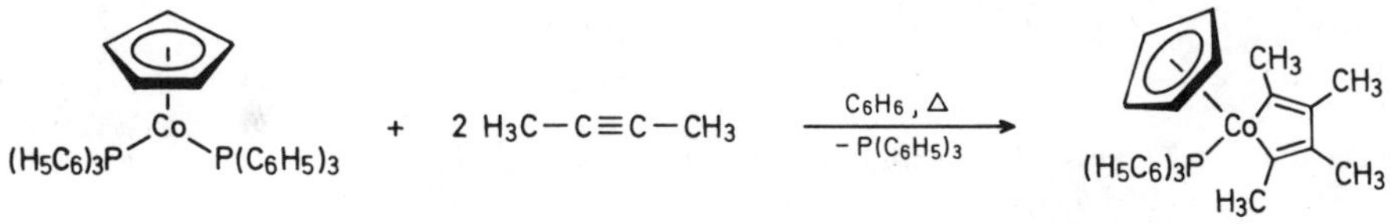

1-(η^5-Cyclopentadienyl)-tetramethyl-1-triphenylphosphan-kobaltol; ~ 100%

Eine Ausnahme bilden die (η^5-Benzyl-cyclopentadienyl)-Komplexe, da die Benzyl-Gruppe unter Spaltung einer aromatischen C–H-Bindung mit dem Kobaltol intramolekular reagieren kann (s. S. 265). Unter Umständen tritt diese Umlagerung bereits bei der Synthese des Kobaltols auf, wie es bei der Umsetzung mit 2-Butinsäure-methylester der Fall ist. Bei den folgenden Komplexen tritt keine intramolekulare Reaktion mit der Benzyl-Gruppe ein[2]:

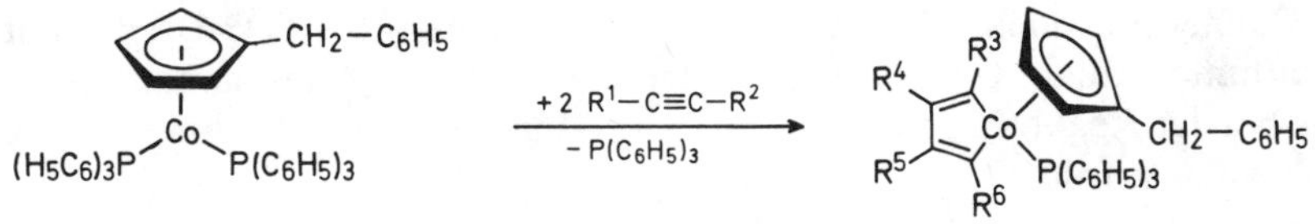

1-(η^5- Benzyl-cyclopentadienyl)-. . .-triphenylphosphan-kobaltol

$R^1 = R^2 = R^3 - R^6 = C_6H_5$; . . .-*tetraphenyl*-. . .[2]; 54%; F: 141–142°

$R^1 = C_6H_5$; $R^2 = COOCH_3$; $R^3 = R^5 = C_6H_5$; $R^4 = R^6 = COOCH_3$; . . .-*3,5-dimethoxycarbonyl-2,4-diphe-nyl*-. . .[3]; 10%; F: 192–194°

$R^3 = R^6 = C_6H_5$; $R^4 = R^5 = COOCH_3$; . . .-*3,4-dimethoxycarbonyl-2,5-diphe-nyl*-. . .[3]; 10%; F: 169–171°

2,(ω-2)-Alkadiine können u. U. mit Bis-[triphenylphosphan]-cyclopentadienyl-kobalt in einer intramolekularen CC-Verknüpfung der beiden Alkin-Gruppen Kobaltole bilden, falls es die sterischen und energetischen Verhältnisse erlauben[4]. Die beschriebenen 2,(ω-2)-Diine besitzen keine Elektronen-anziehende Substituenten, die den Metall-Komplex stabilisieren. Trotzdem sind die gebildeten Kobaltole recht stabil.

Die intramolekulare Ringbildung ist begünstigt, wenn dabei 5- und 6 Ringsysteme entstehen können (z. B. mit 2,7-Nonadiin und 2,8-Decadiin):

[1] D. R. McAlister, J. E. Bercaw u. R. G. Bergman, Am. Soc. **99**, 1666 (1977).
[2] H. Yamazaki u. Y. Wakatsuki, J. Organometal. Chem. **149**, 377 (1978).
[3] Die beiden Isomere werden durch Chromatographie und fraktionierte Kristallisation voneinander getrennt. Daneben findet man in ~ 10% Ausbeute den η^4-1,3-Butadien-Komplex.
[4] L. P. McDonnell Bushnell, E. R. Evitt u. R. G. Bergman, J. Organometal. Chem. **157**, 445 (1978).

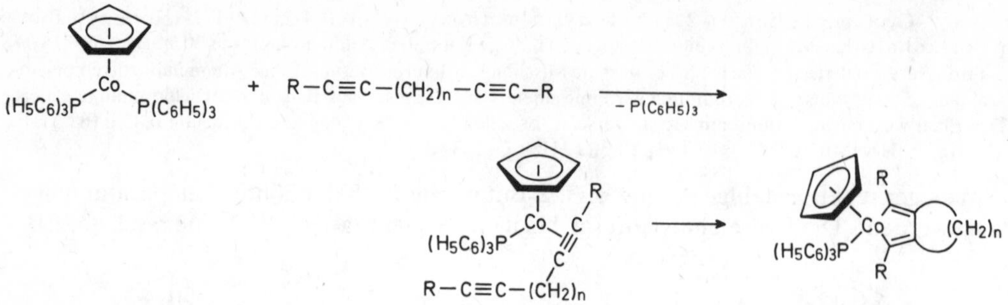

$R = CH_3$; $n = 3$;   3-(η^5-Cyclopentadienyl)-2,4-dimethyl-3-triphenylphosphan-3-kobalta-bicyclo[3.3.0]octa-1,4-dien; 25%; F: 150–152°

$R = Si(CH_3)_3$; $n = 4$; 7,9-Bis-[trimethylsilyl]- 8- (η^5-cyclopentadienyl)- 8-triphenylphosphan- 8-kobalta-bicyclo [4.3.0]nona-1^9,6-dien

8-(η^5-Cyclopentadienyl)-7,9-dimethyl-8-triphenylphosphan-8-kobalta-bicyclo[4.3.0]octa-1^9,6-dien[1]:

121 mg (0,187 mmol) Bis-[triphenylphosphan]-cyclopentadienyl-kobalt werden in wenig Benzol gelöst, durch eine feine Glasfritte filtriert und auf 12 ml verdünnt. Darauf werden unter Rühren 31 μl (0,197 mmol) 2,8-Decadiin tropfenweise zugesetzt und 190 Min. weitergerührt. Die purpurrote Lösung wird gelb-braun. Nach Abziehen des Lösungsmittels wird der ölige Rückstand mit einem 1/10-Gemisch aus Benzol und Petrolether behandelt. Dabei fällt ein hell-braunes Pulver aus. Das Filtrat wird eingeengt und über eine Säule (Aluminiumoxid neutral mit 15 Gew.% Wasser, Woelm) mit Petrolether/Benzol (4/1) chromatographiert.

Der Vorlauf enthält hauptsächlich Triphenylphosphan. Die folgende Fraktion wird mit dem abfiltrierten Pulver vereinigt, gemeinsam in THF gelöst und filtriert. Nach Abziehen des Lösungsmittels erhält man 90 mg (65%) Rohprodukt, das beim Umkristallisieren aus THF und Petrolether in farblosen Nadeln ausfällt; Ausbeute: 27 mg (28%); F: 171–173°; ^{1}H–NMR (C_6D_6): δCH_3 2.27 (br,s).

Bei 2,n-Diinen mit mehr als 4 CH_2-Gruppen zwischen den C,C-Dreifachbindungen wird die intramolekulare Cyclisierung infolge der größeren Ringspannung der mittleren Ringe, die bei der Reaktion gebildet werden, verlangsamt. – Die Bildung eines Kobaltols mit 2,6-Octadiin wurde nicht beobachtet[2].

Wenn anstelle eines Triphenylphosphan-Liganden ein Carbonyl-Ligand in den Kobalt(I)-Komplex eingeführt wird, kann bei der Umsetzung mit Alkinen, je nachdem welcher Ligand zuerst abgespalten wird, ein Kobaltol oder ein η^4-Cyclopentadienon-kobalt(I)-Komplex (z.B.: 21%) entstehen[3]:

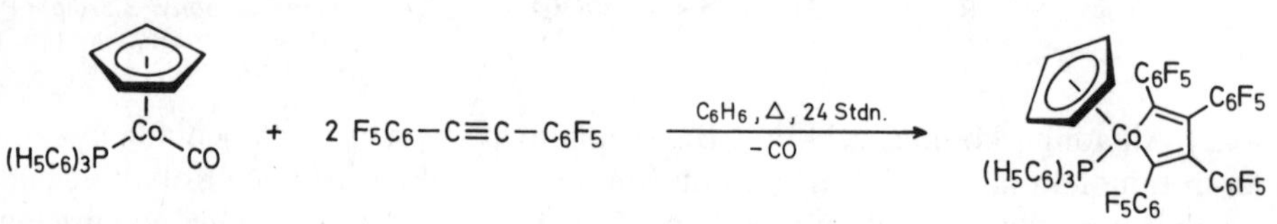

1-(η^5-Cyclopentadienyl)-tetrakis-[pentafluorphenyl]-1-triphenylphosphan-kobaltol; 49%; F: 259–261°

3. aus Alkin-kobalt-Komplexen

Alkin-kobalt-Komplexe I, deren C,C-Dreifachbindung durch elektronenanziehende Gruppen aktiviert ist, reagieren mit aktivierten Alkenen zu 4,5-Dihydro-kobaltolen[4]:

[1] L.P. McDonnell Bushnell, E.R. Evitt u. R.G. Bergman, J. Organometal. Chem. 157, 445 (1978).

[2] Die Synthese von 3,4-Dimethoxycarbonyl-2,5-dimethyl-benzocyclobuten aus Bis-[triphenylphosphan]-cyclopentadienyl-kobalt mit 2,6-Octadiin und Acetylendicarbonsäure-dimethylester verläuft über ein Kobaltol-Derivat.

   s.a. K.P.C. Vollhardt u. R.G. Bergman, Am. Soc. 96, 4996 (1974).

[3] R.G. Gastinger, M.D. Rausch, D.A. Sullivan u. G.J. Palenik, Am. Soc. 98, 719 (1976).

[4] Y. Wakatsuki, K. Aoki u. H. Yamazaki, Am. Soc. 96, 5284 (1974).

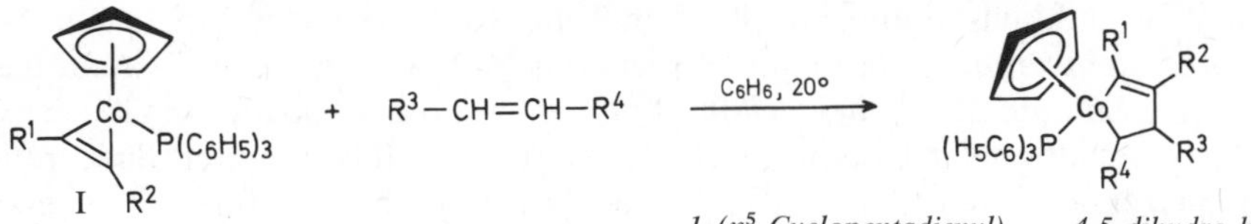

$$1\text{-}(\eta^5\text{-}Cyclopentadienyl)\text{-}\ldots\text{-}4,5\text{-}dihydro\text{-}kobaltol$$

$R^1 = R^2 = R^3 = R^4 = COOCH_3$; ...-*tetramethoxycarbonyl*-...; 64% (*4,5-cis*); F: 178–179° (Zers.)

$R^1 = C_6H_5$; $R^2 = COOCH_3$; $R^3 = CH_3$; $R^4 = CN$; ...-*5-cyan-3-methoxycarbonyl-4-methyl-2-phenyl*-...;
7% (*4,5-trans*); F: 162–164° (Zers.)

$R^1 = R^2 = C_6H_5$; $R^3 = R^4 = CN$; ...-*4,5-dicyan-2,3-diphenyl*-...; 18% (4,5-*cis/trans*); F: 177–183° (Zers.)

1-(η^5-Cyclopentadienyl)-2-phenyl-3,4,5-trimethoxycarbonyl-4,5-dihydro-kobaltol[1]: Man gibt 2 *ml* Malein-säure-dimethylester zu einer Lösung von 500 mg (0,92 mmol) (η^5-Cyclopentadienyl)-(η^2-2-methoxycarbonyl-1-phenyl-propin)-triphenylphosphan-kobalt in 30 *ml* Benzol und läßt die Lösung 2 Tage bei 20° stehen. Dann wird die rotbraune Lösung i. Vak. eingeengt und der Rückstand über Aluminiumoxid (2,5 × 13 cm) chromato-graphiert. Man kann eine braune und eine braunrote Bande unterscheiden. Die braune Bande wird mit Benzol eluiert und enthält den Ausgangskomplex. Der rote Komplex wird langsam mit Dichlormethan eluiert. Vorlauf ist eine gelbbraune Verbindung. Nach Abziehen des Lösungsmittels wird der Rückstand aus Benzol und Hexan umkristallisiert; Ausbeute: 191 mg (30%); F: 177–178° (Zers.).

4. aus anderen Cobaltolen

Am Kobalt-Atom der Kobaltole gebundene Liganden können durch stärkere σ-Donoren leicht und quantita-tiv ersetzt werden; z.B. der Triphenylphosphan-Ligand durch Trimethyl- oder Triethylphosphan[2].

d) 1-Alkinyl-kobalt(III)-Verbindungen

1. aus Kobalt(III)-Verbindungen mit 1-Alkinen bzw. 1-Alkinyl-metall-Verbindungen

Der recht stabile *Phenylethinyl-phthalocyaninato-kobalt-Komplex* ist aus Jodo-phtha-locyaninato-kobalt mit Phenylethinyl-lithium zu 80% zugänglich[3]:

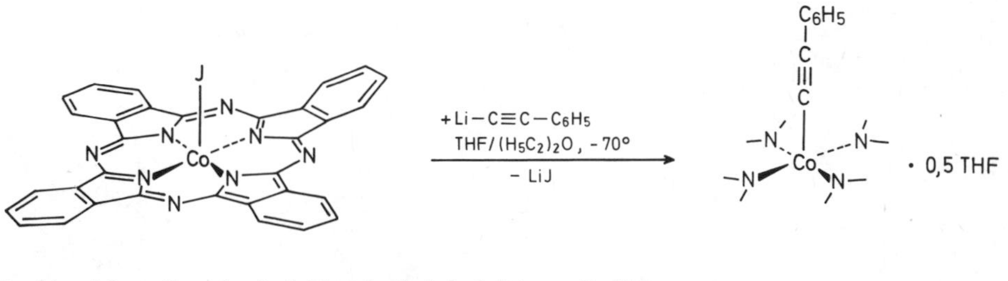

Der blauviolette Komplex ist luftbeständig jedoch lichtempfindlich.

Analog erhält man z.B. aus Bis-[dimethylglyoximato]-halogeno-pyridin-kobalt mit Phenylethinyl-magnesiumbromid *Bis-[dimethylglyoximato]-phenylethinyl-pyridin-kobalt* (F: 206°; Zers.) zu 45%[4].

---

[1] Y. Wakatsuki, K. Aoki u. H. Yamazaki, Am. Soc. **101**, 1123 (1979).

[2] D. R. McAlister, J. E. Bercaw u. R. G. Bergman, Am. Soc. **99**, 1666 (1977).

[3] R. Taube, H. Drevs u. G. Marx, Z. anorg. Ch. **436**, 5 (1977); Tetrahydrofuran besetzt wahrscheinlich die freie Koordinationsstelle.

[4] G. N. Schrauzer u. J. Kohnle, B. **97**, 3056 (1964).

Wird Phenylethinyl-lithium im Überschuß mit Jodo-phthalocyaninato-kobalt umgesetzt, so entsteht unter Addition eines weiteren Mols Phenylethinyl-lithium das 6fach koordinierte *Lithium-{bis-[phenylethinyl]-phthalocyaninato-kobaltat}* (42%)[1].

Methoxy-kobalt-chelat-Komplexe reagieren mit 1-Alkinen unter Substitution der Methoxy-Gruppe[2]. Die Methoxy-Komplexe werden durch Oxidation mit Sauerstoff aus den entsprechenden Kobalt(II)-Verbindungen in Methanol hergestellt:

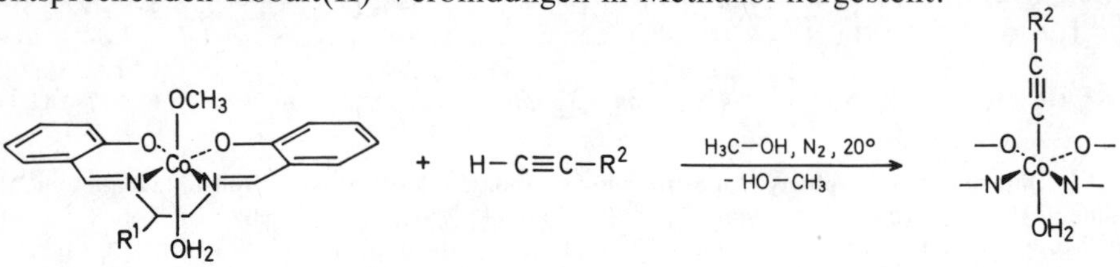

$R^1 = H;\ R^2 = C_6H_5;$ *Aquo-(1,2-bis-[2-oxy-benzylidenamino]-ethan)-phenylethinyl-kobalt*
$R^1 = CH_3;\ \ R^2 = 4\text{-}CH_3\text{-}C_6H_4;$ *Aquo-(1,2-bis-[2-oxy-benzylidenamino]-propan)-(4-methyl-phenylethinyl)-
kobalt*

Die Herstellung von 1-Alkinyl-kobalt(III)-Chelat-Komplexen gelingt auch durch Umsetzung von Hydroxy-kobalt(III)- mit 1-Alkinyl-Verbindungen in alkalischem wasserfreiem Ethanol[3].

Die zum Alkinyl-Rest *trans*-ständigen Liganden sind infolge eines geringeren *trans*-Effektes der Gruppe stärker gebunden als bei Alkyl- und Aryl-Resten. Daher sind diese Komplexe normalerweise 6fach koordiniert, sei es mit Wasser oder mit Stickstoff-haltigen Liganden, die Wasser leicht substituieren:

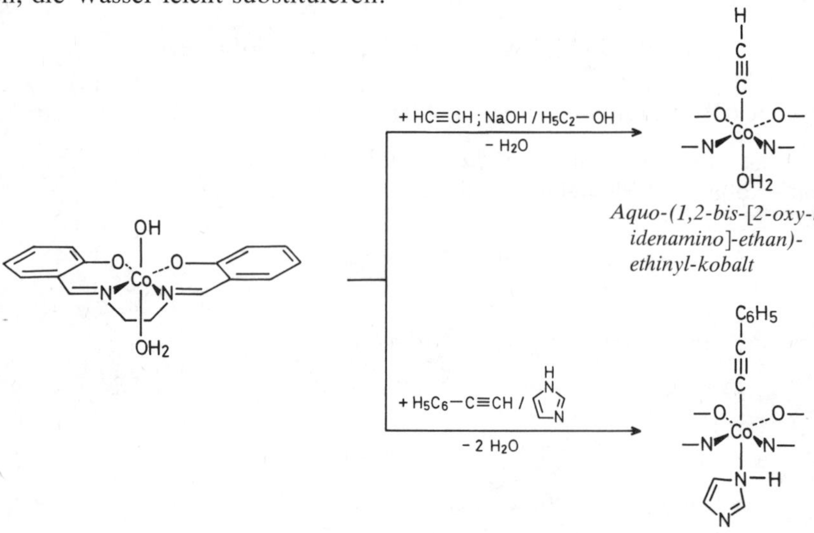

*Aquo-(1,2-bis-[2-oxy-benzyl-
idenamino]-ethan)-
ethinyl-kobalt*

*(1,2-Bis-[2-oxy-benzylidenamino]-ethan)-
imidazol-phenylethinyl-kobalt*

2. aus Metall-kobalt(I)-aten mit 1-Halogen-1-alkinen

In einer nucleophilen Substitution von Brom durch das Bis-[dimethylglyoximato]-pyridin-kobaltat(I) entsteht aus Brom-phenyl-ethin das *Bis-[dimethylglyoximato]-phenyl-*

[1] R. Taube, H. Drevs u. G. Marx, Z. anorg. Ch. **436**, 5 (1977).
[2] D. Cummins, E. D. McKenzie u. A. Segnitz, J. Organomet. Chem. **87**, C 19 (1975); der Ligand in *trans*-Stellung zum Alkinyl-Rest kann leicht ausgetauscht werden.
[3] G. Mestroni, G. Zassinovich, A. Camus u. G. Costa, J. Organometal. Chem. **92**, C 35 (1975).

ethinyl-pyridin-kobalt, das als *Tetraphenylarsonium-bis-[dimethylglyoximato]-cyano-phenylethinyl-kobaltat* (60%) charakterisiert wurde[1]:

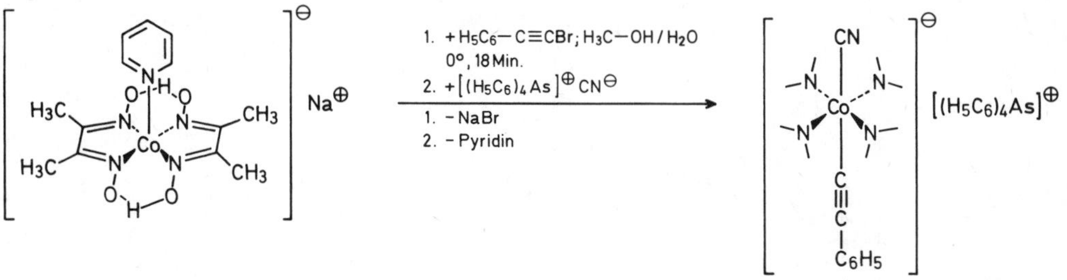

3. aus σ–C-Kobalt(II)-Verbindungen durch Oxidation

Der dimere Phthalocyaninato-phenylethinyl-kobalt(II)-Anionkomplex wird durch N-Brom-succinimid (NBS) unter Abspaltung von Lithiumbromid zum *Phenylethinyl-phthalocyaninato-kobalt* oxidiert[2, 3]:

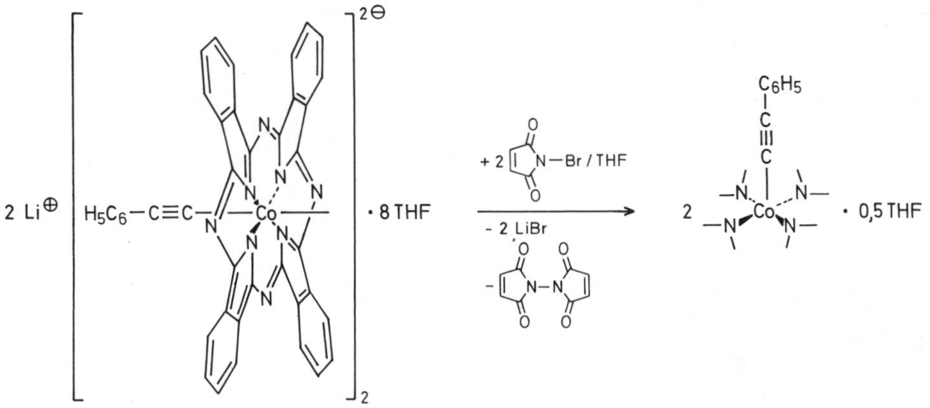

Hexakis-[1-alkinyl]-kobalt(II)-at kann durch vorsichtige Oxidation mit Sauerstoff in die entsprechenden Kobalt(III)-at-Komplexe überführt werden[4–6]. Die Komplexe sind diamagnetisch und beim Propinyl relativ stabil und nicht explosiv, jedoch unter Stickstoff nur wenige Tage haltbar:

$$2 \ Na_4[Co(C \equiv C - CH_3)_6] \ + \ 2 \ NH_3 \ + \ 1/2 \ O_2 \xrightarrow[- 2 \ NaNH_2 \ / \ - H_2O]{NH_3 \ fl.} 2 \ Na_3[Co(C \equiv C - CH_3)_6]$$

Trinatrium-hexa-1-propinyl-kobaltat; ~100%

Analog erhält man das sehr stoß- und schlagempfindliche *Trinatrium-hexaethinylkobaltat*[4].

---

[1] D. Dodd, M.D. Johnson, B.S. Meeks, D.M. Titchmarsh, K.N.V. Duong u. A. Gaudemer, Soc. [Perkin II] **1976**, 1261.

[2] R. Taube, H. Drevs u. G. Marx, Z. anorg. Ch. **436**, 5 (1977).

[3] K. Binder, Diplomarbeit, Merseburg 1975.

[4] R. Nast u. H. Lewinski, Z. anorg. Ch. **282**, 210 (1955).

[5] R. Nast u. K. Fock, B. **109**, 455 (1976).

[6] R. Nast, Ang. Ch. **72**, 26 (1960).

4. aus anderen σ-1-Alkinyl-kobalt(III)-Verbindungen

Lithium-bis-[phenylethinyl]-phthalocyanato-kobaltat(III)-tetrakis-tetrahydrofuran spaltet in absolutem Alkanol (z.B. Ethanol) Phenylethinyl-lithium unter Bildung von *Phenylethinyl-phthalocyaninato-kobalt* ab[1]:

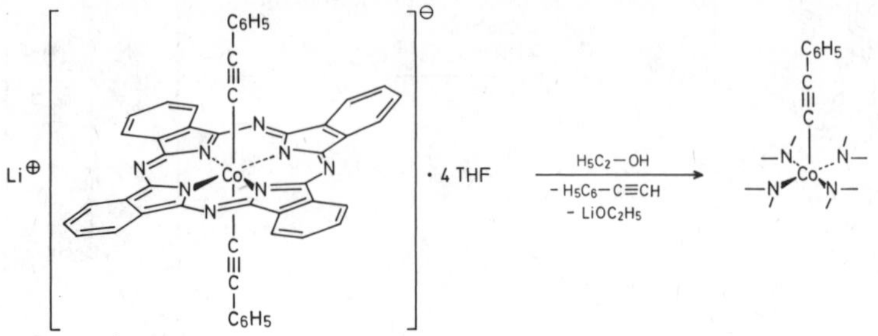

e) Aryl-kobalt(III)-Verbindungen

1. aus Kobalt(III)-Verbindungen

α) mit Aryl-metall-Verbindungen

Die sehr stabilen Halogeno-kobalt-Chelat-Komplexe werden durch Aryl-Grignard-Verbindungen unter Substitution des Halogen-Atoms aryliert[2–4]:

ⓐ $CoX^1(Chel) + Ar-MgX^2 \xrightarrow[- MgX^1X^2]{} CoAr(Chel)$
KOZ: 5 → KOZ: 5

ⓑ $CoX^1(Chel)L + Ar-MgX^2 \xrightarrow[- MgX^1X^2]{} CoAr(Chel)L$
KOZ: 6 → KOZ: 6

ⓒ $CoX^1(Chel)L + Ar-MgX^2 \xrightarrow[- MgX^1X^2,\ - L]{+ L'} CoAr(Chel)L'$
KOZ: 6 → KOZ: 6

ⓓ $[Co(Chel)L_2]^{\oplus}X^{\ominus} + Ar-MgX^2 \xrightarrow[- MgX^1X^2,\ - L]{} CoAr(Chel)L$
KOZ: 6 → KOZ: 6

Ein Beispiel der Reaktion ⓐ ist die Umsetzung von {1,2-Bis-[1-(2-oxy-phenyl)-ethylidenamino]-ethan}-jodo-kobalt mit Pentafluorphenyl-magnesium-[3] oder Phenyl-magnesium-bromid zum *{1,2-Bis-[1-(2-oxy-phenyl)-ethylidenamino]-ethan}-pentafluorphenyl-* bzw. ...*-phenyl-pyridin-kobalt*[5] und von Reaktionsgleichung ⓓ die Herstellung von *Ammin-(1,2-bis-[3-carboxy-2-oxy-benzylidenamino]-ethan)-phenyl-cobalt* (~48%; F: 190°, Zers.) aus dem entsprechenden Diammin-Komplex mit Phenyl-magnesiumchlorid[4]:

---

[1] R. Taube, H. Drevs u. G. Marx, Z. anorg. Ch. **436**, 5 (1977).
[2] P. Royo u. J. Sancho, Transition Met. Chem. **1**, 212 (1976).
[3] P. Royo u. J. Sancho, C.A. **87**, 135817 (1977).
[4] K. Dey u. R.L. De, J. Indian Chem. Soc. **51**, 374 (1974); C.A. **81**, 78072 (1974).
[5] G. Costa, G. Mestroni u. L. Stefani, J. Organometal. Chem. **7**, 493 (1967).

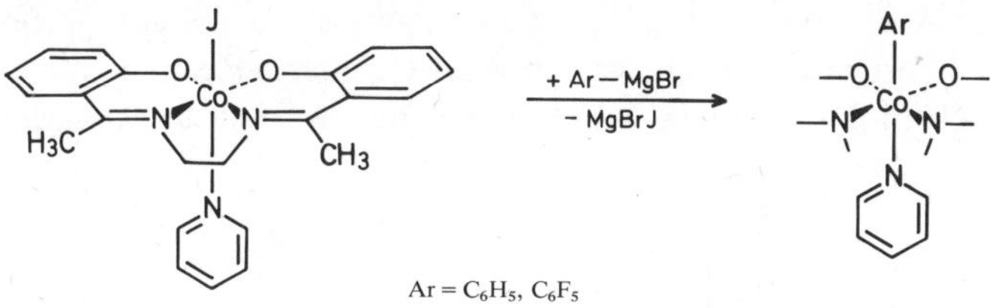

Ar = C₆H₅, C₆F₅

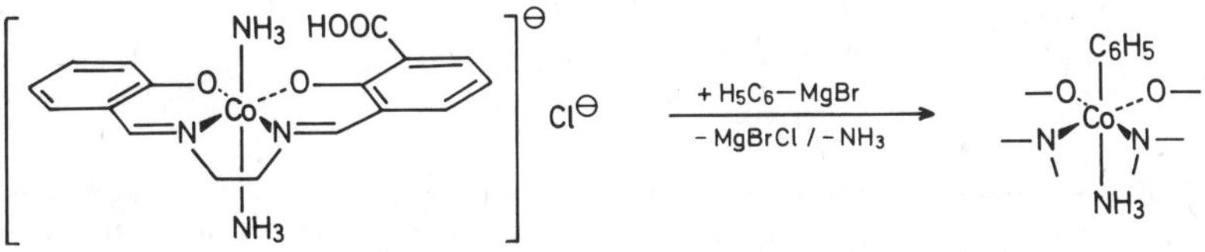

Aquo-(1,2-bis-[1-methyl- 3-oxy-butenylidenamino]-ethan)-pentafluorphenyl-kobalt(III)[1] (Reaktion ©):

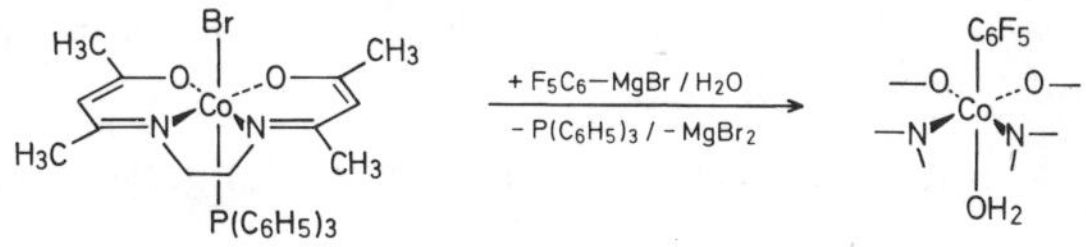

Eine Lösung von Pentafluorphenyl-magnesiumbromid in THF wird bei 0° unter Rühren langsam zu einer Mischung von (1,2-Bis-[1-methyl-3-oxy-butenylidenamino]-ethan)-bromo-triphenylphosphan-kobalt und THF zugegeben und 4 Stdn. bei 20° stehen gelassen. Sie wird hierauf in eisgekühltes Wasser geschüttet und mit 1 M Bromwasserstoff-Säure hydrolysiert. Der feste Niederschlag wird mit Petrolether gewaschen. Freigesetztes Triphenylphosphan kann daraus quantitativ zurückgewonnen werden. Schließlich wird der Komplex in einer Mischung aus 100 Teilen Aceton und 1 Teil Wasser gelöst und durch langsames Abziehen des Lösungsmittels zum Kristallisieren gebracht. Die Kristalle sind tief-braun; Ausbeute: 60%.

Phenyl-magnesiumbromid bildet mit Bis-[dimethylglyoximato]-chloro-pyridin-kobalt das stabile und Hydrolyse-unempfindliche *Bis-[dimethylglyoximato]-phenyl-pyridin-kobalt* (84%; F: 276°; Zers.)[2].

Auf ähnliche Weise erhält man die folgenden Komplexe[3]:

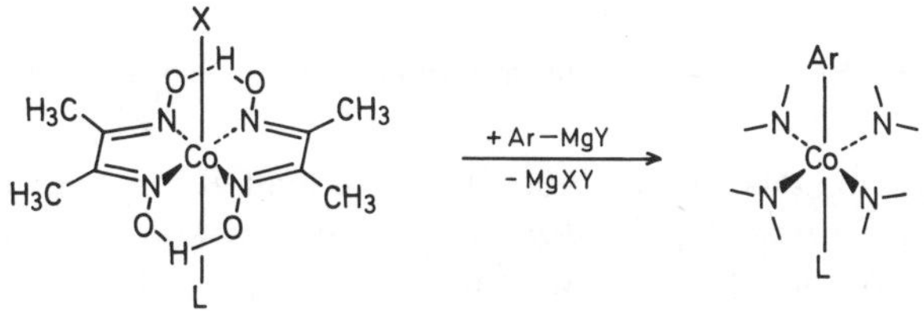

X = Cl, Br
Y = Cl, Br, J

Bis-[dimethylglyoximato]-...-kobalt

L = N(CH₃)₃; Ar = C₆H₅; ...-*phenyl-trimethylamin-*...; 75%; F: 206° (Zers.)
L = Pyridin; Ar = 4–OCH₃–C₆H₄; ...-*(4-methoxy-phenyl)-pyridin-*...; 83%; F: 238° (Zers.)
L = (H₉C₄)₃P; Ar = C₆H₅; ...-*phenyl-tributylphosphan-*...; 80%; F: 235° (Zers.)

Zur Herstellung von *Aquo-(1,2-bis-[1-methyl-3-oxy-2-butenylidenamino]-ethan)-phenyl-kobalt* s. Lit.[4].

---

[1] P. Royo u. J. Sancho, Transition Met. Chem. **1**, 212 (1976).
[2] G.N. Schrauzer, Inorg. Synth. **11**, 68 (1968).
[3] G.N. Schrauzer u. J. Kohnle, B. **97**, 3056 (1964).
[4] G. Costa, G. Mestroni, G. Tauzher u. L. Stefani, J. Organometal. Chem. **6**, 181 (1966).

(1,3-Bis-[2-hydroximino-1-methyl-propylidenamino]-O-dehydro-propan)-dibromo-kobalt läßt sich selbst mit überschüssigem Aryl-Grignard-Reagenz nur monoarylieren[1]; erst mit der 4fach molaren Menge Grignard-Reagenz wird der Diaryl-Komplex erhalten[2].

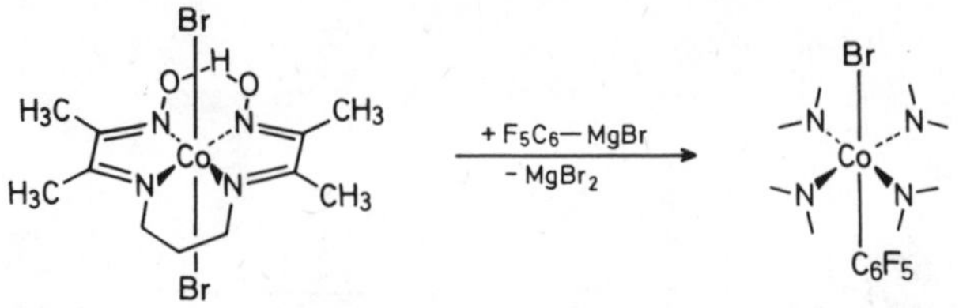

(1,3-Bis-[2-hydroximino-1-methyl-propylidenamino]-O-dehydro-propan)-bromo-pentafluorphenyl-kobalt[1]: Eine frisch hergestellte Lösung von 5 mmol Pentafluorphenyl-magnesiumbromid in 50 *ml* THF wird langsam zu einer Suspension von 0,92 g (2 mmol) (1,3-Bis-[2-hydroximino-1-methyl-propylidenamino]-O-dehydro-propan)-dibromo-kobalt(III) in 100 *ml* THF gegeben und bei −70° 4 Stdn. gerührt, anschließend auf 20° gebracht und 3 Stdn. weitergerührt. Nach Hydrolyse des Reaktionsgemisches mit 2 M Bromwasserstoff und Abziehen des Lösungsmittels i. Vak. wird der feste Rückstand aus Chloroform und Diethylether umkristallisiert; Ausbeute: 60% (rot-orange Kristalle).

Statt der Grignard- können auch Aryl-lithium-Verbindungen verwendet werden; z. B.[3]:

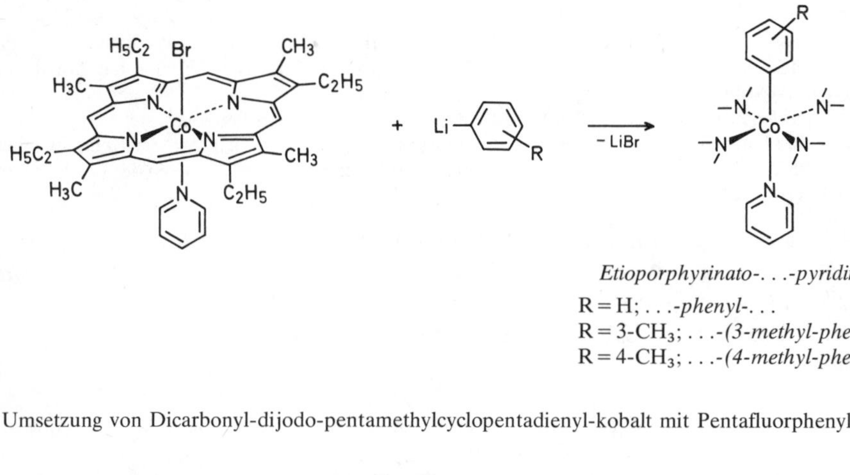

Etioporphyrinato-...-pyridin-kobalt
R = H; ....-*phenyl*-...
R = 3-CH₃; ....-*(3-methyl-phenyl)*-...
R = 4-CH₃; ....-*(4-methyl-phenyl)*-...

Zur Umsetzung von Dicarbonyl-dijodo-pentamethylcyclopentadienyl-kobalt mit Pentafluorphenyl-lithium s. Lit.[4].

Das durch Umsetzung des Bis-[trifluoracetoxy]-kobalt-Komplexes mit Phenyl-lithium erhältliche *Cyclopentadienyl-diphenyl-trimethylphosphan-kobalt* zersetzt sich bereits teilweise beim Umkristallisieren[5]. Die analogen Methyl-phenyl- bzw. Dimethyl-Komplexe sind stabiler.

2,2′-Dilithio-biphenyl und das Perfluor-Derivat setzen sich mit Carbonyl-cyclopentadienyl-dijodo-kobalt zum Dibenzokobaltol um[6,7]:

[1] P. Royo u. J. Sancho, J. Organomet. Chem. **131**, 439 (1977).
[2] G. Costa, G. Mestroni u. G. Tauzher, Soc. [Dalton] **1972**, 450.
[3] D. A. Clarke, R. Grigg u. A. W. Johnson, Chem. Commun. **1966**, 208.
 Ob ein Ligand L und welcher im Aryl-kobalt(III)-Komplex gebunden ist, ist nicht angegeben.
[4] R. B. King, A. Efraty u. W. M. Douglas, J. Organomet. Chem. **56**, 345 (1973).
[5] W. Hofmann u. H. Werner, Chem. Ber. **115**, 119 (1982).
[6] M. D. Rausch, Pure Appl. Chem. **30**, 523 (1972).
[7] S. A. Gardner, H. B. Gordon u. M. D. Rausch, J. Organomet. Chem. **60**, 179 (1973).

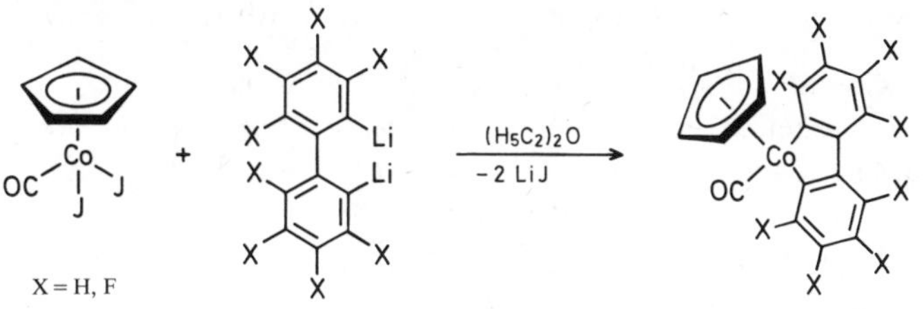

X = H, F

5-Carbonyl-5-(η^5-cyclopentadienyl)-1,2,3,4,6,7,8,9-octafluor-dibenzokobaltol[1]: 2,13 g (5,25 mmol) Carbonyl-cyclopentadienyl-dijodo-kobalt werden zu einer Lösung aus 5 mmol 2,2'-Dilithio-octafluor-biphenyl in 40 ml Diethylether bei $-78°$ zugegeben. Das Reaktionsgemisch wird sofort grün. Hierauf wird die Kühlung entfernt, und es wird bei 20° 24 Stdn. gerührt. Nach Abfiltrieren des geringen Niederschlags unter Stickstoff wird das Filtrat bis zur Trockene eingedampft, mit Benzol aufgenommen und auf einer Säule (1,5 × 15 cm, mit neutralem Aluminiumoxid in Hexan gefüllt) mit Benzol chromatographiert. Das gelbe Eluat wird i. Vak. bis zur Trockene eingeengt; Ausbeute: 1,1 g (49%); F: 197–200°; IR(CCl$_4$): ν_{CO} 2066 cm^{-1}.

Auf analoge Weise wird *5-Carbonyl-5-(η^5-cyclopentadienyl)-dibenzokobaltol* (37%; F: 147– 150°) bzw. *10-(η^5-Cyclopentadienyl)-10-triphenylphosphan-⟨dibenzo-1,4-oxakobaltin⟩* (38%; F: 155–157°, Zers.) erhalten[2].

Kobalt(III)-Chelatkomplexe werden ebenfalls mit Diphenylquecksilber aryliert[3]. Die Ausbeuten sind nahezu quantitativ (die Reaktionsgeschwindigkeiten sind wesentlich größer als mit Dimethylquecksilber):

$$\text{Co(Chel)XL} + \text{(H}_5\text{C}_6\text{)}_2\text{Hg} \xrightarrow[\text{– H}_5\text{C}_6\text{–HgX}]{\text{H}_3\text{C–OH, H}_3\text{C–CN, 37°}} \text{H}_5\text{C}_6\text{—Co(Chel)L}'$$

z.B.: Chel = 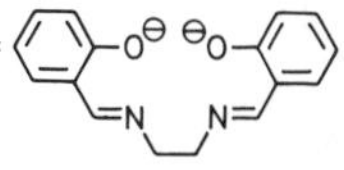 ; X = OH; L = L' = H$_2$O; *Aquo-(1,2-bis-[2-oxy-benzylidenamino]-ethan)-phenyl-kobalt*

Chel = 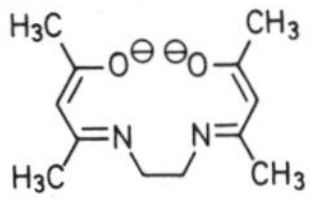 ; X = Cl; L = L' = Pyridin; *(1,2-Bis-[1-methyl-3-oxy-2-butenylidenamino]-ethan)-phenyl-pyridin-kobalt*

Chel = 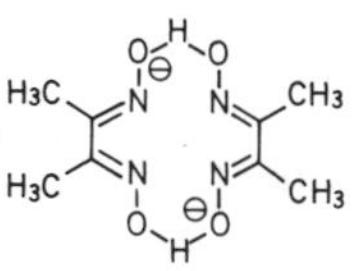 ; X = Cl; L = L' = Pyridin; *Bis-[dimethylglyoximato]-phenyl-pyridin-kobalt*

Chel = 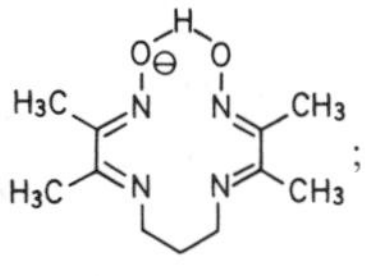 ; X = L = Br; L' = H$_2$O; *Aquo-(1,3-bis-[2-hydroximino-1-methyl-propylidenamino]-O-dehydro-propan)-phenyl-kobalt-hexafluorophosphat*[4]

---

[1] S. A. Gardner, H. B. Gordon u. M. D. Rausch, J. Organometal. Chem. **60**, 179 (1973).
[2] Y. Wakatsuki, O. Nomura, H. Tone u. H. Yamazaki, Soc. [Perkin II] **1980**, 1344.
[3] G. Mestroni, G. Zassinovich, A. Camus u. G. Costa, Transition Met. Chem. **1**, 32 (1975/76).
[4] Nach Zusatz von Ammonium-hexafluorophosphat.

β) mit speziellen Methoden

Azido-kobalt-Chelat-Komplexe reagieren mit Organo-isocyaniden unter Ringschluß[1]. Je nach Ligand entstehen 5- oder 6-fach koordinierte Komplexe. So wird Triphenylphosphan vom Komplex abgespalten, wohingegen Pyridin und Isonitril gebunden bleiben:

Chel	L	R	Mol		Reaktionszeit [Tage]	L^1	...-kobalt	Ausbeute [%]
			Komplex	Isonitril				
H₃C...CH₃ (Chelat-Struktur)	$(H_5C_6)_3P$	C_6H_{11}	1	2	6	–	*(1,2-Bis-[1-methyl-3-oxy-2-butenylidenamino]-ethan)-(1-cyclohexyl-5-tetrazolyl)-...*	63
	Pyridin	C_6H_{11}	1	2,5	10	Pyridin	*...(1-cyclohexyl-5-tetrazolyl)-pyridin...*	92
(Chelat-Struktur)	$(H_5C_6)_3P^a$	C_6H_{11}	1	2,5	5	–	*(1,2-Bis-[2-oxy-benzyliden-amino]-benzol)-(1-cyclohexyl-5-tetrazolyl)...*	86
		$CH_2–CH_2–OH$	1	2,5	3	–	*...-[1-(2-hydroxy-ethyl)-5-tetrazolyl]...*	79
		$N[CH(CH_3)_2]_2$	1	2	10	–	*...-[1-(diisopropylamino)-5-tetrazolyl]-...*	46
(Chelat-Struktur)	N_3	$CH(C_6H_5)_2$	1	3	21	N_3	*...-(1,3-bis-[2-hydrox-imino-1-methyl-propyli-denamino]-O-dehydro-propan)-...* *Azido-...-(1-diphenyl-methyl-5-tetrazolyl)-...*	69
	N_3	$CH_2–CH_2–OTos$	1	1,5	14	N_3	*Azido-...-[1-(2-tosyloxy-ethyl)-5-tetrazolyl]-...*	78

[a] Mit Kohlensäure-bis-[2-isocyan-ethylester] erhält man in Chloroform lediglich *(1,2-Bis-[2-oxy-benzylidenamino]-benzol)-{1-[2-(2-isocyan-ethoxycarbonyloxy)-ethyl]-5-tetrazolyl}-kobalt* (95%); in THF entstehen Carbin-Komplexe.

Diazido-kobalt(III)-Komplexe reagieren auch bei großem Isonitril-Überschuß nur mit einer Azido-Gruppe; die zweite Azido-Gruppe läßt sich jedoch mit Acetylendicarbonsäure-dimethylester nach mehrtägiger Reaktion in ein Triazol mit Co-N-Bindung umsetzen.

5-Tetrazolyl-kobalt(III)-Verbindungen; allgemeine Arbeisvorschrift: Die Lösung von 1–2 mmol Azido-kobalt-chelat-Komplex wird im angegebenen Molverhältnis (s. o.) mit dem jeweiligen Isocyanid versetzt und gerührt. Nach Reaktionszeiten von mehreren Tagen bei 20° wird i. a. zuerst filtriert und dann das Produkt mit Petrolether vollständig ausgefällt. Stärker verdünnte Reaktionslösungen tropft man zweckmäßig unter starkem Rühren zu überschüssigem Petrolether. Der zumeist mikrokristalline Niederschlag wird anschließend auf einer Fritte gesammelt, mit Ether und Petrolether gewaschen und i. Hochvak. getrocknet.

Wenn das Reaktionsprodukt im Reaktionsmedium schwer löslich ist, wird es abfiltriert, mehrmals mit Lösungsmittel (Chloroform, Aceton) gewaschen und i. Hochvak. getrocknet.

---

[1] W. P. Fehlhammer, T. Kemmerich u. W. Beck, B. **112**, 468 (1979).

2. aus Metall-kobalt(I)-aten bzw. Kobalt(I)-Verbindungen

α) mit Halogen-arenen

Stark nucleophile Kobalt(I)-Chelat-Anionkomplexe reagieren in einer oxidativen Addition mit Halogen-arenen zu den Aryl-kobalt-Verbindungen. Die Ausbeuten sind geringer als mit Alkyl-halogeniden[1-4]:

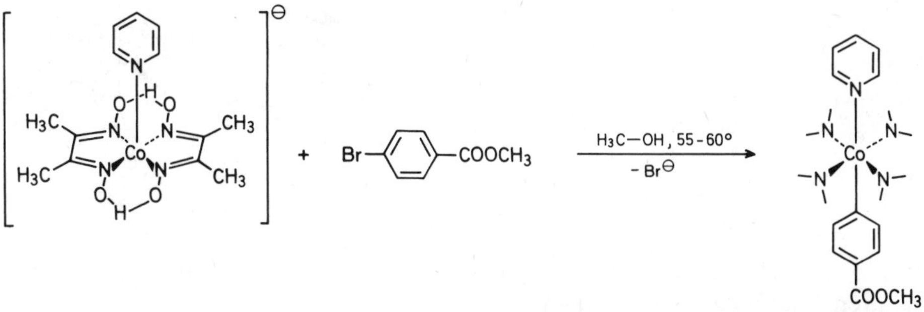

Bis-[dimethylglyoximato]-(4-methoxycarbonyl-phenyl)-pyridin-kobalt[1, s. a. 4]; 10%

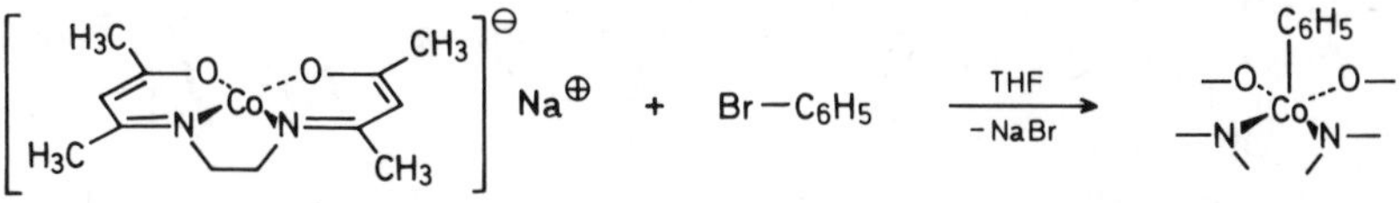

(1,2-Bis-[1-methyl-3-oxy-2-butenylidenami-no]-ethan)-phenyl-kobalt[2, 3]

Durch Umsetzung von Halogen-aromaten mit Trikalium-tetracyano-kobaltat können Trikalium-[aryl-pentacyano-kobaltate] erhalten werden[5].

β) mit anderen Arylierungsmitteln

Der durch Reduktion mit Natriumboranat hergestellte Kobalt(I)-Chelat-Komplex I wird durch Phenyl-quecksilberbromid zum *(1,3-Bis-[3-hydroximino-1-methyl-propyli-denamino]-O-dehydro-propan)-(1-methyl-imidazolo)-phenyl-kobalt-hexafluorophosphat* aryliert[6]:

---

[1] K.L. Brown, A.W. Awtrey u. R. Le Gates, Am. Soc. **100**, 823 (1978).

[2] A. Bigotto, G. Costa, G. Mestroni, G. Pellizer, A. Puxeddu, E. Reisenhofer, L. Stefani u. G. Tauzher, Inorg. Chim. Acta Rev. **4**, 41 (1970).

[3] G. Costa, G. Mestroni u. G. Pellizer, ref. in: G. Costa, G. Mestroni u. E. De Savorgnani, Inorg. Chim. Acta **3**, 323 (1969).

[4] D. Lenoir, H. Danner, I. Ugi, A. Gieren, R. Hübner u. V. Lamm, J. Organometal. Chem. **198**, C 39 (1980).

[5] T. Funabiki, H. Nakamura u. S. Yoshida, J. Organometal. Chem. **243**, 95 (1983).

[6] G. Mestroni, G. Zassinovich, A. Camus u. G. Costa, Transition Met. Chem. **1**, 32 (1975/76).

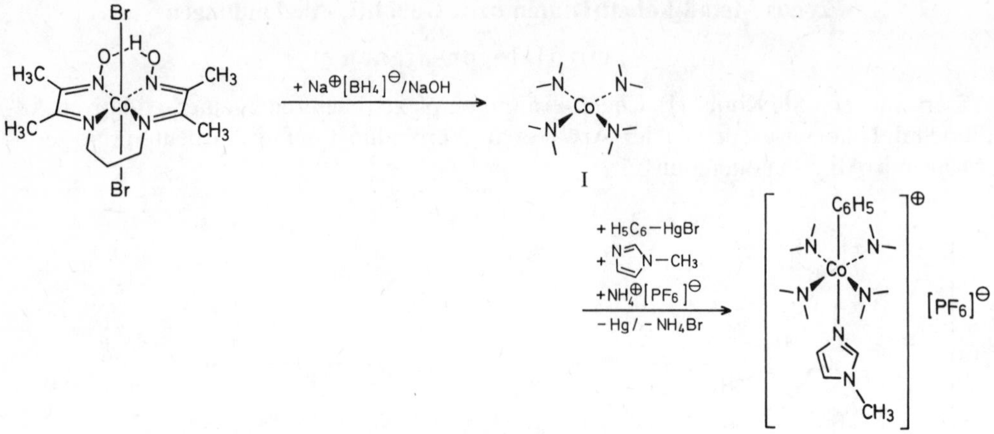

Bis-[dimethylglyoximato]-chloro-triphenylphosphan-kobalt reagiert mit Bis-[diazonium]-aren-disulfaten im Molverhältnis 2:1[1]:

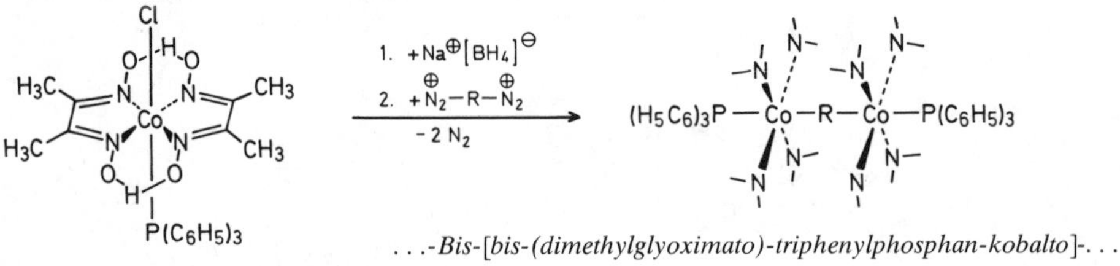

. . .-Bis-[bis-(dimethylglyoximato)-triphenylphosphan-kobalto]-. . .

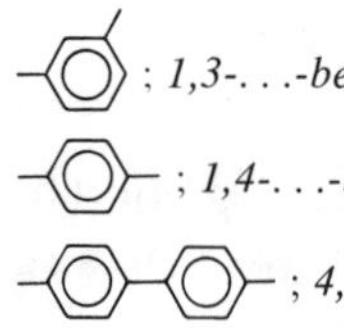

$$R = \text{—} \langle \bigcirc \rangle \text{—} : 1,3\text{-}. . .\text{-}benzol$$

$$R = \text{—} \langle \bigcirc \rangle \text{—} ; 1,4\text{-}. . .\text{-}benzol$$

$$R = \text{—} \langle \bigcirc \rangle \langle \bigcirc \rangle \text{—} ; 4,4'\text{-}. . . . .\text{-}biphenyl$$

3. aus Kobalt(II)-Verbindungen

α) mit Aryl-metall-Verbindungen

Bei der Umsetzung von Kobalt(II)-halogeniden mit Aryl-lithium- oder Grignard-Verbindungen, deren Aryl-Reste mit Kobalt einen Chelat-Komplex bilden können, entstehen tri- und hexaarylierte Verbindungen. Kobalt hat in diesen Komplexen die Oxidationsstufe 3. Wahrscheinlich ist der Arylierung eine Disproportionierung von Kobalt vorgeschaltet. Auch eine Disproportionierung von zunächst gebildeten instabilen Aryl-kobalt(II)-Verbindungen ist denkbar.

Kobalt(II)-bromid reagiert mit 2-Pyrazolo-phenyl-magnesiumbromid unter Triarylierung von Kobalt zum *Tris-[2-triazolo-phenyl-C,N]-kobalt* (Zers.p.: 210°)[2]:

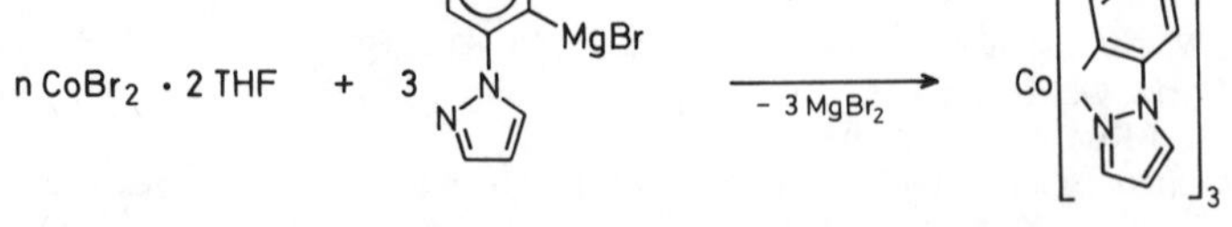

[1] O. Bekaroglu, Chim. Acta Turc. **2**, 131 (1974); C. A. **84**, 90272 (1976). Im Referat wird nicht beschrieben, ob das eingesetzte Chloro-Komplex vor der Reaktion zum Co(I) reduziert wird.
[2] H. Drevs, Z. **16**, 493 (1976).

2-(Dimethylamino-methyl)-phenyl-lithium-Verbindungen reagieren mit wasserfreiem Kobalt(II)-chlorid unter Bindung von drei Aryl-Gruppen, deren Stabilität durch die gleichzeitige Chelat-Bindung des Amin-Restes mit Kobalt beträchtlich erhöht wird[1].

R = H; *Tris-[2-(dimethylamino-methyl)-phenyl-C,N)-kobalt*; 45%; F: 160–161° (Zers.)
R = C(CH₃)₃; *Tris-[5-tert.-butyl-2-(dimethylamino-methyl)-phenyl-C,N]-kobalt*; 33%; F: 126–127° (Zers.)

Der rote Komplex reagiert nur unter Zersetzung mit anderen Liganden, wie Phosphan und Kohlenmonoxid. Bei der Synthese von Kobalt(II)-at-Komplexen aus Bis-[2-lithio-phenyl]-ether (s. S. 57) wird als Nebenprodukt *Trilithium-tris-[diphenylether-2,2'-diyl]-kobaltat-Hexakis-tetrahydrofuran* gebildet[2].

Kobalt(II)-Chelat-Komplexe werden durch Diaryl-thallium(III)-bromide unter Oxidation von Kobalt aryliert[3]. Das Oxidationsmittel ist das Thallium(III)-Atom:

$$2\,Co(chelat) \quad + \quad Ar_2Tl—Br \quad + \quad py \quad \xrightarrow[-\,TlBr]{} \quad 2\,CoAr(chelat)py$$

Die unterschiedliche Reaktionsgeschwindigkeit der Chelat-Komplexe hängt von der zunehmenden Flexibilität der 4-zähnigen Liganden ab.

Die Reaktionsgeschwindigkeit nimmt in folgender Reihe zu

$$Tl(C_6H_5)_2Br \quad \lll \quad Tl(2\,H—C_6F_4)_2Br \quad < \quad Tl(4\,H—C_6F_4)_2Br \quad < \quad Tl(C_6F_5)_2Br$$

Die Reaktionsgeschwindigkeit wird durch Zusatz von Pyridin beträchtlich erhöht.

(1,2-Bis-[1-methyl-3-oxy-2-butenylidenamino]-ethan)-(pentafluor-phenyl)-pyridin-kobalt[3]: Eine warme, entgaste Lösung von 0,20 mmol (1,2-Bis-[1-methyl-3-oxy-2-butenylidenamino]-ethan)-kobalt(II) und 0,10 mmol Bis-[pentafluor-phenyl]-thallium(III)-bromid in 20 *ml* Toluol wird unter Rückfluß in einer Stickstoff-Atmosphäre 15 Min. lang erhitzt. Das Reaktionsgemisch wird hierauf durch eine Schicht aus Cellulosepulver filtriert und bis zur Trockene i. Vak. eingeengt. Das gebildete grüne Pulver wird aus Pyridin/Methanol/Wasser umkristallisiert; Ausbeute: 84%, F: 193–194° (gold-braune Kristalle.).

Chelat = ; Ar = 2H-C₆F₄; *(1,2-Bis-[1-methyl-3-oxy-2-butenylidenamino]-ethan)-(2,3,4,5-tetrafluor-phenyl)-pyridin-kobalt*; 54%; F: 173–175°

; Ar = C₆F₅; *(1,2-Bis-[2-oxy-benzylidenamino]-ethan)-(pentafluor-phenyl)-...*; 98%; F: > 250°
(1,2-Bis-[2-oxy-benzylidenamino]-benzol)-(pentafluor-phenyl)-...; (nicht rein isolierbar)

Bei stark reaktionsfähigen Komplexen werden Pyridin-freie Verbindungen erhalten, die beim Umkristallisieren Pyridin wieder aufnehmen[4].

[1] A. C. Cope u. R. N. Gourley, J. Organometal. Chem. **8**, 527 (1967).
[2] H. Drevs, Z. **15**, 451 (1975).
[3] M. F. Corrigan, G. B. Deacon, B. O. West u. D. G. Vince, J. Organometal. Chem. **105**, 119 (1976).
[4] P. Royo u. J. Sancho, Transition Met. Chem. **1**, 212 (1976): Co(C₆F₅)(acacen) ~ 65%.

Bis-[1,2-bis-(diphenylarsano)-benzol]-kobalt-dibromid setzt sich mit Bis-[pentafluor-phenyl]-thalliumbromid zu *Bis-[1,2-bis-(dimethylarsano)-benzol]-(pentafluor-phenyl)-bromo-kobalt-bromid* um (F: 194°)[1,2]:

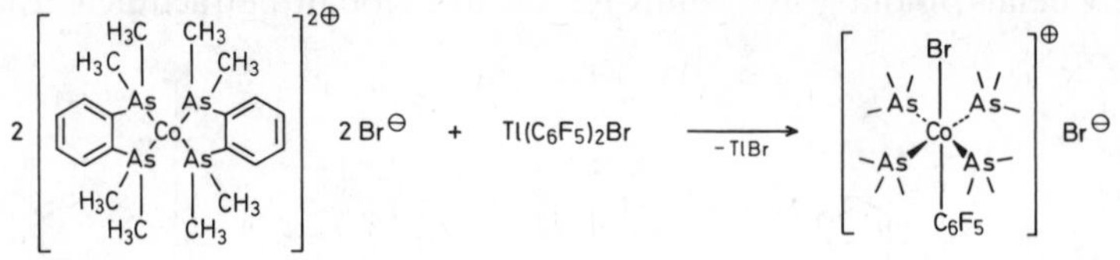

β) mit Aryl-halogeniden bzw. Aryl-diazonium-chloriden

Pentacyano-kobaltat(II) bildet mit einigen Hetaryl-halogeniden entsprechende Hetaryl-kobalt-Derivate[3]; z. B.:

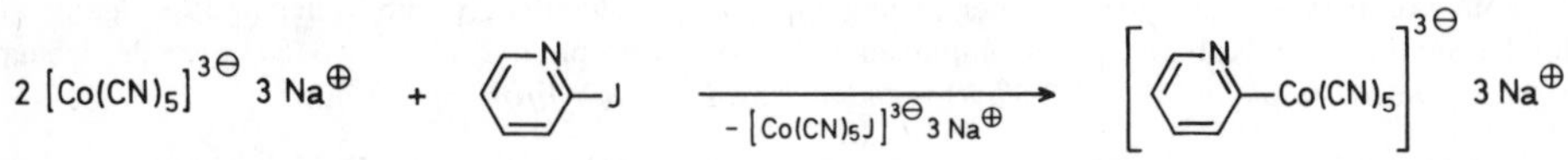

Trinatrium-pentacyano-(2-pyridyl)-kobaltat

Mit Benzoldiazonium-chlorid und dem Kalium-Salz erhält man *Trikalium-pentacyano-phenyl-kobaltat*[4].

γ) mit Aryl-hydrazinen unter Oxidation

Aryl-hydrazine können in Gegenwart von Kobalt(II)-Chelat-Komplexen von Sauerstoff leicht oxidiert werden unter Bildung von Aryl-kobalt(III)-Verbindungen[5]; z. B.[6]:

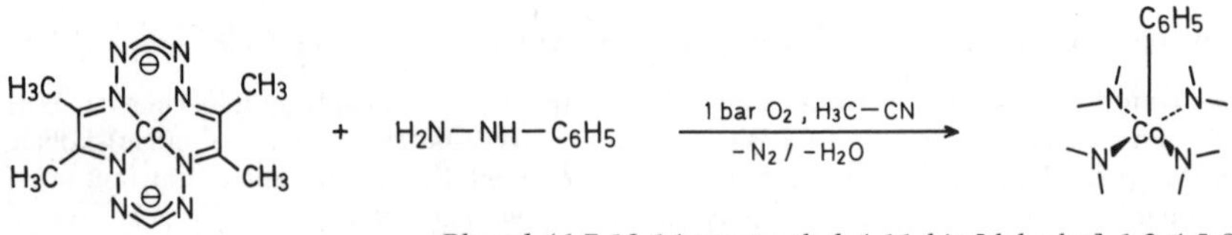

I

Phenyl-(6,7,13,14-tetramethyl-4,11-bis-[dehydro]-1,2,4,5,8,9,11,12-octaaza-cyclotetradecahexaen)-kobalt

Wenn die hydrierte Form des Chelat-Komplex I eingesetzt wird, wird gleichzeitig auch der Chelat-Ligand oxidiert und mit Kalium-tert.-butanolat deprotoniert[7]. Dabei wird als sechster Ligand Hydrazin oder ein zugesetzter Ligand, wie Pyridin, gebunden.

Die Arylierung mit vorausgehender Oxidation von Arylhydrazin ist auf andere Chelat-Komplexe übertragbar[8]; z. B.:

[1] M.F. CORRIGAN, G.B. DEACON, B.O. WEST u. D.G. VINCE, J. Organometal. Chem. **105**, 119 (1976).

[2] R.S. NYHOLM, Quart. Rev. **24**, 1 (1970).

[3] J. HALPERN u. J.P. MAHER, Am. Soc. **87**, 5361 (1965).

[4] J. KWIATEK u. J.K. SEYLER, J. Organometal. Chem. **3**, 421 (1965). Über den Verbleib des Chlor-Restes wird nichts ausgesagt.

[5] V.L. GOEDKEN, S.-M. PENG u. Y.-A. PARK, Am. Soc. **96**, 284 (1974).

[6] V.L. GOEDKEN u. S.-M. PENG, Chem. Commun. **1975**, 258.

[7] V.L. GOEDKEN u. S.-M. PENG, in R.B. KING, *Inorganic Compounds with Unusual Properties*, S. 379, Adv. Ser. **150**, Am. Chem. Soc. Washington D.C. (1976).

[8] K. DEY u. R.L. DE, J. Inorg. & Nuclear Chem. **39**, 155 (1977).

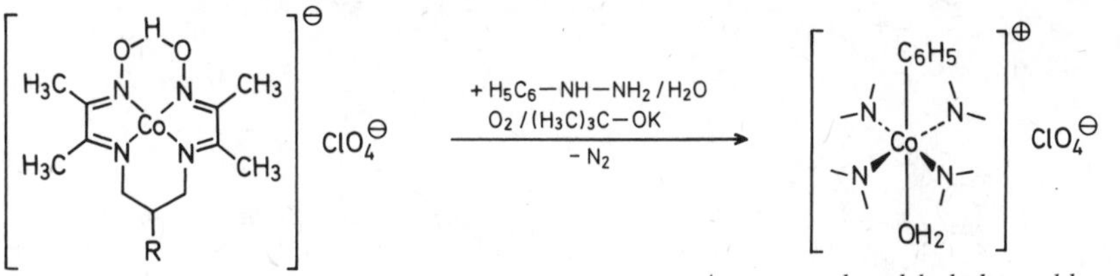

Aquo-. . .-phenyl-kobalt-perchlorat

R = CH$_3$; . . .-*(1,3-bis-[2-hydroximino-1-methyl-propyliden]-O-dehydro-2-methyl-propan)-*. . .
R = C$_6$H$_5$; . . .-*(1,3-bis-[2-hydroximino-1-methyl-propyliden]-O-dehydro-2-phenyl-propan)-*. . .

4. aus anderen σ-Aryl-kobalt-Verbindungen unter Erhalt mindestens einer C–M-Bindung

α) unter Erhalt der Aryl-Co-Bindung

Die Methoxycarbonyl-Gruppe in Bis-[dimethylglyoximato]-(methoxycarbonyl-phenyl)-kobalt-Komplexen läßt sich Basen-katalysiert hydrolysieren, ohne daß die C–Co-Bindung gespalten wird[1, 2]:

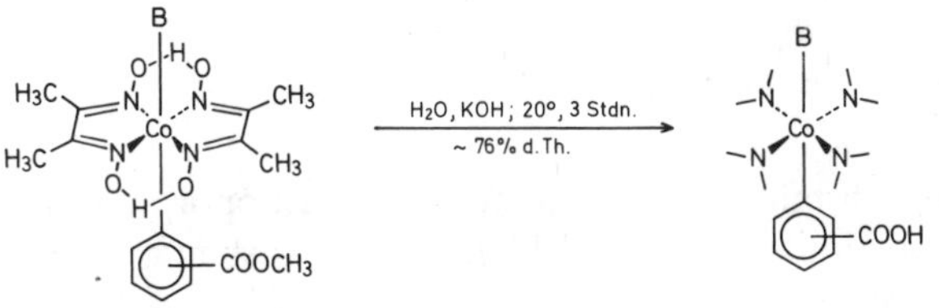

B = H$_2$O, R–NH$_2$, CN$^\ominus$, SCN$^\ominus$, NO$_2^\ominus$, NO$_3^\ominus$

β) unter Spaltung einer C–Co-Bindung

Durch Umsetzen mit Organo-quecksilberchloriden kann selektiv ein Aryl-Rest vom Diaryl-kobalt(III)-Komplex I entfernt werden[3]:

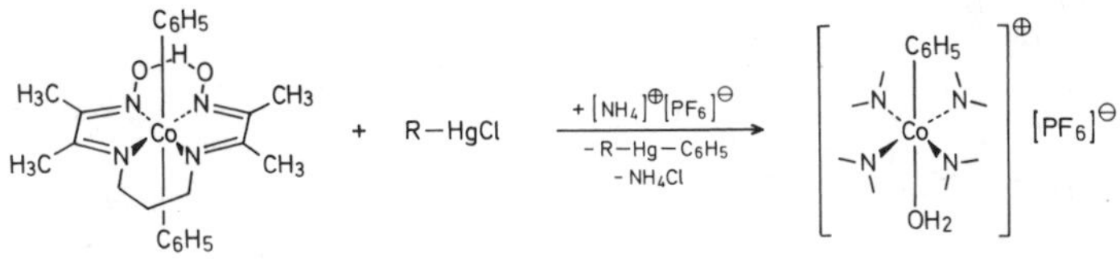

I

Aquo-(1,3-bis-[2-hydroximino-1-methyl-propyliden-amino]-propan)-phenyl-kobalt-hexafluorophosphat

f) Acyl- bzw. Iminoacyl-kobalt(III)-Verbindungen

1. aus Metall-kobalt(I)-aten mit Carbonsäure-halogeniden bzw. -anhydriden

Kobaltate(I) reagieren mit Acetylchlorid oder Essigsäure-anhydrid unter Bildung von violetten bzw. roten kristallinen A c e t y l-kobalt(III)-Verbindungen, die nach Umkristallisieren aus Benzol bzw. Benzol/Dichlormethan leicht ihren Aquo-Liganden verlieren und dann 5fach koordiniert sind, normalerweise aber die Koordinationszahl 6 besitzen, vor allem dann, wenn andere Liganden zugesetzt werden.

[1] K.L. Brown, A.W. Awtrey u. R. le Gates, Am. Soc. **100**, 823 (1978).
[2] K.L. Brown u. A.W. Awtrey, J. Organometal. Chem. **195**, 113 (1980).
[3] G. Mestroni, G. Zassinovich, A. Camus u. G. Costa, Transition Metal Chem. **1**, 32 (1975/76).

$$Na^{\oplus}[CoL]^{\ominus} + H_3C-CO-X \xrightarrow[- NaX]{+(L');THF,-80\ bzw.\ -50°} H_3C-CO-CoLL'$$

X = Cl, O–CO–CH₃

Acetyl- . . .-kobalt

z.B.:

L = [structure] ; L' = – ; . . .-*(1,2-bis-[1-methyl-3-oxy-2-butenyliden]-ethan)-*. . .[1,2,3] (a); 65%; F: 142°

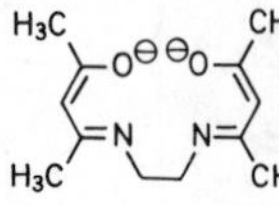

L = [structure] ; L' = – ; . . .-*(1,2-bis-[2-oxy-benzylidenamino]-ethan)-*. . .[1-4]; ~50% (a)
(L' = Pyridin); . . .-*(1,2-bis-[2-oxy-benzylidenamino]ethan)-pyridin-*. . .[3,4] (a)

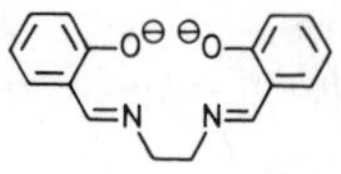

L = [structure] ; L' = H₂O; . . .-*aquo-(1,2-bis-[2-oxy-benzylidenamino]-benzol)-*. . .[3] (a)

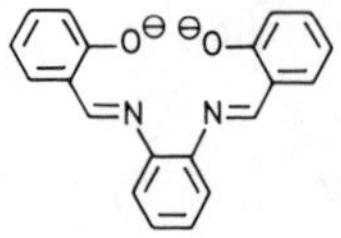

L = [structure] ; L' = [structure] ; . . .-*bis-[dimethylglyoximato]-(1-methyl-imidazol)-*. . .[3] (b)

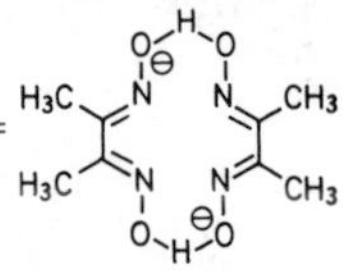

Das durch Reduktion mit Natrium-Amalgam aus Etioporphyrinato-kobalt(II) hergestellte Kobaltat bildet mit Acetanhydrid in guter Ausbeute *Acetyl-etioporphyrinato-
kobalt*[5]. Lithium-phthalocyaninato-kobaltat setzt sich mit Aroyl-chloriden bzw. Benzoe-
säureanhydrid zu 5fach koordinierten Aroyl-Komplexen um[6]. Die Ausbeuten sind praktisch quantitativ, wobei die Reaktionsgeschwindigkeit des Chlorids mindestens 10^3 mal so
schnell ist wie die des Anhydrids.

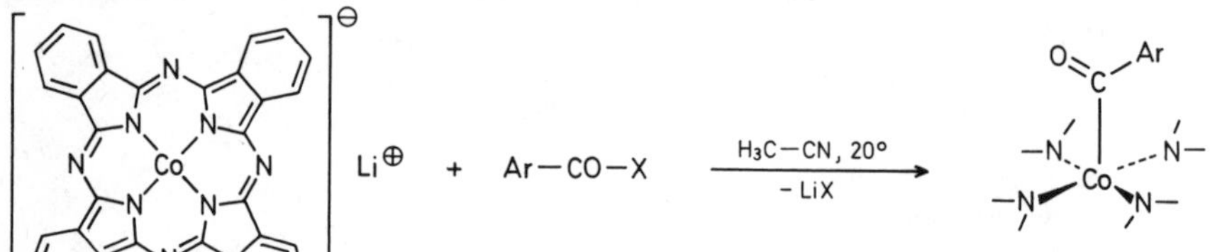

$$[\text{structure}]^{\ominus} \quad Li^{\oplus} + Ar-CO-X \xrightarrow[- LiX]{H_3C-CN,\ 20°} [\text{structure}]$$

. . .-*phthalocyaninato-kobalt*

X = Cl; Ar = C₆H₅; *Benzoyl-*. . .; ~ 100%
Ar = 4-CH₃–C₆H₅; *(4-Methyl-benzoyl)-*. . .; ~ 100%
X = O-CO-CH₃; Ar = C₆H₅; *Benzoyl-*. . .

[1] G. Costa u. G. Mestroni, Tetrahedron Letters **1967**, 1783; J. Organometal. Chem. **11**, 325 (1968).
[2] G. Costa, G. Mestroni u. G. Pellizer, J. Organometal. Chem. **11**, 333 (1968).
[3] A. Bigotto, G. Costa, G. Mestroni, G. Pellizer, A. Puxeddu, E. Reisenhofer, L. Stefani u. G. Tauzher, Inorg. Chim. Acta Rev. **4**, 41 (1971). Die Kobaltate(I) werden durch Umsetzen des Kobalt(II)-Komplexes mit Natrium-Amalgam(a) oder durch Reduktion der Kobalt(III)-Verbindung mit Natriumboranat(b) in Gegenwart von Natronlauge hergestellt.
[4] C. Floriani, M. Puppis u. F. Calderazzo, J. Organometal. Chem. **12**, 209 (1968).
[5] D.A. Clarke, R. Grigg u. A.W. Johnson, Chem. Commun. **1966**, 208.
[6] H. Eckert u. A. Schier, Ang. Ch. **91**, 841 (1979).

2. aus neutralen Kobalt(I)-Verbindungen durch oxidative Addition

α) mit Carbonsäure-halogeniden bzw. -anhydriden

Bis-[trimethylphosphan]-cyclopentadienyl-kobalt besitzt ein stark nucleophiles Metall-Atom. Durch Umsetzung mit Acyl-chloriden in Diethylether entstehen in praktisch quantitativer Ausbeute die 6fach koordinierten Acyl-kobalt(III)-Kation-Komplexe, die durch Umfällen mit Ammoniumhexafluorophosphat sehr stabile Salze bilden[1,2]. Die Verbindungen spalten auch beim längeren Erhitzen kein Kohlenmonoxid ab, da für eine Alkyl-Gruppen-Wanderung am Kobalt keine freie Koordinationsstelle zur Verfügung steht und die Trimethylphosphan-Liganden sehr fest gebunden sind. Bemerkenswert ist auch die Beständigkeit der Kation-Komplexe gegen Protonensäuren.

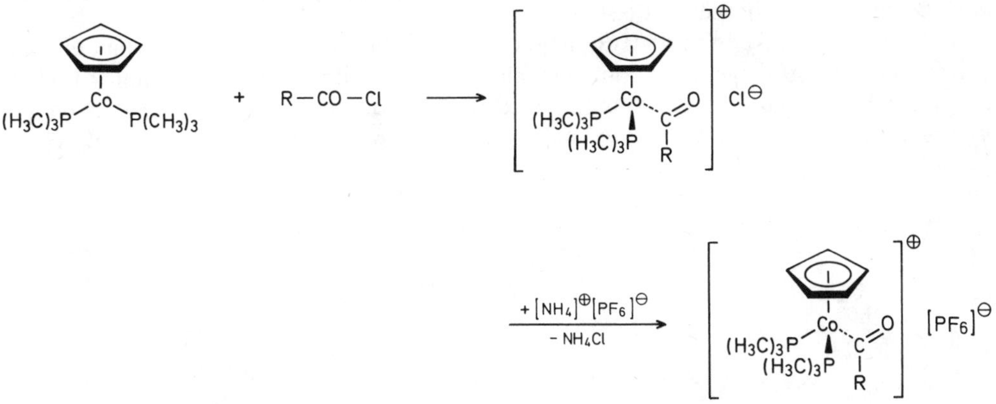

Bis-[trimethylphosphan]-cyclopenta-dienyl-...-kobalt-hexafluorophosphat

R = C₆H₅; ...-benzoyl-...; 92%
R = 4-OCH₃-C₆H₄; ...-(4-methoxy-benzoyl)-...
R = 3,5-(OCH₃)₂-C₆H₄; ...-(3,5-dimethoxy-benzoyl)-...
R = 4-CH₃-C₆H₅; ...-(4-methyl-benzoyl)-...

Acetyl-bis-[trimethylphosphan]-cyclopentadienyl-kobalt-hexafluorophosphat[1]:

...-chlorid: 3,094 g (11,2 mmol) Bis-[trimethylphosphan]-cyclopentadienyl-kobalt werden in 50 *ml* Diethylether gelöst, die Lösung auf −78° gekühlt und unter starkem Rühren tropfenweise mit 0,8 *ml* (11,2 mmol) Acetylchlorid in 20 *ml* desselben Lösungsmittels versetzt. Bereits während des Zutropfens fällt ein hellgelber Niederschlag aus. Nach beendeter Zugabe wird die Kühlung entfernt, der Feststoff abfiltriert und mehrmals mit Diethylether gewaschen; Ausbeute: 3,55 g (90%).

...-hexafluorophosphat: 3,55 g (10,0 mmol) des Chlorids werden in 20 *ml* Methanol portionsweise mit 2,5 g (15,3 mmol) Ammonium-hexafluorophosphat versetzt. Es bilden sich orangefarbene Kristalle, deren vollständige Ausfällung durch längeres Stehenlassen bei −78° erreicht wird. Sie werden filtriert und mit Pentan gewaschen; Ausbeute: 4,32 g (93%), IR (Nujol): $\nu_{C=O}$ 1649 cm⁻¹, ¹H-NMR (d₆-DMSO): δC₅H₅ 5.32(t), J(PH) 0.8 Hz, PCH₃ 1.50 (virtuelles t), COCH₃ 2.59(s).

Es gelingt auch den weniger basischen Carbonyl-Komplex mit Acylhalogeniden umzusetzen[3]. Durch Behandeln mit Natrium- oder Silber-tetrafluoroborat werden die Halogen-Anionen durch das Tetrafluoroborat-Ion substituiert. Die roten kristallinen Verbindungen sind in Lösung und im festen Zustand gegenüber Luft stabil, ohne daß sie Kohlenmonoxid verlieren.

---

[1] H. WERNER u. W. HOFMANN, B. **110**, 3481 (1977).
[2] H. WERNER u. W. HOFMANN, Ang. Ch. **90**, 496 (1978).
[3] A. SPENCER u. H. WERNER, J. Organometal. Chem. **171**, 219 (1979).

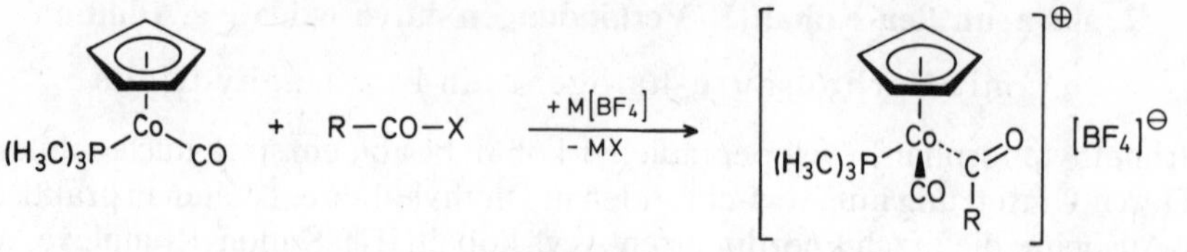

... .-carbonyl-cyclopentadienyl-trimethylphosphan-kobalt-tetrafluoroborat

R = CH$_3$; X = Cl; M = Na; *Acetyl-*. . .; 60%
R = C$_2$H$_5$; X = Br; M = Ag; *Propanoyl-*. . .; 35%
R = C$_6$H$_5$; X = Br; M = Ag; *Benzoyl-*. . .; 39%

Analog wird *Acetyl-(tert.-butyl-isonitril)-cyclopentadienyl-trimethylphosphan-kobalt-hexafluorophosphat* hergestellt (91%)[1].

Der in situ durch Reduktion der entsprechenden Dibromo-kobalt(III)-Verbindung mit Natriumboranat in Gegenwart von Natronlauge hergestellte Kobalt(I)-Komplex I bildet mit 1-Methyl-imidazol, Essigsäureanhydrid und Natriumperchlorat *Acetyl-(1,3-bis-[2-hydroximino-1-methyl-proylidenamino]-O-dehydro-propan)-(1-methyl-imidazol)-kobalt-perchlorat*[2]:

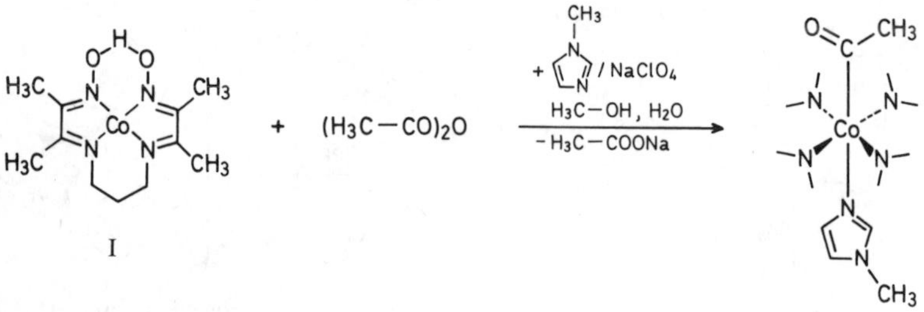

I

β) mit Halogen-alkanen aus Kobalt(I)-carbonylen

Verschiedene Carbonyl-kobalt(I)-Komplexe reagieren mit Jodmethan oder -ethan in einer oxidativen Addition und Insertion von Kohlenmonoxid in die C–Co-Bindung zu den entsprechenden Acyl-kobalt-Verbindungen[3-5]. *Cyclopentadienyl-jodo-propanoyl-triphenylphosphan-kobalt* kann nicht isoliert werden, da es sich fast so schnell zersetzt, wie es gebildet wird.

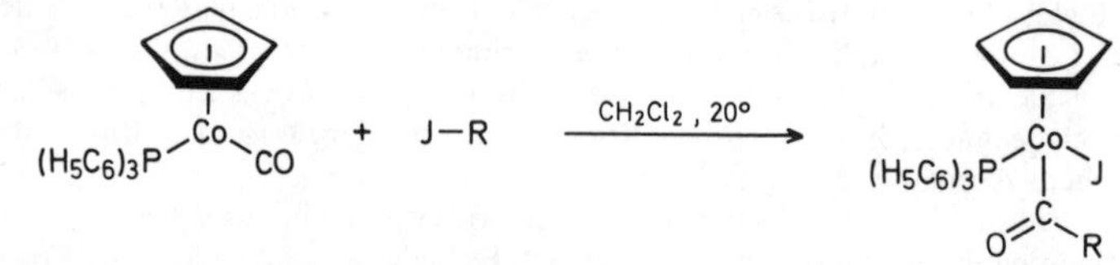

L = (H$_5$C$_6$)$_3$P; R = CH$_3$; *Acetyl-cyclopentadienyl-jodo-triphenylphosphan-kobalt*[4]; 83%; F: 100–110°
R = C$_2$H$_5$; *Cyclopentadienyl-jodo-propanoyl-triphenylphosphan-kobalt*[4]; geringe Ausbeute
L = H$_3$C-P(C$_6$H$_5$)$_2$; R = CH$_3$; *Acetyl-cyclopentadienyl-(diphenyl-methyl-phosphan)-jodo-kobalt*; 60%
L = H$_5$C$_6$-P(CH$_3$)$_2$; R = CH$_3$; . . .-*(dimethyl-phenyl-phosphan)-jodo-kobalt*[4]; 80%
L = (H$_3$C)$_3$P; R = C$_2$H$_5$; *Cyclopentadienyl-jodo-propanoyl-trimethylphosphan-kobalt*[5]; 16%

Während der Umsetzung des Trimethylphosphan-Komplexes mit Methyljodid in Aceton entsteht ein gelber Niederschlag, der sich wieder auflöst[5]. Wird die Umsetzung in Toluol durchgeführt, so kann die gelbe Zwischen-

---

[1] H. WERNER, S. LOTZ u. B. HEISER, J. Organometal. Chem. **209**, 197 (1981).
[2] A. BIGOTTO, G. COSTA, G. MESTRONI, G. PELLIZER, A. PUXEDDU, E. REISENHOFER, L. STEFANI u. G. TAUZHER, Inorg. Chim. Acta Rev. **4**, 41 (1970).
[3] A.J. OLIVER u. W.A.G. GRAHAM, Inorg. Chem. **9**, 243 (1970).
[4] A.J. HART-DAVIS u. W.A.G. GRAHAM, Inorg. Chem. **9**, 2658 (1970).
[5] A. SPENCER u. H. WERNER, J. Organometal. Chem. **171**, 219 (1979).

stufe isoliert werden (Carbonyl-cyclopentadienyl-methyl-trimethylphosphan-kobalt-jodid; s. S. 91). Bei Lösen dieses Komplexes in Aceton lagert er sich in die Acetyl-Verbindung um. In den stark polaren Lösungsmitteln d_3-Nitro-methan bzw. Methanol liegen zu 85% (bzw. 68%) die Acetyl- und zu 15% (bzw. 32%) die Methyl-kobalt(III)-Verbindungen vor, da die ionogene Form durch das polare Lösungsmittel stabilisiert wird.

Acetyl-cyclopentadienyl-jodo-trimethylphosphan-kobalt[1]: 1,22 g (5,4 mmol) Carbonyl-cyclopentadienyl-trimethylphosphan-kobalt werden in 10 ml Aceton gelöst und mit 0,67 ml (10,8 mmol) Jodmethan versetzt. Die Lösung wird 1 Stde. gerührt. Dann wird das Lösungsmittel abgezogen, der Rückstand mit 40 ml Diethylether extrahiert und der Extrakt filtriert. Bei Abkühlen des Filtrats auf $-25°$ entstehen dunkel-braune Kristalle, die isoliert, mit wenig kaltem Pentan gewaschen und i. Vak. getrocknet werden; Ausbeute: 0,87 g (42%); ^{1}H-NMR (CD$_3$COCD$_3$): δCoCOCH$_3$ 3.07 [J(PH) 0,8 Hz].

Bei Einsatz des analogen Trimethylphosphit-Komplexes entsteht dagegen der 5fach koordinierte Komplex *Acetyl-cyclopentadienyl-trimethylphosphit-kobalt-jodid* (83%)[2].

γ) durch spezielle oxidative Additionen

Dicarbonyl-cyclopentadienyl-kobalt setzt sich photochemisch bei tiefer Temperatur mit Diazomalonsäure-dialkylester und verwandten Verbindungen unter 1,3-Cycloaddition des Bis-[alkoxycarbonyl]-carbens am Carbonyl-kobalt-Rest um[3, 4]. Eine O–Co- und eine C–C-Bindung werden neugeknüpft. Als Nebenprodukte entstehen in geringer Ausbeute μ-Methylen-dikobalt-Komplexe (s. S. 173). Die erhaltenen grünen Verbindungen sind mäßig Luft-stabil und in stark polaren organischen Lösungsmitteln gut löslich.

2-Carbonyl-2-cyclopentadienyl-...-3-oxo-2,3-dihydro-1,2-oxakobaltol

$R^1 = R^2 = CH_3$; ...-5-methoxy-4-methoxycarbonyl-...; 58%; F: 145–149°
$R^1 = R^2 = C(CH_3)_3$; ...-5-tert-butyloxy-4-tert-butyloxycarbonyl-...; 42%; F: 137°
$R^1 = CH_3$; $R^2 = C(CH_3)_3$; ...-4-tert-butyloxycarbonyl-5-methoxy-...; 31%; F: $\sim$ 88° (Zers.)
(Isomerengemisch?)

2-Carbonyl-2-cyclopentadienyl-5-ethoxy-4-ethoxycarbonyl-3-oxo-2,3-dihydro-1,2-oxakobaltol[3] ($R^1 = R^2 = C_2H_5$): In einer Pyrex-Tauchlampenapparatur mit Innen- und Außenkühlung werden 3,60 g (20 mmol) Dicarbonyl-cyclopentadienyl-kobalt und 4,50 g (24 mmol) Diazomalonsäure-diethylester in 200 ml THF 10 Stdn. bei $-25°$ bestrahlt (Hg-Hochdruckbrenner TQ 150). Die grüne Lösung wird i. Hochvak. bei $+20°$ eingedampft. Der Rückstand wird säulenchromatographisch gereinigt (Kieselgel 60, Merck 7734: Akt. II–III; 48 × 2 cm; 10°), wobei das Carben-Addukt mit Aceton als rasch wandernde tiefgrüne Zonen eluiert wird. Der nach dem Einengen des Eluats verbleibende, meist ölige Rückstand wird aus Ether/Dichlormethan (10 : 1) bei $-35°$ kristallisiert. Die dunkelgrünen, metallglänzenden Kristalle sind nach Waschen mit 3mal 10 ml Diethylether analysenrein; Ausbeute: 4,13 g (61%); F: 118–119°; IR (KBr): ν_{CO} 2043(vs); $\nu_{>C=O}$ 1712(vs,sh) cm^{-1}.

Analog erhält man mit 2-Diazo-3-oxo-butansäure-butylester bzw. 2-Diazo-3-oxo-bernsteinsäure-diethylester *4-Acetyl-5-butyloxy-2-carbonyl-2-cyclopentadienyl-3-oxo-2,3-dihydro-* bzw. *2-Carbonyl-2-cyclopentadienyl-5-ethoxy-4-ethoxyoxalyl-3-oxo-2,3-dihydro-1,2-oxakobaltol.*

[1] A. SPENCER u. H. WERNER, J. Organometal. Chem. **171**, 219 (1979).
[2] H. WERNER u. B. JUTHANI, J. Organometal. Chem. **209**, 211 (1981).
[3] M. L. ZIEGLER, K. WEIDENHAMMER u. W. A. HERRMANN, Ang. Ch. **89**, 557 (1977).
[4] W. A. HERRMANN, I. STEFFL, M. L. ZIEGLER u. K. WEIDENHAMMER, B. **112**, 1731 (1979).

Bei der Umsetzung von Dicarbonyl-cyclopentadienyl-kobalt mit Hexafluor-2-butin[1] bzw. 2-Butin[2] entstehen u. a. *3,4-Bis-[trifluormethyl]-1-carbonyl-1-cyclopentadienyl-2,5-dioxo-2,5-dihydro-* bzw. 6% *1-Carbonyl-1-cyclopentadienyl-3,4-dimethyl-2,5-dioxo-2,5-dihydro-kobaltol* (F: 150–152°):

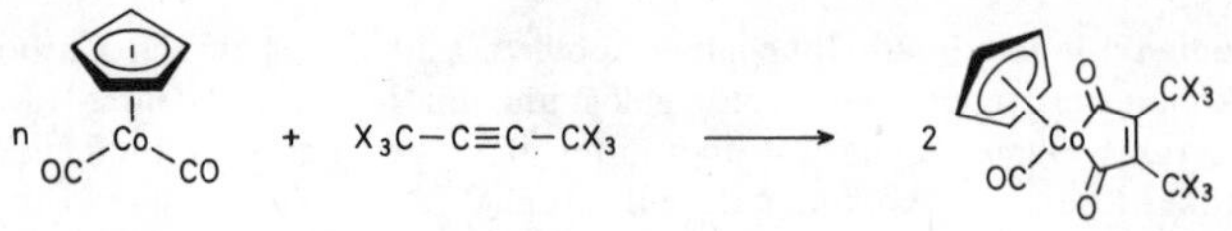

X = F, H

In einer ähnlichen Umsetzung reagiert der η^2-Alkin-Komplex I mit Isonitrilen[3]. Mit Ausnahme von tert.-Butylisonitril reagieren sie zu *2,5-Bis-[arylimino]-1-cyclopentadienyl-3,4-diphenyl-2,5-dihydro-kobaltolen:*

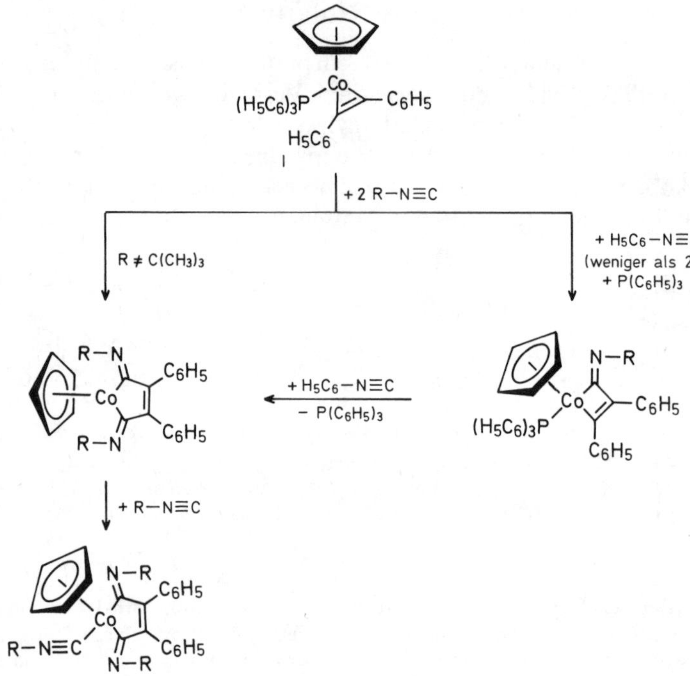

Wenn das Verhältnis von Kobalt-Komplex I zu Phenylisocyanid größer als 2 ist, erhält man in Gegenwart von Triphenylphosphan neben *2,5-Bis-[phenylimino]-1-cyclopenta-dienyl-3,4-diphenyl-2,5-dihydro-kobaltol* das *1-Cyclopentadienyl-2,3-diphenyl-4-phen-yl-imino-1-triphenylphosphan-2-kobalteten,* das sich nur langsam in den erstgenannten Komplex umwandelt.

1,2-Dioxo-benzocyclobuten reagiert mit Chloro-tris-[triphenylphosphan]-kobalt zu *2,2-Bis-[triphenylphos-phan]-2-chloro-1,3-dioxo-1,3-dihydro-2H-2-benzokobaltol* (90%; F: 245–246°)[4, 5]:

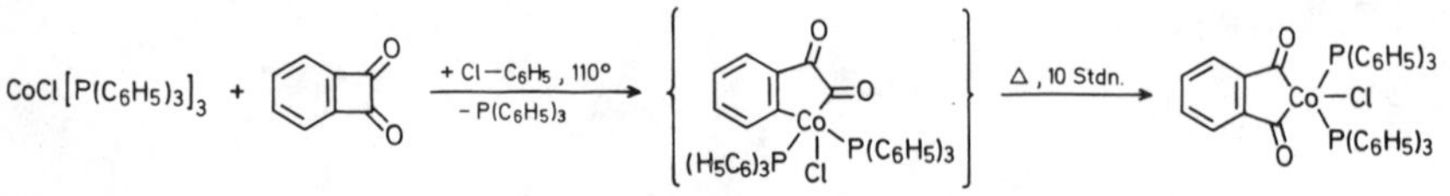

[1] R.S. DICKSON u. H.P. KIRSCH, Austral. J. Chem. **27**, 61 (1974).
[2] P.A. CORRIGAN u. R.S. DICKSON, Austral. J. Chem. **32**, 2147 (1979).
[3] H. YAMAZAKI, K. AOKI, Y. YAMAMOTO u. Y. WAKAMATSU, Am. Soc. **97**, 3546 (1975).
[4] L.S. LIEBESKIND, S.L. BAYSDON, M.S. SOUTH u. J.F. BLOUNT, J. Organometal. Chem. **202**, C73 (1980).
[5] S.L. BAYSDON u. L.S. LIEBESKIND, Organometallics **1**, 771 (1982).

3. aus Kobalt(II)-Verbindungen mit Acyl-hydrazinen unter Oxidation

Acetyl-(6,7,13,14-tetramethyl-4,11-bis-[dehydro]-1,2,4,5,8,9,11,12-octaaza-cyclotetradecahexaen)-kobalt wird zu ~ 100% auf folgende Weise erhalten[1]:

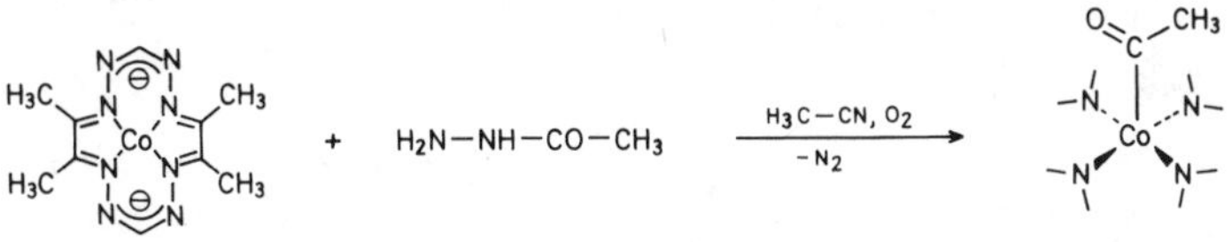

4. aus σ-Alkyl-kobalt-Verbindungen durch Insertion von Kohlenmonoxid bzw. Isocyanid

Alkyl-carbonyl-kobalt(III)-Komplexe können sich unter Insertion von Kohlenmonoxid in die Co-C-Bindung umlagern. Da bei der Umlagerung ein ungesättigter, 5fach koordinierter Komplex entstehen würde, ist es zweckmäßig, einen Komplexbildner zuzusetzen, der die freie Koordinationsstelle des Acyl-Komplexes einnimmt[2], z. B.:

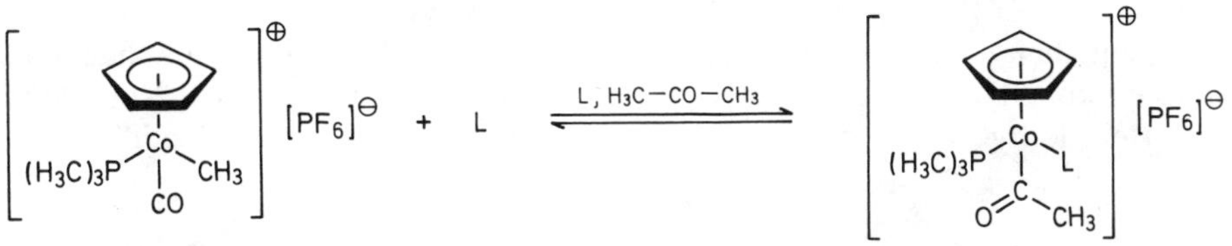

z. B.: L = H₅C₆–NC

Acetyl-cyclopentadienyl-phenylisonitril-trimethylphosphan-kobalt-hexafluorophosphat; 73%[3]

Ist das Gegenion ein Halogen, besetzt es leicht die freie Koordinationsstelle und begünstigt dadurch die Umlagerung des Alkyl-carbonyl-kobalt(III)-halogenids in den Acyl-halogeno-kobalt(III)-Komplex. In Nitromethan stehen beide Komplexe im Gleichgewicht; z. B.:

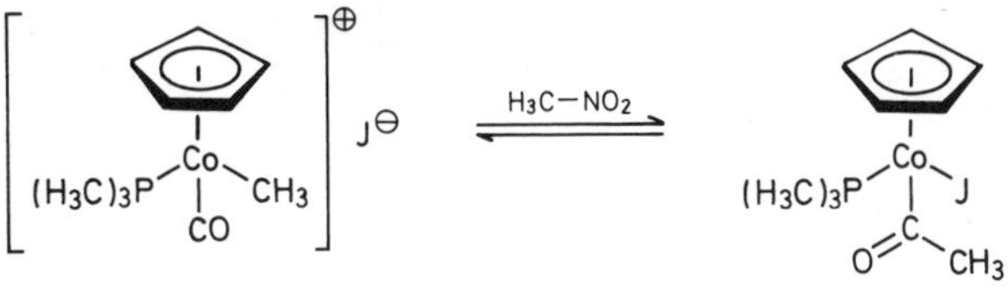

Acetyl-cyclopentadienyl-jodo-trimethylphosphan-kobalt

Beim Behandeln des Dikobalt-Komplexes I mit Triphenylphosphan oder anderen Liganden wird ein Kobalt-Rest unter CO-Insertion in die C,Co-Bindung und Ringschluß des organischen Restes abgespalten[4,5]:

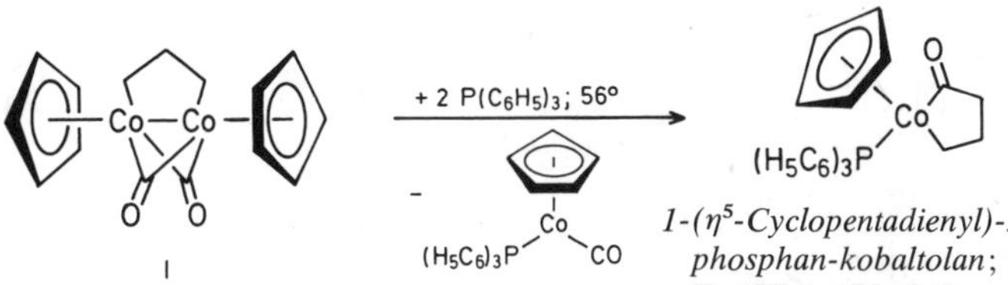

1-(η⁵-Cyclopentadienyl)-2-oxo-1-triphenyl-phosphan-kobaltolan; 96%;
F: 177,5–178,5° Zers.

[1] V.L. Goedeken, S.-M. Peng u. Y.-A. Park, Am. Soc. **96**, 284 (1974).
[2] A. Spencer u. H. Werner, J. Organometal. Chem. **171**, 219 (1979).
[3] H. Werner, S. Lotz u. B. Heiser, J. Organometal. Chem. **209**, 197 (1981).
[4] K.H. Theopold u. R.G. Bergman, Am. Soc. **102**, 5694 (1980); Organometallics **1**, 1571 (1982).
[5] Vgl.: K.H. Theopold, P.N. Becker u. R.G. Bergman, Am. Soc. **104**, 5250 (1982).

Der Komplex II wird durch Behandeln mit Lithium-diisopropylamid in Tetrahydro-furan in das Enolat umgewandelt, das mit Jod-alkanen C-alkyliert wird und mit 2,2-Dimethyl-propanal bzw. Aceton das entsprechende Aldol bildet[1]:

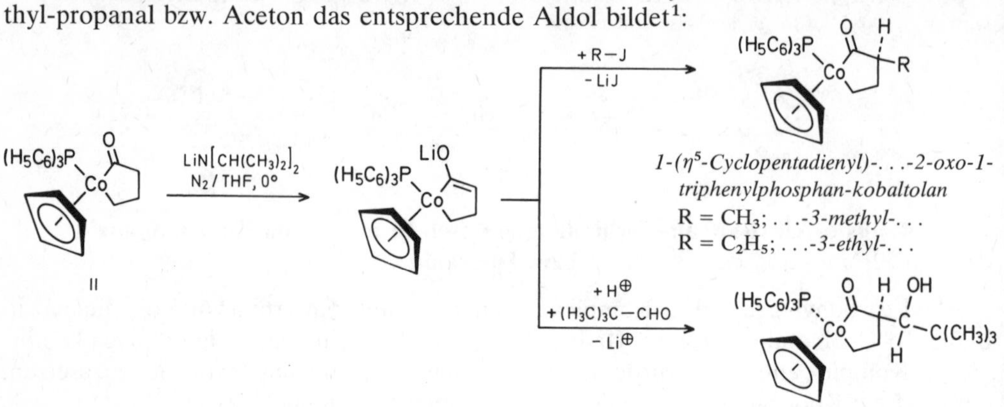

1-$(\eta^5$-Cyclopentadienyl)-...-2-oxo-1-triphenylphosphan-kobaltolan
R = CH$_3$; ...-3-methyl-...
R = C$_2$H$_5$; ...-3-ethyl-...

...-3-(2,2-dimethyl-1-hydroxy-propyl)-...

Cyclopentadienyl-isonitril-trimethylphosphan-kobalt bildet mit Jodmethan in Pentan den Methyl-kobalt-Kationkomplex III der sich in Aceton zum Iminoacyl-Komplex umlagert[2–4]. Bei Methylisocyanid als Ligand wird unter gleichzeitiger Cycloaddition Aceton gebunden.

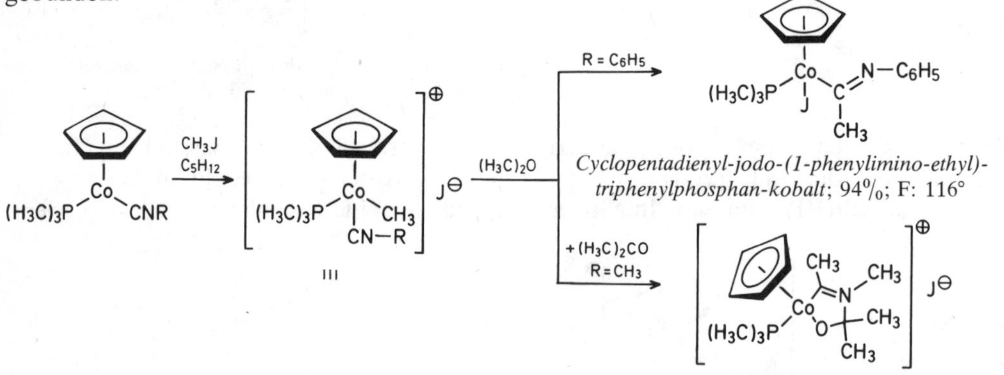

Cyclopentadienyl-jodo-(1-phenylimino-ethyl)-triphenylphosphan-kobalt; 94%; F: 116°

2-$(\eta^5$-Cyclopentadienyl)-3,4,5,5-tetramethyl-2-triphenylphosphan-2,5-dihydro-1,4,2-oxazakobaltol

Zur Umsetzung von Komplex III mit Acetonitril s. Lit.[2].

g) Alkoxycarbonyl- und Aminocarbonyl-kobalt(III)-Verbindungen

1. Alkoxycarbonyl-kobalt(III)-Verbindungen[5]

α) aus Kobalt(III)-Verbindungen mit Kohlenmonoxid/Alkanolaten (bzw. Alkoholen)

Der Alkyl-kobalt(III)-Chelat-Komplex I kann durch Bestrahlen in Alkohol und in einer Luft/Kohlenmonoxid-Atmosphäre in den entsprechenden Alkoxycarbonyl-Komplex

[1] K.H. Theopold, P.N. Becker u. R.G. Bergman, Am. Soc. 104, 5250 (1982).
[2] H. Werner, B. Heiser u. A. Kühn, Ang. Ch. 93, 305 (1981).
[3] H. Werner, S. Lotz u. B. Heiser, J. Organometal. Chem. 209, 197 (1981).
[4] H. Werner, Pure & Appl. Chem. 54, 177 (1982).
[5] Y. Ohashi u. Y. Sasada, Bl. chem. Soc. Japan 50, 2863 (1977).

umgewandelt werden[1,2]. Die Ausbeuten sind nahezu quantitativ; z.B.:

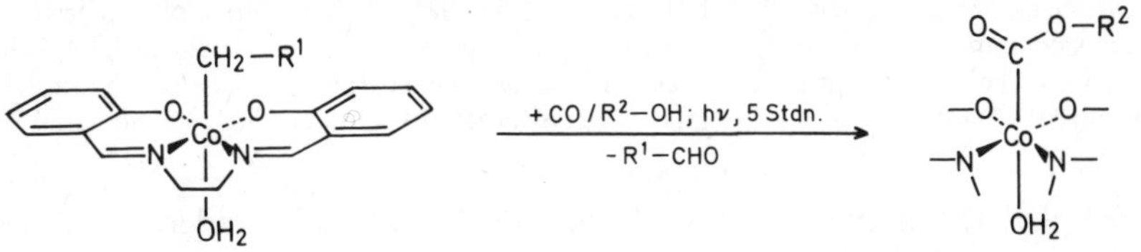

$R^1 = CH_3, C_2H_5, C_3H_7, C_4H_9$

Aquo-(1,2-bis-[2-oxy-benzyliden-
amino]-ethan)-......-kobalt
$R^1 = H$; $R^2 = CH_3$; ....-methoxycarbonyl-...[1]
$R^2 = C_2H_5$; ....-ethoxycarbonyl-...[2]

Alkoxy-kobalt(III)-Verbindungen können in alkoholischer Lösung durch Kohlenmon-oxid ebenfalls carbonyliert werden[2]. Die Alkoxy-Verbindung wird „in situ" hergestellt, entweder durch Umsetzung von Jodo-Kobalt(III)-Komplexen mit Natriumalkanolat oder durch Lösen des entsprechenden Hydroxy-Komplexes in Alkohol[3]. Die Verbindung, die durch Behandeln des in Methanol gelösten Kobalt(II)-Komplexes mit Luft entsteht, läßt sich gleichermaßen carbonylieren:

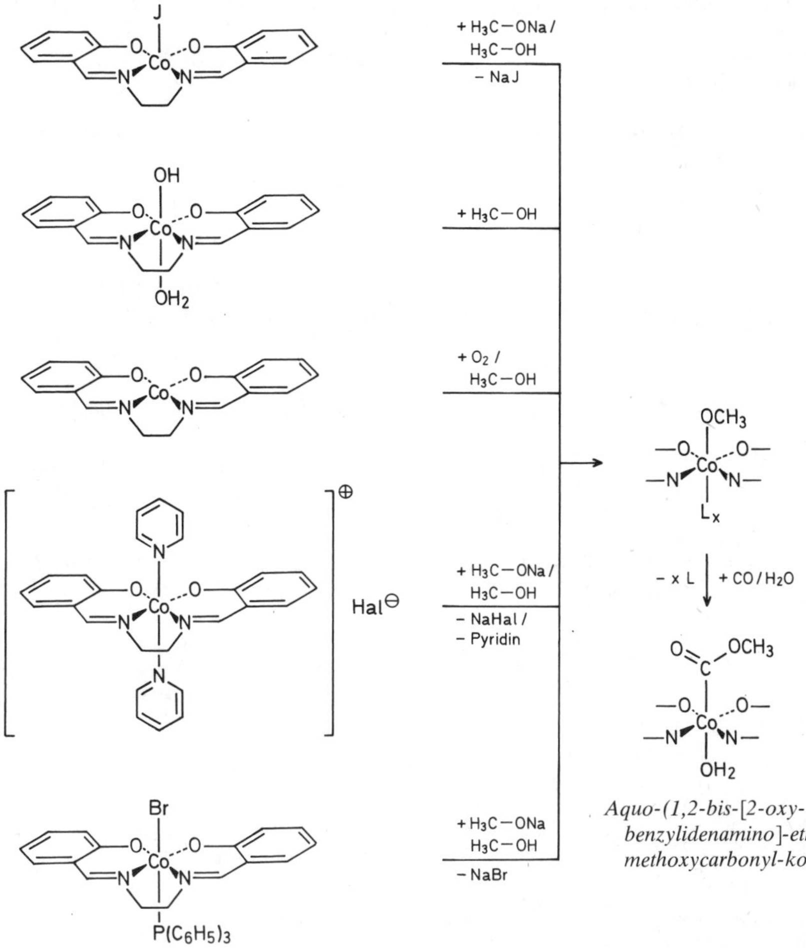

Aquo-(1,2-bis-[2-oxy-
benzylidenamino]-ethan)-
methoxycarbonyl-kobalt

---

[1] US.P. 3809632 (1969), G. Costa u. G. Mestroni; C.A. **81**, 25811 (1974); Tetrahedron Letters **1967**, 1781.
[2] G. Costa, G. Mestroni u. G. Pellizer, J. Organometal. Chem. **15**, 187 (1968).
[3] G. Costa, G. Mestroni u. G. Tauzher, Soc. [Dalton] **1972**, 450.

Aquo-(1,2-bis-[2-oxy-benzylidenamino]-ethan)-methoxycarbonyl-kobalt[1]: 600 mg (1,2-Bis-[2-oxy-benzylidenamino]-ethan)-bromo-triphenylphosphan-kobalt werden in 50 *ml* abs. Methanol suspendiert und im Dunkeln mit der stöchiometrischen Menge von Natrium-methanolat in Methanol behandelt. Anschließend wird Kohlenmonoxid in die bräunlich grüne Lösung eingeleitet, bis sie orange-gelb wird (10–15 Min.). Nach Zugabe von Wasser wird die Lösung i. Vak. eingeengt, der Niederschlag abfiltriert und aus Methanol und Wasser umkristallisiert.

Der Carbonyl-Dikation-Komplex (I) wird am Carbonyl-Liganden durch einfache Alkohole nucleophil angegriffen[1]:

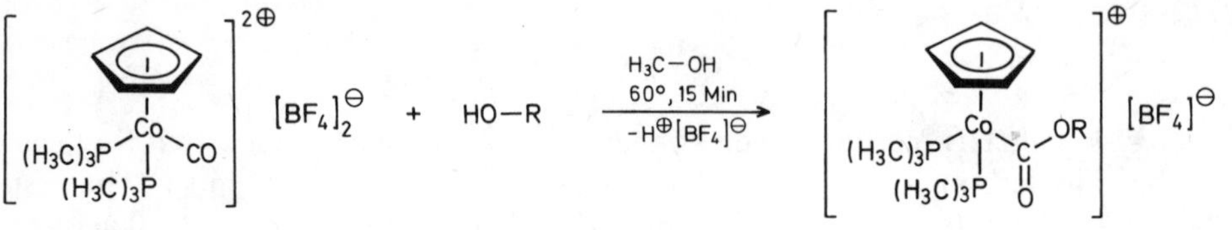

I

Bis-[trimethylphosphan]-cyclopentadienyl-methoxycarbonyl-kobalt-tetrafluoroborat[2]: 0,2 g (0,42 mmol) Bis-[trimethylphosphan-carbonyl-cyclopentadienyl-kobalt-bis-[tetrafluoroborat] werden in 80 *ml* Methanol unter Stickstoff-Atmosphäre bei 60° 15 Min. gerührt. Hierauf wird die Lösung auf 40 *ml* eingeengt und mit 600 *ml* Diethylether versetzt. Der gelbe Niederschlag wird abfiltriert, mit Diethylether gewaschen und i. Vak. getrocknet; Ausbeute: 0,15 g (85%).

Zur weiteren Reinigung wird der Komplex in Aceton/Diethylether umkristallisiert.

IR (Nujol): 1626 cm^{-1}.

Analog wird *Bis-[trimethylphosphan]-cyclopentadienyl-ethoxycarbonyl-kobalt-tetrafluoroborat* (66%) erhalten.

β) aus Metall-kobalt(I)-aten mit Chlorameisensäure-estern

Chlor-ameisensäure-ester reagieren mit Natriumkobaltaten, die aus Kobalt(II)- und Kobalt(III)-Komplexen mit Natrium-Amalgam hergestellt werden, zu Alkoxycarbonyl-kobalt-Komplexen[3–5]:

$$Na^{\oplus}[CoL]^{\ominus} + Cl{-}COOR \xrightarrow[-NaCl]{+(L');\ THF,\ -50°} ROOC{-}CoLL'$$

z. B.: L = 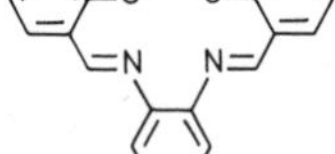 ; $R = C_2H_5$; $L' = H_2O$; *Aquo-(1,2-bis-[2-oxy-benzylidenamino]-ethan)-ethoxycarbonyl-kobalt*[4]; 80%

L = 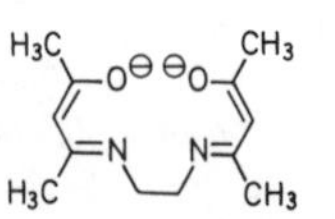 ; $R = CH_3$; L' = –; *(1,2-Bis-[1-(2-oxy-phenyl)-ethylidenamino]-ethan)-methoxycarbonyl-kobalt*[5]

L = 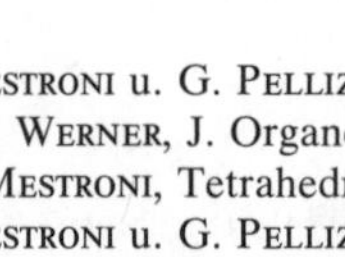 ; $R = CH_3$; $L' = H_2O$; *Aquo-(1,2-bis-[2-oxy-benzylidenamino]-benzol)-methoxycarbonyl-kobalt*[5]

L = 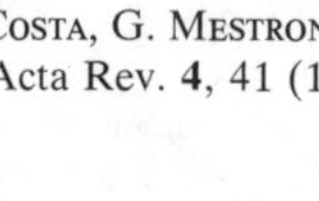 ; R = Alkyl; $L' = H_2O$; *Alkoxycarbonyl-aquo-(1,2-bis-[1-methyl-3-oxy-2-butenylidenamino]-ethan)-kobalt* (instabil)

---

[1] G. Costa, G. Mestroni u. G. Pellizer, J. Organometal. Chem. **15**, 187 (1968).
[2] A. Spencer u. H. Werner, J. Organometal. Chem. **171**, 209 (1979).
[3] G. Costa u. G. Mestroni, Tetrahedron Letters **1967**, 1781, 1783.
[4] G. Costa, G. Mestroni u. G. Pellizer, J. Organometal. Chem. **11**, 333 (1968).
[5] A. Bigotto, G. Costa, G. Mestroni, G. Pellizer, A. Puxeddu, E. Reisenhofer, L. Stefani u. G. Tauzher, Inorg. Chim. Acta Rev. **4**, 41 (1970).

γ) aus Kobalt(II)-Verbindungen mit Alkoxycarbonyl-hydrazin unter Oxidation

Ethoxycarbonyl-hydrazin wird in Gegenwart von Kobalt(II)-Komplexen durch Sauerstoff oxidiert. Das entstehende Ethoxycarbonyl-Radikal wird vom Kobalt-Komplex abgefangen[1]; z. B.:

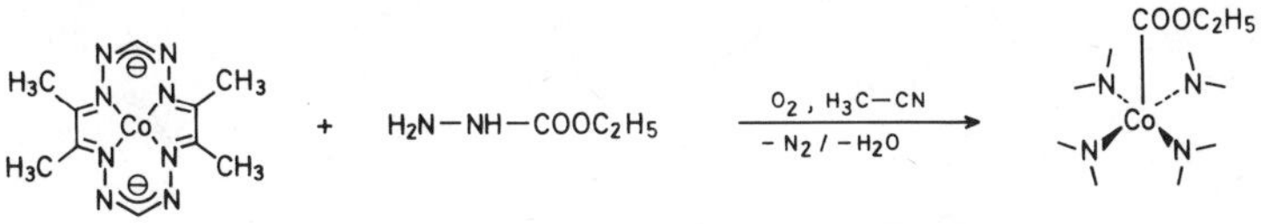

Ethoxycarbonyl-(6,7,13,14-tetramethyl-4,11-bis-[dehydro]-1,2,4,5,8,9,11,12-octaaza-cyclotetradeca-hexaen)-kobalt

2. Aminocarbonyl-kobalt(III)-Verbindungen

Der Carbonyl-Ligand im Bis-[trimethylphosphan]-carbonyl-cyclopentadienyl-kobaltat wird durch nucleophile Addition von Ammoniak bzw. prim. Alkylaminen in den entsprechenden Aminocarbonyl-Liganden übergeführt[2]. Bei Ammoniak muß ein Überschuß des Reagens vermieden werden, da anderenfalls unter Abspaltung des Aminocarbonyl-Restes ein Ammin-Komplex entsteht.

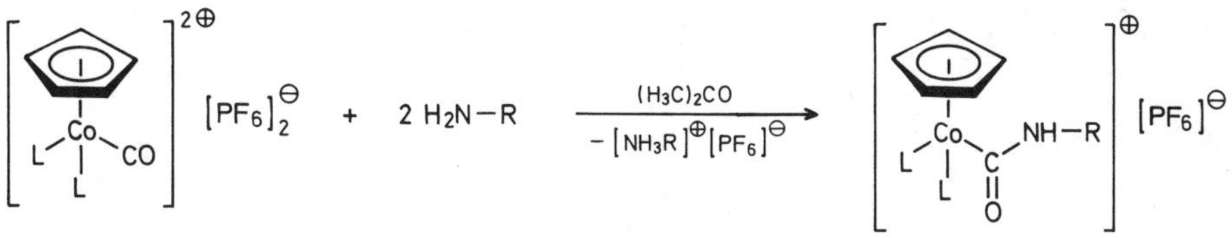

Die Methylaminocarbonyl- bzw. Ethylaminocarbonyl-Derivate sind mindestens 2 Stdn. im Reaktionsgemisch stabil.

Aminocarbonyl-bis-[trimethylphosphan]-cyclopentadienyl-kobalt-hexafluorophosphat[2]: Zu einer Lösung von 0,3 g (0,51 mmol) Bis-[trimethylphosphan]-carbonyl-cyclopentadienyl-kobalt-bis-[hexafluorophosphat] in 18 *ml* Aceton wird flüssiges Ammoniak zugetropft, bis die gelbe Lösung einen rötlichen Farbton angenommen hat. 200 *ml* Diethylether werden zugesetzt, und die Lösung wird auf −25° abgekühlt. Der dabei gebildete tief gelbe Niederschlag wird abfiltriert, mit Diethylether gewaschen und i. Vak. getrocknet. Er kann aus Aceton/Diethylether umkristallisiert werden; Ausbeute: 0,2 g (85%); IR (Nujol): $\nu_{C=O}$ 1613 cm^{-1}.

Auf analoge Weise werden erhalten

Bis-[trimethylphosphan]-cyclopentadienyl-(methylaminocarbonyl)-kobalt	87%
. . .-(ethylaminocarbonyl)-kobalt	84%
(Benzylaminocarbonyl)-bis-[trimethylphosphan]-cyclopentadienyl-kobalt (instabil)	43%

Der Triazenido-Rest wird in folgendem Beispiel unter Bildung eines Kobalt-5-Ringes carbonyliert[3]:

[1] V. L. GOEDKEN, S.-M. PENG u. Y.-A. PARK, Am. Soc. **96**, 284 (1974).
[2] A. SPENCER u. H. WERNER, J. Organometal. Chem. **171**, 209 (1979).
[3] E. PFEIFFER, M. W. KOKKES u. K. VRIEZE, Transition Met. Chem. **4**, 389 (1979).

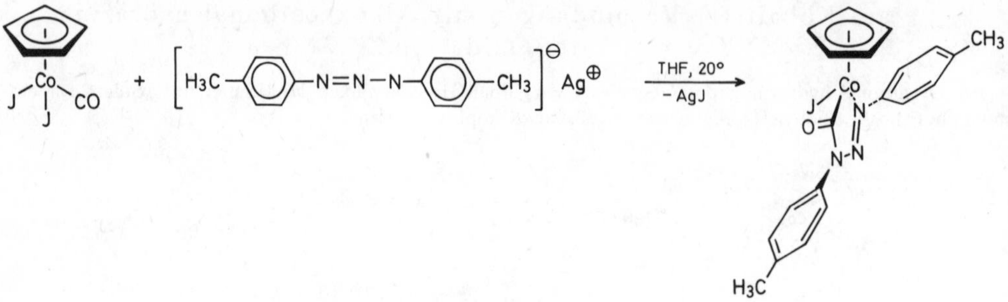

1,3-Bis-[4-methyl-phenyl]-4-cyclopentadienyl-4-jodo-5-oxo-4,5-dihydro-1H-1,2,3,4-triazakobaltol; 50%

3. (Amino-thiocarbonyl)- und (Organothio-iminocarbonyl)-kobalt(III)-Verbindungen

Cyclopentadienyl-isonitril-trimethylphosphan-kobalt reagiert mit Isocyanaten und Isothiocyanaten unter Bildung von Kobalt-Vierring-Komplexen[1,2]. Der Sauerstoff wird *exo*-, der Schwefel in Abhängigkeit vom organischen Rest des Isothiocyanats *exo*- oder *endo*- eingebaut[3], z.B.:

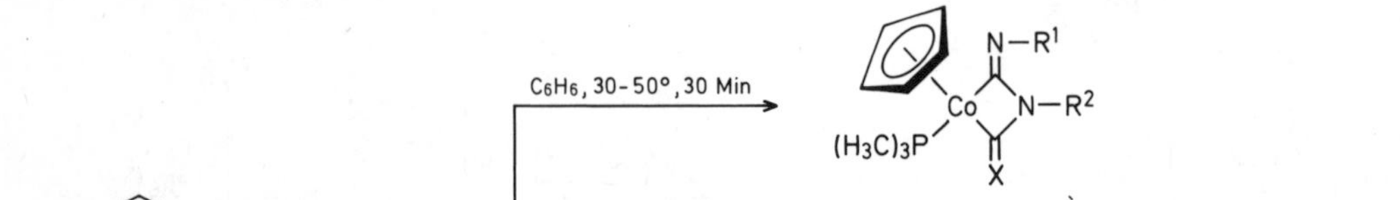

3-(η⁵-Cyclopentadienyl)-...-3-triphenylphosphan-1,3-azakobaltetidin
X = O; R¹ = R² = CH₃; ...-1-methyl-4-methylimino-2-oxo-...; 80%; F: 148° (Zers.)
R¹ = CH₃; R² = C₆H₅; ...-4-methylimino-2-oxo-1-phenyl-...; 86%; F: 128° (Zers.)
R¹ = C₆H₅; R = CH₃; ...-1-methyl-2-oxo-4-phenylimino-...; 75%; F: 116° (Zers.)
X = S; R¹ = R² = CH₃; ...-1-methyl-4-methylimino-2-thioxo-...; 85–95%; F: 117° (Zers.)

3-(η⁵-Cyclopentadienyl)-...-3-trimethylphosphan-1,3-thiakobaltetan;
X = S; R¹ = CH₃; R² = C₆H₅; ...-4-methylimino-2-phenylimino-...

Bis-[trimethylphosphan]-cyclopentadienyl-kobalt bildet mit Isothiocyanaten unter Cycloaddition Komplex I (bis 8%)[4].

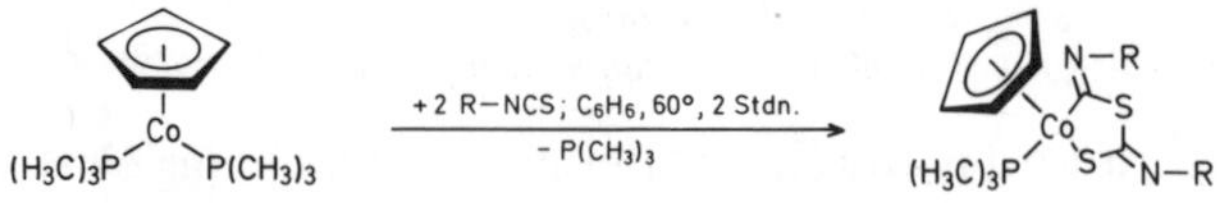

I

---

[1] H. Werner, B. Heiser u. C. Burschka, B. **115**, 3069 (1982).
[2] H. Werner, Pure & Appl. Chem. **54**, 177 (1982).
[3] Zum Reaktionsmechanismus und zum intramolekularen Austausch der Imino-Gruppen s. Lit. Die *exo*-cyclischen Imino- und Thio-Gruppen können durch Trimethyloxonium-tetrafluoroborat methyliert werden.
[4] H. Werner, S. Lotz u. B. Heiser, J. Organometal. Chem. **209**, 197 (1981).

V. Organo-kobalt(IV)-Verbindungen

Durch Umsetzung von Kobalt(II)-halogeniden mit Grignard-Verbindungen lassen sich Halogeno-organo-kobalt(IV)-Komplexe herstellen, die keine stabilisierende Liganden enthalten[1-3].

Die Stabilität der Verbindungen und die Ausbeuten nehmen in folgender Reihe ab:

1-Naphthyl > 2-Naphthyl > Phenyl > aliphat. Reste

Jodid > Bromid

Die Beständigkeit der Organo-kobalt(IV)-Verbindungen nimmt in folgender Reihenfolge ab:

$$RCoJ_3 > R_2CoX_2 \ (X = Br, J) > RCoBr_3 \cdot R_2CoBr_2$$

Um Magnesium-freie Verbindungen zu erhalten, muß das Kobalt(II)-halogenid vorgelegt werden. Sie können durch Benzol extrahiert und aus dem Extrakt mit Petrolether oder 1,4-Dioxan ausgefällt werden. 1,4-Dioxan hat dabei den Nachteil, daß es die primär gebildeten Organo-trihalogeno-kobalt-Komplexe langsam zersetzt, wobei zunächst ein Dihalogeno-diorgano-kobalt(IV) entsteht, das in einen Komplex der ungefähren Zusammensetzung Halogeno-triorgano-kobalt übergeht.

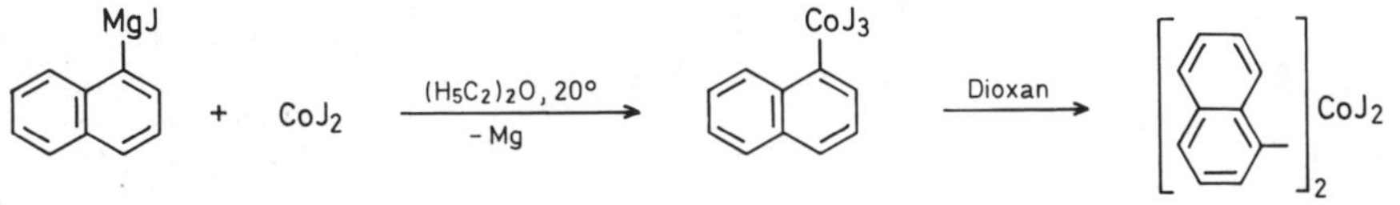

(1-Naphthyl)-trijodo-kobalt; 60%; Zers.p.: 150–160°

Dijodo-(di-1-naphthyl)-kobalt; Zers.p.: 150°

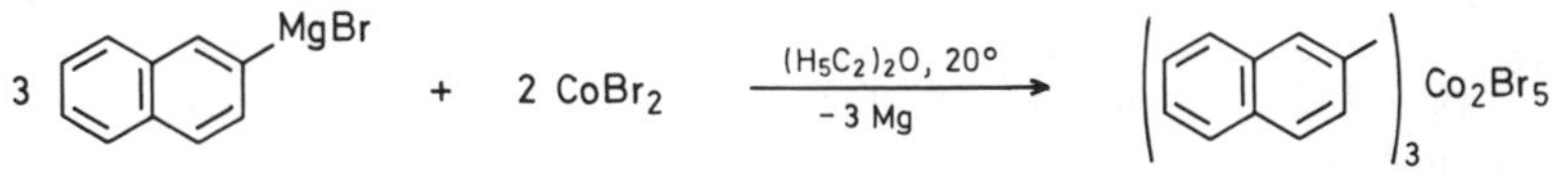

Pentabromo-(tri-2-naphthyl)-dikobalt; 9%; Zers. 150–160°

Wasserfreies Kobalt(II)-chlorid bildet mit 1-Lithium-bicyclo[2.2.1]heptan *Tetrakis-{bicyclo[2.2.1]hept-1-yl}-kobalt* (47%)[4,5].

Organo-kobalt(III)-Chelat-Komplexe können in Dichlormethan- oder Methanol/Wasser-Lösung mit einer stöchiometrischen Menge an Brom, Blei(IV)-oxid, Cer(IV)-nitrat oder Hexachloro-iridat(IV)-Dianion unter Erhalt der R–Co-Bindung oxidiert werden[6-8]:

[1] D.L. INGLES u. J.B. POLYA, Soc. **1949**, 2280; Nature **164**, 447 (1949).
[2] D.A.E. BRIGGS u. J.B. POLYA, Soc. **1951**, 1615.
[3] Es gibt keine neuere Lit., die das Ergebnis dieser Arbeiten bestätigt.
[4] B.K. BOWER u. H.G. TENNANT, Am. Soc. **94**, 2512 (1972).
[5] B.K. BOWER, M. FINDLAY u. J.C.W. CHIEN, Inorg. Chem. **13**, 759 (1974).
[6] J. HALPERN, J. TOPICH u. K.I. ZAMARAEV, Inorg. Chim. Acta **20**, L21 (1976).
[7] J. HALPERN, M.S. CHAN, J. HANSON, T.S. ROCHE u. J.A. TOPICH, Am. Soc. **97**, 1606 (1975).
[8] P. ABLEY, E.R. DOCKAL u. J. HALPERN, Am. Soc. **94**, 659 (1972).

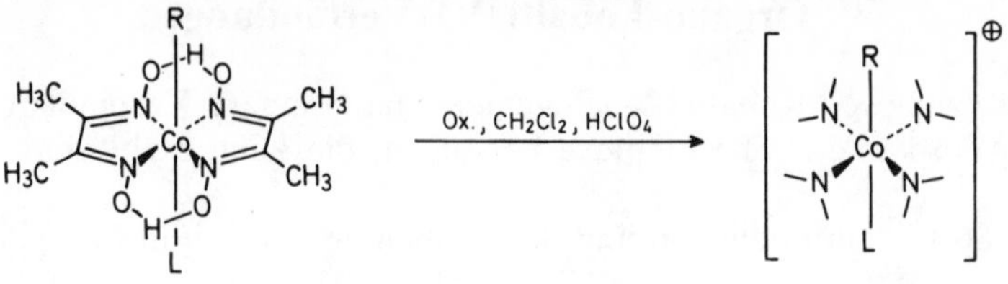

z.B.: R = CD$_3$, C$_2$H$_5$, CH(CH$_3$)$_2$, CH$_2$—◯—X   (X = H, Cl, NO$_2$, C$_6$H$_5$)
L = H$_2$O, Pyridin

Die Lösungen der durch Oxidation mit Cer(IV)-nitrat hergestellten Organo-kobalt(IV)-Kationen sind bei −78° mehrere Stdn. stabil.

Nach derselben Methode wird bei −60° in methanolischer Lösung das optisch aktive *Bis-[dimethylglyoximato]-(1-methyl-heptyl)-kobalt*(IV)-Kation hergestellt[1].

Die Organo-kobalt(IV)-Chelat-Kation-Komplexe können auch in Acetonitril oder Dichlormethan durch Elektrooxidation hergestellt werden[2]; z.B.:

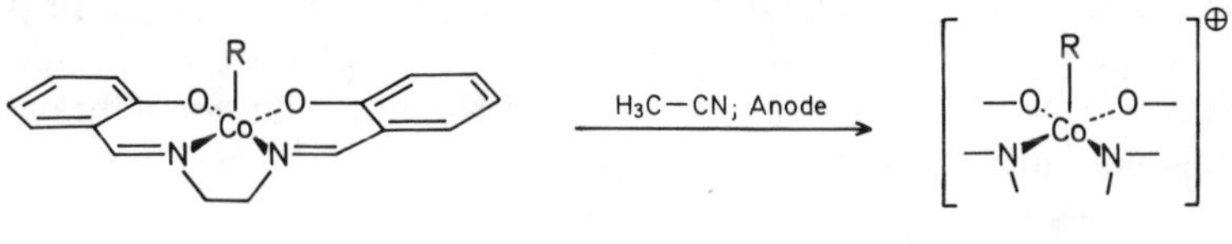

Bis-[dimethylglyoximato]-...-kobalt
z.B.: R = CH$_3$; ...-*methyl*-...
R = CH(CH$_3$)$_2$; ...-*isopropyl*-...
R = C$_4$H$_9$; ...-*butyl*-...

VI. Organo-dikobalt-Verbindungen mit Co—Co-Bindung

In diesem Abschnitt werden Verbindungen besprochen, die mindestens eine Metall-Metall-Bindung besitzen.

Mehrere σ-Organo-dikobalt-Komplexe haben formal die Oxidationsstufe 0 oder 2 und paaren ihr zunächst freies Elektron in der Co—Co-Bindung.

Im Gegensatz dazu besitzen die Kobaltole I ein Kobalt-Atom in der Oxidationsstufe 3. Ein zweiter Kobalt-Rest in der Oxidationsstufe 1 ist über eine Metall-Metall-Bindung und einer zusätzlichen π-Bindung mit dem Kobaltol-Ring verknüpft:

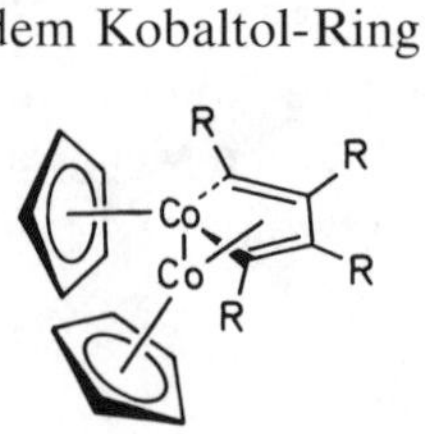

I

Dikobalt-Verbindungen mit Carbonyl- und Isonitril-Brücken (II, III), ohne einen weiteren organischen Rest am Kobalt-Atom, werden als anorganische Komplexe angesehen und daher in ds. Handb. nicht beschrieben.

---

[1] R. H. Magnuson, J. Halpern, I. Levitin u. M. E. Volpin, Chem. Commun. **1978**, 44.
[2] I. Levitin, A. Sigan u. M. E. Volpin, Chem. Commun. **1975**, 469.

II   III

Die wenigen bekannten einkernigen Carben-Komplexe von Kobalt sind extrem thermolabil. Dagegen sind die zweikernigen Kobalt-Komplexe mit Carben-Brückenliganden und Metall-Metall-Bindung recht stabil.

a) aus Kobalt(-I)-Verbindungen

Das Tetracarbonyl-kobalt(-I)-Anion bildet mit Benzoesäure-chlorid-phenylimid einen dimeren Carben-verbrückten Kobalt-Komplex I, dessen Kobalt-Atome formal die Oxidationsstufe +1 besitzen[1]. Wird die Reaktion in Gegenwart von Triphenylphosphan durchgeführt, so entsteht ein monomerer Iminoacyl-kobalt(I)-Komplex II (s.S. 47).

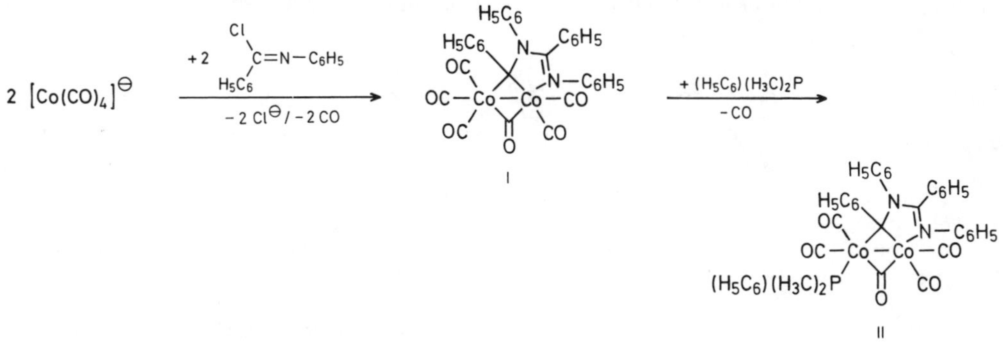

4-Oxo- 1,1,3,3,3-pentacarbonyl- 2-phenyl- 2-[N- (α-phenylimino-benzyl)- anilino- (Co^1-N)]- 1,3-dikobalta-bicyclo[1.1.0]butan[2]: Alle Umsetzungen werden in Standard-Schlenk-Röhren unter Stickstoff durchgeführt. Die Lösungsmittel werden mit Natrium-benzophenon unter Rückfluß erhitzt und unter Stickstoff destilliert. Zu einer Lösung von Natrium-tetracarbonylkobalt, hergestellt bei 20° aus 1,5 g (4,38 mmol) Octacarbonyl-dikobalt in 100 ml THF, werden 1,89 g (8,77 mmol) Benzoylchlorid-phenylimid gegeben. Nach 48 Stdn. wird das Lösungsmittel abgezogen. Der Rückstand wird in Benzol aufgenommen und an Florisil mit Benzol chromatographiert. Eine orange Bande wird eluiert, das Lösungsmittel i. Vak. entfernt, der Rückstand mit Hexan extrahiert und filtriert. Nach Einengen des Extraktes und Kühlen auf −20° entstehen Kristalle; Ausbeute: 62%; F: 140° (Zers.); IR (THF): ν_{CO} 2060(s), 2025(vs), 2000(s), 1975(sh) u. 1810(m) cm^{-1}.

4-Oxo-2-phenyl-2-[N- (α-phenylimino-benzyl)- anilino-(Co^1-N)]- 1,1,3,3-tetracarbonyl- 3-(dimethyl-phenyl-phosphan)-1,3-dikobalta-bicyclo[1.1.0]butan: 0,29 g (0,45 mmol) des vorab erhaltenen Komplexes werden in 90 ml THF gelöst. Mit einer Spritze werden bei −78° 0,064 ml (0,45 mmol) Dimethyl-phenyl-phosphan zugesetzt. Innerhalb 1 Stde. wird die orange Lösung rot. Sie wird eingeengt und über Aluminiumoxid, das mit 6 Gew.-% Wasser desaktiviert worden ist, mit Benzol chromatographiert. Der Komplex wird als rote Bande eluiert und wie oben aufgearbeitet; Ausbeute: 77%; F: 168–171°; IR (CDCl$_3$): ν_{CO} 1985(s), 1940(m), 1740(m) cm^{-1}.

Alkalimetall- oder Magnesium-[distickstoff-tris-(trimethylphosphan)-kobalt(-I)-at]-Komplexe können mit den Chloro-kobalt- bzw. -nickel-Komplexen unter Bildung von dimeren Kobalt-Verbindungen reagieren[3]:

[1] R.D. Adams, D.F. Chodosh u. N.M. Golembeski, J. Organometal. Chem. **139**, C 39 (1977).
[2] R.D. Adams, D.F. Chodosh, N.M. Golembeski u. E.C. Weissman, J. Organometal. Chem. **172**, 251 (1979).
[3] H.-F. Klein, J. Wenninger u. U. Schubert, Z. Naturf. **34 B**, 1391 (1980).

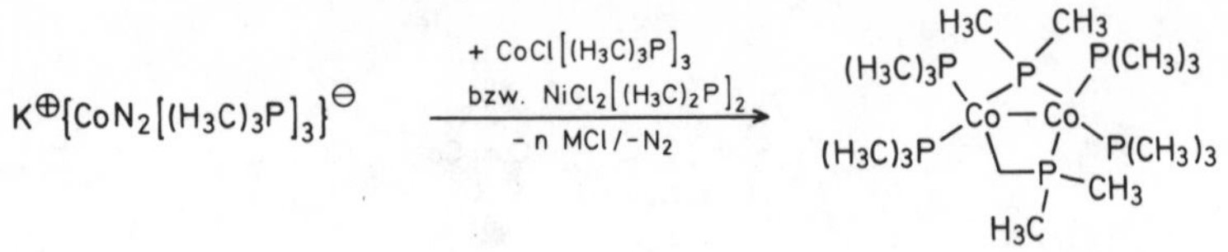

$$K^{\oplus}\{CoN_2[(H_3C)_3P]_3\}^{\ominus} \xrightarrow[\substack{bzw.\ NiCl_2[(H_3C)_2P]_2 \\ -n\ MCl\ /\ -N_2}]{+\ CoCl[(H_3C)_3P]_3}$$

μ-Dimethylphosphido-1-[dimethylphosphano-methyl-(Co²-P)]-1,1,2,2-tetrakis-[trimethylphosphan]-diko-balt[1]: Zu 1360 mg (3,84 mmol) Kalium-[distickstoff-tris-(trimethylphosphan)-kobaltat] in 50 *ml* THF werden unter 1 bar Stickstoff 990 mg (3,07 mmol) Chloro-tris-[trimethylphosphan]-kobalt, gelöst in 30 *ml* THF, bei 20° in 1 Stde. unter Rühren langsam zugetropft. Die dunkelbraune Lösung wird i. Vak. eingeengt, der Rückstand über eine Umkehrfritte mit 50 *ml* Pentan extrahiert, und die Lösung langsam über Trockeneis gekühlt. Nach dem Dekantieren, 2maligem Waschen mit je 5 *ml* Pentan bei −20° und Trocknen i. Vak. erhält man braunviolette Kristalle; Ausbeute: 1000 mg (52%; bez. auf Kobalt).

Durch Umsetzung von Natrium-tetracarbonylkobaltat mit Chlor-difluor-acetylchlorid in etherischer Lösung bei 0° entsteht zunächst unter Decarbonylierung der Acetyl-Gruppe das instabile *(Chlor-difluor-methyl)-tetracarbonyl-kobalt*, das sich rasch zersetzt[2]. Bei 5tägigem Erhitzen der Verbindung in Diethylether auf 55° wird der Alkyl-Komplex vollständig zersetzt, wobei u.a. auch Dikobalt-Verbindungen entstehen[3]:

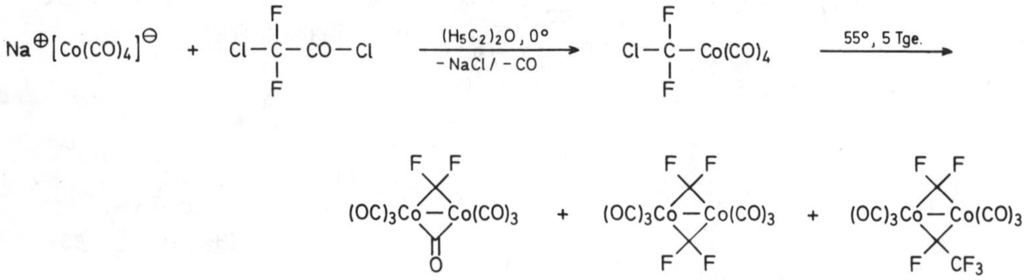

...-1,3-dikobalta-bicyclo[1.1.0]butan

II	III	IV
4,4-Difluor-hexa-carbonyl-2-oxo-...	Hexacarbonyl-2,2,4,4-tetrafluor-...	Hexacarbonyl-2,4,4-trifl. 2-trifluormethyl-...
(leicht flüchtig)	(leicht flüchtig)	(nicht isolierbar)

Beim Verhältnis Acylchlorid: Kobaltat von 1:2 entstehen die Komplexe II und III zu 77%.

Nitrosyl-tricarbonyl-kobalt reagiert beim Belichten mit Dibrom-difluor-methan in geringer Ausbeute zum *Hexacarbonyl-2,2,4,4-tetrafluor-1,3-dikobalta-bicyclo[1.1.0]-butan[4]* (Sbl.p.: 45°):

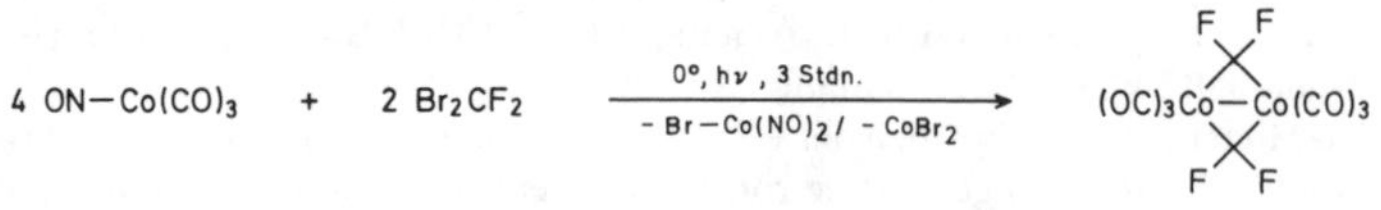

b) aus Kobalt(0)-Verbindungen oder Kobalt-Atomen

Octacarbonyl-dikobalt und seine Derivate sind leicht zugängliche und relativ stabile Verbindungen, die sich unter Erhalt der Co–Co-Bindung in verschiedene σ-Organo-kobalt-Komplexe umwandeln lassen.

---

[1] H.-F. KLEIN, J. WENNINGER u. U. SCHUBERT, Z. Naturf. **34 B**, 1391 (1980).

[2] F. SEEL u. R.-D. FLACCUS, J. Fluorine Chem. **12**, 81 (1978).

[3] Als Nebenprodukt entsteht in 15%iger Ausbeute der Fluormethyliden-trikobalt-Komplex (s. S. 187).

[4] F. SEEL u. G.-V. RÖSCHENTHALER, Ang. Ch. **82**, 182 (1970).

Aus Octacarbonyl-dikobalt(0) erhält man mit 2-Diazo-hexafluor-propan das luft-empfindliche *4,4-Bis-[trifluormethyl]-hexacarbonyl-2-oxo-1,3-dikobalta-bicyclo[1.1.0]butan* (54%)[1]:

$$Co_2(CO)_8 \quad + \quad N_2{=}C(CF_3)_2 \quad \xrightarrow[-N_2 / -CO]{C_6H_{14},\ 20°,\ 28\ \text{Tge.}} \quad (OC)_3Co{-}Co(CO)_3$$

Mit Alkinen werden unter Substitution von zwei Kohlenmonoxid-Liganden π-Al-kin-hexacarbonyl-dikobalt-Komplexe gebildet, die mit Kohlenmonoxid unter Druck in Komplexe mit Carben-Brücke umgewandelt werden[2-4]:

$$Co_2(CO)_6(R{-}C{\equiv}CH)$$
$$\left.\begin{array}{l}\\ \\ \\ Co_2(CO)_8 \quad + \quad R{-}C{\equiv}CH \end{array}\right\} \xrightarrow{200\,-\,300\ bar\ CO,\ 70°} (OC)_3Co{-}Co(CO)_3$$

*Hexacarbonyl-4-oxo-1,3-dikobalta-bicyclo[1.1.0]butan-
⟨2-spiro-2⟩-...-2,5-dihydro-furan*

R = H; ...-5-oxo-...[5]; 72%
R = C₃H₇; ...-5-oxo-4-propyl-...[3]; 60%
R = C₆H₁₃; ...-4-hexyl-5-oxo-[3]; 72%
R = C₆H₅; ...-5-oxo-4-phenyl-...; 48³(60⁴)%; F: 162–165°
R = Si(CH₃)₃; ...-5-oxo-4-trimethylsilyl-...[3];

R = [Steroid-Struktur mit OH]   ; ...-4-(16β-hydroxy-3-oxo-4-androsten-16α-yl)-5-oxo-...[3]; 31%

Hexacarbonyl- 4-oxo- 1,3-dikobalta-bicyclo[1.1.0] butan-⟨2-spiro- 2⟩- 4-methyl- 5-oxo- 1,5-dihydrofuran[4]:
Hexacarbonyl-(η^2-propin)-dikobalt und 40 *ml* Petrolether werden in einem 200 *ml* Edelstahl-Schüttelautoklav mit 210 bar Kohlenmonoxid beaufschlagt und 20 Stdn. auf 70° erhitzt. Das gekühlte Reaktionsgemisch wird filtriert, der Niederschlag mit Petrolether gewaschen und darin umkristallisiert; Ausbeute: 16,4 g (65%); F: 109° (Zers.) (rote Kristalle).

Auch mit Diorgano-ethinen verläuft die Umsetzung regioselektiv. Bei verschiedenen Resten geht das sp-C-Atom, das im ^{13}C-NMR-Spektrum einen höheren Wert der chemischen Verschiebung (δ) aufweist, in die 3-Stellung des 5-Oxo-2,5-dihydro-furans, das mit niedrigerem δ-Wert in die 4-Stellung[6].

[1] J. Cooke, W. R. Cullen, M. Green u. F. G. A. Stone, Chem. Commun. **1968**, 170; Soc. [A] **1969**, 1872.
[2] H. W. Sternberg, J. G. Shukys, C. D. Donne, R. Markby, R. A. Friedel u. I. Wender, Am. Soc. **81**, 2339 (1959).
[3] G. Pályi, G. Váradi, A. Vizi-Orosz u. L. Markó, J. Organometal. Chem. **90**, 85 (1975).
[4] D. J. S. Guthrie, I. U. Khand, G. R. Knox, J. Kollmeier, P. L. Pauson u. W. E. Watts, J. Organometal. Chem. **90**, 93 (1975).
[5] O. S. Mills u. G. Robinson, Pr. chem. Soc. **1959**, 156; Inorg. Chim. Acta **1**, 61 (1967).
[6] G. Váradi, I. Vecsei, I. Ötvös, G. Pályi u. L. Markó, J. Organometal. Chem. **182**, 415 (1979).

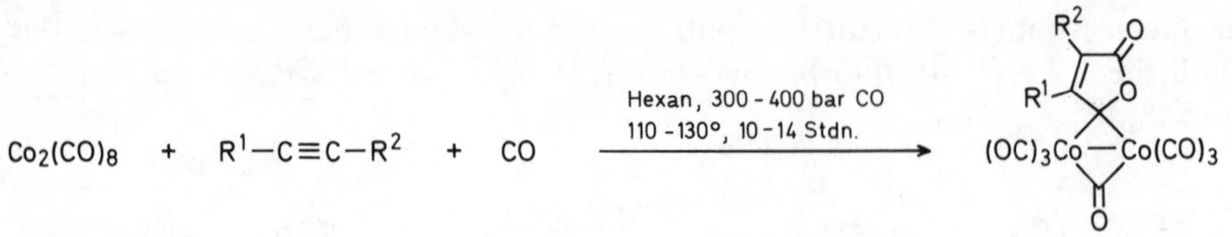

$$Co_2(CO)_8 \ + \ R^1-C\equiv C-R^2 \ + \ CO \ \xrightarrow[110-130°,\ 10-14\ Stdn.]{Hexan,\ 300-400\ bar\ CO} \ $$

(structure: Hexacarbonyl-4-oxo-1,3-dikobalta-bicyclo[1.1.0]butan-
(2-spiro-2).. .-2,5-dihydro-furan)

Hexacarbonyl-4-oxo-1,3-dikobalta-bicyclo[1.1.0]butan-
(2-spiro-2).. .-2,5-dihydro-furan

$R^1 = R^2 = CH_3$; . . .-3,4-dimethyl-5-oxo-. . .; 35%

$R^1 = CH_3$; $R^2 = C_5C_{11}$; . . .-3-methyl-5-oxo-4-pentyl-. . .; 10%

$R^1 = R^2 = C_3H_7$; . . .-3,4-dipropyl-. . .; ~ 1%

Bei der Umsetzung von Octacarbonyl-dikobalt mit Tetrafluorethen entsteht *Nonacarbonyl-C-trifluormethyl-trikobalta-tetrahedran* (III) (s. S. 188)[1,2]. Unter milden Bedingungen können *1,2-Bis-[tetracarbonylkobalto]-tetrafluor-ethan* (I) und *2-Fluor-hexacarbonyl-4-oxo-2-trifluormethyl-1,3-dikobalta-bicyclo[1.1.0]butan* (II) als Zwischenverbindungen isoliert werden. Aus letzterem können durch Substitution von 2 Carbonyl-Liganden durch Phosphan-Derivate stabile Komplexe hergestellt werden.

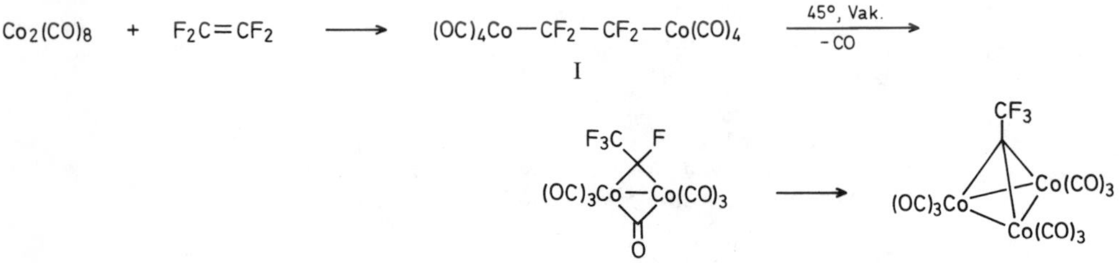

$$Co_2(CO)_8 \ + \ F_2C=CF_2 \ \longrightarrow \ (OC)_4Co-CF_2-CF_2-Co(CO)_4 \ \xrightarrow[-CO]{45°,\ Vak.}$$

I

(structures II and III)

II   III

Eine ähnliche Umlagerung scheint in situ bei der folgenden Reaktion aufzutreten[3]:

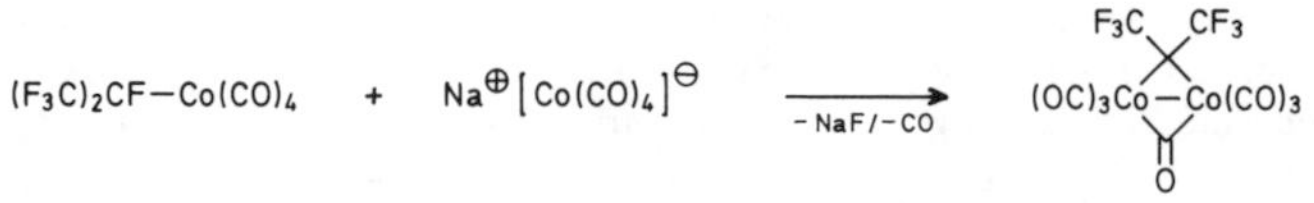

$$(F_3C)_2CF-Co(CO)_4 \ + \ Na^{\oplus}[Co(CO)_4]^{\ominus} \ \xrightarrow{-NaF/-CO} \ (OC)_3Co-Co(CO)_3$$

4,4-Bis-[trifluormethyl]-hexacarbonyl-
2-oxo-1,3-dikobalta-bicyclo[1.1.0]butan

Allen bildet mit Octacarbonyl-dikobalt das an der Luft stabile, in Lösung instabile *1,2-Bis-[3-dehydro-2-methylen-propanoyl-(η³-Co')]-tetracarbonyl-dikobalt*[4]:

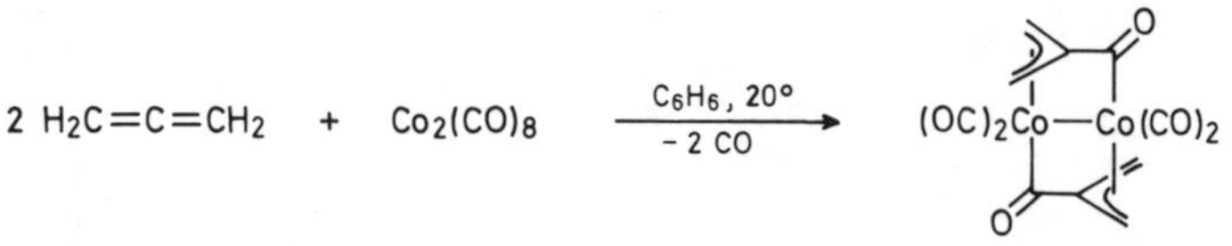

$$2\ H_2C=C=CH_2 \ + \ Co_2(CO)_8 \ \xrightarrow[-2\ CO]{C_6H_6,\ 20°} \ (OC)_2Co-Co(CO)_2$$

Der Isonitril-Komplex IV reagiert mit Jodmethan unter Alkylierung am N-Atom einer Isonitril-Brücke[5]:

[1] B.L. Booth, R.N. Haszeldine, P.R. Mitchell u. J.J. Cox, Chem. Commun. 1967, 529; Soc. [A] 1969, 691.
[2] K.F. Watterson u. G. Wilkinson, Chem. and Ind. 1960, 1358.
[3] B.L. Booth, R.N. Haszeldine u. T. Inglis, Soc. [Dalton] 1975, 1449.
[4] A. Nakamura, Bull. Chem. Soc. Japan 39, 543 (1966).
[5] Y. Yamamoto u. H. Yamazaki, J. Organometal. Chem. 137, C 31 (1977).

IV

Im Unterschied zu den auf S. 175 u. 179 beschriebenen Kobaltol-Komplexen, haben die Kobalt-Atome im Dikobalt-Derivat V die Oxidationsstufe II und 0^1:

$A = (CH_2)_6$ V

2,3; 4,5-Bis-[hexan-1,6-diyl]-1-(η^4-dicarbonylkobalto)-tricarbonyl-kobaltol[1]: Eine Lösung von 0,401 g (1,17 mmol) Octacarbonyl-dikobalt in 150 ml Pentan in einer 250-ml-Schenk-Röhre wird bei 22° unter Stickstoff mit 0,752 g (6facher mol. Überschuß) Cyclooctin behandelt, das mit einer Spritze eingebracht wird. Unter Rühren wird rasch Kohlenmonoxid freigesetzt. Innerhalb 2 Stdn. klingt die Reaktion allmählich ab. Dann leitet man Stickstoff durch die Lösung, bis sie auf ~ 50 ml eingeengt ist. Die bräunlich-gelbe Mischung wird mit Pentan an Florisil chromatographiert. Andere Adsorbentien zersetzen den Komplex. Die erste braune Bande enthält 1,2;3,4;5,6-Tris-[hexan-1,6-diyl]-benzol und Hexacarbonyl-cyclooctin-dikobalt (22%). Die zweite orange Bande enthält neben dem Benzol-Derivat den Kobaltol-Komplex. Beim Einengen des orangen Eluats i. Vak. fallen die orangen, luftstabilen Kristalle des Komplexes aus; Ausbeute: 0,36 g (66%); IR (C_6H_{14}): ν_{CO} 2070(m), 2014(vs), 2006(m) u. 1966(vs) cm^{-1}.

Octacarbonyl-dikobalt bildet mit 3,3-Dimethyl-1-butin in 30%iger Ausbeute eine Tetracarbonyl-dikobalt-Verbindung mit 3-Alkin-Molekülen[2], die auch aus Ethin-hexacarbonyl-dikobalt mit 3,3-Dimethyl-1-butin erhalten wird[3] (zur Struktur s. Lit.[4]).

Mit 3,3,3-Trifluor-propin entsteht neben dem 3,3,3-Trifluor-propylidin-trikobalt-Cluster (s. S. 189), eine ähnlich aufgebaute Hexacarbonyl-dikobalt-Verbindung[5].

Kobalt-Atome und Cyclopentadien bilden mit Alkinen (z.B. Hexafluor-2-butin, 3,3,3-Trifluor-propin, Diphenyl-ethin) eine Vielzahl von Mono-, Di- und Polymetall-Komplexen[6]. Nähere Einzelheiten s. Lit.

c) aus Kobalt(I)-Verbindungen

Kobalt(I)-Reste können ähnlich wie Kobalt(0) durch Methylen-Brücken verknüpft werden, die man z.B. aus Diazo-alkanen erhält.

Cyclopentadienyl-dicarbonyl-kobalt(I) und 2-Diazo-carbonsäure-ester bilden so beim Erhitzen in Benzol den Komplex I^{7-10}.

[1] M.A. BENNETT u. P.B. DONALDSON, Inorg. Chem. **17**, 1995 (1978).

[2] U. KRUERKE, C. HOOGZAND u. W. HÜBEL, B. **94**, 2817 (1961).

[3] C. HOOGZAND u. W. HÜBEL, persönl. Mitt. in: R.S. DICKSON u. P.J. FRASER, Adv. Organometallic Chem. **12**, 349 (1974).

[4] O.S. MILLS u. G. ROBINSON, Pr. chem. Soc. **1964**, 187.

[5] D.A. HARBOURNE, D.T. ROSEVEAR u. F.G.A. STONE, Inorg. Nucl. Chem. Letters **2**, 247 (1966).

[6] M.B. FREEMAN, L.W. HALL u. L.G. SNEDDON, Inorg. Chem. **19**, 1132 (1980).

[7] W.A. HERRMANN, B. **111**, 1077 (1978).

[8] W.A. HERRMANN, I. SCHWEIZER, M. CRESWICK u. I. BERNAL, J. Organometal. Chem. **165**, C 17 (1979).

[9] W.A. HERRMANN u. I. SCHWEIZER, Z. Naturf. **33b**, 1128 (1978).

[10] K.K. MAYER u. W.A. HERRMANN, J. Organometal. Chem. **182**, 361 (1979); Massenspektroskopische Untersuchungen.

Beim Belichten in Tetrahydrofuran bei −90° entsteht zusätzlich ein Komplex (dunkelgrün) II, der sich in Dichlormethan bei 20° rasch in den Komplex I umlagert[1]:

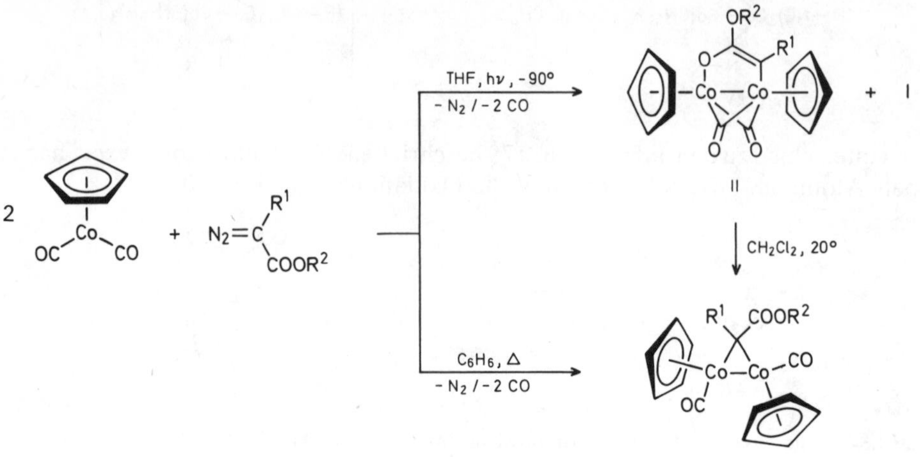

1,2-Bis-[cyclopentadienyl]-. . .-1,2-dikobaltiran

z.B.: R^1 = H; R^2 = C$_2$H$_5$; . . .-*1,2-dicarbonyl-3-ethoxycarbonyl-*. . .; 44%
R^2 = C(CH$_3$)$_3$; . . .-*3-(tert.-butyloxycarbonyl)-1,2-dicarbonyl-*. . .; 66%
R^1 = COOCH$_3$; R^2 = CH$_3$; . . .-*1,2-dicarbonyl-3,3-dimethoxycarbonyl-*. . .; 57%

1,2-Bis-[cyclopentadienyl]-1,2-dicarbonyl-3,3-diethoxycarbonyl-1,2-dikobaltiran (R^1 = COOC$_2$H$_5$; R^2 = C$_2$H$_5$)[2]: 1,08 g (6 mmol) Cyclopentadienyl-dicarbonyl-kobalt und 1,12 g (6 mmol) Diazomalonsäure-diethylester werden in 30 *ml* Benzol 10 Stdn. unter Rückfluß gekocht. Die sich unter Gas-Entwicklung braun färbende Lösung wird i. Wasserstrahlvak. eingeengt. Flüchtige Anteile entfernt man i. Hochvak. Die rohe Verbindung wird durch Säulenchromatographie bei 15° (Wasserkühlung) gereinigt. Zuerst wird wenig Ausgangskomplex mit Benzol eluiert und dann der dimere Komplex mit Diethylether. Die Verbindung wird durch Umkristallisation aus einer nahezu ges. Diethylether-Lösung bei −35° nachgereinigt. Es fallen schwarze nadelförmige Kristalle aus; Ausbeute: 887 mg (64%); Zers. >130°; IR (KBr): ν$_{CO}$ 1976(vs, sh), ν$_{OC=O}$ 1677(s) cm^{-1}.

Analog erhält man mit 2-Diazo-1,3-dioxo-indan bereits in siedendem Benzol 11% *1,2-Bis-[cyclopentadienyl]-1,2-dicarbonyl-1,2-dikobaltiran-⟨3-spiro-2⟩-1,3-dioxo-indan* (Zers.p.: >143°)[3]:

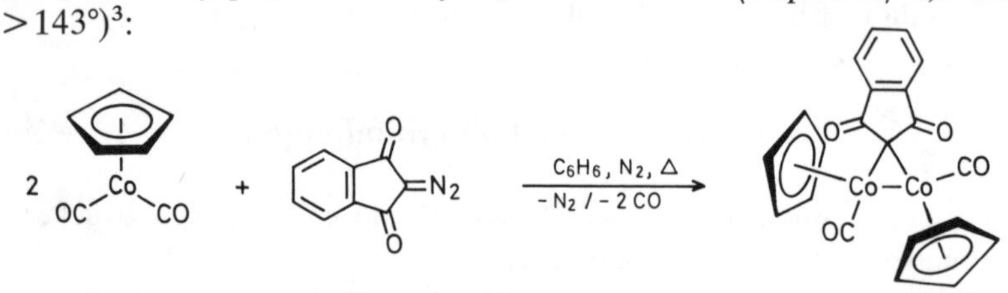

Diphenyl-diazomethan und Cyclopentadienyl-dicarbonyl-kobalt bilden beim Erhitzen oder Belichten das extrem luftempfindliche *1,3-Bis-[cyclopentadienyl]-4,4-diphenyl-2-oxo-1,3-dikobalta-bicyclo[1.1.0]but-1^3-en^4* (65%; Zers.p.: >90°):

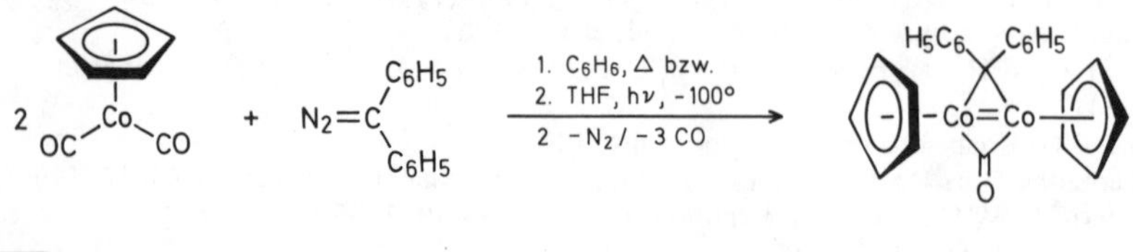

[1] W. A. HERRMANN, I. SCHWEIZER, M. CRESWICK u. I. BERNAL, J. Organometal. Chem. **165**, C 17 (1979).
[2] W. A. HERRMANN, B. **111**, 1077 (1978).
[3] M. CRESWICK, I. BERNAL, W. A. HERRMANN u. I. STEFFL, B. **113**, 1377 (1980).
[4] W. A. HERRMANN u. I. SCHWEIZER, Z. Naturforsch. **33 b**, 911 (1978).

Zur Umwandlung von Cyclopentadienyl-η^4-hexatrien-kobalt in 2-kernige Komplexe s. Lit.[1].

Mit 3-Oxo-2-oxa-bicyclo[2.2.0]hex-5-en erhält man beim Belichten über die Komplexe I und II letztlich *1-Cyclopentadienyl-1-(η^4-cyclopentadienylkobalta)-kobaltol*, das zu 54% auch aus dem π-Komplex II mit Cyclopentadienyl-dicarbonyl-kobalt zugänglich ist[2-4]:

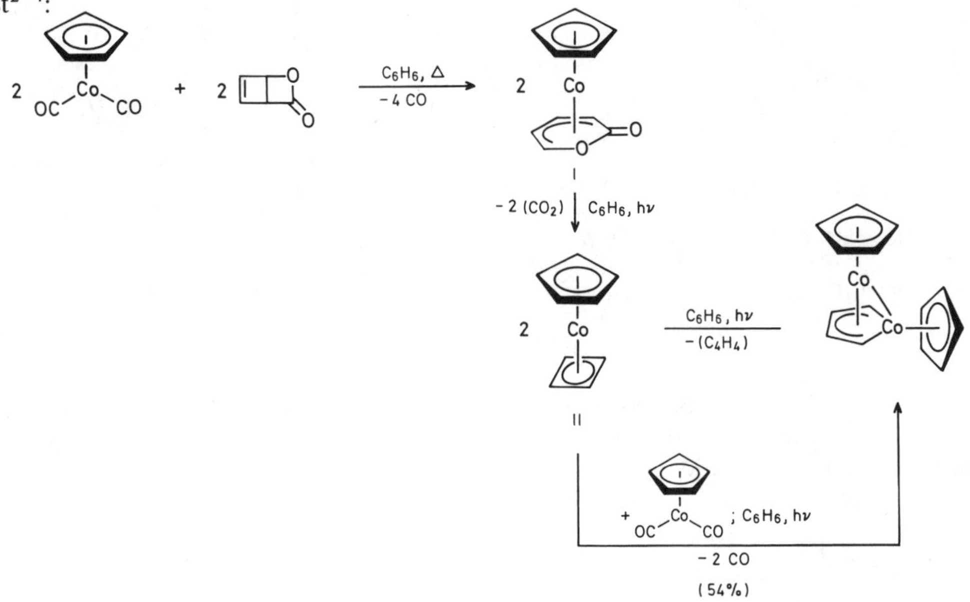

Beim Erhitzen von Tetracarbonyl-trimethylsilyl-kobalt ohne Lösungsmittel entsteht neben *Nonacarbonyl-4-trimethylsilyloxy-trikobaltatetrahedran* (s. S. 196) *Tetracarbonyl-2,3,5,6-tetrakis-[trimethylsilyloxy]-1,4-dikobalta-bicyclo[2.2.0]hexa-2,5-dien*[5]:

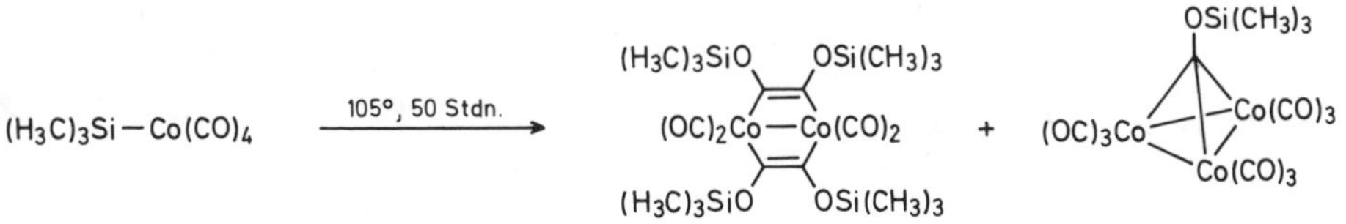

III/IV = 2/1, Ausbeute von III + IV: 65% bez. a. Si(CH$_3$)$_3$

Thiacyclobutene bilden mit Dicarbonyl-cyclopentadienyl-kobalt beim Belichten in Hexan monomere Kobalt-Verbindungen, die durch Behandeln mit Triphenylmethyl-, Tropylium-tetrafluoroborat oder Tropylium-hexafluorophosphat unter Hydrid-Abspaltung in die Dikobalt-Verbindungen umgewandelt werden[6,7].

2,4-Hexadiin und 1,4-Diphenyl-butadiin bilden mit Cyclopentadienyl-dicarbonyl-kobalt eine Vielzahl von Verbindungen, näheres s. Lit.[8].

Cyclopentadienyl-(diphenyl-ethin)-triphenylphosphan-kobalt liefert mit Diazoessig-säure-alkylestern neben zwei monomeren eine dimere Kobalt-Verbindung.

[1] J. A. KING u. K. P. C. VOLLHARDT, Am. Soc. **105**, 4846 (1983).
[2] M. ROSENBLUM u. B. NORTH, Am. Soc. **90**, 1060 (1968).
[3] M. ROSENBLUM, W. P. GIERING, B. NORTH u. D. WELLS, J. Organometal. Chem. **28**, C 17 (1971).
[4] M. ROSENBLUM, B. NORTH, D. WELLS u. W. P. GIERING, Am. Soc. **94**, 1239 (1972).
[5] W. M. INGLE, G. PRETI u. A. G. MACDIARMID, Chem. Commun. **1973**, 497.
[6] D. C. DITTMER, K. TAKAHASHI, M. IWANAMI, A. I. TSAI, P. L. CHANG, B. B. BILDNER u. I. K. STAMOS, Am. Soc. **98**, 2795 (1976); Strukturvorschläge.
[7] D. C. DITTMER, P. L. CHANG, F. A. DAVIS, M. IWANAMI, I. K. STAMOS u. K. TAKAHASHI, J. Org. Chem. **37**, 1111 (1972).
[8] R. S. DICKSON u. L. J. MICHEL, Austral. J. Chem. **28**, 285 (1975).

Die relativen Ausbeuten von Monomer- zu Dimerkomplexen hängen vom Verhältnis Diazo-Verbindung zu Kobalt ab. Wenn es erhöht wird, nimmt der Dimeranteil ab. Die Komplexe werden säulenchromatographisch isoliert[1].

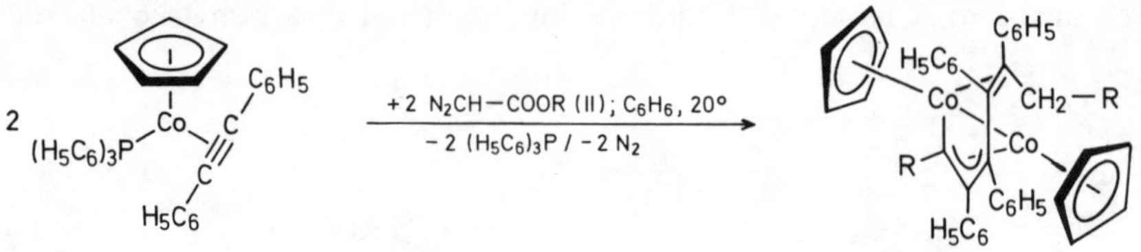

1,2-Bis-[cyclopentadienyl]-...-dikobalt

R = CH$_3$[II : I = 1,5(3)]; ...-1-[(Co^1-4,5-η^2;Co^2-1,2,3-η^3)-1-methyl-2,3,4,5-
tetraphenyl-3-dehydro-1,4-heptadienyl]-...; 42(32)%; F: 208–210°
R = C$_2$H$_5$[II : 1 = 2,2(10)]; ...-1-[(Co^1-4,5-η^2;Co^2- 1,2,3-η^3)-1-ethyl- 3-dehydro-2,3,4,5-tetraphenyl-
1,4-octadienyl]-...; 46(9)%; F: 183–185°
R = C(CH$_3$)$_3$(II : I = 1,5); ...-1-[(Co^1-4,5-η^2;Co^2- 1,2,3-η^3)-1-tert.- butyl-7,7-dime-
thyl-2,3,4,5-tetraphenyl-3-dehydro-1,4-octadienyl]-...;
20%; F: 143–145°

Cyclopentadienyl-dicarbonyl-kobalt wird mit Natrium-Amalgam zu einem dimeren Radikalanion-Komplex reduziert, der durch Behandeln mit Bis-[triphenylphosphan]-iminium-chlorid sein Kation austauscht. Das Kobaltat reagiert mit Jodmethan zum *trans*-1,2-Bis-[cyclopentadienyl]-μ,μ-dicarbonyl-1,2-dimethyl-dikobalt ($\sim 100\%$)[2,3]:

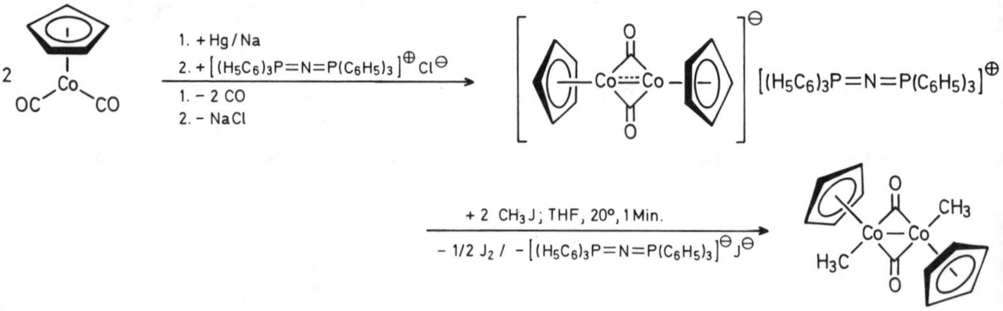

Auf analoge Weise wird *1,2-[Co^1- η^5; Co^2- η^5- Bis-(cyclopentadienyl)-methan]- μ,μ-dicarbonyl-cis-1,2-dimethyl-dikobalt* erhalten[4]:

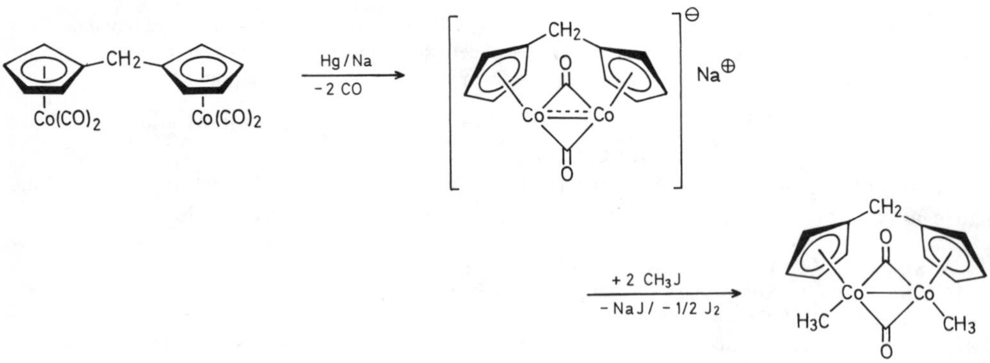

[1] P. Hong, K. Aoki u. H. Yamazaki, J. Organometal. Chem. **150**, 279 (1978).
[2] N.E. Schore, C.S. Ilenda u. R.G. Bergman, Am. Soc. **98**, 7436 (1976).
[3] N.E. Schore, C.S. Ilenda u. R.G. Bergman, Am. Soc. **98**, 256 (1976).
[4] H.E. Bryndza u. R.G. Bergman, Am. Soc. **101**, 4766 (1979).

Durch Behandeln des Dikobalt-Radikalanion-Komplexes I mit 1,n-Dihalogen- alkan-Verbindungen entstehen Dikobaltcyclopentan- bzw. Dikobaltacyclohexan-Derivate[1,2]:

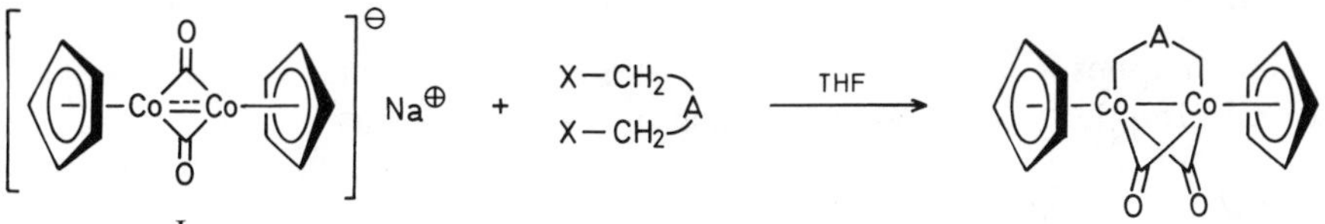

I

A = CH_2, X = J; *1,5-Bis-[η^5- cyclopentadienyl]-6,7-dioxo-1,5-dikobalta-tricyclo[3.1.1.0^{1,5}]heptan*; 42%;
F: 170° Zers.
A = $(CH_2)_2$, X = J; *1,6-Bis-[. . .]-7,8-dioxo-1,6-dikobalta-tricyclo[4.1.1.0^{1,6}]octan*; 18%; F: 100° Zers.
A = ⟨benzene⟩, X = Br bzw. J; *1,6-Bis-[. . .]-7,8-dioxo-⟨benzo-1,6-dikobalta-tricyclo[4.1.1.0^{1,6}]oct-3-en⟩*; 40%;
F: 109° Zers.

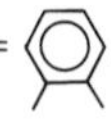

Mit *gem*-Dijod-alkanen werden Dikobaltocyclopropane erhalten[3,4]:

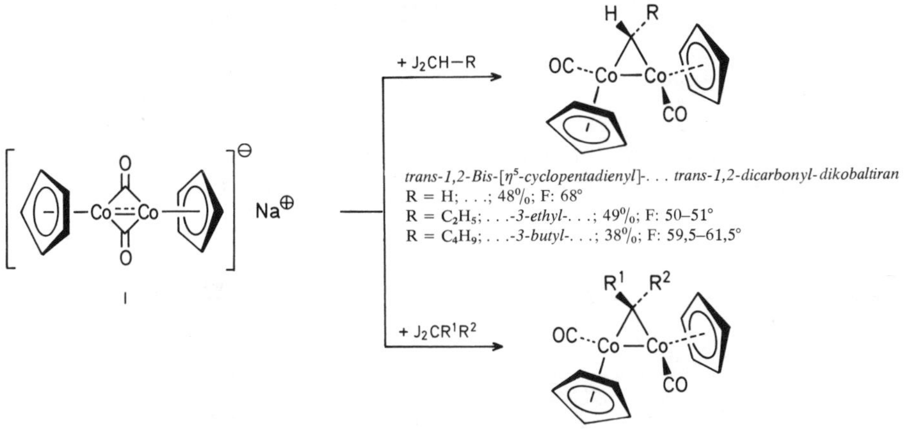

+ J_2CH—R

trans-1,2-Bis-[η^5-cyclopentadienyl]-. . . trans-1,2-dicarbonyl- dikobaltiran
R = H; . . .; 48%; F: 68°
R = C_2H_5; . . .-3-ethyl-. . .; 49%; F: 50–51°
R = C_4H_9; . . .-3-butyl-. . .; 38%; F: 59,5–61,5°

+ $J_2CR^1R^2$

cis-1,2-Bis-[η-cyclopentadienyl]-. . . cis-1,2-dicarbonyl-dikobaltiran
$R^1 = R^2 = CH_3$; . . .-3,3-dimethyl-. . .; 20%; F: 97–98°
$R^1 = CH_3$; $R^2 = C_3H_7$; . . .-3-methyl-3-propyl-. . .; 14%; F: 58–61°

Carbene, die durch Oxidation von Hydrazon mit Mangandioxid unter Stickstoff-Abspaltung hergestellt werden, lagern sich an die Co,Co-Doppelbindung von Komplex II[5]:

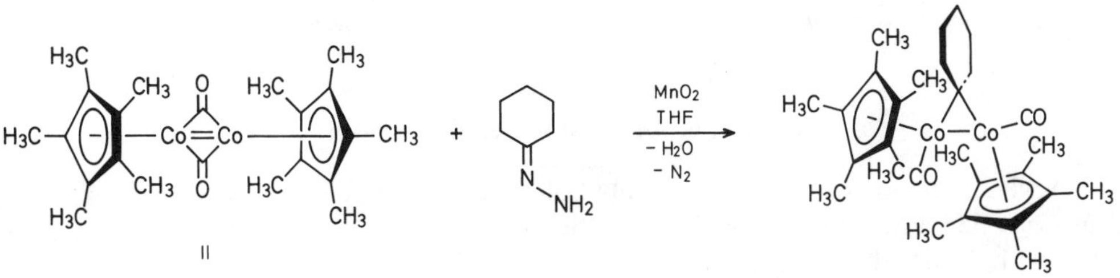

1,2-Bis-[η^5-pentamethyl-cyclopentadienyl]-1,2-dicarbonyl-1,2-dikobalta-spiro[2.5]octan;
86–96%; Zers. >140°; F: 244°

[1] K.H. THEOPOLD u. R.G. BERGMAN, Am. Soc. **102**, 5694 (1980); Organometallics **1**, 1571 (1982).
[2] K.H. THEOPOLD u. R.G. BERGMAN, Am. Soc. **103**, 2489; W.H. HERSH u. R.G. BERGMAN, Am. Soc. **103**, 6992 (1981); W.H. HERSH, F.J. HOLLANDER u. R.G. BERGMAN, Am. Soc. **105**, 5834 (1983).
[3] K.H. THEOPOLD u. R.G. BERGMAN, Am. Soc. **105**, 464 (1983).
[4] Der *trans*-Komplex steht mit seinem *cis*-Isomeren in Lösung im Gleichgewicht. Normalerweise überwiegt das *trans*-Isomere (95%). Beim Dialkyl-methylen-Komplex findet man in Lösung Carbonyl-Brücken. Der Komplex verliert beim Erhitzen und Belichten eine Carbonyl-Gruppe.
[5] W.A. HERRMANN, C. BAUER u. K.K. MAYER, J. Organometal. Chem. **236**, C 18 (1982).

Die Co,Co-Doppelbindung reagiert auch mit Ethin bei gleichzeitiger Insertion von Kohlenmonoxid in die Co,C-Bindung (s. Lit.[1]).

Bis-[μ-carbonyl-(η^5-pentamethylcyclopentadienyl)-kobalt] *(Co–Co)* bildet mit Diazo-alkanen verschiedene Dikobaltairane[2].

Bis-[trimethylphosphan]-dimethyl-nitrosyl-kobalt lagert sich leicht unter Einschiebung der Nitrosyl-Gruppe in eine C–Co-Bindung und Dimerisierung des Komplexes um[3]:

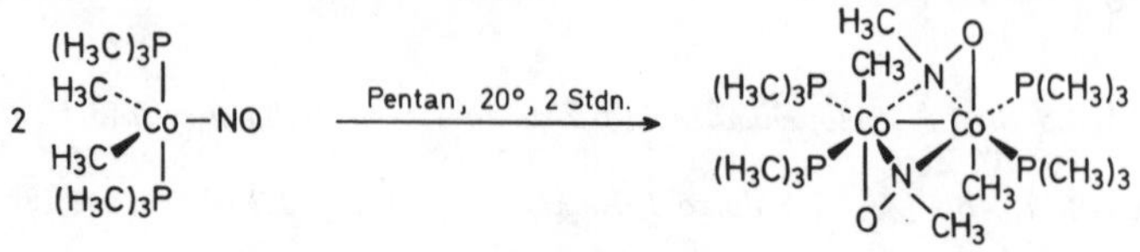

μ(O,N); μ(N,O)-Bis-[nitrosomethan-(Co^1–N^2; Co^2–N^1)]-
1,2-dimethyl-1,1,2,2-tetrakis-[trimethylphosphan]-dikobalt; 85%; Zers.p.: >122°

d) aus Kobalt(II)-Verbindungen

Zur Synthese von Trilithium-tetraphenyldikobalt(0)at s. Lit.[4].

Kobalt(II)-chlorid reagiert mit Butyl-lithium, 1,2,3,4,5-Pentamethyl-cyclopentadien und Tetrahydrofuran unter Bildung von *1,3-Bis-[pentamethylcyclopentadienyl]-2-oxo-1,3-dikobalta-bicyclo[1.1.0]but-1^3-en* (22%; bez. auf Co)[5]:

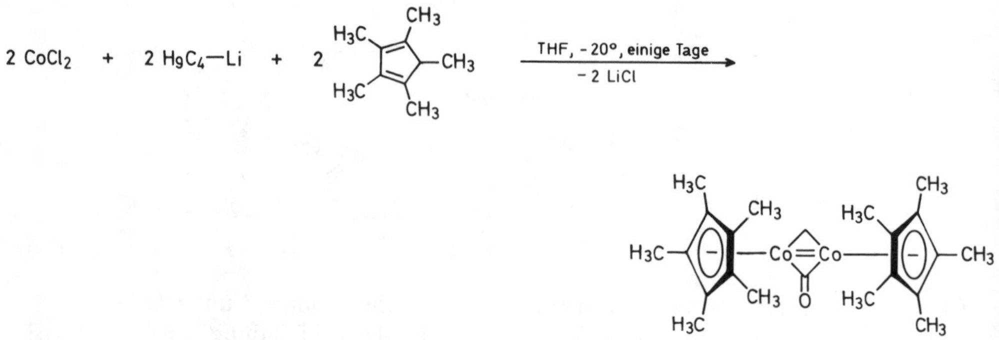

Zur Umsetzung von *Tricarbonyl-bis-[pentafluorphenylthio]-kobalt* mit Hexafluor-2-butin s. Lit.[6].

e) aus Kobalt(III)-Verbindungen

4-Acyl-2,3-dihydro-3-oxo-1,2-oxakobaltole setzen sich in Gegenwart von überschüssigem Cyclopentadienyl-dicarbonyl-kobalt beim Erhitzen in Benzol quantitativ zu 3,3-Diacyl-1,2-dikobaltiranen um[7]:

[1] W.A. HERRMANN, C. BAUER u. J. WEICHMANN, J. Organometal. Chem. **243**, C 21 (1983).
  W.A. HERRMANN, C. BAUER u. A. SCHÄFER, J. Organometal. Chem. **256**, 147 (1983).
[2] W.A. HERRMANN, J.M. HUGGINS, B. REITER u. C. BAUER, J. Organometal. Chem. **214**, C 19 (1981).
[3] H.-F. KLEIN u. H.H. KARSCH, B. **109**, 1453 (1976).
[4] R. TAUBE u. N. STRANSKY, Z. anorg. Chem. **490**, 91 (1982).
[5] T.R. HALBERT, M.E. LEONOWICZ u. D.J. MAYDONOVITCH, Am. Soc. **102**, 5101 (1980): Die Methylen- und CO-Gruppe stammen aus dem Lithium-enolat des Acetaldehyds, das aus Butyl-lithium mit THF gebildet wird.
[6] J.L. DAVIDSON u. D.W.A. SHARP, Soc. [Dalton] **1975**, 2283.
[7] W.A. HERRMANN, I. STEFFL, M.L. ZIEGLER u. K. WEIDENHAMMER, B. **112**, 1731 (1980).

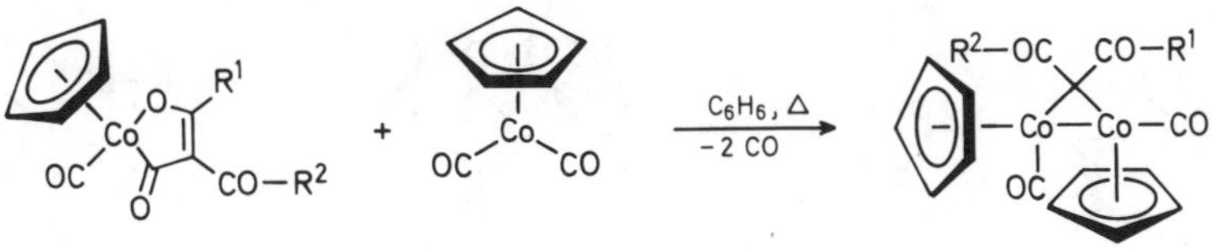

1,2-Bis-[cyclopentadienyl]-1,2-dicarbonyl-...-1,2-dikobaltiran
$R^1 = R^2 = OCH_3$; ....-3,3-dimethoxycarbonyl-...
$R^1 = R^2 = OC(CH_3)_3$; ....-3,3-di-tert.-butyloxycarbonyl-...; F: 171–176°
$R^1 = OC(CH_3)_3$; $R^2 = CH_3$; ...-3-acetyl-3-tert.-butyloxycarbonyl-...

Bei der Reduktion von Carbonyl-cyclopentadienyl-dijodo-kobalt mit Natriumamalgam in Gegenwart von 2-Butin wird *1-Cyclopentadienyl-1-[η⁴-(cyclopentadienylkobalto)]-2,3,4,5-tetramethyl-kobaltol* (48%) erhalten (mit Diphenyl-acetylen entsteht ein π-Alkin-dikobalt-Komplex)[1]:

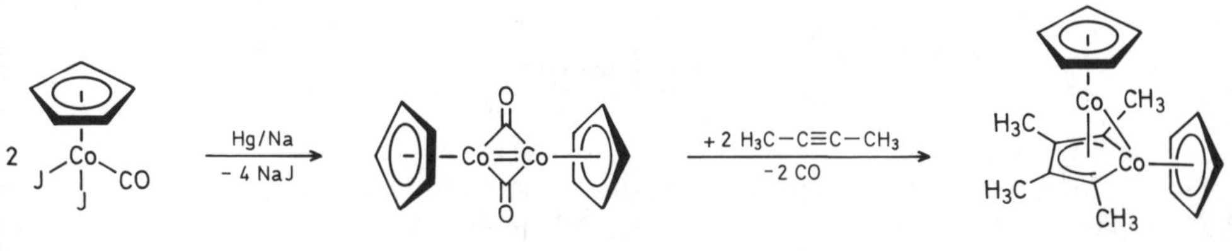

Das Kobaltol-Derivat I kann durch Behandeln mit Nitrilen gespalten werden unter Bildung von Dikobalt-Komplexen[2]; z. B.:

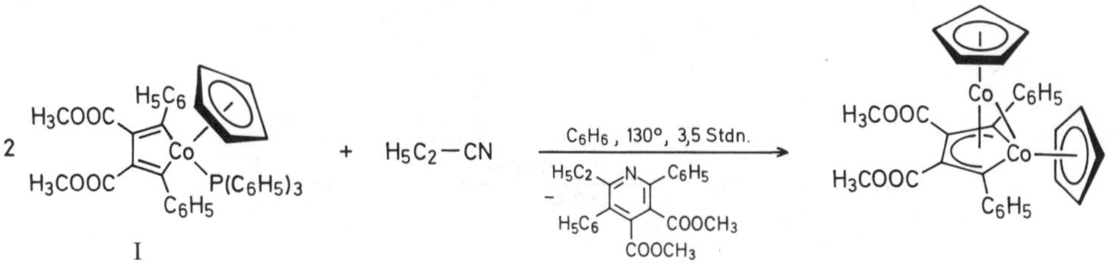

1-Cyclopentadienyl-1[η⁴-(cyclopentadienylkobalto)]-3,4-dimethoxycarbonyl-2,5-diphenyl-kobaltol; 16%; F: 215–220°

Beim Behandeln der Kobaltol-Derivate mit Octacarbonyl-dikobalt in siedendem Benzol entstehen gleichfalls η⁴-Kobalto-kobaltol-Komplexe (weitere Verbindungen s. Lit.)[3].

f) aus Organo-dikobalt-Verbindungen unter Erhalt mindestens einer σ–C–Co- Bindung

Beim vorsichtigen Behandeln des 1,2-Diorgano-dikobalt-Komplexes I mit Kohlenmonoxid entstehen 1,2-Diacyl-dikobalt-Komplexe, die durch Tieftemperatur-Säulenchromatographie isoliert werden können[4]:

[1] W.-S. LEE u. H.H. BRINTZINGER, J. Organometal. Chem. **127**, 93 (1977).
[2] Y. WAKATSUKI u. H. YAMAZAKI, Soc. [Dalton] **1978**, 1278.
[3] H. YAMAZAKI, K. YASUFUKU u. Y. WAKATSUKI, Organometallics. **2**, 726 (1983).
[4] M.A. WHITE u. R.G. BERGMAN, Chem. Commun. **1979**, 1056.

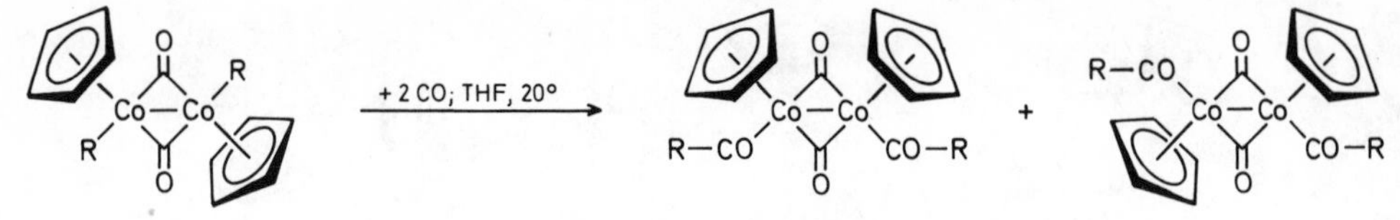

I

1,2-Bis-[cyclopentadienyl]-μ,μ-dicarbonyl-. . .-dikobalt
R = CH₃; . . .-*1,2-diacetyl*-. . .
R = C₂H₅; . . .-*1,2-dipropanoyl*-. . .

1,2-Bis-[cyclopentadienyl]-1,2-dicarbonyl-1,2-dikobaltiran wird durch Behandeln mit starken Säuren in *μ,μ-Dicarbonyl-1,2-bis-[cyclopentadienyl]-1,2-dimethyl-dikobalt* umgewandelt[1]:

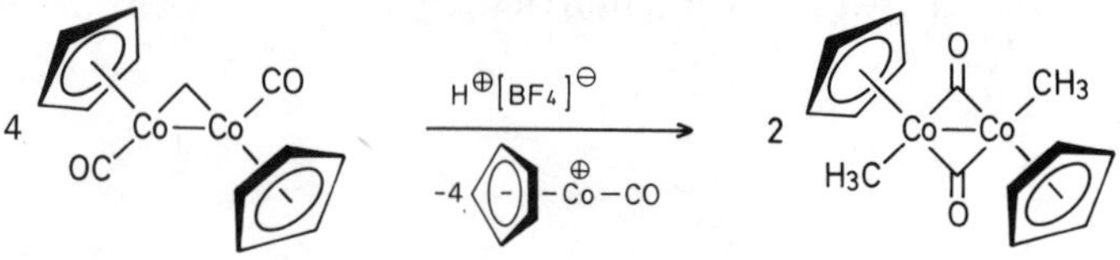

Der Spiro-Komplex II reagiert mit 1-Alkinen unter Insertion von 2-Alkin-Gruppen in die Spiro-C-Co-Bindung[2]. Die resultierenden 2 Isomeren können dünnschichtchromatographisch voneinander getrennt werden; sie unterscheiden sich lediglich in der Orientierung der Lacton-Ringe um 180°[3,4]:

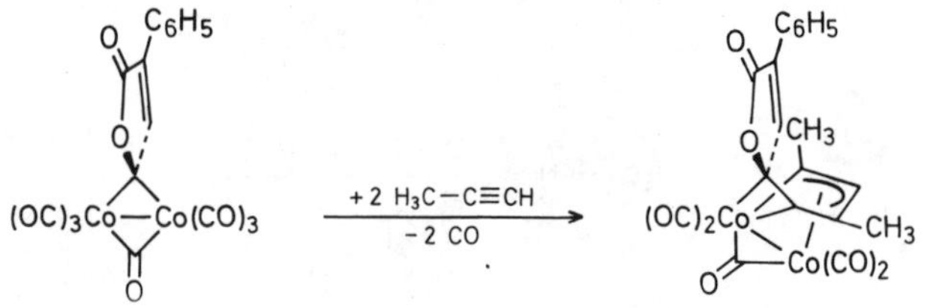

II

3-Oxo-1,1,2,2-tetracarbonyl-1,2-dikobaltiran-
⟨1-spiro-1⟩-(2,3,4-η³-Co²)-2,4-dimethyl-3-
dehydro-1-kobalta-bicyclo[3.1.0]hex-2-en-
⟨6-spiro-2⟩-5-oxo-4-phenyl-2,5-dihydrofuran;
F: 184° (Isomeres; F: 164°)

Mit 1-Halogen-1-alkinen entsteht eine Ethenyliden-Brücke durch 1,2-Wanderung des Halogen-Atoms[5-7]:

[1] K. H. THEOPOLD u. R. G. BERGMAN, Am. Soc. **103**, 2489 (1981).

[2] P. A. ELDER, D. J. S. GUTHRIE, J. A. D. JEFFREYS, G. R. KNOX, J. KOLLMEIER, P. L. PAUSON, D. A. SYMON u. W. E. WATTS, J. Organomet. Chem. **120**, C 13 (1976).

[3] P. L. PAUSON u. I. U. KHAND, Ann. N. Y. Acad. Sci. **1977**, 2; J. A. D. JEFFREYS, Soc. [Dalton] **1980**, 435.

[4] G. VÁRADI, I. T. HORVÁTH, G. PÁLYI, L. MÁRKO, Y. L. SLOVOKHOTOV u. Y. T. STRUCHKOV, J. Organometal. Chem. **206**, 119 (1981).

[5] I. T. HORVÁTH, G. PÁLYI u. L. MARKÓ, Chem. Commun. **1979**, 1054.

[6] I. T. HORVÁTH, G. PÁLYI, L. MÁRKO u. G. D. ANDREETI, Inorg. Chem. **22**, 1049 (1983).

[7] **Achtung!** Dihalogenethine sind **hochexplosive** Verbindungen. Sie sollten daher nur in geringer Konzentration im Argon-Strom hergestellt werden (s. Lit.[6]).

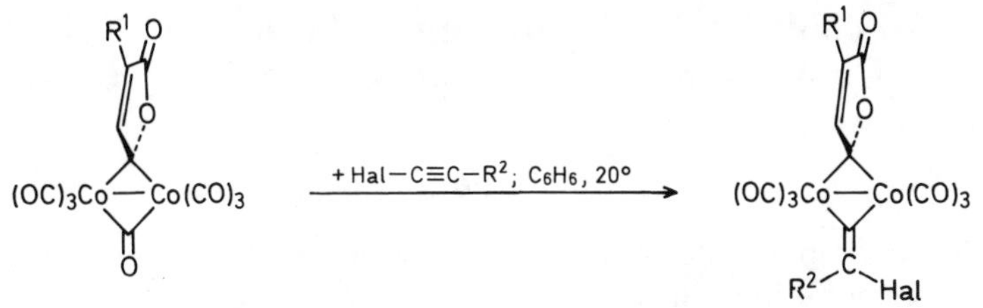

z.B.: $R^1 = H, C_3H_7, C_4H_9, C_5H_{11}, C_6H_5$
$R^2 = C_4H_9$; Hal = Cl, Br, J
$R^2 = C_6H_5$; Hal = Br

3-[1-Halogen-alkyliden (bzw. α-Halogen-benzyliden)]-hexacarbonyl-1,3-dikobalta-bicyclo[1.1.0]butan-⟨2-spiro-2⟩-(4-alkyl)-5-oxo-2,5-dihydro-furane; 60–90%

VII. Organokobalt-Metall-Verbindungen

Carbonyl-cyclopentadienyl-(heptafluor-propyl)-jodo-kobalt(III) reagiert mit Zinn(II)-halogeniden unter Insertion von Dihalogenstannen in die Halogen-kobalt-Bindung[1]:

$$Co(C_3F_7)J(C_5H_5)(CO) \ + \ SnX_2 \xrightarrow{\text{THF}} Co(C_3F_7)(SnX_2J)(C_5H_5)(CO)$$

X = Cl, Br, J

Die Jod-Verbindung kann nicht rein isoliert werden.

Tetracarbonyl-triorganometall-kobalt-Verbindungen der IV. Hauptgruppe reagieren mit Organolithium-Verbindungen[2]:

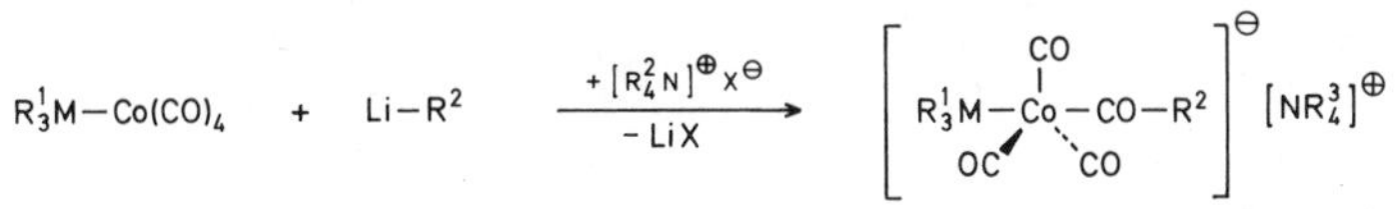

M = Si, Ge, Sn, Pb

Da Trihalogen- bzw. Triorganostannyl-Reste i. a. als anorganischer Ligand behandelt werden, wird auf die Lit. verwiesen.

1,2-Bis-[cyclopentadienyl]-1,2-dicarbonyl-1,2-dikobaltiran bildet mit Cyclopentadienyl-dicarbonyl-rhodium die *trans*- und *cis*-Isomeren *1,2-Bis-[η⁵-cyclopentadienyl]-1,2-dicarbonyl-kobaltarhodirane* und *-dirhodirane*[3]:

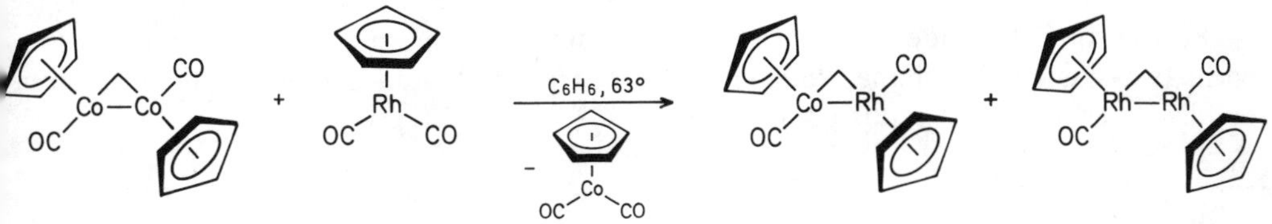

38%[a]   23%[a]

a = *trans:cis* = ~ 87/13

Zur Bildung eines μ-Methylen-eisen-kobalt-Derivates s. Lit.[4]

[1] J. FORTUNE u. A.R. MANNING, Inorg. Chem. **19**, 2590 (1980).
[2] G. CERVEAU, E. COLOMER, R.J.P. CORRIU u. J. COLIN, J. Organomet. Chem. **205**, 31 (1981).
[3] K.H. THEOPOLD u. R.G. BERGMAN, Am. Soc. **103**, 2489 (1981); **105**, 464 (1983).
[4] J.R. MATACHEK u. R.J. ANGELICI, Organometallics **1**, 1541 (1982).

VIII. Organo-kobalt-Verbindungen mit mehr als zwei Kobalt-Atomen mit Co–Co-Bindungen („Cluster"-Verbindungen)

a) Trikobaltatetrahedrane[1]

Trikobaltatetrahedrane werden wegen ihrer außergewöhnlichen Eigenschaften und wegen der umfangreichen Literatur in einem eigenen Abschnitt behandelt.

Die auffallend hohe Beständigkeit der Verbindungen gegen Luft[2] und die Bildung der Cluster aus recht unterschiedlichen Verbindungen spricht für ihre hohe thermodynamische Stabilität und ihre große Bildungstendenz.

Besonders stabil sind die C-Aryl-trikobaltatetrahedrane.

Die intensiv von rot über purpur bis schwarz gefärbten kristallinen Verbindungen können oft auf 100–185° ohne Zersetzung des Clusters erhitzt werden. Viele lassen sich daher durch Sublimation i. Vak. bei 50–80° reinigen.

Achtung! Das Vakuum muß durch Stickstoff oder Argon aufgehoben werden, da der Sublimationsrückstand pyrophor ist. Der Rückstand kann durch Behandeln mit Wasser desaktiviert werden.

Einige C-Substituenten setzen jedoch die Stabilität der Cluster-Komplexe so weit herab, daß sie nur eine beschränkte Zeit bei 20° haltbar sind.

Lange organische Reste erniedrigen den Schmelzpunkt der Verbindungen beträchtlich, so daß in solchen Fällen nur noch ölige Produkte erhalten werden.

Die Tricobaltetetrahedrane sind in den meisten, organischen Lösungsmitteln löslich. Sie lassen sich leicht durch Dünnschicht-Chromatographie mit Vergleichssubstanzen identifizieren und durch Säulen-Chromatographie reinigen.

In den Massenspektren der Cluster findet man nach Abspaltung der 9 Carbonyl-Liganden das $RCCo_3^{\oplus}$-Fragment. Das IR-Spektrum der Komplexe weist im allgemeinen 5 Banden im Gebiet der terminalen Carbonyl-Gruppen auf, und zwar von 2150 bis 1950 cm^{-1} in der Intensität mittel, sehr stark, stark, schwach, sehr schwach.

Die Reaktivität wird hauptsächlich durch die elektronischen Eigenschaften des Clusters bestimmt. Manchmal sind auch sterische Einflüsse von Bedeutung. Der Cluster verhält sich oft wie eine Einheit, vergleichbar mit Aromaten.

Da die Verbindungen oft gegenüber Protonen- und Lewis-Säuren stabil sind, können mehrere Aromaten-Reaktionen durchgeführt werden.

Bei der reversiblen Aufnahme eines Elektrons durch elektrochemische Reduktion oder durch Behandeln mit Alkalimetall bleibt der Cluster erhalten (ESR-Spektren der gebildeten Radikale s. Lit.[3, 4]). Bei der irreversiblen Aufnahme von 2 Elektronen wird der Cluster gespalten[5].

Die Carbonyl-Liganden am Cobalt-Atom können durch eine Vielzahl von Liganden, wie z.B. Alkene, Phosphane, Phosphite, Arene, Isonitrile und Cyclopentadienyl-Anion, einfach oder mehrfach reduziert werden[6].

---

[1] Übersichten:
  P. W. SUTTON u. L. F. DAHL, Am. Soc. **89**, 261 (1969).
  G. PÁLYI, F. PIACENTI u. L. MARKÓ, Inorg. Chim. Acta Rev. **4**, 109 (1970).
  B. P. PENFOLD u. B. H. ROBINSON, Accounts of Chemical Research **6**, 73 (1973); Adv. Organometallic Chem. **14**, 97 (1976).
  Herstellungsmethoden: B. SEYFERTH et al., Inorg. Synth. **20**, 224 ff. (1980).
[2] G. BOR, L. MARKÓ u. B. MARKÓ, B. **95**, 333 (1962).
[3] B. M. PEAKE, B. H. ROBINSON, J. SIMPSON u. D. J. WATSON, Inorg. Chem. **16**, 405 (1977).
[4] A. M. BOND, B. M. PEAKE, B. H. ROBINSON, J. SIMPSON u. D. J. WATSON, Inorg. Chem. **16**, 410 (1977).
[5] P. W. SUTTON u. L. F. DAHL, Am. Soc. **89**, 261 (1967); Struktur.
[6] Die Literatur über die Austauschreaktionen von Liganden am Kobalt ist sehr umfangreich, z. B.: P. A. DAWSON, B. H. ROBINSON u. J. SIMPSON, Soc. [Dalton] **1979**, 1762.

C-Organo-trikobaltatetrahedran reagiert mit Cyclopentadien oder Cyclopentadienyl-natriumformat unter einer 2-Elektronen-Oxidation zu einem Komplex mit 2 Cyclopentadienyl-Liganden[1].

R
(OC)3Co
Co(CO)3
Co(CO)3
C5H6 bzw. NaC5H5 ; THF
25% d. Th.
R
Co
Co(CO)3
Co
O

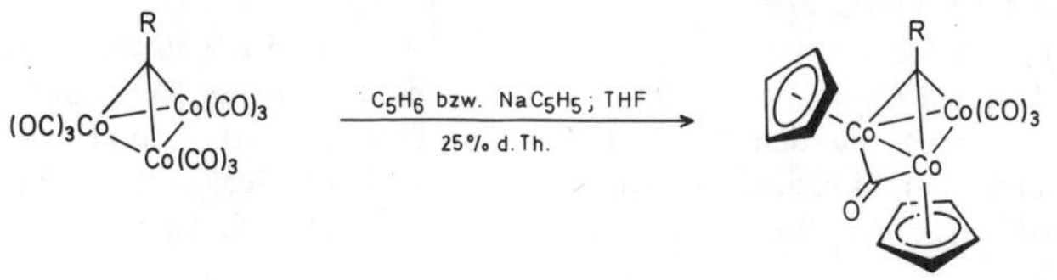

z. B. R = CH_3, C_6H_5

1,2-Bis-[cyclopentadienyl]-1,2-carbonylen-4-methyl(phenyl)-3,3,3-tricarbonyl-trikobaltatetrahedran

1. aus reinen Carbonyl-kobalt-Verbindungen

α) mit Organo-halogen-Verbindungen

$α_1$) *mit 1,1,1-Trihalogen-alkanen oder Tetrahalogenmethanen*

$αα_1$) aus Octacarbonyl-dikobalt

Durch Umsetzung von Octacarbonyl-dikobalt mit 1,1,1-Trihalogen-alkanen bzw. Tetrahalogenmethanen kann eine Vielzahl von Trikobaltatetrahedranen hergestellt werden. Die Reaktion gelingt in polaren Lösungsmitteln mit Donor-Eigenschaft, aber auch in unpolaren Lösungsmitteln.

In polaren Lösungsmitteln, wie Tetrahydrofuran oder Aceton ist das eigentliche aktive Agenz das Tetracarbonylkobaltat(-I), das auch direkt eingesetzt werden kann (vgl. S. 186)[2]:

$$1{,}5\ Co_2(CO)_8 \xrightarrow[-4\,CO]{+6\,L} [Co(L)_6]^{2\oplus} + 2\,[Co(CO)_4]^{\ominus}$$

In unpolaren Lösungsmitteln scheinen Carben-Zwischenstufen eine wichtige Rolle zu spielen. Dabei braucht die Carben-Gruppe nicht den Komplexverband zu verlassen. Auch Radikale scheinen bei der Umsetzung, sei es bei der Hauptreaktion, sei es bei Nebenreaktionen, eine wichtige Rolle zu spielen[3].

Im folgenden sollen einige Beispiele für die Methode gebracht werden. Bei der Umsetzung mit Tetrahalogenmethanen entstehen 4-Halogen-trikobaltatetrahedrane[4]:

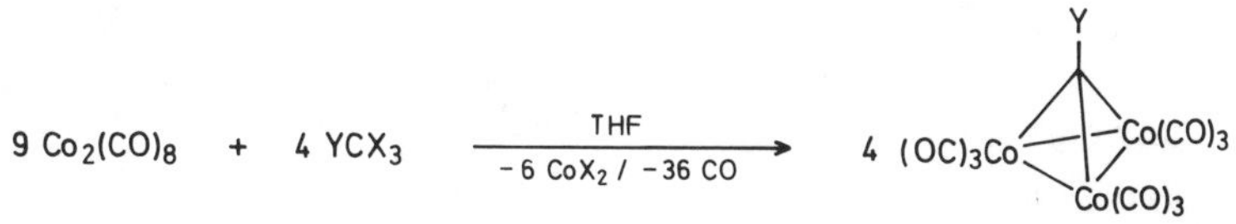

9 Co2(CO)8
+
4 YCX3
THF
-6 CoX2 / -36 CO
4
Y
(OC)3Co
Co(CO)3
Co(CO)3

...-nonacarbonyl-trikobaltatetrahedran

z.B.: X = Cl, Y = F (35°, 4 Stdn.); *4-Fluor-...*; F: 75–76°
X = Y = Br (20°, 15 Stdn.); *4-Brom-...*; F: 130–132° (Zers.)
X = Y = J (−10°, 4 Stdn.); *4-Jod-...*; F: 96–98° (Zers.)

Mit Tetrachlor- (65°, 7 Stdn.), Brom-trichlor- (40°, 2 Stdn.) und Dibrom-dichlor-methan (20°) in Hexan entsteht in allen Fällen *4-Chlor-nonacarbonyl-trikobaltatetrahedran* (40, 49 bzw. 42%, bez. auf Co). **Achtung!** U.U. treten heftige Reaktionen auf.

---

[1] P.A. Elder, B.H. Robinson u. J. Simpson, Soc. [Dalton] **1975**, 1771.
[2] W. Hieber, W. Abeck u. J. Sedlmeier, Ang. Ch. **64**, 480 (1952); B. **86**, 705 (1953).
[3] B.L. Booth, G.C. Casey u. R.N. Haszeldine, Soc. [Dalton] **1975**, 1850.
[4] R. Ercoli, E. Santambrogio u. G.T. Casagrande, Chimica e Ind. **44**, 1344 (1962); C.A. **58**, 52448 (1963).

4-Chlor-trikobaltatetrahedran[1-3]: Alle Umsetzungen werden unter Sauerstoff- und Feuchtigkeitsausschluß durchgeführt, da Octacarbonyldikobalt und die Kobalt-Rückstände pyrophor sind.

Die Tetrahalogen-methane werden mit Calciumchlorid und Hexan wird über Natrium getrocknet sowie unmittelbar vor Gebrauch destilliert.

21,4 g (139 mmol) Tetrachlormethan werden zu einer Lösung von 4,5 g (13,2 mmol) Octacarbonyl-dikobalt in 100 ml Hexan gegeben und 7 Stdn. bei 65° gerührt. Der gebildete ionogene Rückstand wird abfiltriert (1,9 g) und das Filtrat i. Vak. eingeengt (aus dem Destillat kann man Tetrachlor-ethen und Hexachlor-ethan isolieren). Der flüssige Rückstand wird an Florisil mit Pentan chromatographiert. Der Komplex fällt als schwarz-violettes festes Produkt an, das durch Sublimation i. Vak. bei 40° weitergereinigt wird; Ausbeute (vor Sublimation): 1,70 g (40%); F: 131–133°.

Im folgenden sind einige Beispiele der Umsetzung von 1,1,1-Trihalogen-alkan-Verbindungen mit Octacarbonyl-dikobalt aufgeführt. Bei den beschriebenen Umsetzungen erweist sich das molare Verhältnis von Octacarbonyl-dikobalt zu Halogenalkan von 9:5 als optimal[4].

$$Co_2(CO)_8 \;+\; R-CX_3 \xrightarrow{\text{THF}, \sim 45°} (OC)_3Co \overset{R}{\underset{Co(CO)_3}{\diagup\!\!\diagdown}} Co(CO)_3$$

...-nonacarbonyl-trikobaltatetrahedran

X = Br, R = H[4,5]; ...; 34%; F: 105–107° (Zers.)
X = Cl, R = CH$_3$[6,4]; *4-Methyl-*...; 43%; F: 183–184°
　　　R = CO–C$_3$H$_7$[4,7]; *4-Butanoyl-*...; 49%; F: 51–52°
　　　R = CO–C$_6$H$_5$; *4-Benzoyl-*...; 33%; F: 68–69°
　　　R = CO–C$_6$H$_{11}$[8]; *4-Cyclohexylcarbonyl-*...; 47%; F: 86°
　　　R = CO–OC$_2$H$_5$[9,4,10]; *4-Ethoxycarbonyl-*...; 53%; F: 45–46°
　　　R = CO–OSi(CH$_3$)$_3$[4,11]; *4-Trimethylsilyloxycarbonyl-*...; 38%; F: 60–62°
　　　R = CO–N(C$_2$H$_5$)$_2$[4]; *4-Diethylaminocarbonyl-*...; 19%; F: 58–60°
　　　R = C$_6$H$_5$[12,4]; *4-Phenyl-*...; 29%; F: 105–107°
　　　R = P(O)(OC$_2$H$_5$)$_2$[11]; *4-Diethoxyphosphoryl-*...; 42%; F: 81–82°

2-Hydroxy-1,1,1-dichlor-alkane bilden unter Reduktion der Hydroxy-Gruppe bevorzugt die 4-Alkyl-Derivate[4]. Die Ausbeute an 4-(1-Hydroxy-alkyl)-noncarbonyl-trikobaltatetrahedran kann auf ~5% gesteigert werden, wenn die Hydroxy-Gruppe vor der Umsetzung silyliert wird. Bei der hydrolytischen Aufarbeitung wird der Silyl-Rest entfernt.

4-Trimethylsilyl- (41%) bzw. *4-(Dimethyl-phenyl-silyl)-nonacarbonyltrikobalta-tetrahedran* (50%; F: 75°) werden auf folgende Weise hergestellt[4,13]:

$$Co_2(CO)_8 \;+\; Cl_3C-\overset{R}{\underset{}{Si(CH_3)_2}} \xrightarrow{C_6H_6,\ 25°} (OC)_3Co \overset{R-Si(CH_3)_2}{\underset{Co(CO)_3}{\diagup\!\!\diagdown}} Co(CO)_3$$

R = CH$_3$, C$_6$H$_5$

[1] B.L. BOOTH, G.C. CASEY u. R.N. HASZELDINE, Soc. [Dalton] **1975**, 1850.

[2] vgl. a. C.L. NIVERT, G.H. WILLIAMS u. D. SEYFERTH, Inorg. Synth. **20**, 234 (1980).

[3] K. BARTL, R. BOESE u. G. SCHMID, J. Organometal. Chem. **206**, 331 (1981).

[4] D. SEYFERTH, J.E. HALLGREN u. P.L.K. HUNG, J. Organometal. Chem. **50**, 265 (1973).

[5] M.O. NESTLE, J.E. HALLGREN u. D. SEYFERTH, Inorg. Synth. **20**, 226 (1980).

[6] D. SEYFERTH, R.J. SPOHN u. J.E. HALLGREN, J. Organometal. Chem. **28**, C 34 (1971).

[7] D.C. MILLER, R.C. GEARHART u. T.B. BRILL, J. Organometal. Chem. **169**, 395 (1979). Die Struktur des Komplexes ist durch röntgenographische Kristallstrukturbestimmung aufgeklärt worden.

[8] D. SEYFERTH, G.H. WILLIAMS, P.K.L. HUNG u. J.E. HALLGREN, J. Organometal. Chem. **71**, 97 (1974).

[9] R. ERCOLI, E. SANTAMBROGIO u. G.T. CASAGRANDE, Chim. e Ind. **44**, 1344 (1962); C.A. **58**, 52448 (1963).

[10] J.S. MEROLA, J.E. HALLGREN u. D. SEYFERTH, Inorg. Synth. **20**, 230 (1980).

[11] Der Phosphonsäure-Ester ist in Luft instabil. Die Silyl-Gruppe wird durch Hydrolyse leicht abgespalten.

[12] U. KHAND, G.R. KNOX, P.L. PAUSON u. W.E. WATTS, J. Organometal. Chem. **73**, 383 (1974).

[13] R. DOLBY, T.W. MATHESON, B.K. NICOLSON, B.H. ROBINSON u. J. SIMPSON, J. Organometal. Chem. **43**, C 13 (1972).

Bei Einsatz von Dimethyl-(trichlormethyl)-silan entstehen infolge Hydrolyse beim Aufarbeiten in Salzsäure und Chromatographieren an Kieselsäure zusätzlich 34% *4-(Dimethyl-hydroxy-silyl)-nonacarbonyl-trikobalta-tetrahedran*[1].

Pentacarbonyl-(trichlormethyl-isonitril)-chrom reagiert mit Octacarbonyl-dikobalt analog unter Erhalt des Chrom-Restes[2].

Mit 1,1,1-Trihalogen-2-alkenen erhält man die 4-(1-Alkenyl)-Derivate[3,4]. Zur Vermeidung der Hydrierung der C,C-Doppelbindung muß unter strengstem Wasser-Ausschluß gearbeitet werden. Es dürfen keine protischen Lösungsmittel verwendet werden. Außerdem ist es ratsam, den Überschuß an Octacarbonyl-dikobalt vor der Aufarbeitung zu zerstören, da die Hydrierung der C,C-Doppelbindung durch Hydrido-tetracarbonyl-kobalt verursacht wird, das durch protische Zersetzungsreaktionen der Carbonyl-kobalt-Verbindungen entsteht:

$$9 \; Co_2(CO)_8 \;+\; 4 \; R^1-CH{=}\underset{\underset{R^2}{|}}{C}-CX_3 \quad \xrightarrow{-6 \; CoX_2 \,/\, -36 \; CO} \quad \underset{\underset{Co(CO)_3}{|}}{(OC)_3Co}{\diamond}Co(CO)_3$$

Nonacarbonyl-. . .-trikobaltatetrahedran

$R^1 = H$; $R^2 = CH_3$; . . .-*4-isopropenyl*-. . .; 59%; F: 170–173° (Zers.)
$R^1 = CO-CH_3$; $R^2 = H$; . . .-*4-(3-oxo-1-butenyl)*-. . .; 19%; F: 105–107°
$R^1 = Si(CH_3)_3$; $R^2 = H$; . . .-*4-(2-trimethylsilyl-vinyl)*-. . .; 28–48%; F: 53–54°

Nonacarbonyl-4-vinyl-trikobaltatetrahedran[4]: In einem 1-*l*-Dreihalskolben, der mit einem Rührer und Stickstoff-Einleitungsrohr versehen ist, werden 33,7 g (0,099 mol) Octacarbonyl-dikobalt in 450 *ml* frisch unter Stickstoff destilliertem, wasserfreien THF vorgelegt. Der Lösung setzt man mit einer Spritze 8,53 g (0,055 mol) 3,3,3-Trichlor-propen zu und rührt 4 Stdn. bei 35–40°, bis die Gas-Entwicklung aufgehört hat. Das Lösungsmittel wird anschließend bei 20° i. Vak. entfernt. Der Rückstand wird sorgfältig mit Pentan extrahiert, und die Extrakte werden durch Celite filtriert. Darauf wird Pentan i. Vak. abgezogen und der Rückstand erneut mit demselben Solvens extrahiert. Nach erneuter Filtration wird das Pentan wieder abgezogen und der Rückstand i. Vak. bei 50° sublimiert; Ausbeute: 12,30 g (45%); F: 144–145° (Zers.).

Bei Einsatz von 4,4,4-Trichlor-1-buten erhält man trotz vorsichtiger Arbeitsweise unter Wasser-Ausschluß ein Gemisch von *4-Allyl-, 4-(1-Propenyl)*- und *4-Propyl-nonacarbonyl-trikobaltatetrahedran* im Verhältnis von 63:27:10. Zur Trennung s. Lit.[4].

4-(2-Methyl-1-butenyl)-nonacarbonyl-trikobaltatetrahedron erhält man analog in 14%-iger Ausbeute[5].

In einer Modifizierung der Reaktion wird Octacarbonyl-dikobalt in Gegenwart von Natronlauge als Halogen-Akzeptor mit 1,1,1-Trihalogen-alkan-Verbindungen umgesetzt und gleichzeitig ein Phasen-Transfer-Katalysator verwendet[6–8]:

[1] D. Seyferth, C.N. Rudie u. M.O. Nestle, J. Organometal. Chem. **178**, 227 (1979).

[2] W.P. Fehlhammer, F. Degel u. H. Stolzenberger, Ang. Ch. **93**, 184 (1981).

[3] D. Seyferth, C.S. Eschbach, G.H. Williams, P.L.K. Hung u. Y.M. Cheng, J. Orgnaometal. Chem. **78**, C13 (1974).

[4] D. Seyferth, C.S. Eschbach, G.H. Williams u. P.L.K. Hung, J. Organometal. Chem. **134**, 67 (1977).

[5] R.T. Eddin, J.R. Norton u. K. Milsow, Organometallics **1**, 561 (1982).

[6] H. Alper, H. des Abbayes u. D. des Roches, J. Organometal. Chem. **121**, C 31 (1976).

[7] H. Alper u. H. des Abbayes, J. Organometal. Chem. **134**, C 11 (1977).

[8] H. Fu, Y. Luo, Z. Yang, Y. Wang, N. Wu u. A. Zhang, China-Japan-U.S. Trilateral Semin. Organomet. Chem. 1st 1980, 635; C.A. **97**, 163 220 (1982).

$$Co_2(CO)_8 \ + \ R-CX_3 \xrightarrow[\text{C}_6\text{H}_6,\ 20°,\ 45-150\ \text{Min.}]{3-5\ \text{N NaOH},\ [\text{H}_5\text{C}_6-\text{CH}_2-\text{N(CH}_3)_3]^{\oplus}\text{Cl}^{\ominus}} \quad (OC)_3Co \overset{R}{\underset{Co(CO)_3}{\diagup}} Co(CO)_3$$

...-nonacarbonyl-trikobaltatetrahedran

$R = C_6H_5$, $X = Cl$; *4-Phenyl-*...; 53%
$R = X = Cl$, Br; *4-Chlor (Brom)-*...; 42 $(11)\%$
$R = COOC(CH_3)_3$; $X = Cl$; *4-tert.-Butyloxycarbonyl-*...; 30%
$R = CH_2-OH$; $X = Cl$; *4-Hydroxymethyl-*...; Spur$\%$

$\alpha\alpha_2$) aus Tetracarbonyl-kobaltat(-I)

Anstelle von Octacarbonyl-dikobalt in polaren Lösungsmitteln (s.S. 183) können auch Alkalimetall- und Thallium(I)-[tetracarbonyl-kobaltat] eingesetzt werden[1-3].

$$3\ M[Co(CO)_4] \ + \ R-CX_3 \xrightarrow[-3\ MX\ /\ -3\ CO]{THF} (OC)_3Co \overset{R}{\underset{Co(CO)_3}{\diagup}} Co(CO)_3$$

M = Na, Tl[1]

...-nonacarbonyl-trikobaltatetrahedran

$R = H$, $X = Br$, J; *4-Brom (Jod)-*...; $1-2\%$[3]
$R = CH_3$, $X = Cl$; *4-Methyl-*...[1]
$R = C_6H_5$, $X = Cl$; *4-Phenyl-*...[3]; 36%

4-Chlor-nonacarbonyl-trikobaltatetrahedran[4]: 2,64 g (7,04 mmol) Thallium(I)-[tetracarbonyl-kobaltat] in 60 ml Benzol werden bei 20° gerührt und mit 2,40 g (15,6 mmol) Tetrachlormethan versetzt. Die zunächst orange Lösung wird 2 Stdn. gerührt. Dabei entsteht ein rehbrauner Niederschlag (2,2 g), der Thallium(I)-, Kobalt(II)- und Chlor-Ionen enthält. Nach der Filtration wird das purpurfarbene Filtrat i. Vak. eingeengt; Ausbeute: 0,81 g (72%).

Wenn umgekehrt zu einer Tetrachlormethan-Benzol-Mischung Thallium(I)-[tetracarbonyl-kobaltat] tropfenweise zugegeben wird, beträgt die Ausbeute lediglich 20%.

Tetracarbonyl-kobaltat(-I) kann in wäßr. Lösung unter 1 bar Kohlenmonoxid aus Kobalt(II)-nitrat durch Reduktion mit Natriumdithionit hergestellt und durch Phasen-Transfer-Katalyse mit Polyhalogenmethanen in das *Trikobaltatetrahedran* umgesetzt werden[5].

In einer V a r i a n t e wird Tetrachlormethan zunächst mit Thallium(I)-[tetracarbonyl-kobaltat] in Benzol bei 20° und dann weiter mit Octacarbonyldikobalt umgesetzt[4]. Das in situ gebildete Trichlormethyl-tetracarbonyl-kobalt reagiert mehr als zur Hälfte mit Octacarbonyl-dikobalt und zum geringen Teil mit dem vorgelegten Thallium-kobaltat unter Bildung des 4-Chlor-Derivats (56%).

Mit Trichlormethan entsteht im Gegensatz zu Tribrom- und Trijodmethan das *4-Chlor-nonacarbonyl-trikobaltatetrahedran* (20%) als Hauptprodukt[3, 6]:

$\alpha\alpha_3$) aus anderen Carbonyl-kobalt-Verbindungen

Tetracarbonyl-triorganostannyl-kobalt bildet mit Jod-trifluor-methan *4-Fluor-nonacarbonyl-trikobaltatetrahedran*[7].

---

[1] S.E. PEDERSEN, W.R. ROBINSON u. D.P. SCHUSSLER, J. Organometal. Chem. **43**, C 44 (1972).
[2] G. PÁLYI, F. PIACENTI, M. BIANCHI u. E. BENEDETTI, Acta chim. Acad. Sci. hung. **66**, 127 (1970).
[3] G. BOR, L. MARKÓ u. B. MARKÓ, B. **95**, 333 (1962).
[4] B.L. BOOTH, G.C. CASEY u. R.N. HASZELDINE, Soc. [Dalton] **1975**, 1850.
[5] S. BHADURI u. K.R. SHARMA, J. Organometal. Chem. **218**, C 37 (1981).
[6] D. SEYFERTH, J.E. HALLGREN u. P.L.K. HUNG, J. Organometal. Chem. **50**, 265 (1973).
[7] A.D. BEVERIDGE u. H.C. CLARK, Inorg. Nucl. Chem. Lett. **3**, 95 (1967).

α_2) *mit 1,1-Dihalogen-alkanen bzw. 1,1-Dihalogen-cyclopropanen*

1,1-Dichlor-alkane reagieren mit Octacarbonyl-dikobalt unter Abspaltung von zwei Chlor- und einem Wasserstoff-Atom[1]:

$$Co_2(CO)_8 \quad + \quad Cl_2CH-R \quad \xrightarrow{\text{THF, 55°, 6 Stdn.}} \quad$$

...-*trikobaltatetrahedran*

R = C_6H_5; *Nonacarbonyl-4-phenyl-*...[1]; 34%; F: 100–104°
R = OCH_3; *4-Methoxy-nonacarbonyl-*...[1,2]; 27%; F: 172–173° (Zers.)

Hexachlor-cyclopropan wird bei der Umsetzung mit Octacarbonyl-dikobalt vollständig dehalogeniert[3], und man erhält unter Ringspaltung und Dimerisierung von zwei C_3-Einheiten den Komplex I:

$$Co_2(CO)_8 \quad + \quad \xrightarrow{-CoCl_2}$$

I

Bei der Umsetzung von Trichlormethan mit Tetracarbonylkobaltat entsteht hauptsächlich der *4-Chlor*-cluster (s. S. 186)[4].

α_3) *mit anderen Organo-halogen-Verbindungen*

Carbonsäure-chloride reagieren mit Tetracarbonylkobaltaten oder Octacarbonyl-dikobalt unter Abspaltung von Chlor und Sauerstoff zu Nonacarbonyl-trikobaltatetrahedranen[5,6]; z.B.:

$$M^{\oplus}[Co(CO)_4]^{\ominus} \quad \xrightarrow[\text{10% d.Th.}]{+ H_5C_6-CO-Cl}$$

$$Co_2(CO)_8 \quad \xrightarrow[\text{20% d.Th.}]{+ H_5C_6-CO-Cl}$$

Nonacarbonyl-4-phenyl-trikobaltatetrahedran;
F: 103–104°

Analog erhält man das *4-(2,4,6-Trimethyl-phenyl)*-Derivat in 10%iger Ausbeute[7].

Aus Natrium-tetracarbonylkobaltat wird mit Chlor-difluoracetylchlorid in THF (65°/10 Stdn.) unter Decarbonylierung 64% *4-Fluor-nonacarbonyl-trikobaltatetrahedran* erhalten (s.a. S. 170, 188, 195)[8].

Auch Fluor-Atome können wie die übrigen Halogene durch Carbonyl-kobalt-Komplexe abgespalten werden. So bilden sich mit (Polyfluor-alkyl)-tetracarbonyl-kobalt aus zwei Äquivalenten Natrium-tetracarbonylkobaltat in etherischer Lösung die entsprechenden 4-(Polyfluor-alkyl)-Derivate[9]. Die Ausbeuten scheinen mit zunehmender

[1] D. Seyferth u. M.D. Millar, J. Organometal. Chem. **38**, 373 (1972).
[2] A. Bou, M.A. Pericas u. F. Serratosa, Alfinidad **1978**, 134; C.A. **89**, 129692 (1978).
[3] D. Seyferth, R.J. Spohn, M.R. Churchill, K. Gold u. F.R. Scholer, J. Organometal. Chem. **23**, 237 (1970).
    Die Struktur der Verbindung ist röntgenographisch aufgeklärt worden.
[4] D. Seyferth, J.E. Hallgren u. P.L.K. Hung, J. Organometal. Chem. **50**, 265 (1973).
[5] I. Rhee, M. Ryang u. S. Tsutsumi, in: M. Ryang u. S. Tsutsumi, Synthesis **1971**, 60.
[6] I. Rhee, M. Ryang, S. Murai u. N. Sonoda, Chem. Letters **1978**, 909.
[7] K. Bartl, R. Boese u. G. Schmid, J. Organometal. Chem. **206**, 331 (1981).
[8] F. Seel u. R.-D. Flaccus, J. Fluorine Chem. **12**, 81 (1978).
[9] B.L. Booth, R.N. Haszeldine u. T. Inglis, Soc. [Dalton] **1975**, 1449.

Kettenlänge abzunehmen. Die Umsetzung ist mit Octacarbonyl-dikobalt möglich, wenn in Donor-Lösungsmitteln gearbeitet wird, die die Disproportionierung des Komplexes in Kobalt(II)-bis-kobaltat ermöglichen.

$$2\ Na^{\oplus}[Co(CO)_4]^{\ominus}\ +\ R-CF_2-Co(CO)_4\ \xrightarrow[-2\ NaF/\ -3\ CO]{(H_5C_2)_2O,\ 20°}\ (OC)_3Co\overset{R}{\underset{Co(CO)_3}{\diamond}}Co(CO)_3$$

...-trikobaltatetrahedran

R = CF₃; *Nonacarbonyl-4-trifluormethyl-*...; 6%
R = CHF₂; *4-Difluormethyl-nonacarbonyl-*...; 42%
R = C₂F₅; *Nonacarbonyl-4-(pentafluor-ethyl)-*...; 30%

Nonacarbonyl-4-trifluormethyl-trikobaltatetrahedran entsteht zu 68% bei der Umsetzung mit 2-Fluor-hexacarbonyl-4-oxo-2-trifluormethyl-1,3-dikobalta-bicyclo[1.1.0]butan[1]:

$$Na^{\oplus}[Co(CO)_4]^{\ominus}\ +\ \ \xrightarrow[-NaF/\ -2\ CO]{(H_5C_2)_2O,\ 20°}\ (OC)_3Co\overset{CF_3}{\underset{Co(CO)_3}{\diamond}}Co(CO)_3$$

Das *4-Fluor*-Derivat wird auf analoge Weise zu 72% mit der 2,2-Difluor-Verbindung erhalten[2].

Bei der Umsetzung von Polyfluoracylchloriden (bzw. Polyfluoracyl-kobaltaten) mit Natrium-tetracarbonyl-kobaltat, das im Überschuß vorgelegt wird, entstehen die analogen Verbindungen in geringerer Ausbeute.

4-Fluor-nonacarbonyl-trikobaltatetrahedran[1]: Eine Lösung von 0,58 g (3,0 mmol) Natrium-tetracarbonyl-kobaltat in 45 *ml* Diethylether wird mit 0,20 g (0,80 mmol) Tetracarbonyl-trifluormethyl-kobalt bei 20° 16,5 Stdn. gerührt. Hierauf wird das Lösungsmittel i. Vak. abgezogen und der Rückstand mit Petrolether extrahiert. Der Extrakt wird filtriert und i. Vak. eingeengt. Der schwarze feste Rückstand wird i. Vak. sublimiert; Ausbeute: 0,27 g (70%); F: 74–75°.

Die Methode kann auch mit Erfolg auf 1,2-Bis-[tetracarbonylkobaltato]-tetrafluor-ethan angewandt werden[1]:

$$4\ Na^{\oplus}[Co(CO)_4]^{\ominus}\ +\ (OC)_4Co-CF_2-CF_2-Co(CO)_4\ \xrightarrow[-4\ NaF/\ -6\ CO]{(H_5C_2)_2O,\ 20°}$$

Octadecacarbonyl-4,4'-bi-trikobaltatetrahedryl; 16%

Aus Halogen-trifluor-ethen entsteht mit Octacarbonyl-dikobalt unter 1,2-Wanderung eines Fluor-Atoms das *4-Trifluormethyl*-Derivat zu ~25%[3,4]. Die Bildung des Clusters wird durch Kohlenmonoxid-Atmosphäre inhibiert.

$$Co_2(CO)_8\ +\ X-CF=CF_2\ \xrightarrow{Pentan,\ 80-100°}\ (OC)_3Co\overset{CF_3}{\underset{Co(CO)_3}{\diamond}}Co(CO)_3$$

[1] B.L. BOOTH, R.N. HASZELDINE u. T. INGLIS, Soc. [Dalton] **1975**, 1449.
[2] F. SEEL u. R.-D. FLACCUS, J. Fluorine Chem. **12**, 81 (1978).
[3] B.L. BOOTH, R.N. HASZELDINE, P.R. MITCHELL u. J.J. COX, Chem. Commun. **1967**, 529; Soc. [A] **1969**, 691.
[4] A.D. BEVERIDGE u. H.C. CLARK, Inorg. Nucl. Chem. Letters **3**, 95 (1967).

Mit Trifluor-ethen wird durch Belichten mit Tetracarbonyl- trimethylstannyl- kobalt die *4-Trifluormethyl*-Verbindung erhalten[1].

Wird die Reaktion in Aceton durchgeführt, so entsteht *4-Fluormethyl-nonacarbonyl-trikobaltatetrahedran*.

Dichlormethylen- (bzw. Chlormethylen)-dimethyl-ammonium-chlorid reagiert formal wie die 1,1,1-Trihalogen[2]- (bzw. 1,1-Dihalogen)[3]-alkane:

$$3\ Na^{\oplus}[Co(CO)_4]^{\ominus}\ +\ [(H_3C)_2N{=}CCl_2]^{\oplus}Cl^{\ominus}$$

$$Co_2(CO)_8\ +\ [(H_3C)_2N{=}CH{-}Cl]^{\oplus}Cl^{\ominus}$$

$$\xrightarrow{-\,3\,NaCl\,/\,-3\,CO}$$

N(CH₃)₂ ... (OC)₃Co—Co(CO)₃ / Co(CO)₃

4-Dimethylamino-nonacarbonyl-trikobaltatetrahedran[3]: Zu einer Mischung von 25,5 g (74,5 mmol) Octacarbonyl-dikobalt und 200 *ml* abs. THF gibt man eine Suspension von 5,3 g (41 mmol) N,N-Dimethyl-chlor-formamidinium-chlorid in 20 *ml* THF. Es tritt eine heftige Gas-Entwicklung auf. Nach 2stdgm. Erhitzen auf 50° wird unter Stickstoff filtriert. Das Filtrat wird i. Vak. eingeengt und der Rückstand in Hexan aufgenommen. Beim Abziehen des Lösungsmittels fällt der braune Clusterkomplex aus; Ausbeute: 6,3 g (26%).

β) mit 1-Alkinen[4]

β₁) aus Octacarbonyl-dikobalt

1-Alkine bilden mit Octacarbonyl-dikobalt 4-Alkyl-nonacarbonyl-trikobaltatetrahedrane (s.a.S. 173). Die Umsetzung ist auch umkehrbar (s.S. 267).

$$Co_2(CO)_8\ +\ F_3C{-}C{\equiv}CH\ \longrightarrow$$

CH₂—CF₃ ... (OC)₃Co—Co(CO)₃ / Co(CO)₃

Nonacarbonyl-4-(2,2,2-trifluor-ethyl)-trikobaltatetrahedran

Mit Dihalogen-ethin entsteht neben dem (Dihalogen-alkin)-hexacarbonyl-dikobalt-Komplex das *Octadecacarbonyl-4,4'-bi-[trikobaltatetrahedryl]*[5,6], wobei die Di-Verbindung bevorzugt bei einem Co_2/C_2X_2-Verhältnis von 3 entsteht[7]:

$$Co_2(CO)_8\ +\ J{-}C{\equiv}C{-}J\ \longrightarrow\ Co_2(CO)_6(J{-}C{\equiv}C{-}J)\ +$$

I   II   III

(OC)₃Co ... Co(CO)₃ (OC)₃Co—Co(CO)₃ (OC)₃Co ... Co(CO)₃

IV

I/II	III/IV
0,5 →	130
1,0 →	46
2,0 →	4,9
3,0 →	0,07

[Ausbeute III + IV: 70 ± 10%]

[1] A. D. BEVERIDGE u. H. C. CLARK, Inorg. Nucl. Chem. Letters **3**, 95 (1967).

[2] J. A. HARTSHORN, M. F. LAPPERT u. K. TURNER, Chem. Commun. **1975**, 929.

[3] D. SEYFERTH, J. E. HALLGREN u. P. L. K. HUNG, J. Organomet. Chem. **50**, 265 (1973).

[4] D. A. HARBOURNE, D. T. ROSEVEAR u. F. G. A. STONE, Inorg. Nucl. Chem. Letters **2**, 247 (1966).

[5] G. VÁRADI u. G. PÁLYI, Inorganic Chimica Acta **20**, L 33 (1976).

[6] G. VÁRADI u. G. PÁLYI, Magyar chem. Folyoirat **83**, 327 (1977).

[7] **Achtung!** Dihalogenacetylene können sich auch in Lösung spontan unter **Explosion** zersetzen (s. a. S. 180).

β_2) *aus anderen Carbonyl-kobalt-Verbindungen*

Hydrido-tris-[tricarbonylkobalt] reagiert als „ungesättigter" Cluster bei 20° mit Acetylen zu *4-Methyl-nonacarbonyl-trikobaltatetrahedran*[1].

γ) mit Lewis-Säuren bzw. Alkalimetallen, Boranen oder Silanen

4-Metalloxy-trikobaltatetrahedran-Cluster erhält man durch Umsetzung von Carbonyl-kobalt-Komplexen mit Lewis-Säuren, aber auch mit Alkalimetallen. Dies ist möglich, weil Kobalt durch Disproportionierung je nach Bedarf unter Bildung von $Co(-1)$, $Co(0)$ oder $Co(+2)$ Elektronen aufnehmen oder abgeben kann. Für die Umsetzung sind unterschiedliche Lewis-Säuren geeignet, wie z.B. Bor-, Aluminium-, Silicium- und Titan-halogenide.

Zur Erniedrigung der Reaktivität von starken Lewis-Säuren ist es oft zweckmäßig, die Amin-Addukte einzusetzen, um einheitliche Produkte zu erhalten. Die Bor-Verbindungen sind im Gegensatz zu den Aluminium-Verbindungen nicht Luft-empfindlich. Sie zersetzen bei 80–100° langsam unter Dunkelfärbung.

Allgemein wird mit Octacarbonyl-dikobalt gearbeitet[2-4]:

$$7\ Co_2(CO)_8\ +\ 4\ MX_3 \cdot N(C_2H_5)_3 \xrightarrow[-2\ CoX_2\ /\ -16\ CO]{C_6H_6,\ 60°} 4\ (OC)_3Co$$

M = B; X = Cl, Br; 48 bzw. 45%
M = Al; X = Cl, Br; 80 bzw. 55%

Bei Umsetzung von Trihalogenbor und -aluminium entstehen 1:1-Addukte, die beim Bor instabil, beim Aluminium stabil sind[5]. Das Tribromaluminium-Addukt lagert sich in benzolischer Lösung bei 60° in den Cluster um[2]. Eine zweite Tribromaluminium-Gruppe dient dabei als Ligand zur koordinativen Absättigung von Aluminium.

4-(Triethylamin-dijodboryloxy)-nonacarbonyl-trikobaltatetrahedran[3]: 1,97 g (4,0 mmol) Triethylamin-trijodboran werden in 50 *ml* Benzol gelöst. Unter Rühren wird bei 20° eine Lösung von 3,00 g (8,8 mmol) Octacarbonyl-dikobalt in 150 *ml* Benzol zugetropft. Dabei setzt sofort eine lebhafte Entwicklung von Kohlenmonoxid ein, und es scheidet sich Kobalt(II)-jodid unter intensivem Rot-Färben der Lösung aus. Nach ~ 3 Stdn. hört die Gasentwicklung auf. Das abgeschiedene Salz wird daraufhin von der warmen Lösung in einer Fritte abfiltriert. Das Filtrat wird i. Vak. eingeengt, der Rückstand zum Abtrennen von Tetrakis-[tricarbonylkobalt] 5mal mit je 50 *ml* Pentan extrahiert und i. Vak. getrocknet; Ausbeute: 1,4 g (42,6%).

Tetracarbonylkobaltat(−I) kann mit Chlor-methyl-silanen entweder am Kobalt-Metall unter Bildung einer Si−Co-Bindung reagieren oder durch Angriff von Silicium an einem Carbonyl-Sauerstoff-Atom. Die Neigung zum Angriff am Sauerstoff-Atom, der bei Silicium normalerweise bevorzugt ist, nimmt mit steigender Zahl der Methyl-Reste in folgender Reihe parallel zur Lewis-Azidität ab:

$$SiCl_4\ >\ H_3C{-}SiCl_3\ >\ (H_3C)_2SiCl_2\ >\ (H_3C)_3Si{-}Cl$$

[1] G. Fachinetti, S. Pucci, P.F. Zanazzi u. U. Methong, Ang. Ch. **91**, 657 (1979).
[2] G. Schmid u. V. Bätzel, J. Organometal. Chem. **46**, 149 (1972).
[3] G. Schmid, V. Bätzel, G. Etzrodt u. R. Pfeil, J. Organometal. Chem. **86**, 257 (1975).
[4] Zur Kristallstruktur des Chloro-Derivates s.:
    V. Bätzel, U. Müller u. R. Allmann, J. Organometal. Chem. **102**, 109 (1975);
    V. Bätzel, Z. Naturf. **31 B**, 342 (1976).
[5] G. Schmid u. V. Bätzel, J. Organometal. Chem. **81**, 321 (1974).

Chlor-trimethyl-silan bildet demnach unter nucleophiler Substitution von Chlor durch das Kobaltat nur Tetracarbonyl-trimethylsilyl-kobalt. Tetrachlor- und Methyl-trichlor-silan hingegen bilden unter Angriff am Carbonyl-O-Atom Cluster[1, 2]. Bei Einsatz von Dichlor-dimethyl-silan können keine definierten Verbindungen isoliert werden.

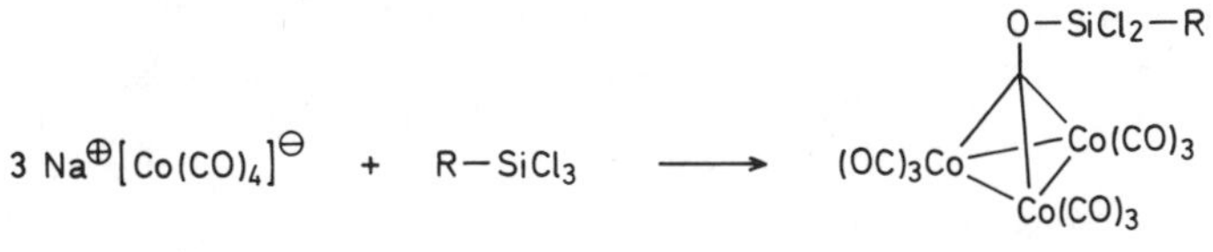

$$3 \; Na^{\oplus}[Co(CO)_4]^{\ominus} \;\; + \;\; R{-}SiCl_3 \;\; \longrightarrow \;\; (OC)_3Co{\diagup\!\!\diagdown}^{O-SiCl_2-R}_{Co(CO)_3}Co(CO)_3$$

R = Cl; 52%
R = CH$_3$; 44%

Die *4-Trichlorsilyloxy-* bzw. *4-(Dichlor-methyl-silyloxy)-nonacarbonyl-trikobaltatetrahedrane* sind thermisch instabil, Luft-empfindlich und zersetzen sich mit Wasser.

Eine ähnliche Reaktion wird bei der Umsetzung von Octacarbonyl-dikobalt mit Chlor-silanen beobachtet, wenn in einem Lösungsmittel wie Tetrahydrofuran gearbeitet wird, das die Bildung von Tetracarbonylkobaltat(–I) durch Disproportionierung in der „Basen-reaktion" ermöglicht; z. B.:

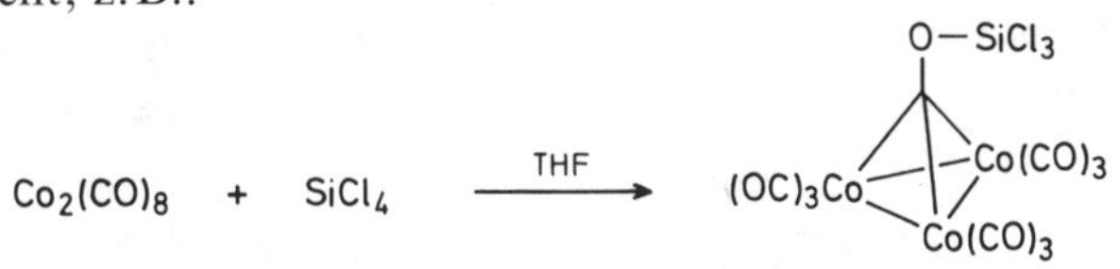

$$Co_2(CO)_8 \;\; + \;\; SiCl_4 \;\; \xrightarrow{\;THF\;} \;\; (OC)_3Co{\diagup\!\!\diagdown}^{O-SiCl_3}_{Co(CO)_3}Co(CO)_3$$

In Gegenwart von Tetrahydrofuran bildet Tetracarbonylkobaltat mit Methyl-tri-chlor-silan *4-(4-Trichlorsilyloxy-butyl)-nonacarbonyl-trikobaltatetrahedran*, dessen Si-lyl- Rest bei der Aufarbeitung hydrolytisch abgespalten wird[1, 2]:

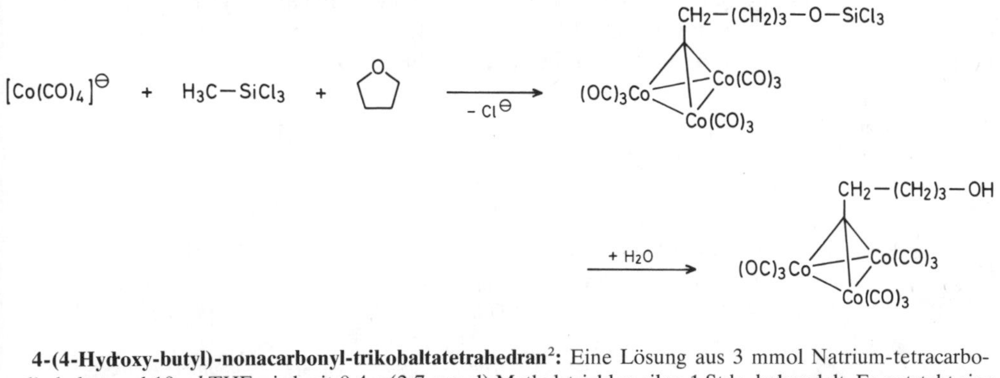

$$[Co(CO)_4]^{\ominus} \;\; + \;\; H_3C{-}SiCl_3 \;\; + \;\; \bigcirc\!\!O \;\; \xrightarrow[{-\;Cl^{\ominus}}]{} \;\; (OC)_3Co{\diagup\!\!\diagdown}^{CH_2-(CH_2)_3-O-SiCl_3}_{Co(CO)_3}Co(CO)_3$$

$$\xrightarrow{\;+\,H_2O\;} \;\; (OC)_3Co{\diagup\!\!\diagdown}^{CH_2-(CH_2)_3-OH}_{Co(CO)_3}Co(CO)_3$$

4-(4-Hydroxy-butyl)-nonacarbonyl-trikobaltatetrahedran[2]: Eine Lösung aus 3 mmol Natrium-tetracarbo-nylkobaltat und 10 *ml* THF wird mit 0,4 g (2,7 mmol) Methyl-trichlor-silan 1 Stde. behandelt. Es entsteht eine braune Lösung, die nach 18 Stdn. bei 25° (oder 2 Stdn. auf 60°) rot-purpur wird. Sie wird mit einer ges. wäßr. Ammoniumchlorid-Lösung hydrolysiert.

Die organische Schicht wird abgetrennt, mit Natriumsulfat getrocknet und i. Vak. eingeengt. Der Rückstand wird an einer Silicagel-Dünnschicht mit Diethylether und Hexan im Verhältnis 1:5 als Elutionsmittel (R_f = 0,2) chromatographiert; Ausbeute: 0,21 g (40%); IR: $_{CO}$2099 (w), 2048 (s), 2034 (s), 2015 (w) cm^{-1}.

Bis-[cyclopentadienyl]-dichloro-titan bildet unter Abspaltung eines Chlor-Atoms mit Octacarbonyl-dikobalt *4-(Bis-[cyclopentadienyl]-chloro-titanoxy)-nonacarbonyl-triko-baltatetrahedran* (51%)[3]:

[1] B. K. NICHOLSON, B. H. ROBINSON u. J. SIMPSON, J. Organometal. Chem. **66**, C3 (1974).
[2] B. K. NICHOLSON u. J. SIMPSON, J. Organometal. Chem. **155**, 237 (1978).
[3] G. SCHMID, V. BÄTZEL u. B. STUTTE, J. Organometal. Chem. **113**, 67 (1976).

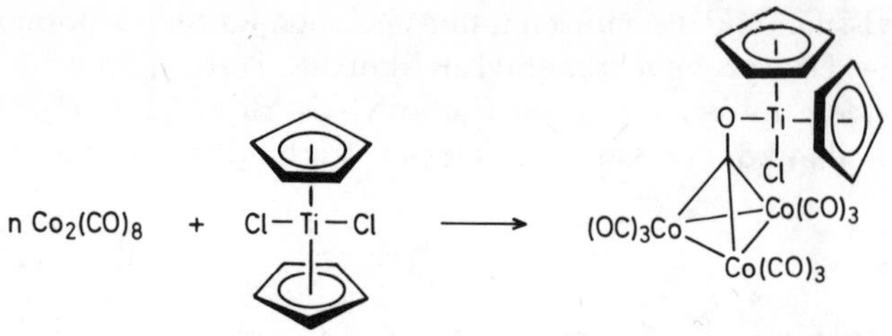

Cyclopentadienyl-trichloro-titan und Natrium-tetracarbonylkobaltat setzen sich zu *Bis-[nonacarbonyl-trikobaltatetrahedran-4-yloxy]-cyclopentadienyl-tetracarbonylkobalto-titan* (23%) um[1]:

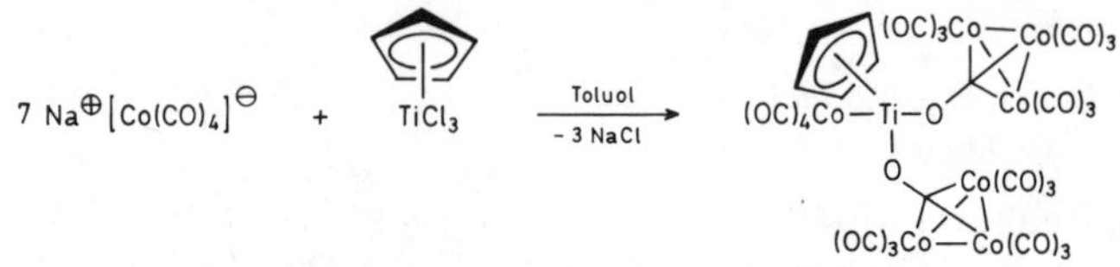

δ) mit speziellen Verbindungen

Aus Octacarbonyl-dikobalt entstehen mit Schwefelkohlenstoff neben einer Vielzahl von Verbindungen mehrere Cluster-Derivate; z.B.[2,3]:

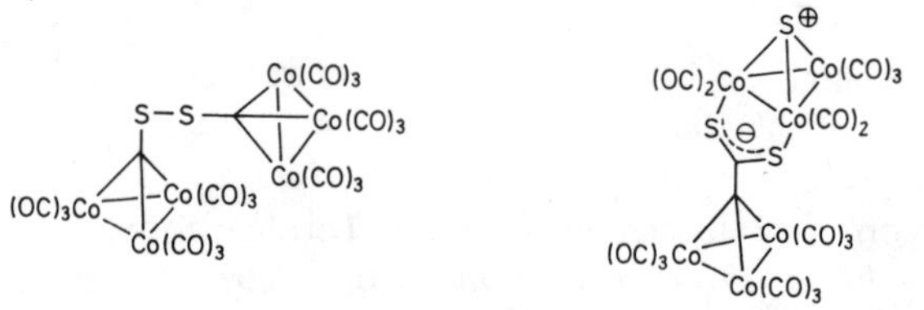

Verschiedene Dithiokohlensäure-O,S-dialkylester bilden mit Octacarbonyl-dikobalt unter vollständiger Desulfurisation 4-Alkoxy-nonacarbonyl-trikobaltatetrahedrane[4]. Die optisch aktiven purpur-farbigen Komplexe werden zu 50–65% (nach Reinigung durch Dünnschichtchromatographie auf Kieselgel) erhalten:

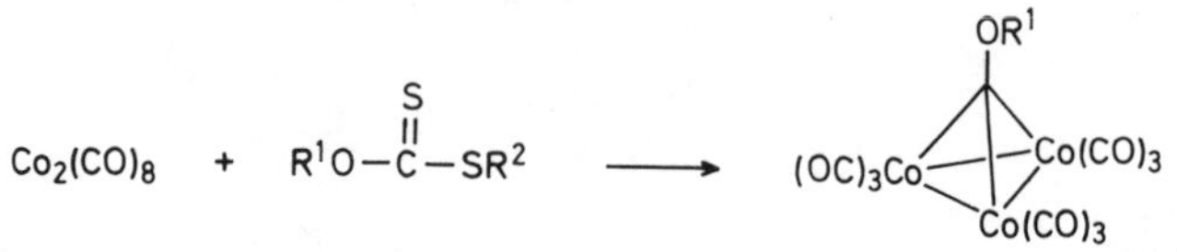

$R^2 = CH_3, C_4H_9, CH_2{-}C_6H_5, CH_2{-}COOCH_3$ usw. ...*-nonacarbonyl-trikobaltatetrahedran*

R^1 = 5α-Cholestan-3β-yl; *4-(5α-Cholestan-3β-yloxy)-...*

R^1 = 5-Cholesten-3β-yl; *4-(5-Cholesten-3β-yloxy)-...*

R^1 = 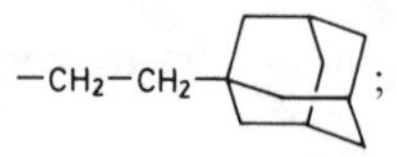 ; *4-[2-(1-Adamantyl)-ethoxy]-...*

R^1 = 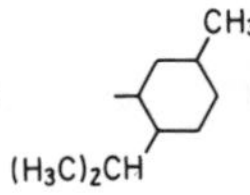 ; *4-(2-Isopropyl-5-methyl-cyclohexyloxy)-...*

Im Gegensatz hierzu wird mit Dithiokohlensäure-O-alkylester-S-methylester im wesentlichen die C–O-Bindung gespalten[4]:

---

[1] G. Schmid, B. Stutte u. R. Boese, B. **111**, 1239 (1978).
[2] G. Bor, G. Gervasio, R. Rossetti u. P.L. Stanghellini, Chem. Commun. **1978**, 841.
[3] P.L. Stanghellini, G. Gervasio, R. Rossetti u. G. Bor, J. Organometal. Chem. **187**, C37 (1980).
[4] G. Mignani, H. Patin u. R. Dabard, J. Organometal. Chem. **169**, C19 (1979).

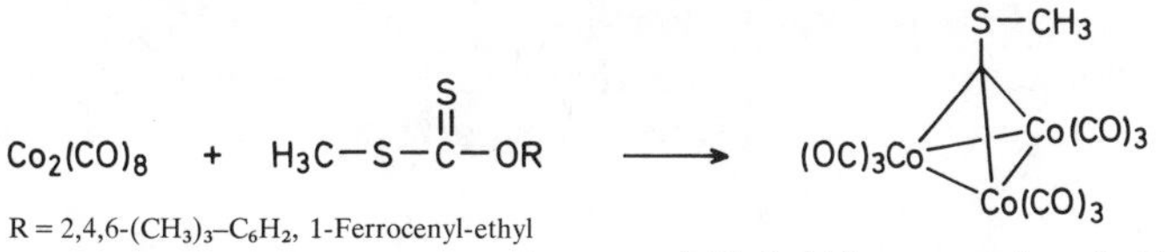

$$Co_2(CO)_8 \ + \ H_3C-S-\overset{\overset{S}{\|}}{C}-OR \longrightarrow$$

R = 2,4,6-(CH_3)_3–C_6H_2, 1-Ferrocenyl-ethyl

4-Methylthio-nonacarbonyl-trikobaltatetrahedran

Dithiocarbonsäureester setzen sich mit Octacarbonyl-dikobalt hauptsächlich zu den 4-Alkyl- bzw. 4-Aryl- und in einigen Fällen mehr zu 4-Organothio-clustern um[1]. Die auf diese Weise zugänglichen 4-sek. Alkyl- bzw. 4-Cycloalkyl-nonacarbonyl-trikobaltatetrahedrane werden nach anderen Methoden nicht oder nur in geringen Ausbeuten erhalten.

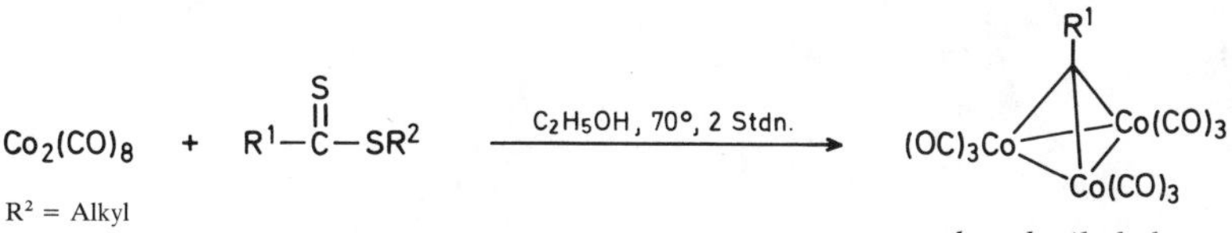

$$Co_2(CO)_8 \ + \ R^1-\overset{\overset{S}{\|}}{C}-SR^2 \xrightarrow{\text{C}_2\text{H}_5\text{OH}, \ 70°, \ 2 \ \text{Stdn.}}$$

R² = Alkyl

. . .-nonacarbonyl-trikobaltatetrahedran

R = CH_3; *4-Methyl-*. . .; 44%; F: 183–185°
R = CH(CH_3)_2; *4-Isopropyl-*. . .; 35%; F: 190–192°
R = C_6H_{11}; *4-Cyclohexyl-*. . .; 33%; F: 90–92°
R = C_6H_5; *4-Phenyl-*. . .; 68%; F: 105–107°
R = 4-OCH_3–C_6H_4; *4-(4-Methoxy-phenyl)-*. . .; 74%; F: 95–98°
R = 4-N(CH_3)_2–C_6H_4; *4-(4-Dimethylamino-phenyl)-*. . .; 51%; F: 125–126°
R = 2-Thienyl; *4-(2-Thienyl)-*. . .; 65%; F: 116–118°
R = 1-Naphthyl; *4-(1-Naphthyl)-*. . .; 45%; F: 88–90°

Dimethylketen wird durch Umsetzung mit Octacarbonyl-dikobalt desoxygeniert, und man erhält neben Kohlendioxid *4-Isopropyl-* und *4-Isopropenyl-nonacarbonyl-trikobaltatetrahedran*[2]. Die Reduktion verläuft über den Komplex I:

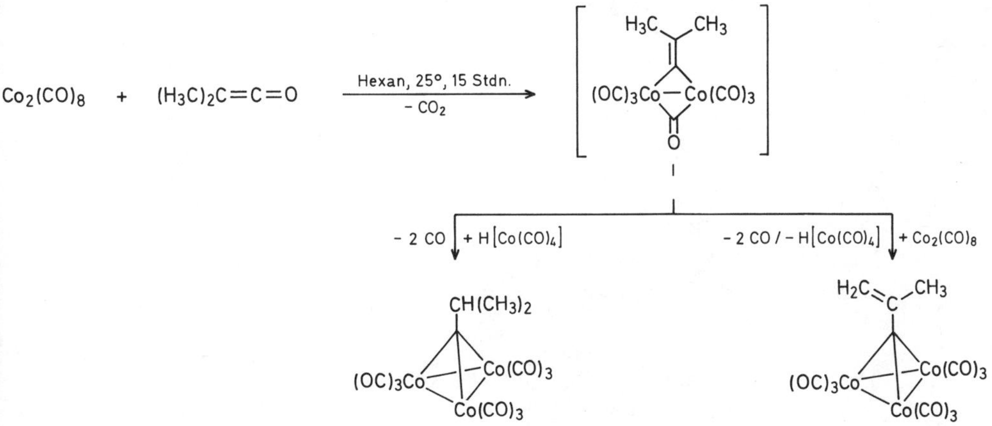

$$Co_2(CO)_8 \ + \ (H_3C)_2C{=}C{=}O \xrightarrow[-\ CO_2]{\text{Hexan, 25°, 15 Stdn.}}$$

Carbin-Komplexe von Chrom, Molybdän, Wolfram oder Mangan übertragen ihren Carbin-Liganden auf Octacarbonyldikobalt[3,4]. Die Reaktion ist stark Lösungsmittel-abhängig. So entsteht in Methanol ausschließlich der 4-Organo-cluster. In Diethylether oder

[1] H. PATIN, G. MIGNANI u. M.-T. VAN HULLE, Tetrahedron Letters **1979**, 2441.
[2] D. A. YOUNG, Inorg. Chem. **12**, 482 (1973).
[3] E. O. FISCHER u. A. DRÄWERITZ, Ang. Ch. **87**, 360 (1975).
[4] E. O. FISCHER u. A. DRÄWERITZ, B. **111**, 3525 (1978).

Dichlormethan können sich unter Dimerisierung von Carbin-Resten Alkin-hexacarbonyl-dikobalt-Verbindungen bilden. Die thermische Instabilität der Carbin-Komplexe macht sich mit geringen Ausbeuten störend bemerkbar.

$Co_2(CO)_8$ +

$Co_2(CO)_8$ +

1- ~37%

X = Br; M = Cr, W; R = CH_3, C_6H_5
X = Cl; M = Mo; R = 4-CH_3–C_6H_4
Mn: R = C_6H_5

4-(4-Methyl-phenyl)-nonacarbonyl-trikobaltatetrahedran[1]: 350 mg (1,01 mmol) *trans*-Chloro-(4-methyl-benzylidin)-tetracarbonyl-molybdän und 850 mg (2,5 mmol) Octacarbonyl-dikobalt werden bei –30° in 100 *ml* Methanol unter Rühren auf 20° erwärmt. Das Gemisch verfärbt sich dabei von ocker nach braun-violett. Nach 4 Stdn. hört die Gasentwicklung auf. Es wird mehrmals bei –95° mit Pentan extrahiert. Nach der Extraktion werden die vereinigten Extrakte an Aluminiumoxid (neutral, 2% Wasser) und danach an Kieselgel mit Pentan chromatographiert. Nach Entfernen des Lösungsmittels wird aus Pentan umkristallisiert. Man erhält dunkelviolette Kristalle; Ausbeute: 150 mg (27,7%, bez. a. das Carbin); F: 105–106°.

Durch Umsetzung von Octacarbonyl-dikobalt mit Alkalimetall in Diethylether oder Tetrahydrofuran entsteht *4-Alkalimetalloxy-nonacarbonyl-trikobaltatetrahedran*[2-5].

Borane und Silane bilden mit Octacarbonyl-dikobalt unter Abspaltung von Wasserstoff 4-Boryloxy- bzw. 4-Silyloxy-nonacarbonyl-trikobaltatetrahedrane[6,7]:

$Co_2(CO)_8$ + $R_3\overset{\oplus}{N}-\overset{\ominus}{B}H_3$ $\xrightarrow{C_6H_6,\ 60-65°,\ 3\ Stdn.}$

$Co_2(CO)_8$ + R_2SiH_2 $\xrightarrow[- H_2]{Toluol,\ 20°,\ 72\ Stdn.}$

...-*nonacarbonyl-trikobaltatetrahedran*
R = C_2H_5; *4-(Diethyl-tetracarbonylkobalta-silyloxy)-*...; 32%; F: 55°
R = C_6H_5; *4-(Diphenyl-tetracarbonylkobalta-silyloxy)-*...; 72%; F: 78–80°

4-(Triethylamin-Dihydroboryloxy)-nonacarbonyl-trikobaltatetrahedran[6,7]: Eine Mischung aus 6,0 g (18 mmol) Octacarbonyl-dikobalt, 11,4 g (100 mmol) Triethylamin-Boran und 200 *ml* Benzol werden 3 Stdn. bei

[1] E.O. Fischer u. A. Dräweritz, B. **111**, 3525 (1978).
[2] S.A. Fieldhouse, B.H. Freeland, C.D.M. Mann u. R.J. O'Brien, Chem. Commun. **1970**, 181.
[3] V. Bätzel u. G. Schmid, B. **109**, 3339 (1976).
[4] B. Stutte, V. Bätzel, R. Boese u. G. Schmid, B. **111**, 1603 (1978).
[5] C.D.M. Mann, A. Cleland, S.A. Fieldhouse, B.H. Freeland u. R.J. O'Brien, J. Organometal. Chem. **24**, C61 (1970).
[6] F. Klanberg, W.B. Askew u. L.J. Guggenberger, Inorg. Chem. **7**, 2265 (1968).
[7] S.A. Fieldhouse, A.J. Cleland, B.H. Freeland, C.D.M. Mann u. R.J. O'Brien, Soc. [A] **1971**, 2536.

60–65° gerührt und anschließend bei 20° filtriert. Darauf wird das Lösungsmittel i. Vak. entfernt. Der schwarze Rückstand wird mit ~ 500 ml Petrolether (Kp: 30–60°) extrahiert. Die resultierende tief-violette Lösung wird erneut i. Vak. am Rotationsverdampfer eingeengt. Der Triethylamin-Boranüberschuß wird bei 20°/10^{-4} Torr innerhalb 16 Stdn. entfernt.

Der feste Rückstand wird in 200 ml Petrolether umkristallisiert. Es fallen nadelförmige Kristalle aus, wenn die Lösung auf −78° gekühlt wird; Ausbeute: 2,4 g; F: 103–105°.

2. aus Acyl-tetracarbonyl-kobalt-Verbindungen

Die Thermolyse von Propanoyl-tetracarbonyl-kobalt liefert *4-Ethyl-nonacarbonyl-trikobaltatetrahedran* zu 5%[1].

(2,2-Difluor-acyl)-tetracarbonyl-kobalt-Verbindungen bilden dagegen in Ether bei 20° unter Decarbonylierung 4-Organo-nonacarbonyl-trikobaltatetrahedrane[2]:

$$R-CF_2-CO-Co(CO)_4 \quad \xrightarrow[-CO]{\text{Ether, 20°}} \quad (OC)_3Co\overset{R}{\diagup}Co(CO)_3$$

3. aus 1-Alkin-hexacarbonyl-dikobalt-Verbindungen

Die durch Umsetzung von Octacarbonyl-dikobalt und 1-Alkinen leicht erhältlichen π-(1-Alkin)-Komplexe werden durch Behandeln mit Säuren zu 1-Alkyl-nonacarbonyl-trikobaltatetrahedranen umgesetzt. Als Katalysator sind Mineralsäuren und bei höherer Temp. (70–80°) auch Essigsäure geeignet[3–5].

$$(OC)_3Co\overset{R}{\diagup}Co(CO)_3 \quad \xrightarrow[\text{bzw. } H_3C-COOH, C_6H_6, 70-80°]{H_2SO_4, H_3C-OH, H_2O} \quad (OC)_3Co\overset{CH_2-R}{\diagup}Co(CO)_3$$

. . .-*nonacarbonyl-trikobaltatetrahedran*

R = H; *4-Methyl-*. . .[2];		49%
R = C_2H_5; *4-Propyl-*. . .[3];		20%
R = C_3H_7; *4-Butyl-*. . .[1];		34%

4-Benzyl-nonacarbonyl-trikobaltatetrahedran[3]: Eine Lösung aus 2,0 g (5 mmol) Hexacarbonyl-phenylethin-dikobalt in 100 ml Benzol wird mit 10 Tropfen Eisessig versetzt und 4–5 Stdn. auf 70–80° erhitzt. Das Lösungsmittel wird i. Vak. entfernt und der Rückstand mit Petrolether (Kp: 60–80°) chromatographiert. Mit Benzol/Petrolether (1:9) wird der Cluster eluiert; Ausbeute: 600 mg (34%).

4-Alkyl-cluster werden in niedrigen Ausbeuten auch durch bloßes Erhitzen von 1-Alkin-hexacarbonyl-dikobalt ohne Zusatz von Säuren erhalten.

So entsteht aus dem Ethin-Komplex 7% *4-Methyl-nonacarbonyl-trikobaltatetrahedran*[6], während aus dem Phenylethin-Komplex ein Gemisch aus 4-Benzyl-, 4-Phenyl-, 4-(2-Phenyl-vinyl)- usw. -cluster entsteht[7].

Hexacarbonyl-(dijod-ethin)-dikobalt reagiert mit Octacarbonyl-dikobalt bzw. Natrium-tetracarbonylkobaltat unter Bildung von *Octadecacarbonyl-4,4'-bi-trikobaltatetrahedryl* (65 bzw. 45%)[8].

---

[1] B.K. Nicholson u. J. Simpson, J. Organometal. Chem. **155**, 237 (1978).

[2] B.L. Booth, R.W. Haszeldine u. T. Inglis, Soc. [Dalton] **1975**, 1449.

[3] R. Markby, I. Wender, R.A. Friedel, F.A. Cotton u. H.W. Sternberg, Am. Soc. **80**, 6529 (1958).

[4] G. Pályi, F. Piacenti, M. Bianchi u. E. Benedetti, Acta chim. Acad. Sci. hung. **66**, 127 (1970).

[5] U. Khand, G.R. Knox, P.L. Pauson u. W.E. Watts, J. Organometal. Chem. **73**, 383 (1974).

[6] D. Seyferth, C.N. Rudie u. J.S. Merola, J. Organometal. Chem. **162**, 89 (1978).

[7] R.S. Dickson u. J.L. Michel, Austral. J. Chem. **28**, 1957 (1975).

[8] G. Váradi u. G. Pályi, Inorganic. Chimica Acta **20**, L 33 (1976).

4. aus Tetracarbonyl-trimethylsilyl-kobalt

Tetracarbonyl-trimethylsilyl-kobalt läßt sich in Tetrahydrofuran bereits bei 20° in hohen Ausbeuten in *4-Trimethylsiloxy-nonacarbonyl-trikobaltatetrahedran* überführen[1] (s. a. S. 175):

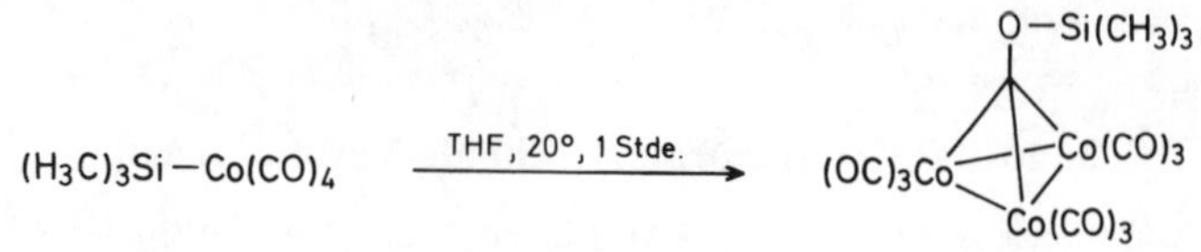

Die abgespaltenen Silyl-Reste reagieren mit dem Lösungsmittel zu *cis*- und *trans*-1-Trimethylsiloxy-1-buten sowie *cis*- und *trans*-1,4-Bis-[trimethylsiloxy]-1-buten.

5. durch spezielle Reaktionen

Bei der Bernsteinsäure-Synthese aus Acetylen, Kohlenmonoxid und Wasser in Gegenwart von Kobalt-Verbindungen werden als Nebenprodukt die Komplexe I und II gebildet. Durch Säure-Katalyse kann der Komplex I in den Komplex II übergeführt werden[2, 3]. Wird die Reaktion mit einem Kohlenmonoxid-Wasserstoff-Gemisch in Gegenwart von Octacarbonyl-dikobalt vorgenommen, so entsteht unter Hydrierung der gesättigte Komplex III[2]. Wird in Gegenwart von Methanol gearbeitet, erhält man den Ester.

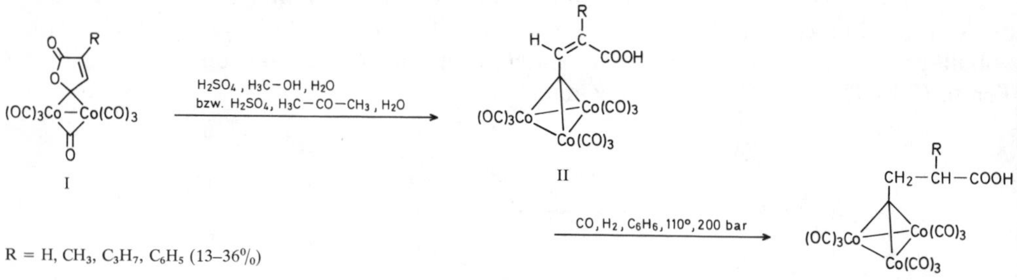

R = H, CH$_3$, C$_3$H$_7$, C$_6$H$_5$ (13–36%)

6. aus anderen Trikobaltatetrahedranen

α) durch Reaktion am C–Atom bzw. am C-Substituenten des Trikobaltatetrahedrans

α$_1$) *unter Ersatz des H-Atoms*

αα$_1$) mit Alkylierungs- bzw. Arylierungsmitteln

Allyl-bromid reagiert im Gegensatz zu Allylether und -acetat (vgl. S. 199) unter Substitution von Brom mit Trikobaltotetrahedranen[4]:

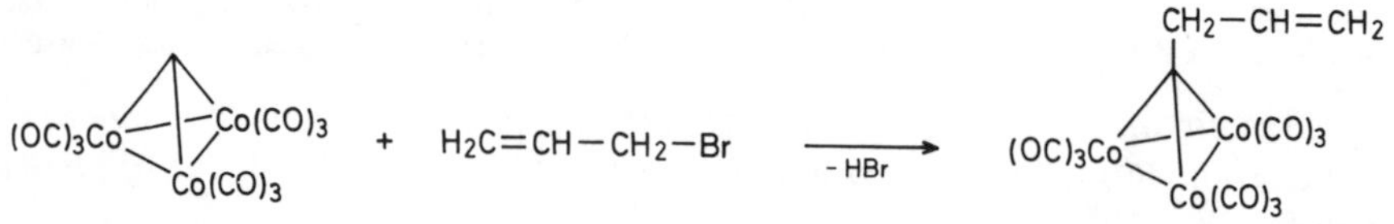

4-Allyl-trikobaltatetrahedran;
21%; F: 140–143°

[1] W. M. Ingle, G. Preti u. A. G. MacDiarmid, Chem. Commun. **1973**, 497.
[2] G. Albanesi u. E. Gavezzotti, Chim. e Ind. **47**, 1322 (1965); C.A. **64** 8234e (1966).
[3] G. Pályi u. G. Váradi, J. Organometal. Chem. **86**, 119 (1975).
[4] N. Sakamoto, T. Kitamura u. T. Joh, Chemistry Letters **1973**, 583.

Mit Hydrido-organo-silanen werden in siedendem Benzol oder Toluol die entsprechenden 4-Silyl-Derivate erhalten[1-3]:

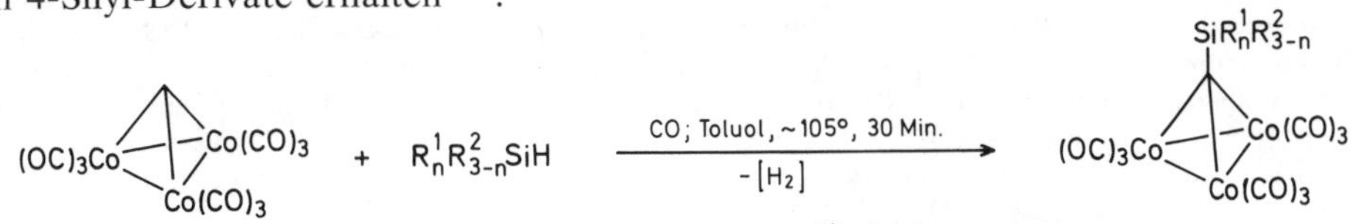

$R^1 = CH_3$; $R^2 = Cl$; $n = 2$; *4-(Chlor-dimethyl-silyl)-nonacarbonyl-*...; 90%; Zers.p.: $>150°$
$R^2 = OC_2H_5$; $n = 2$; *4-(Dimethyl-ethoxy-silyl)-nonacarbonyl-*...; 48%; F: 120–122°
$R^2 = C_6H_5$; $n = 2$; *4-(Dimethyl-phenyl-silyl)-nonacarbonyl-*...; 91%; F: 75°
$R^1 = C_2H_5$; $R^2 = -$; $n = 3$; *Nonacarbonyl-4-triethylsilyl-*...; 76%; Zers. $>70°$

Nonacarbonyl-4-trichlorsilyl-trikobaltatetrahedran ($R^1 = Cl$; $R^2 = -$; $n = 3$)[2]: Die Standard-Apparatur besteht aus einem 3-Hals-Kolben, der mit einem Rückflußkühler, Thermometer und Gaseinleitungsrohr für Kohlenmonoxid sowie einem Magnet-Rührer ausgerüstet ist. Die Apparatur wird unter Stickstoff mit einer Flamme getrocknet. In einer Kohlenmonoxid-Atmosphäre werden 1,00 g (2,3 mmol) 1,1,1,2,2,2,3,3,3-Nonacarbonyltrikobaltatetrahedran und 1,0 *ml* (10 mmol) Trichlorsilan in 40 *ml* Toluol 30 Min. gerührt und unter Rückfluß erhitzt. Nach dem Abkühlen wird das Lösungsmittel i. Vak. abgezogen. Der Rückstand wird mit Hexan gewaschen und bei 20° i. Vak. 12 Stdn. getrocknet. Der schwarze feste Rückstand ist analytisch rein; Ausbeute: 92%; Zers. $>170°$.

Nonacarbonyl-4-trihydroxysilyl-trikobaltatetrahedran ($R^1 = OH$; $R^2 = -$; $n = 3$)[2]: Wird das Trichlorsilyl-Derivat mit Diethylether an Kieselsäure chromatographiert, so wird die Trichlorsilyl- zur Trihydroxysilyl-Gruppe hydrolysiert. Die gebildete rotbraune, feste Verbindung wird aus Aceton/Hexan umkristallisiert; Ausbeute: 0,77 g (66%, bez. a. Co); Zers. $>150°$.

Analog reagieren Chlor-organo- bzw. Triorgano-germane, am besten im doppelt molaren Überschuß[1,2,4]:

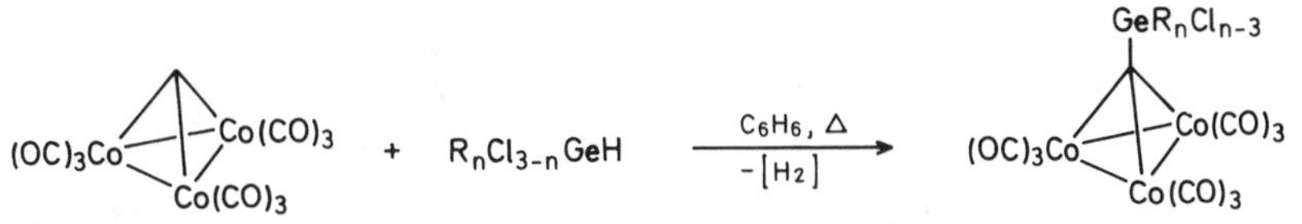

$R = C_2H_5$; $n = 3$; *Nonacarbonyl-4-triethylgermanyl-*...; 30%; F: 177–179°
$n = 2$; *4-(Chlor-diethylgermanyl)-nonacarbonyl-*...; 19%; F: 144–146°
$R = C_4H_9$; $n = 3$; *Nonacarbonyl-4-tributylgermanyl-*...; 44%; F: 65,5–67°
$R = C_6H_5$; $n = 3$; *Nonacarbonyl-4-triphenylgermanyl-*...; 30%; F: 114–115°
$R = CH_2-C_6H_5$; $n = 2$; *4-(Chlor-dibenzyl-germanyl)-nonacarbonyl-*...; 49%; F: 130–131,5°

Mit Tetraphenyl-zinn bzw. -blei werden *Nonacarbonyl-4-phenyl-trikobaltatetrahedran* (27 bzw. 18%) erhalten[5].

Bei der Alkylierung bzw. Arylierung mit Alkyl(Aryl)-quecksilber-Verbindungen werden beim Arbeiten unter Kohlenmonoxid-Atmosphäre die höchsten Ausbeuten erzielt[5-7]. Bei Alkyl-quecksilber-Verbindungen sind die Ausbeuten geringer und die Reaktionszeiten länger als bei den Aryl-Derivaten.

[1] D. SEYFERTH u. C.L. NIVERT, Am. Soc. **99**, 5209 (1977).
[2] D. SEYFERTH, C.N. RUDIE u. M.O. NESTLE, J. Organometal. Chem. **178**, 227 (1979).
[3] C.E.J. COMBES, R.J.P. CORRIU u. B.J. HENNER, J. Organometal. Chem. **221**, 257 (1981).
[4] D. SEYFERTH u. H.P. WITHERS, J. Organometal. Chem. **188**, 329 (1980).
[5] D. SEYFERTH, J.E. HALLGREN, R.J. SPOHN, G.H. WILLIAMS, M.O. NESTLE u. P.L.K. HUNG, J. Organometal. Chem. **65**, 99 (1974).
[6] D. SEYFERTH, R.J. SPOHN u. J.E. HALLGREN, J. Organometal. Chem. **28**, C34 (1971).
[7] **Achtung!** Diorgano- bzw. Monoorganoquecksilber-Verbindungen sind stark **toxische** Chemikalien.

Nonacarbonyl-4-(4-methyl-phenyl)-trikobaltatetrahedran[1]: 0,886 g (2,0 mmol) Nonacarbonyl-trikobaltatetrahedran, 0,766 g (2,0 mmol) Bis-[4-methyl-phenyl]-quecksilber und 60 ml abs. Benzol werden 30 Min. mit Kohlenmonoxid begast und dann 7 Stdn. im schwachen Kohlenmonoxid-Strom unter Rückfluß erhitzt. Im Dünnschichtchromatogramm einer Probe sieht man, daß die Ausgangsverbindungen verschwunden sind. Die flüchtigen Verbindungen werden hierauf bei 0,01 Torr in einer Kühlfalle kondensiert [gaschromatographisch lassen sich 1,2 mmol (60%) Toluol nachweisen].

Der Rückstand wird mit Hexan und anschließend mit 10%iger Salpetersäure und Aceton behandelt. Zurück bleibt metallisches Quecksilber (49%).

Die Hexan-Extrakte werden säulenchromatographisch gereinigt. Man erhält eine Fraktion, die nach Abziehen des Lösungsmittels bei 50° i. Vak. sublimiert wird; Ausbeute: 0,97 g (92%); F: 105–107°.

Tab. 4: Nonacarbonyl-4-organo-trikobaltatetrahedran aus Co-Nonacarbonyl-trikobaltatetrahedran mit Organoquecksilber-Verbindungen

R₂Hg bzw. R–HgX			$(OC)_3Co\!-\!Co(CO)_3 / Co(CO)_3$	Lösungsmittel	Reaktionszeit [Stdn.]	...-trikobaltatetrahedran	Ausbeute [%]	F [°C]
R	X	mmol	mmol					
C₅H₁₁	–	1,5	1,5	C₆H₆	8 Tage	Nonacarbonyl-4-pentyl...	32	72,5–75
CH₂–C₆H₅	–	1,5	1,5	C₆H₆	96	4-Benzyl-nonacarbonyl...	88	66–68
C₆H₅	–	1	1	C₆H₆	2,5		93	107²
	OH	2	2	C₆H₆	48 (unter N₂)	Nonacarbonyl-4-phenyl...	51	–
3-CH₃–C₆H₃	–	2	2	C₆H₆	7	4-(3-Methyl-phenyl)-nonacarbonyl...	96	94–96
3-F–C₆H₃	–	4,01	4,05	C₆H₆	4	4-(3-Fluor-phenyl)-nonacarbonyl...	85	84–85
4-F–C₆H₃	Br	1,5	1,5	THF	24	4-(4-Fluor-phenyl)-nonacarbonyl...	57	93–95
4-J–C₆H₃	–	1,13	1,13	C₆H₆	8	4-(4-Jod-phenyl)-nonacarbonyl...	51	115–117
C₆F₅	–	1,5	1	C₆H₆	5	Nonacarbonyl-4-(penta-fluor-phenyl)...	69	128–129 (Zers.)

Nonacarbonyl-4-ferrocenyl-trikobaltatetrahedran erhält man in hoher Ausbeute durch Modifikation der Methode[3].

Mit Trihalogenmethyl-phenyl-quecksilber-Verbindungen wird ausschließlich die Phenyl-Gruppe übertragen.

Bei Halogenmethyl-quecksilber-Verbindungen wird ein Carben in die C–H-Bindung eingeschoben[1,4]:

(J-CH₂)₂Hg   (24 Stdn., CO);   *4-Methyl-*...   77%; F:183–184° (Zers.)

$\left[(H_3C)_3Si-\overset{Br}{\underset{}{C}H}\right]_2 Hg$ (21 Stdn.; CO); *4-(Trimethylsilyl-methyl)-*...; 70%; F: 36–37°

$\left[H_3C-\overset{J}{\underset{}{C}H}\right]_2 Hg$ (24 Stdn.; CO); *4-Ethyl-*...;   88%

[1] D. Seyferth, J. E. Hallgren, R. J. Spohn, G. H. Williams, M. O. Nestle u. P. L. K. Hung, J. Organometal. Chem. **65**, 99 (1974).

[2] M. O. Nestle, J. E. Hallgren u. D. Seyferth, Inorg. Syntheses **20**, 226 (1980).

[3] S. B. Colbran, B. H. Robinson u. J. Simpson, Organometallics **2**, 943 (1983).

[4] Bei der Umsetzung von DCCo₃(CO)₉ mit (XCH₂)₂Hg bzw. HCCo₃(CO)₉ mit (XCD₂)₂Hg entstehen CH₂D- bzw. CHD₂-CCo₃(CO)₉.

4-Methyl-nonacarbonyl-trikobaltatetrahedran[1]: Eine Mischung von 0,777 g (2 mmol) Bis-[brommethyl]-quecksilber und 0,884 g (2 mmol) Nonacarbonyl-trikobaltatetrahedran in 50 *ml* Benzol wird unter Stickstoff gerührt und 48 Stdn. unter Rückfluß erhitzt. Das Reaktionsgemisch wird entsprechend S. 198 aufgearbeitet. Man erhält metallisches Quecksilber (14%) und eine purpurfarbige feste Verbindung, die bei 50°/0,07 Torr sublimiert wird; Ausbeute: 0,513 g (57%); F: 183–184° (Zers.).

$\alpha\alpha_2$) mit Alkenen bzw. Alkinen

Nonacarbonyl-trikobaltatetrahedran reagiert mit Alkenen und Alkinen unter einer 1,2-Addition[2,3], mit konjugierten Dienen unter 1,4-Addition[4]. Die Additionen verlaufen mit niedrigen Ausbeuten. Azo-isobutyronitril katalysiert die Addition an Allyl-Verbindungen bei 80° (s.a. S. 196).

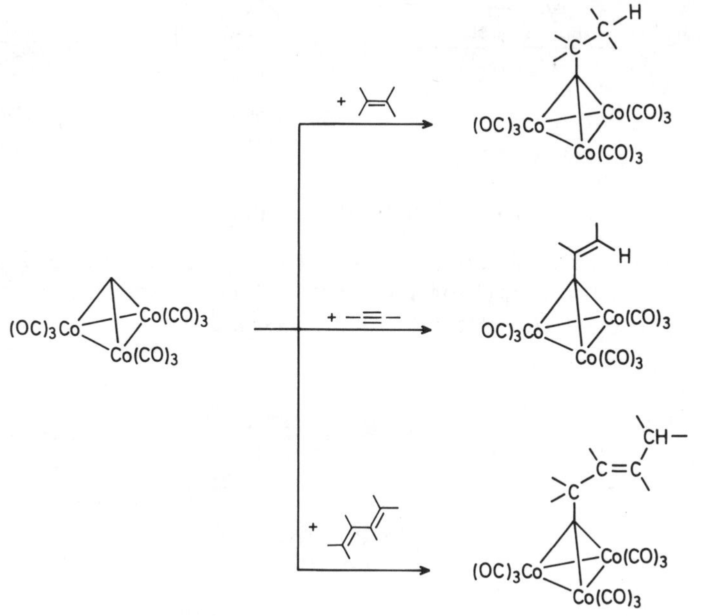

...-*trikobaltatetrahedran*

I; $H_2C = CH–CH_3$; *Nonacarbonyl-4-propyl-* und *-4-isopropyl-*...; 10% (5/1)

  $H_2C = CH–COOCH_3$; *4-(1-Methoxycarbonyl-ethyl)-nonacarbonyl-*...; 19%; F: 81–84°

  $H_2C = CH–CH_2OC_2H_5$; *4-(3-Ethoxy-propyl)-nonacarbonyl-*...; 18%; F: 54–56°

II; $H_2C = CH–CH = CH–CH_3$; *4-(1-Methyl-2-butenyl)-nonacarbonyl-*...; 11%; F: 58–60°

  ; *4-(2-Cyclohexenyl)-nonacarbonyl-*...; 25%; F: 94°

4-Ethyl-nonacarbonyl-trikobaltatetrahedran[3]: 442 mg (1 mmol) Co-Nonacarbonyl-trikobaltatetrahedran in 5 *ml* Heptan gelöst werden bei einem Ethen-Druck von 20 bar in einem Autoklaven 5 Stdn. auf 130° erhitzt; Ausbeute: 94 mg (20%); F: 189–191°.

Bicyclo[2.2.1]heptadien verhält sich anders, da z.Tl. Ringspaltung eintritt {als Hauptprodukt entsteht *4-(6-Formyl-bicyclo[2.2.1]hept-2-en-5-yl)-nonacarbonyl-trikobaltatetrahedran* (18%; F: 65–66°)}[5]:

---

[1] D. Seyferth, J.E. Hallgren, R.J. Spohn, G.H. Williams, M.O. Nestle u. P.L.K. Hung, J. Organometal. Chem. **65**, 99 (1974).

[2] D. Seyferth u. J.E. Hallgren, J. Organometal. Chem. **49**, C 41 (1973).

[3] N. Sakamoto, T. Kitamura u. T. Joh, Chem. Letters **1973**, 583.

[4] Beim 4-Deutero-nonacarbonyl-trikobaltatetrahedran wird nur ein Teil des Deuteriums eingebaut. Das Verhältnis von nicht deuterierten zu deuterierten Verbindungen liegt normalerweise zwischen 0,7/1 und 1,4/1.

[5] T. Kamijo, T. Kitamura, N. Sakamoto u. T. Joh, J. Organometal. Chem. **54**, 265 (1973).

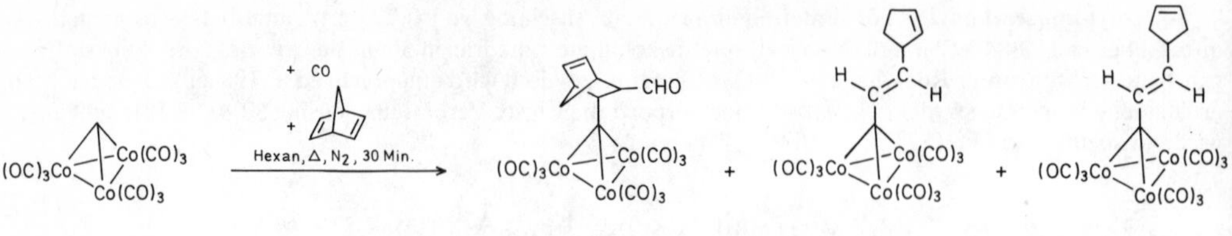

Mit Alkinen werden isomere 4-(1-Alkenyl)-Derivate erhalten[1, 2]:

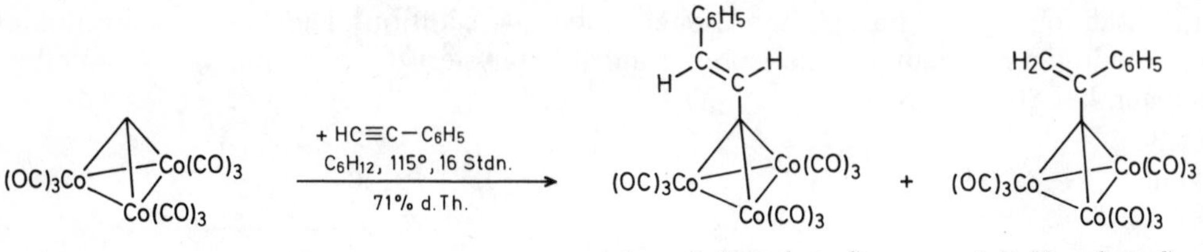

4-(trans-2-Phenyl-vinyl)-   4-(1-Phenyl-vinyl)-
-nonacarbonyl-trikobaltatetrahedran

$\alpha\alpha_3$) spezielle Reaktionen

Nonacarbonyl-trikobaltatetrahedran reagiert mit Alkoholen unter Insertion von Kohlenmonoxid zu den 4-Alkoxycarbonyl-Derivaten[3, 4]. Die Ausbeuten sind bei der Carbonylierung der 4-Halogen-Derivate jedoch besser (s. S. 201):

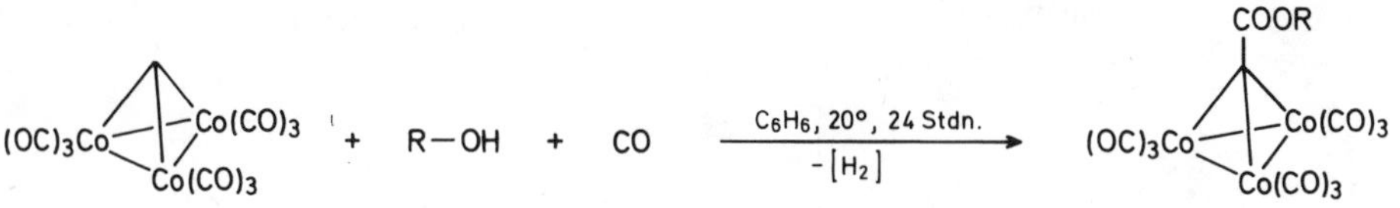

...-nonacarbonyl-trikobaltatetrahedran

R = CH₃; *4-Methoxycarbonyl-*. . .; 27%
R = CH(CH₃)₂; *4-Isopropyloxycarbonyl-*. . .; 24% [mit N(C₂H₅)₃]

Ähnlich reagieren Amine. Triethylamin beschleunigt die Reaktion oder macht sie erst möglich, z.B. bei dem etwas weniger basischen N-Methyl-anilin[5].

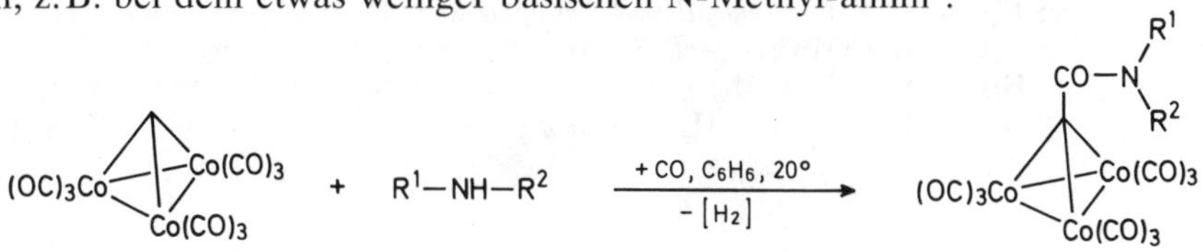

...-nonacarbonyl-trikobaltatetrahedran

R¹ = R² = C₂H₅; *4-(Diethylamino-carbonyl)-*. . .; 33%
R¹ = CH₃; R² = C₆H₅; *4-(N-Methyl-anilinocarbonyl-*. . .; 5% (mit Triethylamin)

Bei der thermischen Zersetzung vom Nonacarbonyl-trikobaltatetrahedran in siedendem Xylol entstehen *4-Ethyl-* (52%) und *4-Propyl-nonacarbonyl-trikobaltatetrahedran* (15%, bez. auf H)[6].

---

[1] R.S. Dickson u. L.J. Michel, Austral. J. Chem. **28**, 1957 (1975).
[2] Zusätzlich entstehen 10% *Nonacarbonyl-4-benzyl-trikobaltatetrahedran.*
[3] C.N. Rudie, Ph.D. Thesis, Massachusetts Institute of Technology, 1977.
[4] D. Seyferth, C.N. Rudie u. M.O. Nestle, J. Organometal. Chem. **178**, 227 (1979).
[5] D. Seyferth u. C.N. Rudie, J. Organometal. Chem. **184**, 365 (1980).
[6] D. Seyferth, C.N. Rudie u. J.S. Merola, J. Organometal. Chem. **162**, 89 (1978).

Bei gemeinsamem Erhitzen von Nonacarbonyl- mit 4-Methyl-nonacarbonyl- bzw. Nonacarbonyl-4-phenyl-trikobaltatetrahedran wird eine Methylen-Gruppe in die Methyl- bzw. Phenyl-C-Bindung eingeschoben (die Ausbeuten sind gering).

α_2) *unter Ersatz eines Halogen-Atoms*

Das C-Halogen-Atom im Trikobaltatetrahedran läßt sich leicht nucleophil substituieren. Bei der Umsetzung mit Aromaten werden Lewis-Säuren als Katalysatoren benötigt. In mehreren Fällen entstehen unter gleichzeitiger Insertion von Kohlenmonoxid die entsprechenden Acyl-Verbindungen. Die treibende Kraft dieser Insertionsreaktionen ist die relativ hohe thermodynamische Stabilität des Acylium-Ions, das bei der Umsetzung des C-Halogen-Derivates mit Aluminiumtrihalogenid als stabiles Salz abgefangen werden kann (zu der vielfältigen Verwendung des Salzes s.S. 211)[1]:

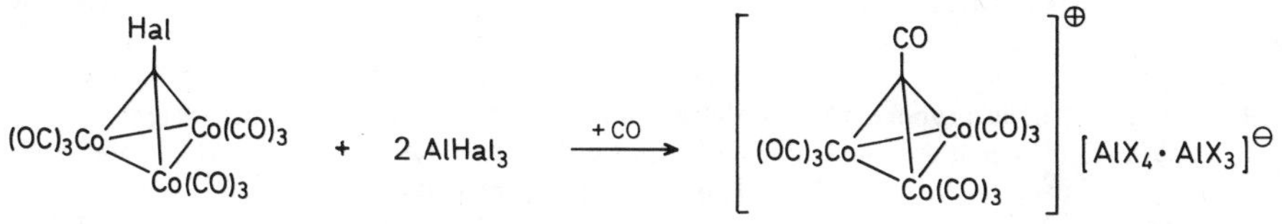

Im folgenden werden zunächst die Umsetzungen, die unter Insertion von Kohlenmonoxid zu Acyl-Verbindungen führen, beschrieben.

Die Acyl-Derivate werden beim Behandeln der Halogen-Verbindungen mit Laugen, Alkanolaten, Alkoholen, vor allem in Gegenwart von Triethylamin als Beschleuniger, oder mit sek. Aminen erhalten[2-5]:

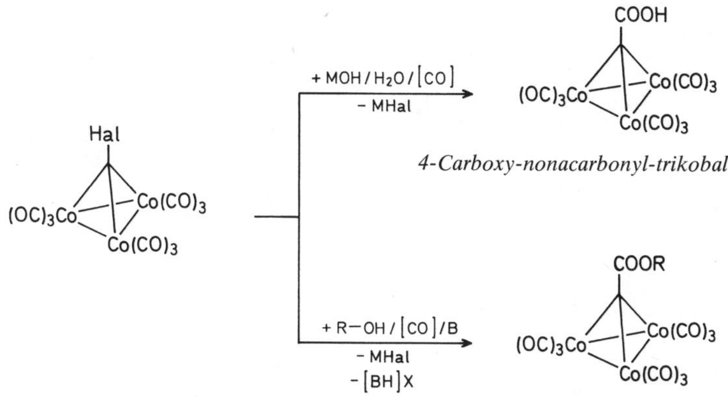

4-Carboxy-nonacarbonyl-trikobaltatetrahedran

...-nonacarbonyl-trikobaltatetrahedran[6]

R = CH$_3$; Hal = Br (1,5 Stdn., 60°); *4-Methoxycarbonyl-*...; 86%; F: 108–109°
R = CH(CH$_3$)$_2$; Hal = Cl (20 Stdn., 20°)[a]; *4-Isopropyloxycarbonyl-*...; 84%
R = C$_6$H$_5$; Hal = Br (24 Stdn., 20° in Benzol)[a]; *4-Phenoxycarbonyl-*...; 60%

[a] mit Triethylamin

[1] D. SEYFERTH, G.H. WILLIAMS u. C.L. NIVERT, Inorg. Chem. **16**, 758 (1977).
[2] G. BOR, L. MARKÓ u. B. MARKÓ, B. **95**, 333 (1962).
[3] R. ERCOLI, E. SANTAMBROGIO u. G.T. CASAGRANDE, Chimica e Ind. **44**, 1344 (1962).
[4] D. SEYFERTH u. C.L. NIVERT, J. Organometal. Chem. **113**, C 65 (1976).
[5] R. DOLBY, T.W. MATHESON, B.K. NICOLSON, B.H. ROBINSON u. J. SIMPSON, J. Organometal. Chem. **43**, C 13 (1972).
[6] Je nach Reaktionsbedingungen entsteht als Nebenprodukt Nonacarbonyl-trikobaltatetrahedran.

13*

... -*nonacarbonyl-trikobaltatetrahedran*

$R^1 = R^2 = H$; Hal = Br (20 Min., 20°); *4-Aminocarbonyl-*...; 38%

$R^1 = H$; $R^2 = C(CH_3)_3$; Hal = Br (22 Stdn., 20°); *4-tert.-Butylaminocarbonyl-*...; 69%; F: 72–73°

$\quad R^2 = CH_2-COOC_2H_5$; Hal = Br (2 Stdn., 20°/Triethylamin); *4-(Ethoxycarbonylmethyl-aminocarbonyl)-*...; 59%

$\quad\quad R^2 = C_6H_5$; Hal = Br (8 Stdn., 20°; Triethylamin); *4-Anilinocarbonyl-*...; 77%

$R^1-R^2 = (CH_2)_5$; Hal = Br (5 Min., 20°); *4-Piperidinocarbonyl-*...; 68%

$R^1 = CH_3$; $R^2 = C_6H_5$; Hal = Br (24 Stdn., 20°; Triethylamin); *4-(N-Methyl-anilinocarbonyl)-*...; 64%

Phenole und Aniline reagieren nur in Gegenwart von Triethylamin[1, 2]. tert.-Butylamin setzt sich langsamer um als die entsprechenden Amine mit prim. und sek. Alkyl-Gruppen[3].

4-Allyloxycarbonyl-nonacarbonyl-trikobaltatetrahedran[2]: Einer Lösung von 1,00 g (1,9 mmol) 4-Brom-nonacarbonyl-trikobaltatetrahedran in 40 *ml* Allylalkohol werden mit einer Spritze 0,50 *ml* (3,6 mmol) Triethylamin zugesetzt. Die Lösung wird bei 20° 1,5 Stdn. unter Durchleiten von Kohlenmonoxid gerührt, anschließend i. Vak. vom überschüssigen Allylalkohol befreit, in Dichlormethan aufgenommen und auf einer mit Kieselsäure gefüllten Säule chromatographiert. Durch Hexan wird zunächst das 4-Brom-Derivat (Spuren) und durch Dichlormethan die gewünschte Verbindung eluiert; Ausbeute: 0,74 g (73%); F: 43–44°; IR (CCl₄): $\nu_{C=O}$ 1675 cm^{-1}.

4-Dimethylaminocarbonyl-nonacarbonyl-trikobaltatetrahedran[2]: Durch 1,15 g (2,2 mmol) 3-Brom-nonacarbonyl-trikobaltatetrahedran in 40 *ml* Benzol wird bei 0° gasförmiges Dimethylamin geleitet. Wenn dünnschichtchromatographisch die Ausgangs-Kobalt-Verbindung nicht mehr nachzuweisen ist, wird das Reaktionsgemisch wie zuvor beschrieben säulenchromatographisch aufgearbeitet und der Komplex in Hexan umkristallisiert; Ausbeute: 0,56 g (50%); F: 121–123°.

Die stark nucleophilen Hetarene Pyrrol und Indol können in Gegenwart von Triethylamin unter Substitution am Hetaren und gleichzeitiger Insertion von Kohlenmonoxid reagieren (zur Substitution von Arenen s. S. 204 bzw. 212)[2], wobei die Umsetzung mit Pyrrol durch Änderung der Reaktionsbedingungen in eine andere Richtung gelenkt werden kann. So entsteht z.B. bei Erhöhung der Triethylamin-Konzentration *Nonacarbonyl-4-pyrrolo-trikobaltatetrahedran* (21%; Zers.p. >165°):

Nonacarbonyl-4-(2-pyrrylcarbonyl)-trikobaltatetra-hedran; 20%; F: 144–145° (Zers.)

[1] D. SEYFERTH u. C.L. NIVERT, J. Organometal. Chem. **113**, C 65 (1976).

[2] D. SEYFERTH u. C. NIVERT RUDIE, J. Organometal. Chem. **184**, 365 (1980).

[3] Je nach Reaktionsbedingungen entsteht als Nebenprodukt Nonacarbonyl-trikobaltatetrahedran.

4-(3-Indolylcarbonyl)-nonacarbonyl-trikobaltatetrahedran;
46%; F: 164–166° (Zers.)

Mit Organo-lithium-Verbindungen erhält man nach der Hydrolyse des Reaktionsgemisches als Hauptprodukt *4-Carboxy-nonacarbonyl-trikobaltatetrahedran* und bei der Alkoholyse die entsprechenden Ester[1, 2]. Die Ausbeute der Ester kann in Kohlenmonoxid-Atmosphäre verbessert werden. Ähnlich verhalten sich Grignard-Verbindungen in Gegenwart von Kohlenmonoxid, während Aryl-Grignard-Reagenzien in Inertgas-Atmosphäre ohne Kohlenmonoxid-Insertion das Halogen-Atom substituieren (s. S. 205).

4-Methoxycarbonyl-nonacarbonyl-trikobaltatetrahedran[2]: Zu einer Lösung von 0,1 g (0,19 mmol) 4-Brom-nonacarbonyl-trikobaltatetrahedran in 10 *ml* THF unter Kohlenmonoxid-Atmosphäre gibt man bei −70° 1 *ml* (0,20 mmol) einer Butyl-lithium-Lösung. Die braune Lösung wird 1 Stde. bei −30° gerührt, dann mit 2 *ml* Methanol und schließlich mit 50 g Eis und Wasser bei 25° versetzt. Das Gemisch wird mit Diethylether extrahiert. Die vereinigten Extrakte werden i. Vak. eingeengt, der Rückstand wird in Hexan gelöst und durch präparative Dünnschichtchromatographie auf Kieselgel mit Hexan von anderen Produkten abgetrennt; Ausbeute: 65% (tief-purpurne Nadeln).
Daneben erhält man die *4-Carboxy*-Verbindung zu 10%.

Das C-Halogen-Atom wird in Gegenwart von Friedel-Crafts-Katalysatoren durch Arene substituiert, sofern nicht durch große oder viele Substituenten eine zu große sterische Hinderung vorliegt[3, 4]. Es entstehen bei substituierten Arenen bevorzugt die para-ständigen Derivate. Bei kleinen Substituenten (z.B. Fluor, Chlor, Methyl) können auch ortho-ständige Substitutionsprodukte erhalten werden. So ändert sich das ortho- para-Verhältnis bei Toluol (Gesamtausbeute: 60%) entsprechend der Reaktionstemperatur. Bei 47° entsteht infolge kinetischer Kontrolle mehr ortho-Produkt (o/p = 2/1) [*4-(2-Methyl-phenyl)-...*], wohingegen bei 110° mehr von dem thermodynamisch stabileren para-Produkt gebildet wird (o/p = 1/2) [*4-(4-Methyl-phenyl)-nonacarbonyl-trikobaltatetrahedran*].
Fluorbenzol setzt sich bei 42° ausschließlich zu *4-(2-Fluor-phenyl)-nonacarbonyl-trikobaltatetrahedran* (80%) um. Dagegen scheint bei Chlorbenzol die Richtung der Substitution vom Lösungsmittel bestimmt zu sein. So erhält man in Chlorbenzol (Gesamtausbeute: 85%) selbst bei 70° innerhalb 60 Min. das *4-(2-Chlor-phenyl)-* (90%), in Dichlormethan bei 42° innerhalb 90 Min. das *4-(4-Chlor-phenyl)-nonacarbonyl-trikobaltatetrahedran* (80%).

[1] R. DOLBY, T. W. MATHESON, B. K. NICHOLSON, B. H. ROBINSON u. J. SIMPSON, J. Organometal. Chem. **43**, C 13 (1972).
[2] R. DOLBY u. B. H. ROBINSON, Soc. [Dalton] **1973**, 1794.
[3] R. DOLBY u. B. H. ROBINSON, Chem. Commun. **1970**, 1058.
[4] R. DOLBY u. B. H. ROBINSON, Soc. [Dalton] **1972**, 2046.

X = Cl oder Br

...-nonacarbonyl-trikobaltatetrahedran

ArH = C_6H_6 (42°, 90 Min.); *4-Phenyl-*...; 50% (+ wenig *1,4-Bis-[nonacarbonyl-trikobaltatetrahedryl]-benzol*)
ArH = $Br-C_6H_5$ (90 Min.); *4-(4-Brom-phenyl)-*...; 90%
ArH = Biphenyl (30 Min.); *4-(4-Biphenylyl)-*...; 75%
ArH = Naphthyl (60 Min.); *4-(2-Naphthyl)-*...; 80%
ArH = $1,2-(CH_3)_2-C_6H_3$; *4-(2,3- + 3,4-Dimethyl-phenyl)-*...; 80%
ArH = Ferrocen; *4-Ferrocenyl-*...

Starke Elektronen-anziehende Reste, wie die Nitro-Gruppe, verhindern eine Reaktion.

Die Umsetzung des 4-Brom-Derivats mit Ethen liefert ein Gemisch aus *4-Ethyl- und 4-(1-Methyl-1-propenyl)-nonacarbonyl-trikobaltatetrahedran*, und aus Acrylsäure-methylester erhält man ausschließlich *4-(2-Methoxcarbonyl-ethyl)-nonacarbonyl-trikobaltatetrahedran*[1].

Aryl-Grignard-Verbindungen substituieren im Gegensatz zu Alkyl-Grignard-Verbindungen das Halogen-Atom[2] (das Verhältnis von Aryl-Grignard-Verbindungen zum Halogen-Cluster muß größer als 9:1 sein[3]). In Kohlenmonoxid-Atmosphäre sowie mit Organo-lithium-Verbindungen werden dagegen unter Insertion von Kohlenmonoxid die entsprechenden 4-Benzoyl-Derivate erhalten (s. S. 212).

Hal = Br, Cl

...-nonacarbonyl-trikobaltatetrahedran

Ar = $2-CH_3-C_6H_4$; *4-(2-Methyl-phenyl)-*...; 40%
Ar = $4-CH_3-C_6H_4$; *4-(4-Methyl-phenyl)-*...; 60%
Ar = $3-OCH_3-C_6H_4$; *4-(3-Methoxy-phenyl)-*...; 35%
Ar = $3,5-(CH_3)_2-4-OCH_3-C_6H_2$; *4-(3,5-Dimethyl-4-methoxy-phenyl)-*...; 36%
Ar = $4-N(CH_3)_2-C_6H_4$; *4-(4-Dimethylamino-phenyl)-*...; 23%
Ar = 1-Naphthyl; *4-(1-Naphthyl)-*...; 30%

Zur Hydrogenolyse des 4-Chlor-Clusters mit stark sterisch gehinderten Aryl-Grignard-Verbindungen zum *Nonacarbonyl-trikobaltatetrahedran* s. Lit.[5].

4-(3-Methyl-phenyl)-nonacarbonyl-trikobaltatetrahedran[2]: Zu einer Lösung von 0,1 g (0,21 mmol) 4-Chlor-nonacarbonyl-trikobaltatetrahedran in 20 *ml* THF unter Stickstoff-Atmosphäre tropft man innerhalb 15 Min. unter Rühren bei −70° 2,3 mmol einer aus 3-Brom-toluol und 20 *ml* Toluol hergestellten Grignard-Lösung. Die Lösung wird dann auf 0° erwärmt und auf 50 g Eis-Wasser geschüttet, das 2 Tropfen konz. Schwefelsäure enthält.

[1] N. Sakomoto, T. Kitamura u. T. Joh, Chemistry Letters **1973**, 583.
[2] R. Dolby u. B. H. Robinson, Soc. [Dalton] **1973**, 1794.
[3] Die analog postulierte Reaktion von Organo-lithium- und Alkyl-Grignard-Verbindungen (Lit.[4]) wurde später widerrufen[5].
[4] R. Dolby u. B. H. Robinson, Chem. Commun. **1970**, 1058.
[5] R. Dolby, T. W. Matheson, B. K. Nicolson, B. H. Robinson u. J. Simpson, J. Organometal. Chem. **43**, C 13 (1972).

Die Mischung wird anschließend mit 20 *ml* Diethylether ausgeschüttelt. Das Lösungsmittel wird i. Vak. abgezogen und der Rückstand dünnschichtchromatographisch auf Kieselgel mit Hexan gereinigt. Zuerst wird eine purpurfarbige Bande eluiert, die den Cluster enthält, gefolgt von einer braunen Bande mit dem arylierten Komplex, der in Hexan umkristallisiert wird; Ausbeute: 78 mg (70%).

Mit Organo-quecksilber(II)-Verbindungen werden die 4-Halogen-Verbindungen sogar in Gegenwart von Kohlenmonoxid hauptsächlich ohne CO-Insertion aryliert[1]. Die Ausbeuten sind jedoch bei den entsprechenden Umsetzungen des 4-H-Clusters besser (s. S. 197).

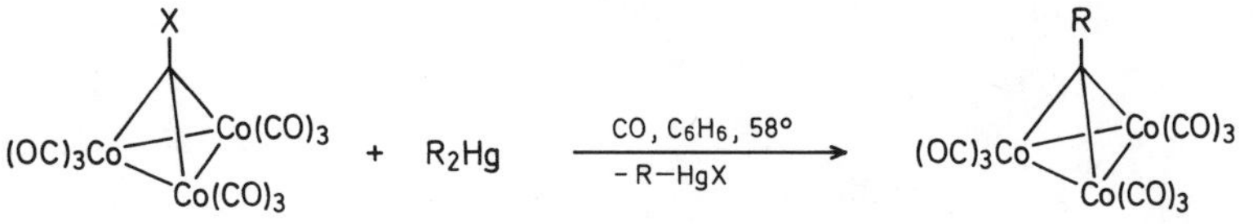

X = Cl, Br, J

. . .-*nonacarbonyl-trikobaltatetrahedran*

z. B.: R = C_6H_5; X = J; *4-Phenyl-*. . .; 41%
       + *4-Benzoyl-*. . .; 26%

Der 4-Brom-Cluster reagiert mit Hydrido-silicium-Verbindungen zu 4-Silyl-Verbindungen[2]. Die Ausbeuten werden durch Zusatz von Basen nicht verbessert. Intermediär gebildete 4-Chlorsilyl-Derivate werden beim Aufarbeiten mit Wasser oder Alkohol in die entsprechenden Hydroxy- bzw. Alkoxysilyl-Verbindung übergeführt und als solche isoliert (s. a. S. 197):

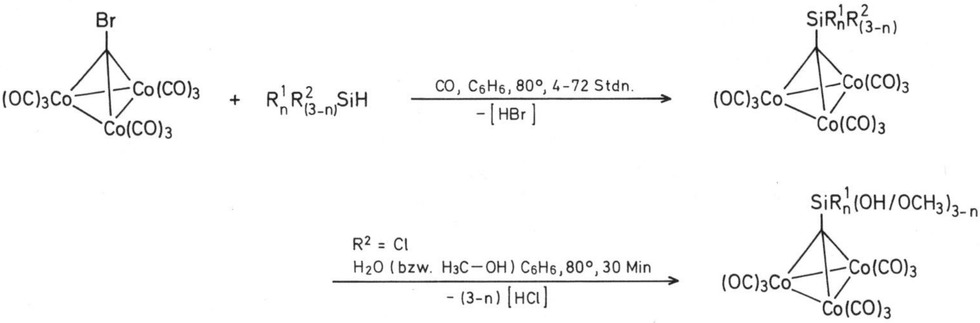

. . .-*nonacarbonyl-trikobaltatetrahedran*

$R^1 = C_3H_7$; $R^2 = -$; n = 3; *4-Tripropylsilyl-*. . .; 33%; F: 85–86°
$R^1 = CH_3$; $R^2 = C_6H_5$; n = 2; *4-(Dimethyl-phenyl-silyl)-*. . .; 40%
       $R^2 = OC_2H_5$; n = 2; *4-(Dimethyl-ethoxy-silyl)-*. . .; 15%; F: 120–122°
       $R^2 = Cl$ ($\rightarrow OCH_3$); n = 2; *4-(Dimethyl-methoxy-silyl)-*. . .; 32%; Zers.p. > 140°
              ($\rightarrow OH$); n = 0; *4-Trihydroxysilyl-*. . .; 16%; Zers.p. > 150°
       $R^2 = CH_2$–Cl; n = 2; *4-(Chlormethyl-dimethyl-silyl)-*. . .; 48%; Zers.p. > 200°

---

[1] D. Seyferth, J. E. Hallgren, R. J. Spohn, G. H. Williams, M. O. Nestle u. P. L. K. Hung, J. Organometal. Chem. **65**, 99 (1974).

[2] D. Seyferth, C. N. Rudie u. M. O. Nestle, J. Organometal. Chem. **178**, 227 (1979).

Nonacarbonyl-4-triethylsilyl-trikobaltatetrahedran[1]: 1,00 g (1,9 mmol) 4-Brom-nonacarbonyl-trikobaltate-trahedran, 5 *ml* (31,5 mmol) Triethylsilan und 40 *ml* Benzol werden mit Kohlenmonoxid 16 Stdn. auf 80° erhitzt. Anschließend werden die leicht flüchtigen Anteile i. Vak. entfernt. Der Rückstand wird mit wenig Hexan aufgenommen und über eine Kieselsäure-Schicht mit Hexan chromatographisch filtriert. Das Eluat wird eingeengt und i. Vak. bei 50° sublimiert; Ausbeute: 0,5 g (46%); Erweichungsp.: > 80°.

Mit Thiophenolen erhält man aus den Halogen-Clustern in Gegenwart von Triethylamin und Kohlenmonoxid die 4-Organothio-Derivate[2,3]. Bei Alkanthiolen entstehen im Gegensatz zu Thiophenolen unter zusätzlicher Insertion von Kohlenmonoxid hauptsächlich 4-(Organothio-carbonyl)-Derivate. Der 4-Brom-Cluster reagiert dabei wesentlich rascher als die 4-Chlor-Verbindung[4].

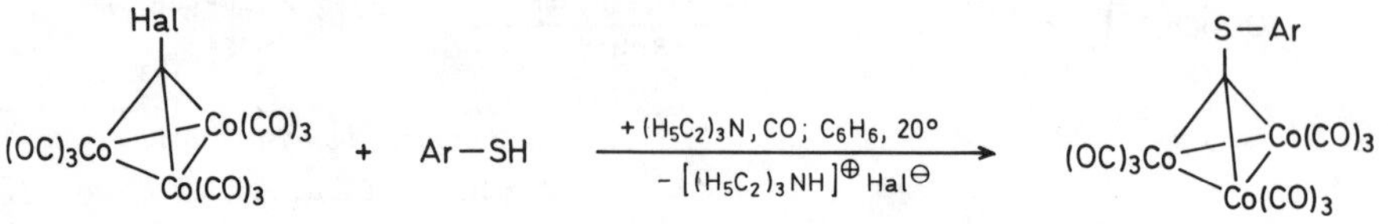

. . .-*nonacarbonyl-trikobaltatetrahedran*

$Ar = C_6H_5$; *4-Phenylthio-*. . .; 40%; F: 55–57°
$Ar = 4\text{-}CH_3\text{--}C_6H_4$; *4-(4-Methyl-phenylthio)-*. . .; 37%; F: 96–97°

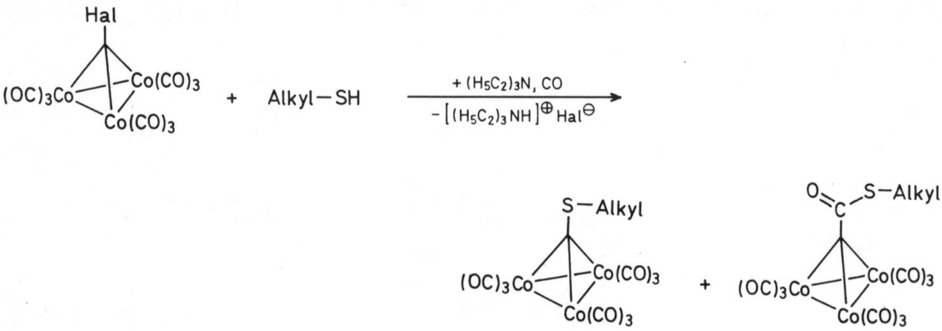

. . .-*nonacarbonyl-trikobaltatetrahedran*

Alkyl = C_2H_5	*4-Ethylthio.* . .; 10%; F: 103–105°	*4-(Ethylthio-carbonyl).* . .; 44%
Alkyl = C_4H_9	(Spur)	*4-(Butylthio-carbonyl).* . .; 33%; F: 52–53°
Alkyl = $C(CH_3)_3$	–	*4-(tert.-Butylthio-carbonyl)-*. . .; 45%; F. 74–75°

[1] D. Seyferth, C.N. Rudie u. M.O. Nestle, J. Organometal. Chem. **178**, 227 (1979).
[2] D. Seyferth, C. Njvert Rudie u. J.S. Merola, J. Organometal. Chem. **144**, C 26 (1978).
[3] D. Seyferth, C. Nivert Rudie, J.S. Merola u. D.H. Berry, J. Organometal. Chem. **187**, 91 (1980).
[4] Außerdem entstehen Verbindungen der Formel $Co_3(CO)_4(SR)_5$.

Mit Lithiumthiolaten entstehen die carbonylierten Verbindungen:

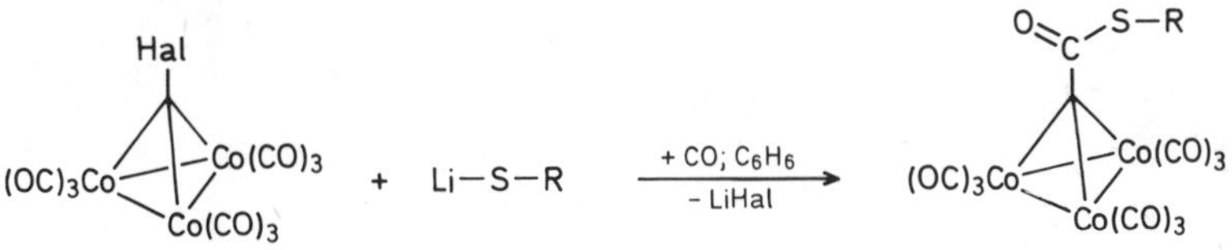

...-nonacarbonyl-trikobaltatetrahedran

R = C(CH$_3$)$_3$; 4-(tert.-Butylthio-carbonyl)-...; 70%

R = C$_6$H$_5$; 4-(Phenylthio-carbonyl)-...; 67%; F: 91–92° (Zers.)

R = 4-F–C$_6$H$_4$; 4-(4-Fluor-phenylthio-carbonyl)-...; –; F: 101–102°

4-(1-Methyl-2-imidazolylthio-carbonyl)-nonacarbonyl-trikobaltatetrahedran[1]: Durch 1,00 g (1,92 mmol) 4-Brom-nonacarbonyl-trikobaltatetrahedran in 50 ml Toluol wird 10 Min. lang Kohlenmonoxid geleitet, anschließend werden 0,46 g (4,0 mmol) 2-Mercapto-1-methyl-imidazol zugesetzt und schließlich 5 ml Triethylamin. Das Gemisch wird unter Kohlenmonoxid 18 Stdn. gerührt. Dann wird das Lösungsmittel i. Vak. entfernt und der Rückstand an einer mit Kieselsäure gefüllten Säule chromatographiert. Die mit Pentan eluierte schwach purpur-farbige Verbindung wird verworfen. Die gewünschte Verbindung wird mit Benzol eluiert und in Hexan in Form von braunen Prismen umkristallisiert; Ausbeute: 0,80 g (75%); F: 140° (Zers.).

Die Mercapto-Gruppe kann mit Mercapto-quecksilber- und -zinn-Verbindungen eingeführt werden[2]. Bei Verwendung von Bis-[organothio]-quecksilber sind die Ausbeuten schlecht. Gute Ergebnisse erzielt man mit Dimethyl- oder Trimethyl-zinn-mercaptiden. Die Ausbeuten sind infolge sterischer Hinderung bei verzweigten Alkanthiolen geringer als bei geradkettigen.

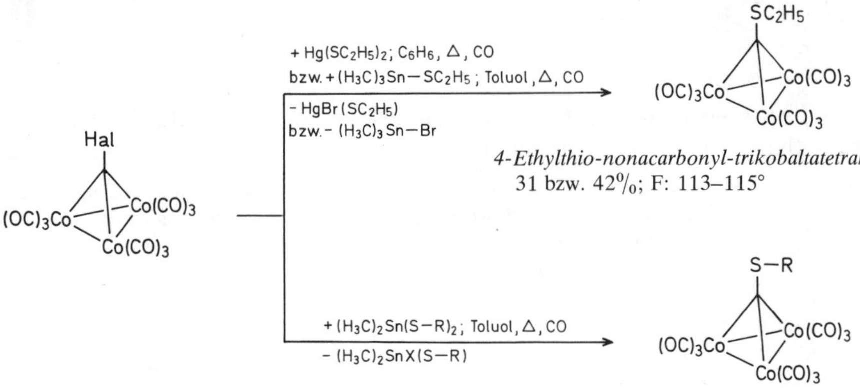

4-Ethylthio-nonacarbonyl-trikobaltatetrahedran; 31 bzw. 42%; F: 113–115°

...-nonacarbonyl-trikobaltatetrahedran

R = C$_3$H$_7$; X = Br (15 Min.); 4-Propylthio-...; 52%; F: 46–47°

R = C(CH$_3$)$_3$; X = Br (20 Min.); 4-tert.-Butylthio-...; 10%; F: 63–64° (Zers.)

R = CH$_2$–COOCH$_3$; X = Br (30 Min.); 4-(Methoxycarbonyl-methylthio)-...; 57%; F: 68–69°

R = CH$_2$–C$_6$H$_5$; X = Cl (20 Min.); Benzylthio-...; 32%; F: 67–68°

R = C$_6$H$_5$; X = Cl (30 Min.); Phenylthio-...; 34%; F: 57–58°

Durch Erhitzen reagieren die 4-Halogen-Cluster nach zwei Wegen:

(a) : Dimerisierung mit oder ohne Insertion von Kohlenmonoxid

(b) : Bildung von Alkinen

---

[1] D. Seyferth, C. Nivert Rudie, J.S. Merola u. D.H. Berry, J. Organometal. Chem. **187**, 91 (1980).

[2] D. Seyferth, J.S. Merola u. D.H. Berry, Z. anorg. Ch. **458**, 267 (1979).

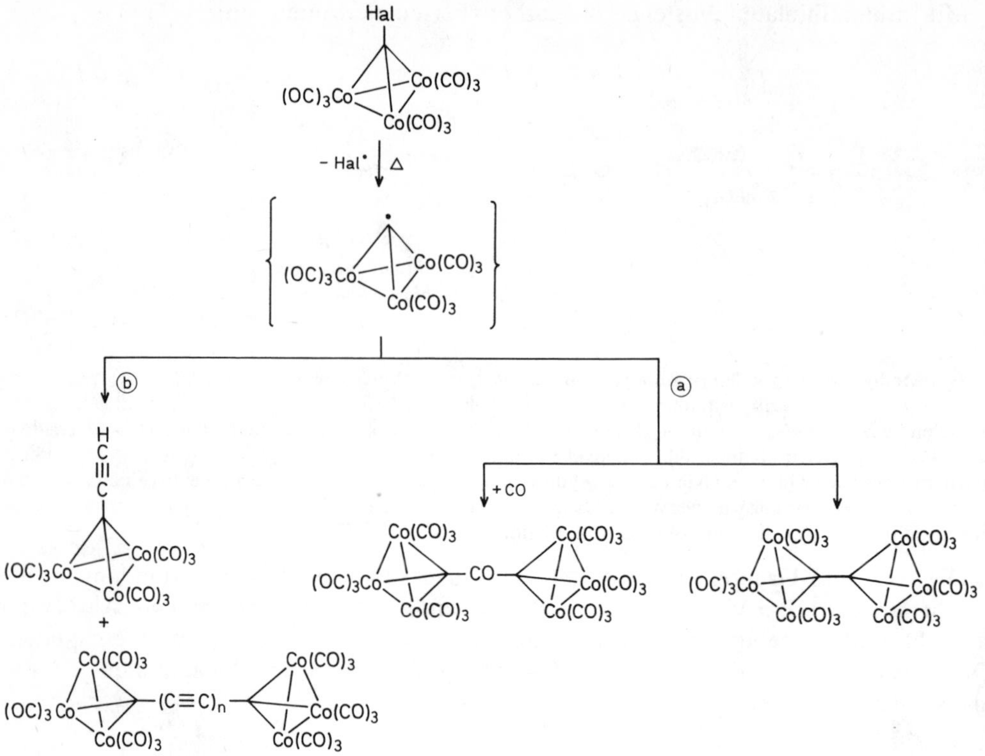

Hal

$(OC)_3Co$—$Co(CO)_3$
$Co(CO)_3$

$- Hal^{\cdot}$ | Δ

$(OC)_3Co$—$Co(CO)_3$
$Co(CO)_3$

ⓑ   ⓐ

$+ CO$

H
C
III
C

$(OC)_3Co$—$Co(CO)_3$
$Co(CO)_3$
+

$(OC)_3Co$—$(C\equiv C)_n$—$Co(CO)_3$
$Co(CO)_3$ $Co(CO)_3$

X = Cl, Br, J
n = 1, 2

$Co(CO)_3$ $Co(CO)_3$
$(OC)_3Co$—CO—$Co(CO)_3$
$Co(CO)_3$ $Co(CO)_3$

$Co(CO)_3$ $Co(CO)_3$
$(OC)_3Co$—$Co(CO)_3$
$Co(CO)_3$ $Co(CO)_3$

Falls es die Stereochemie des Cluster-Komplexes zuläßt, binden die Acetylen-Gruppen über π-Bindungen $Co_2(CO)_6$-Einheiten.

Aus den 4-Brom-Clustern erhält man beim Erhitzen auf 90° in wasserfreiem Toluol ein Gemisch aus *Octadecacarbonyl-4,4'-bi-trikobaltatetrahedranyl* und *Bis-[nonacarbonyl-4-trikobaltatetrahedranyl]-keton*[1-3]. Bei höherer Temperatur spaltet das Keton Kohlenmonoxid ab unter Bildung von I.

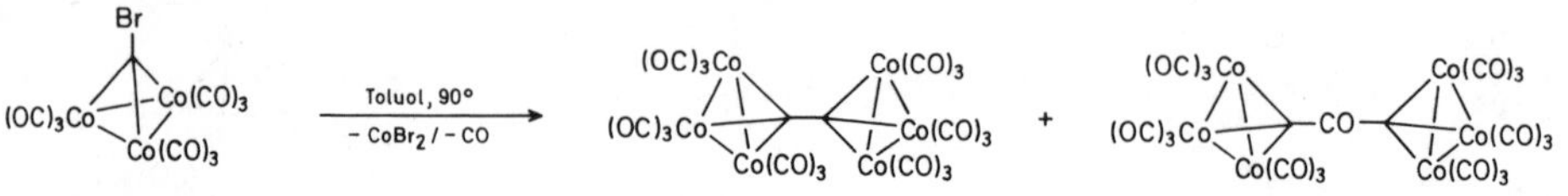

Br

$(OC)_3Co$—$Co(CO)_3$
$Co(CO)_3$

$\xrightarrow[{- CoBr_2 / - CO}]{Toluol, 90°}$

$(OC)_3Co$ $Co(CO)_3$
$(OC)_3Co$—$Co(CO)_3$
$Co(CO)_3$ $Co(CO)_3$

I

+

$(OC)_3Co$ $Co(CO)_3$
$(OC)_3Co$—CO—$Co(CO)_3$
$Co(CO)_3$ $Co(CO)_3$

II

Mit Triphenylamin oder aktivierter Kupfer-Bronze wird *Bis-[nonacarbonyl-trikobaltatetrahedranyl]-ethin* (35%) erhalten[4,5]:

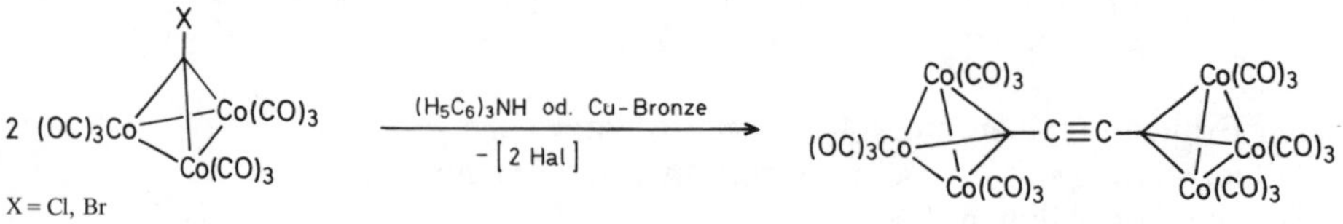

X

$2\ (OC)_3Co$—$Co(CO)_3$
$Co(CO)_3$

X = Cl, Br

$\xrightarrow[{- [2\ Hal]}]{(H_5C_6)_3NH\ od.\ Cu-Bronze}$

$Co(CO)_3$ $Co(CO)_3$
$(OC)_3Co$—$C\equiv C$—$Co(CO)_3$
$Co(CO)_3$ $Co(CO)_3$

[1] G. ALLEGRA, E.M. PERONACI u. R. ERCOLI, Chem. Commun. **1966**, 549.
[2] M.D. BRICE u. B.R. PENFOLD, Inorg. Chem. **11**, 1381 (1972).
[3] R.J. DELLACA, B.R. PENFOLD, B.H. ROBINSON, W.T. ROBINSON u. J.L. SPENCER, Inorg. Chem. **9**, 2204 (1970).
[4] B.H. ROBINSON u. W.S. THAM, J. Organometal. Chem. **16**, 45 (1969).
[5] D. SEYFERTH, J.E. HALLGREN, R.J. SPOHN, G.H. WILLIAMS, M.O. NESTLE u. P.L.K. HUNG, J. Organometal. Chem. **65**, 99 (1974).

Beim Erhitzen in aromatischen Lösungsmitteln auf 125° entsteht das *Bis-[nonacarbonyl-trikobaltatetrahedryl]-ethin* als Hauptprodukt[1, 2], bei noch höherer Temperatur wird *π-Hexacarbonyldikobalt-1,4-bis-[nonacarbonyl-1-trikobaltatetrahedranyl]-butadiin* zum Hauptprodukt[3]. Letzteres wird auch aus dem 4-Chlor-Derivat mit Natrium in THF erhalten[4].

Zur Herstellung der instabilen 4-Carbonyl-cluster-Kationen aus den 4-Halogen-Derivaten mit Aluminiumhalogeniden s. S. 211.

β) durch Reaktionen am C-Substituenten des Nonacarbonyl-trikobaltatetrahedrans

β₁) an der Oxy- bzw. Hydroxy-Gruppe

Der negativ geladene 4-Oxy-Substituent kann durch Umsetzung der Carbonyl-kobalt-Komplexe mit Alkalimetallen relativ leicht hergestellt werden (s. S. 194).

Das Anion reagiert mit Acetyl-bromid zum *4-Acetoxy-nonacarbonyl-trikobaltatetrahedran* $(67\%; F: 123°)$[5]:

Analog reagieren die Organometallhalogenide von Silicium-, Titan, Zirkon und Uran sowie Halogenborane:

...-nonacarbonyl-trikobaltatetrahedran

M–Hal = $(H_3C)_3N–BH_2J$; *4-Triethylamin-boranoxy-*...[6]; 71%
M–Hal = $(H_3C)_3Si–Cl$; *4-Trimethylsilyloxy-*...[6]; 44%; F: 108° (Zers.)
M–Hal = $(H_5C_6)_3Si–Cl$; *4-Triphenylsilyloxy-*...[6]; 20%; F: 91–93°
M–Hal = Cl_4Si; *4-Trichlorsilyloxy-*...[7]; $\sim 35\%$
M–Hal = $(H_5C_5)_3UCl$; *4-(Tris-[cyclopentadienyl]-uranyloxy)-*...[8]; 65%; Zers.p.: > 170°
M–Hal = $(H_5C_5)_2TiCl_2$; *Bis-[nonacarbonyl-4-trikobaltatetrahedranyloxy]-bis-[cyclopentadienyl]-titan*[9]; 38%; Zers.p.: 158–160°

Bei Bis-[η^5-cyclopentadienyl]-dichloro-titan, -zirkon bzw. -hafnium können 1 oder 2 Cluster am Metall gebunden werden.

4-(Bis-[cyclopentadienyl]-chloro-zirkoniumoxy)-nonacarbonyl-trikobaltatetrahedran[9, 10]: Eine Lösung von ~ 8,55 mmol 4-Lithiumoxy-nonacarbonyl-trikobaltatetrahedran in 100 *ml* Toluol wird unter Rühren bei 20° zu

[1] B. H. ROBINSON, J. SPENCER u. R. HODGES, Chem. Commun. **1968**, 1480.
[2] B. H. ROBINSON u. A. J. SPENCER, J. Organometal. Chem. **30**, 267 (1971).
[3] R. J. DELLACA, B. R. PENFOLD, B. H. ROBINSON, W. T. ROBINSON u. J. L. SPENCER, Inorg. Chem. **9**, 2197 u. 2204 (1970).
[4] R. DOLBY in Lit. 3.
[5] V. BÄTZEL u. G. SCHMID, B. **109**, 3339 (1976).
[6] C. D. M. MANN, A. J. CLELAND, S. A. FIELDHOUSE, B. H. FREELAND u. R. J. O'BRIEN, J. Organometal. Chem. **24**, C 61 (1970).
[7] B. K. NICHOLSON u. J. SIMPSON, J. Organometal. Chem. **155**, 237 (1978).
[8] B. STUTTE u. G. SCHMID, J. Organometal. Chem. **155**, 203 (1978).
[9] B. STUTTE, V. BÄTZEL, R. BOESE u. G. SCHMID, B. **111**, 1603 (1978).
[10] Mit Natriumhydroxid wird aus dem Chlor-Derivat unter Hydrolyse ein Oxid erhalten: *Bis-{bis-[cyclopentadienyl]-(nonacarbonyl-1-trikobaltatetrahedranyloxy)-zirkon}-oxid.*

einer Lösung von 2,49 g (8,52 mmol) Bis-[cyclopentadienyl]-dichloro-zirkon in 300 ml Toluol getropft. Nach 25 Stdn. wird das dunkelrote Reaktionsgemisch bei 50° i. Vak. auf 60 ml eingeengt, mit einer Fritte filtriert und bei −25° 3 Tage stehen gelassen. Die ausgefallenen Kristalle werden mit einer Fritte abgetrennt; Ausbeute: 4,40 g (72,4%); F: 138–141°.

Bis-[cyclopentadienyl]-bis-[nonacarbonyl-1-trikobaltatetrahedryloxy]-hafnium[1]: Zu einer Lösung aus 3,33 g (~ 7,14 mmol) 4-Lithiumoxy-nonacarbonyl-trikobaltatetrahedran in 100 ml Benzol werden in 24 Stdn. 1,35 g (3,56 mmol) Bis-[cyclopentadienyl]-dichloro-hafnium gelöst in 80 ml Benzol gegeben. Nach 24 Stdn. Rühren bei ~ 20° wird die dunkelrote Lösung abgetrennt und das Lösungsmittel i. Vak. vollständig entfernt. 3,41 g des Rückstandes werden in 100 ml Toluol umkristallisiert; Ausbeute: 2,84 g (65,3%); Zers.p.: 145°.

Beim vorsichtigen Behandeln einer Suspension von 4-Lithiumoxy-nonacarbonyl-trikobaltatetrahedran mit trockenem Chlorwasserstoff in Hexan entsteht eine dunkelrote Lösung, aus der sich *4-Hydroxy-nonacarbonyl-trikobaltatetrahedran* (rote Kristalle) isolieren läßt[2,3]. Die instabile Verbindung zerfällt bei 40°.

β_2) *an der 4-Silyl-Gruppe*

4-Chlorsilyl-Gruppen werden durch Hydrolyse oder Alkoholyse leicht in die H y d r - o x y s i l y l - bzw. A l k o x y s i l y l -Derivate übergeführt. Die Hydrolyse tritt bereits beim Chromatographieren an Kieselsäure oder Aluminiumoxid auf[2,4] (vgl. a. S. 267):

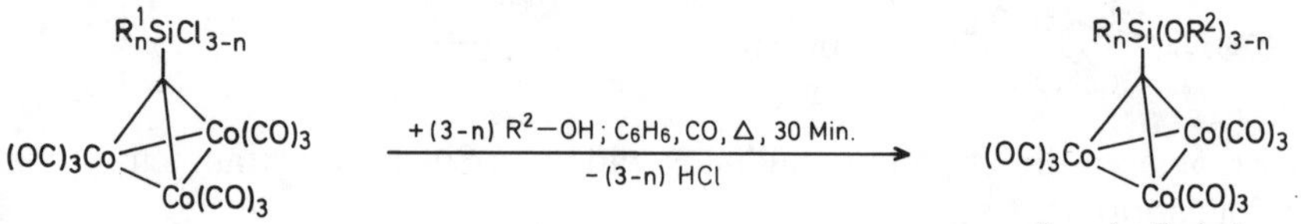

. . .-*nonacarbonyl-trikobaltatetrahedran*

$R^1 = CH_3$; $R^2 = H$; $n = 1$; *4-(Dihydroxy-methyl-silyl)-*. . .; 81%; Zers.p. $> 140°$
$n = 2$; *4-(Dimethyl-hydroxy-silyl)-*. . .;76%; Zers.p. $> 130°$
$R^2 = CH_3$; $n = 2$; *4-(Dimethyl-methoxy-silyl)-*. . .; 78%; Zers.p. $> 140°$
$n = 0$; *4-Trimethoxysilyl-*. . .; 62%; Erw.p.: $> 120°$

Die Hydroxy- und die Alkoxy-Reste der Silyl-Gruppen können mit Trifluorbor-Etherat durch Fluor substituiert oder mit Hexamethylsiloxan silyliert werden[4,5]:

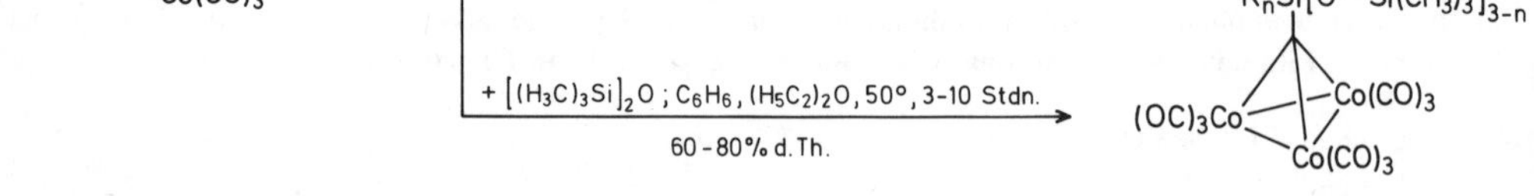

Die Methoxy-Gruppe wird durch Behandeln mit Diisobutyl-hydrido-aluminium in Hexan durch Wasserstoff unter Bildung von *4-(Methyl-phenyl-silyl)-nonacarbonyl-tri-kobaltatetrahedran* [68%; F: 49–50° (Zers.)] substituiert[4].

[1] B. Stutte, V. Bätzel, R. Boese u. G. Schmid, B. **111**, 1603 (1978).
[2] G. Fachinetti, Chem. Commun. **1979**, 397.
[3] H.-N. Adams, G. Fachinetti u. J. Strähle, Ang. Ch. **93**, 94 (1981).
[4] C. E. J. Combes, R. J. P. Corriu u. B. J. L. Henner, J. Organometal. Chem. **221**, 257 (1981).
[5] D. Seyferth u. C. L. Nivert, Am. Soc. **99**, 5209 (1977).

β_3) *an der kationischen Carbonyl-Gruppe*

Durch Umsetzung der 4-Halogen-nonacarbonyl-trikobaltatetrahydrane mit Lewis-Säuren (Aluminiumhalogeniden) entsteht das kationische *4-Carbonyl-nonacarbonyl- trikobaltatetrahedran*, das bei 20° recht stabil ist und als Aluminat isoliert werden kann[1]. Der Kation-Komplex kann auch durch Spaltung der Alkoxycarbonyl-Gruppe durch Hexafluorophosphorsäure hergestellt werden[2-6]. Dabei ist es zweckmäßig, den freigesetzten Alkohol durch Carbonsäureanhydride abzufangen.

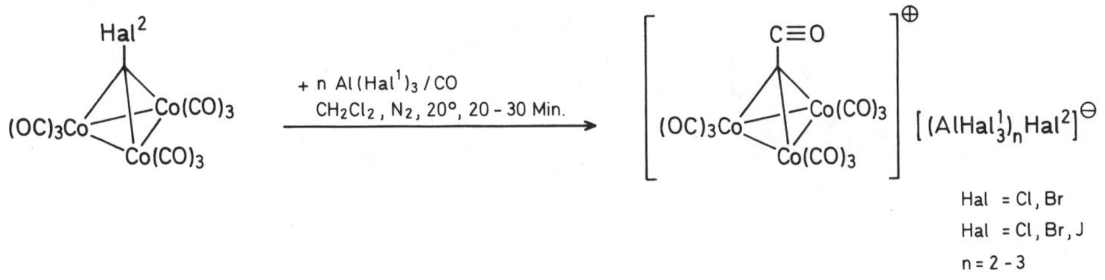

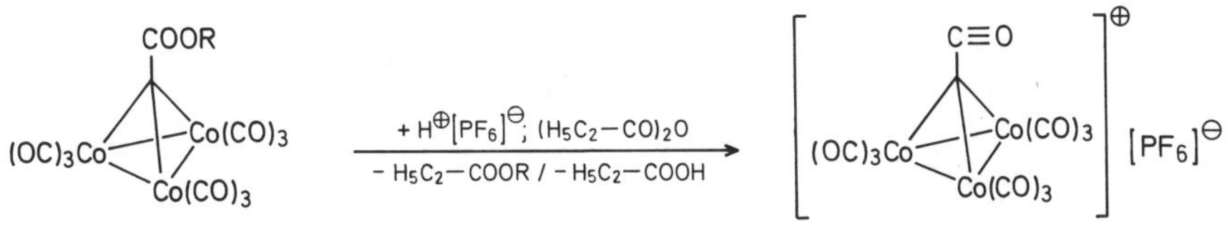

Der Kationkomplex kann mit verschiedenen nucleophilen Reagenzien umgesetzt werden, z.B. mit Alkoholen, Phenolen, Thiolen, Aminen, Organo-zinn-Verbindungen und Organosiliciumhydriden.

Hierzu ist es zweckmäßig, den Kationen-Komplex in situ herzustellen. Ein Überschuß von Aluminiumhalogenid beschleunigt die Bildung des Kations und stabilisiert es.

Das System 4-Chlor-nonacarbonyl-trikobaltatetrahedran/Aluminiumchlorid/Jodmethan hat sich durch hervorragende Ausbeuten besonders gut bewährt. Jodmethan, das im großen Überschuß eingesetzt wird, beschleunigt dabei die Bildung des Kations.

Das Hexafluorphosphat-Salz bildet im Gegensatz zum Aluminat-Salz mit Triethylsilan allein nicht das 4-Formyl-Derivat, sondern man erhält *4-Methyl-* bzw. das in 4-Stellung unsubstituierte *Co-Nonacarbonyl-trikobaltatetrahedran* (30 bzw. 43%). Das Acylium-Ion ist ein relativ schwaches elektrophiles Reagens. Es reagiert daher nur mit den stärkeren aromatischen Nucleophilen:

[1] D. Seyferth, G.H. Williams u. C.L. Nivert, Inorg. Chem. **16**, 758 (1977).
[2] J.E. Hallgren, C.S. Eschbach u. D. Seyferth, Am Soc. **94**, 2547 (1972).
[3] D. Seyferth u. G.H. Williams, J. Organomet. Chem. **38**, C 11 (1972).
[4] D. Seyferth, J.E. Hallgren u. C.S. Eschbach, Am. Soc. **96**, 1730 (1974).
[5] D. Seyferth, G.H. Williams u. D.D. Traficante, Am. Soc. **96** 604 (1974).
[6] J.S. Merola, J.E. Hallgren u. D. Seyferth, Inorg. Syntheses **20**, 230 (1980).

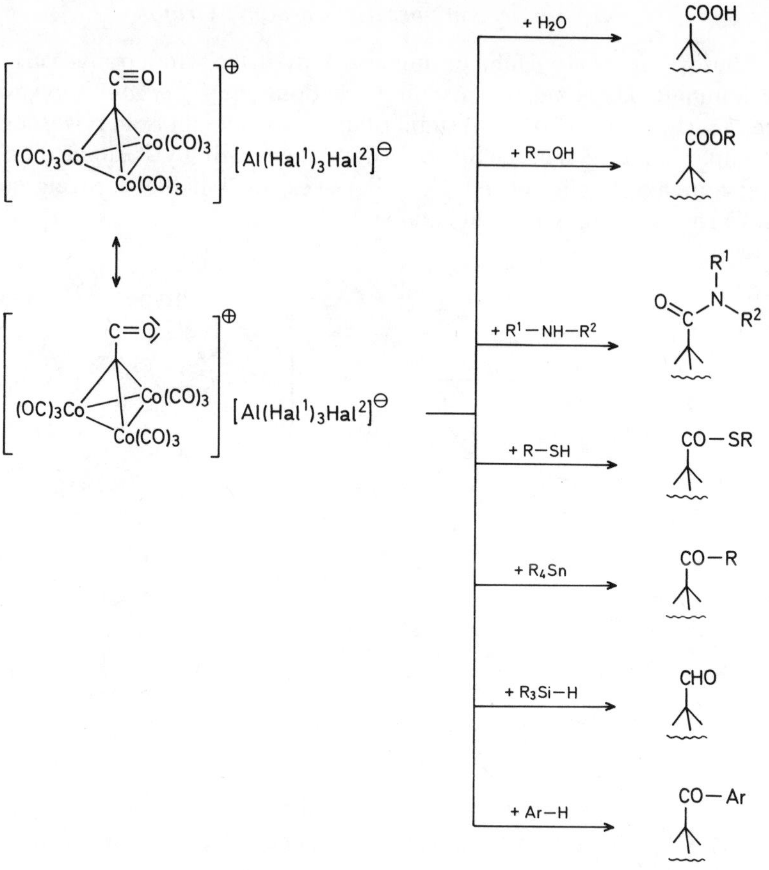

4-Methylaminocarbonyl-nonacarbonyl-trikobaltatetrahedran[1]: Die A p p a r a t u r (Abb. 1) besteht aus einem 200-*ml*-Rundkolben, der mit einer groben Glasfritte und drei Glasschliffen ausgestattet ist.

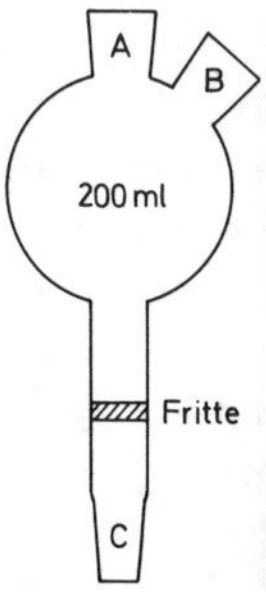

A wird mit hochreinem Stickstoff beschickt, dessen Leitung über ein T-Stück mit einer mit Nujol gefüllten Tauchung verbunden ist. B wird mit einem Stopfen luftdicht verschlossen. C wird mit einem 100-*ml*-Dreihals-Kolben verbunden, der ebenfalls an die Stickstoff-Leitung angeschlossen und mit einem Magnetrührer ausgestattet ist. Die freien Anschlüsse werden mit Glasstopfen verschlossen.

D u r c h f ü h r u n g : Nach dem Trocknen und Spülen der Apparatur werden in den Dreihals-kolben 1,04 g (2,0 mmol) 4-Ethoxycarbonyl-nonacarbonyl-trikobaltatetrahedran und 15 *ml* Propansäureanhydrid vorgelegt. Unter Rühren löst sich der Komplex auf, dem hierauf 0,6 g (2,6 mmol) 65% wäßrige Hexafluorophosphorsäure mit einer Pipette zugesetzt werden. Es entsteht sofort ein schwarzer Niederschlag, der durch Umlegen der Apparatur mit der einge-bauten Fritte filtriert wird. Er wird 4mal mit je 10 *ml* Dichlormethan gewaschen.

Der schwarze Niederschlag wird in 10 *ml* Dichlormethan aufgerührt. Er löst sich auf, wenn langsam Methyl-amin auf die Flüssigkeitsoberfläche geleitet wird. Von nun an braucht nicht mehr auf Luft-Ausschluß geachtet zu werden. Die resultierende Lösung wird in 100 *ml* 10% wäßr. Salzsäure geschüttet. Die Verbindung wird mit Dichlormethan extrahiert, die vereinigten Extrakte über Magnesiumsulfat getrocknet und das Lösungsmittel i. Vak. in einem Rotationsverdampfer abgezogen. Der rote, feste Rückstand wird aus Hexan umkristallisiert; Ausbeute: 0,93 g (93%); F: 124–126° (Zers.); IR (CCl$_4$): $\nu_{C=O}$ 1633 (s) cm^{-1}.

---

[1] J. S. Merola, J. E. Hallgren u. D. Seyferth, Inorg. Syntheses **20**, 230 (1980).

Tab. 5: Umsetzungen des 4-Chlor-nonacarbonyltrikobaltatetrahedrans bzw. des 4-Carbonyl-nonacarbonyl-trikobaltatetrahedran-Kations mit Nucleophilen

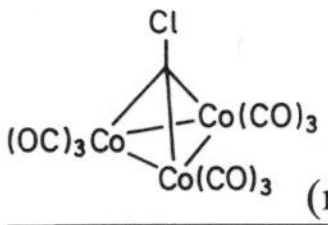 [Struktur] (mmol)	$AlCl_3$ (mmol)	Nucleophil (mmol)	...-nonacarbonyl-trikobaltatetrahedran	Ausbeute [%]	F [°C]	Literatur
2,3	6,3	H_2O (gr. Überschuß)	4-Carboxy-...	79	–	1
2,5	6,1	H_5C_2-OH (20 ml)	4-Ethoxycarbonyl-...	78	–	1
2,2	6,2	$(H_3C)_3$C-OH (20 ml)	4-tert.-Butyloxycarbonyl-...	77	48–49	2
2,2	7,7	HC≡C-CH_2-OH (17)	4-(2-Propinyloxycarbonyl)-...	62	59–60	1
2,2	7,7	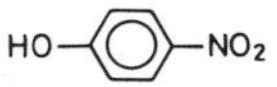 HO-C$_6$H$_4$-NO$_2$ (20)	4-(4-Nitro-phenoxycarbonyl)-...	30	85–86	1
2,2	7,7	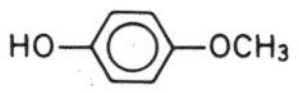 HO-C$_6$H$_4$-OCH$_3$	4-(4-Methoxy-phenoxycarbonyl)-...	39	54–55	1
2,2	7,7	$(H_3C)_3$C-SH (18,5)	4-(tert.-Butylthio-carbonyl)-...	51	74–75	1
2,1	7,9	H_5C_6-SH (3 ml)	4-(Phenylthio-carbonyl)-...	58	–	1
2,2	7,7	$(H_3C)_3$C-NH$_2$ (10)	4-(tert.-Butylamino-carbonyl)-...	55	72–73	1
2,6	6,9	H_5C_6-NH$_2$ (3,5 ml)	4-Anilinocarbonyl-...	76	–	1
2,0	6,0	$(H_2C$=CH-CH$_2)_4$Sn	4-(3-Butenoyl)-...	69	51–52	1
2,2	6,2	H_5C_6-N(CH$_3)_2$	4-(4-Dimethylamino-benzoyl)-...		69	1
2,2	7,7	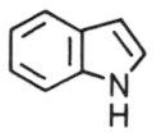 [Indol] (5)	4-(2-Indolylcarbonyl)-...	47	–	1
2,3	5,9	$(H_5C_6)_3$SiH	4-Formyl-...	40	68	1

[1] D. SEYFERTH, G. H. WILLIAMS u. C. L. NIVERT, Inorg. Chem. 16, 758 (1977).
[2] C. L. NIVERT, G. H. WILLIAMS u. D. SEYFERTH, Inorg. Syntheses 20, 234 (1980).

Tab. 5 (Forts.)

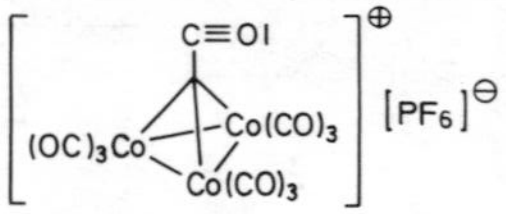 $\left[\begin{array}{c}C\equiv O\end{array}\right]^{\oplus}$ $[PF_6]^{\ominus}$ [a]	CH$_2$Cl$_2$ (ml)	Nucleophil (mmol)	...-nonacarbonyl-trikobaltatetrahedran	Ausbeute [%]	F [°C]	Literatur
2,0	20	H$_5$C$_6$—NH—CH$_3$ (5)	4-(N-Methyl-anilinocarbonyl)-...	66	98–99	1
2,0	20	(H$_5$C$_6$)$_2$NH (5)	4-(Diphenylaminocarbonyl)-...	42	123–125 (Zers.)	1
			+ (4-Anilino-benzoyl)-...	20	134–136 (Zers.)	1
2,0	25	HCO—NH$_2$ (5)	4-(Formylamino-carbonyl)-...	42	120 (Zers.)	1
2,0	20	H$_3$C—CO—NH$_2$ (4)	4-(Acetylamino-carbonyl)-...	65	(Zers.)	1
1,9	(15 ml THF)	H$_5$C$_2$—ZnBr (3)	4-Propanoyl-...	54	~74 (Zers.)	1
2,0	25	HO—CH$_2$—CH$_2$—OH (1)	1,2-Bis-[nonacarbonyl-4-trikobaltaetra-hedranyloxy]-ethan	35	(Zers.)	1
3,0	10	HO—CH$_2$—C≡C—CH$_2$—OH (1,5)	1,4-Bis-[nonacarbonyl-4-trikobaltaetra-hedranyloxy)-2-butin	52	(Zers.: ~ 97–100°)	1
		R—CH—COOC$_2$H$_5$ [b] $\oplus$NH$_3$ Cl$^{\ominus}$	N-(Nonacarbonyl-4-trikobaltatetrahedranyl)-peptide	–	–	1

[a] bez. auf eingesetzte 4-Ethoxycarbonyl- bzw. 4-Carboxy-Verbindung
[b] Peptid-Derivate (in Pyridin/Dichlormethan)

[1] D. SEYFERTH, J.E. HALLGREN u. C.S. ESCHBACH, Am. Soc. 96, 1730 (1974).

4-Methoxycarbonyl-nonacarbonyl-trikobaltatetrahedran[1]**:** Es werden 0,81 g (6,1 mmol) Aluminiumchlorid und 1,0 g (2,2 mmol) 4-Chlor-nonacarbonyl-trikobaltatetrahedran in 50 *ml* Dichlormethan unter Stickstoff vorgelegt. Die zunächst homogene purpurne Lösung wird nach 20–30 Min. Rühren braun unter Bildung eines Niederschlags. Eine dünnschichtchromatographische Probe zeigt, daß die 4-Chlor-Verbindung vollständig umgesetzt ist.

Bei Zusatz von wasserfreiem Methanol wird das gelb-braune Gemisch sofort rötlich-braun und homogen. Die Lösung wird in 200 *ml* einer kalten 5%igen Salzsäure gegeben. Die beiden Phasen werden getrennt, die rotbraune organ. Phase wird über wasserfreiem Natriumsulfat getrocknet, filtriert und i. Vak. eingeengt. Der feste Rückstand wird in Hexan gelöst und an Kieselsäure chromatographiert mit Dichlormethan eluiert. Das Lösungsmittel wird erneut i. Vak. abgezogen und der Komplex i. Vak. sublimiert; Ausbeute: 0,90 g (83%).

4-Aminocarbonyl-nonacarbonyl-trikobaltatetrahedran[1]**:** Durch die wie oben aus 1,26 g (9,5 mmol) Aluminumchlorid und 1,86 g (4,1 mmol) 4-Chlor-nonacarbonyl-trikobaltatetrahedran in 100 *ml* Dichlormethan hergestellte Mischung wird unter Rühren 10 Min. Ammoniak eingeleitet. Der Farbwechsel zeigt an, daß die Reaktion abgeschlossen ist. Die Verbindung wird wie oben aufgearbeitet; Rohausbeute: 1,26 g (64%).

Der Triphenylphosphan-Komplex wird analog wie die Nonacarbonyl-Verbindung zum *4-Methoxycarbonyl-octacarbonyl-triphenylphosphan-trikobaltatetrahedran* (58%; F: 130–132°) umgewandelt:

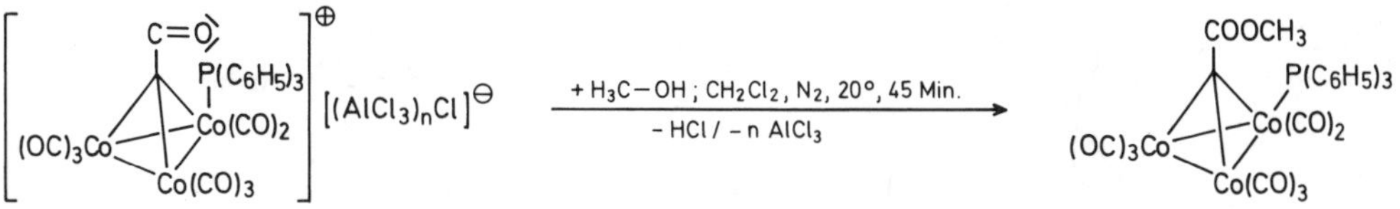

β_4) *an der 1-Alkenyl-Gruppe*

$\beta\beta_1$) Hydrierung

Die C,C-Doppelbindung der Alkenyl-Gruppe wird mit Palladium auf Aktivkohle als Katalysator unter milden Bedingungen selektiv hydriert[2]; z. B.:

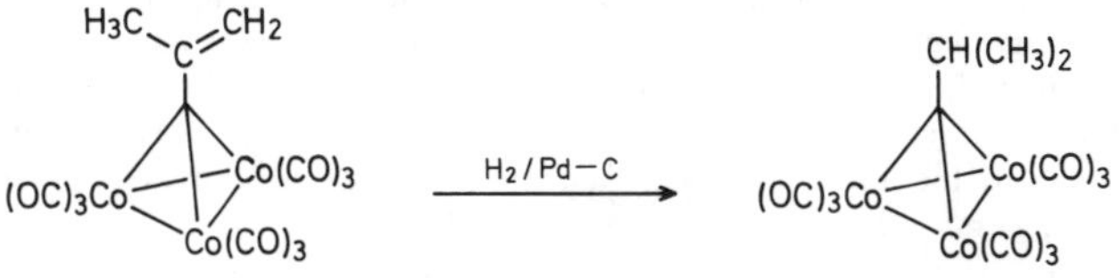

4-Isopropyl-nonacarbonyl-trikobaltatetrahedran

Auch die folgenden Komplexe können an ihrer C,C-Doppelbindung hydriert werden. Als Katalysator verwendet man Octacarbonyl-dikobalt und Oxogas (Kohlenmonoxid/Wasserstoff), um durch Kohlenmonoxid den Carbonyl-Komplex bei erhöhter Temperatur zu stabilisieren[3]; z. B.:

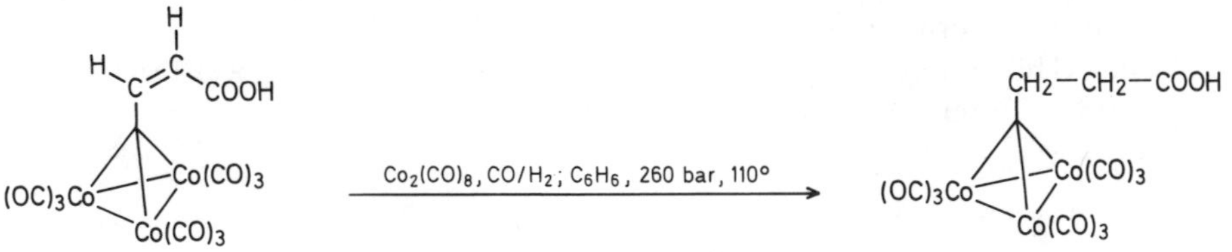

4-(2-Carboxy-ethyl)-nonacarbonyl-trikobaltatetrahedran

---

[1] D. Seyferth, G.H. Williams u. C.L. Nivert, Inorg. Chem. **16**, 758 (1977).

[2] D.A. Young, Inorg. Chem. **12**, 482 (1973).

[3] G. Albanesi u. E. Gavezzotti, Chimica e Ind. **47**, 1322 (1965).

Die C,C-Doppelbindung wird auch beim Aufarbeiten in protischen Lösungsmitteln und in Gegenwart von Säuren hydriert[1]. Ursache dafür ist die Bildung von Tetracarbonyl-hydrido-kobalt durch teilweise Zersetzung des Komplexes. Durch Zusatz des Hydrido-Komplexes oder Octacarbonyl-dikobalt und Salzsäure erhält man die hydrierten Verbindungen in hoher Ausbeute:

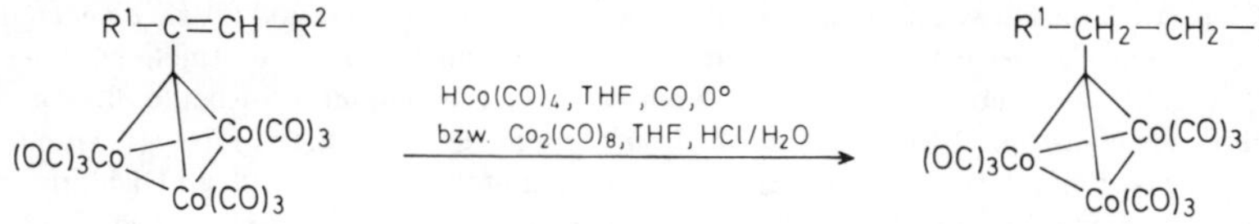

$$R^1-C{=}CH-R^2 \quad \xrightarrow[\text{bzw. } Co_2(CO)_8,\,THF,\,HCl/H_2O]{HCo(CO)_4,\,THF,\,CO,\,0°} \quad R^1-CH_2-CH_2-R^2$$

(OC)₃Co—Co(CO)₃ / Co(CO)₃ → (OC)₃Co—Co(CO)₃ / Co(CO)₃

...-nonacarbonyl-trikobaltatetrahedran
$R^1 = R^2 = H$; *4-Ethyl-*...
$R^1 = CH_3$; $R^2 = H$; *4-Isopropyl-*...; 85–97%

Auch die modifizierte Clemmensen-Reaktion mit Zink-Pulver/Trifluoressigsäure bzw. die Clemmensen-Reaktion selbst kann zur Hydrierung herangezogen werden[2,3]; z.B.:

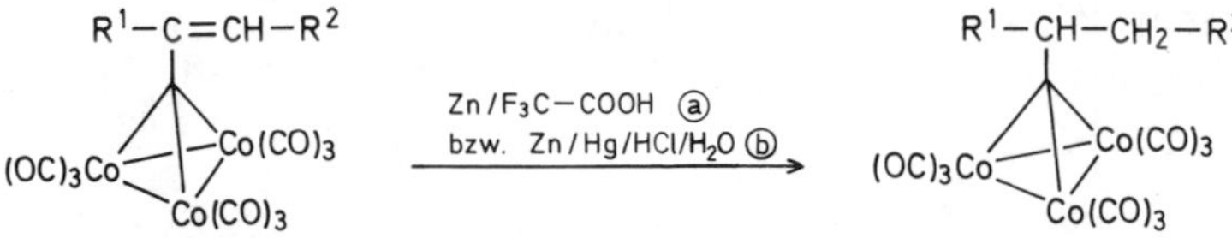

$$R^1-C{=}CH-R^2 \quad \xrightarrow[\text{bzw. } Zn/Hg/HCl/H_2O\ \text{ⓑ}]{Zn/F_3C-COOH\ \text{ⓐ}} \quad R^1-CH-CH_2-R^2$$

(OC)₃Co—Co(CO)₃ / Co(CO)₃ → (OC)₃Co—Co(CO)₃ / Co(CO)₃

...-nonacarbonyl-trikobaltatetrahedran
$R^1 = R^2 = H$; *4-Ethyl-*...; 85%
$R^1 = CH_3$; $R^2 = H$; *4-Isopropyl-*...; 93%   bzw. 50%

4-Isopropyl-nonacarbonyl-trikobaltatetrahedran[2]: In einem 100-*ml*-Dreihalskolben werden 0,97 g (2,0 mmol) 4-Isopropenyl-nonacarbonyl-trikobaltatetrahedran und 10 *ml* gekühlte Trifluoressigsäure unter Stickstoff vorgegeben und in einem Eisbad kalt gehalten. Zu der braunen Mischung werden unter Rühren in kleinen Portionen über 4 Stdn. insgesamt 3,62 g (55 mmol) aktiviertes Zink-Pulver zugegeben. Die Lösung färbt sich purpur. Daraufhin setzt man dem Reaktionsgemisch 200 *ml* Wasser und 150 *ml* Hexan zu, filtriert, trennt die beiden Phasen voneinander, wäscht die Hexan-Schicht mit 10%iger Salzsäure und trocknet sie über Magnesiumsulfat. Das Lösungsmittel wird hierauf i. Vak. abgezogen und der Rückstand durch Sublimation bei 50° gereinigt. Ausbeute: 0,90 g (93%), Zers.P. > 100° (ohne Schmelzen).

$\beta\beta_2$) Protonierung und Folgereaktionen

Die Addition von Wasser, Alkoholen, Aminen oder aromatischen C–H-Bindungen an die C,C-Doppelbindung von 4-(1-Alkenyl)-nonacarbonyl-trikobaltatetrahedranen verläuft über Carbenium-Ionen als Zwischenstufe.

Mit starken Säuren (konz. Schwefelsäure, Hexafluorophosphorsäure, Trifluoressigsäure) lassen sich die 4-Carbenium-Salze erhalten, die auch aus den entsprechenden 4-(1-Hydroxy-alkyl)-clustern erhalten werden (s.S. 224)[3–5]:

Das System Hexafluorophosphorsäure in Propansäureanhydrid erweist sich als besonders günstig zur Unterdrückung von Nebenreaktionen[1].

[1] D. SEYFERTH, C.S. ESCHBACH, G.H. WILLIAMS u. P.L.K. HUNG, J. Organometal. Chem. **134**, 67 (1977).

[2] D. SEYFERTH, C.S. ESCHBACH u. M.O. NESTLE, Syn. React. Inorg. Metal.-Org. Chem. **7**, 269 (1977).

[3] D. SEYFERTH, C.S. ESCHBACH, G.H. WILLIAMS, P.L.K. HUNG u. Y.M. CHENG, J. Organometal. Chem. **78**, C 13 (1974).

[4] D. SEYFERTH, G.H. GARY u. D.D. TRAFICANTE, Am. Soc. **96**, 604 (1974).

[5] D. SEYFERTH, C.S. ESCHBACH u. M.O. NESTLE, J. Organometal. Chem. **97**, C 11 (1975).

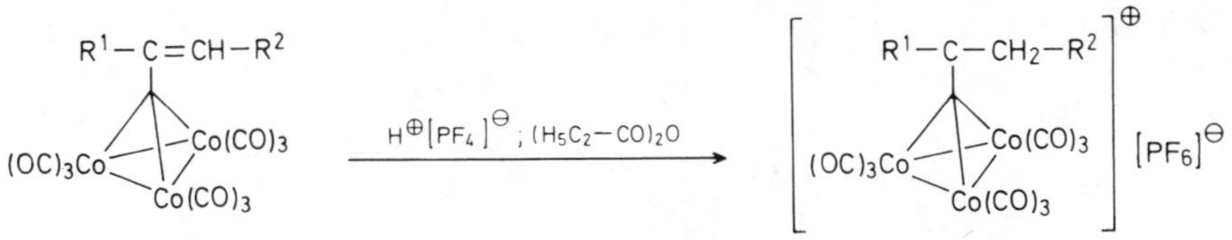

... -(nonacarbonyl-4-trikobaltatetrahedranyl)-carbenium-hexafluorophosphat
z. B.: R¹ = R² = H; *Methyl*-...
R¹ = CH₃; R² = H; *Dimethyl*-...; (stabil)

Die Carbenium-Salze setzen sich mit Alkoholen zu den 4-(1-Alkoxy-alkyl)-, mit Aminen zu 4-(1-Amino-alkyl)- und mit Pyrrol zu 4-[1-(2-Pyrryl)-alkyl]-nonacarbonyl-trikobaltotetrahedranen um[1, 2]; z. B.:

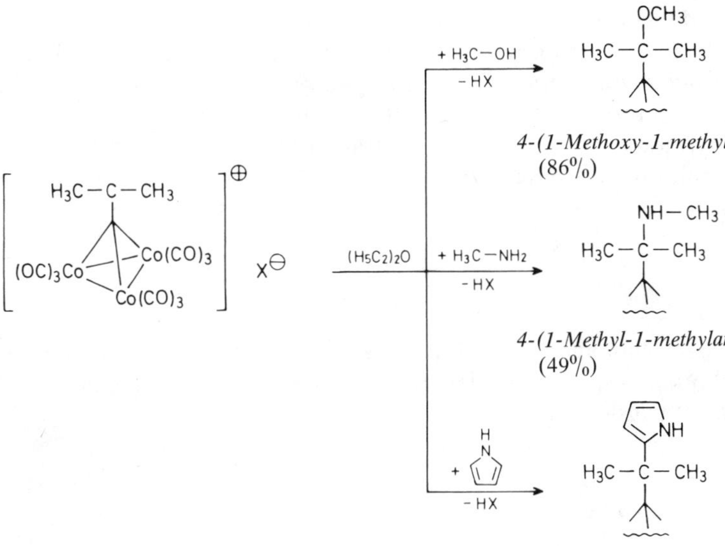

4-(1-Methoxy-1-methyl-ethyl)-...
(86%)

4-(1-Methyl-1-methylamino-ethyl)-...
(49%)

4-[1-Methyl-1-(2-pyrryl)-ethyl]...
(33%)

X = HSO₄ ⊖, PF₆ ⊖

...-nonacarbonyl-trikobaltatetrahedran

Die Bildungstendenz der Carbenium-Ionen ist so hoch, daß z. B. die 4-(1-Alkoxy-alkyl)-Derivate beim Chromatographieren an saurer Kieselsäure (pH 4) gespalten und durch Anlagerung von Wasser an das intermediär gebildete Carbenium-Ion die entsprechenden (1-Hydroxy-alkyl)-Verbindungen gebildet werden.

Auch die Bildungstendenz der 4-(1-Alkenyl)-Derivate ist relativ hoch, so daß bei der Hydrolyse der Carbenium-Verbindung der Alkohol und das Olefin in vergleichbaren Anteilen gebildet werden[1, 2] (näheres s. Lit.).

Bei der Behandlung von Nonacarbonyl-4-(2-trimethylsilyl-ethenyl)-trikobaltatetrahedran mit Säuren wird die Silyl-Gruppe abgespalten[2]:

[1] D. SEYFERTH, C. S. ESCHBACH, G. H. WILLIAMS, P. L. K. HUNG u. Y. M. CHENG, J. Organometal. Chem. **78**, C 13 (1974).
[2] D. SEYFERTH, C. S. ESCHBACH, G. H. WILLIAMS u. P. L. K. HUNG, J. Organometal. Chem. **134**, 67 (1977).

14*

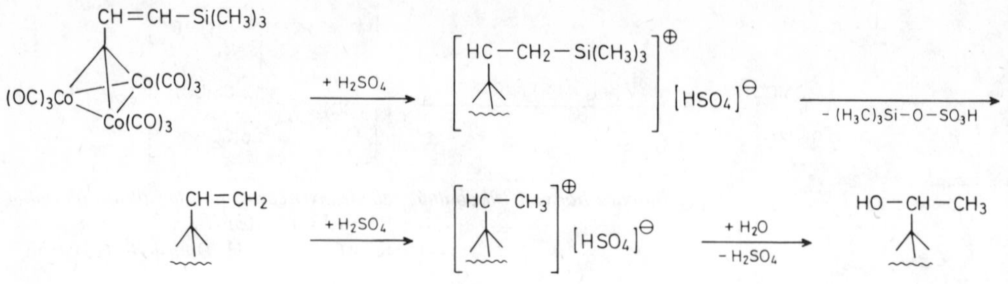

4-(1-Hydroxy-ethyl)-nonacarbonyl-trikobalta-
tetrahedran; 78%

$\beta\beta_3$) Addition von Carbonsäure-halogeniden bzw. Quecksilber(II)-Verbindungen

Acetylchlorid lagert sich in Gegenwart von Aluminiumchlorid an die C,C-Doppelbindung der 4-(1-Alkenyl)-nonacarbonyl-trikobaltatetrahedrane unter Bildung des *(Nonacarbonyl-trikobaltatetrahedran-4-yl)-(2-oxo-propyl)-carbenium-chlorids* an, das unter Hydratisierung, Deprotonierung bzw. Hydridierung weiterreagiert[1, 2]. Bei der Umsetzung von 4-Ethenyl-nonacarbonyl-trikobaltatetrahedran mit Quecksilber(II)-trifluoracetat und Natriumchlorid in Methanol entsteht *4-(2-Chloromercuri-1-methoxy-ethyl)-nonacarbonyl-trikobaltatetrahedran* [55%; F: 109–111° (Zers.)][2].

β_5) *am C-Aryl-Rest*

Meta- und para-ständige Methoxy-Reste können durch milde elektrophile Reagenzien, wie Tribromboran, gespalten werden, nicht jedoch ortho-ständige, die vom Kobalt-Cluster abgeschirmt werden[3, 4].

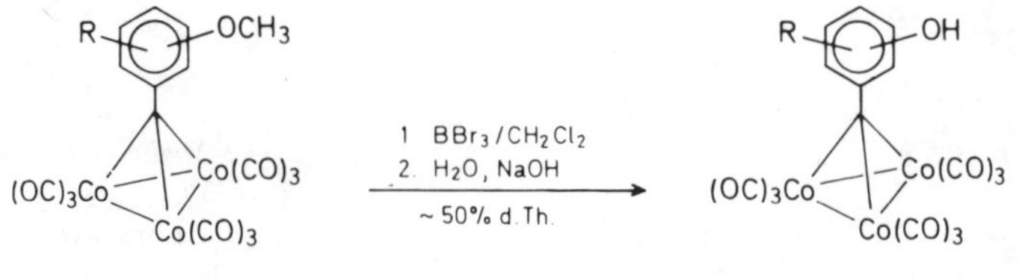

R = H; 3-OCH₃, 4-OCH₃
R = 3-CH₃; 4-OCH₃

4-[3- (bzw. 4)-Methoxy-phenyl]-
sowie -4-(4-Methoxy-3-methyl-phenyl)-
nonacarbonyl-trikobaltatetrahedran

In Gegenwart von Friedel-Crafts-Katalysatoren wird die Aryl-Gruppe durch Acyl-halogenide leicht und ausschließlich in para-Stellung acyliert[5, 6].

[1] D. Seyferth, C. S. Eschbach, G. H. Williams, P. L. K. Hung u. Y. M. Cheng, J. Organometal. Chem. **78**, C 13 (1974).
[2] D. Seyferth, C. S. Eschbach, G. H. Williams u. P. L. K. Hung, J. Organometal. Chem. **134**, 67 (1077).
[3] R. Dolby, T. W. Matheson, B. K. Nicolson, B. H. Robinson u. J. Simpson, J. Organometal. Chem. **43**, C 13 (1972).
[4] R. Dolby u. B. H. Robinson, Soc. Dalton **1973**, 1794.
[5] D. Seyferth u. A. T. Wehman, Am. Soc. **92**, 5520 (1970).
[6] D. Seyferth, G. H. Williams, A. T. Wehman u. M. O. Nestle, Am. Soc. **97**, 2107 (1975).

. . .-*nonacarbonyl-trikobaltahedran*

R^1 = H; R^2 = CH_3; *4-(4-Acetyl-phenyl)-*. . .; 93%; F: 107–108°

R^2 = C_6H_5; *4-(4-Benzoyl-phenyl)-*. . .; 71%; F: 173–174°

R^1 = 3-CH_3; R^2 = CH_3; *4-(4-Acetyl-3-methyl-phenyl)-*. . .; 91%; F: 103–105°

R = 2-Cl; R^2 = CH_3; *4-(4-Acetyl-2-chlor-phenyl)-*. . .; 58%; F: 79–80°

R^1 = 3-Cl; R^2 = CH_3; *4-(4-Acetyl-3-chlor-phenyl)-*. . .; 60%; F: 73–75°

R^1 = 2-CH_3; R^2 = C_6H_5; *4-(4-Benzoyl-2-methyl-phenyl)-*. . .; 48%; F: 178–180°

Elektronen-schiebende Substituenten begünstigen die Reaktion. Acetylchlorid reagiert besser als Benzoyl-chlorid. Aus diesem Grund werden 2- und 3-Chlor-Derivate acetyliert, aber nicht benzoyliert. Eine Acylierung in 2-Stellung ist infolge der großen sterischen Hinderung durch die am Kobalt gebundenen Carbonyl-Liganden nicht möglich. Die Phenyl-Gruppe ist, wie Konkurrenzreaktionen zeigen, ein reaktionsfähigeres Nucleophil als die stark nucleophilen Aromaten Ferrocen und N,N-Dimethyl-anilin.

Bei der Methode ist die Reihenfolge der Mischung von großem Einfluß auf die Ausbeute.

4-(4-Acetyl-2-methyl-phenyl)-nonacarbonyl-trikobaltatetrahedran[1]: Ein 200-*ml*-Dreihalskolben, der mit einem Stickstoff-Anschluß, Tropftrichter und Magnetrührer versehen ist, wird durch Evakuieren getrocknet und mit Stickstoff gefüllt. In den Kolben werden 0,456 g (3,42 mmol) Aluminiumchlorid und 30 *ml* Dichlormethan vorgelegt, dem mit einer Spritze 0,33 g (4,2 mmol) destilliertes Acetylchlorid zugesetzt werden. In dem Tropf-trichter löst man 1,45 g (2,72 mmol) Nonacarbonyl-4-(2-methyl-phenyl)-trikobaltatetrahedran in 40 *ml* Di-chlormethan. Die vorgelegte Mischung wird 1 Min. gerührt und so rasch wie möglich unter Rühren mit dem Inhalt des Tropftrichters versetzt. Eine sogleich genommene Probe zeigt dünnschichtchromatographisch, daß in der Lö-sung kein Ausgangsprodukt mehr vorhanden ist. Die rot-braune Lösung wird sofort auf 200 *ml* einer eisgekühl-ten wäßr. Salzsäure-Lösung gegeben. Die organ. Phase wird abgetrennt, getrocknet und filtriert. Anschließend wird das Lösungsmittel entfernt und der Rückstand an Kieselsäure mit Hexan/Dichlormethan (80/30) chroma-tographiert. Die Hauptfraktion wird isoliert und nach Abziehen des Lösungsmittels aus Hexan umkristallisiert; Ausbeute: 1,38 g (88%); F: 92–94° (Zers.); IR (CCl_4) $v_{C=O}$ 1676 cm^{-1}.

Auf ähnliche Weise erhält man aus dem 4-(4-Brom-phenyl)-Derivat unter Ersatz des Brom-Atoms *4-(4-Acetyl-phenyl)-nonacarbonyl-trikobaltatetrahedran* (22%).

Bis-[cyclopentadienyl]-C-phenyl-tetracarbonyl-trikobaltatetrahedran wird mit Ace-tylchlorid/Aluminiumchlorid ausschließlich am Phenyl-Ring zum *4-(4-Acetyl-phenyl)-bis-[cyclopentadienyl]-tetracarbonyl-trikobaltatetrahedran* acetyliert[2].

Bei der Umsetzung mit Dichlor-methoxy-methan/Aluminiumchlorid und anschließen-der Hydrolyse erhält man aus dem 4-Phenyl-Derivat *4-(4-Formyl-phenyl)-nonacarbonyl-trikobaltatetrahedran* (21%; F: 127–128°)[1,3].

β_6) an der C–Acyl-Gruppe

$\beta\beta_1$) unter Abwandlung der Oxo-Gruppe

Die Acetal-Funktion der 1,3-Dioxolan-2-yl-Gruppe wird von verdünnter Salzsäure nur in geringer Ausbeute zum *4-Formyl-nonacarbonyl-trikobaltatetrahedran* hydrolysiert (als Nebenprodukt entsteht unter Reduktion das *4-Hydroxymethyl-*Derivat)[4].

[1] D. SEYFERTH, G. H. WILLIAMS, A. T. WEHMAN u. M. O. NESTLE, Am. Soc. **97**, 2107 (1975).

[2] P. A. ELDER, B. H. ROBINSON u. J. SIMPSON, Soc. [Dalton] **1975**, 1771.

[3] D. SEYFERTH u. A. T. WEHMAN, Am. Soc. **92**, 5520 (1970).

[4] D. SEYFERTH, J. E. HALLGREN u. P. L. K. HUNG, J. Organometal. Chem. **50**, 265 (1973).

Die 4-Acyl-nonacarbonyl-trikobaltatetrahedrane sind gegenüber starken Säuren recht stabil, so daß viele Umwandlungen in Gegenwart von Säuren durchgeführt werden können.

Der Acyl-Rest kann durch Hydrogenolyse mit Zink-Amalgam oder aktiviertem Zink in Gegenwart von Säuren in die Alkyl-Gruppe übergeführt werden. Unter den Bedingungen der klassischen Clemmensen-Hydrogenolyse mit Zink-Amalgam und wäßriger Salzsäure bei 35° sind die Ausbeuten schlecht, da sich dabei ein Teil der Verbindung zersetzt. Bei der Reaktion des Acetyl-Komplexes beträgt die Ausbeute an *4-Ethyl-nonacarbonyl-trikobaltatetrahedran* 33%. Sie läßt sich auf 51% steigern, wenn statt Salzsäure Schwefelsäure bei 50° verwendet wird. Die Zersetzungsreaktion wird nahezu völlig zurückgedrängt, falls unter Ausschluß von Wasser Trifluoressigsäure und aktiviertes Zink verwendet wird.

4-Ethyl-nonacarbonyl-trikobaltatetrahedran[1]: Man stellt den aktivierten Zink-Staub her durch 5 Min. Rühren von 16 g käuflichem Zink-Staub mit 100 *ml* wäßr. 2%iger Salzsäure. Zink wird abgesaugt, mit Wasser neutral gewaschen und daraufhin mit 50 *ml* Ethanol, 100 *ml* Aceton sowie 100 *ml* Diethylether und 10 Min. bei 90° i. Vak. getrocknet. Es wird nach 2 Stdn. verwendet.

0,97 g (2,0 mmol) 4-Acetyl-nonacarbonyl-trikobaltatetrahedran und 100 *ml* abs. Diethylether werden im Eisbad gekühlt und mit 5 *ml* Trifluoressigsäure versetzt. Hierauf setzt man der Mischung unter Rühren 7,5 g aktiviertes Zink in kleinen Portionen zu, so daß die Temp. nicht über 5° ansteigt und rührt noch 1 Stde. Mit Hilfe eines Dünnschichtchromatogramms sieht man, daß die Acetyl-Verbindung vollständig reagiert hat. Das Reaktionsgemisch wird in 150 *ml* Wasser geschüttet und mit Diethylether extrahiert.

Die ether. Lösung wird getrocknet und i. Vak. bis zur Trockene eingeengt. Der Rückstand wird aus Hexan umkristallisiert; Ausbeute: 0,88 g (96%); F: 191–192°.

Diboran in Tetrahydrofuran reduziert die Acetyl-Gruppe überwiegend zum *Ethyl*-Derivat (40%) und nur zum geringeren Teil zum entsprechenden Alkohol[1], was auf der ungewöhnlichen Stabilität des intermediär gebildeten Carbenium-Ions beruht.

Die Formyl-Gruppe und Acyl-Gruppen werden durch Triethylsilan in Gegenwart von Säure vollständig hydriert (~70–90%). Alkohole als Zwischenstufe der Reduktion können auch hier bei Verwendung von verdünnten Säuren nicht isoliert werden[2–4]. Bei großen Resten (z. B. 2,2-Dimethyl-propanoyl) ist die Reaktion infolge sterischer Hinderung nicht möglich.

4-Ethyl-nonacarbonyl-trikobaltatetrahedran[4]: Eine Standard-Apparatur mit 100-*ml*-Kolben wird mit der Flamme getrocknet, evakuiert und mit trockenem Stickstoff gefüllt. Einer Mischung von 1,40 g (2,9 mmol) 4-Acetyl-nonacarbonyl-trikobaltatetrahedran und 50 *ml* abs. THF werden darin unter Rühren 0,81 g (7 mmol) Triethylsilan und daraufhin 0,82 g (6 mmol) Trifluoressigsäure mit einer Spritze zugesetzt. Das Gemisch wird 3 Stdn. unter Rückfluß erhitzt, dann auf 20° abgekühlt und mit dem gleichen Vol. 10%iger Salzsäure versetzt. Die wäßr. Phase wird 3mal mit Hexan extrahiert. Die vereinigten Extrakte werden mit Magnesiumsulfat getrocknet und durch ein Kieselsäure-Bett filtriert. Das Filtrat wird i. Vak. eingeengt und der Rückstand i. Vak. sublimiert; Ausbeute: 1,22 g (90%).

---

[1] E. Seyferth, C. S. Eschbach u. M. O. Nestle, Synth. React. Inorg. Met.-Org. Chem. **7**, 269 (1977).
[2] D. Seyferth, P. L. K. Hung u. J. E. Hallgren, J. Organometal. Chem. **44**, C 55 (1972).
[3] D. Seyferth, G. H. Williams u. J. E. Hallgren, Am. Soc. **95**, 266 (1973).
[4] D. Seyferth, G. H. Williams, P. L. K. Hung u. J. E. Hallgren, J. Organometal. Chem. **71**, 97 (1974).

Auf ähnliche Weise erhält man u. a.

Nonacarbonyl-4-propyl-		92%; F: 121–123°
4-Heptyl-nonacarbonyl-	*-trikobaltatetrahedran*	85%; F: 31°
4-(2-Methyl-propyl)-nonacarbonyl-		81%; F: 112–113°
4-(4-Brom-benzyl)-nonacarbonyl-		67%; F: 94–95°

Werden die Formyl- und Acyl-Komplexe säurefrei mit Triethylsilan in Benzol unter Rückfluß umgesetzt, so daß die Carbenium-Bildung nicht möglich ist, anschließend mit konz. Schwefelsäure und dann mit Eiswasser behandelt, können die entsprechenden Alkohole hergestellt werden:

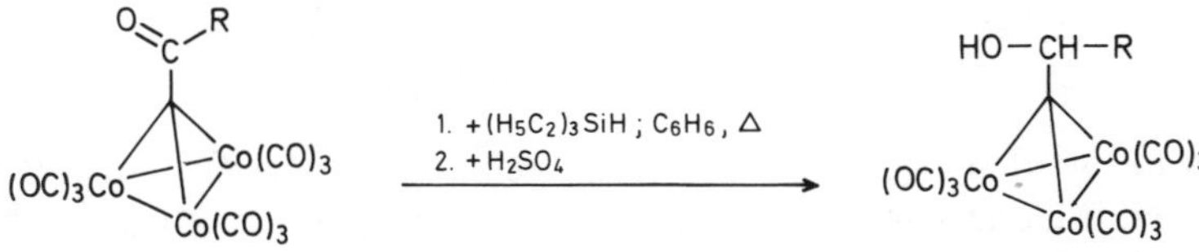

4-(1-Hydroxy-ethyl)-nonacarbonyl-trikobaltatetrahedran[1]: Die 1-*l*-Glasapparatur wird Flammen-getrocknet, evakuiert und unter Stickstoff mit 9,54 g (19,7 mmol) 4-Acetyl-nonacarbonyl-trikobaltatetrahedran, 500 *ml* abs. Benzol und 2,41 g (20,8 mmol) Triethylsilan gefüllt. Die Lösung wird unter Durchleiten von Kohlenmonoxid bei 20° 10 Min. lang gerührt und anschließend unter dem schwachen Kohlenmonoxid-Strom 8 Stdn. unter Rückfluß erhitzt. Dabei wird die zunächst intensiv braune Lösung tief-purpur. Hierauf wird die Mischung bei 20° i. Vak. eingeengt. Der resultierende ölige Rückstand wird mit Hexan verdünnt und durch ein Bett von ~ 200 *ml* neutralem Aluminiumoxid (Aktivität III) filtriert und mit Hexan gründlich nachgespült. Nach Abziehen des Lösungsmittels wird der Rückstand auf 0° abgekühlt und unter Kühlen 30 Min. mit konz. Schwefelsäure behandelt. Es entsteht zunächst eine rötliche Lösung, die tief braun wird. Sie wird unter intensivem Rühren in Eiswasser gegeben. Die organ. Verbindung wird mit Diethylether extrahiert; die Extrakte werden getrocknet und i. Vak. eingeengt. Man erhält einen festen Rückstand, der aus Pentan umkristallisiert wird; Ausbeute: 8,59 g (90%); F: 162° (Zers.).

Auf analoge Weise erhält man u. a.

4-Hydroxymethyl-nonacarbonyl-		46%; F: 161–163°
4-(1-Hydroxy-heptyl)-nonacarbonyl-		81%; F: 44–45°
4-(Cyclohexyl-hydroxy-methyl)-nonacarbonyl-	*-trikobaltatetrahedran*	52%; F: 55°
4-(α-Hydroxy-benzyl)-nonacarbonyl-		87%; F: 88–89°
4-(4-Brom-α-hydroxy-benzyl)-nonacarbonyl-		84%; F: 129–130°

Die Formyl-Gruppe wird bei Umsetzung mit einem Wasserstoff-Kohlenmonoxid-Gemisch bereits bei 1 bar ohne Katalysator-Zusatz vollständig zum *4-Methyl-nonacarbonyl-trikobaltatetrahedran* (52%) hydrogenolysiert[2].

Aroyl-Gruppen werden unter vergleichbaren Bedingungen lediglich bis zum Alkohol hydriert, bei Alkanoyl-Gruppen entsteht in geringerer Ausbeute auch das Alkyl-Derivat[2, 3]:

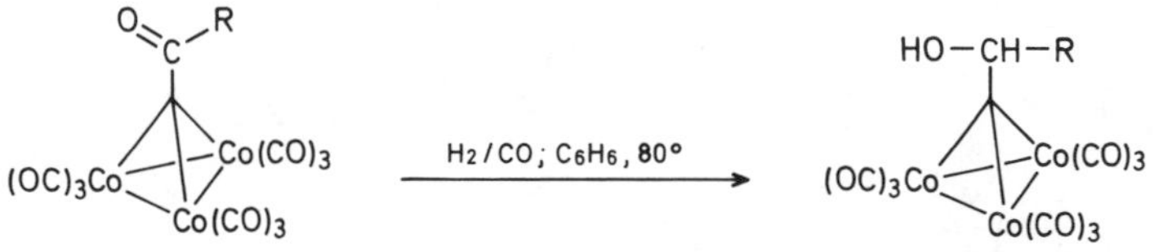

...*-nonacarbonyl-trikobaltatetrahedran*

R = CH$_3$; *4-(1-Hydroxy-ethyl)-*...[3]; 31%

R = 4-Br–C$_6$H$_4$; *4-(4-Brom-α-hydroxy-benzyl)-*...[3]; 79%

---

[1] D. Seyferth, G. H. Williams, P. L. K. Hung u. J. E. Hallgren, J. Organometal. Chem. **71**, 97 (1974).

[2] D. Seyferth, M. O. Nestle u. C. S. Eschbach, Am. Soc. **98**, 6724 (1976).

[3] D. Seyferth u. M. O. Nestle, Am. Soc. **103**, 3320 (1981).

4-(α-Hydroxy-4-methyl-benzyl)-nonacarbonyl-trikobaltatetrahedran[1]: In eine Lösung von 648 mg (1,16 mmol) 4-(4-Methyl-benzoyl)-nonacarbonyl-trikobaltatetrahedran in 50 ml abs. Benzol wird ein Gasgemisch aus Wasserstoff und Kohlenmonoxid 30 Min. eingeleitet und anschließend im Gasstrom 2 Stdn. unter Rückfluß erhitzt. Dünnschichtchromatographisch (an Kieselsäure mit Benzol als Fließmittel) sieht man, daß die Umsetzung quantitativ ist. Das Lösungsmittel wird darauf i. Vak. entfernt und der Rückstand an einer Säule (Silcar CC–7, CH_2Cl_2/Hexan = 1:3) gereinigt sowie aus Hexan umkristallisiert; Ausbeute: 0,56 g (83%); F: 97,5–99°.

Bei voluminösen Resten überwiegt aus sterischen Gründen die Decarbonylierung des Ketons (s.u.), ebenso aus elektronischen Gründen beim 4-(4-Dimethylamino-benzoyl)-Derivat. Durch Zusatz von ~4% Eisessig zum Reaktionsmedium des 4-Ferrocenoyl-Komplexes wird die Alkohol-Bildung beträchtlich begünstigt [72% *4-(Ferrocenyl-hydroxy-methyl)-nonacarbonyl-trikobaltatetrahedran*] (Decarbonylierung tritt nicht ein).

$\beta\beta_2$) unter Decarbonylierung

Acyl-Derivate werden überraschenderweise relativ leicht decarbonyliert[1,2]. Je nach Substituenten läuft die Decarbonylierung rascher ab als die Hydrierung durch molekularen Wasserstoff (s.o.):

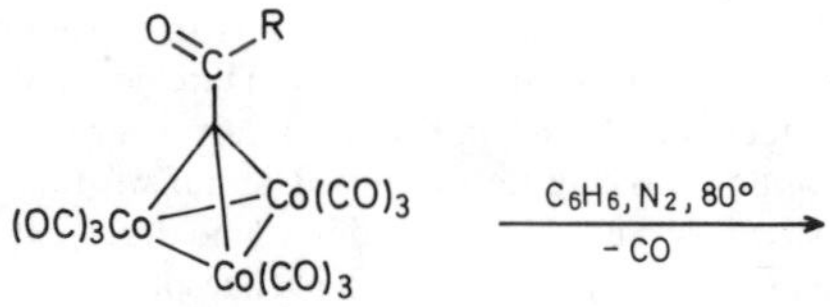

Nonacarbonyl-...-trikobaltatetrahedran

R = $CH(CH_3)_2$ (4 Stdn.); ...-4-isopropyl-...; 31%
R = C_4H_9 (20 Stdn.); ...-4-butyl-...; 42%
R = C_6H_5 (5 Stdn.); ...-4-phenyl-...; 66%
R = 4-CH_3–C_6H_4 (6 Stdn.); ...-4-(4-methyl-phenyl)-...; 69%
R = 4-$(H_3C)_2$N–C_6H_4 (40 Min.); ...-4-(4-dimethylamino-phenyl)-...; 70%
R = 2-Pyrryl (10 Stdn.); ...-4-(2-pyrryl)-...; 47%
R = 2-Indolyl (3 Stdn.); ...-4-(2-indolyl)-...; 71%
R = Ferrocenyl (2 Stdn.); ...-4-ferrocenyl-...; 63%

Die 2,2-Dimethyl-propanoyl- und 4-Brom-benzoyl-Gruppen werden nicht decarbonyliert.

β_7) *an der Carboxy-Gruppe bzw. deren Derivaten*

Zur Umwandlung der Carboxy-Gruppe bzw. deren Ester in ein 4-Carbonyl-nonacarbonyl-trikobaltatetrahedran-Kation durch Säuren s. S. 211.

Carboxy-Gruppen werden sauer katalysiert verestert[3]; z.B.:

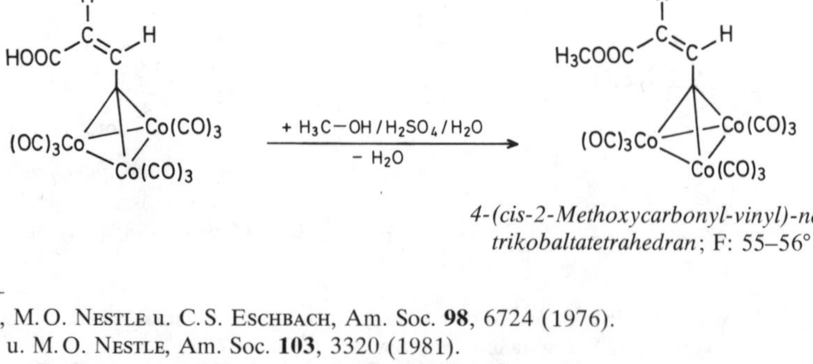

4-(cis-2-Methoxycarbonyl-vinyl)-nonacarbonyl-trikobaltatetrahedran; F: 55–56°

[1] D. Seyferth, M.O. Nestle u. C.S. Eschbach, Am. Soc. **98**, 6724 (1976).
[2] D. Seyferth u. M.O. Nestle, Am. Soc. **103**, 3320 (1981).
[3] G. Albanesi u. E. Gavozzetti, Chimica e Ind. **47**, 1322 (1965).

Aus sterischen Gründen ist die Veresterung der 4-Carboxy-Gruppe schwierig und gelingt erst mit starken Reagenzien wie Oxonium-Salzen in brauchbaren Ausbeuten[1, 2]; z.B. 4-Alkoxycarbonyl-nonacarbonyl-trikobaltatetrahedran (80%).

Das gleiche gilt für die Verseifung von 4-Alkoxycarbonyl-Gruppen[2]. Die Umsetzungen verlaufen jedoch sehr rasch und mit guten Ausbeuten, wenn in konzentrierter Schwefelsäure gearbeitet wird, da die Reaktion über das 4-Carbonyl-Kation verläuft (s. S. 211).

Die Carboxy-Gruppe wird durch Diboran in wasserfreiem Tetrahydrofuran zum *4-Methyl-nonacarbonyl-trikobaltatetrahedran* (25%) hydrogenolysiert, ohne daß die Alkohol-Zwischenstufe gefaßt werden kann[3].

4-(Organothio-carbonyl)-Gruppen werden in mäßiger Ausbeute decarbonyliert[4, 5]:

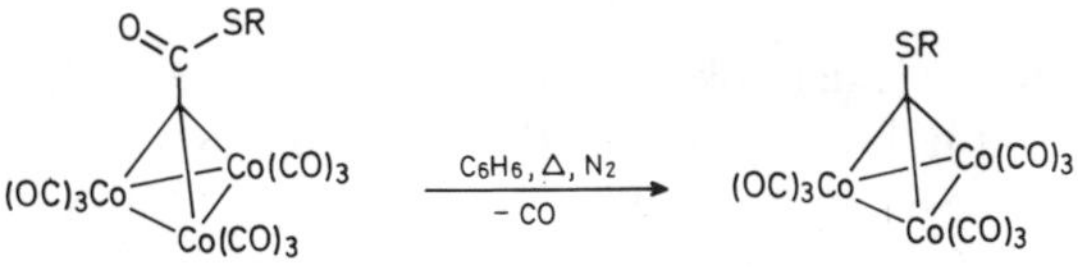

...-*nonacarbonyl-trikobaltatetrahedran*
R = C(CH₃)₃; *4-tert.-Butylthio-*...; 13%; F: 63–64° (Zers.)
R = 4-CH₃–C₆H₄; *4-(4-Methyl-phenylthio)-*...; 14%

β_8) *an anderen Substituenten*

Die 4-Silyl-Gruppe kann vielfältig umgewandelt werden. So wird z.B. die Si–H-Gruppe bereits beim Aufarbeiten mit Kieselgel hydrolysiert[6]:

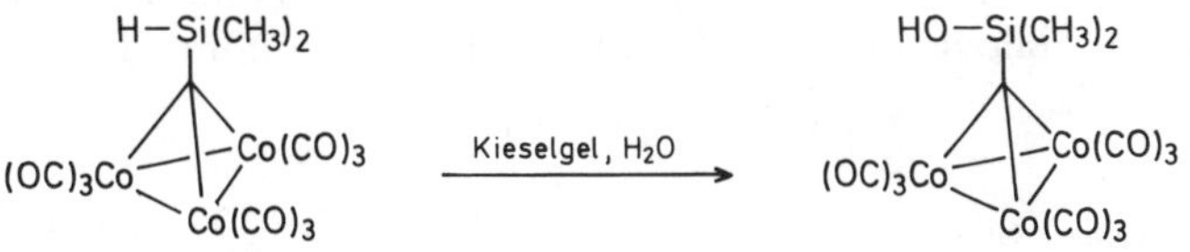

*4-(2-Dimethyl-hydroxy-silyl)-nonacarbonyl-
trikobaltatetrahedran*

Chlor-Substituenten reagieren leicht mit Wasser oder Alkoholen; z.B.:

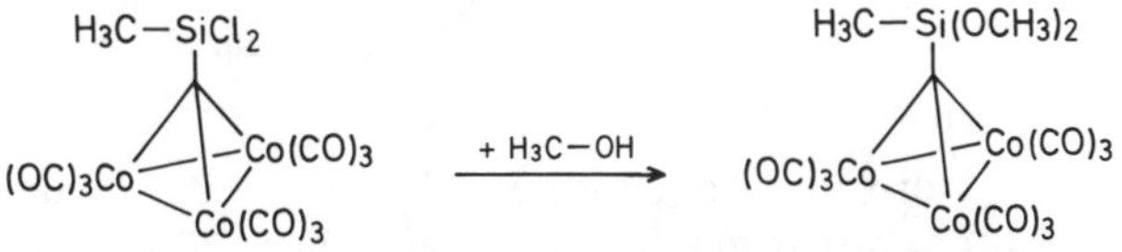

4-(Dimethoxy-methyl-silyl)-nonacarbonyl-trikobaltatetrahedran; 73%

Überraschend ist, daß der Trihydroxysilyl-Komplex bei der Hydrolyse der 4-Trichlorsilyl-Verbindung als stabile, kristalline Verbindung isoliert werden kann, ohne daß Wasser-Abspaltung erfolgt (66%). Sogar durch Behandeln mit starken Säuren kann keine Kondensation der Silanol-Reste induziert werden.

Bei Behandeln mit Bortrifluorid-diethyletherat werden die Hydroxy-Gruppen der Silyl-Gruppe durch Fluor substituiert[6]. Andererseits wird durch wäßrige Fluorwasserstoffsäure die Si–C-Bindung gespalten.

---

[1] B. R. Penfold u. B. H. Robinson, Accounts Chem. Res. **6**, 73 (1973).
[2] D. Seyferth, J. E. Hallgren u. C. S. Eschbach, Am. Soc. **96**, 1730 (1974).
[3] D. Seyferth, C. S. Eschbach u. M. O. Nestle, Synth. React. Inorg. Metal.-Org. Chem. **7**, 269 (1977).
[4] D. Seyferth, C. Nivert Rudie u. J. S. Merola, J. Organometal. Chem. **144**, C 26 (1978).
[5] D. Seyferth, C. Nivert Rudie, J. S. Merola u. D. H. Berry, J. Organometal. Chem. **187**, 91 (1980).
[6] D. Seyferth, C. N. Rudie u. M. O. Nestle, J. Organometal. Chem. **178**, 227 (1979).

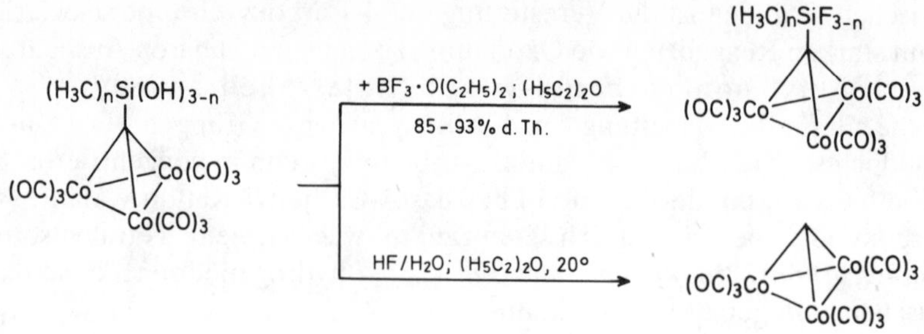

$(H_3C)_n Si(OH)_{3-n}$

$(OC)_3 Co$ — $Co(CO)_3$, $Co(CO)_3$

+ $BF_3 \cdot O(C_2H_5)_2$; $(H_5C_2)_2O$

85 – 93 % d. Th.

$(H_3C)_n SiF_{3-n}$

$(OC)_3 Co$ — $Co(CO)_3$, $Co(CO)_3$

HF/H₂O; $(H_5C_2)_2O$, 20°

$(OC)_3 Co$ — $Co(CO)_3$, $Co(CO)_3$

Nonacarbonyl-trikobaltatetrahedran; 95%

Bei Behandeln der Komplexe mit kalter konzentrierter Schwefelsäure und anschließender Umsetzung mit Alkohol entsteht das entsprechende Alkoxysilyl-Derivat[1]; z. B.:

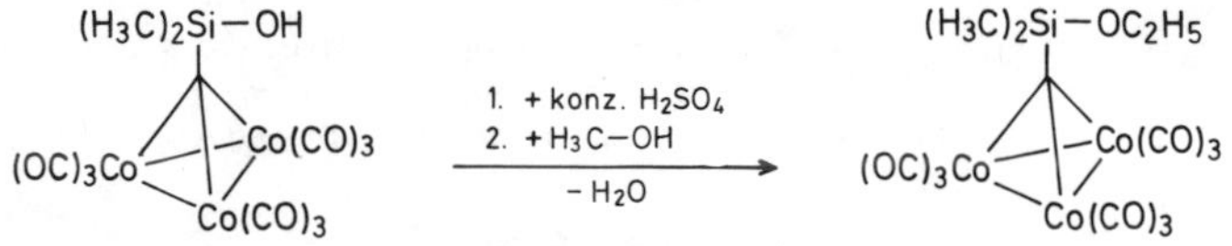

$(H_3C)_2 Si — OH$

$(OC)_3 Co$ — $Co(CO)_3$, $Co(CO)_3$

1. + konz. H_2SO_4
2. + $H_3C—OH$
− H_2O

$(H_3C)_2 Si — OC_2H_5$

$(OC)_3 Co$ — $Co(CO)_3$, $Co(CO)_3$

4-(Dimethyl-methoxy-silyl)-nonacarbonyl-
trikobaltatetrahedran; 91%

In 4-[Triethylamin-Dichlor- (Dibrom, Dijod)boryloxy]-nonacarbonyl-trikobaltatetrahedran können die Halogen-Atome mit Silber-tetrafluoroborat durch ein Fluor-Atom substituiert werden[2]:

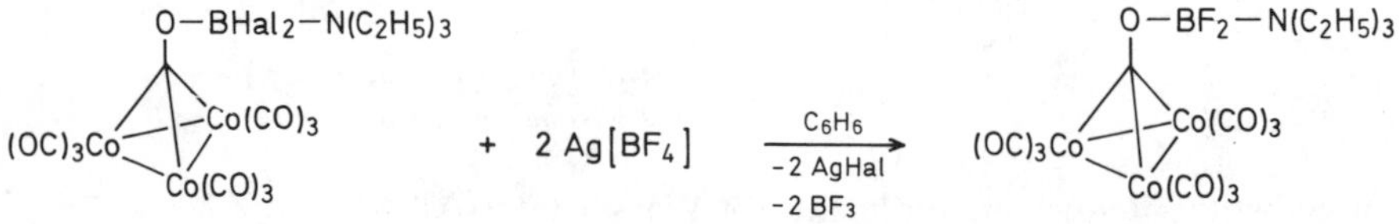

$O — BHal_2 — N(C_2H_5)_3$

$(OC)_3 Co$ — $Co(CO)_3$, $Co(CO)_3$

+ 2 Ag[BF_4]

C_6H_6
− 2 AgHal
− 2 BF_3

$O — BF_2 — N(C_2H_5)_3$

$(OC)_3 Co$ — $Co(CO)_3$, $Co(CO)_3$

4-(Triethylamin-difluorboryloxy)-nonacarbonyl-trikobalta-
tetrahedran; 82% (für Hal = Br)

4-(1-Hydroxy-alkyl)-Derivate können unter Abspaltung der Hydroxy-Gruppe durch Säuren in die 4-(Alkylcarbenium)-Verbindungen übergeführt werden, die unter Ausschluß von Luft und Feuchtigkeit recht stabil sind[3]. Sie können als schwarze, mikrokristalline Festkörper isoliert werden und lassen sich durch Behandeln mit Alkoholen, Thiolen und aromatischen Aminen in die entsprechenden 4-(1-Alkoxy-alkyl)-, 4-(1-Alkylthio-alkyl)- sowie 4-(1-Arylamino-alkyl)-Verbindungen umwandeln.

[1] D. SEYFERTH, C. N. RUDIE u. M. O. NESTLE, J. Organometal. Chem. **178**, 227 (1979).
[2] G. SCHMID, V. BÄTZEL, G. ETZRODT u. R. PFEIL, J. Organometal. Chem. **86**, 257 (1975).
[3] D. SEYFERTH, G. H. WILLIAMS u. J. E. HALLGREN, Am. Soc. **95**, 266 (1973).

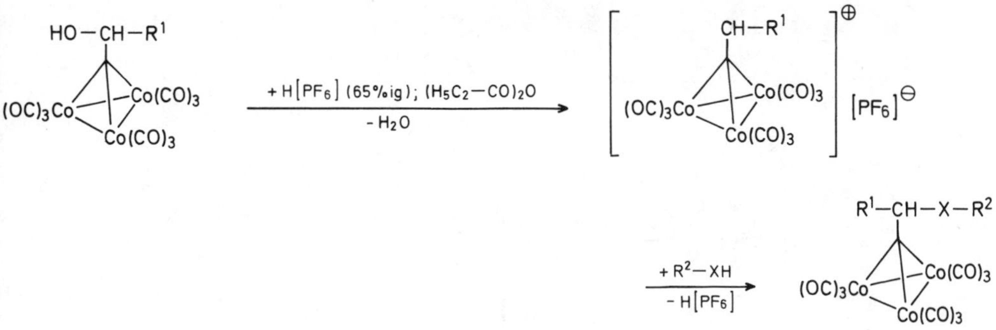

$$HO-CH-R^1 \quad \xrightarrow[-H_2O]{+H[PF_6]\ (65\%ig)\ ;\ (H_5C_2-CO)_2O} \quad \left[\quad CH-R^1 \quad \right]^{\oplus} [PF_6]^{\ominus}$$

(OC)₃Co—Co(CO)₃ / Co(CO)₃   (OC)₃Co—Co(CO)₃ / Co(CO)₃

$$\xrightarrow[-H[PF_6]]{+R^2-XH}$$

R¹—CH—X—R²

(OC)₃Co—Co(CO)₃ / Co(CO)₃

...-*nonacarbonyl-trikobaltatetrahedran*

$R^1 = H$;	$R^2X = OCH_3$; *4-Methoxymethyl-*...; 85%; F: 128–129°
	$R^2X = NH-C_6H_5$; *4-Anilinomethyl-*...; 67%; F: 69–71°
$R^1 = CH_3$;	$R^2X = SC_6H_5$; *4-(1-Phenylthio-ethyl)-*...; 42%; F: 73–75°
$R^1 = C_6H_5$;	$R^2X = OCH_3$; *4-(α-Methoxy-benzyl)-*...; 59%; F: 70–72°
	$R^2X = NH-C_6H_5$; *4-(α-Anilino-benzyl)-*...; 59%; F: 126–127°

Durch Behandeln der 4-(1-Hydroxy-ethyl)-Verbindung mit Acetylchlorid in Dichlormethan entsteht *Bis-[1-(nonacarbonyl-1-trikobaltatetrahedryl)-ethyl]-ether* (75%; F: 172–175°; Zers.)[1].

In Gegenwart von Triethylamin kann die Hydroxy-Gruppe sulfoniert werden; z.B. zum *Nonacarbonyl-4-(1-tosyloxy-ethyl)-trikobaltatetrahedran* (42%; F: 139–140°)[2]:

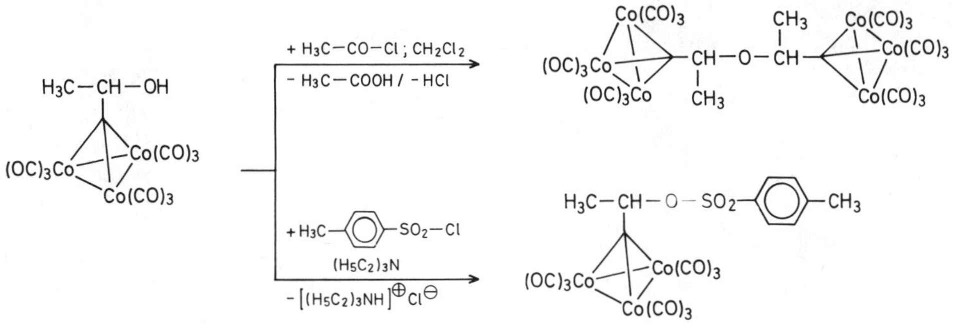

$H_3C-CH-OH$

(OC)₃Co—Co(CO)₃ / Co(CO)₃

$\xrightarrow[-H_3C-COOH\ /\ -HCl]{+H_3C-CO-Cl\ ;\ CH_2Cl_2}$

Co(CO)₃ ... $CH-O-CH$ ... Co(CO)₃

$\xrightarrow[-[(H_5C_2)_3NH]^{\oplus}Cl^{\ominus}]{+H_3C-\langle\ \rangle-SO_2-Cl \quad (H_5C_2)_3N}$

$H_3C-CH-O-SO_2-\langle\ \rangle-CH_3$

(OC)₃Co—Co(CO)₃ / Co(CO)₃

Mit Triethylsilan und Trifluoressigsäure wird die 4-(1-Hydroxy-ethyl)-Gruppe zur 4-Ethyl- Gruppe (72%) reduziert[2].

N,N-Dimethyl-anilin reagiert mit dem Carbenium-Komplex I unter Substitution in 4-Stellung oder unter Abspaltung eines Protons vom Alkyl-Rest[2]:

[1] D. SEYFERTH, G.H. WILLIAMS, P.L.K. HUNG u. J.E. HALLGREN, J. Organometal. Chem. **71**, 97 (1974).
[2] D. SEYFERTH, G.H. WILLIAMS u. J.E. HALLGREN, Am. Soc. **95**, 266 (1973).

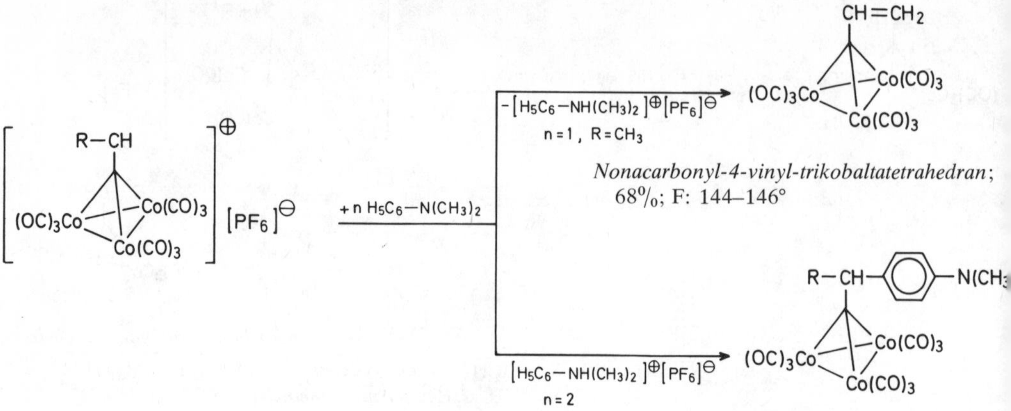

Nonacarbonyl-4-vinyl-trikobaltatetrahedran;
68%; F: 144–146°

. . .-*nonacarbonyl-trikobaltatetrahedran*

R = H; *4-(4-Dimethylamino-benzyl)*-. . .; 49% (instabil)
R = C_6H_5; *4-(4-Dimethylamino-α-phenyl-benzyl)*-. . .; 54%; F: 101–103°

b) Trikobaltabipyramidane bzw. 2-Thia-1,3,5-trikobalta-bipyramidane

Durch direkte Spaltung von Alkinen mit Cyclopentadienyl-dicarbonyl-kobalt erhält man purpurrote oder schwarze 1,3,5-Trikobaltabipyramidane[1–3].

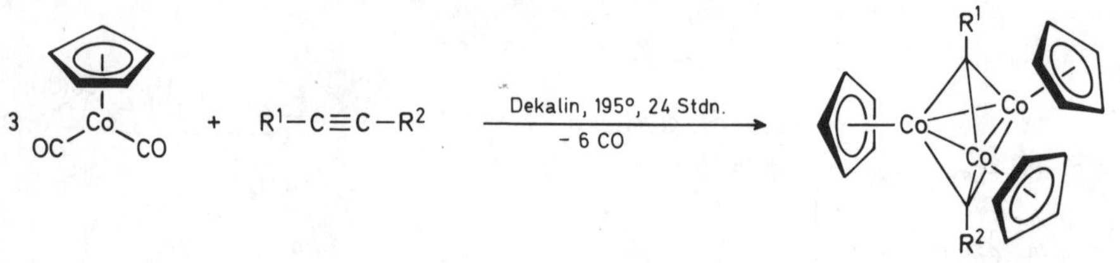

. . .-*1,3,5-tris-[cyclopentadienyl]-1,3,5-trikobaltabipyramidan*

R^1 = H; R^2 = $Si(CH_3)_3$; *2-Trimethylsilyl*-. . .; 32%; Subl.p.: 250–310°
R^1 = R^2 = C_4H_9; *2,4-Dibutyl*-. . .; 56%; F: 115,5–116°
R^1 = R^2 = C_6H_5; *2,4-Diphenyl*-. . .; 72%; F: 256–257°
R^1 = R^2 = $COOCH_3$; *2,4-Dimethoxycarbonyl*-. . .; 16%; F: 244–247°

Die 2-Trimethylsilyl-Gruppe kann protolytisch abgespalten werden, und man erhält das *1,3,5-Tris-[cyclopentadienyl]-1,3,5-trikobaltabipyramidan* (Zers.p. 386–390°; Subl.p.:$_{0,001}$: 160°) zu 87%.

Mit Bis-[trimethylsilyl]-ethin, -butadiin oder -hexatriin entstehen infolge Umwandlung der Alkin-Gruppen zusätzliche Cluster[2,3].

Zur Umlagerung von Bis-[trikobaltabipyramidyl]-alkin-Derivaten s. Lit.[4].

2,4-Bis-[diethylamino]-1,3,5-tris-[cyclopentadienyl]-1,3,5-trikobaltabipyramidan[1]: Eine Mischung aus 1,0 g (5,9 mmol) Bis-[diethylamino]-ethin, 1 g (5,6 mmol) Cyclopentadienyl-dicarbonyl-kobalt und 75 *ml* 2,2,5-Trimethyl-hexan werden 20 Stdn. unter Rückfluß erhitzt. Hieraus wird das Lösungsmittel bei ~ 25° (0,1 Torr) entfernt und der Rückstand an einer mit Florisil gefüllten Säule mit Hexan chromatographiert. Das Eluat wird bei ~ 25° (35 Torr) eingeengt und langsam in Hexan umkristallisiert; Ausbeute: 0,34 g (33%) (große, schwarze Kristalle); F: 165–167°.

---

[1] R.B. KING u. C.A. HARMON, Inorg. Chem. **15**, 879 (1976).
[2] J.R. FRITCH, K.P.C. VOLLHARDT, M.R. THOMPSON u. V.W. DAY, Am. Soc. **101**, 2768 (1979).
[3] J.R. FRITCH u. K.P.C. VOLLHARDT, Ang. Ch. **92**, 570 (1980).
[4] N.T. ALLISON, J.R. FRITCH, K.P.C. VOLLHARDT u. E.C. WALBORSKY, Am. Soc. **105**, 1384 (1983).

Durch Erhitzen von η^2-Alkin-cyclopentadienyl-triphenylphosphan-kobalt-Komplexen über ihren Schmelzpunkt entstehen u.a. 2,4-Dialkyl-cluster neben Kobaltole[1]:

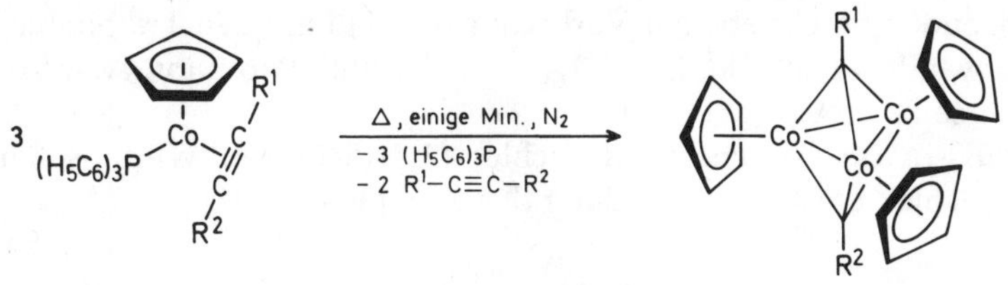

...-1,3,5-tris-[cyclopentadienyl]-1,3,5-trikobaltabipyramidan

$R^1 = CH_3$; $R^2 = COOCH_3$; *4-Methoxycarbonyl-2-methyl-*...; F: 222–224°
$R^1 = R^2 = C_6H_5$; *2,4-Diphenyl-*...; F: 259–260°
$R^1 = C_6H_5$; $R^2 = COOCH_3$; *4-Methoxycarbonyl-2-phenyl-*...; F: 189–190°
    $R^2 = CN$; *4-Cyan-2-phenyl-*...; F: 294–296°
$R^1 = C\equiv C-Si(CH_3)_3$; $R^2 = Si(CH_3)_3$; *4-Trimethylsilyl-2-(trimethylsilyl-ethinyl)-*...

Di-(η^2-ethen)-(η^5-pentamethylcyclopentadienyl)-kobalt wird durch Erhitzen in aliphatischen Kohlenwasserstoffen als Lösungsmittel auf 110° in *2,4-Dimethyl-1,3,5-tris-[pentamethyl-cyclopentadienyl]-1,3,5-trikobalta-bipyramidan* zu 60% umgewandelt[2].

Aus Octacarbonyl-dikobalt erhält man mit Triethylamin-Trichlorboran *2,4-Bis-[triethylamin-dichlorboryloxy]-hexacarbonyl-1,3,5-trikobaltabipyramidan*[3].

2-Cyclopentadienyl-3-thioxo-2-trimethylphosphan-1,2-thiakobaltiran bildet mit dem Kobalt-Komplex I *4-Thioxo-2,3,5-tris-[cyclopentadienyl]-1-thia-2,3,5-trikobalta-bipyramidan* zu 82%[4]. Die Thioxo-Gruppe reagiert leicht mit Jod-alkanen oder Pentacarbonyl-tetrahydrofuran-chrom zu den Cluster-Verbindungen II und III:

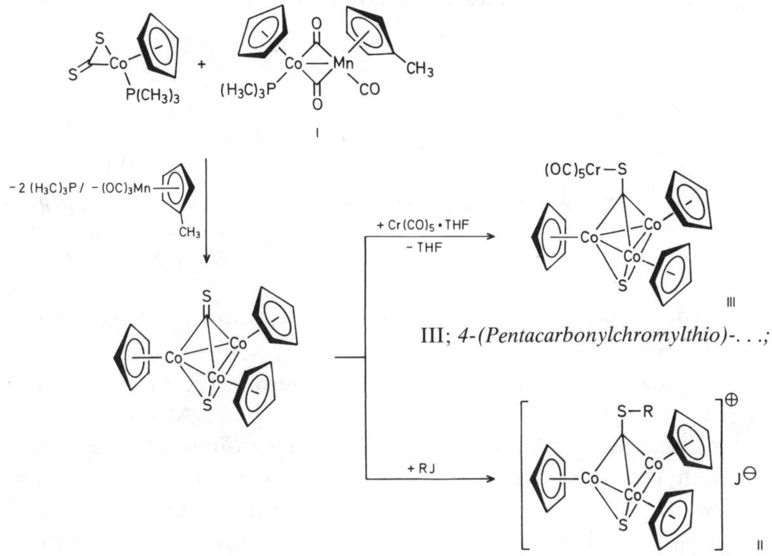

III; *4-(Pentacarbonylchromylthio)-*...; 35%

II; ...-*2,3,5-tris-[cyclopentadienyl]-1-thia-2,3,5-trikobaltabipyramidan-jodid*
R = CH_3; *4-Methylthionium-*...; ∼100%
R = CH(CH_3)_2; *4-Isopropylthionium-*...; ∼100%

[1] H. Yamazaki, Y. Wakatsuki u. K. Aoki, Chem. Letters **1979**, 1041.
[2] R.B.A. Pardy, G.W. Smith u. M.E. Vickers, J. Organometal. Chem. **252**, 341 (1983).
[3] G. Schmid u. B. Stutte, J. Organometal. Chem. **37**, 375 (1972).
[4] H. Werner, K. Leonhard, O. Kolb, E. Röttinger u. H. Vahrenkamp, B. **113**, 1654 (1980).

c) Dikobalta-elementa-tetrahedrane und Organokobalt-polymetall-Verbindungen

Die im folgenden beschriebenen Verbindungen sind mit den Trikobaltatetrahedranen (s. S. 182) verwandt, wobei eine $Co(CO)_3$-Einheit durch Phosphor, Arsen oder ein Übergangsmetall ersetzt ist.

Octacarbonyl-dikobalt reagiert mit Dichlor-(1,1-dichlor-ethyl)-phosphan bzw. -arsan bzw. Benzyl-dichlor-arsan unter Bildung der Komplexe I[1,2]:

$$Co_2(CO)_8 \ + \ R-\overset{\overset{\displaystyle Cl}{|}}{\underset{\underset{\displaystyle Cl}{|}}{C}}-ECl_2 \quad \xrightarrow[-\,CoCl_2]{-\,78°} \quad (OC)_3Co\underset{Co(CO)_3}{\overset{R}{\diagup\!\diagdown\, E}}$$

I

E = P; *Hexacarbonyl-...-1-phospha-2,3-dikobalta-tetrahedran*
R = CH_3; ...*-4-methyl-*...; 27%
R = C_6H_5; ...*-4-phenyl-*...; 18%
R = $Si(CH_3)_3$; ...*-4-trimethylsilyl-*...; 8%
E = As; *Hexacarbonyl-...-1-arsa-2,3-dikobalta-tetrahedran*
R = CH_3; ...*-4-methyl-*...; 27%; $Kp_{0,02}$: 40°
R = C_6H_5; ...*-4-phenyl-*...; 28%

Die Phospha-Verbindungen sind stark luftempfindlich, die Arsa-Verbindungen sind dagegen stabil.

Beim Behandeln von Octacarbonyl-dikobalt mit 2-tert.-Butyl-1-phospha-ethin entsteht *Hexacarbonyl-4-tert.-butyl-1-phospha-2,3-dikobalta-tetrahedran*[3].

Die Phospha-Gruppe reagiert beim Behandeln mit Pentacarbonyl-tetrahydrofuran-chrom oder -wolfram zu den P-Pentacarbonylmetall-Derivaten[1,3]:

$$(OC)_3Co\underset{Co(CO)_3}{\overset{CH_3}{\diagup\!\diagdown\, P}} \quad \xrightarrow[bzw.\ W(CO)_5 \cdot THF]{+\,Cr(CO)_5 \cdot THF} \quad (OC)_3Co\underset{Co(CO)_3}{\overset{CH_3}{\diagup\!\diagdown\, P-M(CO)_5}}$$

Hexacarbonyl-4-methyl-...-1-phospha-2,3-dikobalta-tetrahedran
M = Cr; ...*-1-pentacarbonylchrom-*...; F: 65—66,5°
M = W; ...*-1-pentacarbonylwolfram-*...; F: 77—79°

Die Phenyl-Gruppe des Hexacarbonyl-4-phenyl-1-phospha-2,3-dikobaltatetrahedran kann mit Acetylchlorid/Aluminiumchlorid zum *4-(4-Acetyl-phenyl)-hexacarbonyl-1-phospha-2,3-dikobalta-tetrahedran* (43%) acyliert werden (F: 115—116,5°)[1].

Ein gezielter Einbau von Übergangsmetallen durch Metall-Austausch gelingt durch einen Additions-Eliminierungs-Mechanismus[4,5]. Das einzuführende Metall wird zunächst durch den Dimethylarsan-Rest an das Kobalt-Atom eines Trikobaltatetrahedrans angeheftet und im zweiten Schritt wird eine Kobalt-Funktion zusammen mit der Dimethylarsan-Gruppe abgespalten. Der Übergangsmetall-Rest verbleibt im Komplexverband. Die grünen Verbindungen sind luftbeständig.

---

[1] D. SEYFERTH u. R.S. HENDERSON, J. Organometal. Chem. **162**, C 35 (1978).
[2] D. SEYFERTH u. J.S. MEROLA, Am. Soc. **100**, 6783 (1978).
[3] J.F. NIXON et al., Chem. Commun. **1981**, 1141; J. Organometal. Chem. **238**, C 82 (1982).
[4] H. BEURICH u. H. VAHRENKAMP, Ang. Ch. **90**, 915 (1978).
[5] H. BEURICH u. H. VAHRENKAMP, B. **115**, 2385 (1982).

$$C_6H_{12}, 40°, 8\ Tge.$$
$$- 1/x\ \{Co[As(CH_3)_2](CO)_3\}_x$$

. . .-2,3-dikobalta-tetrahedran

z. B.: M = Cr; R = H; *1-Cyclopentadienyl-octacarbonyl-1-chroma-*. . .; F: 129°
M = Mo; R = CH_3; *1-Cyclopentadienyl-4-methyl-octacarbonyl-1-molybda-*. . .; 75%; F: 200° (Zers.)
R = F;   *. . .-octacarbonyl-4-fluor-*. . .;   83%; F: 163° (Zers.)
M = W; R = C_6H_5; *1-Cyclopentadienyl-octacarbonyl-4-phenyl-1-wolfra-*. . .; F: 173°

Eine Tricarbonylkobalt-Gruppe in Nonacarbonyl-trikobaltatetrahedranen kann beim Behandeln mit Tetracarbonylferrat(-II) durch eine Dicarbonyl-hydridoeisen-Gruppe ausgetauscht werden[1]:

$Na_2[Fe(CO)_4]$

1. THF, $\triangle$
2. $+ H_2O / H_3PO_4$

1-Hydrido-octacarbonyl-. . .-1-ferra-2,3-dikobalta-tetrahedran

R = CH_3; *. . .-4-methyl-*. . .; 43%
R = C_6H_5; *. . .-4-phenyl-*. . .; 31%

Die kastanienbraunen Festkörper sind in den meisten organischen Lösungsmitteln löslich. Sie können kurze Zeit in Luft gehandhabt werden, zersetzen sich unter Stickstoff langsam, können aber unter Kohlenmonoxid bei 0° mehrere Wochen gelagert werden. Das 4-Phenyl-Derivat zersetzt sich jedoch langsam bereits nach Tagen. Die stabileren Alkyl-Derivate können durch Sublimation bei 50° (10^{-3} Torr) gereinigt werden.

4-Ethyl-1-hydrido-octacarbonyl-1-ferra-2,3-dikobalta-tetrahedran[1]: 50 *ml* einer Lösung von 0,93 g (2 mmol) 4-Ethyl-nonacarbonyl-trikobaltatetrahedran in THF werden innerhalb 15 Min. zu 125 *ml* einer siedenden Lösung von 1,40 g (4 mmol) Dinatrium-(tetracarbonylferrat) in THF getropft. Die Farbe des Reaktionsgemisches ändert sich bei der Zugabe von gelborange nach tief rotbraun. Man erhitzt 1 Stde. unter Rückfluß. Danach wird das Lösungsmittel i. Vak. entfernt und der Rückstand mit 50 *ml* Sauerstoff-freiem Hexan versetzt. Hexan bleibt vorerst farblos und wird rotschwarz, wenn dem Gemisch 50 *ml* einer Sauerstoff-freien, 40%igen wäßr. Phosphorsäure zugesetzt wird. Dabei wird der Rückstand aufgelöst und extrahiert. Nach 10 Min. Rühren wird die Hexan-Phase unter Stickstoff abgetrennt und die Extraktion 3 mal wiederholt. Die Säure-Phase ist schließlich rot bis rosa. Das Hexan-Extrakt wird i. Vak. aufkonzentriert und an Kieselgel unter Sauerstoff-Ausschluß chromatographiert. Bei der Elution mit Hexan wird der Trikobalt-Cluster zunächst als rot-purpur-farbige Bande abgetrennt, dann eine grüne Bande von Dodecacarbonyltrieisen. Die im oberen Teil der Kolonne festsitzende Fraktion wird mit Methanol eluiert. Methanol wird hierauf i. Vak. abgezogen. Der Rückstand wird sofort wie oben beschrieben angesäuert und mit Hexan extrahiert. Schließlich wird die Verbindung bei 50°/0,001 Torr sublimiert; Ausbeute: 0,417 g (46%); IR (Hexan): ν_{CO} 2101(m), 2065(m), 2053(s), 2046(s), 2038(s), 2017(m), 2014(m), 1994(w) u. 1989(m) cm^{-1}.

Ein Metall-Austausch gelingt beim Behandeln der Trikobaltatetrahedran-Cluster mit Carbonyl-cyclopentadienyl-dimetall-Verbindungen[2, 3]:

---

[1] R. A. Epstein, H. W. Withers u. G. L. Geoffroy, Inorg. Chem. **18**, 942 (1979); die Bindungsart der Hydrid-Funktion ist unklar.
[2] H. Vahrenkamp u. H. Beurich, Ang. Ch. **93**, 128 (1981).
[3] H. Beurich, R. Blumenhofer u. H. Vahrenkamp, B. **115**, 2409 (1982).

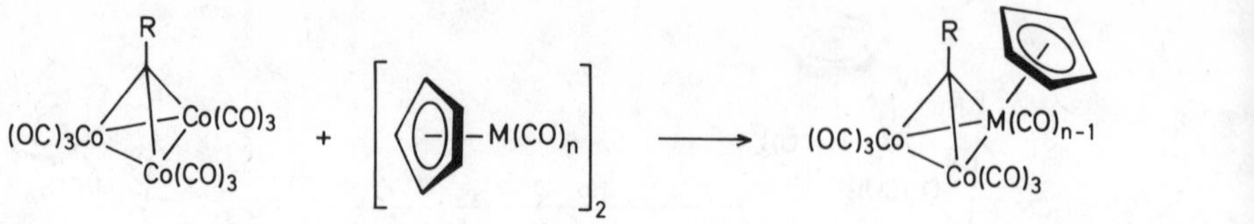

z. B.: M = W; n = 3; R = CH_3; *1-Cyclopentadienyl-4-methyl-octacarbonyl-1-wolfra-2,3-dikobalta-tetrahedran*;
6%

M = Ni, n = 1, R = CH_3; *1-Cyclopentadienyl-hexacarbonyl-4-methyl-1-nickela-2,3-dikobalta-tetrahedran*;
90%; F: 155°

CCo_2W- und $CCoFeW$-Tetrahedrane entstehen in Aufbaureaktionen am Octacarbonyl-dikobalt und einem Wolfram-Ketenyl-Komplex I bzw. aus einem μ-Carbinyl-cobalt-wolfram-Komplex II und Nonacarbonyldieisen[1, 2].

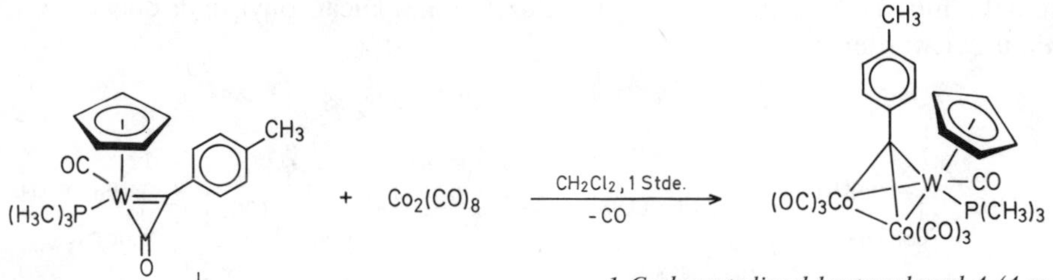

1-Cyclopentadienyl-heptacarbonyl-4-(4-methyl-phenyl)-1-trimethylphosphan-1-wolfra-2,3-dikobalta-tetrahedran; 85%
F: 189–190°

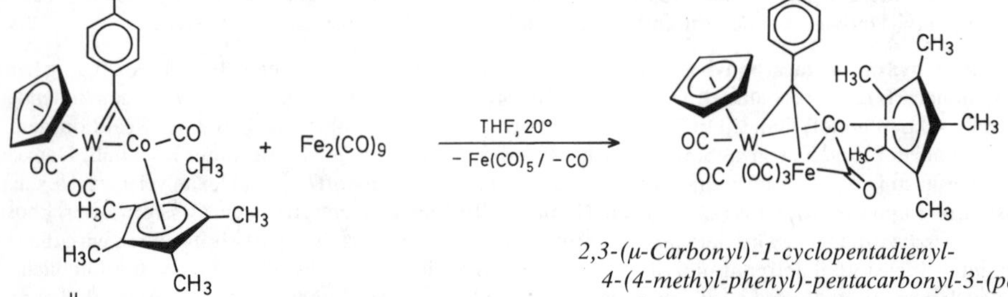

2,3-(μ-Carbonyl)-1-cyclopentadienyl-4-(4-methyl-phenyl)-pentacarbonyl-3-(penta-methyl-cyclopentadienyl)-1-wolfra-2-ferra-3-kobalta-tetrahedran; 32%

Anstelle von Komplex I kann (4-Methyl-benzylidin)-dicarbonyl-cyclopentadienyl-wolfram eingesetzt werden[3].

Bei der Umsetzung von Octacarbonyl-dikobalt mit Heptacarbonyl- tributylphosphan- (μ-vinyliden)- dieisen in siedendem Hexan werden CCo_3-, CCo_2Fe- und $CCoFe_2$-tetrahedrane gebildet (s. Lit.[4]).

Wird Dicarbonyl-μ-carbonyl-di-(η^5-cyclopentadienyl)-μ-vinyliden-dieisen mit Octacarbonyl-dikobalt behandelt, entsteht zu 55% eine μ_4-Vinyliden-Co_3Fe-Verbindung (s. Lit.[5]).

[1] J. C. JEFFERY, C. SAMBALE, M. F. SCHMIDT u. F. G. A. STONE, Organometallics **1**, 1597 (1982).
[2] M. GREEN, J. C. JEFFERY, S. J. PORTER, H. RAZAY u. F. G. A. STONE, Soc. [Dalton] **1982**, 2475.
[3] M. J. CHETCUTI, P. A. M. CHETCUTI, J. C. JEFFERY, R. M. MILLS, P. MITPRACHACHON, S. J. PICKERING, F. G. A. STONE u. P. WOODWARD, Soc. [Dalton] **1982**, 699.
[4] J. ROS u. R. MATHIEU, Organometallics **2**, 771 (1983).
[5] P. BRUN, G. M. DAWKINS, M. GREEN, R. M. MILLS, J.-Y. SALAÜN, F. G. A. STONE u. P. WOODWARD, Soc. [Dalton] **1983**, 1558.

B. Umwandlung

I. Spaltungsreaktionen

a) durch protische Verbindungen bzw. Säuren

1. von Organo-kobalt(I)-Verbindungen

α) mit Alkyl-Gruppen

Die C–Co-Bindung in Alkyl-kobalt(I)-Komplexen wird durch Protonen-aktive Verbindungen unter Alkan-Bildung gespalten; z.B.:

$$H_3C-CoL_m \ + \ HX \ \longrightarrow \ CH_4 \ + \ CoXL_n$$

m = 3,4; n = 3

$L = (H_3C)_3P, (H_5C_6)_3P, (H_5C_6)_2P-CH_2-CH_2-P(C_2H_5)_2, P(OCH_3)_3$
$HX = HHal^{2,3,4}, H_2SO_4{}^5, R-COOH^{2,3,6,7}, R-OH^{2,3,8},$
$R_3SiH^{2,3}, NH_4[PF_6]^{6,7}, H[PF_6]^{6,7}$

$$\underset{\displaystyle \overset{H_3C}{\diagdown}\underset{}{\overset{}{P}}\overset{CH_3}{\diagup}}{\diagdown}Co[P(CH_3)_3]_3 \ + \ [(H_3C)_3PH]^{\oplus}Cl^{\ominus} \ \longrightarrow \ 2\,(H_3C)_3P \ + \ CoCl[P(CH_3)_3]_3 \qquad 1$$

Bei der Einwirkung von verdünnten Mineralsäuren auf den Benzyl-kobalt-Komplexe entsteht neben Toluol auch Wasserstoff[9].

β) mit Acyl-, Alkoxycarbonyl- bzw. Aminocarbonyl-Gruppen

Acyl-tetracarbonyl-kobalt(I)-Verbindungen werden durch Methanol oberhalb 50°, in Gegenwart von Basen (z.B. Trialkylaminen, Natriumalkanolaten) bereits bei 0° unter Bildung von Estern gespalten[10] (vgl. S. 237):

$$R-CO-Co(CO)_4 \ + \ H_3C-OH \ \xrightarrow{\ -\ HCo(CO)_4\ } \ R-COOCH_3$$

Alkoxycarbonyl-carbonyl-kobalt(I)-Komplexe werden durch Chlorwasserstoff bereits bei −50° in Alkanole, Kohlenoxid und Kobalt-Kation-Komplexe übergeführt[11].

Aus Dialkylaminocarbonyl-Komplexen bilden sich mit Chlorwasserstoff Dialkylammoniumchloride[12].

γ) mit Aryl-Gruppen

[2-Diphenoxyphosphanoxy-phenyl-(C,P)]-kobalt-Komplexe reagieren mit Halogenwasserstoff bei 25° unter C–Co-Sapltung[13].

---

[1] H.H. Karsch, H.-F. Klein u. H. Schmidbaur, Ang. Ch. **87**, 630 (1975).

[2] H.F. Klein u. H.H. Karsch, Inorg. Chem. **14**, 473 (1975).

[3] H.F. Klein u. H.H. Karsch, B. **108**, 944 (1975).

[4] E.L. Muetterties u. F.J. Hirsekorn, Am. Soc. **96**, 7920 (1974).

[5] T. Ikariya u. A. Yamamoto, J. Organometal. Chem. **116**, 231 (1976).

[6] E.L. Muetterties u. P.L. Watson, Am. Soc. **98**, 4665 (1976).

[7] E.L. Muetterties u. P.L. Watson, Am. Soc. **100**, 6978 (1978).

[8] Y. Kubo, L.S. Pu, A. Yamamoto u. S. Ikeda, J. Organometal Chem. **84**, 369 (1975).

[9] K. Jacob, E. Pietzner, S. Vastag u. K.-H. Thiele, Z. anorg. allg. Chem. **432**, 187 (1977).

[10] R.F. Heck u. D.S. Breslow, Am. Soc. **85**, 2779 (1963).

[11] W. Hieber u. H. Duchatsch, B. **98**, 1744 (1965).

[12] J. Palagyi u. L. Markó, J. Organometal. Chem. **17**, 453 (1969).

[13] L.W. Grosser, Inorg. Chem. **16**, 427 (1977).

2. von Organo-kobalt(II)-Verbindungen

Die C–Co-Bindung in Organo-kobalt(II)-Verbindungen wird bereits durch schwache Säuren gespalten, wobei bei Dimethyl-kobalt-Komplexen, die zunächst intermediär gebildeten Monomethyl-Komplexe abgefangen werden können[1]; z.B.:

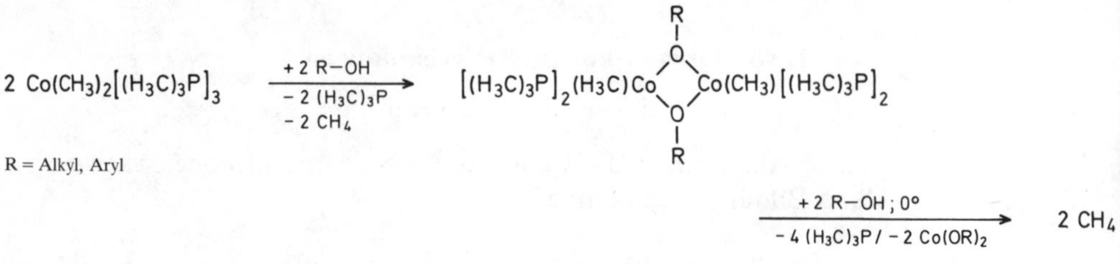

$$2 \; Co(CH_3)_2[(H_3C)_3P]_3 \xrightarrow[\substack{-2 \, (H_3C)_3P \\ -2 \, CH_4}]{+2 \, R-OH} [(H_3C)_3P]_2(H_3C)Co \underset{O}{\overset{O}{\diagup}}\!\!\diagdown Co(CH_3)[(H_3C)_3P]_2$$

R = Alkyl, Aryl

$$\xrightarrow[-4 \, (H_3C)_3P / -2 \, Co(OR)_2]{+2 \, R-OH \, ; \, 0°} 2 \; CH_4$$

Das Bis-[2,2′-bipyridyl]-diethyl-kobalt wird bereits durch Wasser bzw. Ethanol zu *Ethan* zersetzt[2] und Bis-[pentafluorphenyl]-kobalt wird quantitativ zu *Pentafluorbenzol* hydrolysiert[3].

Aryl- und Alkinyl-kobalt(II)-ate sind gegenüber Protonen-aktiven Verbindungen sehr reaktionsfähig. Es entstehen die entsprechenden Arene[4–7] bzw. Alkine[8,9]. Die Bildung von Propin oder anderen Alkinen[10] ist nicht quantitativ; z.B.:

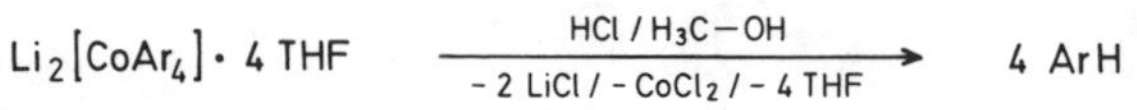

$$Li_2[CoAr_4] \cdot 4 \; THF \xrightarrow[-2 \, LiCl / -CoCl_2 / -4 \, THF]{HCl \, / \, H_3C-OH} 4 \; ArH$$

Ar = C₆H₅, 2,6-(OCH₃)₂–C₆H₄

$$Li_2\left\{Co\left[\begin{array}{c}\end{array}\right]_2\right\} \cdot 4 \; THF \xrightarrow[-2 \, LiCl / -CoCl_2]{HCl \, / \, D_2O} 2 \begin{array}{c}\end{array}$$

$$Na_4[Co(C{\equiv}C-CH_3)_6] \xrightarrow{H_2O} H_3C-C{\equiv}CH$$

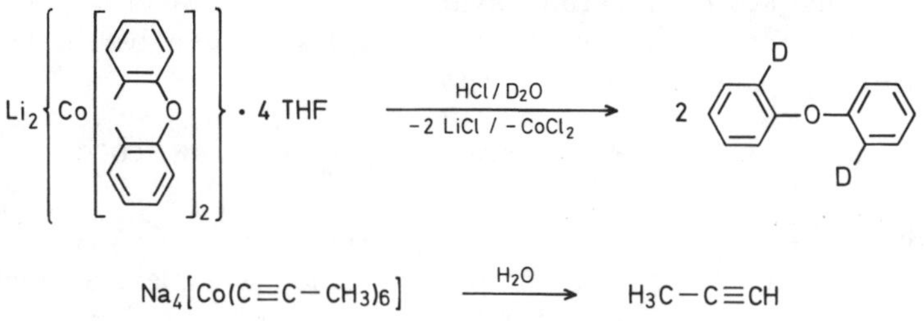

3. von Organo-kobalt(III)-Verbindungen

α) mit Alkyl-Gruppen

Dimethyl-kobalt(III)-Chelat-Komplexe spalten in schwach Protonen-aktiven Lösungsmitteln lediglich eine Methyl-Gruppe ab (vgl. a. S. 119)[11,12]; z.B.:

---

[1] H.-F. KLEIN u. H.H. KARSCH, B. **109**, 1453 (1976).

[2] T. SAITO, Y. UCHIDA, A. MISONO, A. YAMAMOTO, K. MORIFUGI u. S. IKEDA, J. Organometal. Chem. **6**, 572 (1966).

[3] C.F. SMITH u. C. TAMBORSKI, J. Organometal. Chem. **32**, 257 (1971).

[4] R. TAUBE u. N. STRANSKY, Z. Chem. **17**, 427 (1977).

[5] H. DREVS, Z. Chem. **18**, 31 (1978).

[6] K. MARUYAMA, T. ITO u. A. YAMAMOTO, Transition Met. Chem. **5**, 14 (1980).

[7] H. DREVS, Z. Chem. **15**, 451 (1975).

[8] R. NAST u. H. LEWINSKY, Z. anorg. allg. Chem. **282**, 210 (1955).

[9] R. NAST u. K. FOCK, B. **109**, 455 (1976).

[10] E. ROJAS, A. SANTOS, V. MORENO u. C. DELPINO, J. Organometal. Chem. **181**, 365 (1979).

[11] J.H. ESPENSON, H.L. FRITZ, R.A. HECKMAN u. C. NICOLINI, Inorg. Chem. **15**, 906 (1976).

[12] M.W. WITMAN u. J.H. WEBER, Synth. React. Inorg. Metal.-Org. Chem. **7**, 143 (1977).

R = CH₃, C₂H₅, C₃H₇

$R = CH_3, C_2H_5, C_3H_7$

$X = z.B.\ OH, OCH_3$

Aquo-methyl-cobaloxim zersetzt sich erst bei mehrstündigem Erhitzen in Chlorwasserstoffsäure unter Bildung von Methan und Chlormethan im Verhältnis 3 zu 1[1]. Manche Komplexe sind so stabil, daß sie zu ihrer Spaltung in 85%iger Schwefelsäure auf 50° erhitzt werden müssen[2].

α-Substituierte Alkyl-cobaloxime sind in 1N Salzsäure stabil[3], die Ester werden nicht hydrolysiert (vgl. S. 114). Zur Spaltung verschiedener Alkyl-pyridino-cobaloxime durch Trifluoressigsäure und Chlorwasserstoff s. Lit.[4, 5].

Die Komplexe II sind im Dunkeln und bei Luft-Ausschluß gegenüber starken Säuren sehr stabil[6]. Es tritt keine Spaltung der C–Co-Bindung in 1 M Perchlorsäure oder 6 M Salzsäure bei 55° ein[6]. Die Komplexe sind jedoch gegen 6 M Salpetersäure bei 18° instabil.

Zur Spaltung von Methoxycarbonylmethyl-cobaloxim wird sogar konz. warme Schwefelsäure[7] benötigt.

Hingegen wird Allyl- und 2-Butenyl-cobaloxim rasch unter Freisetzen von Olefin gespalten, da die C,C-Doppelbindung leicht protoniert und dadurch die Spaltung der C–Co-Bindung begünstigt wird [vgl. Spaltung der (β-Hydroxy-alkyl)-cobaloxime a.S. 235][8].

Alkanthiole spalten in Methanol Alkyl-kobalt(III)-Komplexe bereits bei 48° unter Bildung von Alkanen[9].

Unsubstituierte Alkyl-cobaloxime werden hingegen in saurem Medium nur sehr langsam, aber rasch in alkalischem Medium gespalten (vgl. S. 238). Cobaloxime aber, deren Alkyl-Rest in α- oder β-Stellung Alkoxycarbonyl- oder Cyan-Substituenten besitzen, reagieren leicht mit Alkanthiolen[3].

Die 1,2-Bis-[alkoxycarbonyl- bzw. cyan]-ethyl-cobaloxime werden bei 20° gespalten[3], der Benzyl-Rest wird bereits durch Wasser vom Kobalt unter Bildung von Toluol entfernt[10].

Pentacyano-alkyl-kobaltat(III)-Verbindungen können nach drei verschiedenen Richtungen durch Säuren gespalten werden:

1. Protonierung des Alkyl-Restes unter Alkan-Bildung (A)
2. Insertion von Isocyanwasserstoff, in die C–Co-Bindung und Bildung von Carbonsäure-nitrilen bzw. deren Amiden oder der reinen Carbonsäuren:

---

[1] G. N. Schrauzer u. R. J. Windgassen, Am. Soc. **88**, 3738 (1966).
[2] C. Floriani, M. Puppis u. F. Calderazzo, J. Organometal. Chem. **12**, 209 (1968).
[3] G. N. Schrauzer u. R. J. Windgassen, Am. Soc. **89**, 1999 (1967).
[4] N. W. Alcock, M. P. Atkins, B. T. Golding u. P. J. Sellars, Soc [Dalton] **1982**, 337.
[5] S. B. Fergusson u. M. C. Baird, Inorg. Chim. Acta. **63**, 41 (1982).
[6] V. E. Magnuson u. J. H. Weber, J. Organometal. Chem. **92**, 233 (1975).
[7] G. N. Schrauzer, Accounts of Chem. Research **1**, 97 (1968).
[8] G. N. Schrauzer u. R. J. Windgassen, Am. Soc. **89**, 143 (1967).
[9] R. M. McAllister u. J. H. Weber, J. Organometal. Chem. **77**, 91 (1974).
[10] K. Jakob, E. Pietzner, S. Vastag u. K.-H. Thiele, Z. anorg. allg. Chem. **432**, 187 (1977).

3. Bildung von Alkoholen durch nucleophilen Angriff von Wasser am organischen Rest

$$[R-Co(CN)_5]^{3\ominus} \quad \xrightarrow{+ H_2O / H^\oplus} \quad R-OH$$

E

R	Reaktionsbedingungen	Reaktionsprodukte					Lit.
		A	B	C	D	E	
–CH₂–CH=CH–R	10% wäßr. HCl, 0°	A	–	–	–	–	1, 2
$\overset{R}{\underset{\vert}{}}$ −CH−CO−C₆H₅		A	–	–	–	–	1, 2
n-Alkyl, z. B. C₃H₇		–	B	–	–	–	1
CH₂–C₆H₅		–	B	C	–	–	1, 3
–CH₂–(pyridyl) 2-:	HClO₄/H₂O	–	Bᵃ	–	D	–	4, 5
3-:		–	Bᵃ	–	D	–	4, 5
4-:	HClO₄/H₂O	Aᵇ	B	–	–	–	4, 6
	8 M HCl	–	B	–	–	–	7
1-Adamantyl	c	A	B	–	–	E	8
(bicyclic CH₃ CH₃)	d	A	B	–	D	–	9

ᵃ Erhält man bei rechtzeitigem Zusatz von Lauge zum Reaktionsprodukt.
ᵇ Bei Zusatz von viel Säure entsteht ein Monoaquo-Komplex, der hauptsächlich A bildet.
  Durch Zusatz von HCN kann die Bildung dieses Komplexes vermieden werden.
ᶜ In H₂O: 52% A + 48% E
  in verd. H₂SO₄: 6% A + 70% B + 10% E
  in verd. Na₂CO₃–H₂O-Lsg.: 57% A + 43% E
ᵈ In verd. H₂SO₄: 90% B + 10% E
  in H₂O: 50% A + < 5% B
  in verd. Na₂CO₃: ~ 30% A + ~ 25% B

Optisch aktives (2,2-Diphenyl-1-methyl-cyclopropyl)-cobaloxim wird durch Bromwasserstoff in Dichlormethan unter Racemisierung gespalten[10].

Die C-Co-Bindung des (2,2-Diethoxy-ethyl)-pyridin-cobaloxim wird bereits in schwach basischem Medium protolytisch gespalten (55%)[11].

Das als Nebenprodukt durch Hydrolyse der Acetal-Gruppe gebildete Formylmethyl-cobaloxim verliert seinen organischen Rest wesentlich langsamer als das Acetal (9%).

In Gegenwart von Essigsäure oder Schwefelsäure wird der offene und cyclische Acetal-Rest rasch hydrolysiert. Die Spaltung der C–Co-Bindung ist daher gering. In Gegenwart von Chlor- oder Bromwasserstoff werden andererseits 90% der organischen Reste entfernt.

[1] J. KWIATEK u. J. K. SEYLER, J. Organometal. Chem. **3**, 433 (1965).
[2] J. KWIATEK u. J. K. SEYLER, J. Organometal. Chem. **3**, 421 (1965).
[3] J. HALPERN u. J. P. MAHER, Am. Soc. **86**, 2311 (1964).
[4] M. D. JOHNSON, M. L. TOBE u. L.-Y. WONG, Chem. Commun. **1967**, 298.
[5] M. D. JOHNSON, M. L. TOBE u. L.-Y. WONG, Soc. [A] **1968**, 923: Kinetik der Reaktionen.
[6] M. D. JOHNSON, M. L. TOBE u. L.-Y. WONG, Soc. [A] **1967**, 492: Kinetik der Reaktion in Abhängigkeit vom pH-Wert und Mechanismus.
[7] M. D. JOHNSON, M. L. TOBE u. L.-Y. WONG, Soc. [A] **1968**, 929.
  In Abhängigkeit vom pH-Wert und den Reaktionsbedingungen entstehen daneben oder stattdessen *2-Vinyl-, 2-Ethyl-* bzw. *2-Acetyl-pyridin*.
[8] S. H. GOH u. L.-Y. GOH, J. Organometal. Chem. **43**, 401 (1972).
[9] L.-Y. GOH, J. Organomet. Chem. **88**, 249 (1975).
[10] F. R. JENSEN u. D. H. BUCHANAN, Chem. Commun. **1973**, 153.
[11] R. B. SILVERMAN u. D. DOLPHIN, J. Organometal. Chem. **101**, C 14 (1975).

(β-Hydroxy-alkyl)-cobaloxime werden in neutraler und alkalischer methanolischer Lösung gespalten, ohne daß der Alkyl-Rest protoniert wird[1, 2]. Es entstehen die entsprechenden Aldehyde und Ketone (s.S. 239).

In saurem Medium werden die (β-Hydroxy-alkyl)-cobaloxime unter Protonierung bei 20° rasch unter Bildung von Olefinen[1] zersetzt (intermediär entsteht ein π-Olefin-kobalt-Komplex)[3, 4].

Die Reaktionsgeschwindigkeit ist bei Chlorid-Ionen größer und bei Cyanwasserstoff wesentlich höher als bei Schwefel- oder Perchlorsäure.

(2-Ethoxy-ethyl)-pyridin-cobaloxim wird durch verd. Salzsäure unter Bildung von *Ethen* und *Ethanol* gespalten[1].

(3- und 4-Hydroxy-propyl)-cobaloxim verhalten sich gegenüber Säure eher wie unsubstituierte Alkyl-cobaloxime (s.S. 233).

Durch Behandeln mit starken Säuren wird (2-Anilinocarbonyloxy-ethyl)-pyridin-cobaloxim zu *Ethen, Kohlendioxid* und *Anilin* fragmentiert[5].

Die C-Co-Bindung in Komplex I wird durch Umsetzen mit alkoholischer Chlorwasserstoffsäure oder konz Schwefelsäure gespalten[6-8]:

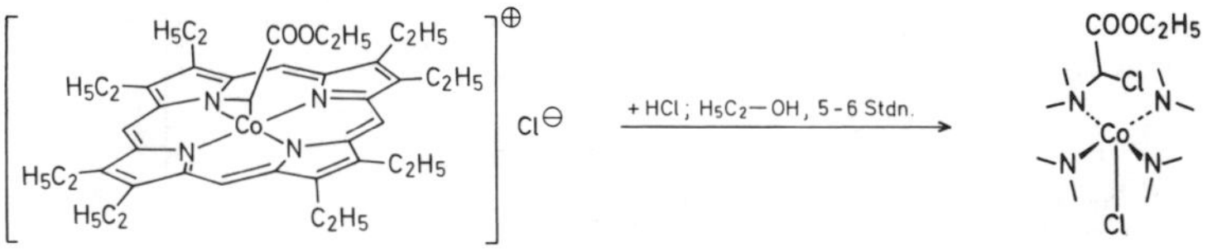

I

Ähnlich verhält sich der *meso*-Tetraphenylprophyrinato-Komplex[6].

Bei der analogen Spaltung des Diorgano-kobalt-Komplexes II erhält man eine Kobalt-freie Verbindung[9]:

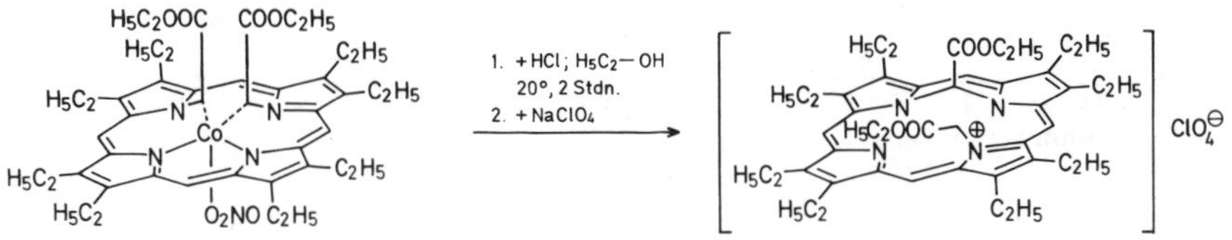

II

Beim Zersetzen des Trimethyl-tris-[dimethyl-phenyl-phosphan]-kobalt mit konz. Schwefelsäure bei 20° entsteht *Methan* und durch Dimerisierung zweier Methyl-Reste *Ethan* (zusammen 70%)[10].

Die Kobalt-trichlormethyl-Bindung von Dicyclopentadienyl-trichlormethyl-kobalt wird bereits bei 20° von Ethanol und Wasser gespalten[11].

[1] G.N. Schrauzer u. R.J. Windgassen, Am. Soc. **89**, 143 (1967).

[2] M. Naumberg, K.N.-V. Duong u. A. Gaudemer, J.Organometal. Chem. **25**, 231 (1970).

[3] J.H. Espenson u. D.M. Wang, Inorg. Chem. **18**, 2853 (1979).

[4] K.L. Brown u. S. Ramamurthy, Organometallics **1**, 413 (1982).

[5] H. Eckert u. I. Ugi, J. Organometal. Chem. **118**, C55 (1976).

[6] A.W. Johnson u. D. Ward, Soc. [Perkin I] **1977**, 720.

[7] A.W. Johnson, D. Ward u. C.M. Elson, Soc. [Perkin I] **1975**, 2076.

[8] P. Batten, A. Hamilton, A.W. Johnson, G. Shelton u. D. Ward, Chem. Commun. **1974**, 550.

[9] P. Batten, A.L. Hamilton, A.W. Johnson, M. Mahendran, D. Ward u. T.J. King, Soc. [Perkin I] **1977**, 1623.

[10] S. Komiya, A. Yamamoto u. T. Yamamoto, Transition Met. Chem. **4**, 343 (1979).

[11] K.S. Katz, J.F. Weiher u. A.F. Voigt, Am. Soc. **80**, 6459 (1958).

Cyclopentadienyl-dimethyl-trimethylphosphan-kobalt verliert beim Behandeln mit Trifluoressigsäure in Toluol bei −78° beide Methyl-Reste (Zur Isolierung des Monomethyl-Komplexes s. S. 119)[1].

β) mit 1-Alkenyl-Gruppen

Kobaltol-Komplexe werden durch Protonen-aktive Verbindungen (z.B. Thioacetanilide, Alkyl-thioharnstoffe, Thiophenole und Triethylsilan (zur Umwandlung mit Ethanol und Octacarbonyl-dikobalt s.S. 245) unter Bildung von 1,3-Dienen gespalten[2,3]; z.B.:

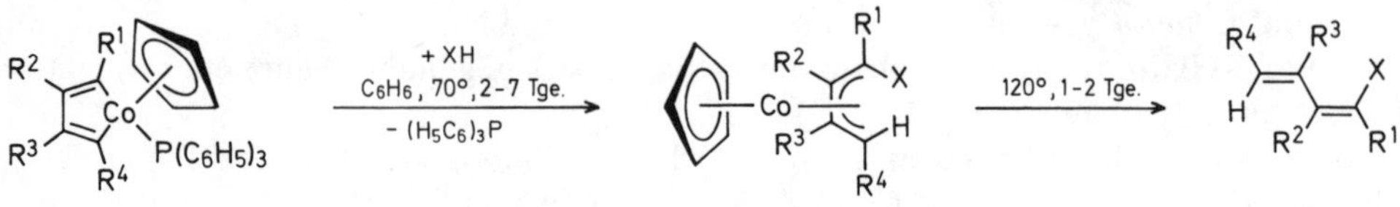

I   II

	X–H	I [%]	II [%]
R¹–R⁴=C₆H₅	H–N(C₆H₅)–CS–CH₃	–	17
	H–Si(C₂H₅)₃	77	87
R¹=R⁴=C₆H₅ R²=R³=COOCH₃	HS—⟨○⟩—CH₃	–	59
	H–Si(C₂H₅)₃	–	44
R¹=R⁴=COOCH₃ R²=R³=CH₃	HS—⟨○⟩—CH₃	31	15

γ) mit 1-Alkinyl-Gruppe

Hexa-1-alkinyl-kobaltat(III)-Verbindungen werden durch Wasser zu 1-Alkinen zersetzt[4]. Die Hydrolyse kann unter **Detonation** verlaufen.

$$K_3[Co(C\equiv C-CH_3)_6] \xrightarrow[-[Co(CN)_6]^{3\ominus}]{H_2O/CN^\ominus} 6\ HC\equiv C-CH_3$$
60%

δ) mit Aryl-Gruppen

Pentacyano-phenyl-kobaltat wird durch Behandeln mit Säure und anschließend mit einer Base unter Bildung von *Benzonitril* gespalten[5]. Dabei wird intermediär Isocyanwasserstoff in die Kohlenstoff-Kobalt-Bindung eingeschoben (vgl. S. 233).

$$K_3[Co(C_6H_5)(CN)_5] \xrightarrow{+H^\oplus} H_5C_6-CN$$

ε) mit Alkoxycarbonyl- und Aminocarbonyl-Gruppen

Alkoxycarbonyl- und Aminocarbonyl-kobalt(III)-Komplexe werden durch starke Säuren unter Abspaltung von Alkohol bzw. Amin in den entsprechenden Carbonyl-kobalt(III)-Komplex übergeführt[6].

[1] W. Hofmann u. H. Werner, B. **115**, 119 (1982).
[2] Y. Wakatsuki u. H. Yamazaki, J. Organometal. Chem. **149**, 385 (1978).
[3] Zur formal gleichen Spaltung durch die C–H-Gruppe von Aromaten s. S. 266 u. 283.
[4] R. Nast u. H. Lewinsky, Z. anorg. allg. Chem. **282**, 210 (1955).
[5] J. Kwiatek u. J. K. Seyler, J. Organometal. Chem. **3**, 433 (1965).
[6] A. Spencer u. H. Werner, J. Organometal. Chem. **171**, 209 (1979).

4. von Organo-kobalt(IV)-Verbindungen

Tetrakis-(bicyclo[2.2.1]hept-1-yl)-kobalt wird durch 0,1 M Schwefelsäure bei 20° zum *Bicyclo[2.2.1]heptan* zersetzt[1].

5. von sonstigen Organo-kobalt-Verbindungen

2-Fluor-hexacarbonyl-4-oxo-2-trifluormethyl-1,3-dikobaltabicyclo[1.1.0]butan reagiert mit Chlorwasserstoff unter Freisetzung von *1,1,1,2-Tetrafluor-ethan*[2]:

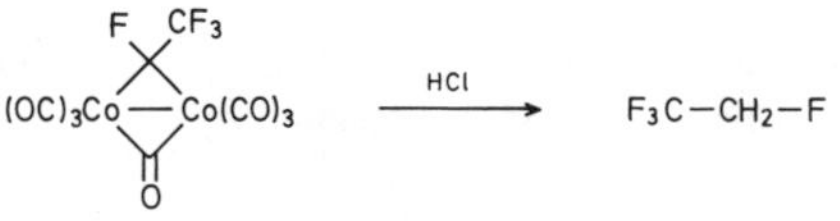

Auch bei der Säure-Spaltung von Nonacarbonyl-4-trifluormethyl-trikobaltatetrahedran wird der Kohlenstoff protoniert[2]:

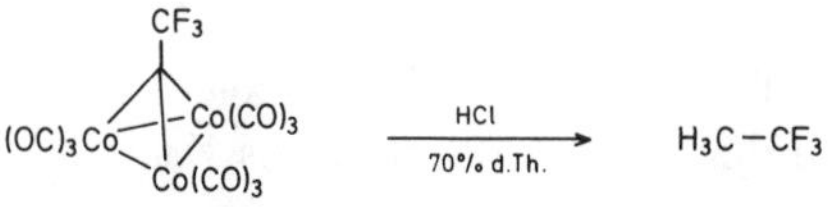

Durch Solvolyse oder solvolytische Carbonylierung können 4-Alkyl-nonacarbonyl-trikobaltatetrahedrane u.a. in die Mono- und Dicarbonsäuren oder mit Methanol in die Ester übergeführt werden[3], z.B.:

R = CH$_3$; CH$_2$–CH$_2$–COOH, CH=CH-COOH

b) mit Basen und nucleophilen Verbindungen

Acyl-kobalt(I)-Komplexe reagieren nucleophil mit Lewis-Basen an der Carbonyl-Gruppe unter Abspaltung des Kobalt-Restes (vgl. S. 231). Nach der Methode können Carbonsäuren, deren Ester und Amide hergestellt werden. Die Reaktion ist der letzte Schritt in der Carbonylierung von Olefinen oder Alkoholen durch stöchiometrische oder katalytische Mengen von Kobalt-Verbindungen[4-6].

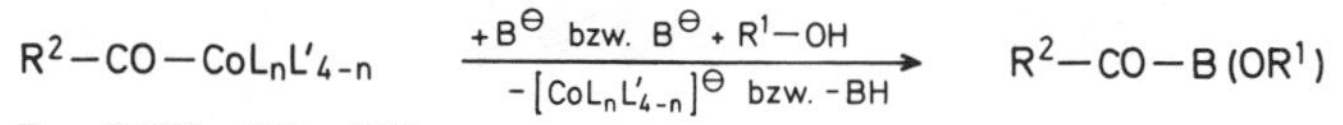

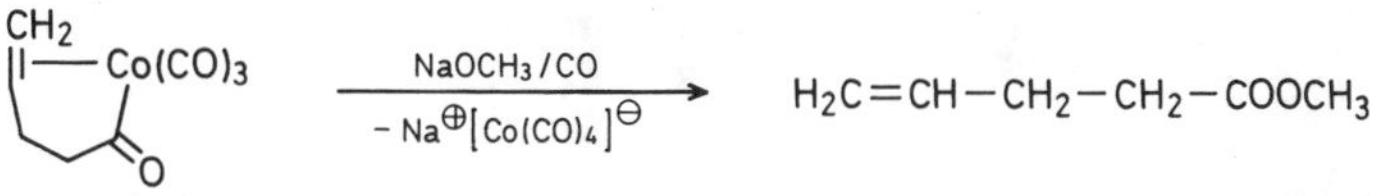

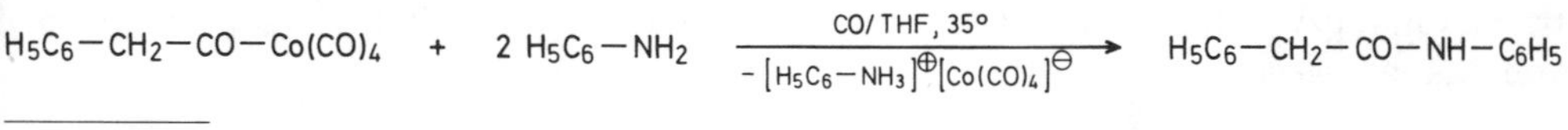

[1] B.K. Bower u. H.G. Tennant, Am. Soc. **94**, 2512 (1972).
[2] B.L. Booth, R.N. Haszeldine, P.R. Mitchell u. J.J. Cox, Chem. Commun. **1967**, 529.
[3] K. Tominaga, N. Yamagami u. H. Wakamutsu, Tetrahedron Letters **1970**, 2217.
  Vgl. K.M. Nicholas, M.O. Nestle u. D. Seyferth, Org. Chem. Bd. 33/II, S. 54, Academic Press, New York · San Francisco · London 1978.
[4] R.F. Heck, Am. Soc. **85**, 1220 (1963).
[5] R.F. Heck u. D.S. Breslow, Am. Soc. **85**, 2779 (1963).
[6] R.F. Heck, Am. Soc. **85**, 1460 (1963).

Bei der Umsetzung der Acyl-carbonyl-kobalt(I)-Komplexe mit Alkoholen bewährt sich der Zusatz von sterisch gehinderten und Protonen-freien starken Basen, wie Dicyclohexyl-ethyl- amin, da diese das entstehende Kobaltat stabilisieren.

Ein Sonderfall ist die durch Basen induzierte intramolekulare Ester-Bildung von ω-Hydroxy-alkanoyl-kobalt(I)-Komplexen, z.B.[1]:

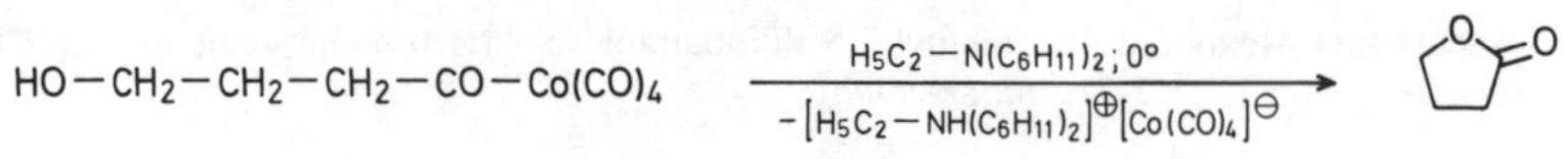

$$HO-CH_2-CH_2-CH_2-CO-Co(CO)_4 \xrightarrow[- [H_5C_2-NH(C_6H_{11})_2]^{\oplus}[Co(CO)_4]^{\ominus}]{H_5C_2-N(C_6H_{11})_2 ; 0°}$$

Erhitzt man den Aminocarbonyl-kobalt(I)-Komplex I in flüssigem Ammoniak unter Druck auf 60°, wird der organische Rest unter Bildung von Harnstoff und Ammonium-isocyanat abgespalten[2]:

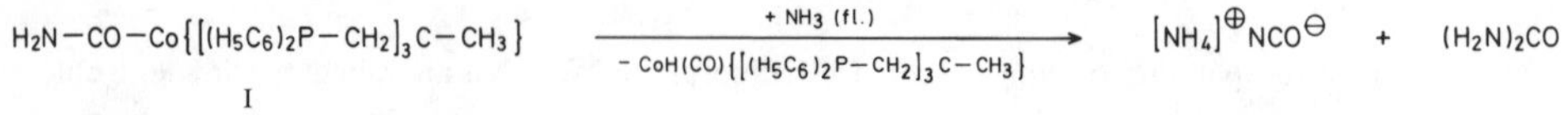

$$H_2N-CO-Co\{[(H_5C_6)_2P-CH_2]_3C-CH_3\} \xrightarrow[- CoH(CO)\{[(H_5C_6)_2P-CH_2]_3C-CH_3\}]{+ NH_3 (fl.)} [NH_4]^{\oplus}NCO^{\ominus} + (H_2N)_2CO$$
$$\quad\quad I$$

Acyl-cyclopentadienyl-kobalt(III)-Komplexe reagieren mit Basen unter Alkylierung des Cyclopentadienyl-Liganden und Reduktion des Kobalts[3]:

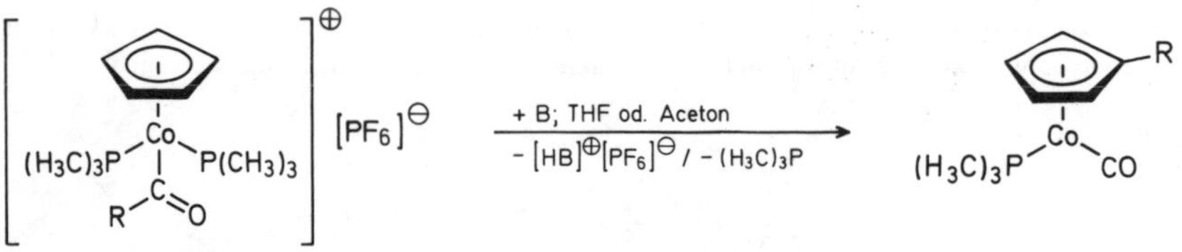

z.B. R = C_6H_5, 4-OCH_3–C_6H_4, 3-CH_3–C_6H_4, 3,5-$(CH_3)_2$–C_6H_3

Alkyl-cobaloxime werden durch Thiole in saurem Medium sehr langsam, im alkalischen rasch zu Sulfanen gespalten[4] (S_N2-Substitution)[5]. Zur Spaltung können auch andere nucleophile Verbindungen (z.B. Natrium-cyanid, -N-methyl-anilid) eingesetzt werden[6]. Schwächere Nucleophile, wie Azid, Thiocyanat und Jodid reagieren normalerweise nicht mit dem Alkyl-Rest.

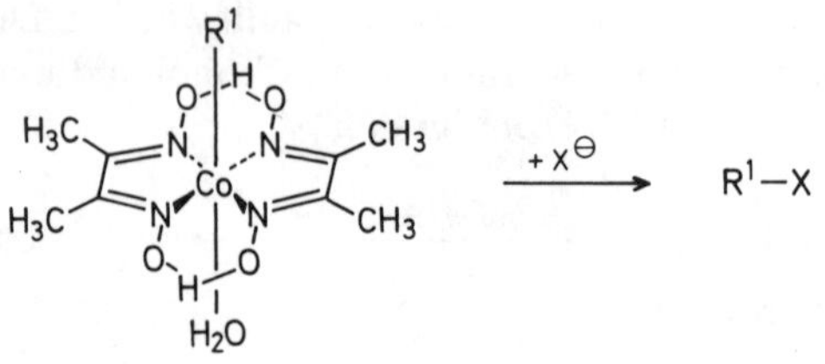

X = S–R^2, CN, N(CH_3)-C_6H_5; R^1 = CH_3, C_2H_5;
R^2 = CH_3, C_4H_9, C_6H_5

Alkyl-Komplexe II werden hingegen in methanolischer alkalischer Lösung durch Natriumcyanid bzw. Thiole unter Bildung von Alkanen (R = H) und in einigen Fällen auch von Alkenen gespalten[7].

[1] R.F. Heck, Am. Soc. **85**, 1460 (1963).
[2] J. Ellermann, J.F. Schindler, H. Behrens u. H. Schlenker, J. Organometal. Chem. **108**, 239 (1976).
[3] H. Werner u. W. Hofmann, Ang. Ch. **90**, 496 (1978).
[4] G.N. Schrauzer u. R.J. Windgassen, Am. Soc. **89**, 3607 (1967).
[5] G.N. Schrauzer u. E.A. Stadlbauer, Bioinorg. Chem. **3**, 353 (1974).
[6] G.N. Schrauzer u. E.A. Stadlbauer, Am. Soc. **88**, 3738 (1966).
[7] R.M. McAllister u. J.H. Weber, J.Organometal. Chem. **77**, 91 (1974).

Alkyl-Komplexe III verlieren in wäßriger 0,1–1 M Natriumhydroxid-Lösung unter Licht- und Luft-Ausschluß bei 52° langsam ihre Alkyl-Gruppe unter Bildung von Alkyl-Anionen bzw. -Radikalen[1].

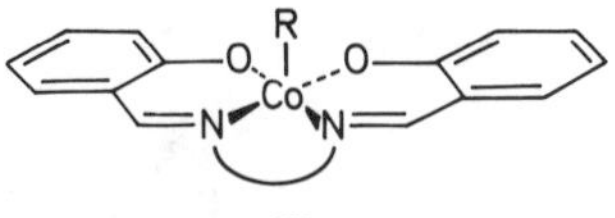

II

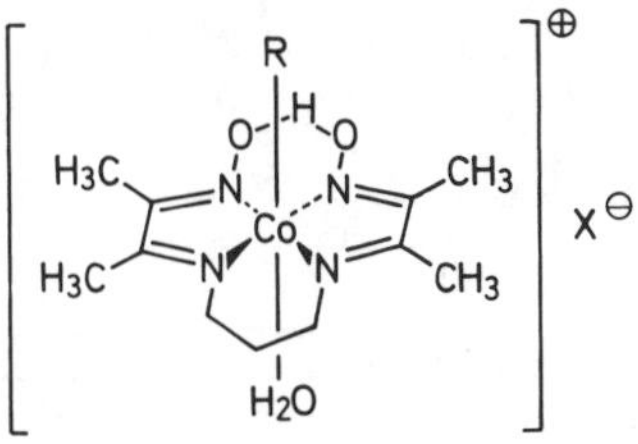

III

R = CH₃, C₂H₅, C₃H₇

Bei der Spaltung von Pentacyano-organo-kobaltaten(III) durch Säuren entsteht in einigen Fällen unter nucleophilem Angriff von Wasser der entsprechende Alkohol (vgl. S. 234).

(2-Hydroxy-alkyl)-cobaloxime werden wesentlich leichter gespalten als die analogen Alkyl-Komplexe[2⁻4]. In schwach saurem Medium entstehen unter Wasser-Abspaltung Olefine, wohingegen in alkalischer Lösung Aldehyde, Ketone oder in Folgereaktionen der Aldehyde Aldole entstehen. Die (3-Hydroxy-alkyl)-cobaloxime sind hingegen wieder so stabil wie die Alkyl-Komplexe.

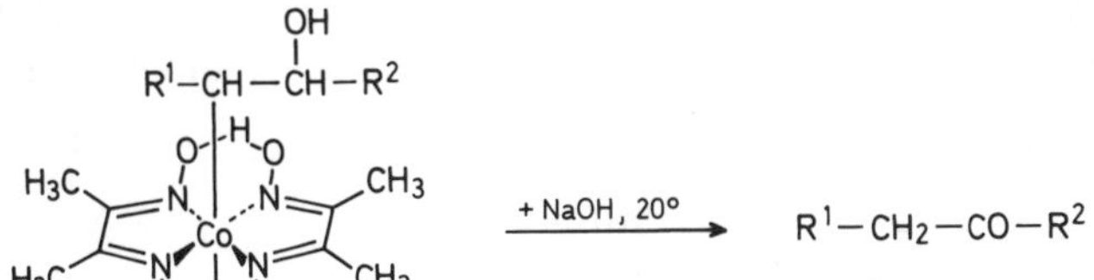

z. B.: $R^1 = R^2 = H$
$R^1 = H, R^2 = CH_3$ (69%)
$R^1 = CH_3, R^2 = H$
$R^1 = H, R^2 = CH_2–OH$

Die starke Labilität des 5'-Deoxyadenosyl-cobaloxims in alkalischer Lösung führt zur β-Eliminierung:

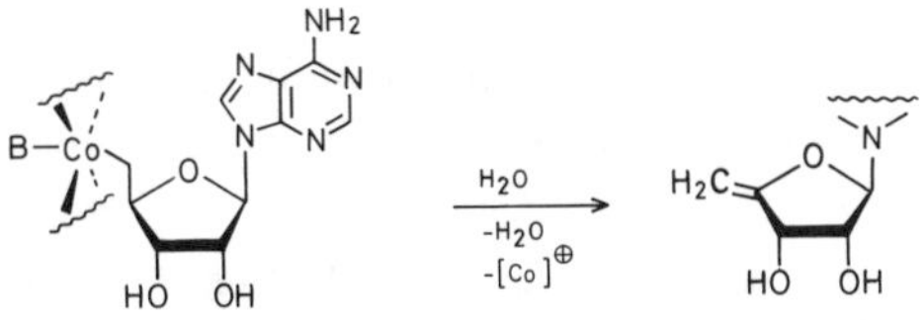

Alkyl-cobaloxim-Derivate, mit einer aktivierenden Gruppe in 2-Stellung (Cyan, Alkoxycarbonyl) werden in alkalischer Lösung leicht unter β-Eliminierung gespalten[5⁻8] (die Reaktion ist reversibel):

[1] V. E. MAGNUSON u. J. H. WEBER, J. Organometal. Chem. **92**, 233 (1975).
[2] G. N. SCHRAUZER u. R. J. WINDGASSEN, Am. Soc. **89**, 143 (1967).
[3] Der gebildete Acetaldehyd bildet unter den Reaktionsbedingungen sein Aldol.
[4] G. N. SCHRAUZER u. J. W. SIBERT, Am. Soc. **92**, 1022 (1970).
[5] G. N. SCHRAUZER u. R. J. WINDGASSEN, Am. Soc. **89**, 1999 (1967).
[6] G. N. SCHRAUZER, J. H. WEBER u. T. M. BECKHAM, Am. Soc. **92**, 7078 (1970).
[7] G. N. SCHRAUZER, R. J. HOLLAND u. J. A. SECK, Am. Soc. **93**, 1503 (1971).
[8] Vgl.: J. W. GRATE u. G. N. SCHRAUZER, Organometallics **1**, 1155 (1982).

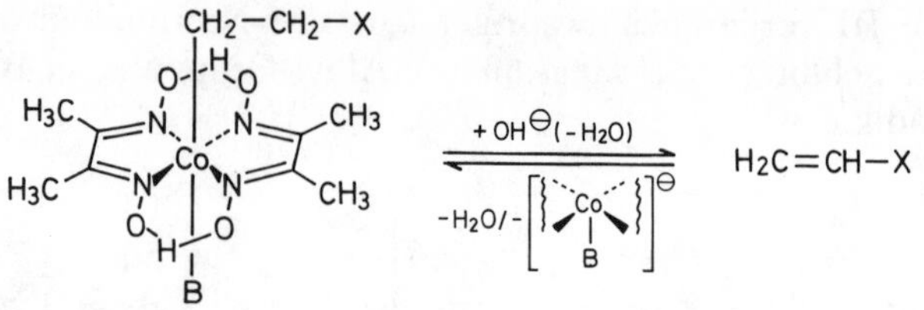

X = CN, COOR

Der durch Carbonat-Bildung geschützte Glykol-Rest im Komplex I wird durch Behandeln von Kalium-methanolat in Methanol rasch gespalten[1]. Es entstehen Acetaldehyd, Kohlensäure-dimethylester und Kalium-methylcarbonat:

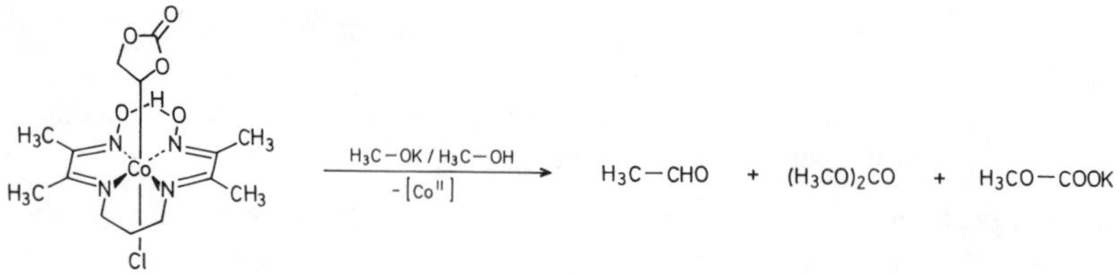

Während Organo-kobalt(III)-Verbindungen bevorzugt mit elektrophilen Verbindungen reagieren, bei denen der organische Rest formal als Anion abgespalten wird, werden Organo-kobalt(IV)-Komplexe von nucleophilen Reagenzien wie Chlorid oder Pyridin heterolytisch gespalten, wobei der organische Rest als Carbenium-Kation reagiert[2,3].

In der Reihe Kobaltate I nimmt die Reaktivität gegenüber Pyridin folgendermaßen ab:

$$CH_3 > C_2H_5 > C_3H_7 > C_4H_9$$

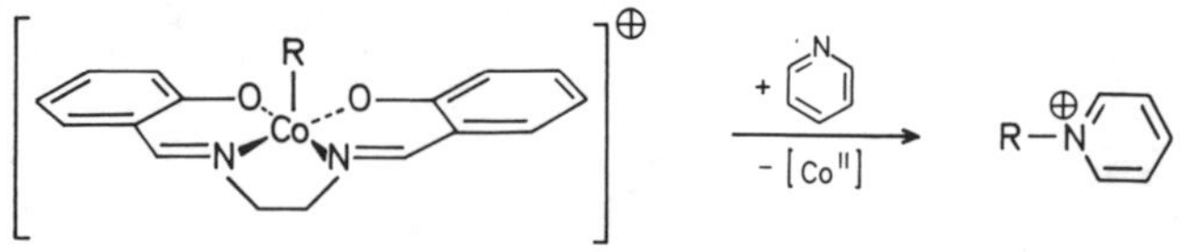

I

Bei der nucleophilen Spaltung von in situ hergestelltem optisch aktiven (1-Methyl-heptyl)-cobaloxim-Kation durch Chlorid entsteht 2-*Chlor-octan* unter Inversion der Konfiguration[3].

4-Alkyl-nonacarbonyl-trikobaltatetrahedrane werden durch Basen in π-Alkin-Komplexe und andere Kobalt-Verbindungen umgewandelt[4].

Während die 4-Alkoxycarbonyl-Verbindungen bei der alkalischen Hydrolyse in wäßrigem Tetrahydrofuran innerhalb 30 Min. vollständig zersetzt werden, sind die 4-Alkyl-Derivate unter diesen Bedingungen auch in konz. Säuren stabil[5].

[1] R. G. FINKE u. W. McKENNA, Chem. Commun. **1980**, 460.
[2] I. Y. LEVITIN, A. L. SIGAN u. M. E. VOL'PIN, Chem. Commun. **1975**, 469.
[3] R. H. MAGNUSON, J. HALPERN, I. Y. LEVITIN u. M. E. VOL'PIN, Chem. Commun. **1978**, 44.
[4] R. DOLBY, T. W. MATHESON, B. K. NICOLSON, B. H. ROBINSON u. J. SIMPSON, J. Organometal. Chem. **43**, C 13 (1972).
[5] D. SEYFERTH, J. E. HALLGREN u. C. S. ESCHBACH, Am. Soc. **96**, 1730 (1974).

c) durch Reduktion

1. mit Wasserstoff

Man nimmt an, daß bei der durch Kobalt-Verbindungen katalysierten Hydroformylierung von Olefinen (s. Bd. E 3, S. 180–191, 224 ff.) und bei ihrer Reduktion intermediär Organo-ko- balt-Verbindungen entstehen, deren σ-C-Co-Bindung durch Wasserstoff gespalten wird.

So reagieren stabile Acyl-Komplexe mit Wasserstoff unter Bildung von Aldehyd und dem Hydrido-kobalt(I)-Komplex[1, 2]; z.B.:

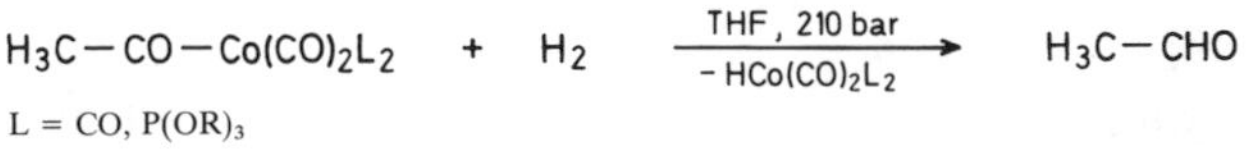

$$H_3C-CO-Co(CO)_2L_2 \quad + \quad H_2 \xrightarrow[- \; HCo(CO)_2L_2]{THF \, , \; 210 \; bar} \quad H_3C-CHO$$

$$L = CO, P(OR)_3$$

Die Spaltung des Acyl-Komplexes durch Wasserstoff wird mit steigendem Kohlenmonoxid-Partialdruck inhibiert[1].

Primäre und sekundäre Alkyl-carbonyl-kobalt-Verbindungen bzw. deren Acyl-Derivate werden unter „Oxo"-Bedingungen nicht isomerisiert[3]; z.B.:

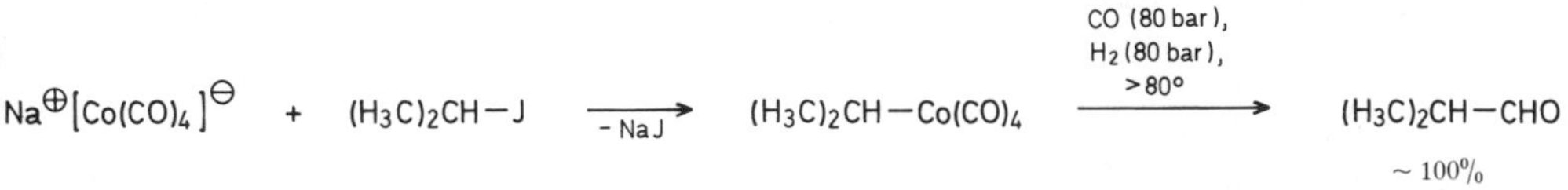

$$Na^{\oplus}[Co(CO)_4]^{\ominus} \quad + \quad (H_3C)_2CH-J \xrightarrow[- \; NaJ]{} (H_3C)_2CH-Co(CO)_4 \xrightarrow[\; > 80°]{CO \, (80 \, bar), \; H_2 \, (80 \, bar),} (H_3C)_2CH-CHO$$

$$\sim 100\%$$

Methyl-kobalt(I)-Komplexe bilden mit molekularem Deuterium *Deuteromethan* und infolge Reaktion mit dem Lösungsmittel Methan[4].

Die Ethyl-kobalt(I)-Komplexe können dagegen infolge der reversiblen Alkyl $\rightarrow$ Alken-Umlagerung mehrfach deuteriert werden[4].

Bei der Hydrierung von Acetyl-(diphenyl-methyl-phosphan)-tricarbonyl-kobalt bei 35 bar entsteht mit steigender Temp. auf Kosten von Acetaldehyd *Ethanol*[5].

(2-Carboxy-1-ethoxycarbonyl-ethyl)-pyridin-cobaloxim bildet beim Erhitzen mit Wasserstoff den *Bernsteinsäure-ethylester*[6]:

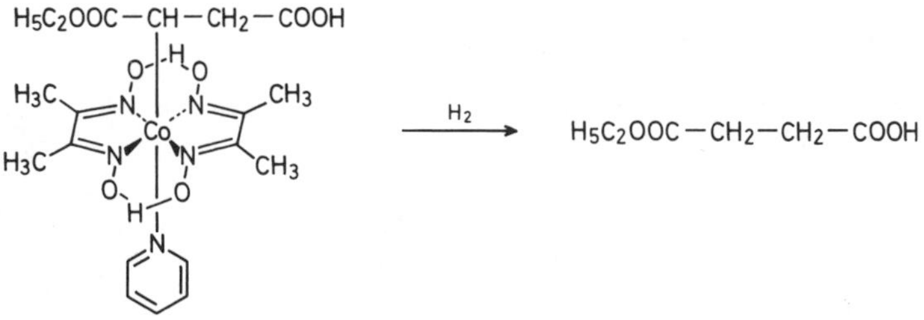

Ortho-metallierte Komplexe, wie z.B. [2-Diphenoxyphosphanoxy-phenyl-(C,P)]-tris-[triphenoxyphosphan]-kobalt(I), können durch Behandeln mit Wasserstoff (3,5 bar) reversibel in z.B. Hydrido-tris-[triphenoxyphosphan]-kobalt(I) umgewandelt werden[7]:

[1] D.S. BRESLOW u. R.F. HECK, Chem. and Ind. **1960**, 467.

[2] R.F. HECK, Am. Soc. **85**, 1220 (1963).

[3] F. PIACENTI, M. BIANCHI, P. FREDIANI u. U. MATTEOLI, J. Organometal. Chem. **87**, C 54 (1975); ibid. **120**, 97 (1976).

[4] T. YAMAMOTO u. A. YAMAMOTO, J. Organometal. Chem. **117**, 365 (1976).
   Vgl. a. T. IKARIYA u. A. YAMAMOTO, J. Organometal. Chem. **116**, 231 (1976).

[5] J.T. MARTIN u. M.C. BAIRD, Organometallics **2**, 1073 (1983).

[6] G.N. SCHRAUZER u. R.J. WINDGASSEN, Am. Soc. **89**, 1999 (1967).

[7] L.W. GOSSER, Inorg. Chem. **14**, 1453 (1975).

$$\text{[Aryl phosphite Co complex]} \xrightarrow[-\,P(OC_6H_5)_3]{H_2} HCo\left[P(OC_6H_5)_3\right]_3$$

Umsatz

20°, 15 Stdn.: ~10%
55°, 0,5 Stdn.: ~50%
65°, 1 Stde.: ~95%

Alkyl- und Aryl-cobaloxime werden durch Wasserstoff in Gegenwart von Schwermetall-Katalysatoren hydrogenolytisch gespalten[1, 2]. Die Reaktion wird durch das gebildete Cobaloxim autokatalysiert[3].

Cyclopentadienyl-dimethyl-triphenylphosphan-kobalt reagiert mit Wasserstoff autokatalytisch unter Bildung von *Methan*[4].

Der Komplex I wird beim Erhitzen in Gegenwart von Wasserstoff unter Bildung von *4-Butanolid* und *Butansäure* gespalten[5]:

$$\text{I} \xrightarrow[-\,[Co(CO)_3]_4]{+\;HCOOH,\,H_2;\,C_6H_6,\,120°} \underset{37\%}{\text{[4-Butanolid]}} + \underset{35\%}{H_3C-(CH_2)_2-COOH}$$

Nonacarbonyl- und 4-Methyl-nonacarbonyl-trikobaltatetrahedran werden durch Wasserstoff nur bei Belichten mit sichtbarem oder UV-Licht bei 20° unter Bildung von *Methan* bzw. *Ethan* und *Ethen* gespalten[6, 7].

Mit Wasserstoff und Kohlenmonoxid wird aus dem 4-Methyl-Derivat bei erhöhtem Druck und Erhitzen *Propanal* erhalten[7]:

$$(OC)_3Co\underset{Co(CO)_3}{\overset{CH_3}{\diagup}}-Co(CO)_3 \xrightarrow{H_2,\,CO,\,C_6H_6} H_5C_2-CHO$$

Zur Umsetzung weiterer Trikobalttetrahedrane s. Lit.[8].

2. mit Kohlenmonoxid und Wasser

Durch Konvertierung von Kohlenmonoxid mit Wasser wird Wasserstoff gebildet, der mit den verschiedenen Organo-kobalt-Komplexen reagieren kann[9].

Kobalt-Verbindungen katalysieren diese Reaktion. Eine Reduktion des Kobalt-Komplexes ist aber auch möglich, ohne daß molekularer Wasserstoff gebildet wird:

$$R-[Co]-CO \xrightarrow{+\,HO^{\ominus}} R-[Co]-COOH \xrightarrow[-\,[Co]-H]{\underset{-\,CO_2}{+\,H^{\oplus}}} R-H$$

[1] G.N. Schrauzer u. R.J. Windgassen, Am. Soc. **88**, 3738 (1966).

[2] G.N. Schrauzer, Inorg. Synth. **9**, 61 (1968).

[3] G.N. Schrauzer, Accounts of Chem. Research **1**, 97 (1968).

[4] A.H. Janowicz u. R.G. Bergman, Am. Soc. **103**, 2488 (1981).

[5] S. Sato, A. Morishima u. H. Wakamatsu, J. chem. Soc. Japan, pure Chem. Sect. Nippon Kagaku Zasshi **91**, 557 (1970); C.A. **73**, 120030p (1970).

[6] G.L. Geoffroy u. R.A. Epstein, Inorg. Chem. **16**, 2795 (1977); Inorg. and Organometallic Photochemistry **1978**, 132.

[7] K. Tominaga, N. Yamagami u. H. Wakamutsu, Tetrahedron Lett. **1970**, 2217.

[8] G. Facchinetti, R. Lazzaroni u. S. Pucci, Ang. Ch. **93**, 1097 (1981).

[9] J. Halpern, Ann. New York Acad. Sciences **239**, 2 (1974).

3. mit Metallen

Die C-Co-Bindung von (2,2-Diphenyl-1-methyl-cyclopropyl)-cobaloxim wird durch Natrium in flüssigem Ammoniak unter Bildung von *2,2-Dimethyl-1-methyl-cyclopropan* gespalten [1]:

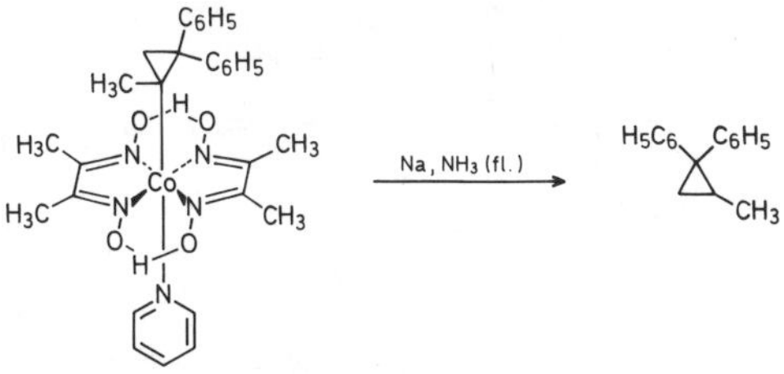

Bei der Reduktion des Ethyl-kobalt(III)-Chelat-Komplexes I mit Natrium entstehen *Ethan* und *Ethen* und beim Isopropyl-Derivat bildet sich *Propan* [2]:

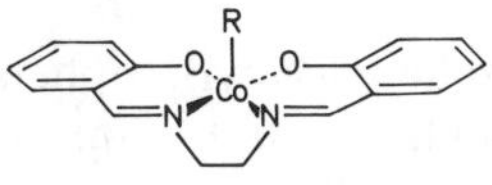

I; R = C_2H_5, $CH(CH_3)_2$

4. mit Metall-hydriden

Der Acyl-kobalt(I)-Komplex I wird durch Lithiumalanat unter Bildung von Azobenzol gespalten [3]:

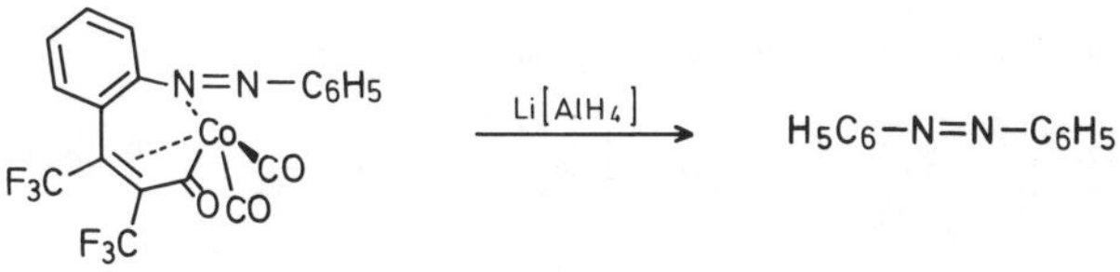

$$H_5C_6-N=N-C_6H_5$$

I

Die Methode kann auch zur selektiven Spaltung der Co-C-Bindung von Zucker-Kobalt-Verbindungen verwendet werden [4]; z.B.:

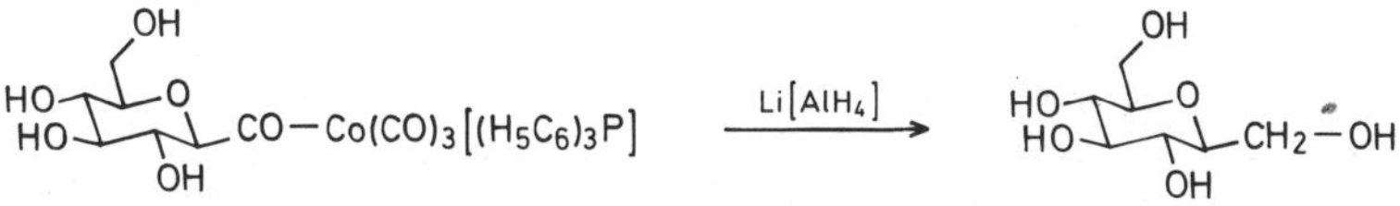

Alkyl-cobaloxime werden durch Metallhydride (z.B. Natriumboranat, Cobaloxim in der reduzierten Form) gespalten [5]. Triaryl-kobalt(III)-Chelat-Komplexe werden durch Lithiumalanat bzw. -tetradeuteroaluminat unter Bildung von A r e n e n angegriffen [6,7]; z.B.:

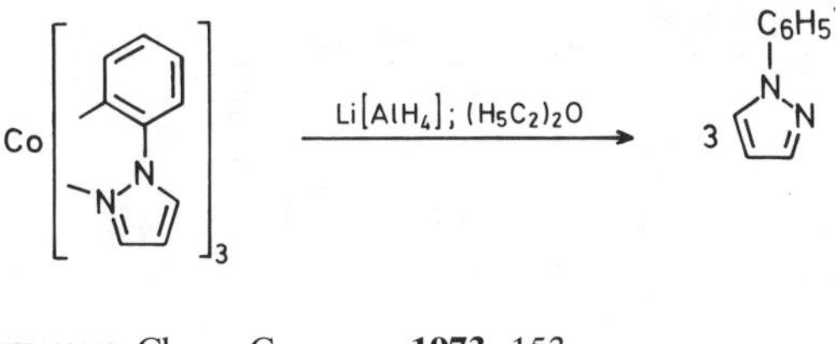

[1] F.R. JENSEN u. D.H. BUCHANAN, Chem. Commun. **1973**, 153.
[2] C. FLORIANI u. F. CALDERAZZO, J. Organometal. Chem. **12**, 209 (1968).
[3] M.I. BRUCE, B.L. GOODALL u. F.G.A. STONE, Soc. [Dalton] **1975**, 1651.
[4] A. ROSENTHAL u. H.J. KOCHI, Tetrahedron Letters **1967**, 871.
[5] G.N. SCHRAUZER u. R.J. WINDGASSEN, Am. Soc. **88**, 3738 (1966).
[6] H. DREVS, Z. Chemo **16**, 493 (1976).
[7] A.C. COPE u. R.N. GOURLEY, J. Organometal. Chem. **8**, 527 (1967).

Bei der Umsetzung von σ-gebundenen Allenyl-cobaloximen mit Lithiumboranat kann neben der C-Co-Bindung eine C,C-Doppelbindung hydriert werden[1]:

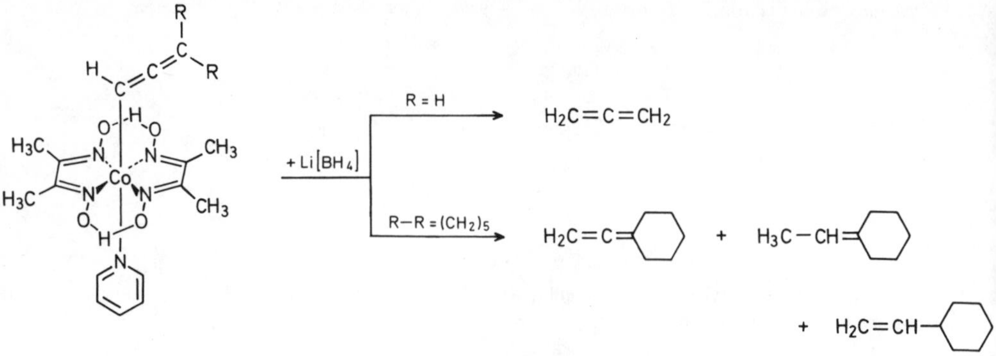

Vom Cyclopentadienyl-(1,2-diphenyl-vinyl)-triphenylphosphan-kobalt wird mit Lithium-alanat *trans-Stilben* abgespalten[2], und beim Acetyl-bis-[trimethylphosphan]-cyclopentadienyl-kobalt-hexafluorophosphat erhält man mit Natriumhydrid unter Decarbonylierung *Methan*[3].

Acetyl-cyclopentadienyl-organoisonitril-trimethylphosphan-kobalt bildet mit Natriumhydrid dagegen *Methan* und *Acetaldehyd*[4].

Bei der redukiven Spaltung des 2-Benzoyloxy-ethyl-kobalt(III)-phthalocyanins entsteht neben *Ethen Natriumbenzoat*[5].

2-Phenyl-4-butanolid wird aus dem Komplex I mit Natriumboranat erhalten[6]:

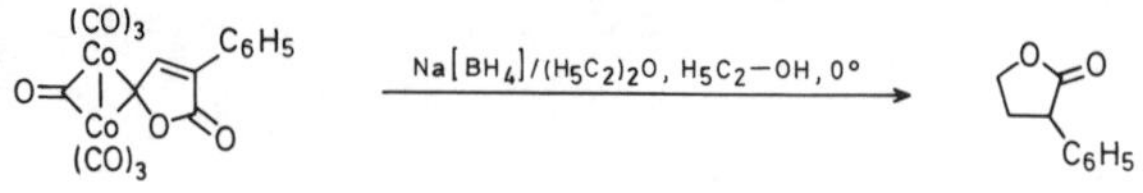

Aus Nonacarbonyl-4-phenyl-trikobaltatetrahedran erhält man mit Triethylsilan *Toluol*[7]. Analog entsteht aus dem 4-Benzyl-Derivat mit Natriumboranat *Phenyl-ethan*[8]:

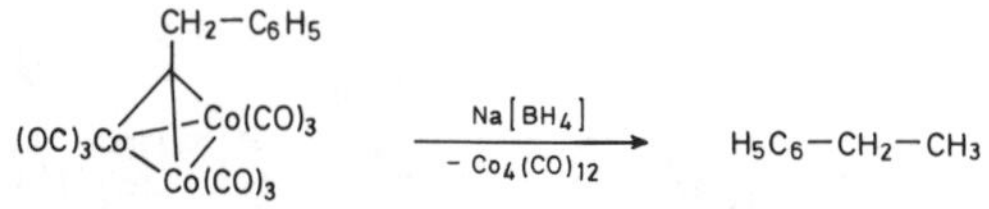

5. mit sonstigen Metall-Verbindungen

Beim Behandeln des Kobaltol-Komplexes I mit Octacarbonyl-dikobalt in siedendem Benzol und Ethanol entsteht ein η^4-Butadien-Komplex[9]:

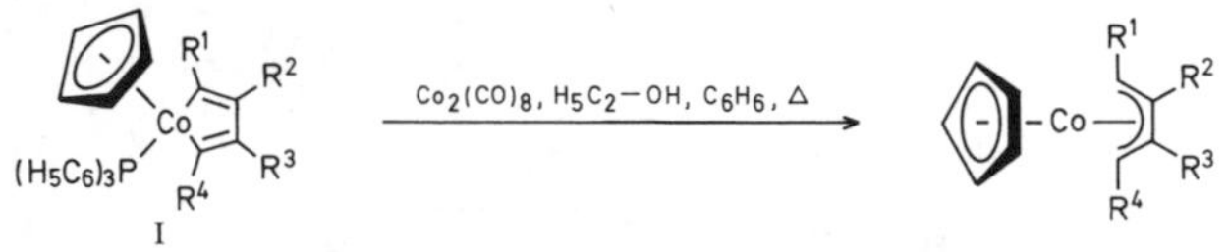

[1] J.P. COLLMAN, J.N. CAWSE u. J.W. KANG, Inorg. Chem. **12**, 2574 (1969).

[2] H. YAMAZAKI u. N. HAGIHARA, J. Organometal. Chem. **21**, 431 (1970).

[3] H. WERNER u. W. HOFMANN, Ang. Ch. **90**, 496 (1978).

[4] H. WERNER, S. LOTZ u. B. HEISER, J. Organometal. Chem. **209**, 197 (1981).

[5] H. ECKERT u. I. UGI, J. Organometal. Chem. **118**, C59 (1976).

[6] D.J.S. GUTHRIE, I.U. KHAND, G.R. KNOX, J. KOLLMEIER, P.L. PAUSON u. W.E. WATTS, J. Organometal. Chem. **90**, 93 (1975).

[7] D. SEYFERTH, C.N. RUDIE u. J.S. MEROLA, J. Organometal. Chem. **162**, 89 (1978).

[8] I.U. KHAND, G.R. KNOX, P.L. PAUSON u. W.E. WATTS, J. Organometal. Chem. **73**, 383 (1974).

[9] H. YAMAZAKI, K. YASUFUKU u. Y. WAKATSUKI, Organometallics **2**, 726 (1983).

Zur Umwandlung von Komplex I mit Nonacarbonyl-dieisen s. Lit.[1].

Die Austauschreaktionen des organischen Restes zwischen Organokobalt-Verbindungen und Kobalt- oder anderen Metall-Verbindungen sind auf S. 69, 90 und 109 beschrieben.

Organo-kobalt(III)-Komplexe werden reduktiv durch Chrom(II)-Salze gespalten. Im Fall von Methyl-kobalt(III)-Chelat-Komplexen entsteht Methan und die entsprechende Kobalt(II)-Verbindung[2].

Gleichermaßen werden aus (Organoamino-methyl)-kobalt(III)-Komplexen Methyl-organo-amine erhalten[3].

Auch die C-Co-Bindung in N-Organo-Co,N-*seco*-porphyrinato-kobalt-Komplexen wird durch Chrom(II)-Salze gespalten[4, 5]; z.B.:

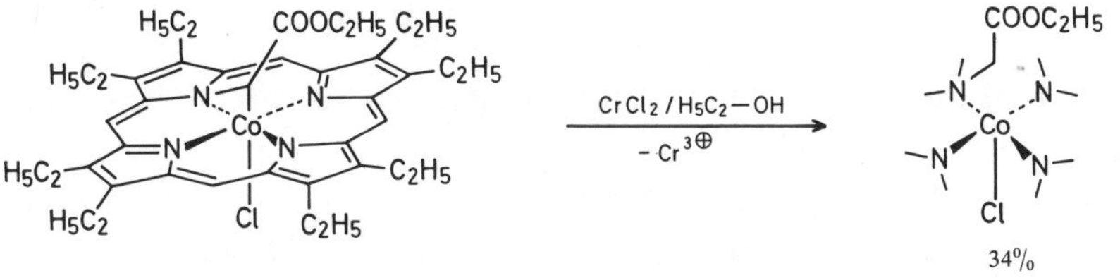

Der N,N'-Diorgano-Co-nitrato-N,Co;N',Co-bis-seco-di-Co,C-porphyrinato-kobalt-Komplex wird dagegen unter diesen Bedingungen mit Salzsäure entmetalliert (76%) (s.S. 235)[6].

6. mit organischen Verbindungen

Bis-[1,2-bis-(diphenylphosphano)-ethan]-methyl-kobalt reagiert mit Verbindungen wie Acetaldehyd (oder Nitromethan) unter Freisetzen von *Methan* und Kohlenmonoxid[7, 8].

7. Elektroreduktion

Durch Elektroreduktion wird zunächst das Zentralmetall unter Aufnahme von 1 oder 2 Elektronen reduziert, ehe die C-Co-Bindung gespalten wird. Zur Untersuchung der Reduktionspotentiale verwendet man die polarographische Methode und die cyclische Voltametrie[9-12].

Die Reduktion von Co(III) zu Co(II) ist irreversibel, ebenso wie der zweite Reduktionsschritt von Co(II) zu Co(I)[13].

[1] H. Yamazaki, K. Yasufuku u. Y. Wakatsuki, Organometallics **2**, 726 (1983).
[2] T. S. Roche u. J. F. Endicott, Am. Soc. **94**, 8622 (1972).
[3] G. L. Blackmer, T. M. Vickrey u. J. N. Marx, J. Organometal. Chem. **72**, 261 (1974).
[4] A. W. Johnson, D. Ward u. C. M. Elson, Soc. [Perkin I] **1975**, 2076.
[5] A. W. Johnson u. D. Ward, Soc. [Perkin I] **1977**, 720.
[6] P. Barren, A. L. Hamilton, A. W. Johnson, M. Mahendran, D. Ward u. T. J. King, Soc. [Perkin I] **1977**, 1623.
[7] T. Ikariya u. A. Yamamoto, J. Organometal. Chem. **116**, 231 (1976).
[8] Bei Umsetzung mit 1-Alkinen entsteht der entsprechende Alkinyl-kobalt(I)-Komplex (vgl. S. 31).
[9] A. Camus, C. Cocevar u. G. Mestroni, J. Organometal. Chem. **39**, 355 (1972).
[10] G. Costa, A. Puxeddu u. E. Reisenhofer, Soc. [Dalton] **1972**, 1519.
[11] s. dagegen G. N. Schrauzer u. R. J. Windgassen, Am. Soc. **88**, 3738 (1966).
[12] M. D. LeHoang, Y. Robin, J. Devynck, C. Bied-Charreton u. A. Gaudemer, J. Organometal. Chem. **222**, 311 (1981).
[13] J. Halpern, Ann. New York Acad. Sciences **239**, 2 (1974).

Möglicherweise wird der Alkyl-Rest bereits bei der ersten Elektronenaufnahme als Anion abgespalten[1]. Die Elektroreduktion von Alkyl-kobalt(III)-Chelat-Komplexen wird i. a. durch Zusatz von überschüssigem *trans*-ständigem Liganden erschwert[2].

Zum Einfluß der äquatorialen Chelat-Liganden s. Lit.[3, 4].

d) mit Organo-metall-Verbindungen

Beim Behandeln von Methyl-kobalt(III)-Komplexen mit Methyl-magnesiumjodid werden Methan, Ethan und Wasserstoff gebildet[5]. Acetyl-Komplexe reagieren mit Methyl-lithium ausschließlich zu *Aceton*[6].

e) mit Halogen, Alkylhalogeniden oder Alkylsulfonylhalogeniden

1. mit Halogen

α) von Organo-kobalt(I)-Verbindungen

Acyl-kobalt(I)-Komplexe werden durch elementares Jod zu Acyljodid umgesetzt[7]:

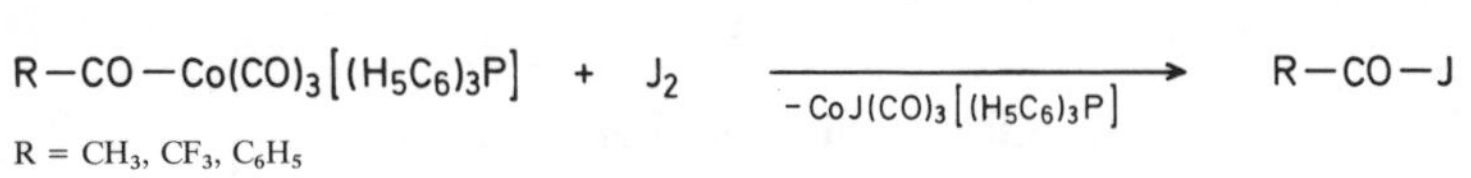

$$R-CO-Co(CO)_3[(H_5C_6)_3P] \;+\; J_2 \;\xrightarrow[-\,CoJ(CO)_3[(H_5C_6)_3P]]{}\; R-CO-J$$

R = CH₃, CF₃, C₆H₅

In Gegenwart von Methanol werden mit Jod oder Brom die entsprechenden Methyl-ester gebildet[8–10]:

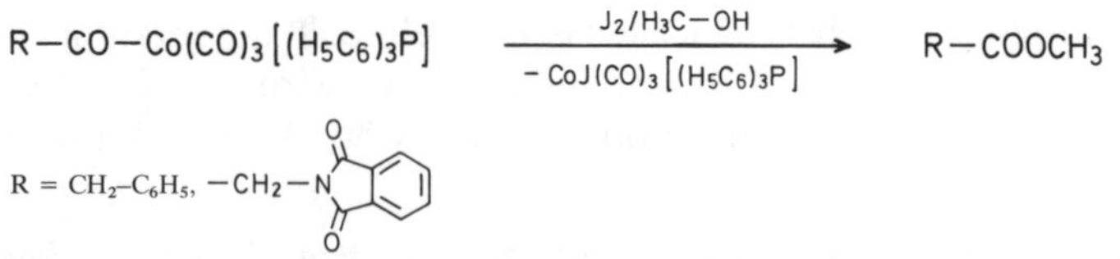

$$R-CO-Co(CO)_3[(H_5C_6)_3P] \;\xrightarrow[-\,CoJ(CO)_3[(H_5C_6)_3P]]{J_2/H_3C-OH}\; R-COOCH_3$$

R = CH₂–C₆H₅, –CH₂–N(phthalimid)

Das instabile Addukt von Tetracarbonyl-hydrido-kobalt, Kohlenmonoxid und 2,2-Dimethyl-oxiran wird durch Jod in Methanol zu *3-Hydroxy-3-methyl-butansäure-methylester* (97%) und *3,3-Dimethyl-3-hydroxy-propansäure-methylester* (3%) gespalten[11]:

[1] M. PERREE-FAUVET, A. GAUDEMAR, P. BOUCLY u. J. DEVYNCK, J. Organometal. Chem. **120**, 439 (1976).
[2] R. G. FINKE, B. L. SMITH, M. W. DROEGE, C. M. ELLIOTT u. E. HERSHENHART, J. Organometal. Chem. **202**, C25 (1980).
[3] J. P. COSTES, G. CROS, M.-H. DARBIEU u. J. P. LAURENT, Trans. Met. Chem. **7**, 219 (1982).
[4] A. M. VAN DEN BERGEN, D. J. BROCKWAY u. B. O. WEST, J. Organometal. Chem. **249**, 205 (1983).
[5] C. FLORIANI, M. PUPPIS u. F. CALDERAZZO, J. Organometal. Chem. **12**, 209 (1968).
[6] H. WERNER u. W. HOFMANN, Ang. Ch. **90**, 496 (1978).
[7] R. F. HECK, Am. Soc. **86**, 5138 (1964).
[8] W. BECK u. W. PETRI, J. Organometal. Chem. **127**, C40 (1977).
[9] R. P. STEWART u. P. M. REICHEL, Am. Soc. **92**, 2710 (1970).
[10] Z. NAGY-MAGOS, G. BOR u. L. MARKÓ, J. Organometal. Chem. **14**, 205 (1968).
[11] R. F. HECK, Am. Soc. **85**, 1460 (1963).

$$H-Co(CO)_4 \quad \xrightarrow{\quad + \overset{O}{\triangle}\!\!-CH_3 / CO \quad} \quad \left[(H_3C)_2\overset{\overset{\displaystyle OH}{|}}{C}-CH_2-CO-Co(CO)_4 \quad + \quad HO-CH_2-\overset{\overset{\displaystyle CH_3}{|}}{\underset{\underset{\displaystyle CH_3}{|}}{C}}-CO-Co(CO)_4 \right]$$

$$\xrightarrow{\quad + J_2; \; H_3C-OH \quad} \quad (H_3C)_2\overset{\overset{\displaystyle OH}{|}}{C}-CH_2-COOCH_3 \quad + \quad HO-CH_2-\overset{\overset{\displaystyle CH_3}{|}}{\underset{\underset{\displaystyle CH_3}{|}}{C}}-COOCH_3$$

$$93\% \qquad\qquad\qquad\qquad 7\%$$

Bei der Synthese von längerkettigen und verzweigten aliphatischen Acyl-Komplexen ist zu berücksichtigen, daß die Verbindungen oft leicht isomerisiert werden, so daß Ester-Gemische anfallen[1, 2].

Bei der Umsetzung von Ethoxycarbonylmethyl-tetracarbonyl-kobalt mit Jod in Methanol entsteht je nach Reaktionsbedingungen ein Gemisch aus Essigsäure-ethylester, dem Jod-Derivat und infolge Carbonylierung Malonsäure-ethylester-methylester[3].

(2-Ethyl-butanoyl)-tetracarbonyl-kobalt wird rasch zur Hexanoyl-Verbindung isomerisiert. Der Einfluß der Polarität des Lösungsmittels auf die Geschwindigkeit der Isomerisierung und das Gleichgewicht ist groß.

Der Befund, daß die Isomerisierung in Stickstoff-Atmosphäre rascher ist als in Kohlenmonoxid weist darauf hin, daß vor der Isomerisierung Kohlenmonoxid abdissoziieren muß.

1,2-Bis-[tetracarbonylkobalto]-tetrafluor-ethan reagiert mit elementarem Chlor unter Addition von Chlor zu *1,2-Dichlor-tetrafluor-ethan*[4]:

$$(OC)_4Co-CF_2-CF_2-Co(CO)_4 \quad \xrightarrow{\quad + Cl_2 \quad} \quad Cl-CF_2-CF_2-Cl$$

Bei der Umsetzung von Benzyl-Komplexen mit Brom entsteht Benzylbromid[5].

β) von Organo-kobalt(II)-Verbindungen

Halogene oxidieren Dimethyl-kobalt(II)-Komplexe bei −70° rasch zu Chloro-dimethyl-kobalt(III)-Komplexen[6].

Phenylethinyl-phthalocyanino-kobalt(II)- und -(III)-Komplexe setzen sich mit elementarem Jod zu *1-Jod-2-phenyl-ethin* um[7]. Bis-[pentafluorphenyl]-kobalt wird durch elementares Jod oder Jodcyan zu *Jod-pentafluor-benzol* (83 bzw. 71%) gespalten[8]. Die 4fach koordinierten Bis-[pentachlorphenyl]-kobalt-Komplexe bilden beim Behandeln mit Brom *Brom-pentachlor-benzol* und mit Phosphanen hauptsächlich *Decachlor-biphenyl*[9].

Aryl-Reste können in at-Komplexen durch elementares Jod nahezu quantitativ unter Dimerisierung der Aryl-Reste abgespalten werden[10-12].

---

[1] Y. Takegami, C. Yokokawa, Y. Watanabe u. Y. Okuda, Bl. chem. Soc. Japan **37**, 181 (1964).

[2] Y. Takegami, C. Yokokawa, Y. Watanabe, H. Masada u. Y. Okuda, Bl. chem. Soc. **38**, 787 (1965); C. A. **63**, 7041 (1965).

[3] M. Tasi, V. Galamb u. G. Pályi, J. Organometal. Chem. **238**, C 31 (1982).

[4] B.L. Booth, R.N. Haszeldine, P.R. Mitchell u. J.J. Cox, Chem. Commun. **1967**, 529.

[5] R.P. Stewart u. P.M. Reichel, Am. Soc. **92**, 2710 (1970).

[6] H.-F. Klein u. H.H. Karsch, B. **109**, 1453 (1976).

[7] R. Taube, H. Drevs u. G. Marx, Z. anorg. allg. Chem. **436**, 5 (1977).

[8] C.F. Smith u. C. Tamborski, J.Organometal. Chem. **32**, 257 (1971).

[9] G. Muller, J. Sales, I. Torra u. J. Vinaixa, J.Organometal.Chem. **224**, 189 (1982).

[10] R. Taube u. N. Stransky, Z. Chem. **17**, 427 (1977).

[11] H. Drevs, Z. Chem. **18**, 31 (1978).

[12] H. Drevs, Z. Chem. **15**, 451 (1975).

$$Li_2[CoAr_4] \cdot n\, THF \xrightarrow[-2\, LiJ\, /\, -\, CoJ_2]{+2\, J_2\, /\, THF} 2\, Ar-Ar$$

$Ar = C_6H_5$ (n = 4)[1], 2,6-$(OCH_3)_2$–C_6H_3 (n = 3)[2]

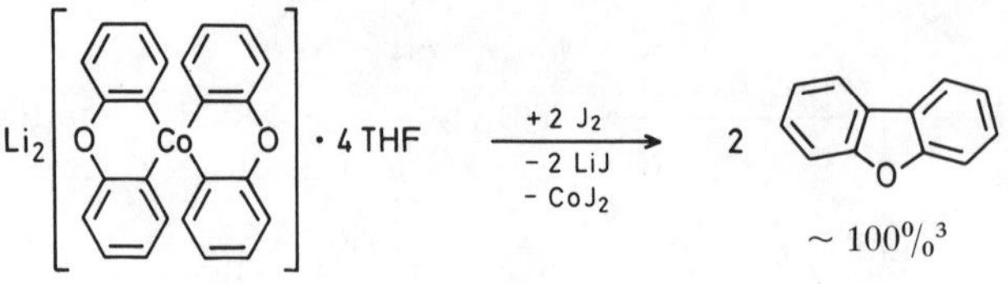

$\sim 100\%$[3]

γ) von Organokobalt(III)-Verbindungen

Die Umsetzung von Organo-cobaloximen mit elementarem Jod liefert die entsprechenden Jod-organischen Verbindungen und Jodo-cobaloxim. Bei der Reaktion bildet sich intermediär ein Dijod-Addukt des eingesetzten Cobaloxims[4].

Die Reaktionsgeschwindigkeit in Chloroform nimmt in folgender Reihe ab:

$$CH_2-C_6H_5 > CH_3 > CH(CH_3)_2 > C_2H_5 > CH_2Cl > C_3H_7$$

Die Bildung des Jod-Adduktes wird durch Verwendung von Methanol anstelle des weniger polaren Chloroforms begünstigt[5]. Die Reaktionsgeschwindigkeiten sind jedoch in Chloroform größer als in Methanol.

Aquo-organo-cobaloxime werden mit äquimolaren Mengen Jodchlorid zu Organojodiden gespalten, mit überschüssigem Jodchlorid wird das entsprechende Organochlorid erhalten. Mit äquimolaren Mengen Jodchlorid und Chlorid-Zusatz entsteht ein Gemisch aus Organojodid und -chlorid[6]:

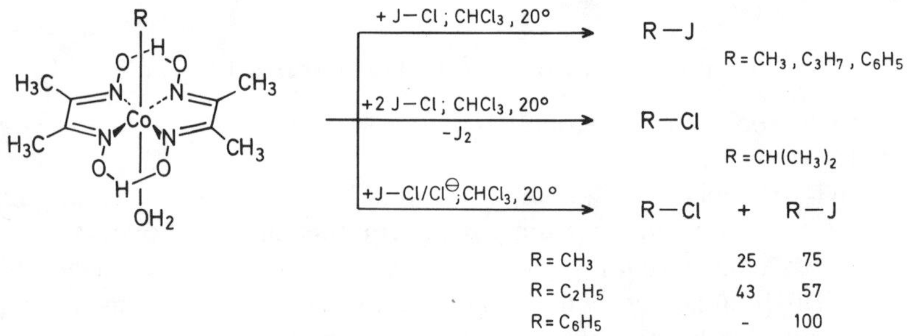

$+ J-Cl\, ;\, CHCl_3\, ,\, 20°$ → $R-J$

$R = CH_3\, ,\, C_3H_7\, ,\, C_6H_5$

$+2\, J-Cl\, ;\, CHCl_3\, ,\, 20°$ / $-J_2$ → $R-Cl$

$R = CH(CH_3)_2$

$+J-Cl/Cl^{\ominus};\, CHCl_3\, ,\, 20°$ → $R-Cl$ + $R-J$

	R−Cl	R−J
R = CH_3	25	75
R = C_2H_5	43	57
R = C_6H_5	–	100

Im folgenden sollen einige Beispiele der Spaltung von Organo-cobaloximen mit Halogen beschrieben werden:

[1] R. Taube u. N. Stransky, Z. Chem. **17**, 427 (1977).

[2] H. Drevs, Z. Chem. **18**, 31 (1978).

[3] H. Drevs, Z. Chem. **15**, 451 (1975).

[4] R. D. Garlatti, G. Tauzher u. G. Costa, J. Organometal. Chem. **139**, 179 (1977).

[5] R. D. Garlatti, G. Thauzher u. G. Costa, J. Organometal. Chem. **182**, 409 (1979).

[6] R. Dreos, G. Tauzher, N. Marsich u. G. Costa, J. Organometal. Chem. **108**, 235 (1976).

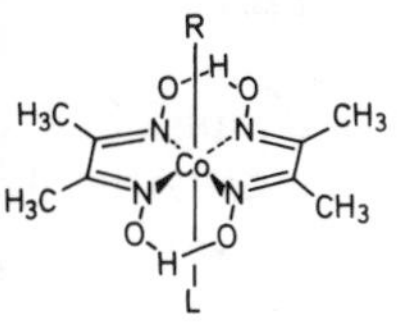		Reaktions-bedingungen	Reaktionsprodukt	Ausbeute [%]	Literatur
R	L				
CH$_3$	H$_2$O	J$_2$, 25°, CH$_3$OH	CH$_3$J	–	1
CH$_2$–CD$_2$–C$_6$H$_5$	Pyridin	J$_2$, 25°, CH$_2$Cl$_2$	J–CH$_2$–CD$_2$–C$_6$H$_5$	73	2
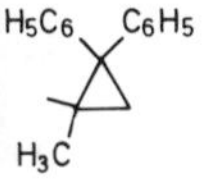	Pyridin	Br$_2$	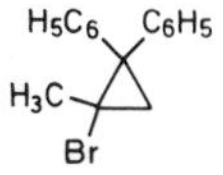	–	3
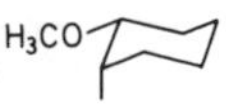	Pyridin	Br$_2$, 70°/CH$_2$Cl$_2$/C$_6$H$_6$	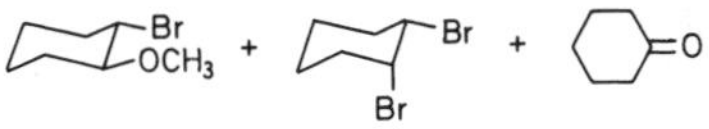	–	4
	Pyridin	Br$_2$, –5°, CH$_2$Cl$_2$			

1-Alkenyl-cobaloxime können mit elementarem Halogen in polaren Lösungsmitteln unter Retention der Konfiguration des Alkenyl-Restes reagieren[5-7]:

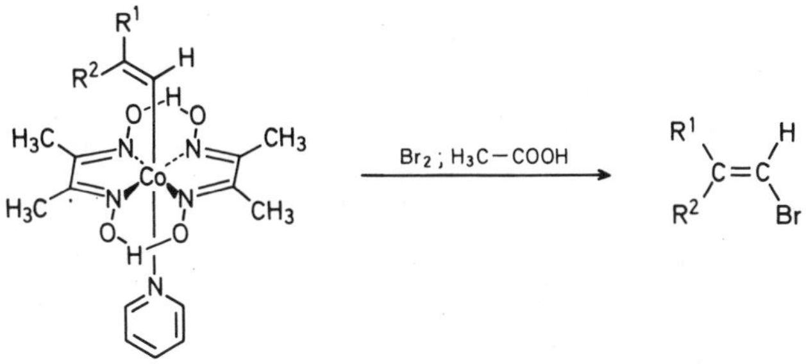

R^1, R^2 = H —⟨O⟩—X   X = H[5, 6], CN, OCH$_3$[6]

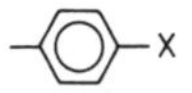

Bei der Umsetzung des *cis*- und *trans*-1-Octenyl-Derivats mit elementarem Brom in polaren Lösungsmitteln entsteht allerdings vorzugsweise *trans-1-Brom-octen*, wohingegen in Kohlendisulfid aus dem cis-Derivat mehr *cis-1-Brom-octen* anfällt[8].

Die Reaktion von *cis*- und *trans*-(2-Phenyl-vinyl)-cobaloxim in Eisessig und anderen polaren Lösungsmitteln mit Chlor und Jod verläuft stereospezifisch und oft quantitativ wie die mit Brom[6].

---

[1] R.M. McAllister u. J.H. Weber, J. Organometal. Chem. **77**, 91 (1974).
[2] T.C. Flood u. F.J. Disanti, Chem. Commun. **1975**, 18.
[3] F.R. Jensen u. D.H. Buchanan, Chem. Commun. **1973**, 153.
[4] H. Shinozaki, H. Ogawa u. M. Tada, Bl. Chem. Soc. Japan **49**, 775 (1976).
[5] M.D. Johnson u. B.S. Meeks, Chem. Commun. **1970**, 1027.
[6] H. Shinozaki, M. Kubota, O. Yagi u. M. Tada, Bl. Chem. Soc. Japan **49**, 2280 (1976).
[7] D. Dodd, M.D. Johnson, B.S. Meeks, D.M. Titchmarsh, K.N. van Duong u. A. Gaudemer, Soc. [Perkin II] **1976**, 1261.
[8] M. Tada, M. Kubota u. H. Shinozaki, Bl. Chem. Soc. Japan **49**, 1097 (1976).

Bei der Umsetzung des 1-Phenyl-vinyl-Derivats entstehen *1-Chlor-* bzw. *1-Brom-* oder *1-Jod-1-phenyl-ethen* (~ 50%)[1].

Benzyl-cobaloxime reagieren mit Brom oder Chlor entweder unter Spaltung der C-Co-Bindung oder unter elektrophiler Substitution am Aren und anschließender Abspaltung des organischen Restes[2]. Im Gegensatz dazu tritt mit Jod ausschließliche C-Co-Spaltung ein[3]. Die (3,5-Dimethyl-benzyl)-Verbindung verliert ihren organischen Rest nur, wenn Chlor im Überschuß eingesetzt wird; z. B.:

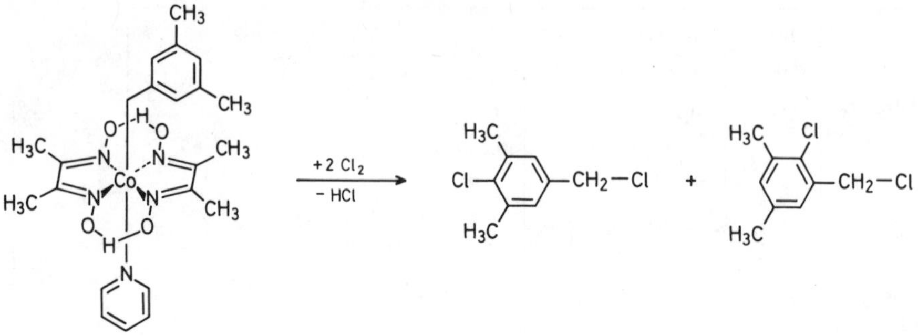

Um die Reaktion selektiv zu gestalten, muß die Halogenkonzentration im Verlauf der Umsetzung klein gehalten werden, d. h. man gibt die Halogen-Lösung langsam zu der Cobaloxim-Lösung.

Wird Aquo-benzyl-cobaloxim mit Jodchlorid umgesetzt, entstehen *Benzyl-chlorid* und *-jodid*[4, s. a. 5]. In Gegenwart von Chlorid wird hauptsächlich Benzylchlorid gebildet[6].

Analog wie Monoorgano- werden Diorgano-kobalt-Komplexe I mit elementarem Jod gespalten, z. B. [7,8]:

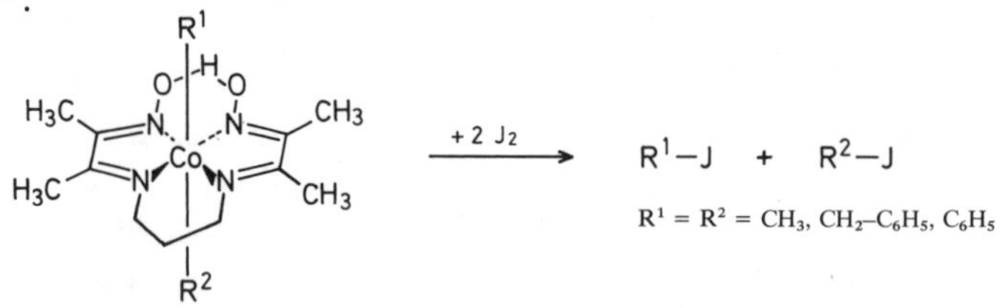

Mit Jodchlorid erfolgt die Abspaltung des ersten Restes rascher als die des zweiten, Alkyl-Gruppen reagieren schneller als Aryl-Gruppen.

Bei den Komplexen II werden dagegen die Organo-Reste mit Jodchlorid radikalisch entfernt[9]:

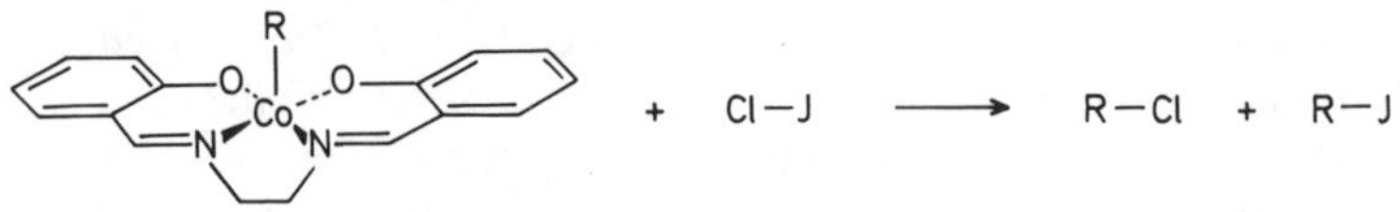

[1] D. Dodd, M. D. Johnson, B. S. Meeks, D. M. Titchmarsh, K. N. van Duong u. A. Gaudemer, Soc. [Perkin II] **1976**, 1261.
[2] S. N. Anderson, B. H. Ballard u. M. D. Johnson, Soc. [Perkin II] **1972**, 311.
[3] T. Okamoto, M. Goto u. S. Oka, Inorg. Chem. **20**, 899 (1981).
[4] R. Dreos, G. Tauzher, N. Marsich u. G. Costa, J. Organometal. Chem. **108**, 235 (1976).
[5] M. D. Johnson, Accounts Chem. Res. **11**, 57 (1978).
[6] S. N. Anderson, B. H. Ballard, J. Z. Chrzastowski, D. Dodd u. M. D. Johnson, Chem. Commun. **1972**, 685.
[7] G. Costa, G. Mestroni, T. Licari u. E. Mestroni, Inorg. Nucl. Chem. Lett. **5**, 561 (1969).
[8] R. Dreos, G. Tauzher, N. Marsich u. G. Costa, J. Organometal. Chem. **92**, 227 (1975).
[9] V. E. Magnuson u. J. H. Weber, J. Organometal. Chem. **92**, 233 (1975).

Benzyl-bis-[2,4-pentandionato]-triphenylphosphan-kobalt(III) verliert mit Jod analog seinen organischen Rest[1].

Organo-pentacyano-kobaltate werden leicht durch Halogen gespalten [2–4]:

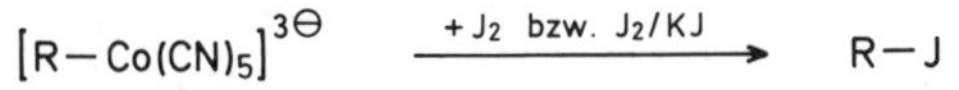

$$[R-Co(CN)_5]^{3\ominus} \xrightarrow{+ J_2 \text{ bzw. } J_2/KJ} R-J$$

$$R = CH_3{}^2, CH=CH_2{}^3$$

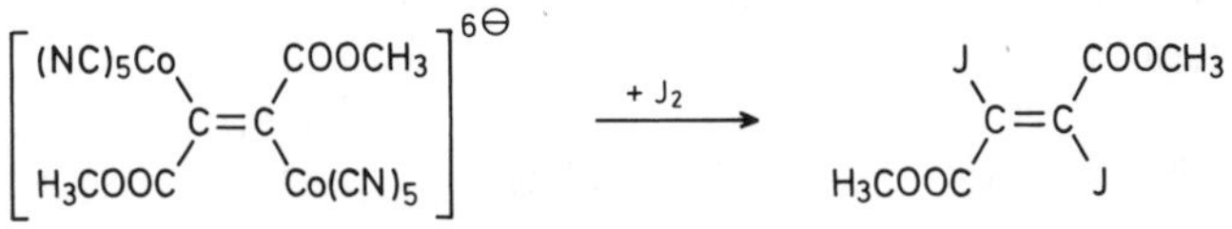

Beim Behandeln von 1-Cyclopentadienyl-2-oxo-1-triphenylphosphan-kobaltolan mit Jod wird *Cyclobutanon* (50%) gebildet (vgl. dagegen die Thermolyse von I S. 266)[5]:

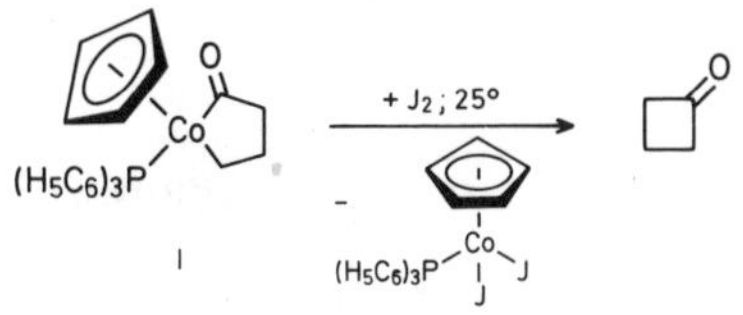

δ) von sonstigen Organo-kobalt-Verbindungen

Nonacarbonyl-4-organo-trikobaltatetrahedrane werden durch Chlor bzw. Brom unter Bildung der 1,1,1-Trihalogenmethyl-Verbindungen gespalten, die beim Aufarbeiten mit wäßrigen Laugen zu Carbonsäuren verseift werden[6]:

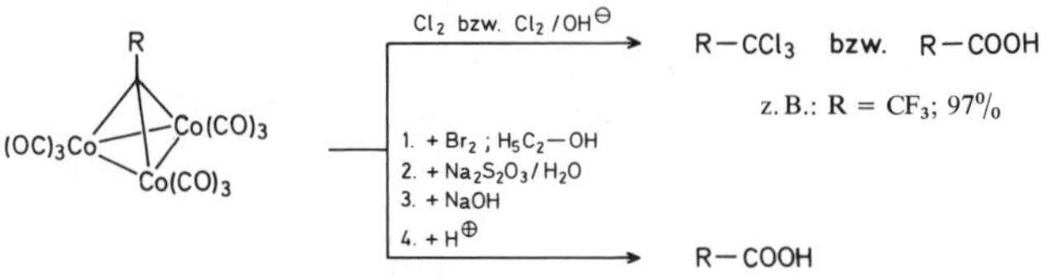

Beim 4-(4-Acetyl-phenyl)-Derivat wird mit Brom in wäßriger Natronlauge zusätzlich die Acetyl-Gruppe oxidiert, und man erhält **subst. Terephthalsäuren**; z.B. *2-Methyl-* (35%) bzw. *3-Chlor-* (34%) *-terephthalsäure*[9].

Bei der Umsetzung von 4,4-Difluor-hexacarbonyl-2-oxo-1,3-dikobalta-bicyclo[1.1.0]butan mit Brom wird *Dibrom-difluor-methan* erhalten[10]:

[1] K. Jacob, E. Pitzner, S. Vastag u. K.-H. Thiele, Z. anorg. Ch. **432**, 187 (1977).
[2] J. Halpern u. J. P. Maher, Am. Soc. **86**, 2311 (1964).
[3] J. Kwiatek u. J. K. Seyler, J. Organometal. Chem. **3**, 421 (1965).
[4] M. E. Kimball, J. P. Martella u. W. C. Kaska, Inorg. Chem. **6**, 414 (1967).
[5] K. H. Theopold u. R. G. Bergman, Am. Soc. **102**, 5694 (1980).
[6] B. L. Booth, R. N. Haszeldine, P. R. Mitchell u. J. J. Cox, Chem. Commun. **1967**, 529.
[7] U. Krüke u. W. Hübel, Chem. and Ind. **1960**, 1264.
[8] D. Seyferth, J. E. Hallgren, R. J. Spohn, G. H. Williams, M. O. Nestle u. P. L. K. Hung, J. Organometal. Chem. **65**, 99 (1974).
[9] D. Seyferth, G. H. Williams, A. T. Wehman u. M. O. Nestle, Am. Soc. **97**, 107 (1975).
[10] F. Seel u. R.-D. Flaccus, J. Fluorine Chem. **12**, 81 (1978).

$$O=C\underset{(CO)_3}{\overset{(CO)_3}{\underset{Co}{\overset{Co}{\big|}}}}\overset{F}{\underset{F}{\big<}} \quad \xrightarrow{+\,Br_2} \quad Br_2CF_2$$

2. mit Alkyl-, Aryl-, Acylhalogeniden bzw. Alkylsulfonylhalogeniden

Acetyl-bis-[1,2-bis-(diphenylphosphano)-ethan]-dicarbonyl-kobalt bildet beim Behandeln mit Methyljodid *Aceton*[1]:

$$H_3C-CO-Co(CO)_2\big[(H_5C_6)_2P-CH_2-CH_2-P(C_6H_5)_2\big]_2 \xrightarrow{+\,H_3C-J} H_3C-CO-CH_3$$

Die Umsetzung von Alkyl-kobalt(I)-Komplexen mit Acylhalogeniden kann zur Synthese von Ketonen herangezogen werden. Hierzu kann der Alkyl- bzw. der 1-Alkenyl-Komplex in situ durch Reaktion eines Hydrido-kobalt(I)-Komplexes mit Olefinen oder Alkinen hergestellt werden[2]:

$$H-Co\big[(H_5C_6)_3P\big]_4 \xrightarrow[-\,(H_5C_6)_3P]{\substack{+\,R^1-CH=CH_2 \\ +\,R^2-CO-Cl}} \left[\begin{array}{c} O\!\!\diagdown_{\!\!C}\!\diagup^{R^2} \\ (H_5C_6)_3P\diagdown \underset{\underset{Cl}{|}}{\overset{|}{Co}} \diagup P(C_6H_5)_3 \\ R^1-CH_2-CH_2 \qquad P(C_6H_5)_3 \end{array} \right]$$

$$\xrightarrow[-\,Cl-Co[(H_5C_6)_3P]_3]{} \quad R^1-CH_2-CH_2-CO-R^2$$

Zur Umsetzung von Methyl-tetrakis-[trifluorsphosphan]-kobalt mit Trijodmethan[3], bzw. von Methyl-tris-[triarylphosphan]-kobalt mit Chloroform[4] oder mit Tetrachlormethan[4, 5], s. Lit.

Beim Behandeln von Methyl-tris-[triphenylphosphan]-kobalt mit Chlorbenzol entsteht u.a. *Biphenyl*[6], mit 4-Chlor-toluol *4,4'-Dimethyl-biphenyl* und *4-Methyl-biphenyl*[3] bzw. mit 4-Fluor-jod-benzol *4,4'-Difluor-biphenyl*[6].

Brom-trichlormethan bzw. Trichlormethansulfonylchlorid (unter Abspaltung von Schwefeldioxid) reagieren mit Allyl-cobaloximen bei 20° in Chloroform unter Addition des Trichlormethyl-Radikals und Verschiebung der C,C-Doppelbindung[7]. Die radikalische Reaktion wird durch Zusatz von Galvinoxyl inhibiert und durch Zusatz von Dibenzoylperoxid beschleunigt. Die Reaktion ist regiospezifisch[8].

$$R^1 = H$$
$$R^2 = H, CH_3$$
$$R^3 = H, CH_3, C_6H_5$$

[1] T. IKARIYA u. A. YAMAMOTO, J. Organometal. Chem. **116**, 231 (1976).
[2] J. SCHWARTZ u. J.B. CANNON, Am. Soc. **96**, 4721 (1974).
[3] T. KRUCK, W. LANG, N. DERNER u. M. STADLER, B. **101**, 3816 (1968).
[4] M. MICHMAN, V.R. KAUFMAN u. S. NUSSBAUM, J. Organometal. Chem. **182**, 547 (1979).
[5] M. MICHMAN, B. STEINBERGER u. S. GERSHONI, J. Organometal. Chem. **113**, 293 (1976).
[6] S. NUSSBAUM u. M. MICHMAN, J. Organometal. Chem. **182**, 555 (1979).
[7] B.D. GUPTA, T. FUNABIKI u. M.D. JOHNSON, Am. Soc. **98**, 6697 (1976).
[8] A.E. CREASE, B.D. GUPTA, M.D. JOHNSON, E. BIALKOWSKA, K.N.V. DUONG u. A. GAUDEMER, Soc. [Perkin I] **1979**, 2611.

3-Butenyl-cobaloxim und seine Derivate reagieren mit Brom-trichlor-methan, Trichloracetonitril, Trichlormethansulfonylchlorid, Chlorsulfonsäure-dimethylamid oder Brommalonsäure-diester unter Abspaltung des Kobalt-Restes[1−4]. Dabei tritt z.B. ein Polychlormethyl-Radikal an das δ-C-Atom des Butenyl-Restes, der sich gleichzeitig in γ- und α-Stellung cyclisiert. Die Synthese der Cyclopropan-Derivate wird thermisch und photolytisch induziert[5]. Sie ist bei Tetrachlormethan langsamer als bei Brom-trichlor-methan.

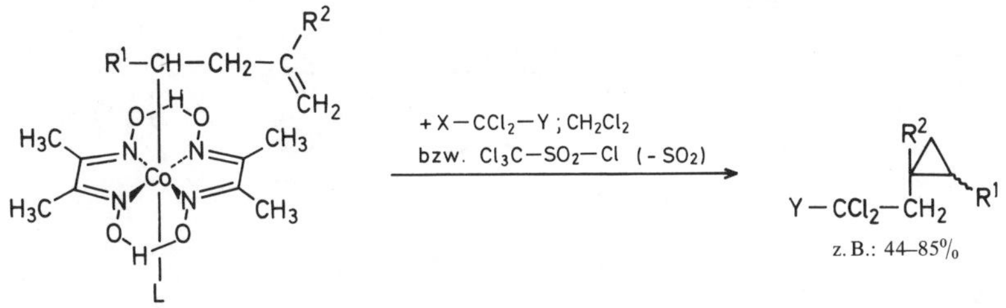

Bei der thermischen bzw. photochemischen Spaltung von 4-Pentenyl- cobaloximen mit Tetrachlormethan entsteht hauptsächlich *1,1,1,3,6-Pentachlor-hexan* und bei der analogen thermischen Spaltung von 5-Methyl-5-hexenyl-cobaloxim mit Tetrachlormethan wird *Methyl-(2,2,2-trichlor-ethyl)-cyclopentan* gebildet (s.a. Lit.)[6].

Benzyl-cobaloxime reagieren mit Brom-trichlor-methan bzw. Trichlormethansulfonylchlorid beim Erhitzen oder Belichten unter Bildung von *2-Phenyl-1,1,1-trichlor-ethan* neben *Benzylbromid*, wobei die Ausbeute an 2-Phenyl-1,1,1-trichlor-ethan bei Zusatz von Imidazol zunimmt[7].

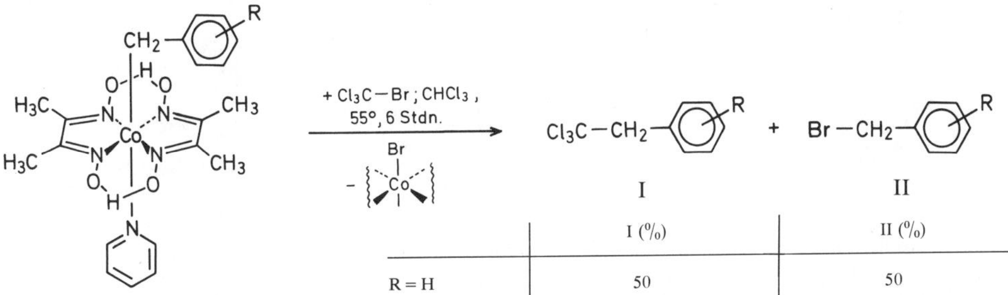

	I (%)	II (%)
R = H	50	50
R = 4-CH$_3$	55	45
R = 4-Cl	35	65
R = 4-NO$_2$	–	90

In einer ähnlichen Radikal-Ketten-Reaktion reagiert Brom- bzw. Dibrom-malonsäure-diethylester regioselektiv mit Allyl-, Allenyl- und Propargyl-cobaloximen[8]. Die Umsetzung wird durch Belichten mit sichtbarem Licht beträchtlich beschleunigt. Bei Erhöhen der Reaktionstemperatur und des Verhältnisses der Brom-Verbindung zum Cobaloxim

[1] A. BURY, M.R. ASHCROFT u. M.D. JOHNSON, Am. Soc. **100**, 3217 (1978).

[2] M.R. ASHCROFT, A. BURY, C.J. COOKSEY, A.G. DAVIES, B.D. GUPTA, M.D. JOHNSON u. H. MORRIS, J. Organometal. Chem. **195**, 89 (1980).

[3] P. BOUGEARD u. M.D. JOHNSON, J. Organometal. Chem. **206**, 221 (1981).

[4] M. VEBER, K.N.V. DUONG, A. GAUDEMER u. M.D. JOHNSON, J. Organometal. Chem. **209**, 393 (1981).

[5] Die Reaktion verläuft über einen Radikal-Ketten-Mechanismus mit relativ kurzer Kettenlänge.

[6] P. BOUGEARD, A. BURY, C.J. COOKSEY u. M.D. JOHNSON, Am. Soc. **104**, 5230 (1982).

[7] T. FUNABIKI, B.D. GUPTA u. M.D. JOHNSON, Chem. Commun. **1977**, 653.

[8] M. VEBER, K.N.V. DUONG, F. GAUDEMER u. A. GAUDEMER, J. Organometal. Chem. **177**, 231 (1979).
   M. VEBER, K.N.V. DUONG, A. GAUDEMER u. M.D. JOHNSON, J. Organometal. Chem. **206**, 211 (1981).

nimmt der Anteil des Nebenprodukts Malonsäure-diethylester zu. Die Ausbeuten betragen 50–80%:

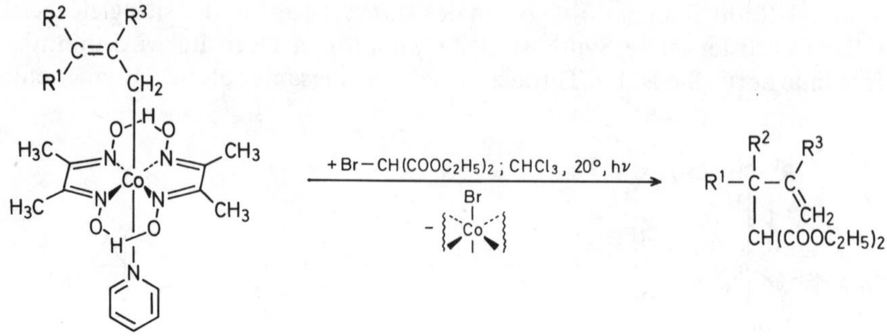

R¹ = H, CH₃
R² = H, CH₃, C₆H₅
R³ = H, CH₃

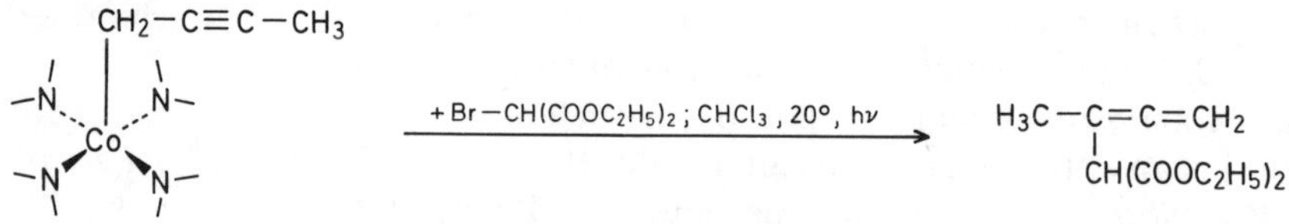

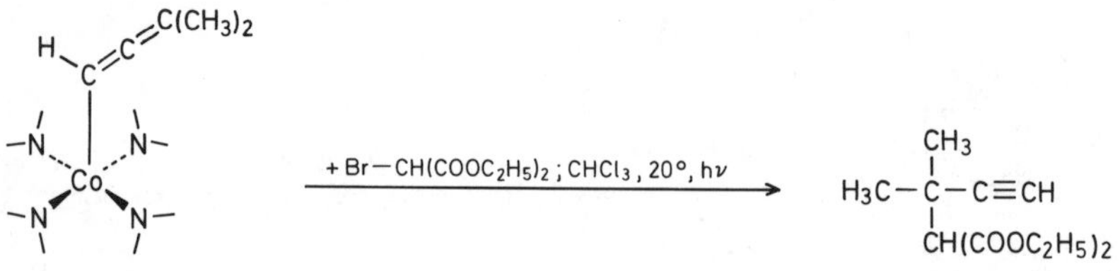

Zur Reaktion von Chlorsulfonsäure-dimethylamid mit Allyl- bzw. Allenyl-cobaloxim s. Lit.[1].

(1-Naphthyl)-trijodo-kobalt(IV) und Benzoylchlorid bilden in guter Ausbeute *1-Benzoyl-naphthalin*[2]. Bei Einsatz von Acetylchlorid ist die Ausbeute an *1-Acetyl-naphthalin* gering und mit Methyl-jodid entsteht lediglich *1,1'-Binaphthyl*.

Alkyl- und Aryl-sulfonylchloride reagieren mit Organo-cobaloximen unter Bildung von Sulfonen[3,4]. Die Reaktion wird durch Kobalt(II)-Komplexe beschleunigt, die mit dem Sulfochlorid Radikale bilden. Die Reaktionsgeschwindigkeit und Ausbeuten bei der photochemischen Reaktion (65–90%) sind höher als bei der thermischen (20–70%)[5]:

[1] P. BOUGEARD, B.D. GUPTA u. M.D. JOHNSON, J. Organometal. Chem. **206**, 211 (1981).
[2] D.A.E. BRIGGS u. J.B. POLYA, Soc. **1951**, 1615.
[3] M. VEBER, K.N.V. DUONG, F. GAUDEMER u. A. GAUDEMER, J. Organometal. Chem. **177**, 231 (1979).
[4] A.E. CREASE u. M.D. JOHNSON, Am. Soc. **100**, 8013 (1978).
[5] A.E. CREASE, B.D. GUPTA, M.D. JOHNSON, E. BIALKOWSKA, K.N.V. DUONG u. A. GAUDEMER, Soc. [Perkin I] **1979**, 2611.

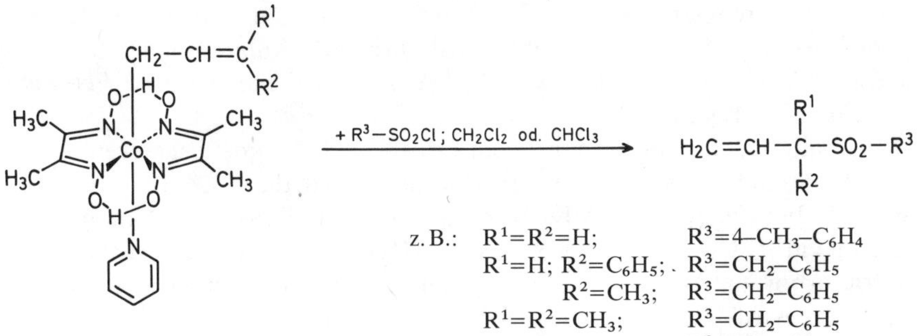

$$z.\,B.: \quad R^1=R^2=H; \qquad\qquad R^3=4\text{–}CH_3\text{–}C_6H_4 \qquad 67\%$$

$R^1=H;\ R^2=C_6H_5;$	$R^3=CH_2\text{–}C_6H_5$	72%
$R^2=CH_3;$	$R^3=CH_2\text{–}C_6H_5$	65%
$R^1=R^2=CH_3;$	$R^3=CH_2\text{–}C_6H_5$	60%
	$R^3=CH_2\text{–}Cl$	45%
$R^1=CH_3;\ R^2=CH_2\text{–}CH_2\text{–}CH{=}C(CH_3)_2;$		72%
$R^3=4\text{-}CH_3\text{–}C_6H_4$		

Bei der Umsetzung von 3-Butenyl-cobaloximen mit p-Toluolsulfonylchlorid entstehen unter Anlagerung des Sulfonyl-Restes, Abspaltung von Kobalt und intramolekularer Cyclisierung *Cyclopropylmethyl-(4-methyl-phenyl)-sulfone*[1] (vgl. a.S. 253). Die Reaktion wird gleichfalls thermisch und photolytisch beschleunigt. Die Ausbeuten betragen bei der thermischen Reaktion lediglich 5–10%, bei der Photo-Reaktion 30–80%.

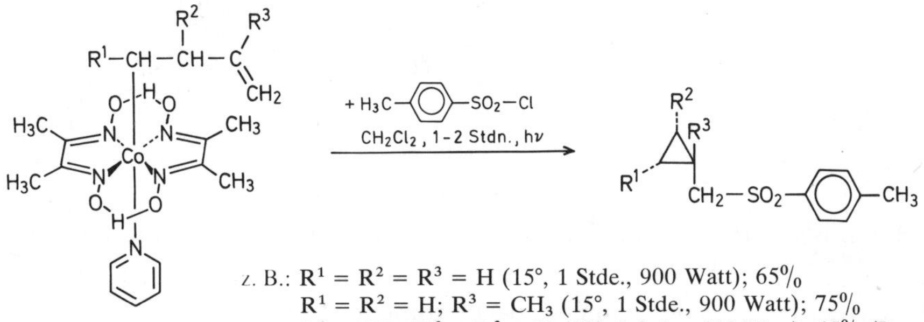

z. B.: $R^1 = R^2 = R^3 = H$ (15°, 1 Stde., 900 Watt); 65%
$R^1 = R^2 = H;\ R^3 = CH_3$ (15°, 1 Stde., 900 Watt); 75%
$R^1 = CH_3;\ R^2 = R^3 = H$ (18°, 2 Stdn., 450 Watt); 45% (Isomere)
$R^1 = H;\ R^2 = CH_3;\ R^3 = H$ (18°, 2 Stdn., 450 Watt); 65% (Isomere)
$R^2 = R^3 = CH_3$ (20°, 300 Watt); 66% (Isomere)
$R^2 = C_6H_5\ R^3 = H$ (15°, 2 Stdn., 900 Watt); 35%

f) durch Oxidation

1. mit Chalkogen bzw. Chalkogen-Verbindungen

Organo-kobalt(II)-Verbindungen können sehr heftig mit Sauerstoff reagieren. Bei vorsichtigem Arbeiten ist es in einigen Fällen möglich, Organo-kobalt(III)-Komplex herzustellen (s. S. 145).

Tetraaryl-kobalt(II)at-Komplexe zersetzen sich bei Berührung mit Luft sofort unter Schwarzfärbung, gelegentlich auch unter Aufglühen[2, 3].

[1] M. R. Ashcroft, A. Bury, C. J. Cooksey, A. G. Davies, B. D. Gupta, M. D. Johnson u. H. Morris, J. Organometal. Chem. **195**, 89 (1980).
[2] R. Taube u. N. Stransky, Z. Chem. **17**, 427 (1977).
[3] H. Drevs, Z. Chem. **18**, 31 (1978).

Besonders heftig reagieren Hexaethinylkobaltate bereits mit Spuren Luft[1].

Bis-[pentafluorphenyl]-kobalt (s. S. 58) wird durch molekularen Sauerstoff im wesentlichen zu *Decafluor-biphenyl*, mit Schwefel zu *Pentafluor-thiophenol* und *Bis-[pentafluorphenyl]-disulfan* (1:1) gespalten[2].

Organo-kobalt(III)-Komplexe, vor allem Organo-cobaloxime, reagieren beim Belichten mit molekularem Sauerstoff unter formaler Insertion in die C-Co-Bindung[3]. In einigen Fällen, wie z. B. bei Benzyl- und Allyl-Komplexen, ist die Reaktion spontan oder sie tritt beim Erhitzen ein[4,5]. Die Organoperoxy-kobalt(III)-Komplexe lassen sich dann reduktiv durch Natrium-boranat spalten, wobei der entsprechende Alkohol aus der Peroxy-Gruppe gebildet wird[6-8].

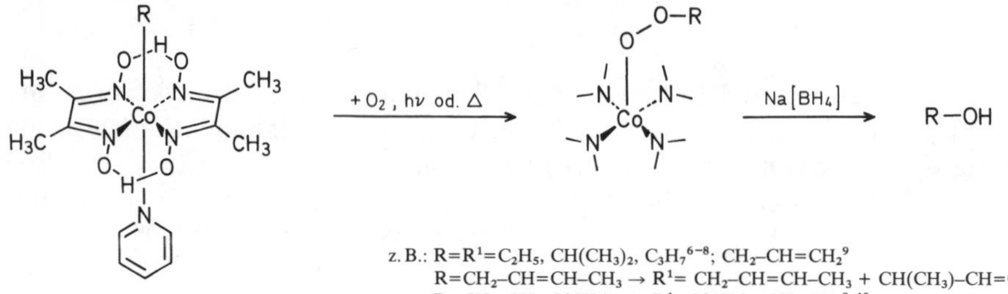

z. B.: R=R¹=C₂H₅, CH(CH₃)₂, C₃H₇[6-8]; CH₂–CH=CH₂[9]
R=CH₂–CH=CH–CH₃ → R¹= CH₂–CH=CH–CH₃ + CH(CH₃)–CH=CH₂[9,10]
R=CH₂–CH=C(CH₃)₂ → R¹=C(CH₃)₂–CH=CH₂[9,10]
R=CH=C=C< → R¹=CH₂–C≡CH[9]
R=R¹=CH₂–CH=CH–C₆H₅[10];

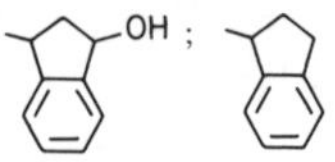

R=R¹=CH₂–C≡C–CH₃, CH₂–C≡C–C₆H₅[9]

Mit optisch aktiven (1-Methyl-propyl)-, (1-Methyl-heptyl)- bzw. 2-Hydroxy-1-phenyl-ethyl-Verbindungen tritt vollständige Racemisierung ein[11,12].

(5-Hexenyl)-pyridino-cobaloxim reagiert photolytisch mit Sauerstoff unter teilweiser Cyclisierung zum Cyclopentylmethylperoxy-cobaloxim[9,11].

Der Anteil an cyclischer Verbindung nimmt mit steigender Sauerstoff-Konzentration in der Lösung ab:

[1] R. NAST u. J. LEWINSKY, Z. anorg. Chem. **282**, 210 (1955).
[2] C. F. SMITH u. C. TAMBORSKI, J. Organometal. Chem. **32**, 257 (1971).
[3] Zur Kinetik s.: C. BIED-CHARRETON u. A. GAUDEMER, J. Organometal. Chem. **124**, 299 (1977).
[4] Vgl. C. GIANNOTTI, C. FONTAINE u. B. SEPTE, J. Organometal. Chem. **71**, 107 (1974).
[5] C. GIANNOTTI u. B. SEPTE, J. Organometal. Chem. **52**, C36, C45 (1973).
    C. GIANNOTTI u. C. FONTAINE, J. Organometal. Chem. C 41 (1973).
    C. GIANNOTTI, B. SEPTE u. D. BEULIAN, J. Organometal. Chem. **39**, C5 (1972).
[6] G. GIANNOTTI, A. GAUDEMER u. C. FONTAINE, Tetrahedron Letterts **1970**, 3209.
[7] C. FONTAINE, K. N. V. DUONG, C. MERIENNE, A. GAUDEMER u. C. GIANNOTTI, J. Organometal. Chem. **38**, 167 (1972).
[8] C. BIED-CHARRETON u. A. GAUDEMER, Am. Soc. **98**, 3997 (1976); Primärprodukte sind Ketone oder Aldehyde, die zum Alkohol weiterreduziert werden. Die Zwischenprodukte können u. U. isoliert werden.
[9] C. MERIENNE, C. GIANNOTTI u. A. GAUDEMER, J. Organometal. Chem. **54**, 281 (1973).
[10] C. GIANNOTTI, C. FONTAINE u. A. GAUDEMER, J. Organometal. Chem. **39**, 381 (1972).
[11] F. R. JENSEN u. R. C. KISKIS, J. Organometal. Chem. **49**, C46 (1973); Am. Soc. **97**, 5825 (1975).
[12] J. DENIAU u. A. GAUDEMER, J. Organometal. Chem. **191**, C 1 (1980).

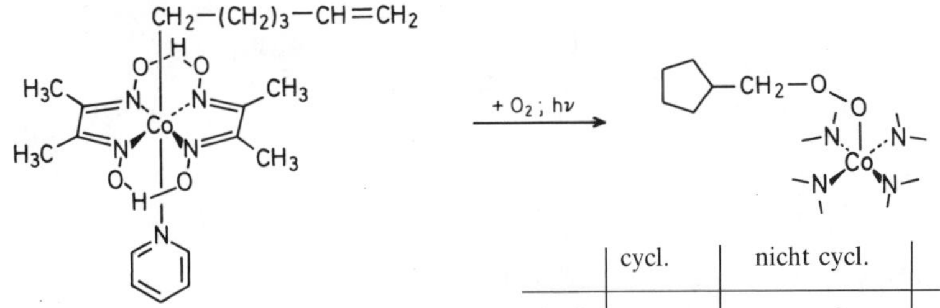

		cycl.	nicht cycl.	Gesamt	
Luft-Atm.	(35°):	91	9	51	(%)
Durchleiten von O₂	(35°):	4	96	67	(%)

Ähnlich wie die Organo-cobaloxime reagieren *meso*-Tetraphenylporphyrinato- und Pentacyano-kobaltat-Komplexe mit molekularem Sauerstoff zu Alkylperoxy-komplexen ($\sim 85\%$)[1, 2].

Das Benzylperoxy-pentacyano-kobaltat zerfällt beim Ansäuern mit Trifluoressigsäure zu *Benzaldehyd*.

Die Ethen-Brücke im Kobalt(III)-Komplex I wird durch molekularen Sauerstoff reversibel ausgetauscht[3]:

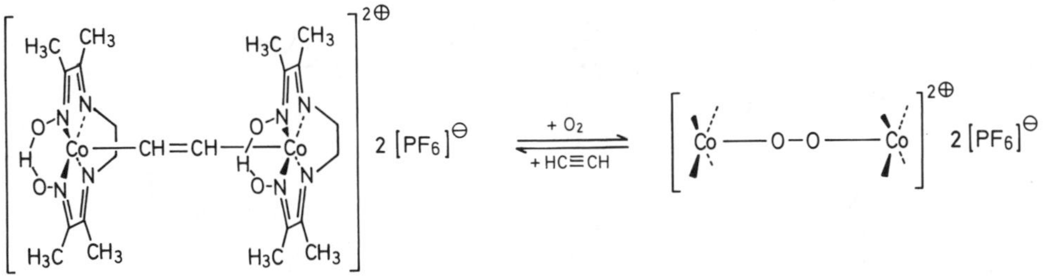

I

Die Luft-stabilen 2,5-Diphenyl-kobaltole reagieren beim Erhitzen unter Luft auf 70° unter Bildung von 1,4-Dioxo-1,4-diphenyl-2-butenen bzw. deren Kobalt-π-Komplexe[4].

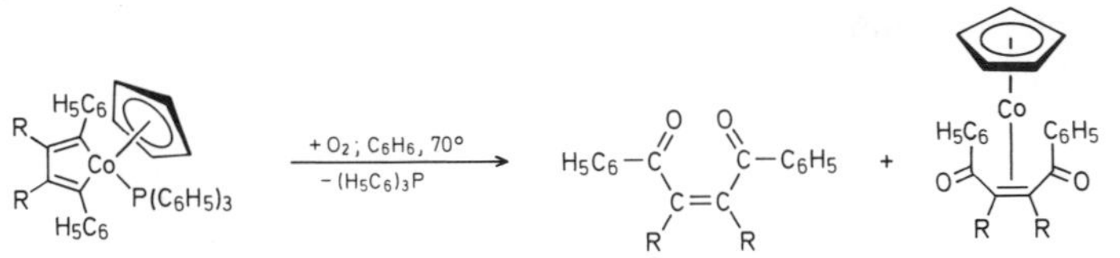

R=CH₃	29	10
R=C₆H₅	41	35

Die außergewöhnlich stabilen Nonacarbonyl-trikobaltatetrahedrane werden durch Luft bei 70° in alkoholischer Lösung oxidiert und unter 2facher Carbonylierung der Methin-Gruppe zu Malonsäure-diestern umgesetzt[5]:

[1] M. PERREE-FAUVET, A. GAUDEMER, P. BOULLY u. J. DEVYNCK, J. Organometal. Chem. **120**, 439 (1976).
[2] A. VOGLER u. R. HIRSCHMANN, Z. Naturforsch. **31 (B)**, 1082 (1976).
[3] G. MESTRONI, G. ZASSINOVICH, A. CAMUS u. G. COSTA, J. Organometal. Chem. **92**, C 35 (1975).
[4] F.-W. GREVELS, Y. WAKATSUKI u. H. YAMAMATA, J. Organometal. Chem. **141**, 331 (1977).
[5] K. TOMINAGA, N. YAMAGAMI u. H. WAKAMATSU, Tetrahedron Letters **1970**, 2217.

$$(OC)_3Co \underset{Co(CO)_3}{\overset{R^1}{\diagup\!\!\!\diagdown}} Co(CO)_3 \quad \xrightarrow{+\,O_2\,/\,R^2-OH\,;\,70°,\,3-5\,\text{Stdn.}} \quad R^1-CH(COOR^2)_2$$

$$R^1 = H, CH_3$$
$$R^2 = CH_3, C_2H_5$$

$\sim 80\%$

Elementarer Schwefel kann sich ähnlich wie molekularer Sauerstoff in die Co-C-Bindung einschieben, wobei die Anzahl der eingeschobenen Schwefel-Atome variieren kann[1,2]:

$$\xrightarrow{+\,S_n\,;\,h\nu}$$

$$n = 1-4$$
$$R = \text{Alkyl, Aryl}$$

Eine homolytische Spaltung der Alkyl-kobalt-Bindung ist auch durch Schwefel-Radikale möglich, die durch Belichten oder Erhitzen aus den Organo-cobaloximen und den Disulfanen gebildet werden[3]:

$$\xrightarrow{+\,H_5C_6-S-S-C_6H_5\,;\,h\nu\,\text{bzw.}\,\Delta} \quad R-S-C_6H_5 \quad +$$

Ähnlich reagiert Diphenyldiselenid.

Kobaltole reagieren mit elementarem Schwefel bzw. Selen unter Substitution des Kobalt-Restes durch Schwefel bzw. Selen[4,5]:

$$+\,S_x\,;\,C_6H_6 \longrightarrow \underset{R^3\quad R^2}{\overset{R^4\diagup\!\!\overset{S}{\diagdown}R^1}{}}$$

z. B.

$R^1-R^4=C_6H_5$;		75%
$R^1=R^4=C_6H_5$;	$R^2=R^3=CH_3$;	70%
	$R^2=R^3=COOCH_3$;	58%

$$+\,Se \longrightarrow \underset{R^3\quad R^2}{\overset{R^4\diagup\!\!\overset{Se}{\diagdown}R^1}{}}$$

$R^1-R^4=C_6H_5$;	77%
$R^1=R^4=C_6H_5$; $R^2=R^3=COOCH_3$;	68%

[1] C. GIANNOTTI, C. FONTAINE, B. SEPTE u. D. DONE, J. Organometal. Chem. **39**, C 74 (1972).
[2] C. GIANNOTTI u. G. MERLE, J. Organometal. Chem. **113**, 45 (1976).
[3] M. VEBER, K. N. V. DUONG, F. GAUDEMER u. A. GAU- DEMER, J. Organometal. Chem. **177**, 231 (1979).
[4] Jap. Kokai 74 100 073 (1973), Y. WAKATSUKI u. H. YAMAZAKI, C. A. **82**, 86 419 (1975); J. Organometal. Chem. **139**, 157 (1977).
[5] Y. WAKATSUKI, T. KURAMITSU u. H. YAMAZAKI, Tetrahedron Letters **1974**, 4549.

Das 3,4-Diphenyl-5-thioxo-2,5-dihydro-1,2-thiakobaltol I wird durch Schwefel unter Substitution des Kobalt-Restes zum *3,4-Diphenyl-5-thioxo-2,5-dihydro-1,2-dithiol* (100%; F: 160°) umgesetzt[1]:

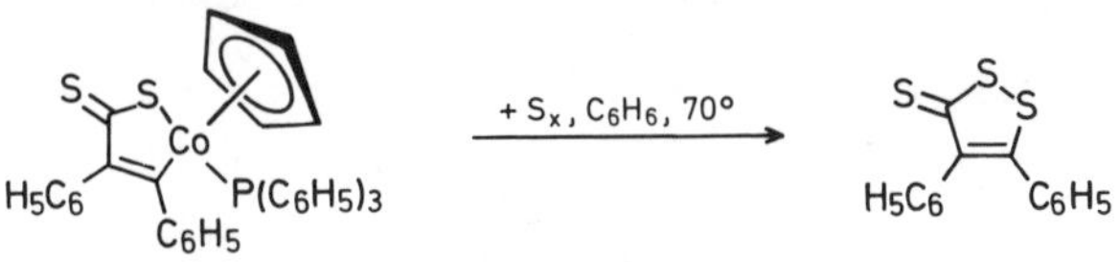

Mit Schwefelkohlenstoff erhält man aus Kobaltol 2-Thioxo-2H-thiopyrane[2]:

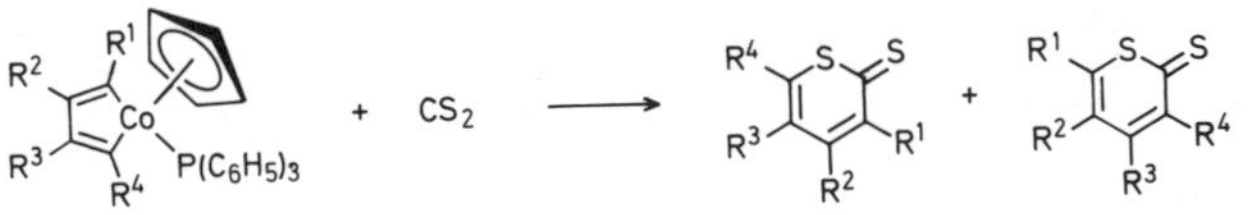

1,3,5-Trikobalta-bipyrimidane reagieren mit elementarem Schwefel bzw. Selen unter intramolekularer Kopplung der beiden Carbin-Reste[3]. Dabei entstehen 1,3,2-Dithiakobaltole bzw. -dithiaselenole:

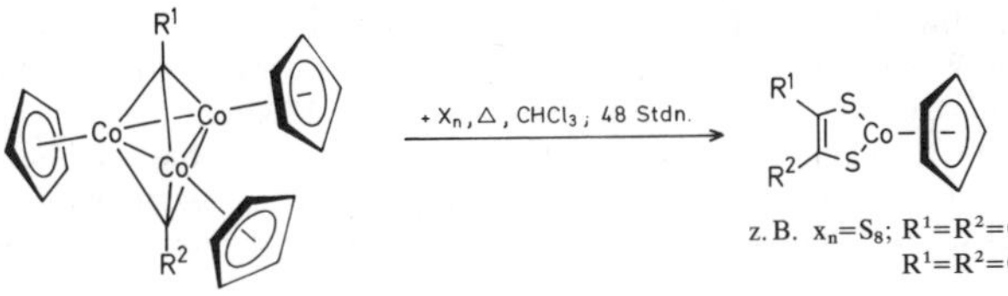

z.B. $x_n = S_8$; $R^1 = R^2 = C_6H_5$; 100%; F: 113–114°
$R^1 = R^2 = CO_2CH_3$; 98%; F: 112–114°

4-Benzyl-nonacarbonyl-trikobaltatetrahedran wird durch Wasserstoffperoxid zu *Phenylessigsäure* (40%) umgesetzt[4].

Alkyl-pyridino-cobaloxime werden beim Bestrahlen mit sichtbarem Licht von tert.-Butyl- oder 1-Methyl-2-phenyl-ethyl-hydroperoxid zu Diorganoperoxiden gespalten[5]:

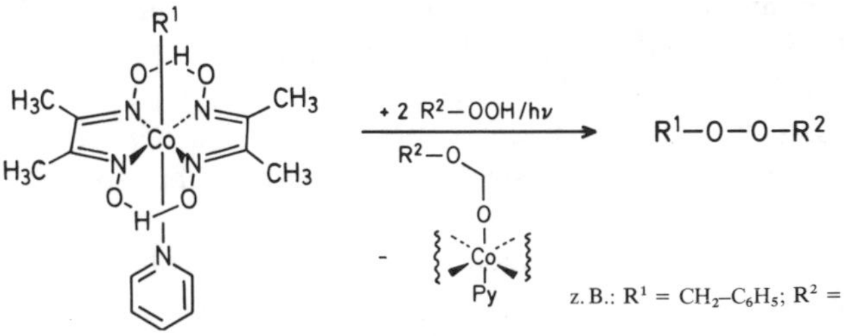

z.B.: $R^1 = CH_2\text{-}C_6H_5$; $R^2 = C(CH_3)_3$, $C(CH_3)_2\text{-}C_6H_5$

2. mit Metall-Verbindungen

Der Acyl-Komplex I wird durch Ammonium-cer(IV)-nitrat in Eisessig unter Spaltung der Alken-Aryl-Bindung zu *Azobenzol* (92%) abgebaut[6]:

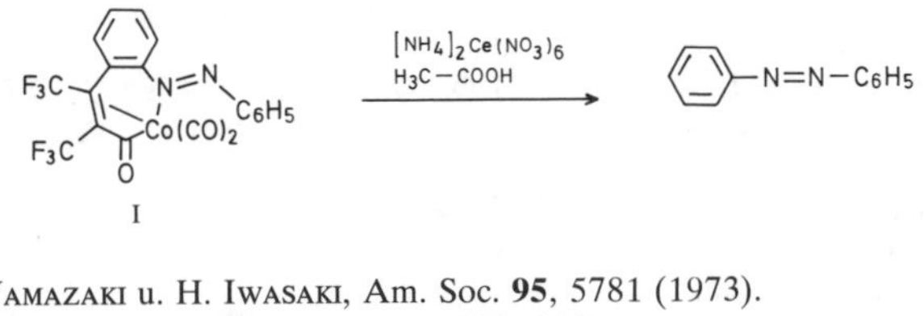

[1] Y. Wakatsuki, H. Yamazaki u. H. Iwasaki, Am. Soc. **95**, 5781 (1973).
[2] Y. Wakatsuki u. H. Yamazaki, Chem. Commun. **1973**, 280.
[3] K.P.C. Vollhardt u. E.C. Walborsky, Am. Soc. **105**, 5507 (1983).
[4] U. Krürke u. W. Hübel, Chem. and Ind. **1960**, 1264.
[5] C. Giannotti, C. Fontaine, A. Chiaroni u. C. Riche, J.Organomet.Chem. **113**, 57 (1976).
[6] M.I. Bruce, B.L. Goodall u. F.G.A. Stone, Soc. [Dalton] **1975**, 1651.

Die recht stabilen 4-Aryl-nonacarbonyl-trikobaltatetrahedrane werden leicht durch Cer(IV)-Verbindungen bei 20° in Aceton-Wasser gespalten[1,2]. Die Ausbeuten sind bei p-substituierten Aryl-Verbindungen gut, bei m-ständigen schlechter. Bei o-ständigen Derivaten können trotz Zersetzung der Komplexe keine Benzoesäure-Derivate erhalten werden[3,4]:

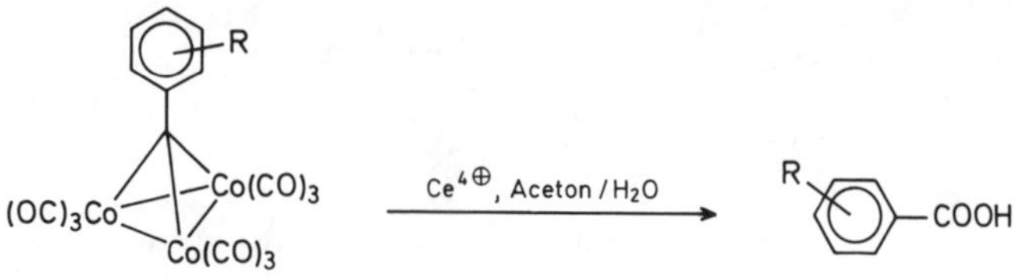

z. B. R = 4-Cl: 79%
       R = 4-CH$_3$: 82%
       R = 4-CO–C$_6$H$_5$: 79%

R = 4-OCH$_3$: 83%
R = 3-Cl: 51%
R = 3-CH$_3$: gering

4-Acetyl-benzoesäure[2]: In einem 100-ml-Dreihalskolben, der mit Stickstoff gespült wird, werden 0,815 g (1,45 mmol) 4-(4-Acetyl-phenyl)-noncarbonyl-trikobaltatetrahedran, 75 ml Aceton und 10 ml destill. Wasser vorgelegt. Unter Rühren gibt man in kleinen Portionen 8,2 g (14,5 mmol) Ammonium-cernitrat hinzu. Bei jeder Zugabe wird Kohlenmonoxid freigesetzt. Am Ende der Reaktion ist die intensive rotbraune Farbe verschwunden. Es bleibt nur eine schwach orange Färbung zurück. Nach wenigen Minuten wird das Lösungsmittel entfernt und Dichlormethan und Wasser werden zugesetzt. Die organ. Phase wird abgetrennt und die wäßr. mit Essigsäure-ethylester gewaschen. Die vereinigten organ. Phasen werden i. Vak. eingeengt. Der Rückstand wird in Dichlormethan aufgenommen und mit verd. wäßr. Natronlauge ausgezogen, die anschließend mit Dichlormethan gewaschen wird. Die wäßr. Phase wird angesäuert und mit Essigsäure-ethylester extrahiert und nach dem Abziehen des Lösungsmittels aus Ethanol und Wasser umkristallisiert; Ausbeute: 0,164 g (83%); F: 208–210°.

4-Phenyl-nonacarbonyl-trikobaltatetrahedran bildet beim Erhitzen mit Cer(IV)-Salzen in Ethanol *Diphenylacetylen* (25%)[5].

Aus dem 4-Benzyl-Derivat erhält man in Ethanol mit einem Cer-Überschuß beim Erhitzen *Phenyl-essigsäure*, bei 20° zusätzlich *Phenyl-acetaldehyd* und mit einem Cer-Unterschuß bei 20° ein Gemisch aus Carbonsäure, Aldehyd und 1,4-Diphenyl-2-butin.

Kaliumpermanganat in wäßriger Aceton-Lösung spaltet die 4-Aryl-nonacarbonyl-trikobaltatetrahedrane mit z.Tl. besseren Ausbeuten in die entsprechenden Benzoesäuren (z.B. *2-Methyl-, 4-Methyl-, 2-Chlor-benzoesäure* zu ~60%)[3].

Hexachloroiridat(IV) oxidiert Benzyl-cobaloxim(III) zu *Benzylalkohol* (90%)[6,7].

Wird die Umsetzung mit überschüssigem Iridat durchgeführt, so erhält man Benzylhalogenid[8].

Zur oxidativen Spaltung verschiedener Organo-cobaloxime mit Mangan(III)- oder Cer(IV)-Verbindungen s. Lit.[9].

Der 2-Oxo-kobaltolan-Komplex I wird durch Eisen(III)-chlorid unter Bildung der Metall-freien Cyclobutanon-Derivaten gespalten[10]:

[1] D. SEYFERTH u. A. T. WEHMAN, Am. Soc. **92**, 5520 (1970).
[2] D. SEYFERTH, G.H. WILLIAMS, A.T. WEHMAN u. M.O. NESTLE, Am. Soc. **97**, 2107 (1975).
[3] D. SEYFERTH, J.E. HALLGREN, R.J. SPOHN, G.H. WILLIAMS, M.O. NESTLE u. P.L.K. HUNG, J.Organometal. Chem. **65**, 99 (1974).
[4] R. DOLBY u. B.H. ROBINSON, Soc. [Dalton] **1972**, 2046.
[5] I.U. KHAND, G.R. KNOX, P.L. PAUSON u. W.E. WATTS, J.Organometal. Chem. **73**, 383 (1974).
[6] P. ABLEY, E.R. DOCKAL u. J. HALPERN, Am. Soc. **94**, 659 (1972).
[7] J. HALPERN , Ann. N.Y. Acad. Sciences **239**, 2 (1974).
[8] S.N. ANDERSON, D.H. BALLARD, J.Z. CHRZASTOWSKI, D. DODD u. M.D. JOHNSON, Chem. Commun. **1972**, 685.
[9] F. GAUDEMER u. A. GAUDEMER, Tetrahedron Letters **1980**, 1445.
[10] K.H. THEOPOLD, P.N. BECKER u. R.G. BERGMAN, Am. Soc. **104**, 5250 (1982).

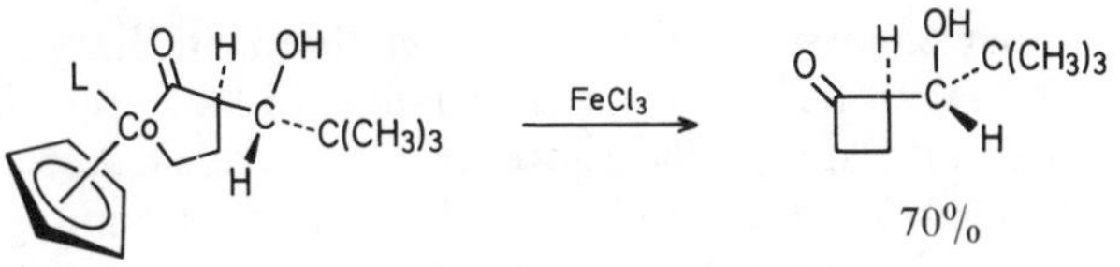

$$L = (H_5C_6)_2P-N(CH_3)-CH(CH_3)-C_6H_5$$

3. mit sonstigen Oxidationsmitteln

Arylmethyl-pentacyano-kobaltat(III)-Verbindungen werden durch Natriumnitrit und Schwefelsäure bei 0° oxidativ zum *Aldehyd-oxim* gespalten[1]:

$$\left[R-CH_2-Co(CN)_5\right]^{3\ominus} \xrightarrow{NaNO_2, H_2SO_4, 0°, 2\ Stdn.} R-CH=N-OH$$

$$R = C_6H_5;\ 2\text{-},3\text{-},4\text{-Pyridyl}$$

4. durch Elektrooxidation

Bei der anodischen Oxidation von Alkyl-kobalt(III)-Chelat-Komplexen entstehen Alkyl-Komplexe des vierwertigen Kobalts, die bei −78° mehrere Stunden stabil sind (s. S. 168). Sie zersetzen sich rasch unter Reaktion mit Nucleophilen, wie manche Lösungsmittel oder Chloriden. Manche Komplexe sind gegenüber schwach nucleophilen Lösungsmitteln, wie Acetonitril, stabil. Sie zersetzen sich jedoch unter Bildung von Olefinen und Spaltung des eigenen Chelat-Liganden[2].

g) durch Thermolyse (Pyrolyse)

Die β-Eliminierung der Hydrido-kobalt-Gruppe von Organo-kobalt-Verbindungen wird auf S. 11, die σ-π-Allyl-Umlagerung auf S. 282 beschrieben.

1. von Organo-kobalt(I)-Verbindungen

Alkyl-kobalt(I)-Komplexe sind infolge der leichten Abspaltung von Olefinen (s. β-Eliminierung) recht instabile Verbindungen. Wesentlich stabiler als die höheren Homologe sind daher die Methyl-Verbindungen, bei denen keine β-Eliminierung möglich ist.

Methyl-kobalt(I)-Verbindungen zersetzen sich im allgemeinen beim Erhitzen unter Bildung von Methan, Ethan und/oder Ethen.

Das im Methan enthaltene vierte Wasserstoff-Atom wird entweder intramolekular von einem Liganden abgespalten, wie es bei Triphenylphosphan und Triphenylphosphit-Komplexen möglich ist, oder es stammt aus dem Lösungsmittel. Im festen Zustand scheint unter α-Wasserstoff-Abspaltung im Gleichgewicht ein Carben-Komplex vorzuliegen[3].

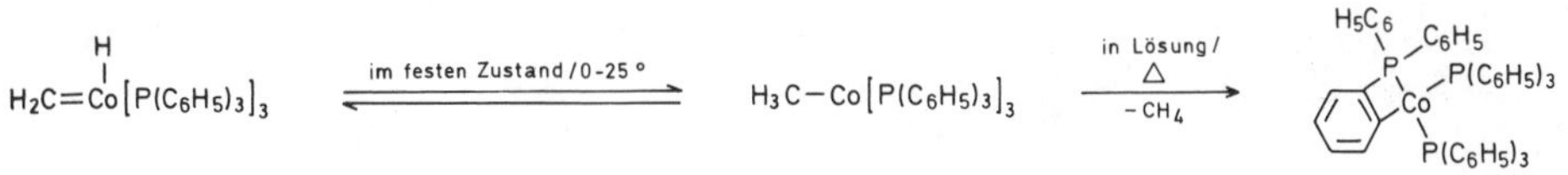

Methyl-tris-[triarylphosphan]-kobalt zersetzt sich in Lösung von Tetrahydrofuran oder Benzol bei −20 bis 25° unter Bildung von Biaryl[4]. Jedoch entsteht in Gegenwart von mo-

---

[1] E.H. BARTLETT u. M.D. JOHNSON, Soc. [A] **1970**, 523.

[2] I.Y. LEVITIN, A.L. SIGAN u. M.E. VOL'PIN, J.Organometal. Chem. **114**, C 53 (1976).

[3] L.S. PU und A. YAMAMOTO, Chem. Commun. **1974**, 9.

[4] M. MICHMAN, V.R. KAUFMAN u. S. NUSSBAUM, J.Organometal. Chem. **182**, 547 (1979).

lekularem Stickstoff oder Sauerstoff sowie Diphenylethin kein Biaryl, wahrscheinlich d&
die genannten Verbindungen freie Koordinationsstellen blockieren. Durch Umsetzung
des Reaktionsgemisches mit wäßriger Salzsäure wird lediglich die Abtrennung des Biaryl
erleichtert. Außerdem kann Triarylphosphan zur besseren Abtrennung durch Behandel&
mit Jod in Triarylphosphanoxid übergeführt werden.

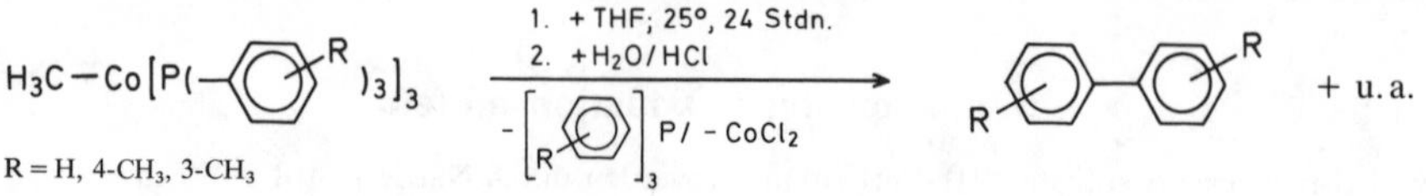

$$H_3C-Co[P(-\bigcirc-R)_3]_3 \xrightarrow[\substack{-[R-\bigcirc]_3 P/ - CoCl_2}]{\substack{1. \ + THF; \ 25°, 24 \ Stdn. \\ 2. \ +H_2O/HCl}} R-\bigcirc-\bigcirc-R \ + \ u.a.$$

R = H, 4-CH₃, 3-CH₃

Bei gemeinsamem Umsatz von Komplexen mit verschiedenen Triarylphosphan-Ligan
den entstehen infolge des Austausches von Phosphan-Gruppen in der Lösung gemischte
Biaryle:

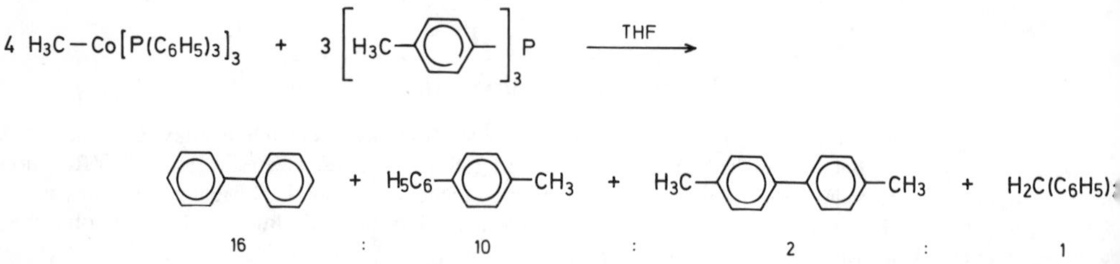

$$4 \ H_3C-Co[P(C_6H_5)_3]_3 \ + \ 3 \ [H_3C-\bigcirc-]_3 P \xrightarrow{THF}$$

$$\bigcirc-\bigcirc \ + \ H_5C_6-\bigcirc-CH_3 \ + \ H_3C-\bigcirc-\bigcirc-CH_3 \ + \ H_2C(C_6H_5)_2$$

16   :   10   :   2   :   1

Die thermische Stabilität des Methyl-Komplexes wird durch Einführung von Chelat-
bildenden Liganden beträchtlich erhöht. So wird Bis-[1,2-bis-(diphenylphosphano)-
ethan]-methyl-kobalt im festen Zustand erst bei 194–195° zersetzt unter Freisetzen von
Methan[1].

Die stabileren fluorierten Alkyl-kobalt(I)-Verbindungen I schmelzen erst bei 130 bzw. 155° unter Zerset
zung[2]; z.B.:

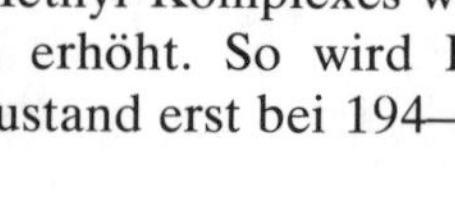

$$\overset{X}{\underset{|}{F-CH}}-Co(CO)_3[P(C_6H_5)_3]$$

I;   X = H, F

1-Phenyl-1,1,1-tris-[phosphan]-cobaltiran wird thermolytisch in Lösung zu *Biphenyl* (~100%) zersetzt[3,4]:

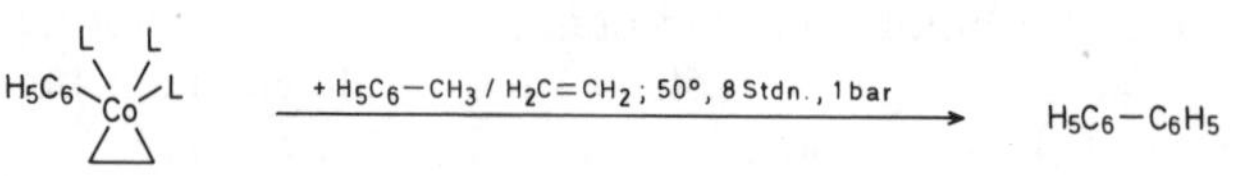

$$H_5C_6\overset{\displaystyle L \ \ L}{\underset{\triangle}{\overset{\diagdown \ | \diagup}{Co}}}L \xrightarrow{+ H_5C_6-CH_3 / H_2C=CH_2 ; \ 50°, 8 Stdn., 1 bar} H_5C_6-C_6H_5$$

Acyl-kobalt-Verbindungen verhalten sich ähnlich wie die entsprechenden Alkyl-Komplexe, da sie leicht decarbonyliert werden. Propanoyl-tetracarbonyl-kobalt wird beim Erhitzen u.a. zu Kohlenmonoxid und *Ethen* gespalten[5].

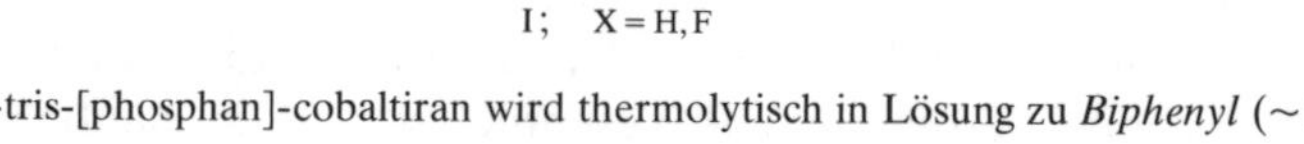

$$H_3C-CH_2-CO-Co(CO)_4 \xrightarrow[- Co / -1/2 H_2]{\triangle} H_2C=CH_2 \ + \ 5 \ CO$$

[1] T. Ikariya u. A. Yamomoto, J. Organometal. Chem. **116**, 231 (1976).
[2] E. Lindner, H. Stich, K. Geibel u. H. Kranz, B. **104**, 1524 (1971).
[3] H.-F. Klein, Ang. Ch. **92**, 362 (1980).
[4] H.-F. Klein, R. Hammer, J. Gross u. U. Schubert, Ang. Ch. **92**, 835 (1980); B. **116**, 1441 (1983).
[5] R.F. Heck u. D.S. Breslow, Actes Congr. Int. Catal. 2., **1960**, 671.

Ungesättigte Acyl-tetracarbonyl-kobalt-Verbindungen bilden bei der thermischen Zersetzung mehrere Verbindungen. Cyclische gesättigte und ungesättigte Ketone entstehen dann, wenn 5- oder 6-Ringe entstehen können; z.B.[1]:

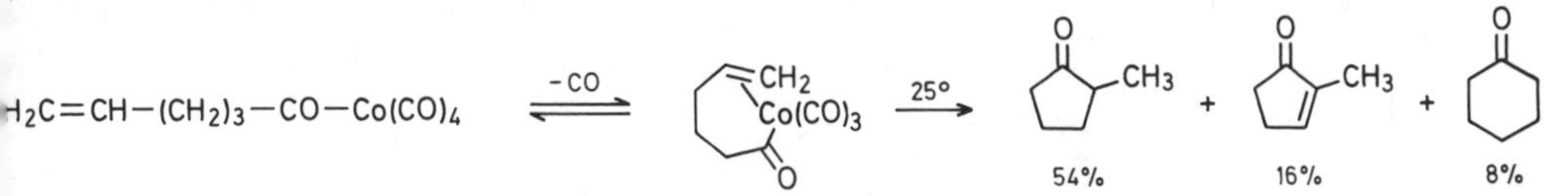

Der Aminocarbonyl-Komplex spaltet beim Erwärmen in flüssigem Ammoniak unter Druck auf 60° Cyansäure ab[2].

2. von Organo-kobalt(II)-Verbindungen

Beim Erhitzen von Bis-[2,2'-bipyridyl]-diethyl-kobalt wird *Ethan* und *Ethen* im Verhältnis ~2:1 gebildet[3].

Trans-Bis-[diethyl-phenyl-phosphan]-bis-[2,4,6-trimethyl-phenyl]-kobalt bildet beim Erwärmen auf 30° hauptsächlich *2,2',4,4',6,6'-Hexamethyl-biphenyl*[4]:

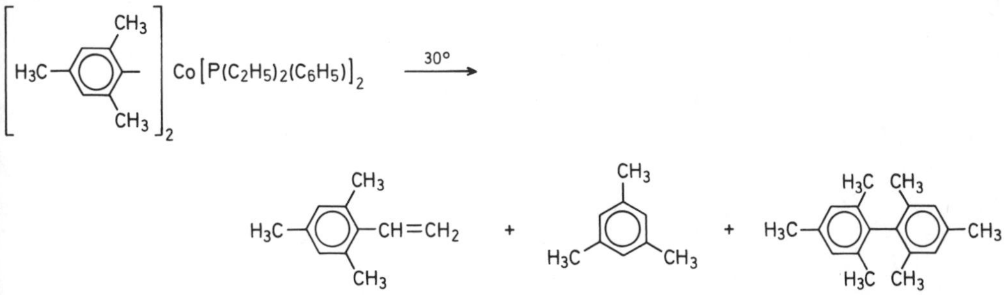

in (H₅C₂)₂O:	0,4%	30%	36%
in C₆H₆:	Spur	13%	60%
in CCl₄:	Spur	2%	95%

Beim Erhitzen von Bis-[pentafluorphenyl]-kobalt (s.S. 256) oder Bis-[pentafluorphenyl]-bis-[tributylphosphan]-kobalt entsteht hauptsächlich *Pentafluorbenzol*[5].

3. von Organo-kobalt(III)-Verbindungen

Die β-Eliminierung ist auf S. 11 beschrieben.

Beim Erhitzen von Organo-kobalt(III)-Verbindungen wird wahrscheinlich homolytisch die C-Co-Bindung gespalten unter Bildung eines organischen Radikals und eines Kobalt(II)-Komplexes. Das Radikal reagiert entweder mit dem Lösungsmittel oder einem Liganden unter Abspaltung von Wasserstoff bzw. es dimerisiert; d.h. im Falle der Homolyse von Methyl-kobalt(III)-Komplexen entsteht *Methan* oder *Ethan*. Bei Ethyl-Komple-

[1] R.F. HECK, Am. Soc. **85**, 3116 (1963).
[2] D. BAUERNSCHMITT, H. BEHRENS u. J. ELLERMANN, Z. Naturf. **34B**, 1362 (1979).
[3] T. SAITO, Y. UCHIDA, A. MISONO, A. YAMAMOTO, K. MORIFUGI u. S. IKEDA, J. Organometal. Chem. **6**, 572 (1966).
[4] K. KIKUKAWA, T. YAMANE, Y. OHBE, M. TAKAGI u. T. MATSUDA, Bl. chem. Soc. Japan **52**, 1187 (1979).
[5] C.F. SMITH u. C. TAMBORSKI, J. Organometal. Chem. **32**, 257 (1971).

xen und deren höheren Homologen entstehen hauptsächlich unter Wasserstoff-Abspaltung Olefine. Die Reaktion ist vor allem mit Chelat-Komplexen untersucht worden[1-5].

Im Falle von 1,3-Bis-[cobaloximo]-propan wird beim Erhitzen oder Belichten *Cyclopropan* gebildet[1]:

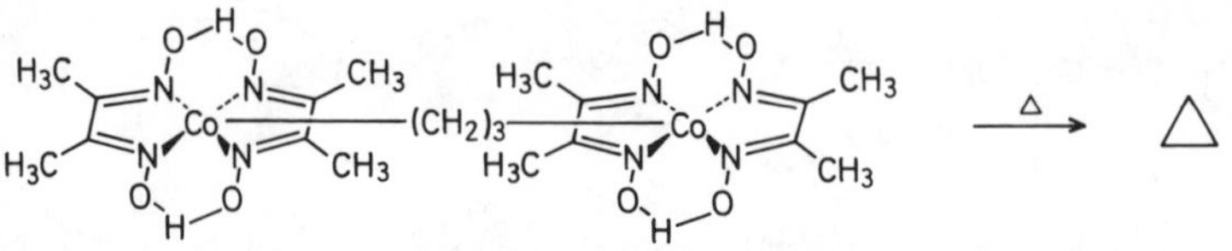

Bei der thermischen und photolytischen Zersetzung von 3-Butenyl-cobaloximen entstehen langsam unter Homolyse der C-Co-Bindung und Diene und Hydrido-cobaloxim, das mit Phenyl-ethin als (1-Phenyl-vinyl)-cobaloxim abgefangen werden kann[6].

Methoxycarbonylmethyl-cobaloxim zersetzt sich bei ~ 200–210° im wesentlichen zu *Essigsäure-methylester*. Auch die freie Säure wird nur schwer decarboxyliert[7,8].

(2-Carboxy-1-ethoxycarbonyl-ethyl)-pyridino-cobaloxim bildet beim Erhitzen im Vak. auf 200° ein Gemisch aus *Fumarsäure-* und *Maleinsäure-ethylester*[8]. Aus Cobaloximen mit am Methyl-Rest stehenden Elektronenanziehenden Substituenten entstehen bei 180–220° die entsprechenden Methyl-Verbindungen[8]:

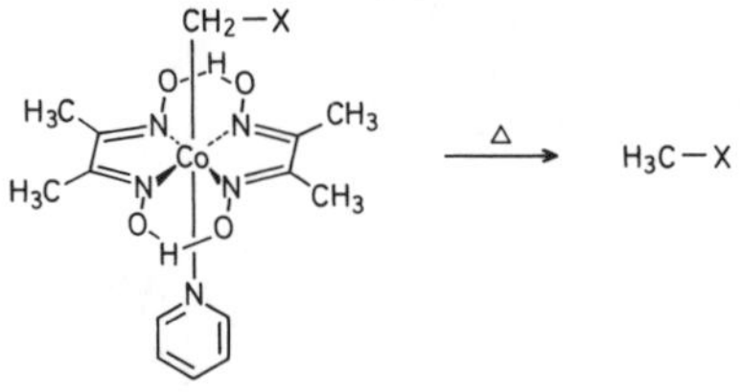

X = Cl, CN, CHO

(2,2-Diphenyl-2-hydroxy-ethyl)-pyridin-cobaloxim bildet beim Erhitzen in Xylol auf 137° hauptsächlich *1,1-Diphenyl-ethen* (88%) und in Pyridin bei 95–107° *Deoxybenzoin* (62%)[9].

Der thermische Zerfall von Benzyl-bis-[2,4-pentandionato]-kobalt beginnt bei 80° unter Abspaltung von *Toluol*[10]. Dagegen wird der Benzyl-Komplex I bei 110–120° unter Bildung von *1,2-Diphenyl-ethan* zersetzt[11]:

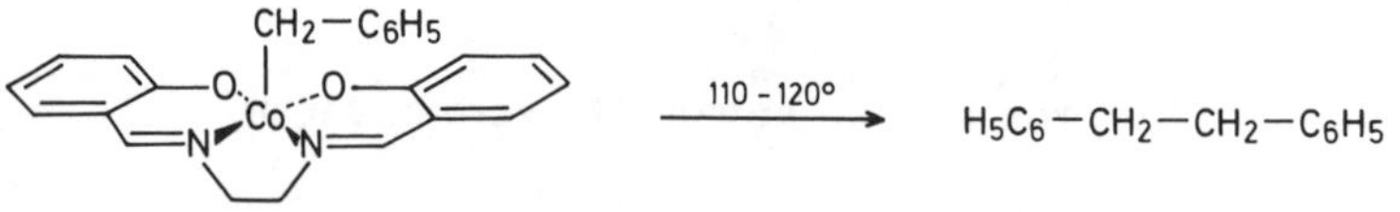

I

[1] G.N. SCHRAUZER u. R.J. WINDGASSEN, Am. Soc. **88**, 3738 (1966).
[2] G. COSTA, G. MESTRONI u. G. PELLIZER, J.Organometal. Chem. **11**, 333 (1968).
[3] G.N. SCHRAUZER, J.W. SIBERT u. R.J. WINDGASSEN, Am. Soc. **90**, 6681 (1968).
[4] R.M. McALLISTER u. J.H. WEBER, J. Organometal. Chem. **77**, 91 (1974).
[5] V.E. MAGNUSON u. J.H. WEBER, J.Organometal. Chem. **92**, 233 (1975).
[6] M.R. ASHCROFT, A. BURY, C.J. COOKSEY, A.G. DAVIES, B.D. GUPTA, M.D. JOHNSON u. H. MORRIS, J. Organometal. Chem. **195**, 89 (1980).
[7] G.N. SCHRAUZER, Accounts Chem. Res. **1**, 97 (1968).
[8] G.N. SCHRAUZER u. R.J. WINDGASSEN, Am. Soc. **89**, 1999 (1967).
[9] M. TADA, M. OKABE u. K. MIURA, Chem. Letters **1978**, 1135.
[10] K. JACOB, E. PIETZNER, S. VASTAG u. K.-H. THIELE, Z. anorg. Chem. **432**, 187 (1977).
[11] C. FLORIANI, M. PUPPIS u. F. CALDERAZZO, J. Organometal. Chem.**12**, 209 (1968).

Die entsprechenden (Dicyan-methyl)-, (Aminocarbonyl-cyan-methyl)- und (Cyan-eth-oxycarbonylmethyl)-kobalt(III)-Chelat-Komplexe zersetzen sich beim Erhitzen in Pyridin unter Abspaltung des organischen Restes[1].

Benzyl- und 2-Pyridyl-pentacyano-kobaltat(III) bilden beim Erhitzen *1,2-Diphenyl-ethan* bzw. *2,2'-Bipyridyl*[2, 3].

Bei der Pyrolyse des entsprechenden Vinyl-kobaltates wird *Ethen* freigesetzt[4].

Die besonders stabilen Bicycloalk-1-yl-kobalt(III)-Verbindungen werden wahrscheinlich über ein Carbanion gespalten; z.B.[5]:

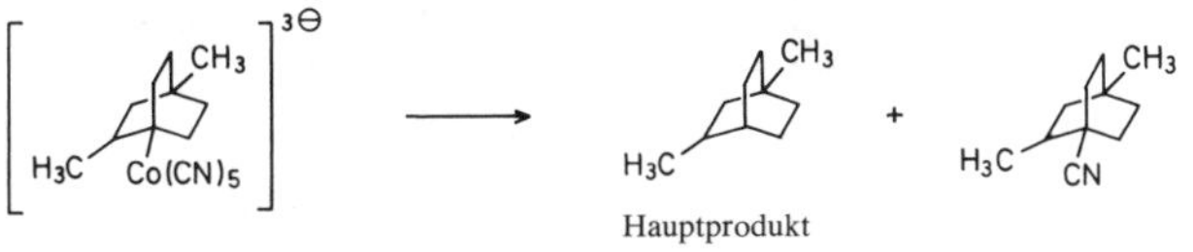

Hauptprodukt

Zur Zersetzung von Bis-[dimethyl-phenyl-phosphan]-dialkyl-(2,4-pentandionato)-kobalt-Komplexen s. Lit.[6].

Zur Zersetzung weiterer Methyl-Komplexe s. Lit.[7-9].

Bei der Umsetzung von Diazen-hydrido-tris-[triphenylphosphan]-kobalt mit Olefin und Acylhalogenid entstehen thermisch instabile Komplexe, die sich zu Ketonen zersetzen[10]. Die Synthese von 3-Pentanon ist auch durch katalytische Umsetzung von Kobalt-Verbindungen mit Ethen und Kohlenmonoxid möglich; z.B.:

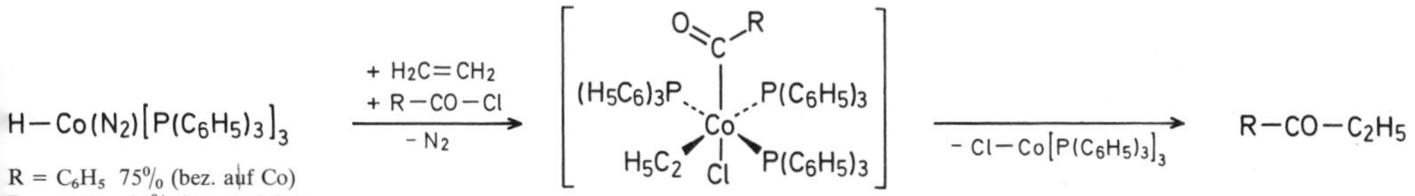

Beim Erhitzen von Kobaltolen entstehen π-Cyclobutadien-kobalt(I)-Komplexe[11-13].

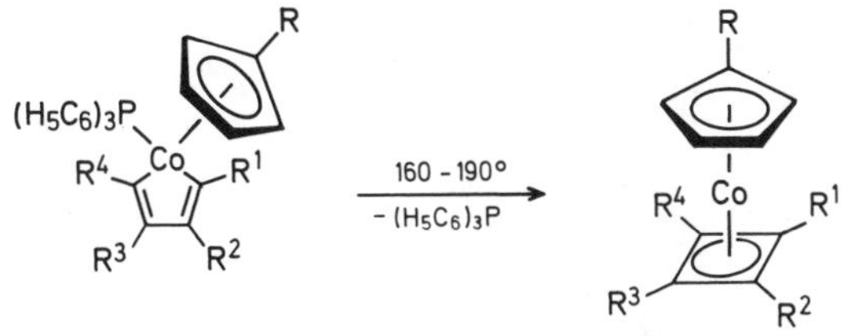

R = H (bzw. CH$_3$); R^1–R^4 = C$_6$H$_5$ (60%; F: 264–268°); R^1–R^4 = COOCH$_3$

Ist die Cyclopentadienyl-Gruppe durch eine Benzyl-Funktion substituiert, so erhält man unter intramolekularer 1,4-Addition der H, Phenyl-Reste und Kobalt-Eliminierung den π-Komplex I[12]:

[1] D. CUMMINS, B.M. HIGSON u. E.D. McKENZIE, Soc. [Dalton] **1973**, 414.
[2] J. HALPERN u. J.P. MAHER, Am. Soc. **86**, 2311 (1964).
[3] J. HALPERN u. J.P. MAHER, Am. Soc. **87**, 5361 (1965).
[4] J. KWIATEK u. J.K. SEYLER, J. Organometal. Chem. **3**, 421 (1965).
[5] L.-Y. GOH, J. Organometal. Chem. **88**, 249 (1975).
[6] T. IKARIYA u. A. YAMAMOTO, Chem. Letters **1976**, 85; J. Organometal. Chem. **120**, 257 (1976).
[7] M.W. WITMAN u. J.H. WEBER, Inorg. Nucl. Chem. Letters **11**, 591 (1975).
[8] E.R. EVITT u. R.G. BERGMAN, Am. Soc. **100**, 3237 (1978).
[9] S. KOMIYA, A. YAMAMOTO u. T. YAMAMOTO, Transition Met. Chem. **4**, 343 (1979).
[10] J. SCHWARTZ u. J.B. CANNON, Am. Soc. **96**, 4721 (1974).
[11] H. YAMAZAKI u. N. HAGIHARA, J. Organometal. Chem. **21**, 431 (1970).
[12] H. YAMAZAKI u. Y. WAKATSUKI, J. Organometal. Chem. **149**, 377 (1978).
[13] R.B. KING u. A. EFRATY, Am. Soc. **92**, 6071 (1970).

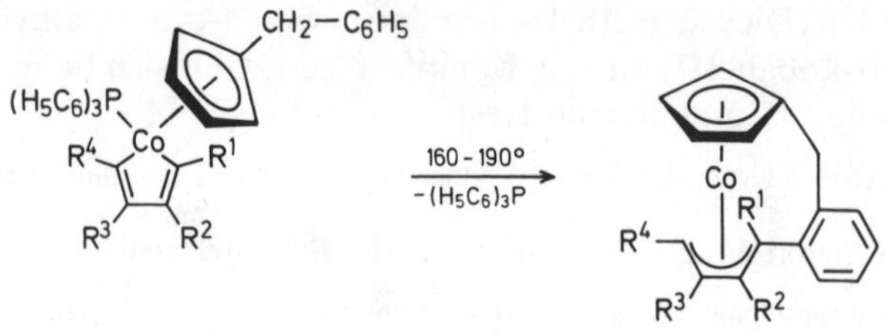

$R^1=R^4=C_6H_5$; $R^2=R^3=COOCH_3$ 82%; F: 248–251°
$R^1=R^3=C_6H_5$; $R^2=R^4=COOCH_3$ 49%; F: 254–255°
$R^1-R^4=C_6H_5$ 38%; F: 283–288°

Der Komplex II bildet beim Erhitzen auf 120° oder in Aceton-Lösung *2,2'-Bis-[dimethylamino-methyl]-biphenyl* bzw. *-5,5'-di-tert.-butyl-biphenyl*[1]:

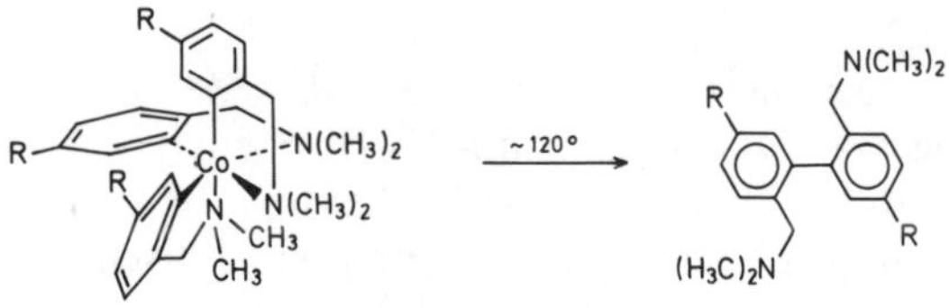

II   R = H, C(CH₃)₃

Der 2-Oxo-kobaltolan-Komplex III wird ab 125 bzw. 175° unter Bildung von *Cyclopropan* und *Propen* zersetzt[2].

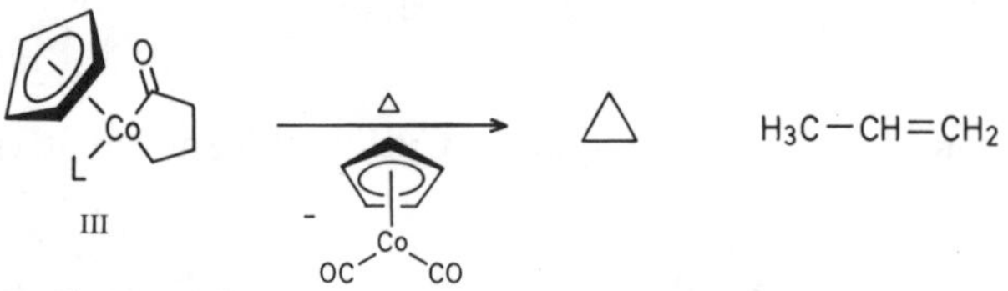

III

L = P(C₆H₅)₃, P(CH₃)₃

Bei der thermischen Spaltung von 1-Cyclopentadienyl-1-triphenylphosphan-kobaltolan entstehen *Butene*, und bei der Spaltung von 9-Cyclopentadienyl-9-triphenylphosphan-9-kobalta-xanthen wird *Dibenzofuran* (76%) gebildet[3]:

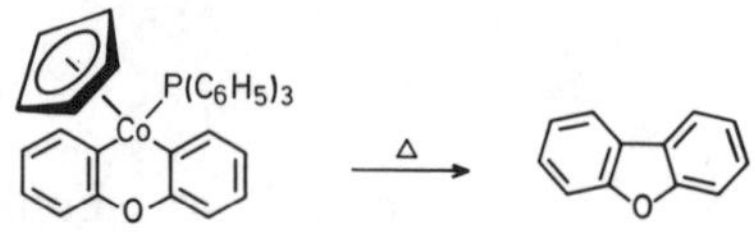

4. von sonstigen Organo-kobalt-Verbindungen

Der dimere Komplex IV zersetzt sich bereits bei 20° unter Bildung von *Aceton* bzw. *3-Pentanon*[4,5]:

[3] A.C. Cope u. R.N. Gourley, J. Organometal. Chem. **8**, 527 (1967).
[2] K.H. Theopold u. R.G. Bergman, Organometallics **1**, 1571 (1982).
[3] Y. Wakatsuki, O. Nomura, H. Tone u. H. Yamazaki, Soc. [Perkin II] **1980**, 1344.
[4] N.E. Schore, C. Ilenda u. R.G. Bergman, Am. Soc. **98**, 7436 (1976).
[5] M.A. White u. R.G. Bergman, Chem. Commun. **1979**, 1056.

$$\text{IV} \xrightarrow{\;C_6H_6,\,20°\;} R-CO-R$$

$$R = CH_3,\ C_2H_5$$

Die 1,2-Dikobaltiran-Derivate V werden thermisch unter Isomerisierung der μ-Alkyliden- Gruppe (s. Lit.) unter Bildung von Alkenen gespalten[1, 2]:

$$\xrightarrow{\;C_6D_6,\,80°,\,10\ Stdn.\;} R^3-CH=CH_2\ +\ \text{n-Isomere}$$

z. B. $R^1 = R^2 = R^3 = CH_3$; 79%
$R^1 = R^2 = C_2H_5,\ R^3 = C_3H_7$

Der 1,2-Dikobalta-hexan-Komplex VI spaltet beim Erhitzen in Benzol auf 100° *Propen* und *Cyclopropan* ab[3]:

$$\xrightarrow{\;C_6D_6,\,100°,\,2\ Stdn.\;} H_3C-CH=CH_2\ +\ \triangle$$

73%   18%

1,2,3,4-Tetrahydro-2,3-benzodikobaltine spalten induziert durch Kohlenmonoxid oder Dimethyl-phenyl-phosphan 1,2-Bis-[methylen]-cyclohexadien ab, das sich dimerisiert (s. Lit.)[4]. Unter Ausschluß von Liganden zerfällt der Komplex thermisch und photolytisch in *Dicarbonyl-cyclopentadienyl-kobalt* und *(η^4-1,2-Bis-[methylen]-cyclohexadien)-η^5-cyclopentadienyl-kobalt*[5].

Nonacarbonyl-tricobaltatetrahedrane bilden beim Erhitzen die entsprechenden π-Alkin-hexacarbonyl-diko-balt(0)-Derivate[6] bzw. π-Alkin-decacarbonyl-tetrakobalt(0)-Cluster[7]. Bei der Pyrolyse von 1,3,5-Trikobalta-bipyramidanen im Vakuum wird aus den beiden Methyliden-Gruppen das Alkin gebildet[8].

$$\xrightarrow{\;\Delta,\ in\ L\ddot{o}sung\;} Co_2(CO)_6(R-C\equiv C-R)$$

Aus Nonacarbonyl-trikobaltatetrahedran entsteht in siedendem Xylol ein Gemisch aus *4-Methyl-* und *4-Ethyl-trikobaltatetrahedran*[9].

Werden die Nonacarbonyl-trikobaltatetrahedrane so hoch erhitzt, daß sich metallisches Kobalt abscheidet, so erhält man Alkine[10].

Das Hydroxy-Derivat zersetzt sich bereits bei 20° quantitativ unter Bildung von Hydrido-tetracarbonyl-ko-balt und Tetrakis-[tricarbonylkobalt][11].

[1] K.H. Theopold u. R.G.Bergman, Am. Soc. **105**, 464 (1983).
[2] W.A. Herrmann, C. Bauer u. K.K. Mayer, J. Organometal. Chem. **236**, C 18 (1982).
[3] K.H. Theopold u. R.G. Bergman, Organometallics **1**, 1571 (1982).
[4] W.H. Hersh u. R.G. Bergman, Am. Soc. **105**, 5846 (1983).
[5] W.H. Hersh, F.J. Hollander u. R.G. Bergman, Am. Soc. **105**, 5834 (1983).
[6] B.H. Robinson u. W.S. Tham, J. Organometal. Chem. **16**, 45 (1969).
[7] B.H. Robinson u. J.L. Spencer, Soc. [A] **1971**, 2045.
[8] N.T. Allison, J.R. Fritch, K.P.C. Vollhardt u. E.C. Walborsky, Am. Soc. **105**, 1384 (1983).
[9] D. Seyferth, C.N. Rudie u. J.S. Merola, J. Organometal. Chem. **162**, 89 (1978).
[10] I.U. Khand, G.R. Knox, P.L. Pauson u. W.E. Watts, J. Organometal. Chem. **73**, 383 (1974).
[11] G. Fachinetti, S. Pucci, P.F. Zanazzi u. U. Methong, Ang. Ch. **91**, 657 (1979).

h) durch Photolyse

Viele Organo-kobalt-Verbindungen sind gegenüber Licht empfindlich und sollten daher im Dunkeln aufbewahrt oder gehandhabt werden. Eingehend untersucht wurden die recht stabilen Organo-kobalt(III)-Chelat-Komplexe[1].

Während Alkyl-kobalt(III)-Verbindungen, leicht photolytisch gespalten werden, sind die entsprechenden Fluoralkyl-Komplexe gegenüber Licht wesentlich stabiler[2].

Zum ESR-spektroskopischen Nachweis der bei der Photolyse entstehenden Radikale s. Lit.[3].

Bei der photochemischen Zersetzung von Methyl-kobalt(III)-Chelat-Komplexen unter Ausschluß von Luft wird die Kohlenstoff-Kobalt-Bindung homolytisch gespalten[4, 5, s.a. 6]. In Methanol entsteht zusätzlich Formaldehyd:

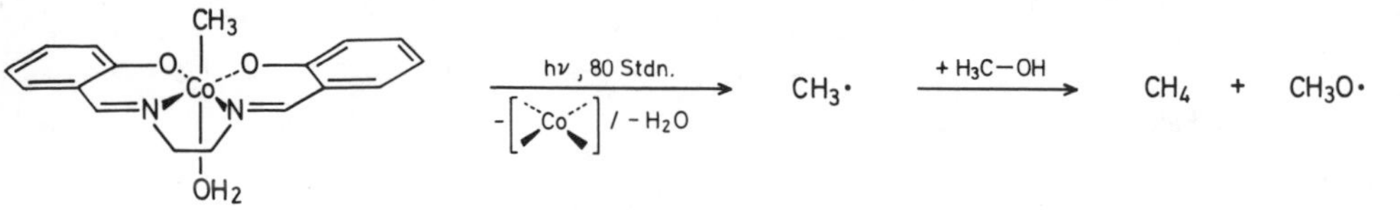

Aldehyde werden auch bei der photolytischen Spaltung von Alkyl-kobalt(III)-Chelat-Komplexen in Gegenwart von Luft erhalten[7, 8] (die photolytisch induzierte Insertion von Sauerstoff in die Kohlenstoff-Kobalt-Bindung ist auf S. 256 beschrieben).

Demgegenüber werden Methyl-kobalt(III)-Komplexe mit äquatorialen Liganden, die keine niederenergetischen Charge-transfer-Banden besitzen, dennoch bei relativ großen Wellenlängen photolytisch gespalten[9-11]. In wäßriger Lösung wird hierbei ein gegenüber Methan relativ hoher Anteil an Ethan durch Dimerisation gebildet.

Die Protonen der Methan-Bildung kommen vom Liganden und nicht vom Lösungsmittel. Auch hier wird die Rekombination des Methyl-Radikals mit Kobalt(II) durch Sauerstoff und 2-Propanol wirksam unterdrückt.

Das Verhältnis der beiden Reaktionen wird außerdem von der Temperatur beeinflußt und von den Eigenschaften des axialen Liganden[12-14].

[1] E.I. OCHIAI, K.M. LONG, C.R. SPERATI u. D.H. BUSCH, Am. Soc. **91**, 3201 (1969).
[2] A. VAN DEN BERGEN, K.S. MURRAY u. B.O. WEST, J. Organometal. Chem. **33**, 89 (1971).
[3] V.D. GHANEKAR u. R.E. COFFMAN, J. Organometal. Chem. **198**, C 15 (1980).
[4] G. COSTA u. G. MESTRONI, Tetrahedron Letters **1967**, 1781.
[5] G. COSTA, G. MESTRONI u. G. PELLIZER, J. Organometal. Chem. **15**, 187 (1968).
[6] G. ROEWER, C. KRAETZSCHMAR u. G. KEMPE, Z. Chem. **16**, 67 (1976).
[7] G.N. SCHRAUZER, J.W. SIBERT u. R.J. WINDGASSEN, Am. Soc. **90**, 6681 (1968).
[8] G.N. SCHRAUZER u. R.J. WINDGASSEN, Am. Soc. **88**, 3738 (1966).
    s.a. P. MAILLARD, J.C. MASSOT u. C. GIANNOTTI, J. Organometal. Chem. **159**, 219 (1978).
[9] P. MAILLARD u. C. GIANNOTTI, J. Organometal. Chem. **182**, 225 (1979).
[10] C.Y. MOK u. J.F. ENDICOTT, Am. Soc. **99**, 1276 (1977).
[11] C.Y. MOK u. J.F. ENDICOTT, Am. Soc. **100**, 123 (1978).
[12] G.N. SCHRAUZER, L.P. LEE u. J.W. SIEBERT, Am. Soc. **92**, 2997 (1970).
[13] V.E. MAGNUSON u. J.H. WEBER, J. Organometal. Chem. **92**, 233 (1975).
[14] C. GIANNOTTI et al., J. Organometal. Chem. **91**, 357; **99**, 145 (1975); **110**, 383 (1976).

B	CH$_4$/C$_2$H$_6$	
H$_2$O	46/54	(pH = 7)
Pyridin	59/41	(pH = 7)
P(OC$_6$H$_5$)$_3$	84/16	
P(C$_6$H$_5$)$_3$	~ 100/0	
CN	~ 100/0	

In Gegenwart von Sauerstoff entstehen auch Alkylperoxy-kobalt(III)-Verbindungen (s. S. 256).

Bei höheren Alkyl-kobalt(III)-Komplexen wird je nach Art des Komplexes, der Liganden und der Reaktionsbedingungen in unterschiedlichem Anteil das entsprechende Olefin durch Abstraktion vom β-ständigen Wasserstoff gebildet. Die Dimerisierung von 2 Radikalen spielt eine untergeordnete Rolle.

Bei der Photolyse von Ethyl-cobaloxim entsteht *Ethen* und bei der Photolyse bzw. Thermolyse von 1,4-Bis-[cobaloxim]-butan *1,3-Butadien*[1,2].

Beim Belichten von (2,2-Dimethyl-propyl)-pyridin-cobaloxim entstehen *2,2-Dimethyl-propan* und durch Umlagerung des intermediär gebildeten Radikals und Abspaltung von Wasserstoff *Pentene* im Verhältnis 10:1. 1,3-Bis-[cobaloximato]-propan bildet photolytisch *Cyclopropan*[1]. Dagegen entstehen aus 1,4-Bis-[cobaloximato]-butan *1,3-Butadien* und *Buten* im Verhältnis 1:1.

Beim Belichten von Komplexen des Typs I in methanolischer Lösung unter Stickstoff mit einer 150 Watt Lampe entstehen aus den Methyl-Komplexen zu 99% *Methan*, aus den Ethyl-Komplexen zu 99% *Ethen* sowie aus den Propyl-Komplexen zu 99% *Propen*[3]. Ähnliches gilt für den Chelat-Komplex II (aus dem Benzyl-Derivat wird zu ~ 100% *1,2-Diphenyl-ethan* erhalten):

I

II

A = –CH$_2$)$_2$–, –(CH$_2$)$_3$–, –(CH$_2$)$_3$–NH–(CH$_2$)$_3$–
R = CH$_3$, C$_2$H$_5$, C$_3$H$_7$

R = CH$_3$, C$_2$H$_5$, C$_3$H$_7$, C$_4$H$_9$, CH$_2$–C$_6$H$_5$

Die photolytische Zersetzung von Alkyl-aquo-cobaloximen in wäßriger, anaerober Lösung hängt ferner sehr stark vom pH-Wert des Mediums ab[4].

[1] G. N. Schrauzer u. R. J. Windgassen, Am. Soc. **88**, 3738 (1966).
[2] K. N. V. Duong, A. Ahond, C. Merienne u. A. Gaudemer, J. Organometal. Chem. **55**, 375 (1973).
[3] R. M. McAllister u. J. H. Weber, J. Organometal. Chem. **77**, 91 (1974).
[4] B. T. Golding, T. J. Kemp, P. J. Sellers u. E. Nocchi, Soc. [Dalton] **1977**, 1266.

Benzyl-pentacyano-kobaltat bildet beim Belichten unter Luft-Ausschluß *1,2-Diphenyl-ethan*, in Gegenwart von Luft entsteht *Benzaldehyd*[1].

(2-Hydroxy-propyl)-pyridin-cobaloxim wird beim Belichten in wäßriger Lösung hauptsächlich zum *Aceton* (92%) zersetzt[2]. Das isomere (2-Hydroxy-1-methyl-ethyl)-Derivat hingegen zerfällt hauptsächlich in *Allylalkohol* und *Propanal* (Gesamtausbeute: 92%).

Bei der photochemischen Umsetzung des Chelat-Komplexes I in Ethanol entsteht neben *Dimethyl-malonsäure-diethylester* auch *Methyl-bernsteinsäure-diethylester*, dessen Ausbeute in wasserfreiem Ethanol bis auf 80% der flüchtigen Verbindungen gesteigert werden kann[3]. In Pyridin entsteht ausschließlich der Dimethyl-malonsäure-diethylester.

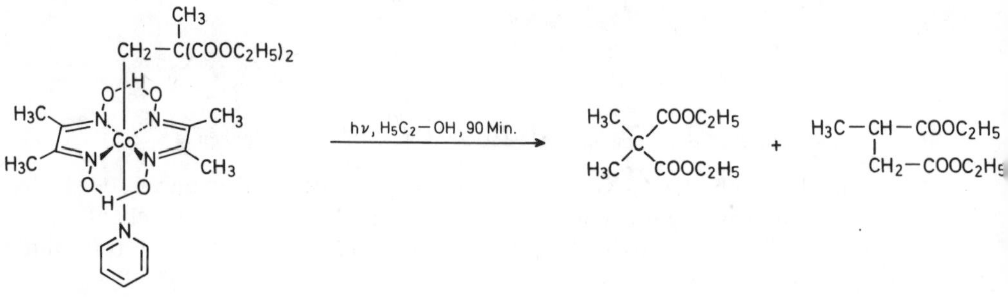

Zur Spaltung von substituierten (2-Oxo-cyclopentenyl-methyl)- und (2-Acyl-propyl)-cobaloximen s. Lit.[4]. (2,2-Diphenyl-2-hydroxy-ethyl)-pyridin-cobaloxim bildet photolytisch je nach Lösungsmittel hauptsächlich *Deoxybenzoin* oder *2,2-Diphenyl-ethanol*[5].

Der wasserlösliche Kobalt(III)-Komplex II reagiert mit dem Nitroxid III erst beim Belichten zur (*4-Hydroxy-2,2,6,6-tetramethyl-piperidinooxy)-essigsäure*[6]:

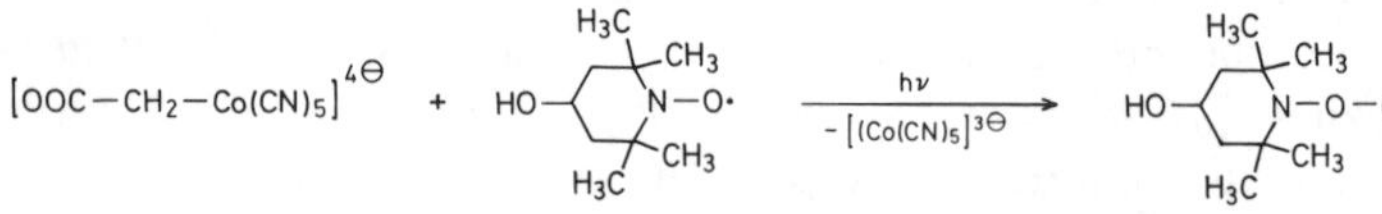

Bei der anaeroben und aeroben Photolyse von Dimethyl-kobalt(III)-Chelat-Komplexen in Alkoholen entsteht hauptsächlich *Methan*[7].

1-Cyclopentadienyl-2,3,4,5-tetraphenyl-1-triphenylphosphan-kobaltol lagert sich beim Belichten in *Cyclopentadienyl-(η⁴-tetraphenyl-cyclobutadien)-kobalt* um[8]. In Gegenwart von Sauerstoff entsteht *(Z)-1,2-Dibenzoyl-1,2-diphenyl-ethen*, das teilweise einen π-Kobalt-Komplex bildet.

Zur Photolyse eines Benzodikobaltacyclohexan-Komplexes s.S. 267.

[1] A. Vogler u. R. Hirschmann, Z. Naturforsch. **31** (B), 1082 (1976).

[2] K.L. Brown u. L.L. Ingraham, Am. Soc. **96**, 7681 (1974).

[3] G. Bidlingmaier, H. Flohr, U.M. Kempe, T. Krebs u. J. Retey, Ang. Ch. **87**, 877 (1975).

[4] M. Okabe, T. Osawa u. M. Tada, THL **1981**, 1899; M. Tada et al., Chem. Letters **1981**, 33.

[5] M. Tada, M. Okabe u. K. Miura, Chem. Letters **1978**, 1135.

[6] J.R. Sheats u. H.M. McConnell, Am. Soc. **99**, 7091 (1977).

[7] M.W. Witman u. J.H. Weber, Inorg. Nucl. Chem. Letters **11**, 591 (1975).

[8] W.C. Trogler u. J.A. Ibers, Organometallics **1**, 536 (1982).

i) durch Ummetallierungen

Die oxidative und reduktive Spaltung von Organo-kobalt-Verbindungen durch Metall-Verbindungen sind auf S. 245 u. 259, der Alkyl-Gruppen-Austausch zwischen Alkyl-kobalt(III)-Chelat-Komplexen und den Komplexen von Kobalt der Oxidationsstufe 1,2 und 3 auf S. 69, 90 u. 109 beschrieben.

Bei der Ummetallierung von Organo-kobalt(III)-Komplexen mit Quecksilber(II)-Salzen wird die C-Co-Bindung elektrophil durch das Metall-kation angegriffen, und man erhält Organo-quecksilber-Verbindungen[1-8]:

$$R-Co^{III} + HgXY \longrightarrow Co^{III}Y + R-HgX$$

$R = CH_3^{1,\,8}, C_4H_9^8, 4\text{-}C(CH_3)_3\text{-}C_6H_4^3, CH_2\text{-}C_6H_5^{7,\,8}, CHD\text{-}CHD\text{-}C(CH_3)_3^2, CH = CH\text{-}C_6H_5^{4,\,5}, CH = CH\text{-}C_6H_{13}^6$

Die Reaktion verläuft bei Alkyl- und Cycloalkyl-cobaloximen unter Inversion am Kohlenstoff. Protonierte Chelat-Komplexe[9] reagieren nicht oder nur langsam mit dem Quecksilber(II)-Salz.
1,4-Bis-[cobaloximo]-butan wird in zwei Schritten ummetalliert[10].

Quecksilber(I)-Verbindungen spalten organische Reste von Organo-kobalt(III)-Chelat-Komplexen unter Disproportionierung von Quecksilber ab[11]:

$$R-Co^{III} + Hg_2^{2\oplus} \longrightarrow Co^{III\oplus} + R-Hg^{\oplus} + Hg$$

Die Alkyl-Gruppen werden von Alkyl-aquo-cobaloximen unter Oxidation von Chrom auf den Aquo-chrom(II)-Komplex nahezu quantitativ übertragen[12]. Die Reaktionsgeschwindigkeit ist proportional zu der Konzentration des Alkylkobalt- und des Chrom-Komplexes.

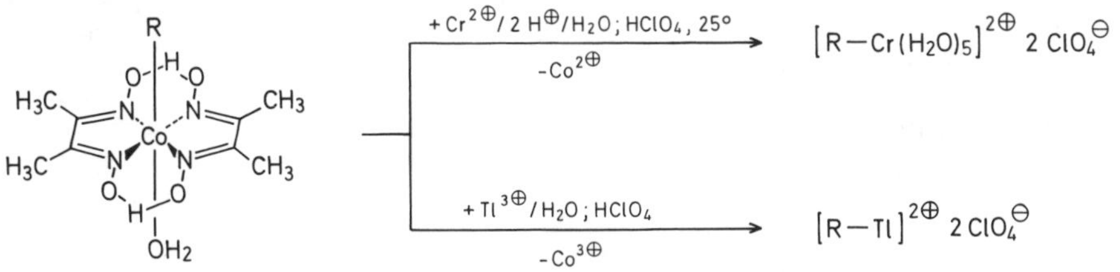

R = Alkyl

Thallium(III)-perchlorat wird ohne Änderung der Oxidationsstufe alkyliert oder aryliert[13]; z.B.:

Wenn der Austausch zwischen Metallen mit gleichen Liganden erfolgt, kann aus dem Gleichgewicht die relative Bindungsenergie der beiden Kohlenstoff-Metall-Bindungen berechnet werden[14].

[1] J.-Y. Kim, N. Imura, R. Ukita u. T. Kwan, Bl. Chem. Soc. Japan **44**, 300 (1971).
[2] H.L. Fritz, J.H. Espenson, D.A. Williams u. G.A. Molander, Am. Soc. **96**, 2378 (1974).
[3] H. Shinozaki, H. Ogawa u. M. Tada, Bl. Chem. Soc. Japan **49**, 775 (1976).
[4] D. Dodd, M.D. Johnson, B.S. Meeks u. D.M. Titchmarsh, Soc. Perkin II **1976**, 1261.
[5] H. Shinozaki, m. kubota, O. Yagi u. M. Tada, Bl. Chem. Soc. Japan **49**, 2280 (1976).
[6] M. Tada, M. Kubota u. H. Shinozaki, Bl. Chem. Soc. Japan **49**, 1097 (1976).
[7] J. Halpern u. J.P. Maher, Am. Soc. **86**, 2311 (1964).
[8] V.E. Magnuson u. J.H. Weber, J. Organometal. Chem. **74**, 135 (1974).
[9] Ausnahme Alkyl- und Alkyl-aquo-cobaltoxime bzw. Bis-[pentan-2-onato-4-oximato]-kobalt-Komplexe:
    P. Abley, E.R. Dockal u. J. Halpern, Am. Soc. **95**, 3166 (1973).
[10] J.H. Espenson u. T.-H. Chao, Inorg. Chem. **16**, 2553 (1977).
[11] G. Mestroni, G. Zassinovich, A. Camus u. G. Costa, Trans. Met. Chem. **1**, 32 (1975/76).
[12] J.H. Espenson u. J.S. Shveima, Am. Soc. **95**, 4468 (1973).
[13] P. Abley, E.R. Dockal u. J. Halpern, Am. Soc. **95**, 3166 (1973).
[14] D. Dodd u. M.D. Johnson, Chem. Commun. **1971**, 1371.

Protonierte Pentacyano-pyridylmethyl-kobaltate(III)-Verbindungen werden durch Quecksilber(II)-chlorid nur in Gegenwart von Chlorid-Ionen ummetalliert[1], wohingegen die Umsetzung mit Thallium(III)-chlorid unabhängig von der Chlorid-Ionen-Konzentration ist.

trans-Dimethyl-kobalt(III)-Chelat-Komplexe sind stärkere Alkylierungsreagentien als die entsprechenden Monomethyl-Komplexe.

So entstehen mit Quecksilber(II), Cadmium(II)-, Zink(II)- und Blei(II)-Salzen zunächst rasch die Methyl-metall-Verbindungen, die durch überschüssigen Dimethyl-kobalt(III)-Komplex langsamer als in der ersten Stufe dialkyliert werden[2-4].

So bildet der *cis*-Dimethyl-kobalt(III)-Komplex I mit Quecksilber(II)-acetat z.B. *Dimethyl-quecksilber*[5]:

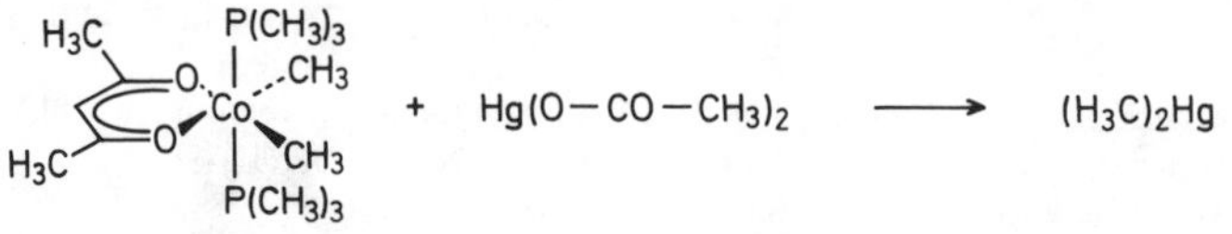

I

Organo-quecksilber(II)-acetat bildet mit Dialkyl- bzw. Diaryl-kobalt(III)-Chelat-Komplexen gemischte Diorgano-quecksilber-Verbindungen[6].

Die organischen Reste folgender Polyaryl-kobalt(II)-Verbindungen werden vollständig ummercuriert. Daher kann die Zahl der im Komplex σ-gebundenen Aryl-Reste durch Umsetzung mit Quecksilber(II)-halogeniden quantitativ bestimmt werden[7-9]:

$$Li_2[Co(C_6H_5)_4]\cdot 4\ THF \quad + \quad 4\ HgCl_2 \xrightarrow[-2\ LiCl\ /\ -CoCl_2]{THF,\ -78^\circ} 4\ H_5C_6{-}HgCl$$

95%

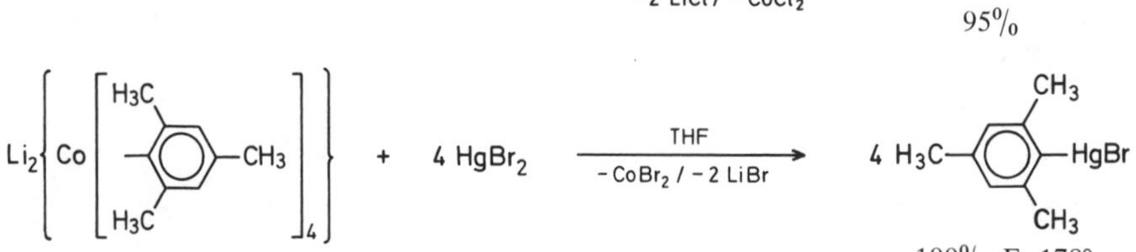

~ 100%; F: 178°

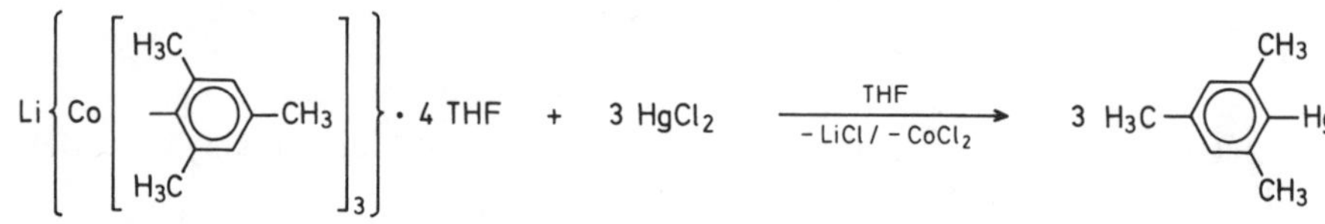

~ 100%

Dagegen wird Lithium-dibenzo-1,4-oxakobaltinat durch Quecksilber(II)-bromid oxidativ zu *Dibenzofuran* zersetzt (s.a. S. 248)[10].

Das Verhalten verschiedener Methyl-kobalt(III)-Chelatkomplexe gegenüber Methyl-zinn-chloriden wurde gleichfalls untersucht[11].

---

[1] E.H. Bartlett u. M.D. Johnson, Soc. A **1970**, 517.
[2] G. Mestroni, G. Zassinovich, A. Camus u. G. Costa, Transition Met. Chem. **1**, 32 (1975/76).
[3] M.W. Witman u. J.H. Weber, Inorg. Chem. **15**, 2375 (1976).
[4] M.W. Witman u. J.H. Weber, Inorg. Chem. **16**, 2512 (1977).
[5] T. Ikariya u. A. Yamamoto, Chem. Lett. **1976**, 85; J. Organometal. Chem. **116**, 239 (1976).
[6] J.H. Espenson, H.L. Fritz, R.A. Heckman u. C. Nicolini, Inorg. Chem. **15**, 906 (1976).
[7] R. Taube u. N. Stransky, Z. Chem. **17**, 427 (1977).
[8] H. Drevs, Z. Chem. **18**, 31 (1978).
[9] W. Seidel u. I. Bürger, Z. Chem. **17**, 31 (1977).
[10] H. Drews, Z. Chem. **15**, 451 (1975).
[11] M.H. Darbieu u. G. Cros, J. Organometal. Chem. **252**, 327 (1983).

II. Insertionsreaktionen

Die Insertion von Chalkogen und Chalkogen-Verbindungen in die C-Co-Bindung wird auf S. 258, 259 beschrieben.

a) mit Kohlenmonoxid[1]

Durch Insertion von Kohlenmonoxid in die C-Co-Bindung können stabile Acyl-kobalt-Verbindungen hergestellt werden (s. S. 40ff u. 161).

Die Reaktion ist ein wichtiger Schritt bei der Synthese von Aldehyden und Alkoholen aus Olefinen, Kohlenmonoxid und Wasserstoff (Hydroformylierung) sowie bei der Herstellung von Carbonsäuren bzw. deren Estern aus Olefinen, Kohlenmonoxid und Wasser bzw. Alkohol (Carbonylierung) in Gegenwart von Kobalt-Verbindungen. Ein Sonderfall der Carbonylierung ist die Insertion von Kohlenmonoxid in die C-O-Bindung von Alkoholen. Durch Carbonylierung von Oxiranen bzw. Oxetanen erhält man die entsprechenden Hydroxy-carbonsäuren bzw. deren Ester[2]. In einigen Fällen genügt es, die Kobalt-Verbindungen in katalytischer Menge einzusetzen (s. E 18). Manchmal ist auch der Zusatz von Cokatalysatoren, wie Halogen-Verbindungen bei den Carbonylierungen von Alkoholen, oder Phosphanen bei gewissen Hydroformylierungen erforderlich.

Bei Spaltungsreaktionen von Organo-carbonyl-kobalt-Verbindungen entstehen oft carbonylierte Verbindungen. Das gleiche gilt, wenn die Umwandlung in einer Kohlenmonoxid-Atmosphäre durchgeführt wird.

[2-Phenylazo-phenyl-(C,N)]-tricarbonyl-kobalt wird durch Behandeln mit Kohlenmonoxid und Methanol zum *2-(2-Phenyl-hydrazino)-benzoesäure-methylester* umgesetzt[3] (gleichzeitig wird die N,N-Doppelbindung hydriert):

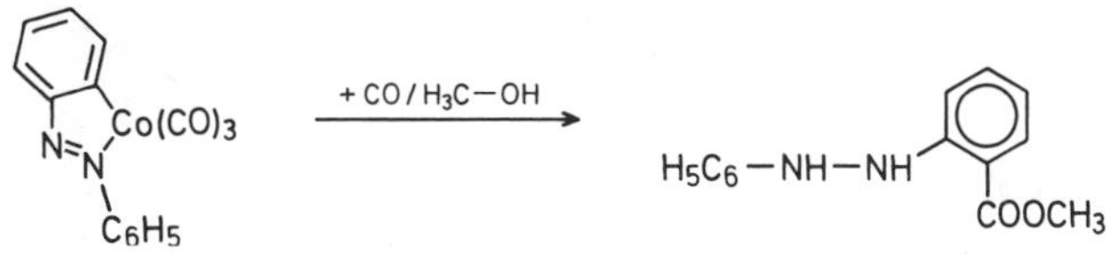

Dimethyl[4]- und Trimethyl-tris-[trimethylphosphan]-kobalt[5] werden bei 20° vollständig dealkyliert unter Bildung von *Aceton*. Bei −78° können die entsprechenden Acetyl-Komplexe abgefangen werden.

Cyclopentadienyl-dimethyl-kobalt-Komplexe werden erst beim Erhitzen unter Kohlenmonoxid-Atmosphäre gespalten[6,7]; z.B.:

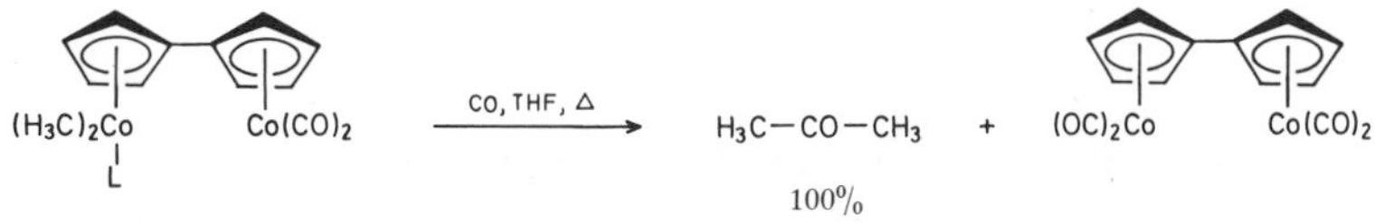

100%

---

[1] Reduktionen mit Kohlenmonoxid und Wasser sind auf S. 242 beschrieben.
[2] R.F. HECK, Am. Soc. **85**, 1460 (1963).
[3] R.F. HECK, Am. Soc. **90**, 313 (1968).
[4] H.-F. KLEIN u. H.H. KARSCH, B. **109**, 1453 (1976).
[5] H.-F. KLEIN u. H.H. KARSCH, B. **108**, 956 (1975).
[6] H.E. BRYNDZA u. R.G. BERGMAN, Am. Soc. **101**, 4766 (1979).
[7] E.R. EVITT u. R.G. BERGMAN, Am. Soc. **102**, 7003 (1980).

Pentacarbonyl-eisen oder Enneacarbonyl-dieisen können als Carbonyl-Quelle eingesetzt werden[1].

Auch die Bis-[alkyl-carbonyl-cyclopentadienyl-kobalt]-Komplexe spalten beim Erhitzen (s. S. 267) und beim Behandeln mit Kohlenmonoxid quantitativ Ketone ab[2]:

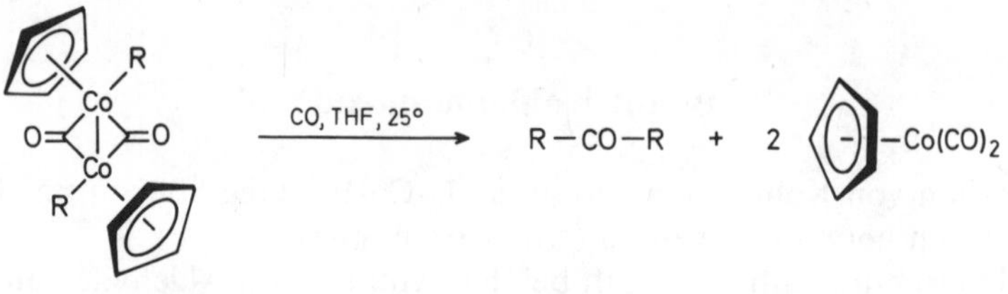

R = CH₃, C₂H₅

Weitere Beispiele s. Lit.[3].

Dialkyl-kobalt(III)-Komplexe reagieren mit Kohlenmonoxid unter Bildung von Ketonen[4]; z.B.:

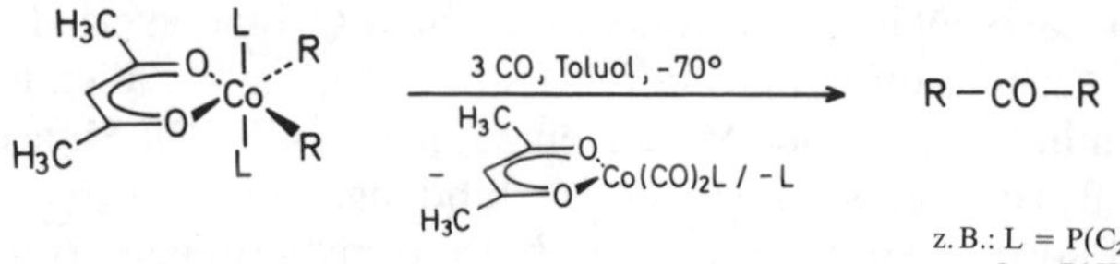

z.B.: L = P(C₂H₅)₃; R = C₂H₅; 91%
L = P(CH₃)(C₆H₅)₂; R = CH₃; 91%
L = P(CH₃)₂(C₆H₅); R = C₃H₇; 70%

Der Kobalt-Rest der folgenden Komplexe wird durch Kohlenmonoxid substituiert[5]:

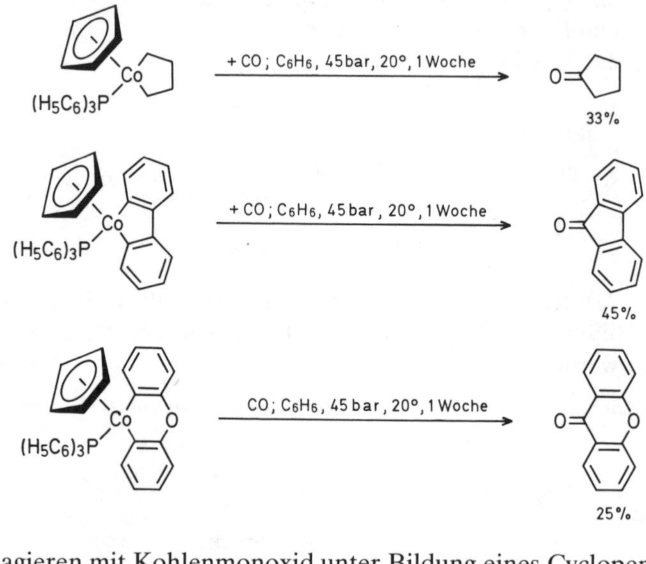

33%

45%

25%

Kobaltole reagieren mit Kohlenmonoxid unter Bildung eines Cyclopentadienon-Komplexes[6,7] vgl. a. [8]:

---

[1] H. E. BRYNDZA u. R. G. BERGMAN, Inorg. Chem. 20, 2988 (1981).

[2] M. A. WHITE u. R. G. BERGMAN, Chem. Commun. 1979, 1056.

[3] H. E. BRYNDZA u. R. G. BERGMAN, Am. Soc. 101, 4766 (1979).

[4] T. IKARIYA u. A. YAMAMOTO, J. Organometal. Chem. 116, 239 (1976); Chem. Letters 1976, 85.

[5] Y. WAKATSUKI, O. NOMURA, H. TONE u. H. YAMAZAKI, Soc. [Perkin II] 1980, 1344.

[6] H. YAMAZAKI u. N. HAGIHARA, J. Organometal. Chem. 21, 431 (1970).

[7] L. P. McDONNELL BUSHNELL, E. R. EVITT u. R. G. BERGMAN, J. Organometal. Chem. 157, 445 (1978).

[8] W.-S. LEE u. H. H. BRINTZINGER, J. Organometal. Chem. 127, 93 (1977).

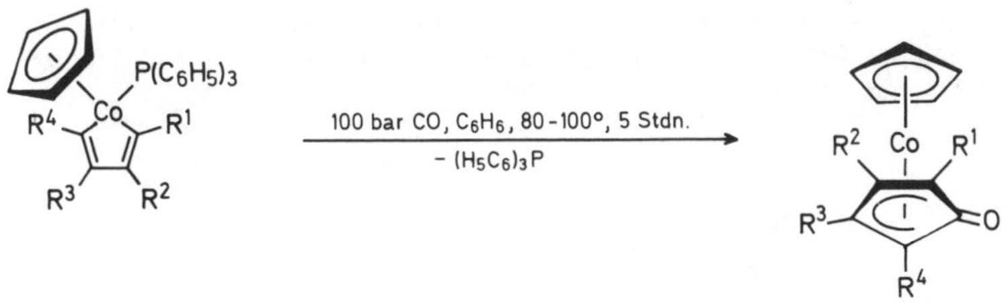

$R^1-R^4 = C_6H_5$; 77%; F: 330° [1,2]
$R^1 = R^2 = R^3 = C_6H_5$, $R^4 = H$; 28%; F: 218–219° [1,2]
$R^1 = R^4 = CH_3$; $R^2-R^3 = -(CH_2)_4-$; 70%; F: 180–181° [2]

Der Komplex I bildet unter Kohlenmonoxid-Atmosphäre *2-Indanon*[3]:

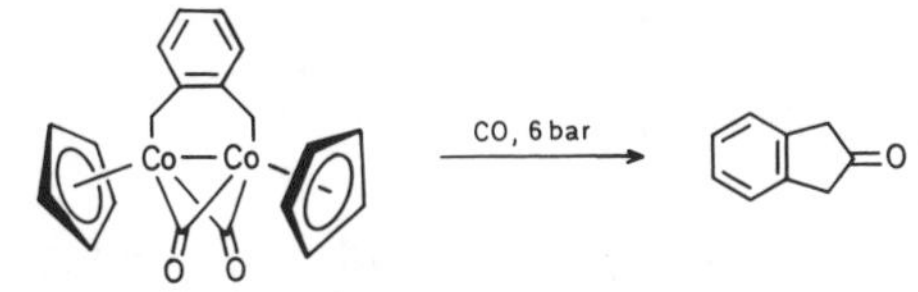

b) mit Schwefeldioxid

Die Insertion von Schwefeldioxid in die C–Co-Bindung ist nur bei einigen Organo-kobalt(III)-Komplexen möglich[4-6]; allgemein wird Schwefeldioxid lediglich als Ligand angelagert oder reagiert nicht. Man erhält Organosulfonyl-Komplexe bzw. Sulfone.

$$K_3[H_5C_6-Co(CN)_5] \quad + \quad SO_2 \quad \longrightarrow \quad K_3[H_5C_6-SO_2-Co(CN)_5]$$

2-Alkenyl-cobaloxime können unter Umlagerung oder einfacher Insertion mit flüssigem Schwefeldioxid reagieren[7]; z.B.:

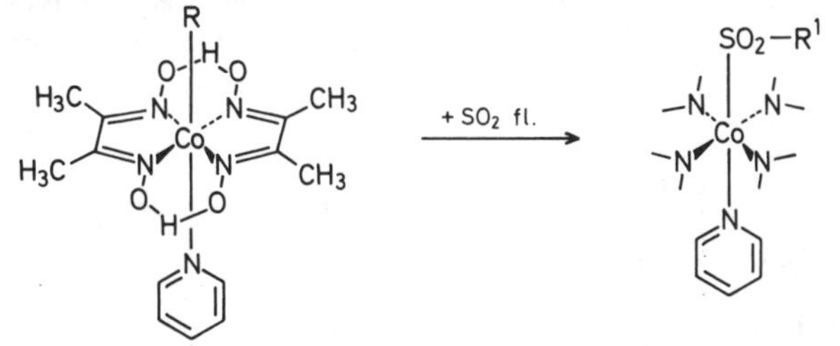

R=Alkyl	→	R^1=Alkyl[4-6]
R=CH$_2$–CH=CH–C$_6$H$_5$	→	R^1=CH$_2$–CH=CH–C$_6$H$_5$[7]
R=CH$_2$–CH=CH–CH$_3$	→	R^1=CH(CH$_3$)–CH=CH$_2$[7]
R=CH$_2$–C$_6$H$_5$	→	R=CH$_2$–C$_6$H$_5$[8]
R=CH$_2$–CH=C(CH$_3$)$_2$	→	R=CH$_2$–CH=C(CH$_3$)$_2$
		+ (H$_3$C)$_2$C=CH–CH$_2$–SO$_2$–C(CH$_3$)$_2$–CH=CH$_2$[9] (15%)

Die reaktionsfähigen Allyl- und Benzyl-Komplexe katalysieren die Insertionsreaktion der weniger reaktionsfähigen Alkyl-cobaloxime. Die Umsetzung wird auch durch Belichtung deutlich beschleunigt.

[1] H. YAMAZAKI u. N. HAGIHARA, J. Organometal. Chem. **21**, 431 (1970).
[2] L. P. McDONNELL BUSHNELL, E. R. EVITT u. R. G. BERGMAN, J. Organometal. Chem. **157**, 445 (1978).
[3] W. H. HERSH u. R. G. BERGMAN, Am. Soc. **103**, 6992 (1981).
[4] K. YAMAMOTO, T. SHONO u. K. SHIURA, J. Chem. Soc. Japan **88**, 958 (1967).
[5] K. S. MURRAY, R. J. COZENS, G. B. DEACON, P. W. FELDEN u. B. O. WEST, Inorg. Nucl. Chem. Lett. **4**, 705 (1968).
[6] M. D. JOHNSON u. G. J. LEWIS, Soc. [A] **1970**, 2153.
[7] C. J. COOKSEY, D. DODD, C. GATFORD, M. D. JOHNSON, G. J. LEWIS u. D. M. TITCHMARSH, Soc. [Perkin II] **1972**, 655.
[8] A. E. CREASE u. M. D. JOHNSON, Am. Soc. **100**, 8013 (1978).
[9] A. E. CREASE, B. D. GUPTA, M. D. JOHNSON, E. BIALKOWSKA, K. N. V. DUONG u. A. GAUDEMER, Soc. [Perkin I] **1979**, 2611.

Bei der Umsetzung von *cis*- oder *trans*-4-Methylcyclohexyl-pyridin-cobaloxim bei 20° in Schwefeldioxid entsteht unter Inversion der Konfiguration des reagierenden Kohlenstoff-Atoms *(trans-* oder *cis-4-Methyl-cyclohexylsulfonyl)-cobaloxim*[1]:

$$R-\text{(cyclohexyl)}-Co\} \quad \xrightarrow{SO_2,\ 20°,\ 5\ Tge.} \quad R-\text{(cyclohexyl)}-SO_2-Co$$

40%

c) mit Kohlendioxid

Es gelingt, in die C–Co-Bindung einiger Alkyl-kobalt-Verbindungen Kohlendioxid einzuschieben[2]. Die dabei gebildeten Carbonyloxy-kobalt-Komplexe sind oft nicht stabil und zersetzen sich rasch[3]. So wird die C–Co-Bindung von Methyl-tetrakis-[trimethylphosphan]-kobalt durch Kohlendioxid angegriffen[4].

d) mit Alkenen und Alkinen

1. zu offenkettigen Alkyl-Verbindungen

Methyl-tris[triphenylphosphan]-kobalt reagiert mit Diphenylacetylen unter 1,2-Addition der Methyl-Gruppe und Wasserstoff zu *1,2-Diphenyl-propen*[5]:

$$H_3C-Co[P(C_6H_5)_3]_3 \ + \ H_5C_6-C\equiv C-C_6H_5 \ \xrightarrow{H_5C_6-Cl,\ 20°} \ \begin{array}{c} H_5C_6 \\ H_3C \end{array}\!\!C=CH-C_6H_5$$

Bei der Reaktion von Acyl-tetracarbonyl-kobalt-Komplexen mit 1,3-Butadien wird Butadien zunächst in die Acyl-kobalt-Bindung eingeschoben und in einen η^3-Allyl-Komplex übergeführt[6]. Vom Alkyl-kobalt-Komplex erhält man dasselbe Reaktionsprodukt, da er zunächst unter Insertion von Kohlenmonoxid in einen Acyl-Komplex übergeführt wird, z.B.:

$$\left.\begin{array}{c} H_3C-Co(CO)_4 \\ \\ H_3C-CO-Co(CO)_4 \end{array}\right\} \xrightarrow{+\,H_2C=CH-CH=CH_2} (OC)_3Co-\!\!\!\big\rangle\!\!\!\big\rangle-CH_2-CO-CH_3$$

Allen reagiert auf ähnliche Weise[7]:

$$(OC)_3Co-\!\!\!\big\rangle\!\!\!\big\rangle-CO-CH_3$$

α,β-Ungesättigte Carbonyl-Verbindungen werden von in situ hergestellten Acyl-Komplexen am Sauerstoff acyliert[8]:

$$R^1-CO-Co(CO)_4 \ + \ H_2C=CH-CO-R^2 \ \xrightarrow[-2\ CO]{+\,(H_5C_6)_3P} \ [(H_5C_6)_3P](CO)_2Co-\!\!\!\big\rangle\!\!\!\big\rangle\!\!\begin{array}{c} R^2 \\ O-CO-R^1 \end{array}$$

R¹ = CH₃, C₂H₅; C₆H₅
R² = H, CH₃

[1] J.D. COTTON u. G.T. CRISP, J. Organometal. Chem. **186**, 137 (1980).
[2] A. YAMAMOTO, T. ITO u. T. YAMAMOTO, Asahi Garasu Kogyo Gijutsu Shoreikai Kenkyu Hokoku **1975**, 27, 55; C.A. **86**, 5600 (1977).
[3] G.L. BLACKMER u. C.-W. TSAI, J. Organometal. Chem. **155**, C 17 (1978).
[4] H.-F. KLEIN u. H.H. KARSCH, B. **108**, 944 (1975).
[5] M. MICHMAN u. L. MARCUS, J. Organometal. Chem. **122**, 77 (1976).
[6] R.F. HECK, Am. Soc. **85**, 3381 (1963).
[7] S. OTSUKA u. A. NAKAMURA, Inorg. Chem. **11**, 644 (1972).
[8] R.F. HECK, Am. Soc. **87**, 4727 (1965).

Methyl-tris[triphenylphosphan]-kobalt bildet bei der Umsetzung mit Olefinen unter Spaltung der C-Co-Bindung entweder Ethan oder Methan[1].

Acyl-tetracarbonyl-kobalt setzt sich mit Alkinen zu cyclischen π-Allyl-Komplexen I um, die bei Behandeln mit Triphenylphosphan und mit elementarem Jod die cyclischen dimeren Verbindungen II ergeben[2]:

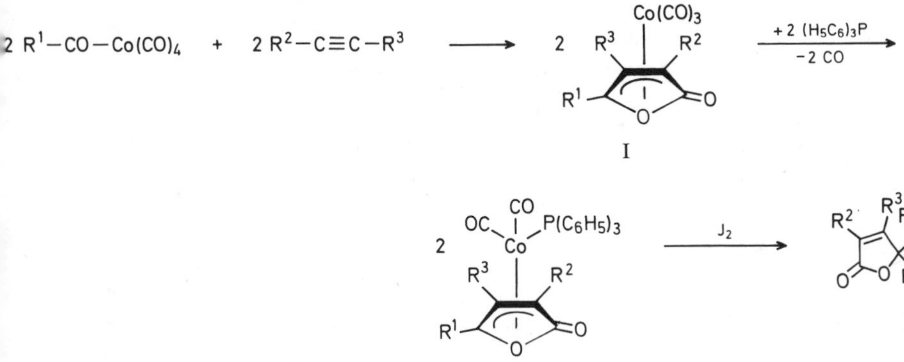

Eine ähnliche Reaktion ist bei der Umsetzung des dimeren Kobalt-Komplexes III mit Acetylen-Verbindungen möglich[3]:

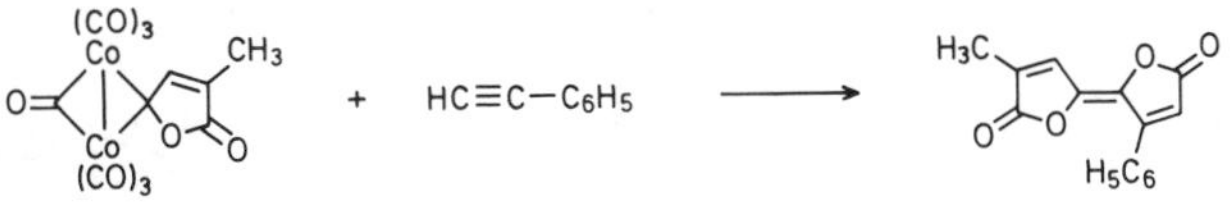

Bei der Umsetzung von Cyclopentadienyl-dimethyl-triphenylphosphan-kobalt mit Ethen entstehen *Methan* und *Propen*, mit Diphenylethin entstehen neben einem Kobaltol *2,3-Diphenyl-1-buten* und *-2-buten*[4]:

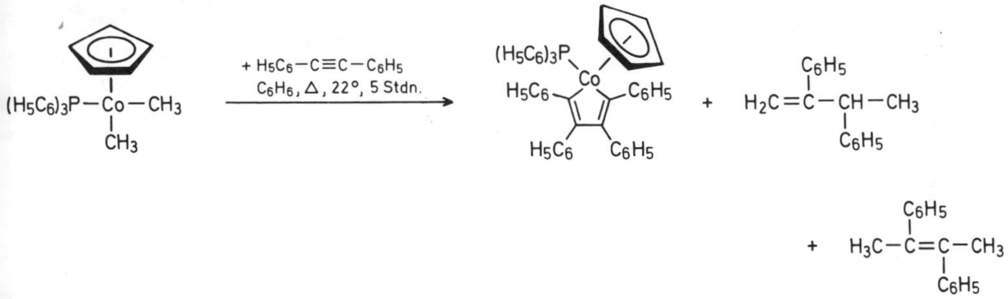

Der 1,2-Dikobaltiran-Komplex bildet mit Ethen beim Erhitzen in Benzol *Propen* (65%)[5]:

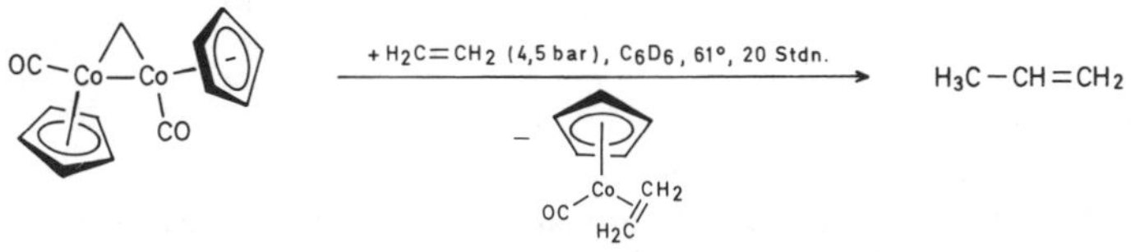

---

[1] Y. Kubo, A. Yamamoto u. S. Ikeda, J. Organometal. Chem. **59**, 353 (1973).

[2] R.F. Heck, Am. Soc. **86**, 2819 (1964).

[3] D.J.S. Guthrie, I.U. Khand, G.R. Knox, J. Kollmeier, P.L. Pauson u. W.E. Watts, J.Organometal.Chem. **90**, 93 (1975).

[4] E.R. Evitt u. R.G. Bergman, Am. Soc. **101**, 3973 (1979); **100**, 3237 (1978).

[5] K.H. Theopold u. R.G. Bergman, Am. Soc. **103**, 2489 (1981); **105**, 464 (1983).

4,5-Dihydro-kobaltol-Derivate bilden mit Acrylnitril offenkettige η^2- bzw. η^4-1,3-Butadien-Komplexe[1].

1-Cyclopentadienyl-1-triphenylphosphan-1-kobaltolan bildet beim Behandeln mit Ethen bzw. Ethin hauptsächlich *1-Hexen* (65%) bzw. *1,5-Hexadien* (57%)[2]. Bei der Umsetzung von (1-Cyan-ethyl)-cobaloxim mit Acrylnitril entsteht *2-Methyl-glutarsäure-dinitril*[3].

2. zu cyclischen Verbindungen

4,5-Dihydro-kobaltole reagieren mit Alkinen unter Cyclisierung des organischen Restes und C-Co-Spaltung[4]:

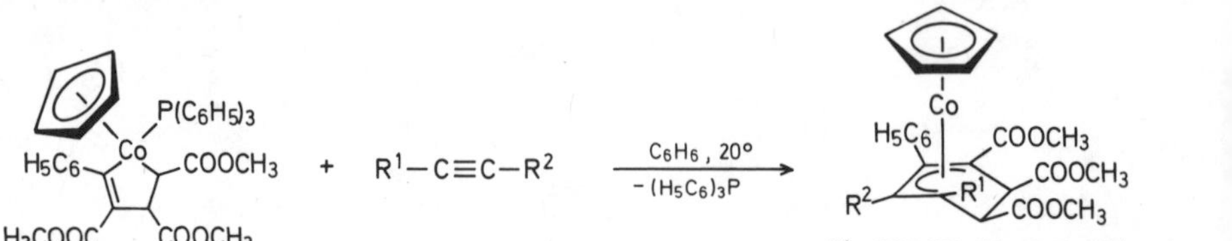

$R^2 = COOCH_3$; $R^1 = C_6H_5$; 43%
$R^1 = R^2 = C_6H_5$; 46%; F: 204–206° (Zers.)

Analoge Derivate erhält man auch aus Kobaltolen mit Alkenen[4-6], während mit Alkinen Benzole gebildet werden[5,7-11]:

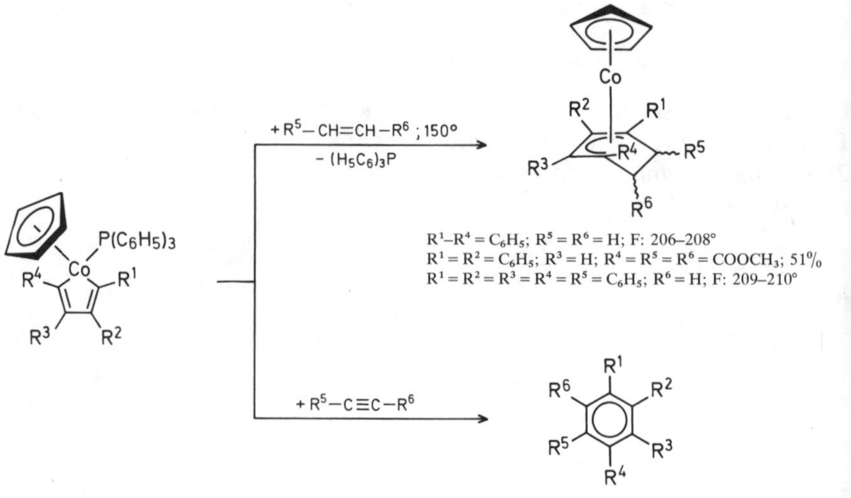

R^1–$R^4 = C_6H_5$; $R^5 = R^6 = H$; F: 206–208°
$R^1 = R^2 = C_6H_5$; $R^3 = H$; $R^4 = R^5 = R^6 = COOCH_3$; 51%
$R^1 = R^2 = R^3 = R^4 = R^5 = C_6H_5$; $R^6 = H$; F: 209–210°

R^1–$R^6 = C_6H_5$ [5,7]
$R^1 = R^4 = C_6H_5$; $R^2 = R^3 = CH_3$; $R^5 = R^6 = COOCH_3$; 12%[9]
$R^1 = R^4$–$R^6 = CH_3$; R^2–$R^3 = -(CH_2)_4$-[10,11]

[1] Y. WAKATSUKI, K. AOKI u. H. YAMAZAKI, Am. Soc. **101**, 1123 (1979).
[2] Y. WAKATSUKI, O. NOMURA, H. TONE u. H. YAMAZAKI, Soc. [Perkin II] **1980**, 1344.
[3] A. MISONO, Y. UCHIDA, M. HIDAI u. H. KANAI, Bl. Chem. Soc. Japan **40**, 2089 (1967).
[4] H. YAMAZAKI u. N. HAGIHARA, J. Organometal. Chem. **21**, 431 (1970).
[5] Y. WAKATSUKI, T. KURAMITSU u. H. YAMAZAKI, THL **1974**, 4549.
[6] Y. WAKATSUKI u. H. YAMAZAKI, J.Organometal.Chem. **139**, 169 (1977).
[7] H. YAMAZAKI u. N. HAGIHJRA, J.Organometal. Chem. **7**, P 22 (1967); **21**, 431 (1970).
[8] Zum Mechanismus vgl. D.R. McALISTER, J.E. BERCAW u. R.G. BERGMAN, Am. Soc. **99**, 1666 (1977).
[9] H. YAMAZAKI u. Y. WAKATSUKI, J. Organometal. Chem. **139**, 157 (1977).
[10] L.P. McDONNELL BUSHNELL, E.R. EVITT u. R.G. BERGMAN, J. Organometal. Chem. **157**, 445 (1978).
[11] K.P.C. VOLLHARDT, Accounts Chem. Res. **10**, 1 (1977).

Gleichermaßen erhält man Benzo- und Dibenzo-hetarene bzw. 1,2-Dihydro-naphthaline durch Umsetzung entsprechender Kobalta-Komplexe mit Alkinen bzw. Alkenen[1], z.B.:

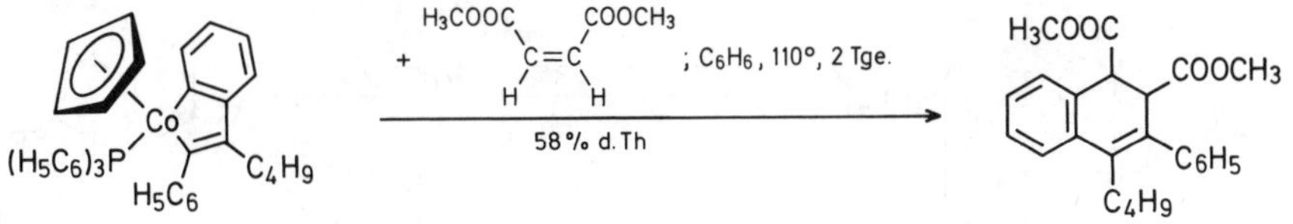

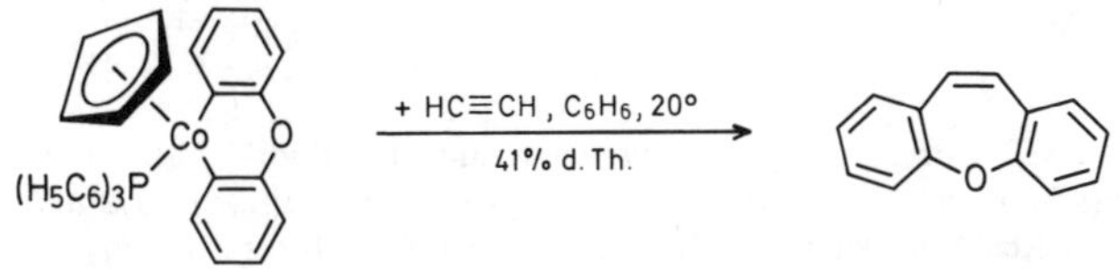

Die Cyclisierung von 1,ω-Diinen mit Alkinen zu Benzolen gelingt auch mit katalytischen Mengen Cyclopentadienyl-dicarbonyl-kobalt[2,3]:

$$A = \text{(structure)} \; ; R^1 = H, Si(CH_3)_3; R^2 = R^3 = Si(CH_3)_3$$

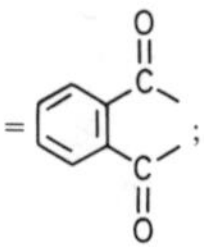

$$A = -(CH_2)_3-, -(CH_2)_4-; R^1 = H; R^2 = R^3 = COOCH_3, Si(CH_3)_3$$

Der Kobaltacyclopentadien-Rest kann auch dann mit Alkinen umgesetzt werden, wenn auch ein zweites Kobalt-Atom π-gebunden ist[4]. 2-Butin kann durch den Kobalt-Komplex I katalytisch trimerisiert werden.

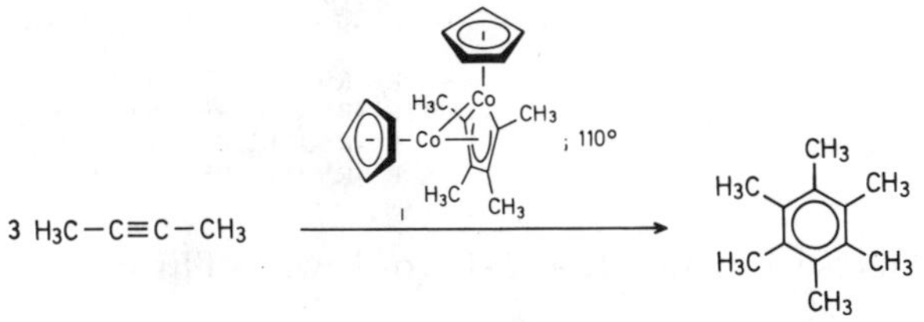

$$3 \; H_3C-C\equiv C-CH_3$$

Der Komplex I spaltet reversibel *1,2-Bis-[methylen]-cyclohexadien* ab, das in einer Diels-Alder-Reaktion mit Acetylendicarbonsäuredimethylester reagiert[5]:

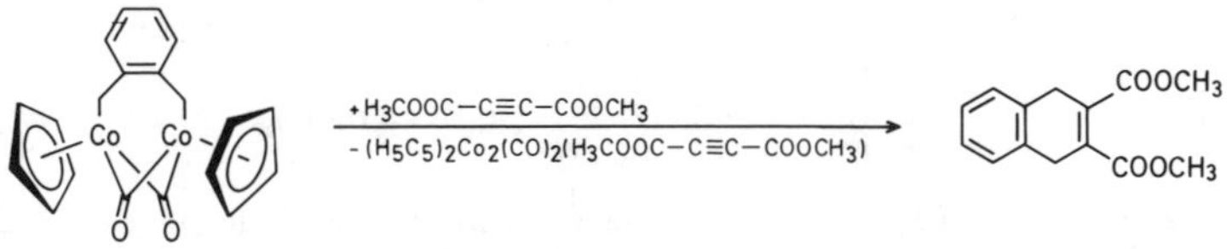

---

[1] Y. WAKATSUKI, O. NOMURA, H. TONE u. H. YAMAZAKI, Soc. [Perkin II] **1980**, 1344.
[2] K.P.C. VOLLHARDT, Accounts Chem. Res. **10**, 1 (1977).
[3] R.L. HILLARD u. K.P.C. VOLLHARDT, Am. Soc. **99**, 4058 (1977).
[4] W.-S. LEE u. H.H. BRINTZINGER, J. Organometal. Chem. **127**, 93 (1977).
[5] W.H. HERSH u. R.G. BERGMAN, Am. Soc. **105**, 5846 (1983).

Der Phthaloyl-kobalt(III)-Kation-Komplex II bildet mit verschiedenen Alkinen Naph-
thochinon-Derivate in hoher Ausbeute[1]:

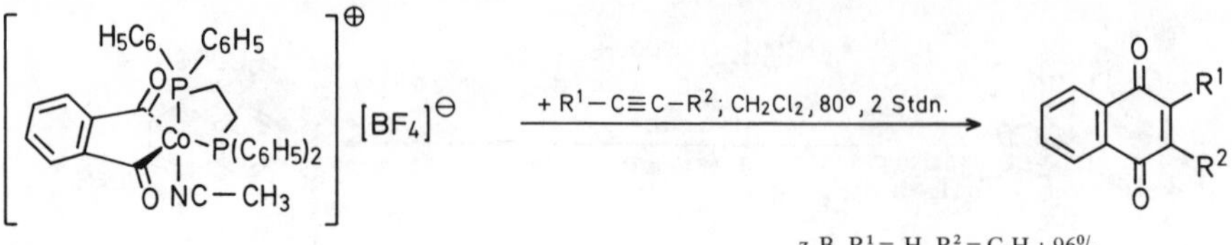

z. B. $R^1 = H$, $R^2 = C_4H_9$; 96%
$R^1 = R^2 = C_2H_5$; 96%
$R^1 = CH_3$, $R^2 = CH_2(OC_2H_5)_2$; 51%; F: 44–45°
$R^1 = C_4H_9$, $R^2 = Si(CH_3)_3$; 86%

[2-Phenylazo-phenyl-(C,N)]-tricarbonyl-kobalt reagiert mit Hexafluor-2-butin unter Bildung einer Acyl-
kobalt(I)-Verbindung (s. S. 35, 43) und *1-Anilino-3,4-bis-[trifluormethyl]-2-oxo-1,2-dihydro-chinolin*[2], dessen
Anteil bei Erhöhung der Reaktionsdauer auf Kosten des Acyl-Komplexes zunimmt:

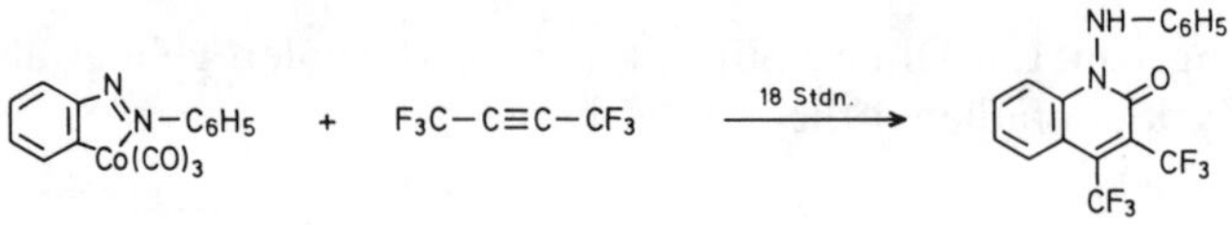

e) mit anderen ungesättigten Verbindungen

Nitrile reagieren ähnlich den Alkinen mit Kobaltolen[3]. Die Komplexe mit Alkyl- und
Aryl-Substituenten reagieren bereits bei 70°, Derivate mit Alkoxycarbonyl-Funktionen
erst oberhalb 120° zu Pyridinen:

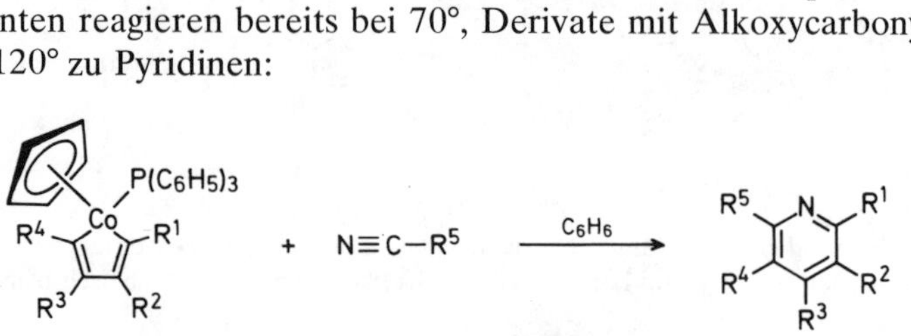

z. B.: R^1–R^4=C_6H_5; R^5=CH_3 33%
                                 R^5=CH=CH_2 72%
R^1=R^4=C_6H_6; R^2=R^3=CH_3; R^5=$C(CH_3)$=CH_2 54%
R^1=R^4=C_6H_5; R^2=R^3=COOCH$_3$; R^5=C_2H_5 53%
R^1=R^2=C_6H_5; R^3=R^4=COOCH$_3$; R^5=CH_3 33%
R^1=R^3=C_6H_5; R^2=R^4=COOCH$_3$; R^5=C_6H_5 Gemische

Isocyanate und Thioisocyanate liefern 2 - O x o - bzw. 2 - T h i o x o - 1 , 2 - d i h y d r o - p y r i -
d i n e[3,4]:

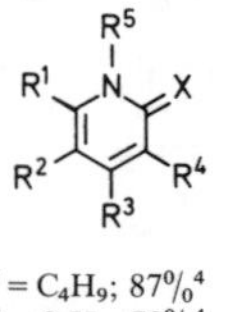

X = O; R^1–R^4 = C_6H_5; R^5 = C_4H_9; 87%[4]
                       R^5 = C_6H_5; 72%[4]
R^1 = R^3 = COOCH$_3$; R^2 = R^4 = C_6H_5; R^5 = C_4H_9; 45%[4]
X = S; R^1–R^4 = C_6H_5; R^5 = CH_3; 10%[3]

4,5-Dimethoxycarbonyl-2-oxo-1,3,6-triphenyl-1,2-dihydro-pyridin[4]: Eine Mischung von 353 mg (0,5 mmol)
1-Cyclopentadienyl-3,4-dimethoxycarbonyl-2,5-diphenyl-1-triphenylphosphan-kobaltol und 1 *ml* Phenyliso-
cyanat in 10 *ml* Benzol wird in einer Ampulle 2 Stdn. auf 130° erhitzt. Nach Entfernen des Lösungsmittels i. Vak

[1] S.L. BAYSDON u. L.S. LIEBESKIND, Organometallics **1**, 771 (1982).
[2] M.I. BRUCE, B.L. GOODALL, A.D.R. REDHOUSE u. F.G.A. STONE, Chem. Commun. **1972**, 1228.
[3] Y. WAKATSUKI u. H. YAMAZAKI, Chem. Commun. **1973** 280; Soc. [Dalton] **1978**, 1278.
[4] P. HONG u. H. YAMAZAKI, Synthesis **1977**, 50.

wird der Rückstand an Aluminiumoxid mit einem 10:1-Gemisch von Benzol und Essigsäure-ethylester chromatographiert; Ausbeute: 145 mg (66%); F: 224–225°.

Isonitril reagiert als carbenoide Verbindung unter Austausch des Kobalt-Restes im 2,5-Dihydro-kobaltol I durch den Carben-Rest[1]. Im Falle von tert.-Butylisonitril entsteht aus Gründen einer übermäßigen sterischen Hinderung *3,4-Bis-[tert.-butylimino]-1,2-diphenyl-cyclobuten*:

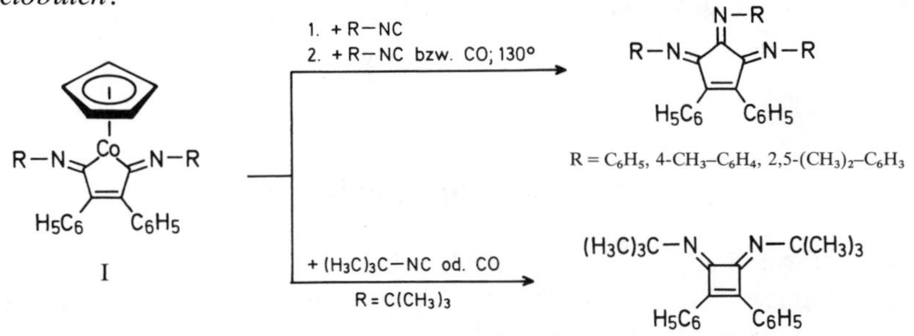

$R = C_6H_5$, 4-CH$_3$–C$_6$H$_4$, 2,5-(CH$_3$)$_2$–C$_6$H$_3$

Kobaltole werden durch Isonitrile unter Bildung von (η^4-Imino-cyclopentadien)-Komplexen gespalten (50–85%)[2]. Die Reaktionstemp. muß bei stark Elektronen-anziehenden Resten für einen vollständigen Umsatz erhöht werden:

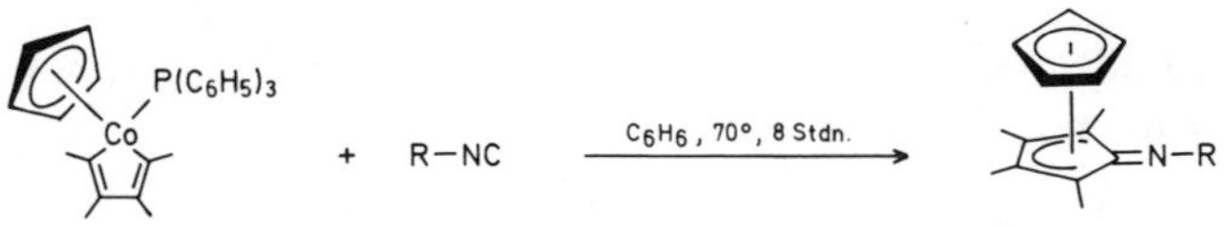

Bei den folgenden Isocyanid-Insertionen können die Imino-cyclischen Verbindungen kobalt-frei isoliert werden[3]:

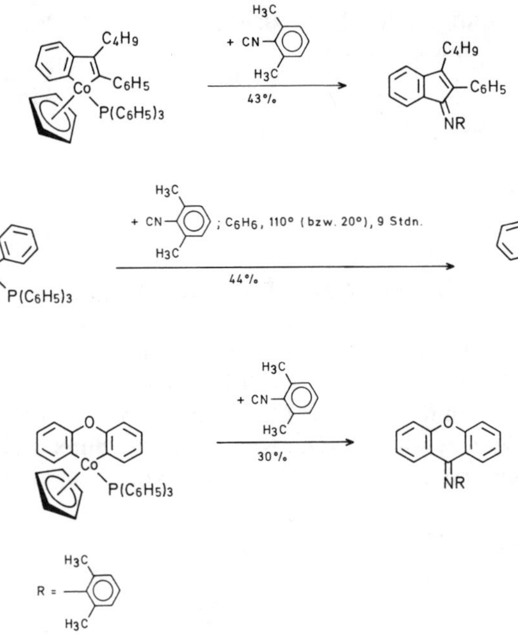

[1] H. Yamazaki, K. Aoki, Y. Yamamoto u. Y. Wakamatsu, Am. Soc. **97**, 1239 (1979).
[2] H. Yamazaki u. Y. Wakatsuki, Bl. Chem. Soc. Japan **52**, 1239 (1979).
[3] Y. Wakatsuki, O. Nomura, H. Tone u. H. Yamazaki, Soc. [Perkin II] **1980**, 1344.

18*

Nitroso-benzol in Benzol bildet mit Kobaltolen bei 70–110° Pyrrole[1]:

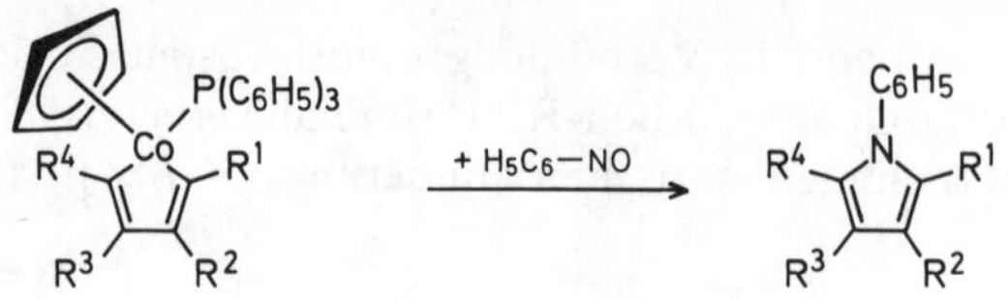

$$R^1\text{–}R^4 = C_6H_5;\ 34\%$$
$$R^1 = R^4 = C_6H_5,\ R^2 = R^3 = CH_3;\ 35\%$$

III. σ→π-Umwandlungen

Die σ→π-Umwandlungen werden ausführlich im Bd. E 18 beschrieben.

σ-Allyl-Komplexe lagern sich leicht unter Abspaltung eines Liganden in π-Allyl-Komplexe um. Die Reaktion ist oft reversibel; z.B.[2]:

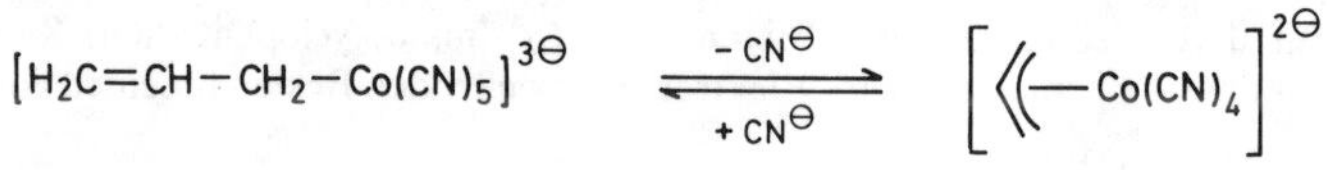

3-Alkenoyl-carbonyl-kobalt-Verbindungen werden unter Decarbonylierung in einen π-Allyl-Komplex umgewandelt[3]; z.B.:

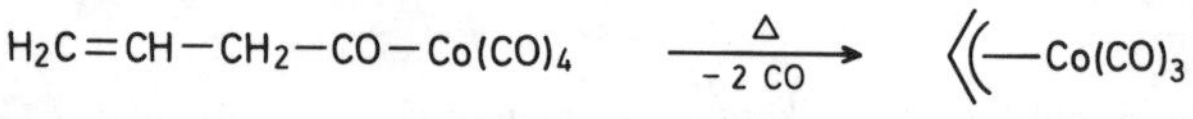

Beim Erhitzen können auch Alkenoyl-carbonyl-kobalt-Komplexe mit entfernt stehender C,C-Doppelbindung unter Isomerisierung des gebildeten Alkenyl-Restes in π-Allyl-Derivate umgewandelt werden[4]:

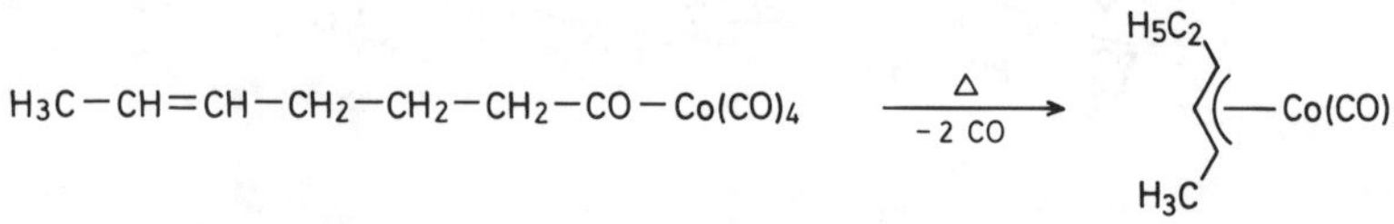

IV. spezielle Umwandlungen

In diesem Abschnitt werden Reaktionen von Organo-kobalt-Verbindungen beschrieben, die sich anderweitig nicht zwanglos einordnen lassen.

Methyl-cobaloxim und ähnliche Komplexe reagieren mit 1,4-Naphthochinon zum *2-Methyl-1,4-naphthochinon* ($\sim 40\%$)[5]. Die Reaktion wird durch Palladium(II)-Salze beschleunigt. 1,4-Benzochinon wird nur in Gegenwart von Palladium(II) umgesetzt:

[1] Y. WAKATSUKI, T. KURAMITSU u. H. YAMAZAKI, Tetrahedron Letters **1974**, 4549.
[2] J.A. DINEEN u. P.L. PAUSON, J. Organometal. Chem. **71**, 87 (1974).
[3] R.F. HECK u. D.S. BRESLOW, Am. Soc. **82**, 750 (1960); Am. Soc. **83**, 1097 (1961).
[4] R.F. HECK, Am. Soc. **85**, 3116 (1963).
[5] J.Y. KIM, T. UKITA u. T. KWAN, Tetrahedron Letters **1972**, 3079.

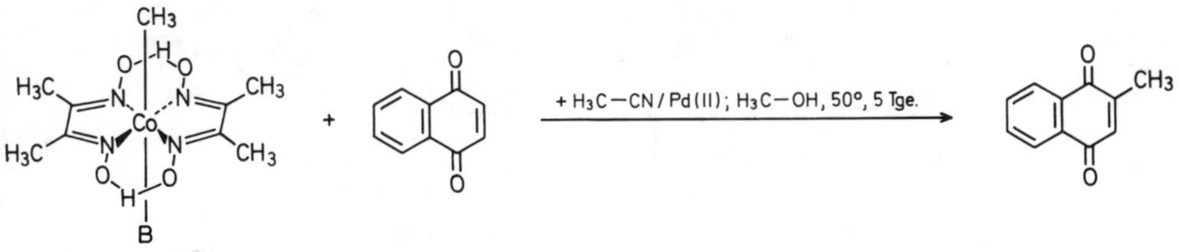

B = H₂O, Pyridin

Auf ähnliche Weise werden Olefine durch Alkyl- und Aryl-cobaloxim an der C,C- Doppelbindung substituiert[1]:

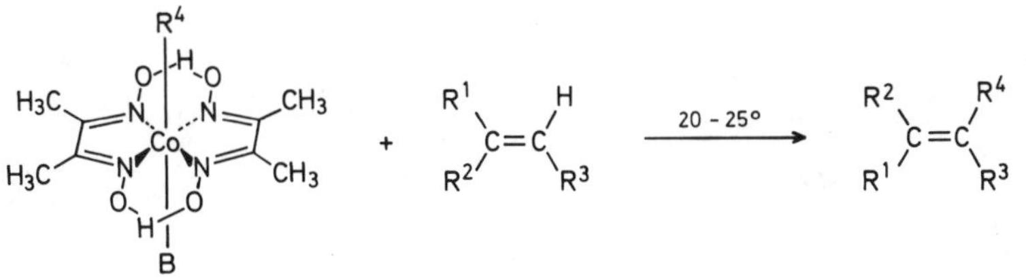

z. B.: B = H₂O bzw. Pyridin
R¹ = C₆H₅; R² = R³ = H; R⁴ = CH₃; 64 bzw. 76%

Kobaltole reagieren mit Benzol bzw. Thiophen oder Pyrrol unter Addition der Aryl-Wasserstoff-Gruppe, wobei der Kobalt-Rest π-gebunden an der gebildeten 1,3-Butadien-Einheit bleibt[2-4]:

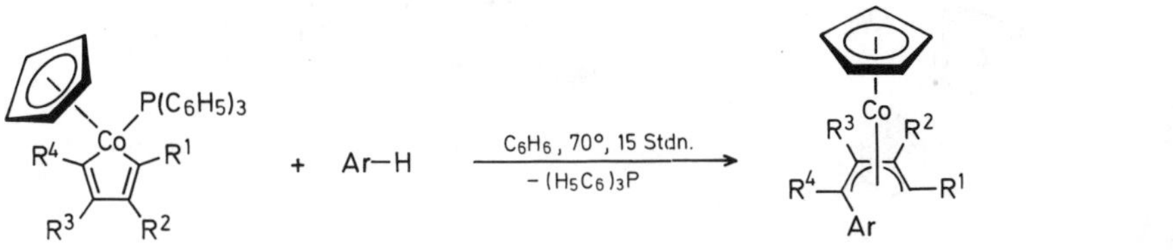

R¹ = R³ = COOCH₃; R² = CH₃, R⁴ = Ar = C₆H₅[2-4]

R¹–R⁴ = C₆H₅; Ar=

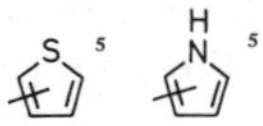

Phosphite verdrängen den Kobalt-Rest in verschiedenen Cobaltolen[5]:

[1] M. E. VOLPIN, L. G. VOLKOVA, I. Ya. LEVITIN, N. N. BORONINA u. A. M. YURKEVICE, Chem. Commun. **1971**, 849.
[2] H. YAMAZAKI u. Y. WAKATSUKI, J. Organometal. Chem. **149**, 337 (1978).
[3] Y. WAKATSUKI u. H. YAMAZAKI, J. Organometal. Chem. **149**, 385 (1978).
[4] Aus den spektroskopischen Daten kann nicht entschieden werden, ob die Aryl-Reste in 2- oder 3-Stellung an der Butadien-Gruppe gebunden sind.
[5] K. YASUFUKU, A. HAMADA, K. AOKI u. H. YAMAZAKI, Am. Soc. **102**, 4363 (1980).

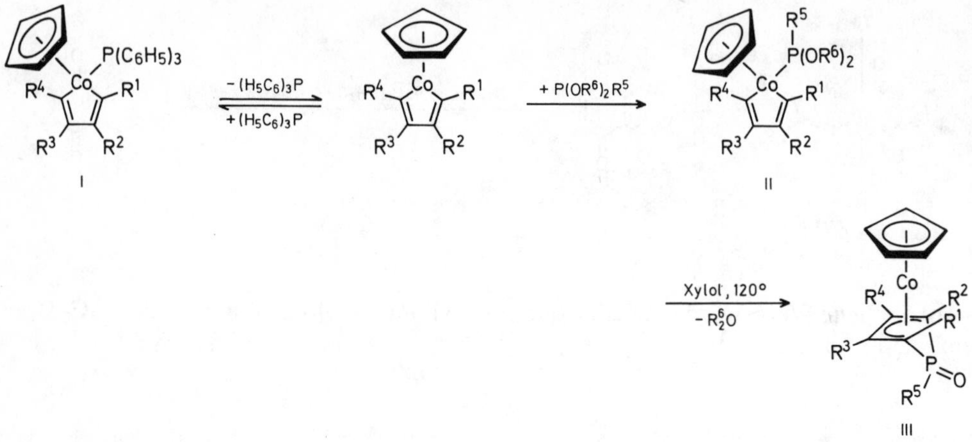

$R^6 = CH_3$; $R^5 = OCH_3$, C_6H_5

III; z. B.: R^1–$R^4 = C_6H_5$; $R^6 = CH_3$; $R^5 = OCH_3$; *exo + endo*: 33% (bez. auf II)

$R^1 = R^4 = C_6H_5$; $R^2 = R^3 = CH_3$; $R^6 = CH_3$; $R^5 = OCH_3$; 68% (bez. a

$R^1 = R^4 = C_6H_5$; $R^2 = R^3 = COOCH_3$; $R^6 = CH_3$; $R^5 = OCH_3$

Alkyl-cobaloxime werden durch Acetanhydrid in Pyridin unter Spaltung der Co–C-Bindung zersetzt, und man erhält Imidazo[1,2-a]pyridine[1]:

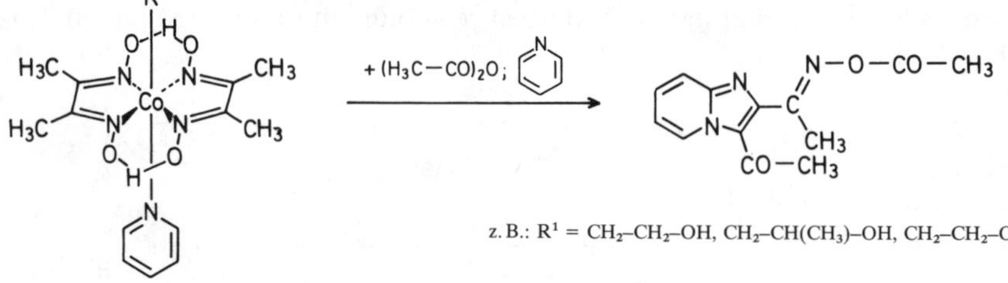

z. B.: $R^1 = CH_2$–CH_2–OH, CH_2–CH(CH_3)–OH, CH_2–CH_2–O–CO–CH_3

Das schwach elektrophile 1,3-Benzodithiolylium-tetrafluoroborat reagiert mit (1,1-bzw. 2,2-Diphenyl-vinyl)-pyridin-cobaloxim unter Bildung von 2-[1-Phenyl)- (bzw. 2,2-Diphenyl)-vinyl]-1,3-benzodithiol[2].

[1] N. W. ALCOCK, B. T. GOLDING, D. R. HALL, U. HORN u. W. P. WATSON, Soc. [Perkin I] 1975, 386.
[2] K. MIURA u. M. TADA, Chem. Letters 1978, 1139.

Methoden zur Herstellung und Umwandlung von σ-Organo-rhodium-Verbindungen

bearbeitet von

Dr. Ernst Langer

BASF AG
Ludwigshafen/Rhein

Mit 10 Tabellen

Literatur berücksichtigt bis 1983.

σ-Organo-rhodium-Verbindungen

Allgemeines

(vgl. a. S. 464)

Obwohl seit langem bekannt ist, daß Rhodium-Verbindungen die Umsetzung von Olefinen mit Kohlenmonoxid und Wasserstoff katalysieren, wurden Rhodium-Katalysatoren erst spät in der Technik eingesetzt[1]. Die Oxosynthese (Hydroformylierung) wurde großtechnisch zunächst mit Kobalt-Katalysatoren bei ~ 300 bar durchgeführt. Spezialprodukte wurden mit Rhodium-Katalysatoren hydroformyliert.

Bereits bei der Kobalt-Katalyse wurde gezeigt, daß Phosphan-Derivate den Anteil an geradkettigen Oxoprodukten erhöhen. Bevorzugt werden durch Hydrierung des Aldehyds während der Oxosynthese Alkohole erhalten. Als bei der wichtigsten Oxosynthese, der Hydroformylierung von Propen, der Olefin-Preis die Wirtschaftlichkeit des Prozesses immer stärker beeinflußte und als bei stärkerem Bedarf von Butanal die iso-Komponenten, 2-Methyl-propanal bzw. -propanol, nur noch zum Teil Verwendung fanden, wurde ein Triorganophosphan-rhodium-Katalysator entwickelt, der es erlaubt, ein Produkt mit hohem Butanal-Anteil herzustellen. Ein weiterer Vorteil des Prozesses ist es, daß er bei ~ 20 bar durchgeführt werden kann[2-4].

$$R-CH=CH_2 \;+\; H_2 \;+\; CO \xrightarrow{Rh-PR_3} R-CH_2-CH_2-CHO \;+\; R-\overset{\overset{\displaystyle CH_3}{|}}{CH}-CHO$$

Auch bei der Umsetzung von Methanol und Ethanol mit Kohlenmonoxid (Carbonylierung) gelang es, durch Einsatz von Rhodium-Katalysatoren den Reaktionsdruck deutlich abzusenken.

Während bei der Kobalt-Jod-katalysierten *Essigsäure*-Synthese der Reaktionsdruck ~ 600 bar beträgt, werden mit Jodmethyl-rhodium lediglich ~ 50 bar benötigt; z.B.[5]:

$$H_3C-OH \;+\; CO \xrightarrow{Rh-CH_3J} H_3C-COOH$$

In beiden Prozessen sind Alkyl- und Acyl-rhodium-Komplexe Glieder des Katalyse-Zyklus.

Dasselbe gilt für Hydrierungen von Alkenen, die durch Rhodium-Verbindungen in homogener Lösung katalysiert werden. Wegen des hohen Preises von Rhodium wurde die Methode bis jetzt nur für Spezialprobleme zur Synthese wertvoller Verbindungen verwendet.

Einige Organo-rhodium-Verbindungen werden zur C–C-Kupplung eingesetzt (vgl. S. 447):

$$R^1-Rh^I \;+\; R^2-\overset{\overset{\displaystyle O}{\|}}{C}{\diagdown}_X \longrightarrow R^1-\overset{\overset{\displaystyle CO-R^2}{|}}{\underset{III}{Rh}}-X \xrightarrow[-Rh-X]{} R^1-\overset{\overset{\displaystyle O}{\|}}{C}{\diagdown}_{R^2}$$

DBP. 953605 (1956), G. Schiller; C. A. **53**, 11226 (1959).

J. A. Osborn, G. Wilkinson u. J. F. Young, Chem. Commun. **1965**, 17.

P. S. Hallman, D. Evans, J. A. Osborn u. G. Wilkinson, Chem. Commun. **1967**, 305.

Canad. P. 727641 (1966) ≡ Fr. P. 1459643.

D. Forster, Adv. Organometal. Chem. **17**, 255 (1979); dort weitere Lit.

Auch kann die Eigenschaft von Rhodium, Kohlenmonoxid zu binden, in stöchiometri-schen oder katalytischen Umsetzungen ausgenützt werden; z.B.:

$$Rh^I \ + \ R-CH_2-CH_2-CO-X \ \longrightarrow \ X-Rh^{III}-\overset{\overset{O}{\|}}{C}-CH_2-CH_2-R \ \xrightarrow[\substack{-Rh^I \\ -CO \\ -HX}]{\Delta} \ R-CH=CH_2$$

Sehr intensiv wurde die Synthese von kondensierten Aromaten und Hetarenen durch Umsetzung kondensierter Rhodole mit verschiedenen ungesättigten Verbindungen und Chalkogenen untersucht (s. S. 459ff.):

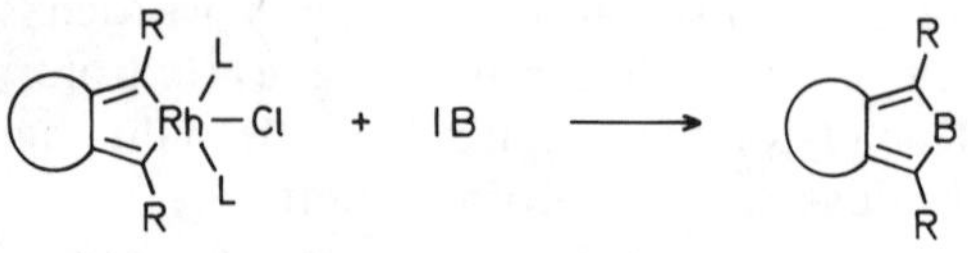

L = $(H_5C_6)_3$P
B = R^1–C= C–R^2, O, S, Se, Te, CO, N–R

Die σ-Organo-rhodium-Verbindungen liegen in der Oxidationsstufe I, II, III und IV vor. Die meisten Verbindungen leiten sich vom Rhodium(III) ab.

Auch zahlreiche Organo-dirhodium-, einige Organo-polyrhodium- sowie einige Organo-rhodium-metall-Verbindungen sind bekannt, die in eigenen Abschnitten ohne Berück-sichtigung der Oxidationsstufe des Rhodiums beschrieben werden. Triorgano- bzw. Triha-logenostannyl- sowie Quecksilber(II)-Substituenten am Rhodium-Atom werden als anor-ganische Anion-Liganden betrachtet.

Organo-rhodium(I)-Verbindungen werden durch Umsetzung von Halogeno-rhodium(I)-Komplexen mit Organo-metall-Verbindungen hergestellt:

$$Rh^I-X \ + \ M-R \ \xrightarrow[-MX]{} \ Rh^I-R$$

M = Li, MgHal, Tl(III), R_3Sn, Pd(II), Ag
R = Alkyl, 1-Alkenyl, 1-Alkinyl, Aryl

Einige Verbindungen reagieren unter Spaltung einer C–H-Bindung mit Rhodium(I)-Komplexen:

$$Rh^I-X \ + \ H-R \ \xrightarrow[-[HX]]{} \ Rh^I-R$$

X = Hal bzw. H
R = Alkyl bzw. 1-Alkinyl

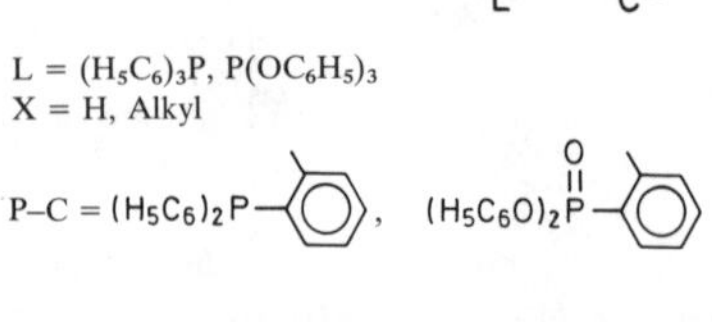

L = $(H_5C_6)_3$P, P(OC$_6$H$_5$)$_3$
X = H, Alkyl

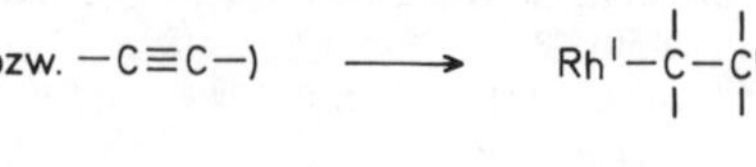

P–C = $(H_5C_6)_2$P–⟨◯⟩ , $(H_5C_6O)_2\overset{\overset{O}{\|}}{P}$–⟨◯⟩

Alkene und Alkine werden formal in die H–Rh-Bindung eingeschoben:

$$Rh^I-H \ + \ \overset{\diagdown}{}C=C\overset{\diagup}{} \ (bzw. \ -C\equiv C-) \ \longrightarrow \ Rh^I-\overset{|}{\underset{|}{C}}-\overset{|}{\underset{|}{C}}H \ (bzw. \ Rh^I-\overset{|}{C}=CH-)$$

Die Rhodium(-I)-Anion-Komplexe reagieren mit Organo-halogen-Verbindungen unter Substitution von Halogen durch Rhodium:

$$[Rh^{-I}]^{\ominus} \quad + \quad X{-}R \quad \xrightarrow[-X^{\ominus}]{} \quad Rh^{I}{-}R$$

R = Alkyl, 1-Alkenyl, 1-Cycloalkenyl-, Aryl

Die relativ stabilen Aryl-Komplexe erhält man auch durch Decarboxylierung der Acyl-oxy-Verbindungen oder durch Reduktion von Aryl-rhodium(III)-Komplexen:

$$Rh^{I}(O{-}CO\text{-}Aryl) \quad \xrightarrow[-CO_2]{} \quad Aryl\text{-}Rh^{I}$$

$$Aryl\text{-}Rh^{III}X_2 \quad \xrightarrow[-2X^{\ominus}]{Red.} \quad Aryl\text{-}Rh^{I}$$

Die Acyl-rhodium(I)-Verbindungen erhält man durch Insertion von Kohlenmonoxid in die C–Rh-Bindung:

$$Rh^{I}{-}R \ + \ CO \quad \longrightarrow \quad R{-}CO{-}Rh^{I}$$

$$(OC)Rh^{I}{-}R \quad \xrightarrow{(L)} \quad R{-}CO{-}Rh^{I}$$

Schließlich gelingt es, durch nucleophilen Angriff von Alkanolaten am Carbonyl-Liganden Alkoxycarbonyl-rhodium-Komplexe herzustellen:

$$[Rh^{I}(CO)]^{\oplus} \ + \ ROH \ + \ \bar{B} \quad \xrightarrow[-[HB]^{\oplus}]{} \quad R{-}CO{-}Rh^{I}$$

Von Organo-rhodium(II)-Komplexen sind nur wenige Beispiele bekannt. Dirhodium-Verbindungen, die mit Alkinen überbrückt werden, besitzen normalerweise eine Rh–Rh-Bindung. In einigen Fällen ist dagegen der Rh–Rh-Abstand so groß, daß man nicht mehr von einer Rh–Rh-Bindung sprechen kann:

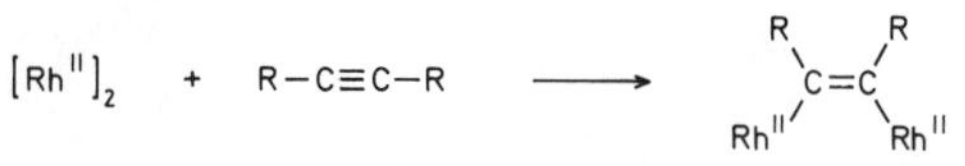

$$[Rh^{II}]_2 \ + \ R{-}C{\equiv}C{-}R \quad \longrightarrow \quad \underset{Rh^{II} \quad \ Rh^{II}}{\overset{R \qquad R}{C{=}C}}$$

Organo-rhodium(III)-Verbindungen können aus Rhodium(III)-Komplexen durch Substitution von einem, zwei oder drei Anion-Liganden mit Organo-metall-Verbindungen hergestellt werden:

$$Rh^{III}X_n \quad + \quad n\,R{-}M \quad \xrightarrow[-n\,MX]{} \quad Rh^{III}(R)_n$$

n = 1, 2, 3
R = Alkyl, 1-Alkinyl, Aryl
M = Li, MgHal, R$_3$Sn

Nach der Methode erhält man auch Rhodiacycloalkane bzw. Rhodole:

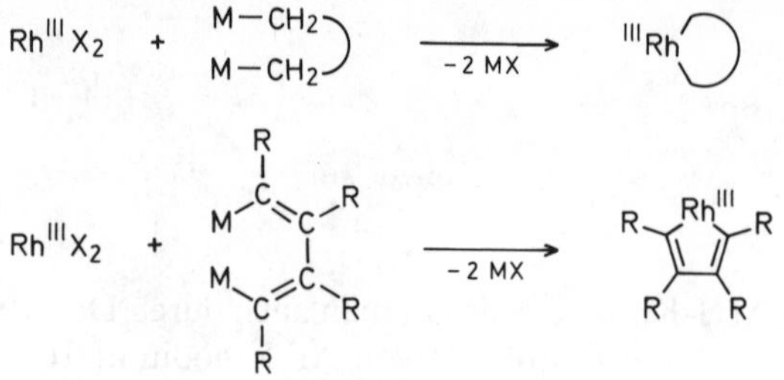

$$Rh^{III}X_2 \;+\; \begin{array}{c} M-CH_2 \\ M-CH_2 \end{array} \xrightarrow[-2\,MX]{} \;^{III}Rh\!\!<\!\!\rangle$$

M = Li, MgHal, Mg$_{0,s}$

Halogeno-rhodium(III)-Verbindungen können mit der H–C-Bindung von Alkanen, Alkenen, Alkinen und Aromaten unter Abspaltung von Halogenwasserstoff und Bildung von Organo-rhodium(III)-Komplexen reagieren. Die Umsetzung wird beträchtlich erleichtert, wenn sie an einem Donor-Liganden stattfindet, da so ein energiearmer Komplex entsteht:

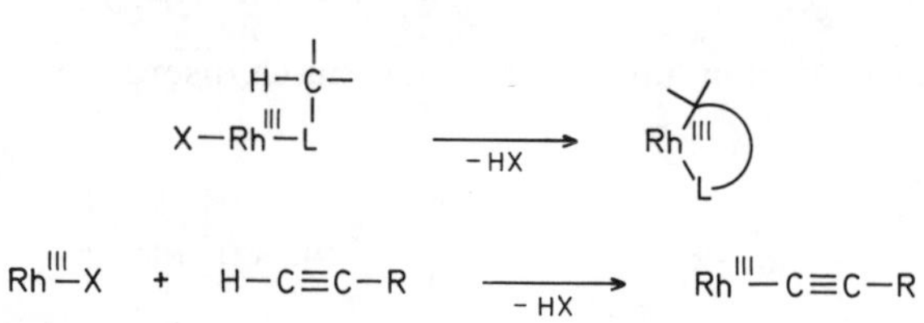

$$Rh^{III}\!-X \;+\; H-C\equiv C-R \xrightarrow[-HX]{} Rh^{III}\!-C\equiv C-R$$

Verschiedene π-Allyl-rhodium(III)-Komplexe lagern sich bei Behandlung mit Donor-Liganden in eine σ-Allyl-Verbindung um:

Eine Vielzahl von ungesättigten Verbindungen wird in die Rh–H-, Rh–Hal- bzw. Rh–C-Bindung eingeschoben:

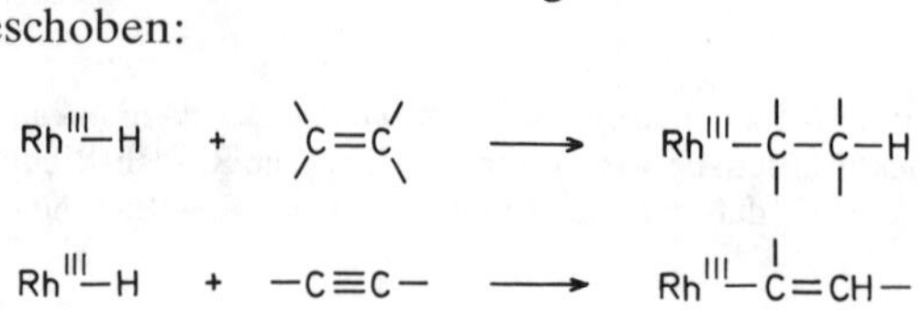

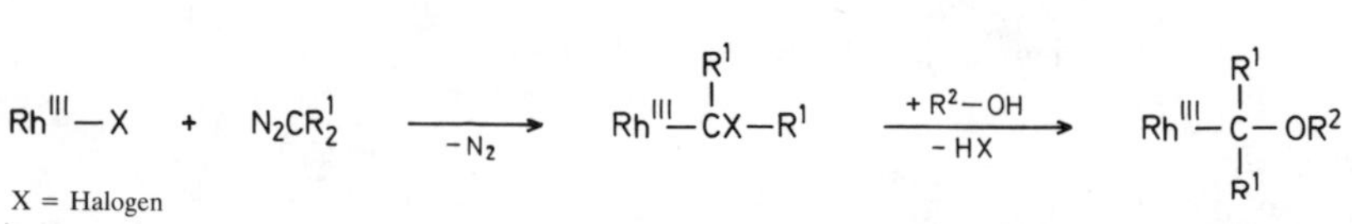

X = Halogen

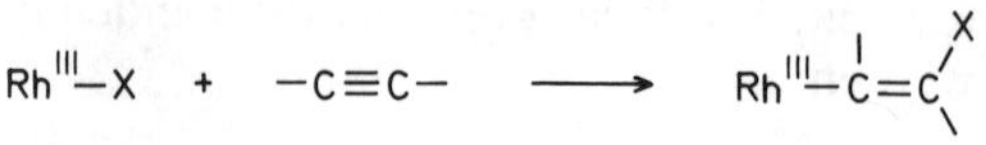

X = Halogen

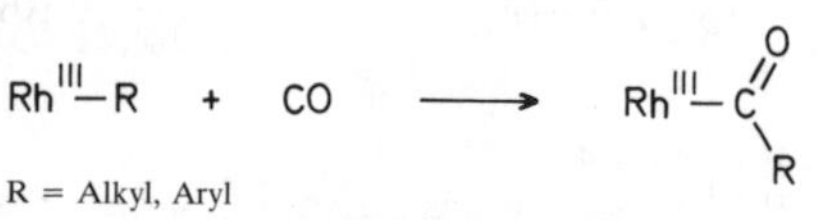

R = Alkyl, Aryl

Die Carbonyl-rhodium(III)-Komplexe reagieren mit Alkanolaten oder Alkoholen und Basen unter nucleophilem Angriff am Carbonyl-Liganden. Lithiumamide verhalten sich analog:

$$Rh^{III}X(CO) + HO-R + B \xrightarrow[-HX \cdot B]{} Rh^{III}-COOR$$

$$Rh^{III}X(CO) + LiNR_2 \xrightarrow[-LiX]{} Rh^{III}-\overset{\overset{\displaystyle O}{\|}}{C}-NR_2$$

Rhodium(I)-Anion-Komplexe reagieren mit organischen Halogen-Verbindungen unter Substitution von Halogen durch Rhodium:

$$[Rh^I]^{\ominus} + X-R \xrightarrow[-X^{\ominus}]{} Rh^{III}-R$$

R = Alkyl, 1-Alkenyl, Aryl, Acyl

Bei der Umsetzung der At-Komplexe mit ungesättigten Verbindungen oder gespannten Kohlenstoff-Ringen wird an dem einen C-Atom Rhodium und an dem anderen ein Proton gebunden, das wahrscheinlich vom Lösungsmittel stammt:

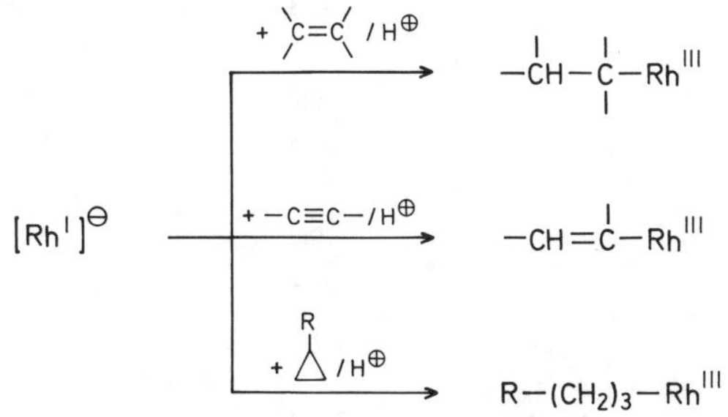

Die meisten Organo-rhodium(III)-Verbindungen erhält man durch oxidative Addition organischer Halogen- oder ungesättigter Verbindungen an neutrale bzw. positiv geladene Rhodium(I)-Komplexe. Im Vordergrund steht die Umsetzung von Halogenalkanen, insbesondere Jodmethan. Ähnlich wie Halogenalkane reagieren andere Alkylierungsreagenzien.

$$Rh^I + R-X \longrightarrow R-Rh^{III}-X$$

R = Alkyl, 1-Alkenyl, 1-Alkinyl, Aryl, CO–R^1, CS–SR^1, CS–NR$_2^2$

Auch Organo-rhodium(I)-Komplexe können u. U. nach dieser Methode in Diorgano-rhodium(III)-Verbindungen umgewandelt werden.

$$R^1-Rh^I + R^2-X \longrightarrow \overset{R^1}{\underset{R^2}{\diagdown}}Rh^{III}-X$$

Bei der Umsetzung von Rhodium(I)-Komplexen mit Acyl-halogeniden oder Carbonsäureanhydriden erhält man oft die entsprechenden Carbonyl-organo-rhodium(III)-Komplexe. Die intermediär gebildeten Acyl-Komplexe werden leicht decarbonyliert, wenn sie koordinativ ungesättigt sind.

$$Rh^I + R-CO-X \longrightarrow R-CO-Rh^{III}-X \xrightarrow{\circ} R-\overset{\overset{\displaystyle CO}{|}}{Rh}^{III}-X \xrightarrow[-CO]{} R-Rh^{III}-X$$

π-Alken- oder π-Alkin-rhodium(I)-Komplexe reagieren mit Säuren unter oxidativer Addition, bei der ein Alkyl- bzw. 1-Alkenyl-rhodium(III)-Komplex entsteht:

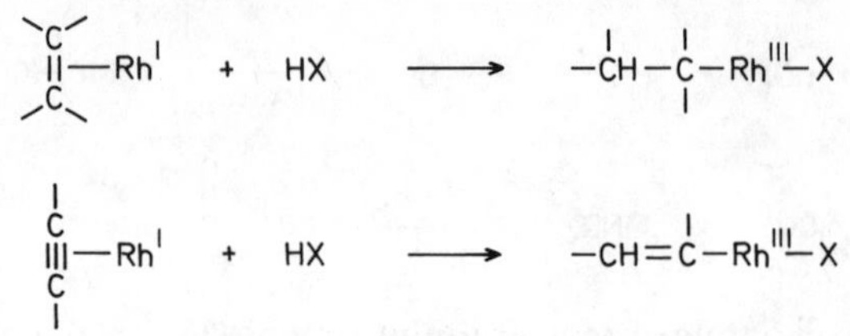

Durch Behandeln der Komplexe mit Alkenen, 1,3-Butadienen, Alkinen, Alken/Alkin-Gemischen, Alken/Keton-Gemischen, Ketonen sowie gespannten Ringen erhält man Rhodium-heterocyclen. Bei der Umsetzung mit Hexafluor-1,3-butadien wird möglicherweise Fluor abgespalten unter Bildung des stabileren Rhodols.

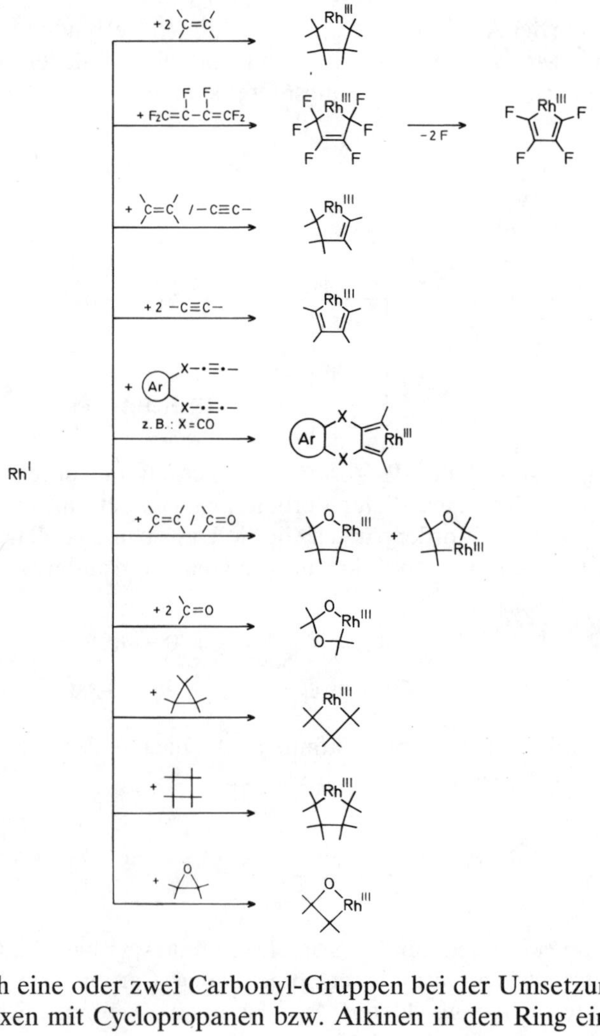

Es können auch eine oder zwei Carbonyl-Gruppen bei der Umsetzung von Carbonylrhodium-Komplexen mit Cyclopropanen bzw. Alkinen in den Ring eingebaut werden:

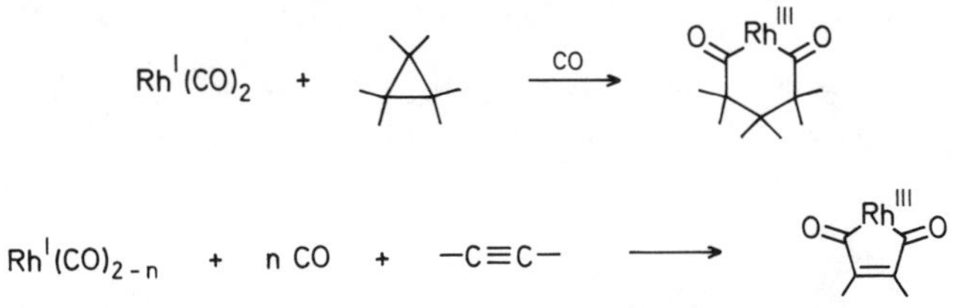

$$Rh^I(CO)_2 \quad + \quad \triangle \quad \xrightarrow{CO} \quad \text{[Struktur]}$$

$$Rh^I(CO)_{2-n} \quad + \quad n\,CO \quad + \quad -C\equiv C- \quad \longrightarrow \quad \text{[Struktur]}$$

$$n = 0,1$$

Besonders stabile Aryl-rhodium(III)-Verbindungen erhält man durch ortho-Metallierung von Aryl-Donor-Liganden; zumeist reagieren zwei Liganden pro Rhodium-Atom:

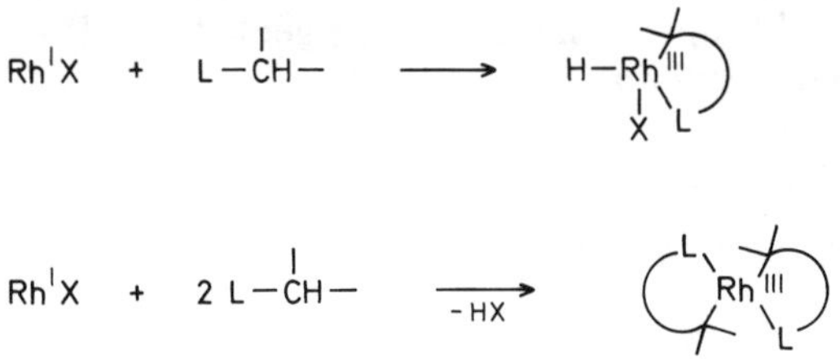

$$Rh^I X \quad + \quad L-CH- \quad \longrightarrow \quad \text{[Struktur]}$$

$$Rh^I X \quad + \quad 2\,L-CH- \quad \xrightarrow{-HX} \quad \text{[Struktur]}$$

CH-acide Verbindungen setzen sich ebenfalls unter oxidativer Addition mit Rhodium(I) um. Bei 1-Alkinen reagieren unter Abspaltung von molekularem Wasserstoff zwei Moleküle:

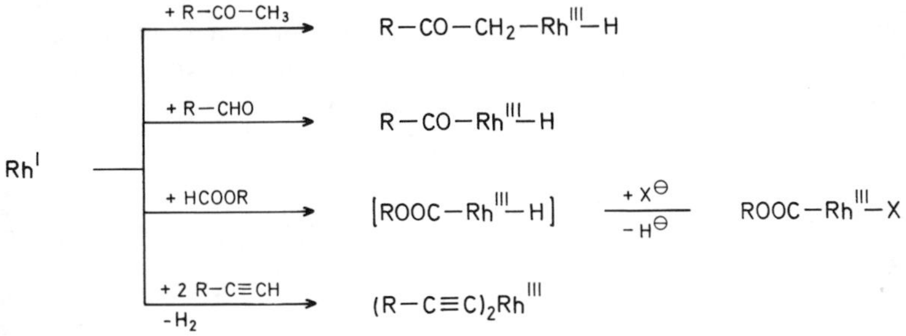

$$Rh^I \quad \begin{cases} \xrightarrow{+ R-CO-CH_3} & R-CO-CH_2-Rh^{III}-H \\[1ex] \xrightarrow{+ R-CHO} & R-CO-Rh^{III}-H \\[1ex] \xrightarrow{+ HCOOR} & [ROOC-Rh^{III}-H] \xrightarrow[-H^\ominus]{+X^\ominus} ROOC-Rh^{III}-X \\[1ex] \xrightarrow[-H_2]{+ 2\,R-C\equiv CH} & (R-C\equiv C)_2 Rh^{III} \end{cases}$$

Manchmal gelingt es, Halogenwasserstoff an Organo-rhodium(I)-Komplexe anzulagern, ohne daß die C–Rh-Bindung gespalten wird:

$$R^1-Rh^I \quad + \quad HX \quad \longrightarrow \quad R^1-Rh^{III}-X \atop H$$

Einige Organo-rhodium(IV)-Verbindungen können in Lösung durch anodische Oxidation hergestellt werden. Überraschend ist, daß man durch Erhitzen von Bis-[chloro-dicarbonyl-rhodium] mit meso-Tetraphenyl-porphyrin in Benzol einen stabilen Phenyl-rhodium(IV)-Komplex erhält.

Organo-dirhodium-Verbindungen mit Rh–Rh-Bindung werden hauptsächlich aus Rhodium(I)-Komplexen durch Behandeln mit Diazoalkan- und Alkin-Derivaten erhalten.

Die Bildung von Organo-dirhodium-Verbindungen wird durch den Einsatz von dimeren Rhodium-Komplexen begünstigt.

Es können bei der Reaktion mit Diazoalkanen eine oder zwei Methylen-Brücken zwischen den beiden Rhodium-Atomen gebildet werden:

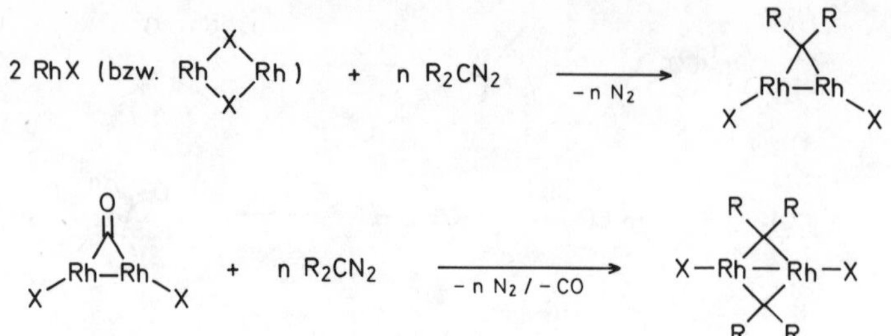

Bei Verwendung von elektronenarmen disubstituierten Alkinen werden ein oder zwei Alkin-Moleküle in den Komplex eingebaut. Man geht ebenfalls von monomeren oder dimeren Rhodium(I)-Komplexen aus:

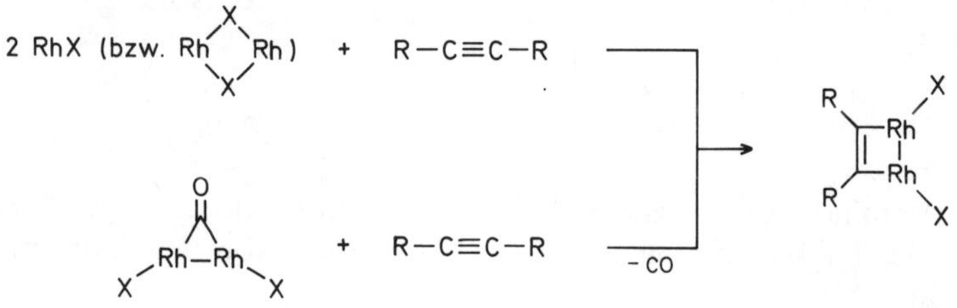

Zwei Alkin-Gruppen können mit Rhodium ein Rhodol bilden, das symmetrisch einen zweiten Rhodium-Rest bindet. Auch unsymmetrische Derivate sind bekannt, ferner können eine oder zwei Carbonyl-Gruppen eingebaut werden:

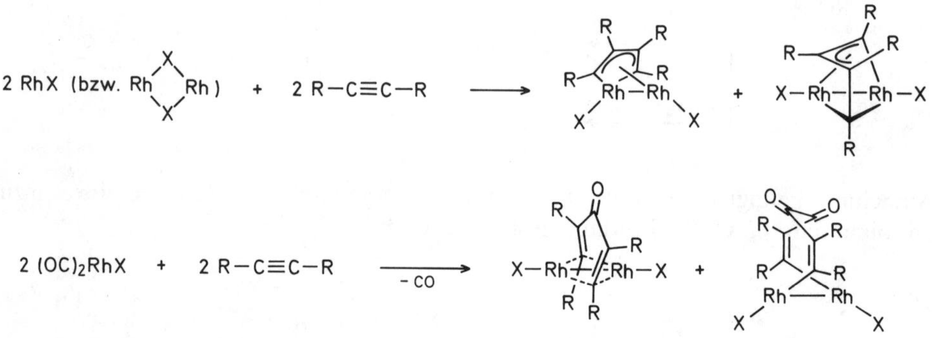

Organo-trirhodium-Verbindungen mit Rh–Rh-Bindung erhält man durch Umsetzung von Rhodium(I)-Komplexen mit elektronenreichen und auch elektronenarmen Alkinen.

Im ersten Fall wird die C≡C-Bindung aufgespalten, und es entsteht ein C_2Rh_3-Cluster:

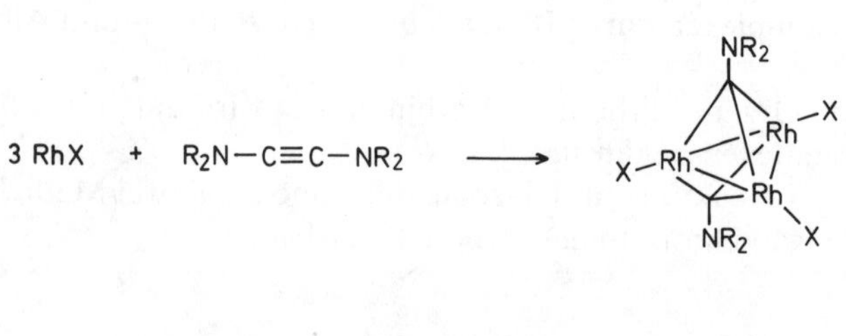

Die elektronenarmen Alkine können die Rh_3-Gruppe verschieden binden; z.B.:

Auch die Umwandlung einer Methylen- in eine Methin-Gruppe ist möglich:

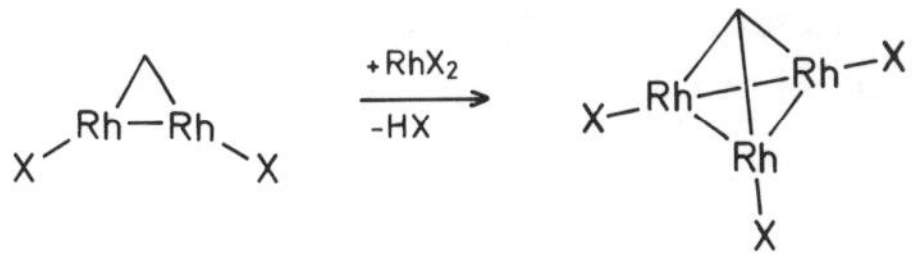

Tetrarhodium- und Hexarhodium-carbonyl-Cluster werden mit Alkanolaten oder Aminen unter nucleophilem Angriff an einer Carbonyl-Gruppe in Alkoxycarbonyl- bzw. Aminocarbonyl-tetrarhodium- oder -hexarhodium-Anion-Cluster umgewandelt:

$$2\ Rh_4(CO)_{12} \xrightarrow{+\ 2\ MO-R} 2\ [Rh_4(CO)_{11}(COOR)]^{\ominus}M^{\oplus} \xrightarrow[-\ 4\ CO]{+\ Rh_4(CO)_{12}} 2\ [Rh_6(CO)_{15}(COOR)]^{\ominus}M^{\oplus}$$

$$[RhX(CO)_2]_2 + Rh_4(CO)_{12} + R-X^1 \xrightarrow{Base} [Rh_6(CO)_{15}(CO-Y)]^{\ominus}$$

Y = OR, NHR
X^1 = OH, NH_2
X = Hal

Der Rh_4-Cluster wird leicht in den stabileren Rh_6-Cluster umgewandelt.
Es gelingt auch Carbonyl-Cluster mit Alken-Derivaten zu Acyl-Rh_6-Clustern umzuwandeln:

$$3\ Rh_4(CO)_{12} + 2\ H_2C=CH-R + 2\ H_2O + 2[(H_3C)_4N]^{\oplus}X^{\ominus} \xrightarrow{-\ 2[HX]\ /\ -\ 2\ CO_2\ /\ -\ 2\ CO}$$

$$2\ [Rh_6(CO)_{15}(CO-CH_2-CH_2-R)]^{\ominus}[(H_3C)_4N]^{\oplus}$$

$$[Rh_6(CO)_{15}H]^{\ominus} + H_2C=CH-R + CO \longrightarrow [Rh_6(CO)_{15}(CO-CH_2-CH_2-R)]^{\ominus}$$

Rhodium(I)-Komplexe reagieren analog den Iridium-Komplexen (s. S. 610) mit 1-Alkinyl-kupfer bzw. -silber unter Bildung von Rh_2M_4-(octa-1-ethinyl)-Clustern:

$$RhClL_3\ [bzw.\ RhCl(CO)L_2] + R-C\equiv C-M \longrightarrow (R-C\equiv C)_8Rh_2M_4L_2$$

L = $(H_5C_6)_3P$
M = Cu, Ag

Viele Organo-rhodium-Verbindungen insbesondere mit der Oxidationsstufe 3 sind bei 20° gegenüber Luft, Feuchtigkeit und Licht recht stabil. Dennoch sollte, vor allem wegen der Empfindlichkeit von Donor-Liganden, Sauerstoff-frei und mit Wasser-freien Lösungsmitteln gearbeitet werden. Auch eine direkte Sonnen-Einwirkung sollte vermieden werden.
Die Stabilität von Organo-rhodium-Verbindungen ist bei der Oxidationsstufe 1 beträchtlich geringer als bei 3. Der wesentliche Grund hierfür ist, daß Rhodium(I) von vielen

Reagenzien zunächst unter oxidativer Addition und anschließend unter reduktiver Eliminierung angegriffen wird:

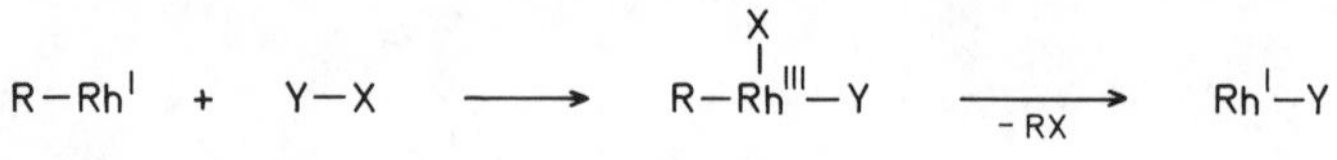

$$R-Rh^{I} \; + \; Y-X \; \longrightarrow \; R-\overset{\overset{\displaystyle X}{|}}{Rh}^{III}-Y \; \xrightarrow{-RX} \; Rh^{I}-Y$$

Y–X = Säuren, Halogen, org. Halogen-Verbindungen, H_2

Alkyl-rhodium(I) und (III)-Verbindungen sind relativ unbeständig, wenn sie durch
β-Eliminierung zerfallen können. Während sich die Komplexe von Rhodium(I) bereits bei
20° zersetzen, müssen bei Rhodium(III) im allgemeinen erhöhte Temperaturen angewandt werden.

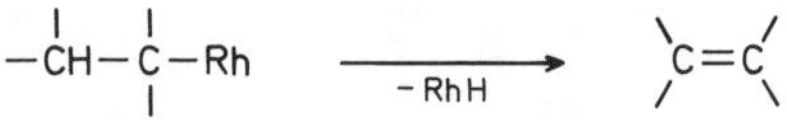

$$-\overset{|}{C}H-\overset{|}{C}-Rh \; \xrightarrow{-RhH} \; \overset{\diagdown}{\diagup}C=C\overset{\diagup}{\diagdown}$$

Rh = Rh^{I}, Rh^{III}

Organo-rhodium(III)-Verbindungen zerfallen beim Erhitzen oft unter reduktiver Eliminierung:

$$R-Rh^{III}-X \; \xrightarrow{-Rh^{I}} \; R-X$$

$$-\overset{|}{C}H-\overset{|}{C}-Rh^{III}-X \; \xrightarrow{-\overset{\diagdown}{\diagup}C=C\overset{\diagup}{\diagdown}} \; Rh^{I} \; + \; HX \; \rightleftharpoons \; H-Rh^{III}-X$$

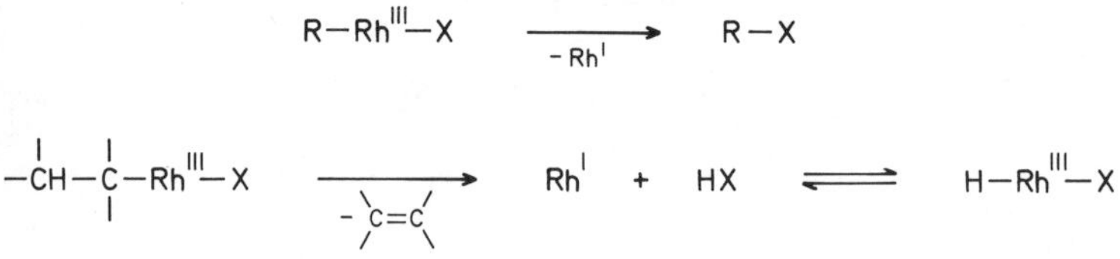

Dasselbe gilt für Diorgano-rhodium(III)-Komplexe, die entweder unter Dimerisierung
der beiden organischen Reste reagieren oder unter reduktiver Eliminierung eines organischen und anorganischen Liganden:

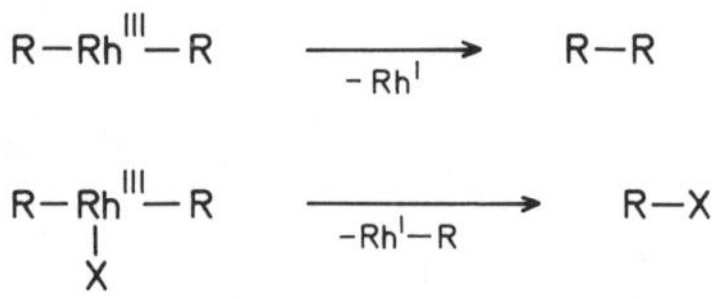

$$R-Rh^{III}-R \; \xrightarrow{-Rh^{I}} \; R-R$$

$$R-\overset{\overset{\displaystyle}{}}{Rh}^{III}-R \; \xrightarrow{-Rh^{I}-R} \; R-X$$
$$\overset{|}{X}$$

Organo-rhodium(III)-Verbindungen sind im Gegensatz zu den Rhodium(I)-Komple-
xen gegen Säuren stabil. Zur Spaltung müssen konz. Säuren bei erhöhter Temperatur eingesetzt werden.

Eine Ausnahme bildet die Alkoxycarbonyl-Gruppe, die vom Proton durch elektrophilen Angriff am Alkoxy-Rest gespalten wird:

$$RO-CO-Rh^{III} \; \xrightarrow{+HX} \; OC-Rh^{III}-X \; + \; R-OH$$

Metall-hydride werden zur Entfernung von Acyl-Gruppen auch bei Rhodium(III)-
Komplexen erfolgreich eingesetzt.

Die sauberste Spaltungsreaktion von Organo-rhodium-Verbindungen, insbesondere
bei der problematischen Oxidationsstufe III, ist die Umwandlung mit elementarem Halogen. Besonders geeignet ist Brom.

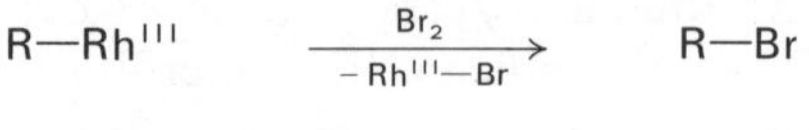

$$R-Rh^{III} \; \xrightarrow[-Rh^{III}-Br]{Br_2} \; R-Br$$

σ-Allyl- und Benzyl-rhodium(III)-Komplexe werden von Polyhalogenmethan-Derivaten wahrscheinlich in einer Radikal-Ketten-Reaktion angegriffen:

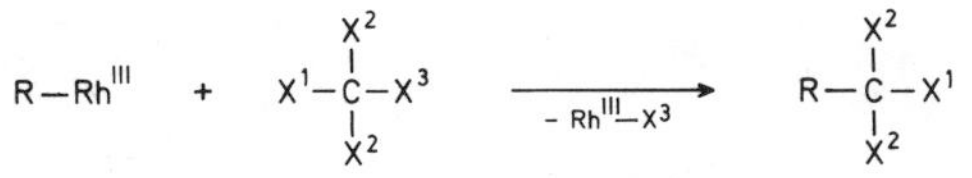

$$R-Rh^{III} \quad + \quad X^1-\overset{\overset{\displaystyle X^2}{|}}{\underset{\underset{\displaystyle X^2}{|}}{C}}-X^3 \quad \xrightarrow[-\;Rh^{III}-X^3]{} \quad R-\overset{\overset{\displaystyle X^2}{|}}{\underset{\underset{\displaystyle X^2}{|}}{C}}-X^1$$

X^1 = Cl, Br, CN
X^2 = Cl, Br
X^3 = Cl, Br

Wie bei Kobalt und Iridium werden Substitutionen von Liganden, die keine σ–C–Rh-Bindung besitzen, nur in Ausnahmefällen behandelt, da sie den Umfang dieses Kapitels sprengen würden.

Die Strukturaufklärung der Komplexe ist in manchen Fällen problematisch. Spektroskopische Daten werden im folgenden nur in soweit angegeben, wie sie in Ergänzung von Schmelz- und Siedepunkten zur Charakterisierung von Verbindungen notwendig sind.

A. Herstellung

I. von Organo-rhodium(I)-Verbindungen

a) von Alkyl-rhodium(I)-Verbindungen

1. aus Halogeno-rhodium(I)-Verbindungen durch nucleophile Substitution des Halogen-Atoms

α) mit Alkyl-metall-Verbindungen

Durch Umsetzung von Halogeno-tris-[triphenylphosphan]-rhodium mit Methyl-Grignard-Verbindungen kann *Methyl-tris-[triphenylphosphan]-rhodium* hergestellt werden[1, 2]:

$$RhCl[(H_5C_6)_3P]_3 \quad + \quad H_3C-MgBr \quad \xrightarrow[-\;MgClBr]{} \quad H_3C-Rh[(H_5C_6)_3P]_3$$

Höhere Alkyl-rhodium-Verbindungen zerfallen sofort durch β-Wasserstoff-Eliminierung in einen Hydrido-rhodium-Komplex und Alken[3, s.a. 2], oder man erhält unter Bildung von Alkan ortho-metalliertes Produkt von Triphenylphosphan (s. S. 310).

Die Tricyanmethyl-Gruppe im Tricyanmethyl-tris-[triphenylphosphan]-rhodium ist über das N-Atom am Rhodium gebunden[4].

Die folgenden Komplexe sind dagegen stabiler, da die Alkyl-Reste keine β-ständigen Wasserstoff-Atome besitzen und sie durch den Chelat-Effekt des 3zähnigen Liganden stabilisiert werden[5]:

---

[1] W. KEIM, J. Organometal. Chem. **8**, P 25 (1967); **14**, 179 (1968).
[2] M. MITCHMAN u. M. BALOG, J. Organomet. Chem. **31**, 395 (1971).
[3] L. S. PU u. A. YAMAMOTO, Chem. Commun. **1974**, 9. Die Wasserstoff-Atome der Methyl-Gruppe werden durch Behandeln mit Deuterium leicht ausgetauscht.
[4] W. BECK, K. SCHORPP, C. OETKER, R. SCHLODDER u. H. S. SMEDAL, B. **106**, 2144 (1973).
[5] E. ARPAC u. L. DAHLENBURG, J. Organometal. Chem. **241**, 27 (1983).

19*

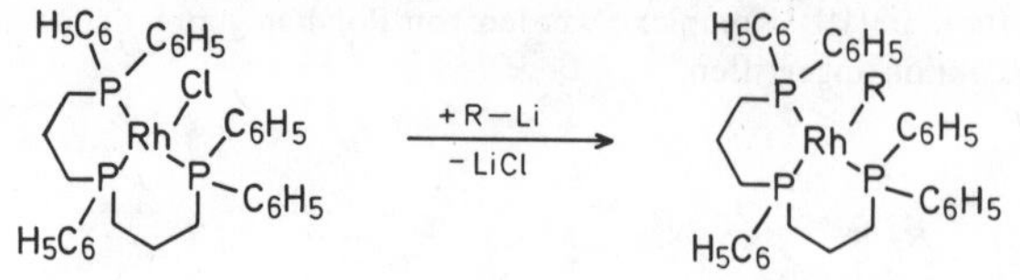

{*Bis-[3-diphenylphosphano-propyl]-phenyl-phosphan*}-...*rhodium*
R = CH₂–C(CH₃)₃: ...(*2,2-dimethyl-propyl*)-...; 73–84%
R = CH₂–Si(CH₃)₃: ...(*trimethylsilyl-methyl*)-...; 61–74%

Der organische Rest wird beim Behandeln von (η^4-1,3-Cyclohexadien)- bzw. (η^4-1,5-Cyclooctadien)-Komplexen mit Methyl- oder Phenyl-lithium auf den Dien-Rest übertragen[1].

Methyl-tris-[triphenylphosphan]-rhodium[2]: 4,1 g (4,5 mmol) Chloro-tris-[triphenylphosphan]-rhodium werden in 100 *ml* abs. Diethylether suspendiert und mit 20 *ml* einer 1,9 M Methyl-magnesiumbromid-Lösung in Ether im großen Überschuß versetzt. Die Mischung wird 24 Stdn. bei 0–10° gerührt, der orange-gelbe Niederschlag abfiltriert, 3mal mit Diethylether, dann mit Hexan gewaschen und i. Hochvak. getrocknet; Ausbeute: 3,9 g (90%); F: 120–140° (Zers.).

β) mit H-aciden Verbindungen

Diorgano-methyl-methylen-phosphoran bildet mit Bis-[μ-chloro-(η^4-1,5-cyclooctadien)-rhodium] zwei σ-C–Rh-Bindungen[3,4]:

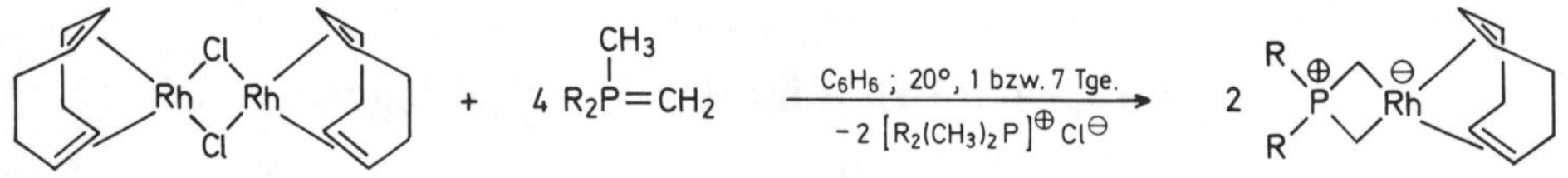

R = CH₃; *3-(η^4-1,5-Cyclooctadien)-1,1-dimethyl-1,3-phosphoniarhodenatetan*[3,5]; 82%
R – R = –(CH₂)₅–; *2-(η^4-1,5-Cyclooctadien)-4-phosphonia-2-rhodinato-spiro[3.5]nonan*;
~100% (polymer)

Der 1,5-Cyclooctadien-Ligand kann durch Trimethylphosphan bzw. Kohlenmonoxid ersetzt werden.

3-(η^4-1,5-Cyclooctadien)-1,1-di-tert.-butyl-1,3-phosphoniarhodinatetan[4]: 0,5 g (1 mmol) Bis-[chloro-(η^4-1,5-cyclooctadien)-rhodium] werden in 20 *ml* Benzol gelöst, 0,76 g (4,4 mmol) Di-tert.-butyl-methyl-methylen-phosphoran in 5 *ml* Benzol zugetropft und die Reaktionsmischung bei 20° verschlossen 24 Stdn. gerührt. Dann wird der farblose Niederschlag (aus Di-tert.-butyl-dimethyl-phosphonium-chlorid) abfiltriert. Vom Filtrat wird das Lösungsmittel abgezogen und der Rückstand aus Toluol umkristallisiert; Ausbeute: 0,60 g (78%); F: 117,2°. ¹H–NMR (Benzol): RhCH₂ τ 9,32 [dd, ²J(RhH) 1,95 Hz, ²J(PH) 3,7 Hz].

Das Bis-Ylid I bildet unter Abspaltung von Chlorwasserstoff das außerordentlich stabile Betain II[4]:

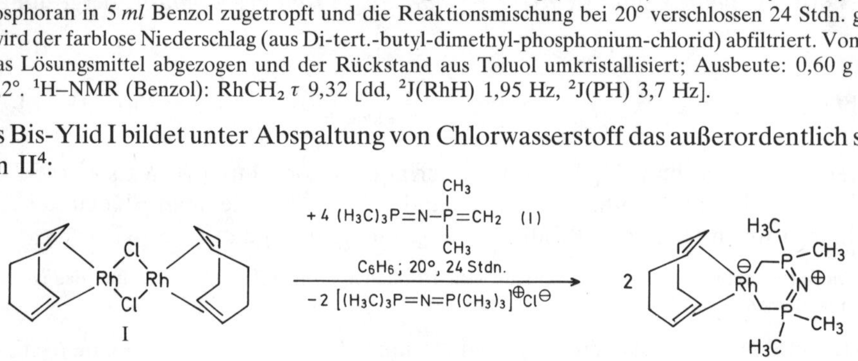

II; *4-(η^4-1,5-Cyclooctadien)-2,2,6,6-tetramethyl-4,5-dihydro-
3H-1,2,6,4-azeniadiphospharhodinatin*; 88%

[1] J. MÜLLER u. B. PASSON, J. Organometal. Chem. **247**, 131 (1983).
[2] W. KEIM, J. Organomet. Chem. **8**, P 25 (1967); **14**, 179 (1968).
[3] R. A. GREY u. L. R. ANDERSON, Inorg. Chem. **16**, 3187 (1977).
[4] H. SCHMIDBAUR, G. BLASCHKE, H. J. FÜLLER u. H. P. SCHERM, J. Organometal. Chem. **160**, 41 (1978).
[5] Eine dimere Struktur kann nicht ausgeschlossen werden. Die Verbindung ist kristallin und in Lösung unter Stickstoff unbeschränkt haltbar, sie wird durch Lösungsmittel wie Chloroform zersetzt sowie in Lösung durch Luft.

Der Dicarbonyl-Komplex III liegt in Lösung als Monomer-Dimer-Gleichgewicht vor; die Komponenten können nicht voneinander getrennt werden:

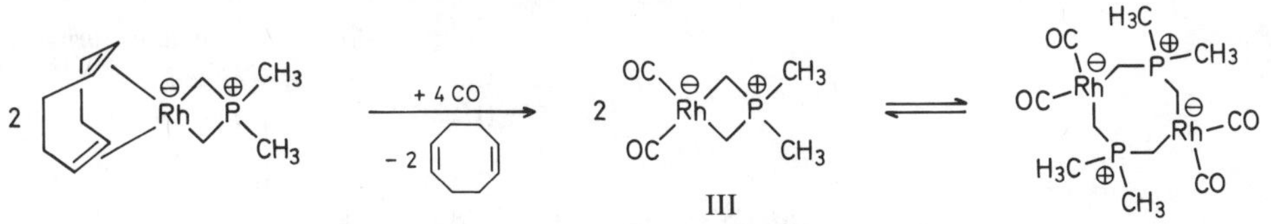

III

3,3-Dicarbonyl-1,1-dimethyl-1,3-phosphoniarhodinatetan

2. aus Hydrido-rhodium(I)-Verbindungen und Alkenen

Die Reaktion von Hydrido-rhodium-Komplexen mit Olefinen unter Bildung von Alkyl-Komplexen ist ein Teilschritt der Rhodium-katalysierten Hydroformylierung.

Eingehend untersucht wurden die Umsetzungen von Carbonyl-hydrido-tris-[triphenylphosphan]-rhodium mit Alkenen[1]:

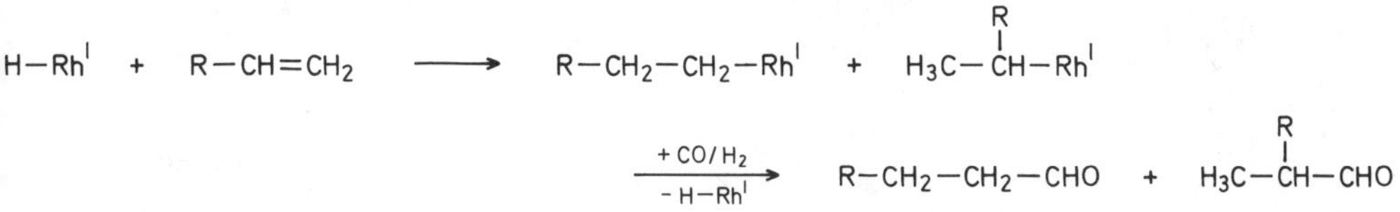

Bei der durch Rhodium-Verbindungen katalysierten Hydrierung von Olefinen kann ein ähnlicher Mechanismus angenommen werden[2]:

$$Rh^{I}{-}H \xrightarrow{+\,R-CH=CH_2} R-CH_2-CH_2-Rh^{I} \xrightarrow{+\,H_2} R-CH_2-CH_2-(Rh^{III}H_2) \xrightarrow[-\,Rh^{I}-H]{} R-CH_2-CH_3$$

Im Gegensatz zu den unsubstituierten Alkenen entsteht bei der Reaktion von Carbonyl-hydrido-tris-[triphenylphosphan]-rhodium mit Tetrafluor-ethen das sehr stabile *Bis-[triphenylphosphan]-carbonyl-(1,1,2,2-tetrafluor-ethyl)-rhodium*[1,3].

$$RhH(CO)[(H_5C_6)_3P]_3 \quad + \quad F_2C{=}CF_2 \xrightarrow[-\,(H_5C_6)_3P]{} F_2CH-CF_2-Rh(CO)[(H_5C_6)_3P]_2$$

Bis-[triphenylphosphan]-carbonyl-(1,1,2,2-tetrafluor-ethyl)-rhodium[3]**:** Zu 0,8 g Carbonyl-hydrido-tris-[triphenylphosphan]-rhodium und 20 *ml* Toluol läßt man in einer Carius-Röhre bei 25°/5 bar eine äquivalente Menge Tetrafluorethen kondensieren, verschließt die Röhre und schüttelt 12 Stdn. bei 20°. Bei Zusatz von Petrolether (Kp: 60–80°) fällt ein gelber Niederschlag aus, der abfiltriert, mit Petrolether gewaschen und i. Vak. getrocknet wird; Ausbeute: 0,66 g (80%); F: 116°; IR(Nujol): ν_{CO} 1990 (s) cm^{-1}.

Die Verbindung bildet mit Kohlenmonoxid oder Schwefeldioxid reversibel Addukte.

3. aus Metall-rhodat(–I) und Halogenalkanen

Rhodium-Anion-Komplexe, in situ durch elektrochemische Reduktion aus Halogen-rhodium-Verbindungen erzeugt, setzen sich mit Halogenalkanen zu Alkyl-rhodium-Komplexen um[4]:

---

[1] G. YAGUPSKY, C. K. BROWN u. G. WILKINSON, Chem. Commun. **1969**, 1244.
[2] D. EVANS, G. YAGUPSKY u. G. WILKINSON, Soc. [A] **1968**, 2660 u. 2665.
[3] G. YAGUPSKY, C. K. BROWN u. G. WILKINSON, Soc. [A] **1970**, 1392.
[4] S. ZECCHIN, G. SCHIAVON, G. PILLON u. M. MARTELLI, J. Organometal. Chem. **110**, C 45 (1976).

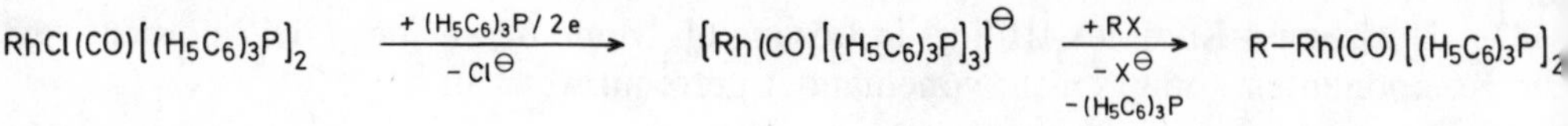

$$RhCl(CO)[(H_5C_6)_3P]_2 \xrightarrow[-Cl^\ominus]{+ (H_5C_6)_3P / 2e} \left\{Rh(CO)[(H_5C_6)_3P]_3\right\}^\ominus \xrightarrow[\substack{-X^\ominus \\ -(H_5C_6)_3P}]{+ RX} R{-}Rh(CO)[(H_5C_6)_3P]_2$$

Bis-[triphenylphosphan]-carbonyl-...

RX = CH$_3$J; ...-*methyl-rhodium*

RX = (H$_5$C$_6$)$_3$C–Br; ...-*triphenylmethyl-rhodium*

4. durch spezielle Methoden

Bis-[chloro-(η^4-1,5-cyclooctadien)-rhodium] bildet beim Behandeln mit Natrium und Pyridin in Tetrahydrofuran *(η^4-1,5-Cyclooctadien)-σ-4-cyclooctenyl-rhodium*, das formal durch Addition einer intermediär gebildeten Hydrido-rhodium-Verbindung an die C=C-Doppelbindung entsteht[1]. Der 1,5-Cyclooctadien-Ligand kann durch Triphenyl-phosphan substituiert werden.

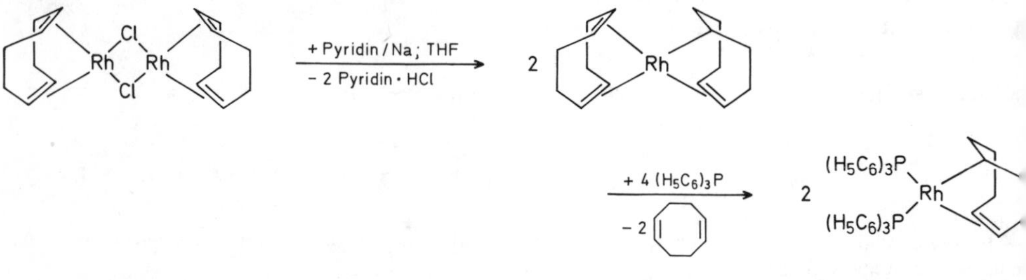

Bis-[triphenylphosphan]-(σ-4-cyclo-octenyl)-rhodium

π-Allyl-rhodium(I)-Verbindungen reagieren mit Tetrafluorethen bei erhöhter Temperatur unter Insertion des Olefins in die C$_{Allyl}$-Rh-Bindung[2]; z.B.:

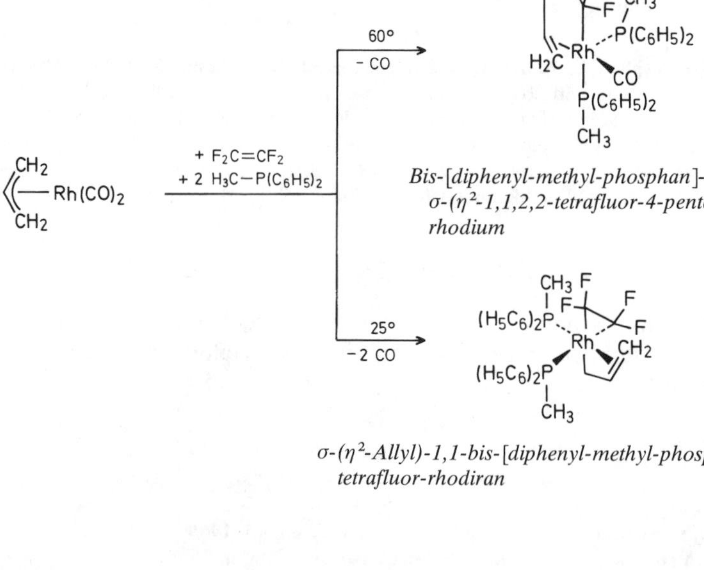

Bis-[diphenyl-methyl-phosphan]-carbonyl-σ-(η^2-1,1,2,2-tetrafluor-4-pentenyl)-rhodium

σ-(η^2-Allyl)-1,1-bis-[diphenyl-methyl-phosphan]-2,2,3,3-tetrafluor-rhodiran

---

[1] M. Lavecchia, M. Rossi u. A. Sacco, Inorg. Chim. Acta [Padova] **4**, 29 (1970).

[2] P. Roffia, M. Green u. F. G. A. Stone, veröffentlicht in: F. G. A. Stone, Pure Appl. Chem. **30**, 551 (1972).

5. aus anderen σ-C-Rhodium-Verbindungen unter Erhalt mindestens einer C–Rh-Bindung

(1,5-Bis-[di-tert.- butyl- phosphano]- 3-pentyl)- chloro- hydrido- rhodium(III) verliert beim Behandeln mit Natrium-methanolat in Gegenwart von Kohlenmonoxid die am Metall gebundenen Hydrido- und Chloro-Gruppen unter Reduktion von Rhodium[1]. Man erhält das leicht flüchtige *(1,5-Bis-[di-tert.-butyl-phosphano]-3-pentyl)-carbonyl-rhodium*(I) (80%; Subl.p.$_{0,01}$: 100°; F: 173–216°):

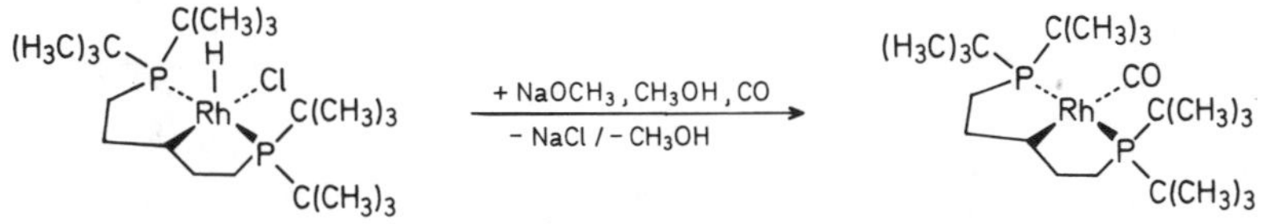

b) von 1-Alkenyl-rhodium(I)-Verbindungen

1. aus Halogen-rhodium(I)-Verbindungen durch nucleophile Substitution von Halogen mit 1-Alkenyl-metall-Verbindungen

Bei der Umsetzung der Chloro-rhodium(I)-Komplexe mit *trans*-1-Methyl-propenyl-lithium entstehen zunächst die entsprechenden 1-Methyl-propenyl-rhodium-Verbindungen, die sich rasch in den η³-(1-Butenyl)-Komplex umlagern[2]:

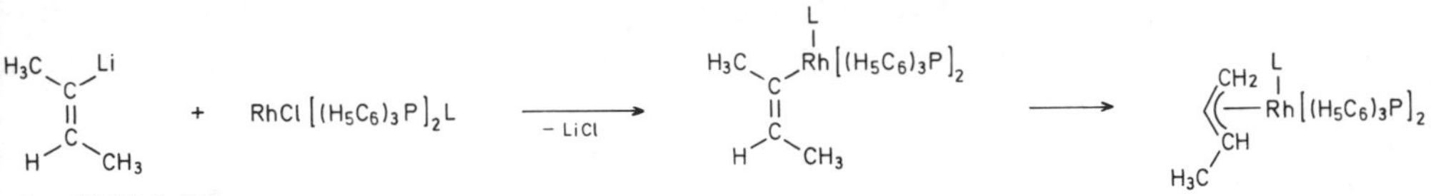

2. aus Rhodium(I)-Verbindungen mit Alkinen

α) von Hydrido-rhodium(I)-Verbindungen

Carbonyl-hydrido-tris-[triphenylphosphan]- bzw. Hydrido-trifluorphosphan-tris-[triphenylphosphan]-rhodium reagieren bei 20° mit Alkinen, die Elektronen-anziehende Substituenten enthalten, oft unter *cis*-Addition der H–Rh-Gruppe an die C,C-Dreifachbindung[3,4]. Die Addukte sind bei 20° gegen Luft stabil.

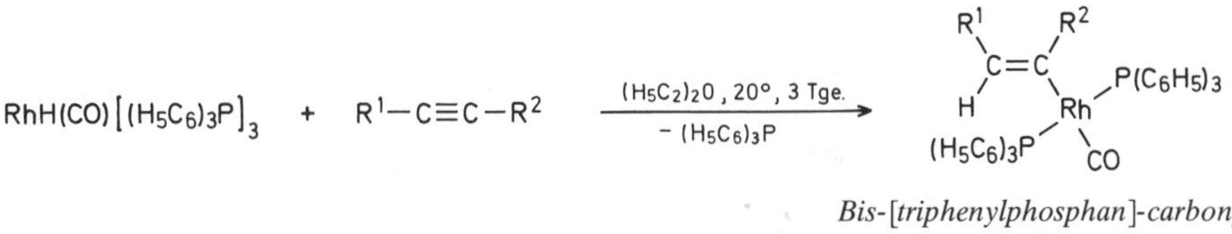

Bis-[triphenylphosphan]-carbonyl-...

$R^1 = R^2 = COOCH_3$; ...-*(cis-1,2-dimethoxycarbonyl-vinyl)-rhodium*; 81%; F: 155° (Zers.)[5]
$R^1 = R^2 = COOH$; ...-*(cis-1,2-dicarboxy-vinyl)-rhodium*; 72%; Zers.p.: 190°
$R^1 = R^2 = C_6H_5$; ...-*(cis-1,2-diphenyl-vinyl)-rhodium*; 82%; F: 158° (Zers.)
$R^1 = COOC_2H_5$; $R^2 = CH_3$; ...-*(3-ethoxycarbonyl-2-propenyl)-rhodium*

---

[1] C. Crocker, R. J. Errington, R. Markham, C. J. Moulton, K. J. Odell u. B. L. Shaw, Am. Soc. **102**, 4373 (1980).
[2] J. Schwartz, D. W. Hart u. B. McGiffert, Am. Soc. **96**, 5613 (1974).
[3] J. Schwartz, D. W. Hart u. J. L. Holden, Am. Soc. **94**, 9269 (1972).
[4] B. L. Booth u. A. D. Lloyd, J. Organometal. Chem. **35**, 195 (1972).
[5] Bei der Spaltung der Verbindungen mit Chlorwasserstoff in Benzol entsteht zunächst Maleinsäure-dimethylester, der sich in Gegenwart von Chlorwasserstoff rasch in Fumarsäure-dimethylester umlagert.

In siedendem Toluol entstehen die entsprechenden *trans*-Addukte[1]; z.B.:

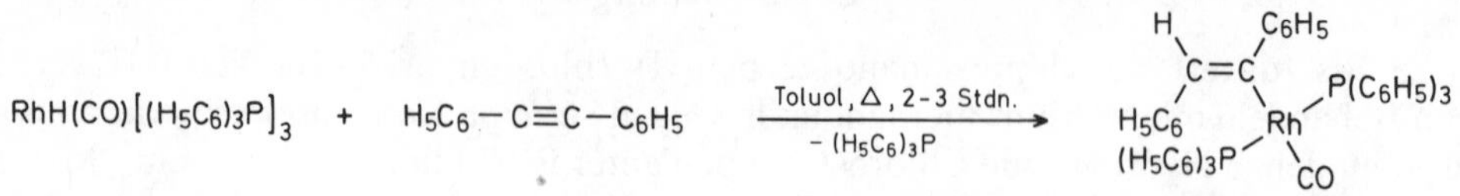

$$RhH(CO)\left[(H_5C_6)_3P\right]_3 \; + \; H_5C_6-C\equiv C-C_6H_5 \quad \xrightarrow[-(H_5C_6)_3P]{Toluol,\,\Delta,\,2-3\,Stdn.} \quad$$

H   C₆H₅
\C=C/
H₅C₆   Rh — P(C₆H₅)₃
(H₅C₆)₃P / \ CO

Bis-[triphenylphosphan]-carbonyl-(trans-1,2-di-phenyl-vinyl)-rhodium; 75%; F: 138–141°

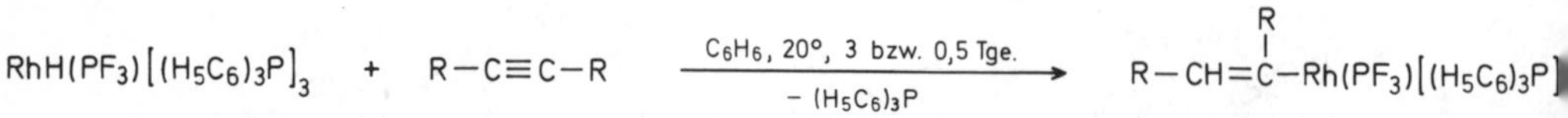

$$RhH(PF_3)\left[(H_5C_6)_3P\right]_3 \; + \; R-C\equiv C-R \quad \xrightarrow[-(H_5C_6)_3P]{C_6H_6,\,20°,\,3\,bzw.\,0,5\,Tge.} \quad R-CH=\underset{\underset{Rh(PF_3)[(H_5C_6)_3P]}{|}}{C}-$$

Bis-[triphenylphosphan]-. . .-rhodium

R = CF₃; . . .-*trifluorphosphan-(3,3,3-trifluor-1-trifluormethyl-trans-propenyl)-*. . .; 66%; F: 137–142°[2]
R = COOCH₃; . . .-*(1,2-dimethoxycarbonyl-vinyl)-trifluorphosphan*; 83%; F: 110–140° (Zers.)

Bis-[triphenylphosphan]-carbonyl-(3,3,3-trifluor-cis-1-trifluormethyl-propenyl)-rhodium[3]: Man schüttelt 1,0 g (6,16 mmol) Hexafluor-2-butin und 2,0 g (2,16 mmol) Carbonyl-hydrido-tris-[triphenylphosphan]-rhodium[4] in 50 *ml* Diethylether bei 20° 3 Tage. Nach dem Entfernen des Lösungsmittels wird der gelbe Rückstand mit einer Mischung aus Diethylether/Petrolether (1:1) chromatographiert; Ausbeute: 1,5 g (83%); F: 184° (Zers.); IR: ν_{CO} 1985(vs), $\nu_{C=C}$ 1604(m) cm⁻¹.

Di-μ-hydrido-bis-[bis-(triisopropylphosphit)-rhodium] reagiert mit Diphenyl-ethin (3 mol Überschuß) unter Insertion von 2 Ethin-Gruppen zu *Bis-[triisopropylphosphit]-(η²-1,2,3,4-tetraphenyl-cis-trans-butadienyl)-rhodium* (20%; s. S. 433)[5].

Bei der Umsetzung von Bis-[trifluorphosphan]-bis-[triphenylphosphan]-hydrido-rhodium mit Butindisäure-dimethylester wird ein Trifluorphosphan-Ligand abgespalten.

β) von anderen Rhodium(I)-Verbindungen

Bis-[triphenylphosphan]-(η³-2-methyl-allyl)-rhodium bildet mit Hexafluor-2-butin bei 20° zunächst einen π-Alkin-Komplex, der sich beim Extrahieren mit Diethyl-ether in *(cis-1,2-Bis-[trifluormethyl]-4-methyl-1,4-pentadienyl)-bis-[triphenylphosphan]-diethylether-rhodium* umlagert[6]:

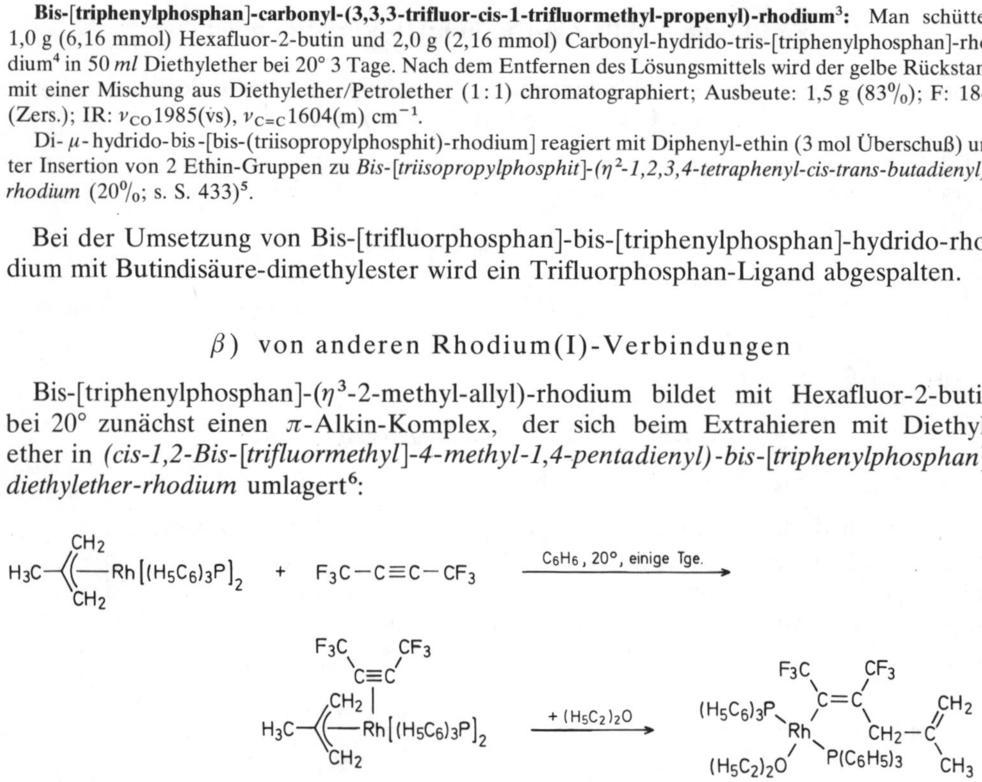

CH₂
H₃C—⟨(—Rh[(H₅C₆)₃P]₂   +   F₃C—C≡C—CF₃   <u>C₆H₆, 20°, einige Tge.</u>→
CH₂

F₃C   CF₃
\C≡C/
CH₂ |
H₃C—⟨(—Rh[(H₅C₆)₃P]₂   <u>+ (H₅C₂)₂O</u>→
CH₂

F₃C   CF₃
(H₅C₆)₃P \C=C/ CH₂
\Rh/ CH₂—C‖
(H₅C₂)₂O / P(C₆H₅)₃ CH₃

Einige 1-Alkenyl-rhodium(I)-Verbindungen bilden mit Alkinen stereochemisch einheitliche 1,3-Butadienyl-rhodium(I)-Komplexe[2]. Voraussetzung ist, daß der Alkenyl-Rest und das Alkin stark Elektronen-anziehende Substituenten besitzen; z.B.:

[1] R.A. SANCHEZ-DELEGADO u. G. WILKINSON, Soc. [Dalton] **1977**, 804.
[2] H. ESHTIAGH-HOSSEINI, J.F. NIXON u. J.S. POLAND, J. Organometal. Chem. **164**, 107 (1979).
[3] B.L.B. BOOTH u. A.D. LLOYD, J. Organometal. Chem. **35**, 195 (1972).
[4] hergestellt durch Reduktion des Wilkinson-Komplexes mit Natriumboranat in Gegenwart von Kohlenmonoxid.
[5] R.R. BURCH, A.J. SHUSTERMAN, E.L. MUETTERTIES, R.G. TELLER u. J.M. WILLIAMS, Am. Soc. **105**, 3546 (1983).
[6] D.A. CLEMENT, J.F. NIXON u. J.S. POLAND, J. Organometal. Chem. **76**, 117 (1974).

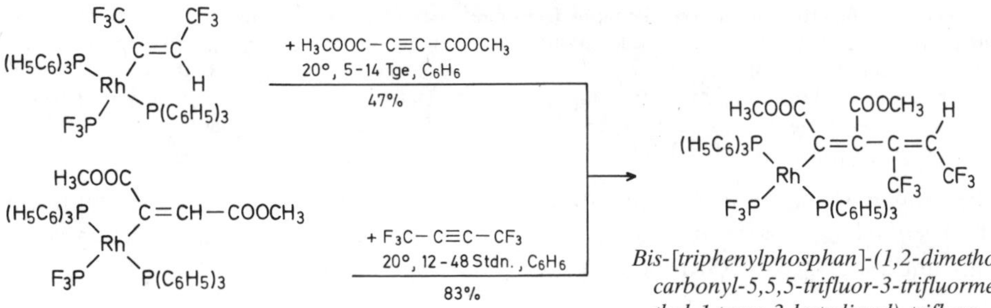

Hexafluor-2-butin reagiert mit (2,4-Pentandionato)-rhodium(I)-Verbindungen unter 1,4-Cycloaddition[1] (vgl. a. S. 363):

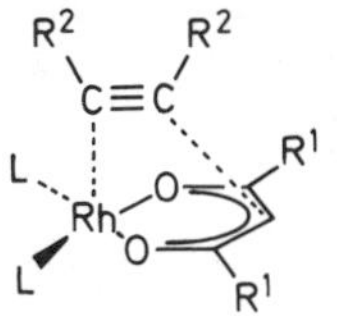

$R^1 = CH_3, C(CH_3)_3, C_6H_5$

Bei Hexafluorpentandionato-Komplexen sowie bei Triphenylarsan- und -stiban-Liganden wird keine 1,4-Cycloaddition beobachtet[2]. Bei letzteren entstehen Rhodol-Komplexe (s.S. 379).

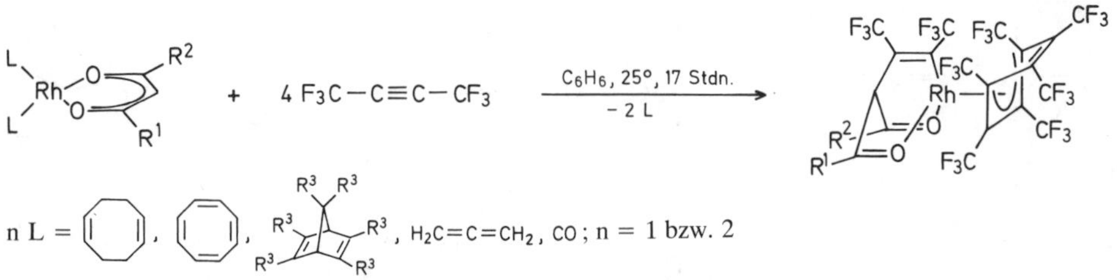

$R^1 = CH_3, C(CH_3)_3, C_6H_5$
$R^2 = CH_3, C(CH_3)_3, C_6H_5, NH-C_6H_5$
$R^3 = H, CH_3, Cl$

Die Pentan-2-on-4-iminato-rhodium-Verbindungen bilden mit Hexafluor-2-butin gleichfalls 1,4-Cycloaddukte[3]:

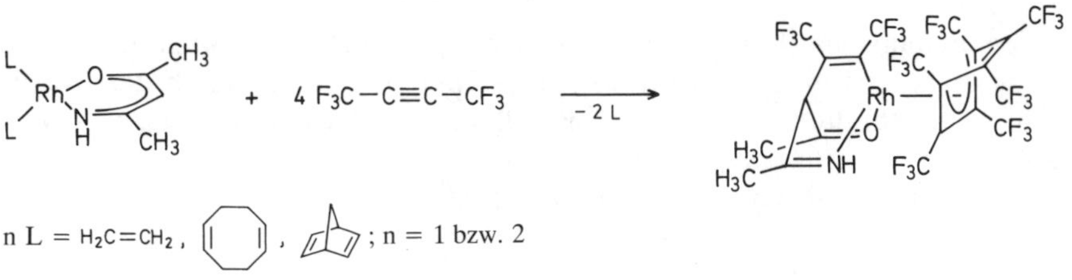

---

[1] D.M. BARLEX, J.A. EVANS, R.D.W. KEMMITT u. D.R. RUSSELL, Chem. Commun. **1971**, 331.
   s.a. A.C. JARVIS, R.D.W. KEMMITT, D.R. RUSSELL u. P.A. TUCKER, J.Organometal.Chem.**159**,341 (1978).
[2] D.M. BARLEX, A.C. JARVIS, R.D.W. KEMMITT u. B.Y. KIMURA, Soc. [Dalton] **1972**, 2549.
[3] A.C. JARVIS u. R.D.W. KEMMITT, J. Organometal. Chem. **136**, 121 (1977).

(3-Acetyl- 1,2-bis- [trifluormethyl]- 4-imino- 1-cis- pentenyl)- (1,2,3,4-η^4- hexakis- [trifluormethyl]- benzol)-rhodium[1]: 0,40 g (1,30 mmol) [η^4-1,5-Cyclooctadien]-2,4-pentandionato-rhodium werden in Diethylether in einer 150-*ml*-Carius-Röhre vorgelegt. Man läßt bei −196° 1 *ml* Hexafluor-2-butin im Reaktionsgefäß kondensieren. Die verschlossene Röhre wird bei 20° 2 Tage geschüttelt. Darauf entfernt man die flüchtigen Verbindungen und engt die Lösung langsam i. Vak. auf 2 *ml* ein. Man erhält hellgelbe Kristalle; Ausbeute: 0,81 g (78%); F: 190° (Zers.); IR: ν_{CO}1686, $\nu_{C=C}$1638 und 1603 cm^{-1}.

Mit einigen Monoolefin-rhodium-Komplexen entstehen bei der 1,4-Cycloaddition anstelle des η^4-(Hexakis-[trifluormethyl]-benzol)-Liganden durch Trimerisierung von zwei Alkin- und einer Alken-Gruppe η^4-(1,3-Cyclohexadien)-Liganden[1,2]:

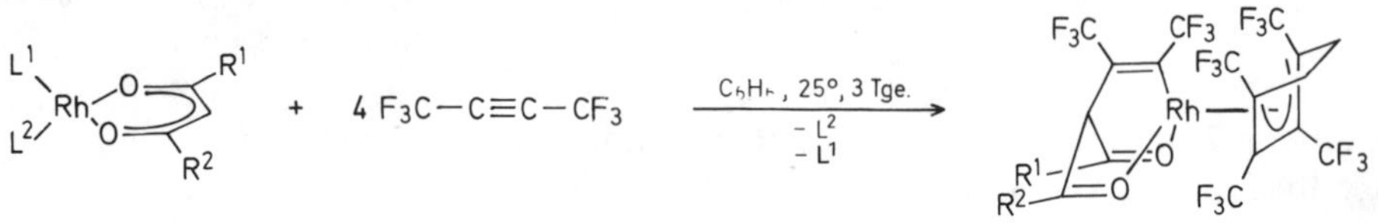

...-*(η^4-1,2,3,4-tetrakis-[trifluormethyl]-1,3-cyclohexadien)-rhodium*

R^1 = R^2 = CH$_3$; L^1 = L^2 = H$_2$C = CH$_2$; *(3-Acetyl-1,2-bis-[trifluormethyl]-4-oxo-cis-1-pentenyl)-*...; 43%; F: 230° (Zers.)

L^1 = F$_2$C = CF$_2$; L^2 = H$_2$C = CH$_2$; *(3-Acetyl-1,2-bis- [trifluormethyl]- 4-oxo-cis-1-pentenyl)-*...; 32%

R^1 = R^2 = C(CH$_3$)$_3$; L^1 = L^2 = H$_2$C = CH$_2$; *{1,2-Bis- [trifluormethyl]- 5,5-dimethyl-3- (2,2-dimethyl-propanoyl)-4-oxo-cis-1-hexenyl}-*...; F: 224° (Zers.)

Bei der Synthese von *(3-Acetyl-1,2-bis-[trifluormethyl]-4-oxo-cis-1-pentenyl)-(η^4-9, 10,11,12-tetrakis-[trifluormethyl]-bicyclo[6.4.0]dodeca-9,11-dien)-rhodium* (II) kann der (η^2-Cycloalken)-(η^2-alkin)-Komplex I isoliert werden[3]:

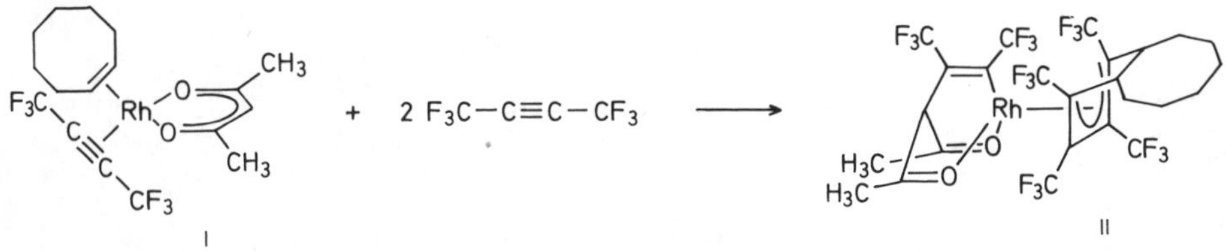

Auch in einigen anderen Fällen kann der Komplex I bei −78° erhalten werden, der sich bei 20° in Komplex II umlagert[4].

3. aus Metall-rhodaten(–I)

α) mit 1-Halogen-1-alkenen

Bis-[triphenylphosphan]-dicarbonyl-rhodat reagiert mit Polyfluorchlor-alkenen bzw. Perfluor-cycloalkenen unter Substitution eines Halogen-Atoms durch das Metall[5]. Die Nucleophilie des Rhodium-Anions ist größer als die des gleichen Iridates, welches im Gegensatz zu Rhodium nicht mit Chlor-trifluor-ethen reagiert. Die Reaktivität der Perfluorcycloalkene ist größer als von Chlor-trifluor-ethen:

[1] A.C. Jarvis u. R.D.W. Kemmitt, J. Organometal. Chem. **136**, 121 (1977).

[2] D.M. Barlex, A.C. Jarvis, R.D.W. Kemmitt u. B.Y. Kimura, Soc. [Dalton] **1972**, 2549.

[3] J.H. Barlow, G.R. Clark, M.G. Curl, M.E. Howden, R.D.W. Kemmitt u. D.R. Russell, J. Organometal. Chem. **144**, C 47 (1978).

[4] M.E. Howden, R.D.W. Kemmitt u. M.D. Schilling, Soc. [Dalton] **1981**, 1716.

[5] B.L. Booth, R.N. Haszeldine u. I. Perkins, Soc. [Dalton] **1975**, 1847.

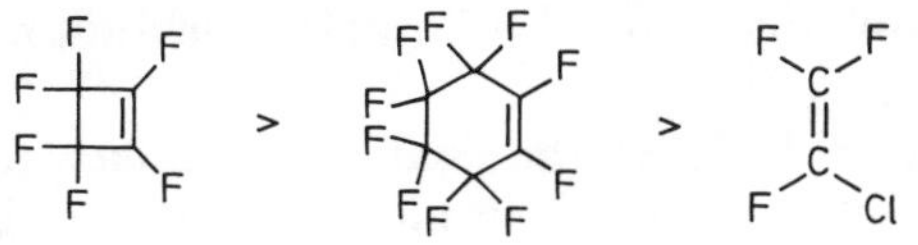

Die (Perfluor-1-alkenyl)-rhodium-Verbindungen sind beim Erhitzen und gegenüber Luft recht stabil.

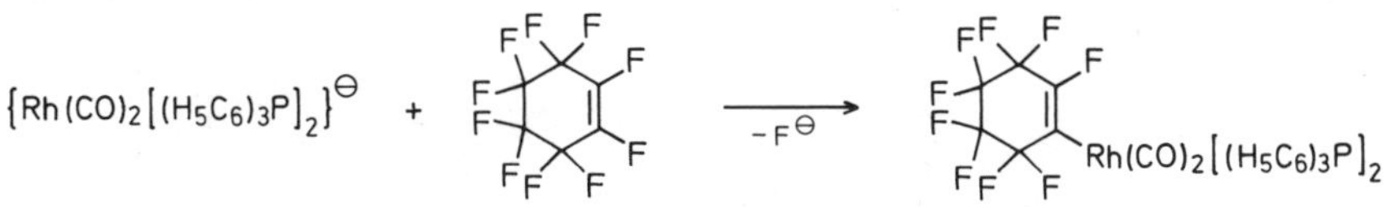

Bis-[triphenylphosphan]-dicarbonyl-(nonafluor-cyclohexenyl)-rhodium; 41%; F: 169–170°

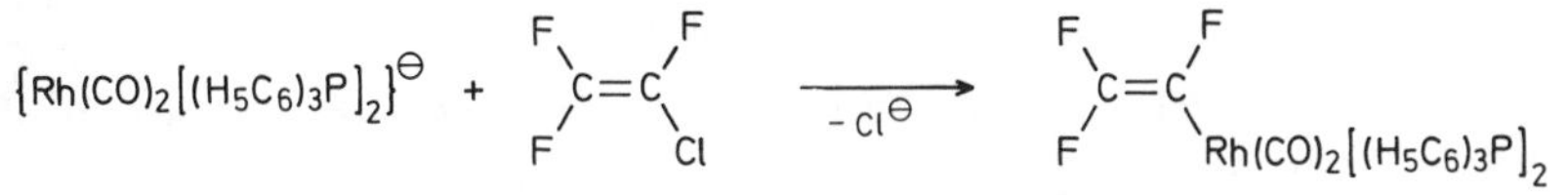

Bis-[triphenylphosphan]-dicarbonyl-(trifluorvinyl)-rhodium; 44%; F: 182–183°

Bis-[triphenylphosphan]-dicarbonyl-(pentafluor-cyclobutenyl)-rhodium[1]: 1,0 g (6,2 mmol) Hexafluor-cyclobuten werden in 30 *ml* Tetrahydrofuran bei −40° vorgelegt. Dazu tropft man unter Rühren langsam eine Lösung von 1,6 g (2,4 mmol) Bis-[triphenylphosphan]-dicarbonyl-rhodat in 50 *ml* Tetrahydrofuran. Das Reaktionsgemisch wird 1 Stde. bei −40° und anschließend 6 Stdn. bei 20° gerührt. Nach der Filtration wird das Reaktionsprodukt in einer mit Florisil gefüllten Säule mit einer 1:1-Mischung von Diethylether und Dichlormethan chromatographiert. Nach Abziehen der Lösungsmittel wird der gelbe Rückstand in Diethylether umkristallisiert; Ausbeute: 1,0 g (1,2 mmol; 50%); F: 170–172° (Zers.).

β) mit Alkinen

Der Bis-[triphenylphosphan]-dicarbonyl-rhodium(−I)-Anion-Komplex lagert sich an die C,C-Dreifachbindung von Hexafluor-2-butin[1]. Das bei der Reaktion aufgenommene Proton stammt wahrscheinlich vom Lösungsmittel. Als Nebenprodukt entsteht *Bis-{bis-[triphenylphosphan]-dicarbonyl-rhodium}* in 31%iger Ausbeute.

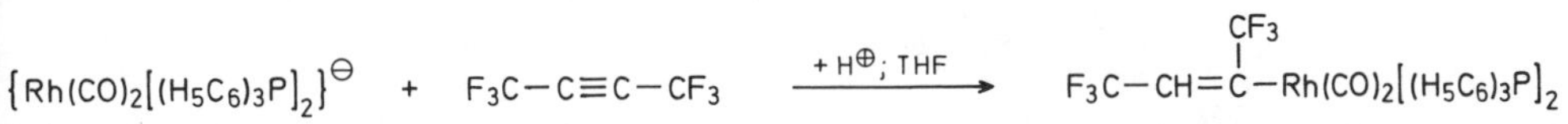

Bis-[triphenylphosphan]- dicarbonyl- (3,3,3-trifluor-1-trifluormethyl-propenyl)- rhodium[1]: Man tropft unter Rühren eine Lösung von 1,694 g (2,4 mmol) Natrium-bis-[triphenylphosphan]-dicarbonyl-rhodat(−I) in 50 *ml* THF zu einer auf −44° gekühlten Lösung von 0,6 g (3,7 mmol) Hexafluor-2-butin in 50 *ml* THF, rührt 1 Stde. bei −44° und 5 Stdn. bei 20°. Dann wird das schwer lösliche *Bis-{bis-[triphenylphosphan]-dicarbonyl-rhodium}* (0,5 g; 31%) abfiltriert.

Das Filtrat wird in einer mit Florisil gefüllten Säule mit einer 1:1-Mischung von Petrol- und Diethylether chromatographiert. Man erhält gelbe Kristalle; Ausbeute: 0,7 g (0,83 mmol; 35%); F: 179–180°.

---

[1] B.L. Booth, R.N. Haszeldine u. I. Perkins, Soc. [Dalton] **1975**, 1847.

c) von 1-Alkinyl-rhodium(I)-Verbindungen

1. aus Halogen-rhodium(I)-Verbindungen durch nukleophile Substitution des Halogen-Atoms

α) mit 1-Alkinyl-metall-Verbindungen

Die 1-Alkinyl-Gruppe kann durch Umsetzung von Rhodium(I)-Verbindungen mit Phenylethinyl-lithium oder Phenylethinyl-trimethyl-zinn in den Komplex eingeführt werden[1]:

$$RhClL_2^1L^2 \ + \ H_5C_6-C\equiv C-Li \ \xrightarrow[-\ LiCl]{THF,\ (H_5C_2)_2O} \ H_5C_6-C\equiv C-RhL_2^1L^2$$

$L^1 = (H_6C_6)_3P$; $L^2 = (H_5C_6)_3P$; *Phenylethinyl-tris-[triphenylphosphan]-rhodium*; 48%

$L^2 = CO$; *Bis-[triphenylphosphan]-carbonyl-phenylethinyl-rhodium*

$$RhCl(CO)[(H_5C_6)_3P]_2 \ + \ (H_3C)_3Sn-C\equiv C-C_6H_5 \ \xrightarrow[-\ (H_3C)_3Sn-Cl]{C_6H_6} \ H_5C_6-C\equiv C-Rh(CO)[(H_5C_6)_3P]$$

Bis-[triphenylphosphan]-carbonyl-phenylethinyl-rhodium; 95%; F: 151–154° (Zers.)

Bis-[triphenylphosphan]-carbonyl-phenylethinyl-rhodium[1]: Zu einer Suspension von 0,68 g (0,97 mmol) Bis-[triphenylphosphan]-carbonyl-chloro-rhodium in 50 *ml* Benzol tropft man bei 20° unter Rühren in 30 Min. 1,0 mmol Phenylethinyl-lithium gelöst in einem Tetrahydrofuran-Diethylether-Gemisch (3:1). Die gelbe Suspension bildet dabei eine rote Lösung, die 2 Stdn. gerührt wird. Das Lösungsmittel wird i. Vak. entfernt. Dem Rückstand setzt man 20 *ml* Benzol zu. Dann wird das ausgeschiedene Lithiumchlorid abfiltriert. Das Filtrat engt man ein und versetzt es mit Hexan. Beim Kühlen auf −30° fällt ein grau-rotes Pulver aus, das aus Benzol und Hexan umkristallisiert wird; Ausbeute: ∼40%; F: 151–154° (Zers.); IR(Nujol): $\nu_{C\equiv C}$: 2092, ν_{CO}: 1958 cm^{-1}.

β) mit 1-Alkinen

Die Umsetzung von Halogeno-rhodium-Verbindungen mit den CH-aciden 1-Alkinen gelingt, wenn der Halogenwasserstoff durch Basen abgespalten wird[2]. Die erhaltenen 1-Alkinyl-rhodium-Verbindungen sind auch unter Stickstoff nur beschränkt haltbar.

$$RhCl(CO)L_2 \ + \ R-C\equiv CH \ \xrightarrow[-\ [(H_5C_2)_2NH_2]^\oplus Cl^\ominus]{(H_5C_2)_2NH,\ C_6H_6} \ R-C\equiv C-Rh(CO)L_2$$

$R = \underset{}{\bigcirc}-C\equiv CH$; $L = (H_5C_6)_3P$; *(Bis-[triphenylphosphan]-carbonyl-(4-ethinyl-phenylethinyl)-rhodium*; 64%

$R = \underset{}{\bigcirc}$; $L = \left[F-\bigcirc-\right]_3 P$; *(Bis-[tris-(4-fluor-phenyl)-phosphan]-carbonyl-(2-ethinyl-phenylethinyl)-rhodium*; 50%

trans- [(2-Ethinyl-phenyl)-ethinyl]-bis- [triphenylphosphan]-carbonyl-rhodium[2]: Alle Umsetzungen werden unter anaeroben und Wasser-freien Bedingungen durchgeführt. Zu einer mit 10 *ml* Diethylamin versetzten Lösung von 280 mg (0,41 mmol) *trans*-Bis-[triphenylphosphan]-carbonyl-chloro-rhodium in 25 *ml* Benzol wird ein Gemisch von 68,52 mg (0,54 mmol) 1,2-Diethinyl-benzol und 10 *ml* Diethylamin getropft und 12 Stdn. gerührt. Nach Filtration des ausgeschiedenen Diethylammonium-chlorids wird i. Vak. zur Trockene eingedampft, der rotbraune ölige Rückstand wird in 5 *ml* Benzol gelöst und hieraus der hellbraune pulvrige Komplex mit 50 *ml* Ethanol gefällt. Er wird abfiltriert, 2mal mit je 3 *ml* Ethanol gewaschen und 3 Stdn. bei 20° i. Vak. getrocknet; Ausbeute: 210 mg (65%); IR(KBr/CsJ): $\nu_{C\equiv C}$: 2110(m), 2025(w), ν_{CO}:1965 (vs,br) cm^{-1}.

---

[1] B. CETINKAYA, M. F. LAPPERT, J. McMEEKING u. D. PALMER, J. Organometal. Chem. **34**, C 37 (1972); Soc. [Dalton] **1973**, 1202.

[2] R. NAST u. A. BEYER, J. Organometal. Chem. **194**, 379 (1980).

2. aus Hydrido-rhodium(I)-Verbindungen mit 1-Alkinen unter Wasserstoff-Abspaltung

Bei der Reaktion von 1-Alkinen mit Hydrido-rhodium-Komplexen wird molekularer Wasserstoff abgespalten unter Bildung von 1-Alkinyl-rhodium-Verbindungen[1]. Auch 1-Alkine ohne aktivierende Gruppen lassen sich umsetzen.

Die Reaktion verläuft wahrscheinlich über eine oxidative Addition der CH-aciden Gruppe an Rhodium, der eine reduktive Eliminierung von Wasserstoff folgt. In Gegenwart von überschüssigem Triphenylphosphan entsteht ein Komplex mit drei Phosphan-Liganden, der jedoch in Lösung leicht ein Phosphan verliert. Dieser dritte Phosphan-Ligand kann auch durch kleinere Liganden leicht substituiert werden. Der 4-fach koordinierte Komplex III kann zusätzlich Verbindungen wie Olefine und Schwefeldioxid binden.

$$RhH(CO)[(H_5C_6)_3P]_3 \; + \; R-C\equiv CH \xrightarrow[-(H_5C_6)_3P]{} R-C\equiv C-Rh(H)_2(CO)[(H_5C_6)_3P]_2$$

$$\qquad\quad \text{I} \qquad\qquad\qquad\qquad\qquad\qquad\qquad\qquad\qquad\qquad\qquad\qquad \text{II}$$

$$\xrightarrow[-H_2]{} R-C\equiv C-Rh(CO)[(H_5C_6)_3P]_2 \xrightleftharpoons[-(H_5C_6)_3P]{+(H_5C_6)_3P} R-C\equiv C-Rh(CO)[(H_5C_6)_3P]_3$$

$$\qquad\qquad\qquad\qquad \text{III}$$

Bis-[triphenylphosphan]-...	*...-tris-[triphenylphosphan]-rhodium*
$R = CH_3$; *...-carbonyl-1-propinyl-rhodium*	*Carbonyl-1-propinyl-...*
$R = C_2H_5$; *...-1-butinyl-carbonyl-rhodium*	–
$R = C_4H_9$; –	*Carbonyl-1-hexinyl-...*

Bei der Methode muß absolut Sauerstoff-frei und mit frisch destilliertem Alkin gearbeitet werden.

1-Alkinyl-bis-[triphenylphosphan]-carbonyl-rhodium[1]: Man legt 0,5 g (0,544 mmol) Carbonyl-hydrido-tris-[triphenylphosphan]-rhodium in einer Carius-Röhre vor und läßt i. Vak. 20 *ml* sorgfältig gereinigtes Toluol und 1-Alkin (z.B. 10 *ml* 1-Hexin) unter Kühlen darin kondensieren. Das Rohr wird verschlossen und 24 Stdn. bei 20° geschüttelt. Aus der tief-roten Lösung wird der Komplex durch Zugabe von 30 *ml* Ethanol ausgefällt; Ausbeute: ~0,19 g (~50%).

3. durch spezielle Methoden

Von Bis-[phenylethinyl]-bis-[triphenylphosphan]-trimethylstannyl-rhodium kann in Umkehr der oxidativen Addition Trimethyl-phenylethinyl-zinn abgespalten werden, wenn durch Kohlenmonoxid eine der freien Koordinationsstellen besetzt wird[2]. Der Carbonyl-Ligand wird aus der Kohlenmonoxid-Atmosphäre aufgenommen oder von einem Aldehyd abgespalten.

$$(H_5C_6-C\equiv C)_2Rh[Sn(CH_3)_3][(H_5C_6)_3P]_2 \xrightarrow[-(H_3C)_3Sn-C\equiv C-C_6H_5]{+CO\;(bzw.\;H_3C-(CH_2)_7-CHO)} (H_5C_6-C\equiv C)Rh(CO)[(H_5C_6)_3P]_2$$

Bis-[triphenylphosphan]-carbonyl-phenylethinyl-rhodium; F: 151–154° (Zers.)

Beim Belichten von Bis-[triphenylphosphan]-dicarbonyl-trimethylstannyl-rhodium und Tetrafluorethen in Benzol wird *Bis-[triphenylphosphan]-dicarbonyl-trifluorethenyl-rhodium* in 33%iger Ausbeute gebildet[3].

Bei der Umsetzung von Alkyl- und Aryl-rhodium-Komplexen mit Phenylethin wird der organische Rest durch die 1-Alkinyl-Gruppe substituiert[4]; z.B.:

[1] C.K. Brown, G. Georgiou u. G. Wilkinson, Soc. [A] **1971**, 3120.

[2] B. Cetinkaya, M.F. Lappert, J. McMeeking u. D. Palmer, J. Organometal. Chem. **34**, C 37 (1972); Soc. [Dalton] **1973**, 1202.

[3] B.L. Booth, G.C. Casey u.R.N. Haszeldine, J. Organometal. Chem. **219**, 401 (1981).

[4] E. Arpac u. L. Dahlenburg, J. Organometal. Chem. **241**, 27 (1983).

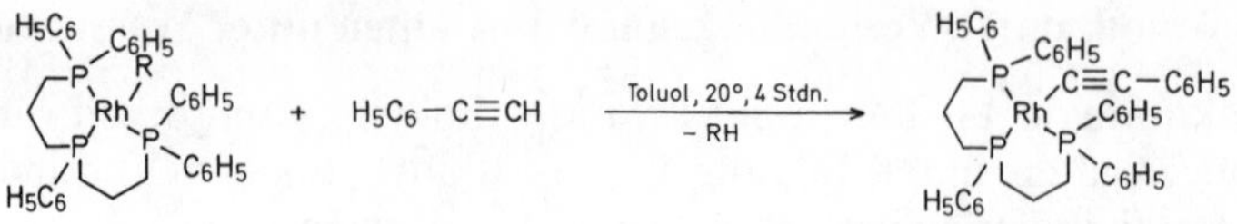

(Bis-[3-diphenylphosphano-propyl]-phenyl-phosphan-P′,P″,P‴)-phenylethinyl-rhodium; 67–94%

Setzt man Bis-[triisopropylphosphan]-chloro-hydrido-phenylethinyl-pyridin-rhodium bei 0° in Tetrahydrofuran rasch mit Cyclopentadienyl-natrium um, entsteht unter Abspaltung von Chlorwasserstoff *Bis-[triisopropylphosphan]-phenylethinyl-pyridium-rhodium* (68%) unbekannter Struktur[1,2].

d) Aryl-rhodium(I)-Verbindungen

1. aus Halogen-rhodium(I)-Verbindungen durch nucleophile Substitution des Halogen-Atoms

α) mit Aryl-metall-Verbindungen

Chloro-tris-[triphenylphosphan]-kobalt wird durch Aryl-magnesiumhalogenide aryliert[3,4]. Beim analogen Triphenylphosphit-Komplex ist nur die Pentafluorphenyl-Verbindung stabil[4]. Der Phenyl-Komplex zerfällt unter Abspaltung von Benzol. Die Verbindungen sind in Luft beständig.

$$RhClL_3 \quad + \quad Ar-MgBr \xrightarrow[- MgClBr]{(H_5C_2)_2O,\ 25°,\ 1\ Tag} Ar-RhL_3$$

L = $(H_5C_6)_3P$; Ar = C_6H_5; *Phenyl-tris-[triphenylphosphan]-rhodium*[3]; 90%; F: 160–170° (Zers.)
L = $P(OC_6H_5)_3$; Ar = C_6F_5; *Pentafluorphenyl-tris-[triphenylphosphit]-rhodium*

Bis-[triphenylphosphan]-pentafluorphenyl-thiocarbonyl-rhodium (60%) wird aus dem Komplex I mit Pentafluorphenyl-magnesiumbromid erhalten[5]:

$$\underset{I}{RhCl(CS)[(H_5C_6)_3P]_2} \quad + \quad F_5C_6-MgBr \xrightarrow[- MgClBr]{THF,\ 25°,\ 40\ Stdn.} F_5C_6-Rh(CS)[(H_5C_6)_3P]_2$$

Bis-[triphenylphosphan]-pentachlorphenyl-thiocarbonyl-rhodium[5]: Zu einer Grignard-Lösung, hergestellt aus 0,855 g (3,0 mmol) Hexachlorbenzol und 0,073 g Magnesium in 30 *ml* abs. THF[6], gibt man 0,713 g (1,0 mmol) *trans*-Bis-[triphenylphosphan]-chloro-thiocarbonyl-rhodium und läßt die Mischung bei 20° ~ 3 Stdn. stehen. Dann wird das Lösungsmittel i. Vak. abgezogen, der Rückstand mit 2 *ml* Benzol behandelt und an basischem Aluminiumoxid mit Hexan chromatographiert. Die Hexan-Fraktion enthält Hexachlorbenzol und Pentachlorbenzol. Es wird mit Hexan-Benzol eine rote Fraktion eluiert, aus der nach Abziehen des Lösungsmittels i. Vak. und Umkristallisieren aus Benzol-Hexan rote Kristalle erhalten werden; Ausbeute: 0,389 g (42%); IR(Nujol): ν_{CS}: 1278(vs) cm^{-1}.

Zur Herstellung von *Pentafluorphenyl-(η⁸-1,2,5,6,8-pentakis-[methylen]-cyclodecan)-rhodium* [50%; F: 185–188° (Zers.)] s. Lit.[7,8]:

---

[1] J. Wolf, H. Werner, O. Serhadli u. M.L. Ziegler, Ang. Ch. **95**, 428 (1983).
[2] Zur Bildung des η^5-Cyclopentadienyl-vinyliden-Komplexes s. S. 301.
[3] W. Keim, J. Organomet. Chem. **8**, P 25 (1967); **14**, 179 (1968).
[4] E.K. Barefield u. G.W. Parshall, Inorg. Chem. **11**, 964 (1972).
[5] G. Tresoldi, F. Faraone u. P. Piraino, Soc. [Dalton] **1979**, 1053.
[6] S.D. Rosenberg, J.J. Walburn u. H.E. Ramsden, J. Org. Chem. **22**, 1606 (1957).
[7] R.B. King u. P.N. Kapoor, J. Organometal. Chem. **33**, 383 (1971).
[8] S. Otsuka, K. Tani u. A. Nakamura, Soc. [A] **1969**, 1404.

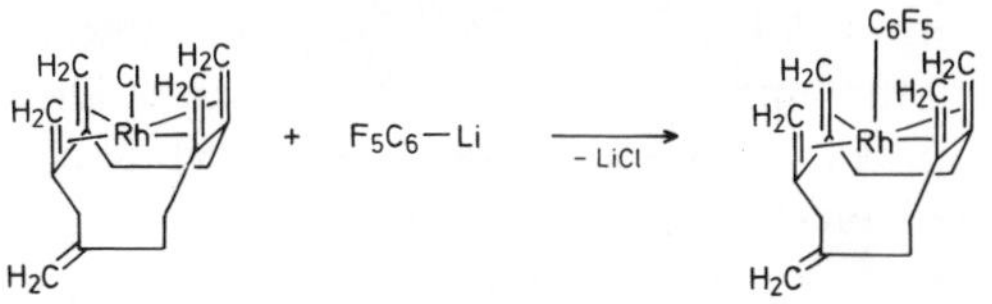

Die nach derselben Methode erhältlichen Aryl-Komplexe werden durch den Chelat-Effekt des dreizähnigen Liganden stabilisiert[1]; z.B.:

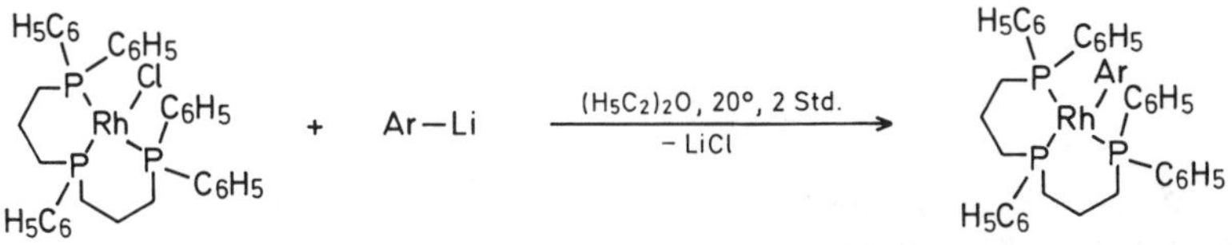

(Bis-[3-diphenylphosphano-propyl]-phenyl-phosphan)-. . .-rhodium
Ar = 2-CH$_3$–C$_6$H$_4$; . . .-*(2-methyl-phenyl)*-. . .; 69–82%
Ar = 2,4,6-(CH$_3$)$_3$–C$_6$H$_2$; . . .-*(2,4,6-trimethyl-phenyl)*-. . .; 61%

Pentafluorphenyl-silber ist gleichfalls als mildes Arylierungsreagens zur Einführung der Pentafluorphenyl-Gruppe in Rhodium-Komplexe geeignet; z.B.:

$$RhCl(CO)[(H_5C_6)_3P]_2 \quad + \quad F_5C_6{-}Ag \quad \xrightarrow[-\ AgCl]{C_6H_6,\ 25°,\ 3\ Stdn.} \quad F_5C_6{-}Rh(CO)[(H_5C_6)_3P]_2$$

Bis-[triphenylphosphan]-carbonyl-pentafluorphenyl-rhodium[2]; 55%; F: 202–203°

(η^4-1,5-Cyclooctadien)-pentafluorphenyl-triphenylphosphan-rhodium[2]:

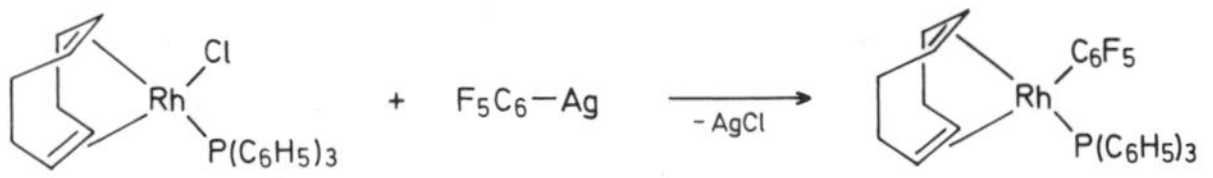

Eine Suspension von 514 mg (1,01 mmol) Chloro-(η^4-1,5-cyclooctadien)-triphenylphosphan-rhodium und 414 mg (1,51 mmol) Pentafluorphenyl-silber in 60 *ml* Diethylether wird 12 Stdn. bei 20° gerührt. Darauf wird Silberchlorid abfiltriert und das Lösungsmittel i. Vak. entfernt. Der Rückstand gibt beim Umkristallisieren gelbe Kristalle; Ausbeute: 246 mg (38%); F: 208–209°.

Zur Arylierung ist auch Bis-[pentachlorphenyl]-chloro-thallium(III) geeignet, das eine größere Affinität für Halogen besitzt als Rhodium[3]. Zunächst entsteht ein roter Komplex, in dem die beiden Phosphan-Liganden zueinander *trans*-ständig sind (*trans-Bis-[triphenylphosphan]-carbonyl-pentachlorphenyl-rhodium*; F: 172°, Zers.). Durch Erhitzen in Ethanol wird diese Verbindung in den gelben *cis*-Komplex (F: 189°, Zers.) übergeführt:

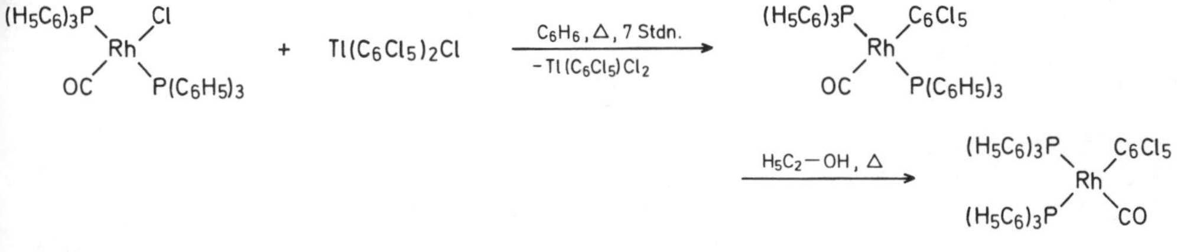

Analog bildet Bis-[pentafluorophenyl]-hydroxy-thallium(III) *Bis-[triphenylphosphan]-carbonyl-pentafluorphenyl-rhodium*[4].

---

[1] E. Arpac u. L. Dahlenburg, J. Organometal. Chem. **241**, 27 (1983).
[2] R.L. Bennett, M.I. Bruce u. R.C.F. Gardner, Soc. [Dalton] **1973**, 2653.
[3] P. Royo u. R. Serrano, J. Organometal. Chem. **144**, 33 (1978).
[4] P. Royo u. F. Terreros, C.A. **89**, 109916 (1978).
Zur Diarylierung unter Bildung von Rhodium(III)-Komplexen s.S. 395.

Zur Arylierung sind ferner Polyaryl-kupfer- oder -gold-lithium-Cluster geeignet, die in ortho-Stellung eine Dimethylaminomethyl-Gruppe besitzen. Durch Chelat-Bildung wird der Aryl-rhodium-Komplex stabilisiert. Bei anderen Aryl-Clustern entstehen unter Dimerisierung Biaryle und Diarylketone.

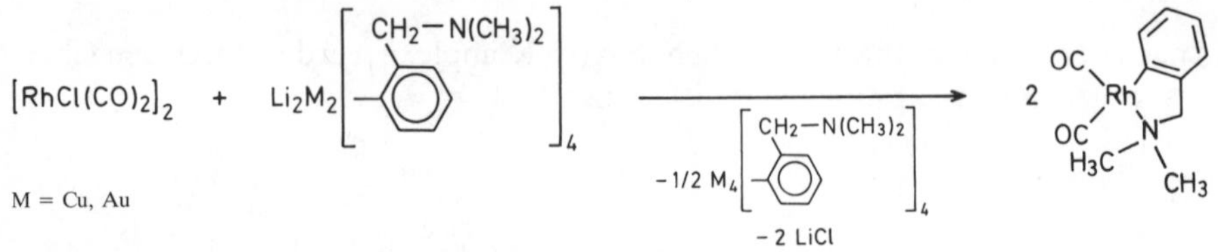

$[RhCl(CO)_2]_2$ + Li_2M_2 $\left[\text{CH}_2-\text{N(CH}_3)_2 \right]_4$ ⟶ 2

M = Cu, Au

−1/2 M_4 $\left[\text{CH}_2-\text{N(CH}_3)_2 \right]_4$

− 2 LiCl

Dicarbonyl-[2-(dimethylamino-methyl)-phenyl-C,N]-rhodium[1]: Man gibt unter Rühren 0,206 g (0,53 mmol) Bis-[chloro-dicarbonyl-rhodium] zu einer Lösung von 0,500 g (0,53 mmol) Tetrakis-[2-(dimethylamino-methyl)-phenyl]-digold-dilithium in Benzol. Es fällt augenblicklich ein farbloser Niederschlag aus, der abgetrennt wird; Ausbeute: 97% (Rohprodukt).

Das Filtrat wird aufkonzentriert. Der Komplex wird durch Chromatographie an Kieselgel mit Benzol gereinigt; F: 48–50°; IR(Nujol): $\nu_{CO}2050$(vs) und 1985(vs) cm^{-1}.

Die 2-Phenylazo-phenyl-Gruppe kann von Palladium auf Rhodium durch Substitution eines Chlor-Atoms übertragen werden[2]:

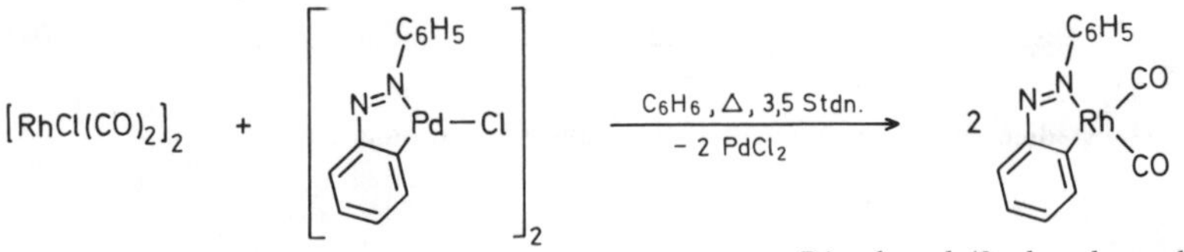

$[RhCl(CO)_2]_2$ + $\left[\text{...Pd}-\text{Cl} \right]_2$ $\xrightarrow[-\ 2\ PdCl_2]{C_6H_6\ ,\ \triangle,\ 3,5\ Stdn.}$ 2

Dicarbonyl-(2-phenylazo-phenyl-C,N)-rhodium; 40%; F: 153–155° (Zers.)

β) mit Aryl-Donor-Liganden durch ortho-Metallierung

Die ortho-Cyclometallierung von Triphenyl-phosphan bzw. -phosphit scheint bei Rhodium nicht so leicht zu gelingen wie bei Iridium. Während bei Iridium die ortho-Metallierung sogar durch thermisches Abspalten von Chlorwasserstoff gelingt, ist dies bei Rhodium nicht möglich[3]. Man muß stattdessen den Chloro-Komplex mit Alkyl-metall-Verbindungen umsetzen. Dabei zersetzen sich die meisten intermediär gebildeten Alkyl-rhodium-Komplexe unter Abspaltung von Alkanen und ortho-Metallierung des Triphenyl-phosphan-Liganden.

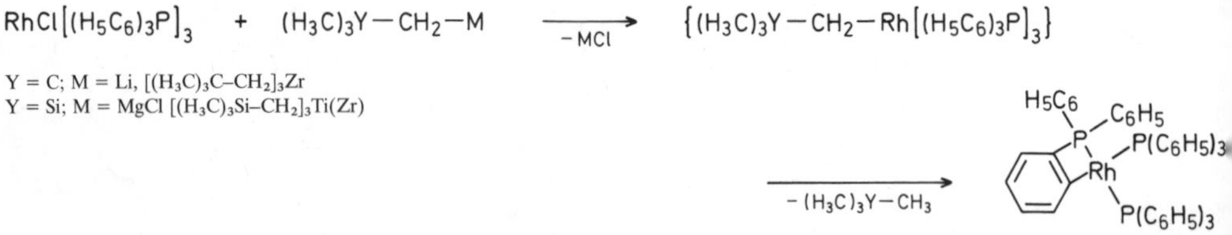

$RhCl[(H_5C_6)_3P]_3$ + $(H_3C)_3Y-CH_2-M$ $\xrightarrow{-MCl}$ $\{(H_3C)_3Y-CH_2-Rh[(H_5C_6)_3P]_3\}$

Y = C; M = Li, $[(H_3C)_3C-CH_2]_3Zr$
Y = Si; M = MgCl $[(H_3C)_3Si-CH_2]_3Ti(Zr)$

$\xrightarrow{-(H_3C)_3Y-CH_3}$

Bis-[triphenylphosphan]-(2-diphenylphosphano-phenyl-C,P)-rhodium

[1] G. VAN KOTEN, J. T. B. H. JASTREBSKI u. J. G. NOLTES, J. Organometal. Chem. **148**, 317 (1978).
[2] M. I. BRUCE, M. Z. IQBAL u. F. G. A. STONE, J. Organometal. Chem. **40**, 393 (1972).
[3] C. S. CUNDY, M. F. LAPPERT u. R. PEARCE, J. Organometal. Chem. **59**, 161 (1973).

Das stabilere Methyl-tris-[triphenylphosphan]-rhodium zerfällt erst beim Erhitzen[1]:

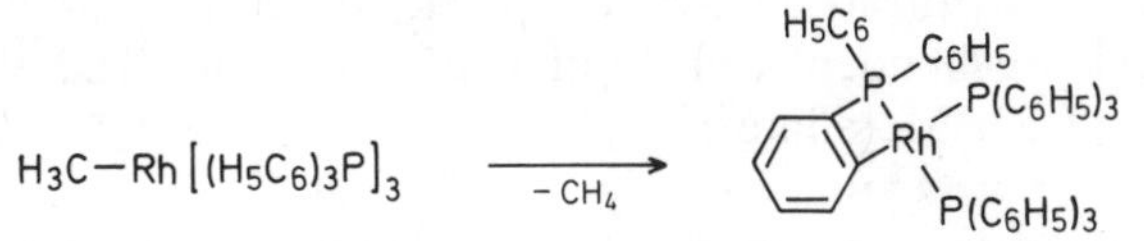

$$H_3C-Rh\left[(H_5C_6)_3P\right]_3 \quad \xrightarrow{-CH_4} \quad$$

Bis-[triphenylphosphan]-(2-diphenylphosphano-phenyl-C,P)-rhodium[1]: 8 g (8,9 mmol) Methyl-tris-[triphenylphosphan]-rhodium werden in 200 *ml* Toluol 30 Min. lang auf 100° erhitzt. Das freigesetzte Methan kann zu 85% aufgefangen werden. Die heiße Lösung wird filtriert. Beim Abkühlen kristallisiert der orangegelbe Komplex aus, der abfiltriert, mit Hexan gewaschen und bei 10^{-4} Torr getrocknet wird; Ausbeute: 5,1 g (65%); F: 110–130° (Zers.).

Chloro-tris-[triphenylphosphit]-rhodium bildet mit Phenyl-magnesiumbromid intermediär einen instabilen Phenyl-Komplex, der sofort Benzol unter ortho-Cyclometallierung von Triphenylphosphit zum *Bis-[triphenylphosphit]-(2-diphenoxyphosphanyloxy-phenyl-C,P)-rhodium* verliert[2]:

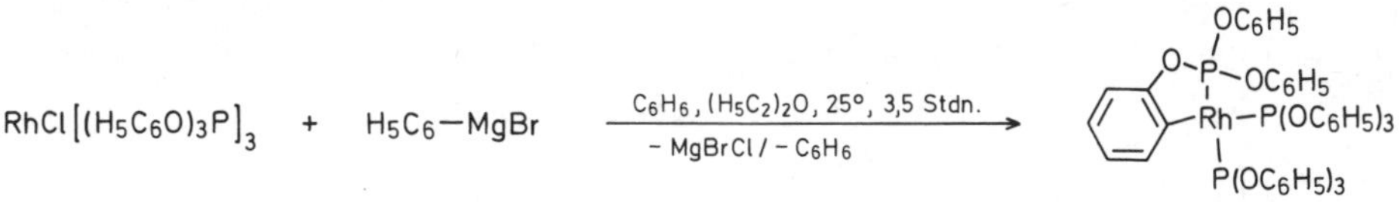

$$RhCl\left[(H_5C_6O)_3P\right]_3 \; + \; H_5C_6-MgBr \quad \xrightarrow[- MgBrCl\,/\,-C_6H_6]{C_6H_6\,,\,(H_5C_2)_2O,\,25°,\,3,5\,Stdn.} \quad$$

2. aus Hydrido-rhodium(I)-Verbindungen

Beim Erhitzen von Hydrido-tetrakis-[triphenylphosphit]-rhodium wird Wasserstoff abgespalten[3-5]. Die Reaktion ist reversibel.

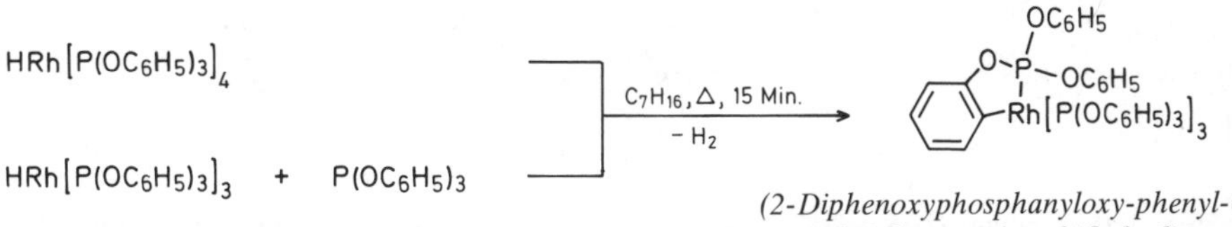

$$HRh\left[P(OC_6H_5)_3\right]_4$$

$$HRh\left[P(OC_6H_5)_3\right]_3 \; + \; P(OC_6H_5)_3 \quad \xrightarrow[-H_2]{C_7H_{16},\,\triangle,\,15\,Min.} \quad$$

(2-Diphenoxyphosphanyloxy-phenyl-C,P)-tris-[triphenoxyphosphit]-rhodium; 57%

Hydrido-rhodium(I)-Verbindungen bilden mit Bis-[pentafluorphenyl]-bromo-thallium(III) Aryl-rhodium(I)-Komplexe[6]; z.B.:

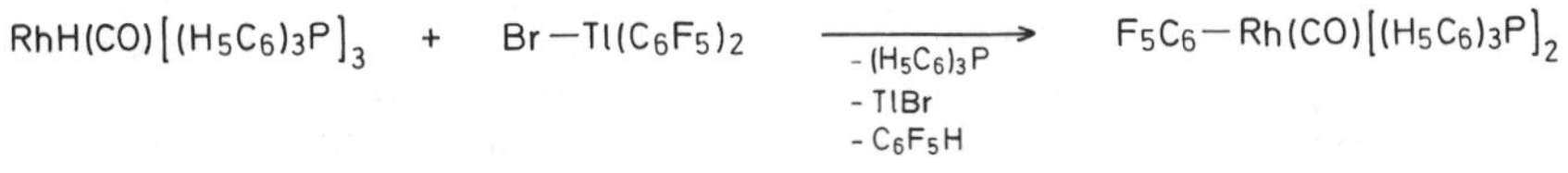

$$RhH(CO)\left[(H_5C_6)_3P\right]_3 \; + \; Br-Tl(C_6F_5)_2 \quad \xrightarrow[\substack{-\,TlBr\\-\,C_6F_5H}]{-\,(H_5C_6)_3P} \quad F_5C_6-Rh(CO)\left[(H_5C_6)_3P\right]_2$$

Bis-[triphenylphosphan]-carbonyl-pentafluorphenyl-rhodium

---

[1] W. Keim J. Organometal. Chem. **14**, 179 (1968).
[2] E. K. Barefield u. G. W. Parshall, Inorg. Chem. **11**, 964 (1972).
[3] W. H. Knoth u. R. A. Schunn, Am. Soc. **91**, 2400 (1969).
[4] E. W. Ainscough u. S. D. Robinson, Chem. Commun. **1970**, 863.
[5] M. Preece, S. D. Robinson u. J. N. Wingfield, Soc. [Dalton] **1976**, 613.
[6] P. Royo u. F. Terreros, An. Univ. Murcia, Cienc. **30**, 139 (1972); C. A. **89**, 109916 (1978).

3. aus Metall-rhodaten(–I) und Halogen-aromaten

Bis-[triphenylphosphan]-dicarbonyl-rhodium-Anion setzt sich mit Polyfluorarenen und -hetarenen zu den entsprechenden Aryl-rhodium-Komplexen um[1]. Folgende Reihenfolge gilt für die Reaktivität der Metallate[2]:

$$[Fe(\eta^5-C_5H_5)(CO)_2]^{\ominus} > [Rh(CO)_2L_2]^{\ominus} > [Ir(CO)_2L_2]^{\ominus} > [Co(CO)_2L_2]^{\ominus}$$

$$L = P(C_6H_5)_3$$

Ein bereits am Aren gebundener Rhodium-Rest setzt die Reaktivität stark herab, so daß keine zweite Metallierung beobachtet wurde[2].

Die Polyfluoraryl- und Polyfluorhetaryl-rhodium-Komplexe sind kristalline, beständige Verbindungen.

$$\{Rh(CO)_2[(H_5C_6)_3P]_2\}^{\ominus} + F-Ar_F \xrightarrow[-F^{\ominus}]{} Ar_F-Rh(CO)_2[(H_5C_6)_3P]_2$$

Bis-[triphenylphosphan]-...-rhodium

$Ar_F = C_6F_5$; *...-dicarbonyl-pentafluorphenyl-...*; 27%

$Ar_F = $ —CN ; *...-(4-cyan-tetrafluor-phenyl)-dicarbonyl-...*; 42%

$Ar_F = $ —CN ; *...-dicarbonyl-(3,4-dicyan-trifluor-phenyl)-...*; 80%

$Ar_F = $; *...-dicarbonyl-(tetrafluor-4-pyridyl)-...*; 71%

Bis-[triphenylphosphan]-(2-cyan-trifluor-4-pyridyl)- bzw. -(6-cyan-trifluor-3-pyridyl)-dicarbonyl-rhodium[1]:
Bis-[triphenylphosphan]-dicarbonyl-rhodat(–I): 1,6 g (1,2 mmol) Di-μ-carbonyl-bis-(bis-[triphenylphosphan]-carbonyl-rhodium) und ein Überschuß von 1%igem Natrium-Amalgam in 50 *ml* THF werden 4 Stdn. gerührt, bis die anfangs gelbe Lösung grün geworden ist. Das IR-Spektrum einer Probe zeigt, daß die Dirhodium-Verbindung vollständig reagiert hat.

Umsetzung des Anion-Komplexes mit 2-Cyan-tetrafluor-pyridin: Die Lösung des Anions wird mit 1,0 g (5,7 mmol) 2-Cyan-tetrafluor-pyridin 18 Stdn. bei 20° gerührt. Das Reaktionsprodukt wird mit Diethylether als Eluierungsmittel chromatographiert. Man erhält gelbe Kristalle des 2-Cyan-tetrafluor-4-pyridyl-Komplexes [0,95 g (1,13 mmol; 48%)], die in Diethylether umkristallisiert werden.

Beim weiteren Eluieren mit Aceton und Umkristallisieren aus Aceton und Dichlormethan erhält man gelbe Kristalle des 6-Cyan-tetrafluor-3-pyridyl-Komplexes; Ausbeute: 0,95 g (1,15 mmol; 49%).

Das folgende, durch elektrochemische Reduktion des Chloro-rhodium-Komplexes in Gegenwart von überschüssigem Triphenylphosphan erhältliche Anion, kann in situ mit Halogen-arenen umgesetzt werden[3]:

---

[1] B.L. Booth, R.N. Haszeldine u. I. Perkins, Soc. A **1971**, 927.
[2] B.L. Booth, R.N. Haszeldine u. I. Perkins, Soc. [Dalton] **1975**, 1843.
[3] S. Zecchin, G. Schiavon, G. Pilloni u. M. Martelli, J. Organometal. Chem. **110**, C 45 (1976).

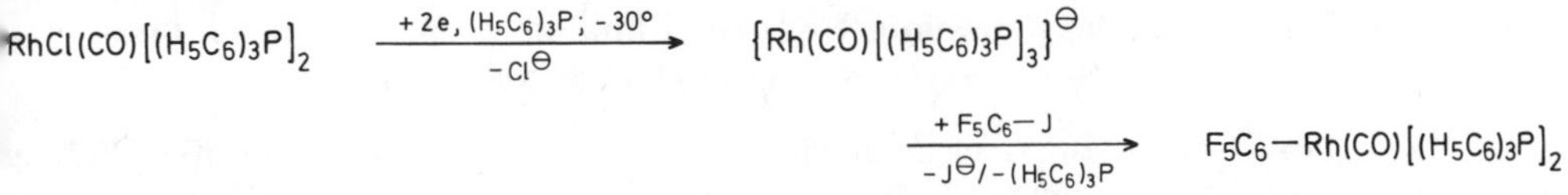

$$RhCl(CO)[(H_5C_6)_3P]_2 \xrightarrow[-Cl^\ominus]{+2e, (H_5C_6)_3P; -30°} \{Rh(CO)[(H_5C_6)_3P]_3\}^\ominus$$

$$\xrightarrow[-J^\ominus/-(H_5C_6)_3P]{+F_5C_6-J} F_5C_6-Rh(CO)[(H_5C_6)_3P]_2$$

Bis-[triphenylphosphan]-carbonyl-pentafluorphenyl-rhodium

Auch 1,3-Thiazolium- und Pyridinium-Salze setzen sich mit Bis-[triphenylphosphan]-dicarbonyl-rhodat zu den entsprechenden Rh–C-Verbindungen um[1]. Da man die Verbindungen auch als Carben-Komplexe auffassen kann, sollen sie hier nicht näher besprochen werden:

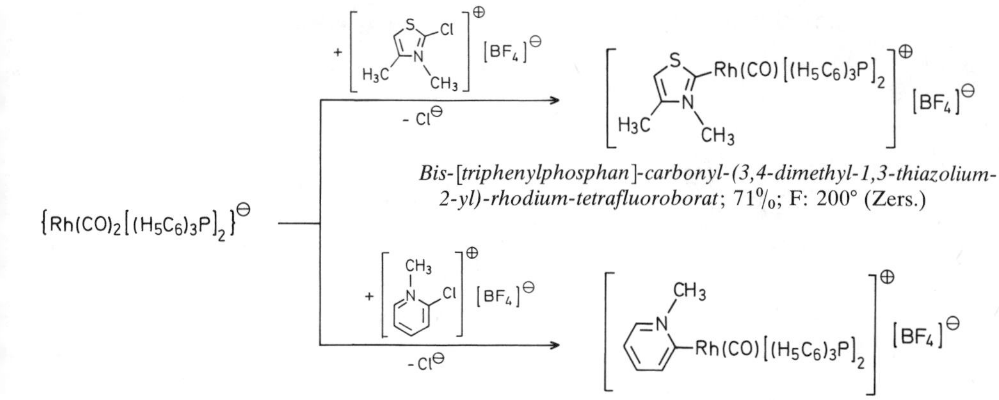

Bis-[triphenylphosphan]-carbonyl-(3,4-dimethyl-1,3-thiazolium-2-yl)-rhodium-tetrafluoroborat; 71%; F: 200° (Zers.)

Bis-[triphenylphosphan]-carbonyl-(1-methyl-pyridino-2-yl)-rhodium; 78%; F: 200° (Zers.)

4. aus Rhodium(II)-Verbindungen

Bis-[diacetato-rhodium] reagiert mit Diaryl-magnesium in Gegenwart von Trimethyl-phosphan unter Arylierung und Reduktion von Rhodium[2]; z.B.:

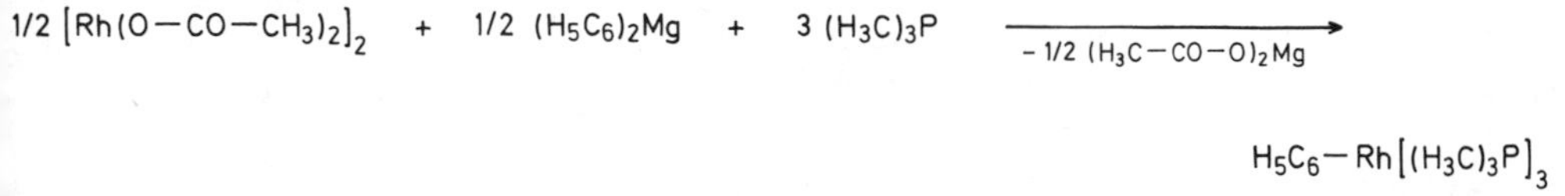

$$1/2 \, [Rh(O-CO-CH_3)_2]_2 + 1/2 \, (H_5C_6)_2Mg + 3 \, (H_3C)_3P \xrightarrow[-1/2 \, (H_3C-CO-O)_2Mg]{}$$

$$H_5C_6-Rh[(H_3C)_3P]_3$$

Phenyl-tris-[trimethylphosphan]-rhodium; 37%; F: 85–90° (Zers.)

(2-Methoxy-phenyl)-tris-[trimethylphosphan]-rhodium[2]: Zu einer Suspension von 0,43 g (0,97 mmol) Bis-[diacetato-rhodium] in 40 *ml* Diethylether gibt man 0,7 *ml* Trimethylphosphan und 9,7 *ml* (1,9 mmol) einer 0,2 M Lösung von Bis-[2-methoxy-phenyl]-magnesium in Diethylether und rührt die Mischung 5 Stdn. bei 20°. Die flüchtigen Bestandteile werden i. Vak. entfernt, der Rückstand mit 50 *ml* Pentan extrahiert, der Extrakt filtriert, auf ~3 *ml* i. Vak. eingeengt und auf −20° gekühlt. Dabei fallen gelbe Kristalle aus, die 2mal mit je 2 *ml* Petrolether gewaschen und i. Vak. getrocknet werden; Ausbeute: 0,4 g (46%); F: 99–101°.

---

[1] P.J. FRASER, W.R. ROPER u. F.G.A. STONE, Soc. [Dalton] **1974**, 760.
[2] R.A. JONES u. G. WILKINSON, Soc. [Dalton] **1979**, 472.

5. aus Arylcarbonyloxy-rhodium(I)- [bzw. Rhodium(I)-Verbindungen und Metall-carboxylaten] durch Decarboxylierung

Die Decarboxylierung von Arylcarboxylato-rhodium(I)-Verbindungen unter Bildung von Aryl-rhodium-Verbindungen gelingt, wenn der Aryl-Rest Elektronen-anziehende Substituenten enthält[1,2]. Es scheint erforderlich zu sein, daß beide ortho-Stellungen im Aryl-Rest substituiert sind. Die Ausgangsverbindungen können auch durch Umsetzung von Carbonyl-hydrido-tris-[triphenylphosphan]-rhodium mit Carboxy-arenen bzw. von Chloro-rhodium-Verbindungen mit Aryl-silber- oder Aryl-thallium(I)-Verbindungen in situ erzeugt werden:

$$Rh(O-CO-Ar)(CO)[(H_5C_6)_3P]_2 \xrightarrow[-CO_2]{Pyridin, \triangle} Ar-Rh(CO)[(H_5C_6)_3P]_2$$

Bis-[triphenylphosphan]-carbonyl-...-rhodium

Ar = C_6F_5 (25°/45 Min.); ...-*pentafluorphenyl*-...; 75%; F: 196° (Zers.)
Ar = C_6Cl_5 (116°/30 Min.); ...-*pentachlorphenyl*-...; 46%; F: 202–203° (Zers.)[3]

Ar = ; ...-*(2,3,5,6-tetrafluor-phenyl)*-...; 60%; F: 171–172°

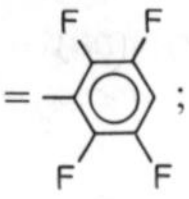

Ar = —OCH_3 ; ...-*(4-methoxy-tetrafluor-phenyl)*-...; 36%; F: 177–180° (Zers.)

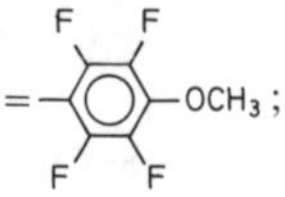

Die Geschwindigkeit der Decarboxylierung nimmt in folgender Reihenfolge ab:

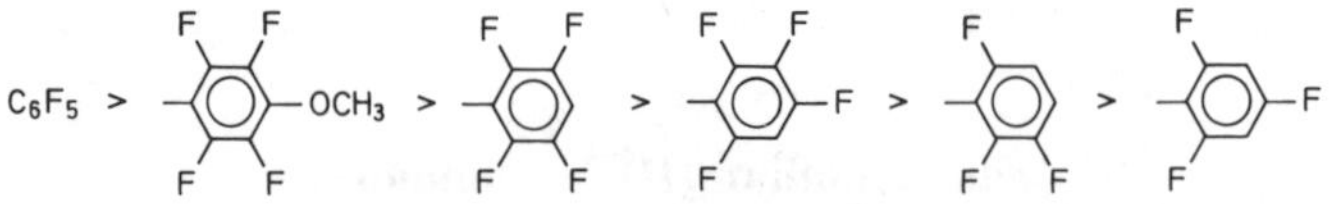

So gelingt die Decarboxylierung der Pentafluorphenyl-Verbindung mit dem Beschleuniger Pyridin bereits bei 25°.
Verschiedene Carboxylato-Komplexe decarboxylieren bereits unter den Bedingungen ihrer Herstellung. Bei dieser milden Synthesemethode für Aryl-Komplexe wird von Chloro-rhodium(I)-Verbindung und Thallium(I)-carboxylaten[1,2] ausgegangen:

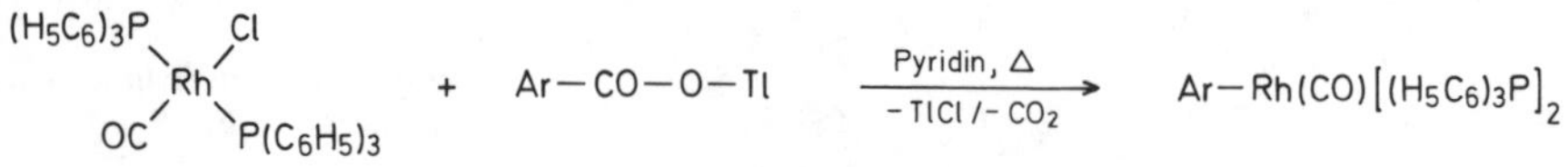

trans-Bis-[triphenylphosphan]-carbonyl-polyhalogenphenyl-rhodium; allgemeine Arbeitsvorschrift[2]: 1 mmol *trans*-Bis-[triphenylphosphan]-carbonyl-polyhalogenbenzoato-rhodium oder eine Mischung aus 1 mmol *trans*-Bis-[triphenylphosphan]-carbonyl-chloro-rhodium und etwas mehr als 1 mmol Thallium(I)- oder Silber-carboxylat werden in ~25 ml Pyridin umgesetzt. Bei der Eintopf-Reaktion mit dem Thallium-carboxylat wird zunächst 10 Min. bei 20° gerührt. Man leitet langsam über BASF R3-11 und Molekularsieb gereinigten Stickstoff über die Reaktionsmischung und anschließend durch eine Bariumhydroxid-Lösung. Das freigesetzte Kohlendi-

---

[1] G.B. Deacon, S.J. Faulks u. I.L. Grayson, Transition Met.-Chem. **3**, 317 (1978).
[2] G.B. Deacon, S.J. Faulks u. J.M. Miller, Transition Met.-Chem. **5**, 305 (1980).
[3] P. Royo u. R. Serrano, J. Organometal. Chem. **144**, 33 (1978). Die Autoren beschreiben eine rote Verbindung derselben Zusammensetzung mit F: 173° (Zers.).

oxid kann so als Bariumcarbonat in 70–100%iger Ausbeute nachgewiesen werden. Nach Abschluß der Reaktion wird Pyridin i. Vak. abgezogen, der gelb-braune Rückstand mit Aceton oder Diethylether extrahiert. Das gebildete Thalliumchlorid wird abfiltriert. Das Extraktionsmittel wird so weit abgezogen, daß gelbe Kristalle ausfallen. Die Aryl-Komplexe können auch durch Zusatz von Petrolether (Kp: 40–60°) gefällt werden.

Auf diese Weise erhält man u. a.

Ar = C_6F_5 (116°/30 Min.); *Bis-[triphenylphosphan]-carbonyl-pentafluorphenyl-rhodium*; 54%;

F: 193–196° (Zers.)

Ar = ⬡ (100°/45 Min.); . . .-*(2,3,5,6-tetrafluor-phenyl)-rhodium*; 74%; F: 174°

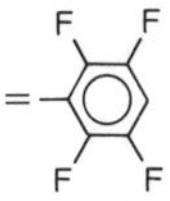

Ar = ⬡—F (116°, 5 Stdn.); . . .-*(2,4,6-trifluor-phenyl)-rhodium*; 75%

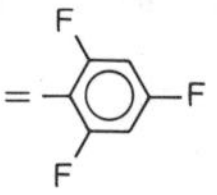

6. aus anderen σ-C-Rhodium-Verbindungen unter Erhalt mindestens einer C–Rh-Bindung

α) elektrochemische Reduktion

Aryl-rhodium(III)-Komplexe lassen sich in einem 2e-Schritt elektrochemisch zu Aryl-rhodium(I)-Verbindungen reduzieren[1]. Da die d^8-Aryl-Komplexe ein stärker negatives Reduktionspotential aufweisen als die d^6-Komplexe, ist die Reaktion selektiv.

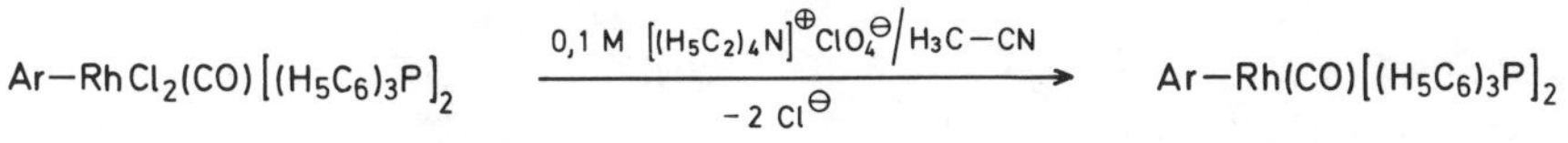

$$Ar-RhCl_2(CO)\left[(H_5C_6)_3P\right]_2 \xrightarrow[-2\,Cl^\ominus]{0{,}1\ M\ [(H_5C_2)_4N]^\oplus ClO_4^\ominus/H_3C-CN} Ar-Rh(CO)\left[(H_5C_6)_3P\right]_2$$

Aryl-bis-[triphenylphosphan]-carbonyl-rhodium[1, 2]; **allgemeine Arbeitsvorschrift:** Eine $3 \cdot 10^{-3}$ M Lösung des Aryl-bis-[triphenylphosphan]-carbonyl-dichloro-rhodium(III)-Komplexes wird unter Argon in einer 1:1-Mischung von Acetonitril und Benzol an einer Quecksilber-Elektrode elektrolysiert mit 0,1 M Tetraethylammonium-perchlorat als Elektrolyt. Nach der Elektrolyse wird die dunkel-gelbe Lösung i. Vak. auf ein kleines Vol. eingeengt. Nach Zugabe von Acetonitril bildet sich ein gelber Niederschlag, der abfiltriert, mit Acetonitril gewaschen und i. Vak. getrocknet wird.
Auf diese Weise erhält man u. a.

Bis-[triphenylphosphan]-carbonyl-phenyl-rhodium (–1,34 V)
Bis-[triphenylphosphan]-carbonyl-(4-chlor-phenyl)-rhodium (–1,27 V)
Bis-[triphenylphosphan]-carbonyl-(4-methyl-phenyl]-rhodium (–1,38 V)

β) reduktive Eliminierung

Bis-[pentafluorphenyl]-bis-[triphenylphosphan]-carbonyl-chloro-rhodium(III) verliert beim Erhitzen einen Aryl- und einen Chloro-Liganden[3, 4] unter Bildung von *Bis-[triphenylphosphan]-carbonyl-pentafluorphenyl-rhodium(I)*:

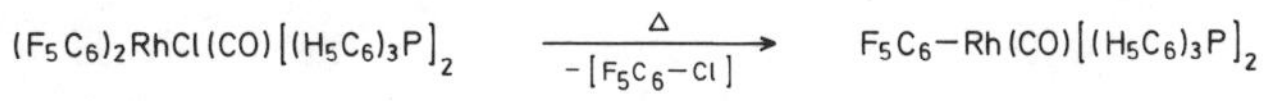

$$(F_5C_6)_2RhCl(CO)\left[(H_5C_6)_3P\right]_2 \xrightarrow[-[F_5C_6-Cl]]{\Delta} F_5C_6-Rh(CO)\left[(H_5C_6)_3P\right]_2$$

Die Abspaltung von Chlorwasserstoff aus dem Komplex I gelingt durch Zusatz von Natrium-ethanolat in Gegenwart von Kohlenmonoxid[5]:

[1] S. Zecchin, G. Schiavon, G. Pilloni u. M. Martelli, J. Organometal. Chem. **110**, C 45 (1076).
[2] M. Martelli, G. Schiavon, S. Zecchin u. G. Pilloni, Inorg. Chim. Acta **15**, 217 (1975); Apparatur.
[3] R. S. Nyholm u. P. Royo, Chem. Commun. **1969**, 421.
[4] P. Royo u. F. Terreros, An. Univ. Murcia, Cienc. **30**, 139 (1972); C. A. **89**, 109916 s (1978).
[5] C. J. Moulton u. B. L. Shaw, Soc. [Dalton] **1976**, 1020.

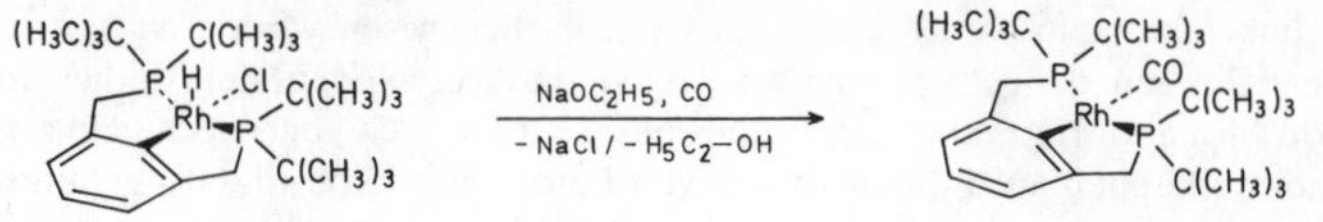

I

II; *(2,6-Bis-[di-tert.-butylphosphano-methyl]-phenyl P¹,C,P²)-carbonyl-rhodium*; 91%;
F: 205–210°; Subl.p.$_{0,01}$: 140–150°

e) Acyl-rhodium(I)-Verbindungen

Perfluoralkansäure-anhydride reagieren mit Natrium-(bis-[triphenylphosphan]-dicarbonyl-rhodat) unter Bildung von Acyl-rhodium-Komplexen[1]:

$$Na^{\oplus}\ \{Rh(CO)_2[(H_5C_6)_3P]_2\}^{\ominus} + (F_{2n+1}C_n-CO)_2O \xrightarrow[-F_{2n+1}C_n-CO-ONa]{THF} F_{2n+1}C_n-\overset{O}{\overset{\|}{C}}-Rh(CO)_2[P(C_6H_5)_3]_2$$

Bis-[triphenylphosphan]-dicarbonyl-...-rhodium
n = 1; ...*-(trifluor-acetyl)-*...; 22%
n = 3; ...*-(heptafluor-butanoyl)-*...; 42%

Bei Aryl-rhodium-Verbindungen wird in Lösung unter Kohlenmonoxid-Druck eine Carbonyl-Gruppe in die σ–C–Rh-Bindung eingeschoben[2]. Das Gleichgewicht liegt jedoch bei niedrigen Drücken auf der Seite der Aryl-Verbindung.

$$m\ H_5C_6-Rh[(H_5C_6)_3P]_3 \xrightarrow[-\ (H_5C_6)_3P]{+\ CO} n\ Rh(CO-C_6H_5)(CO)_2[(H_5C_6)_3P]_2 +$$

$$Rh(CO-C_6H_5)(CO)_3[(H_5C_6)_3P] \xrightarrow[-\ CO]{\text{kurzes Spülen mit } N_2}$$

$$Rh(CO-C_6H_5)(CO)_2[(H_5C_6)_3P]_2 \xrightarrow[-\ CO]{\text{längeres Spülen mit } N_2} H_5C_6-Rh(CO)[(H_5C_6)_3P]_2$$

Beim Behandeln der ortho-metallierten Triphenylphosphan-Verbindung I mit Kohlenmonoxid unter erhöhtem Druck wird *Bis-[triphenylphosphan]-carbonyl-(2-diphenylphosphano-benzoyl-C,P)-rhodium* [42%; F: 180–200° (Zers.)] gebildet[3]:

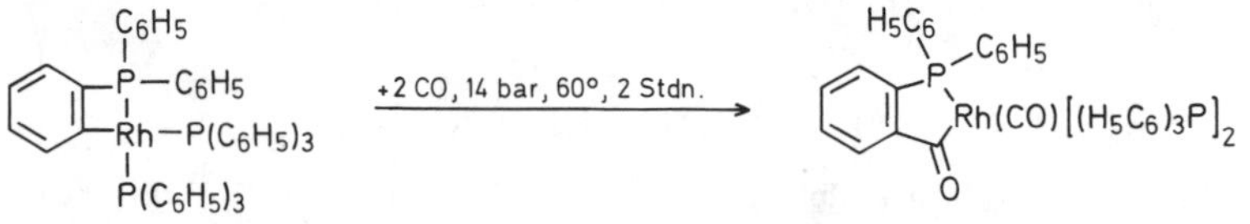

I

Carbonyl-hydrido-tris-[triphenylphosphan]-rhodium kann mit Ethen und Kohlenmonoxid in *Bis-[triphenylphosphan]-dicarbonyl-propanoyl-rhodium* übergeführt werden[2]. Die Verbindung ist nur in einer Ethen-Kohlenmonoxid-Atmosphäre stabil. In Abwesenheit von Ethen zerfällt der Komplex.

---

[1] B.L. Booth, G.C. Casey u. R.N. Haszeldine, J. Organometal. Chem. **219**, 401 (1981).
[2] G. Yagupsky, C.K. Brown u. G. Wilkinson, Soc. [A] **1970**, 1392.
[3] W. Keim, J. Organometal. Chem. **19**, 161 (1969).

f) (1-Imino-alkyl)-rhodium(I)-Verbindungen

Vom Chloro-hydrido-(1-imino-alkyl)-rhodium(II)-Komplex I wird mit Dimethyl-cadmium Chlorwasserstoff abgespalten unter Bildung von *Bis-[triphenylphosphan]-[α-(2-pyridylimino)-benzyl-(C,N)]-rhodium*[1]:

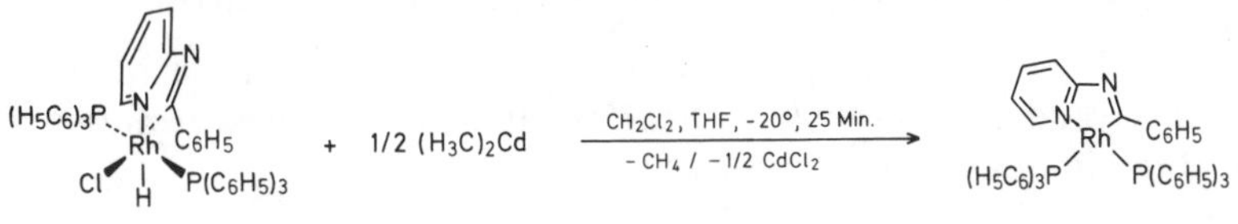

I II

g) Alkoxycarbonyl-, (Arylthio-thiocarbonyl)- und Aminocarbonyl-rhodium(I)-Verbindungen

1. Alkoxycarbonyl-rhodium(I)-Verbindungen

α) aus Carbonyl-rhodium(I)-Verbindungen und Metallalkanolaten bzw. Alkoholen und starken Basen

Dicarbonyl-rhodium-Kationkomplexe bilden mit Methanol und Kaliumhydroxid Methoxycarbonyl-carbonyl-rhodium-Verbindungen. Bei der Reaktion wird der am Metall gebundene Carbonyl-Ligand durch den Alkanolat-Rest nucleophil angegriffen, wobei die positive Ladung am Metall die Reaktion unterstützt.

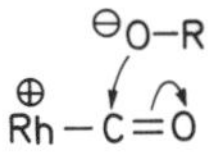

Die Kation-Komplexe sind leicht aus der Halogeno-rhodium-Verbindung durch Behandeln mit einer Lewis-Säure, wie Aluminium- oder Eisen(III)-chlorid, in einer Kohlenmonoxid-Atmosphäre zugänglich. Das Aluminat kann anschließend durch Austausch mit Natrium-hexafluorophosphat in das besonders stabile Hexafluorophosphat umgewandelt werden.

$$\{Rh(CO)_2[(H_5C_6)_3Sb]_3\}^{\oplus}X^{\ominus} \xrightarrow[-KX/-H_2O]{H_3C-OH/KOH} H_3C-CO-Rh(CO)[(H_5C_6)_3Sb]_3$$

$X = [AlCl_4], [PF_6]$

Carbonyl-methoxycarbonyl-tris-[triphenylstiban]-rhodium[2]**:** 1 mmol Dicarbonyl-tris-[triphenylstiban]-rhodium-tetrachloroaluminat oder -hexafluorophosphat wird in 40 *ml* Methanol gelöst und mit einer methanol. Lösung von 0,28 g (5 mmol) Kaliumhydroxid vereinigt. Der gelb-braune Methoxycarbonyl-Komplex fällt aus der methanolischen Lösung kristallin aus. Er wird mit Methanol und wenig Diethylether gewaschen und aus Benzol und Petroläther umkristallisiert; Zers.p.: 144°; IR (THF): ν_{CO} 1981 (vs), $\nu_{C=O}$ 1621 (s) cm^{-1}.

Bei der Alkoholyse von Ethoxycarbonylamino-carbonyl-rhodium(I)-Verbindungen in Gegenwart von Kohlenmonoxid benötigt man keinen Basen-Zusatz, da der vom Komplex entfernte Carbamidsäureester als Protonen-Fänger wirkt[3]. *Bis-[triphenylphosphan]-dicarbonyl-methoxycarbonyl-rhodium* (70–80%; F: 129°, Zers.) ist in einer Kohlenmonoxid-Atmosphäre längere Zeit haltbar:

---

[1] J. W. SUGGS u. S. D. COX, Organometallics **1**, 402 (1982).
[2] W. HIEBER u. V. FREY, B. **99**, 2614 (1966).
[3] K. v. WERNER u. W. BECK, **105**, 3947 (1972).

$$\text{Rh}(\text{NH}-\text{CO}-\text{OC}_2\text{H}_5)(\text{CO})\left[(\text{H}_5\text{C}_6)_3\text{P}\right]_2 \xrightarrow[-\text{H}_2\text{N}-\text{CO}-\text{OC}_2\text{H}_5]{\overset{+\,\text{H}_3\text{C}-\text{OH}\,/\,2\,\text{CO}}{\underset{\text{CO},\,1\,\text{bar},\,25°}{}}} \text{H}_3\text{CO}-\text{CO}-\text{Rh}(\text{CO})_2\left[(\text{H}_5\text{C}_6)_3\text{P}\right]_2$$

β) aus Aminocarbonyl-rhodium(I)-Verbindungen durch Alkoholyse

Aminocarbonyl-rhodium-Komplexe werden von Methanol in die Methoxycarbonyl-Komplexe umgewandelt[1]. Zusatz von Dichlormethan als Lösungsvermittler setzt die erforderliche Reaktionsdauer beträchtlich herab:

$$\text{H}_2\text{N}-\text{CO}-\text{Rh}(\text{CO})\left[(\text{R}_2^1\text{P}-\text{CH}_2)_3\text{C}-\text{R}^2\right] \xrightarrow[-\text{NH}_3]{\overset{\text{H}_3\text{C}-\text{OH}\,/\,\text{CH}_2\text{Cl}_2}{25°}} \text{H}_3\text{CO}-\text{CO}-\text{Rh}(\text{CO})\left[(\text{R}_2^1\text{P}-\text{CH}_2)_3\text{C}-\text{R}^2\right]$$

$\qquad\qquad\qquad\qquad\qquad\qquad\qquad\qquad\qquad$ *...-carbonyl-methoxycarbonyl-rhodium*

$\text{R}^1 = \text{C}_6\text{H}_5$; $\text{R}^2 = \text{CH}_3$; *(2,2-Bis-[diphenylphosphano-methyl]-1-diphenylphosphano-propan)-...*
$\qquad\text{R}^2 = \text{CH}_2\text{–P}(\text{C}_6\text{H}_5)_2$; *(1,3-Bis- [diphenylphosphano]-2,2-bis-[diphenylphosphano-methyl]-propan)-...; 100%; Zers.p.: 132°*

2. (Arylthio-thiocarbonyl)-rhodium(I)-Verbindungen

Schwefelkohlenstoff vermag sich in die Phenyl-rhodium-Bindung einzuschieben[2]; z.B.:

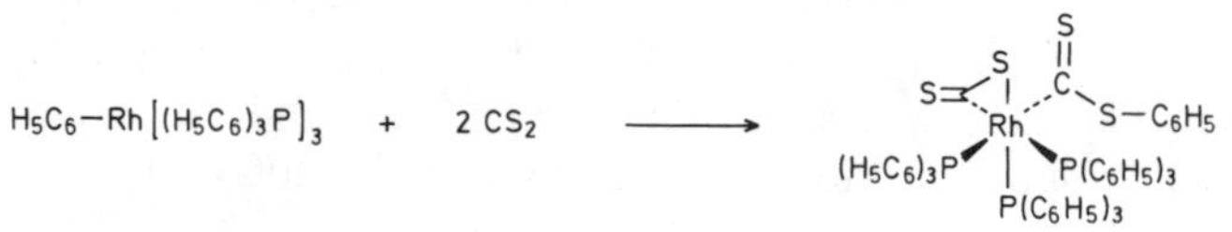

$$\text{H}_5\text{C}_6-\text{Rh}\left[(\text{H}_5\text{C}_6)_3\text{P}\right]_3 \;+\; 2\,\text{CS}_2 \;\longrightarrow\;$$

2-(Phenylthio-thiocarbonyl)-3-thioxo-2,2,2-tris-[triphenylphosphan]-thiorhodiran; F: 82–85° (Zers.)

3. Aminocarbonyl-rhodium(I)-Verbindungen

Ein am Rhodium gebundener Carbonyl-Ligand kann durch Ammoniak in die Amino-carbonyl-Gruppe umgewandelt werden[1]; z.B.:

$$\left\{\text{Rh}(\text{CO})_2\left[(\text{R}_2^1\text{P}-\text{CH}_2)_3\text{C}-\text{R}^2\right]\right\}^{\oplus}\left[\text{PF}_6\right]^{\ominus} \xrightarrow[-\text{NH}_4[\text{PF}_6]]{\overset{\text{NH}_3\,(\text{fl.})\,,\,25°}{}} \text{H}_2\text{N}-\text{CO}-\text{Rh}(\text{CO})\left[(\text{R}_2^1\text{P}-\text{CH}_2)_3\text{C}-\text{R}^2\right]$$

$\qquad\qquad\qquad\qquad\qquad\qquad\qquad\qquad$ *Aminocarbonyl-...-carbonyl-rhodium*
$\text{R}^1 = \text{C}_6\text{H}_5$; $\text{R}^2 = \text{CH}_3$; *...-(2,2-bis-[diphenylphosphano-methyl]-1-diphenylphosphano-propan)-...; F: 216°*
$\qquad\qquad\qquad\qquad\qquad\qquad\qquad\qquad\qquad\qquad\qquad\qquad\qquad$ *(Zers.)*
$\qquad\text{R}^2 = \text{CH}_2\text{–P}(\text{C}_6\text{H}_5)_2$;$\quad$ *...-(1,3-bis-[diphenylphosphano]-2,2-bis-[diphenylphosphano-methyl]-propan)-...; Zers.p.: 220°*

II. Organo-rhodium(II)-Verbindungen

Die dimeren Rhodium(I)-Komplexe I und II reagieren mit Hexafluor-2-butin oder Dimethoxycarbonyl-ethin unter *cis*-Addition [der Rh–Rh-Abstand = 3,3542(9) Å spricht gegen eine Metall-Metall-Bindung; zum Carbonyl-freien Komplex mit einer Rh–Rh-Bindung s. S. 432]; z.B.[3,4]:

[1] H. Behrens, J. Ellermann u. E.F. Hohenberger, Z. Naturf. **35B**, 661 (1980).
[2] D. Commereuc, I. Douek u. G. Wilkinson, Soc. [A] **1970**, 1772.
[3] M. Cowie u. T.G. Southern, J. Organometal. Chem. **193**, C 46 (1980); Inorg. Chem. **21**, 246 (1982).
[4] J.T. Mague u. S.H. de Vries, Inorg. Chem. **21**, 1632 (1982).

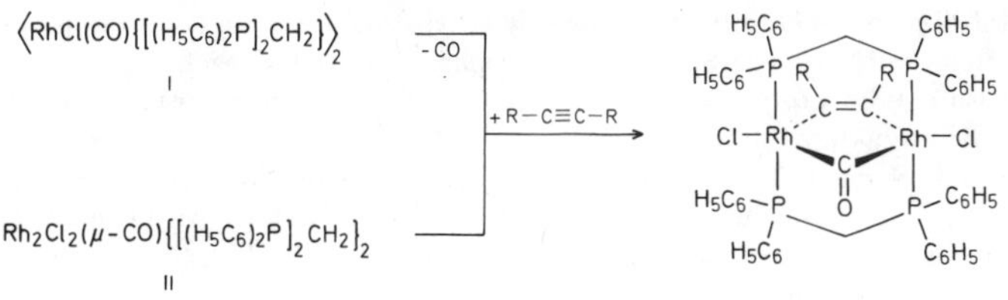

$$\langle RhCl(CO)\{[(H_5C_6)_2P]_2CH_2\}\rangle_2$$

I

$$\downarrow\quad \begin{array}{c} -CO \\ +R-C\equiv C-R \end{array}$$

$$Rh_2Cl_2(\mu-CO)\{[(H_5C_6)_2P]_2CH_2\}_2 \longrightarrow$$

II

R = CF₃; COOCH₃

Eine Methylen- anstelle einer Carbonyl-Brücke kann in den Komplex eingeführt werden, wenn die freie Carbonyl-Verbindung mit Diazomethan umgesetzt wird[1] (s. S. 371).

III. Organo-rhodium(III)-Verbindungen

a) Alkyl-rhodium(III)-Verbindungen

1. aus X-rhodium(III)-Verbindungen

α) durch nucleophile Substitution des Hetero-Atoms

α_1) *mit Alkyl-metall-Verbindungen*

Durch nucleophile Substitution von Halogen durch Methyl-Grignard-Verbindungen können Methyl- und Dimethyl-rhodium-Verbindungen hergestellt werden.

Zur Herstellung von *Chloro-methyl-(η^5-pentamethylcyclopentadienyl)-triphenylphosphan-rhodium* (71%) aus der Dichloro-Verbindung mit Methyl-lithium bei $-40°$ in THF s. Lit.[2].

Bei der Umsetzung von Trichloro-tris-[dimethylsulfan]-rhodium wird das Metall 2fach methyliert[3]. Es entsteht ein über Schwefel und Jod verknüpfter Dirhodium-Komplex, der durch Behandeln mit Cyclopentadienyl-natrium in den monomeren (η^5-*Cyclopentadienyl)-dimethyl-dimethylsulfan-rhodium*-Komplex umgewandelt wird[4]:

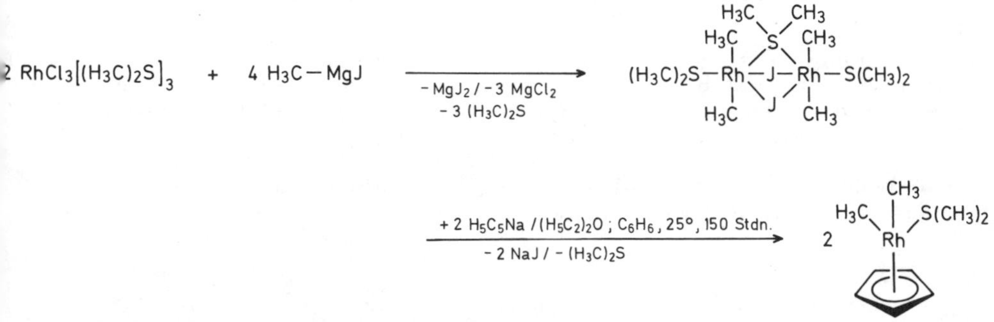

$$2 \; RhCl_3[(H_3C)_2S]_3 \;+\; 4 \; H_3C-MgJ \xrightarrow[\substack{-3 (H_3C)_2S}]{\substack{-MgJ_2 / -3 \; MgCl_2}} (H_3C)_2S-Rh-J-Rh-S(CH_3)_2$$

$$\xrightarrow[\substack{-2 \; NaJ / - (H_3C)_2S}]{\substack{+2 \; H_5C_5Na \; /(H_5C_2)_2O \; ; \; C_6H_6, \; 25°, \; 150 \; Stdn.}} 2$$

η^5-**Cyclopentadienyl-dimethyl-dimethylsulfan-rhodium**[3]:

Trichloro-tris-[dimethylsulfan]-rhodium[5]: 1g Rhodium(III)-chlorid-Tris-hydrat (38,45% Rh) wird in 10 ml Wasser gelöst und filtriert, dann mit 1,2 ml (16 mmol) Dimethylsulfan versetzt und 5 Min. geschüttelt. Nach 24stdgm. Stehen bei 20° werden Wasser und überschüssiges Dimethylsulfan abgezogen und die zurückbleibende orange-farbene Substanz an der Ölpumpe getrocknet; Ausbeute: 1,34 g (96%); F: 109° (Zers.).

[1] I. R. McKeer u. M. Cowie, Inorg. Chim. Acta 65, L 107 (1982).
[2] W. D. Jones u. F. J. Feher, Organometallics 2, 562 (1983).
[3] H. P. Fritz u. K. E. Schwarzhans, Ang. Ch. 77, 724 (1965); J. Organometal. Chem. 5, 283 (1966).
[4] E. F. Paulus, H. P. Fritz u. K. E. Schwarzhans, J. Organometal. Chem. 11, 647 (1968).
[5] H. P. Fritz u. K. E. Schwarzhans, J. Organometal. Chem. 5, 283 (1966).

μ-**Dimethylsulfid-di-μ-jodo-bis-[dimethylsulfan-dimethyl-rhodium]**: 1,97 g (5 mmol) Trichloro-tris-[dimethylsulfan]-rhodium werden unter Stickstoff-Atmosphäre in 50 ml Benzol suspendiert und mit 35 ml einer 1 M Methyl-magnesiumjodid-Lösung versetzt. Die anfangs orange-gelbe Lösung verfärbt sich während der exotherm verlaufenden Reaktion dunkelbraun. Nach ~ 30 Min. Rühren werden 50 ml Hexan zugesetzt und das Reaktionsgemisch sogleich mit 100 ml Wasser unter Eis-Kühlung hydrolysiert. Dabei färbt sich die organ. Phase nach vorübergehender Aufhellung dunkelbraun. Die Benzol-Hexan-Schicht wird von der wäßr. abgetrennt und in einem Schlenk-Rohr im Wasserstrahl-Vak. getrocknet; Ausbeute: 1,15 g (65%); Zers.: > 100°.

(η^5-Cyclopentadienyl)-dimethyl-dimethylsulfan-rhodium: 0,7 g (1 mmol) des dimeren Komplexes werden in 25 ml Benzol gelöst und mit 10 ml Diethylether versetzt. Nach Zugabe von 0,54 g (6,2 mmol) Cyclopentadienyl-natrium wird die Mischung 150 Stdn. bei 20° gerührt, über eine G-4-Fritte filtriert und das Filtrat in Wasserstrahlvak. zur Trockne eingeengt. Der teilweise kristalline, braune Rückstand wird in Benzol aufgenommen und erneut filtriert, um in Benzol unlösliches Cyclopentadienyl-natrium abzutrennen. Nach Abziehen des Lösungsmittels zuerst im Wasserstrahlvak. und danach 2 Stdn. bei 20° im Hochvak. bleibt ein öliger Rückstand zurück; Ausbeute: 341 mg (65%).

Einen ähnlichen Dimethyl-Komplex erhält man durch Reaktion von (η^5-Cyclopentadienyl)-dijodo-triphenylphosphan-rhodium mit Methyl-magnesiumjodid[1]. Es ist andererseits möglich, durch Behandeln von (η^5-Cyclopentadienyl)-jodo-trifluormethyl-triphenylphosphan-rhodium mit dem Methyl-Grignard-Reagens die Trifluormethyl- durch eine Methyl-Gruppe zu substituieren[2].

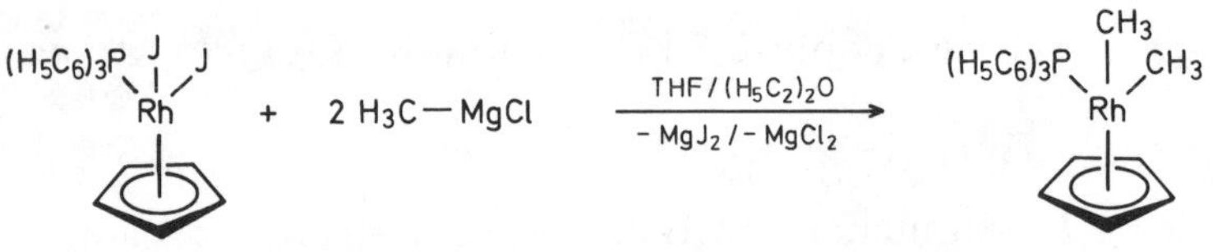

(η^5-Cyclopentadienyl)-dimethyl-triphenylphosphan-rhodium; F: 115–119°

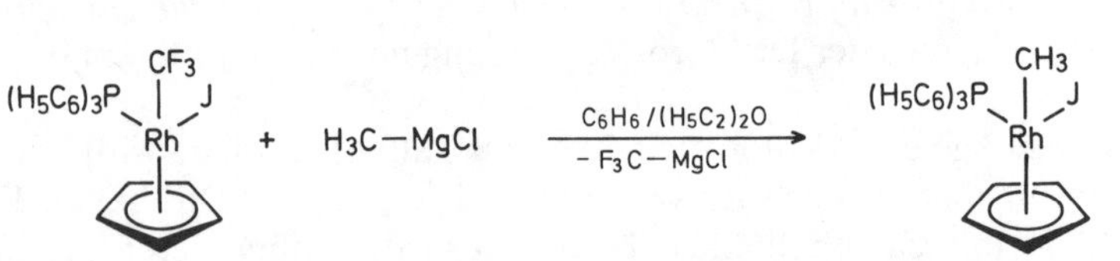

(η^5-Cyclopentadienyl)-jodo-methyl-triphenylphosphan-rhodium; 20%; F: 173–174°

Beim Behandeln von (η^5-Cyclopentadienyl)-(1,2-diphenyl-vinyl)-trifluoracetoxy-(triisopropylphosphan)-rhodium mit Methyl-magnesiumjodid wird bei 20° lediglich die Trifluoracetoxy-Gruppe durch Jod substituiert[3]. Erst beim Erhitzen des Komplexes in einer konzentrierten Grignard-Lösung entsteht (η^5-Cyclopentadienyl)-(1,2-diphenyl-vinyl)-methyl-(triisopropyl-phosphan)-rhodium.

Beim Behandeln von Di-η^3-allyl-chloro-triphenylphosphan-rhodium mit Methyl-magnesiumchlorid wird nur der Chloro-Rest substituiert[4]:

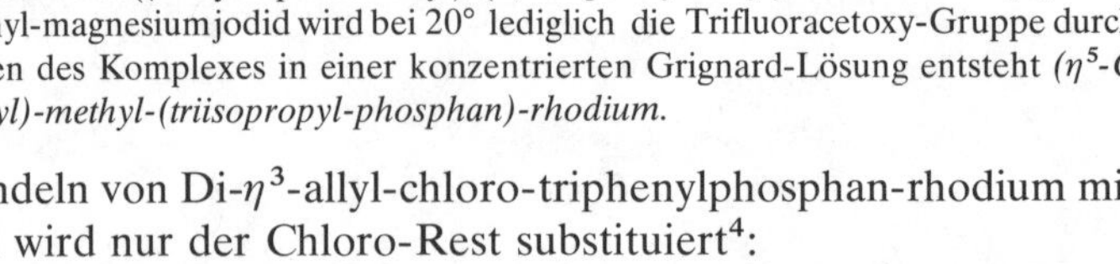

[1] A. KASAHARA, T. IZUMI u. K. TANAKA, Bl. chem. Soc. Japan **40**, 699 (1967).
[2] S.A. GARDNER u. M.D. RAUSCH, Inorg. Chem. **13**, 997 (1974).
[3] H. WERNER, J. WOLF, U. SCHUBERT u. K. ACKERMANN, J. Organometal. Chem. **243**, C 63 (1983).
[4] J. POWELL u. B.L. SHAW, Soc. [A] **1968**, 583.

Bis-[η^3-allyl]-methyl-triphenylphosphan-rhodium[1]: 0,20 g Bis-[η^3-allyl]-chloro-triphenylphosphan-rhodium-Dichlormethan-Solvat werden zu 10 *ml* (Überschuß) 0,5 M Methyl-magnesiumchlorid-Lösung in Diethylether gegeben. Die Mischung wird unter Stickstoff 20 Min. gerührt, dann gekühlt und mit 5 *ml* Wasser hydrolysiert. Die Ether-Schicht wird mit Magnesiumsulfat getrocknet, mit 15 *ml* Petrolether (Kp: 40–60°) versetzt und anschließend i. Vak. auf ~3 *ml* eingeengt. Der Methyl-rhodium-Komplex kristallisiert; Ausbeute: 0,09 g (~50%); F: 97–100° (Zers.).

Dijodo- oder Dichloro-(η^5-pentamethylcyclopentadienyl)-triphenylphosphan-rhodium und 1,4-, 1,5- sowie 1,6-Bis-[halogenmagnesium]-alkane bilden unter Ringschluß mit dem Rhodium Rhodiacycloalkan-Komplexe[2,3]. Die Verbindungen sind bei 20° unter Stickstoff sehr stabil und können kurzzeitig ohne weiteres in Luft gehandhabt werden. In Diethylether als Lösungsmittel entsteht hauptsächlich Ethen und ein π-Ethen-rhodium (I)-Komplex[3].

Anstelle der Di-Grignard-Verbindungen kann auch Magnesiacyclopentan und 1,4-Dilithio-butan verwendet werden. Die Lithium-Verbindung greift Diethylether nicht an.

Das molare Verhältnis von Alkylmetall zu Rhodium-Komplex ist wichtig für die Ausbeute der Rhodiacycloalkan-Verbindungen; ist es kleiner als 3, entstehen lediglich Spuren der gewünschten Komplexe.

1-(η^5-Pentamethylcyclopentadienyl)-1-triphenylphosphan-...

n = 4; M = MgBr; X = J $\Big\}$ ...-*rhodolan*   30%; F: 115° (Zers.)
      M = Li; X = Cl
n = 5; M = MgBr; X = J;   ...-*rhodinan*; 30%; F: 109° (Zers.)
n = 6; M = MgBr; X = J;   ...-*rhodepan*; 50%; F: 107° (Zers.)

1-(η^5-Pentamethylcyclopentadienyl)-1-triphenylphosphan-rhodolan[3,4]: Man versetzt tropfenweise bei 0° eine Suspension von 200 mg (0,35 mmol) Dichloro-(η^5-pentamethylcyclopentadienyl)-triphenylphosphan-rhodium in 60 *ml* Diethylether unter Rühren mit 4 *ml* einer 0,23 M Lösung von 1,4-Dilithio-butan (0,92 mmol) in Diethylether, rührt 1,4 Stdn. und filtriert das Reaktionsgemisch. Das Filtrat wird i. Vak. bis zur Trockene eingeengt. Der ölige Rückstand wird mit 40 *ml* Pentan extrahiert, der Extrakt auf ~5 *ml* aufkonzentriert und über Aluminiumoxid chromatographiert. In der ersten Bande ist der gewünschte Komplex enthalten; Ausbeute: 58 mg (30%); F: 115° (Zers.).

Bei der Umsetzung des Dichloro-Komplexes mit 2,2-Dimethyl-propyl-magnesiumhalogenid bzw. -lithium entstehen unter Cyclometallierung zu 10% *3,3-Dimethyl-1-(η^5-pentamethylcyclopentadienyl)-1-triphenylphosphan-rhodet* und *(2,2-Dimethylpropyl)-[(2-diphenylphosphano-phenyl-(C,P)]-(η^5-pentamethylcyclopentadienyl)-rhodium*[5].

Durch Verwendung von Alkyl-lithium, nicht aber von Grignard-Verbindungen können auch Alkyl-porphyrinato-rhodium-Verbindungen hergestellt werden[6-9]. Die Verbindungen sind gegenüber Licht und Feuchtigkeit beträchtlich stabiler als die Kobalt-Analogen.

---
[1] J. Powell u. B. L. Shaw, Soc. [A] **1968**, 583.
[2] P. Diversi, G. Ingrosso u. A. Lucherini, Chem. Commun. **1977**, 52.
[3] P. Diversi, G. Ingrosso, A. Lucherini, P. Martinelli, M. Benetti u. S. Pucci, J. Organometal. Chem. **165**, 253 (1979).
[4] P. Diversi, G. Ingrosso, A. Lucherini, W. Porzio u. M. Zocchi, Inorg. Chem. **19**, 3590 (1980).
[5] P. Diversi, G. Ingrosso, A. Lucherini u. D. Fasce, Chem. Comm. **1982**, 945.
[6] Z. Yoshida, H. Ogoshi, T. Omura, E. Watanabe u. T. Kurosaki, Tetrahedron Letters **1972**, 1077.
[7] H. T. Ogoshi, T. Omura u. Z. Yoshida, Am. Soc. **95**, 1666 (1973).
[8] H. Ogoshi, J. Setsune,, T. Omura u. Z. Yoshida, Am. Soc. **97**, 6461 (1975).
[9] A. Takenaka, S. K. Syal, Y. Sasada, T. Omura, H. Ogoshi u. Z. Yoshida, Acta Crystallograph. B. **1976**, B **32**, 62; C. A. **84**, 82897 (1976).

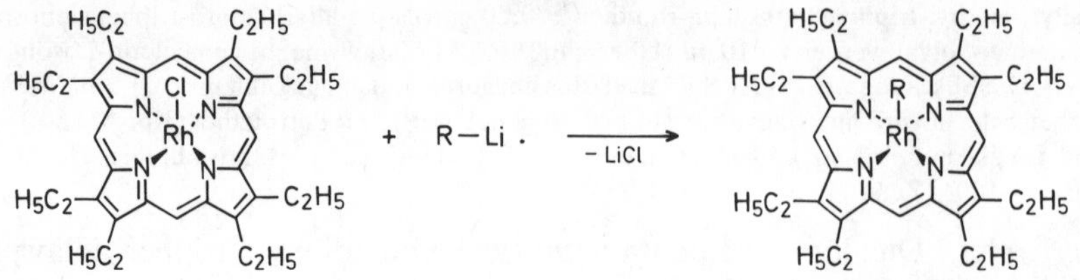

$$+ \quad R-Li \cdot \xrightarrow{\; -LiCl\;}$$

...-*(octaethyl-porphyrinato)-rhodium*

$R = CH_3$; *Methyl-*...; 46%
$R = C_2H_5$; *Ethyl-* ...; 60%
$R = C_5H_{11}$; *Pentyl-*...; 36%
$R = C_9H_{19}$; *Nonyl-*...; 48%

Alkyl-(octaethyl-porphyrinato)-rhodium; allgemeine Herstellungsvorschrift[1]: Chloro-(octaethyl-porphyri-nato)-rhodium wird in abs. Diethylether gelöst und mit einer äquivalenten, frisch hergestellten Alkyl-lithium-Lösung in Diethylether versetzt. Der Fortschritt der Reaktion kann durch Dünnschichtchromatographie (auf Merck Kieselgel GF 254) verfolgt werden. Das Reaktionsgemisch wird i. Vak. auf ein kleines Vol. eingeengt und mit Chloroform extrahiert. Der Extrakt wird über Wasser-freiem Natriumsulfat getrocknet, das Lösungsmittel i. Vak. entfernt und der Rückstand auf Kieselgel mit Benzol chromatographiert. Beim Einengen des orange-far-benen Eluats kristallisiert der Alkyl-rhodium(III)-Komplex in roten Kristallen aus.

Chloro-rhodium-Komplexe können mit Hexaethyldialuminium Diethyl-rhodium-Verbindungen bilden, wenn starke Liganden wie Trialkylphosphan zugegen sind[2]; z. B.:

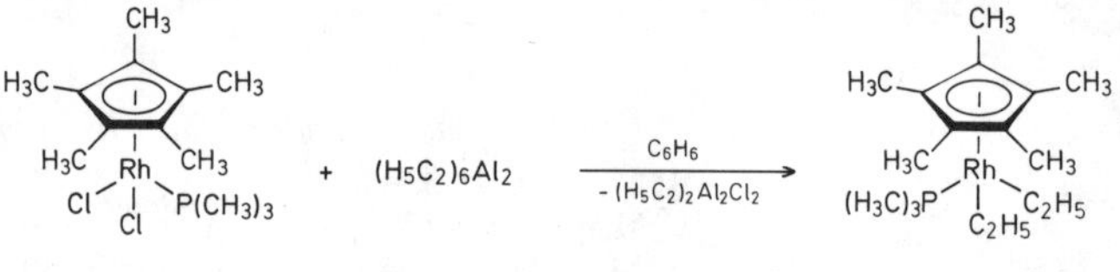

Diethyl-(η⁵-pentamethylcyclopentadienyl)-trimethyl-phosphan-rhodium; 24%

Durch Umsetzung von Di-μ-chloro-bis-[chloro-pentamethylcyclopentadienyl-rho-dium] mit Hexamethyldialuminium und Ethen erhält man zu 57% *Dimethyl-η²-ethen-pentamethylcyclopentadienyl-rhodium*[3].

α₂) durch intramolekulare Substitution (Cyclometallierung)

Während Triarylphosphane mit Rhodium(III)-chlorid beim Erhitzen in alkoholischer Lösung unter Reduktion Triarylphosphan-rhodium(I)-Komplexe bilden, verhält sich das sterisch gehinderte Tris-[2-methyl-phenyl]-phosphan völlig anders.

Bei der Umsetzung in ethanolischer Lösung bei 25° entsteht zunächst eine blau-grüne Lösung der paramagnetischen Rhodium(II)-Verbindung. Wird die Reaktion dagegen in siedendem 2-Methoxy-ethanol durchgeführt, entsteht innerhalb 75 Min. ein trimerer Rhodium(III)-Komplex, mit σ–C–Rh-Bindungen[4,5], die bei längerem Erhitzen wieder ge-spalten werden. Man erhält unter Dimerisierung von 2 Methyl-Gruppen und Wasser-stoff-Abspaltung einen π-Stilben-Komplex. Der Brom-Komplex verhält sich analog.

Die trimeren Komplexe I werden durch verschiedene Komplex-Bildner in Dimer-oder Monomer-Komplexe aufgespalten, wobei 2zähnige Liganden bevorzugt Monomer-Kom-plexe bilden. Die Verbindungen sind thermisch außerordentlich stabil:

[1] H. Ogoshi, J. Setsune, T. Omura u. Z. Yoshida, Am. Soc. **97**, 6461 (1975).
[2] A. Vazquez de Miguel u. P. M. Maitlis, J. Organometal. Chem. **244**, C 35 (1983).
[3] K. Isobe, A. V. de Miguel, P. M. Bailey, S. Okeya u. P. M. Maitlis, Soc. [Dalton] **1983**, 1441.
[4] M. A. Bennett, R. Bramley u. P. A. Longstaff, Chem. Commun. **1966**, 806.
[5] M. A. Bennett u. P. A. Longstaff, Am. Soc. **91**, 6266 (1969).

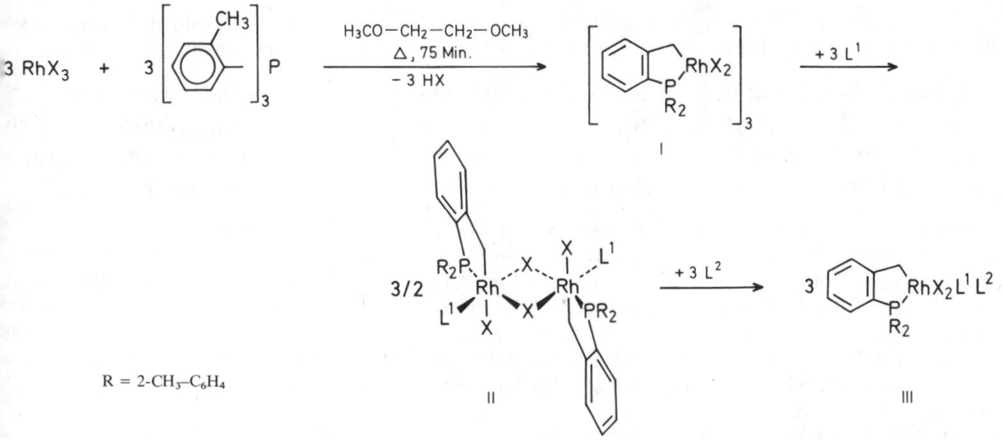

R = 2-CH$_3$–C$_6$H$_4$

$\{2\text{-}(Bis\text{-}[2\text{-}methyl\text{-}phenyl]\text{-}phosphano)\text{-}benzyl\text{-}C,P\}\text{-}\ldots\text{-}rhodium$

X = Br; L^1 = L^2 = CO; . . .-dibromo-dicarbonyl-. . .; 87%; F: 260–270° (Zers.)

X = Cl; L^1 = CO; L^2 = P(C$_6$H$_5$)$_3$; . . .-carbonyl-dichloro-triphenylphosphan-. . .; 82%; F: 228–232° (Zers.)

(1,2-Bis-[diphenylphosphano]-ethan-P,P′)-{[2-bis-(2-methyl-phenyl)-phosphano}-benzyl-C,P]-dichloro-rhodium[1]:

{2-(Bis-[2-methyl-phenyl]-phosphano)-benzyl-C,P}-dichloro-rhodium (trimer): Eine Mischung von 1 g (3,8 mmol) Rhodium(III)-chlorid-Hydrat und 4,7 g (15 mmol) Tris-[2-methyl-phenyl]-phosphan in 250 ml Sauerstoff-freiem 2-Methoxy-ethanol wird 75 Min. unter Rückfluß erhitzt. Das Lösungsmittel wird anschließend bei 10^{-2} Torr abgezogen und der gelbe Rückstand 3mal mit je 50 ml heißem Hexan gewaschen, um den Phosphan-Überschuß zu entfernen. Dann wird der Rückstand in möglichst wenig über Natrium getrocknetem Benzol gelöst und über eine mit Kieselgel gefüllte Säule chromatographiert. Der Komplex wird eluiert mit Benzol, dem 5% Aceton zugesetzt wird, und in einem 1:1-Gemisch von Aceton und Diethylether oder Chloroform und Diethylether umkristallisiert; Ausbeute: 0,62 g (34%); F: 264–268°.

(1,2-Bis-[diphenylphosphano]-ethan-P,P′)-{[2-bis-(2-methyl-phenyl)-phosphano]-benzyl-C,P}-dichloro-rhodium: Zu einer Lösung aus 0,15 g des vorab erhaltenen Komplexes und 50 ml Benzol gibt man eine Lösung von 0,75 g 1,2-Bis-[diphenylphosphano]-ethan in 15 ml Benzol und erhitzt das Gemisch 1 Stde. unter Rückfluß. Nach dem Abkühlen setzt man 40 ml Hexan zu und engt die Lösung bei 15 Torr ein. Der Niederschlag wird in Chloroform und Ethanol umkristallisiert. Man erhält gelbe Kristalle; Ausbeute: 0,16 g (58%); F: 205–215°.

1,5-Bis-[di-tert.-butyl-phosphano]-pentan bildet mit Rhodium(III)-chlorid beim Erhitzen in Alkoholen zunächst einen dimeren Komplex [RhHCl$_2$(PP)]$_2$, der beim längeren Erhitzen in eine cyclometallierte Verbindung übergeht[2,3]. Gleichzeitig wird mit längerer Reaktionsdauer und höherer Reaktionstemperatur ein Chelat-π-Olefin-Komplex erhalten, der sich nicht vom cyclometallierten Komplex abtrennen läßt:

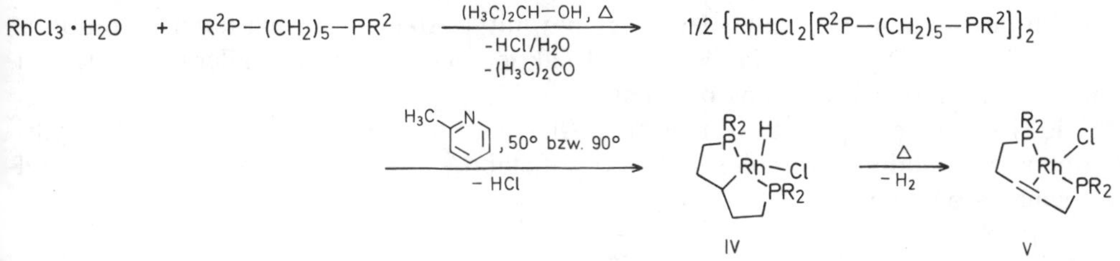

R = C(CH$_3$)$_3$

$(1,5\text{-}Bis\text{-}[di\text{-}tert.\text{-}butyl\text{-}phosphano]\text{-}3\text{-}pentyl\text{-}C,P,P')\text{-}chloro\text{-}hydrido\text{-}rhodium$; VI; 92%; F: 209–215° (Zers.)

[1] M. A. BENNETT u. P. A. LONGSTAFF, Am. Soc. **91**, 6266 (1969).

[2] C. CROCKER, R. J. ERRINGTON, W. S. McDONALD, K. J. ODELL, B. L. SHAW u. R. J. GOODFELLOW, Chem. Commun. **1979**, 498.

[3] C. CROCKER, R. J. ERRINGTON, R. MARKHAM. C. J. MOULTON, K. J. ODELL u. B. L. SHAW, Am. Soc. **102**, 4373 (1980).

Die Cyclometallierung kann unter milden Bedingungen durch Behandeln mit 2-Methyl-pyridin beträchtlich beschleunigt werden, so daß der Komplex VI in reiner Form und guter Ausbeute erhältlich ist.

1,5-Bis-[di-tert.-butyl-phosphano]-3-methyl-pentan wird ebenfalls cyclometalliert. Dagegen entstehen beim Behandeln von 1,6-Bis-[tert.-butyl-phosphano]-hexan lediglich *cis*- und *trans*-π-Olefin-Komplexe. Die Stereochemie der cyclometallierten Addukte kann mit einer konzertierten *cis*-Addition der C–H-Bindung an Rhodium erklärt werden.

(1,5-Bis-[di-tert.-butyl-phosphano]-3-methyl-3-pentyl-C,P,P')-chloro-hydrido-rhodium[1]:

μ,μ-Dichloro-bis-{bis-[1,5-bis-(di-tert.-butyl-phosphano)-3-methyl-pentan]-chloro-hydrido-rhodium}: Eine Suspension aus 1,82 g (7,34 mmol) fein verteiltem Rhodium(III)-chlorid-Tris-hydrat und 20 *ml* 2-Propanol wird mit 4,17 g (11,11 mmol) 1,5-Bis-[di-tert.-butyl-phosphano]-3-methyl-pentan versetzt und 40 Stdn. unter Rückfluß erhitzt. Der Niederschlag wird nach dem Abkühlen abgetrennt, mit 2-Propanol und Petrolether (Kp: 60–80°) gewaschen und kontinuierlich mit Dichlormethan extrahiert. Aus dem Extrakt erhält man nach dem Abziehen des Lösungsmittels rote Prismen; Ausbeute: 2,40 g (60%); F: 235–242° (Zers.).

Aus dem Propanol-Filtrat erhält man ein Gemisch aus dem cyclometallierten Komplex und einem Olefin-Komplex (wie VII).

(1,5-Bis-[di-tert.-butyl-phosphano]-3-methyl-3-pentyl-C,P,P')-chloro-rhodium: Eine Lösung von 2,40 g (2,18 mmol) des vorab erhaltenen Komplexes wird in 20 *ml* 2-Methyl-pyridin 40 Min. auf 90° erhitzt. Die resultierende Mischung wird filtriert und anschließend i. Vak. eingeengt. Der Rückstand wird mit Petrolether extrahiert. Beim Abkühlen fallen große, orange, Prismen-förmige Kristalle aus; Ausbeute: 1,5 g (75%); F: 221–225° (Subl.).

8-Methyl-chinolin wird durch Halogeno-rhodium(III)-Verbindungen gleichfalls an der Methyl-Gruppe metalliert[2, 3]. Es entstehen mehrkernige und zweikernige Komplexe; z.B. *Bis-[tributylphosphan]-(8-chinolylmethyl-C,N)-dichloro-rhodium*.

Zur Cyclometallierung des 2,2-Dimethyl-propyl-Restes s.S. 322.

Die Umwandlung des 2,4-Pentandionato-O,O'-rhodium-Komplexes in eine (2,4-Di-oxo-3-pentyl)-rhodium-Verbindung wird durch Donor-Liganden wie Pyridin induziert, die die frei werdende Koordinationsstelle besetzen[4]:

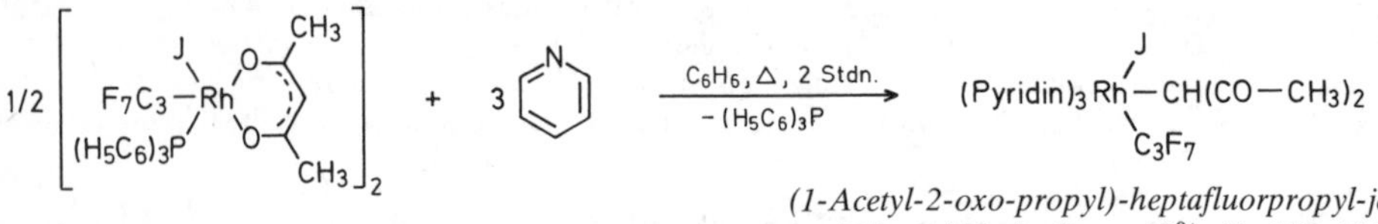

(1-Acetyl-2-oxo-propyl)-heptafluorpropyl-jodo-tris-[pyridin]-rhodium; 60%; F: 112–115°

β) durch Addition an Alkene

β₁) *von Hydrido-rhodium(III)-Verbindungen*

Hydrido-rhodium-Verbindungen reagieren mit 1-Alkenen formal unter Addition an die C=C-Doppelbindung. Man kann die Reaktion auch als Insertion der C=C-Doppelbindung in die H–Rh-Bindung betrachten[5].

Die Umsetzung von unsubstituierten 1-Alkenen und von Tetrafluorethen mit Hydrido-phosphin-rhodium-Komplexen liefert luftstabile fünffach koordinierte Triphenyl-phosphan-Komplexe[5]; z.B.:

$$[(H_5C_6)_3P]_2 RhHCl_2 + H_2C=CH_2 \longrightarrow H_5C_2-RhCl_2[(H_5C_6)_3P]_2$$

[1] C. Crocker, R.J. Errington, W.S. McDonald, K.J. Odell, B.L. Shaw u. R.J. Goodfellow, Chem. Commun. **1979**, 498.

[2] M. Nonoyama, J. Organometal. Chem. **74**, 115 (1974).

[3] M. Nonoyama, J. Organometal. Chem. **92**, 89 (1975).

[4] A.J. Mukhedkar, V.A. Mukhedkar, M. Green u. F.G. A. Stone, Soc. [A] **1970**, 3158.

[5] M.C. Baird, J.T. Mague, J.A. Osborn u. G. Wilkinson, Soc. [A] **1967**, 1347.

Bis-[triphenylphosphan]-dichloro-ethyl-rhodium[1]: Zu 5 *ml* bei 25° mit Ethen ges. Chloroform gibt man 0,3 g ¹es frisch hergestellten Bis-[triphenylphosphan]-dichloro-hydrido-rhodium-Komplexes (·0,5 Dichlormethan) ¹nd leitet durch die Lösung so lange Ethen, bis sie dunkel orange-rot geworden ist. Dann gibt man ~ 1 *ml* Petrol·ther (Kp: 60–80°) hinzu und konzentriert die Lösung unter einer Ethen-Atmosphäre auf. Es entstehen rötlich·urpurfarbige Kristalle, die sich leicht in Chloroform, Dichlormethan oder Benzol lösen; Ausbeute: 0,21 g 70%).

Beim Umkristallisieren aus Dichlormethan entsteht ein Solvat, das 0,5 mol des Lösungsmittels enthält und , Vak. entfernt werden kann.

Auf analoge Weise wird *Bis-[triphenylphosphan]-dichloro-(1,1,2,2-tetrafluor-ethyl)-hodium* (60%; F: 187–189°) erhalten.

Ammin-hydrido-rhodium-Kation-Komplexe reagieren bereits unter milden Bedingungen mit Perfluoralkenen und mit unsubstituierten 1-Alkenen[2]. Ein Ammin-Ligand wird lurch den *trans*-Effekt des Hydrido-Liganden labilisiert, so daß er durch Wasser substituiert wird. Auch solche Komplexe reagieren mit den Olefinen. Da auch die Alkyl-Gruppe lie Bindung von *trans*-ständigen Liganden schwächt, kann auch in solchen Komplexen ein Ammin durch Wasser ausgetauscht werden. Die Reaktion ist reversibel.

Perfluoralkene sind bei der Insertion reaktionsfähiger als unsubstituierte Olefine. Noch ·eaktionsfähiger als alle ist Hexafluor-2-butin (s. S. 372). Die Reaktionsgeschwindigkeit ¹immt folgendermaßen ab:

$$F_3C—C≡C—CF_3 \; > \; F_2C=CF_2 \; > \; F_2C=CF—CF_3 \; \sim \; F_2C=CF—C_2F_5$$

$$H_2C=CH_2 \; > \; H_2C=CH—CH_3 \; \sim \; H_2C=CH—C_2H_5$$

Die Perfluoralkyl-Komplexe sind stabiler als die unsubstituierten Alkyl-rhodium-Ver·indungen.

Zusatz von konz. Ammoniak hemmt die Insertionsreaktion von Olefinen. Bei anderen Halogen-olefinen, wie z.B. 1,1-Dichlor-2,2-difluor-ethen findet lediglich ein Halogen-Hydrid-Austausch statt ohne Bildung einer σ–C–Rh-Bindung.

$$[RhH(NH_3)_5]^{2\oplus}SO_4^{2\ominus} \xrightarrow[\;\;\textcircled{a}\;(+2MX)\;\;]{\underset{(1\,bar\,Olefin),\,25°}{+R_2^1C=C\genfrac{}{}{0pt}{}{R^1}{R^2},\,H_2O/NH_3}} [Rh(R_2^1C—CHR^1R^2)(NH_3)_5]^{2\oplus}2\,X^\ominus$$

$$+NH_3 \!\!\uparrow\!\!\downarrow +H_2O$$
$$(-H_2O) \qquad (-NH_3)$$

$$\textcircled{c} \quad \overset{+H_2O}{\underset{(-NH_3)}{}} \!\!\uparrow\!\!\downarrow +NH_3\,(-H_2O)$$

$$[RhH(NH_3)_4(H_2O)]^{2\oplus}SO_4^{2\ominus} \xrightarrow[\;\;\textcircled{b}\;(+2MX)\;\;]{\underset{(1\,bar\,Olefin),\,25°}{+R_2^1C=C\genfrac{}{}{0pt}{}{R^1}{R^2},\,H_2O}} [Rh(R_2^1C—CHR^1R^2)(NH_3)_4(H_2O)]^{2\oplus}2\,X^\ominus$$

X = J, Br, ClO$_4$
X$_2$ = SO$_4$
R^1 = H, F
R^2 = H, CH$_3$, C$_2$H$_5$, CF$_3$, C$_2$F$_5$, F

Sauerstoff-Spuren initiieren die Zersetzung der Ausgangskomplexe unter Bildung von Rhodium-Metall. Der ·Perfluoralkyl-Komplex ist dagegen gegen Luft recht stabil.

¹ M. C. BAIRD, J. T. MAGUE, J. A. OSBORN u. G. WILKINSON, Soc. [A] **1967**, 1347.
K. THOMAS, J. A. OSBORN, A. R. POWELL u. G. WILKINSON, Soc. [A] **1968**, 1801.
s. a. A. C. SKAPSKI u. P. G. H. TROUGHTON, Chem. Commun. **1969**, 666.

[Pentammin-(1,1,2,2-tetrafluor-ethyl)-rhodium]-sulfat[1]: 0,4 g [Pentammin-hydrido-rhodium]-sulfat, 5 m Wasser und 0,2 ml wäßr. Ammoniak (d = 0,88 g/ml) werden in ein dickwandiges Glasgefäß gegeben. Nach sorgfältigem Entgasen durch Evakuieren bei tiefer Temp. läßt man unter diesen Bedingungen in das Gefäß Tetrafluorethan kondensieren und zwar ~ 5 mmol pro mmol Rhodium. Dann wird das Gefäß abgeschmolzen und ~ 2 Tage bei 25° geschüttelt. Beim Sättigen der Eis-gekühlten Lösung mit Ammoniak-Gas fallen farblose Kristalle aus, die mit Aceton gewaschen und i. Vak. getrocknet werden; Ausbeute: ~ 80%.

Dikalium-[aquo-hydrido-tetracyano-rhodat] reagiert ebenfalls mit Tetrafluorethen unter Insertion[2]. Gleichzeitig wird der Aquo-Ligand durch das bei der Bildung von metallischem Rhodium freigesetzte Cyanid-Anion ersetzt[2]:

$$3\ K_2[RhH(CN)_4(H_2O)]\ +\ 2\ F_2C{=}CF_2\ \xrightarrow[-\ Rh]{H_2O,\ 25^\circ,\ 3\ Tge.}\ 2\ K_3[Rh(F_2C{-}CHF_2)(CN)_5]$$

Trikalium-[pentacyano-(1,1,2,2-tetrafluor-ethyl)-rhodat

Durch Reduktion von Bis-[2,3-butandion-dioximato]-rhodium(III)-Komplex (Rhodoxim) mit Natriumboranat entsteht je nach pH-Wert der Lösung eine Hydrido-rhodium(III)-Verbindung oder ein Rhodium(I)-Anion-Komplex. In dieser Hinsicht scheint sich das Rhodoxim ähnlich wie das Cobaloxim zu verhalten.

Acrylnitril bildet mit Bis-[2,3-butandion-dioximato]-hydrido-pyridin-rhodium im alkalischen Bereich ein 2-Cyan-ethyl- (s. S. 332), im schwach alkalischen oder neutralen Bereich ein 1-Cyan-ethyl-Komplex *(Bis-[2,3-butandion-dioximato]-(1-cyan-ethyl)-pyridin-rhodium*; F: 221°; Zers.)[3].

Dichloro-hydrido-tris-[diphenyl-methyl-arsan]-rhodium liefert mit Acrylnitril in Benzol ebenfalls das 1-Cyan-ethyl-Derivat *Dichloro-(1-cyan-ethyl)-(diphenyl-methyl-arsan)-rhodium*; (F: ~ 142°)[4].

β₂) von Halogeno-rhodium(III)-Verbindungen

Rhodium(III)-chlorid-Tris-hydrat reagiert mit Diphenyl-(2-vinyl-phenyl)-phosphan beim Erhitzen in einer ethanolischen Lösung in einer Kohlenmonoxid-Atmosphäre unter Abspaltung von Chlorwasserstoff und Kohlendioxid zu einem cyclometallierten Komplex[5,6]:

μ,μ-Dichloro-bis-{carbonyl-chloro-[1-(2-diphenylphosphano-phenyl)-ethyl-C,P]}-rhodium; 83%

Carbonyl-dichloro-(diphenyl-methyl-phosphan)-{[1-(2-diphenylphosphano)-phenyl]-ethyl-C,P}-rhodium

Der dimere Komplex kann durch Triorganophosphane in monomere Komplexe aufgespalten werden.

[1] K. Thomas, J. A. Osborn, A. R. Powell u. G. Wilkinson, Soc. [A] **1968**, 1801.
[2] M. J. Mays u. G. Wilkinson, Soc. [A] **1966**, 52.
[3] J. H. Weber u. G. N. Schrauzer, Am. Soc. **92**, 726 (1970).
[4] K. C. Dewhirst, Inorg. Chem. **5**, 319 (1966).
[5] M. A. Bennett, S. J. Gruber, E. J. Hann u. R. S. Nyholm, J. Organometal. Chem. **29**, C 12 (1972).
[6] M. A. Bennett, R. N. Johnson u. I. B. Tomkins, J. Organometal. Chem. **54**, C 48 (1973).

Der Olefin-Komplex I wird durch ein Methanolat-Anion zum *(η⁵-Cyclopentadienyl)-
(4-diphenylphosphano-2-methoxy-butyl-C,P)-methyl-rhodium* umgesetzt[1]:

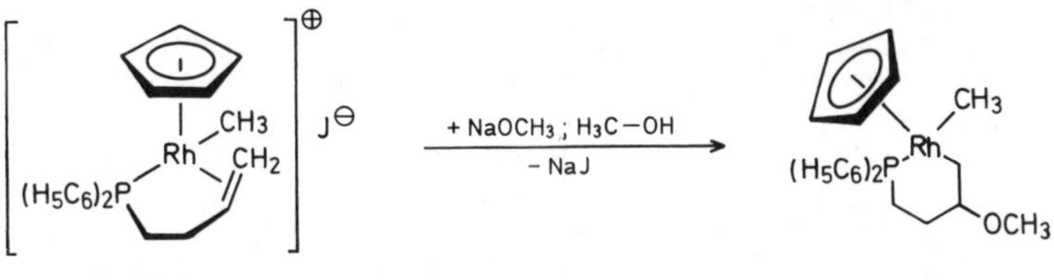

I

Allylalkohol und 2-Methyl-allylalkohol reagieren in siedendem Methanol unter Dime-
risierung von zwei Allyl-Gruppen und Bildung einer *σ*-C-Rh-Bindung[2,3]. Während beim
Allylalkohol nach der Dimerisierung noch eine C=C-Doppelbindung vorhanden ist (am
Metall *π*-gebunden), entsteht aus dem 2-Methyl-allylalkohol ein Tetrahydrofuran-Ring.
Hierzu wird der zunächst erhaltene polymere 2-Methyl-allyl-Komplex mit 4-Methyl-pyri-
din zu einem dimeren Rhodium-Komplex umgesetzt.

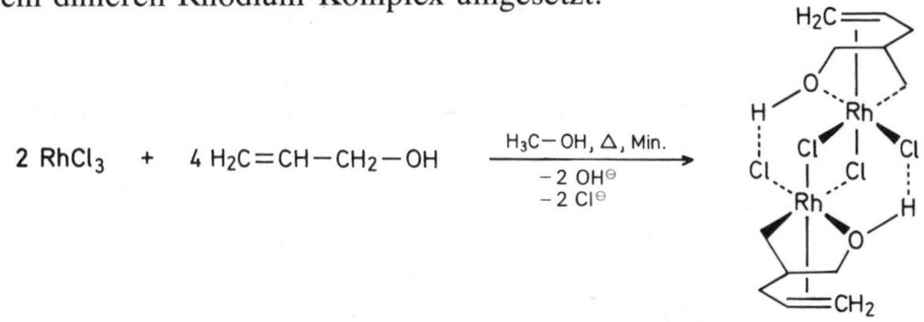

$$2\ RhCl_3\ +\ 4\ H_2C{=}CH{-}CH_2{-}OH$$

μ,μ-Dichloro-bis-[chloro-(η²-2-hydroxymethyl-4-penten-yl)-rhodium

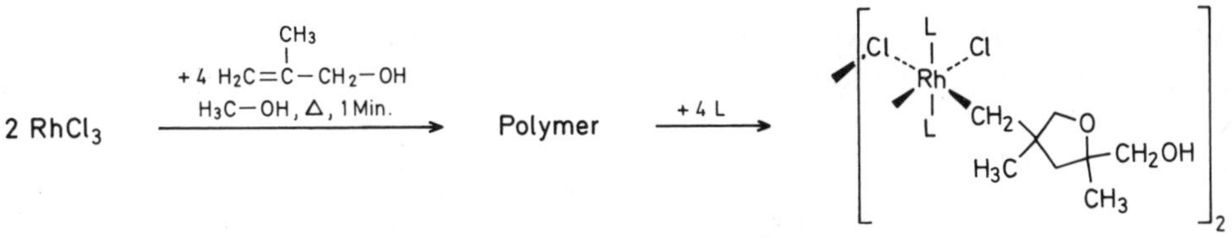

$$2\ RhCl_3$$

L = 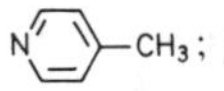 ; *μ,μ-Dichloro-bis-[chloro-(2-hydroxymethyl-2,4-dimethyl-tetrahydrofuran-
4-yl-methyl)-bis-(4-methyl-pyridin)-rhodium]*

Der mit Acrylnitril aus Rhodium(III)-chlorid-Tris-hydrat in siedendem Ethanol erhaltene stabile, mehrkernige Rhodium-Komplex liefert beim Behandeln mit Pyridin oder anderen Komplexbildnern einen Monomerkomplex[4]:

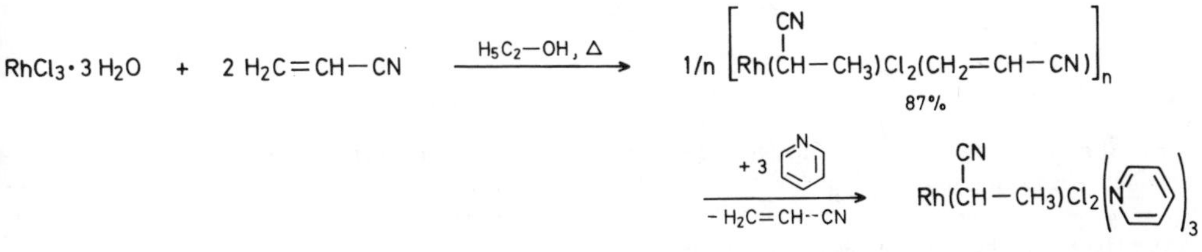

*Dichloro-(1-cyan-ethyl)-tris-[pyridin]-
rhodium*

[1] J.L.S. Curtis u. G.E. Hartwell, J. Organometal. Chem. **80**, 119 (1974).
[2] J.F. Malone, Soc. [Dalton] **1974**, 1699.
[3] J.A. Evans u. D.R. Russel, Chem. Commun. **1971**, 841.
[4] K.C. Dewhirst, Inorg. Chem. **5**, 319 (1966).

Chloro-octaethylporphyrinato-rhodium reagiert mit Vinylether als nucleophilem Reagens und Ethanol in Gegenwart von Triethylamin zum *(2,2-Diethoxy-ethyl)-octaethylporphyrinato-rhodium* (50%)[1].

Die monomeren 1,3-Dionato-rhodium(III)-Verbindungen I wandeln sich mit Silber-hexafluorphosphat oder -tetrafluorborat in die dimeren Komplexe II um[2].

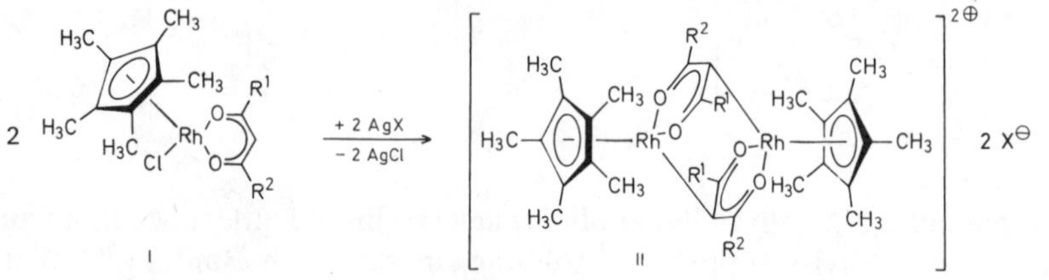

z.B.: X = $[PF_6]$; ...-(η^5-pentamethylcyclopentadienyl)-...-rhodium-bis-[hexafluorophosphat
$R^1 = R^2 = CH_3$; *Bis-[(2,4-pentandionato-3σ-yl)-...; ~90%*
$R^1 = CH_3$; $R^2 = OC_2H_5$(X = $[PF_6]$); ...-(1-ethoxy-1,3-butandionato-2σ-yl)-...

γ) durch Insertion von Carbenen

Diazoessigsäure-ethylester bildet mit Jodo-porphyrinato-rhodium(III) in Gegenwart von protonenaktiven Lösungsmitteln, wie Alkoholen und Essigsäure (Alkoxy-ethoxy-carbonyl-methyl)-rhodium-Verbindungen[3]:

$$J-RhL + N_2CH-COOC_2H_5 \xrightarrow[- HJ]{\underset{- N_2}{R-OH}} H_5C_2OOC-\underset{\underset{OR}{|}}{CH}-RhL$$

R = CH_3, $CH_2-C_6H_5$, CO-CH_3 16-70%

Diazomethan reagiert mit dem Porphyrinato-Komplex in Gegenwart von Methanol zu den entsprechenden *Methoxymethyl-tetraphenylporphyrinato-rhodium*-Komplexen (35%)[3].

Wird andererseits unter Ausschluß von Alkoholen gearbeitet, entsteht bei der Umsetzung mit Diazomethan und Jodo-tetraphenylporphyrinato-rhodium in 47%iger Ausbeute *Jodmethyl-tetraphenylporphyrinato-rhodium*[3].

δ) durch Insertion von Aldehyden

Bei der Umsetzung von Hydrido-rhodium-Komplexen mit Aldehyden können normalerweise keine (1-Hydroxy-alkyl)-rhodium-Verbindungen nachgewiesen werden. Hydrido-octaethylporphyrinato-rhodium bildet dagegen z.B. mit Acetaldehyd in Lösung quantitativ *(1-Hydroxy-ethyl)-octaethylporphyrinato-rhodium*[4]:

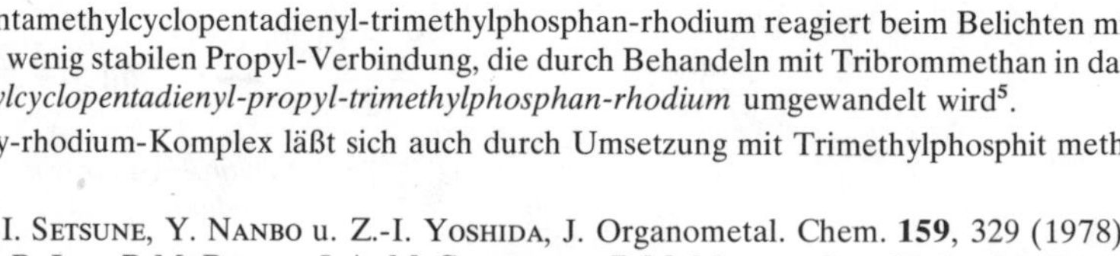

ε) durch sonstige Reaktionen

Dihydro-pentamethylcyclopentadienyl-trimethylphosphan-rhodium reagiert beim Belichten mit Propan unter Bildung der wenig stabilen Propyl-Verbindung, die durch Behandeln mit Tribrommethan in das stabile *Bromo-pentamethylcyclopentadienyl-propyl-trimethylphosphan-rhodium* umgewandelt wird[5].

Ein Hydroxy-rhodium-Komplex läßt sich auch durch Umsetzung mit Trimethylphosphit methylieren[6].

[1] I. Ogoshi, J.-I. Setsune, Y. Nanbo u. Z.-I. Yoshida, J. Organometal. Chem. **159**, 329 (1978).
[2] W. Rigby, H.-B. Lee, P.M. Bailey, J.A. McCleverty u. P.M. Maitlis, Soc. [Dalton] **1979**, 387.
[3] H.J. Callot u. E. Schaeffer, Chem. Commun. **1978**, 937.
[4] B.B. Wayland, B.A. Woods u. V.M. Minda, Chem. Commun. **1982**, 634.
[5] W.D. Jones u. F.J. Feher, Organometallics **2**, 562 (1983).
[6] A. Nutton, P.M. Bailey u. P.M. Maitlis, Soc. [Dalton] **1981**, 1997.

2. aus Acyl-rhodium(III)-Verbindungen durch Decarbonylierung

Die 1,2-Wanderung von Alkyl-Gruppen zwischen der Carbonyl-Gruppe und dem Zentral-Metall ist oft reversibel. Das Gleichgewicht zwischen dem fünffach koordinierten Acyl- und dem sechsfach koordinierten Alkyl-Komplex ist bei einigen Verbindungen untersucht worden[1]. Die Isomerisierung des Acyl-Komplexes kann unter Retention der Konfiguration des α-C-Atoms vom Alkyl-Rest und auch am Metall verlaufen (vgl. S. 403)[2].

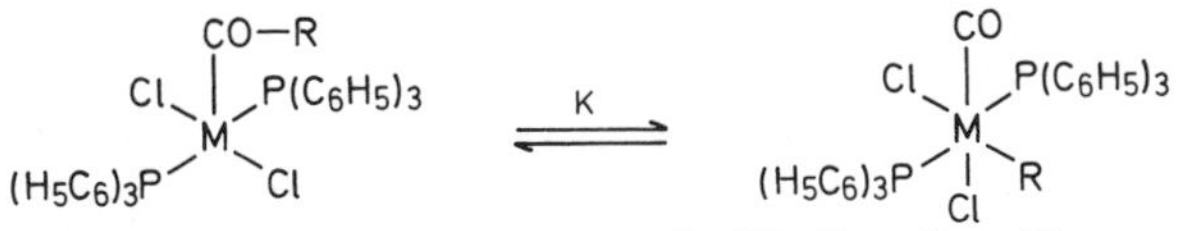

R = CH$_3$	K:	0,29 ± 0,02
R = CH$_2$–C$_6$H$_5$	K:	~0,06
R = C$_2$H$_5$	K:	< 0,02[a]

R = CH$_2$–Cl	K:	> 40[a]
R = H	K:	> 40[a]

[a] geschätzt

Die Alkyl-Gruppen-Wanderung ist i.a. exotherm unter geringfügiger Änderung der Entropie[3]. Die Gleichgewichtskonstante K nimmt in folgender Ordnung ab

$$Ir > Rh \qquad CF_3, C_6H_5 > CH_3$$

Die unterschiedliche Einstellung des Gleichgewichts wird vor allem durch die relativen Bindungsenergien der Metall-Kohlenstoff-Bindungen der Acetyl-, Alkyl- und Carbonyl-Gruppen bestimmt. Sterische Effekte spielen eine geringe Rolle. Das Gleichgewicht kann in einigen Fällen durch ^{31}P-NMR-Spektroskopie des in Deutero-trichlor-methan gelösten Komplexes gemessen werden.

Sechsfach koordinative Acyl-Komplexe sind im Vergleich zu den 5-fach koordinierten recht stabil. Durch Umsetzung mit Natrium-tetraphenylborat bzw. Silber-tetrafluorborat wird Halogen vom Metall entfernt. Der dadurch gebildete koordinativ ungesättigte Kation-Komplex wandelt sich in die Alkyl-carbonyl-rhodium-Verbindung um[4,5]; z.B.:

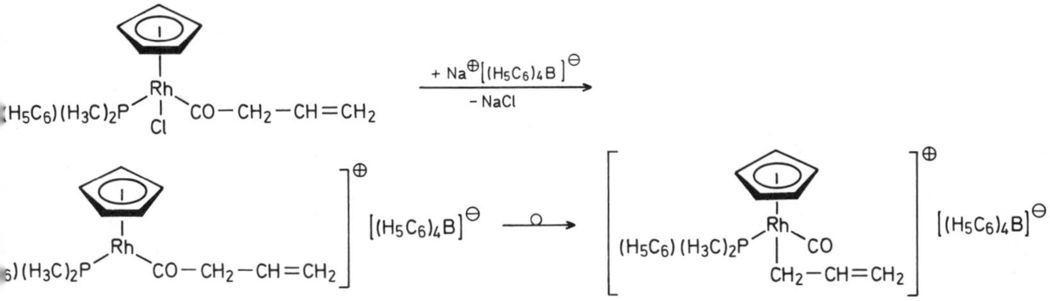

[*Allyl-carbonyl-(η^5-cyclopentadienyl)-(dimethyl-phenyl-phosphan)-rhodium*]-*tetraphenylborat*; F: 106–108° (Zers.)

Durch Behandeln der entsprechenden Acetyl- bzw. Propanoyl-Komplexe mit Silber-hexafluorophosphat erhält man z.B. *Carbonyl-ethyl-(η^5-pentamethylcyclopentadienyl)-trimethylphosphan-rhodium-hexafluorophosphat* zu 79%[6]. Analog reagieren die Tetramethyldiphosphan- und Pentamethyldiphosphanonium-Komplexe. Die Reaktion ist durch Behandeln mit Natriumjodid umkehrbar.

---

[1] D. A. SLACK, D. L. EGGLESTONE u. M. C. BAIRD, J. Organometal. Chem. **146**, 71 (1978).

[2] Acetyl-{1,3-bis-[diphenylphosphano]-propan}-dichloro-rhodium ist relativ stabil und bildet daher keinen Methyl-rhodium(III)-Komplex. Es spaltet beim Rückflußkochen in Chloroform innerhalb 1 Stde. Methylchlorid ab.

[3] D. EGGLESTONE, M. C. BAIRD, C. Y. L. LOCK u. G. TURNER, Soc. [Dalton] **1977**, 1576. Für die Tris-[4-fluor-phenyl]- und die Tris-[4-methyl-phenyl]-phosphan-Komplexe findet man K = 0,35 bzw. 0,38.

[4] A. J. OLIVER u. W. A. G. GRAHAM, Inorg. Chem. **9**, 243 (1970).

[5] S. QUINN, A. SHAVER u. V. W. DAY, Am. Soc. **104**, 1096 (1982).

[6] H. WERNER u. B. KLINGERT, J. Organometal. Chem. **218**, 395 (1981).

[Carbonyl-(η^5-cyclopentadienyl)-(dimethyl-phenyl-phosphan)-methyl-rhodium]-tetraphenylborat[1]**:**   Z⸱
0,19 g (0,5 mmol) Acetyl-chloro-cyclopentadienyl-(dimethyl-phenyl-phosphan)-rhodium in 10 *ml* Methano⸱
gibt man langsam eine Lösung aus 0,25 g (0,73 mmol) Natrium-tetraphenylborat gelöst in 5 *ml* Methanol. Es entsteht sofort ein schwach oranger Niederschlag, der rasch farblos wird. Nach 1 stdgm. Rühren wird er abfiltriert⸱
2mal mit je 5 *ml* Methanol und 1mal mit 5 *ml* Pentan gewaschen und schließlich i. Vak. getrocknet; Ausbeute⸱
0,32 g (96%); F: 130° (Zers.).

Zur Aufspaltung eines Gemisches aus den Methyl- und Acetyl-Komplexen I und II mi⸱
Triphenylphosphan, -arsan oder -stiban s. Lit.[2]:

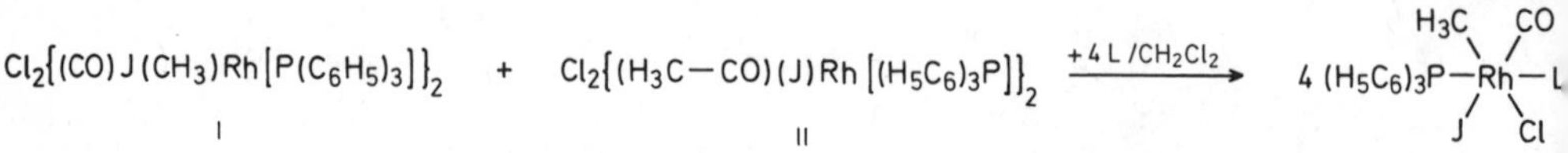

$$Cl_2\{(CO)J(CH_3)Rh[P(C_6H_5)_3]\}_2 \quad + \quad Cl_2\{(H_3C-CO)(J)Rh[(H_5C_6)_3P]\}_2 \xrightarrow{+4\,L/CH_2Cl_2} 4\ (H_5C_6)_3P-Rh-L$$

I   II

Carbonyl-chloro-jodo-methyl-. . .-rhodium
L = (H₅C₆)₃P; . . .-*bis-[triphenylphosphan]-*. . .; F: 160–162°
L = (H₅C₆)₃As; . . .-*triphenylarsan-triphenylphosphan-*. . .; F: 168–170° (Zers.)⸱
L = (H₅C₆)₃Sb; . . .-*triphenylphosphan-triphenylstiban-*. . .; F: 165–167°

3. aus Metall-rhodaten(I)

α) mit Halogenalkanen

„Alkyl-rhodoxime" erhält man aus Bis-[2,3-butandiondioximato]-rhodat. Hierzu wir⸱
der Rhodium-Komplex I in Methanol mit Natriumboranat reduziert und dann z. B. mit einem Benzylhalogenid umgesetzt[3]:

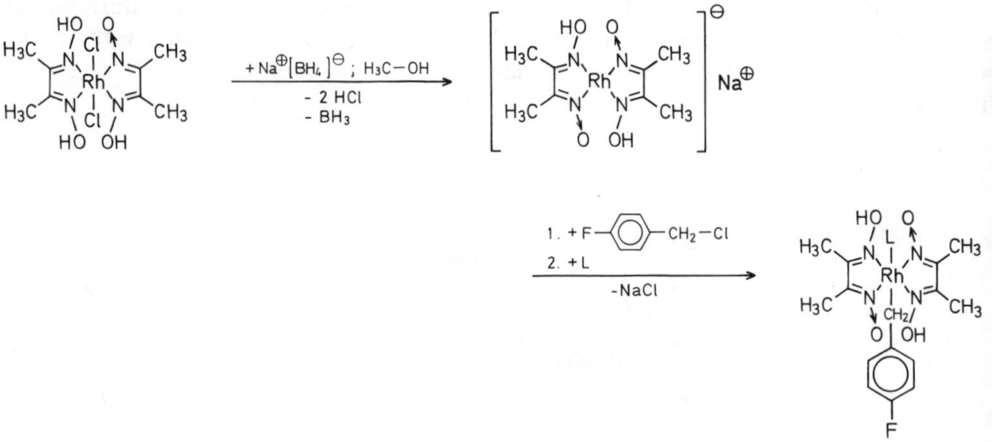

Bis-[2,3-butandiondioximato]-(4-fluor-benzyl)-. . .-rhodium
L = Py; . . .-*pyridin-*. . .
L = (H₅C₆)₃P; . . .-*triphenylphosphan-*. . .

Aquo-bis-[2,3-butandiondioximato]-methyl-rhodium[4] (F: ∼265°) bzw. *(2,3-Butan-
diondioximato)-ethyl-pyridin-rhodium* (F: ∼171°, Zers.) sind aus dem Anion-Komplex

[1] A. J. OLIVER u. W. A. G. GRAHAM, Inorg. Chem. **9**, 243 (1970).
[2] D. F. Steele u. T. A. STEPHENSON, Soc. [Dalton] **1972**, 2161.
[3] C. W. FONG u. M. D. JOHNSON, Soc. [Perkin II] **1973**, 986.
[4] J. H. WEBER u. G. N. SCHRAUZER, Am. Soc. **92**, 726 (1970).

nach der gleichen Methode zugänglich. Auch das mit Natriumboranat reduzierte Rhodium-Analoge des Vitamin B_{12} („Rhodibalmin s"), bildet mit Jodmethan den entsprechenden *Methyl*-rhodium(III)-Komplex[1]. Weitere Beispiele sind die Umsetzungen von Porphyrinato-rhodaten mit Halogenalkanen[2,3].

Bei der Reaktion von 3-*exo*-Brom-tricyclo[2.2.1.0^{2,6}]heptan mit dem stark nucleophilen Octaethylporphyrinato-rhodat entsteht unter Inversion am C-Atom das *Octaethylporphyrinato-(tricyclo[2.2.1.0^{2,6}]hept-3-endo-yl)-rhodium*[4]:

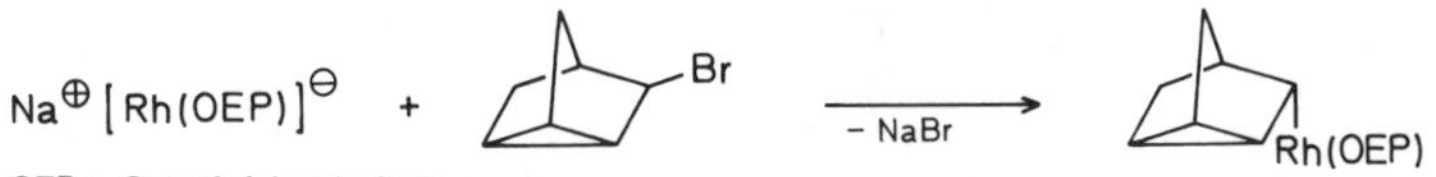

OEP = Octaethylphorphyrinato

Halogenalkane reagieren mit dem aus Bis-[chloro-dicarbonyl-rhodium] und Natriumcyanid zugänglichen Tetracyano-rhodium-Trianion unter Rh-Alkylierung[5,6].

Die Reaktionsprodukte hängen stark von der Reihenfolge und der Art des Vermischens ab. So ist es zweckmäßig, Natriumcyanid im großen Überschuß vorzulegen und das Halogenalkan gelöst in Methanol zuzugeben. Wird stattdessen der Carbonyl-rhodium-Komplex und Jodmethan vorgelegt und Natriumcyanid zugesetzt, entsteht eine instabile Acetyl-Verbindung.

$$1/2\ [Rh(CO)_2Cl]_2 + 4\ NaCN \xrightarrow[-NaCl\,/-2\,CO]{} [Rh(CN)_4]^{3\ominus}\ 3\ Na^{\oplus}$$

z.B.: X = J, Br

$$\xrightarrow[1.\ -NaX \quad 2.\ -2\ NaOOC-CH_3]{1.\ +CH_3X/L \quad 2.\ +2\ KOOC-CH_3} [Rh(CH_3)(CN)_4L]^{2\ominus}\ 2\ K^{\oplus}$$

Dikalium-(...-methyl-tetracyan-rhodat)
L = H_2O; ...-*(aquo-...*
L = CH_3OH; ...-*(methanol...*

Die Methyl-Komplexe können als Dikalium-Salze ausgefällt werden. Der Methanol-Ligand wird leicht vom Rhodium abgespalten. Die Reaktionsgeschwindigkeit gehorcht einer Kinetik 2. Ordnung in der folgenden Reihenfolge:

$$CH_3J \gg C_2H_5J > C_3H_7J \qquad H_5C_6{-}CH_2{-}X \qquad X = J > Br > Cl$$

Der [N,N'-Ethylen-bis-(salicylidenaminato)-rhodium]-Anion-Komplex ist relativ instabil. Er muß daher durch Reduktion der entsprechenden Halogeno-rhodium(III)-Verbindung durch Natrium-Amalgam oder Natriumboranat mit Palladium(II)-Verbindungen als Katalysator in situ hergestellt werden[7,8]. In einer Nebenreaktion entsteht die Halogeno-rhodium(III)-Verbindung, die bei den stark polarisierten Perfluoralkylhalogeniden vorherrschend wird:

---

[1] V.B. Koppenhagen, B. Eisenhans, F. Wagner u. J.J. Pfeiffer, J. Biol. Chem. **249**, 6532 (1974); C.A. **82**, 29643 (1975).
[2] H. Ogoshi, J. Setsune, T. Omura u. Z. Yoshida, Am. Soc. **97**, 6461 (1975).
[3] H. Ogoshi, J. Setsune, Y. Nanbo u. Z. Yoshida, J. Organometal. Chem. **159**, 329 (1978).
[4] H. Ogoshi, J. Setsune u. Z. Yoshida, J. Organometal. Chem. **185**, 95 (1980).
[5] J.P. Maher, Chem. Commun. **1966**, 785.
[6] Vgl.: J. Halpern u. R. Cozens, Coordination Chem. Rev. **16**, 141 (1975).
J.L. Davidson, Inorg. React. Mechanism **1977** (I), 336.
[7] R.J. Cozens, K.S. Murray u. B.O. West, Chem. Commun. **1970**, 1262.
[8] R.J. Cozens, K.S. Murray u. B.O. West, J. Organometal. Chem. **38**, 391 (1972).

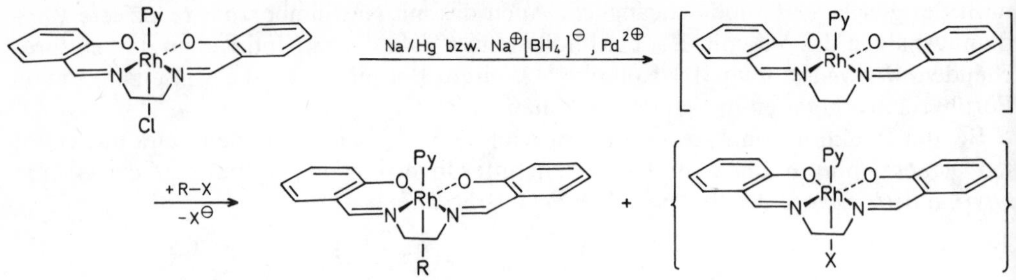

...-(N,N'-ethylen-bis-[salicylidenaminato])-pyridin-rhodium
z.B.: X = Cl; R = CH₃; *Methyl-*...
R = CH₂–CH = CH₂; *Allyl-*...
X = Br; R = C₄H₉; *Butyl-*...
R = CH₂–C₆H₅; *Benzyl-*...

Analog werden verwandte Chelat-Komplexe alkyliert[1].

(N,N′-Ethylen-bis-[salicylideniminato])-methyl-pyridin-rhodium (R = CH₃)[2]:
(N,N′-Ethylen-bis-[salicylidenaminato])-pyridin-rhodat: 100 mg (0,208 mmol) Chloro-(N,N′-ethylen-bis-[salicylidenaminato])-pyridin-rhodium werden in einer Mischung aus 60–70 *ml* Methanol und 10 *ml* 50%igen Natriumhydroxid-Lösung suspendiert und durch 10 min. Durchleiten mit Stickstoff Sauerstoff-frei gemacht. Dann wird die Mischung unter Rühren mit weiteren 10 *ml* der Natronlauge-Lösung, 0,5 g Natriumboranat und 2 *ml* einer 5%igen Palladium(II)-chlorid-Lösung versetzt. Nach 3–5 Min. entsteht die tief rot-braune Lösung des Anion-Komplexes.
(N,N′-Ethylen-bis-[salicylidenaminato])-methyl-pyridin-rhodium: Zu der Lösung des Anion-Komplexes gibt man 2–3 *ml* Chlor- oder Jodmethan und 10 *ml* Pyridin und erwärmt einige Min. unter Rühren. Die Lösung wird hellorange, es wird filtriert und am Rotationsverdampfer bei 20° solange eingeengt, bis sich orange Kristalle bilden. Man läßt die Lösung 12 Stdn. stehen, filtriert die Kristalle ab, wäscht sie mit Wasser und trocknet sie i. Vak. mit Phosphor(V)-oxid. Der Komplex kann in einer Mischung aus Methanol, Pyridin und Wasser (5:2:3) umkristallisiert werden; Ausbeute: 40–60%; ¹H–NMR(DMSO-d₆): RhCH₃ τ 9,05, J(RhH) 3 Hz.

β) mit Alkenen

Während der Hydrido-Komplex des Rhodoxims bei der Reaktion mit Acrylnitril das 1-Cyan-ethyl-Derivat bildet (s.S. 327) entsteht bei der Umsetzung des Rhodoxim-Anions das 2-Cyan-ethyl-Isomere[3,4]. Wie beim Cobaloxim kann die Reaktion durch den pH-Wert des Mediums gesteuert werden, wobei im stark alkalischen Bereich die σ–C–Rh-Bindung wieder gespalten wird:

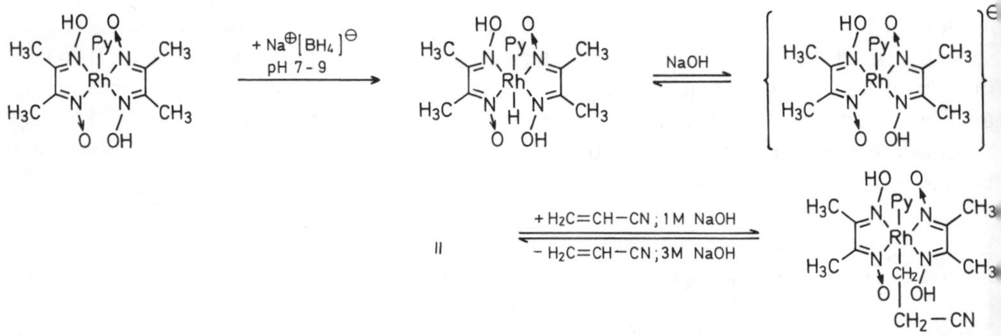

{*Bis-[2,3-butandiondioximato]*}-*(2-cyan-ethyl)-pyridin-rhodium*; F: ∼ 170° (Zers.)

---

[1] C.A. Rogers u. B.O. West, J. Organometal. Chem. **70**, 445 (1974).
[2] R.J. Cozens, K.S. Murray u. B.O. West, J. Organometal. Chem. **38**, 391 (1972).
[3] J.H. Weber u. G.N. Schrauzer, Am. Soc. **92**, 726 (1970).
[4] Das blaue oder dunkelbraune Hydrido-rhodoxim, das Basen wie Triphenylphosphan, Pyridin oder Wasser gebunden hat, ist eine schwache Säure.

In gleicher Weise reagiert das Octaethylporphyrinato-rhodat mit Acrylnitril bzw. Acrylsäure-methylester zum *(2-Cyan-ethyl)-* (58%) bzw. *(2-Ethoxycarbonyl-ethyl)-octaethylporphyrinato-rhodium*[1].

γ) mit kleinen Ringen

Eine C–C-Bindung von Cyclopropanen wird von dem stark nucleophilen Octaethyl-phorphyrinato-rhodat leicht aufgespalten unter Bildung eines Alkyl-rhodium(III)-Komplexes, wenn der Cyclopropan-Ring durch Elektronen-anziehende Substituenten aktiviert ist oder in einem stark gespannten Ringsystem eingebaut ist[2, 3]:

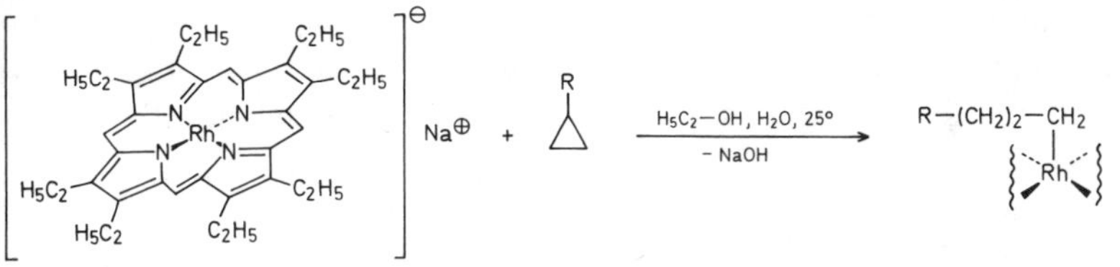

R = CO–CH₃; *Octaethylporphyrinato-(4-oxo-pentyl)-rhodium*; 77%
R = COOC₂H₅; *(3-Ethoxycarbonyl-propyl)-octaethylphorphyrinato-rhodium*; 12%

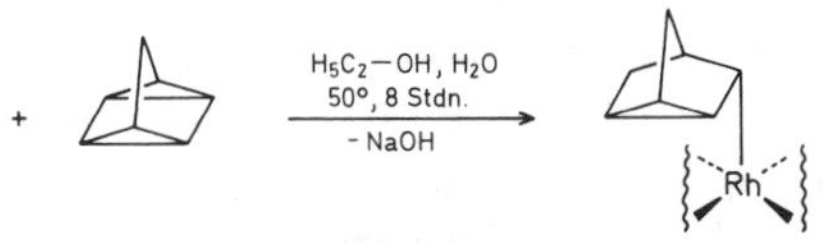

Octaethylphorphyrinato-(tricyclo[2.2.1.0²,⁶]
hept-endo-3-yl)-rhodium; 23%

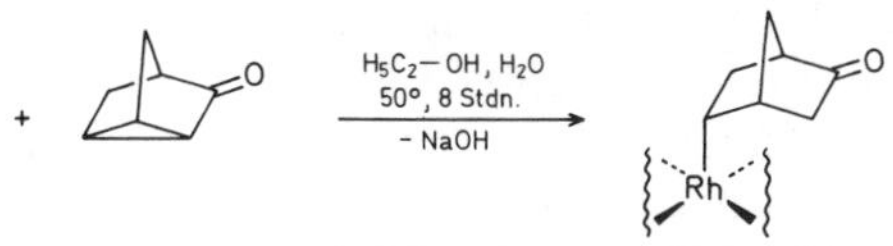

Octaethylphorphyrinato-(5-oxo-bicyclo[2.2.1]hept-
endo-2-yl)-rhodium; 66%

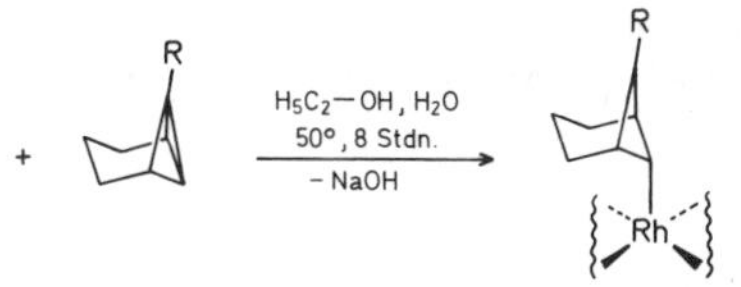

. . .-octaethylphosphyrinato-rhodium
R = H; *(Bicyclo[3.1.1.]hept-6-yl)-. . .*; 24%
R = COOCH₃; *(7-Methoxycarbonyl-bicyclo[3.1.1]hept-6-yl)-. . .*; 85%

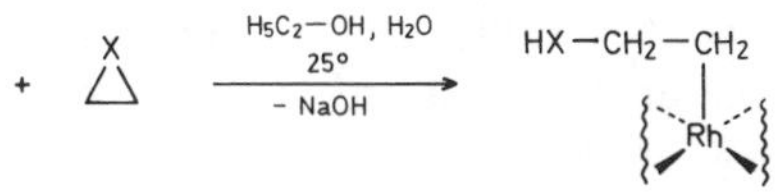

X = NH; *(2-Amino-ethyl)-octaethylporphyrinato-*
rhodium (Hydrochlorid: 68%)[3]
X = O; *(2-Hydroxy-ethyl)-. . .* 72%[3]

Oxirane und Aziridine reagieren leichter als die Cyclopropan-Derivate[3].

[1] H. OGOSHI, J. SETSUNE, T. OMURA u. Z. YOSHIDA, Am. Soc. **97**, 6461 (1975).
[2] H. OGOSHI, J.-I. SETSUNE u. Z.-I. YOSHIDA, Chem. Commun. **1975**, 572.
[3] H. OGOSHI, J.–I. SETSUNE u. Z.-I. YOSHIDA, J. Organomet. Chem. **185**, 95 (1980).

4. aus Rhodium(I)-Verbindungen durch oxidative Addition

α) mit Halogenalkanen bzw. anderen Alkylierungsmitteln

α₁) *von Halogeno-tris-[triorganophosphan]-rhodium(I)*

Chloro-tris-[triphenylphosphan]-rhodium („Wilkinson-Komplex") reagiert mit Halogenalkanen unter oxidativer Addition und Verlust eines Phosphan-Liganden, zu Rh–σ–C-Verbindungen. Die Koordinationsstelle des abgespaltenen Phosphan-Liganden wird entweder von einem Lösungsmittel- bzw. Halogenalkan-Molekül eingenommen oder sie bleibt unbesetzt. So entsteht bei der Umsetzung mit überschüssigem Jodmethan der grüne, im kristallinen Zustand sechsfach koordinierte Komplex *Bis-[triphenylphosphan]-chloro-jodmethan-jodo-methyl-rhodium* (I) (50%; F: 170° (Zers.), der in Lösung Jodmethan verliert[1–4]. Aus dem Reaktionsgemisch kann auch Bis-[triphenylphosphan]-dijodo-methyl-rhodium isoliert werden[5].

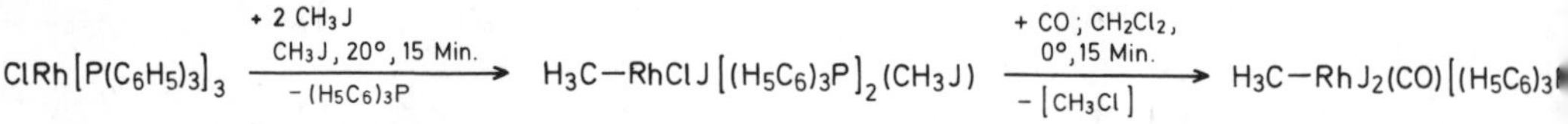

$$\text{ClRh}\left[\text{P(C}_6\text{H}_5\text{)}_3\right]_3 \xrightarrow[-\ (\text{H}_5\text{C}_6)_3\text{P}]{\substack{+\ 2\ \text{CH}_3\text{J} \\ \text{CH}_3\text{J, 20°, 15 Min.}}} \text{H}_3\text{C}-\text{RhClJ}\left[(\text{H}_5\text{C}_6)_3\text{P}\right]_2(\text{CH}_3\text{J}) \xrightarrow[-\ [\text{CH}_3\text{Cl}]]{\substack{+\ \text{CO}\,;\ \text{CH}_2\text{Cl}_2, \\ 0°, 15\ \text{Min.}}} \text{H}_3\text{C}-\text{Rh}\,\text{J}_2(\text{CO})\left[(\text{H}_5\text{C}_6)_3\right]$$

I   *Bis-[triphenylphosphan]-carbonyl-dijodo-methyl-rhodium*

Das Jodmethan kann durch Kohlenmonoxid ersetzt werden, wobei gleichzeitig der Chlor-Ligand durch das Jod-Atom des Jodmethans substituiert wird.

Beim Behandeln des Wilkinson-Komplexes mit Benzylchlorid werden zwei Liganden vom Metall abgespalten[6]. Man erhält eine η³-Benzyl-rhodium-Verbindung, die erst durch Kohlenmonoxid unter Druck in einen σ-Benzyl-Komplex übergeführt wird (s. S. 369).

{Bis-[3-diphenylphosphano-propyl]-phenyl-phosphan}-chloro-rhodium wirkt durch seinen dreizähnigen Ligand am Metall stärker basisch als der Wilkinson-Komplex. Er reagiert mit Fluorsulfonsäure-methylester oder Trimethyloxonium-tetrafluoroborat unter Methylierung des Metalls, ohne daß die großen, komplexen Anionen am Metall gebunden werden[7,8]. Nach der gleichen Methode wird *(Bis-[3-diphenylphosphano-propyl]-phenyl-phosphan-P,P′,P″)-chloro-ethyl-rhodium-tetrafluoroborat* (31%) hergestellt:

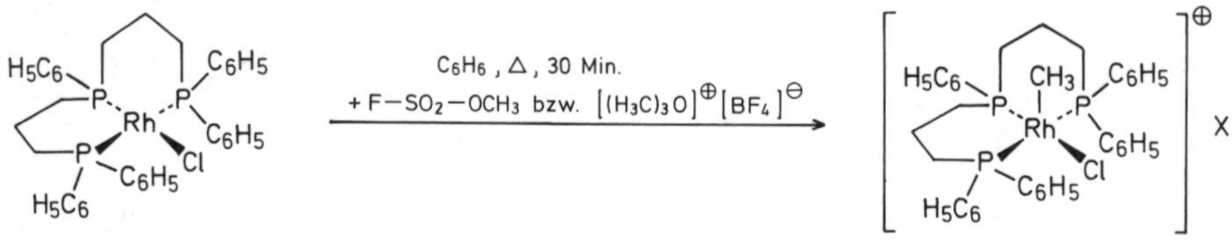

X = [BF₄], SO₃–F

Bei der Reaktion von Allylchlorid mit dem Wilkinson-Komplex wird unter oxidativer Addition bei 25° in Lösung ein σ-Allyl-Solvat-Komplex gebildet, der sich beim Erhitzen in einen stabilen π-Allyl-Komplex umlagert[1,2,9]. Andererseits entsteht beim Behandeln des labilen σ-Allyl-Komplexes unter Substitution des Solvens-Liganden durch Kohlenmonoxid ein stabiler σ-Allyl-Komplex:

[1] M.C. BAIRD, D.N. LAWSON, J.T. MAGUE, J.A. OSBORN u. G. WILKINSON, Chem. Commun. **1966**, 129.
[2] D.N. LAWSON, J.A. OSBORN u. G. WILKINSON, Soc. [A] **1966**, 1733.
[3] M. HIDAI, J. Synth. Org. Chem. Japan **27**, 1018 (1969).
[4] I.C. DOUEK u. G. WILKINSON, Soc. [A] **1969**, 2604.
[5] P.G.H. TROUGHTON u. A.C. SKAPSKI, Chem. Commun. **1963**, 575.
[6] C. O'CONNOR, J. Inorg. & Nuclear Chem. **32**, 2299 (1970).
[7] J.L. PETERSON, T.E. NAPPIER u. D.W. MEEK, Am. Soc. **95**, 8195 (1973).
[8] J.A. TIETHOF, J.L. PETERSON u. D.W. MEEK, Inorg. Chem. **15**, 1365 (1976).
[9] H.C. VOLGER u. K. VRIEZE, J. Organometal. Chem. **6**, 297 (1966); das Gleichgewicht von σ-Allyl- und π-Allyl-rhodium(III)-Verbindungen liegt in Lösung bei 20° weitgehend auf der Seite des π-Allyl-Komplexes.

$$\text{ClRh}\left[(\text{H}_5\text{C}_6)_3\text{P}\right]_3 \quad + \quad \text{H}_2\text{C}{=}\text{CH}{-}\text{CH}_2{-}\text{Cl} \quad \xrightarrow[-(\text{H}_5\text{C}_6)_3\text{P}]{25°} \quad$$

CH$_2$—CH=CH$_2$

$(\text{H}_5\text{C}_6)_3\text{P}$ — Lsgm.
Rh
Cl — Cl — P(C$_6$H$_5$)$_3$

Δ, 12 Stdn. $-$ Lsgm. $+$ CO

Lsgm. = Lösungsmittel

$(\text{H}_5\text{C}_6)_3\text{P}$
Rh
Cl — Cl — P(C$_6$H$_5$)$_3$

CH$_2$—CH=CH$_2$
$(\text{H}_5\text{C}_6)_3\text{P}$ — CO
Rh
Cl — Cl — P(C$_6$H$_5$)$_3$

σ-Allyl-bis-[triphenylphosphan]-carbonyl-dichloro-rhodium

α₂) von Bis-[triorganophosphan]- bzw. Bis-[triorganoarsan]- oder Bis-[triorganostiban]-carbonyl-halogeno-rhodium(I)

Die oxidative Additionsreaktion gelingt besonders gut mit Bis-[triorganophosphan]-carbonyl-halogeno-rhodium-Komplexen. Im Gegensatz zu den Additionsreaktionen des Wilkinson-Komplexes werden im allgemeinen keine Liganden abgespalten, so daß das Addukt in einem Schritt die Koordinationszahl sechs erreicht. Allerdings sind die Carbonyl-Komplexe weniger reaktionsfähig als die Halogeno-tris-[triorganophosphan]-rhodium- oder die analogen Carbonyl-iridium-Komplexe[1].

OC, PR$_3$
Rh $+$ RX $\longrightarrow$
R$_3$P, Cl

R
OC, | PR$_3$
Rh
R$_3$P X Cl

Der organische Rest und das Halogen stehen im Addukt in *trans*-Stellung. Die Reaktionsgeschwindigkeit nimmt zu, wenn der Aryl-Rest des Triarylphosphans durch Elektronen-schiebende Substituenten substituiert ist, in Gegenwart elektronenziehender Substituenten nimmt die Reaktionsgeschwindigkeit ab[2]; z.B. bei der Reaktion mit Jodmethan und Triarylphosphan als Ligand:

4-F	H	4-OCH$_3$
1	4,6	36,9 (relative Reaktionsgeschwindigkeit)

Durch Einführung von kleinen Alkyl-Gruppen anstelle von Phenyl-Resten in den Phosphan-Liganden kann die Reaktionsfähigkeit des Komplexes beträchtlich gesteigert werden.

Während Jodmethan alle anderen unsubstituierten Halogenalkane in seiner Reaktionsfähigkeit weit übertrifft, sind Brom- und Chlormethan wesentlich weniger reaktiv. Man benötigt zu ihrer Umsetzung folglich Komplexe, die aktivierende Phosphan-Liganden enthalten[1].

$$\text{RhY(CO)L}_2 \quad + \quad \text{CH}_3\text{X} \quad \longrightarrow \quad \text{H}_3\text{C}{-}\text{RhXY(CO)L}_2$$

L = (H$_5$C$_6$) (CH$_3$)$_2$P; X = Y = Br

X = Y = Cl; *Bis-[dimethyl-phenyl-phosphan]-carbonyl-dichloro-methyl-rhodium*; 16%; Zers.p.: >60°

L = (H$_3$C)$_2$P(2-OCH$_3$–C$_6$H$_4$); X = Y = Cl; *Carbonyl-dichloro-[dimethyl-(2-methoxy-phenyl)-phosphan]-methyl-rhodium*; 77%; F: 185–192°

[1] A.J. DEEMING u. B.L. SHAW, Soc. [A] **1969**, 597.
[2] I.C. DOUEK u. G. WILKINSON, Soc. [A] **1969**, 2604.

Bis-[dimethyl-phenyl-phosphan]-carbonyl-dibromo-methyl-rhodium[1]: Man leitet 3 Min. lang Bromme-than durch eine Suspension von 0,13 g (0,267 mmol) Bis-[dimethyl-phenyl-phosphan]-bromo-carbonyl-rhodium in 10 ml Ethanol. Die gebildete gelbe Lösung wird 3 Stdn. in einem verschlossenen Gefäß stehengelassen. Dann wird sie i. Vak. auf 5 ml eingeengt. Es fallen hell-gelbe Plättchen-förmige Kristalle aus; Ausbeute: 0,094 g (58%); F: 143–146°; IR(Nujol); ν_{CO}: 2068, 2053 cm^{-1}] ^{1}H-NMR(C_6D_6): RhCH$_3$ τ 9,18, J(PH) 5,4, J(RhH) 2,2 Hz.

Während die 2-Methoxy-phenyl-Gruppe des Phosphan-Liganden die oxidative Additionsreaktion beträchtlich unterstützt (vgl. Iridium-Komplexe, S. 514), wird durch Einführung von tert.-Butyl-Gruppen die Reaktivität des Komplexes aus sterischen Gründer stark erniedrigt, so daß der Rhodium-Komplex mit zwei Di-tert.-butyl-(2-methoxy-phenyl)-phosphan-Liganden nicht mehr mit Jodmethan reagiert[2].

Die oxidative Addition von Jodmethan an Bis-[triphenylarsan- bzw. -stiban]-carbonyl-jodo-rhodium wird durch das Jod-Anion katalysiert[3]; beim analogen Triphenylphosphan-Komplex ist der katalytische Effekt dagegen gering. Bei den Phosphan- und Arsan-Komplexen wird zusätzlich der Acetyl-Komplex, beim Stiban-Komplex wird ausschließlich der Methyl-Komplex gebildet.

$$RhJ(CO)L_2 \ + \ CH_3J \ \xrightarrow{[(H_9C_4)_4N]^{\oplus}J^{\ominus}} \ H_3C-RhJ_2(CO)L_2$$

...-dijodo-methyl-rhodium
L = $(H_5C_6)_3$As; Bis-[triphenylarsan]-...
L = $(H_5C_6)_3$Sb; Bis-[triphenylstiban]-...

Tab. 1: Reaktion von Bis-[triorganophosphan]-carbonyl-halogeno-rhodium mit Jodmethan

RhY(CO)L$_2$	Rh(CH$_3$)JY(CO)L$_2$	Ausbeute [%]	F[°C]	Literatur
RhCl(CO)L$_2$	...-carbonyl-chloro-jodo-methyl-rhodium			
L = $(H_9C_4)_3$P	Bis-[tributylphosphan]-	65	85–88	4
L = $(H_3C)_2(H_5C_6)$P	Bis-[dimethyl-phenyl-phosphan]-...	–	–	5,6
L = $(H_3C)_2$P(C_6H_4–2–OCH$_3$)	Bis-[(4-methoxy-phenyl)-dimethyl-phosphan]-...	91	160–162 (Zers.)	2
RhX(CO)[$(H_3C)_2(H_5C_6)$P]$_2$	Bis-[dimethyl-phenyl-phosphan]-...-rhodium			
X = Br	...-bromo-carbonyl-jodo-methyl-...	–	–	5
X = J	...-carbonyl-dijodo-methyl-...	–	–	5

Wesentlich reaktionsfähiger sind Allyl-, Benzyl-, Perfluoralkyl- sowie Alkoxycarbonylmethyl-halogenide, z.B.:

$$RhY(CO)L_2 \ + \ R^2-CH=\overset{\overset{\displaystyle R^1}{|}}{C}-CH_2-X \ \longrightarrow$$

[1] A.J. DEEMING u. B.L. SHAW, Soc. [A] **1969**, 597.
[2] H.D. EMPSALL, E.M. HYDE, C.E. JONES u. B.L. SHAW, Soc. [Dalton] **1974**, 1980.
[3] D. FORSTER, Am. Soc. **97**, 951 (1975).
   A.E. CREASE, B.D. GUPTA, M.D. JOHNSON u. S. MOORHOUSE, Soc. [Dalton] **1978**, 1821.
[4] R.F. HECK, Am. Soc. **86**, 2796 (1964).
[5] E.M. HYDE, J.D. KENNEDY, B.L. SHAW u. W. MCFARLANE, Soc. [Dalton] **1977**, 1571.
[6] H.C. REIMER u. K.J. REIMER, Inorg. Chem. **14**, 2133 (1975).

R¹	R²	X	Y	L	...-rhodium	Ausbeute [%]	F [°C]	Lite-ratur
H	H	Cl	Cl	$(H_3C)_2P(2\text{-}OCH_3\text{-}C_6H_4)$	Allyl-bis-[(2-methoxy-phenyl)-dimethyl-phosphan]-carbonyl-dichloro-...	83[a]	78–125	1
		Br	Br	$(H_3C)_2(H_5C_6)P$	Allyl-bis-[dimethyl-phenyl-phosphan]-carbonyl-dibromo-...	52	127–130 (Zers.)	2,3
H	CH₃	Cl	Cl	$(H_3C)_2(H_5C_6)P$	Bis-[dimethyl-phenyl-phosphan]-(2-butenyl)-carbonyl-dichloro-...	60	108–111	2,3
				$(H_3C)_2(H_5C_6)As$	Bis-[dimethyl-phenyl-arsan]-(2-butenyl)-carbonyl-dichloro-...	71	97–98	2
CH₃	H	Br	Br	$(H_3C)_2(H_5C_6)P$	Bis-[dimethyl-phenyl-phosphan]-carbonyl-dibromo-(2-methyl-allyl)-...	75[b]	–	3
C₆H₅	H	Br	Br	$(H_3C)_2(H_5C_6)P$	Bis-[dimethyl-phenyl-phosphan]-carbonyl-dibromo-(2-phenyl-allyl)-...	95[b]	–	3

[a] In siedendem Methanol entsteht unter Umlagerung die Acyl-Verbindung (s. S. 417). Bei der Umsetzung mit 2-Methyl-allylchlorid entsteht bereits bei Ausschluß von Methanol ein Gemisch der Allyl- und Acyl-Verbindungen.
[b] Die Verbindungen wurden ^{1}H–NMR-spektroskopisch in Lösung charakterisiert, aber nicht isoliert.

$$RhY(CO)L_2 \; + \; H_5C_6-CH_2-X \; \longrightarrow \; H_5C_6-CH_2-RhXY(CO)L_2$$

L = $(H_3C)_2(H_5C_6)P$; X = Y = Br; *Benzyl-bis-[dimethyl-phenyl-phosphan]-carbonyl-dibromo-rhodium*[3] (nicht isoliert); 90%

L = $(H_9C_4)_3P$; X = Br, Y = Cl; *Benzyl-bis-[tributylphosphan]-bromo-carbonyl-chloro-rhodium*[4]; F: 109–110,5°

Der Dimethyl-phenyl-phosphan-Komplex ist reaktionsfähiger als der Diphenyl-methyl-Komplex, die Rhodium-Verbindung empfindlicher gegenüber Änderung der Liganden, als der Iridium-Komplex.

Zur Kinetik der Addition von Jodmethan an Komplexe mit langkettigen Trialkylphosphanen s. Lit.[5].

Bis-[dimethyl-phenyl-phosphan]-carbonyl-chloro-jodo-perfluoralkyl-rhodium[6]: 0,4 g (0,91 mmol) *trans*-Bis-[dimethyl-phenyl-phosphan]-carbonyl-chloro-rhodium und 5 *ml* Aceton werden in einer Carius-Röhre vorgelegt. Man läßt in die vorgelegte Lösung i. Vak. und unter Kühlen das entsprechende Perfluoralkyljodid kondensieren und schmilzt die Röhre unter diesen Bedingungen ab. Dann wird 24 Stdn. bei 20° geschüttelt. Das Rohr wird geöffnet, der Inhalt i. Vak. bis zur Trockene eingeengt und der Rückstand aus Dichlormethan und Hexan umkristallisiert.

Jod-polyfluor-alkane, die in α-Stellung zum Jod nicht fluoriert sind, reagieren schlechter mit den Rhodium(I)-Verbindungen[6].

$$RhX(CO)L_2 \; + \; R_F-CH_2-J \; \longrightarrow \quad \begin{array}{c} CH_2-R_F \\ (H_5C_6)(H_3C)_2P \diagdown \; | \diagup X \\ Rh \\ OC \diagup \; | \diagdown P(CH_3)_2(C_6H_5) \\ J \end{array}$$

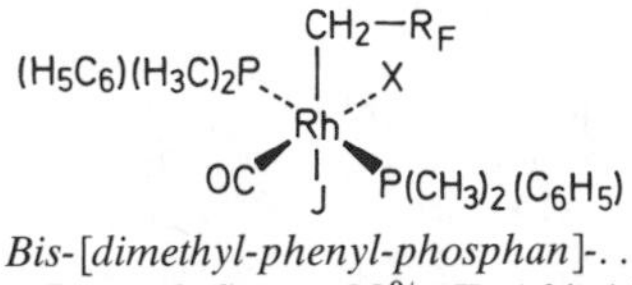

Bis-[dimethyl-phenyl-phosphan]-...-rhodium

X = Cl; R_F = CF₃; ...-*carbonyl-chloro-jodo-(2,2,2-trifluor-ethyl)-...*; 82%; F: 164–165°

R_F = C₃F₇; ...-*carbonyl-chloro-jodo-(2,2,3,3,4,4,4-heptafluor-butyl)-...*; 70%; F: 139–140°

X = Br; R_F = C₃F₇; ...-*bromo-carbonyl-jodo-(2,2,3,3,4,4,4-heptafluor-butyl)-...*; 25%; F: >125°

Tetrachlormethan läßt sich zur Einführung der Trichlormethyl-Gruppe verwenden[1]; z.B.:

[1] H.D. EMPSALL, E.M. HYDE, C.E. JONES u. B.L. SHAW, Soc. [Dalton] **1974**, 1980.
[2] A.J. DEEMING u. B.L. SHAW, Soc. [A] **1969**, 597.
[3] A.E. CREASE, B.D. GUPTA, M.D. JOHNSON u. S. MOORHOUSE, Soc. [Dalton] **1978**, 1821.
[4] R.F. HECK, Am. Soc. **86**, 2796 (1964).
[5] S. FRANKS, F.R. HARTLEY u. J.F. CHIPPERFIELD, Inorg. Chem. **20**, 3238 (1981).
[6] H.C. CLARK u. H.J. REIMER, Canad. J. Chem. **54**, 2077 (1976).

Tab. 2: Perfluoralkyl-rhodium-Komplexe aus Bis-[triphenylphosphan]-carbonyl-halo-geno-rhodium mit Perfluoralkyl-jodiden

$$RhX(CO)L_2 \quad + \quad R_F{-}J \quad \longrightarrow \quad \underset{OC}{\overset{L}{\underset{J}{\overset{R_F}{\underset{\diagdown}{\overset{\diagup}{Rh}}}}}}\overset{X}{\underset{L}{}}$$

L	X	$R_F{-}J$	...-rhodium	Ausbeute [%]	F [°C]	Lite ratu
(H₃C)₂(H₅C₆)P	Cl	F₃C–J	Bis-[dimethyl-phenyl-phosphan]-trifluor-methyl-carbonyl-chloro-jodo-...	73	170–175	1,2
		F₇C₃–J	Bis-[dimethyl-phenyl-phosphan]-carbonyl-chloro-heptafluorpropyl-jodo-...	48	152–153 (Zers.)	1
	Br	F₃C–J	Bis-[dimethyl-phenyl-phosphan]-bromo-carbonyl-trifluormethyl-jodo-...	70	162–164 (Zers.)	1,2
	J	F₃C–J	Bis-[dimethyl-phenyl-phosphan]-carbonyl-dijodo-trifluormethyl-...	–	–	2
(H₃C)(H₅C₆)₂P	Cl	F₃C-J	Bis-[methyl-diphenyl-phosphan]-carbonyl-chloro-jodo-trifluormethyl-...	72	165–167 (Zers.)	1

$$RhCl(CO)L_2 \quad + \quad CCl_4 \quad \xrightarrow{C_6H_6} \quad Rh(CCl_3)Cl_2(CO)L_2$$

L = (H₃C)₂P(2-OCH₃–C₆H₄); Bis-[dimethyl-(2-methoxy-phenyl)-phosphan]-carbonyl-dichloro-trichlormethyl-rhodium; 49%; F: 157–170° (Zers.)

Ein weiteres Beispiel ist die Umsetzung mit Jodessigsäure-methylester[3]:

$$RhX(CO)\left[P(C_4H_9)_3\right]_2 \quad + \quad J{-}CH_2{-}COOCH_3 \quad \longrightarrow \quad H_3COOC{-}CH_2{-}RhXJ(CO)\left[P(C_4H_9)_3\right]_2$$

Bis-[tributylphosphan]-carbonyl-...-methoxycarbonylmethyl-rhodium
X = Cl; ...-chloro-jodo-...; F: 104–105°
X = J; ...-dijodo-...; F: 90–92°

Während die direkte Addition von 2-Chlor-2-phenyl-1,1,1-trifluor-ethan an Bis-[di-ethyl-phenyl-phosphan]-carbonyl-chloro-rhodium nicht gelungen ist, wird der entspre-chende aus dem Alkohol hergestellte Chlorsulfinsäureester an Rhodium angelagert unter gleichzeitiger Abspaltung von Schwefeldioxid[4]. Bei Einsatz eines optisch aktiven Chlor-sulfinsäureesters erhält man eine optisch aktive Rhodium-Verbindung, deren Konfigura-tion nicht aufgeklärt wurde; z.B.:

$$RhCl(CO)\left[(H_5C_2)_2P(C_6H_5)\right]_2 \quad + \quad F_3C{-}\overset{C_6H_5}{\underset{}{CH}}{-}O{-}SO{-}Cl \quad \xrightarrow{-SO_2} \quad F_3C{-}\overset{C_6H_5}{\underset{}{CH}}{-}Rh(CO)Cl_2\left[(H_5C_2)_2P(C_6H_5)\right]_2$$

Bis-[diethyl-phenyl-phosphan]-carbonyl-dichloro-(1-phenyl-2,2,2-trifluor-ethyl)-rhodium[4]:   Man rührt eine Lösung aus 0,80 g (1,6 mmol) Bis-[diethyl-phenyl-phosphan]-carbonyl-chloro-rhodium und 0,46 g (1,8 mmol) Chlorsulfinsäure-(1-phenyl-2,2,2-trifluor-ethylester) in 20 ml abs. Aceton 2 Stdn. bei 20°. Das Aceton wird i. Vak. entfernt und der Rückstand aus Dichlormethan und Hexan umkristallisiert; Ausbeute: 0,90 g (79%); IR(CHCl₃): ν_{CO}: 2100 cm^{-1}.

Zur Herstellung von *Carbonyl-[(3-chlor-propyl)-diphenyl-phosphan]-dichloro-(3-di-phenylphosphano-propyl-C,P)-rhodium* durch intramolekulare Alkylierung s. Lit.[5]:

---

[1] H.C. CLARK u. K.J. REIMER, Canad. J. Chem. **54**, 2077 (1976).
[2] E.M. HYDE, J.D. KENNEDY u. B.L. SHAW, Soc. [Dalton] **1977**, 1571.
[3] R.F. HECK, Am. Soc. **86**, 2796 (1964).
[4] J.K. STILLE u. R.W. FRIES, Am. Soc. **94**, 1514 (1074).
[5] E. LINDNER, F. DOUACHIR, R. FAWZI u. D. HÜBNER, J. Organometal. Chem. **235**, 345 (1982).

α_3) *aus anderen monomeren Halogeno- bzw. Organo-rhodium(I)-Komplexen*

Das aus Bis-[bis-(η^2-cycloocten)-chloro-rhodium] mit Tricyclohexylphosphan zugäng-liche Benzol-bis-[tricyclohexylphosphan]-chloro-rhodium (I) reagiert mit Jodmethan je nach Reaktionsbedingungen unterschiedlich[1, 2].

Wird eine Hexan-Suspension umgesetzt, so entsteht langsam das *Bis-[tricyclohexyl-phosphan]-chloro-jodo-methyl-rhodium* (II), in Benzol-Lösung wird in einer raschen Re-aktion zusätzlich der Chlor-Ligand durch ein Jod-Atom ersetzt, und man erhält *Bis-[tricy-clohexylphosphan]-dijodo-methyl-rhodium* (III)[2]:

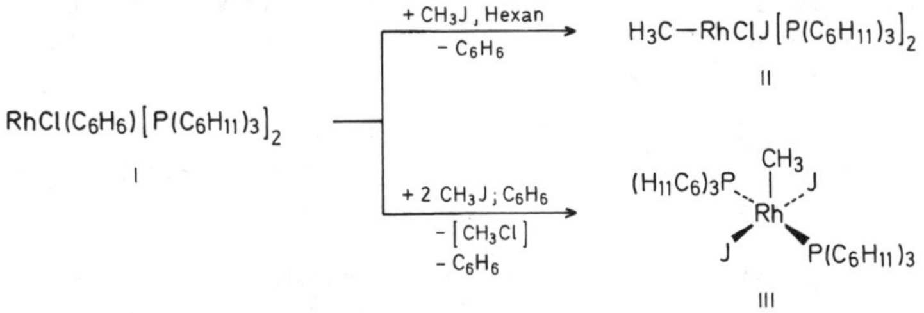

Auf analoge Weise erhält man mit Jod-trideutero-methan *Bis-[tricyclohexylphos-phan]-chloro-jodo-* bzw. *Bis-[tricyclohexylphosphan]-dijodo-trideuteromethyl-rhodium*.

Durch Einführung des Chelat-Liganden (2-Dimethylamino-phenyl)-diphenyl-phos-phan entsteht ein Komplex mit *cis*-ständigen Chloro- und Carbonyl-Liganden, der rasch oxidativ Allylchlorid bindet[3].

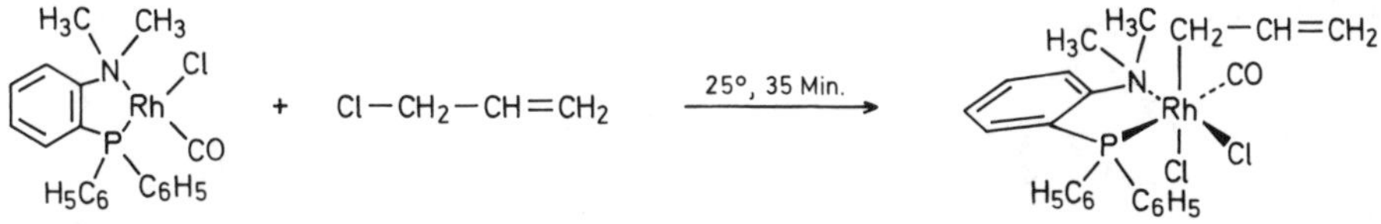

σ-**Allyl-carbonyl-dichloro-[(2-dimethylamino-phenyl)-diphenyl-phosphan-N,P]-rhodium**[3]:   250 mg (0,53 mmol) Carbonyl-chloro-[(2-dimethylamino-phenyl)-diphenyl-phosphan-N,P]-rhodium werden in ~10*ml* frisch destilliertem Allylchlorid gelöst und 35 Min. gerührt. Das Lösungsmittel wird i. Vak. entfernt und die Verbindung mit 0,5 *ml* Methanol und 10 *ml* Pentan gewaschen; Rohausbeute: 250 mg.

Das Rohprodukt wird in möglichst wenig Dichlormethan gelöst, die Lösung filtriert und mit 5 *ml* eines 1:1-Gemisches aus Diethylether und Methanol verdünnt sowie auf −10° gekühlt. Innerhalb mehrerer Stdn. fallen Gold-farbene Kristalle aus, die abfiltriert und i. Vak. bei 78° getrocknet werden; Ausbeute: 110 mg (39%); F: 131°; IR(Nujol): ν_{CO} 2057(s) cm^{-1}.

Zur oxidativen Addition sind auch Komplexe mit Diethylchalkogen-Liganden geeig-net[4]; z.B.:

...-*carbonyl-chloro-jodo-methyl-rhodium*
X = S; *Bis-[diethylsulfan]*-...; Zers.p.: >41°
X = Se; *Bis-[diethylselenan]*-...; F: 63–70° (Zers.)
X = Te; *Bis-[diethyltelluran]*-...; Zers.p.: >71–78°

[1] H.L.M. VAN GAAL, F.G. MOERS u. J.J. STEGGARD, J. Organometal. Chem. **65**, C 43 (1974).
[2] H.L.M. VAN GAAL, J.M.J. VERLAAK u. T. POSNO, Inorg. Chim. Acta **23**, 43 (1977).
[3] T.B. RAUCHFUSS u. D.M. ROUNDHILL, Am. Soc. **96**, 3098 (1974).
[4] F. FARAONE, R. PIETROPAOLO u. S. SERGI, J. Organometal. Chem. **24**, 797 (1970).

Bei der Umsetzung des *exo*cyclischen π-Fulven-Komplexes IV mit Jodmethan entsteht das gegenüber Luft instabile *Chloro-dicarbonyl-(η²-6,6-diphenyl-fulven)-jodo-methyl-rhodium* (~ 100%)[1]:

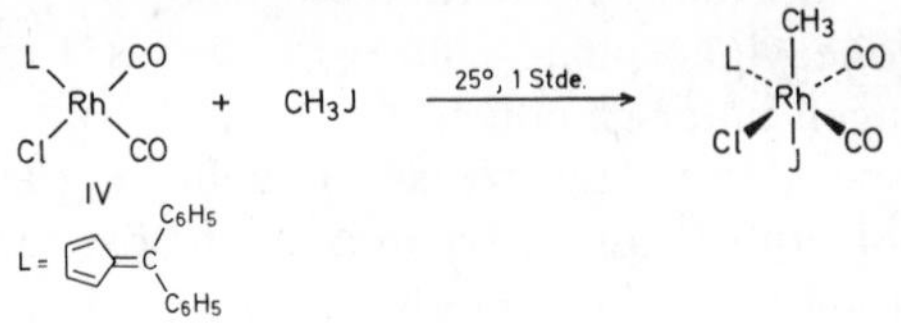

Organo-rhodium(I)-Komplexe mit stark Elektronen-anziehenden σ–C-Liganden sind ebenfalls zur oxidativen Addition von Jodmethan befähigt[2,3]. Die auf diese Weise erhältlichen σ-Methyl-rhodium-Komplexe können isoliert werden, verlieren jedoch innerhalb 24 Stdn. bereits bei 25° in benzolischer Lösung beide organischen Reste unter C–C-Kupplung (s. S. 447, 454).

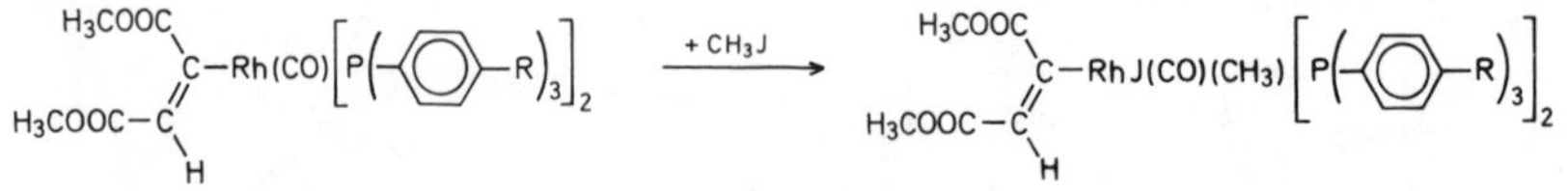

    ...-carbonyl-(cis-1,2-dimethoxycarbonyl-vinyl)-jodo-methyl-rhodium
    R = H; *Bis-[triphenylphosphan]-...; 88%*
    R = F; *Bis-[tris-(4-fluor-phenyl)-phosphan]-...*
    R = OCH₃; *Bis-[tris-(4-methoxy-phenyl)-phosphan]-...*

α₄) aus Rhodium(I)-Verbindungen mit einem zweizähnigen Mono-Anion-Liganden

Rhodium(I)-Verbindungen mit zweizähnigen Anion-Liganden bilden mit Halogenalkanen *cis*- oder *trans*-Addukte. Bei der oxidativen Addition von Jodmethan werden i.a. *trans*-Addukte isoliert.

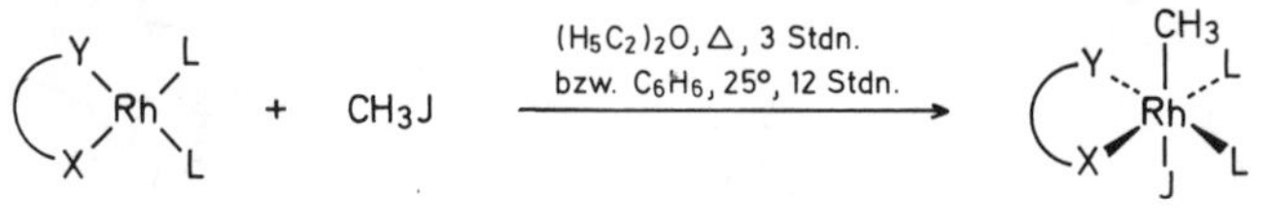

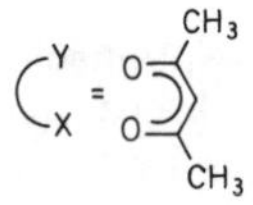

; L = (H₅C₆)₃P; *Bis-[triphenylphosphan]-jodo-methyl-(2,4-pentandionato)-rhodium*[4]; 100%; F: 165° (Zers.)

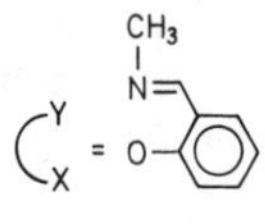

; L = P(CH₃)(C₆H₅)₂; *Bis-[diphenyl-methyl-phosphan]-jodo-methyl-[2-(methylimino-methyl)-phenoxy-O,N]-rhodium*[5] 64%; F: 135° (Zers.)

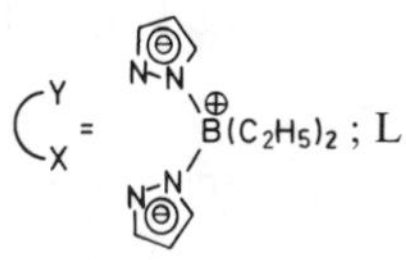

; L = CN—⟨O⟩—CH₃ ; *(Bis-[1,2-diazolo]-diethyl-borat)-bis-[4-methyl-phenylisonitril]-jodo-methyl-rhodium*[6]; 75%; F: 138° (Zers.)

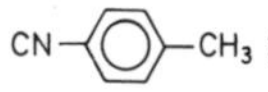

---

[1] J. ALTMAN u. G. WILKINSON, Soc. **1964**, 5654.
[2] J. SCHWARTZ, D. W. HART u. J. L. HOLDEN, Am. Soc. **94**, 9269 (1972).
[3] D. W. HART u. J. SCHWARTZ, J. Organometal. Chem. **87**, C 11 (1975).
[4] D. M. BARLEX, M. J. HACKER u. R. D. W. KEMMITT, J. Organometal. Chem. **43**, 425 (1972).
[5] J. T. MAGUE u. M. O. NUTT, J. Organometal. Chem. **166**, 63 (1979).
[6] H. C. CLARK u. S. GOEL, J. Organometal. Chem. **165**, 383 (1979).

Im Gegensatz zu den vorab beschriebenen Reaktionen mit Jodmethan entsteht bei der Anlagerung von Heptafluor-1-jod-propan an Bis-[diphenyl-methyl-phosphan]-(2,4-pentandionato)-rhodium das *cis*-Addukt[1]:

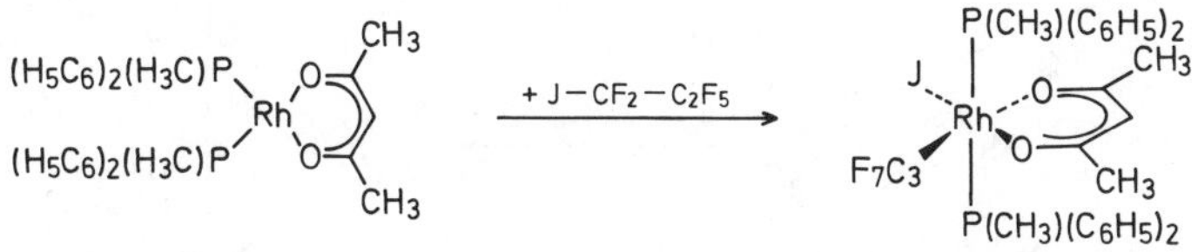

Bis-[diphenyl-methyl-phosphan]-(heptafluor-propyl)-jodo-(2,4-pentandionato)-rhodium[1]: Man tropft unter Rühren eine Lösung von 0,18 g (0,6 mmol) Heptafluor-1-jod-propan in 15 *ml* Benzol zu einer Lösung von 0,24 g (0,4 mmol) Bis-[diphenyl-methyl-phosphan]-(2,4-pentandionato)-rhodium in 30 *ml* Benzol. Nach 24 Stdn. wird die Mischung i. Vak. auf 3 *ml* eingeengt. Nach Zusatz von Hexan fällt ein gelber fester Niederschlag aus, der aus Dichlormethan und Diethylether dunkelgelb kristallisiert; Ausbeute: 0,21 g (60%); F: 181–182°.

Der analoge Bis-[ethen]-Komplex verliert bei der Umsetzung mit Heptafluor-1-jod-propan beide Ethen-Liganden[2]. Es entsteht ein dimerer Komplex {Bis-*[heptafluor-pro-pyl)-jodo-2,4-pentandionato-rhodium*]; 40%; F: 275–278°; Zers.}, der durch Behandeln mit Triphenylphosphan *(Heptafluor-propyl)-jodo-(2,4-pentandionato)-triphenylphos-phan-rhodium* (70%; F: 175–180°; Zers.) liefert[3]:

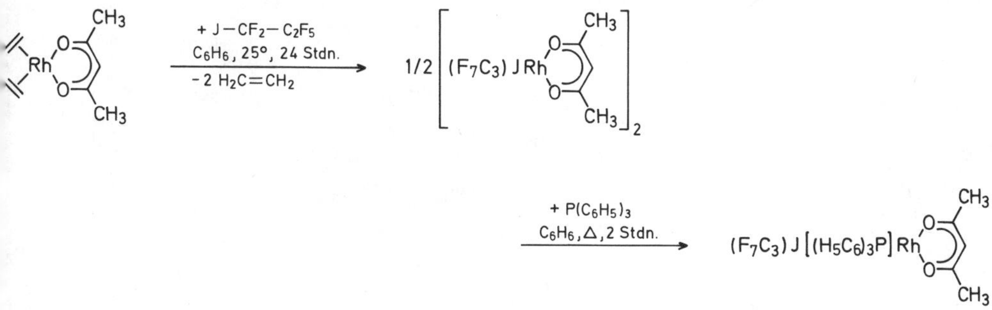

α5) aus Rhodium(I)-Verbindungen mit einem vierzähnigen Mono-Anion-Liganden

Halogenalkane und Alkylsulfonate reagieren in einer oxidativen *trans*-Addition[4,5]. Die Ausbeuten sind i. a. höher als 65%. Die Reaktionsgeschwindigkeit gehorcht einem Gesetz 2. Ordnung:

$$-d[Rh(I)]/dt = k[Rh(I)][RX]$$

Die Reaktion mit 4-Brom-butan verläuft über einen Butyl-rhodium(III)-Kation-Komplex[6]. Für die Reaktionsgeschwindigkeit gilt die folgende Reihenfolge:

$$CH_3 > C_2H_5 > CH(CH_3)_2 > C_6H_{11} \; ; \; J > OTs \sim Br > Cl$$

[1] A. J. MUKHEDKAR, V. A. MUKHEDKAR, M. GREEN u. F. G. A. STONE, Soc. [A] **1970**, 3166.
[2] A. J. MUKHEDKAR, V. A. MUKHEDKAR, M. GREEN u. F. G. A. STONE, Soc. [A] **1970**, 3158.
[3] Durch Behandeln mit Pyridin entsteht ein Komplex mit γ–CH-Pentandionato-Rest (s. S. 324).
[4] J. P. COLLMAN u. M. R. MACLAURY, Am. Soc. **96**, 3019 (1974).
[5] J. P. COLLMAN, D. W. MURPHY u. G. DOLCETTI, Am. Soc. **95**, 2687 (1973).
[6] Bei der Umsetzung in Gegenwart von Lithiumchlorid wird in *trans*-Stellung zum Butyl-Rest Chlor angelagert.
  Dagegen reagiert das Alkyl-bromo-rhodium(III)-Addukt nicht mit Lithiumchlorid.

1-Brom-adamantan reagiert bei 80°/4 Tagen nicht. Dies spricht dafür, daß das Rhodium das Kohlenstoff-Atom in einer S_N2-Reaktion angreift, die bei Adamantan nicht möglich ist[1-3].

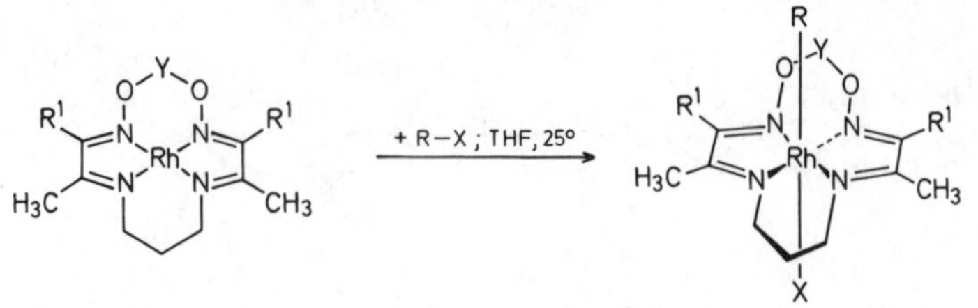

Y = H; R^1 = CH_3; R–X = CH_3J, C_2H_5J, $C_6H_{11}Br$, CH_2Cl_2, CCl_4 usw.
Y = BF_2; R^1 = CH_3, C_2H_5; R–X = CH_3J, C_2H_5J, C_4H_9J, C_4H_9Br, $(H_3C)_2CH$–Br, H_3C–OTs, $C_5H_{11}Cl$ usw.

$1,\omega$-Dihalogen-alkane weisen bei der oxidativen Addition des zweiten Halogen-alkyl-Restes eine beträchtliche Beschleunigung durch den zuerst angelagerten Rhodium-Rest auf[2]. So entstehen bei den $1,\omega$-Dibrom-alkanen mit C_2- bis C_6-Ketten ausschließlich die $1,\omega$-Dirhodium-alkan-Komplexe III. Die Ausbeuten liegen oberhalb 65%. Dagegen findet man bei 1,10-Dibrom-decan die Dirhodium-Verbindung II und den (10-Brom-decyl)-Komplex I in etwa gleichem Anteil.

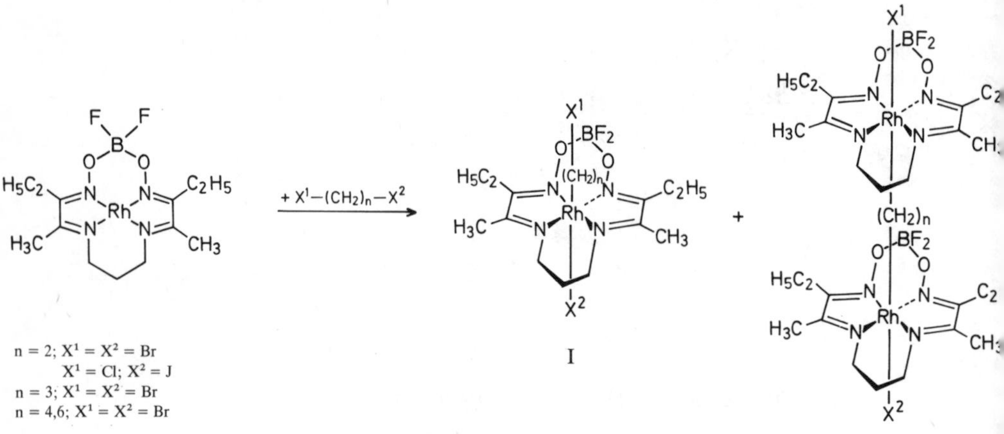

n = 2; X^1 = X^2 = Br
       X^1 = Cl; X^2 = J
n = 3; X^1 = X^2 = Br
n = 4,6; X^1 = X^2 = Br

α_6) *aus fünffach koordinierten Rhodium-Komplexen*

Die fünffach koordinierten Cyclopentadienyl-rhodium-Komplexe können mit Halo-genalkanen je nach Eigenschaften der beiden neutralen Liganden und des Alkylierungs-reagenzes wie folgt reagieren:

[1] J.P. Collman, D.W. Murphy u. G. Dolcetti, Am. Soc. **95**, 2687 (1973).
[2] J.P. Collman u. M.R. Maclaury, Am. Soc. **96**, 3019 (1974).
[3] J.P. Collman, P.A. Christian, S. Current, P. Denisevich, T.R. Halbert, E.R. Schmittou u. K.O. Hodgson, Inorg. Chem. **15**, 223 (1976).

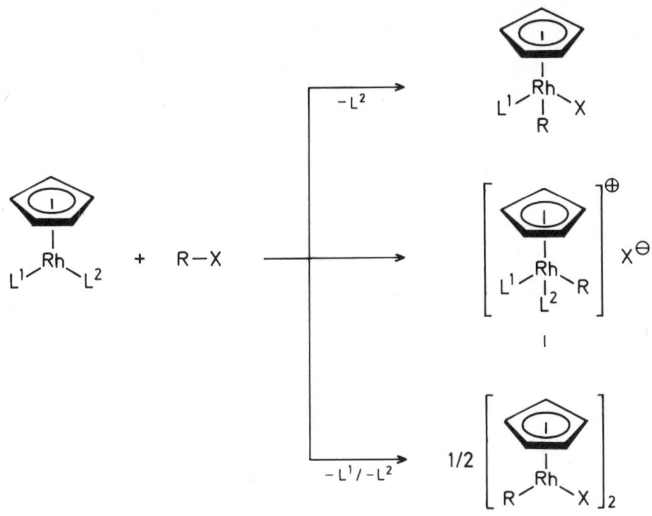

Enthält der Rhodium-Komplex Carbonyl-Liganden, kann durch Kohlenmonoxid-Insertion ein Acyl-rhodium(III)-Komplex gebildet werden (s. S. 417).

Dicarbonyl-cyclopentadienyl-rhodium spaltet einen Carbonyl-Liganden vor allem dann relativ leicht ab, wenn der Alkyl-Rest stark Elektronen-anziehende Substituenten enthält.

Durch Reaktion des Methylisocyanid-Rhodium-Komplexes mit Jodmethan in Pentan kann (η^5-*Cyclopentadienyl*)-*methyl-methylisocyanid-trimethylphosphan-rhodium-jodid* isoliert werden, das sich in Aceton in den ungeladenen Acetimidoyl-Komplex umlagert[1].

Ähnlich verhält sich Trifluorphosphan als Ligand. Ethen ist gleichfalls ein leicht abspaltbarer Ligand, der bei einfachen Halogenalkanen vorteilhaft ist, da er zu keiner Insertionsreaktion fähig ist. Anstelle von Cyclopentadienyl als Ligand können Pentamethylcyclopentadienyl und Indenyl als η^5-Liganden benutzt werden.

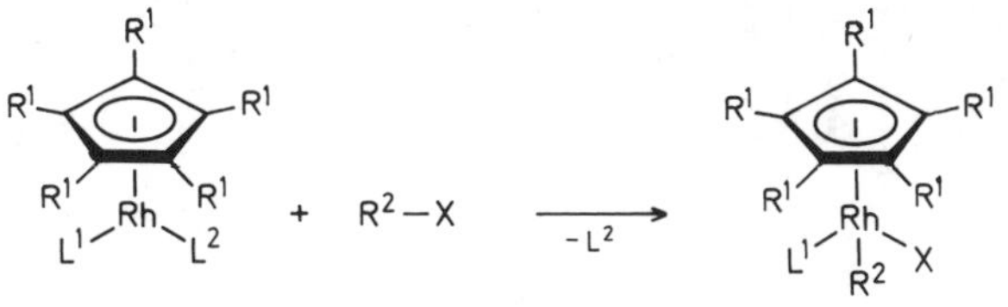

Benzyl-bromo-(η^5-cyclopentadienyl)-triphenylphosphan-rhodium[2]: Man gibt 1,0 *ml* (1,44 g = 8,4 mmol) Benzylbromid zu einer Lösung von 0,46 g (1,0 mmol) (η^5-Cyclopentadienyl)-ethen-triphenylphosphan-rhodium in 5 *ml* Dichlormethan. Nach 5 Stdn. Rühren wird die Mischung an Florisil mit Dichlormethan chromatographiert. Die erste dunkelrote Bande wird gesammelt, die Lösung auf 5 *ml* eingeengt und mit Hexan versetzt. Zuerst kristallisiert eine kleine Menge (η^5-Cyclopentadienyl)-dibromo-triphenylphosphan-rhodium aus. Nach Zugabe von einer größeren Menge Hexan fällt der rote Benzyl-Komplex aus; Ausbeute: 0,24 g (40%); F: 145° (Zers.).

Bei der Umsetzung von Cyclopentadienyl-ethen-triphenylphosphan-rhodium mit Jodmethan kann die ionogene Verbindung I nachgewiesen werden, die rasch unter Ethen-Verlust in die ungeladene Verbindung übergeht. Mit Triphenylarsan als Ligand ist die ionogene Verbindung stabiler und kann isoliert werden [(*η^5-Cyclopentadienyl)-(η^2-ethen)-methyl-triphenylarsan-rhodium*]-*jodid*; F: 60°; Zers.][2].

---

[1] H. WERNER, B. HEISER u. A. KÜHN, Ang. Ch. **93**, 305 (1981).
[2] A. J. OLIVER u. W. A. G. GRAHAM, Inorg. Chem. **10**, 1165 (1971).

Tab. 3: Alkyl-cyclopentadienyl-halogeno-rhodium-Komplexe durch Addition von Halogenalkanen an Cyclopentadienyl-rhodium(I)-Komplexen

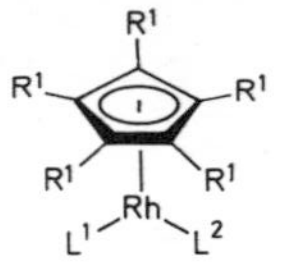

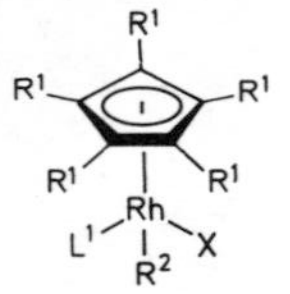

R^1	L^1	L^2	R^2-X		Ausbeute [% d. Th.]	F [°]	Literatur
H	CO	CO	F_3C-J	Carbonyl-(η⁵-cyclopentadienyl)-jodo-trifluor-methyl-rhodium	60	168–169	[1]
			F_5C_2-J	Carbonyl-(η⁵-cyclopentadienyl)-jodo-(penta-fluor-ethyl)-rhodium	80–85	145–147	[1,2]
	$H_2C=CH_2$	$H_2C=CH_2$	F_7C_3-J	(η⁵-Cyclopentadienyl)-ethen-(heptafluor-propyl)-jodo-rhodium	60		[3]
	$P(CH_3)_3$	$H_2C=CH_2$	$J-CH_2-J$	(η⁵-Cyclopentadienyl)-jodmethyl-jodo-trimethylphosphan-rhodium	46	97 (Zers.)	[4]
	$P(C_6H_5)_3$	$H_2C=CH_2$	$Br-CF_2-CF_2-Br$	Bromo-(2-brom-tetrafluor-ethyl)-(η⁵-cyclo-pentadienyl)-triphenylphosphan-rhodium	52	200 (Zers.)	[5]
	$P(CH_3)_2(C_6H_5)$	CO	F_7C_3-J	(η⁵-Cyclopentadienyl)-(dimethyl-phenyl-phosphan)-(heptafluor-propyl)-jodo-rhodium	59	123–125	[6]
	$As(C_6H_5)_3$	$H_2C=CH_2$	H_3C-J	(η⁵-Cyclopentadienyl)-jodo-methyl-triphenylarsan-rhodium	25	190 (Zers.)	[5]
CH_3	PF_3	PF_3	F_5C_2-J	Jodo-(pentafluor-ethyl)-(η⁵-pentamethylcyclo-pentadienyl))-trifluorphosphan-rhodium	76	230–231	[7]
			$F_{15}C_7-J$	Jodo-(pentadecafluor-heptyl)- · . . .	62	86–88	[7]
	CO	CO	$J-CH_2-J$	Carbonyl-jodmethyl-jodo-(η⁵-pentamethyl-cyclopentadienyl)-rhodium	–	–	[4]
			Br_2CH-Br	Bromo-carbonyl-dibrommethyl-(η⁵-penta-methylcyclopentadienyl)-rhodium	74	105 (Zers.)	[4]
	$P(CH_3)_3$	$H_2C=CH_2$	H_3C-J	Jodo-methyl-(η⁵-pentamethylcyclo-pentadienyl)-trimethylphosphan-rhodium[a,b]	81	105	[8]

[a] In Benzol: (η²-Ethen)-methyl-(η⁵-pentamethylcyclopentadienyl)-trimethylphosphan-rhodium-jodid erhält man in Diethylether.

[b] Analog entsteht der Tetramethyldiphosphan-Komplex zu 72%.

[1] J. A. McCleverty u. G. Wilkinson, Soc. 1964, 4200.
[2] M. R. Churchill, Inorg. Chem. 4, 1734 (1965).
[3] A. J. Mukhedkar, V. A. Mukhedkar, M. Green u. F. G. A. Stone, Soc. [A] 1970, 3158.
[4] H. Werner u. W. Paul, J. Organometal. Chem. 236, C 71 (1982); H. Wer-
[5] A. J. Oliver u. W. A. G. Graham, Inorg. Chem. 10, 1165 (1971).
[6] A. J. Oliver u. W. A. G. Graham, Inorg. Chem. 9, 243 (1970).
[7] R. B. King u. A. Efraty, J. Organometal. Chem. 36, 371 (1972).
[8] B. Klingert u. H. Werner, B. 116, 1450 (1983).

Wenn alle bereits im Rhodium(I)-Komplex vorhandenen Liganden bei der Umsetzung mit Halogenalkanen oder anderen Alkylierungsreagenzien im Komplex verbleiben, wird nur der organische Rest gebunden, und man erhält einen Alkyl-rhodium(III)-Kation-Komplex, der zweckmäßigerweise zu den stabileren und leichter kristallisierbaren Salzen mit großen Anionen (Hexafluorophosphat, Tetrafluoroborat, Tetraphenylborat) umgesetzt wird.

L¹	L²	R	X	Y	Komplex R¹=H	Ausbeute [% d. Th.]	F [°C]	Literatur
CO	P(C₆H₅)₃	CH₂–C₆H₅	Cl	B(C₆H₅)₄	Benzyl-carbonyl-(η⁵-cyclopentadienyl)-triphenylphosphan-rhodium-chlorid	–	–	1
					...-tetraphenylborat	–	120–121 (Zers.)	1,2
P(CH₃)₃	P(CH₃)₃	CH₃	J	–	Bis-[trimethylphosphan]-(η⁵-cyclopentadienyl)-methyl-rhodium-jodid	90	(Zers. p.: >200°)	3
		CH₂J	J	–	...-jodmethyl-rhodium-jodid	~100	–	3
	H₂C=CH₂	CH₃	J	–	(η⁵-Cyclopentadienyl)-η²-ethen-methyl-trimethylphosphan-rhodium-jodidᵃ	90	–	4
	H₂C=CH–C₆H₅	CH₃	–	PF₆	(η⁵-Cyclopentadienyl)-methyl-(η²-phenyl-ethen)-trimethylphosphan-hexafluoro-phosphat	72	–	4
P(C₆H₅)₃	P(C₆H₅)₃	CH₃	J	–	Bis-[triphenylphosphan]-(η⁵-cyclopentadienyl)-methyl-rhodium-jodid	80	(Zers. p.: 108–115°)	5
P(OCH₃)₃	P(OCH₃)₃	(H₃C)₃O⊕	–	BF₄⊖	Bis-[trimethoxyphosphan]-(η⁵-cyclopentadienyl)-methyl-rhodium-tetrafluroborat	85	–	6,7
(H₃C)₂P–CH₂–CH₂–P(CH₃)₂		CH₂J	–	PF₆	(1,2-Bis-[dimethylphosphano]-ethan)-(η⁵-cyclopentadienyl)-jodmethyl-rhodium-hexafluoro-phosphat	75	–	8
P(CH₃)₃	P(CH₃)₃	CH₃	J	–	Bis-[trimethylphosphan]-methyl-(η⁵-pentamethyl-cyclopentadienyl)-rhodium-jodid	73	214 (Zers.)	9

ᵃ Beim Erhitzen in THF bei 50° wird unter Bildung eines neutralen Komplexes Ethen abgespalten.

[1] F. FARAONE, C. FERRARA u. E. ROTONDO, J. Organometal. Chem. 33, 221 (1971).

[2] F. FARAONE, F. CUSMANO, P. PIRAINO u. R. PIETROPAOLO, J. Organometal. Chem. 44, 391 (1972).

[3] H. WERNER, R. FESER u. W. BUCHNER, B. 112, 834 (1979).
R. FESER u. H. WERNER, Ang. Chem. 92, 960 (1980).
H. WERNER, R. FESER, W. PAUL u. L. HOFMANN, J. Organometal. Chem. 219, C29 (1981).

[4] H. WERNER u. R. FESER, J. Organometal. Chem. 232, 351 (1982).
Y. WAKATSUKI u. H. YAMAZAKI, J. Organometal. Chem. 64, 393 (1974). Mit 2-Jod-propan wird dagegen der Cyclopentadienyl-Rest alkyliert.

[5] H. NEUKOMM u. H. WERNER, J. Organometal. Chem. 108, C 26 (1976).
H. WERNER, H. NEUKOMM u. W. KLÄUI, Helv. 60, 326 (1977).

[8] H. WERNER, L. HOFMANN u. W. PAUL, J. Organometal. Chem. 236, C 65 (1982).

[9] B. KLINGERT u. H. WERNER, B. 116, 1450 (1983).

Bei der Umsetzung des zweizähnigen Alkenyl-phosphan-Komplexes I mit Brom- oder Jodmethan entstehen neben cyclischen neutralen (s. S. 362) als Hauptprodukte ionische Komplexe[1].

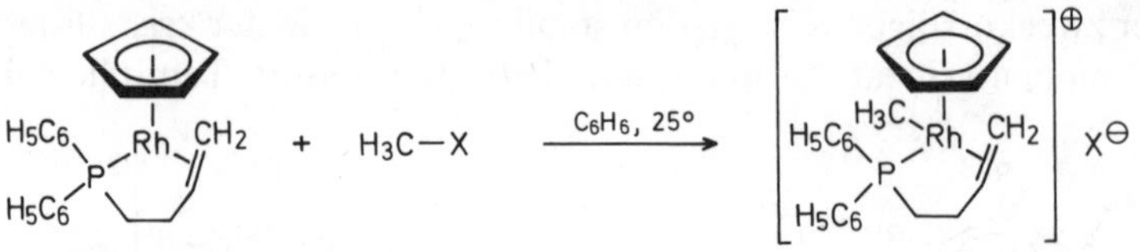

I; X = Cl, Br, J

Die relative Reaktionsgeschwindigkeit nimmt folgendermaßen ab:

$$CH_3J \ > \ CH_3Br \ > \ CH_3Cl$$

[(η²-3-Butenyl-diphenyl-phosphan)-(η⁵-cyclopentadienyl)-methyl-rhodium]-jodid[1]: 0,30 ml (0,685 g = 4,8 mmol) Jodmethan gibt man zu einer Lösung von 0,125 g (0,31 mmol) (η²-3-Butenyl-diphenyl-phosphan)- (η⁵-cyclopentadienyl)-rhodium in 15 ml Benzol. Die anfänglich gelbe Lösung wird trüb, und es fällt nach 4 Min. ein gelbes mikrokristallines Pulver aus. Nach 8 Stdn. werden die gelben Kristalle abfiltriert, 3mal mit wenig Diethylether gewaschen und i. Vak. 12 Stdn. getrocknet; Ausbeute: 0,157 g (92%); F: 102–104°.

Bis-[trimethylphosphit]-(η⁵cyclopentadienyl)-rhodium bildet mit Jodmethan unter milden Reaktionsbedingungen erwartungsgemäß das *Bis-[trimethylphosphit]-(η⁵-cyclo-pentadienyl)-methyl-rhodium-jodid*, das beim Erhitzen in Aceton auf 50° das Jodmethan wieder abspaltet[2⁻⁴]. Das unter Umlagerung entstandene *(η⁵-Cyclopentadienyl)-(dimethoxyphosphoryl)-methyl-(trimethylphosphit)-rhodium* wird mit Trimethyloxonium-tetra-fluoroborat zum *Bis-[trimethylphosphit]-(η⁵-cyclopentadienyl)-methyl-rhodium-tetra-fluorborat* umgewandelt:

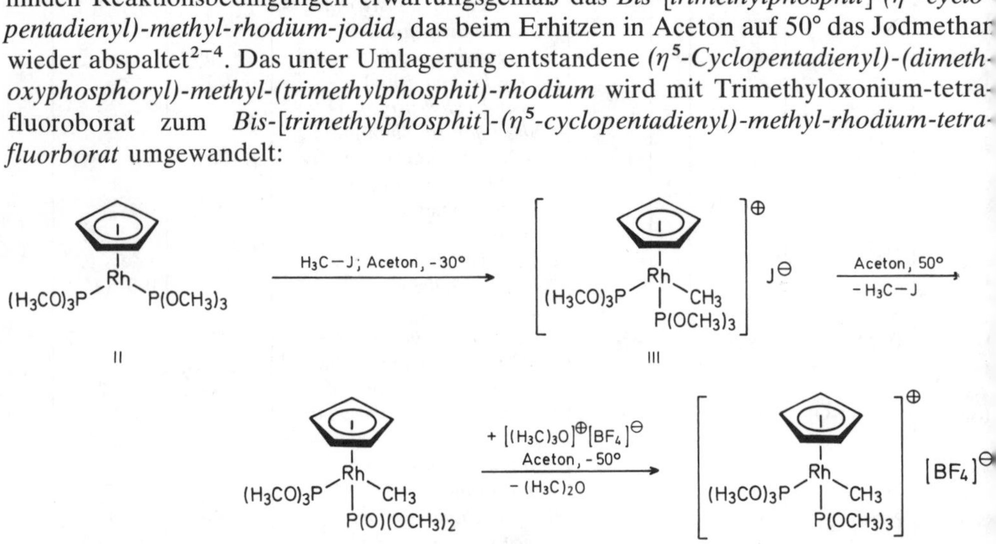

In Gegenwart von einer katalytischen Menge von Natriumjodid lagert sich der Komplex II zunächst zum Komplex IV um, der beim weiteren Erhitzen mit einer äquimolaren Menge Natriumjodid unter Abspaltung einer Methyl-Gruppe *Natrium-bis-[dimethoxy-phosphoryl]-(η⁵-cyclopentadienyl)-methyl-rhodat* liefert[5]. Durch Behandlung des Natrium-Salzes mit Chlorwasserstoff in Benzol entsteht die freie Säure zu 37% (F: 124°):

[1] J.L.S. CURTIS u. G.E. HARTWELL, J. Organometal. Chem. **80**, 119 (1974).
[2] H. NEUKOMM u. H. WERNER, J. Organometal. Chem. **108**, C 26 (1976).
[3] H. WERNER, H. NEUKOMM u. W. KLÄUI, Helv. **60**, 326 (1977).
[4] H. WERNER u. R. FESER, Z. anorg. Ch, **458**, 301 (1979).
[5] H. WERNER, Pure Appl. Chem. **54**, 177 (1982).

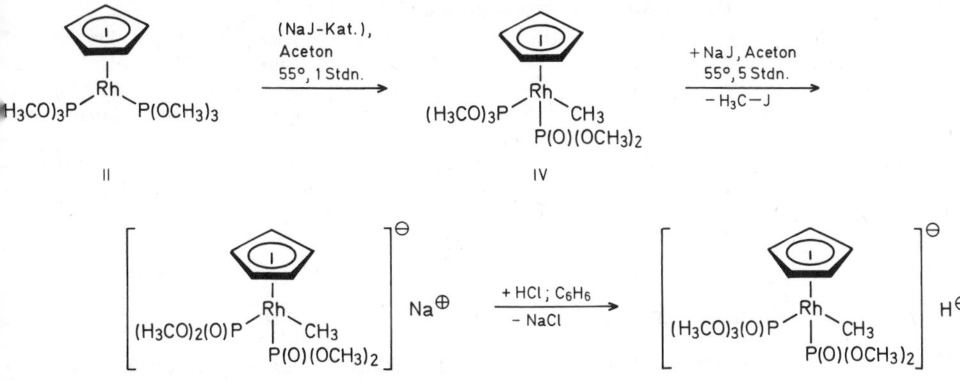

(η^5-Cyclopentadienyl)-(dimethoxyphosphoryl)-methyl-(trimethylphosphit)-rhodium (IV)[1]: 200 mg (0,35 mmol) Bis-[trimethylphosphit]-(η^5-cyclopentadienyl)-rhodium und wenig Natriumjodid werden in 5 ml Aceton gelöst und auf 50° erhitzt. Nach 2 Stdn. läßt man die Lösung abkühlen und entfernt das Lösungsmittel und Jodmethan i. Vak. Der feste Rückstand wird 10 Stdn. i. Hochvak. getrocknet. Man erhält ein hellgelbes, feinkristallines Pulver, das aus Aceton und Hexan umkristallisiert wird; Ausbeute: 146 mg (98%).

Auch Bis-[trimethylphosphan]-(η^5-indenyl)-rhodium reagiert leicht mit Jodmethan unter Bildung eines Kation-Komplexes, der unter Normalbedingungen nicht mit Kohlenmonoxid reagiert:

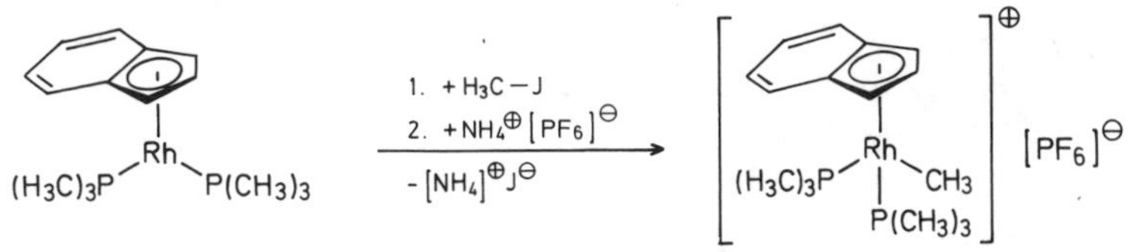

{Bis-[trimethylphosphan]-(η^5-indenyl)-methyl-rhodium}-jodid[2]:

Bis-[trimethylphosphan]-(η^5-indenyl)-rhodium: 0,7 ml Inden werden mit 6 ml einer 2N Lösung von Butyl-lithium und 50 ml Ether 30 Min. bei 20° gerührt. Die Lösung wird mit 1,72 g (2,96 mmol) Bis-[bis-trimethylphosphan)-chloro-rhodium] versetzt und 2 Stdn. gerührt. Nach Filtration und Abkühlen des Filtrats auf −78° bilden sich rote Kristalle. Ausbeute: 1,51 g (69%); F: 116°.

{Bis-[trimethylphosphan]-(η^5-indenyl)-methyl-rhodium}-jodid: Zu einer Lösung von 0,16 g (0,44 mmol) Bis-[trimethylphosphan]-(η^5-indenyl)-rhodium in 10 ml Ether tropft man unter Rühren ~0,5 ml Jodmethan. Der sofort entstehende Niederschlag wird filtriert und aus Nitromethan/Ether umkristallisiert; Ausbeute: 0,19 g (81%).

Bis-[η^2-ethen]-(η^5-cyclopentadienyl)-rhodium verliert bei der oxidativen Addition von Perfluormethyl-jodid bereits bei 20°, von Perfluorpropyl-jodid bei 50° seine Ethen-Liganden[3]. Es entstehen zweikernige Komplexe, die durch Behandeln mit Pyridin in die Monomer-Komplexe umgewandelt werden; z.B.:

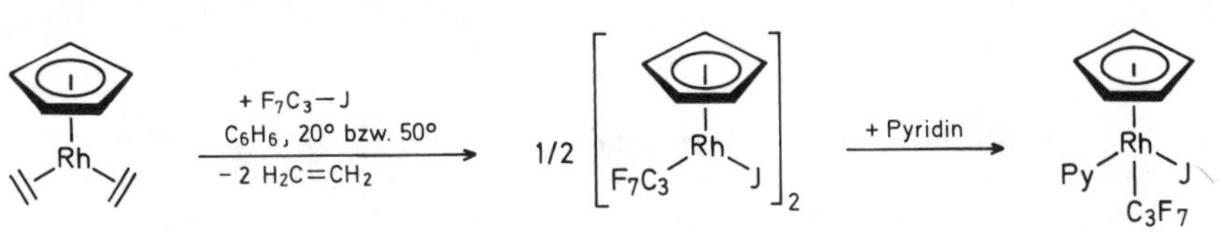

Bis-[cyclopentadienyl-(hepta-fluor-propyl)-jodo-rhodium]; 80%; F: 279–281°

Cyclopentadienyl-(heptafluor-propyl)-jodo-pyridin-rhodium; 75%; F: 134–136°

---

[1] H. WERNER, H. NEUKOMM u. W. KLÄUI, Helv. **60**, 326 (1977).
[2] H. WERNER u. R. FESER, Z. Naturf. **35 B**, 689 (1980).
[3] A.J. MUKHEDKAR, V.A. MUKHEDKAR, M. GREEN u. F.G.A. STONE, Soc. [A] **1970**, 3158.

(η^5-Cyclopentadienyl)-jodo-pyridin-trifluormethyl-rhodium[1]:

Bis-[η^5-cyclopentadienyl)-jodo-trifluormethyl-rhodium]: Eine Lösung von 336 mg (1,5 mmol) Bis-[η^2-ethen]-(η^5-cyclopentadienyl)-rhodium in 30 *ml* Benzol wird in einer 150 *ml* Carius-Röhre vorgelegt. Bei −196° werden 1,57 g (8 mmol) Trifluor-jod-methan einkondensiert und die Röhre zugeschmolzen. Nach 3 Tagen bei 20° werden die gebildeten Kristalle abgetrennt und nacheinander mit Dichlormethan, Ethanol sowie Diethylether gewaschen; Ausbeute: 435 mg (80%); F: >350° (Zers.).

(η^5-Cyclopentadienyl)-jodo-pyridin-trifluormethyl-rhodium: 182 mg (0,25 mmol) Bis-[η^5-cyclopentadienyl)-jodo-trifluormethyl-rhodium], 79 mg (1 mmol) Pyridin und 20 *ml* Benzol werden 1 Stde. unter Rückfluß erhitzt. Die flüchtigen Anteile werden i. Vak. entfernt und der Rückstand mit Diethylether gewaschen; Ausbeute: 190 mg (85%); F: 210–211°.

α_7) aus zweikernigen Rhodium(I)-Verbindungen

Rhodium-Verbindungen mit Halogen-Brücken werden bei der oxidativen Addition von Halogen-alkanen nicht gespalten[2-4]. Aufgrund der größeren Anzahl von möglichen Stereoisomeren muß damit gerechnet werden, daß manche als einheitlich beschriebene Verbindungen aus einem Gemisch von Stereoisomeren bestehen. Daher können manche Verbindungen nicht fest oder kristallin erhalten werden. Zudem können die Carbonyl-Komplexe in Lösung unter Kohlenmonoxid-Insertion eine Acyl-Verbindung bilden, mit denen sie im Gleichgewicht stehen. Die

Alkyl-carbonyl → Acyl-Umlagerung

wird durch folgende Reaktion wiedergegeben:

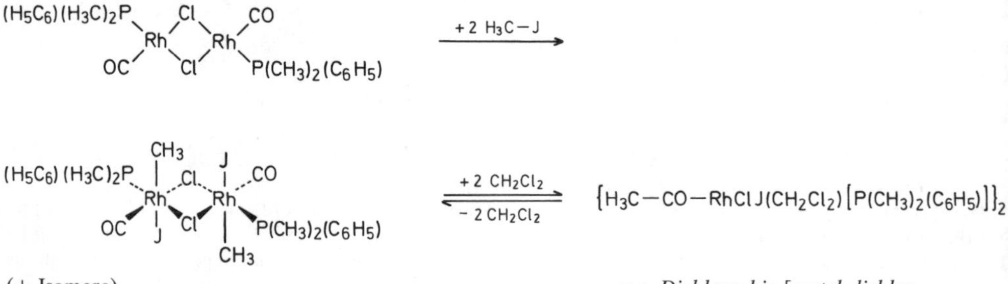

(+ Isomere)
μ,μ-Dichloro-bis-[carbonyl-(dimethyl-phenyl-phosphan)-jodo-methyl-rhodium]

μ,μ-Dichloro-bis-[acetyl-dichlormethan-(dimethyl-phenyl-phosphan)-jodo-rhodium]

Bei der Anlagerung von Brom- und Chlormethan scheinen eher einheitliche Produkte zu entstehen, die zumindest im festen Zustand frei von Acyl-Komplexen sind.

Für die Reaktionsfähigkeit der Komplexe und Halogenmethan gelten die folgenden Reihen:

$$L = P(CH_3)_3 \sim P(CH_3)_2(C_6H_5) > P(OCH_3)_3$$

$$R{-}X = CH_3J > CH_3Br > CH_3Cl$$

μ,μ-Dichloro-bis-[carbonyl-chloro-methyl-trimethylphosphan-rhodium][3]: 0,185 g (0,38 mmol) *μ,μ*-Dichloro-bis-[carbonyl-trimethylphosphan-rhodium] werden in 7 *ml* Benzol gelöst, mit 3 *ml* Chlormethan versetzt und in einer abgeschmolzenen Glasröhre bei 20° 2 Wochen stehen gelassen. Es fallen schwach gelbe Mikrokristalle aus, die darüberstehende Lösung ist praktisch farblos. Die Kristalle werden mit Benzol gewaschen und i. Vak. getrocknet; Ausbeute: 0,181 g (85%); IR(CsBr): ν_{CO} 2069 cm^{-1}.

---

[1] A.J. MUKHEDKAR, V.A. MUKHEDKAR, M. GREEN u. F.G.A. STONE, Soc. [A] **1970**, 3158.
[2] D.F. STEELE u. T.A. STEPHENSON, Soc. [Dalton] **1972**, 2161.
[3] A. MAYANZA, P. KALCK u. R. POILBLANC, C.г. **282** C, 963 (1976).
[4] M.J. DOYLE, A. MAYANZA, J.-J. BONNET, P. KALCK u. R. POILBLANC, J.Organometal.Chem.**146**, 293 (1978)

α_8) *aus speziellen Rhodium(I)-Komplexen*

Porphyrinato- und Azoporphyrinato-Komplexe I werden mit Alkylierungsreagenzien monoalkyliert[1]. Unter Verlust einer Dicarbonylrhodium-Gruppe und der beiden Carbonyl-Liganden werden *Methyl-porphyrinato-* bzw. *Azoporphyrinato-methyl-rhodium* erhalten. Es muß unter sorgfältigem Ausschluß von Säure gearbeitet werden, da sonst der Ausgangskomplex zerstört wird.

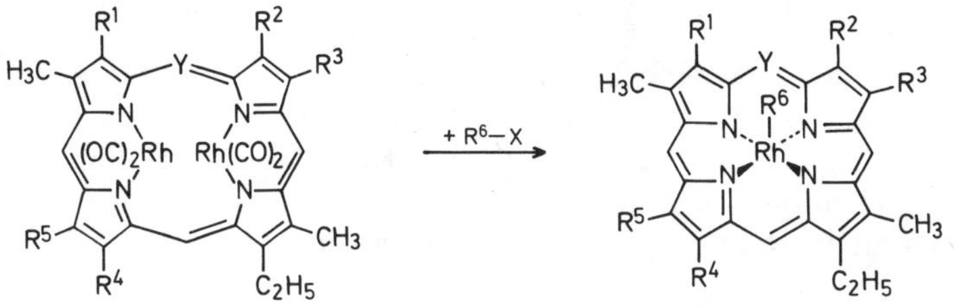

Y = CH; R¹ = R³ = R⁵ = C₂H₅; R² = R⁴ = R⁶ = CH₃; X = J; 25%
R² = R⁴ = CH₃; R⁶ = CD₃; X = J
R⁶ = C₂H₅; X = J; 12%

Neben dem Methyl-Komplex II entstehen unter Insertion von Kohlenmonoxid auch Acetyl-Komplexe (s. S. 410).

Ethoxycarbonylmethyl-etioporphyrinato-rhodium[2]: 85 mg (0,107 mmol) Etioporphyrinato-bis-[dicarbonyl-rhodium], 4 *ml* Bromessigsäure-ethylester und wasserfreies Kaliumcarbonat werden 30 Min. auf 110° erhitzt. Dabei ändert sich die Farbe von braun nach rot. Der überschüssige Ester wird i. Vak. entfernt, der Rückstand in Chloroform gelöst, die Lösung mit Wasser gewaschen, mit Natriumsulfat getrocknet und i. Vak. bis zur Trockene eingeengt. Der Rückstand wird durch präparative Dünnschichtchromatographie aufgearbeitet [Kieselgel (Merck 60 PF)]. Das Rohprodukt wird über eine Säule chromatographiert (rote, Plättchen-förmige Kristalle); Ausbeute: 15 mg (21%); F: >300°. IR (KBr): $\nu_{C=O}$ 1710 cm⁻¹; ¹H–NMR(CDCl₃): RhCH₂ τ 16.01(d), J(RhH) 5 Hz.

Bis-[chloro-dicarbonyl-rhodium] bildet mit N-Methyl-octaethyl-porphyrin den dimeren Rhodium-Komplex(III), der beim Erhitzen oder beim Chromatographieren an Kieselgel in *Methyl-(octaethyl-porphyrinato)-rhodium* umgewandelt wird[3⁻⁵] (intramolekulare oxidative Addition):

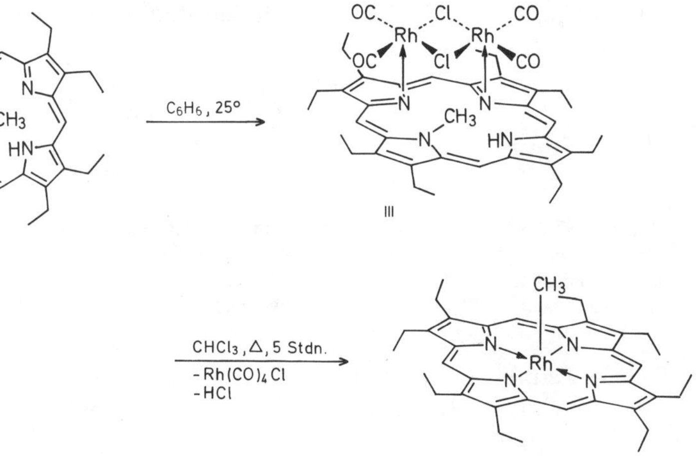

[1] A.M. ABEYSEKERA, R. GRIGG, J. TROCHA-GRIMSHAW u. V. VISWANATHA, Soc. [Perkin I] **1977**, 36.
[2] A.M ABEYSEKERA, R. GRIGG, J. TROCHA-GRIMSHAW u. V. VISWANATHA, Soc. [Perkin I] **1977**, 1395.
[3] H. OGOSHI, T. OMURA u. Z. YOSHIDA, Am. Soc. **95**, 1666 (1973).
[4] Z. YOSHIDA, H. OGOSHI, T. OMURA, E. WATANABE u. T. KUROSAKI, Tetrahedron Letters **1972**, 1077.
[5] H. OGOSHI, J. SETSUNE, T. OMURA u. Z. YOSHIDA, Am. Soc. **97**, 6461 (1975).

N-Methyl-etioporphyrin reagiert in Chloroform bei 20° mit Bis-[dicarbonyl-chloro-rhodium] analog (83% *Methyl-etioporphyrinato-rhodium*)[1]. Die Reaktion wird in Gegenwart von Natriumacetat durchgeführt.

Der (3-Chlor-propyl)-dicyclohexyl-phosphan-Ligand reagiert intramolekular in einer oxidativen Cycloaddition, wenn der Rhodium(I)-Komplex durch Zusatz von 1-(Dicyclohexylphosphano)-2-(phenyl-phosphano)-ethan aktiviert wird[2].

α9) aus positiv geladenen Rhodium(I)-Verbindungen

Die positive Ladung von Rhodium-Kation-Komplexen steht der oxidativen Addition nicht entgegen, wenn der Komplex geeignete Liganden mit σ-Donor-Eigenschaften besitzt. So reagieren verschiedene Isonitril-Kation-Komplexe mit Halogenalkanen und mit Trimethyloxonium-tetrafluorborat.

Auch hier nimmt die Reaktionsfähigkeit der Halogenalkane mit steigender Kettenlänge ab:

$$J-CH_2C_6H_5 > CH_3J > JC_2H_5 > JC_3H_5 > JC_4H_9$$

Als Gegenion verwendet man wegen ihrer höheren Stabilität Hexafluorophosphat, Tetrafluoroborat oder Perchlorat.

$$[Rh(C≡N-R^1)_4]^⊕ Y^⊖ + R^2-X \xrightarrow{CH_2Cl_2,\ 25°} [R^2-RhX(C≡N-R^1)_4]^⊕ Y^⊖$$

Benzyljodid ist reaktionsfähiger als das Chlorid, auch D-3-*endo*-Jod-2-oxo-1,7,7-trimethyl-bicyclo[2.2.1]heptan (3-Jod-campher) (die Brom-Verbindung reagiert nicht) kann eingesetzt werden.

Bei der oxidativen Addition von optisch aktiven 2-Brom-carbonsäure-estern entstehen optisch inaktive Addukte[3]:

$$[Rh(C≡N-R^1)_4]^⊕[(H_5C_6)_4B]^⊖ \xrightarrow[]{+ R^2-\overset{Br}{\underset{}{CH}}-COOC_2H_5} [H_5C_2OOC-\overset{R^2}{\underset{}{CH}}-RhBr(C≡N-R^1)_4]^⊕[(H_5C_6)_4B]^⊖$$

...-rhodium-tetraphenylborat

$R^1 = C(CH_3)_3$; $R^2 = CH_3$; *Bromo-(1-ethoxycarbonyl-ethyl)-tetrakis-[tert.-butylisonitril]-*...; 70%; F: 110–111° (Zers.)

$R^1 = 4$-CH_3–C_6H_4; $R^2 = C_6H_5$; *Bromo-(α-ethoxycarbonyl-benzyl)-tetrakis-[4-methyl-phenylisonitril]-*...; 45%; F: 120° (Zers.)

Bei der Umsetzung mit Trimethyloxonium-tetrafluoroborat entsteht ein zweifach positiv geladener Komplex[4].

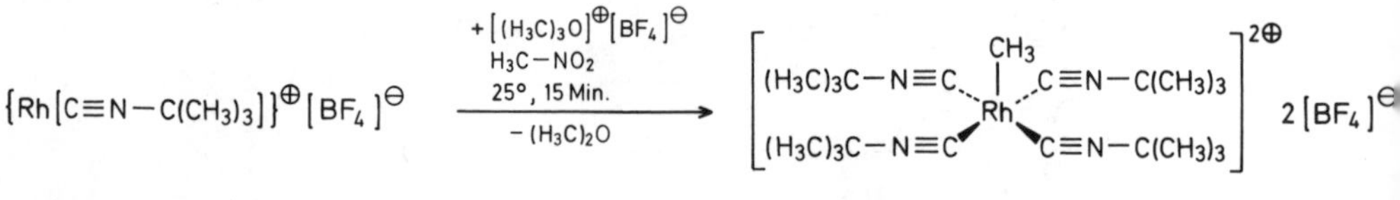

$$\{Rh[C≡N-C(CH_3)_3]\}^⊕[BF_4]^⊖ \xrightarrow[\substack{H_3C-NO_2 \\ 25°,\ 15\ Min. \\ -(H_3C)_2O}]{+[(H_3C)_3O]^⊕[BF_4]^⊖} \left[\begin{matrix} (H_3C)_3C-N≡C & \overset{CH_3}{\underset{}{|}} & C≡N-C(CH_3)_3 \\ & Rh & \\ (H_3C)_3C-N≡C & & C≡N-C(CH_3)_3 \end{matrix} \right]^{2⊕} 2[BF_4]^⊖$$

{Methyl-tetrakis-[tert.-butylisonitril]-rhodium}-bis-[tetrafluoroborat][4]: Unter Rühren gibt man 0,03 g (0,2 mmol) Trimethyloxonium-tetrafluoroborat zu einer Lösung von 0,104 g (0,2 mmol) Tetrakis-[tert.-butylisonitril]-rhodium-tetrafluoroborat in 5 ml Nitromethan. Nach 15 Min. wird das Lösungsmittel i. Vak. entfernt und der Rückstand aus Dichlormethan/Diethylether umkristallisiert; Ausbeute: 0,10 g (81%); F: 123–125° (Zers.) (farblose Kristalle).

Die aus Tetrakis-[alkylisonitril]-rhodium(I)-Kation-Komplexen mit prim. Aminen zugänglichen Carben-Komplexe reagieren ebenfalls mit Halogenalkanen zu Alkyl-rhodium-Komplexen[4,5]:

[1] A.M. ABEYSEKERA, R. GRIGG, J. TROCHA-GRIMSHAW u. V. VISWANATHA, Tetrahedron Letters **1976**, 3189.
[2] R.D. WAID u. D.W. MEEK, Organometallics **2**, 932 (1983).
[3] S. OTSUKA u. K. ATAKA, Bl. chem. Soc. Japan **50**, 1112 (1977).
[4] P.R. BRANSON u. M. GREEN, Soc. [Dalton] **1972**, 1303.
[5] P.R. BRANSON, R.A. CABLE, M. GREEN u. M.K. LLOYD, Chem. Commun. **1974**, 364.

Tab. 4: Alkyl-halogeno-tetrakis-[isonitril]-rhodium-Salze durch Addition von Halogenalkanen an Tetrakis-[isonitril]-rhodium(I)-Komplexen

[Rh(C≡N–R¹)₄]⊕Cl⊖		R²–X		[R²–RhX(C≡N–R¹)₄]⊕ Y⊖	Ausbeute [%]	F [°C]	Literatur
R¹	Y	R²	X				
CH_3	PF_6	CF_3	J	Jodo-tetrakis-[methylisonitril]-trifluor-methyl-rhodium-hexafluorophosphat	56	–	1
C_2H_5	PF_6	CH_3	J	Jodo-methyl-tetrakis-[ethylisonitril]-rhodium-hexafluorophosphat	71	–	1
$C(CH_3)_3$	$BF_4(PF_6)$	CH_3	J	Jodo-methyl-tetrakis-[tert.-butylisonitril]-rhodium-tetrafluoroborat	93	149 (Zers.)	2,3
	BF_4	C_4H_9	J	Butyl-jodo-...	89	129 (Zers.)	3
		$CH_2–C_6H_5$	Cl	Benzyl-chloro-...	85	108–109 (Zers.)	3
			J	Benzyl-jodo-...	70	135–136 (Zers.)	3
C_6H_{11}	PF_6	CH_3	J	Jodo-methyl-tetrakis-[cyclohexylisonitril]-rhodium-hexafluorophosphat	65	–	1
$4\text{-}Cl\text{-}C_6H_4$	Cl	$CH_2–CH=CH_2$	Cl	Allyl-chloro-tetrakis-[4-chlor-phenyl-isonitril]-rhodium-chlorid	41	–	2
$4\text{-}OCH_3\text{-}C_6H_4$	PF_6	CH_3	J	Jodo-methyl-tetrakis-[4-methoxy-phenylisonitril]-rhodium-hexafluorophosphat	52	–	2
$4\text{-}CH_3\text{-}C_6H_4$	$(H_5C_6)_4B$	$CH_2–CH=CH_2$	Br	Allyl-bromo-...	54		2
		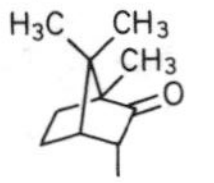 (2-oxo-1,7,7-trimethyl-bicyclo[2.2.1]-hept-endo-3-yl)	J	Jodo-(2-oxo-1,7,7-trimethyl-bicyclo[2.2.1]-hept-endo-3-yl)-tetrakis-[4-methyl-phenyl-isonitril]-rhodium-tetraphenylborat	49	140–143 (Zers.)	4

[1] J. A. McCleverty u. J. Williams, Transition Metal. Chem. 3, 205 (1978).
[2] J. W. Dart, M. K. Lloyd, R. Mason u. J. A. McCleverty, Soc. [Dalton] 1973, 2039.
[3] P. R. Branson u. M. Green, Soc. [Dalton] 1972, 1303.
[4] S. Otsuka u. K. Ataka, Bl. chem. Soc. Japan 50, 1118 (1977).

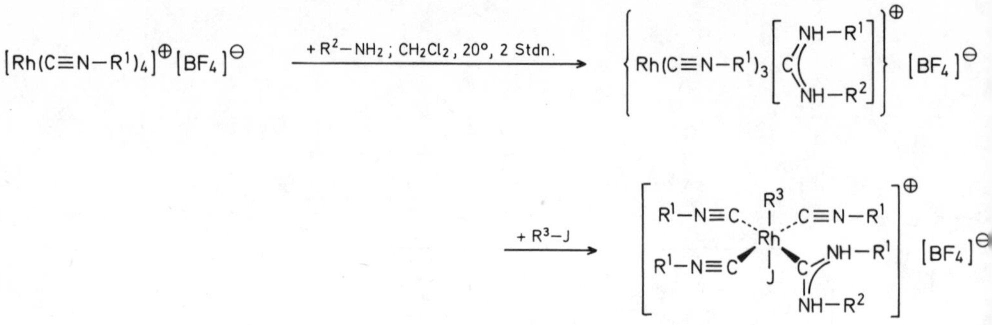

$$[Rh(C{\equiv}N{-}R^1)_4]^{\oplus}[BF_4]^{\ominus} \xrightarrow{\;+\,R^2{-}NH_2\,;\;CH_2Cl_2,\,20°,\,2\,\text{Stdn.}\;} \left\{Rh(C{\equiv}N{-}R^1)_3\left[C{\overset{NH{-}R^1}{\underset{NH{-}R^2}{\big\langle}}}\right]\right\}^{\oplus}[BF_4]^{\ominus}$$

$$\xrightarrow{\;+\,R^3{-}J\;} \left[\begin{array}{c} R^1{-}N{\equiv}C\;\;\;\;\overset{R^3}{\underset{Rh}{\big|}}\;\;\;C{\equiv}N{-}R^1 \\ R^1{-}N{\equiv}C\;\;\;\;\underset{J}{\big|}\;\;\;C\overset{NH{-}R^1}{\underset{\|\;\;NH{-}R^2}{\;\;\;}} \end{array}\right]^{\oplus}[BF_4]^{\ominus}$$

...-rhodium-tetrafluoroborat

z. B.: R^1 = $C(CH_3)_3$; R^2 = $CH(CH_3)_2$; R^3 = CH_3; *(tert.-Butylamino-isopropylamino-carben)-jodo-methyl-tris-[tert.-butylisonitril]-...*; 75%; F: 105° (Zers.)

R^2 = C_3H_7; R^3 = $CH_2{-}C_6H_5$; *Benzyl-(tert.-butylamino-propylamino-carben)-jodo-tris-[tert.-butylisonitril]-...* 71%; F: 40° (Zers.)

Analog reagieren Bis-[isonitril]-bis-[phosphan]-rhodium-Komplexsalze[1]; z. B.:

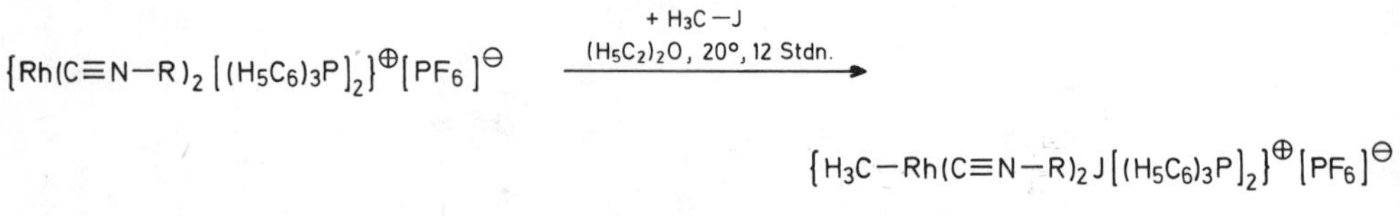

$$\{Rh(C{\equiv}N{-}R)_2[(H_5C_6)_3P]_2\}^{\oplus}[PF_6]^{\ominus} \xrightarrow[\;(H_5C_2)_2O,\,20°,\,12\,\text{Stdn.}\;]{\;+\,H_3C{-}J\;}$$

$$\{H_3C{-}Rh(C{\equiv}N{-}R)_2J[(H_5C_6)_3P]_2\}^{\oplus}[PF_6]^{\ominus}$$

...-bis-[triphenylphosphan]-jodo-methyl-rhodium-hexafluorophospha

R = CH_3; *Bis-[methylisonitril]-...*; 65%

R = C_2H_5; *Bis-[ethylisonitril]-...*; 58%

{(tert.-Butylamino-propylamino-methylen)- jodo-methyl-tris-[tert.-butylisonitril]- rhodium}-tetrafluorobo rat[2]:

{(tert.-Butylamino-propylamino-methylen)-tris-[tert.-butylisonitril]-rhodium}-tetrafluoroborat: Eine Lösung von 0,104 g (0,2 mmol) {Tetrakis-[tert.-butylisonitril]-rhodium}-tetrafluoroborat in 5 *ml* Propylamin wird 3 Stdn. bei 20° gerührt. Hierauf wird der Amin-Überschuß i. Vak. entfernt und der kristalline Rückstand mit Diethylether gewaschen (hell-gelbe Kristalle); Ausbeute: 0,10 g (85%); F 122–123° (Zers.).

{(tert.-Butylamino-propylamino-methylen)- jodo-methyl-tris-[tert.-butylisonitril]- rhodium}-tetrafluoroborat: Eine Mischung von 0,058 g (0,1 mmol) des Carben-Komplexes und 0,5 *m* (8,2 mmol) Jodmethan in 2 *ml* Dichlormethan werden 3 Stdn. bei 20° gerührt. Das schwach gelbe Addukt wir durch Zusatz mit Diethylether ausgefällt und aus Dichlormethan und Diethylether umkristallisiert; Ausbeute 0,05 g (69%); F: 99–100° (Zers.); ^{1}H–NMR(CDCl$_3$): RhCH$_3$ τ 8.96(d), J(RhH) 2.0 H$_z$.

Carbonyl-Chelat-Kation-Komplexe I verlieren bei der Alkylierung in Gegenwart vor Alkalimetallhalogeniden Kohlenmonoxid und das Hexafluorophosphat-Ion, das Halogen-Atom wird am Zentralatom gebunden:

[1] J. A. McCLEVERTY u. J. WILLIAMS, Transition Metal. Chem. **3**, 205 (1978).

[2] P. R. BRANSON u. M. GREEN, Soc. [Dalton] **1972**, 1303.

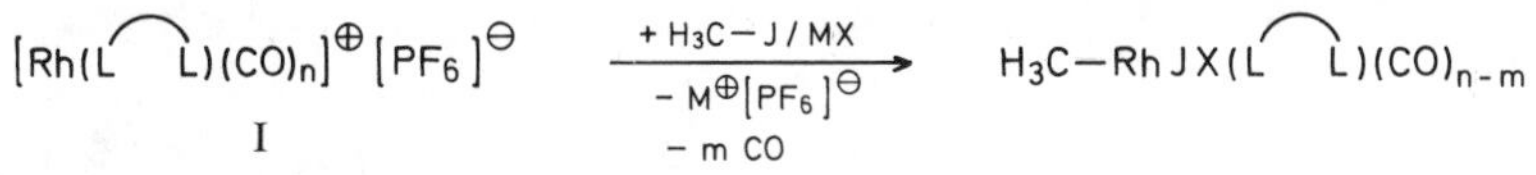

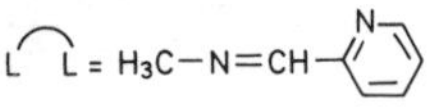

$$[Rh(L⌒L)(CO)_n]^{\oplus}[PF_6]^{\ominus} \xrightarrow[\substack{- M^{\oplus}[PF_6]^{\ominus} \\ - m\,CO}]{+ H_3C-J/MX} H_3C-Rh\,JX(L⌒L)(CO)_{n-m}$$

I

L⌒L = H₃C—N=CH—⟨pyridyl⟩ ; n = 2; m = 1; MX = KJ; *Carbonyl-dijodo-methyl-(2-methylimino-methyl-pyridin-N,N')-rhodium*[1]

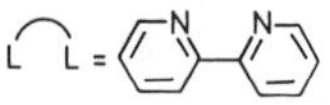

L⌒L = ⟨bipyridyl⟩ ; n = 3; m = 2; MX = LiCl; *2,2'-Bipyridyl-carbonyl-chloro-jodo-methyl-rhodium*[2]

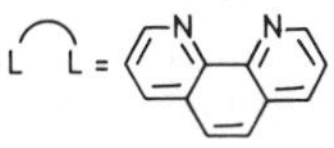

L⌒L = ⟨phenanthrolin⟩ ; n = 3; m = 2; MX = LiJ; *Carbonyl-dijodo-methyl-1,10-phenanthrolin-rhodium*[2]

Rhodium-Kationenkomplexe mit zwei zweizähnigen Liganden addieren Alkylhalogenide[3,4]:

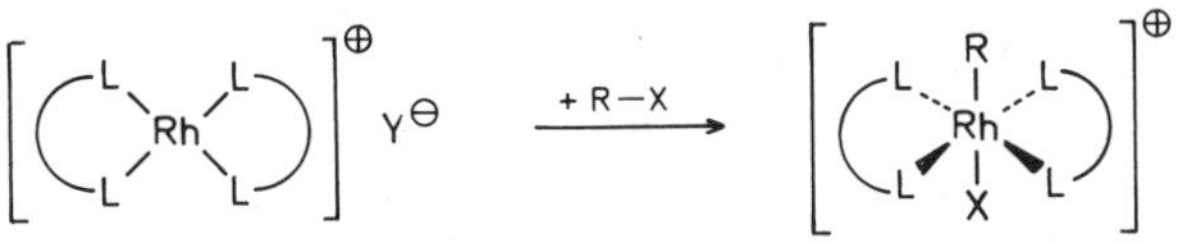

$$\left[\left(\begin{array}{c}L\\L\end{array}Rh\begin{array}{c}L\\L\end{array}\right)\right]^{\oplus} Y^{\ominus} \xrightarrow{+ R-X} \left[\left(\begin{array}{c}L\\L\end{array}\underset{X}{\overset{R}{Rh}}\begin{array}{c}L\\L\end{array}\right)\right]^{\oplus} Y^{\ominus}$$

z.B.: L⌒L = ⟨bipyridyl⟩ ; Y = ClO₄; RX = CH₃J; *Bis-[2,2'-bipyridyl]-jodo-methyl-rhodium-perchlorat*[3]
RX = Cl–CH₂–C₆H₅; *Benzyl-bis-[2,2'-bipyridyl]-chloro-rhodium-perchlorat*[3]

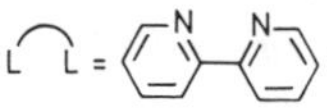

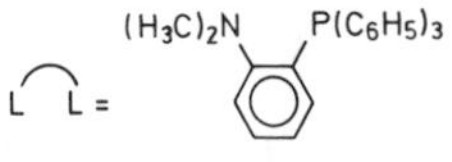

L⌒L = ⟨(H₃C)₂N / P(C₆H₅)₃ benzene⟩ ; Y = PF₆; RX = CH₃J; *Bis-[(2-dimethylamino-phenyl)-diphenyl-phosphan]-jodo-methyl-rhodium-hexafluorophosphat*[4]

[Bis-{1,1'-bis-(dimethylarsano)-ferrocen}-jodo-methyl-rhodium]-hexafluorophosphat[5]:
{Bis-[1,1'-(dimethylarsano)-ferrocen]-rhodium}-hexafluorophosphat: Die Lösungsmittel werden getrocknet sowie unter Stickstoff destilliert und aufbewahrt. Die Reaktionen und Reinigungsschritte werden in Schlenkschen Röhren unter Reinst-Stickstoff durchgeführt.
Zu 0,122 g (0,248 mmol) Bis-[chloro-(η^4-1,5-cyclooctadien)-rhodium] in 5 *ml* THF werden 0,125 g (0,495 mmol) Silber-hexafluorophosphat gegeben und 30 Min. gerührt. Silberchlorid wird mittels Filtration über einer Schicht Diatomeen-Erde abgetrennt. Dann setzt man 0,400 g (1,00 mmol) 1,1'-Bis-[dimethylarsano]-ferrocen zu und erhitzt die Lösung 1 Stde. unter Rückfluß. Dabei fallen gold-braune Kristalle aus. Beim Abkühlen auf 0° fallen weitere Kristalle aus, die abfiltriert, mit Diethylether gewaschen und i. Vak. getrocknet werden; Ausbeute: 78%; ^{1}H-NMR(CD₃NO₂): τ AsCH₃ 8,27(S), C₅H₄ 5,39(M), 5,54(M).
[Bis-{1,1'-bis-(dimethylarsano)-ferrocen}-jodo-methyl-rhodium]-hexafluorophosphat: Zu einer Lösung von 0,252 g (0,244 mmol) frisch hergestelltem [Bis-{1,1'-(dimethylarsano)-ferrocen}-rhodium]-hexafluorophosphat in 5 *ml* Aceton gibt man 0,017 *ml* (0,039 g = 0,270 mmol) Jodmethan. Die Lösung wird orange, und bei Zugabe von Diethylether fallen goldene Kristalle aus, die mit THF gewaschen und i. Vak. bei 100° getrocknet werden; Ausbeute: 77%; ^{1}H-NMR(CD₃NO₂): τ Rh–CH₃ 8,75(D), J(RhH) 2 Hz, As–CH₃ 7,84(S), 8,17(S), C₅H₄ 4,98(M), 5,55(M)[5].

Zur Herstellung von *Jodo-methyl-(tris-[2-dimethylarsanyl-phenyl]-arsan)-rhodium-hexafluorophosphat* (87%) s.Lit.[5].

1,4,8,11-Tetrathia-cyclotetradecan-rhodium(I)-Salze addieren Alkylhalogenide ebenfalls unter Bildung eines kationischen hexakoordinierten Rhodium-Komplexes[6,7]:

[1] G. Zassinovich, A. Camus u. G. Mestroni, J. Organometal. Chem. **133**, 377 (1977).
[2] G. Mestroni, A. Camus u. G. Zassinovich, J. Organometal. Chem. **65**, 119 (1974).
[3] I. I. Bhayat u. W. R. McWhinnie, J. Organometal. Chem. **46**, 159 (1972).
[4] T. B. Rauchfuss u. D. M. Roundhill, Am. Soc. **96**, 3098 (1974).
[5] J. T. Mague u. M. O. Nutt, Inorg. Chem. **16**, 1259 (1977).
[6] W. D. Lemke, K. E. Travis, N. E. Takvoryan u. D. H. Busch, in R. B. King *Inorganic Compounds with Unusual Properties*, Adv. Chem. Series **150**, Am. Chem. Soc. 1976, Washington, 358.
[7] K. E. Travis u. D. H. Busch, Inorg. Chem. **13**, 2591 (1974).

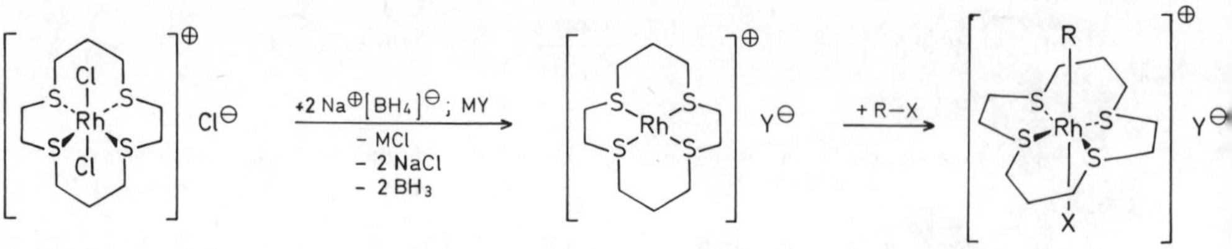

. . .-*(1,4,8,11-tetrathia-cyclotetradecan)-rhodium-*. . .

R–X = CH$_3$J; Y = ClO$_4$; *Jodo-methyl-*. . .*-perchlorat*

R–X = Cl–CH$_2$–CH = CH$_2$; Y = PF$_6$; *Allyl-chloro-*. . .*-hexafluorophospha*

R–X = Br–CH$_2$–C$_6$H$_5$; Y = PF$_6$; *Benzyl-bromo-*. . .*-hexafluorophosphat*

Ähnlich reagieren Polyphosphan-Komplexe[1].

. . .-*jodo-methyl-rhodium-chlorid*

n = 1; L = [(H$_5$C$_6$)$_2$P–CH$_2$–CH$_2$]$_2$P–C$_6$H$_5$; *(Bis-[2-diphenylphosphano-ethyl]-phenyl-phosphan)-carbonyl-*. . .

L = [(H$_5$C$_6$)$_2$P–CH$_2$–CH$_2$]$_3$P; *Carbonyl-(tris-[2-diphenylphosphano-ethyl]-phosphan)-*. . .

n = 0; L = (H$_5$C$_6$)$_2$P–CH$_2$–CH$_2$–P–CH$_2$–CH$_2$–P–CH$_2$–CH$_2$–P(C$_6$H$_5$)$_2$; {*1,2-Bis-[(2-diphenylphosphano-*

                 | | *ethyl)-phenyl-phosphano]-ethan*}-

          C$_6$H$_5$ C$_6$H$_5$

β) mit CH-aciden Verbindungen

Bis-[dicarbonylrhodium]-etioporphyrin bzw. -azaetioporphyrin reagieren mit Aryl- bzw. Cyclopropyl-methyl-ketonen unter Ausbildung entsprechender 2-Oxo-alkyl-rhodium-Komplexe[2]:

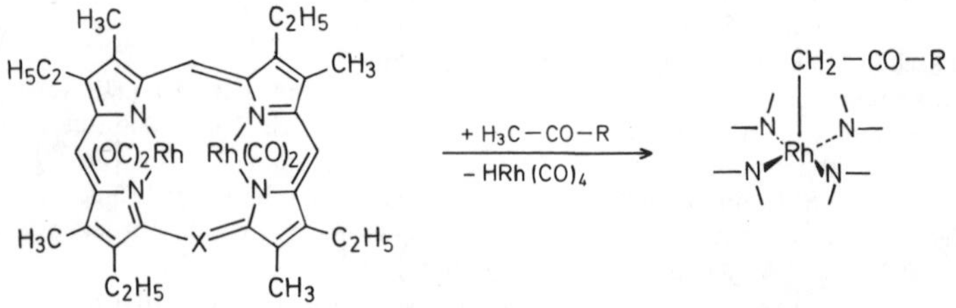

X = CH; R = C$_6$H$_5$; *Etioporphyrinato-(2-oxo-2-phenyl-ethyl)-rhodium*; 45%

        R = 2-Furyl; . . .-*[2-(2-furyl)-2-oxo-ethyl]-rhodium*; 21%; F: 237–239°

X = N; R = C$_3$H$_5$; *Azaetioporphyrinato-(2-cyclopropyl-2-oxo-ethyl)-rhodium*; 62%

γ) mit Cyclopropanen bzw. Cyclobutanen

Rhodium(I)-Verbindungen reagieren mit Cyclopropanen bzw. Cyclobutanen unter Insertion des Rhodium-Atoms in eine C–C-Bindung, und man erhält Rhodetane bzw. Rhodolane.

Auch die Isomerisierung polycyclischer gespannter Kohlenwasserstoffe unter Rhodium-Katalyse verläuft wahrscheinlich intermediär über solche Insertionsverbindungen[3,4]; wie z.B.:

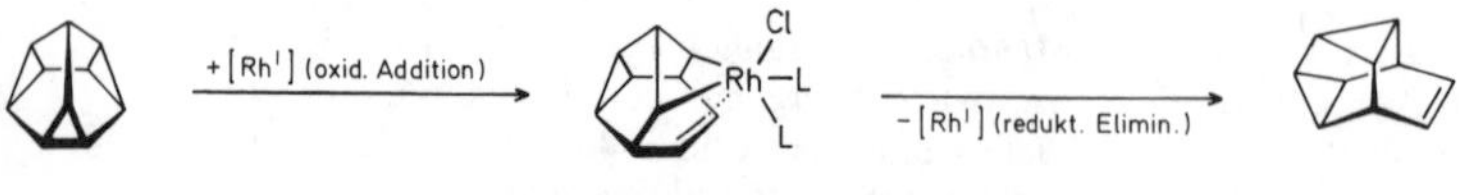

[1] M.M. Taquikhan u. A.E. Martell, Inorg. Chem. **13**, 2961 (1974).

[2] A.M. Abeysekera, R. Grigg, J. Trocha-Grimshaw u. V. Viswanatha, Soc. [Perkin] **1977**, 1395.

[3] A. de Meijere, Tetrahedron Letters **1974**, 1845.

[4] A. de Meijere u. L.-U. Meyer, Tetrahedron Letters **1974**, 1849.

Bei der Umsetzung mit Carbonyl-rhodium(I)-Komplexen entstehen meistens unter zusätzlicher Insertion von Kohlenmonoxid in die C–Rh-Bindung cyclische Acyl-Verbindungen; z.B.[1]:

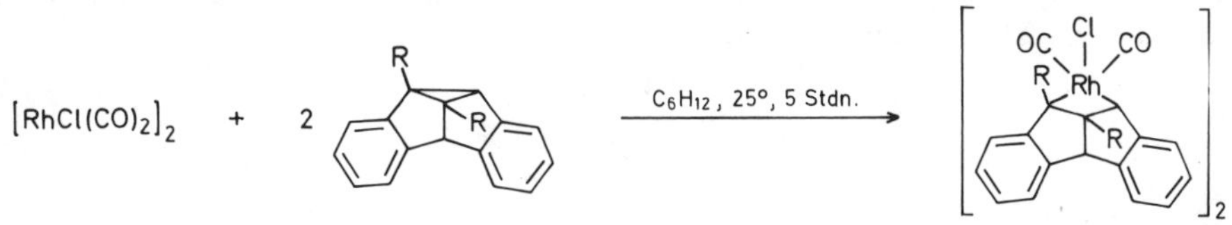

μ,μ-Dichloro-bis-. . .-⟨dibenzo-2-rhoda-
tricyclo[4.2.1.0³·⁹]nona-4,7-dien⟩)

R = H; . . .-(2,2-dicarbonyl-. . .; 85%; F: 214–215° (Zers.)
R = COOCH₃; . . .-(2,2-dicarbonyl-3,9-dimethoxycarbonyl-. . .; 5%; F: 160–162° (Zers.)

Bei Cyclopropanen mit 1-Alkenyl-Substituenten wird durch Spaltung des Cyclopropan-Rings eine σ–C–Rh- sowie eine π-Allyl-Bindung gebildet[2,3]; z.B.:

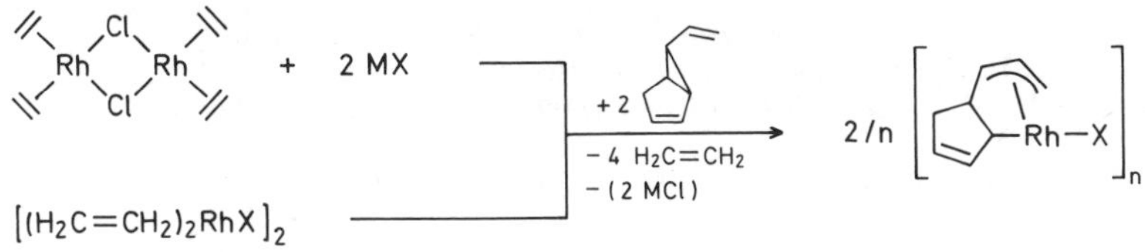

MX  = ... ; n = 1; *Cyclopentadienyl-[5-(η³-1-dehydro-allyl)-2-cyclopentenyl]-rhodium*

MX = ... ; *Bis-{[5-(η³-1-dehydro-allyl)-2-cyclopentenyl]-(1,4-pentandionato)-rhodium}*

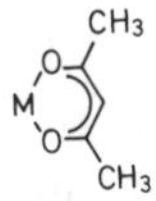

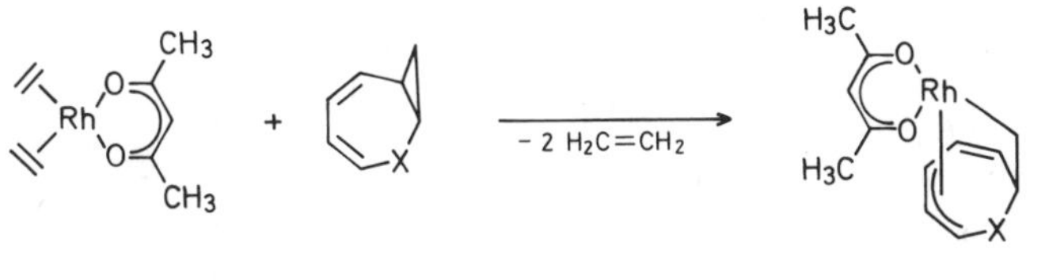

X = CH₂; *(4,5,6-η³-6-Dehydro-2,4-cycloheptadienyl-methyl)-(1,4-pentandionato)-rhodium*; 68%; Zers.: >70°
X = N–COOC₂H₅; *(5,6,7-η³-1-Ethoxycarbonyl-7-dehydro-azepin-2-ylmethyl)-(1,4-pentandionato)-rhodium*;
Zers.: >105°

Bis-[chloro-dicarbonyl-rhodium] reagiert mit einfachen und polycyclischen Cyclopropan-Derivaten normalerweise unter Ringerweiterung des intermediär gebildeten Rhod-

[1] B.F.G. Johnson, J. Lewis u. S.W. Tam, J.Organometal. Chem. **105**, 271 (1976).
[2] N.W. Alcock, J.M. Brown, J.A. Conneely u. D.H. Williamson, Chem. Commun. **1975**, 792.
[3] R. Aumann u. J. Knecht, B. **111**, 3927 (1978).

etans durch Kohlenmonoxid-Insertion[1-3]. Der zunächst entstandene dimere Komplex wird durch Behandeln mit Donor-Liganden oft unter Verlust des Carbonyl-Liganden in einen monomeren Komplex umgewandelt. Während Phenyl-cyclopropan an der C_{Phenyl}-Bindung gespalten wird, tritt die Spaltung von Benzylcyclopropan zwischen den nicht substituierten C-Atomen ein:

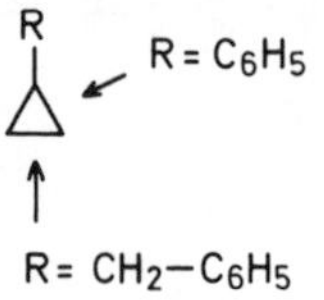

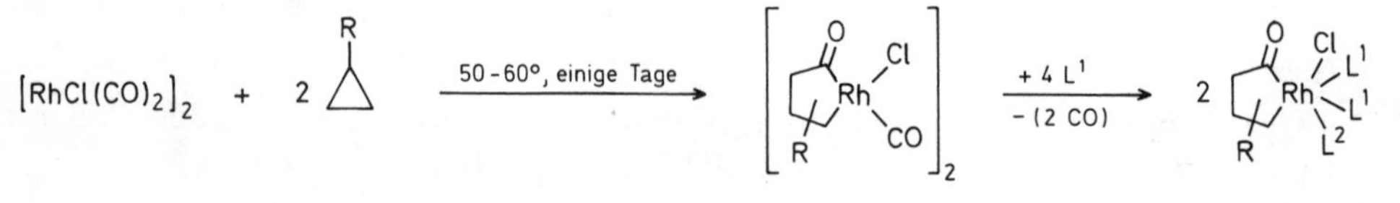

R = H; I; *μ,μ-Dichloro-bis-[1-carbonyl-2-oxo-rhodolan]*[1]; ~95%; Zers.p.: 220°
     $L^2 = -$; II; *1,1-Bis-[triphenylphosphan]-1-chloro-2-oxo-rhodolan*[1]; 80%
R = 5-C_6H_5: L^1 = P(C_6H_5)₃; I; *μ,μ-Dichloro-bis-[1-carbonyl-2-oxo-5-phenyl-rhodolan]*[2,3]; 75%;
                                                         F: 184° (Zers.)
     L^1 = As(C_6H_5)₃; L^2 = CO; II; *1,1-Bis-[triphenylarsin]-1-carbonyl-1-chloro-2-oxo-5-phenyl-rhodolan*[2,3]
R = 4-CH_2–C_6H_5; I; *μ,μ-Dichloro-bis- [4-benzyl-1-carbonyl-2-oxo-rhodolan]*[2,3]; 70%
             L^1 = As(C_6H_5)₃; L^2 = CO; II; *4-Benzyl-1,1-bis-[triphenylarsan]-1-carbonyl-1-chloro-2-oxo-rhodolan*[2,3]

*μ,μ-**Dichloro-bis-[1-carbonyl-2-oxo-5-phenyl-rhodolan]**[3]: 1 *ml* Phenyl-cyclopropan und 0,11 g (0,28 mmol) Bis-[chloro-dicarbonyl-rhodium] werden 48 Stdn. bei 60° in einer abgeschmolzenen Röhre gehalten. Es entsteht ein farbloser Niederschlag. Nach Zusatz von Hexan wird der Niederschlag abfiltriert und mit Diethylether gewaschen; Ausbeute: 0,13 g (75%); Zers.p.: 177°; IR(KBr): v_{CO} 2080, $v_{C=O}$ 1640, 1600 cm^{-1}.

Auf ähnliche Weise reagiert Bicyclo[4.1.0]heptan[2,3]:

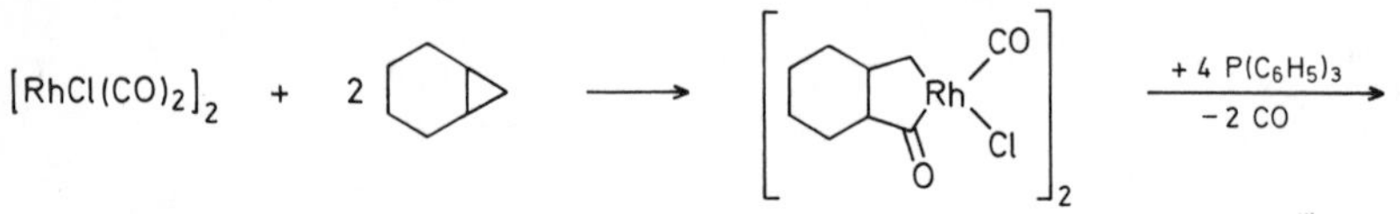

μ,μ-Dichloro-bis-(8-carbonyl-7-oxo-
8-rhoda-bicyclo[4.3.0]nonan);
90%; Zers.p.: 140°

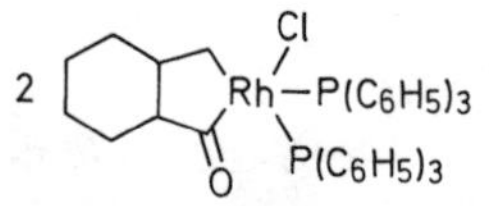

8,8-Bis-[triphenylphosphan]-8-chloro-
7-oxo-8-rhoda-bicyclo[4.3.0]nonan

Dibenzosemibullvalen bildet bei 20° mit Bis-[chloro-dicarbonyl-rhodium] einen Rhodetan-Ring (s. S. 355). Wird die Umsetzung in Gegenwart von Kohlenmonoxid in Di-

[1] D.M. ROUNDHILL, D.N. LAWSON u. G. WILKINSON, Soc. [A] **1968**, 845.
[2] K.G. POWELL u. F.J. McQUILLIN, Chem. Commun. **1971**, 931.
[3] F.J. McQUILLIN u. K.G. POWELL, Soc. [Dalton] **1972**, 2129.

chlormethan durchgeführt, so erhält man nach Abziehen des Lösungsmittels μ,μ-Di-chloro-bis-(2,2-dicarbonyl-3-oxo- ⟨dibenzo-2-rhoda-tricyclo[5.2.1.0^{4,10}]deca-5,8-dien ⟩) (~ 100%; F: 225–226°, Zers.)[1]:

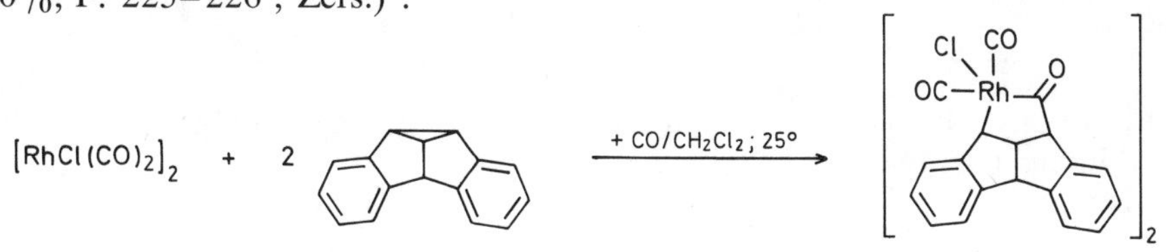

Quadricyclan reagiert analog[2,3]:

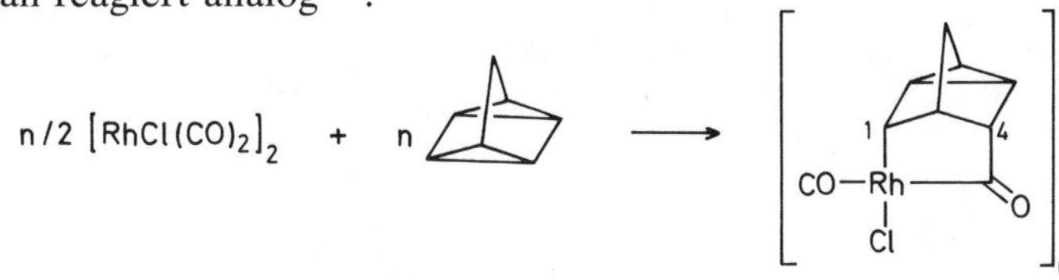

2-Carbonyl-2-chloro-3-oxo- 2-rhoda-tetracyclo[4.2.1.0^{4,8}0^{5,9}]nonan(polymeres)[3]: Die Reaktion wird unter einer Argon-Atmosphäre und Kühlung in einem Eis-Bad durchgeführt. Zu einer Mischung von 3,6 g (9,25 mmol) Bis-[chloro-dicarbonyl-rhodium] in 200 ml gereinigtem Pentan tropft man 2,5 g (27,2 mmol) Quadricy-clan. Nach einer Induktionsperiode von ~ 2 Min. bildet sich ein hellgelber Niederschlag. In einem kräftigen Ar-gon-Strom wird das Reaktionsgemisch 2 Stdn. gerührt, wobei das Flüssigkeitsvol. auf ~ 75 ml eingeengt wird. Darauf wird der Komplex i. Vak. abfiltriert, mit Pentan gewaschen und i. Vak. getrocknet; Ausbeute: 4,76 g (90%); IR(KBr): ν_{CO} 2070, $\nu_{C=O}$ 1735 cm^{-1}.

Bei der stöchiometrischen Umsetzung von Cuban mit Bis-[chloro-dicarbonyl-rhodium] entsteht in 90%iger Ausbeute tetrameres 2-Carbonyl-2-chloro-3-oxo-2-rhoda-dihomo-cuban (90%)[4]:

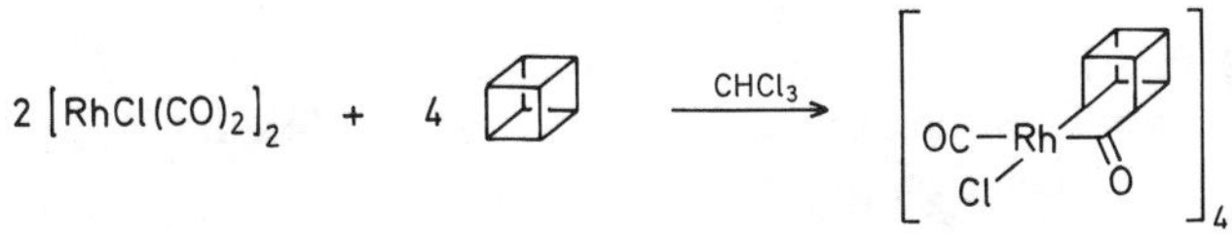

1,3-Bis-homo-cuban bildet mit Bis-[chloro-dicarbonyl-rhodium] eine stabile Verbin-dung mit wahrscheinlich folgender Struktur[5]:

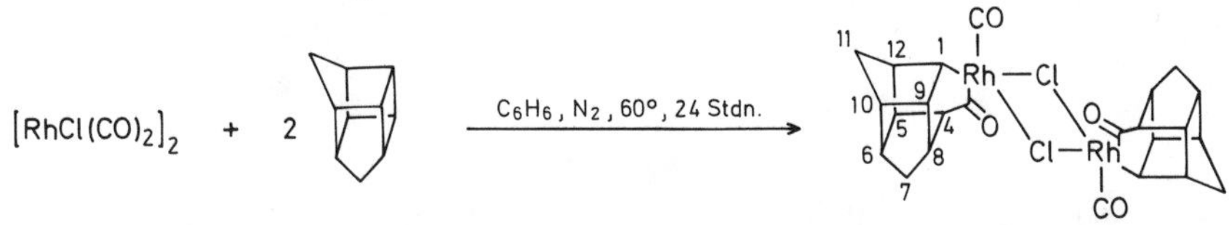

μ,μ-Dichloro-bis-[2-carbonyl-3-oxo-2-rhoda-penta-cyclo[7.2.0.0^{4,8}.0^{5,11}.0^{6,10}]undecan]; ~100%; F: 168–170° (Zers.)

Bei der Ringerweiterung von Methylen-cyclobutan durch die Carbonyl-rhodium-Gruppe entsteht 1-Carbonyl-1-chloro-(2,3,3'-η^3)-3-methylen-6-oxo-2-dehydro-rho-dinan (95%; F: 146°; Zers.)[6]:

[1] B.F.G. JOHNSON, J. LEWIS u. S.W. TAM, J. Organometal. Chem. **105**, 271 (1976); 1,2-Dimethoxycarbonyl-di-benzosemibullvalen reagiert erst bei 70° unter Insertion von Kohlenmonoxid.
[2] L. CASSAR u. J. HALPERN, Chem. Commun. **1970**, 1082.
[3] P.G. GASSMAN u. J.A. NIKORA, J. Organometal. Chem. **92**, 81 (1975).
[4] L. CASSAR, P.E. EATON u. J. HALPERN, Am. Soc. **92**, 3515 (1970).
[5] J. BLUM, C. ZLOTOGORSKI u. A. ZORAN, Tetrahedron Letters **1975**, 1117.
[6] R. ROSSI, P. DIVERSI u. L. PORRI, J. Organometal. Chem. **31**, C 40 (1971).

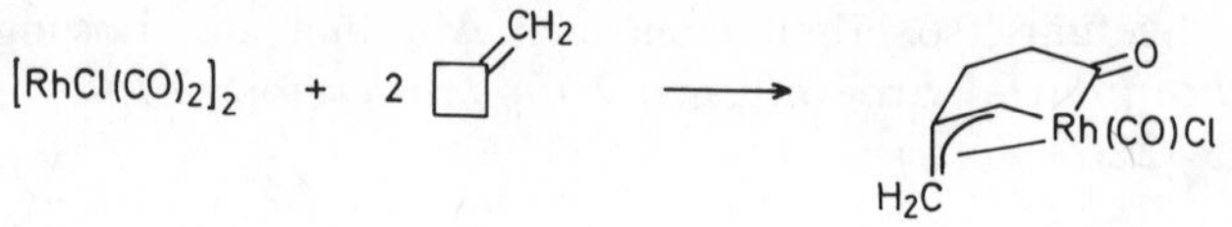

Bis-[dicarbonyl-rhodium]-etioporphyrin liefert dagegen mit Cyclopropanen offenket tige Verbindungen[1]:

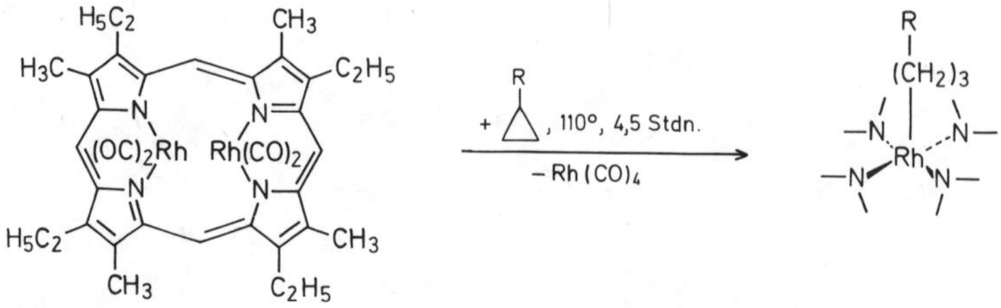

z. B.: R = co—〈O〉—F , [4-(4-Fluor-phenyl)-4-oxo-butyl]-etioporphyrinato-rhodium; 32%
F: 222–224

δ) mit Alkenen

Die Olefine können vor der Umsetzung bereits im Komplex gebunden sein oder erst während der Reaktion in den Komplex eintreten.

δ₁) *und Säuren*

π-Alken-rhodium(I)-Verbindungen reagieren mit Säuren unter Addition des Protons an den π-gebundenen Liganden und dem Anion an das Metall. Mit komplexen Anionen werden dagegen Kationen-Komplexe erhalten.

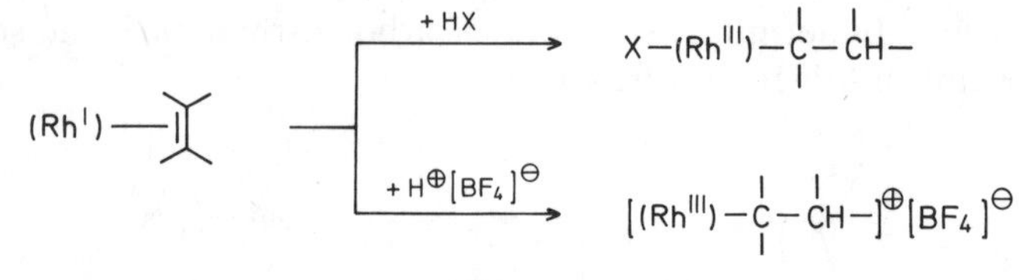

Bei der Behandlung von Bis-[η^2-ethen]-(η^5-cyclopentadienyl)-rhodium mit Chlorwasserstoff kann in Lösung *Chloro-(η^5-cyclopentadienyl)-(η^2-ethen)-ethyl-rhodium* nachgewiesen werden (^{1}H–NMR)[2]. Zur Protonierung bei tiefer Temp. s. Lit.[3].

Bevorzugt entstehen 1-Alkyl-rhodium-Verbindungen. Enthält der Komplex zwei verschiedene Olefine so lagert sich das Proton bevorzugt an das C-Atom mit einem Elektronen-abgebenden Substituenten an (s. u.). Besitzen beide Alken-Liganden einen gleichwertigen Elektronen-anziehenden Substituenten so entstehen keine Alkyl-Komplexe.

[1] A.M. Abeysekera, R. Grigg, J. Trocha-Grimshaw u. V. Viswanatha, Soc. [Perkin] **1977**, 1395.
[2] R. Cramer, Am. Soc. **87**, 4717 (1965).
[3] L.P. Seiwell, Inorg. Chem. **15**, 2560 (1976).

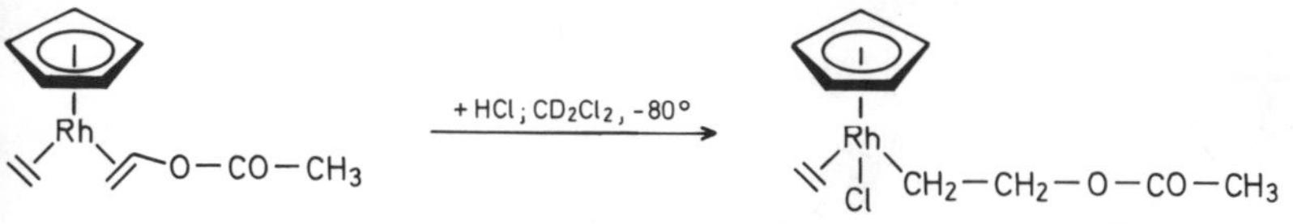

(2-Acetoxy-ethyl)-chloro-(η^5-cyclo-pentadienyl)-(η^2-ethen)-rhodium (7 Tle.)

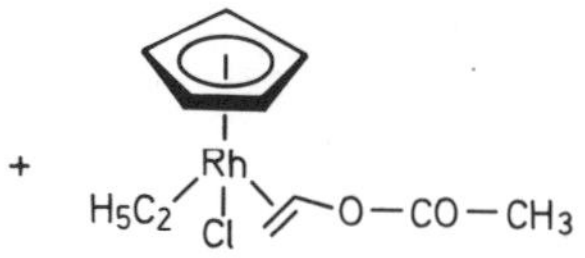

(η^2-2-Acetoxy-ethen)-chloro-(η^5-cyclopentadienyl)-ethyl-rhodium (3 Tle.)
(spaltet bei −70° Ethen ab)

Bis-[η^2-propen]-(η^5-cyclopentadienyl)-rhodium bildet mit Jodwasserstoff ein Isomerengemisch aus *(η^5-Cyclopentadienyl)-jodo-(η^2-propen)-propyl-* und *-isopropyl-jodo-(η^2-propen)-rhodium*.

Zur Herstellung von *(η^5-Cyclopentadienyl)-jodo-(1,1,2,2-tetrafluor-ethyl)-triphenyl-phosphan-rhodium* (86%; F: 230°, Zers.)[1] bzw. von *Bis-[triphenylphosphan]-(1-chlor-1,2,2-trifluor-ethyl)-dichloro-rhodium* (F: 155–160°)[2] s. Lit.:

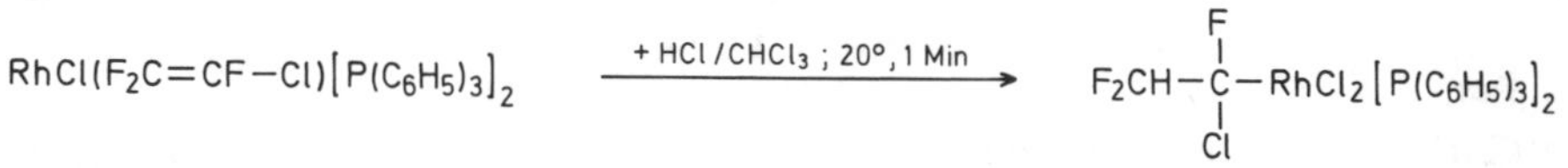

Bis-[carbonyl-chloro-ethen-rhodium] liefert mit Chlorwasserstoff und nachfolgend Dimethyl-phenyl-phosphan *Bis-[dimethyl-phenyl-phosphan]-carbonyl-dichloro-ethyl-rhodium*[3]:

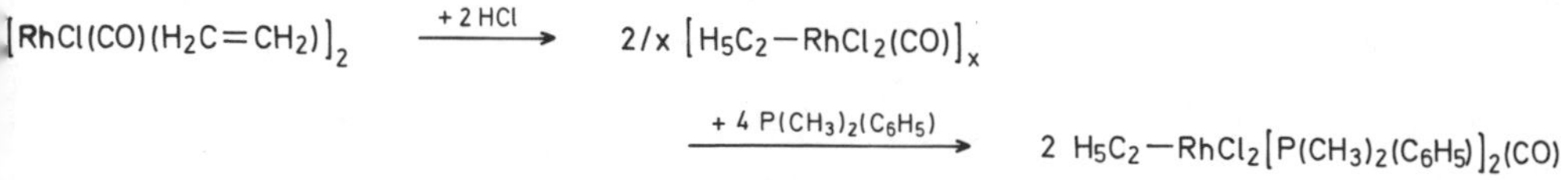

Bis-[dimethyl-phenyl-phosphan]-carbonyl-dichloro-ethyl-rhodium[3]: Zu einer mit trockenem Chlorwasserstoff ges. Lösung von 0,099 g (0,26 mmol) Bis-[carbonyl-chloro-(η^2-ethen)-rhodium] in 3 *ml* Chloroform gibt man 130 μl Dimethyl-phenyl-phosphan (2 mol pro Rh-Atom). Die gelbe Lösung wird i. Vak. auf ~ 0,5 *ml* eingeengt und mit 1,5 *ml* Methanol und 3 *ml* Petrolether (Kp: 40–60°) versetzt. Die Verbindung fällt in gelben Prismen-förmigen Kristallen aus, die in Dichlormethan und Petrolether umkristallisiert werden; Ausbeute: 0,077 g (27%); F: 140–146°; IR(CHCl$_3$): ν_{CO} 2060 cm^{-1}, ^{1}H–NMR(CDCl$_3$): τ RhCH$_2$ 8.1, RhCCH$_3$ 9.24.

(η^5-Cyclopentadienyl)-(η^2-ethen)-trimethylphosphan-rhodium wird von Tetrafluoroborsäure in Propinsäureanhydrid zu den miteinander im Gleichgewicht stehenden Kation-Komplexen I und II protoniert[4]. Durch Behandeln mit Ethen erhält man unter Aufnahme von Ethen *(η^5-Cyclopentadienyl)-(η^2-ethen)-ethyl-trimethylphosphan-rhodium-tetrafluoroborat*. Mit Natriumchlorid bzw. -bromid wird *Bromo-* (bzw. *Chloro)-(η^5-cy-clopentadienyl)-ethyl-trimethylphosphan-rhodium* erhalten; Natriumfluorid bildet den Ausgangskomplex zurück:

[1] A. J. Oliver u. W. A. G. Graham, Inorg. Chem. **10**, 1165 (1971).
[2] R. D. W. Kemmitt u. D. I. Nicholas, Soc. [A] **1969**, 1577.
[3] J. Powell u. B. L. Shaw, Soc. [A] **1968**, 211.
[4] H. Werner u. R. Feser, Ang. Ch. **91**, 171 (1979).

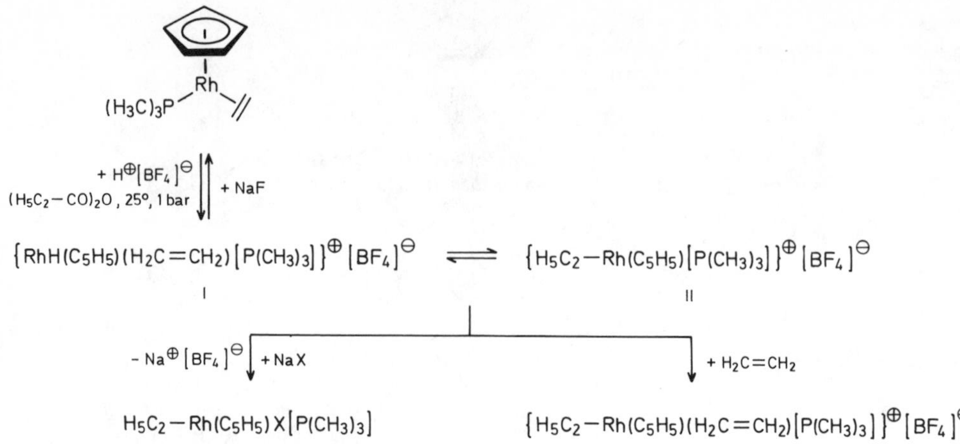

$$\{RhH(C_5H_5)(H_2C=CH_2)[P(CH_3)_3]\}^{\oplus}[BF_4]^{\ominus} \rightleftharpoons \{H_5C_2-Rh(C_5H_5)[P(CH_3)_3]\}^{\oplus}[BF_4]^{\ominus}$$

I

II

$-Na^{\oplus}[BF_4]^{\ominus}$ | $+NaX$

$+H_2C=CH_2$

$H_5C_2-Rh(C_5H_5)X[P(CH_3)_3]$

$\{H_5C_2-Rh(C_5H_5)(H_2C=CH_2)[P(CH_3)_3]\}^{\oplus}[BF_4]^{\ominus}$

X = Cl, Br

(η^4-1,5-Cyclooctadien)- und (1,5-η^4-1,3,5-Cyclooctatrien)-(η^5-cyclopentadienyl)-rhodium können leicht protoniert werden. Mit Trifluoressigsäure oder Hexafluoro-phosphorsäure entstehen Komplexe, die über eine σ–C–Rh- und eine π-Olefin-Rh-Bindung mit dem Achtring verknüpft sind[1]. (Cyclooctatetraen-rhodium-Verbindungen liefern dagegen π-Komplexe[2]).

Die σ–C–Rh-Komplexe lagern sich leicht in π- und Allyl-Komplexe um. Durch Behandeln mit Triethylamin werden sie deprotoniert und in die Ausgangsverbindungen zurückverwandelt[1].

Die (2-Diphenylphosphino-phenyl)-ethen-Verbindungen III–V bilden π-Olefin-rhodium-Chelat-Komplexe, die durch Chlorwasserstoff in dimere Alkyl-rhodium(III)-Verbindungen umgewandelt werden.

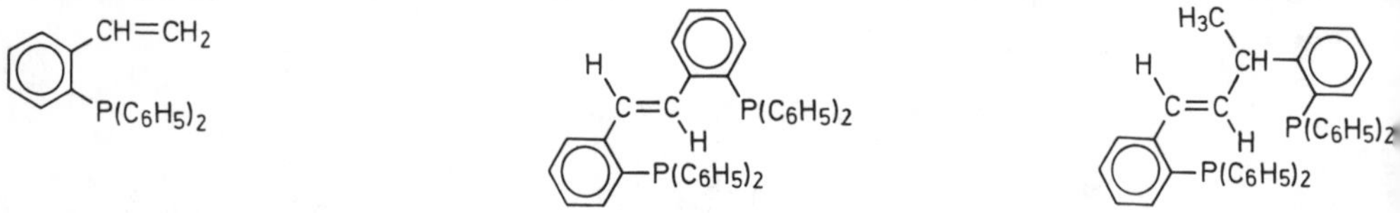

III

IV

V

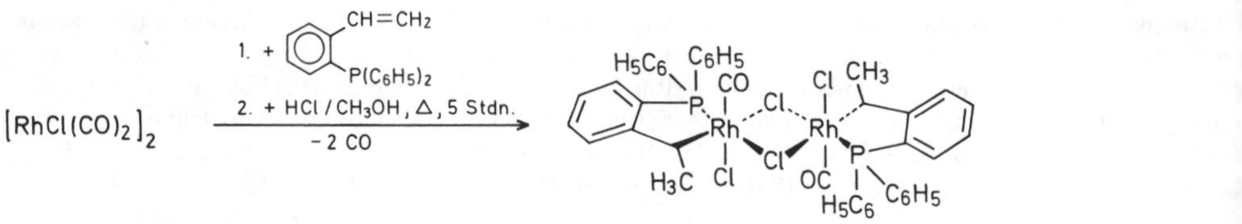

μ,μ-Dichloro-bis-{carbonyl-chloro-[1-(2-diphenylphosphano-phenyl)-ethyl-C,P]-rhodium}; 83%

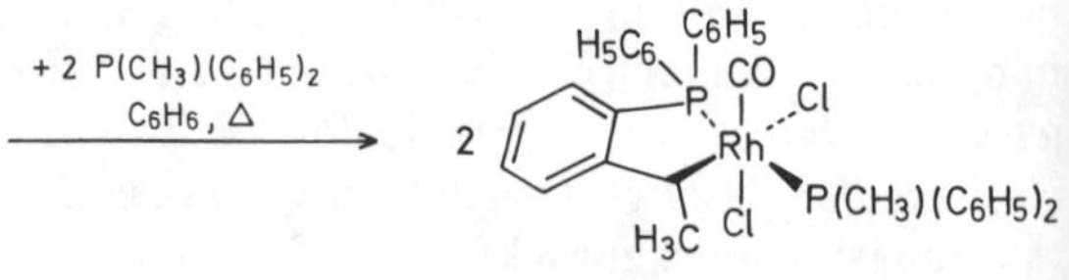

Carbonyl-dichloro-(diphenyl-methyl-phosphano)-[1-(2-diphenylphosphano-phenyl)-ethyl-C,P]-rhodium

[1] J. EVANS, B.F.G. JOHNSON u. J. LEWIS, Chem. Commun. **1971**, 1252.
[2] J. EVANS, B.F.G. JOHNSON, J. LEWIS u. D.J. YARROW, Soc. [Dalton] **1974**, 2375.

Die Umsetzung von Bis-[dicarbonyl-chloro-rhodium] und Phosphano-ethen mit Halogenwasserstoff wird in einem Schritt durchgeführt[1, 2]. Die resultierenden dimeren Komplexe werden durch Phosphane in monomere Komplexe umgewandelt.

(1,2-Bis-[2-diphenylphosphano-phenyl]-ethyl-C,P,P')-carbonyl-dichloro-rhodium ist aus *(η^2-2,2'-Bis-[diphenylphosphano]-stilben)-chloro-rhodium* entweder direkt oder über den Carbonyl-Komplex VI zugänglich[3]:

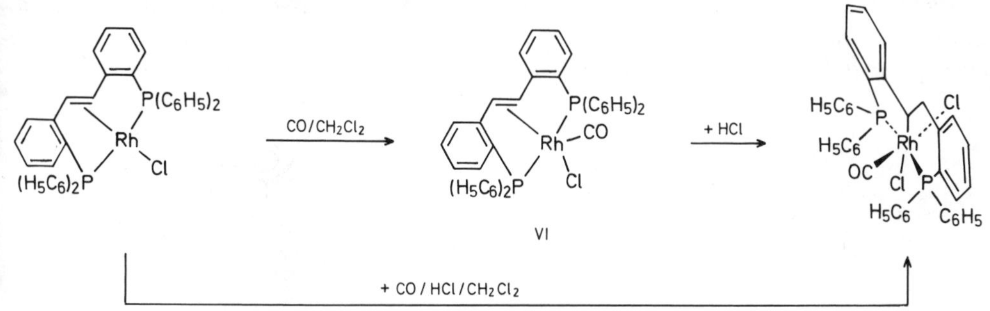

Die Addition von Chlorwasserstoff kann in schwach basischen Lösungsmitteln rückgängig gemacht werden.

Der π-Alken-Komplex VII bildet beim Behandeln mit Kohlenmonoxid und trockenem Chlorwasserstoff die cyclometallierte Alkyl-rhodium-Verbindung VIII, die auch aus dem Komplex IX mit Chlorwasserstoff entsteht. Die Ausbeute ist praktisch quantitativ[2, 4].

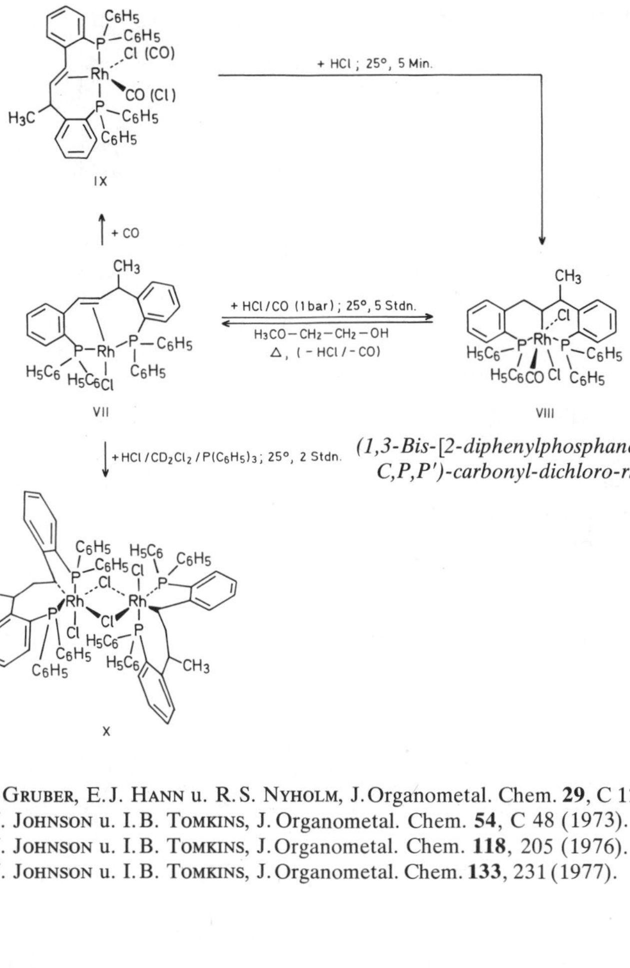

(1,3-Bis-[2-diphenylphosphano-phenyl]-2-butyl-C,P,P')-carbonyl-dichloro-rhodium; ~ 100%

[1] M. A. Bennett, S. J. Gruber, E. J. Hann u. R. S. Nyholm, J. Organometal. Chem. **29**, C 12 (1971).
[2] M. A. Bennett, R. N. Johnson u. I. B. Tomkins, J. Organometal. Chem. **54**, C 48 (1973).
[3] M. A. Bennett, R. N. Johnson u. I. B. Tomkins, J. Organometal. Chem. **118**, 205 (1976).
[4] M. A. Bennett, R. N. Johnson u. I. B. Tomkins, J. Organometal. Chem. **133**, 231 (1977).

Wird der Komplex VII unter Ausschluß von Kohlenmonoxid mit Chlorwasserstoff umgesetzt, so entsteht *μ,μ-Dichloro-bis-{(1,3-bis-[2-diphenylphosphano-phenyl)-butyl-C,P,P')-chloro-rhodium}* X (82%).

δ₂) *und Halogenalkanen*

[(η²-3-Butenyl)-diphenyl-phosphan]-(η⁵-cyclopentadienyl)-rhodium bildet mit Halogenmethan als Hauptprodukt *[(η²-3-Butenyl)-diphenyl-phosphan]-(η⁵-cyclopentadienyl)-methyl-rhodium-halogenide* (92%)[1] (s.S. 346):

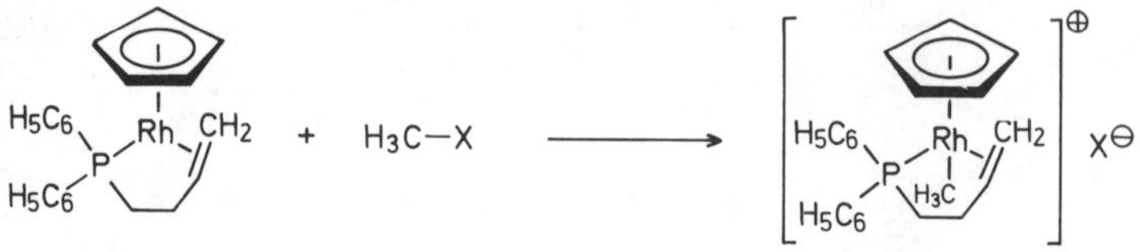

X = Cl, Br, J

δ₃) *und Alkenen*

Bis-[diphenyl-methyl-phosphan]-(2,4-pentandionato)-rhodium reagiert mit Tetrafluor- bzw. Chlor-trifluor-ethen unter Ringschluß[2]:

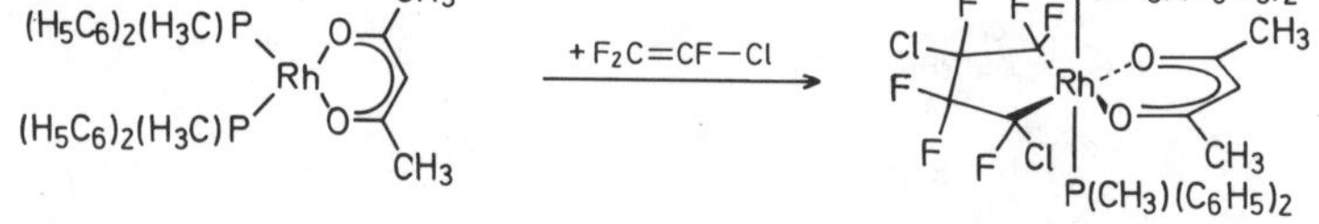

1,1-Bis-[diphenyl-methyl-phosphan]-3,5-dichlor-2,2,3,4,4,5-hexa-fluor-1,1-(2,4-pentandionato)-rhodolan; 55%; F: 130–131°

1,1-Bis-[diphenyl-methyl-phosphan]-octafluor-1,1-(2,4-pentandionato)-rhodolan[2]: 0,24 g (0,4 mmol) Bis-[diphenyl-methyl-phosphan]-(2,4-pentandionato)-rhodium in 30 *ml* Benzol werden in einer 200-*ml*-Carius-Röhre vorgelegt. In die Röhre kondensiert man bei −196° 0,40 g (4 mmol) Tetrafluorethen. Sie wird verschlossen und 4 Tage bei 20° stehen gelassen. Darauf wird sie geöffnet. Die Lösung wird i. Vak. auf ∼ 9 *ml* eingeengt. Nach Zusatz von Hexan fallen gelbe Kristalle aus, die aus Dichlormethan und Diethylether umkristallisiert werden; Ausbeute: 0,13 g (40%); F: 167–168° (Zers.).

Mit flüssigem Allen erhält man aus Bis-[η²-ethen]-(2,4-pentandionato)-rhodium bei −78° neben anderen Komplexen das stabile *1-(η²-Allen)-3,4-bis-[methylen]-1,1-(1,4-2,4-pentandionato)-rhodolan* (80%)[3], das mit Pyridin oder Triphenylphosphan *3,4-Bis-[methylen]-1,1-bis-[pyridin]* (bzw. *-1,1-bis-[triphenylphosphan]*)-1,1-(1,4-pentandionato)-rhodolan bildet[4,5]:

[1] J.L.S. CURTIS u. G.E. HARTWELL, J. Organometal. Chem. **80** , 119 (1974).

[2] A.J. MUKHEDKAR, V.A. MUKHEDKAR, M. GREEN u. F.G.A. STONE, Soc. [A] **1970**, 3166.

[3] G. INGROSSO, A.I. IMMIRIZ u. L. PORRI, J. Organometal. Chem. **60**, C35 (1973); dort weitere Reaktionen des Allen-Komplexes.

[4] G. INGROSSO, L. PORRI, G. PANTINI u. P. RACANELLI, J. Organometal. Chem. **84**, 75 (1975);

[5] Struktur: A.I. IMMIRZI, J. Organometal. Chem. **81**, 217 (1974).

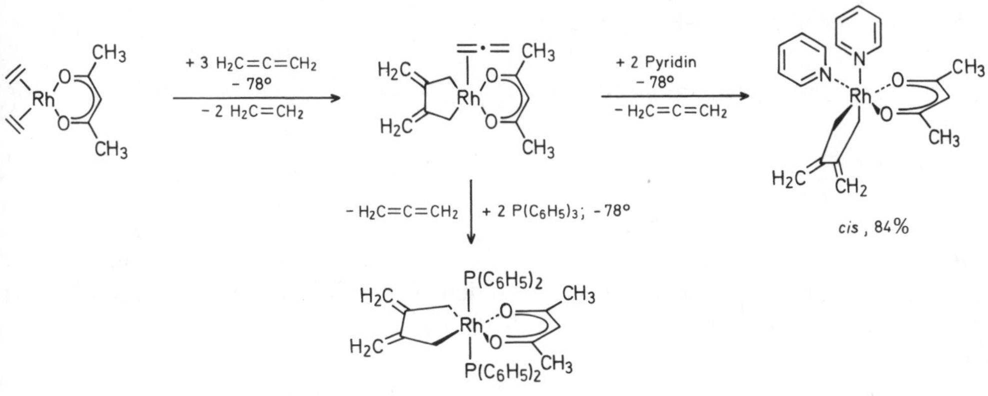

$+ 3 \; H_2C{=}C{=}CH_2$
$- 78°$
$- 2 \; H_2C{=}CH_2$

$+ 2 \; \text{Pyridin}$
$- 78°$
$- H_2C{=}C{=}CH_2$

$- H_2C{=}C{=}CH_2$ | $+ 2 \; P(C_6H_5)_3 ; -78°$

cis , 84%

trans

Chloro-rhodium-Komplexe bilden mit 3,3-Dimethyl-cyclopropen ein am Rhodium 4-fach koordiniertes, tetraedrisches Rhodacycloheptan-Derivat[1]:

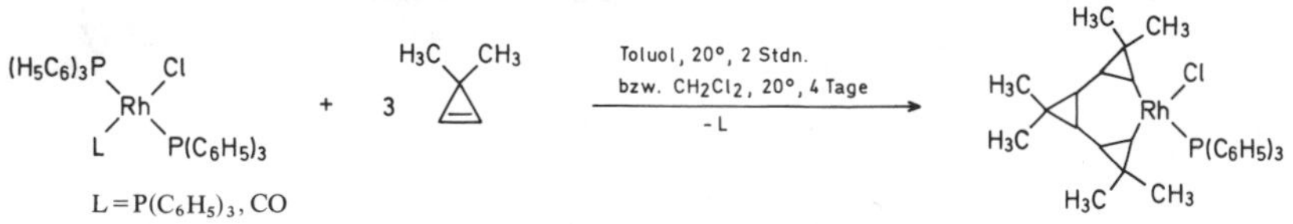

$(H_5C_6)_3P$ Cl

$L \quad P(C_6H_5)_3$

$L = P(C_6H_5)_3 , CO$

$+ \quad 3$

Toluol, 20°, 2 Stdn.
bzw. CH_2Cl_2, 20°, 4 Tage
$- L$

5-Chloro-2,2,7,7,10,10-hexamethyl-5-triphenylphosphan-5-rhoda-tetracyclo[7.1.0. $0^{2,4}. \, 0^{6,8}$]decan; 71%; Zers.p.: 150°

δ_4) *und Alkinen*

In diesem Abschnitt werden die gemeinsame Addition von Alkenen und Alkinen an Rhodium(I)-Komplexe beschrieben, die zu einfachen oder bei cyclischen Alkenen zu polycyclischen Rhodium-Fünfring-Komplexen führen.

2-Hexafluor-butin ist als elektrophiles Alkin für die Cyclisierung besonders gut geeignet. Die Umsetzung wird i. a. stufenweise durchgeführt, indem man das Alkin als letztes zum bereits gebildeten Alken-Komplex zusetzt. Die Cyclisierungsreaktion wird durch Zusatz von Pyridin induziert; z. B.[2]:

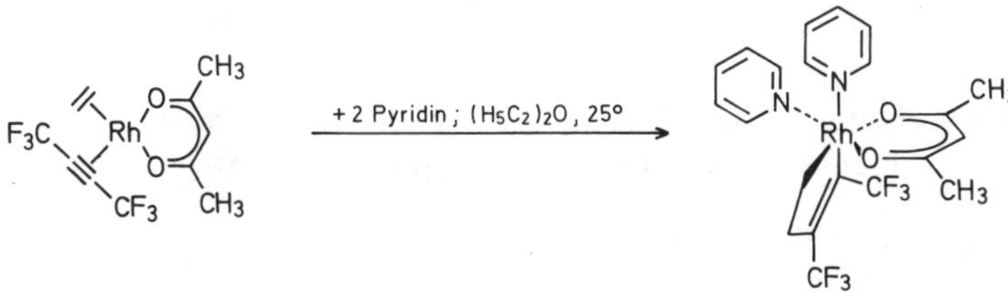

F_3C

$CF_3 \quad CH_3$

$+ 2 \; \text{Pyridin} ; \; (H_5C_2)_2O , 25°$

CF_3

1,1-Bis-[pyridin]-2,3-bis-[trifluormethyl]-1,1-(2,4-pentandionato)-4,5-dihydro-rhodol; 40%; F: 48–49°

[1] B. Cetinkaya, P. Binger u. C. Krüger, B. **115**, 3414 (1982).
[2] C. E. Dean, R. D. W. Kemmitt, D. R. Russell u. M. D. Schilling, J. Organometal. Chem. **187**, C1 (1980).
Analoge Komplexe werden mit 3-Methyl- und 3,5-Dimethyl-pyridin erhalten.

Ähnlich reagieren Allen-Komplexe; z. B.[1]:

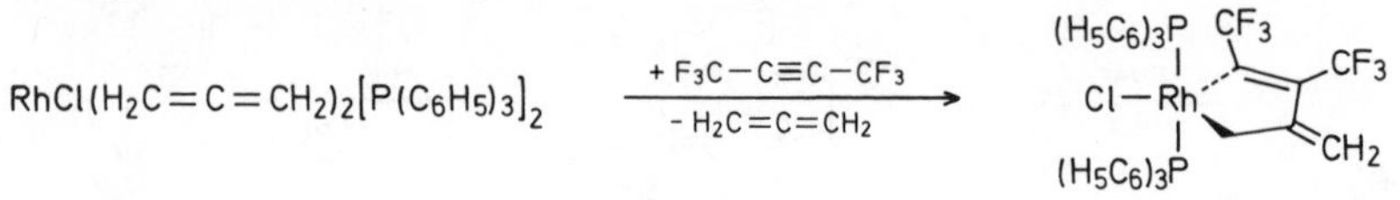

$$RhCl(H_2C=C=CH_2)_2[P(C_6H_5)_3]_2 \xrightarrow[-H_2C=C=CH_2]{+F_3C-C\equiv C-CF_3}$$

2,3-Bis-[trifluormethyl]-1,1-bis-[triphenylphosphan]-1-chloro-4-methylen-4,5-dihydro-rhodol

Bis-[chloro-(η^4-1,5-cyclooctadien)-rhodium] reagiert mit Hexafluor-2-butin unter 1,4-Addition[2]. Die zunächst gebildete Verbindung wird mit Natrium-(2,4-pentandionat) zu *11-Aqua-7,8-bis-[trifluormethyl]-11,11-(1,4-pentandionato)-11-rhoda-tricyclo[4.2.2.1^{2,5}]undec-7-en* umgesetzt[3]:

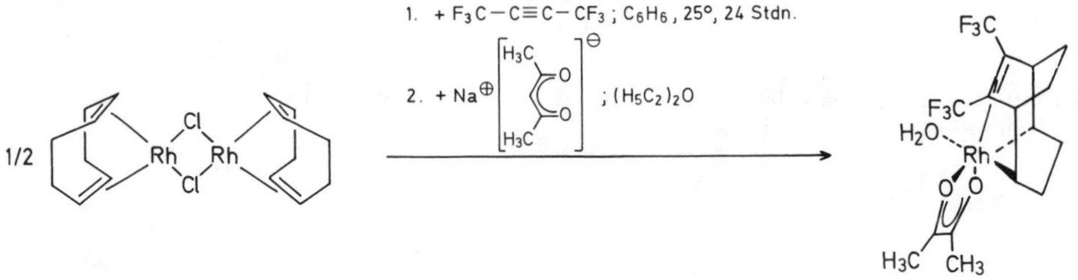

1. $+F_3C-C\equiv C-CF_3$; C_6H_6, 25°, 24 Stdn.

2. $+Na^{\oplus}$; $(H_5C_2)_2O$

Bei der Umsetzung von (η^4-1,5-Cyclooctadien)-(2,4-pentandionato)-rhodium mit Hexafluor-2-butin wird dagegen der Dien-Ligand abgespalten unter Bildung eines Hexakis-[trifluormethyl]-benzol-Komplexes[4]. (η^4-Bicyclo[2.2.1]heptadien)-(2,4-pentandionato)-rhodium reagiert sowohl mit dem Pentandionato-Rest (1,4-Cycloaddition) als auch mit dem Dien-Liganden unter Bildung eines 4,5-Dihydro-rhodol-Komplexes[5]. Im Gegensatz zum vergleichbaren Iridium-Komplex (s. S. 541) wird die C=C-Doppelbindung des Diens nicht π-gebunden:

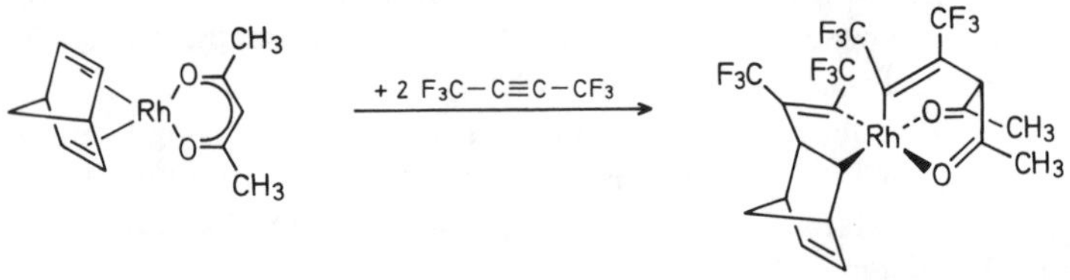

$+ 2\ F_3C-C\equiv C-CF_3$

3-(3-Acetyl-1,2-bis-[trifluormethyl]-4-oxo-1-pentenyl-C,O,O')-4,5-bis-[trifluormethyl]-3-rhoda-tricyclo[5.2.1.0^{2,6}]deca-4,8-dien; F: 177–179° (Zers.)

Völlig anders verhalten sich μ,μ-Dichloro- (bzw. -Dibromo)-bis-[η^4-bicyclo[2.2.1] heptadien-rhodium], die ein mol Hexafluor-2-butin pro Rhodium-Atom binden[4]:

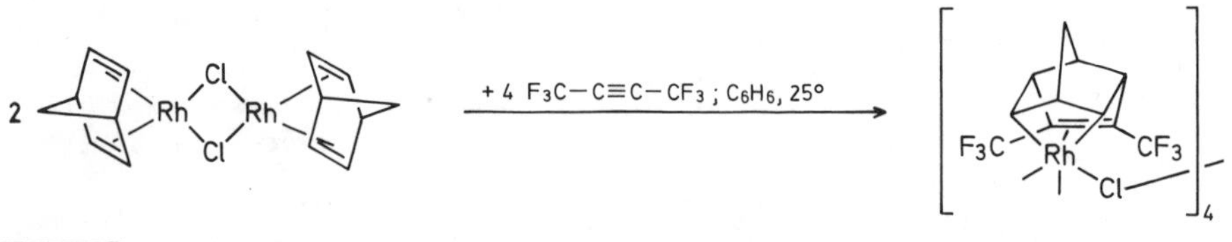

$+ 4\ F_3C-C\equiv C-CF_3$; C_6H_6, 25°

[1] D.R. WILSON, Ph. D. Thesis, Uni Manchester 1971.
F.L. BOWDEN u. R. GILES, Coord. Chem. Rev. **20**, 81 (1976).
[2] A.C. JARVIS, R.D.W. KEMMITT, B.Y. KIMURA, D.R. RUSSELL u. P.A. TUCKER, Chem. Commun. **1974**, 797.
[3] D.R. RUSSELL u. P.A. TUCKER, Soc. [Dalton] **1976**, 841.
[4] J.A. EVANS, R.D.W. KEMMITT, B.Y. KIMURA u. D.R. RUSSELL, Chem. Commun. **1972**, 509.
[5] D.R. RUSSELL u. P.A. TUCKER, Soc. [Dalton] **1975**, 1749.

δ_5) *und Ketonen*

(η^5-Cyclopentadienyl)-(η^4-1,3-pentadien)-rhodium reagiert mit Hexafluoraceton zum *5,5-Bis-[trifluorme-thyl]-2-(η^5-cyclopentadienyl)-3-propenyl-1,2-oxarhodolan*[1]:

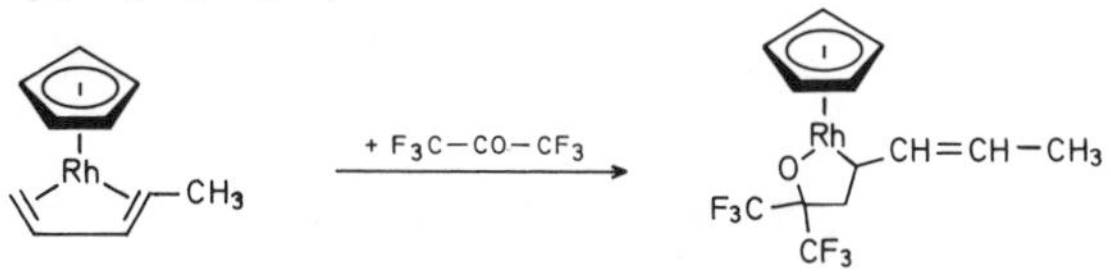

ε) mit Dienen

Hexafluor-1,3-butadien reagiert bei 40° mit Bis-[chloro-dicarbonyl-rhodium] unter 1,4-Cycloaddition[2] zum *1-Chloro-1,1-dicarbonyl-hexafluor-2,5-dihydro-rhodol* (in Chloroform dimer). Der dimere Komplex verliert leicht seinen C_4-Rest.

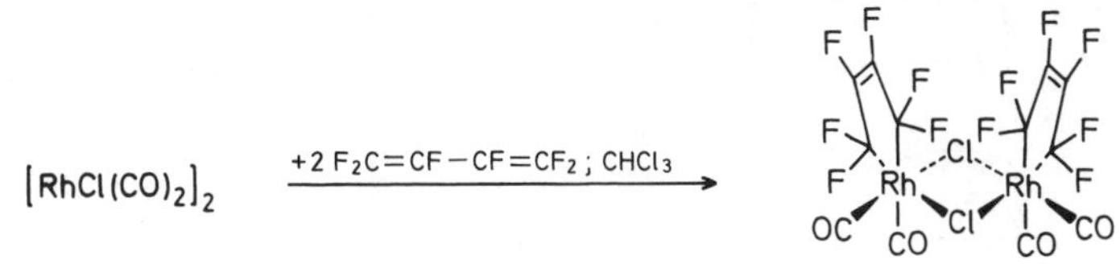

μ,μ-Dichloro-bis-[1,1-dicarbonyl-hexafluor-2,5-dihydro-rhodol][2]: 3 *ml* Hexafluor-2-butadien werden im Überschuß in eine dickwandige Glasröhre kondensiert, die 0,2 g Bis-[chloro-dicarbonyl-rhodium] enthält. Das Reaktionsgefäß wird 48 Stdn. auf 40° gehalten. Nach Öffnen der Röhre und Entfernen von überschüssigem Hexafluor-1,3-butadien wird der beige Rückstand mit warmem Petrolether gewaschen; Ausbeute: ~0,36 g (~100%); IR(CHCl₃): ν_{CO}: 2110(s), 2069(s), $\nu_{C=C}$: 1678(s) cm⁻¹.

ζ) mit Alkinen

ζ_1) *und Alkenen* (s. S. 363)

ζ_2) *unter Trimerisierung*

(η^5-Cyclopentadienyl)-rhodium(I)-Verbindungen reagieren mit Alkinen, die zwei Elektronen-anziehende Gruppen enthalten unter Trimerisierung der Alkine[3,4]; z.B.:

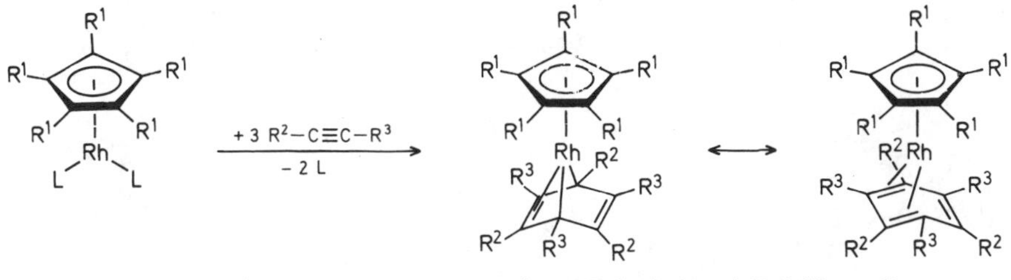

z.B: R^1 = H; *7-(η^5-Cyclopentadienyl)-(5,6-η^2)-...-7-rhoda-bicyclo[2.2.1]heptadien*
L = CO; R^2 = R^3 = CF₃; *...-1,2,3,4,5,6-hexakis-[trifluormethyl]-...*[3]
L = P(C₆H₅)₃; R^2 = R^3 = COOCH₃; *...-1,2,3,4,5,6-hexamethoxycarbonyl-...*[5]
R^2 = COOC₂H₅; R^3 = C₆H₅; *...-2,3,5-triethoxycarbonyl-1,4,6-triphenyl-...*[5]

---

[1] M. GREEN u. B. LEWIS, Soc. [Dalton] **1975**, 1137.
   Zur Umsetzung von Bis-[diphenyl-methyl-phosphan]-(η-hexafluor-aceton)-2,4-pentandionato-rhodium mit Tetrafluor-ethen zum *3,3-Bis-[diphenyl-methyl-phosphan]-2,2-bis-[trifluormethyl]-3,3-(2,4-pentandiona-to)-4,4,5,5-tetrafluor-1,3-oxarhodolan* (30% d.Th.; F: 210–212°, Zers.) s. A.J. MUKHEDKAR, V.A. MUK-HEDKAR, M. GREEN u. F.G.A. STONE, Soc. [A] **1970**, 3166.
[2] D.M. ROUNDHILL, D.N. LAWSON u. G. WILKINSON, Soc. [A] **1968**, 845.
[3] R.S. DICKSON u. G. WILKINSON, Soc. **1964**, 2699.
[4] M.R. CHURCHILL u. R. MASON, Proceed. Royal Soc. Ser. A **292**, 61 (1966).
[5] Y. WAKATSUKI u. H. YAMAZAKI, J.Organometal. Chem. **64**, 393 (1974).

Die Rhodium(I)-Ausgangsverbindung kann auch in situ durch Reduktion der entsprechenden Rhodium(III)-acetate mit Wasserstoff hergestellt werden; z.B.[1]:

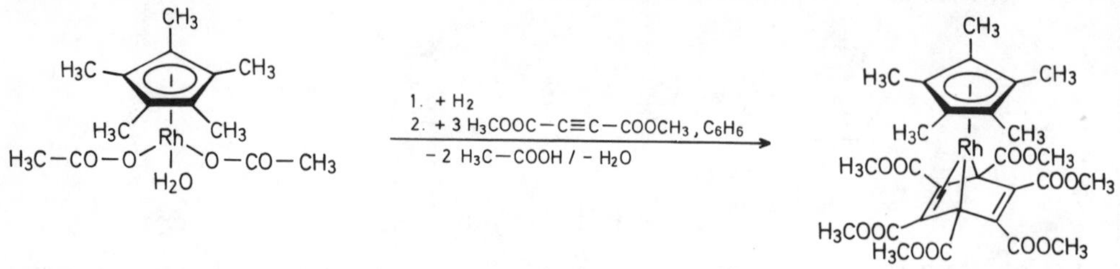

1. + H_2
2. + 3 $H_3COOC-C\equiv C-COOCH_3$, C_6H_6
   − 2 $H_3C-COOH$ / − H_2O

(5,6-η²)-1,2,3,4,5,6-Hexamethoxycarbonyl-7-(η⁵-pentamethyl-cyclopentadienyl)-7-rhoda-bicyclo[2.2.1]heptadien

Ausgehend von (η⁴-1,3-Dien)-(η⁵-indenyl)-rhodium erhält man mit Hexafluor-2-butin *(5,6-η²)-1,2,3,4,5,6-Hexakis-[trifluormethyl]-7-(η⁵-indenyl)-7-rhoda-bicyclo[2.2.1]heptadien*[2]:

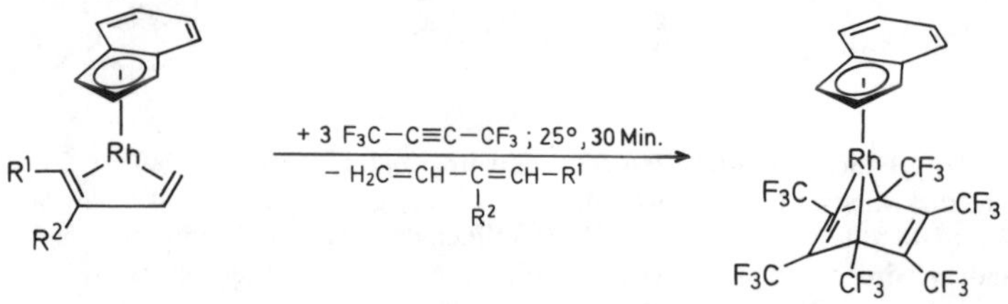

+ 3 $F_3C-C\equiv C-CF_3$; 25°, 30 Min.
− $H_2C=CH-C=CH-R^1$
          |
          R^2

R^1 = H; R^2 = CH₃; 42%
R^1 = CH₃; R^2 = H;   23%

η) mit Oxiranen bzw. Ketonen

Tetracyan-oxiran bzw. Hexafluor-aceton reagieren mit Rhodium(I)-Komplexen unter Insertion:

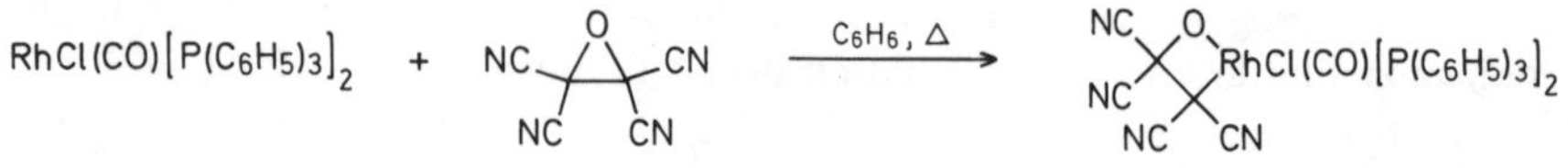

$RhCl(CO)[P(C_6H_5)_3]_2$ + ... $\xrightarrow{C_6H_6, \Delta}$ ...

2,2-Bis-[triphenylphosphan]-2-carbonyl-2-chloro-3,3,4,4-tetra-cyan-1,2-oxarhodetan[3]; 75%; F: 210–215° (Zers.)

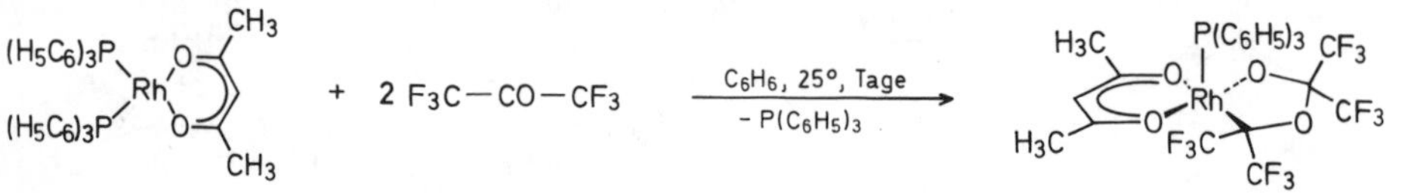

+ 2 $F_3C-CO-CF_3$ $\xrightarrow[- P(C_6H_5)_3]{C_6H_6, 25°, Tage}$

4,4-(2,4-Pentandionato)-2,2,5,5-tetrakis-[trifluor-methyl]-4-triphenylphosphan-1,3,4-dioxarhodolan[4]; 50%; F: 210–212° (Zers.)

Chloro-tris-[trimethylphosphan]-rhodium bildet mit Methyl- bzw. Phenyl-oxiran Hydrido-(2-oxo-alkyl)-rhodium-Komplexe[5]:

[1] J.W. KANG, R.F. CHILDS u. P.M. MAILTLIS, Am. Soc. **92**, 720 (1970).
[2] P. CADDY, M. GREEN, E. O'BRIEN, L.E. SMART u. P. WOODWARD, Soc. [Dalton] **1980**, 962.
[3] M.LENARDA, R. ROS, O. TRAVERSO, W.D. PITTS, W.H. BADDLEY u. M. GRAZIANI, Inorg. Chem. **16**, 3178 (1977).
[4] A.J. MUKHEDKAR, V.A. MUKHEDKAR, M. GREEN u. F.G.A. STONE, Soc. [A] **1970**, 3166.
[5] D. MILSTEIN, Am. Soc. **104**, 5227 (1982).

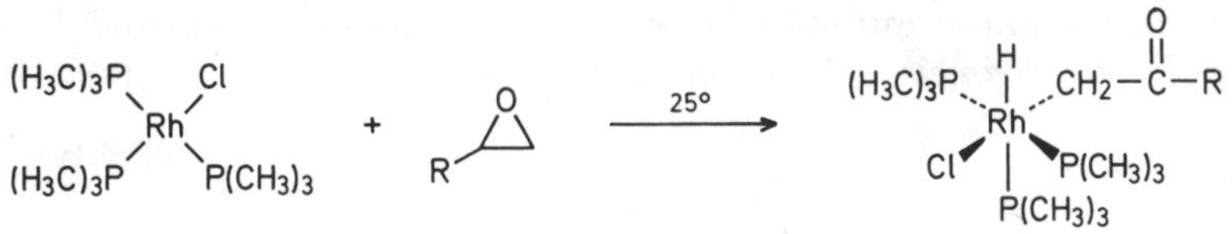

R = CH$_3$; *Chloro-hydrido-(2-oxo-propyl)-tris-[trimethylphosphan]-rhodium*; 82%
R = C$_6$H$_5$; ...*-(2-oxo-2-phenyl-ethyl)-tris-[triphenylphosphan]-rhodium*; 60%

ϑ) mit Carbonsäure-Derivaten

Acyl-halogenide bilden mit Chloro-tris-[triphenylphosphan]-rhodium unter Verlust eines Phosphan-Liganden und Acyl → Alkyl-Umlagerung Alkyl-carbonyl-rhodium(III)-Verbindungen[1,2]. In einigen Fällen kann der fünffach koordinierte Acyl-Komplex isoliert werden. Zusatz von Triphenylphosphan beeinflußt die Geschwindigkeitskonstante der Umlagerung praktisch nicht.

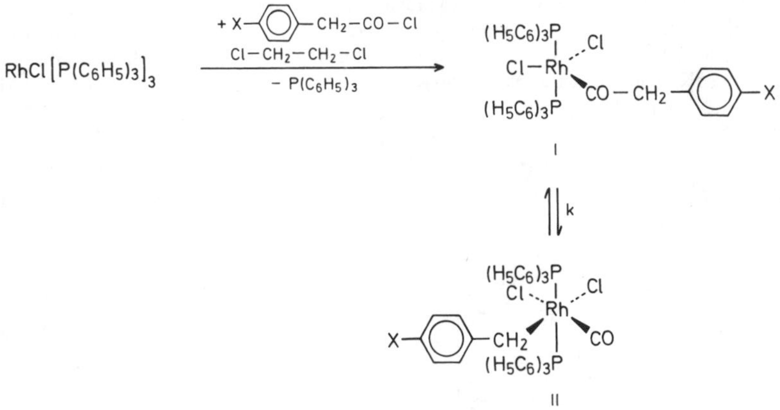

II; X = H; *Benzyl-bis-[triphenylphosphan]-carbonyl-dichloro-rhodium*
X = NO$_2$; *Bis-[triphenylphosphan]-carbonyl-dichloro-(4-nitro-benzyl)-rhodium*
X = OCH$_3$; ...*-(4-methoxy-benzyl)-rhodium*
X = Cl; *Bis-[triphenylphosphan]-carbonyl-(4-chlor-benzyl)-dichloro-rhodium*

Die Acyl → Alkyl-Umlagerung in 1,2-Dichlor-ethan gehorcht einem Gesetz 1. Ordnung in Bezug auf den Acyl-Komplex. Sie ist reversibel. Das Gleichgewicht liegt bei der Methyl-Verbindung auf der Seite des Acyl-Komplexes und bei Phenyl auf der Seite des Phenyl-Komplexes. Benzyl-Gruppen nehmen eine Mittelstellung ein. Elektronen-anziehende 4-ständige Substituenten am Benzyl-Rest erniedrigen die Reaktionsgeschwindigkeit.

Die gebildeten Alkyl-Komplexe zerfallen leicht, wie *Bis-[triphenylphosphan]-carbonyl-dichloro-methyl-rhodium* in Chlormethan und Bis-[triphenylphosphan]-carbonyl-chloro-rhodium[3].

5. aus Rhodium(II)-Verbindungen

α) mit Alkyl-metall-Verbindungen

Dimeres Rhodium(II)-acetat bildet mit Alkyl-magnesium-Verbindungen in Gegenwart von Trimethylphosphan Trialkyl-rhodium(III)-Komplexe[4]. Mit Dimethyl-magnesium entsteht *Trimethyl-tris-[trimethylphosphan]-rhodium* und mit Bis-[trimethylsilyl-

[1] J. K. STILLE u. M. T. REGAN, Am. Soc. **96**, 1508 (1974).
[2] D. A. SLACK, D. L. EGGLESTONE u. M. C. BAIRD, J. Organometal. Chem. **146**, 71 (1978).
[3] M. C. BAIRD, D. N. LAWSON, J. T. MAGUE, J. A. OSBORN u. G. WILKINSON, Chem. Commun. **1966**, 129.
[4] R. A. ANDERSON, R. A. JONES u. G. WILKINSON, Chem. Commun. **1977**, 283; Soc. [Dalton] **1978**, 446.

methyl]-magnesium unter intramolekularem Ringschluß *1,1-Dimethyl-3-(trimethylsi-lyl-methyl)-3,3,3-tris-[trimethylphosphan]-1,3-silarhodetan* (52%; F: 100–101°, Zers.):

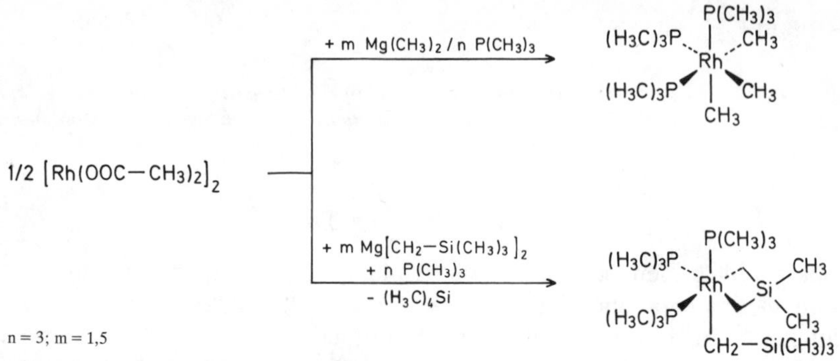

n = 3; m = 1,5

fac-Trimethyl-tris-[trimethylphosphan]-rhodium[1]: Einer Suspension von 0,45 g (1 mmol) Bis-[diacetato-rhodium] in 50 *ml* Diethylether wird bei 0° 1 *ml* Trimethylphosphan zugesetzt. Die braune Suspension wird 15 Min. gerührt, anschließend mit 3,7 *ml* einer 0,55 M Lösung (2 mmol) von Dimethyl-magnesium in Diethylether versetzt und 4 Stdn. bei 0° weitergerührt. Dann engt man das Gemisch i. Vak. bis zur Trockene ein, extrahiert den Rückstand mit 50 *ml* Petrolether, filtriert und konzentriert das Filtrat auf ~2 *ml*. Beim Kühlen auf –20° fallen gelbe Nadel-förmige Kristalle aus; Ausbeute: 0,60 g (40%); F: 106–108°; ^{1}H–NMR(C_6H_6): τ RhMe 9.60(brd) J(PH) 12 Hz.

β) mit Halogenalkanen

Bis-[octaethylporphyrinato-rhodium] reagiert mit Benzylbromid, wobei im Gegensatz zu einer normalen oxi-dativen Addition das Brom-Atom an ein anderes Rhodium-Atom wandert[2].

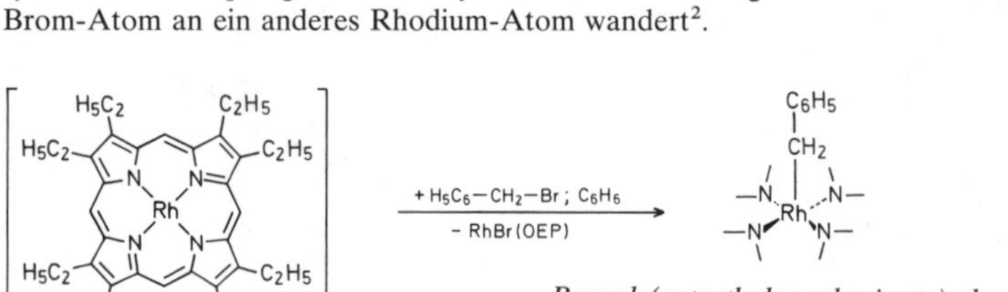

Benzyl-(octaethylporphyrinato)-rho-dium; 26%

γ) mit Alkenen

Bis-[octaethylporphyrinato-rhodium] spaltet von 1-Alkenen 3-ständigen Wasserstoff ab[1], und man erhält σ-Allyl-rhodium(III)-Komplexe in Ausbeuten von 50–60%. Rhodium wird aus sterischen Gründen in γ-Stellung zu R gebunden.

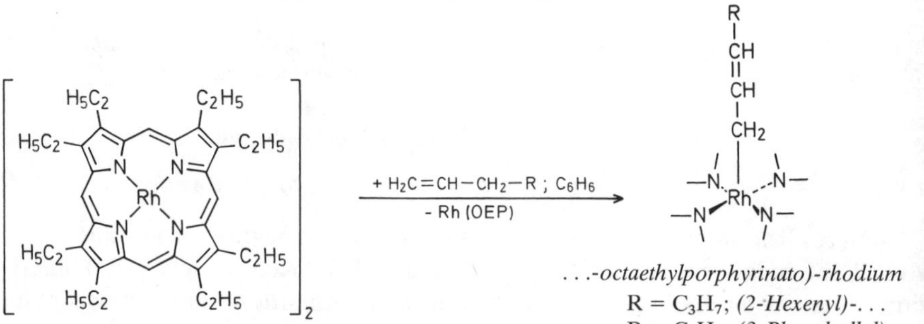

. . .-octaethylporphyrinato)-rhodium
R = C_3H_7; *(2-Hexenyl)-. . .*
R = C_6H_5; *(3-Phenyl-allyl)-. . .*
R = CN; *(3-Cyan-allyl)-. . .*

[1] R.A. ANDERSON, R.A. JONES u. G. WILKINSON, Chem. Commun. **1977**, 283; Soc. [Dalton] **1978**, 446.
[2] H. OGOSHI, J. SETSUNE u. Z. YOSHIDA, Am. Soc. **99**, 3869 (1977).

Mit Ethyl-vinyl-ether wird unter gleichzeitiger Hydrolyse *Formylmethyl-(octaethylporphyrinato)-rhodium* (54%) erhalten[1]:

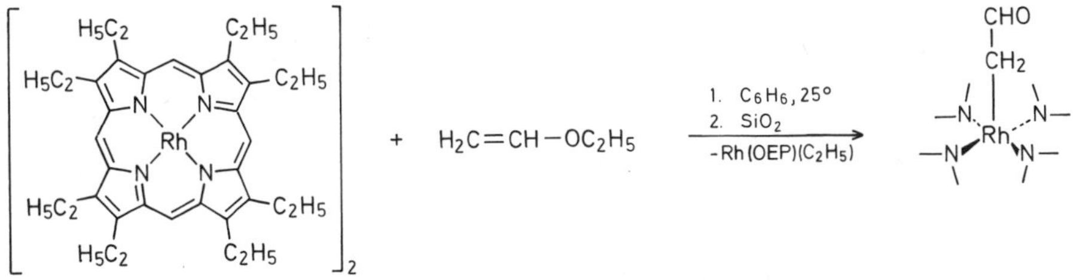

6. aus π-Organo-rhodium-Verbindungen durch π → σ-Umlagerung

π-Allyl-rhodium-Verbindungen werden in σ-Allyl-rhodium-Komplexe umgewandelt, wenn sie mit neutralen Komplex-Bildnern, wie Kohlenmonoxid oder Schwefeldioxid, behandelt werden, die die frei werdende Koordinationsstelle besetzen.

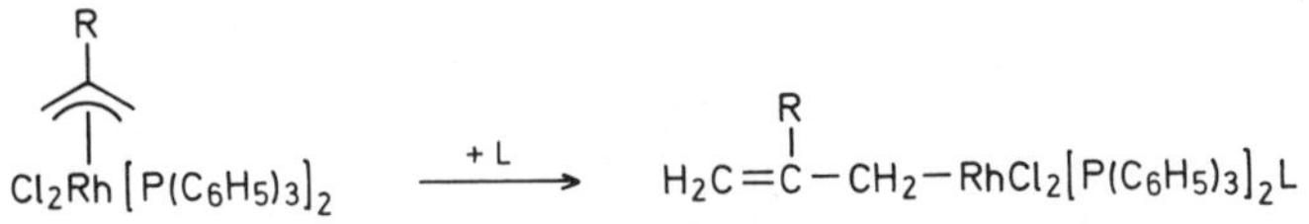

L = SO₂;   R = H;   *σ-Allyl-bis-[triphenylphosphan]-dichloro-schwefeldioxid-rhodium*[2]

R = CH₃;   *Bis-[triphenylphosphan]-dichloro-(σ-2-methyl-allyl)-schwefeldioxid-rhodium*[2]

L = CO   R = H;   *σ-Allyl-bis-[triphenylphosphan]-carbonyl-dichloro-rhodium*[3]

μ,μ - Dichloro-bis-[bis-(η^3-allyl)-rhodium] wird von (η^5-Cyclopentadienyl)-thallium oder -natrium in *σ-Allyl-(η^3-allyl)-(η^5-cyclopentadienyl)-rhodium* (56%; F: ~−20°) übergeführt[4,5].

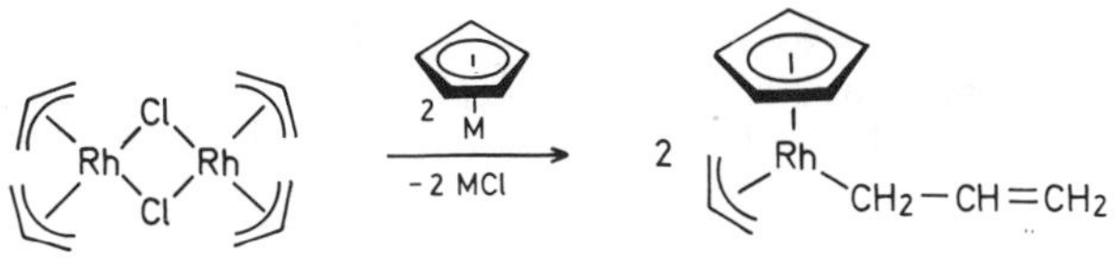

(η^5-Cyclopentadienyl)-(σ-2-methyl-allyl)-(η^2-2-methyl-allyl)-rhodium[4]:   Eine Lösung aus 220 mg μ,μ-Dichloro-bis-[bis-(η^3-2-methyl-allyl)-rhodium] in 10 *ml* Dichlormethan wird mit 0,4 *ml* einer 2,4 M Lösung aus Cyclopentadienyl-natrium in THF geschüttelt und nach 5 Min. abfiltriert. Das Filtrat wird i. Vak. eingeengt und der orange flüssige Rückstand bei 40°/10⁻² Torr verdampft. Auf einem mit Aceton und Trockeneis gekühlten Kühlfinger bildet sich ein orange-gelber Niederschlag; Ausbeute: 130 mg (~50%); F: ~10°.

Bei der oxidativen Addition von Benzylchloriden an Chloro-tris-[triphenylphosphan]-rhodium bzw. Bis-[triphenylphosphan]-carbonyl-chloro-rhodium entsteht in der ersten Stufe ein π-Benzyl-Komplex I, der durch Behandeln mit Kohlenmonoxid in den σ-Benzyl-Komplex II umgewandelt wird[6,7]:

[1] I. Ogoshi, J. Setsune, Y. Nanbo u. Z. Yoshida, J. Organometal. Chem. **159**, 329 (1978).
[2] H. C. Volger u. K. Vrieze, J. Organometal. Chem. **13**, 479 (1968); man erhält keine analysenreine Produkte.
[3] D. N. Lawson, J. A. Osborn u. G. Wilkinson, Soc. [A] **1966**, 1733.
[4] J. Powell u. B. L. Shaw, Chem. Commun. **1966**, 236; Soc. [A] **1968**, 583.
[5] A. Z. Rubezhov, A. S. Ivanov u. S. P. Gubin, Izv. Akad. SSSR **1973**, 951; C. A. **79**, 42656 (1973).
[6] C. O'Connor, J. Inorg. & Nuclear Chem. **32**, 2299 (1970).
[7] J. K. Stille u. R. W. Fries, Am Soc. **96**, 1515 (1974).

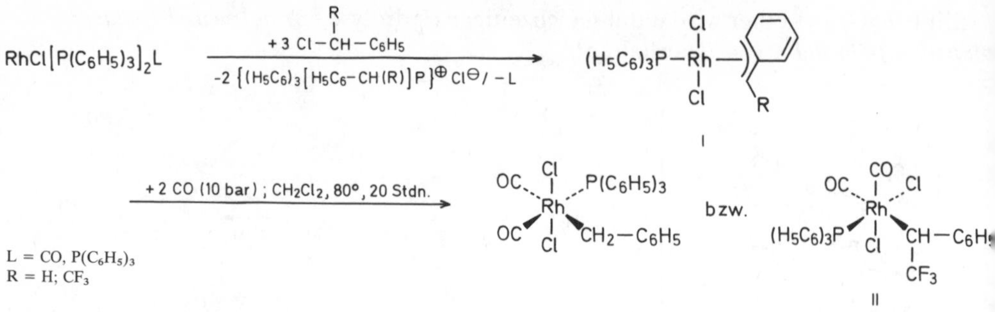

$$RhCl[P(C_6H_5)_3]_2L \xrightarrow[-2\,\{(H_5C_6)_3[H_5C_6-CH(R)]P\}^{\oplus}Cl^{\ominus}/-L]{+3\ Cl-CH-C_6H_5} \quad (H_5C_6)_3P-\overset{Cl}{\underset{Cl}{Rh}}\!\!-$$

I

$$\xrightarrow{+2\ CO\ (10\ bar)\ ;\ CH_2Cl_2,\ 80°,\ 20\ Stdn.}$$

L = CO, P(C₆H₅)₃
R = H; CF₃

b zw.

II

Benzyl-dicarbonyl-dichloro-triphenylphosphan-rhodium[1]:

(η^3-Benzyl)-dichloro-triphenylphosphan-rhodium: Etwa 0,5 g (0,72 mmol) Bis-[triphenylphosphan]-carbonyl-chloro-rhodium werden mit 20 *ml* Benzylchlorid 24 Stdn. unter Rückfluß erhitzt. Die Lösung wird orange. Es fällt das farblose (Benzyl-triphenyl-phosphonium)-chlorid aus. Nach der Filtration wird die Lösung i. Vak. eingeengt, das zurückbleibende Öl mit Benzol extrahiert und der Komplex durch Zusatz von Petrolether, Diethylether oder Tetrachlormethan ausgefällt. Er wird anschließend mit Benzol 1 Stde. unter Rückfluß erhitzt, um Benzylchlorid zu entfernen. Die resultierenden orange-braunen Kristalle werden anschließend isoliert, mit Diethylether gewaschen und i. Vak. getrocknet; Ausbeute: ~ 60%; F: 175–180° (Benzylchlorid-Solvat).

Beim Chromatographieren des Solvats mit Dichlormethan über Kieselgel wird stattdessen das Solvat mit 0,5 mol Dichlormethan gebildet. F: 143–147°.

Benzyl-dicarbonyl-dichloro-triphenylphosphan-rhodium: 0,1 g des Dichlormethan-Solvats werden in 5 *ml* Dichlormethan mit Kohlenmonoxid bei 10 bar und 80° 20 Stdn. behandelt. Aus der gebildeten braunen Lösung fallen bei Zusatz von Diethylether braune Kristalle aus, die i. Vak. getrocknet werden; Ausbeute: ~ 90%; F: 82–85°; IR(Nujol): ν_{CO} 2065, 1990 cm⁻¹.

Auf analoge Weise ist *Dicarbonyl-dichloro-(1-phenyl-2,2,2-trifluor-ethyl)-triphenylphosphan-rhodium* zugänglich.

7. aus σ–C-Rhodium-Verbindungen unter Erhalt mindestens einer σ–C–Rh-Bindung

α) durch Reaktionen am σ–C-gebundenen Liganden

Die Acetal-Gruppe des (2,2-Diethoxy-ethyl)-(octaethylporphyrinato)-rhodiums wird bereits beim Chromatographieren auf Silicagel zum *Formylmethyl-octaethylporphyrinato-rhodium* (54%) hydrolisiert[2].

Quantitative Ausbeuten werden bei der Behandlung des Acetals mit Silicagel in Chloroform (1 Stde.) erzielt.

Trialkylphosphan-(jodmethyl)-rhodium-Komplexe lagern sich bei Zugabe von Basen um unter Bildung von Jodo-(trialkylphosphoniummethyl)-rhodium-Verbindungen[3,4]; z. B.:

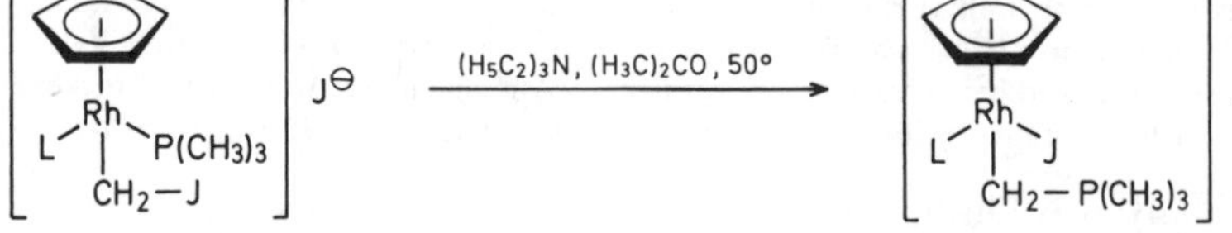

$$\xrightarrow{(H_5C_2)_3N,\ (H_3C)_2CO,\ 50°}$$

I

(*η^5-Cyclopentadienyl)-jodo-...-rhodium-jodid*
L = P(OCH₃)₃; ...*-trimethylphosphit-(trimethylphosphano-methyl)-...*
L = P(CH₃)₃; ...*-trimethylphosphan-(trimethylphosphano-methyl)-...*

Der Kation-Komplex I reagiert auch mit Triethylamin, Triorganophosphanen, Dimethylsulfan, Natrium-methanolat usw. unter Substitution von Jod an der Jodmethyl-Gruppe[3,5,6].

---

[1] C. O'Connor, J. Inorg. & Nuclear Chem. **32**, 2299 (1970).
[2] I. Ogoshi, J.-I. Setsune, Y. Nanbo u. Z.-I. Yoshida, J. Organometal. Chem. **159**, 329 (1978).
[3] R. Feser u. H. Werner, Ang. Chem. **92**, 960 (1980).
[4] H. Werner, L. Hofmann u. W. Paul, J. Organometal. Chem. **236**, C 65 (1982).
[5] H. Werner, R. Feser, W. Paul u. L. Hofmann, J. Organometal. Chem. **219**, C 29 (1981).
[6] H. Werner, Pure Appl. Chem. **54**, 177 (1982).

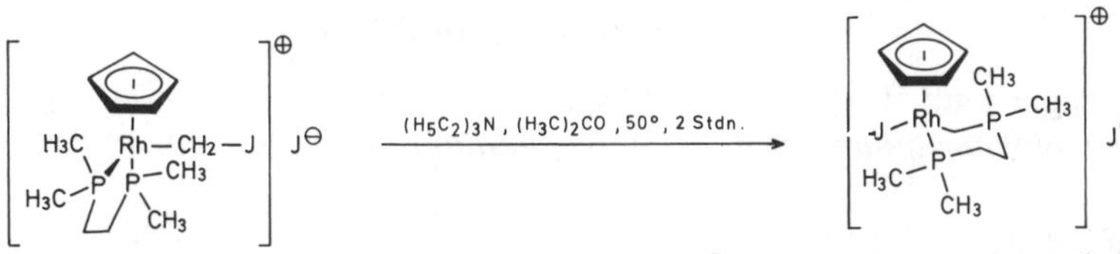

(η⁵-Cyclopentadienyl)-{[dimethyl-(2-dime-
thylphosphano-ethyl)-phosphano]-methyl-
P',C}-jodo-rhodium-jodid; 93%

Bei Umsetzung der Jodmethyl-Gruppe mit Natrium-hydrogen-chalkoniden entstehen unter Abspaltung von ~~J~~odwasserstoff die entsprechenden η-Chalkogenformaldehyd-rhodium(I)-Komplexe (zur Methylierung von ~~S~~chwefel s. Lit.)[1].

β) durch Reaktionen am Rhodium-Atom

Bis-[triphenylphosphan]-carbonyl-(1,1,2,2-tetrafluor-ethyl)-rhodium bindet bei –70° Chlorwasserstoff[2]. Die ~~R~~eaktion ist reversibel. Bei 25° dagegen wird 1,1,2,2-Tetrafluor-ethan unter Bildung des Chloro-rhodium(I)-~~K~~omplexes abgespalten.

Bis-[triphenylphosphan]-carbonyl-chloro-
hydrido-(1,1,2,2-tetrafluor-ethyl)-rhodium

In dem dimeren 1,2-Alkendiyl-μ-carbonyl-rhodium(II)-Komplex (s. S. 319) kann die Carbonyl-Gruppe ~~d~~urch eine μ-Methylen-Gruppe durch Behandeln mit Diazomethan ausgetauscht werden. Es entsteht ein Rho-~~d~~ium(III)-Komplex.

b) von 1-Alkenyl-rhodium(III)-Verbindungen

1. aus Rhodium(III)-Verbindungen

α) durch nucleophile Substitution eines Halogen-Atoms durch interne Metallierung

Halogen-rhodium(III)-Komplexe, mit stark basischen Phosphanen als Liganden, rea-~~g~~ieren mit 2-(1-Alkenyl)-pyridin-Verbindungen beim Erhitzen unter Cyclometallierung ~~z~~u 1-Alkenyl-rhodium(III)-Verbindungen[3]:

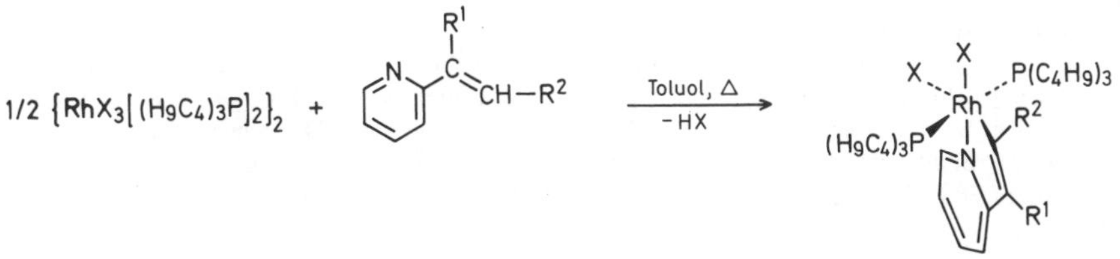

Bis-[tributylphosphan]-...-rhodium

X = Cl; R¹ = R² = H (5 Stdn.); ...-dichloro-[2-(2-pyridyl)-vinyl-(C,N)]-...; 75%; F: 188–194°
X = Br; R¹ = R² = H (5 Stdn.); ...-dibromo-[2-(2-pyridyl)-vinyl-(C,N)]-...; 75%; F: 200–205°
    R¹ = H; R² = CH₃ (5 Stdn.); ...-dibromo-[1-methyl-2-(2-pyridyl)-vinyl-(C,N)]-...; 66%;
                                                                      F: 198–203°
    R² = C₆H₅ (48 Stdn.); ...-dibromo-[1-phenyl-2-(2-pyridyl)-vinyl-(C,N)]-...; 40%;
                                                                      F: 220° (Zers.)
    R¹ = CH₃; R² = C₆H₅ (24 Stdn.); ...-dibromo-[1-phenyl-2-(2-pyridyl)- 1-propenyl- (C,N)]-...; 63%;
                                                                      F: 201–204°

---

[1] W. PAUL u. H. WERNER, Ang. Ch. **95**, 333 (1983).
[2] G. YAGUPSKY, C. K. BROWN u. G. WILKINSON, Soc. [A] **1970**, 1392.
[3] R. J. FOOT u. B. T. HEATON, Chem. Commun **1973**, 838; Soc. [Dalton] **1979**, 295.

β) durch Addition an Alkine

Acetylen reagiert mit Bis-[triphenylphosphan]-dichloro-hydrido-rhodium zum luftstabilen *Bis-[triphenylphosphan]-dichloro-vinyl-rhodium* (70%; F: 170–172°)[1]:

$$RhHCl_2[P(C_6H_5)_3]_2 \cdot 0{,}5\ CH_2Cl_2 \quad + \quad HC{\equiv}CH \quad \xrightarrow{CH_2Cl_2} \quad H_2C{=}CH{-}RhCl_2[P(C_6H_5)_3]_2$$

Hydrido-pentammin-rhodium-sulfat lagert sich an die C≡C-Dreifachbindung von Hexafluor-2-butin[2]:

$$[RhH(NH_3)_5]^{2\oplus}\,SO_4^{2\ominus} \quad + \quad F_3C{-}C{\equiv}C{-}CF_3 \quad \longrightarrow \quad \left[F_3C{-}CH{=}\overset{\overset{\displaystyle CF_3}{|}}{C}{-}Rh(NH_3)_5\right]^{2\oplus}\,SO_4^{2\ominus}$$

Pentammin-(3,3,3-trifluor-1-trifluormethyl-propenyl)-rhodium-sulfat; 60%

Während es viele Beispiele von Insertionsreaktionen der Alkine in H–M-Bindungen gibt, ist die Insertion in eine Hal-M-Bindung relativ selten. Bei der Umsetzung von Aquo-chloro-octaethylporphyrinato-rhodium mit Acetylen entsteht das *trans*-Addukt und bei der Umsetzung mit Phenylethin das *cis*-Addukt[3].

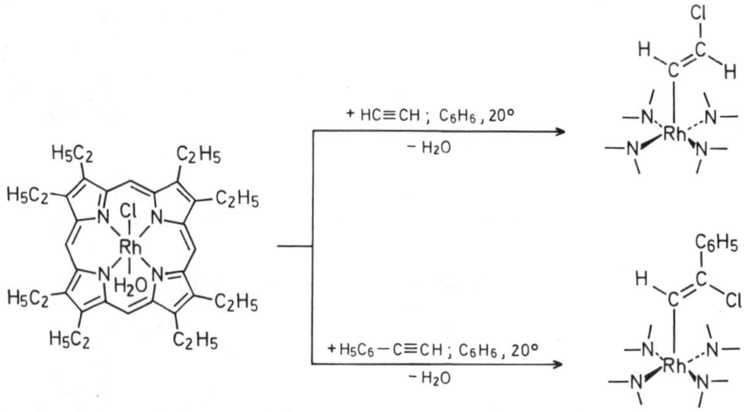

(trans-2-Chlor-2-phenyl-vinyl)-(octaethyl-porphyrinato)-rhodium

(trans-2-Chlor-vinyl)-octaethylporphyrinato-rhodium[4]: Acetylen wird mit Wasser gewaschen und über Schwefelsäure getrocknet. Man leitet das Gas unter Rühren 2 Stdn. bei 20° in eine Lösung von Aquo-chloro-octaethylporphyrinato-rhodium in Benzol. Es fällt ein orange-farbiger Niederschlag aus. Nach Abziehen des Lösungsmittels i. Vak. wird der Rückstand über Silicagel chromatographiert. Der gewünschte Komplex wird mit Benzol eluiert. Das Eluat wird i. Vak. aufkonzentriert und der Komplex in Dichlormethan und Hexan umkristallisiert; Ausbeute: 67%; ^{1}H–NMR (CDCl$_3$): τ RhCH=C 11.48 (dd); J(HH) 12 Hz, J(RhH) 2 Hz; τ RhC=CH 11.79 (d).

γ) durch Reaktion mit Diazo-carbonsäure-estern

Diazo-carbonsäureester mit einem β-Wasserstoff-Atom reagieren mit Porphyrinato-rhodium-Verbindungen zu 1-Alkenyl-rhodium-Komplexen[5]. Der Zerfall der Diazo-carbonsäureester konkurriert jedoch mit der Olefin-Bildung. Außerdem reagieren die gebil-

---

[1] M.C. BAIRD, J.T. MAGUE, J.A. OSBORN u. G. WILKINSON, Soc. [A] **1967**, 1347.
[2] K. THOMAS, J.A. OSBORN, A.R. POWELL u. G. WILKINSON, Soc. [A] **1968**, 1801.
[3] Durch Hydrolyse entsteht in etwa der gleichen Menge der Phenylacetyl-Komplex (s.S. 420).
[4] I. OGOSHI, J.–I. SETSUNE, Y. NANBO u. Z.-I. YOSHIDA, J. Organometal. Chem. **159**, 329 (1978).
[5] H.J. CALLOT u. E. SCHAEFFER, Chem. Commun. **1978**, 937.

leten Komplexe mit überschüssigem Diazocarbonsäureester unter Bildung von Alkoxy-carbonyl-rhodium-Verbindungen (s. S. 421).

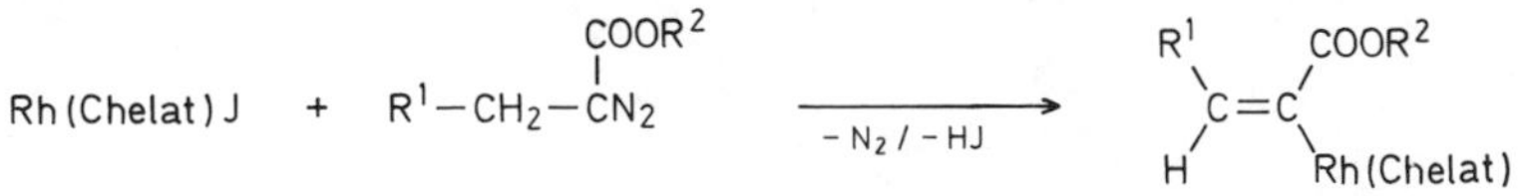

$$Rh(Chelat)J \quad + \quad R^1{-}CH_2{-}\overset{\overset{\displaystyle COOR^2}{|}}{CN_2} \quad \xrightarrow{-\,N_2\,/\,-\,HJ} \quad \overset{R^1\quad COOR^2}{\underset{H\qquad Rh(Chelat)}{C{=}C}}$$

Chel = Tetraphenylporphyrinato; ...-*tetraphenylporphyrinato-rhodium*
R^1 = H; R^2 = C$_2$H$_5$; *(1-Ethoxycarbonyl-vinyl)-*...; 30%
R^1 = COOCH$_3$; R^2 = CH$_3$; *[(E)-1,2-Dimethoxycarbonyl-vinyl)-*...; 47%
Chel = Octaethylporphyrinato; ...-*octaethylporphyrinato-rhodium*
R^1 = H; R^2 = CH$_3$; *(1-Ethoxycarbonyl-vinyl)-*...; 36%

2. aus Metall-rhodaten(I)

trans-2-Brom-1-phenyl-ethen wird von Octaethylphorphyrinato-rhodat in einer nucle-ophilen Substitution angegriffen, und man erhält *Octaethylporphyrinato-(trans-2-phenyl-vinyl)-rhodium*[1]:

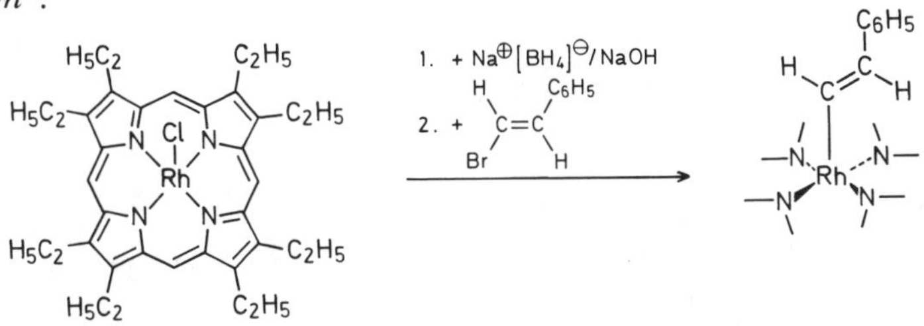

Mit Ethin bzw. Phenylethin entsteht unter Protonierung *Octaethylporphyrinato-vinyl-* bzw. *Octaethylporphy-rinato-(cis-2-phenyl-vinyl)-rhodium* (23%)[1]:

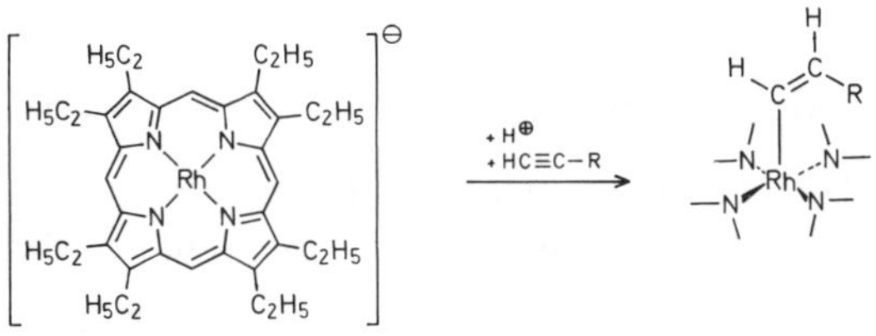

R = H; C$_6$H$_5$

3. aus Rhodium(I)-Verbindungen durch oxidative Addition

α) mit 1-Halogen-1-alkenen, 2-Alkenoyl-chloriden bzw. -2-alkinen

1,2-Dichlor-tetrafluor-cyclobuten wird oxidativ an Bis-[diphenyl-methyl-phosphan]-(2,4-pentandionato)-rhodium angelagert[2]:

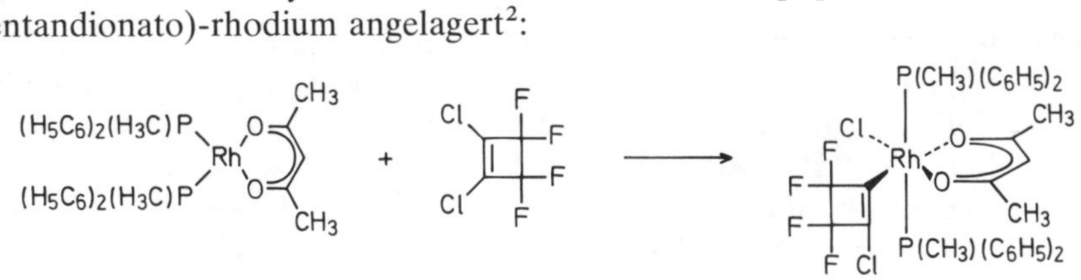

3-Phenyl- bzw. 3-(4-Methyl-phenyl)-propenoyl-chlorid reagieren mit Chloro-tris-[triphenylphosphan]-rho-dium unter Decarbonylierung des Aryl-Restes[3]:

[1] H. Ogoshi, J. Setsune, T. Omura u. Z. Yoshida, Am. Soc. **97**, 6461 (1975).
[2] A.J. Mukhedkar, V.A. Mukhedkar, M. Green u. F.G.A. Stone, Soc. [A] **1970**, 3166.
[3] J.A. Kampmeier, S.H. Harris u. R.M. Rodehorst, Am. Soc. **103**, 1478 (1981).

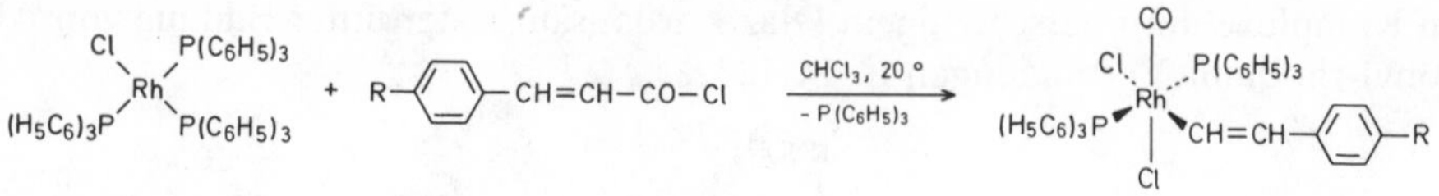

R = CH_3, H

ca. 90%

Bis-[diphenyl-methyl-phosphan]-chloro-(2-chlor-tetrafluor-1-cyclobutenyl)-(2,4-pentandionato)-rhodium[1]: Man tropft eine Lösung von 0,12 g (0,6 mmol) 1,2-Dichlor-tetrafluor-cyclobuten in 10 *ml* Benzol unter Rühren zu einer Mischung aus 0,24 g (0,4 mmol) Bis-[diphenyl-methyl-phosphan]-(2,4-pentandionato)-rhodium und 30 *ml* Benzol. Nach 12 Stdn. wird das Vol. der Lösung i. Vak. auf 3 *ml* eingeengt. Beim Zusatz von Hexan entsteht ein gelber Niederschlag, der in Dichlormethan und Diethylether umkristallisiert wird; Ausbeute 0,21 g (65%); F: 150–151°; IR(Nujol): $\nu_{C=C}$ und ν_{acac} 1760(m), 1630(m), 1565(s), 1480(s), 1432(s) cm^{-1}.

Triphenylcyclopropenium-chlorid wird bei der oxidativen Addition aufgespalten[2]. Dabei entsteht ein Resonanz-stabilisierter Rhodium-4-Ring; z.B.:

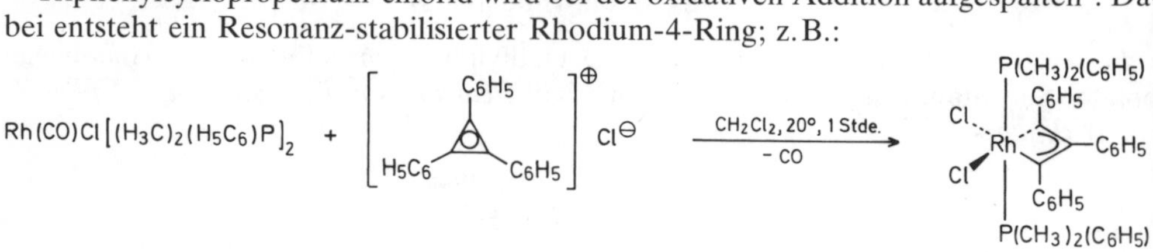

1,1-Bis-[dimethyl-phenyl-phosphan]-1,1-dichloro-2,3,4-triphenyl-1-hydro-rhodet; ~80%

Bei der oxidativen Addition von 3-Brom-1-propin an Bis-[dimethyl-phenyl-phosphan]-bromo-carbonyl-rhodium wird die Propargyl- in eine Allenyl-Gruppe umgelagert[3].

$$RhBr(CO)[P(CH_3)_2(C_6H_5)]_2 \; + \; Br-CH_2-C{\equiv}CH \longrightarrow H_2C{=}C{=}CH-RhBr_2(CO)[P(CH_3)_2(C_6H_5)]_2$$

Bis-[dimethyl-phenyl-phosphan]-carbonyl-dibromo-propadienyl-rhodium; 95% (^1H-NMR)

β) aus π-Alkin-rhodium(I)-Komplexen mit Elektrophilen

π-Alkin-rhodium(I)-Komplexe reagieren mit Chlorwasserstoff unter Addition des Protons an das sp–C-Atom der Alkin-Gruppe und vom Halogen-Anion an das Rhodium-Atom[4]; z.B.:

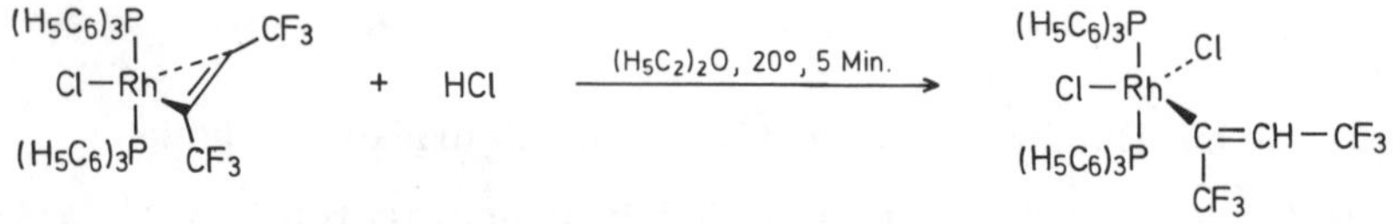

Bis-[triphenylphosphan]-dichloro-(3,3,3-trifluor-1-trifluormethyl-1-propenyl)-rhodium; 70%; F: 168–170° (Zers.)

Der π-Alkin-Komplex I bildet mit Schwefelkohlenstoff unter Cyclisierung *2-(η^5-Cyclopentadienyl)-3,4-dimethoxycarbonyl-5-thioxo-2-triphenylphosphan-2,5-dihydro-1,2-thiarhodol* (II; 90%; Zers.p.: 193–197°), das vom Jodmethan an der Thiocarbonyl-Gruppe methyliert wird[5]. Bei Addition des Alkins an den Schwefelkohlenstoff-Komplex IV entsteht dagegen das zum Komplex II isomere *3-(η^5-Cyclopentadienyl)-4,5-dimethoxycarbonyl-2-thioxo-3-triphenylphosphan-2,3-dihydro-1,3-thiarhodol* (V; Zers.p.: 172–178°):

[1] A.J. Mukhedkar, V.A. Mukhedkar, M. Green u. F.G.A. Stone, Soc. [A] **1970**, 3166.
[2] P.D. Frisch u. G.P. Khare, J. Organometal. Chem. **142**, C 61 (1977); Inorg. Chem, **18**, 781 (1979).
[3] A.E. Crease, B.D. Gupta, M.D. Johnson u. S. Moorhouse, Soc. [Dalton] **1978**, 1821.
[4] R.D.W. Kemmitt, B.Y. Kimura u. G.W. Littlecott, Soc. [Dalton] **1973**, 636.
[5] Y. Wakatsuki, H. Yamazaki u. H. Iwasaki, Am. Soc. **95**, 5781 (1973).

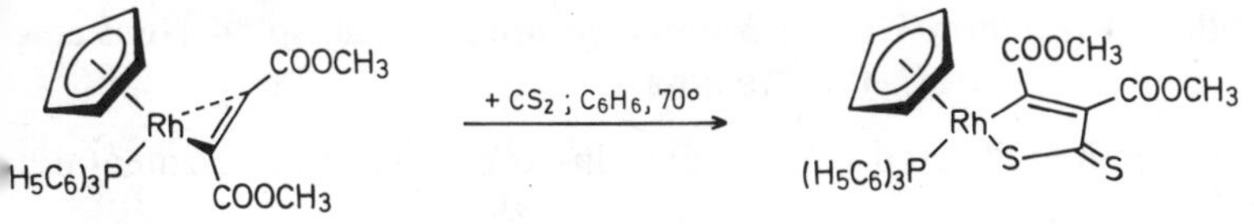

I

II

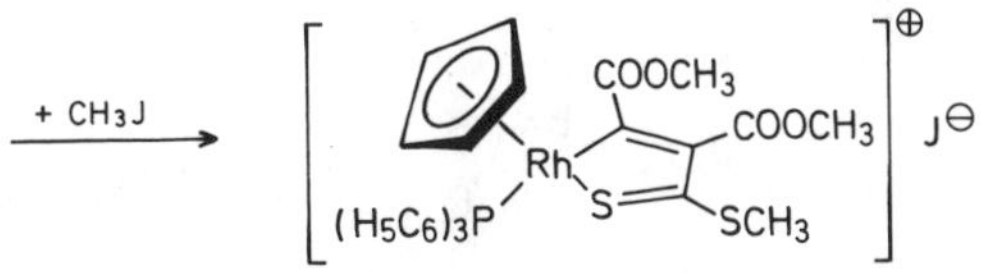

III; 2-(η^5-Cyclopentadienyl)-3,4-dimethoxycar-
bonyl-5-methylthio-2-triphenylphosphan-
1,2-thioniarhodol-jodid; Zers.p.: 145–148°

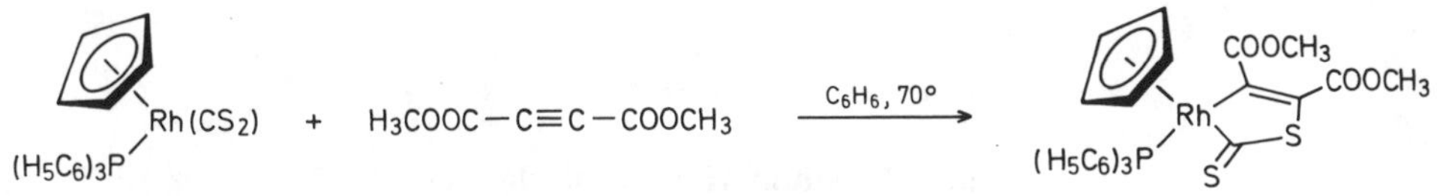

IV   V

Beim Behandeln von (η^5-Cyclopentadienyl)-(η^2-diphenyl-ethin)-(triisopropylphosphan)-rhodium mit Trifluoressigsäure erhält man (η^5-Cyclopentadienyl)-(1,2-diphe-
nyl-vinyl)-trifluoracetoxy-(triisopropylphosphan)-rhodium (76%; F: 101°)[1].

γ) spezielle Methoden

Bei der Umsetzung von Bis-[triphenylarsan]-carbonyl-chloro-rhodium mit Hexafluor-2-butin entsteht neben
einem Rhodol (s. S. 377) und einem Dioxo-rhodolan (s. S. 414) 2,3-Bis-[trifluormethyl]-1,1-bis-[triphenyl-ar-
san]-1-chloro-4-oxo-1,4-dihydro-rhodet[2]:

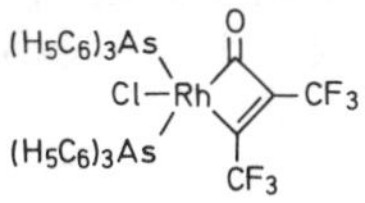

4. aus Rhodium(II)-Verbindungen

1-Alkine werden in die Rh–Rh-Bindung von Bis-[octaethylporphyrinato-rhodium(II)] eingeschoben[3]:

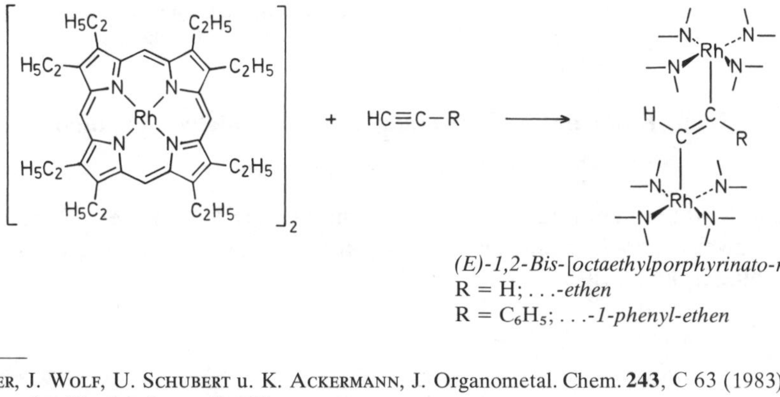

(E)-1,2-Bis-[octaethylporphyrinato-rhodium]...
R = H; ...-ethen
R = C$_6$H$_5$; ...-1-phenyl-ethen

---

[1] H. WERNER, J. WOLF, U. SCHUBERT u. K. ACKERMANN, J. Organometal. Chem. **243**, C 63 (1983).
Zur Bildung der Rhodaindens s. S. 376.
[2] J.T. MAGUE, M.O. NUTT u. E.H. GAUSE, Soc. [Dalton] **1973**, 2578.
[3] H. OGOSHI, J. SETSUNE u. Z. YOSHIDA, Am. Soc. **99**, 3869 (1977).

5. aus anderen σ-1-Alkenyl-rhodium(III)-Verbindungen unter Erhalt mindestens einer σ–C–Rh-Bindung

Beim Behandeln des cyclometallierten 2-Vinyl-pyridin-Komplexes I mit elementarem Brom wird Wasserstoff durch Brom substituiert[1].

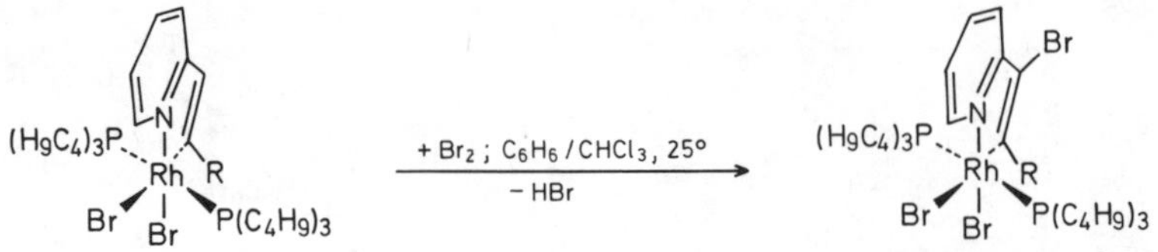

I

R = H; ...-[2-brom-2-(2-pyridyl)-vinyl-(C,N)]-...
R = CH₃; ...-[2-brom-1-methyl-2-(2-pyridyl)-vinyl-(C,N)]-...; ~80%; F: 207–208°

Bis-[tributylphosphan]-...-dibromo-rhodium

c) Rhodole

1. aus Rhodium(III)-Verbindungen

Cyclopentadienyl-dijodo-triphenylphosphan-rhodium reagiert mit 1,4-Dilithio-tetraphenyl-1,3-butadien unter Ringschluß zum *1-Cyclopentadienyl-tetraphenyl-1-triphenylphosphan-rhodol* (0,3%; F: 275–277°)[2]:

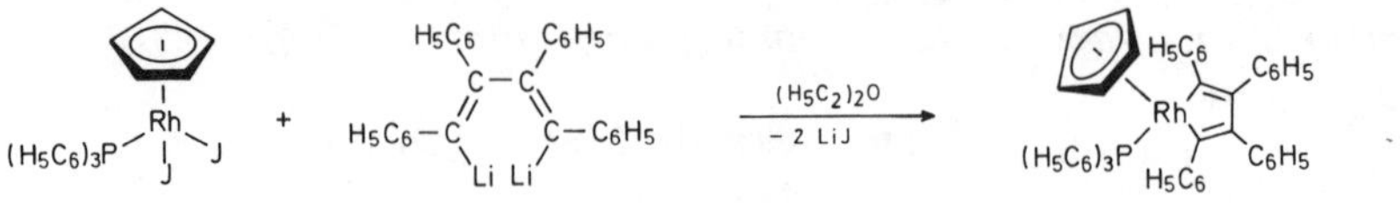

(η⁵-Cyclopentadienyl)-(1,2-diphenyl-vinyl)-trifluoracetoxy-triisopropylphosphan-rhodium wird durch Behandeln in Methanol mit Ammonium-hexafluorophosphat bzw. Trifluoressigsäure in einen Benzorhodol-Komplex umgewandelt[3]:

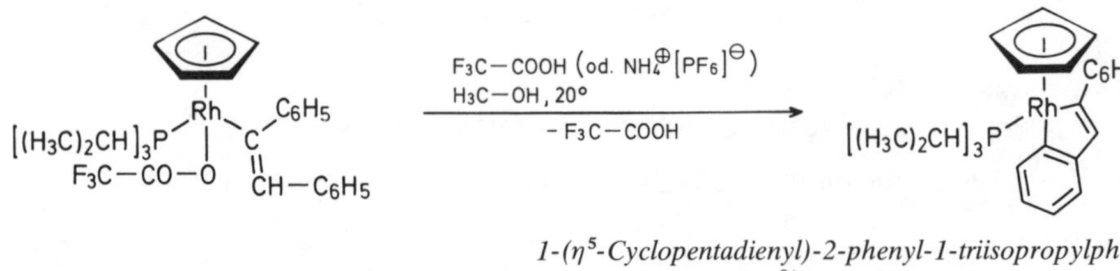

1-(η⁵-Cyclopentadienyl)-2-phenyl-1-triisopropylphosphan-1-benzorhodol; 84%; F: 149°

2. aus Rhodium(I)-Verbindungen durch oxidative Addition

α) von Hexafluor-1,3-butadien

Hexafluor-1,3-butadien bildet mit Chloro-rhodium(I)-Komplexen Rhodole[4] unter Verlust von zwei Fluor-Atomen. Die gebildeten koordinativ ungesättigten monomeren Komplexe binden keinen Carbonyl-Liganden.

[1] R.J. Foot u. B.T. Heaton, Chem. Commun. **1973**, 838; Soc. [Dalton] **1979**, 295.
[2] S.A. Gardner u. M.R. Rausch, J. Organometal. Chem. **78**, 415 (1974).
[3] H. Werner, J. Wolf, U. Schubert u. K. Ackermann, J. Organometal. Chem. **243**, C 63 (1983).
[4] D.M. Roundhill, D.N. Lawson u. G. Wilkinson, Soc. [A] **1968**, 845.

$$RhClL_2L' \; + \; \text{(Hexafluor-1,3-butadien)} \xrightarrow[-2\{F\}/\,-L']{CHCl_3,\,25°} \text{(Rh-Komplex)}$$

...-1-chloro-2,3,4,5-tetrafluor-rhodol

L = $(H_5C_6)_3$P; L' = $H_2C=C=CH_2$; *1,1-Bis-[triphenylphosphan]*...
L = L' = $(H_5C_6)_3$As; *1,1-Bis-[triphenylarsan]-*...

1,1-Bis-[triphenylphosphan]- 1-chloro-2,3,4,5-tetrafluor-rhodol [L = L' = $(H_5C_6)_3$P][1]: 3 *ml* Hexafluor-1,3-butadien werden im Überschuß mit 1 g (1,1 mmol) Chloro-tris-[triphenylphosphan]-rhodium in 10 *ml* Benzol in einem abgeschmolzenen Bombenrohr 12 Stdn. auf 60° erhitzt. Nach dem Abkühlen und vorsichtigen Öffnen des Gefäßes werden die gebildeten gelben, Nadel-förmigen Kristalle abfiltriert und aus heißem Benzol oder Dichlormethan/Methanol umkristallisiert; Ausbeute: 0,7 g (82%); F: ~ 190° (Zers.); IR(CH$_2$Cl$_2$): $\nu_{C=C}$ 1737(s), 1672(s) cm^{-1}.

β) von 2-Alkinen

Rhodium(I)-Verbindungen werden analog den Kobalt(I)- bzw. Iridium(I)-Komplexen (s.S. 30, 555) durch oxidative Addition von 2-Alkinen an das Metall zu Rhodolen umgewandelt. In einigen Fällen werden η^4-Cyclobutadien-rhodium(I)-Komplexe gebildet.

Geeignet sind 2-Alkine mit Elektronen-anziehenden Substituenten. Die Umsetzungen gelingen bei 80°, bei 20° entstehen π-Alkin-Komplexe. Sind die am Rhodiummetall gebundenen Liganden großvolumig, entstehen 5-fach koordinierte Komplexe[2,3]:

$$RhClL_3 \; + \; 2\,F_3C-C\equiv C-CF_3 \xrightarrow[-L]{C_6H_6,\,80°} \text{(Rh-Komplex)}$$

L = $(H_5C_6)_3$ As, $(H_5C_6)_3$ Sb

1,1-Bis-[triphenylstiban]- 1-chloro-2,3,4,5-tetrakis-[trifluormethyl]- rhodol[2,4]: Es wird Benzol eingesetzt, das über Lithiumalanat destilliert und über Natrium aufbewahrt wird.

In einem Bombenrohr werden 0,3 g (0,25 mmol) Chloro-tris-[triphenylstiban]-rhodium und 5 *ml* Benzol vorgelegt. In die Lösung wird Hexafluor-2-butin einkondensiert. Man verschließt das Gefäß und erhitzt es 3 Stdn. auf 75–80°. Nach dem Abkühlen wird es 24 Stdn. bei 20° gehalten und anschließend die Lösung vom überschüssigen Hexafluor-2-butin befreit. Das kristalline Rohprodukt wird abfiltriert und aus 1,1-Dichlor-ethan und Petrolether (Kp: 30–60°) umkristallisiert; Ausbeute: 0,23 g (80%); F: 208–210° (Zers.) (gelborange Kristalle).

Analog wird *1,1-Bis-[triphenylarsan]-1-chloro-2,3,4,5-tetrakis-[trifluormethyl]-rhodol* (F: 195–197°) erhalten.

Diphenyl-(2-phenylethinyl-phenyl)-phosphan setzt sich mit Chloro-tris-[triphenylphosphan]-rhodium (Wilkinson-Komplex) unter Cyclisierung zum *2,5-Bis-[2-diphenylphosphano-phenyl-(C,P)]-1-chloro-3,4-diphenyl-1-triphenylphosphan-rhodol* (80%; F: 230°) um[5]:

$$RhCl[P(C_6H_5)_3]_3 \; + \; 2 \;\text{(Phosphan)} \xrightarrow[-2\,(H_5C_6)_3P]{25°} \text{(Rhodol-Komplex)}$$

[1] D.M. ROUNDHILL, D.N. LAWSON u. G. WILKINSON, Soc. [A] **1968**, 845.
[2] J.T. MAGUE u. G. WILKINSON, Inorg. Chem. **7**, 542 (1968).
[3] J.T. MAGUE, M.O. NUTT u. E.H. GAUSE, Soc. [Dalton] **1973**, 2578.
[4] J.T. MAGUE, Am. Soc. **91**, 3983 (1969); Inorg. Chem. **9**, 1610 (1970).
[5] W. WINTER, Ang. Ch. **88**, 260 (1976).

Der Ringschluß vom Bis-[triphenylarsan]-carbonyl-chloro-rhodium mit Dimethoxy carbonylethin wird durch den Carbonyl-Fänger 2-Azidocarbonyl-furan eingeleitet[1]:

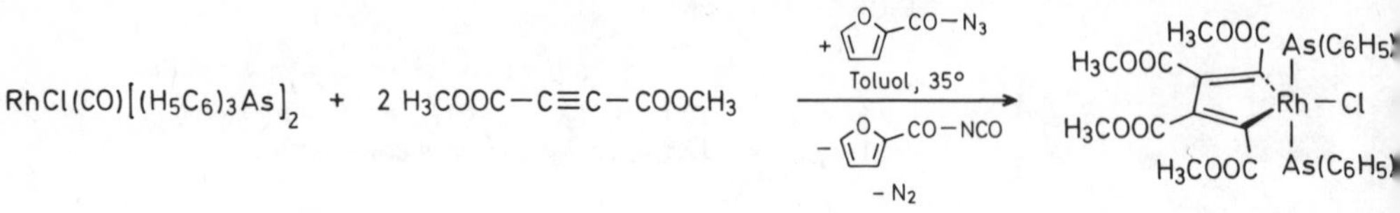

1,1-Bis-[triphenylarsan]-1-chloro-2,3,4,5-tetramethoxy carbonyl-rhodol; 74%; F: 238–240° (Zers.)

Die Bis-[triorganoarsan]-carbonyl-chloro-rhodium-Komplexe bilden bei der Cycload dition 5 oder 6fach koordinierte Komplexe[2]. So verlieren Komplexe mit großen und weni ger basischen Arsanen den Carbonyl-Liganden. Bei anderen Komplexen ist die Abspal tung der Carbonyl-Gruppe reversibel[3].

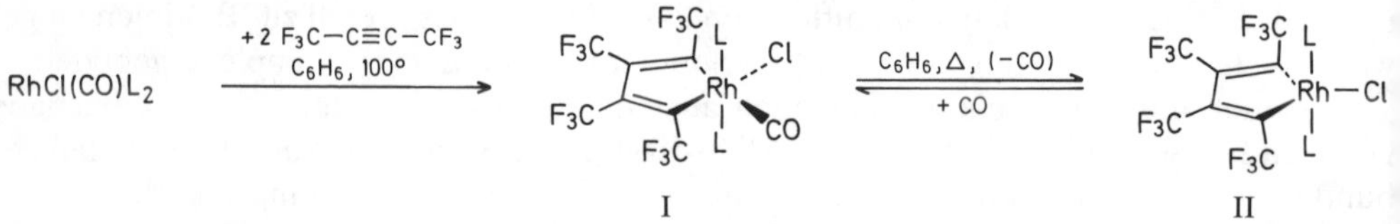

| ...-1-carbonyl-1-chloro-2,3,4,5-tetrakis-[trifluor-methyl]-rhodol | ...-chloro-2,3,4,5-tetrakis-[trifluormethyl]-rhodol |

	I		II
L = (H₃C)₃As	}64%	1,1-Bis-[trimethylarsan]-...	–
L = (H₃C)₂(H₅C₆)As		1,1-Bis-[dimethyl-phenyl-arsan]-...	
L = (H₃C)₂As—⟨O⟩—OCH₃	84%; F: 186° (Zers.)	1,1-Bis-[dimethyl-(4-methoxy-phenyl)-arsan]-...	100%[a]; F: 135°
L = (H₅C₆)₃As	88%; F: 141° (Zers.)	1,1-Bis-[triphenylarsan]-...	65%[b]; F: 195°
L = [F—⟨O⟩—]₃As	–	1,1-Bis-[tris-(4-fluor-phenyl)-arsan]-...	51%[b]; F: 265° (Zers.)

[a] Erhitzen in siedendem Benzol
[b] nach Chromatographie im Silicagel

1,1-Bis-[trimethylarsan]-1-carbonyl-1-chloro-2,3,4,5-tetrakis-[trifluormethyl]-rhodol[2]: In einer dickwan digen 40-ml-Pyrex-Röhre werden 0,2 g (0,49 mmol) Bis-[trimethylarsan]-carbonyl-chloro-rhodium vorgelegt. Nach Evakuieren und Kühlen mit flüssigem Stickstoff werden 5 ml Benzol einkondensiert. Durch Erwärmen wird der Komplex gelöst und anschließend wieder mit flüssigem Stickstoff gekühlt. ~2 ml Hexafluor-2-butin werden darauf einkondensiert. Man verschließt die Röhre und erhitzt 18 Stdn. auf 100°. Nach dem Abkühlen mit flüssigem Stickstoff wird die Röhre geöffnet und das nicht umgesetzte Alkin entfernt. Die gelbe Lösung wird fil triert und i. Vak. bis zur Trockenen eingeengt. Der feste Rückstand wird aus Diethylether umkristallisiert; Aus beute: 0,23 g (84%); F: 196° (Zers.); IR(Nujol): ν_{CO} 2104(vs) cm⁻¹.

[1] J.P. COLLMAN, J.W. KANG, W.F. LITTLE u. M.F. SULLIVAN, Inorg. Chem. **7**, 1298 (1968).
[2] J.T. MAGUE, M.O. NUTT u. E.H. GAUSE, Soc. [Dalton] **1973**, 2578.
[3] Beim Erhitzen des Carbonyl-trimethylarsan-Komplexes in feuchtem Benzol entsteht ein Komplex, der anstelle des Carbonyl- einen Aquo-Liganden enthält. Der Aquo-Ligand wird leicht durch CO substituiert; J.T. MA GUE, Am. Soc. **93**, 3550 (1971).

Aus Bis-[triphenylphosphan]-[2-diphenylphosphano-phenyl-(C,P)]-rhodium wird mit Alkinen ebenfalls ein Rhodol erhalten[1, 2]:

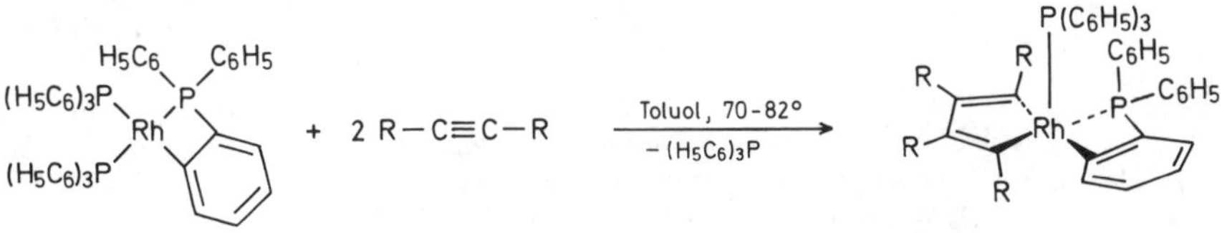

1,1-[2-Diphenylphosphano-phenyl-(C,P)]-. . .-1-triphenylphosphan-rhodol
R = C$_6$H$_5$; . . .-2,3,4,5-tetraphenyl-. . .[1, 2]; 79%; F: 175–177°
R = CF$_3$; . . .-2,3,4,5-tetrakis-[trifluormethyl]-. . .[1]; 57%

5fach koordinierte Rhodium(I)-Komplexe müssen zunächst einen Liganden abgeben, ehe sie zur Reaktion mit Alkin fähig sind. So verliert Carbonyl-cyclopentadienyl-triphenylphosphan-rhodium die Carbonyl-Gruppe[3]; z.B.:

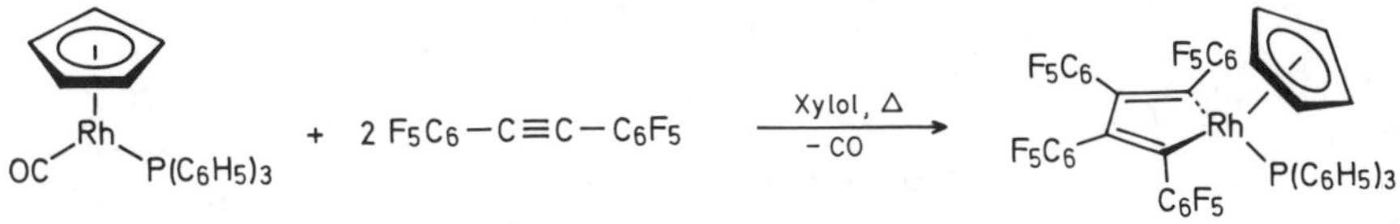

1-[η^5-Cyclopentadienyl)-2,3,4,5-tetrakis-[pentafluor-phenyl]-1-triphenylphosphan-rhodol; 80%

Carbonyl-hydrido-tris-[triphenylphosphan]-rhodium verliert einen Phosphan-Liganden. Es bildet mit Diphenylethin *1,1-Bis-[triphenylphosphan]-1-carbonyl-1-(E-1,2-diphenyl-vinyl)-2,3,4,5-tetraphenyl-rhodol*[4]:

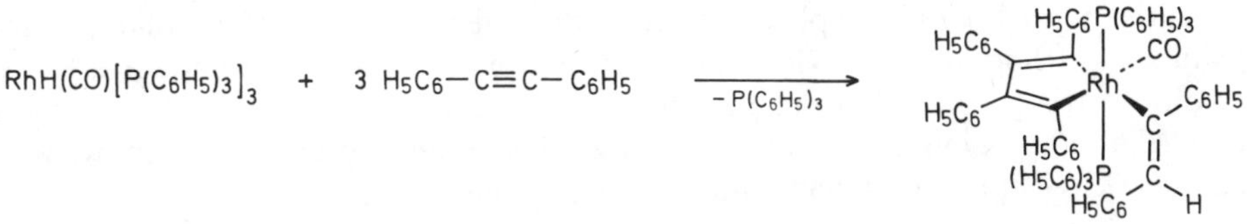

1,1-Bis-[triphenylphosphan]-1-carbonyl-1-(trans-1,2-diphenyl-vinyl)-2,3,4,5-tetraphenyl-rhodol[4]:   Eine Mischung von Carbonyl-hydrido-tris-[triphenylphosphan]-rhodium und der 10fachen stöchiometrischen Menge Diphenyl-ethin wird 12 Stdn. in Toluol unter Rückfluß erhitzt. Es entsteht eine braun-rote Lösung. Das Reaktionsgemisch wird über Aluminiumoxid mit Toluol chromatographiert. Zuerst wird eine rote Zone eluiert und mit THF eine braune Zone, die eine Mischung unbekannter organischer Verbindungen enthält. Die Lösung der roten Verbindung wird bis zur Bildung eines dunkel-roten Öls i. Vak. eingeengt, in wenig Diethylether aufgenommen und durch Zugabe von Petrolether ausgefällt; Ausbeute: 80%; F: 130–134° (rote Mikrokristalle); IR: ν$_{CO}$ 1945(s), ν$_{C=C}$ 1595(m) cm^{-1}.

Mehrere Sauerstoff- und Stickstoff-Chelat-Komplexe werden durch Umsetzung mit Alkinen in Rhodole umgewandelt. Die Reaktion von β-Dionato-rhodium-Komplexen mit Alkinen wird durch Triphenylarsan bzw. Triphenylstiban inhibiert[5]:

[1] W. KEIM, J. Organometal. Chem. **16**, 191 (1969).
[2] J.S. RICCI u. J.A. IBERS, J. Organometal. Chem. **27**, 261 (1971).
[3] R.G. GASTINGER, M.D. RAUSCH, D.A. SULLIVAN u. C.J. PALENIK, J. Organometal. Chem. **117**, 355 (1976).
[4] R.A. SANCHEZ-DELGADO u. G. WILKINSON, Soc. [Dalton] **1977**, 804.
[5] A.C. JARVIS u. R.W.D. KEMMITT, J. Organometal. Chem. **136**, 121 (1977).

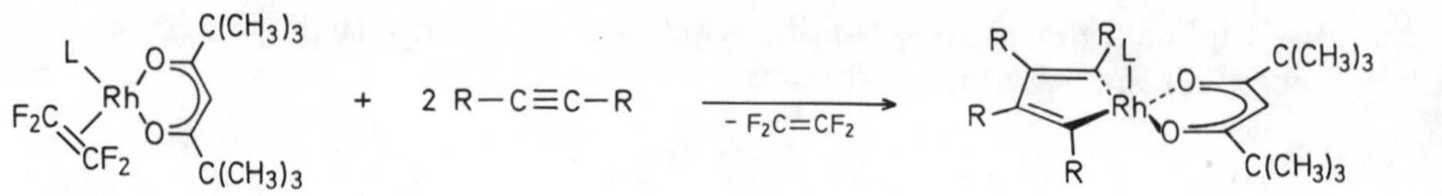

1,1-(2,2,6,6-Tetramethyl-3,5-heptandionato)-...-rhodol

R = CF$_3$; L = (H$_5$C$_6$)$_3$As; ...*-2,3,4,5-tetrakis-[trifluormethyl]-1-triphenylarsan-*...; 88%; F: 215° (Zers.)
L = (H$_5$C$_6$)$_3$Sb; ...*-2,3,4,5-tetrakis-[trifluormethyl]-1-triphenylstiban-*...; 73%; F: 229° (Zers.)
R = COOC$_2$H$_5$; L = (H$_5$C$_6$)$_3$As; ...*-2,3,4,5-tetraethoxycarbonyl-1-triphenylarsan-*...; 78%; F: 210° (Zers.)

2,3,4,5-Tetramethoxycarbonyl-1,1-(2,2,6,6-tetramethyl-3,5-heptandionato)-1-triphenylarsan-rhodol[1]: Zu einer Lösung aus 0,50 g (0,77 mmol) (η^2-Tetrafluorethen)-(2,2,6,6-tetramethyl-3,5-heptandionato)-triphenyl-arsan-rhodium in Diethylether werden 0,50 *ml* Dimethoxycarbonyl-ethin (Überschuß) gegeben. Man rührt 30 Min. Der Niederschlag wird abfiltriert und aus Dichlormethan/Diethylether umkristallisiert; Ausbeute: 0,51 g (81%); F: 236° (Zers.); IR: $\nu_{C=O}$ 1716(s), 1703(s), $\nu_{C=C}$ 1583(m), 1536(m) cm^{-1}.

Auch Chelat-Komplexe setzen sich mit Alkinen unter *cis*-Addition um[2]; z.B.:

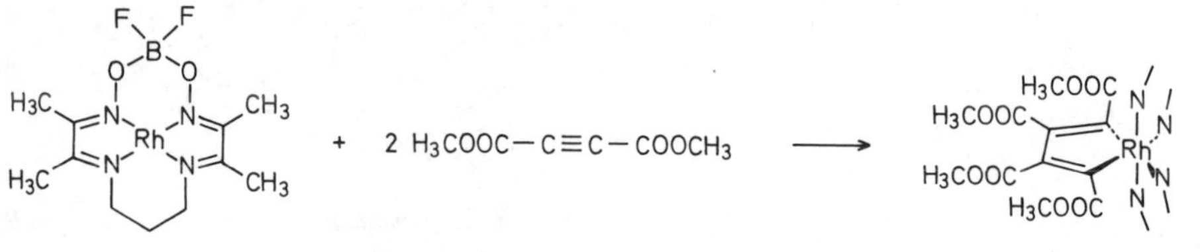

γ) von Diinen (Diin-Reaktion)

Die „Diin-Reaktion" wurde erstmals mit einem Rhodium-Komplex durchgeführt und später auf Iridium und Kobalt-Verbindungen ausgeweitet (s.S. 139, 556)[3,4].

Die erhaltenen Rhodol-Komplexe lassen sich mit verschiedenen Verbindungen unter Abspaltung des Rhodium-Restes in Arene, Chinone und Hetarene umwandeln (s.S. 459).

Der Chloro-tris-[triphenylphosphan]-rhodium (Wilkinson-Komplex) ist besonders gut für diese Methode geeignet. Der intramolekulare Ringschluß ist dann möglich, wenn der Abstand der C-Atome a und c im Diin nicht größer als ~ 3,4Å ist[4].

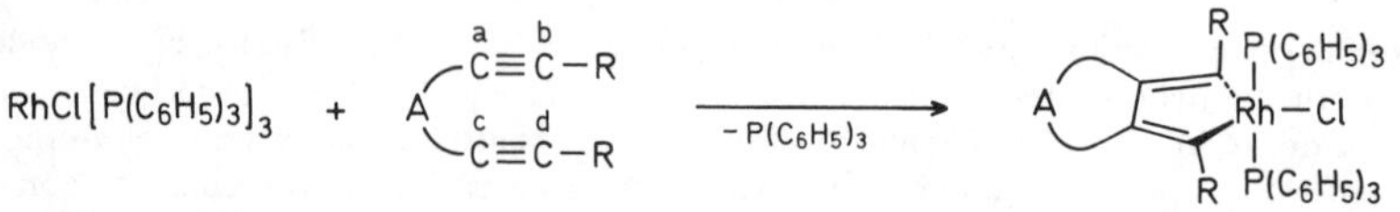

In Sonderfällen entstehen π-Cyclobutadien-rhodium(I)-Komplexe allein oder gemeinsam mit dem Rhodol[5-7].

[1] A.C. JARVIS u. R.D.W. KEMMITT, J. Organometal. Chem. **136**, 121 (1977).
[2] J.P. COLLMAN, D.W. MURPHY u. G. DOLCETTI, Am. Soc. **95**, 2687 (1973).
[3] E. MÜLLER u. E. LANGER, Tetrahedron Letters **1970**, 731.
[4] E. MÜLLER, Synthesis **1974**, 761.
[5] W. WINTER, J. Organometal. Chem. **92**, 97 (1975).
[6] E. MÜLLER, R. THOMAS u. G. ZOUNSTAS, A. **758**, 16 (1972).
[7] M.D. RAUSCH, S.A. GARDNER, E.F. TOKAS, I. BERNAL, G.M. REISNER u. A. CLEARFIELD, Chem. Commun. **1978**, 187. Die Struktur des zum grünen Komplex analogen η^4-Cyclobuta[l]phenanthren-cyclopentadienyl-rhodium wurde durch röntgenographische Kristallstrukturanalyse aufgeklärt.

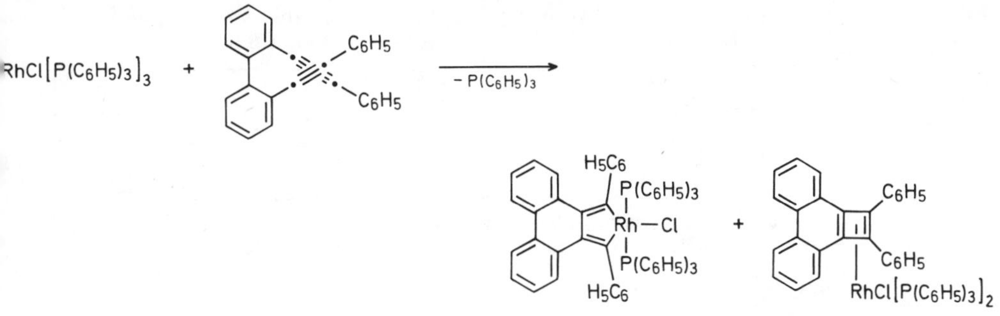

RhCl[P(C₆H₅)₃]₃ + [structure: 9,10-phenanthrene with C≡C bearing two C₆H₅] $\xrightarrow{- P(C_6H_5)_3}$

[structure — green complex]

$$\text{RhCl}[P(C_6H_5)_3]_3 \; + \; \overset{H_5C_6}{\underset{H_5C_6}{}}\text{...}$$

grün + rot

Die Bildung des Cyclobutadien-Komplexes kann durch die Stereochemie begünstigt werden, z. B. beim Bis-[2-phenylethinyl-phenyl]-phenyl-phosphan[1].

Eingehend untersucht wurde die Umsetzung mit 1,2-Bis-[2-alkinoyl]-arenen[2,3]:

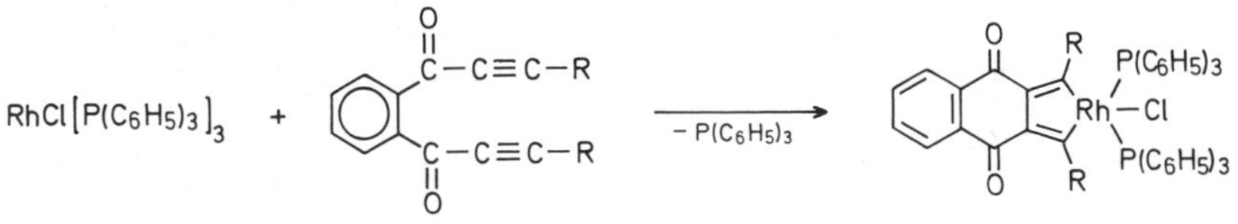

RhCl[P(C₆H₅)₃]₃ + [structure with C—C≡C—R groups] $\xrightarrow{- P(C_6H_5)_3}$ [structure IV]

IV

2,2-Bis-[triphenylphosphan]-2-chloro-1,3-diphenyl-2H-⟨naphtho[2,3-c]rhodol⟩-4,9-chinon[3,4]: 0,667 g (2 mmol) 1,2-Bis-[phenylpropinoyl]-benzol und 1,86 g (2 mmol) Chloro-tris-[triphenylphosphan]-rhodium werden in 30 ml abs. Xylol 30 Min. in einer Stickstoff-Atmosphäre unter Rückfluß erhitzt (Der Komplex entsteht auch, wenn man die Ausgangsverbindungen mehrere Tage bei 20° schüttelt). Der beim Abkühlen gebildete Niederschlag wird abfiltriert; Ausbeute: 2,48 g (98%); F: 244–246° (Zers.).

Weitere Beispiele der Diin-Reaktion von 1,2-Bis-[2-alkinoyl]-arenen und -alkenen sind in Tab. 5 (S. 382) aufgeführt.

Auch Bis-rhodole sind nach dieser Methode zugänglich[5]; z. B.:

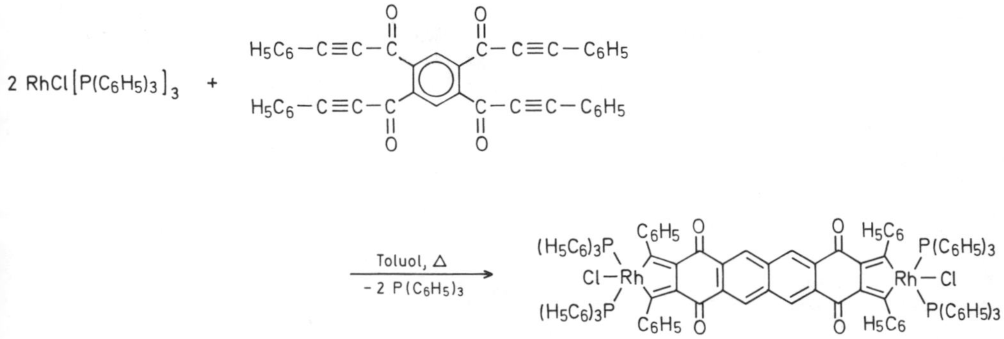

2 RhCl[P(C₆H₅)₃]₃ + [structure: benzene with four H₅C₆—C≡C—C(=O)— groups] $\xrightarrow[- 2\,P(C_6H_5)_3]{\text{Toluol, } \Delta}$ [structure]

*2,9-Dichloro-2,2,9,9-tetrakis-[triphenylphosphan]-
1,3,8,10-tetraphenyl-2,9-dihydro-⟨bis[rhodolo][3,4-b;
3′,4′-k]tetracen⟩-4,14;7,11-bis-chinon;* 93%; F: 280° (Zers.)

[1] W. WINTER, Ang. Ch. **87**, 172 (1975).
[2] E. MÜLLER u. E. LANGER, Tetrahedron Letters **1970**, 731.
[3] E. MÜLLER et al., A. **754**, 64 (1971).
[4] E. MÜLLER, E. LANGER, H. JÄKLE, H. MUHM, W. HOPPE, R. GRAZIANI, A. GIEREN u. F. BRANDL, Z. Naturf. **26 B**, 305 (1971).
[5] J. HAMBRECHT u. E. MÜLLER, Z. Naturf. **32 B**, 68 (1977).

Tab. 5: Rhodole durch Diin-Reaktion von Chloro-tris-[triphenylphosphan]-rhodium (Wilkinson-Komplex) mit 1,2-Bis-[propinoyl]-arenen bzw. -alkenen

Diin	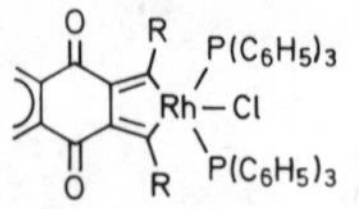	Ausbeute [%]	F [°C]	Literatur
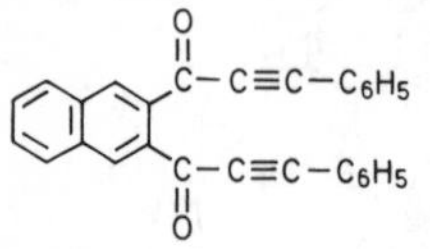	2,2-Bis-[triphenylphosphan]-2-chloro-1,3-diphenyl-2H-⟨anthra[2,3-c]rhodol⟩-4,11-chinon	95	139	1
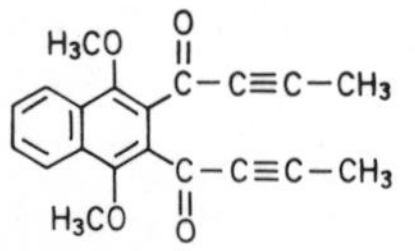	2,2-Bis-[triphenylphosphan]-2-chloro-5,10-dimethoxy-1,3-dimethyl-2H-⟨anthra[2,3-c]-rhodol⟩	95	145–147 (Zers.)	1
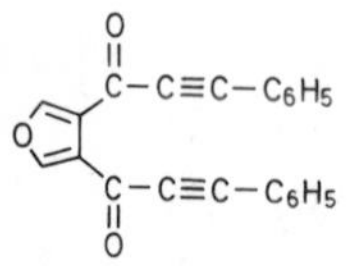	6,6-Bis-[triphenylphosphan]-6-chloro-5,7-diphenyl-6H-⟨furo[3,4-a]-rhodo[3,4-d]-benzol⟩-4,8-chinon	95	270 (Zers.)	2
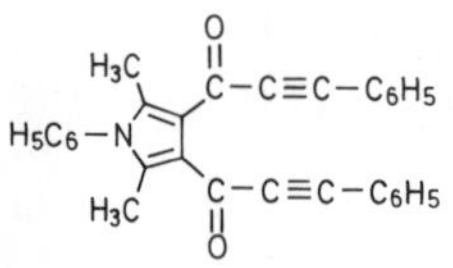	6,6-Bis-[triphenylphosphan]-6-chloro-1,3-dimethyl-2,5,7-triphenyl-2,6-dihydro-⟨pyrrolo-[3,4-a]-rhodo[3,4-d]-benzol⟩-4,8-chinon	92	245–247 (Zers.)	3,4
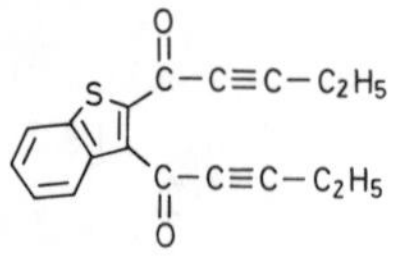	2,2-Bis-[triphenylphosphan]-6-chloro-1,3-diethyl-2H-⟨rhodo[3,4-b]-dibenzothiophen⟩-4,10-chinon	76	169–170 (Zers.)	5
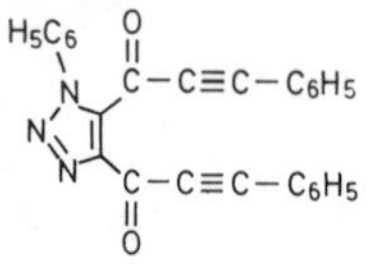	6,6-Bis-[triphenylphosphan]-6-chloro-1,5,7-triphenyl-1,6-dihydro-⟨triazolo[4,5-a]-rhodo[3,4-d]-benzol⟩-4,8-chinon	81	243–245 (Zers.)	3,6
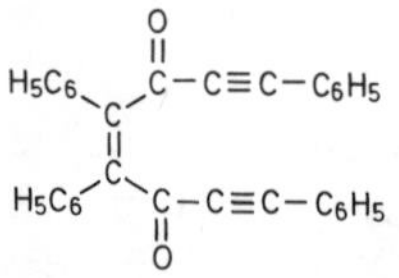	2,2-Bis-[triphenylphosphan]-2-chloro-1,3,5,6-tetraphenyl-2H-⟨benzo[c]rhodol⟩-4,7-chinon	–	–	7

[1] E. Müller, C. Beissner, H. Jäkle, E. Langer, H. Muhm, G. Odenigbo, M. Sauerbier, A. Segnitz, D. Streichfuss u. R. Thomas, A. **754**, 64 (1971).
[2] E. Müller u. W. Winter, A. **761**, 14 (1972).
[3] E. Müller, Synthesis **1974**, 761.
[4] E. Müller u. W. Winter, B. **105**, 2523 (1972).
[5] E. Müller, E. Luppold u. W. Winter, B. **108**, 237 (1975).
[6] E. Müller u. W. Winter, A. **1974**, 1876.
[7] J. Hambrecht u. E. Müller, A. **1977**, 387.

Die folgenden Beispiele zeigen die Variationsmöglichkeiten der Methode auf. Die Stabilität der Chinon-Komplexe ist jedoch größer als die im folgenden besprochenen Komplexe.

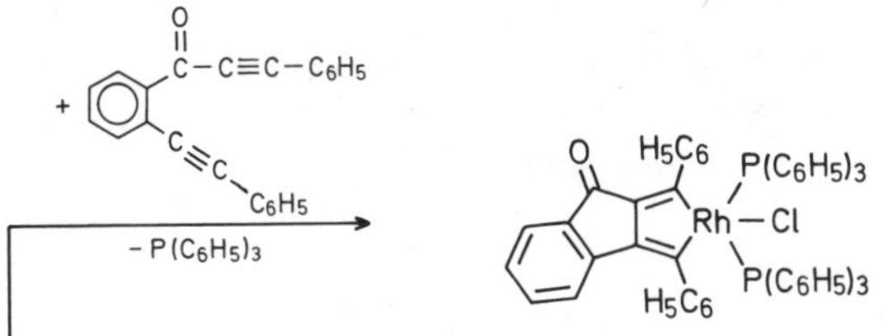

2,2-Bis-[triphenylphosphan]-2-chloro-1,3-diphenyl-4-oxo-2,4-dihydro-⟨indeno[1,2-c]rhodol⟩[1]

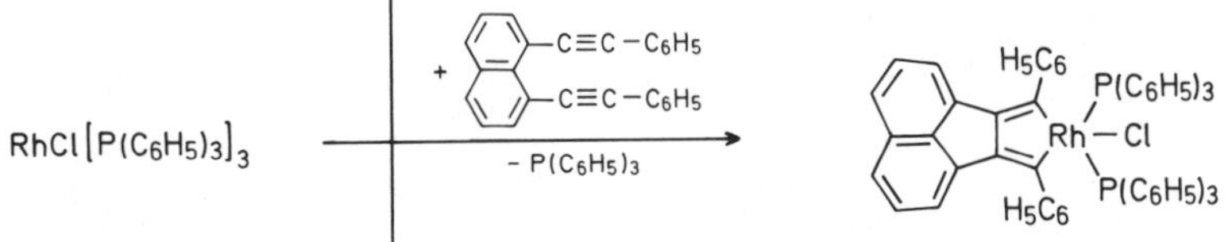

2,2-Bis-[triphenylphosphan]-2-chloro-1,3-diphenyl-2H-⟨acenaphtheno[1,2-c]rhodol⟩[2,3]

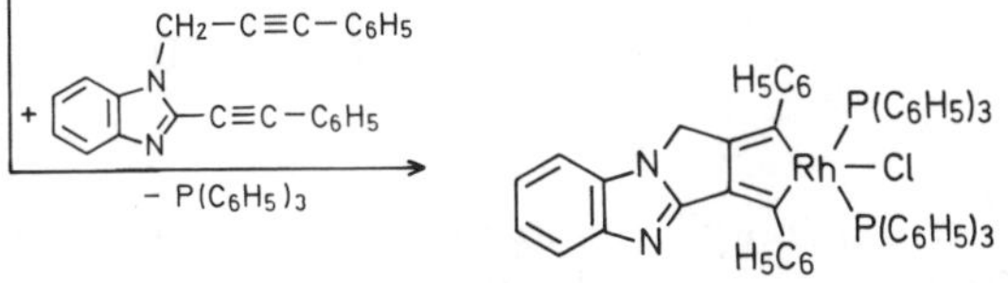

2,2-Bis-[triphenylphosphan]-2-chloro-1,3-diphenyl-2,10-dihydro-⟨rhodo[3,4-c]-benzimidazolo[1,2-a]-pyrrol⟩[4]; ~100%; F: 155–160° (Zers.)

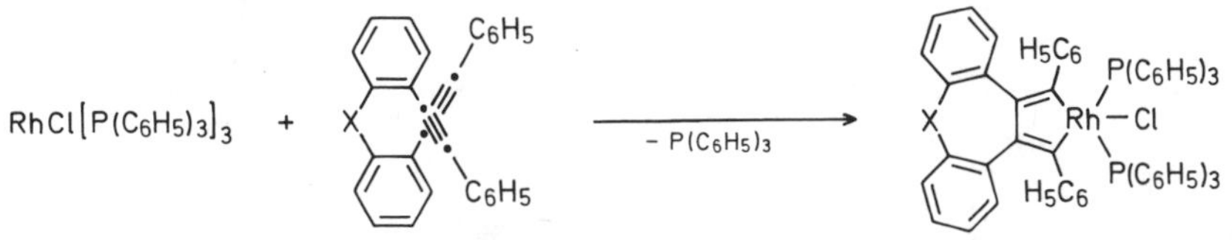

2,2-Bis-[triphenylphosphan]-2-chloro-1,3-diphenyl-...

X = CO; ....-8-oxo-2,8-dihydro-⟨dibenzo[a;e]-rhodo[3,4-c]-cycloheptatrien⟩[5]
X = SO; ....-2H-⟨dibenzo[b;f]-rhodo[3,4-d]-thiepin⟩-8-oxid[6]
X = Si(CH₃)₂; ...-8,8-dimethyl-2,8-dihydro-⟨dibenzo[b;f]-rhodo[3,4-d]-silepin⟩[5]

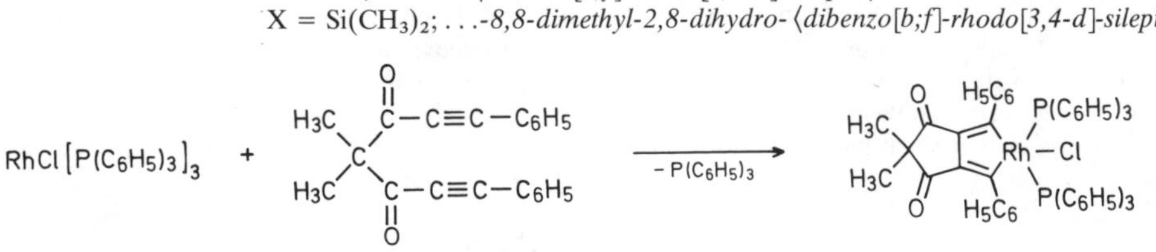

2,2-Bis-[triphenylphosphan]- 2-chloro-5,5-dimethyl-4,6-dioxo-1,3-diphenyl- 2,4,5,6-tetrahydro-⟨cyclopent[c] rhodol⟩[7]: 9,24 g (10 mmol) Chloro-tris-[triphenylphosphan]-rhodium werden in 100 *ml* abs. Benzol in

[1] E. MÜLLER u. C. BEISSNER, Ch. Z. **97**, 207 (1973).
[2] E. MÜLLER, R. THOMAS, M. SAUERBIER, E. LANGER u. D. STREICHFUSS, Tetrahedron Letters **1971**, 521.
[3] E. MÜLLER, R. THOMAS u. G. ZOUNTSAS, A. **758**, 16 (1972).
[4] E. MÜLLER u. G. ZOUNTSAS, B. **105**, 2529 (1972).
[5] E. MÜLLER u. A. SEGNITZ, B. **106**, 35 (1973).
[6] E. MÜLLER u. G. ZOUNTSAS, Ch. Z. **97**, 271 (1973).
[7] E. MÜLLER u. G. ZOUNTSAS, Ch. Z. **98**, 41 (1974).

einer Stickstoff-Atmosphäre unter Rückfluß erhitzt, bis man eine dunkelrote Lösung erhält. Dann gibt man 3,30 g (11 mmol) 4,4-Dimethyl-3,5-dioxo-1,7-diphenyl-1,6-heptadiin gelöst in 50 *ml* Benzol hinzu und erhitzt weitere 10 Min. Das Rhodol wird durch Zusatz von Petrolether (Kp: 60–70°) zur heißen Lösung ausgefällt, abfiltriert, mit Petrolether gewaschen und i. Vak. getrocknet; Ausbeute: 9,20 g (96%); F: 165° (Zers.).

Eine Ausnahme stellt die Reaktion von 3,4-Bis-[1-alkinyl]-cyclobutenen dar, da sich der Energie-reiche Cyclobuten-Ring sehr leicht in das sehr reaktionsfähige 3,5-Octadien-1,7-diin-System umlagert; z. B.[1]:

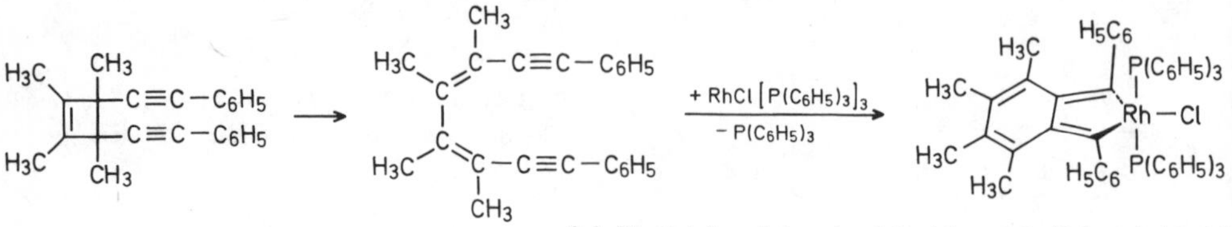

2,2-Bis-[triphenylphosphan]-2-chloro-1,3-diphenyl-4,5,6,7-tetramethyl-2H-⟨benzo[c] rhodol⟩[1]

d) 1-Alkinyl-rhodium(III)-Verbindungen

1. aus Halogeno-rhodium(III)-Verbindungen

α) mit 1-Alkinyl-metall-Verbindungen

Chloro-octaethylporphyrinato-rhodium wird nucleophil von Phenylethinyl-lithium zum *Octaethylporphyrinato-phenylethinyl-rhodium* umgesetzt[2]:

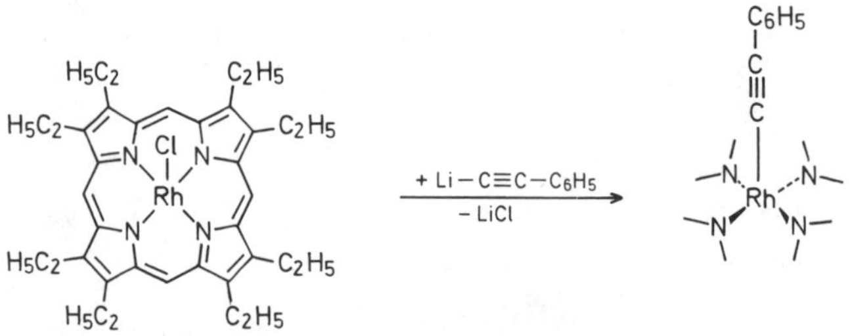

Octaethylporphyrinato-phenylethinyl-rhodium[2]: 1 *ml* einer Lösung von Butyl-lithium in Hexan werden zu 500 mg (4,90 mol) Phenylethin in 10 *ml* abs. Diethylether gegeben und 1 Stde. gerührt. Diese Mischung tropft man zu einer Lösung von 74 mg (0,11 mol) Chloro-octaethylporphyrinato-rhodium in 50 *ml* abs. Diethylether und rührt kräftig 30 Min. Das Reaktionsgemisch wird mit ges. Ammoniumchlorid-Lösung gewaschen, über Natriumsulfat getrocknet und nach dem Einengen über Kieselgel (Merck GF 254) mit Benzol chromatographiert. Aus dem eingeengten Eluat bilden sich tief-rote Kristalle; Ausbeute: 30 mg (37%); IR: $v_{C\equiv C}$ 2115 cm^{-1}.

β) mit 1-Alkinen

1-Alkine reagieren mit Chloro-octaethylporphyrinato-rhodium in Gegenwart von Basen unter nucleophiler Substitution von Chlor durch den Alkinyl-Rest[3]:

---

[1] H. Straub, A. Huth u. E. Müller, Synthesis **1973**, 783.
[2] H. Ogoshi, J. Setsune, T. Omura u. Z. Yoshida, Am. Soc. **97**, 6461 (1975).
[3] I. Ogoshi, J.-I. Setsune, Y. Nanbo u. Z.-I. Yoshida, J. Organometal. Chem. **159**, 329 (1978).

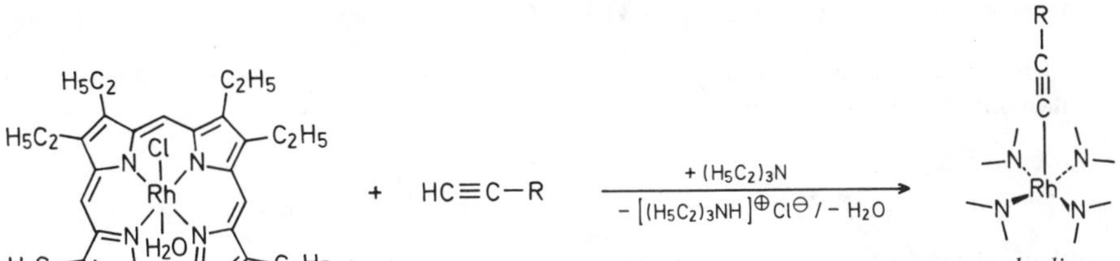

$R = C_4H_9$; *1-Hexinyl-octaethylporphyrinato-...*
$R = C_6H_5$; *Octaethylporphyrinato-phenylethinyl-...*

Zur Bildung von 2-Chlor-1-alkenyl- und Acyl-Komplexen s. S. 372, 420.

2. aus Rhodium(I)-Verbindungen durch oxidative Addition

α) von 1-Alkinen

Die Dimerisierung von 1-Alkinen zu linearen Alken-in-Verbindungen wird von Rhodium(I)-Komplexen katalysiert[1, 2]. Sie verläuft wahrscheinlich über einen Oxidations-Insertions-Eliminierungs-Mechanismus; z.B.:

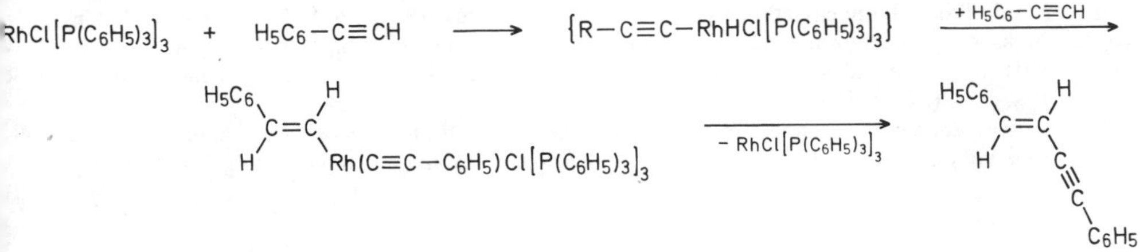

Chloro-tris-[triphenylphosphan]-rhodium ist der wirksamste Katalysator. Bei der Dimerisierung von Mischungen von 1-Alkinen wird das Alkin mit dem voluminöseren Rest an die weniger stark abgeschirmte C≡C-Dreifachbindung angelagert. Geschwindigkeitsbestimmend ist die C–C-Verknüpfung.

Bis-[trifluor-1-propinyl]-rhodium-Verbindungen erhält man durch oxidative Addition von Trifluor-1-propin an Carbonyl-chloro-rhodium(I)-Verbindungen oder Chloro-tris-[triphenylstiban]-rhodium und anschließende Reaktion des intermediär gebildeten Hydrido-Komplexes mit einer zweiten Alkin-Gruppe unter Abspaltung von molekularem Wasserstoff[3]. Das Alkin wird hierbei allerdings im wesentlichen polymerisiert.

$$RhClLL'_2 \; + \; 2\,HC\equiv C-CF_3 \xrightarrow[-H_2]{C_6H_6,\,75°,\,5\,Stdn.} Rh(C\equiv C-CF_3)_2ClLL'_2$$

Bis-[trifluor-1-propinyl]-...-rhodium

$L = CO$; $L' = (H_3C)_3As$; *...-bis-[trimethylarsan]-carbonyl-chloro-...*; 30%
$L = L' = (H_5C_6)_3Sb$; *...-chloro-tris-[triphenylstiban]-...*; 17%

Durch Umsetzen von μ,μ-Dichloro-bis-[di-η^2-cyclooocten-rhodium] mit Triisopropylphosphan und Phenylethin erhält man einen π-Alkin-Komplex I, der sich in Lösung teilweise in die Hydrido-phenylethinyl-rhodium-Verbindung II umlagert[4]. Durch Zusatz von Pyridin entsteht ein 6fach koordinierter Komplex, der im festen Zustand unter Argon stabil ist, sich in Lösung bei 20° ziemlich rasch zersetzt:

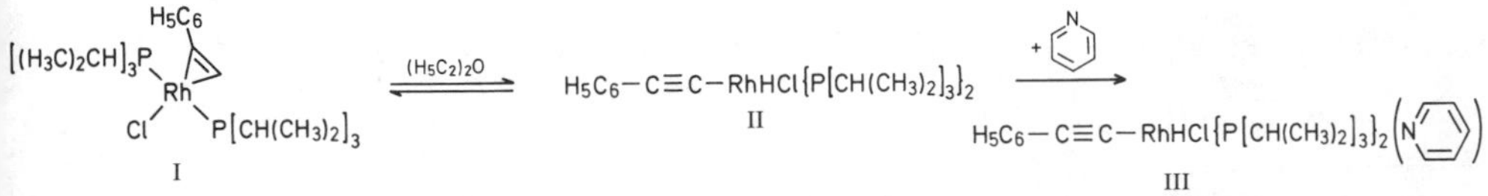

Bis-[triisopropylphosphan]-chloro-hydrido-phenylethinyl-pyridin-rhodium; 72%

[1] R.J. KERN, Chem. Commun. **1968**, 706.
[2] H.J. SCHMITT u. H. SINGER, J. Organometal. Chem. **153**, 165 (1978).
[3] J.T. MAGUE, M.O. NUTT u. E.H. GAUSE, Soc. [Dalton] **1973**, 2578.
[4] J. WOLF, H. WERNER, O. SERHADLI u. M.F. ZIEGLER, Ang. Ch. **95**, 428 (1983).

β) von 1-Halogen-1-alkinen

Chlor-phenyl-ethin bildet mit Chloro-tris-[triphenylphosphan]-rhodium bei 40° in Methanol ein Addukt wahrscheinlich mit einer C–Rh-Bindung[1].

γ) von 1-Alkinyl-zinn-Verbindungen

Trimethyl-phenylethinyl-zinn wird unter Spaltung der Ethinyl-Sn-Bindung oxidativ an Phenylethinyl-tris-[triphenylphosphan]-rhodium angelagert[2]. Der entsprechende Chloro-Komplex reagiert mit einem weiteren Molekül der Zinn-Verbindung unter Chlor-Alkinyl-Austausch:

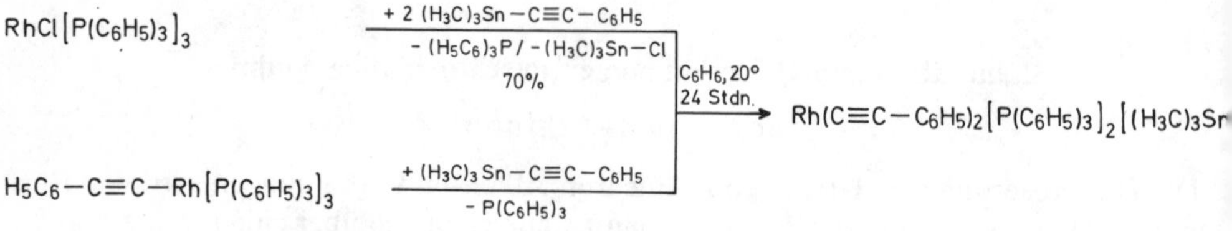

$$RhCl[P(C_6H_5)_3]_3$$

$$+ 2 \ (H_3C)_3Sn-C{\equiv}C-C_6H_5$$
$$- (H_5C_6)_3P \ / \ -(H_3C)_3Sn-Cl$$
$$70\%$$

$$H_5C_6-C{\equiv}C-Rh[P(C_6H_5)_3]_3$$

$$+ (H_3C)_3Sn-C{\equiv}C-C_6H_5$$
$$- P(C_6H_5)_3$$

$$C_6H_6, 20°$$
$$24 \text{ Stdn.}$$

$$\longrightarrow \ Rh(C{\equiv}C-C_6H_5)_2[P(C_6H_5)_3]_2[(H_3C)_3Sn]$$

Bis-[phenylethinyl]-bis-[triphenylphosphan]-trimethylstannyl-rhodium[2]: Man gibt unter Rühren 0,11 m (~0,18 mmol) Trimethyl-phenylethinyl-zinn zu einer Lösung aus 0,15 g (~0,17 mmol) Phenylethinyl-tris-[triphenylphosphan]-rhodium in 40 ml Benzol und rührt sie 17 Stdn. bei 20°. Sie wird allmählich tief-rot. Das Lösungsmittel wird i.Vak. abgezogen und der ölige Rückstand mit 10 ml Hexan gewaschen. F: 140–146°; IR (Nujol): $\nu_{C{\equiv}C}$ 2082(sh), 2073 cm^{-1}.

Bei der Umsetzung von 2-Alkinoyl-chinolinen mit Chloro-tris-[triphenylphosphan]- rhodium wird die Alkinyl-acyl-Bindung gespalten und die beiden organischen Reste oxidativ an Rhodium angelagert[3]; z.B.:

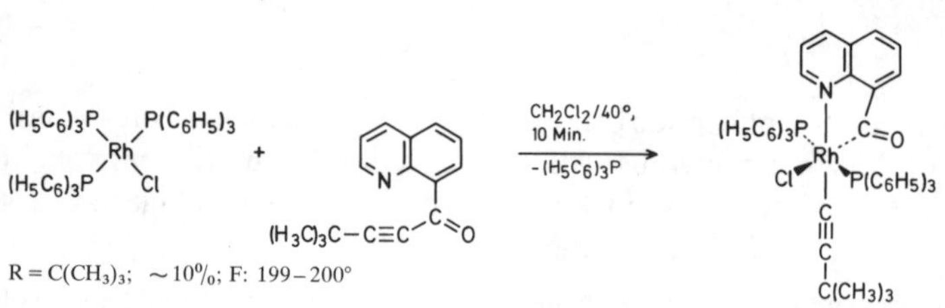

$$(H_5C_6)_3P \diagdown \diagup P(C_6H_5)_3$$
$$\underset{(H_5C_6)_3P}{Rh} \diagdown Cl$$

R = C(CH₃)₃; ~10%; F: 199–200°

$$+$$

$$(H_3C)_3C-C{\equiv}C \diagup \overset{C}{\underset{O}{}}$$

$$\xrightarrow[-\ (H_5C_6)_3P]{CH_2Cl_2/40°, \ 10 \text{ Min.}}$$

$$(H_5C_6)_3P \cdots \underset{Cl \diagup \ \ P(C_6H_5)_3}{Rh} \cdots \overset{C{=}O}{}$$

Bis-[triphenylphosphan]-(8-chinolinylcarbonyl)-chloro-(3,3-dimethyl-propinyl)-rhodium; ~100%; F: 199–200°

e) Aryl-rhodium(III)-Verbindungen

1. aus Rhodium(III)-Verbindungen

α) durch nucleophile Substitution

α₁) *mit Aryl-metall-Verbindungen*

Chloro-octaethylporphyrinato-rhodium wird durch Aryl-lithium aryliert[4]:

[1] J. Burgess, M.E. Howden, R.D.W. Kemmitt u. N.S. Sridhara, Soc. [Dalton] **1978**, 1577.
[2] B. Cetinkaya, M.F. Lappert, J. McMeeking u. D. Palmer, J. Organometal. Chem. **34**, C37 (1972); Soc. [Dalton] **1973**, 1202.
[3] J.W. Suggs u. S.D. Cox, J. Organometal. Chem. **221**, 199 (1981).
[4] H. Ogoshi, J. Setsune, T. Omura u. Z. Yoshida, Am. Soc. **97**, 6461 (1975).
  Y. Aoyama, T. Yoshida, K.I. Sakurai u. H. Ogoshi, Chem. Commun. **1983**, 478.

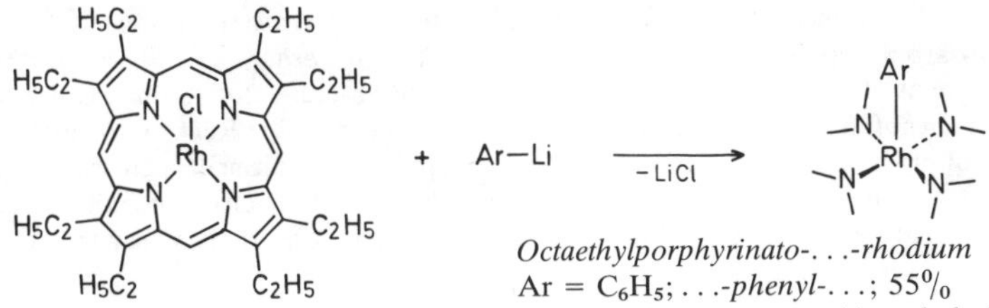

Octaethylporphyrinato-...-rhodium
Ar = C_6H_5; ...-phenyl-...; 55%
Ar = 4-CH_3–C_6H_4; ...-(4-methyl-phenyl)-...; 37%

Dichloro-(η^5-pentamethylcyclopentadienyl)-trimethylphosphan-rhodium wird mit Phenyl- bzw. (4-Methyl-phenyl)-magnesiumbromid in Bromo-(η^5-pentamethylcyclopentadienyl)-phenyl- (bzw. 4-methyl-phenyl)-trimethylphosphan-rhodium (~85%) umgewandelt[1]. Der Bromo-Komplex kann durch Lithium-tetraisobutyl-boranat in das sehr Luft-empfindliche Hydro-(η^5-pentamethylcyclopentadienyl)-phenyl- (bzw. 4-methylphenyl)-trimethylphosphan-rhodium übergeführt werden:

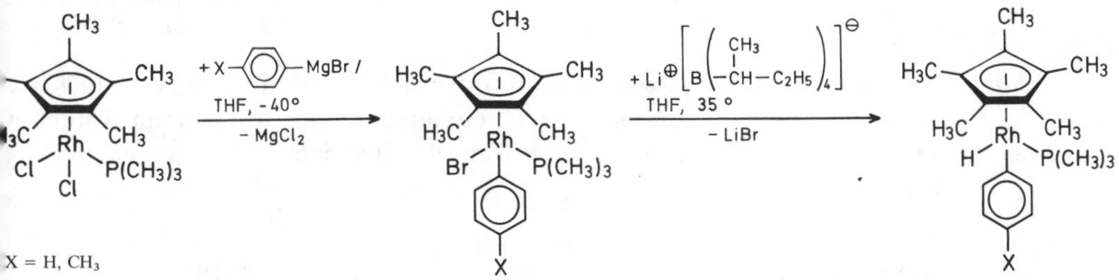

X = H, CH_3

Der Aryl-Rest wird beim Behandeln mit Hexadeuterobenzol oder Toluol auf 60° durch die Pentadeuterophenyl- bzw. Methyl-phenyl-Reste substituiert. Der 4-Methyl-phenyl-Komplex bildet jedoch beim Erwärmen über 35° eine Mischung der meta- und para-Verbindung im Verhältnis 2:1.

Durch Behandeln des analogen Dibromo-isonitril-Komplexes mit (4-Methyl-phenyl)-lithium bzw. -magnesiumbromid erhält man quantitativ Bromo-(η^5-pentamethylcyclopentadienyl)-(4-methyl-phenyl)-(2,2-dimethyl-propylisonitril)-rhodium (s.S. 398)[2].

Bei der Umsetzung von (η^5-Cyclopentadienyl)-jodo-trifluormethyl-triphenylphosphan-rhodium mit Phenylmagnesiumjodid wird nicht das Jod-Atom, sondern die Trifluormethyl-Gruppe durch den Phenyl-Rest substituiert[3].

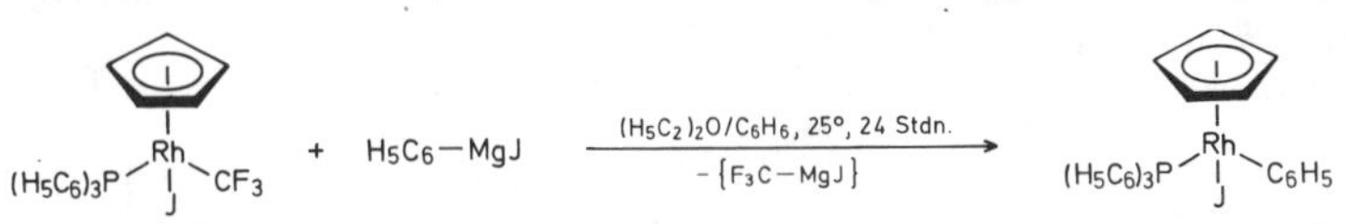

(η^5-Cyclopentadienyl)-jodo-phenyl-triphenylphosphan-rhodium; 6%; F: 154–155°

Bei Einsatz der entsprechenden Dijodo-Verbindung beträgt die Ausbeute 24%.

Durch Behandeln von Carbonyl-(η^5-cyclopentadienyl)-dijodo-rhodium mit 2,2'-Dilithium-biphenyl entsteht 5-Carbonyl-5-(η^5-cyclopentadienyl)-5H-⟨dibenzorhodol⟩ (F: 190–191°, Zers.) lediglich zu 3%[4,5]:

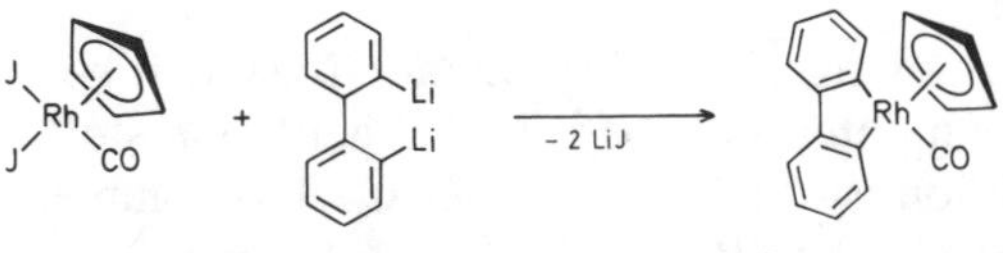

5-Carbonyl-5-(η^5-cyclopentadienyl)-1,2,3,4,6,7,8,9-octafluor-5H-⟨dibenzorhodol⟩[5]:
2,2'-Dilithium-octafluor-biphenyl: Die Reaktion wird in einem Schlenk-Rohr unter Stickstoff durchgeführt. Man tropft unter Rühren 4,2 ml einer 2,38 m (10 mmol) Butyl-lithium-Lösung in Hexan innerhalb 15 Min. zu einer Lösung von 2,28 g (5 mmol) 2,2'-Dibrom-octafluor-biphenyl in 40 ml Diethylether. Anschließend wird 1 Stde. bei –78° weitergerührt.

[1] W.D. JONES u. F.J. FEHER, Am. Soc. **104**, 4240 (1982).
[2] W.D. JONES u. F.J. FEHER, Organometallics **2**, 686 (1983).
[3] S.A. GARDNER u. M.D. RAUSCH, Inorg. Chem. **13**, 997 (1974).
[4] M.D. RAUSCH, Appl. Chem. **30**, 523 (1972).
[5] S.A. GARDNER, H.B. GORDON u. M.D. RAUSCH, J. Organometal. Chem. **60**, 179 (1973).

5-Carbonyl-2-(η^5-cyclopentadienyl)-1,2,3,4,6,7,8,9-octafluor-5H-⟨dibenzorhodol⟩:
2,25 g (5 mmol) Carbonyl-(η^5-cyclopentadienyl)-dijodo-rhodium werden bei $-78°$ zu der frisch hergestellten 2,2'-Dilithium-biphenyl-Lösung gegeben und anschließend 48 Stdn. bei 20° gerührt. Unter Stickstoff wird ein dunkler Niederschlag abfiltriert und i. Vak. bis zur Trockene eingeengt. Der Rückstand wird in wenig Benzol aufgenommen und auf einer Säule (1,5 × 30 cm) chromatographiert, die mit neutralem Aluminiumoxid in Hexan gefüllt ist. Das gelb-braune Benzol-Eluat wird i. Vak. vom Lösungsmittel befreit und mit Diethylether verrieben bis es kristallisiert; Ausbeute: 0,5 g (20%). Analysen-reine Produkte erhält man durch Umkristallisieren in Dichlormethan und Hexan; F: 221–223°, IR(CCl$_4$) ν_{CO}: 2075 cm^{-1}.

Tribromo-tris-[triorganophosphan]-rhodium-Komplexe werden von 1-Naphthyl-Grignard-Verbindungen in geringer Ausbeute zweifach aryliert[1]; z.B.:

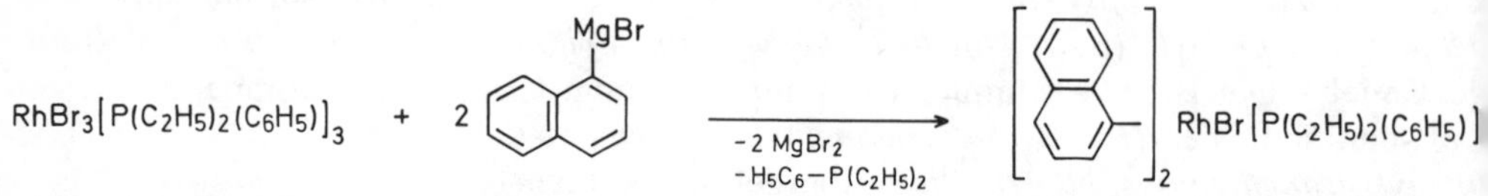

$$RhBr_3[P(C_2H_5)_2(C_6H_5)]_3 \; + \; 2 \;\text{(Naphthyl-MgBr)} \xrightarrow[-H_5C_6-P(C_2H_5)_2]{-2\,MgBr_2} \left[\text{(Naphthyl)}_2 RhBr[P(C_2H_5)_2(C_6H_5)]\right]$$

Bis-[dimethyl-phenyl-phosphan]-bromo di-1-naphthyl-rhodium; 10%

Trimethyl-(2-methoxy-phenyl)-zinn kann Rhodium(III)-Verbindungen ebenfalls arylieren. Voraussetzung der Reaktion sind geeignete austretende Gruppen am Rhodium-Atom, wie der Fluorsulfat-Rest, wohingegen Chlorid-Liganden nicht geeignet sind[2]:

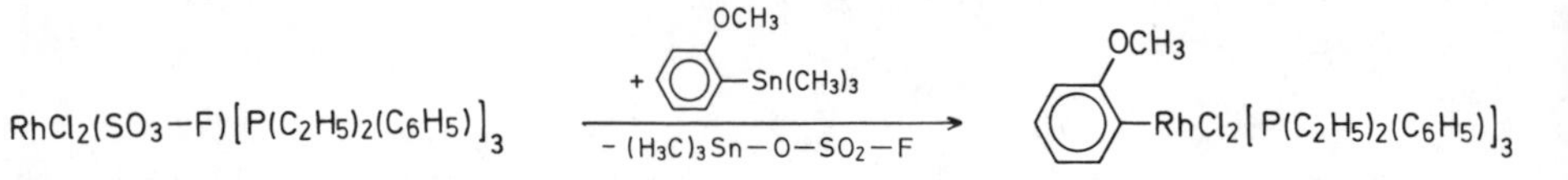

$$RhCl_2(SO_3-F)[P(C_2H_5)_2(C_6H_5)]_3 \xrightarrow[-(H_3C)_3Sn-O-SO_2-F]{+\text{(2-OCH}_3\text{-C}_6\text{H}_4)-Sn(CH_3)_3} \text{(2-OCH}_3\text{-C}_6\text{H}_4)-RhCl_2[P(C_2H_5)_2(C_6H_5)]_3$$

Dichloro-(2-methoxy-phenyl)-tris-[diethyl-phenyl-phosphan]-rhodium

α_2) mit Arenen bzw. durch intramolekulare ortho-Metallierung

Chloro-octaethylporphyrinato-rhodium reagiert beim Behandeln mit Silber-Salzen mit Arenen zu Aryl-rhodium-Komplexen[3]. Die Reaktion ist sehr regioselektiv. Sie wird durch Donor-Lösungsmittel inhibiert.

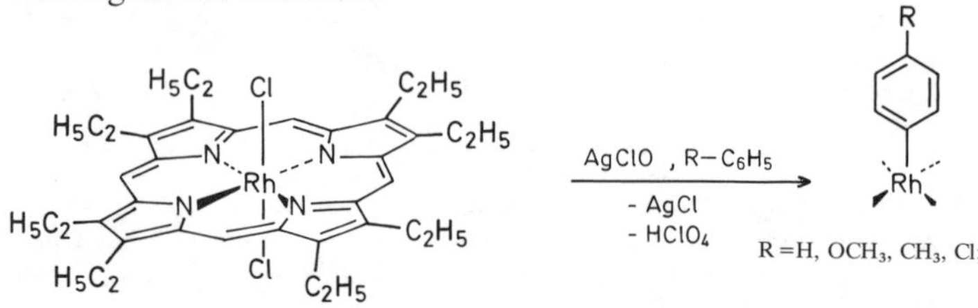

R =H, OCH$_3$, CH$_3$, Cl; 18–46%

Aromatische H–C-Bindungen von Aryl-Donor-Liganden können von Halogeno-rhodium(III)-Verbindungen unter Abgabe von Halogenwasserstoff gespalten werden. Treibende Kraft der Reaktion ist die Bildung eines Chelat-Komplexes, in dem die sterische Hinderung geringer ist als ohne Ringschluß[4].

Die oxidative Cyclometallierung der Aryl-Donor-Liganden mit Rhodium(I)-Komplexen ist a.S. 393 beschrieben. Bei der ortho-Metallierung von Triphenylphosphit durch den (η^5-Pentamethylcyclopentadienyl)-rhodium-dikation-Komplex I wird Hexafluorophosphorsäure bei 20° freigesetzt[4]:

[1] J. CHATT u. A.E. UNDERHILL, Soc. **1963**, 2088.
[2] C. EABORN, K. ODELL u. A. PIDCOCK, J. Organometal. Chem. **96**, C 38 (1975).
[3] Y. AOYAMA, T. YOSHIDA, K.-I. SAKURAI u. H. OGOSHI, Chem. Commun. **1983**, 478.
[4] S.J. THOMPSON, C. WHITE u. P.M. MAITLIS, J. Organometal. Chem. **136**, 87 (1977).

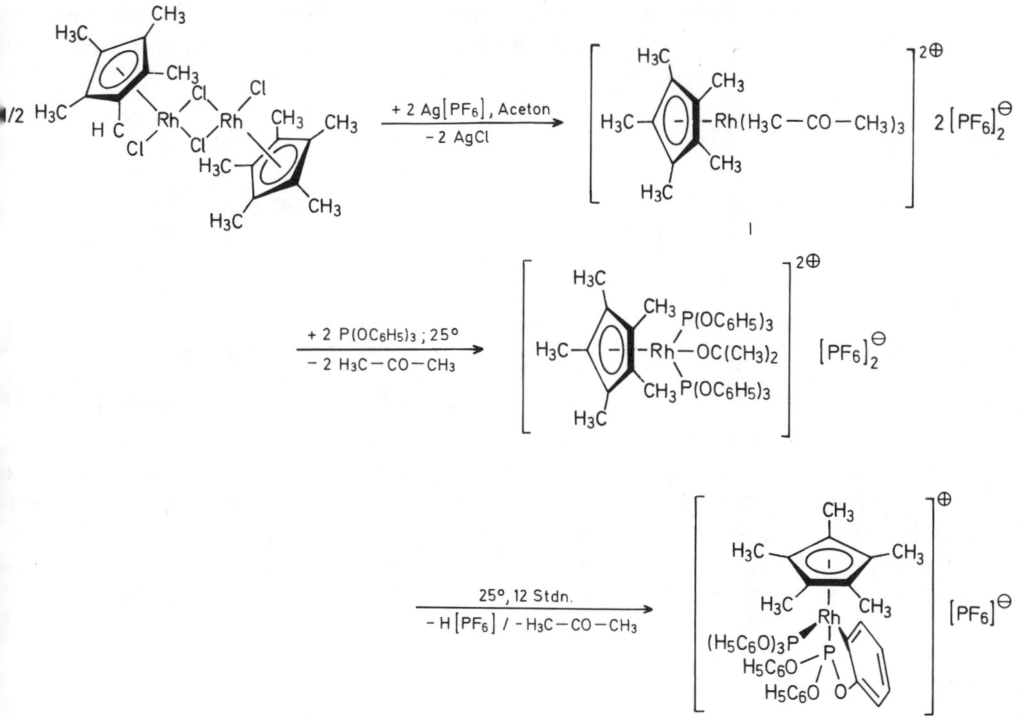

[2-Diphenoxyphosphanoxy-phenyl-(C,P)]-(η^5-pentamethyl-cyclopentadienyl)-triphenoxyphosphan-rhodium; 49%

Trichloro-tris-[dimethyl-1-naphthyl-phosphan]-rhodium wird beim Erhitzen in 2-Methoxy-ethanol in einen Komplex umgewandelt, der einen in 8-Stellung metallierten Naphthyl-Rest besitzt[1]. Bei Rhodium wird im Gegensatz zu Iridium nur eine Naphthyl-Gruppe cyclometalliert.

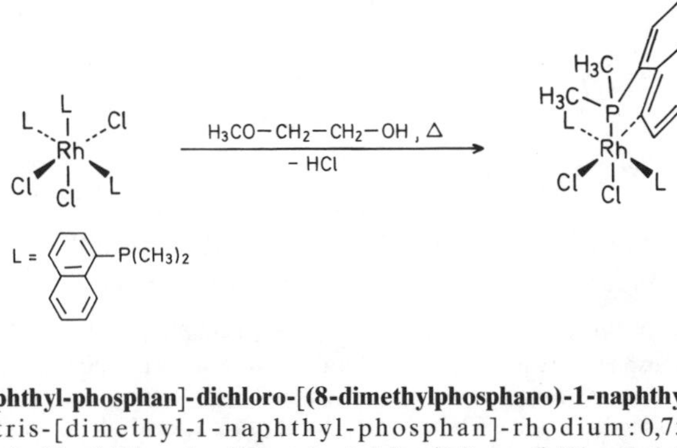

Bis-[dimethyl-1-naphthyl-phosphan]-dichloro-[(8-dimethylphosphano)-1-naphthyl-C,P]-rhodium[1]:
mer-Trichloro-tris-[dimethyl-1-naphthyl-phosphan]-rhodium: 0,75 g (3 mol) Rhodium(III)-chlorid-Hydrat werden in 50 ml Ethanol gelöst und mit 1,8 g (9,9 mmol) Dimethyl-1-naphthyl-phosphan versetzt. Die orange Suspension wird 1 Stde. bei 20° gerührt. Der Niederschlag wird abfiltriert; Rohausbeute: 2,00 g (86%, bez. auf Rhodium); F: 190–195°.
Bis-[dimethyl-1-naphthyl-phosphan]-dichloro-[8-dimethylphosphano-1-naphthyl-(C,P)]-rhodium: Eine orange Suspension von 1,20 g (1,56 mmol) des vorab erhaltenen Rhodium-Komplexes werden in 20 ml 2-Methoxy-ethanol im Dampfbad unter periodischem Schütteln 3 Stdn. erhitzt. Dabei wird die Suspension gelb. Beim Abkühlen fallen gelbe Prismen-förmige Kristalle aus; Ausbeute: 0,963 g (84%); F: 200–205°.

---

[1] J.M. DUFF u. B.L. SHAW, Soc. [Dalton] 1972, 2219.

Das voluminöse 1,3-Bis-[diorganophosphano-methyl]-benzol bildet mit Rhodium(III)-chlorid-Tris-[hydrat] in Wasser/2-Propanol einen zweifach chelatisierten Aryl-rhodium(III)-Komplex[1]; z.B.:

$$RhCl_3 \; + \quad \text{(Ligand)} \quad \xrightarrow[\text{2. oxid. Addition}]{\text{1. } (H_3C)_2CH-OH\,/\,H_2O} \quad \text{(Komplex)}$$

{2,6-Bis-[(di-tert.-butyl-phosphano)-methyl]-phenyl-C,P,P}-chloro-hydrido-rhodium[1]: 3,10 g (7,85 mmol) 1,3-Bis-[(di-tert.-butyl-phosphano)-methyl]-benzol werden zu einer Lösung von 1,39 g (5,24 mmol) Rhodium(III)-chlorid-Tris-[hydrat] in einer Mischung aus 3 ml Wasser und 20 ml 2-Propanol gegeben. Die Mischung wird 20 Stdn. unter Rückfluß erhitzt, dann auf −5° gekühlt. Der kristalline Niederschlag wird abfiltriert; Ausbeute: 1,93 g (3,59 mmol = 69%); Subl.p.: 180–200°.

Bei der ortho-Metallierung von Stickstoff-haltigen Arenen oder aromatischen Oximen durch Rhodium(III)-halogenide entstehen Bis-Chelat-Komplexe, in Gegenwart von Tri-butylphosphan Mono-Chelat-Komplexe[2–5]. Der basische Phosphan-Ligand setzt demnach offenbar die Fähigkeit des Komplexes zur ortho-Metallierung herab[2,3]. Der ortho-metallierte Rhodol- bzw. 1,2-Azarhodol-Komplex bindet einen weiteren Phosphan-Liganden[2].

$$[RhX_3P(C_4H_9)_3]_2 \; + \; 2 \; \text{(Aryl-H)} \quad \xrightarrow{-2\,HX\,/\,-2\,P(C_4H_9)_3} \quad 2 \; \text{(Komplex)}$$

X = Cl, Br, J

$$\xrightarrow{+2\,P(C_4H_9)_3} \quad 2 \; \text{(Komplex)}$$

apm   atm   ftm   phpz   dmphpz   3-tpz   2-tp   phpy

Die Halogen-Atome können durch Reaktion mit Alkalimetallhalogeniden substituiert werden. In manchen Fällen wird nur ein Halogen-Atom ersetzt.

(Benzo[h]chinolin-10-yl-C,N)-bis-[tributylphosphan]-dichloro-rhodium[2,6]: Eine Lösung aus 0,61 g (0,... mmol) Bis-(bis-[tributylphosphan]-trichloro-rhodium) und 50 ml Xylol wird mit 0,18 g (1 mmol) Benzo[h]chinolin versetzt und unter Rühren 8 Stdn. unter Rückfluß erhitzt. Die Mischung wird auf das halbe Vol. eingeengt und auf 20° gebracht. Es fallen feine gelbe Kristalle aus, die abfiltriert, mit Xylol gewaschen und in der Luft getrocknet werden; Ausbeute: 0,32 g (58%). Die Verbindung wird aus Dichlormethan umkristallisiert; F: 305 (Zers.).

---

[1] C.J. MOULTON u. B.L. SHAW, Soc. [Dalton] **1976**, 1020.
[2] M. NONOYAMA, J. Organometal. Chem. **92**, 89 (1975).
[3] M. NONOYAMA, Inorg. Nucl. Chem. Lett. **11**, 123 (1975).
[4] M. NONOYAMA, J. Organometal. Chem. **229**, 287 (1982): Der 3-Thienyl-Rest wird in 2- und 4-Stellung im Verhältnis 3:1 metalliert.
[5] M. NONOYAMA u. S. KAJITA, Transition Met. Chem. **6**, 163 (1981).
[6] Die Phosphan-Liganden stehen in trans-Stellung zueinander.

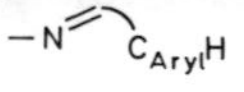 $-N{=}C_{Aryl}^{H}$	II; {μ,μ-Dichloro-...-rhodium}	Ausbeute [% d. Th.]	F [°C]	L	III; ...-rhodium	Ausbeute [% d. Th.]	F [°C]	Lit.
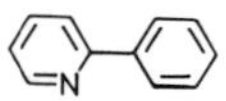 [2-phenylpyridin]	..-bis-{bis-[2-(2-pyridyl)-phenyl-N,C]...	~10	–	–	–	–	–	1
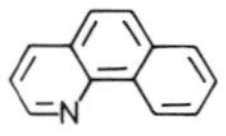 [benzo[h]chinolin]	..-bis-{bis-[(benzo[h]-chinolin]-10-yl-N,C)-...	93	–	Pyridin	Bis-{(benzo[h]chinolin)-10-yl-N,C]-chloro-pyridin...[a]	85	340 (Zers.)	1,2
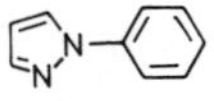 [2-pyrazolo-phenyl]	..-bis-{bis-[2-pyra-zolo-phenyl-N,C]-...	36	315 (Zers.)	$(H_9C_4)_3P$	Bis-[2-pyrazolo-phenyl-N,C]-chloro-tributyl-phosphan-...	75	186–191	3
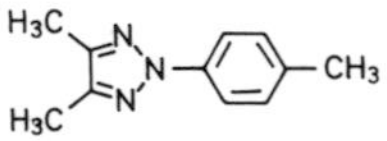 [H3C...N=N...CH3, tolyl-triazol]	..-bis-{bis-[2-(4,5-di-methyl-2H-1,2,3-triazolo)-5-methyl-phenyl-N,C] ...	63	330 (Zers.)	Pyridin	Bis-[2-(4,5-dimethyl-2H-1,2,3-triazolo)-5-methyl-phenyl-N,C]-chloro-pyridin-...	82	(Zers.)	4
				$(H_9C_4)_3P$	...-tributylphosphan-...	52	285 (Zers.)	4
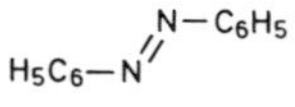 $H_5C_6{-}N{=}N{-}$ [phenylazo]	..-bis-{bis-[2-phenyl-azo-phenyl-N²,C]-...	40	184–186	$(H_5C_6)_3P$	Bis-[2-phenylazo-phenyl-N²,C]-chloro-tri-phenylphosphan-...	32	153–155	5–7
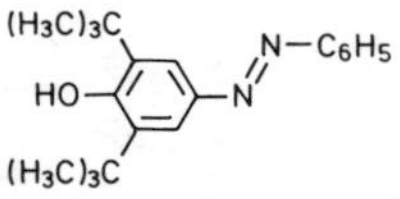 $(H_3C)_3C$ ... HO ... $(H_3C)_3C$ [di-tert.-butyl-hydroxyphenylazo]	..-bis-{bis-[2-(3,5-di-tert.-butyl-4-hydroxy-phenylazo)-phenyl-N²,C]-...	–	–	THF	Bis-[2-(3,5-di-tert.-butyl-4-hydroxy-phenylazo)-phenyl-N²,C]-chloro-tetrahydrofuran-...	–	–	8
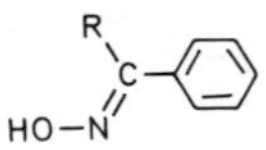 $R{-}C{=}N{-}OH$ [oxim]	..-bis-{bis-[2-(1-hy-droximino-alkyl)-phenyl-N,C]-...	–	–	–	–	–	–	9

[a] in siedendem 2-Methoxy-ethanol.

[1] M. NONOYAMA u. K. YAMASAKI, Inorg. Nucl. Chem. Lett. 7, 943 (1971). Weitere Beispiele mit substituierten 2-Phenyl-pyridin-Derivaten s.: J. SELBIN u. M. A. GUTIERREZ, J. Organometal. Chem. 214, 253 (1981).
[2] M. NONOYAMA, J. Organometal. Chem. 82, 271 (1974).
[3] M. NONOYAMA, J. Organometal. Chem. 86, 263 (1975).
[4] M. NONOYAMA u. C. HAYATA, Transition Metal. Chem. 3, 366 (1978).
[5] T. JOH, N. HAGIHARA u. S. MURAHASHI, Nippon Kagaku Zasshi 88, 786 (1967); C. A. 69, 10532 (1968).
[6] M.I. BRUCE, B.L. GOODALL, M.Z. IQBAL u. F.G.A. STONE, Chem. Commun. 1971, 661.
[7] M.I. BRUCE, M.Z. IQBAL u. F.G.A. STONE, J. Organometal. Chem. 40, 393 (1972).
[8] E.R. MILAEVA, L.Y. UKHIN, V.B. PANOV, A.Z. RUBEZHOV, A.I. PROKOF'EV u. O.Y. OKHLOBYSTIN, Dokl. Akad. Nauk SSSR 242, 125 (1978); C.A. 90, 39021 (1979).
[9] H. ONOUE u. I. MORITANI, J. Organometal. Chem. 44, 189 (1972).

Wenn Rhodium(III)-halogenide lediglich mit Aryl-Stickstoff-Liganden umgesetzt werden, entstehen Verbindungen mit zwei metallierten Liganden pro Metall-Atom. Die Komplexe sind i. a. dimer und besitzen Halogen-Brücken, durch die sie die Koordinationszahl sechs erreichen. Sie werden durch Behandeln mit Liganden wie Pyridin und Triorganophosphan in monomere Komplexe umgewandelt[1] (s. Tab. 6, S. 391):

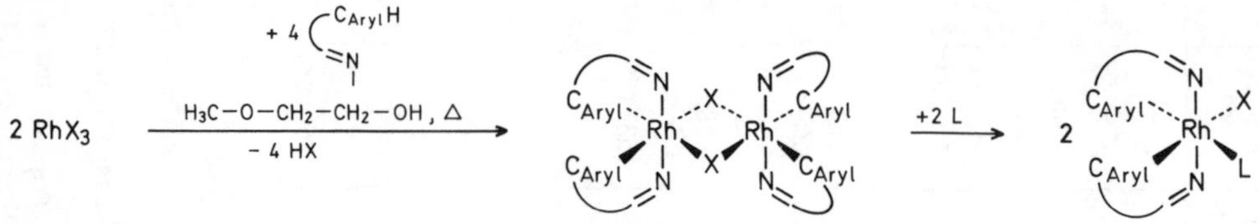

N-(1-Pyridinio)-benzamidat wird durch Rhodium(III)-chlorid in ortho-Stellung zu einem Kation-Komplex metalliert[2]:

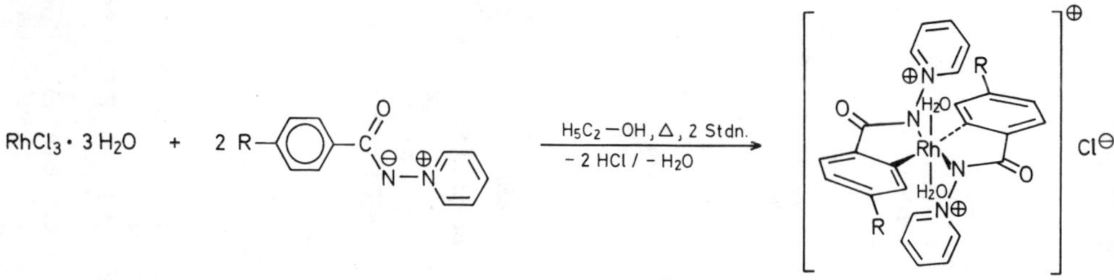

Bis-[aquo]-bis-... ...-rhodium-chlorid

R = H; ...-[2-(pyridinioamino-carbonyl)-phenyl-N¹,C]-...; 77%; F: 273–275° (Zers.)

R = CH₃; ...-[5-methyl-2-(pyridinioamino-carbonyl)-phenyl-N¹,C]-...; 83%; F: >300°

Der dimere Komplex von ortho-metalliertem Azobenzol IV wird durch Behandeln mit Bis-[dicarbonyl-chloro-rhodium] zum μ,μ-Dichloro-(bis-[2-phenylazo-phenyl-N²,C]-rhodium)-(dicarbonylrhodium) (F: 190–191°) umgesetzt[3-5]. Derselbe gemischte Komplex wird bei der Umsetzung von Bis-[dicarbonyl-chloro-rhodium] mit Azobenzol (s. a. S. 394) erhalten:

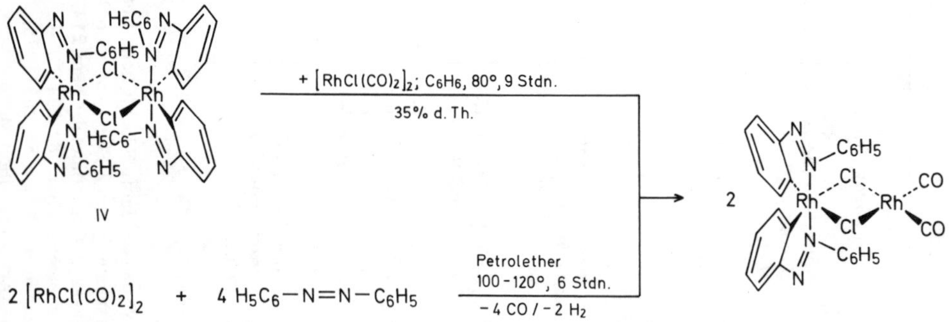

[1] M. NONOYAMA, J. Organometal. Chem. **92**, 89 (1975).
[2] S. A. DIAS, A. W. DOWNS u. W. R. MCWHINNIE, Soc. [Dalton] **1975**, 162.
[3] M. I. BRUCE, M. Z. IQBAL u. F. G. A. STONE, J. Organometal. Chem. **40**, 393 (1972).
[4] R. J. HOARE u. O. S. MILLS, Soc. [Dalton] **1972**, 2141.
[5] M. KOOTI u. F. J. NIXON, J. Organometal. Chem. **63**, 4151 (1973).

β) aus Aroyl-rhodium(III)-Verbindungen durch Decarbonylierung

Die Neigung zur Decarbonylierung von Acyl-rhodium(III)-Verbindungen nimmt in folgender Reihe zu:

$$Alkyl-CO \quad < \quad H_5C_6-CH_2-CO \quad < \quad Aryl-CO$$

Die Kinetik der Acyl-Aryl-Umlagerung in 1,2-Dichlor-ethan ist abhängig von der Komplex-Konzentration (Reaktion 1. Ordnung)[1]. Sie ist unter diesen Bedingungen irreversibel und wird durch Messung der Acyl-Bande bei $\sim 1670 \text{ cm}^{-1}$ verfolgt. Elektronenanziehende Substituenten in 4-Stellung am Aryl-Rest beschleunigen die Reaktion. Zusatz von Triphenylphosphan ändert die Reaktionsgeschwindigkeit praktisch nicht. Die Dichlor-Verbindung wird zweimal so schnell umgelagert wie die Dibromo-Verbindung.

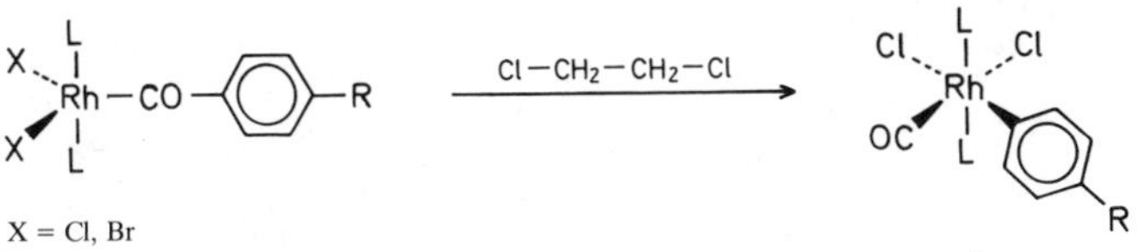

X = Cl, Br

2. aus Rhodium(I)-Verbindungen durch oxidative Addition

α) mit Halogen-arenen

Zur Umsetzung von Rhodium-Komplexen mit Aroylhalogeniden s. o.

Brom- oder Jodbenzol kann in einigen Fällen mit Rhodium(I)-Verbindungen oxidativ zu Aryl-rhodium(III)-Komplexen umgesetzt werden.

Dabei kann die Rhodium(I)-Verbindung durch Reduktion dreiwertiger Komplexe mit Natriumboranat oder Natrium-Amalgam in Gegenwart von Jodbenzol in situ erzeugt werden[2]:

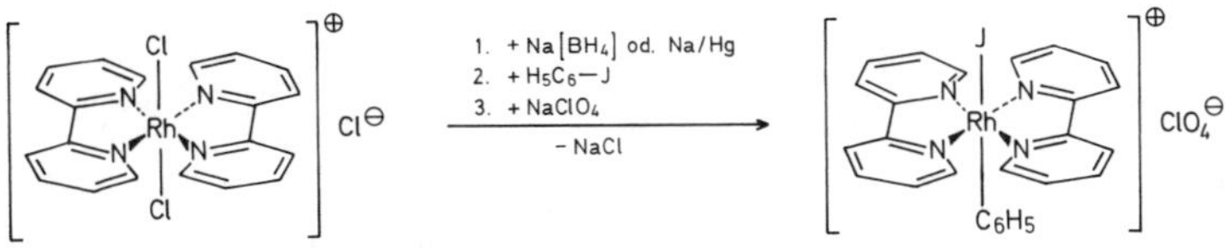

Bis-[2,2'-bipyridyl]-jodo-phenyl-rhodium-perchlorat

Bei der Umsetzung des Azaporphyrinato-dirhodium(I)-Komplexes I mit Brombenzol wird *Phenyl-[tetra-ethyl-tetramethyl-azaporphyrinato]-rhodium* (43%) gebildet[3]:

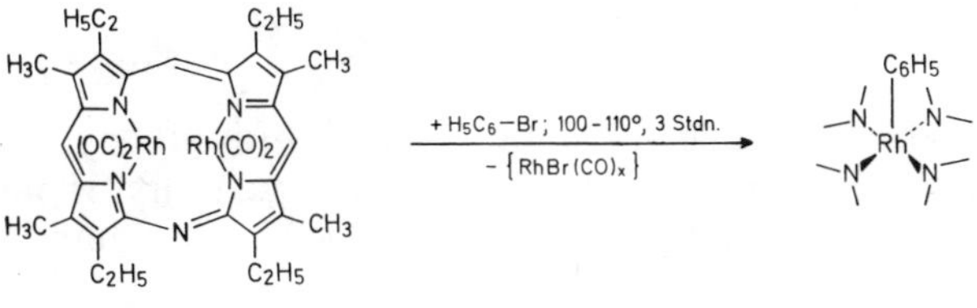

---

[1] J.K. Stille u. M.T. Regan, Am. Soc. **96**, 1508 (1974).

[2] I.I. Bhayat u. W.R. McWhinnie, J. Organometal. Chem. **46**, 159 (1972).

[3] A.M. Abeysakera, R. Grigg, J. Trocha-Grimshaw u. V. Viswanatha, Tetrahedron Letters **1976**, 3189; Soc. [Perkin I] **1977**, 1395.

β) mit Aryl-Donor-Liganden

Rhodium(I)-Verbindungen metallieren den Benzyl-Rest von Benzylphosphanen in or tho-Stellung[1]. Ein meta-ständiger Fluor-Substituent bewirkt, daß der Angriff von Rho dium bevorzugt in 2-Stellung zu ihm erfolgt. Die großen Cyclohexyl-Reste im Benzyl-di cyclohexyl-phosphan begünstigen die ortho-Metallierung, da im Reaktionsprodukt di sterische Hinderung geringer ist als im nicht metallierten Produkt. Die Neigung zu Metal lierungsreaktionen nimmt in folgender Reihe ab.

$$Ir^I > Rh^I \gg Pd^{II} \lesssim Pt^{II}$$

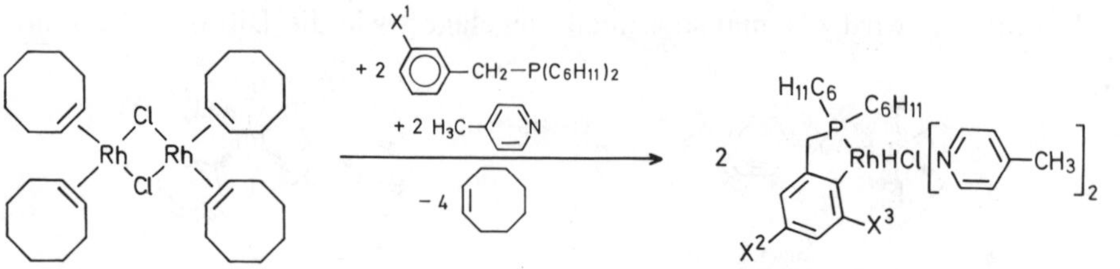

Bis-[4-methyl-pyridin]-chloro-. . .-hydrido-rhodium

X¹ = X² = X³ = H; . . .-[2-(dicyclohexylphosphano-methyl)-phenyl-P,C]-. . .[2]; 80%
X¹ = F; X² = H; X³ = F; . . .-[2-(dicyclohexylphosphano-methyl)-6-fluor-phenyl-P,C]-. . .[2]; 80%
X² = F; X³ = H; . . .-[2-(dicyclohexylphosphano-methyl)-4-fluor-phenyl-P,C]-. . .[2]; 20%

Zur Umsetzung von Benzoylazid mit μ,μ-Dichloro-bis-[dicarbonyl-rhodium] und anschließender Behandlun mit Donor-Liganden s. Lit.[3].

Aromatische Aldehyd-imine und Azoarene werden cyclometalliert, wenn sie mit Rho dium(I)-Komplexen in Gegenwart von Tricyclopropylphosphan, das die Elektronen Dichte am Metall erhöht, umgesetzt werden[4]; z. B.:

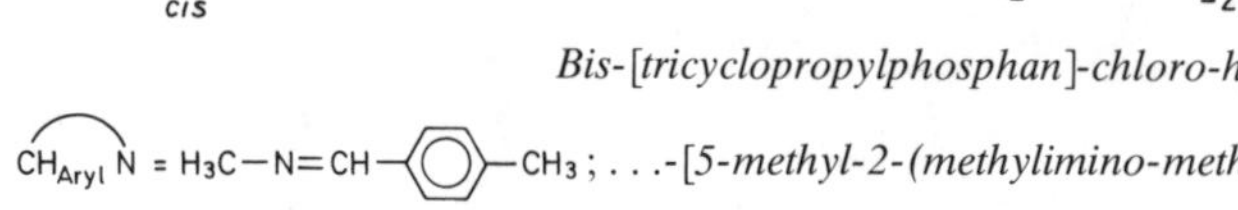

Bis-[tricyclopropylphosphan]-chloro-hydrido-. . .-rhodium

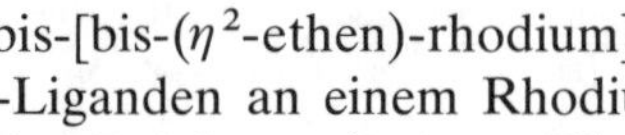

. . .-[5-methyl-2-(methylimino-methyl)-phenyl-C,N]-. .

. . .-[5-methyl-2-(4-methyl-phenylazo)-phenyl-C,N²]-. . .

μ,μ-Dichloro-bis-[bis-(η²-ethen)-rhodium] und -bis-[dicarbonyl-rhodium] reagiere mit zwei Donor-Liganden an einem Rhodium-Atom zu Diaryl-rhodium(III)-Komple xen, die über Chlor-Brücken mit einem Rhodium(I)-Rest verknüpft sind (s.a. S. 392).

[1] S. Hietkamp, D.J. Stufkens u. K. Vrieze, J. Organometal. Chem. **168**, 351 (1979).
[2] Die beiden Isomere sind nicht voneinander getrennt worden.
[3] P.L. Sandini, R.A. Michelin u. F. Canziani, J. Orgnaometal. Chem. **91**, 363 (1975).
[4] J.F. van Baar, K. Vrieze u. D.J. Stufkens, J. Organometal. Chem. **97**, 461 (1975).

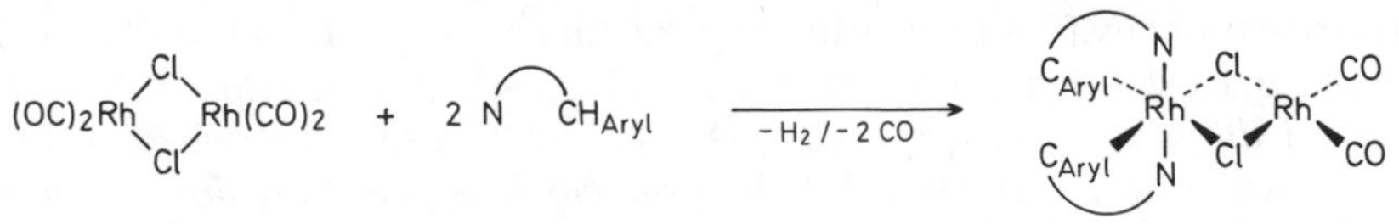

μ,μ-Dichloro-...-(dicarbonyl-rhodium)

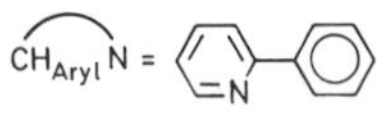

; ...-{bis-[2-(2-pyridyl)-phenyl-C,N]-rhodium}-...[1]

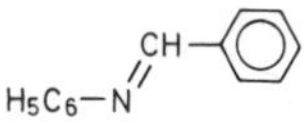

; ...-{bis-[2-(phenylimino-methyl)-phenyl-C,N]}-...[2];
7%; F: 220–220,5°

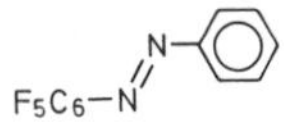

; ...-{bis-[2-(pentafluorphenylazo)-phenyl-C,N}-...[3];
38%; F: 210–212° (Zers.)

Wird Azobenzol mit μ,μ-Dichloro-bis-[bis-(η^2-ethen)-rhodium] bei 70° in Ethanol umgesetzt, so erhält man einen dimeren Komplex[4]:

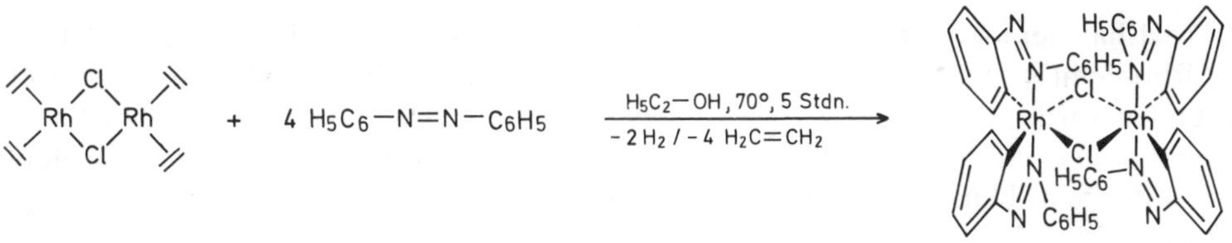

μ,μ-Dichloro-bis-[bis-(2-phenylazo-phenyl-C,N²)-rhodium]; 75%

Dagegen entsteht in einem komplexierungsfähigen Lösungsmittel z. B. Tetrahydrofuran aus Azobenzol und μ,μ-Dichloro-bis-[dicarbonyl-rhodium] das monomere Bis-[2-phenyl-azo-phenyl-C,N²]-chloro-tetrahydrofuran-rhodium, das durch Behandeln mit Natriumacetat Acetato-bis-[2-phenylazo-phenyl-C,N²]-rhodium liefert[5, 6]:

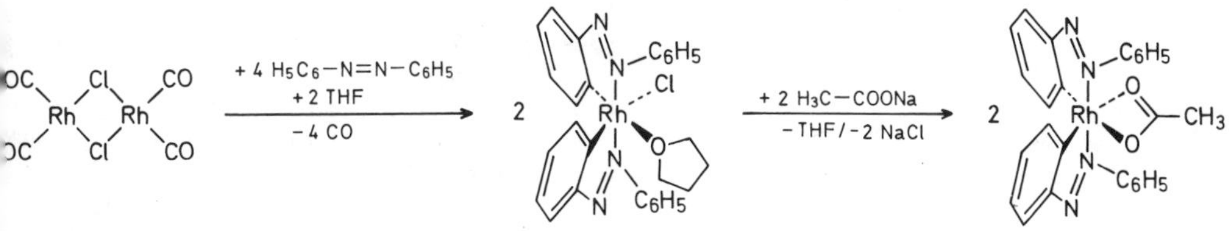

γ) mit speziellen Arylierungsmitteln

Bromo-bis-[pentafluorphenyl]-thallium überträgt unter Oxidation 2 Aryl-Reste auf das Rhodium-Atom[7, 8]; z. B.:

$$RhCl[P(C_6H_5)_3]_3 \ + \ (F_5C_6)_2TlBr \quad \xrightarrow[-\ TlBr\ /\ -\ (H_5C_6)_3P]{C_6H_6,\ \Delta} \quad (F_5C_6)_2RhCl[P(C_6H_5)_3]_2$$

Bis-[pentafluorphenyl]-bis-[triphenylphosphan]-chloro-rhodium

[1] M. I. Bruce, B. L. Goodall u. F. G. A. Stone, J. Organometal. Chem. **60**, 343 (1973).
[2] R. L. Bennett, M. I. Bruce, B. L. Goodall, M. Z. Iqbal u. F. G. A. Stone, Soc. [Dalton] **1972**, 1787.
[3] M. I. Bruce, B. L. Goodall, G. L. Sheppard u. F. G. A. Stone, Soc. [Dalton] **1975**, 591.
[4] M. Kooto u. F. J. Nixon, J. Organometal. Chem. **63**, 415 (1973).
[5] A. R. M. Craik, G. R. Knox, P. L. Pauson, R. J. Hoare u. O. S. Mills, Chem. Commun. **1971**, 168.
[5] R. J. Hoare u. O. S. Mills, Soc. [Dalton] **1972**, 2138.
[7] R. S. Nyholm u. P. Royo, Chem. Commun. **1969**, 421.
[8] P. Royo, Rev. Acad. Cienc. Exactas, Fis.-Quin. Zaragoza **27**, 235 (1972); **78**, 136 403 (1973); **89**, 109 916 (1978).

Chloro-tris-[triphenylphosphan]-rhodium-Komplex reagiert mit 1,2-Dioxo-benzo-cyclobuten zunächst kinetisch kontrolliert zum *1,1-Bis-[triphenylphosphan]-1-chloro-2,3-dioxo-2,3-dihydro-⟨benzo[b]rhodol⟩* (85%; F: 220–223°), das sich beim Erhitzen in das thermodynamisch stabilere *2,2-Bis-[triphenylphosphan]-2-chloro-1,3-dioxo-2,3-dihydro-⟨benzo[c]rhodol⟩* umwandelt (s.S. 413)[1]:

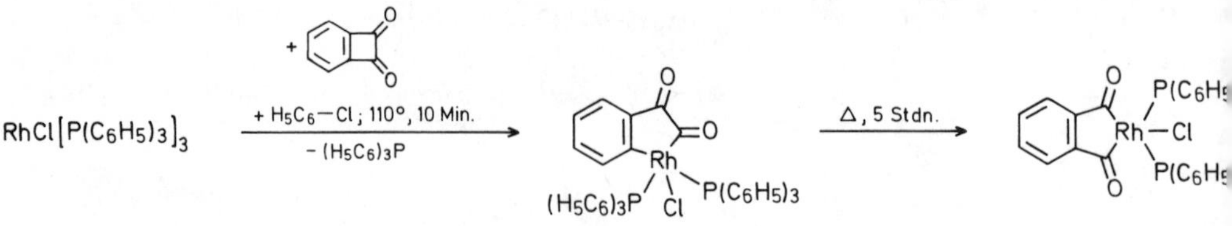

δ) mit Aroyl-halogeniden, aromatischen Carbonsäureestern bzw. Aldehyden unter Decarbonylierung

Aroyl-halogenide und aromatische Carbonsäuren werden bereits bei der Umsetzung mit Rhodium(I)-Verbindungen decarbonyliert, wobei die Carbonyl-Gruppe am Metall gebunden wird. So entsteht z.B. *Triphenylphosphan-carbonyl-chloro-phenyl-(2-diphenylphosphano-phenyl-C,P)-rhodium* aus dem intermediär gebildeten Benzoyl-Komplex (s.S. 400) beim Umkristallisieren zu 75%[2–4]:

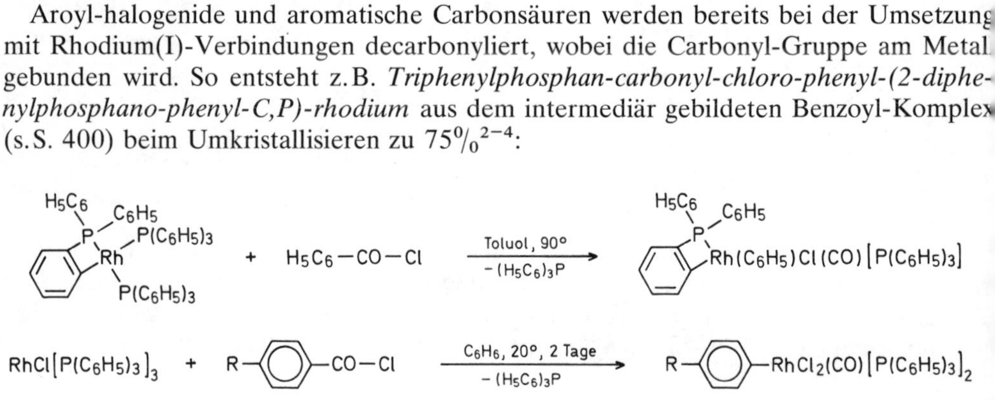

Bis-[triphenylphosphan]-carbonyl-dichloro-...-rhodium

R = H; ...-*phenyl*-...; 70%
R = CH₃; ...-*(4-methyl-phenyl)*-...; 75%
R = OCH₃; ...-*(4-methoxy-phenyl)*-...; 68%
R = Cl; ...-*(4-chlor-phenyl)*-...; 73%

Während beim Arbeiten in Dichlormethan, das infolge seiner komplexierenden Eigenschaften die fünffach koordinierte Aroyl-Verbindung stabilisiert, der Aroyl-Komplex isoliert werden kann, wird in Benzol auch bei tiefer Temp. der sechsfach koordinierte Carbonyl-Komplex gebildet[5]. Vgl. a. Lit.[6].

Bis-[triphenylphosphan]-carbonyl-dichloro-phenyl-rhodium[4]: 0,50 *ml* (4,3 mmol) Benzoylchlorid werden einer Lösung von 0,503 g (0,540 mmol) Chloro-tris-[triphenylphosphan]-rhodium in 20 *ml* Benzol zugesetzt. Das Reaktionsgemisch wird 48 Stdn. bei 30° gerührt. Hierauf fällt man den Komplex durch Zusatz von 100 *ml* Pentan aus, filtriert ihn ab und wäscht den feinen gelben Niederschlag 4mal mit je 3–5 *ml* Diethylether, um das freigesetzte Triphenylphosphan zu entfernen. Die Verbindung wird bei 0° schonend in Chloroform und Ethanol umkristallisiert; Ausbeute: 0,305 g (70%); IR(ClH₂CCH₂Cl): ν_{CO} 2074 cm⁻¹, ν_{Cl} 320 und 283 cm⁻¹.

[1] L.S. Liebeskind, S.L. Baysdon, M.S. South u. J.F. Blount, J. Organometal. Chem. **202**, C 73 (1980).
[2] M.C. Baird, D.N. Lawson, J.T. Mague, J.A. Osborn u. G. Wilkinson, Chem. Commun. **1966**, 129.
[3] M.C. Baird, J.T. Mague, J.A. Osborn u. G. Wilkinson, Soc. [A] **1967**, 1347.
[4] J.K. Stille u. M.T. Regan, Am. Soc. **96**, 1508 (1974).
[5] W. Keim, J. Organometal. Chem. **19**, 161 (1969).
[6] J.A. Kampmeier, R.M. Rodehorst u. J.B. Philip, Am. Soc. **103**, 1847 (1981).

μ-Etioporphyrinato-bis-[dicarbonyl-rhodium] bildet mit Benzoesäure-anhydrid ein Gemisch aus Benzoyl- und Phenylrhodium(III)-Verbindung, die durch präparative Dünnschichtchromatographie getrennt werden (s.a. S. 406)[1]:

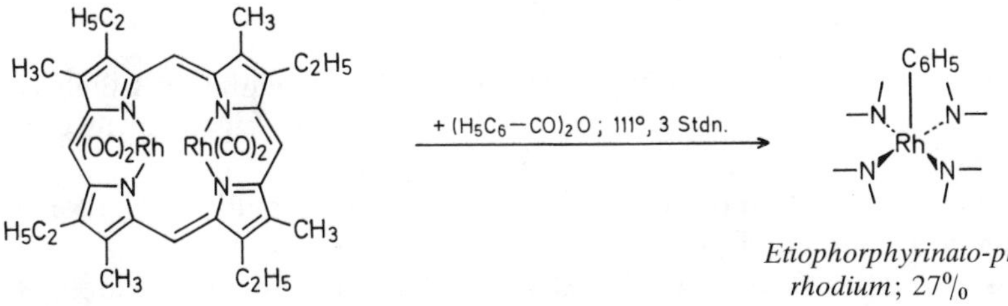

H5C2
CH3
H3C
C2H5
N
N
(OC)2Rh
Rh(CO)2
N
N
H5C2
CH3
CH3
C2H5
+ (H5C6—CO)2O ; 111°, 3 Stdn.
C6H5
N
N
Rh
N
N

Etiophorphyrinato-phenyl-rhodium; 27%

Aromatische Aldehyde reagieren mit Etioporphyrinato- bzw. Azaporphyrinato-bis-[dicarbonyl-rhodium]-Komplexen unter Spaltung der C–H-Bindung und bilden ein Gemisch von Acyl- und Aryl-rhodium(III)-Komplexen (s. S. 415)[2]. Das Verhältnis von Acyl- zu Aryl-Komplex und die Reaktionsgeschwindigkeit hängen stark ab von Verunreinigungen im Aldehyd und von der Anwesenheit von Luft, die die Umsetzung stark beschleunigt; z.B.:

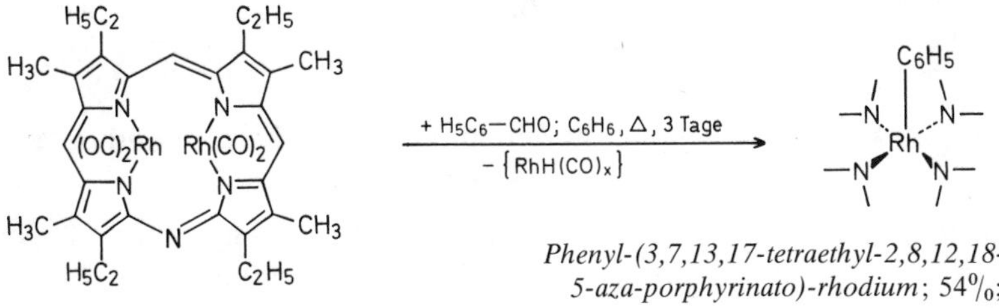

H5C2
C2H5
H3C
CH3
N
N
(OC)2Rh
Rh(CO)2
N
N
H3C
N
CH3
H5C2
C2H5
+ H5C6—CHO; C6H6, Δ, 3 Tage
- {RhH(CO)x}
C6H5
N
N
Rh
N
N

Phenyl-(3,7,13,17-tetraethyl-2,8,12,18-tetramethyl-5-aza-porphyrinato)-rhodium; 54%; F: >300°

ε) mit Arensulfonylhalogeniden unter Desulfonierung

Cyclopentadienyl-rhodium(I)-Komplexe reagieren mit Arensulfonylchlorid unter oxidativer Addition. Das Arensulfonyl-chloro-rhodium(III)-Addukt kann jedoch nicht isoliert werden, da unter den Synthesebedingungen Schwefeldioxid abgespalten wird:

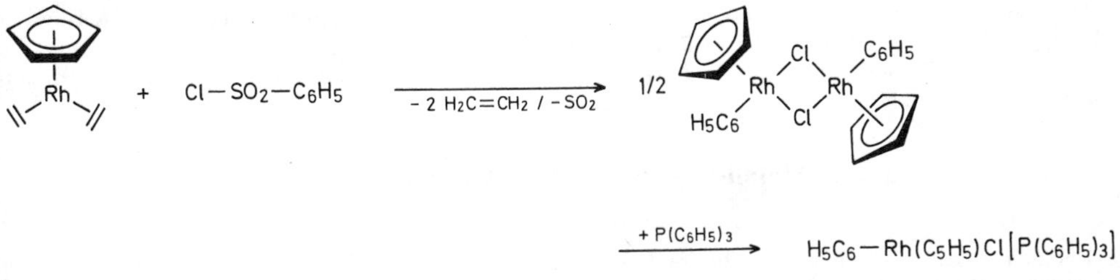

Rh
+
Cl—SO2—C6H5
- 2 H2C=CH2 / -SO2
1/2
Cl
C6H5
Rh
Rh
H5C6
Cl
+ P(C6H5)3
H5C6—Rh(C5H5)Cl[P(C6H5)3]

Chloro-(η⁵-cyclopentadienyl)-phenyl-triphenyl-phosphan; 60%; F: 188–189°

[1] A.M. ABEYSEKERA, R. GRIGG, J. TROCHA-GRIMSHAW u. V. VISWANATHA, Soc. [Perkin I] **1977**, 36.

[2] A.M. ABEYSEKERA, R. GRIGG, J. TROCHA-GRIMSHAW u. V. VISWANATHA, Tetrahedron Letters **1976**, 3189; Soc. [Perkin I] **1977**, 1395.

$$\{Rh(CH_2-CN)(C_5H_5)(CO)[P(C_6H_5)_3]\}^{\oplus}[(H_5C_6)_4B]^{\ominus} + H_5C_6-SO-ONa \xrightarrow[-CO]{-Na^{\oplus}[(H_5C_6)_4B]^{\ominus}}$$

$$\{Rh(SO_2-C_6H_5)(CH_2-CN)(C_5H_5)[P(C_6H_5)_3]\} \xrightarrow[-SO_2]{} Rh(CH_2-CN)(C_6H_5)(C_5H_5)[P(C_6H_5)_3]$$

Chloro-cyanmethyl-(η⁵-cyclopentadienyl)-phenyl-triphenylphosphan-rhodium

Im ersten Beispiel entsteht unter Verlust der leicht abspaltbaren Ethen-Liganden ein dimerer Aryl-Komplex, der durch Behandeln mit Donor-Liganden in den Monomer-Komplex umgewandelt wird[1].

Im zweiten Beispiel wird der normalerweise schwer abspaltbare Carbonyl-Rest unter Bildung einer Cyanmethyl-phenyl-rhodium-Verbindung freigesetzt[2]. Die intermediär durch Umsetzung des Rhodium(III)-Salzes und Natriumsulfinat gebildete Arylsulfonyl-rhodium-Verbindung wird unter den Synthesebedingungen desulfoniert.

Chloro-(η⁵-cyclopentadienyl)-pentafluorphenyl-pyridin-rhodium[3]:

μ,μ- Dichloro- bis- [(η⁵- cyclopentadienyl)- pentafluorphenyl- rhodium]: Eine Lösung von 800 mg (3 mmol) Pentafluorbenzolsulfonylchlorid in 5 *ml* Benzol wird bei 25° unter Rühren zu einer Lösung aus 336 mg (1,5 mmol) Bis- [η²- ethen]- (η⁵-cyclopentadienyl)- rhodium in 20 *ml* Benzol getropft. Nach 36 Stdn. wird der feste Niederschlag abfiltriert, mit Benzol, Aceton, Ethanol und Diethylether gewaschen; Ausbeute: 415 mg (75%); Zers.p.: 330°.

Chloro-(η⁵- cyclopentadienyl)-pentafluorphenyl-pyridin-rhodium: Eine Mischung aus 79 mg (1 mmol) Pyridin, 185 mg (0,25 mmol) μ,μ-Dichloro-bis-[(η⁵-cyclopentadienyl)-pentafluorphenyl-rho-dium] und 20 *ml* Benzol werden 1 Stde. unter Rückfluß erhitzt. Dann wird der flüchtige Anteil i. Vak. entfernt und der Rückstand mit Diethylether gewaschen; Ausbeute: 130 mg (80%); F: 175–176°.

4. aus anderen σ–C-Rhodium-Verbindungen unter Erhalt mindestens einer C–Rh-Bindung

Bis-[triphenylphosphan]-carbonyl-pentafluorphenyl-rhodium lagert Halogen unter Bildung von *Bis-[triphenylphosphan]-dibromo(chloro, jodo)-carbonyl-pentafluorphe-nyl-rhodium* an. Bei Halogen-Überschuß wird die relativ feste σ–C-Rh-Bindung gespalten.

$$F_6C_5-Rh(CO)[P(C_6H_5)_3]_2 + X_2 \xrightarrow{CHCl_3} F_5C_6-RhX_2(CO)[P(C_6H_5)_3]_2$$

X = Cl, Br, J

f) Acyl- bzw. Iminoacyl-rhodium(III)-Verbindungen

1. aus Rhodium(III)-Verbindungen

Hydrido-octaethylporphyrinato-rhodium reagiert mit Kohlenmonoxid bzw. Butyl-isonitril unter Insertion des Carbenoids in die Rh,H-Bindung[4,5] zum Formyl-Komplex.

Isonitrile können auch in die Rh,C-Bindung von Methyl- bzw. Aryl-rhodium-Komplexen eingeschoben werden[6,7], und man erhält (1-Imino-alkyl)-Komplexe.

2. aus Metall-rhodaten(I) durch oxidative Addition

α) von Acylhalogeniden

Rhodium(I)-Anion-Komplexe, i.a. in situ durch Reduktion von Halogeno-rhodium(III)-chelat-Komplexen mit Natrium-Amalgam oder Natrium-boranat hergestellt, bilden mit Acylhalogeniden Acyl-rhodium-Komplexe[8]:

[1] A.J. MUKHEDKAR, V.A. MUKHEDKAR, M. GREEN u. F.G.A. STONE, Soc. [A] **1970**, 3158.
[2] F. FARAONE, F. CUSMANO, P. PIRAINO u. R. PIETROPAOLO, J. Organometal. Chem. **44**, 391 (1972).
[3] P. ROYO u. F. TERREROS, C.A. **89**, 129688 (1978).
[4] B.B. WAYLAND u. B.A. WOODS, Chem. Commun. **1981**, 700.
[5] B.B. WAYLAND, B.A. WOODS u. R. PIERCE, Am. Soc. **104**, 302 (1982).
[6] H. WERNER, B. HEISER u. A. KÜHN, Ang. Ch. **93**, 305 (1981).
[7] W.D. JONES u. F.J. FEHER, Organometallics **2**, 686 (1983).
[8] R.J. COZENS, K.S. MURRAY u. B.O. WEST, J. Organometal. Chem. **38**, 391 (1972).

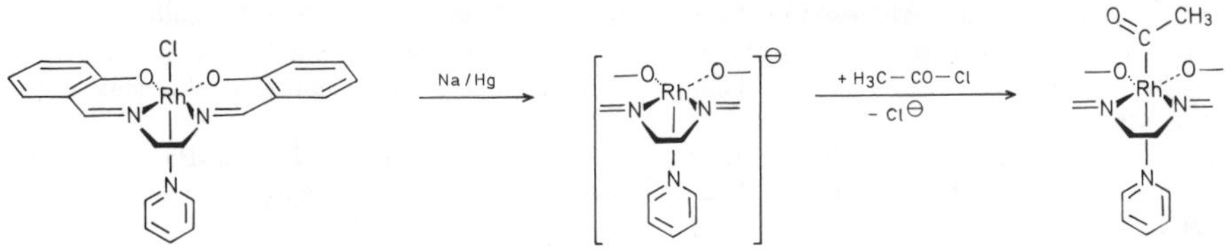

Der Anion-Komplex I bildet mit Ethen und Triethylphosphan in Gegenwart von starken Säuren den neutralen fünffach koordinierten Propanoyl-Komplex II[1]:

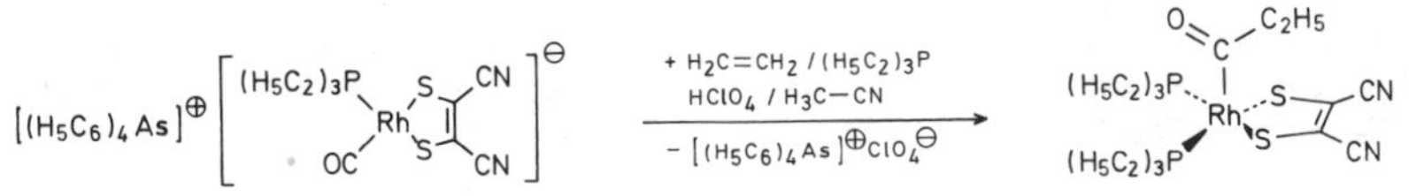

I

II; *Propanoyl-bis-[triethylphosphan]-(1,2-dicyan-ethen-1,2-dithiolato)-rhodium*

β) von Halogen-alkanen bzw. -arenen

Dicarbonyl-dijodo-rhodat reagiert mit Jodmethan unter oxidativer Addition und Kohlenmonoxid-Insertion[2]:

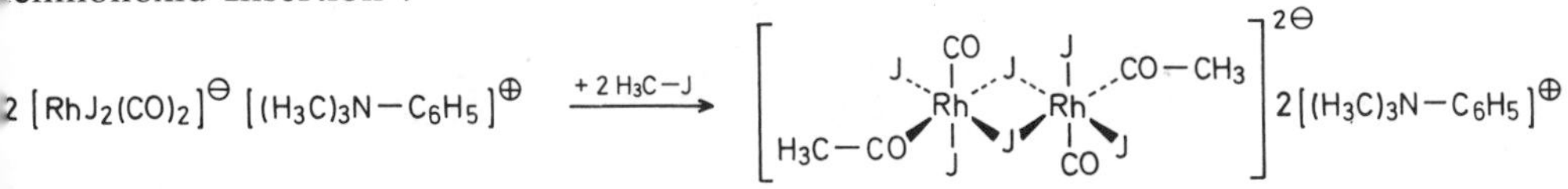

Bis-[trimethyl-phenyl-ammonium]-μ,μ-dijodo-bis-[acetyl-carbonyl-dijodo-rhodat]

Carbonyl-(1,2-dicyan-ethen-1,2-dithiolato)-rhodate können entweder am Rhodium- oder an einem Schwefel-Atom alkyliert werden.

So wird beim Behandeln des Komplexes mit Triethyloxonium-Salzen teilweise Schwefel und Rhodium alkyliert[3]. Die intermediär gebildete Alkyl-rhodium-Verbindung lagert sich in einen Acyl-Komplex um:

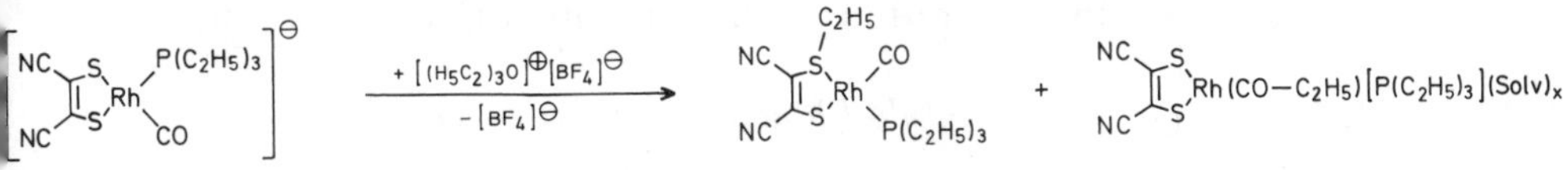

Halogenalkane lagern sich an das Metall bei gleichzeitiger Kohlenmonoxid-Insertion an. Die Addukte sind stabil, wenn die Kationen groß und Mesomerie-stabilisiert sind. Dabei reagiert der Carbonyl-triphenylphosphan-Komplex rascher als der Dicarbonyl-Komplex. Die Addukte an den Dicarbonyl-Komplex sind instabil[3].

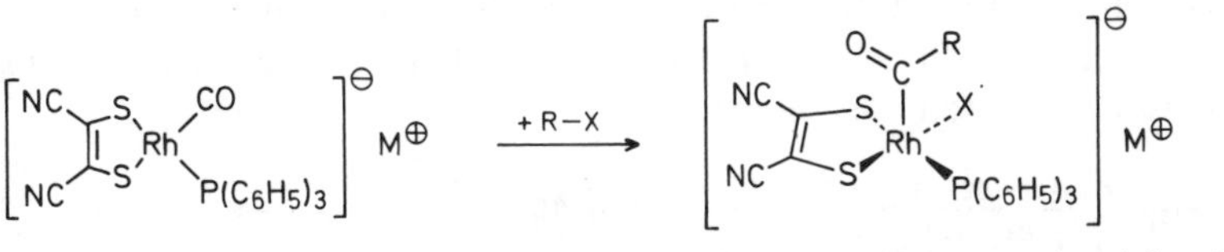

. . .-(1,2-dicyan-ethen-1,2-dithiolato)-triphenylphosphan-rhodat

z.B. M = [(H₅C₆)₄P]; X = J; R = CH₃; *Tetraphenylphosphonium-acetyl-jodo-*. . .; 90%
R = C₃H₇; *Tetraphenylphosphonium-butanoyl-jodo-*. . .; 90%

Acyl-(1,2-dicyan-ethen-1,2-dithiolato)-halogeno-triphenylphosphan-rhodium; allgemeine Vorschrift[1]: Alle Operationen werden unter Stickstoff in modifiziertem Schlenkschen Röhren durchgeführt.

---

[1] C.-H. CHENG, D.E. HENDRIKSEN u. R. EISENBERG, J. Organometal. Chem. **142**, C 65 (1977).
[2] G.W. ADAMSON, J.J. DALY u. D. FORSTER, J. Organometal. Chem. **71**, C 17 (1974).
[3] C.-H. CHENG, B.D. SPIVACK u. R. EISENBERG, Am. Soc. **99**, 3003 (1977).

0,2 g (0,23 mmol) Tetraphenylphosphonium- bzw. 0,21 g (0,23 mmol) Tetraphenylarsonium-carbonyl-(1,2 dicyan-ethen-1,2-dithiolato)-triphenylphosphan)-rhodat werden in möglichst wenig Acetonitril, Aceton, Te trahydrofuran oder Dichlormethan mit 3 *ml* Halogenalkan behandelt. Es entsteht eine homogene Lösung, di bei 20° gerührt wird.

Der Fortschritt der Reaktion wird IR-spektroskopisch durch Messung der Kohlenoxid-Bande bei 1960 cm⁻ und der Acyl-Bande bei 1700 cm⁻¹ verfolgt. Die erforderliche Reaktionsdauer hängt stark vom Alkyl-Rest ab Die folgenden Zeiten sind erforderlich:

RX:	CH₃J	H₅C₂–J	H₇C₃–J	H₉C₄–J	H₂₁C₁₀–J	H₅C₆–CH₂–Br
Min.:	5	120	300	360	1440	20

Nach Beendigung der Reaktion gibt man 5 *ml* des Lösungsmittels und 15 *ml* abs. Ethanol hinzu und engt di Mischung i. Vak. ein. Nach Zusatz von Hexan erhält man einen braunen Niederschlag, der entweder aus Ace ton/Ethanol/Hexan oder Dichlormethan/Diethylether/Hexan umkristallisiert wird. Die Ausbeuten betrager ~90%.

Das nucleophile (1,2-Dicyan-ethen-1,2-dithiolato)-triethylphosphan-rhodat reagier in Gegenwart von Triethylphosphan auch mit weniger reaktionsfähigen Halogenalkanen[1] Man stellt das Rhodat in situ durch Behandeln des Dicarbonyl-Komplexes mit Triethyl phosphan her. Bei der Reaktion wird das Triphenylphosphonium- bzw. Tetraphenylarso nium-halogenid abgespalten unter Bildung eines neutralen, fünffach koordinierter Acyl-Komplexes:

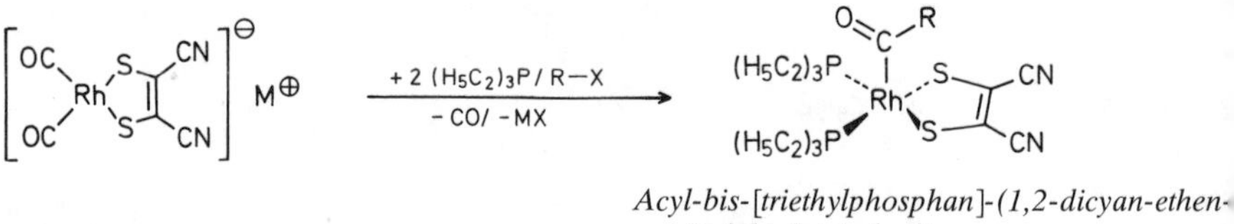

Acyl-bis-[triethylphosphan]-(1,2-dicyan-ethen-1,2-dithiolato)-rhodium

z. B.: X = J; R = CH₃, C₃H₇, C₁₀H₂₁
X = Br; R = C₂H₅, C₄H₉, CH₂–C₆H₅, CH₂–CH = CH₂
X = Cl; R = CH₂–CH = CH₂

3. aus Rhodium(I)-Verbindungen durch oxidative Addition

α) von Acylhalogeniden bzw. Carbonsäureanhydriden

α₁) *an neutrale Rhodium-Verbindungen*

αα₁) an Halogeno-tris-[triorganophosphan]-rhodium

Bei der oxidativen Addition von Acylhalogeniden bzw. Carbonsäureanhydriden an Ha logeno-tris-[triphenylphosphan]-rhodium entstehen unter Abspaltung eines Triphenyl phosphan-Moleküls fünffach koordinierte Acyl-rhodium(III)-Verbindungen, die sich u. U. in die sechsfach koordinierten Carbonyl-organo-rhodium-Komplexe umlagern. Man muß daher bei tiefen Temperaturen arbeiten und den Acyl-Komplex rasch durch Zusatz von Kohlenwasserstoffen ausfällen[2]; z. B.:

$$RhCl[P(C_6H_5)_3]_3 \xrightarrow[- (H_5C_6)_3P]{+ R-CO-Cl} R-CO-RhCl_2[P(C_6H_5)_3]_2 \xrightarrow{\circ} R-RhCl_2[P(C_6H_5)_3]_2(CO)$$

I. a. ist die Halogen-Acyl-Bindung schwächer als die Halogen-Alkyl-Bindung. Daher reagieren Acylhaloge nide rascher mit Rhodium(I) als Halogenalkane.

Die Acyl-Komplexe verlieren beim Erhitzen leicht den organischen Rest unter Bildung von organischen Halogen-Verbindungen, oder Olefinen und Halogenwasserstoff[3]:

[1] C.-H. CHENG, D. E. HENDRIKSEN u. R. EISENBERG, J. Organometal. Chem. **142**, C 65 (1977).
[2] J. TSUJI u. K. OHNO, Tetrahedron Letters **1966**, 4713.
[3] K. OHNO u. J. TSUJI, Am. Soc. **88**, 3452 (1966).

$$R-CO-RhYXL_2 \longrightarrow RhY(CO)L_2 + RX \text{ (bzw. RY)}$$

$$R-CH_2-CH_2-CO-RhYXL_2 \longrightarrow RhY(CO)L_2 + R-CH=CH_2 + HX$$

Rhodium(I)-Verbindungen katalysieren nach diesem Schema folglich die Decarbonylierung von Acylhalogeniden[1, 2]. Voraussetzung dafür ist es, daß bei erhöhter Temperatur in Gegenwart von Phosphan-Überschuß gearbeitet wird, wodurch Kohlenmonoxid freigesetzt wird.

Die in Tab. 7 (S. 402) angegebenen Temperaturen sind keine echten Schmelzpunkte. Die Komplexe beginnen bei ~ 120° zu sintern und schmelzen endgültig bei den angegebenen Temperaturen. Wahrscheinlich wird die Acyl-Gruppe im Komplex bereits decarbonyliert, bevor der Komplex schmilzt. Die Acyl-Komplexe sind gegenüber Luft stabil, leicht löslich in Chloroform, Dichlormethan und Benzol und nahezu unlöslich in Ethanol, Hexan oder Petrolether. Sie sind bei 20° beständig gegenüber Wasser oder Ethanol. Die Komplexe sind nicht leicht zu reinigen. So werden sie beim Chromatographieren über Säulen an Kieselsäure zersetzt. Daher ist es zweckmäßig, sorgfältig gereinigte Ausgangsverbindungen einzusetzen.

Die Acyl-rhodium(III)-Komplexe kommen relativ häufig in den Koordinationszahlen 5 und 6 vor, wie in den folgenden Beispielen gezeigt wird. Beispiele der Additionsreaktion sind in Tab. 7 (S. 402) zu finden.

Bis-[triphenylphosphan]-dichloro-hexadecanoyl-rhodium[2]**:** 9,24 g (10 mmol) Chloro-tris-[triphenylphosphan]-rhodium werden in 30 *ml* abs. Benzol gelöst und mit 3,025 g (11 mmol) frisch destilliertem Hexadecanoylchlorid versetzt. Man arbeitet unter Luftausschluß in einer Stickstoff-Atmosphäre. Die Lösung wird 20 Min. unter Rückfluß gekocht. Die tiefrote Farbe schlägt nach orange um. Benzol wird i. Vak. entfernt. Durch Zusatz von 30 *ml* Hexan fällt man den gelben Komplex aus und filtriert ihn ab. Der Niederschlag wird in Benzol gelöst, durch vorsichtige Zugabe von Ethanol wird der Komplex wieder ausgefällt; Rohausbeute: 9,2 g (99%); F: 135–137°.

Bis-[triphenylphosphan]-(4-chlor-phenylacetyl)-dichloro-rhodium[3]**:** Zu einer Lösung von 1,09 g (1,22 mmol) Chloro-tris-[triphenylphosphan]-rhodium in 75 *ml* Dichlormethan gibt man bei 0° 4,64 g (4,00 *ml*, 2,51 mmol) 4-Chlor-phenylacetylchlorid mittels einer Spritze zu. Nach 30 Sek. Rühren bei 0° wird die Reaktion durch Zugabe von 250 *ml* Pentan unterbrochen. Der gebildete gelbe Niederschlag wird abfiltriert, mit 10–15 *ml* Portionen Diethylether gewaschen, um überschüssiges Triphenylphosphan zu entfernen, und dann bei 0° aus Aceton/Pentan umkristallisiert; Ausbeute: 0,73 g (70%); IR(ClCH$_2$CH$_2$Cl): $\nu_{C=O}$ 1714 cm^{-1}.

Die Stereochemie der Acyl-Komplexe ist nur in wenigen Fällen aufgeklärt. So entsteht bei der Addition von Acetylchlorid an Chloro-tris-[triphenylphosphan]-rhodium zunächst die instabile gelbe Verbindung I, in der die Phosphan-Liganden und die beiden Chloro-Liganden *cis*-ständig angeordnet sind[4-7]. Der Komplex I wird bereits bei 20° in den stabileren orangen Komplex II mit *trans*-ständigen Phosphan-Liganden umgelagert. Komplex II steht im Gleichgewicht mit der entsprechenden Alkyl-carbonyl-Verbindung (s. S. 328).

---

[1] J. Tsuji u. K. Ohno, Am. Soc. **88**, 3452 (1966).
[2] K. Ohno u. J. Tsuji, Am. Soc. **90**, 99 (1968).
[3] J.K. Stille, F. Huang u. M.T. Regan, Am. Soc. **96**, 1518 (1974).
[4] D.L. Egglestone, M.C. Baird, C.J.L. Lock u. G. Turner, Soc. [Dalton] **1977**, 1576.
[5] D.A. Slack, D.L. Egglestone u. M.C. Baird, J. Organometal. Chem. **146**, 71 (1978).
[6] Die Konfiguration folgt aus den IR-, ^{1}H- und ^{31}P–NMR-Spektren.
[7] M.C. Baird, J.T. Mague, J.A. Osborn u. G. Wilkinson, Soc. [A] **1967**, 1347.

Tab. 7: Acyl-rhodium(III)-Komplexe durch Addition von Acylhalogeniden an Halogeno-tris-[triphenylphosphan]-rhodium

RhY[(H₅C₆)₃P]₃ Y	R–CO–X	R–CO–RhYX[P(C₆H₅)₃]₂ Bis-[triphenylphosphan]-...-rhodium	Ausbeute [% d. Th.]	F [°C]	Literatur
Cl	$H_3C-(CH_2)_4-CO-Cl$	...-dichloro-hexanoyl-...	84	173–176	1, 2
	$H_3C-(CH_2)_{16}-CO-Cl$	...-dichloro-octadecanoyl-...	96	120–126	2
	$H_5C_6-CH_2-CO-Cl$	...-dichloro-phenylacetyl-...	68		3
	$O_2N-C_6H_4-CH_2-CO-Cl$	...-dichloro-(4-nitro-phenyl-acetyl)-...	71		3
	$H_3CO-C_6H_4-CH_2-CO-Cl$	...-dichloro-(4-methoxy-phenyl-acetyl)-...	73		3
	$H_5C_6-CH_2-CH_2-CO-Cl$	...-dichloro-(3-phenyl-propanoyl)-...	85–92	176–179 bzw. 205–207	2–6
	$D_5C_6-CD_2-CH_2-CO-Cl$	...-dichloro-(3,3-dideutero-3-pentadeuterophenyl-pro-panoyl)-...	87	204–208	3
Br	$H_5C_6-CH_2-CH_2-CO-Cl$	...-bromo-chloro-(3-phenyl-propanoyl)-...	–	–	6
	$H_5C_6-CH_2-CH_2-CO-Br$	...-dibromo-(3-phenyl-pro-panoyl)-...	–	–	6
Cl	$H_5C_6-CH_2-CH_2-CO-Br$	...-bromo-chloro-(3-phenyl-propanoyl)-...	88	179–182	1, 2
	$H_3C-CH(C_6H_5)-CH(C_6H_5)-CO-Cl$ (erythro- ; threo)ᵃ	...-dichloro-(2,3-diphenyl-buta-noyl)-...	80	– (CH₂Cl₂)ᵃ	3
	$H_5C_6-CO-Cl$	...-benzoyl-dichloro-...	63	–	3, 7
	$O_2N-C_6H_4-CO-Cl$	...-dichloro-(4-nitro-benzoyl)-...	69	–	3
	$Cl-C_6H_4-CO-Cl$	...-(4-chlor-benzoyl)-dichloro-...	61	–	3
	$H_3CO-C_6H_4-CO-Cl$	...-dichlor-(4-methoxy-benzoyl)-...	65	–	3

ᵃ Die Reaktion ist stereospezifisch

Acetyl-bis-[triphenylphosphan]-dichloro-rhodium[5, 8]: Zu einer Lösung von 0,5 g Chloro-tris-[triphenylphos-phan]-rhodium in 3 *ml* Dichlormethan gibt man 0,25 *ml* (mol. Überschuß) Acetylchlorid. Die Lösung wird 10 Min. gerührt, i. Vak. auf die Hälfte eingeengt, mit ~ 5 *ml* Schwefelkohlenstoff versetzt und erneut eingeengt, bis ein gelber Komplex ausfällt, der abfiltriert, mit Schwefelkohlenstoff gewaschen und i. Vak. getrocknet wird; Aus-beute: 75%.

Die Ausbeuten der analog hergestellten *Acetyl-bis-[tris-(4-fluor-phenyl)-phosphan]-dichloro-* und *Acetyl-bis-[tris-(4-methylphenyl)-phosphan]-dichloro-rhodium*-Komplexe betragen 50 bzw. 60%.

[1] J. Tsuji u. K. Ohno, Am. Soc. **88**, 3452 (1966).
[2] K. Ohno u. J. Tsuji, Am. Soc. **90**, 99 (1968).
[3] J.K. Stille, F. Huang u. M.T. Regan, Am. Soc. **96**, 1518 (1974).
[4] N.A. Dunham u. M.C. Baird, Soc. [Dalton] **1975**, 774.
[5] D.L. Egglestone, M.C. Baird, C.J.L. Lock u. G. Turner, Soc. [Dalton] **1977**, 1576.
[6] K.S.Y. Lau, Y. Becker, F. Huang, N. Baenziger u. J.K. Stille, Am. Soc. **99**, 5664 (1977).
[7] M.C. Baird, J.T. Mague, J.A. Osborn u. G. Wilkinson, Soc. [A] **1967**, 1347.
[8] Aus der Lit. geht nicht hervor, ob der isolierte Komplex reines Isomeres I ist.

α-Substituierte Phenylacetylchloride, die keinen β-ständigen Wasserstoff besitzen, sind thermisch relativ stabil. So kann aus dem optisch aktiven 2-Phenyl-3,3,3-trifluor-propanoyl-chlorid mit Chloro-tris-[triphenylphosphan]-rhodium der optisch aktive Acyl-Komplex synthetisiert werden[1]:

$$RhCl[P(C_6H_5)_3]_3 \quad + \quad \underset{H_5C_6}{\overset{F_3C}{\underset{}{H\cdots}}}C-CO-Cl \quad \xrightarrow{-(H_5C_6)_3P} \quad \underset{H_5C_6}{\overset{F_3C}{\underset{(H_5C_6)_3P}{H\cdots}}}C-CO-\underset{Cl}{\overset{(H_5C_6)_3P}{Rh}}{\cdots}Cl$$

(S)-Bis-[triphenylphosphan]-dichloro-(2-phenyl-3,3,3-trifluor-propanoyl)-rhodium[1]:
(S)-2-Phenyl-3,3,3-trifluor-propansäure-chlorid: 3,80 g (18,2 mmol) (S)-3,3,3-Trifluor-2-phenyl-propansäure ($[\alpha]_D^{27}$: $-62,1°$) werden mit 20 ml Thionylchlorid versetzt und 4 Stdn. auf 80° erhitzt. Anschließend wird überschüssiges Thionylchlorid i. Vak. entfernt und das Carbonsäure-chlorid fraktioniert; Ausbeute: 3,30 g (81%); $Kp_{1,5}$: 45–47°; $[\alpha]_D^{27}$: $-112°$ (c 4, CHCl₃).

(S)-Bis-[triphenylphosphan]-dichloro-(2-phenyl-3,3,3-trifluor-propanoyl)-rhodium:
2,1 g (2,2 mmol) Chloro-tris-[triphenylphosphan]-rhodium, gelöst in 5 ml eisgekühltem Dichlormethan werden zu 0,55 g (2,5 mmol) (S)-2-Phenyl-3,3,3-trifluor-propanoyl-chlorid gegeben. Das Eis-Bad wird entfernt und die Mischung 1 Stde. gerührt. Dichlormethan wird hierauf i. Vak. abdestilliert und der orange Komplex durch Zusatz von Pentan langsam ausgefällt. Die Kristalle werden mit 150 ml Pentan gewaschen und i. Vak. getrocknet; Ausbeute: 1,7 g (87%); $[\alpha]_D^{27}$: $-30,4°$ (c 5, CHCl₃), IR(CHCl₃): $\nu_{C=O}$ 1720 und 1740 cm^{-1}.
Zur thermischen Zersetzung des Komplexes s. S. 457.

Chloro-tris-[dimethyl-phenyl-phosphan]-rhodium liefert mit Acylhalogeniden einen sechsfach koordinierten Acyl-Komplex, der im Unterschied zum Triphenylphosphan-Komplex drei Phosphan-Liganden enthält[2-4].

$$RhCl[P(C_6H_5)_3]_3 \xrightarrow[-3 (H_5C_6)_3P]{+3 (H_3C)_2P-C_6H_5} RhCl[(H_3C)_2P-C_6H_5]_3$$
$$\xrightarrow{+R-CO-Cl} R-CO-RhCl_2[(H_3C)_2P-C_6H_5]_3$$

Acetyl-dichloro-tris-[dimethyl-phenyl-phosphan]-rhodium (R = CH₃)[2]: 0,14 g (1,01 mmol) Dimethyl-phenyl-phosphan werden zu einer Suspension aus 0,31 g (0,335 mmol) Chloro-tris-[triphenylphosphan]-rhodium in 10 ml Diethylether gegeben und 3 Stdn. geschüttelt. Man versetzt die klare rote Lösung mit 0,3 ml Acetylchlorid und kristallisiert den Niederschlag (0,12 g) aus Chloroform und Petrolether (Kp: 60–80°) um; F: 126–130°; IR(Nujol): $\nu_{C=O}$ 1628 cm^{-1}.

Auf analoge Weise werden *Dichloro-propanoyl-tris-[dimethyl-phenyl-phosphan]-rhodium* (67%; F: 131–134°) bzw. ...-(2-methyl-propanoyl)- ...-rhodium erhalten.

Wird durch Behandeln mit Ammonium-hexafluorophosphat ein Chloro-Ligand aus dem Acetyl-Komplex entfernt, entsteht *Acetyl-chloro-tris-[dimethyl-phenyl-phosphan]-rhodium-hexafluorophosphat*[3].

$\alpha\alpha_2$) an Bis-[triorganophosphan]-carbonyl-halogeno-rhodium

Im Unterschied zur Reaktion mit Chloro-tris-[triphenylphosphan]-rhodium werden bei der oxidativen Addition von Acylhalogeniden an Bis-[triorganophosphan bzw. -arsan]-carbonyl-halogeno-rhodium i. a. sechsfach koordinierte Komplexe gebildet, die als koordinativ gesättigte Verbindungen stabiler sind als fünffach-koordinierte Komplexe.

$$RhY(CO)L_2 \quad + \quad R-CO-X \quad \longrightarrow \quad R-CO-RhYX(CO)L_2$$

Acetyl-bis-[dimethyl-phenyl-phosphan]-carbonyl-dichloro-rhodium[2]: Zu einer Lösung aus 0,14 g Bis-[dimethyl-phenyl-phosphan]-carbonyl-chloro-rhodium in 3 ml Benzol gibt man 0,060 ml Acetylchlorid und läßt die Lösung 45 Min. stehen. Bei Zusatz von Petrolether (Kp: 60–80°) fällt ein farbloser Niederschlag aus, der in Benzol und Petrolether in Form farbloser Plättchen kristallisiert; Ausbeute: 0,13 g (78%); F: 136–139° (Zers.); IR(Nujol): ν_{CO} 2090, 2067, $\nu_{C=O}$ 1655 cm^{-1}.

[1] J. K. STILLE u. R. W. FRIES, Am. Soc. **96**, 1514 (1974).
[2] A. J. DEEMING u. B. L. SHAW, Soc. [A] **1969**, 597.
[3] M. A. BENNETT, J. C. JEFFRY u. G. B. ROBERTSON, Inorg. Chem. **20**, 323; 330 (1981).
[4] In Gegenwart von Luft entsteht infolge teilweiser Oxidation der Phosphan-Liganden ein dimerer Komplex.

Tab. 8: Acyl-rhodium(III)-Komplexe durch Addition von Acylhalogeniden an Bis-[tri
organophosphan bzw. -arsan]-carbonyl-halogeno-rhodium

RhY(CO)L$_2$		R–CO–X		R–CO–RhXY(CO)L$_2$	Aus-beute [%]	F [°C]	Lite-ratur
Y	L	X	R				
Cl	P(C$_2$H$_5$)$_2$(C$_6$H$_5$)	Cl	CH$_3$	*Acetyl-bis-[diethyl-phenyl-phosphan]-carbonyl-dichloro-rhodium*		142–145	1
	As(CH$_3$)$_2$(C$_6$H$_5$)	Cl	CH(CH$_3$)$_2$	*Bis-[dimethyl-phenyl-arsan]-carbonyl-dichloro-(2-methyl-propanoyl)-rhodium*	53	122–128 (Zers.)	2
		Cl	CH$_2$–CH = CH$_2$	*Bis-[dimethyl-phenyl-arsan]-(3-buten-oyl)-carbonyl-dichloro-rhodium*	76	114–117 (Zers.)	2
	P(CH$_3$)$_2$(C$_6$H$_4$–2-CH$_3$)	Cl	C$_6$H$_5$	*Benzoyl-bis-[dimethyl-(2-methyl-phenyl)-phosphan]-carbonyl-dichloro-rhodium*	79	149–155 (Zers.)	3
Br	P(CH$_3$)$_2$(C$_6$H$_5$)	Br	CH$_3$	*Acetyl-bis-[dimethyl-phenyl-phosphan]-carbonyl-dibromo-rhodium*	53	122–128 (Zers.)	2
	P(C$_2$H$_5$)$_2$(C$_6$H$_5$)	Br	CH$_3$	*Acetyl-bis-[diethyl-phenyl-phosphan]-carbonyl-dibromo-rhodium*	80	152–163 (Zers.)	1

$\alpha\alpha_3$) an (η^5-Cyclopentadienyl)-triorganophosphan-rhodium-Verbindungen

Die fünffach koordinierten (η^5-Cyclopentadienyl)-triorganophosphan-rhodium-Komplexe setzen sich mit Acylhalogeniden zu sechsfach koordinierten Acyl-rhodium-halogeniden um[4]. Durch Substitution des Halogenids durch ein großes Anion-Molekül wird der kationische Acyl-Komplex stabilisiert.

L = P(CH$_3$)$_2$(C$_6$H$_5$); L′ = CO; R = CH$_3$; *Acetyl-carbonyl-(η^5-cyclopentadienyl)-(dimethyl-phenyl-phos-phan)-...*

X = Br; ...-*rhodium-bromid*; I; 83%;
MY = Na$^\oplus$[(H$_5$C$_6$)$_4$B]$^\ominus$; ...-*rhodium-tetraphenylborat*; II; 70%; F: 98–100° (Zers.)[4]

R = CF$_3$; *Carbonyl-(η^5-cyclopentadienyl)-(dimethyl-phenyl-phosphan)-trifluoracetyl-...*

X = Cl; ...-*rhodium-chlorid*; I; 86%

L = L′ = (H$_3$C)$_3$P; R = C$_6$H$_5$;
X = Cl; MY = NH$_4$[PF$_6$]; *Benzoyl-bis-[trimethyl-phosphan]-(η^5-cyclopentadienyl)-rhodium-hexafluoro-phosphat*; II; 77%; Zers.p.: > 162° [5]

Acetyl-bis-(trimethylphosphan)-(η^5-cyclopentadienyl)-rhodium-hexafluorophosphat[5]: Eine Lösung von 183 mg (0,57 mmol) Bis-[trimethylphosphan]-(η^5-cyclopentadienyl)-rhodium in 5 *ml* Diethylether wird mit Acetylchlorid im Überschuß versetzt. Der rasch gebildete farblose Niederschlag wird abfiltriert und i. Vak. getrocknet. Das Chlorid wird in methanol. Lösung mit Ammoniumhexafluorphosphat umgesetzt, der Niederschlag wird

[1] J. CHATT u. B.L. SHAW, Soc. [A] **1966**, 1437.
[2] A.J. DEEMING u. B.L. SHAW, Soc. [A] **1969**, 597.
[3] H.D. EMPSALL, E.M. HYDE, C.E. JONES u. B.L. SHAW, Soc. [Dalton] **1974**, 1980.
[4] A.J. OLIVER u. W.A.G. GRAHAM, Inorg. Chem. **9**, 243 (1970).
[5] H. WERNER, R. FESER u. W. BUCHNER, B. **112**, 834 (1979).

bfiltriert, i. Vak. getrocknet, mit Wasser gewaschen und wieder i. Vak. getrocknet, sowie aus Diethylether und litromethan umkristallisiert; Ausbeute: 178 mg (61%); Zers. >195°; IR(Nujol): $\nu_{C=O}$ 1650 cm^{-1}.

Analog verhalten sich (η^5-Pentamethyl-cyclopentadienyl)- und η^5-Indenyl-rhodium-Komplexe; z.B. erhält man zu 56% Acetyl-bis-[trimethylphosphan]-(η^5-indenyl)-hodium-hexafluorophosphat[1,2].

$\alpha\alpha_4$) an dimere Rhodium-Komplexe

Beim Behandeln von μ,μ-Dichloro-bis-[bis-(η^2-ethen)-rhodium] mit Acetylchlorid in Gegenwart von 1,3-Bis-[diphenylphosphano]-propan entsteht ein fünffach koordinierter Acyl-Komplex, der durch die Chelat-Bindung die Chloro-Liganden in cis-Stellung wingt[3]. Der Komplex ist thermisch außergewöhnlich stabil.

Acetyl-(1,3-bis-[diphenylphosphano]-propan)-dichloro-rhodium

Im Gegensatz zu Iridium ist Bis-[diphenyl-methyl-phosphan]-cyclopropylcarbonyl-dichloro-rhodium (96%) tabil[4]. Der zunächst gebildete cis-Komplex lagert sich erst bei 4tägigem Erhitzen unter Rückfluß in Toluol in das rans-Isomere um.

Es ist möglich, dimere Rhodium-Komplexe so mit Acylhalogeniden umzusetzen, daß lie dimere Struktur erhalten bleibt. Da die Addition reversibel ist, setzt man das Acylhalolenid im Überschuß ein, um das Gleichgewicht nach links zu verschieben[5, 6]:

$$[RhY(CO)L]_2 \; + \; 2\,R-CO-X \; \rightleftharpoons \; [R-CO-RhYX(CO)L]_2$$

L = P(CH$_3$)$_3$; R = CH$_3$; Y = X = Br; Bis-[acetyl-carbonyl-dibromo-trimethylphosphan-rhodium]; 86%; F: 140–147° (Zers.)

R = C$_6$H$_5$; Y = X = Cl; Bis-[benzoyl-carbonyl-dichloro-trimethylphosphan-rhodium]; 67%

L = P(OCH$_3$)$_3$; R = CH$_3$; Y = X = Cl; Bis-[acetyl-carbonyl-dichloro-trimethoxyphosphan-rhodium]; F: 88–100° (Zers.)

Der zweikernige Trimethylphosphit-Komplex wird wesentlich leichter mit Acetylchlorid umgesetzt als der vergleichbare monomere Komplex trans-Bis-[trimethoxyphosphan]-carbonyl-chloro-rhodium.

Bis-[acetyl-carbonyl-dichloro-trimethylphosphan-rhodium][5]: 0,130 g (0,27 mmol) Bis-[carbonyl-chloro-trimethylphosphan-rhodium] werden in 20 ml Toluol gelöst und bei 20° mit 0,05 g (0,64 mmol) Acetylchlorid versetzt. Unter Aufhellung der Lösung bildet sich nach ~3 Min. ein farbloser Niederschlag, den man abfiltriert, mit Toluol und Hexan wäscht, i. Vak. trocknet und aus Chloroform und Hexan umkristallisiert; Ausbeute: 0,155 g (0,24 mmol, 90%); F: 135–155° (Zers.); IR: ν_{CO} 2080, $\nu_{C=O}$ 1700 cm^{-1}.

Wird der Chloro-Komplex mit Acetylbromid im Überschuß umgesetzt, werden neben der oxidativen Addition Chloro-Liganden durch Brom substituiert:

H. WERNER u. R. FESER, Z. Naturf. **35 B**, 689 (1980).
B. KLINGERT u. H. WERNER, B. **116**, 1450 (1983).
D. A. SLACK, D. L. EGGLESTONE u. M. C. BAIRD, J. Organometal. Chem. **146**, 71 (1978).
N. L. JONES u. J. A. IBERS, Organometallics **2**, 490 (1983).
M. J. DOYLE u. R. POILBLANC, C. R. **278**, 159 (1974).
M. J. DOYLE, A. MAYANZA, J.-J. BONNET, P. KALCK u. R. POILBLANC, J. Organometal.Chem.**146**, 293 (1978).

Durch Behandeln von Bis-[carbonyl-dichloro-propanoyl-trimethylphosphan-rhodium] mit Acetylbromi᷈ werden Chlor- und die Propanoyl- durch Acetyl- und Brom-Gruppen substituiert. Die Reaktion verläuft wah᷈ scheinlich über einen Eliminierung-Addition-Mechanismus.

$\alpha\alpha_5$) an Rhodium-Chelat-Komplexe

Nach dieser Methode sind fünf- und sechsfach koordinierte Komplexe mit zwei- ode᷈ vierzähnigen Liganden zugänglich:

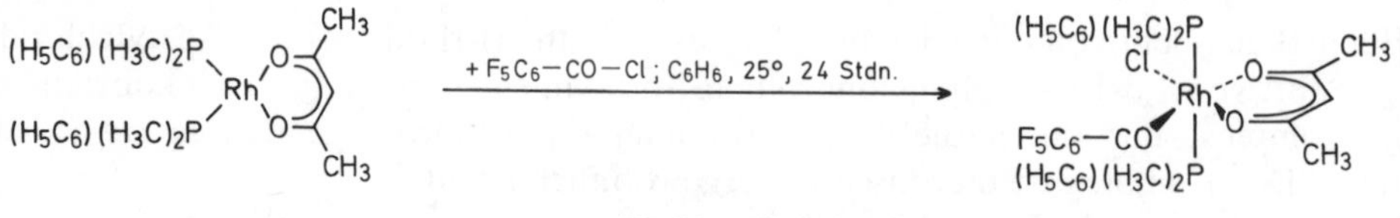

Bis-[dimethyl-phenyl-phosphan]-chloro-(pentafluorbenzoyl)᷈
2,4-pentandionato-rhodium[1]; 30%; F: 232–235°

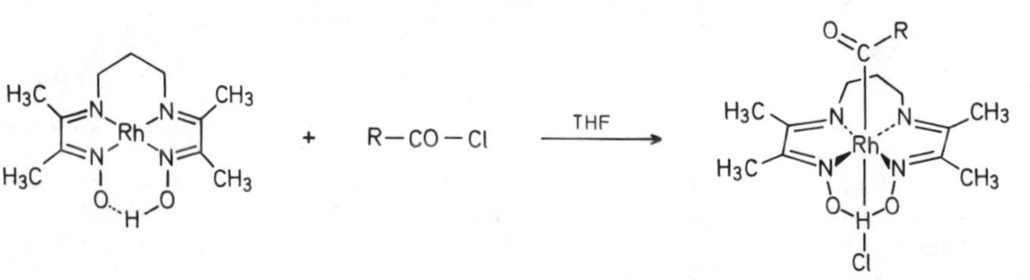

R = CH₃, C₆H₅

Acetyl(Benzoyl)-chloro-{dehydro-1,3-bis-[2-hydroximino-
-1-methyl-propylidenamino]-propan-N,N,N,N}-rhodium

μ-Etioporphyrinato-bis-[dicarbonyl-rhodium] reagiert mit Carbonsäurechloriden un᷈ -anhydriden unter oxidativer Addition[3]. Da das $Rh(III)$-N_4-Chelatsystem offensichtlic᷈ stabiler ist als die zunächst gebildeten $Rh(III)$-N_2-Gruppen, lagert diese sich sofort in de᷈ stabilen Komplex um unter Abspaltung von einem Chlor- bzw. Acylato- und Rhodium Rest.

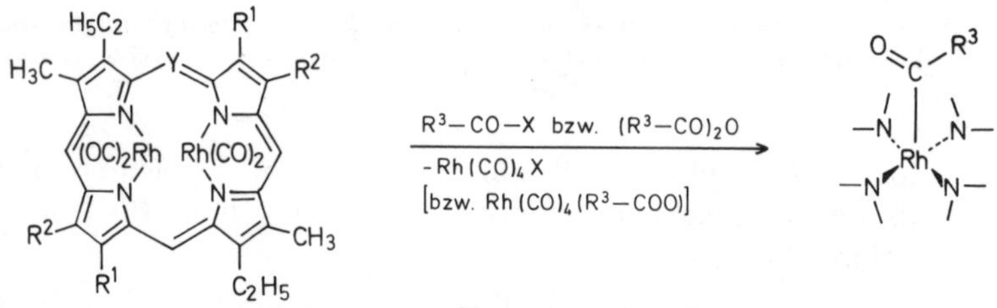

Y = CH; R¹ = CH₃; R² = C₂H₅; *Ethioporphyrinato-...-rhodium*
    H₃C–CO–Cl; ...-*acetyl*-...; 82%
    (H₇C₃–CO)₂O; ...-*butanoyl*-...; 92%
    (H₅C₆–CO)₂O; ...-*benzoyl*-...; 29%
Y = C–O–CO–CH₃; R¹ = CH₃; R² = C₂H₅; *(Acetoxy-ethioporphyrinato)-...-rhodium*
    (H₃C–CO)₂O; ...-*acetyl*-...
Y = N; R¹ = C₂H₅; R² = CH₃; ...-*(3,7,13,17-tetraethyl-2,8,12,18-tetramethyl-5-aza-porphyri᷈*
    nato)-rhodium
    (H₃C–CO)₂O; *Acetyl*-...; 67%

Die Umsetzung mit Carbonsäureanhydriden hat eine Induktionsperiode bis zu 3 Stdn. Je nach Reaktionsbedingungen entstehen als Neben- oder Hauptprodukte die decarbony᷈ lierten Alkyl- oder Aryl-rhodium-Verbindungen.

[1] A.J. MUKHEDKAR, V.A. MUKHEDKAR, M. GREEN u. F.G.A. STONE, Soc. [A] **1970**, 3166.
[2] J.P. COLLMAN, D.W. MURPHY u. G. DOLCETTI, Am. Soc. **95**, 2687 (1973).
[3] A.M. ABEYSEKERA, R. GRIGG, J. TROCHA-GRIMSHAW u. V. VISWANATHA, Chem. Commun. **1976**, 227; Soc. [Per᷈ kin I] **1977**, 36.

Etioporphyrinato-propanoyl-rhodium[1]: 100 mg μ-Etioporphyrinato-bis-[dicarbonyl-rhodium] werden unter Rückfluß in 3 ml Propansäureanhydrid und 5 ml Chloroform 4 Stdn. erhitzt. Die Induktionsperiode beträgt 1,5 Stdn. Die Verbindung wird dünnschichtchromatographiert (auf Kieselgel, Merck 60 PF) mit einem 1 : 1-Gemisch aus Chloroform und Benzol isoliert; Ausbeute: 74 mg (92%); F: $\rangle$ 300°, IR(KBr): $\nu_{C=O}$ 1715 cm^{-1}.

Bei der oxidativen Addition von Oxalylchlorid an den ortho-metallierten Tris-[triphenylphosphan]-rhodium-Komplex I wird ein Phosphan-Ligand unter Decarbonylierung des Oxalyl-Restes abgespalten[2]:

I

Carbonyl-chlorcarbonyl-chloro-(2-diphenylphosphano-phenyl-C,P)-triphenylphosphan-rhodium; 60%

α_2) an Rhodium(I)-Kation-Komplexe

Tetrakis-[organoisocyano]-rhodium-Kation-Komplexe und Acetylchlorid bilden in einer oxidativen Addition den entsprechenden sechsfach koordinierten Acetyl-chloro- rhodium(III)-Kation-Komplex[3]:

$$[Rh(CN-R)_4]^{\oplus} [PF_6]^{\ominus} + H_3C-CO-Cl \longrightarrow [H_3C-CO-RhCl(CN-R)_4]^{\oplus}[PF_6]^{\ominus}$$

Acetyl-chloro-tetrakis-[ethylisocyano]-rhodium-hexafluoro-phosphat[3]: Eine Lösung aus 0,2 g Tetrakis-[ethylisocyano]-rhodium-hexafluorophosphat und 5 ml Acetylchlorid in 25 ml Dichlormethan wird 3 Stdn. gerührt. Danach wird die farblose Mischung i. Vak. eingeengt. Bei Zugabe von 2,4-Dimethyl-3-pentanon entsteht ein farbloser Niederschlag, der abfiltriert und aus einem Gemisch von Aceton und 2,4-Dimethyl-3-pentanon umkristallisiert wird; Ausbeute: 0,2 g (84%); IR(KBr): ν_{CN} 2252(s) cm^{-1}, $\nu_{C=O}$ 1725(s) cm^{-1}.

Obwohl der durch Addition von Benzoylchlorid an den Bisphosphan-Komplex I gebildete Benzoyl-rhodium-Komplex die Koordinationszahl fünf besitzt, läßt sich der Benzoyl-Rest beim Erhitzen nicht decarbonylieren[4,5]. Beim analogen Triphenylphosphan-Komplex wird er dagegen decarbonyliert. Überraschend ist die Tatsache, daß der Komplex I bei der Addition von Benzoylchlorid einen Chelat-Liganden verliert und beide Chloro-Liganden am Metall gebunden werden.

Benzoyl-(1,3-bis-[diphenylphosphano]-propan-P,P')-dichloro-rhodium[5]; > 95%

---

[1] A. M. Abeysekera, R. Grigg, J. Trocha-Grimshaw u. V. Viswanatha, Chem. Commun. **1976**, 227; Soc. [Perkin I] **1977**, 36.

[2] W. Keim, J. Organometal. Chem. **19**, 161 (1969).

[3] J. A. McCleverty u. J. Williams, Transition Met. Chem. **3**, 205 (1978).

[4] M. F. McGuiggan, D. H. Doughty u. L. H. Pignolet, J. Organometal. Chem. **185**, 241 (1980).

[5] M. F. McGuiggan u. L. H. Pignolet, Cryst. Struct. Comm. **8**, 709 (1979).

In den folgenden Beispielen verbleiben beide zweizähnigen Liganden oder ein vierzähniger Ligand am Metall, und man erhält einen sechsfach koordinierten Kation-Komplex[1]:

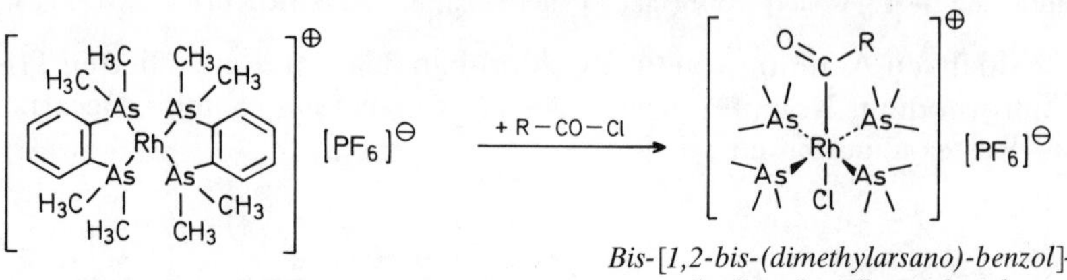

Bis-[1,2-bis-(dimethylarsano)-benzol]-chloro-...
...-rhodium-hexafluorophosphat

R = C$_2$H$_5$; ...-propanoyl-...; 29%
R = C$_6$H$_5$; ...-benzoyl-...; 38%
R = 3,5-(NO$_2$)$_2$–C$_6$H$_3$; ...-(3,5-dinitro-benzoyl)-...; 25%

Dicarbonsäure-dichloride reagieren trotz sterischer Hinderung mit zwei Rhodium-Komplexen. Die Ausbeuten sind allerdings schlecht.

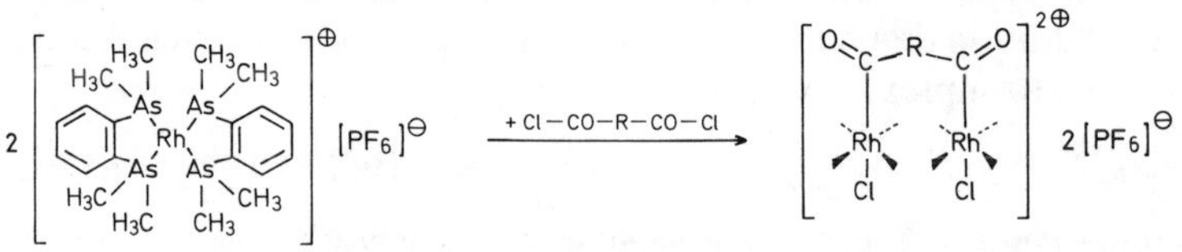

Bis-{bis-[1,2-bis-(dimethylarsano)-benzol]-chloro-rhodiumcarbonyl}-...

R = –(CH$_2$)$_4$–; *1,4-...-butan-bis-[hexafluorophosphat]*; 21%

R = ⬡ ; *1,2-...-benzol-bis-[hexafluorophosphat]*; geringe Ausbeute

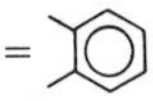

Auch das (1,4,8,11-Tetrathia-cyclotetradecan)-rhodium-Kation unterliegt der oxidativen Addition mit Acylchloriden[2]:

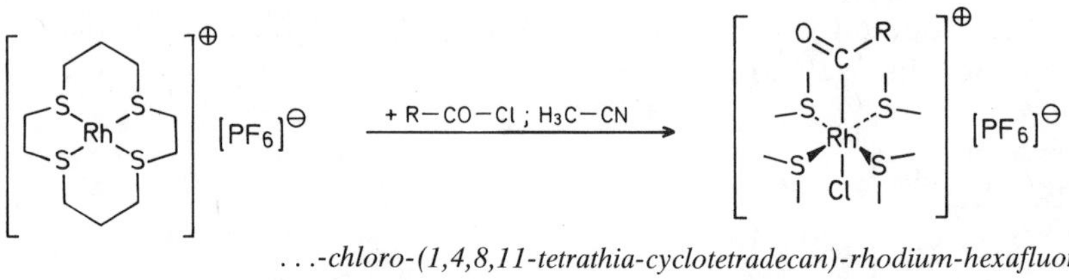

...-chloro-(1,4,8,11-tetrathia-cyclotetradecan)-rhodium-hexafluorophosphat
R = CH$_3$; *Acetyl-...*
R = C$_6$H$_5$; *Benzoyl-...*

β) von Halogen-alkanen bzw. -arenen

β$_1$) an neutrale vierfach koordinierte Rhodium-Komplexe

Die Primäraddukte von Halogenalkanen an Carbonyl-rhodium-Verbindungen sind sechsfach koordinierte Alkyl-Komplexe. Sie können in einigen Fällen isoliert werden, da die Alkyl-Acyl-Isomerisierung wesentlich langsamer abläuft als die Additionsreaktion[3].

Die Umlagerung in die fünffach koordinierten Acyl-Komplexe wird durch polare Lösungsmittel begünstigt, die die freie Koordinationsstelle besetzt.

[1] J.T. Mague u. E.J. Davis, Inorg. Chem. **16**, 131 (1977).
[2] W.D. Lemke, K.E. Travis, N.E. Takvoryan u. D.H. Busch, *Inorganic Compounds with Unusual Properties*, R.B. King, Adv. Chem. Ser. **150**, 358 (1976), Am. Chem. Soc., Washington.
[3] I.C. Douek u. G. Wilkinson, Soc. [A] **1969**, 2604; Untersuchungen zur Kinetik der Reaktion mit Jodmethan.

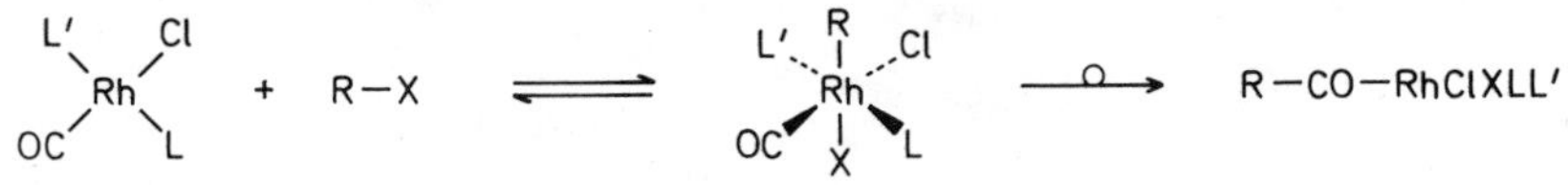

z.B.: L = L' = $(H_5C_6)_3P$; R = CH_3; X = Br, J; *Acetyl-bis-[triphenylphosphan]-bromo-chloro-(bzw. -chloro-jodo)-rhodium*[1]

L = L' = $(H_3C)_2P-$; R = $CH_2-CH=CH_2$; X = Cl; *Bis-[dimethyl-(2-methoxy-phenyl)-phos-phan]-(3-butenoyl)-dichloro-rhodium*[2]; 81%; F: 137–140°

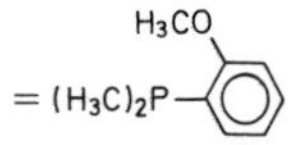

L = $(H_5C_6)_3P$; L' = $(H_5C_6)_3As$; R = CH_3; X = J; *Acetyl-chloro-jodo-triphenylarsan-triphenyl-phosphan-rhodium*[3]; F: 125–129°

Der folgende Chelat-Komplex reagiert ähnlich mit Jodmethan[4]:

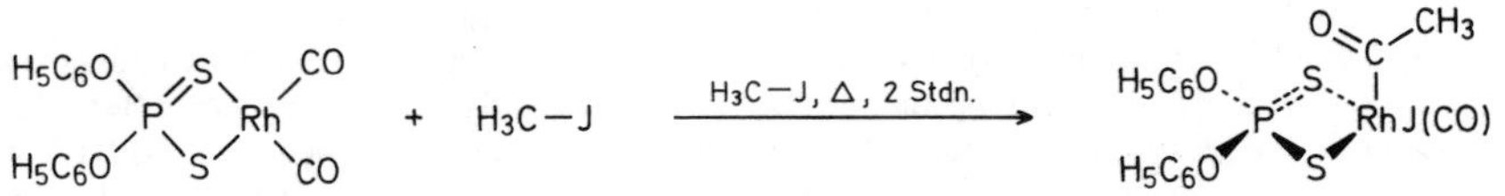

$$H_3C-J, \Delta, \text{2 Stdn.}$$

Acetyl-carbonyl-(diphenoxy-thiophosphorylthio)-jodo-rhodium

Der folgende Carbonyl-chelato-rhodium-Komplex bildet in einer Kohlenmonoxid-Atmosphäre mit Jodmethan und Natriumjodid in Aceton *Acetyl-carbonyl-dijodo-(2-di-methylamino-1-diphenylphosphano-benzol-N,P)-rhodium* (F: 171–173°)[5]:

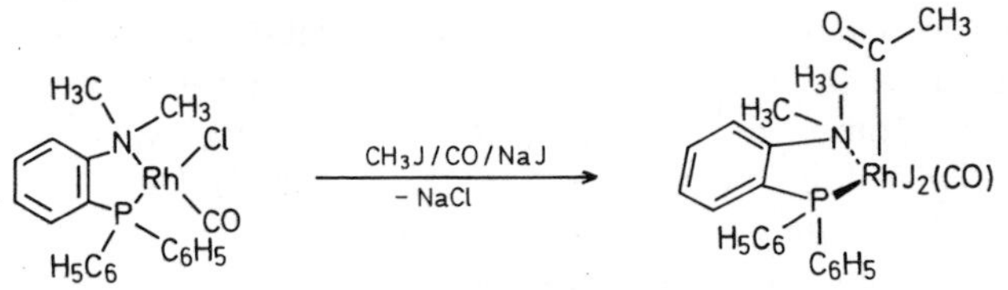

$$CH_3J/CO/NaJ, \quad -NaCl$$

μ-Porphyrinato-bis-[dicarbonyl-rhodium]-Komplexe bilden mit Halogenalkanen ein Gemisch aus Alkyl- und Acyl-porphyrinato-rhodium(III)-Komplexen, die durch Chromatographie an Kieselgel getrennt werden können[6]. Bei der Umsetzung mit Halogenarenen entstehen dagegen normalerweise die entsprechenden Aryl-rhodium-Komplexe (s. S. 396). Aroyl-Komplexe können nur bei der Umsetzung von Etioporphyrinato-bis-[dicarbonylrhodium] mit Brom- oder Jodbenzol sowie 1-Brom-4-fluor-benzol isoliert werden[7,8].

I. C. Douek u. G. Wilkinson, Soc. [A] **1969**, 2604; Untersuchungen zur Kinetik der Reaktion mit Jodmethan.

H. D. Empsall, E. M. Hyde, E. C. Jones u. B. L. Shaw, Soc. [Dalton] **1974**, 1980.

D. F. Steele u. T. A. Stephenson, Soc. [Dalton] **1972**, 2161.

F. Faraone, Soc. [Dalton] **1975**, 541.

T. B. Rauchfuss u. D. M. Roundhill, Am. Soc. **96**, 3098 (1974).

A. M. Abeysekera, R. Grigg, J. Trocha-Grimshaw u. V. Viswanatha, Tetrahedron Letters **1976**, 289; Soc. [Perkin I] **1977**, 36.

A. M. Abeysekera, R. Grigg, J. Trocha-Grimshaw u. V. Viswanatha, Tetrahedron Letters **1976**, 3189.

A. M. Abeysekera, R. Grigg, J. Trocha-Grimshaw u. V. Viswanatha, Soc. [Perkin I] **1977**, 1395.

Etioporphyrinato-...-rhodium

z.B.: Y = CH; R = CH₃; X = J, O–SO₂F; ...-*acetyl*-...; 32 bzw. 22°,
R = C₂H₅; X = J; ...-*propanoyl*-...; 47%; F: >300°
R = C₆H₅; X = J; ...-*benzoyl*-...; 25%

Acetyl-(3,7,13,17-tetraethyl-2,8,12,18-tetramethyl-5-aza-porphyrinato)-rhodium[1]: Eine Mischung au
140 mgμ-(3,7,13,17-Tetraethyl-2,8,12,18-tetramethyl- 5-aza-porphyrinato)-bis-[dicarbonyl-rhodium], 100 m
Chloroform, 10 g wasserfreiem Kaliumcarbonat und 50 ml Jodmethan wird 2 Tage auf 20° gehalten, dann wir
sie filtriert und das abfiltrierte Kaliumcarbonat mit Chloroform gewaschen. Filtrat und Waschflüssigkeit werde
vereinigt und i. Vak. bis zur Trockenen eingedampft. Der Rückstand wird über Kieselgel G mit Benzol chromato
graphiert. Man erhält zwei rote Fraktionen, die erste enthält die Methyl- die zweite die Acetyl-Verbindung
Beide Fraktionen werden nochmals über Kieselgel chromatographiert; Ausbeute: 28 g (25%); IR(KBr): $\nu_{C=}$
1728 cm⁻¹.
Die zweite Fraktion liefert 28 g (29%) *Methyl-(3,7,13,17-tetraethyl-2,8,12,18-tetramethyl-5-aza-porphyr*
nato)-rhodium [F: 295° (Zers.) aus Chloroform/Methanol].

β₂) an neutrale fünffach koordinierte Rhodium-Komplexe

Carbonyl-cyclopentadienyl-rhodium-Komplexe reagieren langsam unter oxidative
Addition mit Halogenalkanen[2-4]. Die intermediär gebildeten Alkyl-rhodium(III)-Ka
tion-Komplexe sind i. a. instabil und lagern sich rasch in die Acyl-Verbindung um. Wäh
rend man die Alkyl-Komplexe IR-spektroskopisch nicht nachweisen kann, ist es bei de
Umsetzung mit Allyl-halogeniden möglich (ν$_{CO}$ 2067 cm⁻¹). Der σ-Allyl-Komplex kan
leicht in einen π-Allyl-Komplex umgewandelt werden.

Bei Benzylhalogeniden nimmt die Reaktionsgeschwindigkeit in der folgenden Reihen
folge zu:

$$Cl \ll Br < J$$

Die Iridium-Komplexe reagieren rascher als die analogen Kobalt- und Rhodium-Verbindungen.
Bei Iridium bleibt die Reaktion auf der Stufe der Alkyl-Verbindungen stehen.

Bei den Rhodium-Komplexen reagiert Jodmethan (1 Stde.) wesentlich rascher als Jod
ethan (66 Stdn.). Wenn der Triorganophosphan-Ligand optisch aktiv ist, entstehen zwe
Diastereoisomere, die sich durch fraktionierte Kristallisation trennen lassen[5]:

---

[1] A. M. Abeysekera, R. Grigg, J. Trocha-Grimshaw u. V. Viswanatha, Tetrahedron Letters **1976**, 289; Soc
[Perkin I] **1977**, 36.

[2] A. J. Oliver u. W. A. G. Graham, Inorg. Chem. **9**, 243 (1970).

[3] A. J. Hart-Davis u. W. A. G. Graham, Inorg. Chem. **9**, 2658 (1970).

[4] A. J. Hart-Davis u. W. A. G. Graham, Inorg. Chem. **10**, 1653 (1971).

[5] S. Quinn, A. Shaver u. V. W. Day, Am. Soc. **104**, 1096 (1982).

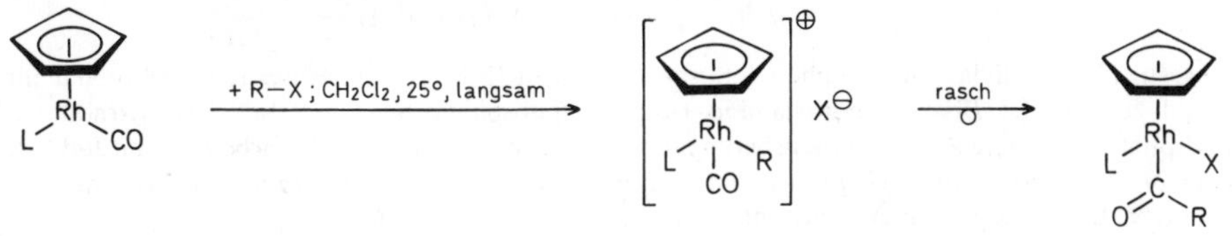

L = $(H_3C)_2P-C_6H_5$; . . . -$(\eta^5$-cyclopentadienyl)-(dimethyl-phenyl-phosphan)-rhodium[1]

$\qquad$ R = CH_3; X = Br; Acetyl-bromo-. . .; 70%; F: 170–175° (Zers.)

$\qquad$ R = CH_2–CH = CH_2; X = Cl; (3-Butenoyl)-chloro-. . .; 46%; F: 109–112° (Zers.)

L = $(H_5C_6)_3P$; . . . -triphenylphosphan-rhodium

$\qquad$ R = CH_3; X = J; Acetyl-(η^5-cyclopentadienyl)-jodo-. . .[2,3]; 70%; F: 170–175° (Zers.)

$\qquad$ R = CH_2–CH = CH_2; X = J; (3-Butenoyl)-cyclopentadienyl-jodo-. . .[3]; 76%; F: 150–152° (Zers.)

$\qquad$ R = CH_2–C_6H_5; X = Br; Bromo-(η^5-cyclopentadienyl)-phenylacetyl-. . .[3]; 80%; F: 141–142° (Zers.)

$\qquad$ R = CH_2–$COOC_2H_5$; X = Br; Bromo-(η^5-cyclopentadienyl)-(ethoxycarbonyl-acetyl). . .[3]; 82%; F: 142–146° (Zers.)

Bei der oxidativen Addition von 3-Chlor-1-buten bzw. 1-Chlor-2-buten entsteht einheitliches *(3-Pentenoyl)-chloro-(η^5-cyclopentadienyl)-triphenylphosphan-rhodium*[3]. Die Alkyl-Reste der C=C-Doppelbindung sind wahrscheinlich *trans*-ständig.

1,4-Bis-[brommethyl]-benzol bildet mit zwei Rhodium-Molekülen *1,4-Bis-{2-[bromo-(η^5-cyclopentadienyl)-triphenylphosphan-rhodium]-2-oxo-ethyl}-benzol* (80%; F: 123,5–124°, Zers.):

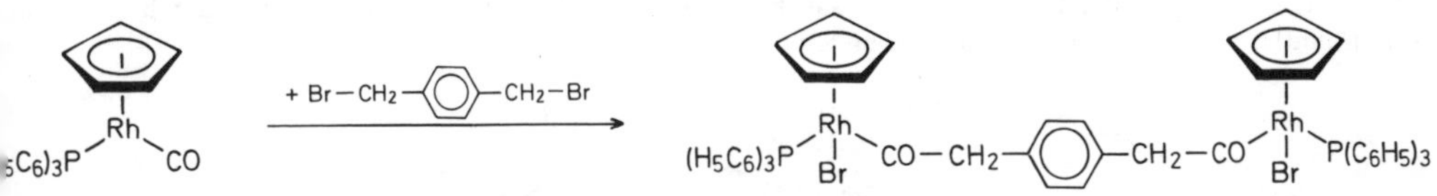

Acyl-(η^5-cyclopentadienyl)-halogeno-triphenylphosphan-rhodium; allgemeine Vorschrift[3]: 100–200 mg Carbonyl-(η^5-cyclopentadienyl)-triphenylphosphan-rhodium werden mit der stöchiometrischen Menge Halogenalkan in 1–2 *ml* Dichlormethan und 1–2 *ml* Hexan gelöst. Die Mischung bleibt bei 20° je nach Reaktivität des Halogenalkans 0,5–1000 Stdn. stehen[4]. Das Addukt kristallisiert teilweise aus. Es wird in Dichlormethan und Hexan unkristallisiert. Man erhält rote Prismen- oder Nadel-förmige Kristalle.

Bei der Umsetzung von Dicarbonyl-(η^5-pentamethyl-cyclopentadienyl)-rhodium mit Jodmethan wird *Acetyl-carbonyl-jodo-(η^5-pentamethyl-cyclopentadienyl)-rhodium* erhalten[4]:

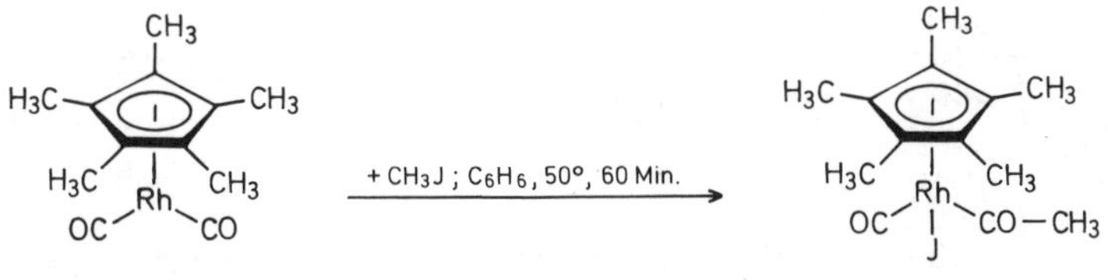

Acetyl-carbonyl-jodo-(η^5-pentamethyl-cyclopentadienyl)-rhodium[4]: Man erhitzt eine Lösung von 200 mg (0,68 mmol) Dicarbonyl-(η^5-pentamethyl-cyclopentadienyl)-rhodium und 500 mg (3,5 mmol) Jodmethan in 1 *ml* Benzol 1 Stde. unter Rühren auf 50°. Dann engt man i. Vak. bis zur Trockene ein und kristallisiert den Rückstand aus Benzol und Hexan um; Ausbeute: 220 mg (74%); Zers.p.: 147–150° (dunkelrote Kristalle); IR(Nujol): ν_{CO} 2050 $\nu_{\searrow C=O}$ 1675 cm^{-1}.

Zur Herstellung von *Acyl-jodo-(η^5-pentamethyl-cyclopentadienyl)-trimethylphosphan-* bzw. *tetramethyldiphosphan-rhodium*-Komplexen (75–90%)[5].

A.J. OLIVER u. W.A.G. GRAHAM, Inorg. Chem. **9**, 243 (1970).
A.J. HART-DAVIS u. W.A.G. GRAHAM, Inorg. Chem. **9**, 2658 (1970).
A.J. HART-DAVIS u. W.A.G. GRAHAM, Inorg. Chem. **10**, 1653 (1971).
J.W. KANG u. P.M. MAITLIS, J. Organometal. Chem. **26**, 393 (1971).
H. WERNER u. B. KLINGERT, J. Organometal. Chem. **218**, 395 (1981).

β₃) an Rhodium-Kation-Komplexe

Das aus Bis-[2-dimethylamino-1-diphenylphosphano-benzol-(P,N)]-rhodium-hexafluorophosphat mit Kohlenmonoxid zugängliche Bis-[2-dimethylamino-1-diphenylphosphano-benzol-(P)]-dicarbonyl-rhodium-hexafluorophosphat setzt sich je nach Reaktionsbedingungen und je nach Art seiner Aufarbeitung mit Jodmethan z *Acetyl-carbonyl-dijodo-[2-dimethylamino-1-diphenylphosphano-benzol-(N,P)]-rhodium* um (Isomeres I; 60% aus Aceton)[1,2]. Das andere Isomere entsteht aus Aceton durch Hexan-Zugabe:

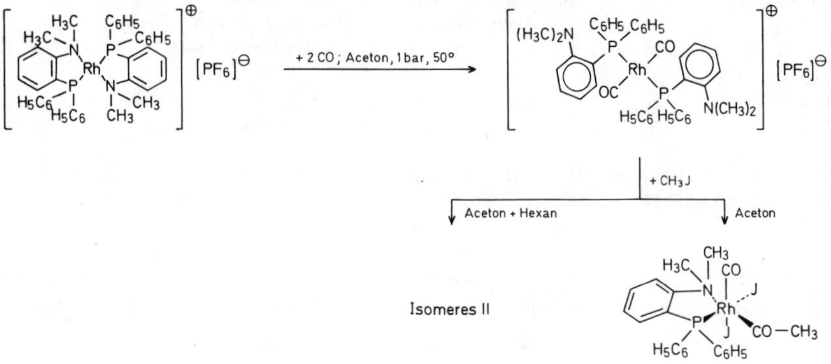

β₄) an andere Rhodium-Komplexe

μ,μ-Dichloro-bis-[dicarbonyl-rhodium] reagiert mit Jodmethan unter oxidativer Addition und Kohlenmonoxid-Insertion[3]. Durch Behandeln mit einem subst.-Ammoniumjodid wird der Chloro-Ligand durch Jod substituiert, und es wird ein weiteres Jodid gebunden[4].

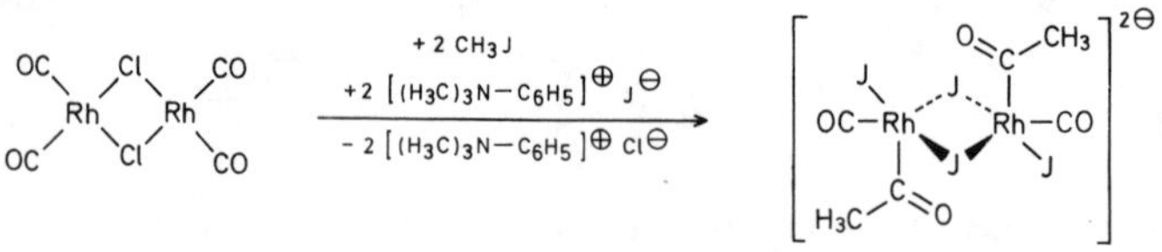

Bis-[phenyl-trimethyl-ammonium]-μ,μ-dijodo-bis-[acetyl-carbonyl-dijodo-rhodat

Wird Bis-{[1,3-bis-(diphenylphosphano)-propan]-carbonyl-chloro-rhodium} mit Jodmethan im Überschuß umgesetzt, so entsteht zunächst der sechsfach koordinierte Acetylcarbonyl-Komplex, der allmählich den Carbonyl-Liganden verliert[5]:

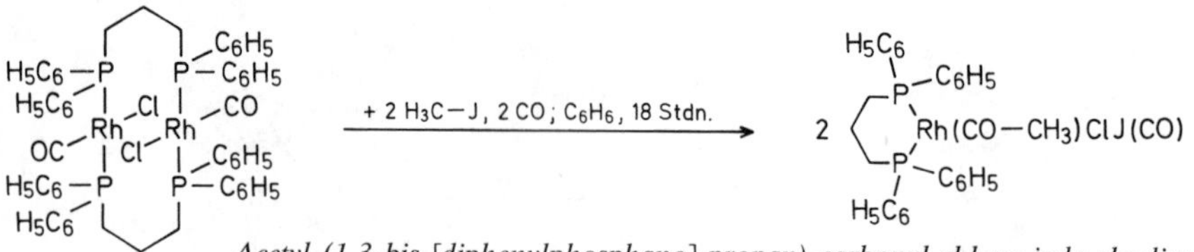

Acetyl-(1,3-bis-[diphenylphosphano]-propan)-carbonyl-chloro-jodo-rhodium; 17%

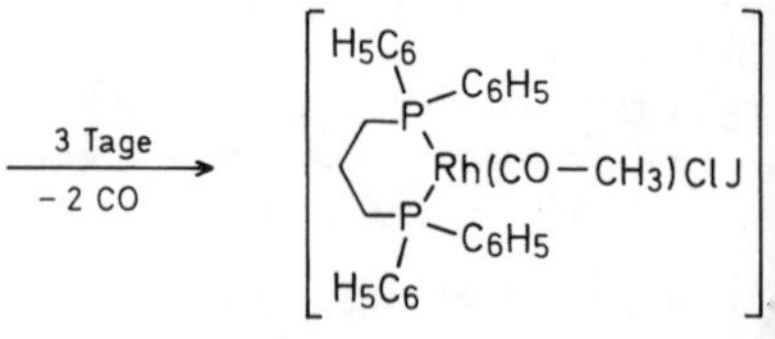

Bis-{acetyl-(1,3-bis-[diphenylphosphano]-propan)-chloro-jodo-rhodium}; 43%

[1] T.B. Rauchfuss u. D.M. Roundhill, Am. Chem. **96**, 3098 (1974).

[2] Die Herkunft des zweiten Jod-Liganden ist unbekannt.

[3] D. Forster, Ann. N.Y. Acad. Sci. **1977**, 79; Am. Soc. **98**, 847 (1976).

[4] G.W. Adamson, J.J. Daly u. D. Forster, J. Organometal. Chem. **71**, C17 (1974).

[5] A.R. Sarger, Soc. [Dalton] **1977**, 120.

γ) von kleinen Ringsystemen

Die Insertionsreaktionen von der Carbonyl-rhodium(I)-Gruppe in gespannte Cycloalkan-Systeme sind a. S. 355ff. beschrieben.

Beim Erhitzen von 1,2-Dioxo-benzocyclobuten mit Chloro-tris-[triphenylphosphan]-rhodium wird Rhodium zunächst in die Aryl-Carbonyl-Bindung eingeschoben (s. S. 395)[1]. Dieser Komplex wandelt sich beim längeren Erhitzen in das stabilere *2,2-Bis-[triphenylphosphan]-2-chlor-1,3-dioxo-2,3-dihydro-1H-⟨benzo[c]rhodol⟩* um (93%; F: 250–252°):

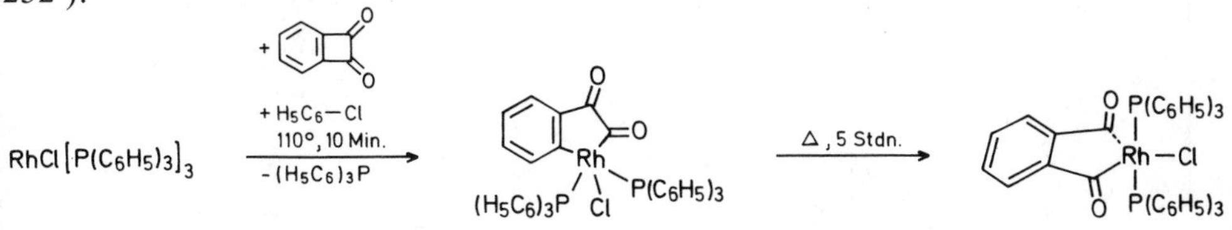

RhCl[P(C$_6$H$_5$)$_3$]$_3$ $\quad$ + H$_5$C$_6$—Cl $\quad$ 110°, 10 Min. $\quad$ − (H$_5$C$_6$)$_3$P $\quad$ → $\quad$ (H$_5$C$_6$)$_3$P / Cl \ P(C$_6$H$_5$)$_3$; Rh $\quad$ Δ, 5 Stdn. → $\quad$ O P(C$_6$H$_5$)$_3$; Rh—Cl ; O P(C$_6$H$_5$)$_3$

Tetrachlor-cyclopropen bildet mit Bis-[dimethyl-phenyl-phosphan]-carbonyl-chloro-rhodium in Wasser-freiem Dichlormethan oder Benzol eine Mischung aus zwei nichtkristallinen Rhodium(III)-Verbindungen[2], mit Methanol als Lösungsmittel *1-Aquo-1,1-bis-[dimethyl-phenyl-phosphan]-1-chlor-3,4-dichlor-2,5-dioxo-2,5-dihydro-rhodol*.

In Wasser-freiem Methanol entsteht *1,1-Bis-[dimethyl-phenyl-phosphan]-1-chlor-3,4-dichlor-2,5-dioxo-2,5-dihydro-rhodol* (zu den Zwischenstufen s. Lit.):

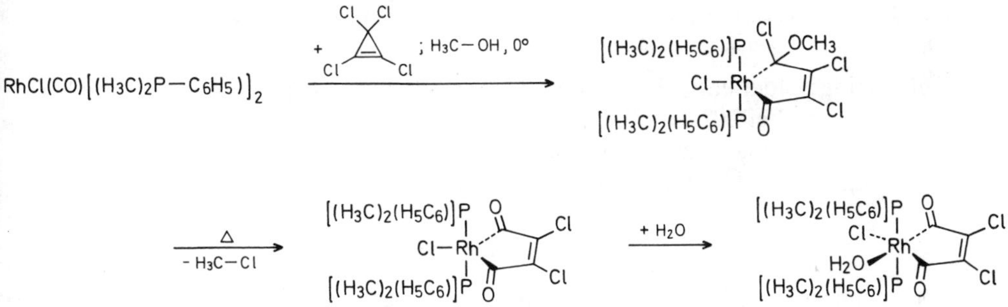

RhCl(CO)[(H$_3$C)$_2$P—C$_6$H$_5$)]$_2$ $\quad$ + (Cl Cl cyclopropen Cl Cl) ; H$_3$C—OH, 0° $\quad$ → $\quad$ [(H$_3$C)$_2$(H$_5$C$_6$)]P \ OCH$_3$; Cl—Rh—Cl ; [(H$_3$C)$_2$(H$_5$C$_6$)]P O \ Cl

$\xrightarrow[- H_3C-Cl]{\Delta}$ $\quad$ [(H$_3$C)$_2$(H$_5$C$_6$)]P / Cl—Rh / [(H$_3$C)$_2$(H$_5$C$_6$)]P O \ Cl $\quad$ + H$_2$O $\quad$ → $\quad$ [(H$_3$C)$_2$(H$_5$C$_6$)]P \ Cl··· ; Rh ; H$_2$O / [(H$_3$C)$_2$(H$_5$C$_6$)]P O \ Cl

δ) von Alkenen bzw. Allenen

Bei der Umsetzung von Dicarbonyl-rhodium(I)-Verbindungen mit Allenen können in Abhängigkeit von der Reaktionstemperatur bzw. den Chelat-Liganden sehr unterschiedliche Reaktionsprodukte entstehen[3].

Dicarbonyl-(1,3-diphenyl-1,3-propandionato)-rhodium reagiert bei −78 bis 30° nicht mit Allen. Dagegen erhält man aus Dicarbonyl-(2,4-pentandionato)-rhodium bei 30° einen Bis-π-Komplex. Dicarbonyl-(1,1,1,5,5,5-hexafluor-2,4-pentandionato)-rhodium reagiert bei −78° mit Allen ebenfalls unter Bildung eines Bis-π-Komplexes, der sich bei −30° mit einem weiteren Allen-Molekül zum *(4,4′,5-η³-3,4-Bis-[methylen]-pentanoyl)-(1,1,1,5,5,5-hexafluor-2,4-pentandionato)-rhodium* umsetzt (weitere Einzelheiten s. Lit.)[4]:

[1] L.S. LIEBESKIND, S.L. BAYSDON, M.S. SOUTH u. J.F. BLOUNT, J. Organomet. Chem. **202**, C 73 (1980).

[2] P.D. FRISCH u. G.P. KHARE, Am. Soc. **100**, 8267 (1978).

[3] A. BORRINI u. G. INGROSSO, J. Organometal. Chem. **132**, 275 (1977).

[4] G. INGROSSO, A. IMMIRZI u. L. PORRI, J. Organometal. Chem. **84**, 75 (1975).

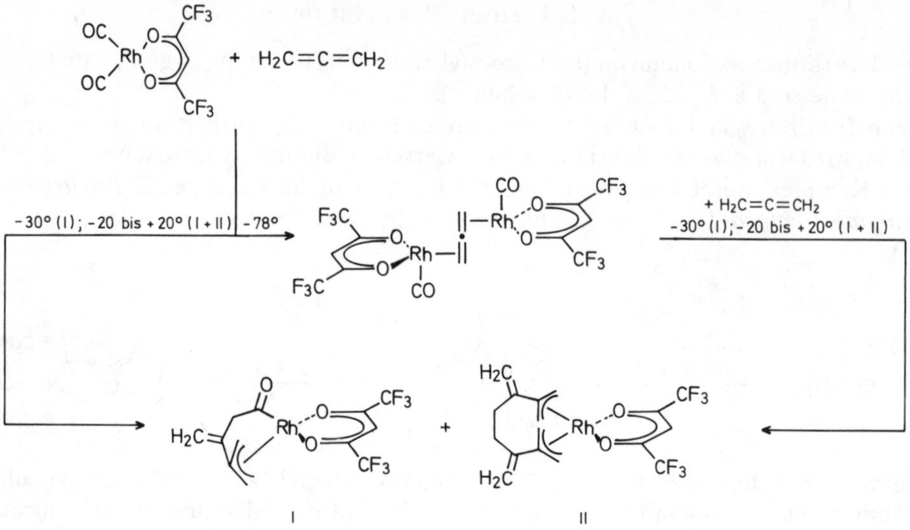

(4,4′,5-η^3-3,4-Bis-[methylen]-5-dehydro-pentanoyl)-(1,1,1,5,5,5-hexafluor-2,4-pentandionato)-rhodium I[1]: Man arbeitet unter Stickstoff-Atmosphäre. Allen wird 15 Min. durch eine Lösung von 130 mg Dicarbonyl-(1,1,1,5,5,5-hexafluor-2,4-pentandionato)-rhodium in 6 ml Pentan bei −30° geleitet. Das Reaktionsgemisch wird anschließend 4 Stdn. bei −30° gehalten, dann wird nicht umgesetztes Allen und Pentan i. Vak. entfernt und der ölige Rückstand zur Kristallbildung mit 5 ml Pentan behandelt. Die schwach gelben Kristalle werden mit Pentan gewaschen und getrocknet; Ausbeute: 50 mg (30%); F: 165–170° (Zers.); IR(KBr): $\nu_{C=O}$ 1680(m), ν_{ac-ac} 1640(s), 1610(s), 1550(s) und 1520(m) cm^{-1}.

Dasselbe Ringsystem entsteht auch bei Umsetzung von μ,μ-Dichloro-bis-[dicarbonyl-rhodium] mit Allen bei 20°. Der dabei gebildete polymere Komplex reagiert mit Triphenylphosphan oder -arsan zum *(4,4′,5-η^3-3,4-Bis-[methylen]-5-dehydro-pentanoyl)-bis-[triphenylphosphan (bzw. -arsan)]-chloro-rhodium*[2].

ε) von Alkinen

Alkine lassen sich mit Carbonyl-rhodium-Komplexen in einer Kohlenmonoxid-Atmosphäre zu 2,5-Dioxo-2,5-dihydro-rhodolen umsetzen.

Bei Einsatz von μ,μ-Dichloro-bis-[dicarbonyl-rhodium] setzt man anschließend Donor-Liganden hinzu, um so aus den polymeren und dimeren Komplexen die leicht isolierbaren Monomer-Komplexe zu erhalten[3]:

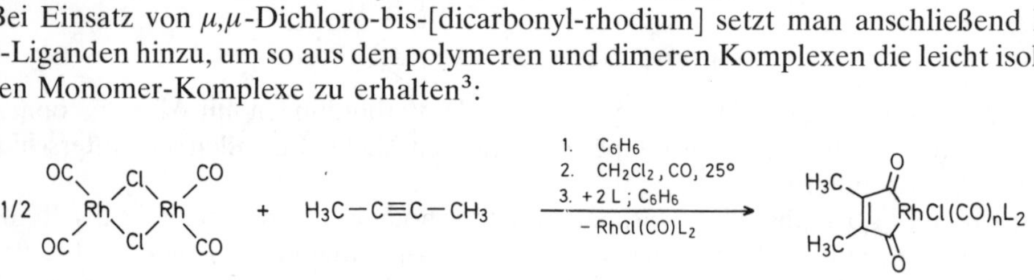

...-3,4-dimethyl-2,5-dioxo-2,5-dihydro-rhodol

L = (H$_5$C$_6$)$_3$P; n = 0; *1,1-Bis-[triphenylphosphan]-1-chloro-*...; F: 279–281° (Zers.)
L = 4-H$_3$C–C$_6$H$_4$–NH$_2$; n = 1; *1,1-Bis-[4-methyl-anilin]-1-carbonyl-1-chloro-*...; F: 166–168° (Zers.)

Analoge Komplexe erhält man durch Umsetzung von Bis-[triarylarsan]- bzw. -[tricyclohexylarsan]-carbonyl-chloro-rhodium mit Hexafluor-2-butin und Kohlenmonoxid[4]:

[1] A. BORRINI u. G. INGROSSO, J. Organometal. Chem. **132**, 275 (1977).
[2] G. INGROSSO, P. GRONCHI u. L. PORRI, J. Organometal. Chem. **86**, C 20 (1975).
[3] J. W. KANG, S. MCVEY u. P. M. MAITLIS, Canad. J. Chem. **46**, 3189 (1968).
[4] J. T. MAGUE, M. O. NUTT u. E. H. GAUSE, Soc. [Dalton] **1973**, 2578.

$$RhCl(CO)L_2 \quad + \quad F_3C-C\equiv C-CF_3 \quad + \quad CO \quad \xrightarrow{C_6H_6,\,CO,\,100°} \quad$$

3,4-Bis-[trifluormethyl]-1,1-bis-[triphenylarsan]-1-chloro-2,5-dioxo-2,5-dihydro-rhodol[1]: In einer dickwandigen Pyrex-Carius-Röhre werden 0,2 g (0,26 mmol) Bis-[triphenylarsan]-carbonyl-chloro-rhodium vorgelegt. Unter Kühlung mit flüssigem Stickstoff werden i. Vak. 5 ml abs. Benzol einkondensiert. Dann wird auf 20° erwärmt, um den Komplex zu lösen, und wieder mit flüssigem Stickstoff gekühlt. Hexafluor-2-butin wird im Überschuß einkondensiert. Man preßt auf das kalte Gefäß ~ 400 Torr Kohlenmonoxid, schmilzt das Rohr ab und erhitzt 2 Stdn. auf 100°. Nach dem Abkühlen in flüssigem Stickstoff wird es geöffnet. Der Alkin-Überschuß wird abgezogen, die gelb-braune Lösung filtriert, auf ~ 2 ml eingeengt und an einer Silicagel-Säule (1 × 60 cm) chromatographiert. Beim Eluieren mit Benzol erhält man 3 Banden, zuerst eine gelb-grüne, dann eine rötlich-braune und schließlich eine gelbe. Die erste Fraktion enthält den Rhodol-Komplex (s. S. 378), die zweite das gewünschte 2,5-Dioxo-2,5-dihydro-rhodol und die dritte die nicht umgesetzte Verbindung. Die mittlere Fraktion wird i. Vak. zur Trockene eingedampft. Sie wird in Benzol/Petrolether umkristallisiert; Ausbeute: 0,12 g (46%); F: 192° (Zers.) (rötlich-braune Nadeln); IR(Nujol): 1667(vs) cm^{-1}.

Auf ähnliche Weise sind *3,4-Bis-[trifluormethyl]-1,1-bis-[tris-(4-methyl-phenyl)-arsan]-1-chloro-2,5-dioxo-2,5-dihydro-rhodol* (34%; F: 192°, Zers.) bzw. *3,4-Bis-[trifluormethyl]-1,1-bis-[tris-(4-fluor-phenyl)-arsan]-1-chloro-2,5-dioxo-2,5-dihydro-rhodol* 38%; F: 182°, Zers.) zugänglich.

ζ) von anderen Verbindungen

μ-Etioporphyrinato- und μ-(5-Azaporphyrinato)-bis-[dicarbonyl-rhodium] reagieren in einer ungewöhnlichen oxidativen Addition mit aliphatischen und aromatischen Aldehyden, die wahrscheinlich auch bei der Decarbonylierung von Aldehyden durch Rhodium(I)-Komplexe intermediär auftritt. Der Acyl-Rest wandert an das Rhodium-Atom des Chelat-Komplexes, während die Hydrido-Gruppe an das Rhodium-Atom gebunden wird, das den Komplexverband verläßt[2–4]. Bei der Umsetzung des Azaporphyrin-Komplexes überwiegt die Decarbonylierungsreaktion (s. S. 397). Die Reaktionsgeschwindigkeit und das Verhältnis von Phenyl- zu Benzoyl-rhodium(III)-Komplex variieren sehr stark, je nachdem ob man reinen oder nicht reinen Benzaldehyd verwendet und ob in Gegenwart von Luft gearbeitet wird. Die Umsetzungsgeschwindigkeit ist bei Anwesenheit von Luft merklich schneller als beim Arbeiten unter Stickstoff. Die Reaktionsgeschwindigkeit kann von 20 Min. bis 20 Stdn. variieren, das Produktverhältnis von 5:1 bis 1:6.

X = CH, R^1 = C$_2$H$_5$, R^2 = CH$_3$, R^3 = C$_4$H$_9$; *Etioporphyrinato-pentanoyl-*...; 33%; F: 300°
X = N, R^1 = CH$_3$, R^2 = C$_2$H$_5$, R^3 = C$_6$H$_5$; *Benzoyl-(3,7,13,17-tetraethyl-2,8,12,18-tetramethyl-5-aza-porphyrinato]-*...; 18%; F: 263–266°

---

[1] J.T. Mague, M.O. Nutt u. E.H. Gause, Soc. [Dalton] **1973**, 2578.
[2] A.M. Abeysekera, R. Grigg, J. Trocha-Grimshaw u. V. Viswanatha, Tetrahedron Letters **1976**, 3189.
[3] A.M. Abeysekera, R. Grigg, J. Trocha-Grimshaw u. V. Viswanatha, Soc. [Perkin I] **1977**, 1395.
[4] Nebenprodukt der Reaktion ist infolge Decarbonylierung der entsprechende Aryl- und in Spuren auch der Alkyl-rhodium(III)-Chelat-Komplex.

Etioporphyrinato-benzoyl-rhodium[1]: 80 mg μ-Etioporphyrinato-bis-[dicarbonyl-rhodium] werden mit 3 m͏l frisch destilliertem Benzaldehyd unter Stickstoff 20 Stdn. auf 100° erhitzt. Dann entfernt man den überschüssigen Aldehyd i. Vak. und arbeitet den Rückstand durch präparative Dünnschichtchromatographie an Kieselgel (Merck 60 PF) mit Chloroform auf. Die rascher wandernde rote Bande enthält *Etioporphyrinato-phenyl-rho-dium* [5 mg (7,5%)] und die langsamere rote Bande den gewünschten Komplex; Ausbeute: 30 mg (43,5%) IR(KBr): $\nu_{C=O}$ 1685 und 1727 cm^{-1}.

Bei 20° stabile *cis*-Acyl-hydrido-rhodium-Komplexe werden durch Reaktion von Alde-hyden mit Chloro-tris-[trimethylphosphan]-rhodium gebildet[2]:

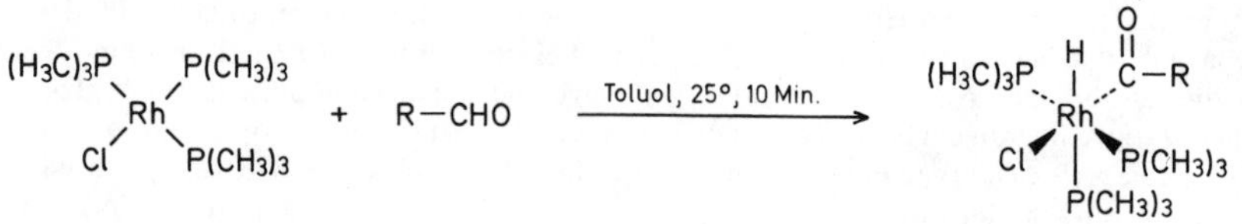

$$(H_3C)_3P,\ Rh(Cl)(P(CH_3)_3)_2 + R-CHO \xrightarrow{\text{Toluol, 25°, 10 Min.}} (H_3C)_3P\cdots Rh(H)(C(=O)-R)(Cl)(P(CH_3)_3)_2$$

...-tris-[trimethylphosphan]-rhodium

R = CH₃; *Acetyl-chloro-hydrido-*...; 85%
R = C₆H₅; *Benzoyl-chloro-hydrido-*...; 71%
R = 4-F–C₆H₄; *Chloro-(4-fluor-benzoyl)-hydrido-*...; 83%

Oxiran reagiert mit Chloro-tris-[trimethylphosphan]-rhodium unter Bildung des Ace-tyl-hydrido-rhodium-Komplexes[3]; z. B.:

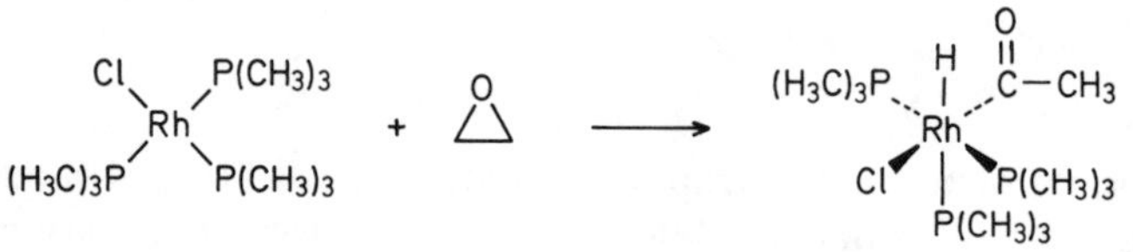

$$Cl,\ Rh(P(CH_3)_3)_2((H_3C)_3P) + \triangle O \longrightarrow (H_3C)_3P\cdots Rh(H)(C(=O)-CH_3)(Cl)(P(CH_3)_3)_2$$

Acetyl-chloro-hydrido-tris-[trimethylphosphan]-rhodium; 75%

Die Reaktion gelingt auch mit Chloro-tris-[triphenylphosphan]-rhodium und 8-For-myl-chinolin; sie wird durch den Chelat-Effekt begünstigt[4]:

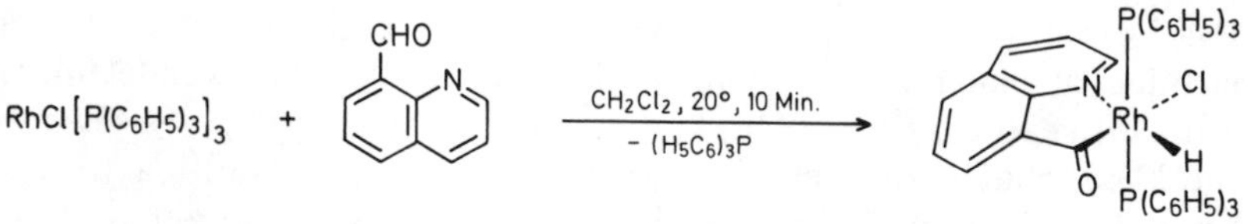

$$RhCl[P(C_6H_5)_3]_3 + \text{(8-Formyl-chinolin)} \xrightarrow[-(H_5C_6)_3P]{\text{CH}_2\text{Cl}_2,\ 20°,\ 10\ \text{Min.}} \text{Komplex}$$

Bis-[triphenylphosphan]-chloro-hydrido-(8-chinolyl-carbonyl-C,N)-rhodium; 95%; F: 175–176°

Der Tetraphenylporphyrinato-rhodium(I)-Anion-Komplex spaltet beim Erhitzen auf 60° die N–C-Bindung von Dimethylacetamid, und man erhält *Acetyl-(tetraphenyl-porphyrinato)-rhodium*[5]:

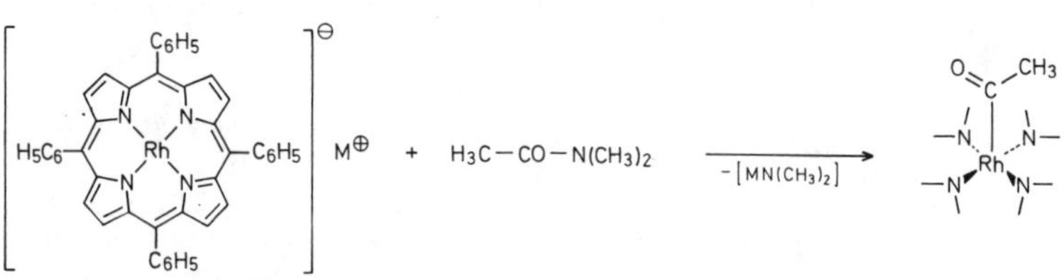

$$[\text{Porphyrinato-Rh}]^{\ominus}\ M^{\oplus} + H_3C-CO-N(CH_3)_2 \xrightarrow{-[MN(CH_3)_2]} \text{Komplex}$$

---

[1] A. M. ABEYSEKERA, R. GRIGG, J. TROCHA-GRIMSHAW u. V. VISWANATHA, Soc. [Perkin I] **1977**, 1395.
[2] D. MILSTEIN, Organometallics **1**, 1549 (1982).
[3] D. MILSTEIN, Am. Soc. **104**, 5227 (1982).
[4] J. W. SUGGS, Am. Soc. **100**, 640 (1978).
[5] B. R. JAMES u. D. V. STYNES, Chem. Commun. **1972**, 1261.

4. aus σ–C-Rhodium-Verbindungen

α) durch formale Insertion von Kohlenmonoxid in die Rh–C-Bindung

α₁) zu offenkettigen Acyl-rhodium-Verbindungen

Im folgenden wird die Umsetzung von Organo-rhodium- oder Carbonyl-organo-rhodium-Verbindungen mit Kohlenmonoxid zu Acyl-rhodium-Komplexen beschrieben:

$$[Rh(III)]-R \quad + \quad CO \quad \longrightarrow \quad [Rh(III)]-CO-R$$

$$R-[Rh(III)-CO] \quad + \quad CO \quad \longrightarrow \quad OC-[Rh(III)]-CO-R$$

Bei der Reaktion entsteht intermediär ein Carbonyl-organo-Komplex, der in Einzelfällen nachgewiesen werden kann. Dies ist in folgendem Beispiel bei −50° möglich; bei 25° entsteht irreversibel der Acyl-Komplex[1]:

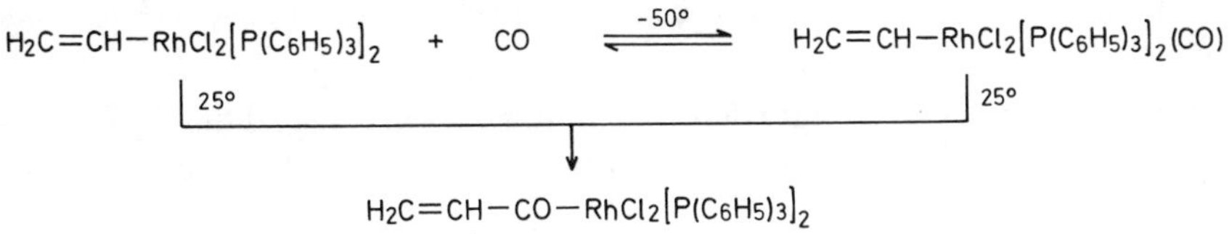
H2C=CH−RhCl2[P(C6H5)3]2
+ CO
-50°
H2C=CH−RhCl2[P(C6H5)3]2(CO)
25°
25°
H2C=CH−CO−RhCl2[P(C6H5)3]2

Bis-[triphenylphosphan]-dichloro-propenoyl-rhodium

Durch Carbonyl-Insertion entsteht gleichermaßen *Bis-[triphenylphosphan]-dichloro-(4-methyl-benzoyl)-rhodium* zu 76%[2].

Der σ-Allyl-carbonyl-Komplex I lagert sich beim Erhitzen in Methanol oder Chloroform spontan in *Bis-[dimethyl-(2-methoxy-phenyl)-phosphan]-(3-butenoyl)-dichloro-rhodium* (63%; F: 137–140°, Zers.) um[3]:

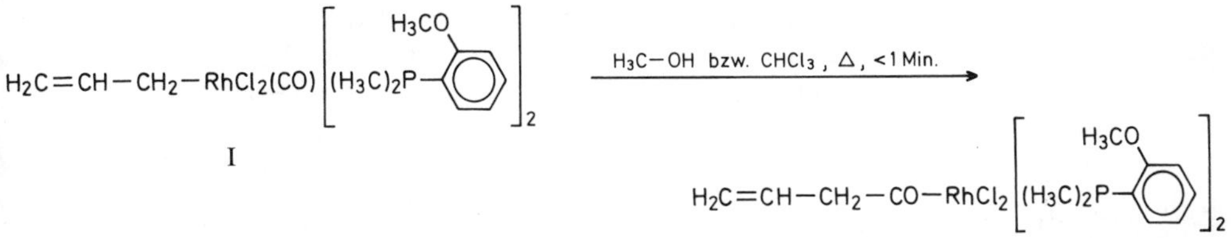
H2C=CH−CH2−RhCl2(CO)
H3CO
(H3C)2P
2
H3C−OH bzw. CHCl3 , Δ, <1 Min.
H2C=CH−CH2−CO−RhCl2
H3CO
(H3C)2P
2

I

1-Alkenyl-bis-[triorganophosphan]-carbonyl-jodo-methyl-rhodium-Komplexe lagern sich zu den fünffach koordinierten Acetyl-1-alkenyl-Komplexen um[4]; z.B.:

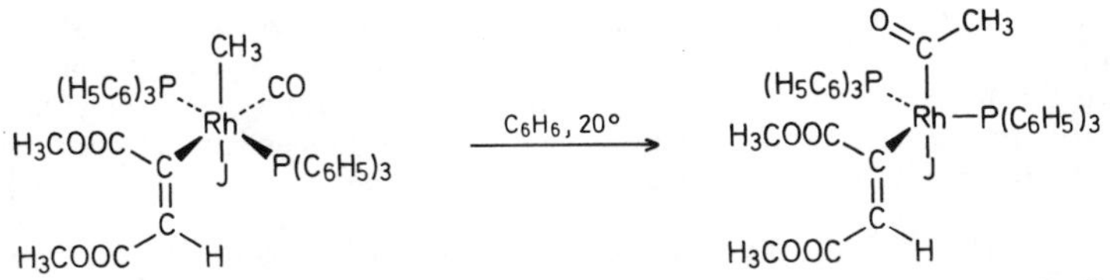
CH3
(H5C6)3P
CO
Rh
H3COOC
C
J
P(C6H5)3
C
H3COOC
H
C6H6, 20°
O
C
CH3
(H5C6)3P
Rh−P(C6H5)3
H3COOC
C
J
C
H3COOC
H

Acetyl-bis-[triphenylphosphan]-(1,2-cis-dimethoxycarbonyl-vinyl)-jodo-rhodium

Zur Umlagerung des Jodmethan-Addukts an *trans*-Chloro-carbonyl-bis-[triarylphosphan]- rhodium s. Lit.[5].

---

[1] M.C. Baird, J.T. Mague, J. Osborn u. G. Wilkinson, Soc. [A] **1967**, 1347.
[2] J.A. Kampmeier, R.M. Rodehorst u. J.B. Philip, Am. Soc. **103**, 1847 (1981).
[3] H.D. Empsall, E.M. Hyde, C.E. Jones u. B.L. Shaw, Soc. [Dalton] **1974**, 1980.
[4] D.W. Hart u. J. Schwartz, J. Organometal. Chem. **87**, C 11 (1975).
[5] S. Franks, F.R. Hartley u. J.R. Chipperfield, Inorg. Chem. **20**, 3238 (1981).

Die sechsfach koordinierten Alkyl-carbonyl-rhodium-Komplexe ergeben beim Behandeln mit Kohlenmonoxid die entsprechenden sechsfach koordinierten Acyl-carbonyl-rhodium-Komplexe[1]:

$$R-RhXY(CO)L_2 \quad + \quad CO \quad \xrightarrow[\text{1 bar CO, 48-60 Stdn.}]{\text{THF bzw. } C_6H_6} \quad R-CO-RhXY(CO)L_2$$

L = (H$_9$C$_4$)$_3$P; R = CH$_3$; *Acetyl-bis-[tributylphosphan]-carbonyl-*...[1]
  X = J; Y = Cl; *...-chloro-jodo-rhodium*; ~20%; F: 82,2–85°
  X = Y = J; *...-dijodo-rhodium*; F: 76–78°
L = (H$_3$C)$_2$P–C$_6$H$_5$; R = CH$_3$; X = Y = Br; *Acetyl-bis-[dimethyl-phenyl-phosphan]-carbonyl-dibromo-rhodium*[2]; ~35%; F: 140–144° (Zers.)
L = (H$_5$C$_6$)$_3$P; R = CH$_3$; X = Y = J; *Acetyl-bis-[triphenylphosphan]-carbonyl-dijodo-rhodium*[3,4]
L = (H$_5$C$_2$)$_2$S; R = CH$_3$; X = J; Y = Cl; *Acetyl-bis-[diethylsulfan]-carbonyl-chloro-jodo-rhodium*[3]; F: 61–63° (Zers.)

Durch Anlagerung von Methyl- bzw. tert.-Butyl-isonitril an Rhodium werden gleichfalls Acyl-Komplexe gebildet[5], z. B. *Acetyl-tert.-butylisonitril-(η^5-cyclopentadienyl)-trimethylphosphan-rhodium-hexafluorophosphat* zu 81%.

Die Insertion des Carbonyl-Liganden wird in folgendem Beispiel durch Austausch des großen, nicht am Rhodium gebundenen Anions durch Halogen induziert, das am Metall gebunden wird[6,7] (s. S. 329):

Acetyl-chloro-cyclopentadienyl-(dimethyl-phenyl-phosphan)-rhodium

Die Aktivierung eines sechsfach koordinierten Alkyl-carbonyl-halogeno-rhodium(III)-Komplexes gelingt auch, wenn ein Halogen-Ligand durch Behandeln des Komplexes mit Silber-hexafluorophosphat aus dem Komplex entfernt wird[8]; z.B.:

μ,μ-**Dibromo-bis-[acetyl-bis-(dimethyl-phenyl-phosphan)-rhodium]-bis-hexafluorophosphat**[8]:   65 mg (0,258 mmol) Silber-hexafluorophosphat in 2 *ml* Methanol werden zu einer Suspension von 150 mg (0,258 mmol) Bis-[dimethyl-phenyl-phosphan]-carbonyl-dibromo-methyl-rhodium in 10 *ml* Methanol in einer mit Stickstoff gefüllten Schlenkschen Röhre gegeben. Silberbromid fällt sofort aus. Das Gemisch wird 15 Min. gerührt und dann unter Stickstoff filtriert. Das gelbe Filtrat wird auf ~5 *ml* eingeengt. Dabei entstehen gelbe Kristalle, die in Gegenwart von Luft filtriert werden können und aus Dichlormethan und Hexan umkristallisiert werden; Ausbeute: 85 mg (51%); F: 140–142° (Zers.); IR(CH$_2$Cl$_2$): $\nu_{C=O}$ 1679(s) und 1654(m) cm^{-1}.

Die durch oxidative Addition von Halogenalkanen an die dimeren Komplexe I erhältlichen dimeren Alkyl-rhodium-Verbindungen II stehen in Lösung im Gleichgewicht mit

[1] R.F. HECK, Am. Soc. **86**, 2796 (1964).
[2] A.J. DEEMING u. B.L. SHAW, Soc. A **1969**, 597.
[3] F. FARAONE, R. PIETROPAOLO u. S. SERGI, J. Organometal. Chem. **24**, 797 (1970).
[4] Der Komplex wurde nur in Lösung hergestellt. Er spaltet langsam Kohlenmonoxid ab.
[5] H. WERNER, S. LOTZ u. B. HEISER, J. Organometal. Chem. **209**, 197 (1981).
[6] A.J. OLIVER u. W.A.G. GRAHAM, Inorg. Chem. **9**, 243 (1970).
[7] S. QUINN, A. SHAVER u. V.W. DAY, Am. Soc. **104**, 1096 (1982).
[8] H.C. CLARK u. K.J. REIMER, Inorg. Chem. **14**, 2133 (1975).

den Acyl-Komplexen III[1-3]. Da die Acyl-Komplexe im Gegensatz zu den Alkyl-Komplexen koordinativ ungesättigt sind, wird die Umlagerung durch komplexierende Lösungsmittel begünstigt. Wird durch die Lösung der Komplexe II und III Kohlenmonoxid geleitet, so wird das Gleichgewicht nach rechts verschoben[4,5]:

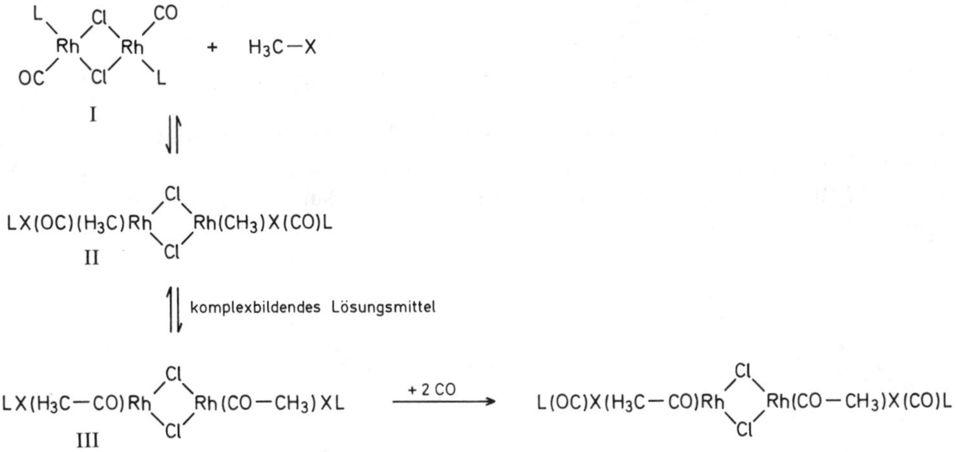

μ,μ-Dichloro-bis-[acetyl-carbonyl-...

L = P(OCH$_3$)$_3$; X = J; ...-jodo-(trimethoxyphosphan)-rhodium]
L = (H$_5$C$_6$)$_3$P; X = J; ...-jodo-(triphenylphosphan)-rhodium]

μ,μ-**Dichloro-bis-[acetyl-carbonyl-jodo-trimethylphosphan-rhodium]**[5]: Kohlenmonoxid wird 2 Stdn. in eine Lösung von 0,210 g (0,273 mmol) μ,μ-Dichloro-bis-[carbonyl-jodo-methyl-trimethylphosphan-rhodium][6] in Benzol geleitet. Es fällt ein gelber Niederschlag aus, der abfiltriert, mit Hexan gewaschen und i. Vak. getrocknet wird; Ausbeute: 0,143 g (80%); IR(CH$_2$Cl$_2$): ν_{CO} 2080, $\nu_{C=O}$ 1695 cm^{-1}.

α_2) zu cyclischen Acyl-rhodium-Verbindungen

Gespannte Cycloalkane können unter Insertion von Rhodium- oder Carbonyl-rhodium-Gruppen cyclische Alkyl-rhodium(III)-Verbindungen bilden (s. S. 355ff.). Unter Aufnahme von Kohlenmonoxid entstehen Verbindungen, die wahrscheinlich eine cyclische Diacyl-rhodium-Gruppierung enthalten. Näheres s. Lit.[7-9].

β) aus anderen σ–C-Rhodium-Verbindungen unter Erhalt der C–Rh-Bindung

1-Alkinyl-porphyrinato-rhodium-Verbindungen werden durch Behandeln mit wäßr. Salzsäure in die entsprechenden Acyl-Komplexe umgewandelt[10]:

[1] D.F. STEELE u. T.A. STEPHENSON, Soc. [Dalton] **1972**, 2161.
[2] J. GALLAY, D. DEMONTAUZON u. R. POILBLANC, J. Organometal. Chem. **38**, 179 (1972).
[3] A. MAYANZA, P. KALCK u. R. POILBLANC, C.r. **282C**, 963 (1976).
[4] Bei Zusatz von Triphenylarsan oder -stiban entstehen dagegen die monomeren Carbonyl-methyl-Komplexe s.S. 339 u. 348.
[5] M.J. DOYLE, A. MAYANZA, J.-J. BONNETT, P. KALCK u. R. POILBLANC, J. Organometal. Chem. **146**, 293 (1978).
[6] Die Verbindung enthält 0,35 mol Benzol als Solvat sowie auch das Acetyl-Isomere.
[7] B.F.G. JOHNSON, J. LEWIS u. S.W. TAM, J. Organometal. Chem. **105**, 271 (1976); mit Dibenzobullvalenen.
[8] L. CASSAR u. J. HALPERN, Chem. Commun. **1970**, 1082; mit Quadricyclen.
[9] P.G. GASSMAN u. J.A. NIKORA, J. Organometal. Chem. **92**, 81 (1975); mit Quadricyclen.
[10] I. OGOSHI, J.-I. SETSUNE, Y. NANBO u. Z.-I. YOSHIDA, J. Organometal. Chem. **159**, 329 (1978).

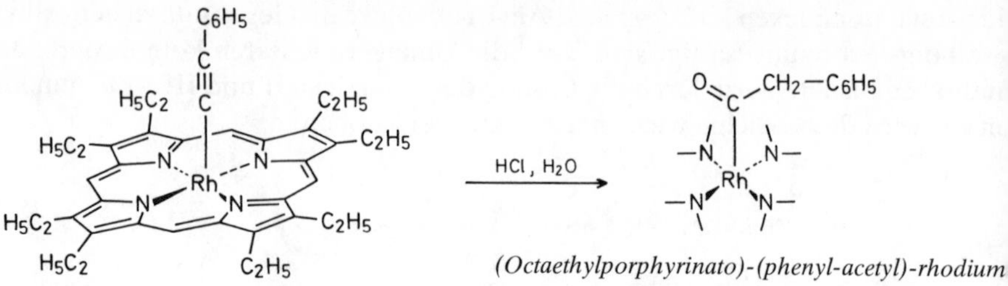

(Octaethylporphyrinato)-(phenyl-acetyl)-rhodium

Während bei der Umsetzung von Chloro-octaethylporphyrinato-rhodium mit Acetylen oder Aryl-1-alkinen die 2-Chlor-1-alkenyl- und Acyl-Komplexe nebeneinander entstehen (s. S. 372), werden die intermediär gebildeten Alkyl-substituierten Alkenyl-Verbindungen vollständig hydrolysiert.

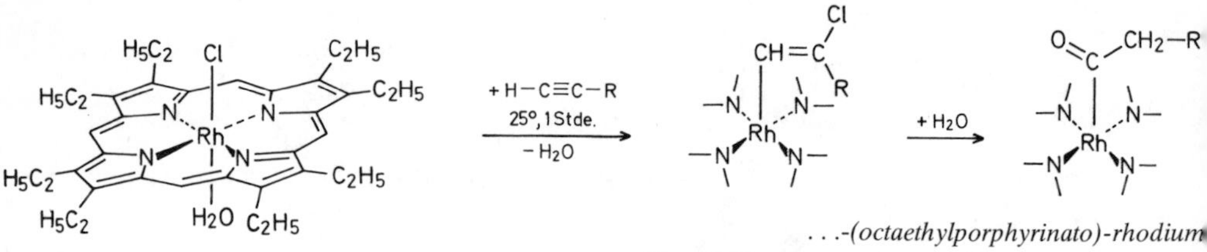

. . .-*(octaethylporphyrinato)-rhodium*

R = C_4H_9; *Hexanoyl-*. . .; 75%

R = $(CH_2)_2–OH$; *(4-Hydroxy-butanoyl)-*. . .; 45%

R = C_6H_5; *Phenylacetyl-*. . .; 23%

g) Alkoxycarbonyl-, (Alkylthio-thiocarbonyl)-, Aminocarbonyl-, (Amino-thiocarbonyl)- und (Organothio-iminocarbonyl)-rhodium(III)-Verbindungen

1. Alkoxycarbonyl-rhodium(III)-Verbindungen

α) aus Rhodium(III)-Verbindungen

Carbonyl-chloro-(tetraphenylporphyrinato)-rhodium bildet mit Natriumethanolat *Ethoxycarbonyl-(tetraphenylporphyrinato)-rhodium* ($\sim 100\%$)[1]:

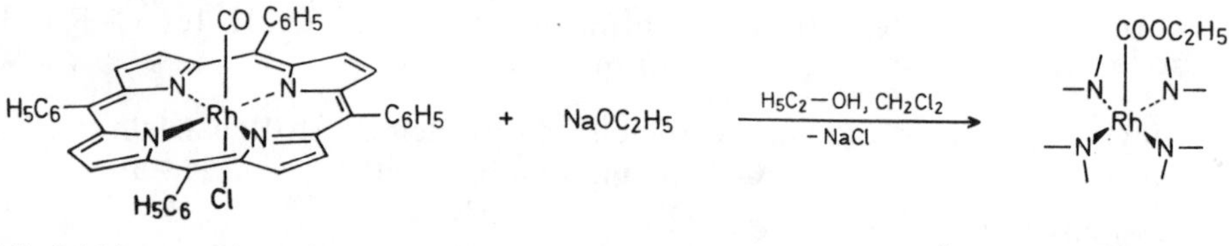

Mit Lithiummethanolat entsteht aus Carbonyl-cyanmethyl-(η^5-cyclopentadienyl)-triphenylphosphan-rhodium-tetraphenylborat zu *Cyanmethyl-(η^5-cyclopentadienyl)-methoxy-carbonyl-triphenylphosphan-rhodium* (F: 132–140°, Zers.)[2]:

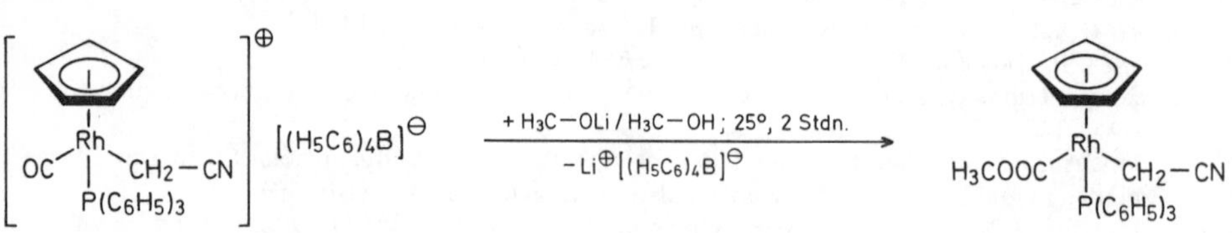

[1] I. A. COHEN u. B. C. CHOW, Inorg. Chem. **13**, 488 (1974).

[2] F. FARAONE, F. CUSMANO, P. PIRAINO u. R. PIETROPAOLO, J. Organometal. Chem. **44**, 391 (1972).

Jodo-(tetraphenylporphyrinato)-rhodium bildet mit 2-Diazo-carbonsäureestern, die
-ständige Protonen besitzen, 1-Alkenyl-rhodium(III)-Komplexe (s. S. 473), die mit zu-
itzlichem 2-Diazo-carbonsäureester zum Alkoxycarbonyl-rhodium-Komplex wei-
:rreagieren[1]. Die Alkoxycarbonyl-Gruppe am Rhodium-Metall entstammt dem 2-Di-
:o-carbonsäureester; z. B.:

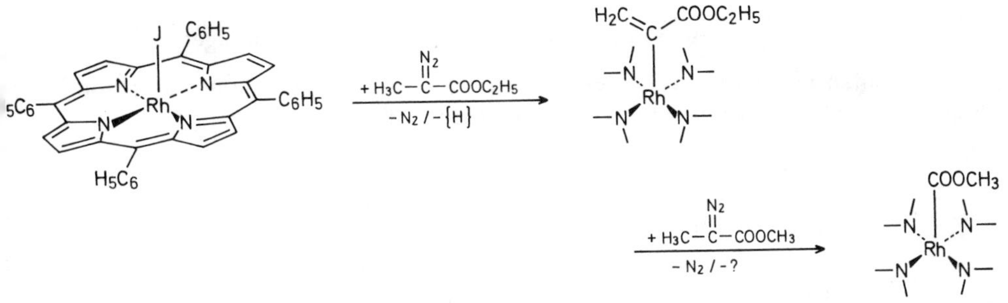

Methoxycarbonyl-(tetraphenyl-porphyrinato)-rhodium

β) aus Rhodium(I)-Verbindungen durch oxidative Addition

μ-Porphyrinato-bis-[dicarbonyl-rhodium] spaltet nicht nur die H–C-Bindung der Alde-
iyd-Gruppe (s. S. 415), sondern auch die von Ameisensäureestern[2].
Die durch eine 3-Oxo-Gruppe aktivierte C–C-Bindung von 3-Oxo-alkansäure-estern
vird ebenfalls unter Bildung von Alkoxycarbonyl-Komplexen gespalten:

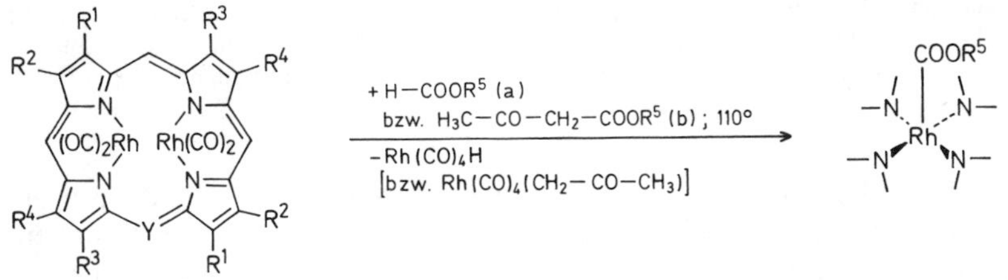

$Y = CH$; $R^1 = R^4 = C_2H_5$; $R^2 = R^3 = CH_3$; $R^5 = CH_2–C_6H_5$; *Etioporphyrinato-benzyloxycarbonyl-rho-
dium*; (a) 40%; (b) 22%; F: >300°
$R^5 = C_2H_5$; (a); ...-*ethyloxycarbonyl-rhodium*; 24%; F: >300°
$Y = N$; $R^1 = R^3 = C_2H_5$; $R^2 = R^4 = CH_3$; $R^5 = C_3H_7$; (a); *Propyloxycarbonyl-(3,7,13,17-tetraethyl-
2,8,12,18-tetramethyl-5-aza-porphyrinato)-rho-
dium*; 57%; F: >300°

Etioporphyrinato-butyloxycarbonyl-rhodium[2]: 80 mg μ-Etioprophyrinato-bis-[dicarbonyl-rhodium] und
3 *ml* frisch destillierter Ameisensäure-butylester werden 6 Stdn. auf 110° erhitzt. Der überschüssige Ester wird
i. Vak. entfernt und der Rückstand durch präparative Dünnschichtchromatographie (Merck Kieselgel GOPF) getrennt; Ausbeute: 29 mg (42,5%); F: >300° (aus Chloroform/Petrolether; orange-rote Plättchen); IR(KBr):
$\nu_{C=O}$ 1684, 1630 (w,br) cm^{-1}.

Ameisensäure-methylester bildet mit Chloro-tris-[trimethylphosphan]-rhodium *mer-
Chloro-hydrido-methoxycarbonyl-tris-[trimethylphoshan]-rhodium* (95%)[3]:

[1] H. J. CALLOT u. E. SCHAEFFER, Chem. Commun. **1978**, 937.
[2] A. M. ABEYSEKERA, R. GRIGG, J. TROCHA-GRIMSHAW u. V. VISWANATHA, Soc. [Perkin I] **1977**, 1395.
[3] D. MILSTEIN, Organometallics **1**, 1549 (1982).

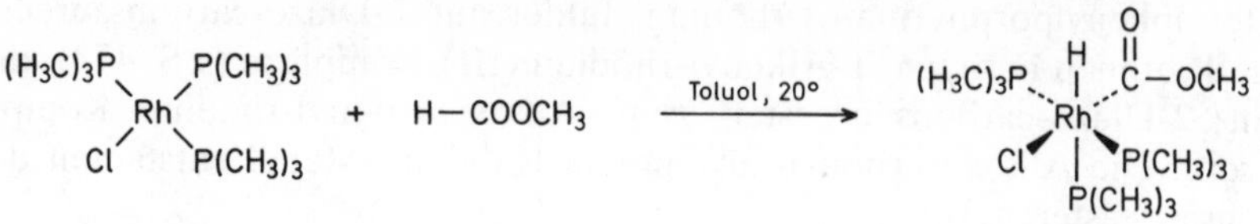

2. (Alkylthio-thiocarbonyl)-rhodium(III)-Verbindungen

Dithiokohlensäure-chlorid-ethylester wird i.a. wesentlich langsamer an Rhodium(I) als an Iridium(I)-Verbindungen oxidativ angelagert[1]:

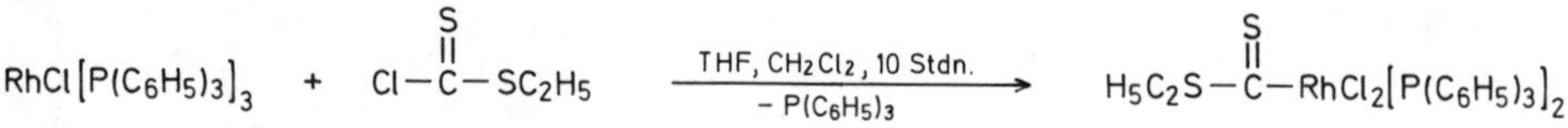

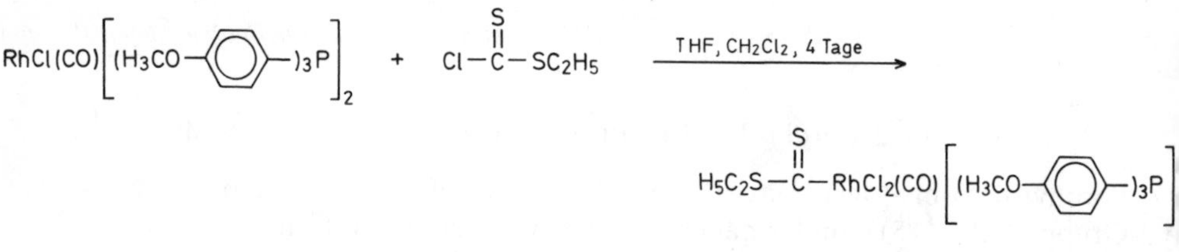

Bis-(tris-[4-methoxy-phenyl-phosphan])-carbonyl-dichloro-(ethylthio-thio carbonyl)-rhodium; F: 95–98° (Zers.)

Bis-[triphenylphosphan]-dichloro-(ethylthio-thiocarbonyl)-rhodium[1]: Man gibt eine Lösung von 0,6 *ml* (ge ringer mol. Überschuß) Dithiokohlensäure-chlorid-ethylester in THF zu 0,5 g Chloro-tris-[triphenylphosphan] rhodium in 15 *ml* Dichlormethan. Die Mischung wird 10 Stdn. bei 20° gerührt, dann mit Diethylether versetz Die ausfallenden Kristalle werden abfiltriert; Ausbeute: 0,3 g (70%); F: 198–202° (Zers.) (purpurfarben) IR(Nujol): $\nu_{C=S}$ 1125(s) cm^{-1}.

(η^5-Cyclopentadienyl)-(η^2-ethen)-trimethylphosphan-rhodium bindet u.a. ein Molekü Schwefelkohlenstoff. Der η^2-Schwefelkohlenstoff-Komplex reagiert z. Tl. mit einem zwei ten Molekül in einer 1,3-dipolaren Addition der Rh–C–S-Einheit mit der C=S-Doppel bindung[2]:

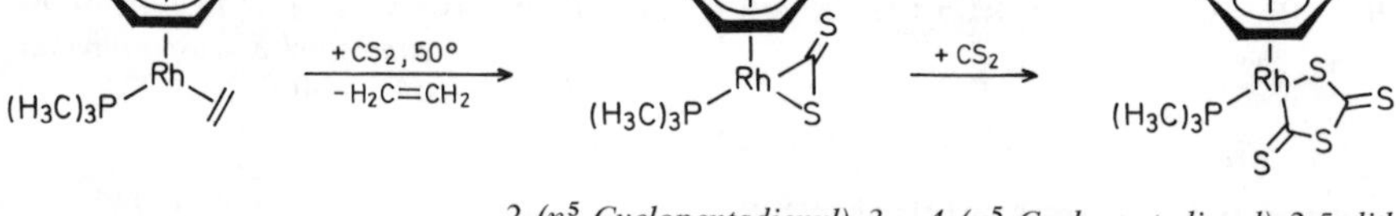

2-(η^5-Cyclopentadienyl)-3-   *4-(η^5-Cyclopentadienyl)-2,5-dithioxo-4*
thioxo-2-trimethylphos-   *trimethylphosphan-1,3,4-dithiarho-*
phan-1,2-thiarhodiran;   *dolan*; 10%; F: 120–122°
80%

Durch Umsetzung von Bis-[schwefelkohlenstoff]-bis-[triphenylphosphan]-chloro-rhodium mit Jodmetha entsteht wahrscheinlich *Bis-[triphenylphosphan]-dijodo-(methylthio-thiocarbonyl)-rhodium* (60%; F: 176 180°, Zers.)[1].

Aus einem Methyl-rhodium(III)-Komplex wird mit Schwefelkohlenstoff (Erhitzen zum Rückfluß) wahr scheinlich *Benzol-bis-[triphenylphosphan]-dijodo-(methylthio-thiocarbonyl)-rhodium* erhalten[1].

[1] D. Commereuc, I. Douek u. G. Wilkinson, Soc. [A] **1970**, 1771.
[2] H. Werner, O. Kolb, R. Feser u. U. Schubert, J. Organomet. Chem. **191**, 283 (1980).

3. Aminocarbonyl-rhodium(III)-Verbindungen

Carbonyl-chloro-(tetraphenylporphyrinato)-rhodium reagiert mit Lithiumamid unter Angriff des nucleophilen Reagens an der Carbonyl-Gruppe[1]:

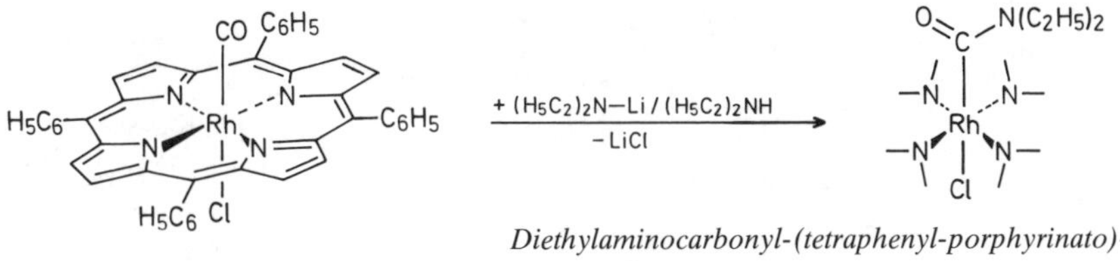

Diethylaminocarbonyl-(tetraphenyl-porphyrinato)-rhodium

Benzoyl-isocyanat bildet mit Chloro-tris-[triphenylphosphan]-rhodium zunächst einen dimeren π-Komplex, der sich beim Behandeln mit Donor-Liganden und Natrium-tetraphenylborat unter oxidativer Cycloaddition mit dem ungesättigten Liganden z.B. zum *5,5-(2,2'-Bipyridyl)-5,5-bis-[triphenylphosphan]-4-oxo-2-phenyl-4,5-dihydro-1,3,5-oxazarhodol-tetraphenylborat* (II; 72%; F: 187–188°) umlagert[2]. Pyridin wird dagegen reversibel gebunden, und man erhält *5,5-Bis-[pyridin]-5,5-bis-[triphenylphosphan]-4-oxo-2-phenyl-4,5-dihydro-1,3,5-oxazarhodol-tetraphenylborat:*

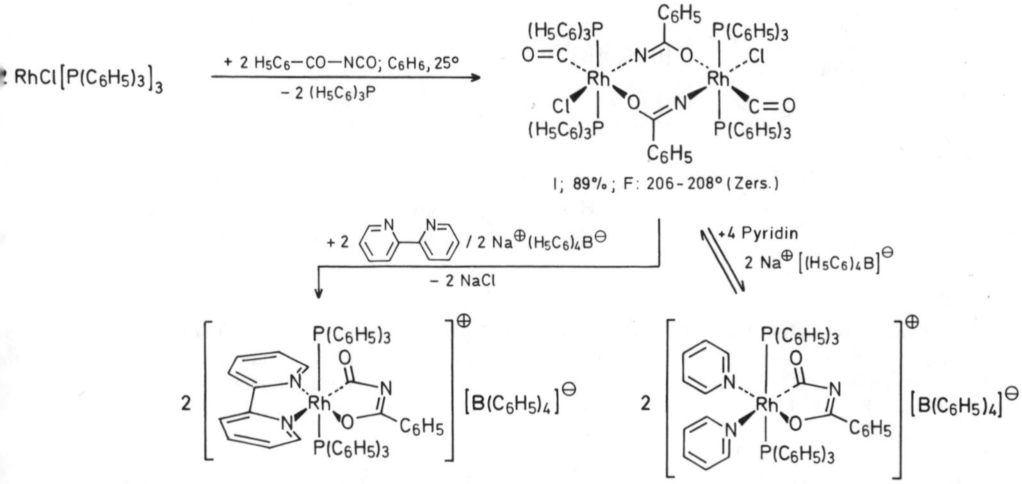

5,5-(2,2'-Bipyridyl)- 5,5-bis-[triphenylphosphan]- 4-oxo-2-phenyl- 4,5-dihydro-1,3,5-oxazarhodol-tetraphenylborat wird unmittelbar durch Umsetzung von Bis-[2,2'-bipyridyl]-(η⁴-1,5-cyclooctadien)-rhodium-tetraphenylborat mit Benzoyl-isocyanat und Triphenylphosphan erhalten.

5,5-(2,2'-Bipyridyl)- 5,5-bis-[triphenylphosphan]- 4-oxo-2-phenyl-4,5-dihydro-1,3,5- oxazarhodol-tetraphenylborat[2]: Alle Reaktionen werden unter Stickstoff-Atmosphäre durchgeführt. Eine Mischung aus 438 mg (1,57 mmol) Triphenylphosphan, 0,5 ml Benzoyl-isocyanat und 380 *ml* (0,55 mmol) (2,2'-Bipyridyl)-(η⁴-1,5-cyclooctadien)-rhodium-tetraphenylboranat in 20 *ml* Dichlormethan wird 10 Stdn. unter Rückfluß erhitzt. Die rote Lösung wird allmählich gelb. Das Reaktionsgemisch wird 12 Stdn. stehen gelassen. Die Kristalle werden abgetrennt und aus Dichlormethan und Methanol umkristallisiert; Ausbeute: 210 mg (34%); F: 187–188°; IR(KBr): $\nu_{C=O}$ 1623 cm^{-1}.

---

[1] I. A. Cohen u. B. C. Chow, Inorg. Chem. **13**, 488 (1974).
[2] S. Hasegawa, K. Itoh u. Y. Ishii, Inorg. Chem. **13**, 2675 (1974).

4,5-Dioxo-2-phenyl-4,5-dihydro-1,3-thiazol als Vorläufer von Thiobenzoylisocyana bildet mit Chloro-triphenylphosphan-rhodium *5,5-Bis-[triphenylphosphan]-5-carbonyl 5-chloro-4-oxo-2-phenyl-4,5-dihydro-1,3,5-thiazarhodol* IV[1]. Bei Einsatz von Rho dium(I)-Chelatkation-Komplexen und Triphenylphosphan entstehen Kation-Rhodiun (III)-Komplexe.

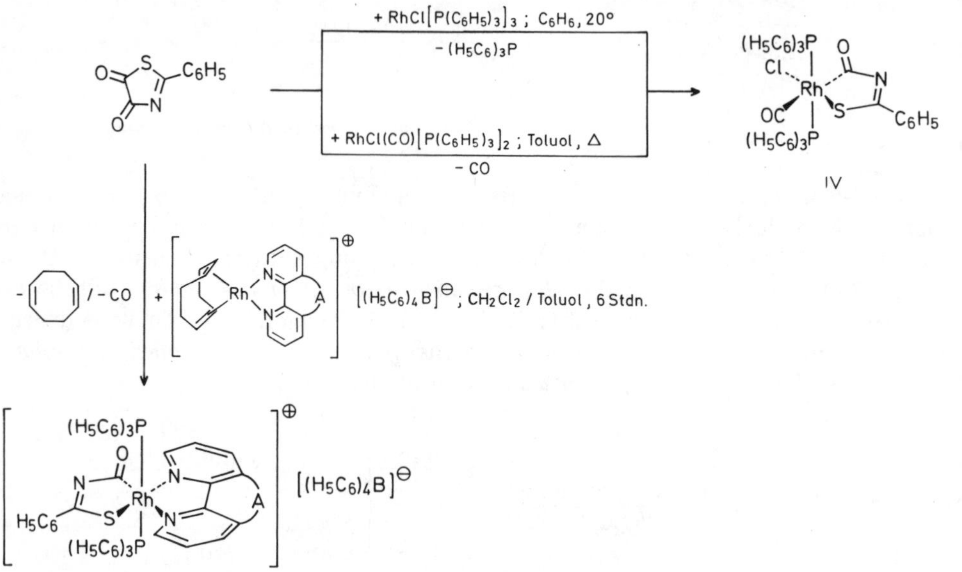

. . .-*5,5-bis-* [*triphenylphosphan*]- *4-oxo-2-phenyl- 4,5-dihydro-1,3,5-thiazarhodol-tetraphenylborat*

A = H/H; *5,5-(2,2'-Bipyridyl)-*. . .; 69%; F: 197–199° (Zers.)
A = –CH=CH– ; *5,5-(Phenanthrolin)-*. . .; 85%; F: 217–219° (Zers.)

5,5-Bis-[triphenylphosphan]-carbonyl-chloro-4-oxo-2-phenyl-4,5-dihydro-1,3,5-thiazarhodol (IV)[2]: Eine Lösung von 270 mg (0,41 mmol) Bis-[triphenylphosphan]-carbonyl-chloro-rhodium und 110 mg (0,57 mmol) 4,5-Dioxo-2-phenyl-4,5-dihydro-1,3-thiazol in 20 *ml* Toluol wird unter Rückfluß erhitzt, bis die Kohlenmon-oxid-Entwicklung aufhört. Der gebildete Komplex wird abfiltriert[2]; Ausbeute: 220 mg (64%); 210–212° (Zers.); IR(KBr): $\nu_{C=O}$ 1623 cm^{-1}.

1,3-Dimethyl-triazeno-quecksilberhalogenide reagieren mit Bis-[triphenylphosphan]-carbonyl-rhodium(I)-Komplexen unter oxidativer Cycloaddition der Triazen-Gruppe an die Carbonyl-rhodium-Gruppe[3]. Unter Abspaltung von metallischem Quecksilber ent-steht ein [(1,3-Dimethyl-triazeno)-carbonyl]-rhodium-Komplex V. Der Halogenqueck-silber-Rest kann auch am Rhodium-Atom gebunden bleiben (Komplexe VI und VII). Die vergleichbaren Verbindungen sind bei Iridium stabiler als bei Rhodium.

---

[1] Der Komplex spaltet beim Erhitzen den Thiobenzoyl-isocyanat-Rest ab.
[2] S. HASEGAWA, K. ITOH u. Y. ISHI, Inorg. Chem. **13**, 2675 (1974).
[3] P. I. VAN VLIET, J. KUYPER u. K. VRIEZE, J. Organometal. Chem. **122**, 99 (1976).

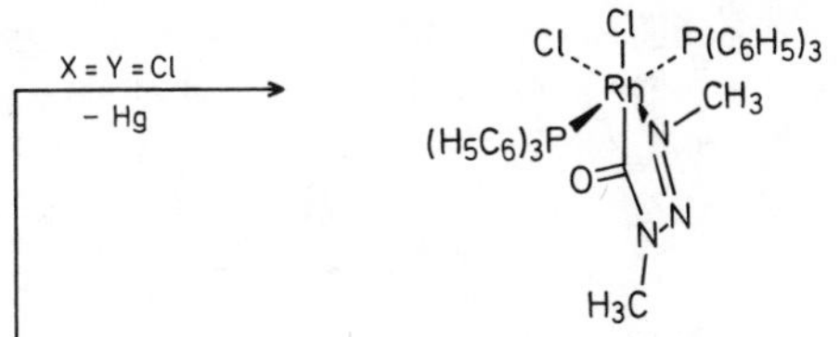

$$RhX(CO)[P(C_6H_5)_3]_2 \;+\; H_3C-N{=}N-\underset{\underset{CH_3}{|}}{N}-HgY$$

X = Y = Cl
– Hg

V; *Bis-[triphenylphosphan]-dichloro-*
[(1,3-dimethyl-triazeno)-carbonyl-C,N³]-
rhodium; 40%

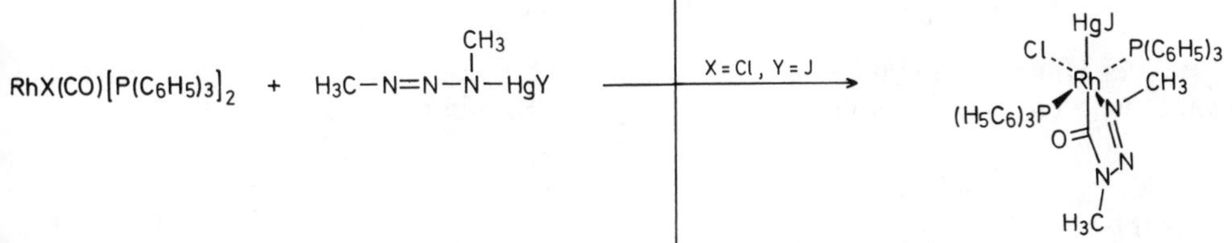

X = Cl, Y = J

VI; *Bis-[triphenylphosphan]-chloro-*
[(1,3-dimethyl-triazeno)-carbonyl-C,N³]-
jodmercuri-rhodium; 60%

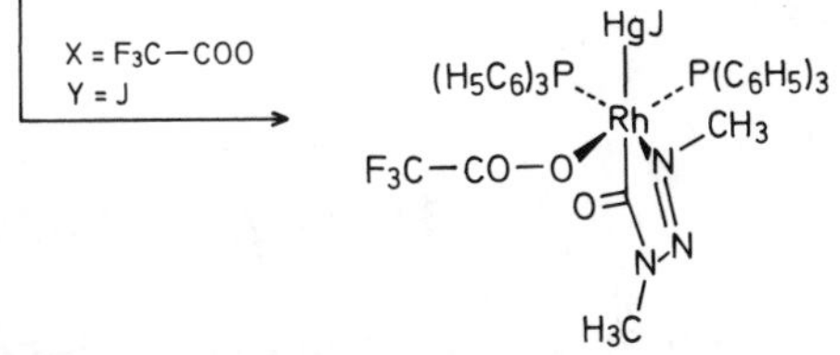

X = F₃C–COO
Y = J

VII; *Bis-[triphenylphosphan]-[(1,3-dimethyl-triazeno)-*
carbonyl-C,N³]-jodmercuri-trifluoracetoxy-
rhodium; 40%

Bei der Umsetzung von Bis-[3-methyl-1-organo-2-triazeno]-quecksilber werden zusätzlich die Anionen zwischen Rhodium und Quecksilber ausgetauscht; z.B.:

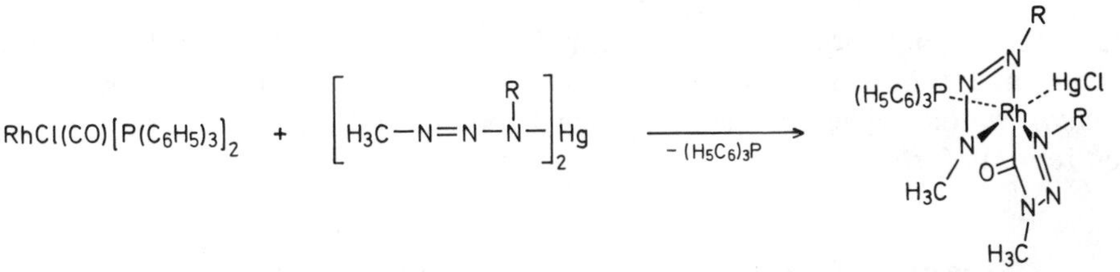

$$RhCl(CO)[P(C_6H_5)_3]_2 \;+\; \left[H_3C-N{=}N-\underset{\underset{R}{|}}{N}-\right]_2 Hg \xrightarrow{\;-(H_5C_6)_3P\;}$$

Chlormercuri-...-triphenylphosphan-rhodium

R = CH₃; ...-*(1,3-dimethyl-triazeno-N¹,N³)-[(1,3-dimethyl-triazeno)-carbonyl- C,N³]-*...
R = 4-CH₃–C₆H₄; ...-*[1-methyl-3-(4-methyl-phenyl)-triazeno-N¹,N³]-{[1-methyl-3-(4-methyl-*
phenyl-triazeno]-carbonyl-C,N³}-...

4. (Amino-thiocarbonyl)-rhodium(III)-Verbindungen

(Amino-thiocarbonyl)-rhodium-Verbindungen, in denen der π-Bindungsanteil überwiegt, werden nicht besprochen[1].

---

[1] vgl. A. W. GAL, A. F. J. M. VAN DER PLOEG, F. A. VOLLENBROEK u. W. BOSMAN, J. Organometal. Chem. **96**, 123 (1975).

Beim Behandeln von Rhodium(I)-Komplexen mit Thiokohlensäure-chlorid-dimethylamid entstehen dimer Komplexe mit wahrscheinlich folgender Struktur[1]:

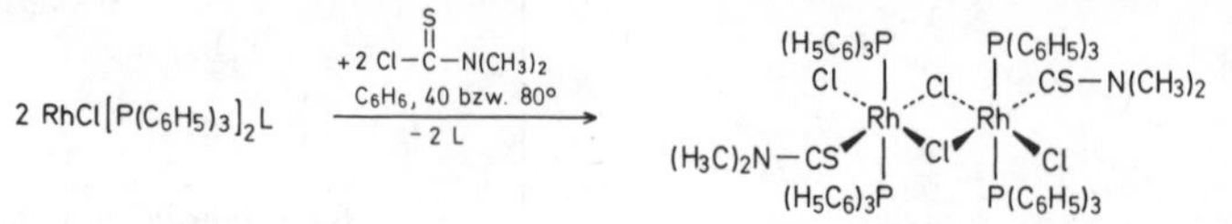

$$2 \; RhCl[P(C_6H_5)_3]_2L \xrightarrow[-2\,L]{\substack{+2\;Cl-\overset{\overset{\displaystyle S}{\|}}{C}-N(CH_3)_2 \\ C_6H_6,\;40\;bzw.\;80°}}$$

L = CO, (H₅C₆)₃P

μ,μ-Dichloro-bis-[bis-(triphenylphosphan)-chloro-(dimethylamino-thiocarbonyl)-rhodium]

5. (Organothio-iminocarbonyl)-rhodium(III)-Verbindungen

Bei der Umsetzung von Chloro-tris-[triphenylphosphan]-rhodium mit Benzoylisothio cyanat werden zwei Thioisocyanat-Moleküle am Rhodium-Atom gebunden[2]:

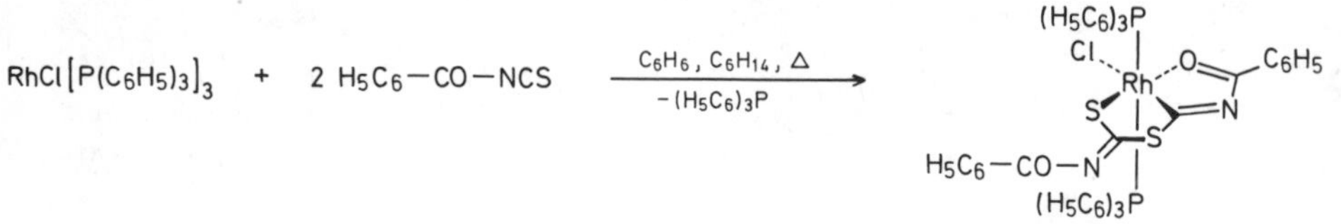

$$RhCl[P(C_6H_5)_3]_3 \; + \; 2\;H_5C_6-CO-NCS \xrightarrow[-(H_5C_6)_3P]{C_6H_6,\;C_6H_{14},\;\Delta}$$

2-Benzoylimino-4-(benzoylimino-O-Rh)-5,5-bis-[triphenylphosphan]-5-chloro-1,3,5-dithiarhodolar

IV. Organo-rhodium(IV)-Verbindungen

Durch Elektrooxidation von Alkyl-rhodium(III)-chelat-Komplexen können bei tiefe Temperatur Alkyl-rhodium(IV)-Komplexe erhalten werden[3, 4]. Die bei Rhodium selten Oxidationsstufe IV wird hier durch die σ-Donor-Chelat- und Alkyl-Liganden stabilisiert

$$R-Rh(Chel) \xrightarrow{-e} [R-Rh(Chel)]^{\oplus}$$

R = prim., sek. Alkyl

Meso-Tetraphenylporphyrin bildet beim Erhitzen mit μ,μ-Dichloro-bis-[dicarbonyl rhodium] in Benzol den paramagnetischen[5, 6] Komplex *Chloro-phenyl-(tetraphenylpor phyrinato)-rhodium*. Die Synthese des Phenyl-rhodium(IV)-Komplexes ist nicht in aller Fällen reproduzierbar[7].

V. Organo-dirhodium-Verbindungen mit Rh–Rh-Bindungen

Im folgenden werden σ–C-Rh-Verbindungen besprochen, die direkte Rh–Rh-Bindun gen besitzen. Eine Synthese eines 1,2-Rhodirans durch Metallaustausch mit Kobalt ist a. S 440 beschrieben.

[1] B. Corain u. M. Martelli, Inorg. Nucl. Chem. Lett. **8**, 39 (1972).
[2] M. Cowie, J. A. Ibers, Y. Ishii, K. Itoh, I. Matsuda u. F. Ueda, Am. Soc. **97**, 4748 (1975).
[3] I. Levitin, A. T. Nikitaev, A. L. Sigan, G. A. Nikitaeva, K. I. Zamaraev u. M. E. Vol'pin, Tezisy Dokl.-Vses Chugaevskoe Soveshch. Khim. Kompleksn. Soedin., 12th **1975**, 3, 464; C. A. **86**, 23 535 (1977).
[4] I. Levitin, A. L. Sigan u. M. E. Vol'pin, Chem. Commun. **1975**, 469.
[5] E. B. Fleischer u. D. Levallee, Am. Soc. **89**, 7132 (1967).
[6] M. Tsutsui u. C. P. Hrung, Ann. N. Y. Acad. Sci. **239**, 140 (1974).
[7] E. B. Fleischer, R. Rhorp u. D. Venerable, Chem. Commun. **1969**, 475.

Zweikernige Rhodium-Verbindungen bilden mit Diazoalkanen oder N-Alkyl-N-nitro-o-harnstoff μ-Methylen-dirhodium-Komplexe. Es wird hier die μ-Carbonyl-Gruppe durch die μ-Alkylen-Gruppe substituiert[1-3]. Die Komplexe II und III sind thermisch und photochemisch bemerkenswert stabil.

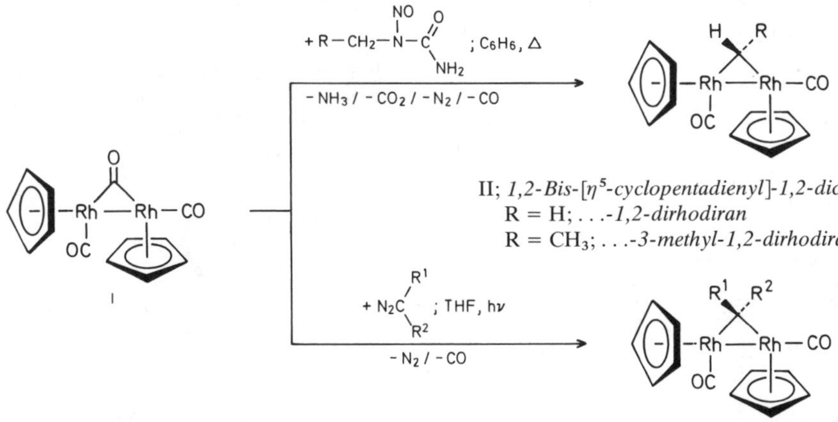

II; *1,2-Bis-[η^5-cyclopentadienyl]-1,2-dicarbonyl-*
R = H; . . .*-1,2-dirhodiran*
R = CH₃; . . .*-3-methyl-1,2-dirhodiran*; 57%

III; *1,2-Bis-[η^5-cyclopentadienyl]-1,2-dicarbonyl-. . .*
. . .-1,2-dirhodiran

z.B.: R^1 = H; R^2 = COOCH₃; . . .*-3-methoxycarbonyl-. . .*; F: 55–60° (Zers.)
R^1 = R^2 = COOC₂H₅; . . .*-3,3-diethoxycarbonyl-. . .*; 41%; F: 190° (Zers.)

1,2-Bis-[η^5-cyclopentadienyl]-1,2-dicarbonyl-1,2-dirhodiran[2]: Eine Lösung von 420 mg (1,0 mmol) 1,2-Bis-[η^5-cyclopentadienyl]-1,2-dicarbonyl-3-oxo-1,2-dirhodiran und 1,03 g (10 mmol) N-Methyl-N-nitroso-harnstoff in 50 *ml* Benzol wird 25 Stdn. unter Rückfluß erhitzt. Das Rohprodukt wird durch Säulenchromatographie (Kieselgel 60, Merck, mesh 0,063–0,200 mm, Akt. II–III; 30 × 2 cm; Säulentemp.: 10–15°) mit einer Mischung aus Pentan und Benzol getrennt. Zuerst wird eine kleine Menge (η^5-Cyclopentadienyl)-dicarbonyl-rhodium eluiert (Pentan/Benzol = 5/1), dann 3-Oxo-1,2-dirhodiran (Mischungsverhältnis = 2/1), dessen Eluat i. Vak. eingeengt wird. Der Rückstand wird bei –78° aus Pentan auskristallisiert; Ausbeute: 349 (86%); IR(KBr): ν_{CO} 1950(vs, br) cm^{-1}.

Aus Diazoalkanen hergestellte Carbene können auch an die Rh–Rh-Doppelbindung des Dimer-Komplexes IV in hoher Ausbeute angelagert werden[4-7]. Bemerkenswert ist die Reaktivität selbst gegenüber den stabilsten Diazoalkanen bei −80°. Intermediär entsteht das Addukt V, das 2 Carbonyl-Brücken enthält. Es ist bei großen Carben-Derivaten stabil, da die sterische Hinderung der Pentamethylcyclopentadienyl-Liganden geringer ist als im Umlagerungsprodukt VI (s. S. 428). Methylen-Komplexe mit geringerer sterischer Hinderung, wie es bei kleineren Methylen-Derivaten und bei unsubstituierten Cyclopentadienyl-Gruppen der Fall ist, lagern sich in den Komplex VI um. Beim Erhitzen der Komplexe V in siedendem Tetrahydrofuran entstehen unter Kohlenmonoxid-Verlust die Verbindungen VII. Die Isomere VI dagegen lassen sich nur im Falle des Diphenylmethylen-Derivates durch Erhitzen oder Belichten in die Komplexe VII umwandeln:

[1] W.A. HERRMANN, C. KRÜGER, R. GODDARD u. I. BERNAL, Ang. Ch. **89**, 342 (1977).
[2] W.A. HERRMANN, C. KRÜGER, R. GODDARD u. I. BERNAL, J. Organometal. Chem. **140**, 73 (1977).
[3] K.K. MAYER u. W.A. HERRMANN, J. Organometal. Chem. **182**, 361 (1979).
[4] A.D. CLAUSS, P.A. DIMAS u. J.R. SHAPLEY, J. Organometal. Chem. **201**, C 31 (1980).
[5] W.A. HERRMANN, C. BAUER, J. PLANK, W. KALCHER, D. SPETH u. M.F. ZIEGLER, Ang. Ch. **93**, 212 (1981).
[6] W.A. HERRMANN et al. B. **115**, 878 (1982); weitere Beispiele.
C. BAUER u. W.A. HERRMANN, J. Organometal. Chem. **209**, C 13 (1981).
[7] M. GREEN, R.M. MILLS, G.N. PAIN, F.G.A. STONE u. P. WOODWARD, Soc. [Dalton] **1982**, 1309.

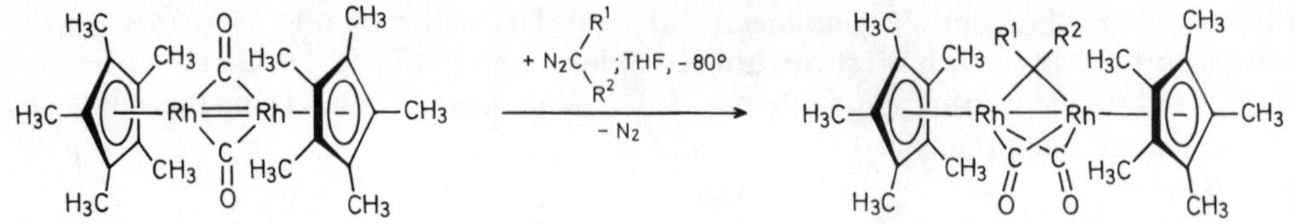

R¹, R² =
=O; *1,2-Di-[μ-carbonyl]-1,2-bis-[η⁵-pentamethylcyclo-*
pentadienyl]-1,2-dirhodiran-⟨3-spiro-9⟩-10-oxo-9,10-di-
hydro-anthracen; ~100%; F: 179° (Zers.)

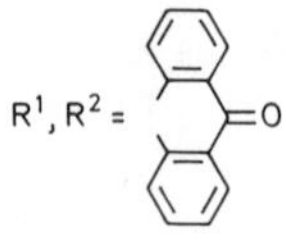

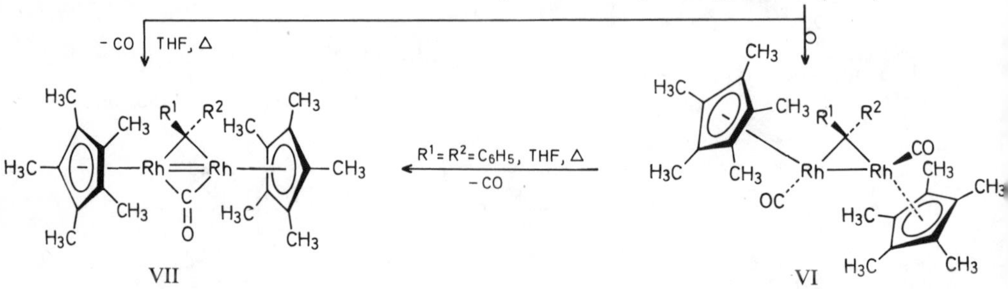

VII

1,2-Bis-[η⁵-pentamethylcyclopen-
tadienyl]-1,2-μ-carbonyl-...
$R^1 = R^2 = C_6H_5$; ...-3,3-diphenyl-1,2-
dirhodet; 95%

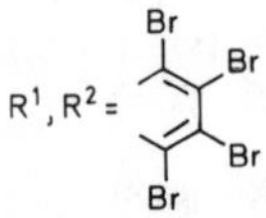

R¹, R² =
; ...-4,5,6,7-tetra-
brom-1,2-dirhoda-
spiro[2.4]hepta-4,6-dien

VI

1,2-trans-Di-[carbonyl]-1,2-trans-bis-[η⁵-
pentamethylcyclopentadienyl]-...-1,2-dirhodiran
$R^1 = H; R^2 = CH_3$; ...-3-methyl-...; F: 162–163° (Zers.)
$R^1 = R^2 = C_6H_5$; ...-3,3-diphenyl-...; 81%;
F: 145–147° (Zers.)
$R^1 = R^2 = COOC_2H_5$; ...-3,3-diethoxycarbonyl-...;
F: 187–188°
$R^1 = R^2 = CF_3$; ...-3,3-bis-[trifluormethyl]-...

Falls das Diazoalkan unbeständig ist, stellt man es in situ aus dem Hydrazon durch Oxidation mit aktiviertem Mangandioxid her, z.B.: aus dem Cyclohexanon-hydrazon[1]. Bei Einsatz von Bis-[diazo-(ethoxycarbonyl)-methyl]-quecksilber entsteht ein Komplex (ähnlich Komplex V), bei dem 2 Rh_2C-Einheiten über Quecksilber verknüpft sind[2].

Die Umsetzung von α-Diazoketonen [z.B. Diazodimedon bzw. Phenyl-(α-diazo-benzyl)-keton] mit Komplex IV liefert π-Keten-Komplex[3]; mit Phenylethin, Diphenylethin, Bis-[methoxycarbonyl]-ethin oder Hexafluor-2-butin bilden sich Keten-methylen-Gruppen, die beide Rhodium-Atome verknüpfen (s. Lit., s. S 433)[4,5].

Der durch Umsetzung von Komplex IV mit Nitrosyl-tetrafluoroborat erhältliche μ-Nitrosyl-dirhodium-Kationkomplex bildet mit Diazo-alkan-Derivaten zu Komplex V und VII analoge μ-Methylen-μ-nitrosyl-dirhodium-Verbindungen[6].

Schwefeldioxid reagiert in einer elektrophilen Insertion mit 1,2-Bis-[η⁵-pentamethylcyclopentadienyl]-1,2-dicarbonyl-dirhodiran[7] zum *2,3-Bis-[η⁵-pentamethyl-cyclopentadienyl]-2,3;2,3-di-μ-carbonyl-1,2,3-thiadirhodetan-1,1-dioxid* (93%):

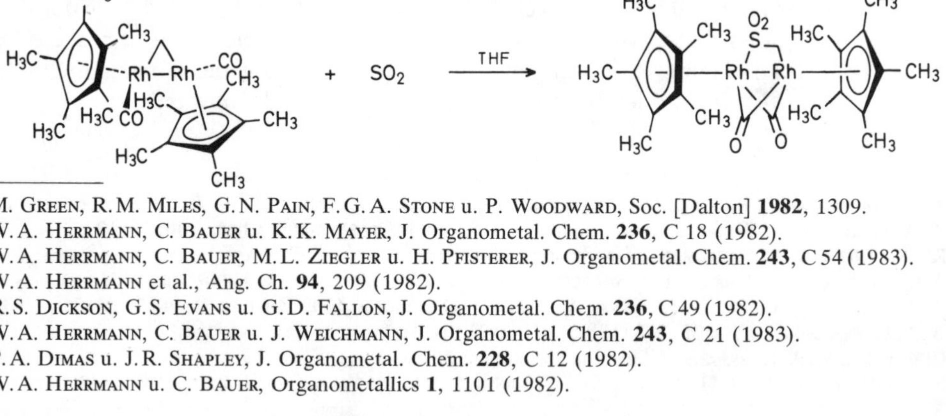

[1] M. GREEN, R.M. MILES, G.N. PAIN, F.G.A. STONE u. P. WOODWARD, Soc. [Dalton] **1982**, 1309.
[2] W.A. HERRMANN, C. BAUER u. K.K. MAYER, J. Organometal. Chem. **236**, C 18 (1982).
[3] W.A. HERRMANN, C. BAUER, M.L. ZIEGLER u. H. PFISTERER, J. Organometal. Chem. **243**, C 54 (1983).
W.A. HERRMANN et al., Ang. Ch. **94**, 209 (1982).
[4] R.S. DICKSON, G.S. EVANS u. G.D. FALLON, J. Organometal. Chem. **236**, C 49 (1982).
[5] W.A. HERRMANN, C. BAUER u. J. WEICHMANN, J. Organometal. Chem. **243**, C 21 (1983).
[6] P.A. DIMAS u. J.R. SHAPLEY, J. Organometal. Chem. **228**, C 12 (1982).
[7] W.A. HERRMANN u. C. BAUER, Organometallics **1**, 1101 (1982).

1,2-Di-[μ-carbonyl]-1,2-bis-[η^5-pentamethylcyclopentadienyl]-1,2-dirhodiran (VI; R^1 = R^2 = H)[1,2]: Alle Arbeiten werden unter Sauerstoff- und Wasser-Ausschluß (Schlenk-Technik) durchgeführt. Eine Lösung von 532 mg (1,0 mmol) Di-[μ-carbonyl]-1,2-bis-[η^5-pentamethylcyclopentadienyl]-dirhodium in 80 ml THF wird bei $-80°$ mit 10 ml einer 0,2 M Lösung von Diazomethan in Diethylether versetzt. Die tiefblaue Lösung wird unter Stickstoff-Entwicklung innerhalb 1–2 Min. rot. Man läßt auf 20° erwärmen, zieht im Ölpumpenvak. das Solvens ab und kristallisiert den ziegelroten Rückstand aus Pentan ($-25/-80°$) um (leuchtend rote Prismen); Ausbeute: 514 mg (94%). Die luftstabile Verbindung ist in allen organischen Solventien sehr gut löslich. Zers.p.: 169°; IR(KBr): ν_{CO} 1933(vs) und 1901(s) cm^{-2}.

1,2-Di-[μ-carbonyl]-1,2-bis-[η^5-pentamethylcyclopentadienyl]-1,2-dirhodetan⟨3-spiro-9⟩-10-oxo-9,10-dihydro-anthracen[1]: Eine Lösung von 266 mg (0,5 mmol) Di-[μ-carbonyl]-1,2-bis- [η^5-pentamethylcyclopentadienyl]-dirhodium in 60 ml THF wird bei $-80°$ tropfenweise mit einer Lösung von 110 mg (0,5 mmol) 10-Diazo-anthron in 15 ml THF versetzt, wobei die Farbe unter Entwicklung von Kohlenmonoxid und Stickstoff von tiefblau nach blaugrün umschlägt. Man läßt 30 Min. bei 25° rühren, engt im Wasserstrahlvak. ein und chromatographiert den Rückstand an Florisil (Säule 10 × 1 cm, Wasserkühlung). Mit Pentan-Benzol (5:1) bzw. Benzol werden zuerst geringe Mengen von Dicarbonyl-(η^5-pentamethylcyclopentadienyl)-rhodium bzw. Ausgangskomplex eluiert. Der gewünschte Komplex erscheint in einer blassen Zone (Benzol-Diethylether = 5:2), deren Eluat i. Vak. eingedampft wird. Der Rückstand wird aus Dichlormethan und Diethylether bei $-80°$ in stahlblauen Nadeln umkristallisiert; Ausbeute: 334 mg (96%); IR(KBr): ν_{CO} 1765(vs), $\nu_{C=O}$ 1623(s) cm^{-1}.

1,2-Bis-[η^5-cyclopentadienyl]-1,2-dicarbonyl-1,2-dirhodiran bindet bei $-80°$ trockenen Halogenwasserstoff, der bei dieser Temperatur durch Behandeln mit Natriummethanolat wieder entfernt werden kann[3]. Wenn die Umsetzung mit Chlor- oder Bromwasserstoff bei 20° durchgeführt wird, entsteht irreversibel in nahezu quantitativer Ausbeute *1,3-Bis-[η^5-cyclopentadienyl]-3-bromo (bzw. chloro)-2,4-dioxo-1-methyl-1,3-dirhoda-bicyclo[1.1.0]butan* (s.a. S. 436):

X = Cl, Br

1,3-Bis-[η^5-cyclopentadienyl]-3-bromo-2,4-dioxo-1-methyl-1,3-dirhoda-bicyclo[1.1.0]butan[3]: Unter kräftigem Rühren tropft man bei 20° zu einer Lösung von 406 mg (1,0 mmol) 1,2-Bis-[η^5-cyclopentadienyl]-1,2-dicarbonyl-1,2-dirhodiran in 10 ml Diethylether 2 ml einer mit Bromwasserstoff (Überschuß) ges. Ether-Lösung. Es entsteht augenblicklich ein pulvriger Niederschlag, der zuerst hellgelb ist und allmählich dunkel-braun wird. Danach wird der Niederschlag rasch auf einer D3-Fritte abfiltriert, mehrmals mit je 5 ml Diethylether gewaschen und schließlich aus einer bei $-35°$ bis $-78°$ nahezu ges. Lösung in Dichlormethan umkristallisiert; Ausbeute: 463 mg (95%); Zers.: 138° (in einer abgeschmolzenen Kapillare).

Als Vorstufe für Diphenyl-carben kann statt der Diazo-Verbindung auch das Diphenylketen verwendet werden[4,5]. Beim Behandeln von μ,μ-Dichloro-bis-[dicarbonyl-rhodium] mit Diphenylketen (bzw. Diazo-diphenyl-methan) wird eine Carben-Gruppe pro Rhodium-Atom gebunden. Der zunächst gebildete Komplex IV (s.S. 429) wird mit Cyclopentadienyl-natrium zum *1,3-Bis-[η^5-cyclopentadienyl]-5-oxo-2,2,4,4-tetraphenyl-1,3-dirhoda-bicyclo[1.1.1]pentan* (V; 75%; F: 179–182°, Zers.) oder mit Pyridin zum *1,3-Bis-[pyridin]-1,3- dichloro-5-oxo-2,2,4,4-tetraphenyl- 1,3-dirhoda-tricyclo [1.1.1.0^{1,3}]pentan* (VII) umgewandelt. Wird der Komplex V in Benzol erhitzt, verliert er seine Carbonyl-Gruppe, und es entsteht *1,3- Bis-[η^5-cyclopentadienyl]- 2,2,4,4-tetraphenyl-1,3-dirhoda-bicyclo[1.1.0]butan* (VI; F: 227–228°)[6].

---

[1] W. A. HERRMANN, C. BAUER, J. PLANK, W. KALCHER, D. SPETH u. M. F. ZIEGLER, Ang. Ch. **93**, 212 (1981).

[2] W. A. HERRMANN, J. PLANK, C. BAUER, M. L. ZIEGLER, E. GUGGOLZ u. R. ALT, Z. anorg. Chem. **487**, 85 (1982).

[3] W. A. HERRMANN, J. PLANK, M. L. ZIEGLER u. B. BALBACH, Am. Soc. **102**, 5906 (1980).
    W. A. HERRMANN et al., Am. Soc. **103**, 63 (1981).

[4] P. HONG, N. NISHII, K. SONOGASHIRA u. N. HAGIHARA, Chem. Commun. **1972**, 993.

[5] T. YAMAMOTO, A. R. GARBER, J. R. WILKINSON, C. B. BOSS, W. E. STREIB u. L. J. TODD, Chem. Commun. **1974**, 354.

[6] H. UEDA, Y. KAI, N. YASUOKA u. N. KASAI, Bl. chem. Soc. Japan **50**, 2250 (1977).

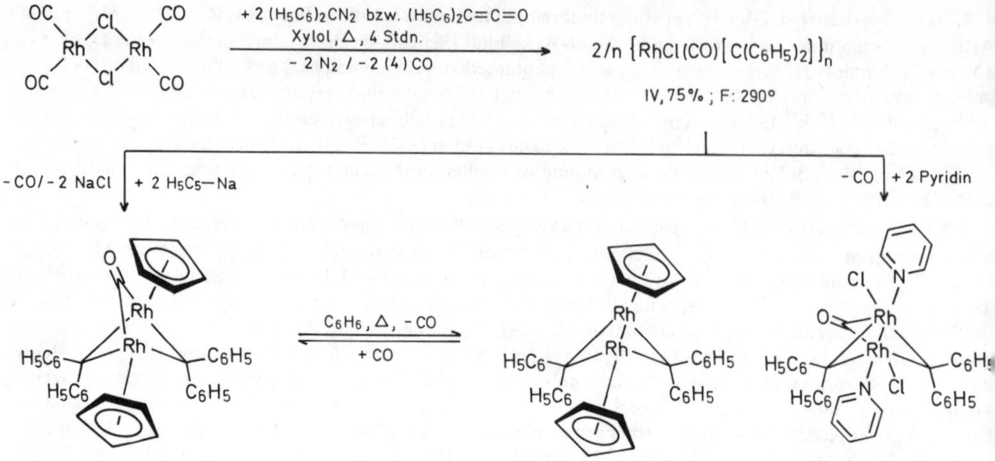

$$+ 2\ (H_5C_6)_2CN_2\ \text{bzw.}\ (H_5C_6)_2C{=}C{=}O$$
$$\xrightarrow[-\ 2\ N_2\ /\ -2\ (4)\ CO]{\text{Xylol},\ \triangle,\ 4\ \text{Stdn.}}$$

$$2/n\ \{RhCl(CO)[C(C_6H_5)_2]\}_n$$

IV, 75%; F: 290°

$-CO/-2\ NaCl$ $\quad + 2\ H_5C_5{-}Na$ $\qquad\qquad\qquad\qquad\qquad\qquad\qquad$ $-CO$ $\quad + 2\ Pyridin$

$$\underset{+\ CO}{\overset{C_6H_6,\ \triangle,\ -CO}{\rightleftharpoons}}$$

V $\qquad\qquad\qquad\qquad\qquad\qquad\qquad$ VI $\qquad\qquad\qquad\qquad\qquad\qquad\qquad$ VII

1,2-Bis-[η^5-pentamethylcyclopentadienyl]- 1,2-μ-carbonyl- 3,3-diphenyl- 1,2-dirhode
kann an der Metall-Metall-„Doppelbindung" ein weiteres Carben-Molekül binden[1]:

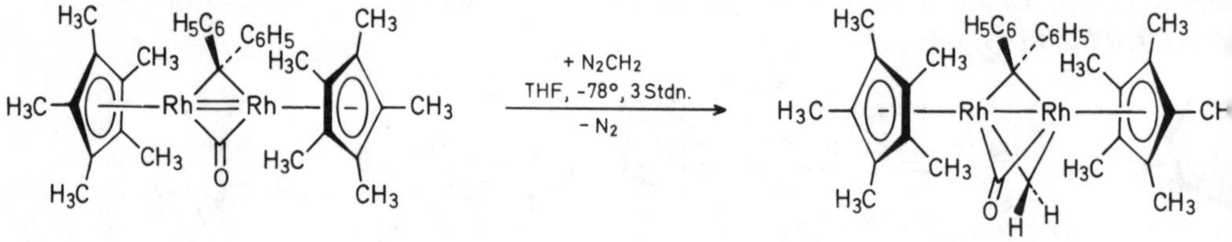

$$\xrightarrow[-\ N_2]{\overset{+\ N_2CH_2}{\text{THF},\ -78°,\ 3\ \text{Stdn.}}}$$

1,3-Bis-[η^5-pentamethyl-cyclopentadienyl]-1,3-μ-carbonyl-
2,2-diphenyl-1,3-dirhoda-bicyclo[1.1.0]butan; 96%; Zers.: >144°

μ,μ-Dichloro-bis-[*chloro-(η^5*-pentamethylcyclopentadienyl)-rhodium] wird von Hexamethyl-dialuminium
methyliert[2–4]. Zusätzlich werden 2 Methyl- in 2 Methylen-Gruppen umgewandelt. Es entsteht zunächst die *cis*-
Verbindung VIII, die durch Lewis-Säuren rasch in den *trans*-Komplex IX umgewandelt wird. In Komplex IX
werden durch Behandeln mit Hexaethyl-dialuminium die Methyl- durch Ethyl-Gruppen substituiert.

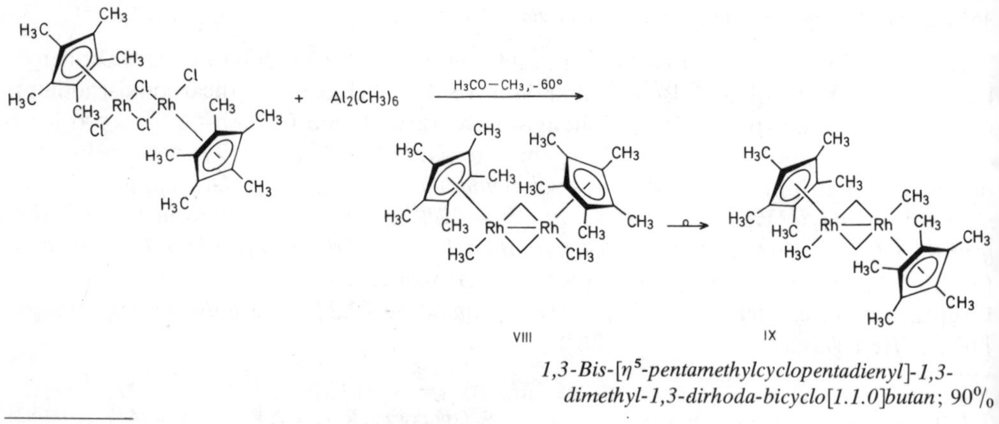

$+ \quad Al_2(CH_3)_6 \quad \xrightarrow{H_3CO{-}CH_3,\ -60°}$

VIII $\qquad\qquad\qquad\qquad\qquad\qquad\qquad$ IX

1,3-Bis-[η^5-pentamethylcyclopentadienyl]-1,3-
dimethyl-1,3-dirhoda-bicyclo[1.1.0]butan; 90%

[1] C. BAUER u. W. A. HERRMANN, J. Organometal. Chem. **209**, C 13 (1981).
W. A. HERRMANN et al. B. **115**, 878 (1982).
[2] A. VAZQUEZ DE MIGUEL, K. ISOBE, B. F. TAYLOR, A. NUTTON u. P. M. MAITLIS, Chem. Commun. **1982**, 758.
[3] **Vorsicht!** Die Reaktionen können heftig verlaufen. Daher nur kleine Ansätze verwenden.
[4] K. ISOBE, A. VAZQUEZ DE MIGUEL, P. M. BAILEY, S. OKEYA u. P. M. MAITLIS, Soc. [Dalton] **1983**, 1441: Molekularer Sauerstoff bzw. Aceton dienen als Hydrid-Akzeptor.

Die Komplexe VIII und IX (*cis* und *trans*) verlieren beim Behandeln mit Chlorwasserstoff in Pentan ihre Methyl-Gruppen, ohne Spaltung der beiden Methylen-Brücken[1]. Der gebildete Dichloro-Komplex wird durch Triethylaluminium 2fach ethyliert:

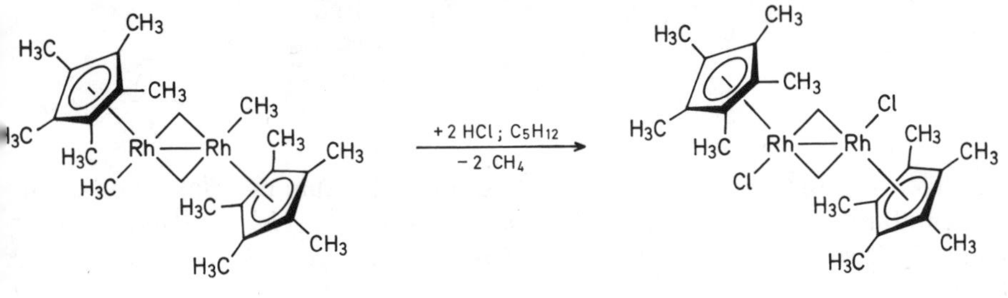
+2 HCl; C_5H_{12}
−2 CH_4

IX

1,3-Bis-[η⁵-pentamethylcyclopentadienyl]-1,3-dichloro-1,3-dirhoda-bicyclo[1.1.0]butan; 86%

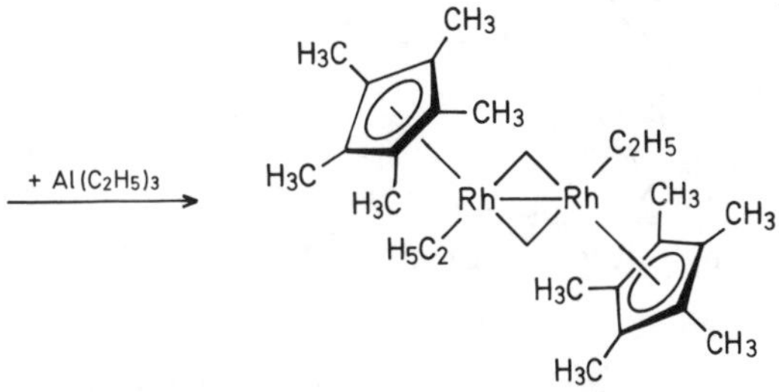
+ $Al(C_2H_5)_3$

1,3-Bis-[η⁵-pentamethylcyclopentadienyl]-1,3-diethyl-...; 42%

Der dimere Rhodium(I)-Kation-Komplex X reagiert mit Jodmethan unter oxidativer Addition, ohne daß die Rh–Rh-Bindung gespalten wird[2]:

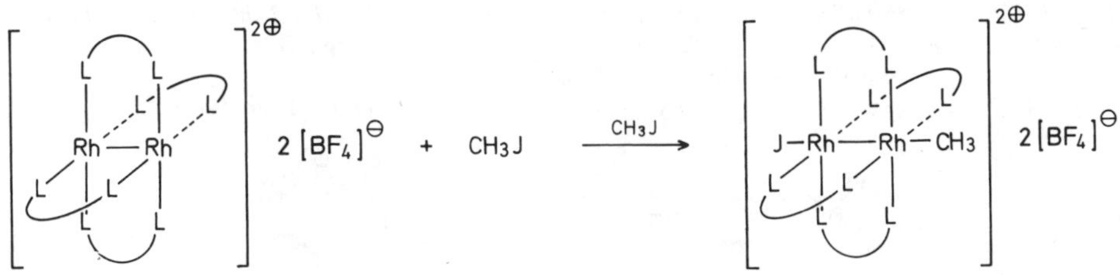
2 $[BF_4]^⊖$
+ CH_3J
CH_3J

X

L⌒L = CN–$(CH_2)_3$–NC

1-Jodo-2-methyl-1,2;1,2;1,2;1,2-tetrakis-[1,3-bis-(isocyan)-propan]-dirhodium-bis-[tetrafluoroborat]

μ,μ-Dichloro-bis-{*[bis-(diphenylphosphano)-methan]-carbonyl-rhodium*} bindet zwei mol Schwefelkohlenstoff[3] zum *1,2;1,2-Bis-[bis-(diphenylphosphano)-methan]-2-carbonyl-1,2-dichloro-1,2-[1,3-dithioxa-2,4-dithia-1,4-diyl-Rh¹(S,C);Rh²(S)]-dirhodium*:

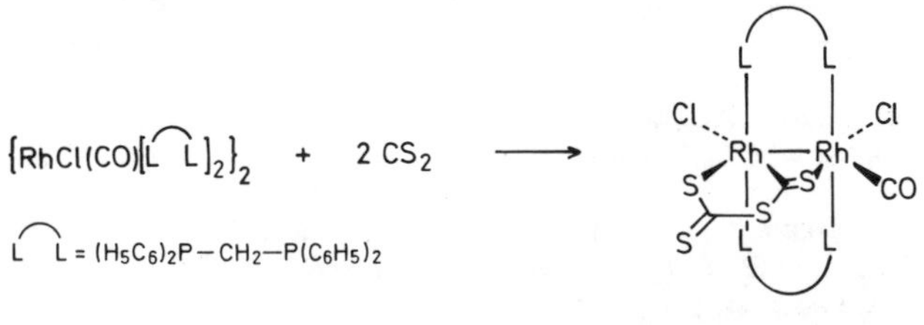
$\{RhCl(CO)[L⌒L]_2\}_2$ + 2 CS_2
L⌒L = $(H_5C_6)_2P–CH_2–P(C_6H_5)_2$

---

[1] P.M. Maitlis et al. Chem. Commun. **1982**, 425.

[2] N.S. Lewis, K.R. Mann, J.G. Gordon u. H.B. Gray, Am. Soc. **98**, 7461 (1976).

[3] M. Cowie u. S.K. Dwight, J. Organometal. Chem. **198**, C 20 (1980); **214**, 233 (1981).

Alkin-Komplexe, bei denen die Alkin-Gruppe senkrecht zur Rh–Rh-Bindung steht, werden als π-Komplexe angesehen und daher an dieser Stelle nicht besprochen (s. S. 457).

Bei Komplexen, die 2σ–C-Rh-Bindungen besitzen, steht die Alkin-Gruppe parallel zur Rh–Rh-Bindung:

Beim Erhitzen von (η⁵-Cyclopentadienyl)-dicarbonyl-rhodium mit Hexafluor-2-butin oder Bis-[pentafluorphenyl]-ethin entsteht *trans-1,2-Bis-[η⁵-cyclopentadienyl]-3,4-bis-[trifluormethyl]* (bzw. *bis-[pentafluorphenyl])-trans-1,2-dicarbonyl-1,2-dihydro-1,2-dirhodet*[1-7]:

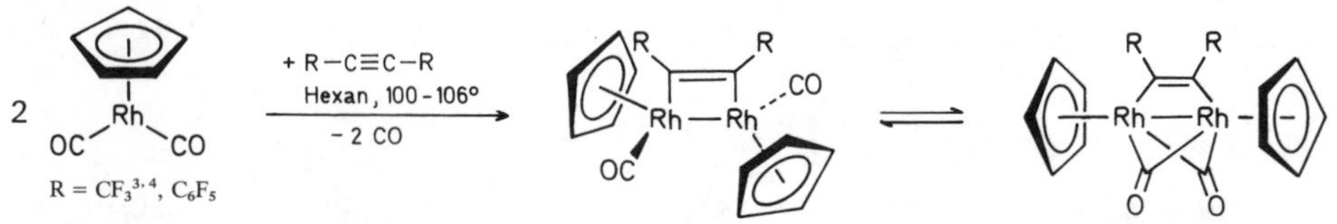

Höhere Ausbeuten (60–70%) werden ausgehend vom *trans*-1,2-Bis-[η⁵-cyclopenta-dienyl]-*trans*-1,2-dicarbonyl-3-oxo-1,2-dirhodiran mit Hexafluor-2-butin erzielt[4]:

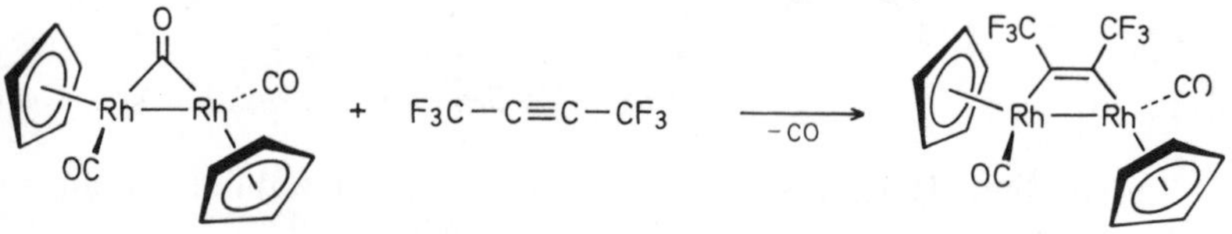

cis-1,2-Bis-[η⁵-cyclopentadienyl]-3,4-bis-[trifluormethyl]-*cis*-1,2-dicarbonyl-1,2-dihydro-1,2-dirhodet ist in hoher Ausbeute zugänglich, wenn μ,μ-Dichloro-bis-[dicarbonyl-rhodium] zunächst mit Hexafluor-2-butin und anschließend mit Cyclopentadienyl-thallium bei 20° umgesetzt wird.

Bereits bei 20° lagert sich der *cis*-Komplex innerhalb 12 Stdn. in den *trans*-Komplex um[4, 8]:

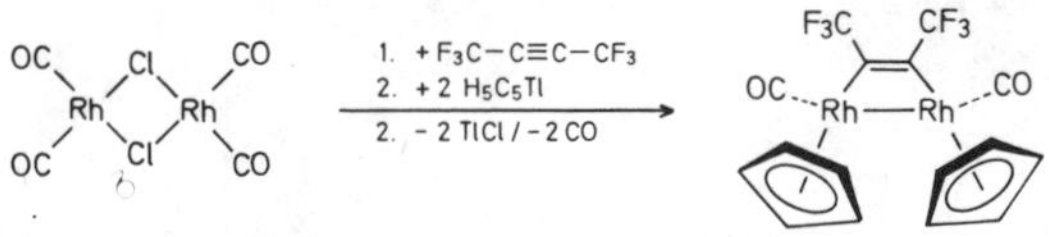

Der *trans*-Komplex I kann mit starken Säuren (z. B. Schwefelsäure, Trifluoressigsäure, Tetrafluoroborsäure) reversibel protoniert werden[4]:

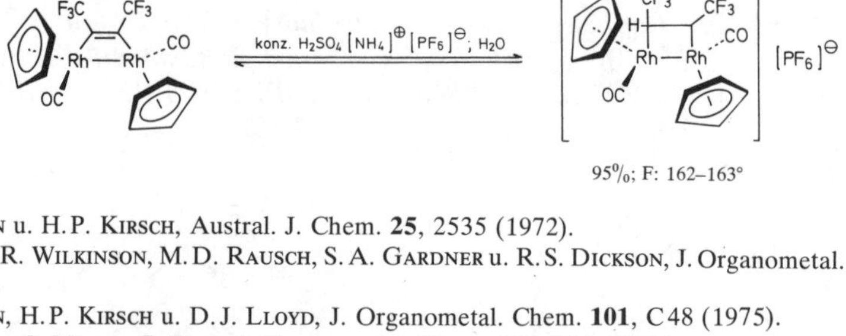

95%; F: 162–163°

[1] R.S. Dickson u. H.P. Kirsch, Austral. J. Chem. **25**, 2535 (1972).
[2] L.J. Todd, J.R. Wilkinson, M.D. Rausch, S.A. Gardner u. R.S. Dickson, J. Organometal. Chem. **101**,133 (1975).
[3] R.S. Dickson, H.P. Kirsch u. D.J. Lloyd, J. Organometal. Chem. **101**, C48 (1975).
[4] R.S. Dickson, C. Mok u. G. Pain, J. Organometal. Chem. **166**, 385 (1979).
[5] M.D. Rausch u. S.A. Gardner, persönl. Mitt. in Lit.[3].
[6] L.F. Dahl u. Broach, persönl. Mitt. in Lit.[3].
[7] Röntgenstruktur s. Lit.[3,4,6].
[8] R.S. Dickson, B.M. Gatehouse, M.C. Nesbit u. G.N. Pain, J. Organometal. Chem. **215**, 97 (1981).

Rhodium(I)-Komplexe mit dem 2zähnigen Liganden Diphenyl-(diphenylphosphano-methyl)-phosphan reagiert gleichfalls mit Hexafluor-2-butin zu Dirhodium-Komplexen mit Rh,Rh-Bindung[1, 2]. Es gibt aber auch Fälle, bei denen keine Rh,Rh-Bindung vorliegt (s. S. 319, 371).

Zur Umsetzung des *trans*-Komplexes mit Trimethylaminoxid s. Lit.[3] u. S. 457.

1,2-Bis-[η^5-cyclopentadienyl]-2,3-bis-[trifluormethyl]-1,2-dicarbonyl-1,2-dihydro-1,2-
dirhodet bildet beim Behandeln mit Diazo-alkanen μ-Alkyliden-dirhodium-Kom-
plexe[4]:

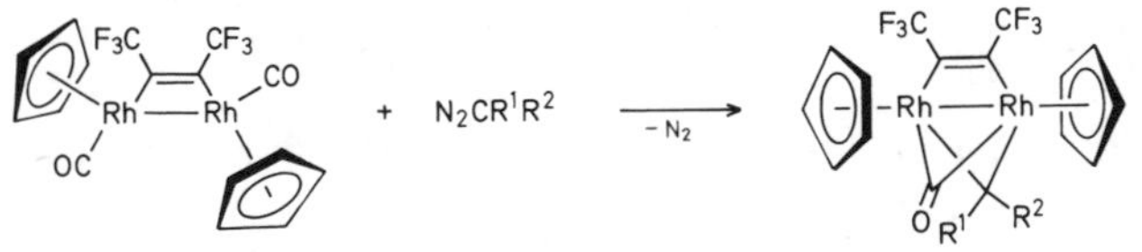

1,4-Bis-[η^5-cyclopentadienyl]-2,3-bis-[trifluormethyl]-
. . .-1,4-dirhoda-bicyclo[2.1.0]pent-2-en
$R^1 = R^2 = H$; . . .-1,4-μ-carbonyl-. . .; 85%
$R^1 = R^2 = COOC_2H_5$; . . .-1,4-μ-carbonyl-5,5-diethoxycarbonyl-. . .; 85%

Die Verbindungen lagern sich in Lösung z. B. unter Bildung eines η^3-Allyl-Komplexes um (näheres s. Lit.).

Bei der Umsetzung von Dicarbonyl-(2,2,6,6-tetramethyl-3,5-heptandionato)-rhodium
mit Hexafluor-2-butin bei 20° werden zwei Rhodium-Atome durch das Alkin verknüpft[5, 6]. Außerdem reagiert das Alkin unter 1,4-Cycloaddition mit der Dionato-rho-
dium-Gruppe. Der erhaltene hell-gelbe Komplex ist sehr stabil.

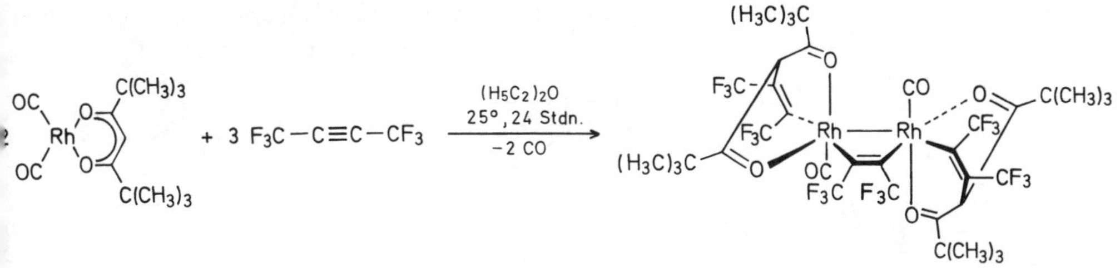

1,2-Bis-[1,2-bis-(trifluormethyl)-5,5-dimethyl-3-(2,2-dime-
thyl-propanoyl)-4-oxo-1-hexenyl-C,O,O]-3,4-bis-[trifluor-
methyl]-1,2-dicarbonyl-1,2-dihydro-1,2-dirhodet;
82%; F: 183° (Zers.)

Alkine reagieren nahezu quantitativ mit Di-(μ-carbonyl)-bis-[η^5-pentamethylcyclopentadienyl]-rhodium-(2
Rh,Rh)] unter Bildung einer Ketenylmethylen-Brücke (zur SO_2-Insertion s. Lit.)[7]. Ähnlich verhält sich das Phos-
pha-alkin[8]. Bei der Umsetzung von Di-(μ-hydrido)-bis-(bis-[triisopropylphosphit]-rhodium) mit 2-Butin entsteht unter Insertion des Alkins in die Rh,H-Bindung zu 60% μ-Hydrido-(μ,η^2-trans-2-buten-2-yl)-bis-(bis-
[triisopropylphosphit]-rhodium)[9]. Diaryl-ethin reagiert analog (70%).

Bei der Umsetzung von μ,μ-Dichloro-bis-[dicarbonyl-rhodium] mit 3-Hexin entsteht ein Komplex mit zwei
Rh_2-Einheiten, die über Chlor-Brücken miteinander verknüpft sind[10, 11]:

[1] M. Cowie u. R.S. Dickson, Inorg. Chem. **20**, 2682 (1981).
[2] J.T. Mague, Inorg. Chem. **22**, 1158 (1983).
[3] R.S. Dickson, C. Mok u. G. Pain, J. Organometal. Chem. **166**, 385 (1979).
[4] R.S. Dickson, G.D. Fallon, R.J. Nesbit u. G.N. Pain, J. Organometal. Chem. **236**, C 61 (1982).
[5] A.C. Jarvis, R.D.W. Kemmitt, D.R. Russell u. P.A. Tucker, J. Organometal. Chem. **159**, 341 (1978).
[6] vgl. a. R.S. Dickson u. G.N. Pain, Chem. Commun. **1979**, 277; Inorg. Chem. **20**, 2682 (1982).
[7] W.A. Herrmann, C. Bauer u. A. Schäfer, J. Organometal. Chem. **256**, 147 (1983).
[8] G. Becker, W.A. Herrmann, W. Kalcher, G.W. Kriechbaum, C. Pahl, C.T. Wagner u. M.L. Ziegler, Ang.
Ch. **95**, 417 (1983).
[9] R.R. Burch, A.J. Shusterman, E.L. Muetterties, R.G. Teller u. J.M. Williams, Am. Soc. **105**, 3546
(1983).
[10] S. McVey u. P. Maitlis, J. Organometal. Chem. **19**, 169 (1969).
[11] L.R. Bateman, P.M. Maitlis u. L.F. Dahl, Am. Soc. **91**, 7292 (1969).

$$2 \begin{array}{c} OC \\ Rh \\ CO \end{array} \begin{array}{c} Cl \\ Cl \end{array} \begin{array}{c} CO \\ Rh \\ CO \end{array} \ + \ 4\ H_5C_2-C\equiv C-C_2H_5 \quad \xrightarrow{-6\,CO}$$

Dicarbonyl-(η^5-cyclopentadienyl)-rhodium bildet mit Alkinen, die Elektronen-anziehende Substituenten besitzen, oft eine Vielzahl von Verbindungen. In geringer Ausbeute entstehen Dirhodium-Komplexe, die entweder eine symmetrische Struktur oder eine asymmetrische besitzen[1–7].

Durch Umsetzung von Bis-[η^2-ethen]-(η^5-indenyl)-rhodium mit 2-Butin entstehen zwei dimere Rhodium-Komplexe[8, s.a. 9]:

$$4 \qquad \xrightarrow[-7\,H_2C=CH_2]{+3H_3C-C\equiv C-CH_3\,;\,20°,\,2\,\text{Tage}}$$

R = H, CH₃

Zur Umsetzung von Dicarbonyl-(η^5-cyclopentadienyl)-rhodium mit Alkinen unter Einbau von Kohlenmonoxid zwischen den zwei Alkin-Resten s. Lit.[1, 10–13].

(η^6-1,3,5-Cyclooctatrien)-(η^5-cyclopentadienyl)-rhodium kann durch Bestrahlen mit UV-Licht in einen Komplex mit 2 Cyclopentadienyl-rhodium-Gruppen und mit einem 1-σ-, 5,6-η^2-, 2-4-η^3-Cyclooctadienyl-Rest umgewandelt werden, der die beiden Metalle miteinander verknüpft[14]:

1,2-Bis-[cyclopentadienyl]-1-[dehydro-cyclooctadienyl-Rh^1(C,η^2),Rh^2(η^3)]-dirhodium

Bei dem aus μ,μ-Dichloro-bis-[di-η^2-ethen-rhodium], η^5-Cyclopentadienyl-thallium und 1,3,5-Cycloheptatrien hergestellten Komplex scheinen ähnliche Bindungsverhältnisse vorzuliegen.

Durch Protonierung mit Trifluoressigsäure in Deuterochloroform kann in Lösung ein Komplex hergestellt werden, der eine Rh–H–Rh-Brücke aufweist[14]. Bei Verwendung von Deutero-trifluor-essigsäure zeigt es sich überraschenderweise, daß Deuterium nicht die Hydrid-Brücke bildet, sondern in den C₈-Ring eingebaut wird.

1,2-Bis-[η^5-cyclopentadienyl]-1-[4-dehydro-2,5-cycloheptadienyl-Rh^1(C,5,6-η^2), Rh^2(2-4-η^3)]dirhodium[14]:
2,6 g μ,μ-Dichloro-bis-[di-η^2-ethen-rhodium] werden in 13 ml abs. Diethylether bei 20° unter Stickstoff-Atmosphäre suspendiert und mit 2 ml 1,3,5-Cycloheptatrien versetzt. Das Gemisch schäumt dabei auf. Nach 30 Min. Rühren wird der gebildete Niederschlag (2,9 g) abfiltriert, mit Diethylether gewaschen und i. Vak. getrock-

[1] R.S. Dickson u. H.P. Kirsch, Austral. J. Chem. **25**, 2535 (1972).

[2] R.S. Dickson u. H.P. Kirsch, Austral. J. Chem. **27**, 61 (1974).

[3] M.D. Rausch, P.S. Andrews, S.A. Gardner u. A. Siegel, Organometal. Chem. Synth. **1**, 289 (1971).

[4] M.D. Rausch, Pure Appl. Chem. **30**, 523 (1972).

[5] S.A. Gardner, P.S. Andrews u. M.S. Rausch, Inorg. Chem. **12**, 2396 (1973).

[6] L.J. Todd, J.R. Wilkinson, M.D. Rausch, S.A. Gardner u. R.S. Dickson, J. Organometal. Chem. **101**, 133 (1975).

[7] R.S. Dickson u. G.N. Pain, Chem. Commun. **1979**, 277.

[8] R.S. Dickson u. L.J. Michel, Austral. J. Chem. **28**, 1943 (1975).

[9] P. Caddy, M. Green, L.E. Smart u. N. White, Chem. Commun. **1978**, 839.

[10] R.B. King u. M.N. Ackermann, J. Organometal. Chem. **67**, 431 (1974).

[11] R.S. Dickson u. S.H. Johnson, Austral. J. Chem. **29**, 2189 (1976).

[12] P.A. Corrigan, R.S. Dickson, G.D. Fallon, L.J. Michel u. C. Mok, Austral. J. Chem. **31**, 1937 (1978).

[13] P.A. Corrigan u. R.S. Dickson, Austral. J. Chem. **34**, 1401 (1981).

[14] J. Evans, B.F.G. Johnson, J. Lewis u. R. Watt, Soc. [Dalton] **1974**, 2368.

et. Er wird hierauf zu einer Mischung von 4,0 g η^5-Cyclopentadienyl-thallium in 25 *ml* Benzol gegeben und un-
~r Licht-Ausschluß 18 Stdn. gerührt. Das Reaktionsgemisch wird anschließend filtriert und der Rückstand mit
~enzol gewaschen. Filtrat und Waschflüssigkeit werden vereinigt, das Lösungsmittel wird abgezogen, die dabei
~bildeten roten Kristalle isoliert und i.Vak. 1 Stde. getrocknet. Bei 70°/0,05 Torr werden 192 mg (η^6-1,3,5-
~ycloheptatrien)-(η^5-cyclopentadienyl)-rhodium durch Sublimation abgetrennt. Der Rückstand wird bei
30°/0,05 Torr sublimiert; Ausbeute: ~1 g (35%) (tiefrote Kristalle).

Während Alkine mit Octakis-[trifluorphosphan]-dirhodium normalerweise π-Alkin-
~omplexe bilden, entstehen mit Methoxycarbonyl- bzw. Bis-[methoxycarbonyl]-ethin
~hodol-Derivate[1]:

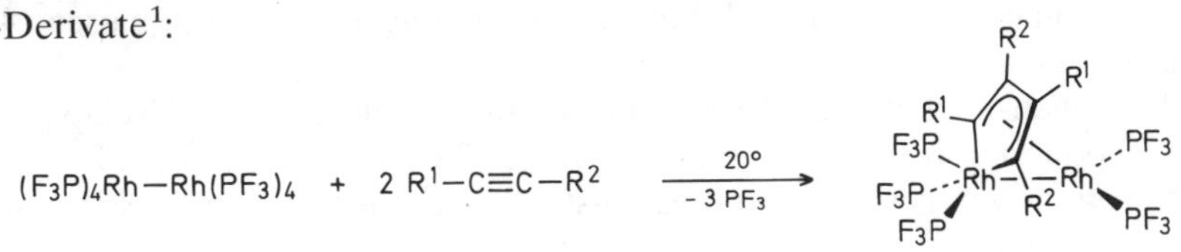

1-(Bis-[trifluorphosphan]-rhodium)-. . . -1,1,1-tris-[trifluorphosphan]-rhodol (Rh,Rh)
$R^1 = R^2 = COOCH_3$; . . .-2,3,4,5-tetramethoxycarbonyl-. . .; 58%; F: 162°
$R^1 = H$; $R^2 = COOCH_3$; . . .-2,3-dimethoxycarbonyl-. . .; 40%

Vorsicht! Bei Temp. über 40° kommt es meistens zu heftigen **Explosionen**. Die Reaktion
~ann unterhalb von 20° unter Kontrolle gehalten werden.

Die Komplexe sind bis 200° stabil. Sie können i.Vak. sublimiert werden. Sie katalysieren die Polymerisation
~on Alkinen oberhalb von 20° in einer heftigen Reaktion.
Ein gleicher Rhodol-Komplex wird auch bei der Umsetzung von Bis-(dicarbonyl-bis-[triphenylphosphan]-
~hodium) mit Bis-[methoxycarbonyl]-ethin gebildet[2].

Die Umsetzung von Hexadecacarbonyl-hexarhodium mit Bicyclo[2.2.1]heptadien in
~ethylcyclohexan unter Rückfluß liefert einen asymmetrischen Dirhodium-Komplex mit
~iner Acyl-vinyl-cyclopenten-Gruppe als Brücken-Molekül[3].
Bei der Umsetzung von Di-[μ,μ-carbonyl]-bis-[η^5-pentamethylcyclopentadienyl-rho-
~ium] mit 3,3-Dimethyl-cyclopropen wird die C,C-Doppelbindung gespalten und unter
~O-Insertion ein Carben-Keten-Komplex I gebildet. Durch Trifluoressigsäure wird die
~h, C-Bindung der Keten-Gruppe gespalten[4]:

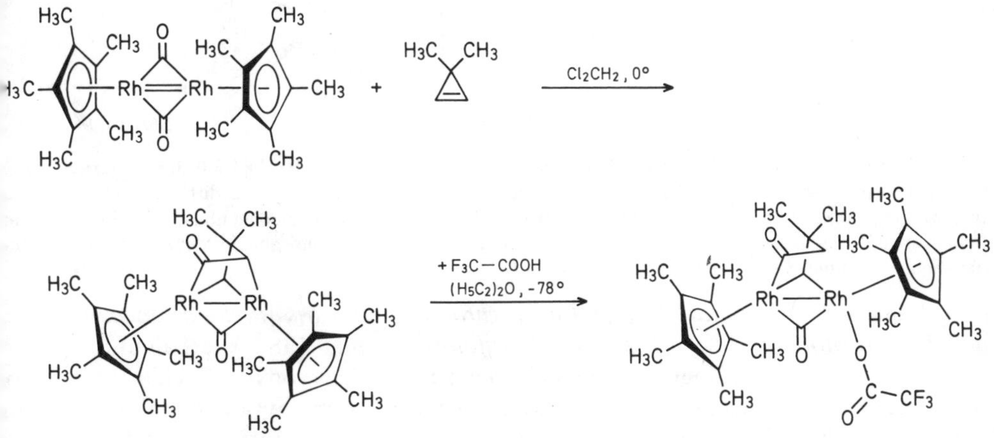

~; *1,6-Bis-[η^5-pentamethyl-cyclopentadienyl]-1,6-μ-*
carbonyl-4,4-dimethyl-2-oxo-1,6-dirhoda-
tricyclo[3.1.0.0^{3,6}]hexan; ~100%

II; *1,6-Bis-[η^5-pentamethyl-cyclopentadienyl]-1,6-μ-*
carbonyl-4,4-dimethyl-2-oxo-6-trifluoracetoxy-
1,6-dirhoda-bicyclo[3.1.0.]hexan

[1] M.A. BENNETT, R.N. JOHNSON u. T.W. TURNEY, Inorg. Chem. **15**, 107 (1976).
[2] B.L. BOOTH, R.N. HASZELDINE u. I. PERKINS, Soc. [Dalton] **1981**, 2593.
[3] J.A.J. JARVIS u. R. WHYMAN, Chem. Commun. **1975**, 562.
[4] C.J. SCHAVERIEN, M. GREEN, A.G. ORPEN u. I.D. WILLIAMS, Chem. Commun. **1982**, 912.

VI. Organo-polyrhodium-Verbindungen mit Rh–Rh-Bindungen

Bei diesen Cluster-Komplexen ist es sinnvoll, die Rh_n-Gruppe chemisch als Einheit zu betrachten, da die elektrische Ladung über alle Metalle verschmiert ist.

Es sind Rh_3-, Rh_4- und Rh_6-Cluster beschrieben worden, die σ–C-gebundene Liganden besitzen.

Eine besondere Gruppe von Komplexen sind Rhodium-Polyeder, in denen 1 oder mehrere Kohlenstoff-Atome eingelagert sind. Solche Verbindungen werden in diesem Abschnitt nicht besprochen.

Das „Elektronen-reiche" Bis-[diethylamino]-ethin reagiert mit (η^5-Cyclopentadienyl)-dicarbonyl-rhodium unter Bildung eines schwarzen Trirhodium-Clusters. Dabei wird die C≡C-Dreifachbindung gespalten und es entsteht eine trigonale Rh_3C_2-Pyramide[1]:

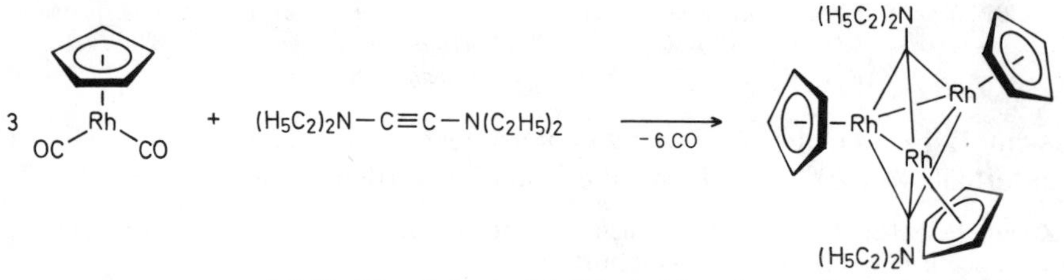

3,5-Bis-[dimethylamino]-1,2,4-tris-[η^5-cyclopentadienyl]-3,5-dicarbatrirhodan
65%; F: 150–153°

Beim Behandeln von 1,2-Bis-[η^5-cyclopentadienyl]-1,2-dicarbonyl-1,2-dirhodiran mit Säuren, deren Anionen schwache Donoreigenschaften besitzen, erhält man unter Abspaltung von Methan und Wasserstoff ein Carbatrirhodan-Cluster-Kation[2,3].

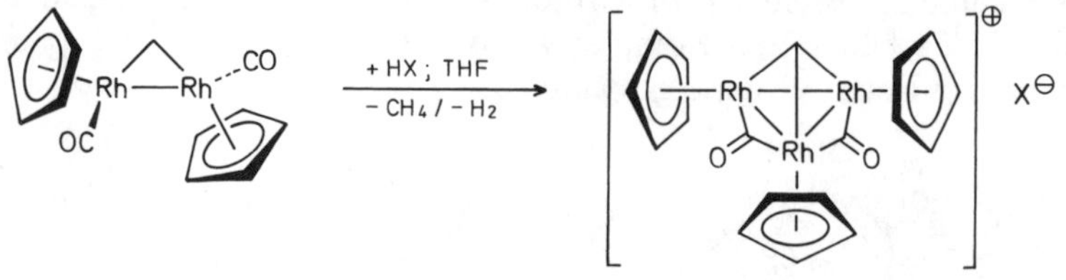

X = BF_4, PF_6, $F_3C\text{-}COO$, $F_3C\text{-}SO_2\text{-}O$; 90–100%

1,2;2,3-Bis-[μ-carbonyl]-1,2,3-tris-[η^5-cyclopentadienyl]-1,2,3-trirhoda-bicyclo[1.1.0] butan-hexafluorophosphat[1]: Eine Lösung aus 57 mg 1,2-Bis-[η^5-cyclopentadienyl]-1,2-dicarbonyl-1,2-dirhodiran in Dichlormethan wird im Dunkeln mit 135 μl Trifluoressigsäure behandelt, dann i. Vak. eingeengt und der Rückstand in Methanol aufgenommen. Bei Zusatz einer ges. Lösung von Kaliumhexafluorophosphat in Methanol fällt das Komplex-Salz als braunes Pulver aus; Ausbeute: 31 mg (61%).

Auf analoge Weise wird *1,2;2,3-Bis-[μ-carbonyl]-1,2,3-tris-[cyclopentadienyl]-4-methyl-1,2,3-trirhoda-bicyclo[1.1.0] butan-hexafluorophosphat* (38%)[3] erhalten.

Je nach Reaktionsbedingungen entsteht beim Behandeln von μ,μ-Dichloro-bis-[chloro-(η^5-pentamethylcyclopentadienyl)-rhodium] mit Hexamethyl-dialuminium ein μ,μ-Dimethylen-dirhodium-Komplex (s. S. 430) oder ein 3,5-Dicarba-trirhodan-Derivat, das thermisch sehr beständig ist[4]:

[1] R.B. King u. C.A. Harmon, Inorg. Chem. **15**, 879 (1976).
[2] W.A. Herrmann, J. Plank, E. Guggolz u. M.L. Ziegler, Ang. Ch. **92**, 660 (1980);
  W.A. Herrmann et al., Am. Soc. **103**, 63 (1981).
[3] P.A. Dimas, E.N. Duesler, R.J. Lawson u. J.R. Shapley, Am. Soc. **102**, 7789 (1980).
[4] A. Vazquez de Miguel, K. Isobe, P.M. Bailey, N.J. Meanwell u. P.M. Maitlis, Organometallics **1**, 1604 (1982).

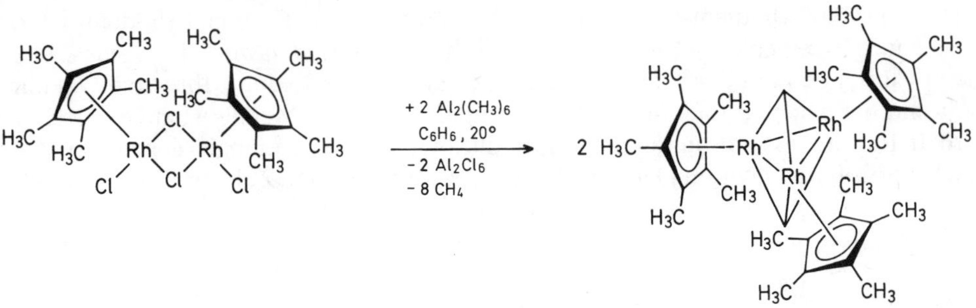

1,2,4-Tris-[η⁵-pentamethyl-cyclopenta-dienyl]-3,5-dicarbatrirhodan; 51%

Cyclopentadienyl-dicarbonyl-rhodium bildet mit elektronenarmen Alkinen u.a. in geringer Ausbeute Alkin-trirhodium-Cluster-Komplexe (s. Lit.)[1-7].

Bessere Ergebnisse erzielt man bei der Umsetzung von Tricarbonyl-tris-[η⁵-cyclopentadienyl]-trirhodium mit Alkinen bzw. von 1,2-Bis-[η⁵-cyclopentadienyl]-1,2-dicarbonyl-1,2-dihydro-1,2-dirhodet-Derivaten mit (η⁵-Cyclopentadienyl)-dicarbonyl-rhodium[2, 8]:

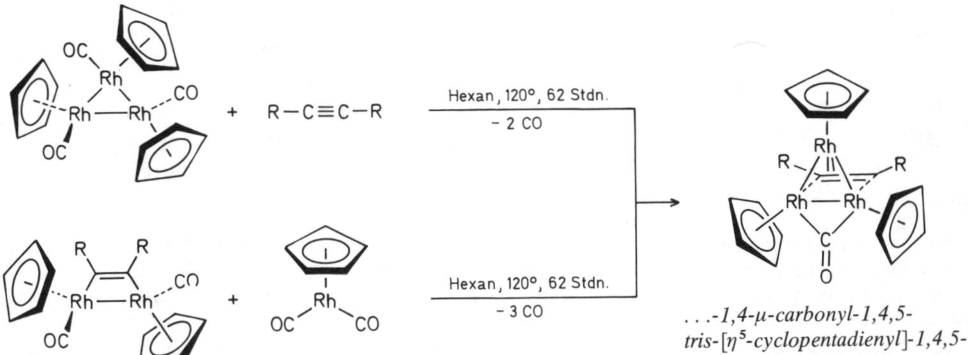

...-1,4-μ-carbonyl-1,4,5-tris-[η⁵-cyclopentadienyl]-1,4,5-trirhoda-bicyclo[2.1.0]pent-2-en

R = C₆Cl₅; 2,3-Bis-[pentachlorphenyl]-...
R = C₆F₅; 2,3-Bis-[pentafluorphenyl]-...

Bei der Behandlung des Clusters mit Tetrafluorborsäure entsteht ein Adukt mit einer Hydrid-Brücke zwischen zwei Rhodium-Atomen [~90%; F: 280° (Zers.)].

μ-Carbonyl-bis-[(η⁵-cyclopentadienyl)-diphenylmethylen-rhodium](Rh,Rh) lagert sich beim Erhitzen in Benzol in μ,μ,μ-Tris-[diphenylmethylen]- tris-[(η⁵- cyclopentadienyl)-rhodium] 3 (Rh,Rh) [F: 227–228°] um[9].

[1] M.D. Rausch, P.S. Andrews, S.A. Gardner u. A. Siegel, Organometal. Chem. Synth. 1, 289 (1971).
[2] R.S. Dickson u. H.P. Kirsch, Austral. J. Chem. 25, 2535 (1972).
[3] S.A. Gardner, P.S. Andrews u. M.S. Rausch, Inorg. Chem. 12, 2396 (1973).
[4] R.B. King u. M.N. Ackermann, J. Organometal. Chem. 67, 431 (1974).
[5] S.A. Gardner, E.F. Tokas u. M.D. Rausch, J. Organometal. Chem. 92, 69 (1975).
[6] L.J. Todd, J.R. Wilkinson, M.D. Rausch, S.A. Gardner u. R.S. Dickson, J.Organometal.Chem.101,133 (1975).
[7] Trin-Toan, R.W. Broach, S.A. Gardner, M.D. Rausch u. L.F. Dahl, Inorg. Chem. 16, 279 (1977).
[8] R.S. Dickson, C. Mok u. G. Pain, J.Organometal. Chem. 166, 385 (1979).
[9] P. Hong, N. Nishii, N. Sonogashira u. N. Hagihara, Chem. Commun. 1972, 993.

Das Carbonyl-rhodium-System kann eine Vielzahl von Carbonyl-rhodium-Cluster Verbindungen mit einer σ–C–Rh-Bindung bilden. Im folgenden wird die Synthese einige dieser Cluster beschrieben[1, 2]. Die Cluster besitzen negative Ladung. Ihre Stabilität nimm zu, wenn die negative Ladung über eine größere Zahl von Metall-Atomen verschmier wird. In folgender Reihe nimmt die Empfindlichkeit der Verbindungen gegenüber Wasse und Sauerstoff parallel zum Quotient aus negativer Ladung und Zahl der Rhodium-Atom ab[1]:

$$[Rh_6(CO)_{14}(COOCH_3)]^{2\ominus} \quad > \quad [Rh_4(CO)_{11}(COOCH_3)]^{\ominus} \quad > \quad [Rh_6(CO)_6(CO)_{15}(COOCH_3)]^{\ominus}$$

$$1/3 \qquad\qquad > \qquad\qquad 1/4 \qquad\qquad > \qquad\qquad 1/6$$

Die Synthese des *Methoxycarbonyl-undecacarbonyl-tetrarhodium-Clusters* geling durch Behandeln von Dodecacarbonyl-tetrarhodium mit Natrium- oder Magnesium-me thanolat in einer Kohlenmonoxid-Atmosphäre, um die Zersetzung der Carbonyle zu ver hindern[1].

$$Rh_4(CO)_{12} \quad + \quad OCH_3^{\ominus} \quad \xrightarrow{CH_3OH/CO;\ 25°} \quad [Rh_4(CO)_{11}(COOCH_3)]^{\ominus}$$

Die analogen *Ethoxycarbonyl-* und *Isopropyloxycarbonyl-undecacarbonyl-tetrarho dium-Cluster* entstehen durch Behandeln mit dem entsprechenden Alkanolat im zugehö rigen Alkohol.

Die Synthese gelingt auch mit überschüssigem wasserfreien Natriumcarbonat oder stö chiometrischen Mengen Tetraethylammonium-carbonat in abs. Methanol[1].

Infolge ihrer Instabilität und hohen Reaktivität ist es schwierig, eine reine Verbindun zu erhalten. Ein nahezu einheitliches kristallines Produkt erhält man bei Zusatz von Bis [triphenylphosphano]-iminium- oder Cobalticinium-chlorid zur methanolischen Lösun des Natrium-Salzes.

(Bis-[triphenylphosphano]-iminium)-methoxycarbonyl-undecacarbonyl-tetrarhodat[1]: Man arbeitet unter e ner Kohlenmonoxid-Atmosphäre. Eine Suspension aus 0,72 g Dodecacarbonyl-tetrarhodium und 0,36 g Na triumcarbonat in 15 *ml* abs. Methanol wird ~ 15 Min. gerührt, bis sich der Komplex vollständig umgesetzt ha Die gebildete dunkelrote Lösung des Natrium-Salzes wird rasch filtriert, um überschüssiges Natriumcarbonat z entfernen. Ihr werden 2,5 g festes Bis-[triphenylphosphano]-iminium-chlorid zugesetzt. Nach einer kurzen Ir duktionsperiode beginnt die Verbindung auszukristallisieren. Sie wird auf –70° abgekühlt, nach Beendigung de Kristallisation wird sie bei dieser Temp. abfiltriert, mit kaltem Methanol gewaschen, um das überschüssige Imini um-chlorid zu entfernen, und i. Vak. getrocknet; Ausbeute: 60–70% d. Th.; IR(THF); ν_{CO} (terminal) 2075(w 2030(vs), 2010(s) und 1995(sh) cm^{-1}, ν_{CO}(Brücken) 1892(w) und 1845(s) cm^{-1}, $\nu_{C=O}$ 1655 cm^{-1}.

Wird die Umsetzung mit Natriummethanolat im Unterschuß durchgeführt, so entsteh durch Reaktion des zuerst gebildeten Methoxycarbonyl-tetrarhodium-Clusters mit Dode cacarbonyl-tetrarhodium das *Natrium-methoxycarbonyl-pentadecacarbonyl-hexarho dat*[1, 3]:

$$2\ Rh_4(CO)_{12} \quad + \quad 2\ NaOCH_3 \quad \xrightarrow{CH_3OH,\ CO,\ 25°} \quad 2\ Na[Rh_4(CO)_{11}(COOCH_3)]$$

$$\xrightarrow[-\ 4\ CO]{+\ Rh_4(CO)_{12};\ langsam\ (18\ Stdn.)} \quad 2\ Na[Rh_6(CO)_{15}(COOCH_3)]$$

Folgende Hexarhodium-Cluster können durch Behandeln von Carbonyl-rhodium-Ver bindungen mit 1-Hydroxy- oder 2-Amino-propan und Natriumcarbonat hergestellt wer den[2]:

[1] S. MARTINENGO, A. FUMAGALLI, P. CHINI, V. G. ALBANO u. G. CIANI, J. Organometal. Chem. **116**, 333 (1976)
[2] P. CHINI, S. MARTINENGO u. G. GIORDANO, G. **102**, 330 (1972).
[3] P. CHINI, J. Organometal. Chem. **200**, 37 (1980).

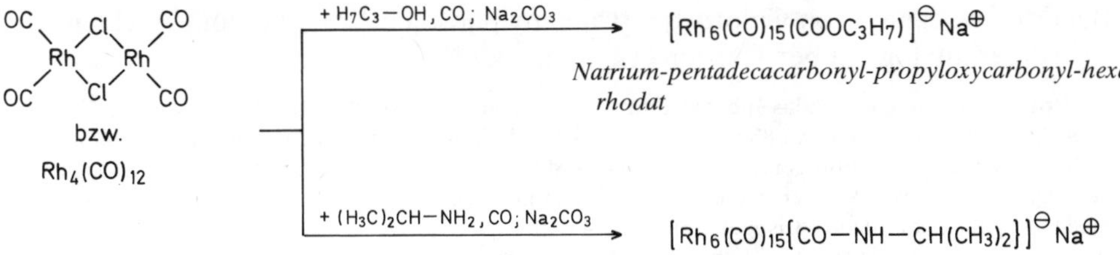

$$[Rh_6(CO)_{15}(COOC_3H_7)]^{\ominus} Na^{\oplus}$$

Natrium-pentadecacarbonyl-propyloxycarbonyl-hexa-rhodat

$$[Rh_6(CO)_{15}\{CO-NH-CH(CH_3)_2\}]^{\ominus} Na^{\oplus}$$

Natrium-(isopropylamino-carbonyl)-pentadeca-carbonyl-hexarhodat

Dodecacarbonyl-tetrarhodium bildet in polaren Lösungsmitteln (z. B. Methanol, Aceton) mit Ethen oder Propen einen Acyl-hexarhodium-Cluster-Komplex, der als Tetraalkylammonium-Salz ausgefällt wird[1]:

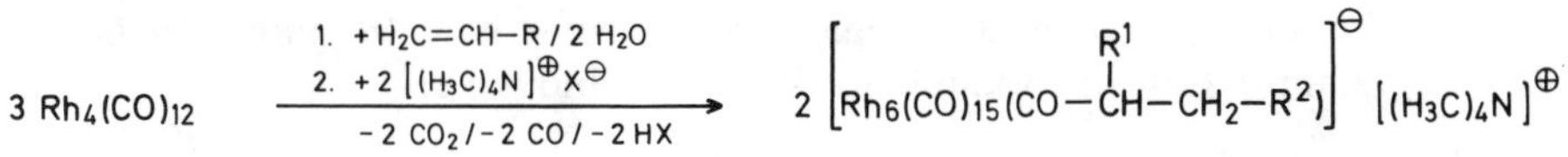

$$3\ Rh_4(CO)_{12} \xrightarrow[-2\ CO_2 / -2\ CO / -2\ HX]{\begin{array}{l}1.\ +H_2C=CH-R\ /\ 2\ H_2O \\ 2.\ +2\ [(H_3C)_4N]^{\oplus}X^{\ominus}\end{array}} 2\ \left[Rh_6(CO)_{15}(CO-\overset{\overset{\displaystyle R^1}{|}}{C}H-CH_2-R^2)\right]^{\ominus} [(H_3C)_4N]^{\oplus}$$

Tetramethylammonium-. . .-hexarhodat

R = H; . . .-pentadecacarbonyl-propanoyl-. . .; 80%
R = R² = CH₃; R¹ = H; . . .-butanoyl-pentadecacarbonyl-. . .
R = R¹ = CH₃; R² = H; . . .-(2-methyl-propanoyl)-pentadecacarbonyl-. . .

Der Acyl-hexarhodium-Cluster entsteht auch durch Umsetzung des analogen Hydrido-Clusters mit Alkenen und Kohlenmonoxid[1–3].

$$[Rh_6(CO)_{15}H]^{\ominus} + R-CH=CH_2 \xrightarrow{CO} [Rh_6(CO)_{15}(CO-\overset{\overset{\displaystyle R^2}{|}}{C}H-CHR^1)]^{\ominus}$$

VII. Organo-rhodium-metall-Verbindungen mit Rh-Metall-Bindungen

Analog dem Iridium-Komplex reagiert Bis-[methyl-diphenyl-phosphan] (bzw. -[triphenylphosphan])-carbonyl-chloro-rhodium oder Chloro-tris-[triphenylphosphan]-rhodium mit Arylethinyl-kupfer[4] zu Kupfer-rhodium-Cluster-Verbindungen (15–40%):

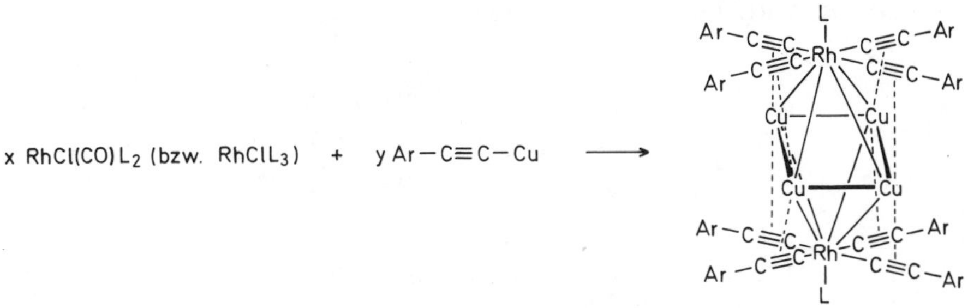

x RhCl(CO)L₂ (bzw. RhClL₃) + y Ar−C≡C−Cu ⟶

[1] P. CHINI, S. MARTINENGO u. G. GARLASCHELLI, Chem. Commun. 1972, 709.
[2] P. CHINI, J. Organometal. Chem. 200, 37 (1980).
[3] Vgl. a. G. CIANI, A. SIRONI, P. CHINI u. S. MARTINENGO, J. Organometal. Chem. 213, C 37 (1981).
[4] O. M. ABU SALAH u. M. I. BRUCE, Chem. Commun. 1974, 688; Austral. J. Chem. 29, 531 (1976).

Bei der Umsetzung von Chloro-tris-[triphenylphosphan]-rhodium mit Arylethinyl-sil ber wird der analoge Silber-Cluster (12%) gebildet[1, 2].

Bis-[triphenylphosphan]-octakis-[phenylethinyl]-dirhodium-tetrasilber[1, 2]: 925 mg (1 mmol) Chloro-tris [triphenylphosphan]-rhodium und 836 mg (4 mmol) Phenylethinyl-silber werden in 50 *ml* THF 24 Stdn. unte Rückfluß erhitzt. Das Reaktionsgemisch färbt sich türkisblau. Es wird über eine Säule mit Florisil (Höhe ~ 5 cm filtriert. Das Filtrat wird i. Vak. eingeengt, der Rückstand in Aceton umkristallisiert. Es entstehen türkisblaue Kristalle mit goldenem Glanz; Ausbeute: 390 mg (41%).

Anschließend fallen 60 mg eines Kristall-Gemenges aus, das aus dem gewünschten Cluster und einem farblo sen Komplex besteht.

Das Komplex-Gemenge und das zuletzt erhaltene Filtrat werden vereinigt und chromatographiert. Eine gelbe Bande, die mit Petrolether/Benzol (4/1) eluiert wird, erhält 1,4-Diphenyl-butadiin (15 mg = 4% d. Th.). Eine blaue Bande, die mit Petrolether/Benzol (3/7) eluiert wird, enthält den gewünschten Cluster. Beide Kristallfrak tionen des Clusters werden vereinigt und aus Petrolether/Dichloromethan umkristallisiert; Ausbeute: 430 mg (45%); F: 253° (Zers.); IR(Nujol): $\nu_{C\equiv C}$ 2040(vw), 2019(m) und 1973(vw, br) cm^{-1}. Der Komplex ist im kristal linen und gelösten Zustand gegenüber Luft stabil.

Der Ketenyl-Wolfram-Komplex I reagiert mit Di-(η^2-ethen)-(η^5-indenyl)-rhodium I unter Bildung einer μ-Carbin-rhodium-wolfram-Verbindung III[3]:

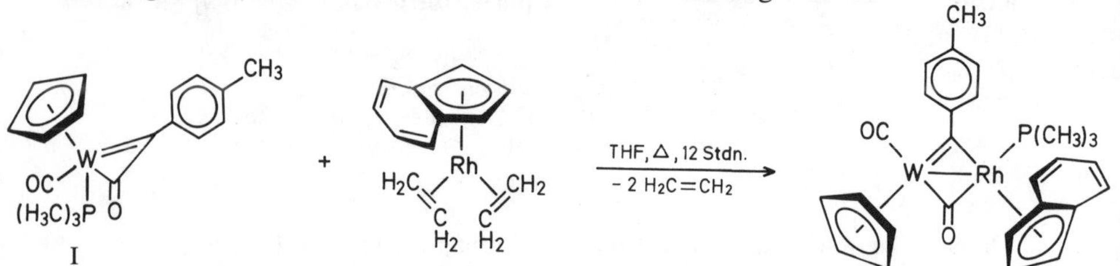

III; *1,3-μ-Carbonyl-3-carbonyl- 3-(η^5-cyclopentadienyl)-1-(η^5-indenyl)-2-(4-methyl- phenyl)-1-triphenyl-phosphan-1H-1,2-rhodawolfririn*; 52%; F: 183°

Bei der Umsetzung des Kobaltirans IV mit (η^5-Cyclopentadienyl)-dicarbonyl-rhodium wird der Carbonyl-cy clopentadienyl-metall-Rest ausgetauscht[4]. Daneben entsteht das entsprechende 1,2-Rhodiran.

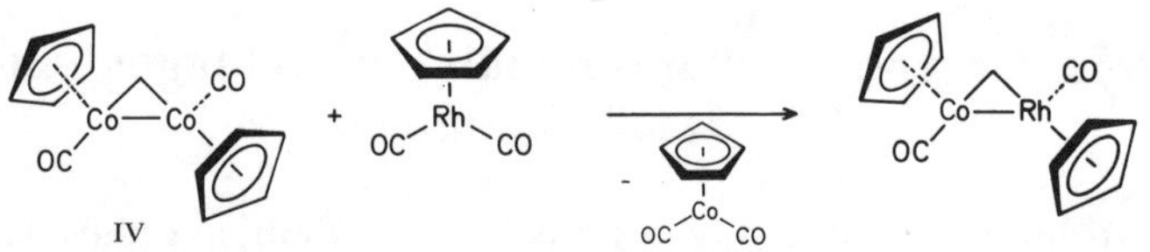

38%; F: 67,5°

Die Carbin-Gruppe kann mit Tetrafluorborsäure-Etherat protoniert werden, ohne daß eine C-Metall-Bin dung gespalten wird. Komplex III kann auch durch Umsetzung von Rhodium- mit Carbin-wolfram-Komplexer hergestellt werden. An die Rhodium-wolfram-Verbindung III wird durch Behandeln mit Nonacarbonyl- dieiser bzw. Dicarbonyl-(η^5-indenyl)-rhodium ein weiterer Metall-Rest angelagert (s. Lit.)[5, 6]:

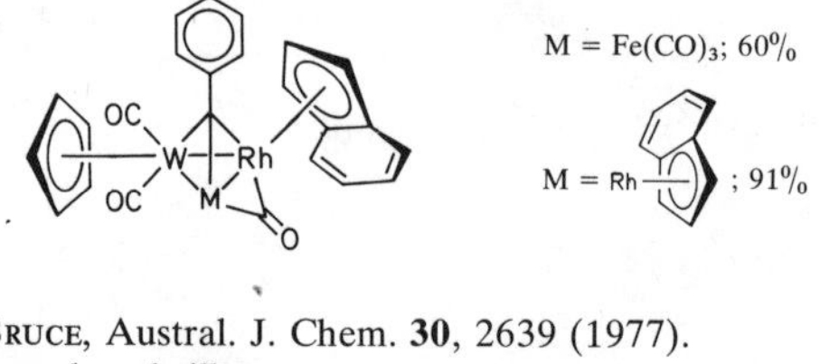

M = Fe(CO)$_3$; 60%

M = Rh ⟨⟩ ; 91%

[1] O.M. Abu Salah u. M.I. Bruce, Austral. J. Chem. **30**, 2639 (1977).
[2] Zur Umsetzung mit Pentafluorphenyl-silber:
   O.M. Abu Salah, M.I. Bruce, M.R. Churchill u. B.G. de Boer, Chem. Commun. **1974**, 688.
   M.R. Churchill u. B.G. de Boer, Inorg. Chem. **14**, 2630 (1975).
[3] J.C. Jeffery, C. Sambale, M.F. Schmidt u. F.G.A. Stone, Organometallics **1**, 1597 (1982).
[4] K.H. Theopold u. R.G. Bergman, Am. Soc. **105**, 464 (1983).
[5] M. Green, J.C. Jeffery, S.J. Porter, H. Razay u. F.G.A. Stone, Soc. [Dalton] **1982**, 2475.
[6] Vgl. a. M. Chetcuti, M. Green, J.A.K. Howard, J.C. Jeffery, R.M. Mills, G.N. Pain, S.J. Porter, F.G.A Stone, A.A. Wilson u. P. Woodward, Chem. Commun. **1980**, 1057; Soc. [Dalton] **1982**, 699.

B. Umwandlung

I. Spaltungsreaktionen

a) mit protischen Lösungsmitteln und Protonen-Säuren

1. von Organo-rhodium(I)-Verbindungen

Organo-rhodium(I)-Verbindungen werden durch Halogenwasserstoff nach einem Addition-Eliminierungs-Mechanismus gespalten[1]:

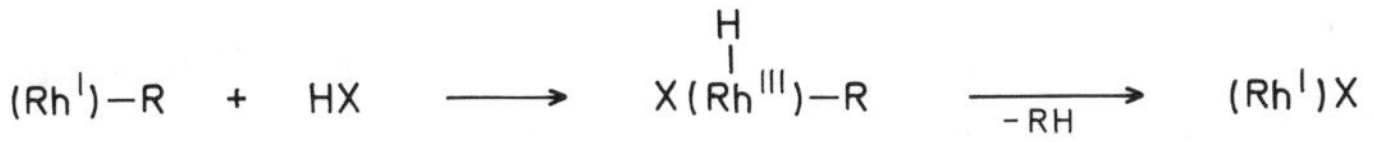

$$(Rh^I)-R \;+\; HX \longrightarrow \underset{\underset{\displaystyle R}{|}}{X(Rh^{III})}-R \;\xrightarrow[-RH]{}\; (Rh^I)X$$

Die σ–C–Rh-Bindung von Methyl- und Phenyl-tris-[triphenylphosphan]-rhodium wird auch durch Phenol gespalten, bei der Methyl-Gruppe bereits bei 20° und bei der Phenyl-Gruppe erst beim Erhitzen auf 100°[2].

Bei der Spaltung von *cis*-1-Alkenyl-rhodium-Komplexen mit Chlorwasserstoff können *cis*-Alkene isoliert werden, wenn das Reaktionsmedium sogleich mit Natrium-hydrogen-carbonat neutralisiert wird[3, 4], da in saurer Lösung rasche Isomerisierung zu *trans*-Alkenen eintritt:

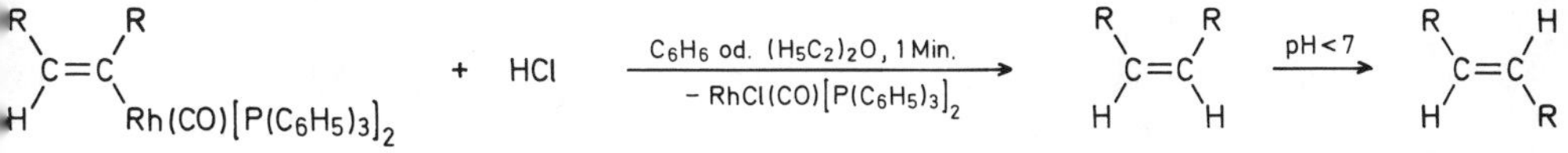

$$R = COOCH_3,\ COOH,\ C_6H_5,\ CF_3$$

Wird Methyl-tris-[triphenylphosphan]-rhodium mit Diphenylethin umgesetzt und anschließend hydrolysiert, so erhält man neben anderen Verbindungen[5] je nach Reaktionsbedingungen u. a. *cis*- oder *trans-1,2-Diphenyl-propen*:

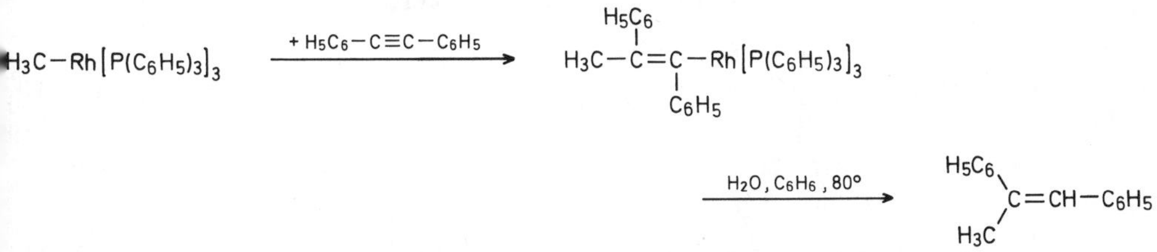

Zur Rh–C-Spaltung der Pentachlorphenyl- und Pentafluorphenyl-Reste werden starke Säuren benötigt[6, 7].

---

[1] G. YAGUPSKY, C. K. BROWN u. G. WILKINSON, Soc. [A] **1970**, 1392.
[2] W. KEIM, J. Organometal. Chem. **8**, P 25 (1967); **14**, 179 (1968).
[3] B. L. BOOTH u. A. D. LLOYD, J. Organometal. Chem. **35**, 195 (1972).
[4] J. SCHWARTZ, D. W. HART u. J. L. HOLDEN, Am. Soc. **94**, 9269 (1972).
[5] M. MICHMAN u. M. BALOG, J. Organometal. Chem. **31**, 395 (1971).
[6] R. L. BENNETT, M. I. BRUCE u. R. C. F. GARDNER, Soc. [Dalton] **1973**, 2653.
[7] G. TRESOLDI, F. FARAONE u. P. PIRAINO, Soc. [Dalton] **1979**, 1053.

Die σ–C–Rh-Bindung von ortho-metallierten Aryl-Donor-Liganden wird durch Ameisensäure und Chlorwasserstoff gespalten[1, 2].

Bei der Hydrolyse zerfällt der Methoxycarbonyl-Rest nach der Protonierung in Methanol und Kohlenmonoxid[3].

2. von Organo-rhodium(III)-Verbindungen

Bis-[triphenylphosphan]-dichloro-(1,1,2,2-tetrafluor-ethyl)-rhodium sowie die (1-Chlor-1,2,2-trifluorethyl)-Verbindung verlieren bereits in Gegenwart von Wasser ihren organischen Rest[4]. Bei σ-Allyl-π-allyl-rhodium-Verbindungen wird der σ-Allyl-Rest bereits durch verdünnte, der π-Allyl-Rest erst durch konzentrierte Salzsäure vom Metall entfernt[5].

Aus Rhodolanen, Rhodinanen bzw. Rhodepanen entstehen neben den entsprechenden Alkanen Gemische verschiender Alkene[6-8].

Carbonyl-chloro-[2-(diphenylphosphano)-phenyl-C,P]-phenyl-rhodium verliert beim Behandeln mit Phenol den Phenyl-Rest[9].

Zur Spaltung der recht stabilen cyclometallierten 1-Alkenyl- und Aryl-Komplexe benötigt man starke Säuren. Im ersten Beispiel ist sogar Erhitzen in siedendem Benzol erforderlich[10]. Die Reaktion ist reversibel.

Alkoxycarbonyl- bzw. Diethylaminocarbonyl-Gruppen des meso-Tetraphenyl-porphinato-Komplexes werden durch Behandeln des Komplexes mit Wasser-freiem Chlorwasserstoff abgespalten[12].

3. von anderen Organo-rhodium-Verbindungen

Alkoxycarbonyl-rhodium-Cluster-Anionkomplexe sind gegenüber Wasser und Sauerstoff um so empfindlicher, je höher die mittlere negative Ladung pro Rhodium-Atom ist[13, 14].

[1] S.H. Strauss, K.H. Whitmire u. D.F. Shriver, J. Organometal. Chem. **174**, C 59 (1979).
[2] E.K. Barefield u. G.W. Parshall, Inorg. Chem. **11**, 964 (1972).
[3] W. Hieber u. V. Frey, B. **99**, 2614 (1966).
[4] R.D.W. Kemmitt u. D.I. Nicholas, Soc. [A] **1969**, 1577.
[5] J. Powell u. B.L. Shaw, Soc. [A] **1968**, 583.
[6] P. Diversi, G. Ingrosso u. A. Lucherini, Chem. Commun. **1977**, 52.
[7] P. Diversi, G. Ingrosso, A. Lucherini, P. Martinelli, M. Beneti u. S. Pucci, J. Organometal. Chem. **165**, 253 (1979).
[8] P. Diversi, G. Ingrosso, A. Lucherini, W. Porzio u. M. Zocchi, Inorg. Chem. **19**, 3590 (1980).
[9] W. Keim, J. Organometal. Chem. **19**, 161 (1969).
[10] R.J. Foot u. B.T. Heaton, Soc. [Dalton] **1979**, 295.
[11] M.I. Bruce, M.Z. Iqbal u. F.G.A. Stone, J. Organometal. Chem. **40**, 393 (1972).
[12] I.A. Cohen u. B.C. Chow, Inorg. Chem. **13**, 488 (1974).
[13] P. Chini, S. Martinengo u. G. Giordano, G. **102**, 330 (1972).
[14] S. Martinengo, A. Fumagalli, P. Chini, V.G. Albano u. G. Ciani, J. Organometal. Chem. **116**, 333 (1976).

luster	$[Rh_6(CO)_{14}(CO-CH_3)_2]^{2\ominus}$	$[Rh_4(CO)_{11}(CO-CH_3)]^{\ominus}$	$[Rh_6(CO)_{15}(CO-CH_3)]^{\ominus}$
ittl. negative Ladung pro Rh: eaktivität gegen H_2O und O_2:	1/3	1/4 $\leftarrow$ zunehmend	1/6

Der Angriff von Säuren erfolgt an der Alkoxy- oder Alkylamino-Gruppe unter Rh–C-paltung.

Die Methylidin-Gruppen von μ_3-Methylidin-tris-[η^5-pentamethylcyclopentadienyl-rhodium] werden von rifluoressigsäure gespalten unter Bildung von Methan[1].

b) mit Basen bzw. nucleophilen Verbindungen

Die Reaktionen von Organo-rhodium-Verbindungen mit Metallhydriden werden auf . 445 beschrieben.

Je nach Rhodium-Komplex wirken Wasser, Alkohole oder Phenole elektrophil oder ucleophil.

Der nucleophile Angriff von Wasser oder Alkohol an Acyl-rhodium(III)-Komplexen ommt der katalytischen Carbonylierung von Alkoholen gleich[2]:

$$X-(Rh^{III})-CO-R^1 \xrightarrow[-(Rh^I)/-HX]{+R^2-OH} R^1-COOR^2$$

$$R^2 = H, Alkyl$$

Basen verhalten sich gegenüber Acyl-Komplexen ebenfalls nucleophil; z.B.[3,4]:

$$2\ Rh(CO-NH_2)(CO)L + 2\ NH_3 \xrightarrow[-[Rh(CO)L]_2/-H_2]{100°, 3\,Tage} 2\ NH_4NCO + H_2N-CO-NH_2$$

$$L = [(H_5C_6)_2P-CH_2]_3C-R$$
$$R = CH_3,\ CH_2-P(C_6H_5)_2$$

$$[Rh_4(CO)_{11}(COOCH_3)]^{\ominus} + 3\ OH^{\ominus} \xrightarrow[-[Rh_4(CO)_{11}]^{2\ominus}/-H_2O/-CO_3^{2\ominus}]{} H_3C-OH$$

Die Elektronen-Dichte am Rhodium-Atom der Alkyl-rhodium(IV)-chelat-Kationen ist so gering, daß es lurch Nucleophile wie Pyridin und sogar Chlorid angegriffen wird[5]. Der Alkyl-Rest wird wahrscheinlich als Car-)enium-Ion abgespalten.

$$[RhR(Chelat)] + Y \xrightarrow[-Rh^{II}(Chelat)]{} R-\overset{\oplus}{Y}$$

$$Y = Pyridin, Cl$$
$$R = CH_3,\ C_3H_7,\ CH(CH_3)_2$$

[1] P. M. MAITLIS et al. Organometallics 1, 1604 (1982).
[2] D. BRODZKI, C. LECLERE, B. DENISE u. G. PANNETIER, Bl. 1976, 62.
[3] H. BEHRENS, J. ELLERMANN u. E. F. HOHENBERGER, Z. Naturf. 35b, 661 (1980).
[4] S. MARTINENGO, A. FUMAGALLI, P. CHINI, V. G. ALBANO u. G. CIANI, J. Organometal. Chem. 116, 333 (1976).
[5] I. Y. LEVITIN, A. L. SIGAN u. M. E. VOL'PIN, Chem. Commun. 1975, 469.

c) mit Wasserstoff bzw. reduzierenden Reagenzien sowie durch Elektroreduktion

1. mit Wasserstoff

Die Spaltung der σ–C–Rh-Bindung durch molekularen Wasserstoff ist der letzte Schrit bei der Rhodium-katalysierten Hydroformulierung und Hydrierung:

$$(Rh^I)-R \; + \; H_2 \longrightarrow H_2(Rh^{III})-R \xrightarrow{-RH} (Rh^I)-H$$

oxidative Addition
z.B.: R = Alkyl, Acyl

reduktive Addition

Analog werden stabile Organo-rhodium(I)-Verbindungen durch molekularen Wasser stoff gespalten[1-4].

$$Rh(R)L_3 \; + \; H_2(D_2) \xrightarrow[-R-H]{\text{Toluol, 40 bar, 25°}} RhHL_n \quad (RhDL_n^D)$$

Bei der recht stabilen (1,1,2,2-Tetrafluor-ethyl)-Verbindung muß hoher Druck (80 bar angewandt werden[5].

Die σ-Aryl-Rh-Bindungen von ortho-metallierten Donor-Liganden werden gleichfall durch Behandeln mit molekularem Wasserstoff geöffnet[6]. Da die Reaktion oft reversibe ist, kann nach dieser Methode Deuterium in ortho-Stellung der Liganden eingeführt wer den. Die Reaktion ist bei den Phosphit-Komplexen reversibel[7]:

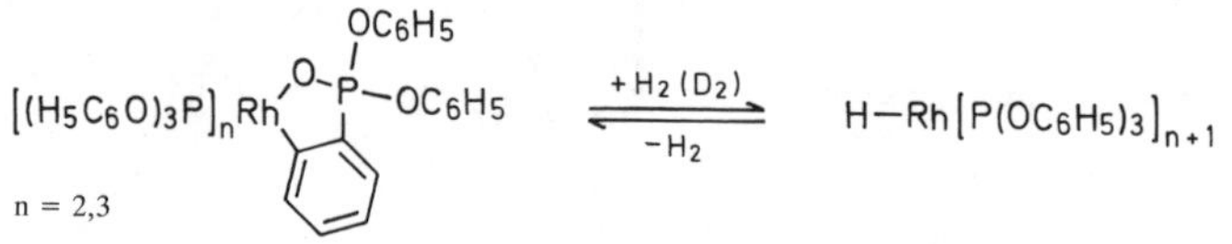

Hydrido-tris-[triphenylphosphan]-rhodium ist labil, es bildet bereits bei Normalbedingungen die ortho-me tallierte Verbindung zurück[8].

Zur Rhodium-katalysierten Hydrierung von Alkinen und Spaltung der intermediär gebildeten μ,η^2-Vinyl dirhodium- Komplexe durch Wasserstoff s. Lit.[9].

Rhodole werden durch Wasserstoff in Gegenwart von Palladium auf Aktivkohle deme talliert[10]; z.B.:

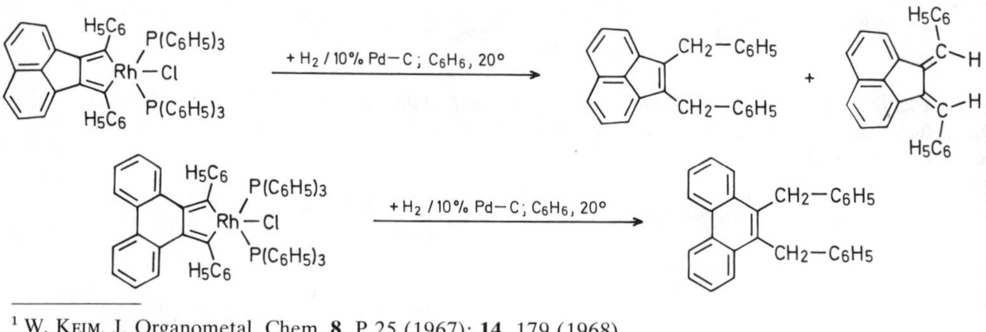

[1] W. KEIM, J. Organometal. Chem. **8**, P 25 (1967); **14**, 179 (1968).
[2] G. YAGUPSKY, C. K. BROWN u. G. WILKINSON, Chem. Commun. **1969**, 1244.
[3] T. YAMAMOTO u. A. YAMAMOTO, J. Organometal. Chem. **117**, 365 (1976).
[4] R. A. JONES u. G. WILKINSON, Soc. [Dalton] **1979**, 472.
[5] G. YAGUPSKY, C. K. BROWN u. G. WILKINSON, Soc. [A] **1970**, 1392.
[6] W. KEIM, J. Organomet. Chem. **14**, 179 (1968); **19**, 161 (1969).
[7] W. H. KNOTH u. R. A. SCHUNN, Am. Soc. **91**, 2400 (1969).
[8] E. K. BAREFIED u. G. W. PARSHALL, Inorg. Chem. **11**, 964 (1972).
[9] R. B. BURCH, A. J. SHUSTERMAN, E. L. MUETTERTIES, R. G. TELLER u. J. M. WILLIAMS, Am. Soc. **105**, 3546 (1983).
[10] E. MÜLLER, R. THOMAS u. G. ZOUNTSAS, A. **758**, 16 (1972).

2. mit Alkoholen als Wasserstoff-Lieferant

Alkohole können als Proton-aktive Reagenzien (s. S. 442), als nucleophile Verbindung (s.S. 443) und als Reduktionsmittel wirken; z.B.[1]:

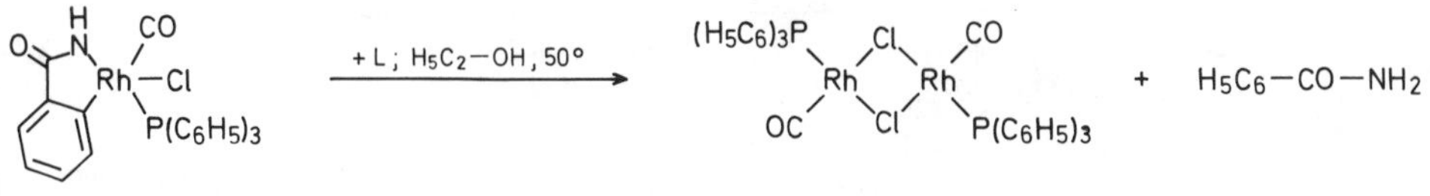

L = $P(C_6H_5)_3$; CO

3. mit Metall-hydriden

Offene und cyclische Acyl-rhodium(III)-Verbindungen werden durch Metallhydride an der Rh–C-Bindung gespalten, da die polare Acyl-Gruppe durch das nucleophile Reagens leicht angegriffen wird. Der zunächst entstehende Aldehyd wird weiter zum Alkohol reduziert[2].

Mit Natriumhydrid fällt das Natriumalkanolat an, mit Natriumboranat bzw. Lithiumalanat der freie Alkohol; z.B.[3-8]:

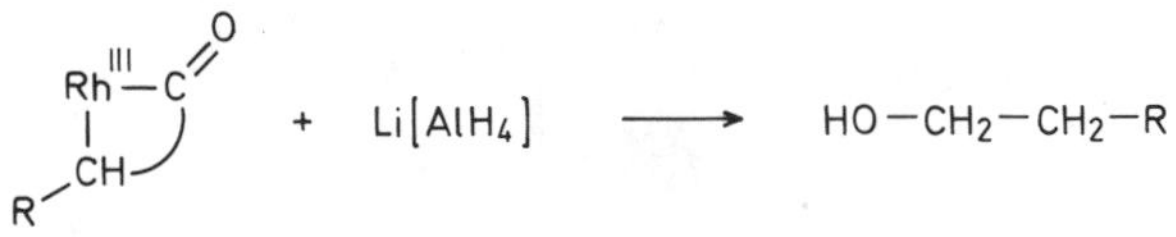

Gleichzeitig anwesende C,C-Doppelbindungen werden hydriert.

4-Phenyl-butanol[4]: 0,25 g 1-Carbonyl-1-chloro-3-oxo-2,3-dihydro-rhodol, gelöst in 3 *ml* Pyridin, werden innerhalb 2 Stdn. mit 0,8 g Natrium-boranat unter Rühren versetzt und 1 Stde. gerührt. Dann wird die Mischung vorsichtig mit Wasser versetzt und mit Diethylether extrahiert; Ausbeute: 0,065 g (60%).

Aus Komplex I erhält man mit Lithiumalanat *Benzoylamid*[1]:

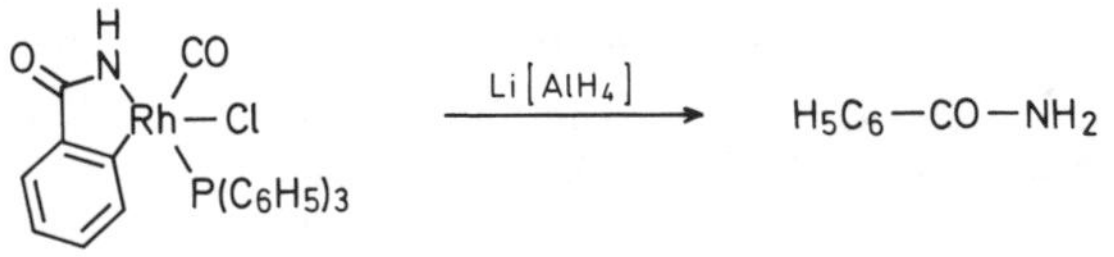

Der metallierte Azobenzol-Ligand wird mit Lithiumalanat freigesetzt[9], wobei infolge Hydrogenolyse der N=N-Doppelbindung etwas Anilin anfällt; z.B.:

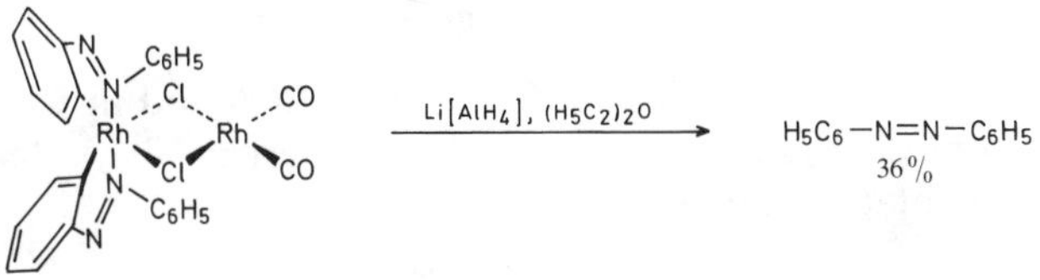

[1] P.L. SANDRINI, R.A. MICHELIN u. F. CANZIANI, J. Organometal. Chem. **91**, 363 (1975).
[2] H. WERNER, R. FESER u. W. BUCHNER, B. **112**, 834 (1979);
  H. WERNER, S. LOTZ u. B. HEISER, J. Organometal. Chem. **209**, 197 (1981): Bei Kobalt entsteht stattdessen Methan.
[3] K.G. POWELL u. F.J. McQUILLIN, Chem. Commun. **1971**, 931.
[4] F.J. McQUILLIN u. K.C. POWELL, Soc. [Dalton] **1972**, 2129.
[5] R.ROSSI, P. DIVERSI u. L. PORRI, J. Organometal. Chem. **31**, C 40 (1971).
[6] P.G. GASSMAN u. J.A. NIKORA, J. Organometal. Chem. **92**, 81 (1975).
[7] G. INGROSSO, P. GRONCHI u. L. PORRI, J. Organometal. Chem. **86**, C 20 (1975).
[8] A. BORRINI u. G. INGROSSO, J. Organometal. Chem. **132**, 275 (1977).
[9] M.I. BRUCE, M.Z. IQBAL u. F.G.A. STONE, J. Organometal. Chem. **40**, 393 (1972).

Tab. 9: Alkohole durch Spaltung cyclischer Acyl-rhodium(III)-Verbindungen I mit Natriumboranat bzw. Lithiumalanat

I (vgl. S. 445)	Reduktionsmittel	Alkohol	Ausbeute [%]	Literatur
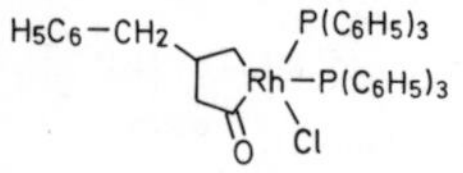 $H_5C_6-CH_2$ ... P(C₆H₅)₃ / Rh—P(C₆H₅)₃ / O, Cl (structure)	Na[BH₄], Pyridin	*3-Methyl-4-phenyl-butanol*	40	[1,2]
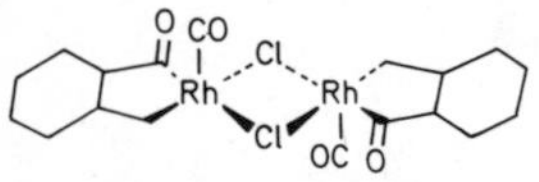 (dimeric acyl-rhodium structure with O, CO, Cl)	Na[BH₄]	*(2-Methyl-cyclohexyl)-carbinol*		[1]
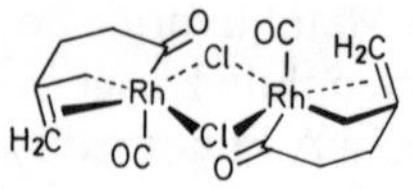 (dimeric structure with O, OC, H₂C, Cl)	Na[BH₄]	*4-Methyl-pentanol*		[3]
OC—Rh (bicyclic structure) Cl, O	Li[AlH₄] (Li[AlD₄])	(bicyclic) (D) CH₂—OH (CD₂—OD)	(35)	[4]
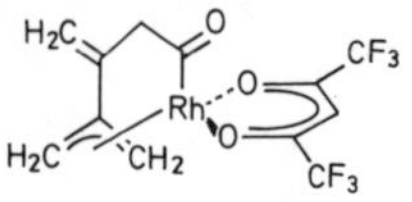 H_2C ... O, CF₃ / Rh, O / H_2C—CH₂, CF₃ (structure)	Li[AlH₄], (C₂H₅)₂O	*3,4-Dimethyl-pentanol*		[5,6]

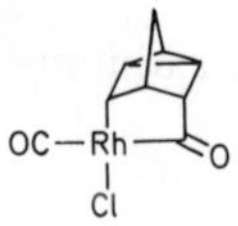

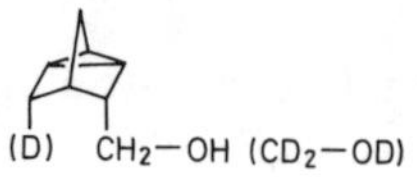

4. mit anderen Reduktionsmitteln

(2-Brom-tetrafluor-ethyl)-bromo-(η^5-cyclopentadienyl)-triphenylphosphan- rhodium wird von Zink-Pulver in Dimethylformamid unter Rh–σ–C-Spaltung dehalogeniert, und man erhält (*η^5-Cyclopentadienyl)-η^2-tetrafluorethen-triphenylphosphan-rhodium* (46%)[7].

5. durch Elektroreduktion

Organo-rhodium(I)-Komplexe werden in einem 2-Elektronen-Schritt unter Freisetzung des Kohlenwasserstoffs reduziert[8]. Das Reduktionspotential ist unabhängig vom Metall.

d) mit Halogenen bzw. organischen Halogen-Verbindungen

1. mit Halogenen

Dichloro-hexadecanoyl-rhodium-Komplexe liefern durch Jod in Chloroform bei 20° unter Decarbonylierung des organischen Restes *1-Pentadecen* (40%). Bei der Thermolyse wird dagegen das 2-Pentadecen gebildet[9].

$$Rh[CO-(CH_2)_{14}-CH_3]Cl_2L_2 \xrightarrow[-RhX_2Y(CO)L_2]{J_2,\ CHCl_3,\ 25°} H_2C=CH-(CH_2)_{12}-CH_3$$

[1] K.G. Powell u. F.J. McQuillin, Chem. Commun. **1971**, 931.
[2] F.J. McQuillin u. K.C. Powell, Soc. [Dalton] **1972**, 2129.
[3] R. Rossi, P. Diversi u. L. Porri, J. Organomet. Chem. **31**, C 40 (1971).
[4] P.G. Gassman u. J.A. Nikora, J. Organomet. Chem. **92**, 81 (1975).
[5] G. Ingrosso, P. Gronchi u. L. Porri, J. Organomet. Chem. **86**, C 20 (1975).
[6] A. Borrini u. G. Ingrosso, J. Organomet. Chem. **132**, 275 (1977).
[7] A.J. Oliver u. W.A.G. Graham, Inorg. Chem. **10**, 1165 (1971).
[8] G. Schiavon, S. Zecchin, G. Pilloni u. M. Martelli, J. Organomet. Chem. **121**, 261 (1976).
[9] J. Tsuji u. K. Ohno, Am. Soc. **88**, 3452 (1966); **90**, 99 (1968).

Sogar die stabilen Perfluoraryl-Rh-Bindungen werden durch elementares Halogen gepalten[1].

Die Tatsache, daß Brom die σ–C–Rh-Bindung meist ohne Isomerisierung spaltet, wird ur Aufklärung cyclischer Rhodium-Verbindungen ausgenutzt[2–4]; z.B.:

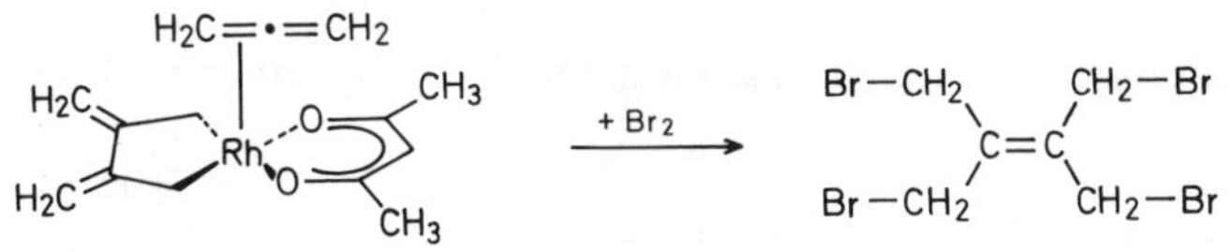

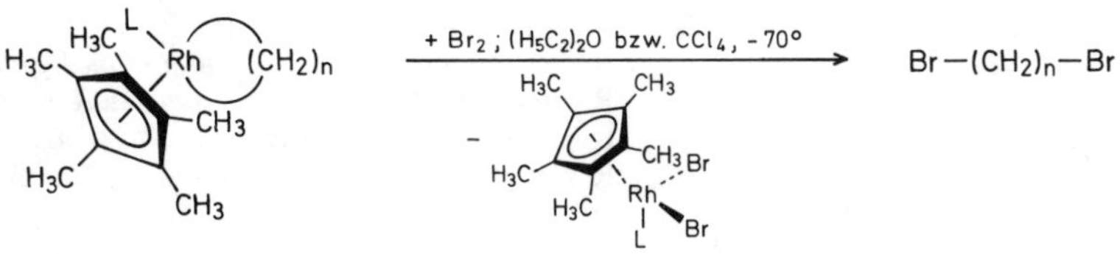

Die Acyl-Gruppe von Rhodium-Clustern wird mit Jod in Methanol zu Carbonsäurenethylestern umgesetzt[5].

2. mit organischen Halogen-Verbindungen

Die Spaltung von Organo-rhodium(I)-Komplexen durch organische Halogen-Verbinlungen erfolgt i.a. nach einem Additions-Eliminierungs-Mechanismus unter Rh–C-Spalung und C–C-Neuknüpfung der Organo-Reste vom Rhodium-Metall und Halogen-Atom:

$$(Rh^{I})—R^1 + R^2—X \xrightarrow{\text{oxidative Addition}} R^1—(Rh^{III}(R^2))—X \xrightarrow[-(Rh^{I})—X]{\text{reduktive Eliminierung}} R^1—R^2X$$

oxidative Addition | reduktive Eliminierung

Mit dieser Methode gelingt es auch die C_{Vinyl}-Hal- bzw. C_{Aryl}-Hal-Bindung zu spalten[6] zum Mechanismus s. Lit.[6]).

$$R^1—Rh[P(C_6H_5)_3]_3 + R^2—X \xrightarrow[-RhX[P(C_6H_5)_3]_3]{DMF,\ 56°,\ 1\ Stde.} R^1—R^2$$

z.B.: $R^1 = CH_3$; $R^2 =$ 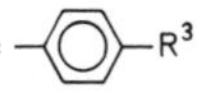 ; $R^3 = H$; $X = J$; *Toluol*; 90%
$R^3 = CN$; $X = Br$; *4-Methyl-benzonitril*; 59%
$R^3 = CO–C_6H_5$; $X = Br$; *4-Methyl-benzophenon*; 76%
$R^1 = C_6H_5$; $R^2 = CH_3$; $X = J$; *Toluol*; 96%
$R^2 = C_6H_5$; $X = Br$; *Biphenyl*; 12%

Chlorbenzol ist zu reaktionsträge. Ortho-ständige Substituenten behindern die Kupplung aus sterischen Gründen; die para-ständige Amino-Gruppe tut dies aus elektronischen Gründen. Die Ausbeuten werden durch Zusatz von Triphenylphosphan oder durch koordinationsfähige Lösungsmittel erhöht.

P. Royo u. F. Terreros, An. Univ. Murcia Cienc. **30**, 131 (1972); C.A. **89**, 129677 (1978).
G. Ingrosso, L. Porri, G. Pantini u. P. Racanelli, J. Organometal. Chem. **84**, 75 (1973).
P. Diversi, G. Ingrosso u. A. Lucherini, Chem. Commun. **1977**, 52;
vgl. a. P. Diversi et al., Chem. Commun. **1982**, 945.
P. Diversi, G. Ingrosso, A. Lucherini, W. Porzio u. M. Zocchi, Inorg. Chem. **19**, 3590 (1980).
P. Chini, S. Martinengo u. G. Garleschelli, Chem. Commun. **1972**, 709.
M.F. Semmelhack u. L. Ryono, Tetrahedron Letters **1973**, 2967.

4-Methyl-biphenyl[1]: Einer Suspension von 0,681 g (0,754 mmol) Methyl-tris-[triphenylphosphan]-rhodium in 4 *ml* Dimethylformamid unter Argon bei −78° werden auf einmal 0,174 g (0,764 mmol) 4-Brom-biphenyl zugesetzt. Die daraus resultierende orange Suspension wird bei 63° 48 Stdn. gerührt. Bei 25° in Gegenwart von Luft gibt man 50 *ml* Diethylether zu, rührt die rot-orange Suspension 15 Min. und filtriert den Rhodium-Komplex ab. Das Filtrat wird mit Wasser gewaschen und nach Einengen einer Dünnschichtchromatographie unterzogen. Ausbeute: 81 mg (65%).

Die 1-Halogen-1-alkene reagieren analog. Die Reaktion ist zum Teil stereospezifisch[1]

$$H_3C-Rh[P(C_6H_5)_3]_3 \quad + \quad \underset{X}{\overset{H}{\underset{}{\diagdown}}}C{=}CH{-}R \quad \xrightarrow[-\;RhX[P(C_6H_5)_3]_3]{} \quad \underset{H_3C}{\overset{H}{\underset{}{\diagdown}}}C{=}CH{-}R$$

R = *cis*–COOCH₃; *cis-2-Butensäure-methylester*; 48%
R = *trans*–COOCH₃; *trans-2-Butensäure-methylester*; 50%
R = *trans*–C₄H₉; *2-Hepten* (*cis*:12%, *trans*: 23%)
R = *cis*–C₄H₉; *2-Hepten* (*cis*: 10%, *trans*: 13%)

Bei der Umsetzung der (3,3,3-Trifluor-1-trifluormethyl-1-propenyl)-trifluorphosphan-rhodium-Komplexe mit tert.-Butylbromid wird keine C–C-Bindung geknüpft[2].

Die Umsetzung von Organo-rhodium(I)-Komplexen mit Acylhalogeniden kann zur Synthese von Ketonen herangezogen werden[3,4]. Die intermediär gebildeten Acyl-organo-rhodium(III)-Verbindungen spalten beim Erhitzen das entsprechende Keton ab.

Durch Behandeln der Chloro-rhodium-Verbindung mit Organo-metall-Verbindungen wird die Organo-rhodium(I)-Verbindung wieder hergestellt und der Reaktionscyclus geschlossen.

Der Rhodium-Komplex kann über Diphenylphosphano-Gruppen an Styrol-divinyl-benzol-Copolymere gebunden werden. Er wird bei −78° mit einer Organo-lithium-Verbindung und anschließend mit Acylhalogeniden umgesetzt[5]. Beim Erwärmen wird daraus das Keton gebildet.

$$R^1{-}Rh(CO)[P(C_6H_5)_3]_2 \quad \xrightarrow{+\,R^2{-}CO{-}Cl} \quad R^2{-}CO{-}\underset{}{\overset{R^1}{\underset{}{Rh}}}Cl(CO)[P(C_6H_5)_3]_2$$

$$\xrightarrow[-\,MCl]{+\,R^1{-}M} \quad R^1{-}CO{-}R^2 \qquad \xleftarrow[-\,RhCl(CO)[P(C_6H_5)_3]_2]{\Delta}$$

z.B.: R¹ = C₄H₉; R² = 3-CN–C₆H₄; *3-Pentanoyl-benzonitril*; 60%
R² = C₁₁H₂₃; *5-Oxo-hexadecanon*; 58%
R¹ = C₆H₅; R² = (CH₂)₄–COOCH₃; *6-Oxo-6-phenyl-hexansäure-methylester*; 56%
R² = 4-CHO–C₆H₄; *4-Formyl-benzophenon*; 32%

Nach dieser Methode können also auch Ketone hergestellt werden, deren Substituenten, wie die Formyl-Gruppe, durch andere Organo-metall-Verbindungen angegriffen werden.

Die tiefe Reaktionstemperatur ist bei der Umwandlung von Alkyl-rhodium-Verbindungen wichtig, um die Bildung von Alkenen durch β-Eliminierung zu minimieren.

---

[1] M.F. SEMMELHACK u. L. RYONO, Tetrahedron Letters **1973**, 2967.
[2] H. ESTIAGH-HOSSEINI, J.F. NIXON u. J.S. POLAND, J. Organometal. Chem. **164**, 107 (1979).
[3] L.S. HEGEDUS, S.M. LO u. D.E. BLOSS, Am. Soc. **95**, 3040 (1973).
[4] L.S. HEGEDUS, P.M. KENDALL, S.M. LO u. J.R. SHEATS, Am. Soc. **97**, 5448 (1975).
[5] C.U. PITTMAN u. R.M. HANES, Ann. N.Y. Acad. Sci. **239**, 76 (1974); J. Org. Chem. **42**, 1194 (1977).

Da andererseits 1-Alkene leicht mit Carbonyl-hydrido-tris-[triphenylphosphan]-rhodium zu Alkyl-Komplexen reagieren, ist es möglich, 1-Alkene mit Acylhalogeniden und dem Hydro-Komplex zu den entsprechenden Ketonen umzusetzen[1]. Konkurrenzreaktion ist die Umsetzung von Acylhalogenid mit der Hydrido-Gruppe.

$$H-Rh(CO)\left[P(C_6H_5)_3\right]_3 \quad + \quad R^1-CH=CH_2 \quad \underset{(H_5C_6)_3P}{\rightleftharpoons} \quad R^1-CH_2-CH_2-Rh(CO)\left[P(C_6H_5)_3\right]_n$$

$$\xrightarrow[-\ (H_5C_6)_3P]{+\ R^2-CO-Cl} \quad \underset{CH_2-CH_2-R^1}{R^2-CO-RhCl(CO)\left[P(C_6H_5)_3\right]_2} \quad \xrightarrow[-\ RhCl(CO)\left[P(C_6H_5)_3\right]_2]{C_6H_6,\ 25°,\ 12\ Stdn.} \quad R^2-CO-CH_2-CH_2-R^1$$

z.B.: $R^1 = H$; $R^2 = C_6H_5$; *Propanoyl-benzol*; 86%
$R^1 = C_4H_9$; $R^2 = C_7H_{15}$; *7-Oxo-tetradecan*; 25%

Die Ausbeute an Ketonen wird durch Maßnahmen erhöht, die die Bildung von Alkyl-rhodium-Komplexen begünstigen, z.B. durch Zusatz von Triphenylphosphan oder Verwendung von Olefinen mit geringer sterischer Hinderung. Auch der Einsatz von weniger reaktionsfähigen Acylchloriden verbessert die Keton-Ausbeute.

Eine C–C-Kopplung gelingt auch durch Behandeln einer (1-Imino-alkyl)-rhodium-Verbindung mit Alkyl- bzw. Acylhalogeniden (s. Lit.)[2]

Beim Behandeln von Bis-[triphenylphosphan]-cyclopentadienyl-methyl-rhodium-jodid mit 2-Jod-propan wird der Cyclopentadienyl-Rest alkyliert[3].

Bis-[dimethyl-phenyl-phosphan]-carbonyl-dihalogeno-organo-rhodium(III)-Verbindungen reagieren mit Polyhalogenmethan-Verbindungen unter Bildung zu Polyhalogen-alkanen bzw. -3-alkenen[4]. Die Umsetzung gelingt bei relativ tiefer Temperatur, wenn der abgespaltene organische Rest Mesomerie-stabilisiert ist.

$$R^1-RhX^1Y^1(CO)\left[P(CH_3)_2(C_6H_5)\right]_2 \quad \xrightarrow[-\ RhX^1Y^1X^2(CO)\left[P(CH_3)_2(C_6H_5)\right]_2]{\overset{+\ X^2_nY^2_mC-R^2_{(4-n-m)}}{25-60°}} \quad R^1-CX^2_{(n-1)}Y^2_m-R^2_{(4-m-n)}$$

X^1 = Cl, Br	$n = 1$
X^2 = Cl	$m = 2, 3$
Y^1 = Cl, Br	R^1 = $CH_2-C_6H_5$, 2-Alkenyl, Allenyl
Y^2 = Cl, Br	R^2 = CN

e) mit Chalkogen, Chalkogen-Verbindungen bzw. Salpetersäure

Die Umsetzung von Rhodolen mit Chalkogen und Chalkogen-Verbindungen sind auf S. 460 beschrieben. Der folgende organische Rhodium-Komplex wird durch Behandeln mit verdünnter Salpetersäure nicht gespalten, mit heißer konz. Salpetersäure entsteht unter Oxidation *Dimethyl-maleinsäure-anhydrid*[5] (67%; F: 92–94°):

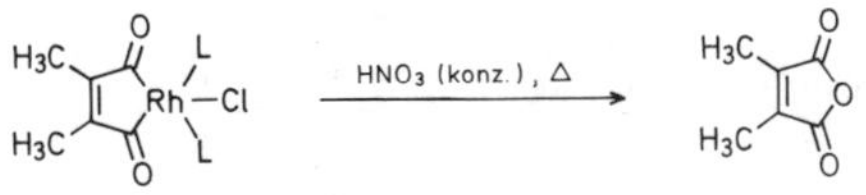

[1] J. Schwartz u. J.B. Cannon, Am. Soc. **96**, 4721 (1974).
[2] J.W. Suggs u. S.D. Cox, Organometallics **1**, 402 (1982).
[3] Y. Wakatsuki u. H. Yamazaki, J. Organometal. Chem. **64**, 393 (1974).
[4] A.E. Crease, B.D. Gupta, M.D. Johnson u. S. Moorhouse, Soc. [Dalton] **1978**, 1821.
[5] J.W. Kang, S. McVey u. P.M. Maitlis, Canad. J. Chem. **46**, 3189 (1968).

f) durch Thermolyse

1. von Organo-rhodium(I)-Verbindungen

Alkyl- und 1-Alkenyl-rhodium-Verbindungen mit β-ständigem Wasserstoff sind instabil. Daher können sie oft nur bei tiefer Temperatur gehandhabt werden, da sie sich sonst unter β-Eliminierung eines Hydrido-rhodium(I)-Komplexes und Bildung von Alkenen zersetzen:

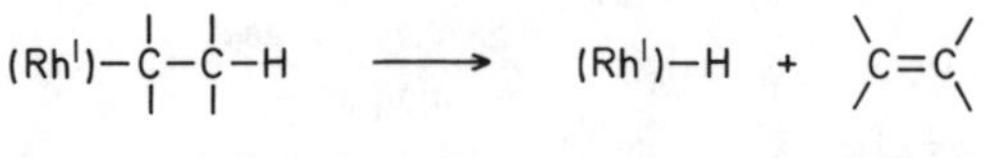

$$(Rh^I)-\overset{|}{\underset{|}{C}}-\overset{|}{\underset{|}{C}}-H \longrightarrow (Rh^I)-H + \overset{\diagdown}{\diagup}C=C\overset{\diagup}{\diagdown}$$

Da die β-Eliminierung reversibel ist, kann Deuterium über den Alkyl-Rest nach folgendem Additions-Eliminierungs-Mechanismus verteilt werden[1].

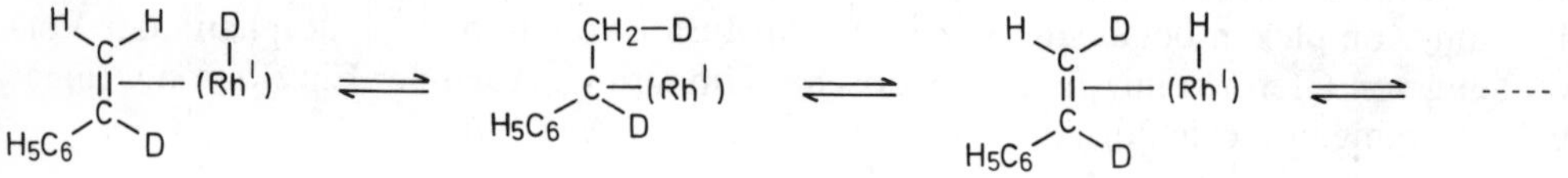

(*trans*-1-Methyl-propenyl)-rhodium-Komplexe zerfallen bereits bei 20° so rasch, daß sie nur IR-spektroskopisch nachgewiesen werden können[2].

Die β-Eliminierung des Komplexes I wird durch Phosphan-Zusatz beschleunigt[3]:

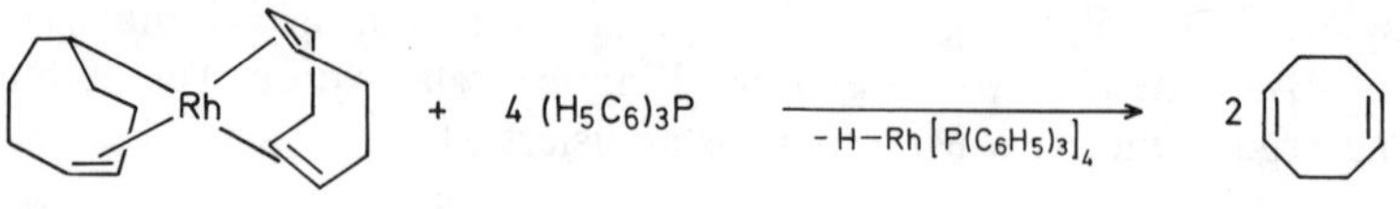

2. von Organo-rhodium(III)-Verbindungen

α) von Monoorgano-rhodium(III)-Verbindungen

Verbindungen, die keinen leicht abspaltbaren β-ständigen Wasserstoff besitzen, werden thermisch in Umkehrung der oxidativen Addition gespalten. Bei Acyl-Komplexen tritt zudem oft eine Abspaltung der Carbonyl-Gruppe ein:

$$X-(Rh^{III})-R \xrightarrow[-(Rh^I)]{} R-X$$

$$X-(Rh^{III})-CO-R \xrightarrow[\substack{-(Rh^I)/-CO \\ bzw. \ -(Rh^I)-CO}]{} R-X$$

Die erste Reaktion kann reversibel sein[4,5]; z.B.:

$$R-RhX_2(CO)L_2 \xrightleftharpoons{\Delta} RhX(CO)L_2 + RX$$

[1] K.S.Y. Lau, Y. Becker, F. Huang, N. Baenziger u. J.K. Stille, Am. Soc. **99**, 5664 (1977).
[2] J. Schwartz, D.M. Hart u. B. McGiffert, Am. Soc. **96**, 5613 (1974).
[3] M. Lavecchia, M. Rossi u. A. Sacco, Inorg. Chim. Acta [Padova] **4**, 29 (1970).
[4] A.E. Crease, B.D. Gupta, M.D. Johnson u. S. Moorhouse, Soc. [Dalton] **1978**, 1821.
[5] J.K. Stille u. R.W. Fries, Am. Soc. **96**, 1514 (1974).

Z.Tl. sind hohe Zersetzungstemp. erforderlich, z.B. (140–170°) bei (2,2,2-Trifluor-1-
phenyl-ethyl)-rhodium-Komplexen[1].

Fünffach koordinierte Acyl-chloro-rhodium-Komplexe zerfallen unter Abspaltung von Organo-chloriden[2]:

Zum Zerfall verschiedener dimerer Acylchloro-Komplexe zu Acylchloriden s.Lit.[3].

Alkyl- und 1-Alkenyl-rhodium(III)-Verbindungen mit mindestens einem β-ständigen
Wasserstoff-Atom werden i.a. unter Bildung von Alkenen zersetzt, die mit Rhodium π-
Komplexe bilden können.

Bei Acyl-rhodium(III)-Verbindungen ist auch hier der Alken-Bildung eine Decarbonylierung vorgeschaltet.

Der Ethyl-rhodium(III)-Komplex I bildet reversibel die η^2-Ethen-hydrido-rhodium(III)-Verbindung II[4].
Starke Komplex-Liganden, wie Kohlenmonoxid oder Trialkylphosphan, verdrängen Ethen aus dem Komplex.

$$\{H_5C_2-Rh(C_5H_5)[P(C_6H_5)_3]\}^{\oplus}[BF_4]^{\ominus} \quad \rightleftharpoons \quad \{H-Rh(C_5H_5)(H_2C=CH_2)[P(C_6H_5)_3]\}^{\oplus}[BF_4]^{\ominus}$$

$$\text{I} \qquad\qquad\qquad\qquad\qquad\qquad\qquad \text{II}$$

$$L = CO, (H_3C)_3P \qquad\qquad \xrightarrow[-H_2C=CH_2]{+L} \{H-Rh(C_5H_5)[P(C_6H_5)_3]L\}^{\oplus}[BF_4]^{\ominus}$$

Für die gleichzeitige Bildung von Alkan und Alken soll folgendes Beispiel gelten[5]:

$$X\left\{Rh[CH(CH_3)-COOC_2H_5)]Br\left[H_3C-\bigcirc-NC\right]_4\right\}^{\oplus} \xrightarrow{80°} y \; H_2C=CH-COOC_2H_5$$

$$+ \; z \; H_3C-CH_2-COOC_2H_5$$

Zur β-Eliminierung von Chelat-Liganden s.Lit.[6].

Die Dimerisierung von organischen Resten wird i.a. bei Diorgano-rhodium(III)-Kom-
plexen beobachtet und ausnahmsweise auch bei Organo-rhodium(III)-Komplexen (s.
Lit.)[6].

Carbonsäurechloride werden durch stöchiometrische Mengen Chloro-tris-[triphenyl-
phosphan]-rhodium decarbonyliert, durch katalytische Mengen Bis-[triphenylphos-
phan]-carbonyl-chloro-rhodium erst bei höherer Temperatur[7–13]. Intermediär werden
dabei Acyl-rhodium(III)-Komplexe gebildet. Bei der Decarbonylierung von aliphatischen
Acylhalogeniden ist zu berücksichtigen, daß der Wilkinson-Komplex ein Isomerisierungs-

[1] J.K. STILLE u. R.W. FRIES, Am. Soc. 96, 1514 (1974).
[2] J.K. STILLE u. M.T. REGAN, Am. Soc. 96, 1508 (1974).
[3] M.J. DOYLE, A. MAYANZA, J.-J. BONNET, P. KALCK u. R. PROILBLANC, J. Organometal. Chem. 146, 293 (1978).
s.a. D. FORSTER, Am. Soc. 98, 846 (1976); Ann. N.Y. Acad. Sci. 1977, 79.
[4] H. WERNER u. R. FESER, Ang. Ch. 91, 171 (1979).
[5] S. OTSUKA u. K. ATAKA, Bl. chem. Soc. Japan 50, 1118 (1977).
[6] M.A. BENNETT, R.N. JOHNSON u. I.B. TOMKINS, J. Organometal. Chem. 133, 231 (1977).
[7] J. TSUJI u. K. OHNO, Am. Soc. 88, 3452 (1966).
[8] M.C. BAIRD, J.T. MAGUE, J.A. OSBORN u. G. WILKINSON, Soc. [A] 1967, 1347.
[9] K. OHNO u. J. TSUJI, Am. Soc. 90, 99 (1968).
[10] J. TSUJI u. K. OHNO, Synthesis 1, 157 (1969).
[11] J.K. STILLE, M.T. REGAN, R.W. FRIES, F. HUANG u. T. McCARLEY, Adv. Chem. Ser. 132, 181 (1974).
[12] R.W. FRIES u. J.K. STILLE, Synth. React. Inorg. Metal.org. Chem. 1, 295 (1971).
[13] J.K. STILLE, F. HUANG u. M.T. REGAN, Am. Soc. 96, 1518 (1974).

katalysator ist, der 1-Alkene in Alkene mit innenständigen C,C-Doppelbindungen um
wandelt. Bei der stöchiometrischen Decarbonylierung hat Zusatz von Triphenylphosphan
keinen Einfluß auf die Isomerisierung, wohl aber bei der katalytischen, wo er die Isomeri
sierung inhibiert und die Reaktionsgeschwindigkeit der Decarbonylierung herabsetzt
Den freigesetzten Halogenwasserstoff sollte man durch Zusatz von Basen binden, da er
anderenfalls nach der Markovnikov-Regel an die C,C-Doppelbindung insbesondere vor
verzweigten Olefinen angelagert wird.

Bei der Spaltung von verzweigten Acylhalogeniden entstehen Olefine bevorzugt nach
der Saytzeff-Regel, das Wasserstoff-Atom vom tert.-C-Atom wird am leichtesten abgespalten. Es gelten die folgenden Verhältnisse bei der Abspaltung:

tert. H	sek. H	prim. H
19	3	1

Die Spaltung wurde bei den fünffach koordinierten Acyl-bis-[triphenylphosphan]-di
chloro-rhodium-Komplexen intensiv untersucht[1-5]:

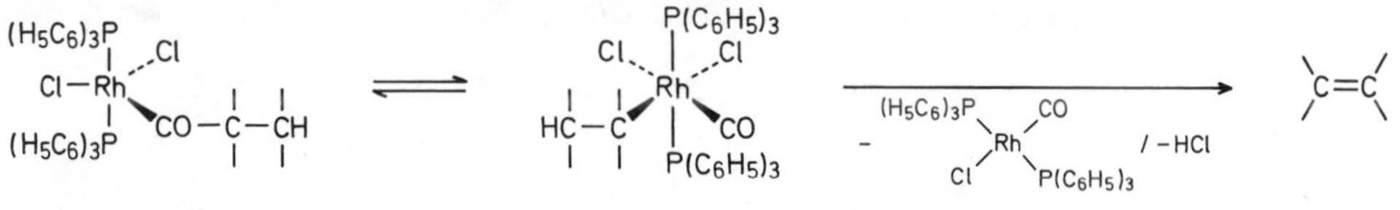

trans- bzw. cis-1,2-Diphenyl-propen[3]: Eine Lösung von 0,675 g (0,793 mmol) Bis-[triphenylphosphan]-di
chloro-[*erythro*- (oder *threo*)-2,3-diphenyl-butanoyl]-rhodium in 50 *ml* Benzol wird bei 30° 5 Tage gerührt
Benzol wird bei 30° am Rotationsverdampfer abgezogen und der Rückstand 12 Stdn. mit Pentan gerührt, um da
gebildete Olefin zu extrahieren. Die Mischung wird filtriert und das Filtrat am Rotationsverdampfer eingeengt
Die GC-Analyse der verbleibenden Flüssigkeit zeigt, daß im ersten Falle die *trans*-Verbindung zu 90% und im
zweiten Fall zu 90% ein *cis/trans*-Gemisch erhalten wurde, das 90% *cis*- und 10% *trans*-enthält.

Unter milden Reaktionsbedingungen kann das Acylhalogenid ohne Decarbonylierung
von Rhodium entfernt werden. Notwendig ist hierzu das Arbeiten in einer Kohlenmonoxid-Atmosphäre[4]. Das Kohlenmonoxid inhibiert die Decarbonylierung, die der β-Eliminierung vorgeschaltet ist, und begünstigt die reduktive Eliminierung; z.B.:

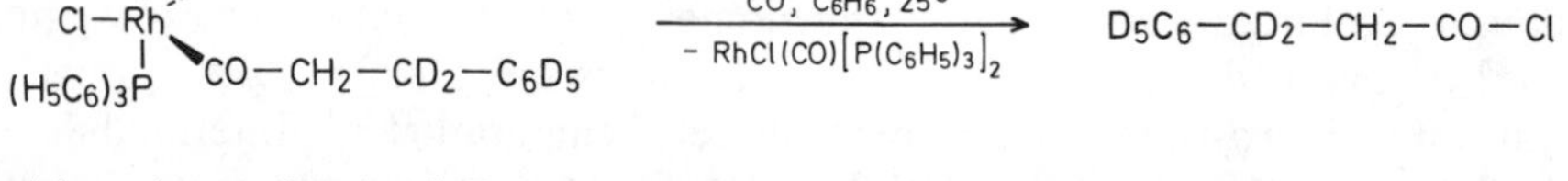

Zur Abspaltung des Acyl-Restes aus dem sechsfach koordinierten Acetyl-bis-[diethyl-
phenyl-phosphan]-carbonyl-dibromo-rhodium wird der Komplex auf 160–170° unter
Stickstoff erhitzt[6].

Die Acyl-Gruppe von Acyl-(1,2-dicyan-ethen-1,2-dithiolato)-Komplexen lagert sich
bei der Pyrolyse unter Wanderung der Alkyl-Gruppe zum Thiolato-Liganden um[7,8]. In
koordinationsfähigen Lösungsmitteln wird die Umlagerung inhibiert.

[1] J. Tsuji u. K. Ohno, Am. Soc. **88**, 3452 (1966).

[2] K. Ohno u. J. Tsuji, Am. Soc. **90**, 99 (1968).

[3] J.K. Stille, F. Huang u. M.T. Regan, Am. Soc. **96**, 1518 (1974).

[4] K.S.Y. Lau, Y. Becker, F. Huang, N. Baenziger u. J.K. Stille, Am. Soc. **99**, 5664 (1977).

[5] N.A. Dunham u. M.C. Baird, Soc. [Dalton] **1975**, 774.

[6] J. Chatt u. B.L. Shaw, Soc. [A] **1966**, 1438.

[7] C.-H. Cheng, B.D. Spivack u. R. Eisenberg, Am. Soc. **99**, 3003 (1977).

[8] C.-H. Cheng, D.E. Hendriksen u. R. Eisenberg, J.Organometal. Chem. **142**, C65 (1977).

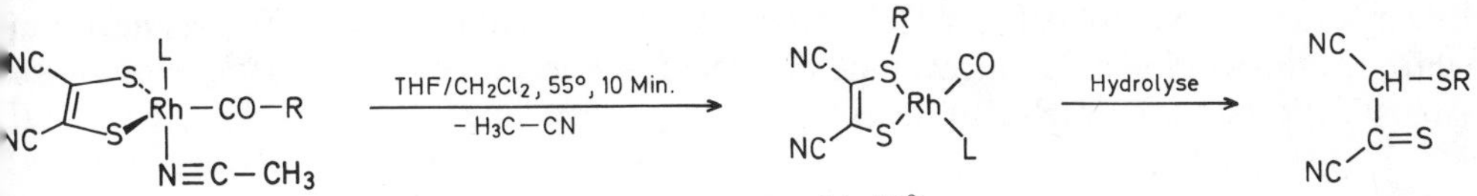

L = P(C₆H₅)₃; R = CH₃, C₂H₅, CH₂C₆H₅ — bis 85%

Der Styryl-Rest kann an den Phosphan-Liganden wandern unter Bildung von *(2-Phenyl-vinyl)-triphenyl-phosphonium-chlorid*[1].

5,5-Bis-[triphenylphosphan]-5-carbonyl-5-chloro-4-oxo-2-phenyl-1,4-dihydro-1,3,5-thiazarhodol wird beim Erhitzen in Chloroform unter Abspaltung von *Thiobenzoyl-isothiocyanat* zersetzt[2]:

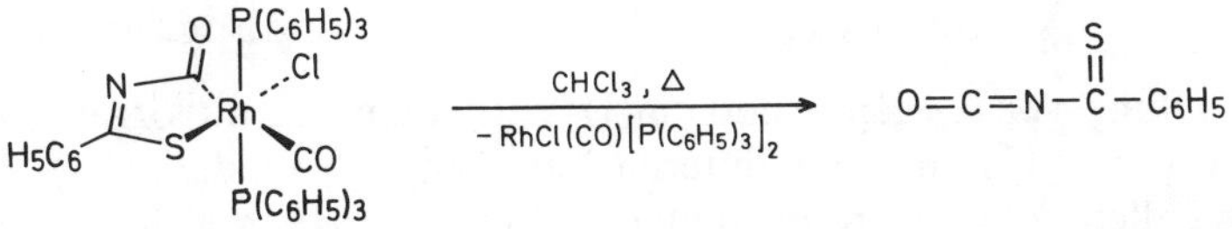

Ethoxycarbonyl-tetraphenylporphyrinato-rhodium ist thermisch sehr stabil. Es wird erst oberhalb von 250° unter Kohlendioxid-Entwicklung zersetzt[3].

Hydrido-organo-rhodium(III)-Verbindungen zerfallen beim Erhitzen zum einen unter Kupplung des organischen und Hydrido-Restes und zum anderen in einer β-Eliminierung unter Abspaltung von molekularem Wasserstoff.

reduktive Eliminierung

β-Eliminierung

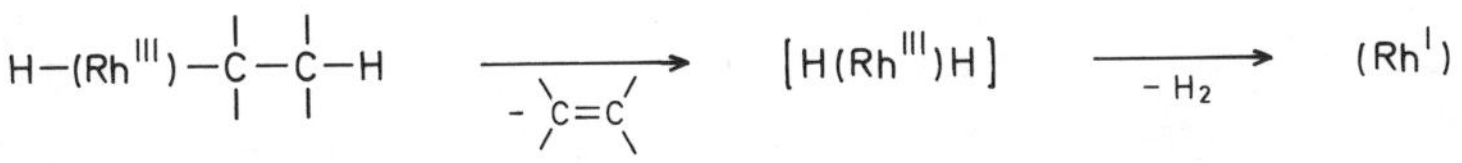

Der Acetyl-hydrido-rhodium-Komplex bildet beim Erhitzen hauptsächlich *Acetaldehyd* und etwas Methan, wenn die flüchtigen Verbindungen rasch i. Vak. entfernt werden[4]. In den anderen Fällen bleibt Kohlenmonoxid am Rhodium unter Bildung von Methan.

Chloro-hydrido-(2-oxo-propyl)- bzw. Chloro-hydrido-(2-oxo-2-phenyl-ethyl)-tris-[trimethylphosphan]-rhodium spalten bei 20° langsam Aceton oder Acetophenon ab[5].

Da im Acyl-rhodium-Komplex I der Chelat-Ligand zuerst unter Bildung einer Aryl-Rh-Bindung decarbonyliert wird, muß zur Inhibierung der Decarbonylierung Triphenylphosphan zugesetzt werden (Blockierung der freien Koordinationsstelle am Rhodium-Atom)[6].

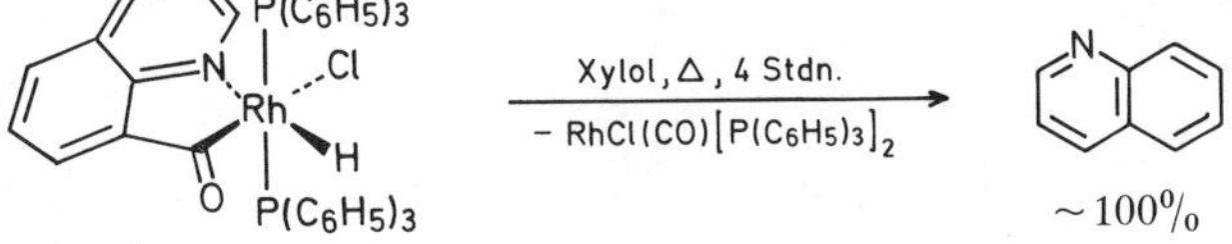

Zur Spaltung von Aroyl- bzw. Aryl-rhodium-Komplexen s. Lit.[7].

[1] J. A. KAMPMEIER, S. H. HARRIS u. R. M. RODEHORST, Am. Soc. **103**, 1478 (1981).
[2] S. HASEGAWA, K. ITIOH u. Y. ISHII, Inorg. Chem. **13**, 2675 (1974).
[3] I. A. COHEN u. B. C. CHOW, Inorg. Chem. **13**, 488 (1974).
[4] D. MILSTEIN, Organometallics **1**, 1549 (1982).
[5] D. MILSTEIN, Am. Soc. **104**, 5227 (1982).
[6] J. W. SUGGS, Am. Soc. **100**, 640 (1978).
[7] J. A. KAMPMEIER, R. M. RODEHORST u. J. B. PHILIP, Am. Soc. **103**, 1847 (1981).

Der Rhodium-Komplex II wird leicht unter Verlust von molekularem Wasserstoff in ei nen π-Olefin-Komplex III umgewandelt[1, 2]. Die Reaktion wird durch ~ 10% Wasser-Zu satz zu 2-Propanol beträchtlich beschleunigt:

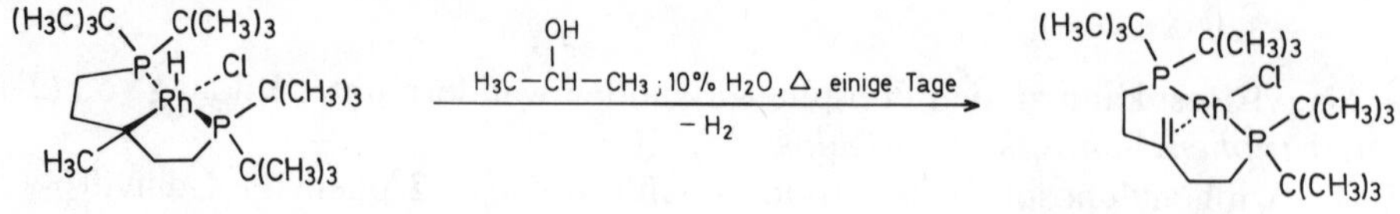

β) von Diorgano-rhodium-Verbindungen

Bei der Spaltung von Organo-rhodium(I)-Verbindungen mit organischen Halogen- Verbindungen (s.S. 447) entstehen intermediär Diorgano-rhodium(III)-Verbindungen die in einigen Fällen isoliert werden können[3, 4]. Beim Erhitzen werden die beiden organi- schen Reste gekuppelt und Rhodium wird reduziert.

$$R^1-(Rh^{III})-R^2 \xrightarrow[- (Rh^I)]{} R^1-R^2$$

Da in Lösung die *cis*-1-Alkenyl-rhodium(III)-Verbindung allmählich in die *trans*-Ver- bindung isomerisiert wird, erhält man durch Pyrolyse aus der frisch hergestellten Lösung der *cis*-Derivate das Olefin I und aus der bis zu einem Tag bei 20° behandelten Lösung das Olefin II. IR-spektroskopische Messungen der Lösung zeigen, daß die Acyl-Verbindung III gebildet wird. Die Isomerisierungsgeschwindigkeit nimmt mit steigender Donor- Eigenschaft der Phosphane (für $X = F < H < OCH_3$) zu.

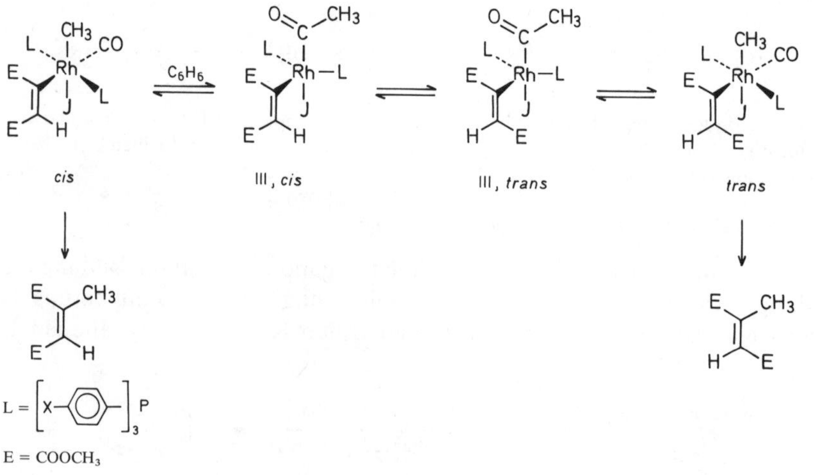

Bei der Zersetzung des cis-Alken-Komplexes in Gegenwart von Kohlenmonoxid ent- steht ein Acetyl-alken.

---

[1] C. Crocker, R.J. Errington, W.S. McDonald, K.J. Odell, B.L. Shaw u. R.J. Goodfellow, Chem. Com- mun. **1979**, 498.

[2] C. Crocker, R.J. Errington, R. Markham, C.J. Moulton, K.J. Odell u. B.L. Shaw, Am. Soc. **102**, 4373 (1980).

[3] J. Schwartz, D.W. Hart u. J.L. Holden, Am. Soc. **94**, 9269 (1972).

[4] D.W. Hart u. J. Schwartz, J. Organometal. Chem. **87**, C 11 (1975).

Wird der Diaryl-Chelat-Komplex IV in einer Kohlenmonoxid-Atmosphäre zersetzt, so erhält man 2,2'-Bis-[arylazo]-biphenyle[1]:

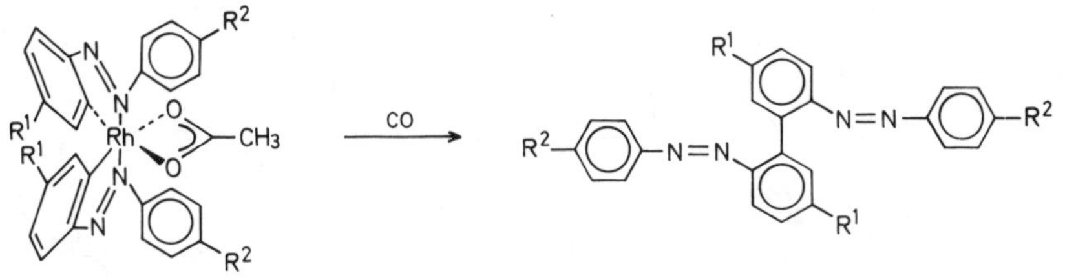

IV

Auch die Rhodium-katalysierte Kupplung von Organo-quecksilber-Verbindungen verläuft intermediär über Diorgano-rhodium(III)-Komplexe[2].

Bis-[pentafluorphenyl]-bis-[triphenylphosphan]-carbonyl-chloro-rhodium behält bei der Pyrolyse einen Aryl-Rest[3].

$$(F_5C_6)_2RhCl(CO)[P(C_6H_5)_3]_2 \xrightarrow{\Delta} F_5C_6-Rh(CO)[P(C_6H_5)_3]_2 + F_5C_6-Cl$$

Mehrere Rhodiocyclen werden beim Erhitzen durch β-Hydrid-Eliminierung und inter- oder intramolekulare Hydrid-Alkyl-Substitution in 1-Alkene und Alkane sowie in eine geringe Menge 1,3-Butadien gespalten[4, 5]. Die 1-Alkene werden dabei teilweise durch Anlagerung und Eliminierung der H–Rh-Gruppe in innenständige Alkene umgelagert.

Beim Erhitzen von (η^5-Cyclopentadienyl)-(1,2-diphenyl-ethenyl)-methyl-(triisopropylphosphan)-rhodium wird Methan und ein π-Diphenylethin-rhodium(I)-Komplex gebildet[6].

Beim Erhitzen eines 2-Oxo-5-phenyl-rhodolans mit Triphenylphosphan in Chloroform entsteht unter Decarbonylierung des organischen Restes *Propenyl-benzol*[7].

Die 2,5-Dihydro-rhodole V und VI werden durch Donor-Liganden sowie pyrolytisch zu *Hexafluor-1,3-butadien* bzw. *Hexafluor-butin* und Kohlenmonoxid zersetzt[8, 9]:

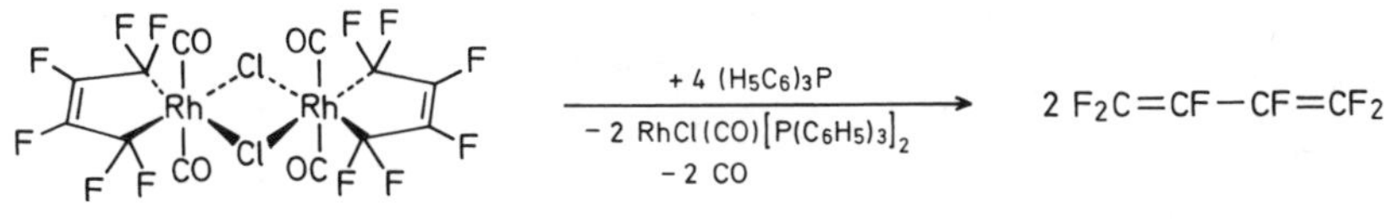

V

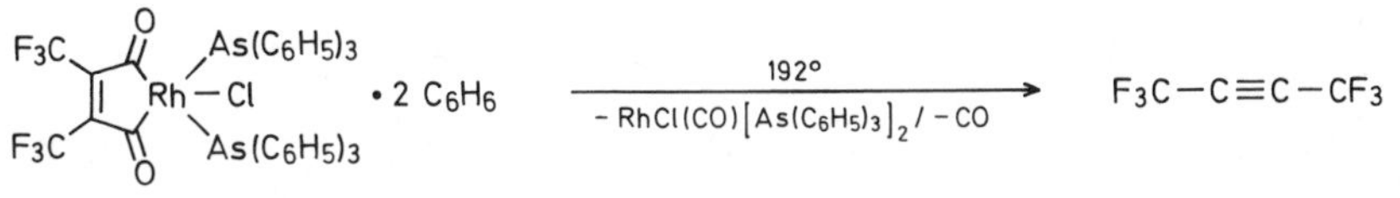

VI

[1] A. R. Craik, G. R. Knox u. P. L. Pauson, Chem. Commun. **1971**, 168.

[2] R. C. Larock, *New Applications of Organomercury, -Palladium and -Rodium Compounds in Organic Synthesis*, in: J. H. Brewster, *Aspects of Mechanism and Organometallic Chemistry*, S. 251, Plenum Press, New York · London 1978, S. 251.

[3] P. Royo u. F. Terreros, An. Univ. Murcia Cienc. **30**, 139 (1972); C. A. **89**, 109916 (1978).

[4] P. Diversi, G. Ingrosso u. A. Luccherini, Chem. Commun. **1977**, 52.

[5] A. Cuccuru, P. Diversi, G. Ingrosso u. A. Luccherini, J. Organometal. Chem. **204**, 123 (1981).

[6] H. Werner, J. Wolf, U. Schubert u. K. Ackermann, J. Organometal. Chem. **243**, C 63 (1983).

[7] F. J. McQuillin u. K. C. Powell, Soc. [Dalton] **1972**, 2129.

[8] D. M. Roundhill, D. N. Lawson u. Wilkinson, Soc. [A] **1968**, 845.

[9] J. T. Mague, M. O. Nutt u. E. H. Grease, Soc. [Dalton] **1973**, 2578.

Bei einigen polycyclischen Rhodium-Verbindungen wird durch Zusatz von Donor-Liganden oder beim Erhitzen unter Abspaltung des organischen Restes intramolekular eine C–C-Bindung gekuppelt; z.B.:

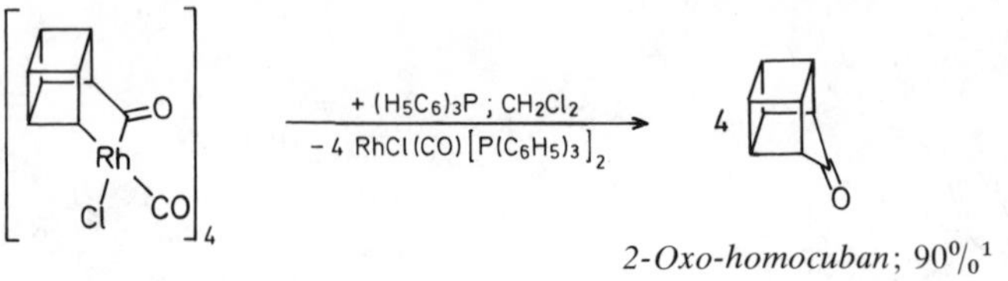

$$+ (H_5C_6)_3P \; ; \; CH_2Cl_2$$
$$- 4 \; RhCl(CO)[P(C_6H_5)_3]_2$$

2-Oxo-homocuban; 90%[1]

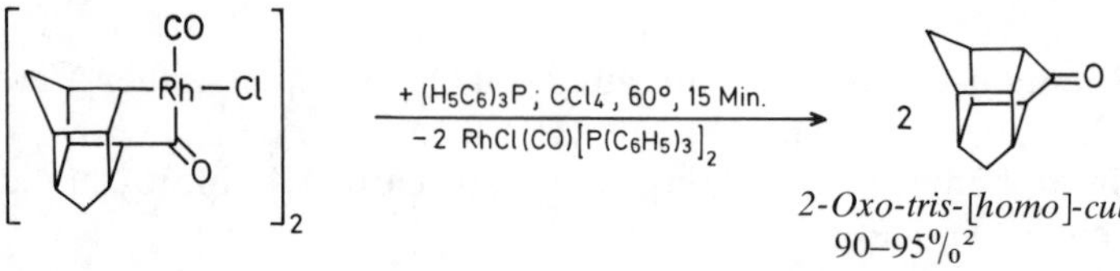

$$+ (H_5C_6)_3P \; ; \; CCl_4 \; , \; 60°, \; 15 \; Min.$$
$$- 2 \; RhCl(CO)[P(C_6H_5)_3]_2$$

2-Oxo-tris-[homo]-cuban;
90–95%[2]

Zur intramolekularen Kupplung von [3,4-Bis-(methylen)-5-dehydro-pentanoyl-(4,4′,5-η^3)]-2,4-pentan dionato-rhodium unter Zusatz von 1,2-Bis-[diphenylphosphano]-ethan bei 20° s.Lit.[3]:

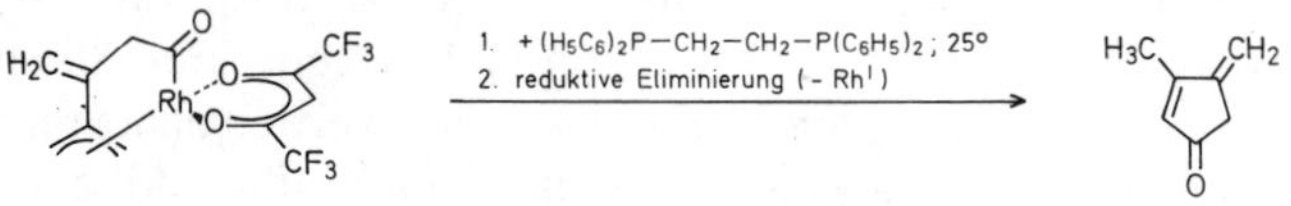

1. $+ (H_5C_6)_2P-CH_2-CH_2-P(C_6H_5)_2 \; ; \; 25°$
2. reduktive Eliminierung $(- \, Rh^I)$

Der 3,3-Dimethyl-rhodacyclobutan-Komplex spaltet in Lösung bereits bei 40° *1,1-Dimethyl-cyclopropan* ab[4].

Die folgende intramolekulare Kupplung läuft dagegen unter Zusatz von Kohlenmonoxid ab und ist reversibel[5]:

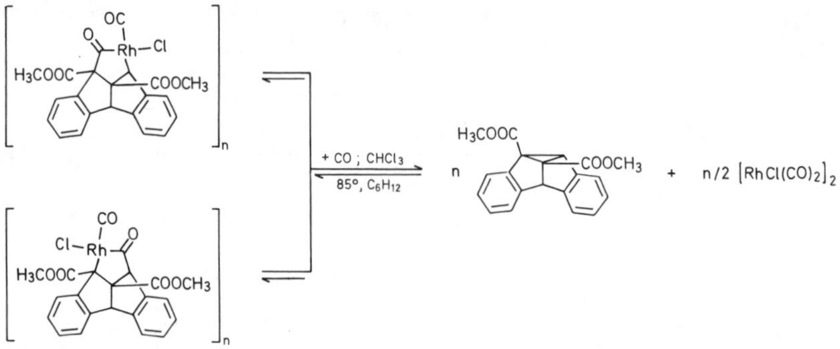

$$+ CO \; ; \; CHCl_3$$
$$85°, \; C_6H_{12}$$

$+ \; n/2 \; [RhCl(CO)_2]_2$

Verbindungen wie 2,2-Bis-[triphenylphosphan]-2-chloro-1,3-diphenyl-2H-⟨anthra [2,3-c]rhodol⟩-4,11-chinon werden erst beim Erhitzen auf 280–290° unter Eliminierung des Rhodium-Restes zum *5-Phenyl-pentacen-6,13-chinon* (30%) zersetzt[6–8]:

[1] L. CASSAR, P.E. EATON u. J. HALPERN, Am. Soc. **92**, 3515 (1970).
[2] J. BLUM, C. ZLOTOGORSKI u. A. ZORAN, Tetrahedron Letters **1978**, 1117.
[3] A. BORRINI u. G. INGROSSO, J. Organometal. Chem. **132**, 275 (1977).
[4] P. DIVERSI, G. INGROSSO, A. LUCHERINI u. D. FASCE, Chem. Commun. **1982**, 945.
[5] B.F.G. JOHNSON, J. LEWIS u. S.W. TAM, Tetrahedron Letters **1974**, 3793; J. Organometal. Chem. **105**, 271 (1976).
[6] E. MÜLLER u. E. LANGER, Tetrahedron Letters **1970**, 993.
[7] E. MÜLLER, C. BEISSNER, H. JÄKLE, E. LANGER, H. MUHM, G. ODENIGBO, M. SAUERBIER, A. SEGNITZ, D. STREICHFUSS u. R. THOMAS, A. **754**, 64 (1971).
[8] E. MÜLLER, Synthesis **1974**, 761.

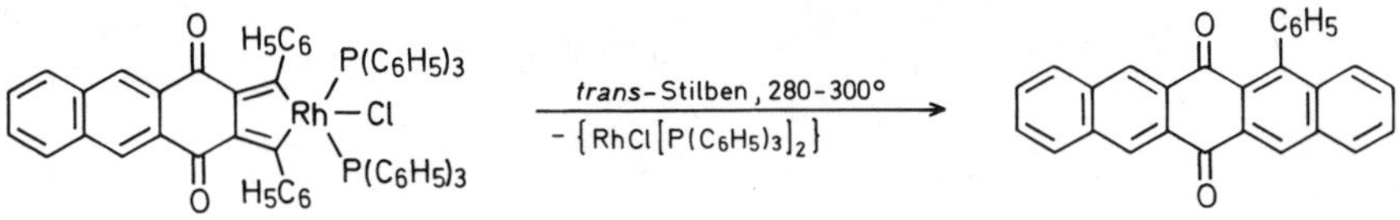

Die Zersetzung von 1,1-Bis-[triphenylarsan]-1-chloro-2,3,4,5-tetrakis-[trifluormethyl]-rhodol wird durch Entfernen des äquatorial gebundenen Chloro-Liganden mit Silber-hexafluorophosphat in Benzol-Ethanol-Lösung induziert[1].

3. von anderen Organo-rhodium-Verbindungen

1,2-Dihydro-1,2-dirhodet-Derivate werden mit Trimethylamin-oxid unter Abspaltung eines Carbonyl-Liganden in $\mu(\eta^2)$-Alkinyl-dirhodium-Verbindungen umgewandelt[2]. Die Reaktion ist reversibel:

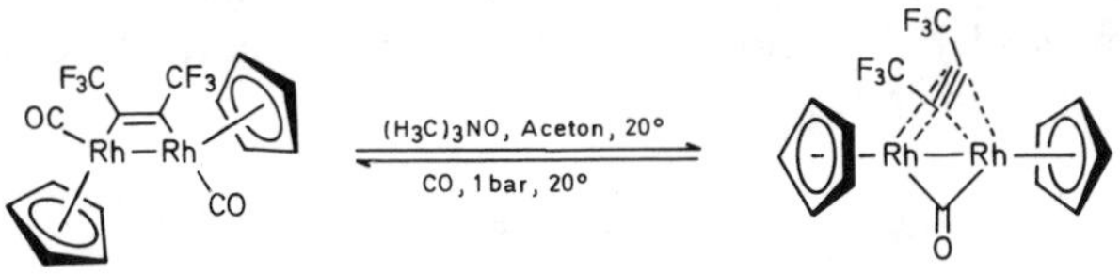

Beim Erhitzen des μ-Cyclohexanyliden-dirhodium-Komplexes auf 200° unter Stickstoff wird hauptsächlich *Cyclohexen* gebildet[3].

Die μ-Diphenylmethylen-Gruppen in Rhodium-Komplexen werden beim Erhitzen in Gegenwart von Triphenylphosphan dimerisiert[4,5]; z.B.:

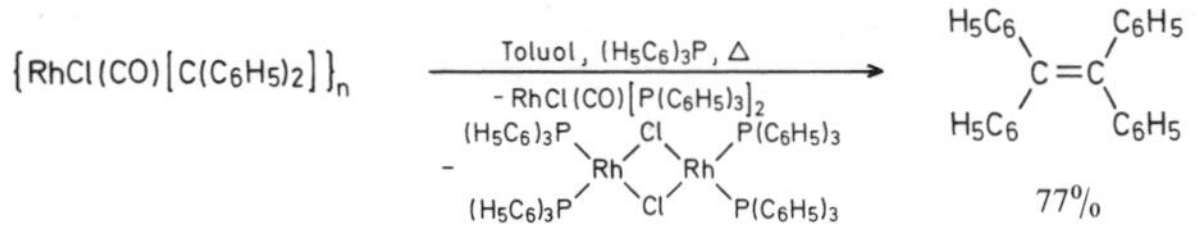

g) durch Photolyse

Da manche Organo-rhodium-Verbindungen Licht-empfindlich sind – vor allem in Lösung – wird empfohlen, die Komplexe im Zweifelsfall immer im Dunkeln aufzubewahren.

Aquo-methyl-rhodoxim ist allerdings weniger Licht-empfindlich als das Kobalt-Analoge. Durch Photolyse wird Methan abgespalten[6].
Ethyl-pyridinato-rhodoxim bildet beim Bestrahlen und Erhitzen Ethen.

h) durch Ummetallierung

Der σ–C-gebundene Rest im Pentafluorphenyl-rhodium-Komplexen wird beim Behandeln mit Dihalogenoquecksilber durch Halogen ausgetauscht[7,8]; z.B.:

[1] J.T. Mague, Soc. [Dalton] **1975**, 900.
[2] R.S. Dickson u. G.N. Pain, Chem. Commun. **1979**, 277;
  R.S. Dickson, A.P. Oppenheim u. G.N. Pain, J. Organometal. Chem. **224**, 377 (1982).
[3] W.A. Herrmann, C. Bauer u. K.K. Mayer, J. Organometal. Chem. **236**, C 18 (1982).
[4] P. Hong, N. Nishii, K. Sonogashira u. N. Hagihara, Chem. Commun. **1972**, 993.
[5] T. Yamamoto, A.R. Garber, J.R. Wilkinson, C.B. Boss, W.E. Streib u. L.J. Todd, Chem. Commun. **1974**, 354.
[6] J.H. Weber u. G.N. Schrauzer, Am. Soc. **92**, 726 (1970).
[7] P. Royo u. F. Terreros, Synth. React. Inorg. Met.-Org. Chem. **5**, 327 (1975); C.A. **84**, 150719 (1976).
[8] G. Tresoldi, F. Faraone u. P. Piraino, Soc. [Dalton] **1979**, 1053.

$$F_5C_6—Rh[(H_5C_6)_3P]_2L \quad + \quad HgX_2 \quad \xrightarrow[- RhX[(H_5C_6)_3P]_2L]{} \quad F_5C_6—Hg—X$$

L = CO, CS
X = Hal

II. Insertionsreaktionen

a) Allgemein

1. mit Kohlenmonoxid

Die Insertion von Kohlenmonoxid in die σ–C–Rh-Bindung von Rhodium-Komplexen ist bei der Synthese von Acyl-rhodium-Komplexen beschrieben worden (s. 417).

In einigen Fällen werden jedoch die organischen Reste unter reduktiver Eliminierung von Rhodium abgespalten; z.B.:

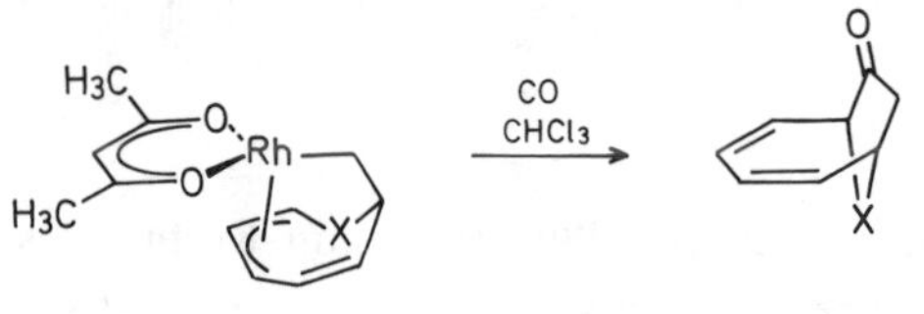

X = CH₂; *7-Oxo-bicyclo[4.2.1]nona-2,4-dien*[1]
X = N–COOC₂H₅; *9-Ethoxycarbonyl-7-oxo-9-aza-bicyclo[4.2.1]nona-2,4-dien*[1]

$$(F_5C_6)_2RhCl[P(C_6H_5)_3]_2 \quad \xrightarrow[- RhCl(CO)[P(C_6H_5)_3]_2]{2\ CO} \quad O=C(C_6F_5)_2$$

Decafluor-benzophenon[2]

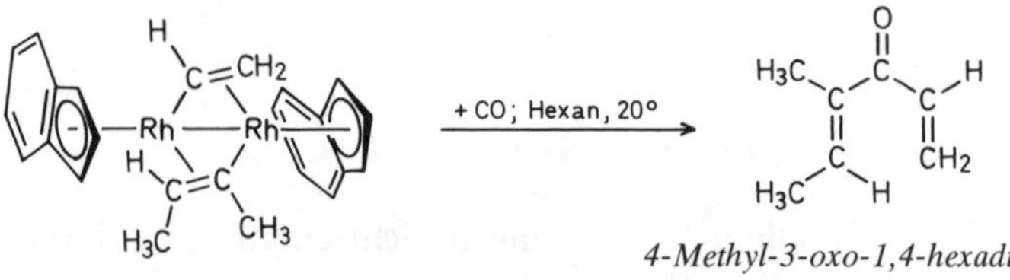

4-Methyl-3-oxo-1,4-hexadien[3]

Die Umsetzung von Rhodolen mit Kohlenmonoxid wird auf S. 459 beschrieben.

Beim Behandeln eines Rhodacycloheptan-Komplexes in Dichlormethan bei 20° mit Kohlenmonoxid entstehen unter Co-Insertion ein Oxo-cycloheptan-Derivat und eine Hexan-Verbindung[4].

2. mit Kohlendioxid

Phenyl-tris-[triphenylphosphan]-rhodium reagiert mit Kohlendioxid unter Insertion in die C–Rh-Bindung unter Bildung von *Benzoyloxy-tris-[triphenylphosphan]-rhodium*[5].

$$H_5C_6—RhL_3 \quad + \quad CO_2 \quad \longrightarrow \quad H_5C_6—CO—O—RhL_3$$

[1] R. AUMANN u. J. KNECHT, B. **111**, 3927 (1978).
[2] R.S. NYHOLM u. P. ROYO, Chem. Commun. **1969**, 421.
[3] P. CADDY, M. GREEN, L.E. SMART u. N. WHITE, Chem. Commun. **1978**, 839.
[4] B. CETINKAYA, P. BINGER u. C. KRÜGER, B. **115**, 3414 (1982).
[5] I.S. KOLOMNIKOW, A.O. GUSEV, T.S. BELOPOTAPOVA, M.K. GRICHGORYAN, T.V. LYSYAK, Y.T. STUCHKOV u. M.E. VOL'PIN, J. Organométal. Chem. **69**, C 10 (1974).

3. mit Schwefeldioxid

Schwefeldioxid wird gleichfalls in die C–Rh-Bindung eingeschoben unter Ausbildung entsprechender Organosulfonyl-Komplexe[1].

4. mit Alkenen

Der Acyl-hydrido-rhodium(III)-Komplex I reagiert mit Alken unter reduktiver Eliminierung der beiden Reste und Addition an die C,C-Doppelbindung[2]:

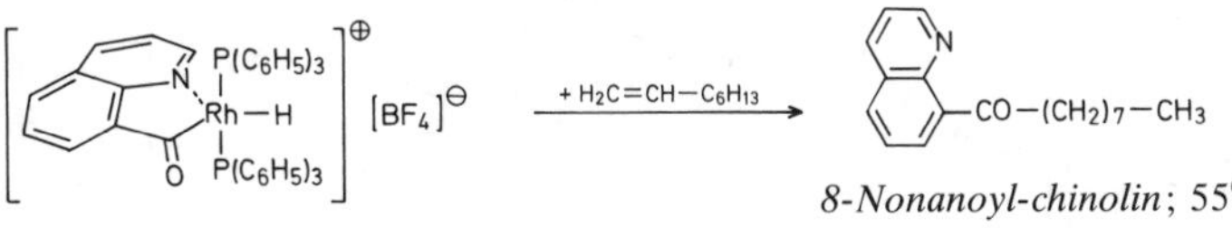

8-Nonanoyl-chinolin; 55%

b) Umsetzung von Rhodol-Derivaten mit ungesättigten Verbindungen

Rhodole können sich mit Kohlenmonoxid, Isocyaniden, Chalkogenen, Nitrenen bzw.
Alkinen unter Substitution des Rhodium-Restes durch die ungesättigte Verbindung umsetzen:

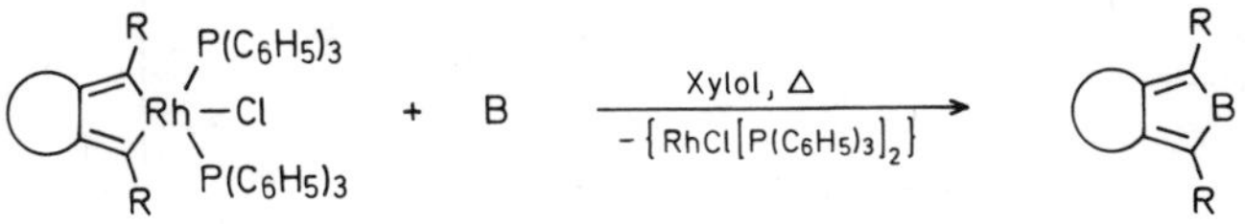

z.B.: B = O, S, Se, CO

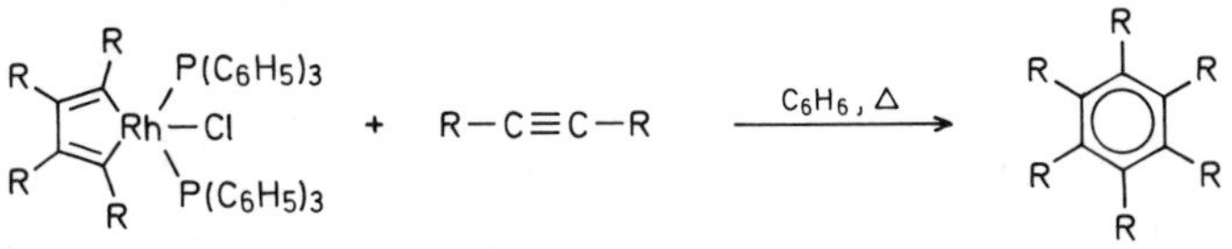

z.B.: R = COOCH$_3$

Hexamethoxycarbonyl-benzol[3]

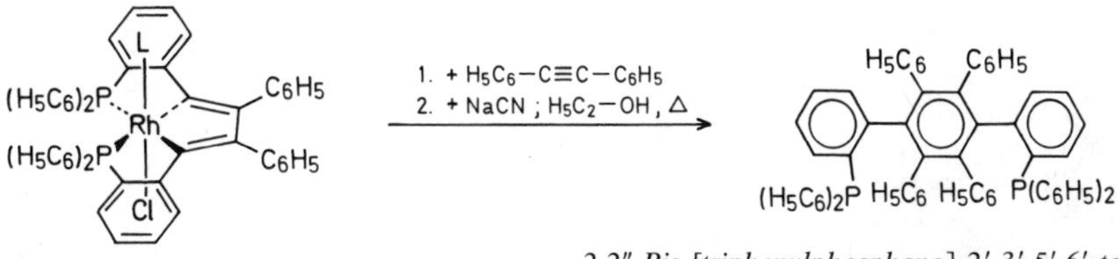

L = P(C$_6$H$_5$)$_3$

*2,2''-Bis-[triphenylphosphano]-2',3',5',6'-tetraphenyl-
terphenyl*; 82%; F: 320–322°[4]

Charakteristische Beispiele der Reaktion von Rhodolen mit ungesättigten Verbindungen sind in Tab. 10 (S. 460) beschrieben.

[1] A.E. Crease u. M.D. Johnson, Am. Soc. **100**, 8013 (1978).
[2] J.W. Suggs, Am. Soc. **100**, 640 (1978).
[3] J.P. Collman, J.W. Kang, W.F. Little u. M.F. Sullivan, Inorg. Chem. **7**, 1298 (1968).
[4] W. Winter, Ang. Ch. **88**, 260 (1976).

Tab. 10: Umsetzung von Rhodolen mit ungesättigten Verbindungen

Rhodol-Derivat	Ungesättige Verbindung	Reaktionsprodukt			Literatur
		Formel	[%]	F [°C]	
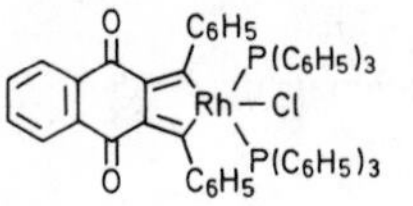 (Struktur)	$H_5C_6-C\equiv C-C_6H_5$	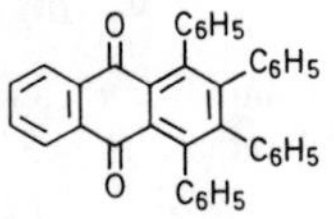 (Struktur)	67	315	1
	O_2	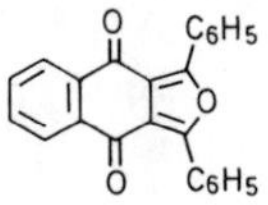 (Struktur)	15	220–222	2,3
	S_x	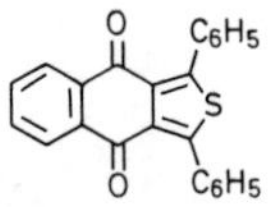 (Struktur)	62	274–275	2,3
	CO	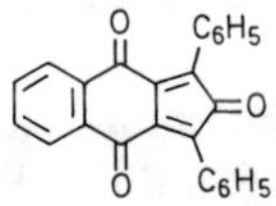 (Struktur)	–	–	4
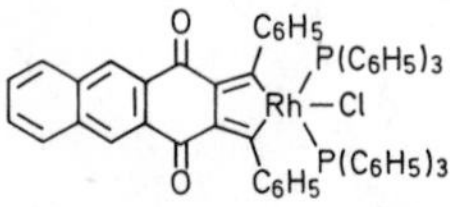 (Struktur)	Se (rot)	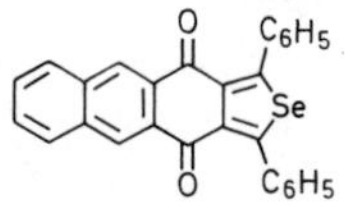 (Struktur)	75	247	5
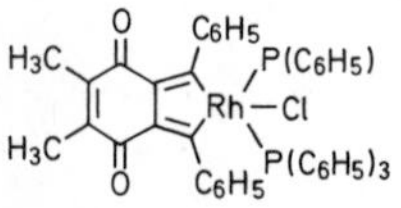 (Struktur)	$H_5C_2OOC-C\equiv C-COOC_2H_5$	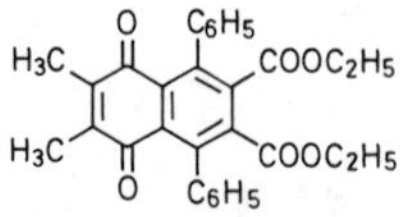 (Struktur)	79	184–186	6
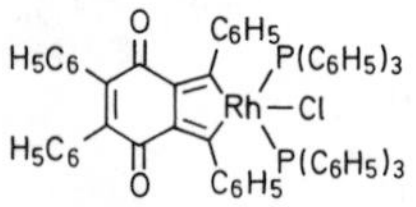 (Struktur)	Se	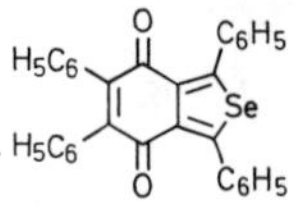 (Struktur)	20	256 (Zers.)	6
	H_5C_6-NO	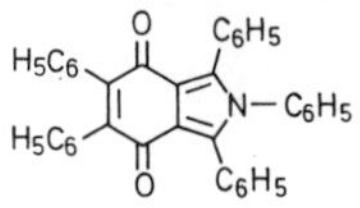 (Struktur)	15	330 (Zers.)	6
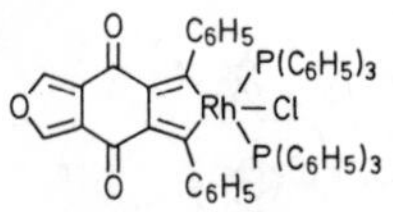 (Struktur)	$H_5C_6-C\equiv C-C_6H_5$	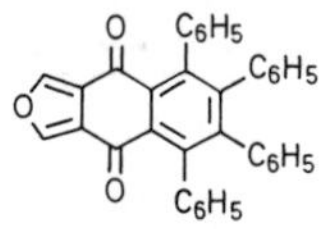 (Struktur)	70	295	7
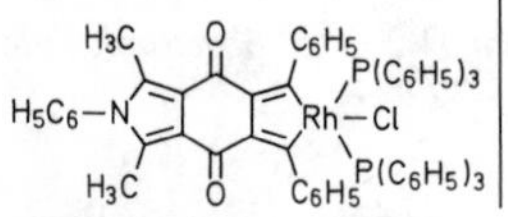 (Struktur)	S_x	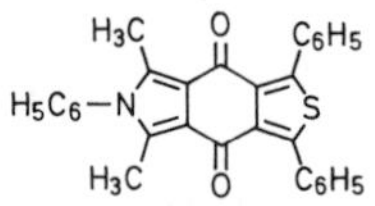 (Struktur)	55	255	8

[1] E. Müller u. E. Langer, Tetrahedron Letters 1970, 731.
[2] E. Müller u. E. Langer, Tetrahedron Letters 1970, 735.
[3] E. Müller, C. Beissner, H. Jäkle, E. Langer, H. Muhm, G. Odenigbo, M. Sauerbier, A. Segnitz, D. Streichfuss u. R. Thomas, A. 754, 64 (1971).
[4] E. Müller, Synthesis 1974, 761.
[5] E. Müller, H. Muhm u. E. Langer, Ch. Z. 95, 525 (1971).
[6] J. Hambrecht u. E. Müller, A. 1977, 387.
[7] E. Müller u. W. Winter, A. 761, 14 (1972).
[8] E . Müller u. W. Winter, B. 105, 2523 (1972).

Tab. 10 (1. Forts.)

Rhodol-Derivat	Ungesättige Verbindung	Reaktionsprodukt			Literatur
		Formel	[%]	F [°C]	
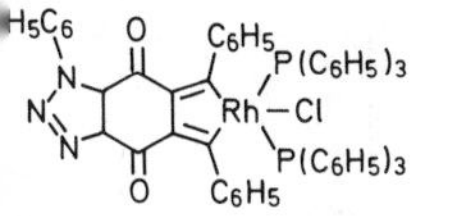	$H_5C_6-N_3$ (bzw. H_5C_6-NO)	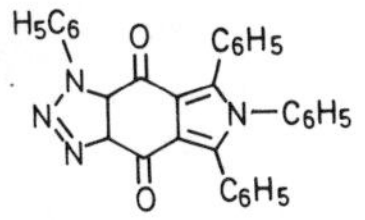	30 (bzw. 50)	305–307	1
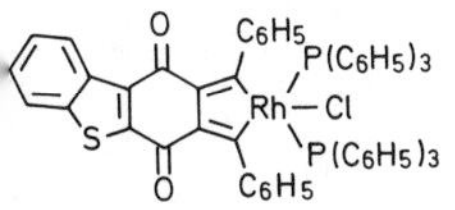	Te (amorph)	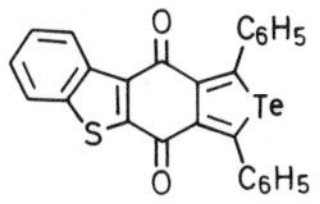	38	248	2
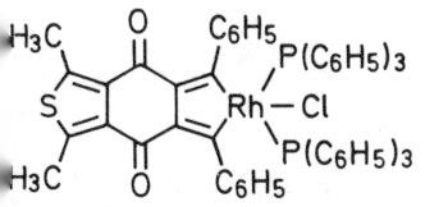	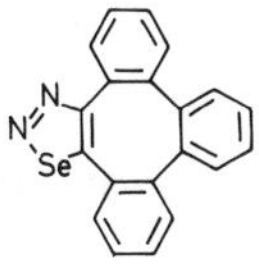	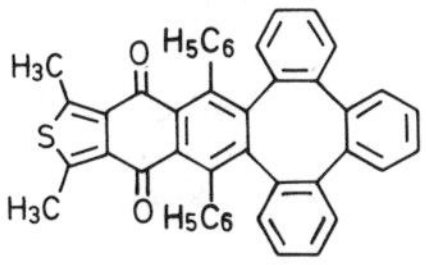	–	–	3
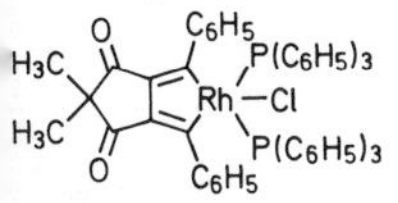	$H_5C_6-C\equiv C-C_6H_5$	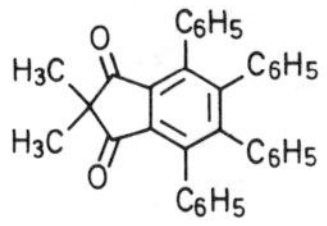	68		4
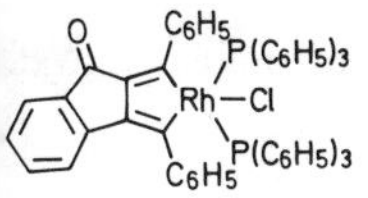	Se (rot)	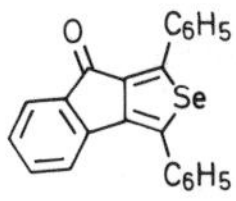			5
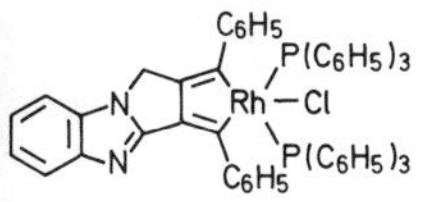	CO	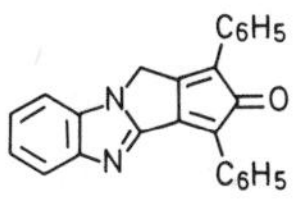	37	167	6
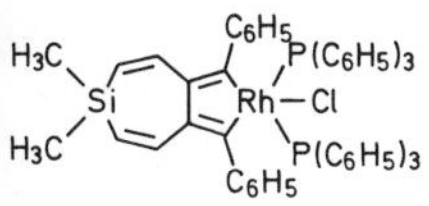	$R-C\equiv C-R$	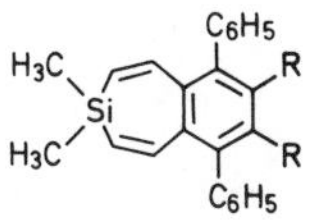			7
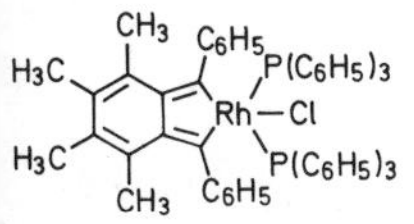	S_x	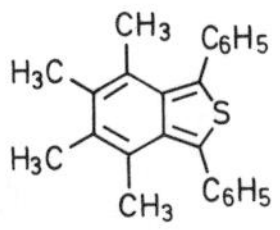			8
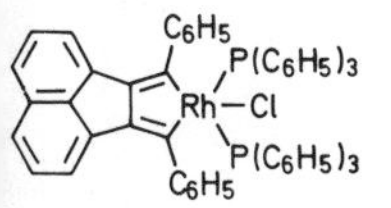	$H_5C_2OOC-C\equiv C-COOC_2H_5$	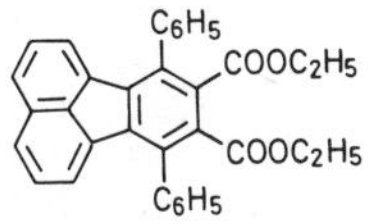	93	263–264	9

[1] E. MÜLLER u. W. WINTER, A. **1974**, 1876.
[2] E. MÜLLER, E. LUPPOLD u. W. WINTER, B. **108**, 237 (1975).
[3] H. GUGGEL u. H. MEIER, Ch. Z. **103**, 155 (1979).
[4] E. MÜLLER u. A. SEGNITZ, B. **106**, 35 (1973).
[5] E. MÜLLER u. C. BEISSNER, Ch. Z. **97**, 207 (1973).
[6] E. MÜLLER u. G. ZOUNTSAS, B. **105**, 2529 (1972).
[7] E. MÜLLER u. G. ZOUNTSAS, Ch. Z. **97**, 271 (1973).
[8] G. DÖRING, H. STRAUB u. E. MÜLLER, Ch. Z. **100**, 291 (1976).
[9] E. MÜLLER, R. THOMAS u. G. ZOUNTSAS, A. **758**, 16 (1972).

Tab. 10 (2. Forts.)

Rhodol-Derivat	Ungesättige Verbindung	Reaktionsprodukt			Literatur
		Formel	[%]	F [°C]	
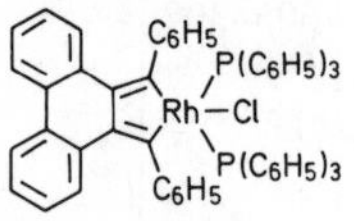	Se	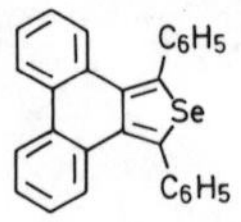	53	217–218	[1,2]
	CO	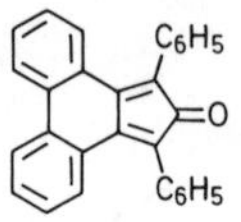	53,5	271–273	[2]

3-Chlor-perbenzoesäure reagiert ähnlich wie molekularer Sauerstoff mit den Rhodol-Komplexen[3]; z.B.:

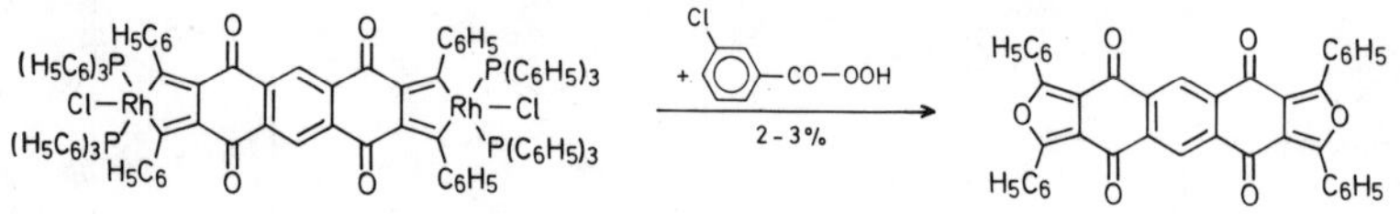

Einige Rhodole bilden mit molekularem Sauerstoff nicht oder nur teilweise das entsprechende Furan-Derivat. Es entstehen statt dessen Diketone (s. Lit.)[2,4].

[1] E. MÜLLER, C. BEISSNER, H. JÄKLE, E. LANGER, H. MUHM, G. ODENIGBO, M. SAUERBIER, A. SEGNITZ, D. STREICHFUSS u. R. THOMAS, A. **754**, 64 (1971).
[2] E. MÜLLER, R. THOMAS u. G. ZOUNTSAS, A. **758**, 16 (1972).
[3] J. HAMBRECHT u. E. MÜLLER, Z. Naturf. **32 B**, 68 (1977).
[4] G. DÖRING, H. STRAUB u. E. MÜLLER, Ch. Z. **100**, 291 (1976).

Methoden zur Herstellung und Umwandlung von σ-Organo-iridium-Verbindungen

bearbeitet von

Dr. Ernst Langer

BASF AG, Ludwigshafen/Rhein

Mit 7 Tabellen

Literatur berücksichtigt bis 1983 (teilweise).

σ-Organo-iridium-Verbindungen

Organo-iridium-Verbindungen weisen normalerweise eine σ–C-Metall-Bindung auf[1] Sie kommen hauptsächlich in der Oxidationsstufe 1 und 3 vor. Auch Diorgano- und Triorgano-iridium(III)-Verbindungen sind bekannt.

Organo-iridium-Verbindungen mit Iridium-Iridium- bzw. Iridium-Metall-Bindungen werden in einem eigenen Abschnitt behandelt. Es gibt Bis-[organo-iridium]-Komplexe mit Metall-Metall-Bindung, die formal die Oxidationsstufe 2 aufweisen. Bei Verbindungen mit 3 und mehr Metall-Atomen und direkter Metall-Metall-Bindung ist eine zwanglose Zuordnung der Oxidationsstufe oft nicht möglich. Man betrachtet sie besser als elektronische Einheit und bezeichnet sie als Metall-Cluster.

Organo-iridium-Verbindungen kommen weitaus häufiger in der Oxidationsstufe 3 vor als in 1 und zwar in folgender Rangordnung der organischen Reste

$$\text{Alkyl-Ir(III)} > \text{Aryl-Ir(III)} > \text{Acyl-Ir(III)} > \text{1-Alkinyl-Ir(III)} > \text{1-Alkenyl-Ir(III)}$$

Organo-iridium(I)-Verbindungen werden durch Substitutionsreaktionen von Iridium(I)- mit Organo-metall-Verbindungen hergestellt:

$$\text{Ir}^{I}\text{—X} \quad + \quad \text{R—M} \quad \xrightarrow[-\text{MX}]{} \quad \text{R—Ir}^{I}$$

R = Alkyl, 1-Alkenyl, 1-Alkinyl bzw. Aryl

Die Methode ist nicht anwendbar auf organische Reste, deren Substituenten mit Organo-lithium-Verbindungen reagieren.

1-Alkine können als CH-acide Verbindungen in Gegenwart von Basen anorganische Reste in Iridium(I)-Verbindungen substituieren:

$$\text{Ir}^{I}\text{—X} \quad + \quad \text{HC}\equiv\text{C—R} \quad + \quad \text{IB} \quad \xrightarrow[-[\text{HB}]\text{X}]{} \quad \text{R—C}\equiv\text{C—Ir}^{I}$$

1-Alkine reagieren außerdem mit Hydrido-iridium(I)-Komplexen, wahrscheinlich unter oxidativer Addition und anschließender reduktiver Eliminierung von molekularem Wasserstoff:

$$\text{Ir}^{I}\text{—H} \quad + \quad \text{H—C}\equiv\text{C—R} \quad \xrightarrow[-\text{H}_2]{} \quad \text{R—C}\equiv\text{C—Ir}^{I}$$

Iridium(I)-Komplexe, die Liganden mit aromatischen Resten besitzen, können unter Ringschluß reagieren:

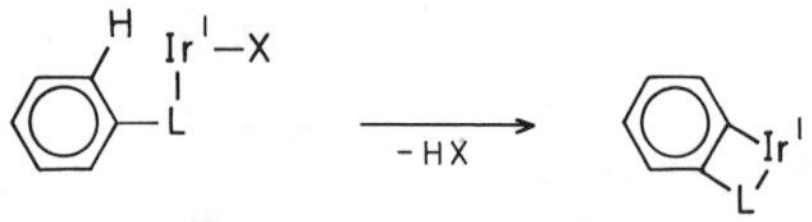

Eine weitere wichtige Methode ist die Addition von ungesättigten Verbindungen an Iridium(I)-Verbindungen. Man bezeichnet die Methode oft als „Insertionsreaktion". Besonders geeignet für Insertionsreaktionen sind Hydrido-iridium(I)-Komplexe, die mit Olefinen oder Acetylenen Alkyl- bzw. 1-Alkenyl-Verbindungen geben:

---

[1] Es wird auf die in der Einleitung der Organo-kobalt-Verbindungen gemachten allgemeinen Bemerkungen hingewiesen.

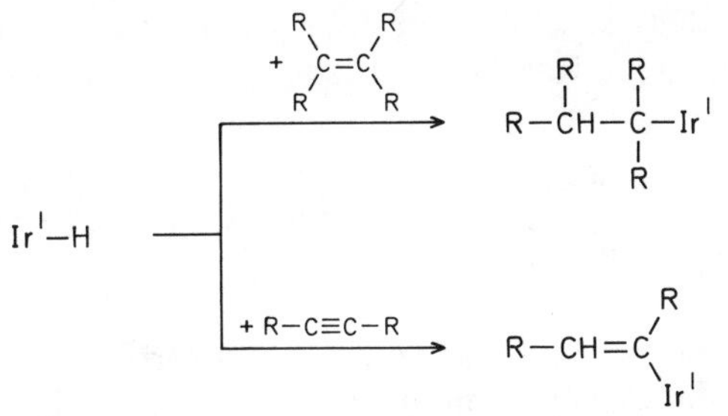

$$Ir^I{-}H \quad \begin{cases} + \ \underset{R}{\overset{R}{C}}{=}\underset{R}{\overset{R}{C}} \longrightarrow R{-}\underset{}{CH}{-}\underset{R}{\overset{R}{C}}{-}Ir^I \\[2em] + \ R{-}C{\equiv}C{-}R \longrightarrow R{-}CH{=}C\overset{R}{\underset{Ir^I}{\diagdown}} \end{cases}$$

Auch Additionsreaktionen mit η^3-Alkyl-iridium(I)- und anderen Iridium(I)-Verbindungen sind möglich; z. B.:

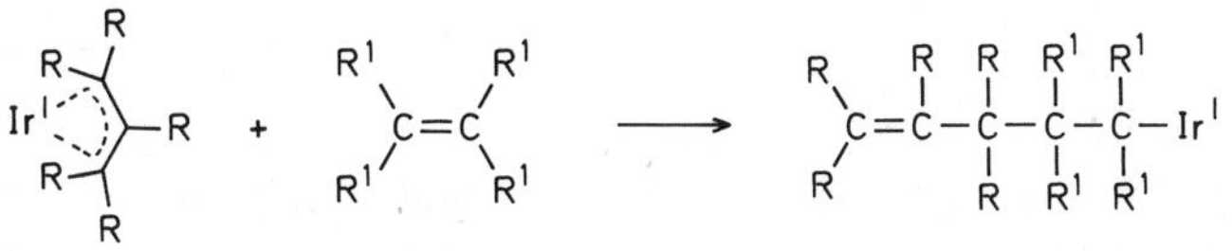

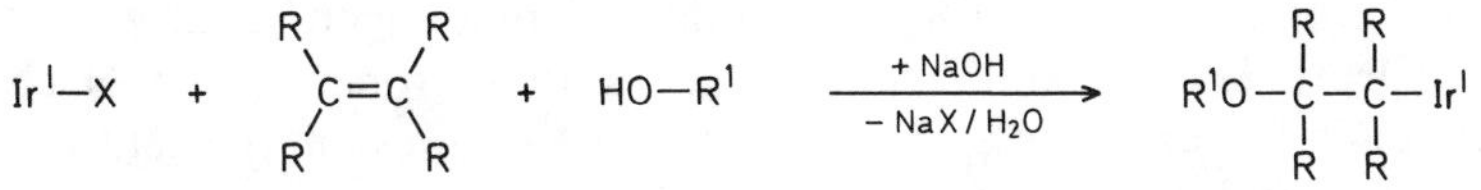

$$Ir^I \cdots + \ \underset{R^1}{\overset{R^1}{C}}{=}\underset{R^1}{\overset{R^1}{C}} \longrightarrow \underset{R}{\overset{R}{C}}{=}\underset{R}{\overset{R}{C}}{-}\underset{R}{\overset{R}{C}}{-}\underset{R^1}{\overset{R^1}{C}}{-}\underset{R^1}{\overset{R^1}{C}}{-}Ir^I$$

$$Ir^I{-}X \ + \ \underset{R}{\overset{R}{C}}{=}\underset{R}{\overset{R}{C}} \ + \ HO{-}R^1 \ \xrightarrow[-\ NaX\ /\ H_2O]{+\ NaOH} \ R^1O{-}\underset{R}{\overset{R}{C}}{-}\underset{R}{\overset{R}{C}}{-}Ir^I$$

Außerdem können ungesättigte Verbindungen, wie in situ hergestellte Carbene oder Kohlenmonoxid, eingebaut werden:

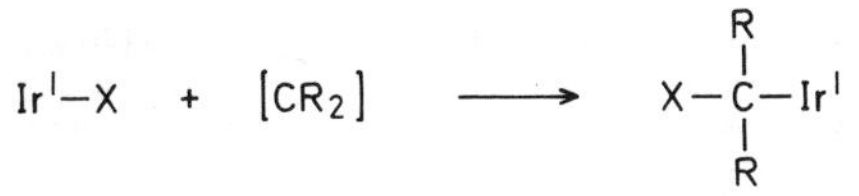

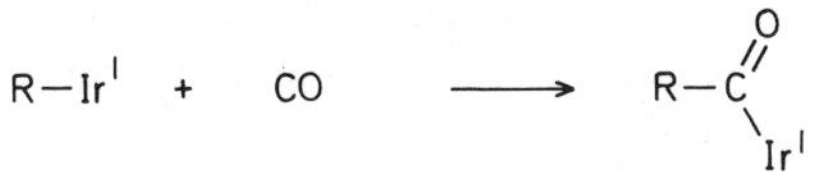

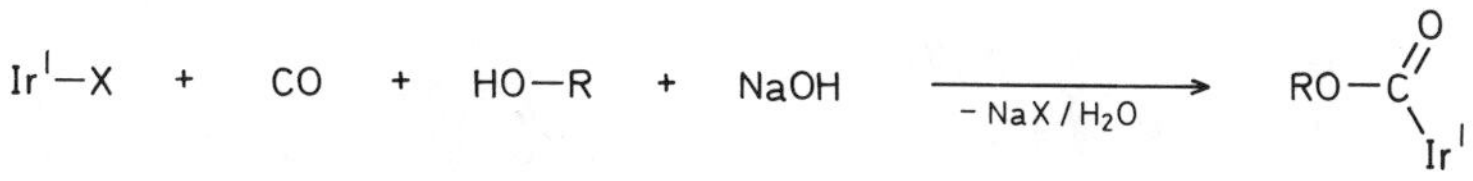

$$Ir^I{-}X \ + \ [CR_2] \longrightarrow X{-}\underset{R}{\overset{R}{C}}{-}Ir^I$$

$$R{-}Ir^I \ + \ CO \longrightarrow R{-}C\overset{O}{\underset{Ir^I}{\diagup}}$$

$$Ir^I{-}X \ + \ CO \ + \ HO{-}R \ + \ NaOH \ \xrightarrow[-\ NaX\ /\ H_2O]{} \ RO{-}C\overset{O}{\underset{Ir^I}{\diagup}}$$

Umgekehrt ist auch die Eliminierung von Kohlenmonoxid möglich. Sie wird als „Decarbonylierung" bezeichnet. Sie läßt sich auch zur Synthese von Aryl-Verbindungen anwenden:

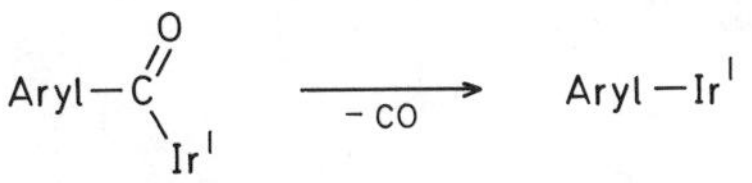

$$Aryl{-}C\overset{O}{\underset{Ir^I}{\diagup}} \ \xrightarrow[-\ CO]{} \ Aryl{-}Ir^I$$

Verschiedene organische Reste können durch Umsetzung von Iridaten(−I) mit Halogen-organischen Verbindungen in den Komplex eingeführt werden. Die Oxidationsstufe von Iridium wird dabei um 2 erhöht:

$$[Ir^{-I}]^{\ominus} \ + \ X{-}R \ \xrightarrow[-\ X^{\ominus}]{} \ R{-}Ir^I$$

R = Alkyl, 1-Alkenyl, Aryl

Da Organo-iridium-Verbindungen in der Oxidationsstufe 3 leichter zu synthetisieren sind als in 1, ist es unter Umständen zweckmäßig, Organo-iridium(III)-Komplexe zunächst herzustellen und diese anschließend elektrochemisch zu reduzieren. Voraussetzung dafür ist es, daß der organische Rest bei der Reduktion nicht umgewandelt oder abgespalten wird:

$$R—Ir^{III}X_2 \quad \xrightarrow[-2X^{\ominus}]{+2e} \quad R—Ir^I$$

R = Alkyl, Aryl

Eine spezielle Methode zur Synthese von σ-Allyl-Verbindungen ist die Addition von nucleophilen Liganden an π-Allyl-Komplexe:

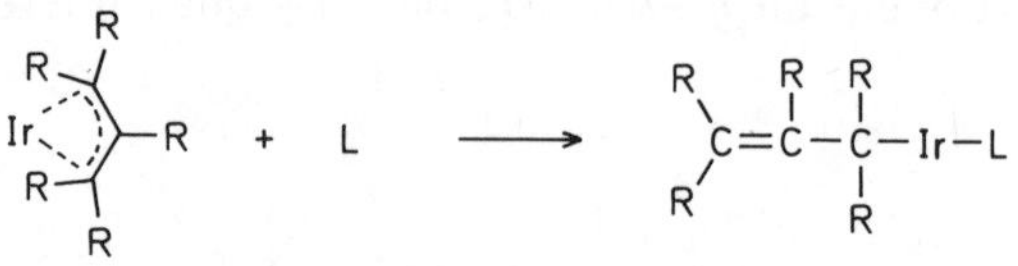

Von Iminoacyl-, Aminocarbonyl- und (Amino-thiocarbonyl)-iridium(I)-Verbindungen gibt es nur wenige Beispiele, die nach speziellen Methoden hergestellt werden.

Die Substitutionsreaktion mit Organo-metall-Verbindungen spielt zur Synthese von Organo-iridium(III)-Verbindungen nur eine untergeordnete Rolle. Nach dieser Methode können auch Di- und Triorgano-iridium(III)-Komplexe hergestellt werden. Daher ist sie oft wenig selektiv:

$$Ir^{III}—X \;+\; M—Alkyl \quad \xrightarrow[-MX]{} \quad Alkyl—Ir^{III}$$

$$Ir^{III}X_2 \;+\; 2\,M—Aryl \quad \xrightarrow[-2\,MX]{} \quad (Aryl)_2Ir^{III}$$

$$Ir^{III}X_3 \;+\; 3\,M—Alkyl \quad \xrightarrow[-3\,MX]{} \quad (Alkyl)_3Ir$$

Liganden mit aromatischen Resten können mit Halogeno-iridium(III)-Verbindungen in 2 verschiedenen Cyclometallierungsreaktionen umgesetzt werden. Dabei bleibt die Oxidationsstufe des Metalls erhalten:

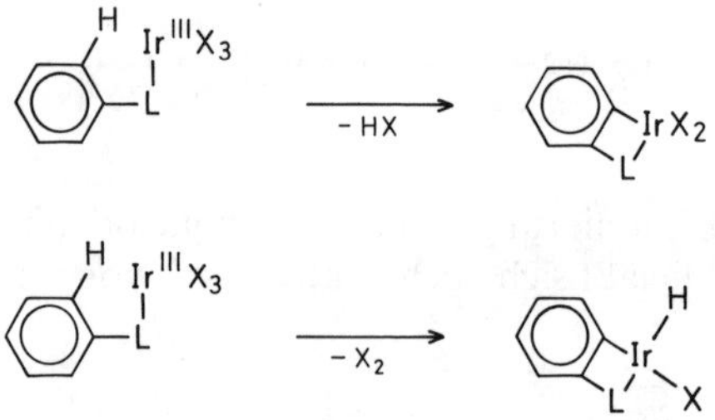

Durch Insertionsreaktion von Olefinen und Alkinen in die Ir–H-Bindung können auch hier Alkyl- und 1-Alkenyl-iridium(III)-Verbindungen erhalten werden:

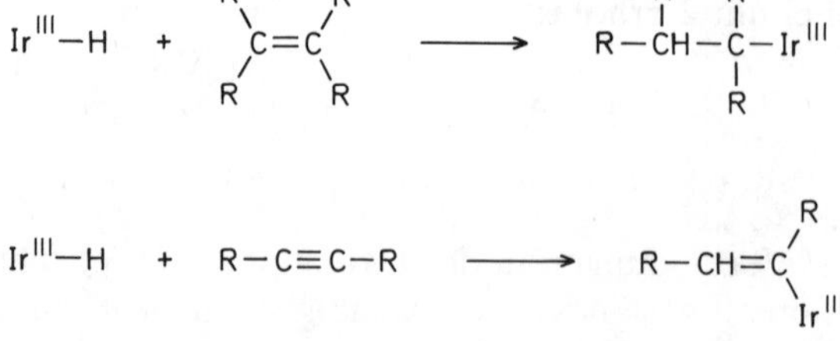

Die wichtigste Methode zur Synthese von Organo-iridium(III)-Verbindungen ist die „oxidative Addition" von Organo-halogenen und ähnlichen Verbindungen an Iridium(I)-Komplexe:

$$Ir^{I}-X^{1} \; + \; R-X \longrightarrow \underset{\underset{X^{1}}{|}}{R-Ir^{III}-X}$$

R = Alkyl, Aryl, 1-Alkinyl, Acyl, CO–OR

Eine Sonderstellung nimmt dabei die Umsetzung mit Jodmethan ein, die besonders gut gelingt und, wie bei Kobalt und vor allem bei Rhodium, in vielen Beispielen untersucht worden ist.

Oxidative Addition wird auch bei einigen Organo-iridium(I)-Verbindungen beobachtet:

$$Ir^{I}-R^{1} \; + \; R-X \longrightarrow \underset{\underset{R^{1}}{|}}{R-Ir^{III}-X}$$

Eine gleiche oxidative Addition gelingt mit 1-Alkinyl-quecksilber- und -zinn-Verbindungen:

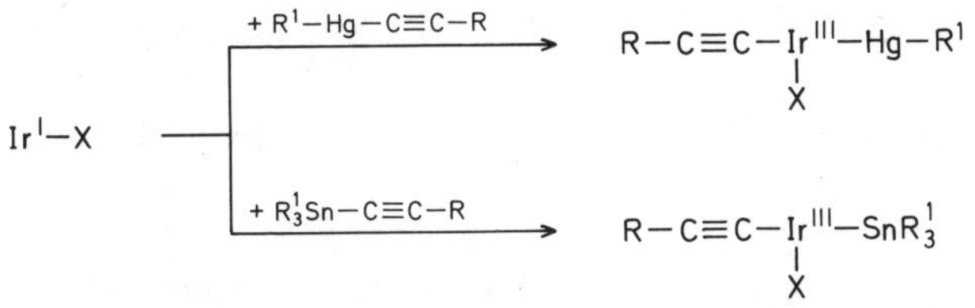

$$Ir^{I}-X \quad \begin{cases} + R^{1}-Hg-C\equiv C-R \longrightarrow R-C\equiv C-\underset{\underset{X}{|}}{Ir^{III}}-Hg-R^{1} \\ \\ + R^{1}_{3}Sn-C\equiv C-R \longrightarrow R-C\equiv C-\underset{\underset{X}{|}}{Ir^{III}}-SnR^{1}_{3} \end{cases}$$

Ein Reaktionstyp, deren Mechanismus noch nicht aufgeklärt ist, sind die Insertionsreaktionen von Iridium(I) in C–H-Bindungen unter Oxidation des Metalls. Es gibt solche „Einschiebungen" in aliphatische, ungesättigte und aromatische C–H-Bindungen.

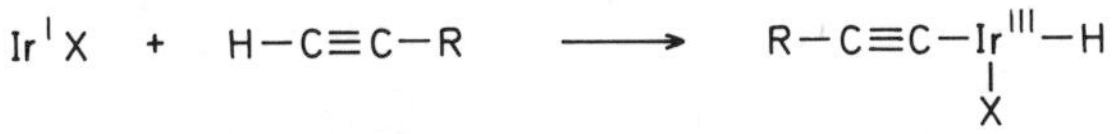

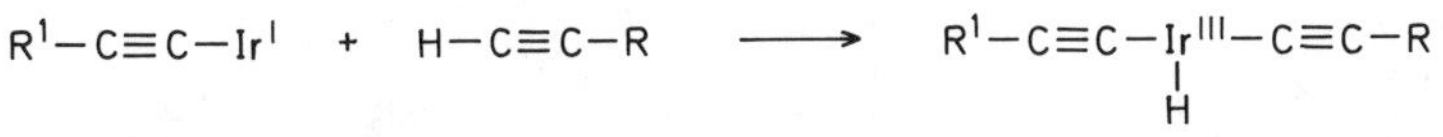

$$Ir^{I}X \; + \; H-CR_{3} \longrightarrow \underset{\underset{X}{|}}{R_{3}C-Ir^{III}-H}$$

$$Ir^{I}X \; + \; \underset{H}{\overset{R}{\diagdown}}C=C\underset{R}{\overset{R}{\diagup}} \longrightarrow \underset{R}{\overset{R}{\diagdown}}C=\underset{\underset{X}{|}}{\overset{\overset{R}{|}}{C}}-Ir^{III}-H$$

$$Ir^{I}X \; + \; H-C\equiv C-R \longrightarrow \underset{\underset{X}{|}}{R-C\equiv C-Ir^{III}-H}$$

$$R^{1}-C\equiv C-Ir^{I} \; + \; H-C\equiv C-R \longrightarrow \underset{\underset{H}{|}}{R^{1}-C\equiv C-Ir^{III}-C\equiv C-R}$$

Ein Sonderfall ist die „Cycloaddition" von bereits am Iridium gebundenen Liganden; z.B.:

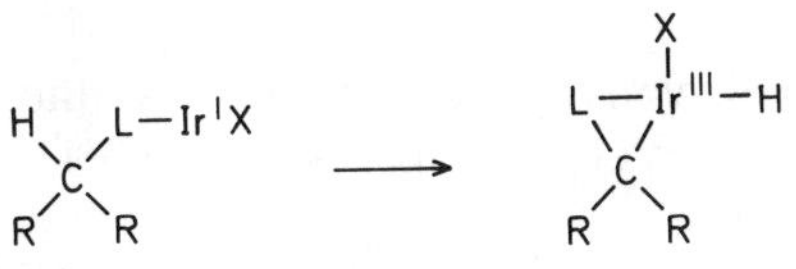

Außer der „ortho-Metallierung" können auch andersständige aromatische Protonen metalliert werden. Ausschlaggebend ist die Stereochemie, da aus energetischen Gründen 5- und 6-Ringe bevorzugt werden. Bei Triarylphosphanen entstehen auch 4-Ringe.

Metall-iridate(I) werden von Halogen-alkanen elektrophil angegriffen:

$$M^{\oplus}[Ir^I]^{\ominus} \quad + \quad X-R \quad \xrightarrow[-MX]{} \quad R-Ir^{III}$$

Relativ viele Beispiele gibt es zur Decarbonylierung von Acyl-iridium(III)-Komplexen, weniger zur Desulfonierung entsprechender Sulfonyl-Verbindungen:

$$R-CO-Ir^{III} \longrightarrow \begin{cases} R-Ir^{III}-CO \\ \xrightarrow{-CO} R-Ir^{III} \quad R = Alkyl, Aryl \end{cases}$$

$$Ir^{III}-O_2S-R \quad \xrightarrow{-SO_2} \quad R-Ir^{III}$$
$$R = Alkyl, Aryl$$

Umgekehrt können Alkyl-iridium-Verbindungen relativ leicht carbonyliert werden:

$$R-Ir^{III} \quad + \quad CO \quad \longrightarrow \quad R-\overset{\overset{\displaystyle O}{\|}}{C}-Ir^{III}$$

Wie bei 1-wertigen Iridium-Komplexen gibt es auch bei 3-wertigen die durch nucleophile Liganden induzierte $\pi \rightarrow \sigma$-Allyl-Umlagerung.

Stabile Organo-iridium(I)-Verbindungen können auch in polare Verbindungen, wie Halogenwasserstoff, Quecksilber(II)-halogenide und Trichlorsilan, sowie in nicht polare Moleküle, wie molekulares Halogen und Wasserstoff eingelagert werden, ohne daß die C–Ir-Bindung gespalten wird:

$$R-Ir^I \longrightarrow \begin{cases} \xrightarrow{+HX} \underset{\underset{X = Hal, SiCl_3}{R = Aryl, 1-Alkinyl}}{R-\overset{\overset{\displaystyle H}{|}}{Ir^{III}}-X} \\ \xrightarrow{+HgHal_2} R-\overset{\overset{\displaystyle Hal}{|}}{Ir^{III}}-HgHal \\ \xrightarrow{+Hal_2} R-Ir^{III}Hal_2 \\ \xrightarrow{+H_2} R-Ir^{III}H_2 \end{cases}$$

Von untergeordneter Bedeutung sind Abbaureaktionen von Tri- und Diorgano-iridium-Verbindungen, da sie meistens nicht selektiv ablaufen:

$$R_3Ir^{III} \quad + \quad X_2 \quad \xrightarrow[-RX]{} \quad R_2Ir^{III}-X$$

Es gibt nur wenige Beispiele von Aminocarbonyl-, (Amino-thiocarbonyl)- und (Alkylthio-thiocarbonyl)-iridium(III)-Verbindungen sowie von Diiridium- und Cluster-Komplexen.

Alkyl-iridium(I)-Verbindungen besitzen im Normalfall die Koordinationszahl 4 mit quadratisch-planarer Konfiguration. Die stärker Elektronen-anziehenden und kleineren 1-Alkenyl- und 1-Alkinyl-Reste treten häufiger in der Koordinationszahl 5 auf mit trigonal bipyramidaler und wahrscheinlich seltener mit tetragonal pyramidaler Konfiguration. Die noch stärker Elektronen-anziehenden Acyl- und Alkoxycarbonyl-Reste bewirken, daß es mit ihnen fast nur 5-fach koordinierte Komplexe gibt. Bei Aryl-Komplexen ist die Koordinationszahl 4 etwa gleich häufig wie 5. Dabei spielt die Stereochemie der Reste eine große Rolle, wobei durch Einführung großer Aryl-Reste und Liganden die Koordinationszahl erniedrigt wird. Kleine Liganden mit starker „π-back-donation" („Rückbindung") bevorzugen aus sterischen und elektronischen Gründen andererseits die höhere Koordinationszahl, wie Carbonyl und Schwefeldioxid. Auch ein intramolekularer Ringschluß reduziert die sterische Hinderung und ermöglicht den Eintritt des fünften Liganden.

Organo-iridium(III)-Verbindungen besitzen meist die Koordinationszahl 6 mit oktaedrischer Konfiguration. Wenn weniger als 6 Liganden pro Atom Iridium vorhanden sind, versuchen die Komplexe durch Bildung von Iridium-Halogen-Iridium-Brücken dennoch die bevorzugte oktaedrische Koordination zu erreichen. Liganden, wie Acylate oder Dithioacylate sind oft 2-bindig:

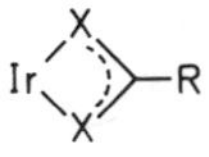

X = O bzw. S

5-fach koordinierte Acyl-Komplexe lagern sich oft rasch in die stabileren 6-fach koordinierten Alkyl- oder Aryl-carbonyl-iridium-Verbindungen um.

Zur Synthese von Organo-iridium(III)-Verbindungen mit der Koordinationszahl 5 bedarf es besonderer Methoden. Als zweckmäßig erweist sich der Einsatz von Distickstoff-Komplexen, da molekularer Stickstoff bei der Reaktion den Komplex irreversibel verläßt. Auch der Einsatz von Trialkyloxonium-Salzen anstelle von Halogen-alkanen ist günstig, da so nur 1 Ligand in den Komplex eingeführt wird. Die so hergestellten koordinativ ungesättigten Verbindungen nehmen leicht einen weiteren Liganden auf. Eine gewisse Neigung 5-fach koordinierte Komplexe zu bilden haben Iridole und Alkyl-octa-ethylporphyrinato-iridium-Verbindungen; z.B.:

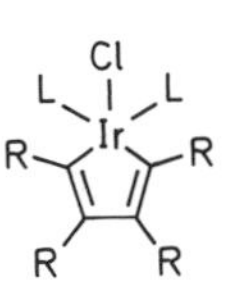

Es gibt Organo-iridium-Cluster mit Ir_3-, Ir_4-, $IrCu_3$-, Ir_2Cu_4- und Ir_2Ag_4-Einheit. Bevorzugt ist eine tetraedrische oder oktaedrische Konfiguration der Metalle.

Die Strukturaufklärung der Komplexe erweist sich oft als problematisch; die von manchen Verbindungen angegebene Struktur bedarf daher einer weiteren Absicherung.

Auch ist es möglich, daß die als einheitlich angegebenen Verbindungen als Gemisch von Koordinations-Isomeren vorliegen oder daß Verbindungen, die auf verschiedenem Wege hergestellt werden, verschiedene Koordinations-Isomere derselben Summenformel sind.

Die Stabilität der Organo-iridium-Verbindungen läuft in etwa konform mit der zuvor beschriebenen Häufigkeit der Verbindungen. So sind Methyl-Komplexe stabiler als Komplexe mit höheren Alkyl-Resten, da bei ersteren keine β-Eliminierung möglich ist. In diesen und auch in anderen Eigenschaften entsprechen die Iridium- den Kobalt- und Rhodium-Komplexen, wobei Iridium dem Rhodium ähnlicher ist als dem Kobalt. Unterschie-

de ergeben sich aus der verschiedenen Größe der Metall-Atome. Durch Besetzen de
freien Koordinationsstellen mit Liganden wird i. a. die Stabilität des Komplexes erhöh
Elektronische Einflüsse sind nur schwer abzuschätzen. Beispielsweise wird die thermisch
Stabilität des Methyl-Komplexes durch Aufnahme von Kohlenmonoxid beträchtlich er
höht, wahrscheinlich infolge sterischer Sättigung und infolge der Elektronen-back-dona
tion von Iridium zum Carbonyl-Liganden[1]:

$$H_3C-Ir[P(C_6H_5)_3]_3 \quad + \quad CO \quad \xrightarrow{\ 1\ bar\ } \quad H_3C-Ir(CO)[P(C_6H_5)_3]_3$$

Tris-[triphenylphosphan]-carbonyl-methyl-iridium
70%; IR: ν_{CO} 1945 cm^{-1}

Obwohl viele der beschriebenen Verbindungen gegenüber Luft und Feuchtigkeit relati
stabil sind, empfiehlt es sich, bei der Herstellung der Komplexe unter Luft- und Wasser
Ausschluß zu arbeiten. Dies ist besonders wichtig, wenn mit oxidationsempfindlichen Li
ganden wie Trialkylphosphanen gearbeitet wird. Auch Licht und übermäßiges Erhitze
der Komplexe kann schädlich sein.

Wenn auch Iridium-Verbindungen meist wenig flüchtig sind, sollte dennoch mit **Vor**
sicht gearbeitet werden, da häufig eingesetzte Komplex-Liganden, wie Kohlenmonoxic
Isonitrile, Phosphane etc., sehr starke Atemgifte und leicht flüchtig sind. In diesem Zu
sammenhang sollte auf einen **tödlichen** Unfall hingewiesen werden, der sich mi
2-Jod-perfluor-alkanen als Alkylierungmittel ereignete[2].

Die Umwandlungen von Organo-iridium-Verbindungen mit protischen Reagenzien
Wasserstoff, Halogenen und Halogen-abgebenden Reagentien sind vergleichbar den be
Rhodium beschriebenen Reaktionen.

Während Kobalt- und Rhodium-Verbindungen als Katalysatoren bei der Hydroformy
lierung („Oxosynthese") von Olefinen und bei der Essigsäure-Synthese aus Methanol unc
Kohlenmonoxid eine große technische Bedeutung erlangt haben[3], wobei im Reaktionscy
clus der homogenen Katalyse σ-Organo-metall-Verbindungen entstehen, sind von Iri
dium, infolge weniger guter Katalysator-Eigenschaften, keine großtechnischen Anwen
dungen bekannt geworden.

Thermodynamische Daten von Organo-iridium-Verbindungen sind nur in wenigen Fällen bestimm
worden. Es liegen Untersuchungen vor über die oxidative Addition von Organo-halogen-Verbindungen an Iri
dium(I)-Komplexen. So wurde durch kalorimetrische Messungen die Änderung der Enthalpie bei diesem Reak
tionstyp untersucht; z. B.[4]:

$$trans\text{-}\{Ir-Cl(CO)[P(CH_3)_3]_2\} \quad + \quad J-R \quad \xrightarrow{\ Cl-CH_2-CH_2-Cl\ }$$

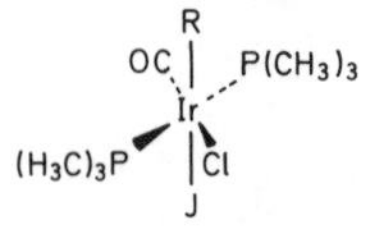

ΔH = −30 bis −40 kcal/mol

Unter der Annahme, daß die Sublimationswärmen der beiden Metallkomplexe gleich sind, kann daraus nä
herungsweise die Dissoziationsenergien der Iridium-R-Bindungen berechnet werden. Man erhält dann folgend
Reihenfolge:

$$H > CH_3 \sim J \sim CO-CH_3 > C_3H_7 > C_2H_5 > CH(CH_3)_2 > CH_2-C_6H_5$$

Organo-iridium(I)-Verbindungen reagieren oft mit polaren Verbindungen wie Halo
genwasserstoff und Quecksilber(II)-halogenid unter oxidativer Addition. Dasselbe gilt fü
molekularen Wasserstoff (s. S. 468). Die Addukte können sich anschließend unter Ab
spaltung des organischen Restes zersetzen:

[1] J. Schwartz u. J. B. Cannon, Am. Soc. **94**, 6226 (1972).
[2] K. Ulm u. W. Weigand, Ang. Ch. **87**, 171 (1975).
[3] s. Bd. E3, S. 62, 180–193, 224ff. (1982); Bd. E5.
[4] G. Yoneda u. D. M. Blake, J. Organometal. **190**, C 71 (1980).

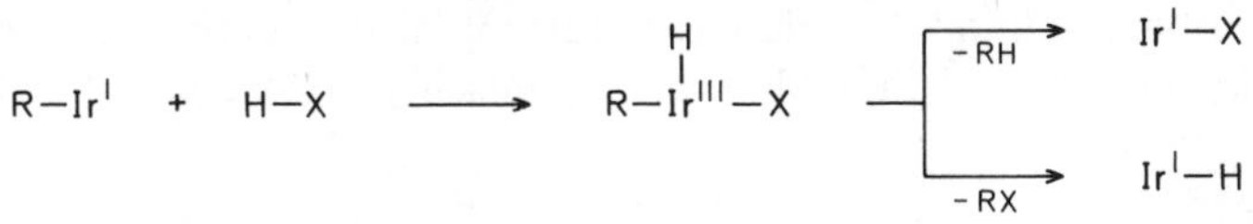

$$R-Ir^I + H-X \longrightarrow R-\overset{\overset{\displaystyle H}{|}}{Ir^{III}}-X \quad \begin{cases} \xrightarrow{-RH} & Ir^I-X \\ \xrightarrow{-RX} & Ir^I-H \end{cases}$$

In einigen Fällen kann auch das Dihydrid isoliert werden:

$$R-Ir^I + H_2 \longrightarrow R-IrH_2 \xrightarrow{-RH} Ir^IH$$

R = Alkyl, 1-Alkenyl, 1-Alkinyl, Aryl (auch ortho-metalliertes), Acyl

Organo-iridium(III)-Verbindungen reagieren in Substitutionsreaktionen mit Proto-nen-aktiven Verbindungen. Umsetzungen mit molekularem Wasserstoff sind ebenfalls be-schrieben:

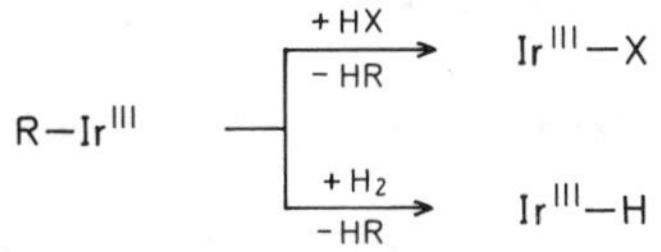

$$R-Ir^{III} \quad \begin{cases} \xrightarrow[-HR]{+HX} & Ir^{III}-X \\ \xrightarrow[-HR]{+H_2} & Ir^{III}-H \end{cases}$$

Besser und selektiver zur Spaltung von Organo-iridium(III)-Verbindungen ist elemen-ares Brom geeignet. Bei Organo-iridium(I)-Komplexen wird Iridium zusätzlich oxidiert:

$$R-Ir^{III} + Br_2 \xrightarrow{-RBr} Ir^{III}-Br$$

$$R-Ir^I + 2Br_2 \xrightarrow{-RBr} Ir^{III}Br_3$$

Mit Halogen-trichlor-methan können aus Organo-iridium(III)-Komplexen Trichlor-methyl-Verbindungen hergestellt werden:

$$R-Ir^{III} + Br-CCl_3 \xrightarrow{-R-CCl_3} Ir^{III}-Br$$

Alkyl-iridium-Verbindungen, die in β-Stellung ein Proton besitzen, werden thermisch besonders leicht gespalten, ohne daß sich dabei die Oxidationsstufe des Metalls ändert.

$$H-\overset{|}{\underset{|}{C}}-\overset{|}{\underset{|}{C}}-Ir^n \longrightarrow Ir^n-H + ^{\diagdown}C=C^{\diagup}$$

Andere Organo-iridium(III)-Verbindungen werden unter reduktiver Eliminierung zer-setzt (s.o.):

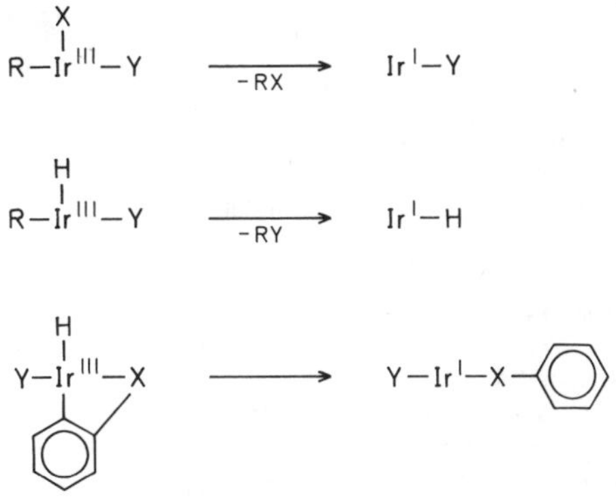

$$R-\overset{\overset{\displaystyle X}{|}}{Ir^{III}}-Y \xrightarrow{-RX} Ir^I-Y$$

$$R-\overset{\overset{\displaystyle H}{|}}{Ir^{III}}-Y \xrightarrow{-RY} Ir^I-H$$

$$Y-\overset{\overset{\displaystyle H}{|}}{\underset{\underset{\displaystyle \bigcirc}{}}{Ir^{III}}}-X \longrightarrow Y-Ir^I-X-\bigcirc$$

Ähnlich wie Cobaltole und Rhodole werden Iridole durch Verbindungen wie z.B. Alkine oder Chalkogene unter Ringschluß des organischen Restes umgesetzt:

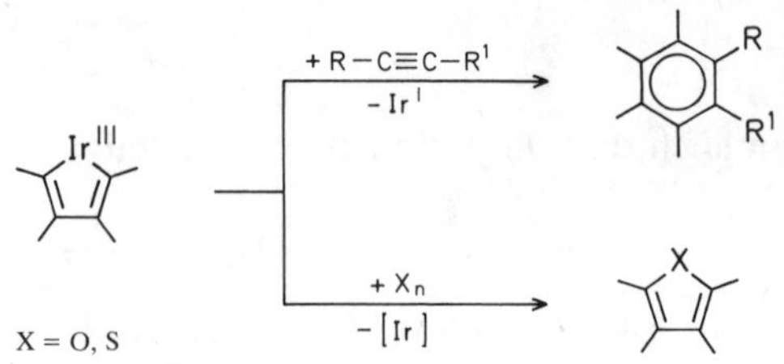

A. Herstellung

I. Organo-iridium(I)-Verbindungen[1]

a) Alkyl- und Ylid-iridium(I)-Verbindungen

1. aus Iridium(I)-Verbindungen

α) aus Hydrido-iridium(I)-Verbindungen mit Alkenen

Die Insertion von Alkenen in die H–Ir-Bindung ist ein Schritt im Katalyse-Cyclus der Hydroformylierung und der homogenen Hydrierung von Olefinen oder Acetylenen in Gegenwart von Iridium-Komplexen.

Iridium-Katalysatoren haben jedoch im Gegensatz zu Kobalt und Rhodium keine großtechnische Bedeutung erlangt. Ein Grund dafür ist die größere Stabilität der intermediär gebildeten Organo-iridium-Verbindungen, die bedingt, daß höhere Temperaturen als bei Einsatz von Rhodium notwendig sind und daher die Selektivität abnimmt. Andererseits können die bei Kobalt und Rhodium postulierten Zwischenstufen bei Iridium infolge ihrer größeren Stabilität nachgewiesen oder isoliert werden.

Bei Verwendung des folgenden, relativ stabilen Hydrido-iridium-Komplexes können die Schritte der Hydroformylierung einzeln nachgewiesen werden, da die metallorganischen Verbindungen in Lösung relativ stabil sind und spektroskopisch charakterisiert werden können[2]:

$$Ir_4(CO)_9L \xrightarrow[80-100\ bar,\ 150°]{+3\ CO,\ 2\ H_2,\ 3\ L} 4\ Ir(H)(CO)_3L \xrightarrow{+4\ H_2C{=}CH_2;\ 15\ bar,\ 50°} 4\ H_5C_2{-}Ir(CO)_3L$$

$$\xrightarrow{+4\ CO;\ 15\ bar,\ 50°} 4\ H_5C_2{-}CO{-}Ir(CO)_3L \xrightarrow[-4\ Ir(H)(CO)_3L]{+4\ H_2;\ 15\ bar} 4\ H_5C_2{-}CHO$$

$L = P[CH(CH_3)_2]_3$

Durch Umsetzung von Carbonyl-hydrido-tris-[triphenylphosphan]-iridium mit Ethen entsteht das in Lösung halbwegs stabile *Bis-[triphenylphosphan]-carbonyl-ethyl-iridium* (^{1}H-NMR-spektroskopisch charakterisiert)[3]. Das bei der Reaktion freigesetzte Triphenylphosphan inhibiert die weitere Umsetzung des Hydrido-Komplexes mit Äthen, so daß in 10 Min. nur 10–20% Umsatz stattfindet:

---

[1] Carben-iridium(I)-Komplexe s. z.B. P.J. Fraser, W.R. Roper u. F.F.A. Stone, Soc. [Dalton] **1974**, 760.

[2] R. Wyman, J. Organometal. Chem. **94**, 303 (1975).

[3] G. Yagupsky, C.K. Brown u. G. Wilkinson, Soc. [A] **1970**, 1392.
Bei der Umsetzung von Bis-[triphenylphosphan]-dicarbonyl-hydrido-iridium mit Ethen entsteht ein Gemisch eines Ethyl- und Propanoyl-Komplexes.

$$IrH(CO)[(H_5C_6)_3P]_3 \; + \; H_2C{=}CH_2 \; \xrightarrow[-\,(H_5C_6)_3P]{35°,\;10\;bar} \; H_5C_2{-}Ir(CO)[(H_5C_6)_3P]_2$$

Einen wesentlich stabileren Alkyl-Komplex erhält man bei der Umsetzung mit Acrylni-
ril, das gleichzeitig als π-Ligand gebunden wird[1]:

$$IrH(CO)[(H_5C_6)_3P]_3 \; + \; 2\,H_2C{=}CH{-}CN \; \xrightarrow[-\,(H_5C_6)_3P]{60°,\;90\;Min.}$$

(2,3-η^2-Acrylnitril)-bis-[triphenylphosphan]-
carbonyl-(2-cyan-ethyl)-iridium

Andere Olefine mit Elektronen-anziehenden Substituenten bilden keine σ-Alkyl-iri-
lium-Verbindungen[2,3].

β) aus Halogen-iridium(I)-Verbindungen

β_1) mit Organo-metall-Verbindungen

Unter den Alkyl-iridium-Verbindungen nehmen die Methyl-Komplexe in ihrer Stabili-
ät eine Sonderstellung ein, da infolge fehlender β-ständiger Protonen keine Olefin-Elimi-
iierung möglich ist (s.a. S. 620):

$$R{-}\overset{\underset{\displaystyle R}{|}}{\underset{\underset{\displaystyle R}{|}}{C}}{-}\overset{\underset{\displaystyle R}{|}}{\underset{\underset{\displaystyle R}{|}}{C}}{-}IrL_n \; \xrightarrow{-\,Ir(H)L_n} \; \overset{R}{\underset{R}{\diagdown}}C{=}C\overset{R}{\underset{R}{\diagup}}$$

Durch Wahl geeigneter Liganden L können die Komplexe stabilisiert werden.

Besonders häufig wird Triphenylphosphan als Ligand verwendet, das bequem zugäng-
lich und im Gegensatz zu den meisten Alkylphosphanen gegenüber der Oxidation durch
Sauerstoff relativ unempfindlich ist. Methyl-lithium substituiert Chlor in verschiedenen
Chlor-iridium-Komplexen; z.B.:

$$IrCl[P(C_6H_5)_3]_3 \; + \; H_3C{-}Li \; \xrightarrow[-LiCl]{(H_5C_2)_2O,\;1,4\text{-Dioxan}} \; H_3C{-}Ir[P(C_6H_5)_3]_3$$

Durch Umsetzung des Chloro-tetrakis-[trimethylphosphan]-iridium mit Methyl- bzw.
Trimethylsilylmethyl-lithium erhält man *Methyl-* bzw. *Trimethylsilylmethyl-tetrakis-[tri-
methylphosphan]-iridium* (CH$_3$: 84%; Zers.p.: 50°)[4,5] und des Chloro-iridium-Chelat-
komplexes mit Organo-lithium *(Bis-[3-diphenylphosphano-propyl]-phenyl-phosphan)-
(2,2-dimethyl-propyl)-* bzw. *-trimethylsilylmethyl-iridium* zu ~50%[6].

Methyl-tris-[triphenylphosphan]-iridium[7,8]: Zu einer Suspension von Chloro-tris-[triphenylphosphan]-iri-
dium in Diethylether wird unter Rühren bei 0° etwas mehr als 1 Äquivalent Methyl-lithium in ether. Lösung zugegeben (Argon-Atmosphäre!). Nach einigen Min. schlägt die Farbe von orange nach rot um. Durch Zugabe von
etwas mehr als 1 Äquivalent 1,4-Dioxan wird Lithiumchlorid als 1,4-Dioxan-Addukt ausgefällt, überschüssiges
Methyl-lithium durch Methanol zersetzt und die trübe Mischung durch Zentrifugieren gereinigt. Nach Entfernen

[1] W.H. BADDLEY u. M.S. FRASER, Am. Soc. **91**, 3661 (1969).
[2] M.S. FRASER, G.F. EVERITT u. W.H. BADDLEY, J. Organometal. Chem. **35**, 403 (1972).
[3] M.S. FRASER u. W.H. BADDLEY, J. Organometal. Chem. **36**, 377 (1972).
[4] D.L. THORN, Organometallics **1**, 197 (1982).
[5] T.H. TULIP u. D.L. THORN, Am. Soc. **103**, 2448 (1981).
[6] E. ARPAC u. L. DAHLENBURG, J. Organometal. Chem. **251**, 361 (1983).
[7] J. SCHWARTZ u. J.B. CANNON, Am. Soc. **94**, 6226 (1972).
[8] Vgl. dagegen: L. DAHLENBURG, J. Organometal. Chem. **251**, 347 (1983).

des Lösungsmittels i. Vak. erhält man ein hell-rotes festes Produkt; rote Kristalle entstehen bei Zugabe von Pe tan zu einer konz. ether. Lösung. Die Kristalle zersetzen sich schnell, sogar bei −78°. In Diethylether gelöst bei ist der Komplex einige Stdn. stabil. (Die freie Koordinationsstelle wird durch Ether blockiert und dadurch die i tramolekulare oxidative Addition eines Phenyl-Restes verlangsamt).

Der Vaska-Komplex reagiert mit Methyl-lithium analog[1,2]:

$$Ir(Cl)(CO)[(H_5C_6)_3P]_2 \quad + \quad H_3C{-}Li \quad \xrightarrow[-LiCl]{(H_5C_2)_2O} \quad H_3C{-}Ir(CO)[(H_5C_6)_3P]_2$$

Bis-[triphenylphosphan]-carbonyl-methyl-iridiu

In den koordinativ ungesättigten Komplexen wird ein weiterer Triphenylphosphan- L gand gebunden[3].

$$Ir(Cl)(CO)[(H_5C_6)_3P]_2 + H_3C{-}Li + (H_5C_6)_3P \xrightarrow[-LiCl]{} H_3C{-}Li(CO)[(H_5C_6)_3P]_3$$

Carbonyl-methyl-tris-[triphenylphosphan]-iridiu

1,5-Cyclooctadien dient als 2-zähniger Ligand. In Gegenwart von Phosphan- oder D phosphan-Derivaten wird der dimere Chloro-(1,5-cyclooctadien)-iridium-Komplex me thyliert und aufgespalten:

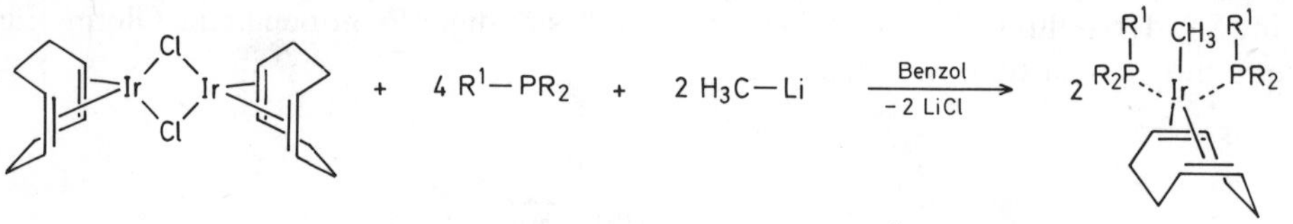

...-(η^4-1,5-cyclooctadien)-methyl-iridiu

$R^1{-}PR_2 = H_5C_6{-}P(CH_3)_2$; *Bis-[dimethyl-phenyl-phosphan]-...*[4–6]

$2\,R^1{-}PR_2 = (H_5C_6)_2P{-}CH_2{-}CH_2{-}P(C_6H_5)_2$; *(1,2-Bis-[diphenylphosphano]-ethan)-...*[7]

$2\,R^1{-}PR_2{}^2 = (H_5C_6)_2P{-}(CH_2)_3{-}P(C_6H_5)_2$; *(1,3-Bis-[diphenylphosphano]-propan-...*[4,5]

In β-Stellung deuterierte Alkyl-iridium-Verbindungen erhält man durch Reaktion de Vaska-Komplexes mit der deuterierten Alkyl-lithium-Verbindung[9,10]:

$$Ir(Cl)(CO)[(H_5C_6)_3P]_2 \quad + \quad H_3C{-}(CH_2)_5{-}\underset{D}{\overset{X}{C}}{-}CH_2{-}Li$$

$$\xrightarrow[-LiCl]{} \quad H_3C{-}(CH_2)_5{-}\underset{D}{\overset{X}{C}}{-}CH_2{-}Ir(CO)[(H_5C_6)_3P]_2$$

Bis-[triphenylphosphan]-carbonyl-...-iridiu

X = H; ...*-(2-deutero-octyl)-...*

X = D; ...*-(2,2-dideutero-octyl)-..*

---

[1] L. Vaska u. J.W. Diluzio, Am. Soc. **83**, 2784 (1961).
vgl. a. M. Angoletta, G. **89**, 2359 (1959).

[2] L. Dahlenburg u. R. Nast, J. Organometal. Chem. **71**, C49 (1974).

[3] J. Schwartz u. J.B. Cannon, Am. Soc. **94**, 6226 (1972).

[4] J.R. Shapley u. J.A. Osborn, Am. Soc. **92**, 6976 (1970).

[5] M.R. Churchill u. S.A. Bezman, J. Organometal. Chem. **31**, C43 (1971).

[6] M.R. Churchill u. S.A. Bezman, Inorg. Chem. **11**, 2243 (1972).

[7] M.R. Churchill u. S.A. Bezman, Inorg. Chem. **12**, 260 (1973).

[8] M.R. Churchill u. S.A. Bezman, Inorg. Chem. **12**, 531 (1973).

[9] J. Evans, J. Schwartz u. P.W. Urquart, J. Organometal. Chem. **81**, C37 (1974).

[10] J. Schwartz u. J.B. Cannon, Am. Soc. **96**, 2276 (1974).

Benzyl-bis-[triphenylphosphan]-carbonyl-iridium entsteht durch Umsetzung von Bis-riphenylphosphan]-carbonyl-chloro-iridium mit Benzyl-magnesiumchlorid[1]:

$$Ir(Cl)(CO)[(H_5C_6)_3P]_2 + H_5C_6-CH_2-MgCl \xrightarrow[-MgCl_2]{(H_5C_2)_2O} H_5C_6-CH_2-Ir(CO)[(H_5C_6)_3P]_2$$

Die mit Tricyanomethyl-kalium bzw. mit Dicyanmethyl-natrium erhältlichen Iridium-Komplexe besitzen ahrscheinlich eine Ir–N-Bindung[2-4].

Bis-[1-4-η-1,3-dien]-methyl-iridium-Komplexe sind auf folgendem Wege ugänglich[5,6]:

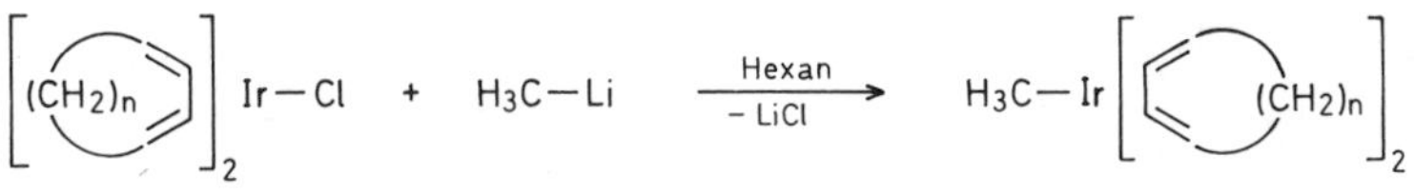

n = 2, 3

Bis-[η^4-1,3-cyclohexadien]-methyl-iridium(n = 2)[5]: Zu einer Suspension von 388 mg (1 mmol) Bis-[η^4-,3-cyclohexadien]-chloro-iridium in 40 ml Hexan tropft man bei $-50°$ 1 mmol Methyl-lithium (0,62 ml einer 1,6 ether. Lösung). Man läßt die Mischung langsam auf 20° erwärmen. Die anfangs farblose Reaktionsmischung ird erst gelb, dann orange-braun. Man rührt 5 Stdn., filtriert anschließend über eine mit Aluminiumoxid (5% 'asser) beschichtete Fritte und spült 3mal mit je 20 ml Hexan. Beim Einengen und Abkühlen der schwach gel-en Lösung kristallisieren bereits nahezu farblose Kristalle aus, die nach 2maligem Umkristallisieren aus Hexan nter Tiefkühlung farblose Nadeln liefern; Ausbeute: 205 mg (0,56 mmol; 56%); Zers.: ab 100°.

Analog ist *Bis-[η^4-1,3-cycloheptadien]-methyl-iridium* (n = 3) (76%; Zers.: ab 90°) zuänglich.

Bei der analogen Umsetzung von μ,μ-Dichloro-bis-[η^4-1,5-cyclooctadien-iridium] mit 1ethyl-lithium in Gegenwart anderer Diene erhält man Methyl-Komplexe, die zwei verchiedene Diene enthalten:

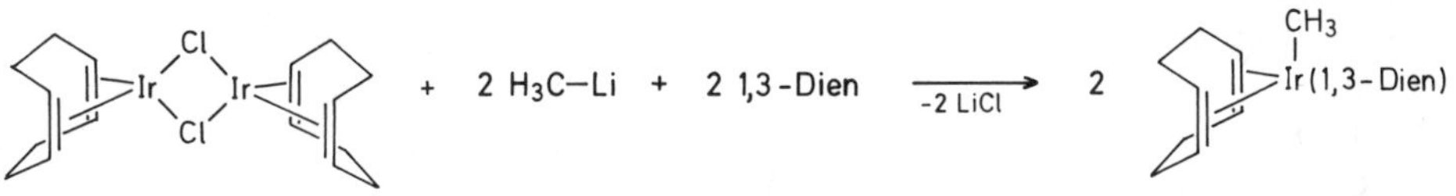

1,3-Dien: $H_2C=CH-C\begin{smallmatrix}CH_3\\ \\CH_2\end{smallmatrix}$: *(η^4-1,5-Cyclooctadien)-(η^4-2-methyl-1,3-butadien)-*...; 30%; Zers. ab 83°

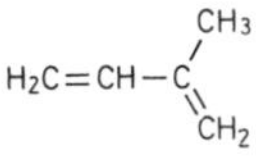

1,3-Dien: ⬡ ; *(η^4-1,3-Cyclohexadien)-(η^4-1,5-cyclooctadien)-*...; 46%; Zers. ab 97°

L. Dahlenburg u. R. Nast, J. Organometal. Chem. **71**, C49 (1974).
W. Beck, K. Schorpp, C. Oetker, R. Schlodder u. H.S. Smedal, B. **106**, 2144 (1973).
Die Ir- und ^{14}N-NMR-Spektren sprechen für die Ir-N-Bindung.
W.H. Baddley u. P. Choudhury, J. Organometal. Chem. **60**, C74 (1973).
J. Müller u. H. Menig, J. Organometal. Chem. **191**, 303 (1980).
Die bei der Umsetzung der Chloro-Komplexe I mit Butyl-lithium intermediär gebildeten Butyl-iridium-Ver-bindungen lassen sich nicht isolieren, da unter β-Eliminierung das Buten abgespalten wird.

Normalerweise reagiert die Isopropyl-Grignard-Verbindung unter β-Eliminierung von Propen als Hydrid-Donor. Überraschenderweise entsteht in Gegenwart von 2-Methyl 1,3-butadien bei der Umsetzung von μ,μ-Dichloro-bis-[η^4-1,5-cyclooctadien-iridium] mit Isopropyl-magnesiumbromid neben mehreren anderen Komplexen das sterisch begünstigte *(η^4-1,5-Cyclooctadien)-(η^4-2-methyl-1,3-butadien)-propyl-iridium* (11% Zers.: ab 43°)[1]:

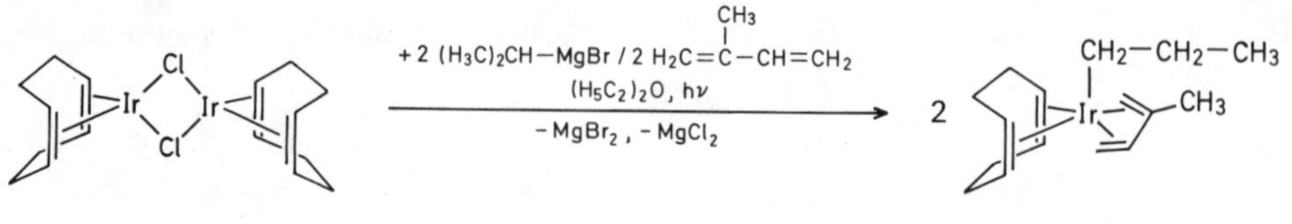

β_2) mit Carben

Das durch Abspaltung von Stickstoff aus Diazomethan in situ hergestellte Carben schiebt sich in die Cl–Ir-Bindung von Bis-[triphenylphosphan]-carbonyl-chloro-iridium unter Bildung von *Bis-[triphenylphosphan]-carbonyl-chlormethyl-iridium* ein[2-4]:

$$Ir(Cl)(CO)[(H_5C_6)_3P]_2 \quad + \quad CH_2N_2 \quad \xrightarrow[-N_2]{} \quad Cl-CH_2-Ir(CO)[(H_5C_6)_3P]_2$$

β_3) mit Alkyliden-phosphoranen

Chloro-iridium(I)-Verbindungen reagieren mit Alkyliden-methyl-phosphoranen unter Bildung von Irida-cyclischen Addukten[5]. Bei der Reaktion wird der abgespaltene Chlorwasserstoff von einem Mol des Ylids abgefangen. Wird dagegen Dimethyl-lithium-methyl-methylen-phosphoran eingesetzt, so entsteht unter Bildung von Lithiumchlorid kein Ylid-Verlust. Überschüssiges Ylid kann als 1-zähniger Ligand gebunden werden, der die Oxidationsstufe des Metalls nicht verändert.

Im folgenden sind einige Beispiele der oben genannten Ylid-Reaktionen zusammengestellt:

[1] J. MÜLLER, W. HÄHNLEIN, H. MENIG u. J. PICKARDT, J. Organometal. Chem. **197**, 95 (1980).

[2] Übersichtsreferat: M.F. LAPPERT u. J.S. POLAND, Adv. Organometallic Chem. **8**, 415 (1970).

[3] F. MANGO u. J. DVORETZKY, Am. Soc. **88**, 1654 (1966).

[4] s.a. A.J. SCHULTZ et al., Inorg. Chem. **13**, 1019 (1974).

[5] T.E. FRASER, H.-J. FÜLLER u. H. SCHMIDBAUR, Z. Naturf. **34B**, 1218 (1979).

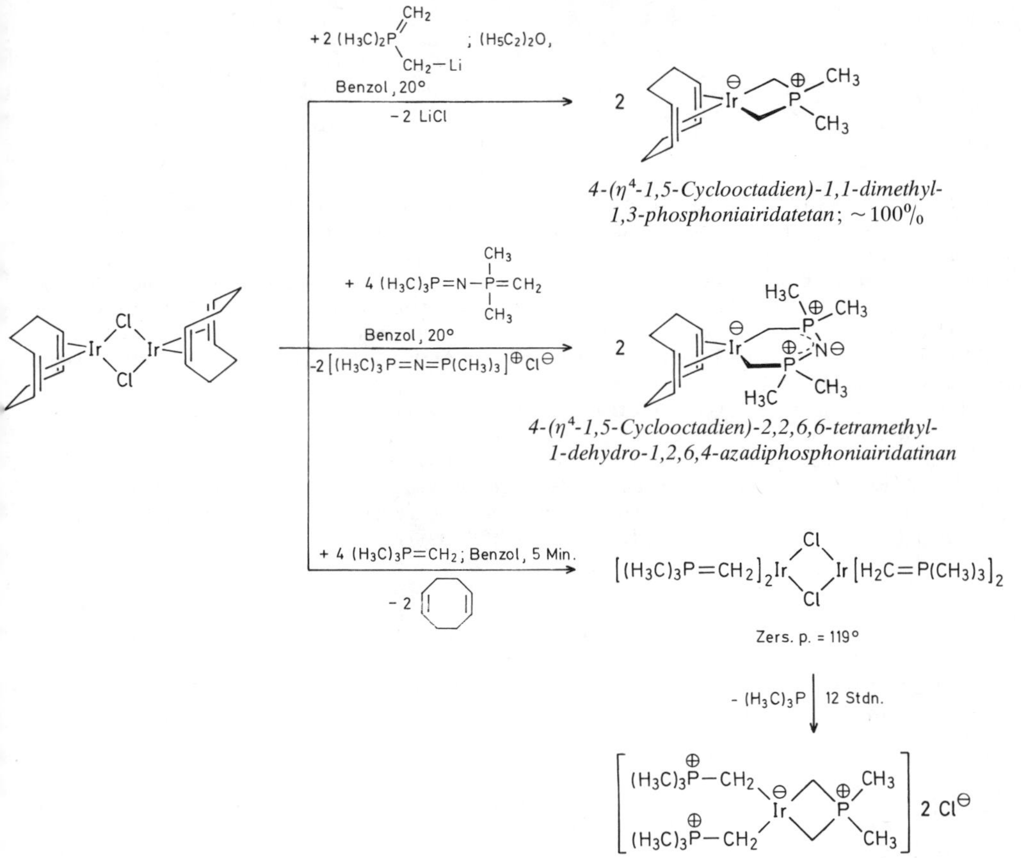

$$+ 2 \; (H_3C)_2P \begin{array}{c} CH_2 \\ \diagdown \\ CH_2-Li \end{array} \quad ; \; (H_5C_2)_2O,$$

Benzol, 20°

− 2 LiCl

4-(η^4-1,5-Cyclooctadien)-1,1-dimethyl-
1,3-phosphoniairidatetan; ~ 100%

$$+ 4 \; (H_3C)_3P=N-\overset{\overset{\textstyle CH_3}{|}}{\underset{\underset{\textstyle CH_3}{|}}{P}}=CH_2$$

Benzol, 20°

$-2 \, [(H_3C)_3P=N=P(CH_3)_3]^{\oplus} Cl^{\ominus}$

4-(η^4-1,5-Cyclooctadien)-2,2,6,6-tetramethyl-
1-dehydro-1,2,6,4-azadiphosphoniairidatinan

$+ 4 \; (H_3C)_3P=CH_2 \, ;$ Benzol, 5 Min.

− 2 ⬡

$[(H_3C)_3P=CH_2]_2 Ir \begin{array}{c} Cl \\ \diagup \diagdown \\ \diagdown \diagup \\ Cl \end{array} Ir \, [H_2C=P(CH_3)_3]_2$

Zers. p. = 119°

$-(H_3C)_3P$ | 12 Stdn.

$$\left[\begin{array}{c} (H_3C)_3\overset{\oplus}{P}-CH_2 \diagdown \quad \diagup CH_2 \quad \overset{\oplus}{P}\diagdown CH_3 \\ Ir \\ (H_3C)_3\overset{\oplus}{P}-CH_2 \diagup \quad \diagdown \quad \diagup P \diagdown CH_3 \end{array} \right] 2 \, Cl^{\ominus}$$

3,3-Bis-[trimethylphosphoniono-methyl]-
1,1-dimethyl-1,3-phosphoniairidatetan-di-
chlorid

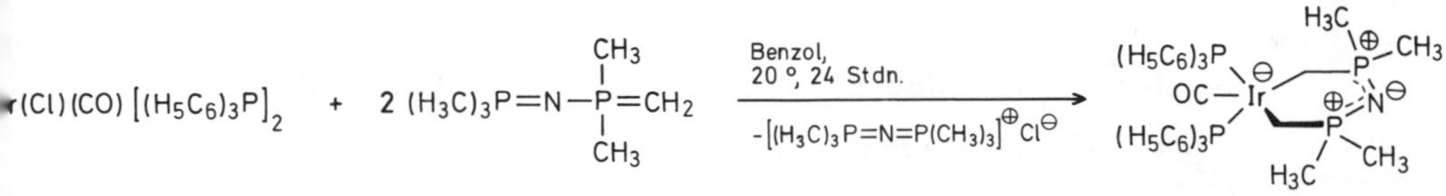

$Ir(Cl)(CO) \, [(H_5C_6)_3P]_2 \quad + \quad 2 \; (H_3C)_3P=N-\overset{\overset{\textstyle CH_3}{|}}{\underset{\underset{\textstyle CH_3}{|}}{P}}=CH_2$

Benzol,
20°, 24 Stdn.

$-[(H_3C)_3P=N=P(CH_3)_3]^{\oplus}Cl^{\ominus}$

4,4-Bis-[triphenylphosphan]-4-carbonyl-
2,2,6,6-tetramethyl-1-dehydro-1,2,6,
4-azadiphosphoniairidatinan

4-(η^4-1,5-Cyclooctadien)- 2,2,6,6-tetramethyl-1-dehydro- 1,2,6,4-azadiphosphoniairidatinan[1]: Zu einer Lösung von 0,175 g (0,026 mmol) μ,μ-Dichloro-bis-[η^4-1,5-cyclooctadien-iridium] in 15 ml Benzol werden bei
20° unter Rühren 0,172 g (1,04 mmol) Dimethyl-methylen-(trimethylphosphoranylidenamino)-phosphoran zugegeben. Die Farbe der Lösung schlägt von orange nach rotbraun um, und es bildet sich ein Niederschlag, der
nach 24 Stdn. filtriert wird. Aus dem Filtrat kristallisiert beim Einengen der Komplex aus; Ausbeute: 0,24 g
(99%); F: 161°.

γ) aus π-Allyl-iridium-Verbindungen (s.a. S. 479)

Während π-Allyl-iridium-Verbindungen mit Tetrafluor-äthen bei 20° lediglich π-Al-
ken-Komplexe bilden, reagiert bei 80° die π-Allyl-Gruppe mit dem stark aktivierten Olefin unter Insertion in die C–Ir-Bindung[2]:

---

[1] T.E. Fraser, H.-J. Füller u. H. Schmidbaur, Z. Naturf. **34B**, 1218 (1979).
[2] M. Green u. S.H. Taylor, Soc. [Dalton] **1975**, 1128.

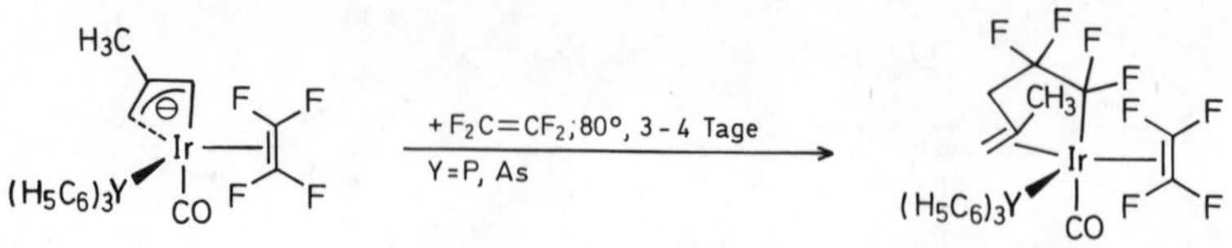

$$+F_2C=CF_2 ; 80°, 3-4 \text{ Tage}$$
$$Y = P, As$$

Carbonyl-(4-methyl-1,1,2,2-tetrafluor-4-pentenyl)-(η^2-tetrafluor-ethen)-triphenylphosphan-iridium[1]:

Carbonyl-(η^3-1-dehydro-2-methyl-propenyl)-(η^2-tetrafluor-ethen)-triphenylphosphan-iridium: In eine Carius-Röhre gefüllt mit 0,60 g (0,75 mmol) Bis-[triphenylphosphan]-carbonyl-(η^3-1-dehydro-2-methyl-propenyl)-iridium und 20 *ml* Benzol läßt man 5 mmol Tetrafluor-ethen kondensieren, verschließt das Gefäß und läßt es bei 20° 5 Tage stehen. Hierauf zieht man das Lösungsmittel i. Vak. ab und chromatographiert den Rückstand über eine Aluminiumoxid-Säule mit einem Gemisch aus Dichlormethan/Hexan (1:9). Aus dem Eluat lassen sich farblose Kristalle isolieren; Ausbeute: 0,37 g (73%); F: 138–140°; Ir(Hexan): ν_{CO}: 2041(s) und 2032(ms) cm^{-1}.

Carbonyl-(4-methyl-1,1,2,2-tetrafluor-4-pentenyl)-(η^2-tetrafluor-ethen)-triphenylphosphan-iridium: Eine Lösung von 0,25 g (0,4 mmol) des obigen Komplexes in Benzol wird mit 5 mmol Tetrafluor-ethen in einer Carius-Röhre 4 Tage auf 80° erhitzt. Das Lösungsmittel wird i. Vak. entfernt und der Rückstand über Aluminiumoxid mit einem 2:3-Gemisch aus Benzol und Hexan chromatographiert. Nach anschließendem Umkristallisieren der Verbindung aus Dichlormethan und Hexan erhält man farblose Prismen; Ausbeute: 0,20 g (69%); F: 160–164°; IR(Hexan): ν_{CO} 2081(s) cm^{-1}.

2. aus Metall-iridaten(−I) mit Halogen-alkanen

Das Iridat wird in situ durch elektrochemische Reduktion der Chlor-Verbindung in Gegenwart von Triphenylphosphan hergestellt und anschließend mit Halogenalkanen umgesetzt[2]:

$$IrCl(CO)[(H_5C_6)_3P]_2 + L \xrightarrow[-Cl^\ominus]{+2e} \{Ir(CO)[(H_5C_6)_3P]_3\}^\ominus \xrightarrow[-X^\ominus]{+R-X} R-Ir(CO)[(H_5C_6)_3P]_2$$

$$L = P(C_6H_5)_3$$

Bis-[triphenylphosphan]-carbonyl-...-iridium
RX = CH₃J; ...-methyl-...
RX = (H₅C₆)₃CBr; ...-triphenylmethyl-...

3. aus neutralen Iridium(−I)-Verbindungen mit Halogenalkanen

Der Nitrosyl-Komplex I reagiert in einer oxidativen Addition mit Jodmethan[3–5] zum *trans-Bis-[triphenylphosphan]-jodo-methyl-nitrosyl-iridat*:

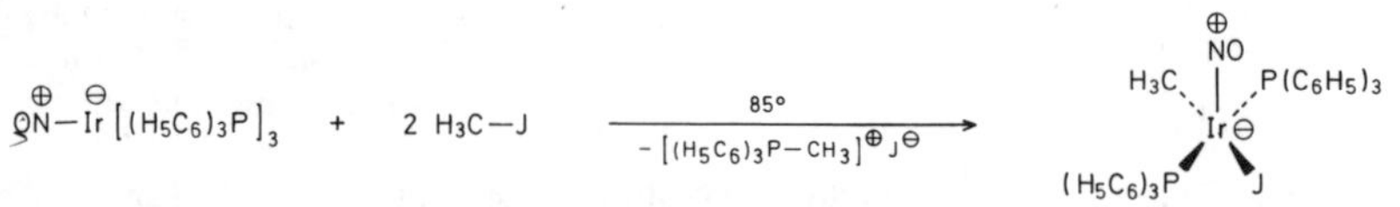

$$\overset{\oplus}{O}N-\overset{\ominus}{Ir}[(H_5C_6)_3P]_3 + 2 H_3C-J \xrightarrow[-[(H_5C_6)_3P-CH_3]^\oplus J^\ominus]{85°}$$

I

[1] M. Green u. S. H. Taylor, Soc. [Dalton] **1975**, 1128.
[2] S. Zecchin, G. Schiavon, G. Pilloni u. M. Martelli, J. Organometal. Chem. **110**, C45 (1976).
  vgl. a. G. Pilloni, S. Valcher u. M. Martelli, J. elektroanal. Chem. **40**, 63 (1972).
[3] C. D. Reed u. W. Ropers, Chem. Commun. **1969**, 155, 1425.
[4] C. D. Reed u. W. Ropers, Soc. [A] **1970**, 3054.
[5] D. M. P. Mingos, J. A. Ibers u. W. T. Robinson, Inorg. Chem. **10**, 1043 (1971).

4. aus Iridium-π-Komplexen infolge π→σ-Umwandlung durch Addition von Nucleophilen

α) an den π-gebundenen Liganden

Eine C=C-Doppelbindung der 1,5-Cycloalkadien-Kationkomplexe I wird nucleophil on methanolischer Natronlauge-Lösung angegriffen und eine σ–C–Ir-Bindung gebil-
let[1,2]:

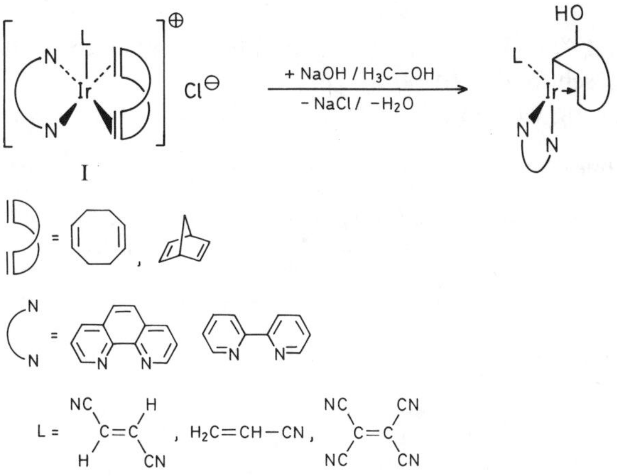

β) an das Metall

π-Allyl-Komplexe werden durch Umsetzen mit guten Komplex-Bildnern, wie Kohlenmonoxid oder Tetrafluor-ethen in σ-Allyl-Verbindungen übergeführt (s.a. S. 477).

Die Reaktion der folgenden π-Allyl-Komplexe mit Kohlenmonoxid ist IR- und NMR-
pektroskopisch untersucht worden[3]:

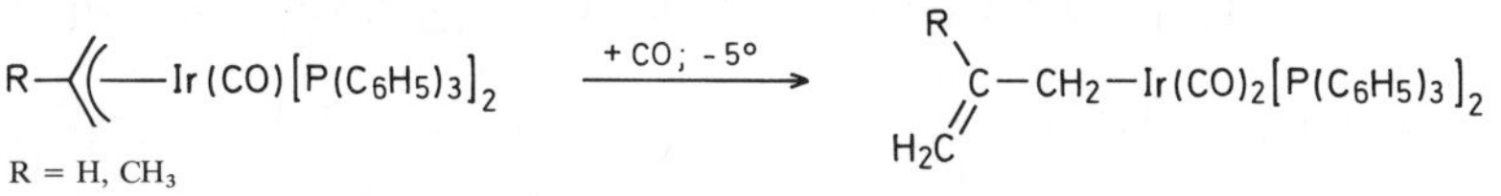

R = H, CH₃

Bei −5° entsteht eine σ-Allyl-Verbindung, bei 20° der Acyl-Komplex (s. S. 499). Die
Verbindungen zersetzen sich beim Erwärmen und wenn beim Lösen nicht unter Kohlenmonoxid-Atmosphäre gearbeitet wird.

Bis-[triphenylphosphan]-dicarbonyl-(η^2-2-propenyl)-iridium[3]: Eine Suspension von 0,1 g Bis-[triphenyl-
hosphan]-carbonyl-(η^3-1-dehydro-propenyl)-iridium in 10 ml Ethanol wird bei −5° unter Kohlenmonoxid-Atmosphäre 4 Stdn. gerührt. Der farblose Niederschlag wird von der kalten Mutterlauge abfiltriert, mit kaltem
thanol gewaschen und i. Vak. getrocknet; Ausbeute: 0,08 g (75%); IR(Nujol): ν_{CO} 1970(s) u. 1914(s), $\nu_{CH=CH_2}$
617(w) cm⁻¹.

Auf analoge Weise erhält man *Bis-[triphenylphosphan]-dicarbonyl-(η^3-2-methyl-pro-
enyl)-iridium*.

Die durch Anlagerung von einem Olefin induzierte π→σ-Allyl-Umlagerung ist bei fol-
endem Beispiel beobachtet worden[4]:

G. MESTRONI, G. ZASSINOVICH u. A. CAMUS, Inorg. Nucl. Chem. Letters **11**, 359 (1975).
N. BRESCIANI-PAHOR, M. CALLIGARIS, G. NARDIN u. P. DENIS, Soc. [Dalton] **1975**, 762; Mechanismus.
C.K. BROWN, W. MOWAT, G. YAGUPSKY u. G. WILKINSON, Soc. [A] **1971**, 850.
M. GREEN u. S.H. TAYLOR, Soc. [Dalton] **1975**, 1128.

Man arbeitet bei 20°, da bei höheren Temperaturen ein zweites Olefin-Molekül in di C–Ir-Bindung eingeschoben wird (s. S. 477):

Die π-σ-Umlagerung wird auch durch Trimethoxyphosphan induziert[1].

(1,2-Bis-[diphenylphosphano]-ethan)-carbonyl-(2-methyl-2-propenyl)-(η^2-tetrafluor-ethen)-iridium[2]:
(1,2-Bis-[diphenylphosphano]-ethan)-carbonyl-(η^3-1-dehydro-2-methyl-propenyl)-iridium: 1,0 g (2,5 mmol) 1,2-Bis-[diphenylphosphano]-ethan werden mit 1,97 g (2,5 mmol) Bis-[tripheny phosphan]-carbonyl-(η^3- 1-dehydro-2-methyl-propenyl)-iridium in 20 ml Benzol unter Rühren bei 20° umge setzt. Nach 0,5 Stdn. Reaktionsdauer wird die orange-gelbe Lösung i. Vak. eingeengt und filtriert. Beim Einrüh ren des Filtrats in 70 ml Ethanol fallen gelbe, gegen Luft stabile Kristalle aus; Ausbeute: 1,25 g (75%); 151–153° (Zers.).
(1,2-Bis-[diphenylphosphano]-ethan)-carbonyl-(2-methyl-2-propenyl)-(η^2-tetra-fluor-ethen)-iridium: 5 mmol Tetrafluor-ethen werden bei –196° in einer Carius-Röhre kondensiert, di 0,8 g (1,2 mmol) des π-Methallyl-Komplexes enthält. Das Reaktionsgefäß wird verschlossen und bei 20° 5 Tag stehen gelassen. Hierauf wird das Lösungsmittel i. Vak. abgezogen und der Rückstand mit einem 2:3-Gemisc aus Dichlormethan und Hexan an Aluminiumoxid chromatographiert. Man isoliert aus dem Eluat farblose Kr stalle; Ausbeute: 0,2 g (35%); F: 208–210°; IR(CHCl₃): ν_{CO} 2018(s) cm⁻¹.

5. aus anderen Alkyl-iridium-Verbindungen unter Erhalt der σ–C–Ir-Bindung

Durch oxidative Addition von Halogen-alkanen an Iridium(I)-Komplexe können A kyl-iridium(III)-Verbindungen relativ leicht hergestellt werden. Es ist daher von besonde rem Interesse diese Verbindungen so zu reduzieren, daß die C–Ir-Bindung nicht gespalte wird. Dies gelingt bei folgendem Beispiel durch elektrochemische Reduktion[3]:

$$\text{Ir(CH}_3)\text{ClJ(CO)[P(C}_6\text{H}_5)_3]_2 \xrightarrow[-\text{Cl}^\ominus;\ -\text{J}^\ominus]{+2e} \text{Ir(CH}_3)\text{(CO)[P(C}_6\text{H}_5)_3]_2$$

Bis-[triphenylphosphan]-carbonyl-methyl-iridium[3]: Es wird unter Argon gearbeitet. Eine 0,003 m Lösu von Bis-[triphenylphosphan]-carbonyl-chloro-jodo-methyl-iridium und 0,1 mol Tetraethylammonium-perchl rat als Elektrolyt in einem 1:1-Gemisch aus Benzol und Acetonitril wird bei einem Reduktionspotential vo –2,15 V an einer Quecksilber-Elektrode elektrolysiert[4]. Die Bezugselektrode ist Ag/Ag⊕ in Acetonit ($E_{1/2} = -1,95$ V). Nach Beendigung der Elektrolyse wird die gelbe Lösung i. Vak. auf ein kleines Vol. eingeeng Bei Zusatz von Acetonitril bildet sich ein gelber Niederschlag, der abfiltriert, mit Acetonitril gewaschen u i. Vak. getrocknet wird. IR(Acetonitril/Chloroform): ν_{CO}: 1935 cm⁻¹.

trans-Bis-[triphenylphosphan]-carbonyl-cyanmethyl-iridium (80% [F: 220–22 (Zers.)])[5] und *Methoxymethyl-tetrakis-[trimethylphosphan]-iridium* erhält man durch B handeln des Hydrido-Komplexes mit Kalium-tert.-butanolat[6].

Zur Reduktion eines Dichloro-cyclopropyl-iridium-Komplexes verwendet man K lium-benzophenon-ketyl[7].

[1] E.L. MUETTERTIES, V.W. DAY et al., Organometallics **1**, 1562 (1982).
[2] M. GREEN u. S.H. TAYLOR, Soc. [Dalton] **1975**, 1128.
[3] S. ZECCHIN, G. SCHIAVON, G. PILLONI u. M. MARTELLI, J. Organometal. Chem. **110**, C45 (1976).
[4] M. MARTELLI, G. SCHIAVON, S. ZECCHIN u. G. PILLONI, Inorg. Chim. Acta **15**, 217 (1975); s. a. weitere Daten z Apparatur u. Elektrolyse.
[5] S. ZECCHIN, G. ZOTTI u. G. PILLONI, J. Organometal. Chem. **235**, 353 (1982).
[6] D.L. THORN, Organometallics **1**, 879 (1982).
[7] N.L. JONES u. J.A. IBERS, Organometallics **2**, 490 (1983).

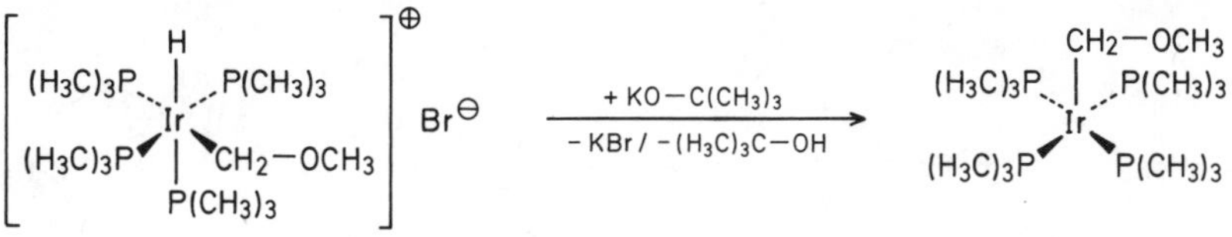

6. durch spezielle Methoden

Vergleichbar den ortho-Metallierungsreaktionen von Komplexliganden mit Acyl-Gruppen ist die intramolekulare Metallierung von Triisopropyl-phosphan[1].

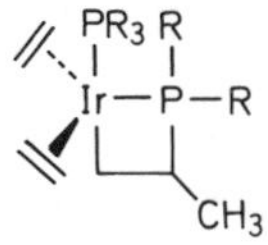

R = CH(CH$_3$)$_2$; *1,1-Bis-[η²-ethen]-2,2-diisopropyl-1-triisopropylphosphan-3-methyl-1,2-iridaphosphetan*

b) 1-Alkenyl-iridium(I)-Verbindungen

Bei den meisten Herstellungsmethoden für 1-Alkenyl-iridium-Komplexe werden Iridium-Verbindungen mit Alkinen, die stark Elektronen-anziehende Substituenten enthalten, umgesetzt.

1. aus Iridium(I)-Verbindungen

α) aus Hydrido-iridium(I)-Verbindungen mit Alkinen

Die Addition von Hydrido-iridium-Verbindungen an Alkine ist die wichtigste Methode zur Synthese von 1-Alkenyl-Komplexen[2,3].

Geeignet dafür sind Acetylene mit zwei Elektronen-anziehenden Substituenten. In manchen Fällen, vor allem bei großem Alkin-Überschuß und höheren Temperaturen (50–80°), kann ein zweites Alkin-Molekül als π-Ligand am Metall gebunden werden. Die Addition ist stereospezifisch. Es entsteht i.a. das *cis*-Addukt.

Bei Einsatz von Carbonyl-hydrido-tris-[triphenylphosphan]-iridium wird einer der drei Phosphan-Liganden in Lösung leicht abgespalten unter Einstellung eines Gleichgewichts zwischen dem Bis- und Tris-phosphan-Komplex. In Gegenwart von Luft wird leicht das Disauerstoff-Addukt gebildet. Daher empfiehlt es sich, die Komplexe unter sorgfältigem Ausschluß von Luft zu handhaben.

---

[1] G. Perego et al., J. Organometal. Chem. **54**, C51 (1973); keine Angaben über die Synthese.
[2] W.H. Baddley u. M.S. Fraser, Am. Soc. **91**, 3661 (1969).
[3] W.H. Baddley u. G.B. Tupper, J. Organometal. Chem. **67**, C16 (1974).

$$IrH(CO)[P(C_6H_5)_3]_3 \quad + \quad R^1-C\equiv C-R^2 \quad \xrightarrow{CH_2Cl_2,\ -20°\ bis\ 20°}$$

I   II

$$\xrightleftharpoons[+\ P(C_6H_5)_3;\ C_6H_6,\ 20°]{-\ P(C_6H_5)_3} \qquad III \qquad \xrightarrow{+\ O_2} \qquad IV$$

II; $R^1 = R^2 = CF_3$; *Carbonyl-(3,3,3-trifluor-1-trifluormethyl-propenyl)-tris-[triphenyl-phosphan]-iridium*

$R^1 = C_6H_5$; $R^2 = COOC_2H_5$; *Carbonyl-(2-ethoxycarbonyl-1-phenyl-vinyl)-tris-[triphenyl-phosphan]-iridium*

IV; $R^1 = R^2 = CF_3$; *Bis-[triphenylphosphan]-carbonyl-disauerstoff-(3,3,3-trifluor-1-trifluor-methyl-propenyl)-iridium*

$R^1 = R^2 = C_6H_5$; *Bis-[triphenylphosphan]-carbonyl-(1,2-diphenyl-vinyl)-disauerstoff-iridium*

$$IrH(CO)[P(C_6H_5)_3]_3 \quad + \quad 2\ R^1-C\equiv C-R^2 \quad \xrightarrow[-\ P(C_6H_5)_3]{50-80°}$$

$R^1 = R^2 = CF_3$; *Bis-[triphenylphosphan]-carbonyl-(η²-hexafluor-2-butin)-(3,3,3-tri-fluor-1-trifluormethyl-propenyl)-bis-[triphenylphosphin]-iridium*

$R^1 = R^2 = COOCH_3$; *Bis-[triphenylphosphan]-carbonyl-(η²-dimethoxycarbonyl-ethin)-(1,2-dimethoxycarbonyl-vinyl)-iridium*

Bei sorgfältigem Ausschluß von Luft gelingt es bei 110° in Toluol aus dem Reaktions-gemisch bei stöchiometrischen Mengen von Carbonyl-hydrido-tris-[triphenylphosphan]-iridium und Diphenyl-ethin, einen 4fach koordinierten Komplex zu isolieren, dem im Ge-gensatz zu den anderen bei −20 bis 20° hergestellten 1-Alkenyl-Verbindungen eine *trans*-Konfiguration zugeschrieben wird[1]. Die Koordinationszahl 4 wird in diesem Falle gegenüber 5 bevorzugt, weil hier die sterische Hinderung durch den *trans*-ständigen Phe-nyl-Rest größer ist als bei einem *cis*-ständigen.

$$IrH(CO)[P(C_6H_5)_3]_3 \quad + \quad H_5C_6-C\equiv C-C_6H_5 \quad \xrightarrow[-\ P(C_6H_5)_3]{Toluol,\ 110°,\ 4-5\ Stdn.}$$

trans-Bis-[triphenylphosphan]-carbonyl-(trans-1,2-diphenyl-vinyl)-iridium[2]: Die Umsetzungen werden in Sauerstoff-freien und getrockneten Lösungsmitteln durchgeführt. Man erhitzt stöchiometrische Mengen von Carbonyl-hydrido-tris-[triphenylphosphan]-iridium und Diphenyl-ethin in Toluol unter Rückfluß. Bei einer 3–4stdgn. Reaktionsdauer wird die zunächst gelbe Lösung orange. Hierauf wird das Lösungsmittel i. Vak. ent-fernt und der ölige Rückstand kräftig mit Diethylether gerührt. Dabei entstehen gelbe Kristalle; Ausbeute: 82%; F: 166–171°, IR: ν_{CO} 1926(s), $\nu_{C=C}$ 1570(w) cm^{-1}.

---

[1] R. A. SANCHEZ-DELGADO u. G. WILKINSON, Soc. [Dalton] **1977**, 804.
[2] W. H. BADDLEY u. M. C. FRASER, Am. Soc. **91**, 3661 (1969).

Bei Einsatz von Bis-[triphenylphosphan]-dicarbonyl-hydrido-iridium und Alkin-Über-schuß wird Kohlenmonoxid anstelle von Phosphan freigesetzt[1, 2]. Es entsteht das *trans*-Addukt:

$$IrH(CO)_2[P(C_6H_5)_3]_2 \quad + \quad 2\ R-C\equiv C-R \quad \xrightarrow{-CO}$$

R = C₆H₅

Bis-[triphenylphosphan]-carbonyl-(η^2-dicyan-ethin)-(trans-1,2-dicyan-vinyl)-iridium[1, 3]: Dicyan-ethin ist außerordentlich sauerstoffempfindlich und sollte unter Stickstoff bei −78° aufbewahrt werden. Der Alkenyl-Komplex kann im Gegensatz dazu unter Luft-Zutritt aufgearbeitet werden.

0,39 g Bis-[triphenylphosphan]-dicarbonyl-hydrido-iridium in 75 *ml* Dichlormethan-Benzol (1:2) und 0,10 *ml* (1,2 mmol) Dicyan-ethin werden bei 20° gemischt. Die Mischung färbt sich sofort dunkel und später grün-schwarz. Nach 5 Min. Rühren gibt man Ethanol hinzu und filtriert den Niederschlag nach dem Einengen der Lö-sung ab. Durch Umkristallisieren aus Dichlormethan und Ethanol erhält man hellrote Kristalle; Ausbeute: 73% d.Th.; F: 200–210° (Zers.); IR: ν_{CN} 2210, 2188, 2177, ν_{CO} 2021, $\nu_{C\equiv C}$ 1698 cm^{-1}, $\nu_{C=C}$ 1545 cm^{-1}.

β) aus Halogen-iridium(I)- mit 1-Alkenyl-metall-Verbindungen

Bei der Umsetzung von 1-Alkenyl-lithium mit *trans*-Bis-[triphenylphosphan]-carbonyl-chloro-iridium bleibt die Konfiguration der C=C-Doppelbindung und am Iridium erhal-ten[4]:

$$IrCl(CO)[P(C_6H_5)_3]_2 \quad + \quad \underset{R^3}{\overset{R^1}{>}}C=C\underset{R^2}{\overset{Li}{<}} \quad \xrightarrow{-LiCl} \quad \underset{R^3}{\overset{R^1}{>}}C=C\underset{R^2}{\overset{Ir(CO)[P(C_6H_5)_3]_2}{<}}$$

Bis-[triphenylphosphan]-trans-carbonyl-(trans-1-methyl-1-propenyl)-iridium (R^1 = R^2 = CH$_3$; R^3 = H)[4]: Eine Suspension von 312 mg (0,4 mmol) Bis-[triphenylphosphan]-carbonyl-chloro-iridium in Diethylether wird bei −30° mit *trans*-2-Lithio-2-buten im leichten molaren Überschuß 0,5 Stdn. unter Argon-Atmosphäre gerührt und 30 Min. bei 20° stehen gelassen. Dabei löst sich der gelbe Chloro-Komplex langsam unter Bildung einer orange-farbenen Lösung auf. Nach Zusatz von 10 *ml* Ethanol wird filtriert und das Filtrat i. Vak. aufkonzentriert. Die gebildeten goldgelben Kristalle werden abfiltriert, mehrmals mit Ethanol gewaschen und i. Vak. getrocknet. IR(Nujol): ν_{CO} 1935 cm^{-1}; ^{1}H–NMR (C$_6$D$_6$): δ 2CH$_3$ 1,45 (m); H–C=C 6,50 (m).

γ) aus π-Allyl-iridium-Verbindungen mit Alkinen

Hexafluor-2-butin reagiert mit π-Allyl-iridium-Komplexen unter Insertion des stark elektrophilen Alkins in die C–Ir-Bindung[5]. Von Nachteil ist, daß das freigesetzte Phosphan die Polymerisation des reaktionsfähigen Alkins katalysiert. Zur Unterdrückung von Nebenreaktionen muß die Umsetzung bei tiefer Temperatur durchgeführt werden.

Bei der Reaktion von Bis-[triphenylphosphan]-carbonyl-(η^3-2-methyl-1-dehydro-2-propenyl)-iridium mit Hexafluor-2-butin bei 30° in Toluol entsteht ein Gemisch, aus dem chromatographisch drei isomere Verbindungen isoliert werden können[5].

[1] G.L. McClure u. W.H. Baddley, J. Organometal. Chem. **27**, 155 (1971).

[2] R.A. Sanchez-Delegado u. G. Wilkinson, Soc. [Dalton] **1977**, 804.

[3] R.M. Kirchner u. J.A. Ibers, Am. Soc. **95**, 1095 (1973).

[4] J. Schwarz, D.W. Hart u. B. McGiffert, Am. Soc. **96**, 5613 (1974).

[5] M. Green u. S.H. Taylor, Soc. [Dalton] **1975**, 1142; in einem Toluol-Methanol-Gemisch (9:1) entsteht unter Addition des Alkins lediglich ein π-Alkin-Komplex.

Aus   (1,2-Bis-[diphenylphosphano]-ethan)-carbonyl-(η^3-2-methyl-1-dehydro-2-pro-
penyl)-iridium und Hexafluor-2-butin entstehen unter *cis*- und *trans*-Insertion an das Alkin die Verbindungen I und II (eine Polymerisation des Alkins wird nicht beobachtet, da
infolge des Chelat-Effektes kein Phosphan vom Komplex abgespalten wird)[1]:

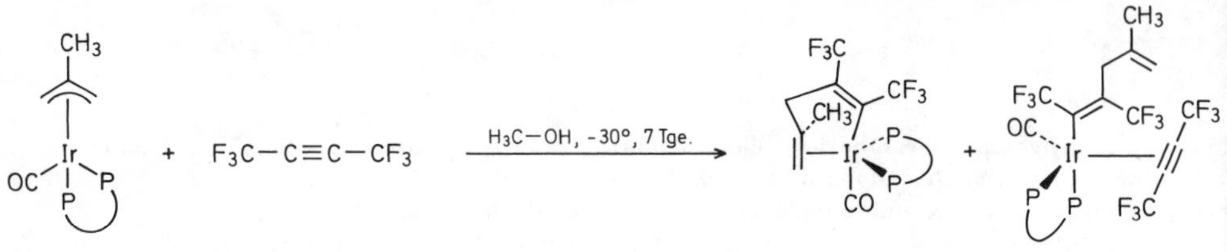

PP = $(C_6H_5)_2P-CH_2-CH_2-P(C_6H_5)_2$

I; *(1,2-Bis-[diphenylphosphano]-
ethan)-(4,5-η^2-1,2-bis-[trifluor-
methyl]-4-methyl-1,4-pentadienyl)-
carbonyl-iridium*

II; *(1,2-Bis-[diphenylphosphano]-
ethan)-(1,2-bis-[trifluormethyl]-
4-methyl-1,4-pentadienyl)-carbonyl-
(η^2-hexafluor-2-butin)-
iridium*

2. aus Metall-iridaten(–I)

α) mit 1-Halogen-1-alkenen

Hexafluor-cyclobuten und Decafluor-cyclohexen reagieren unter Kohlenmonoxid mit
Bis-[triphenylphosphan]-dicarbonyl-iridat(–I) bei 20° in Tetrahydrofuran[2]. Die Ausbeuten beim analogen Rhodium-Komplex sind höher (s. S. 299). Die gelben kristallinen Verbindungen sind bis 160° thermisch stabil und scheinen in Luft unbeschränkt haltbar zu sein.
In Lösung sind sie bei 20° in Luft ~ 10–20 Stdn. stabil. Sie sind in den gebräuchlichen organischen Lösungsmitteln nur beschränkt löslich. Versuche mit anderen Anion-Komplexen
zeigen, daß Perfluor-cycloalkene besser reagieren als die entsprechenden Perfluor-alkene.
Außerdem nimmt die Reaktivität der Perfluor-Verbindungen von Cyclobuten zum Cyclopenten und Cyclohexen ab.

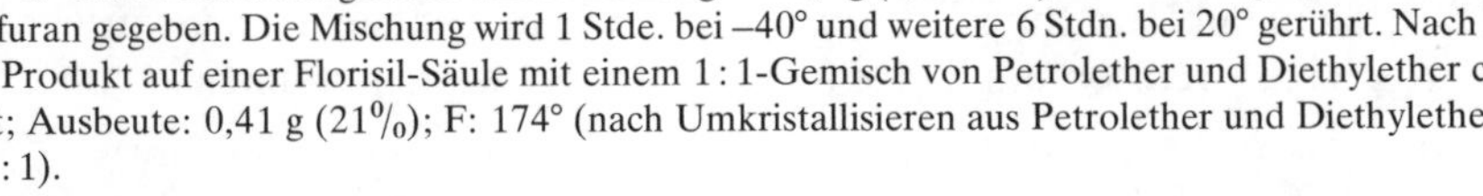

n = 2, 4

Bis-[triphenylphosphan]-dicarbonyl-(pentafluor-1-cyclobutenyl)-iridium[2]: Eine Lösung von 1,59 g (2,05
mmol) Natrium-bis-[triphenylphosphan]-dicarbonyl-iridat(–I) (Herstellung s. S. 495) in 50 *ml* Tetrahydrofuran
wird bei –40° unter Rühren langsam zu einer Mischung von 1,0 g (6,2 mmol) Hexafluor-cyclobuten und 30 *ml* Tetrahydrofuran gegeben. Die Mischung wird 1 Stde. bei –40° und weitere 6 Stdn. bei 20° gerührt. Nach Filtration
wird das Produkt auf einer Florisil-Säule mit einem 1 : 1-Gemisch von Petrolether und Diethylether chromatographiert; Ausbeute: 0,41 g (21%); F: 174° (nach Umkristallisieren aus Petrolether und Diethylether im Verhältnis 1 : 1).

Auf ähnliche Weise erhält man *Bis-[triphenylphosphan]-dicarbonyl-(nonafluor-1-cy-
clohexenyl)-iridium* (29%; F: 209°).

---

[1] M. GREEN u. S.H. TAYLOR, Soc. [Dalton] **1975**, 1142.
[2] B.L. BOOTH, R.N. HASZELDINE u. I. PERKINS, Soc. [Dalton] **1975**, 1847.

β) mit Alkinen

Während Pentacarbonyl-rhenat und Cyclopentadienyl-dicarbonyl-ferrat mit Hexafluor-2-butin in einer nucleophilen Substitution σ-Allenyl-metall-Komplexe bilden, entstehen bei der Umsetzung von Bis-[triphenylphosphan]-dicarbonyl-iridat oder -rhodat (s. S. 299) σ-Vinyl-metall-Verbindungen[1,2]:

$$Ir(CO)_2[P(C_6H_5)_3]_2\}^{\ominus} \quad + \quad F_3C-C\equiv C-CF_3 \quad \xrightarrow{THF,\,1\,bar\,CO} \quad \begin{array}{c} F_3C-CH \\ \diagdown \\ C-Ir(CO)_2[P(C_6H_5)_3]_2 \\ F_3C \end{array}$$

Bis-[triphenylphosphan]-dicarbonyl-(3,3,3-trifluor-1-trifluormethyl-propenyl)-iridium;
8%; F: 219–220° (Zers.)

3. aus Iridium(–I)-Verbindungen mit Alkinen

Nitrosyl-tris-[triphenylphosphan]-iridium und Hexafluor-2-butin bilden ein 1,4-Diridin-Derivat[3,4]:

$$2\,Ir(NO)[P(C_6H_5)_3]_3 \quad + \quad 2\,F_3C-C\equiv C-CF_3 \quad \xrightarrow[-\,4\,P(C_6H_5)_3]{} \quad \begin{array}{c}(H_5C_6)_3P \quad\quad P(C_6H_5)_3 \\ ON-Ir \diagdown\diagup Ir-NO \\ F_3C \diagup^{CF_3}\;\;_{CF_3}^{CF_3} \end{array}$$

1,4-Bis-[triphenylphosphan]-1,4-dinitroso-2,3,5,6-tetrakis-[trifluormethyl]-1,4-düridin[3,4]: Alle Operationen werden unter Sauerstoff- und Feuchtigkeits-Ausschluß durchgeführt. 5,00 mmol Hexafluor-2-butin werden in einer 100-*ml*-Carius-Röhre mit 0,80 g (0,80 mmol) Nitrosyl-tris-[triphenylphosphan]-iridium(–I)[5] in 30 *ml* Benzol 24 Stdn. bei 50° umgesetzt. Danach wird die Mischung i. Vak. eingeengt. Nach Zusatz von Hexan fallen grüne Kristalle aus; Ausbeute: 0,30 g (58%); F: 198–199° (Zers.).

c) 1-Alkinyl-iridium(I)-Verbindungen

1. aus Hydrido-iridium(I)- mit 1-Alkin-Verbindungen durch Wasserstoff-Abspaltung

Im Gegensatz zur Addition von Hydrido-iridium(I)-Verbindungen an aktivierte innenständige C≡C-Dreifachbindungen (s. S. 481) reagieren die Komplexe mit 1-Alkinen unter Substitution von Wasserstoff, wobei molekularer Wasserstoff freigesetzt wird[6,7]. Der erste Schritt der Reaktion ist wahrscheinlich die oxidative Addition der CH-aciden Verbindung an das Metall. Da offensichtlich die reduktive Eliminierung von Wasserstoff rasch abläuft, kann die Zwischenverbindung nicht nachgewiesen werden. In Gegenwart von 5fachem Triphenylphosphan-Überschuß erhält man den 5fach koordinierten Komplex. Anderenfalls entsteht ein Gemisch aus den Bis- und Tris-[phosphan]-Komplexen:

$$IrH(CO)[P(C_6H_5)_3]_2 \quad \xrightarrow[\substack{+HC\equiv C-R \\ C_6H_6,\,\triangle,\,4-6\,Stdn.,\,5\,L \\ -L}]{} \quad Ir(C\equiv C-R)H_2(CO)[P(C_6H_5)_3]_2$$

$$\xrightarrow[-H_2]{P(C_6H_5)_3} \quad Ir(C\equiv C-R)(CO)[P(C_6H_5)_3]_3$$

R = CH₃, C₂H₅, C₄H₉, CH₂–OH usw.

---

[1] B. L. BOOTH, R. N. HASZELDINE u. I. PERKINS, Soc. [Dalton] **1975**, 1847.
[2] Es ist nicht geklärt, woher das Proton des Vinyl-Restes kommt; Hauptprodukt der Reaktion ist IrH(CO)₂L₂ [17%].
[3] J. CLEMENS et al. Chem. Commun. **1972**, 52.
[4] J. CLEMENS, M. GREEN u. F. G. A. STONE, Soc. [Dalton] **1973**, 375.
[5] C. A. REED u. W. R. ROPER, Chem. Commun. **1966**, 155; Soc. [A] **1970**, 3054.
[6] C. K. BROWN, D. GEORGIOU u. G. WILKINSON, Soc. [A] **1971**, 3120.
[7] C. K. BROWN u. G. WILKINSON, Chem. Commun. **1971**, 70.

Carbonyl-propinyl-tris-[triphenylphosphan]-iridium bzw. (1-Butinyl)-carbonyl-tris-[triphenylphosphan] iridium[1]: Es wird 4 Stdn. ein langsamer Strom von Propin oder 1-Butin durch eine unter Rückfluß siedende Lö sung von 0,20 g Carbonyl-hydrido-tris-[triphenylphosphan]-iridium und 0,26 g Triphenylphosphan in 30 m Benzol geleitet. Bei Zusatz von 30 ml Ethanol zur kalten, orangen Lösung fällt der gelbe Komplex aus; Ausbeute $\sim 0,17$ g ($\sim 80\%$); IR(Nujol): $\nu_{C\equiv C}2132$(w) bzw. 2124(w) und ν_{CO} 1974(s) cm^{-1}.

Auf ähnliche Weise werden u.a. erhalten:

Carbonyl-1-hexinyl-tris-[triphenylphosphan]-iridium	$\sim 80\%$
Carbonyl-(3-hydroxy-propinyl)-tris-[triphenylphosphan]-iridium	$\sim 80\%$
Carbonyl-(3-hydroxy-3-methyl-1-butinyl)-tris-[triphenylphosphan]-iridium	$\sim 80\%$

Bei Einsatz von Bis-[triphenylphosphan]-dicarbonyl-hydrido-iridium ohne Triphenyl phosphan-Zusatz entsteht unter Verlust einer Carbonyl-Gruppe ein 4fach koordinierte Komplex[1]:

$$IrH(CO)_2[P(C_6H_5)_3]_2 \ + \ HC\equiv C-R \ \xrightarrow[-H_2; \ -CO]{} \ Ir(C\equiv C-R)(CO)[P(C_6H_5)_3]_2$$

Bis-[triphenylphosphan]-carbonyl-propinyl-iridium[1]: Durch eine Lösung von 0,20 g Bis-[triphenylphos phan]-dicarbonyl-hydrido-iridium in 30 ml Benzol wird 4 Stdn. Propin langsam eingeleitet. Anschließend wir abgekühlt und der Komplex mit 30 ml Ethanol ausgefällt; Ausbeute: $\sim 0,16$ g (80%); IR(Nujol): $\nu_{C\equiv C}2131$(w) ν_{CO} 1968(s) cm^{-1}.

Auf ähnliche Weise werden *Bis-[triphenylphosphan]-1-butinyl-carbonyl-iridium* (80% und *-carbonyl-(3,3-dimethyl-1-butinyl)-iridium* erhalten.

Durch Behandeln der genannten Hydrido-iridium-Komplexe mit Acetylen entstehe Verbindungen, die jedoch nicht in reiner Form isoliert werden können. Beim Behandel dieser Komplexe mit Luft erhält man die definierte Verbindung *Bis-[triphenylphosphan] carbonyl-disauerstoff-ethinyl-iridium*[1].

2. aus Halogeno-iridium(I)-Verbindungen mit 1-Alkinyl-metall-Verbindungen

Halogeno-iridium(I)-Komplexe reagieren mit 1-Alkinyl-metall-Verbindungen durch nucleophile Substitution. Die Methode ist mit dem leicht zugänglichen und stabilen Vas ka-Komplex näher untersucht worden. Wenn ein kleiner Ethinyl-Rest in den Komplex eingeführt wird, kann das Zentralmetall zusätzlich Triphenylphosphan binden:

$$IrCl(CO)[P(C_6H_5)_3]_2 \ + \ Li-C\equiv C-C_6H_5 \ \xrightarrow[-LiCl]{} \ Ir(C\equiv C-C_6H_5)(CO)[P(C_6H_5)_3]_2$$

$$IrCl(CO)[P(C_6H_5)_3]_2 \ + \ K-C\equiv CH \ + \ P(C_6H_5)_3 \ \xrightarrow[-KCl]{} \ Ir(C\equiv CH)(CO)[P(C_6H_5)_3]_3$$

Bis-[triphenylphosphan]-carbonyl-phenylethinyl-iridium[2,3]: 2,34 g (3,0 mmol) *trans*-Bis-[triphenylphos phan]-carbonyl-chloro-iridium in 300 ml THF werden unter Rühren 0,36 g (3,3 mmol) Phenylethinyl-lithium ir 50 ml THF zugetropft und 2 Stdn. bei 20° gerührt. Dabei ändert sich die Farbe von gelb nach intensiv orange Nach Abziehen des Lösungsmittels wird der Rückstand mit Benzol behandelt, das unlösliche Lithium-Salz abfil triert, das Filtrat i. Vak. auf ~ 30 ml eingeengt und mit 200 ml Pentan versetzt. Der Niederschlag wird 2mal mit je

[1] C.K. BROWN, D. GEORGIOU u. G. WILKINSON, Soc. [A] **1971**, 3120.

[2] R. NAST u. L. DAHLENBURG, B. **105**, 1456 (1972).

[3] B. CETINKAYA, M.F. LAPPERT, J. McMEEKING u. D. PLAMER, J. Organometal. Chem. **34**, C37 (1972); Soc. [Dalton] **1973**, 1202.

0 ml Pentan gewaschen und i. Hochvak. 6 Stdn. getrocknet; Ausbeute: 2,20 g (87%); F: 143–150° (Zers.); R(Nujol-Suspension): $\nu_{C=C}$ 2091, ν_{CO} 1958 cm^{-1}.

Das ^{31}P-NMR-Spektrum spricht für eine *trans*-Stellung der Phosphan-Liganden.

Die Verbindung ist mehrere Tage in der Luft beständig und thermisch bis 140° stabil.

Carbonyl-ethinyl-tris-[triphenylphosphan]-iridium[1]: Eine Lösung von 2,57 g (3,3 mmol) *trans*-Bis-[triphenylphosphan]-carbonyl-chloro-iridium und 0,95 g (3,6 mmol) Triphenylphosphan in 400 ml THF wird mit 4,23 g (66 mmol) Ethinyl-kalium versetzt und 70 Stdn. bei 20° gerührt. Das Filtrat wird auf ~ 30 ml eingeengt und mit 00 ml Ethanol versetzt. Der davon abgetrennte Niederschlag wird in 30 ml Benzol aufgenommen und durch 200 nl Ethanol erneut ausgefällt sowie i. Hochvak. getrocknet; Ausbeute: 2,78 g (82%); IR(Nujol-Suspension): ν_{C-H} 3271, $\nu_{C\equiv C}$ 1988, ν_{CO} 1956 cm^{-1}.

Die Verbindung ist in Luft unbegrenzt haltbar; bis 180° thermostabil und unempfindlich gegenüber Licht. Die Verbindung dissoziiert zu ~70% in Lösung

$$Ir(C\equiv CH)(CO)L_3 \;\rightleftharpoons\; Ir(C\equiv CH)(CO)L_2 + L$$

3. aus anderen Iridium(I)-Verbindungen mit 1-Alkinen

1-Alkine sind infolge der Elektronen-anziehenden Wirkung der C≡C-Dreifachbindung CH-acide. Sie können daher mit Iridium(I)-Salzen in Gegenwart von Laugen zum Neutralisieren der gebildeten Säure unter Abspaltung von HX reagieren.

$$Ir-X \quad bzw. \quad [Ir^{\oplus}]X^{\ominus} \;+\; H-C\equiv C-R \xrightarrow[\substack{-NaX \\ -H_2O}]{+NaOH} Ir-C\equiv C-R$$

Bei den folgenden Komplexen mit zweizähnigen Liganden, die einen geringeren Raumbedarf haben als zwei einfache Liganden und deren Komplexe durch den Chelat-Effekt stabilisiert werden, findet man die Koordinationszahl 5[2]:

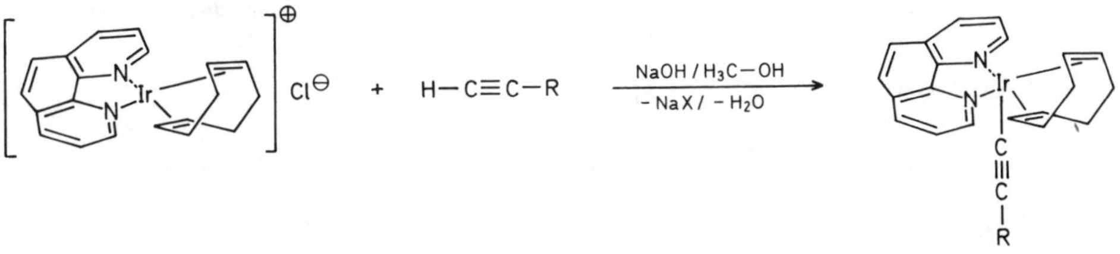

R = H; *(η^4-1,5-Cyclooctadien)-ethinyl-(1,10-phenanthrolin)-iridium*
R = C$_6$H$_5$; *(η^4-1,5-Cyclooctadien)-(1,10-phenanthrolin)-phenylethinyl-iridium*

Eine Koordinationszahl 5 ist auch bei den folgenden Dicarbonyl-Komplexen möglich, da Carbonyl-Liganden klein sind und negative Ladung durch „back-donation" vom Metall abziehen[3]. Allerdings muß der Komplex unter Kohlenmonoxid-Atmosphäre aufbewahrt werden, da er leicht einen Carbonyl-Liganden verliert. Das Gleichgewicht kann leicht auf die Seite des 4fach koordinierten Komplexes verschoben werden, wenn Stickstoff durch die Lösung geleitet wird.

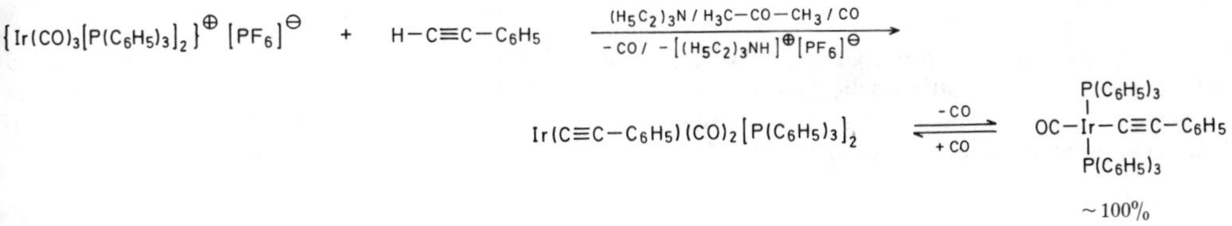

<hr>

[1] R. NAST u. L. DAHLENBURG, B. **105**, 1456 (1972).
[2] G. MESTRONI, G. ZASSINOVICH u. A. CAMUS, Inorg. Nucl. Chem. Letters **11**, 359 (1975).
[3] R. H. WALTER u. B. F. G. JOHNSON, Soc. [Dalton] **1978**, 381

Wird keine Base zugegeben, so erhält man unter oxidativen Additionen einen Hydrido-phenylethinyl-ir dium(III)-Kationkomplex, der erst beim Behandeln mit Base unter reduktiver Eliminierung Hexafluoropho phorsäure verliert.

In folgendem Beispiel wird der relativ schwach gebundene Acetonitril-Ligand abgespal ten[1]:

$$\{Ir(CO)(NC-CH_3)[P(C_6H_5)_3]_2\}^{\oplus}[ClO_4]^{\ominus} \quad + \quad HC\equiv C-C_6H_5$$

$$\xrightarrow[\substack{-[(H_5C_2)_2NH_2]^{\oplus}ClO_4^{\ominus} \\ -H_3C-CN}]{NH(C_2H_5)_2} \quad Ir(C\equiv C-C_6H_5)(CO)[P(C_6H_5)_3]$$

Bis-[triphenylphosphan]-carbonyl-phenylethinyl-iridium[1]: Unter Ausschluß von Sauerstoff wird eine Lösun von 100 mg Acetonitril-bis-[triphenylphosphan]-carbonyl-iridium-perchlorat in Dichlormethan mit 50 mg Phe nylethin und 100 mg Diethylamin versetzt. Man läßt das Reaktionsgemisch anschließend über eine kurze Kiese säure-Säule laufen. Die gelb-orange Fraktion wird mit Dichlormethan eluiert und mit Hexan ausgefällt; Ausbeu te: 65 mg (75%); F: 115–118°; IR(Nujol): $\nu_{C\equiv C}$ 2115(m), ν_{CO} 1955(vs) cm^{-1}.

1-Alkine substituieren den organischen Rest in verschiedenen Organo-iridium(I) Verbindungen wahrscheinlich nach einem Additions-Eliminierungs-Mechanismus.

Austretende Reste können π-Allyl-, Methoxycarbonyl- und 1-Alkinyl-Gruppen sein Da bei der Eliminierung keine Säuren gebildet werden, ist ein Zusatz von Basen nicht er forderlich.

$$Ir(\eta^3-C_3H_5)(CO)[P(C_6H_5)_3]_2 \quad + \quad HC\equiv C-R \quad \xrightarrow[-H_2C=CH-CH_3]{} \quad Ir(C\equiv C-R)(CO)[P(C_6H_5)_3]_2$$

(1-Alkinyl)-bis-[triphenylphosphan]-carbonyl-iridium

$$Ir(CO-OCH_3)(CO)_2[P(C_6H_5)_3]_2 \quad + \quad HC\equiv C-CH_2-CH_2-OH$$

$$\xrightarrow[\substack{-HCOOCH_3 \\ -CO}]{} \quad Ir(C\equiv C-CH_2-CH_2-OH)(CO)[P(C_6H_5)_3]_2$$

Bis-[triphenylphosphan]-carbonyl-(4-hydroxy-
1-butinyl)-iridium[3]; 45%; F: 144–146°

1-Alkinyl-Reste können auch durch andere 1-Alkinyl-Reste substituiert werden[2]. Die besten Ergebnisse erzielt man, wenn Iridium-Komplexe, die keine aktiven Alkinyl-Grup pen enthalten, mit CH-aciden Alkinen umgesetzt werden. Wenn andererseits Alkinyl-Rest und Alkin ähnlich und weniger reaktionsfähig sind, wie z.B. bei Homologen, muß die Reaktion bei erhöhter Temp. durchgeführt und das Alkin in großem Überschuß eingesetzt werden. Allerdings muß damit gerechnet werden, daß ein Teil des Alkin-Überschusses po lymerisiert.

Bei 70° und 15fachem Propin-Überschuß wird keine Reaktion mit dem Alkinyl-Komplex beobachtet, erst bei 24 stdgm. Erhitzen auf 190° wird die Alkinyl- durch die Propinyl-Gruppe ausgetauscht. Eine reduktive Eliminie rung von Diin aus dem intermediär gebildeten Dialkinyl-iridium(III)-Komplex wird nicht beobachtet. Phenyl ethin wird in 6fachem Überschuß eingesetzt. Die Austauschreaktion ist infolge der Phenyl-Gruppe rasch.

---

[1] C. A. REED u. W. R. ROPER, Soc. [Dalton] **1973**, 1370.
[2] C. K. BROWN, D. GEORGIOU u. G. WILKINSON, Soc. [A] **1971**, 3120.
[3] P. J. FRASER, W. R. ROPER u. F. G. A. STONE, J. Organometal. Chem. **66**, 155 (1974).

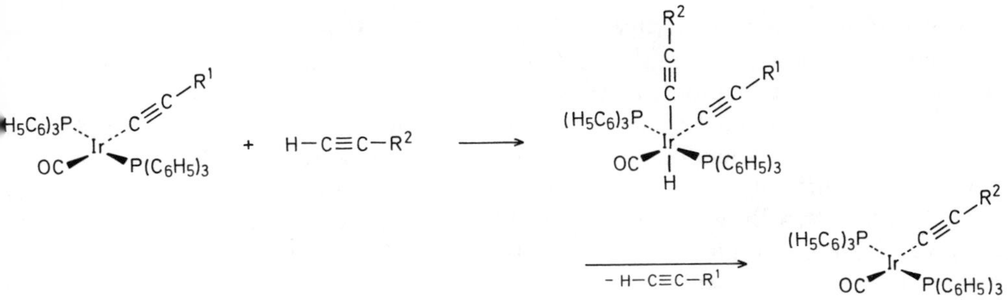

z. B. $R^1 = C_2H_5$; $R^2 = CH_3$; *Bis-[triphenylphosphan]-carbonyl-propinyl-iridium*[1]; 60%
$R^1 = C_2H_5$; $R^2 = C_6H_5$; *Bis-[triphenylphosphan]-carbonyl-(phenylethinyl)-iridium*[1]

d) Aryl-iridium(I)-Verbindungen

Aryl-iridium(I)-Verbindungen sind im Vergleich zu den Alkyl-Derivaten recht stabile Verbindungen. Es gibt daher mehr Vertreter dieser Verbindungsklasse, deren Additions-, Substitutions- und Eliminierungs-Reaktionen von Liganden eingehend untersucht worden sind. Die Addukte von molekularem Sauerstoff sind oft so stabil, daß sie bei 3tägigem Erhitzen auf 200° i. Vak. keinen Sauerstoff abgeben[2,3]. Die meisten Verbindungen lassen sich trotzdem kurze Zeit an der Luft handhaben; z.B.:

$$Ar\!-\!Ir(CO)[P(C_6H_5)_3]_2 \quad + \quad O_2 \quad \longrightarrow \quad Ar\!-\!Ir(CO)(O_2)[P(C_6H_5)_3]_2$$

Ar = C_6H_5; *Bis-[triphenylphosphan]-carbonyl-(disauerstoff)-phenyl-iridium*
Ar = 4-CH_3–C_6H_4; *Bis-[triphenylphosphan]-carbonyl-(disauerstoff)-(4-methyl-phenyl)-iridium*

Komplexe mit stark Elektronen-anziehenden Aryl-Gruppen (z.B. Pentafluorphenyl) oder mit starker sterischer Hinderung (z.B. 2-Methyl-, 2,4,6-Trimethyl-phenyl) binden keinen Sauerstoff.

Die σ-Aryl-iridium-Komplexe sind gelbe bis gelb-orange Verbindungen, die vorzüglich kristallisieren, gut in Arenen, Ethern, Ketonen und Chloralkanen löslich sind. Ihre Löslichkeit in aliphatischen Kohlenwasserstoffen und Alkoholen ist gering. Die monomeren und diamagnetischen d^8-Komplexe besitzen eine quadratisch-planare Konfiguration.

Die beiden großen Phosphan-Liganden stehen, wie sich ^{31}P–NMR-spektroskopisch zeigen läßt, normalerweise in der energetisch günstigen *trans*-Stellung zueinander[4].

1. aus Iridium(I)-Verbindungen durch nucleophile Substitution

α) mit Aryl-metall-Verbindungen

Die Methode ist hauptsächlich mit dem leicht erhältlichen Vaska-Komplex untersucht worden. Eingesetzt werden Aryl-lithium-, -magnesium- und -silber-Verbindungen:

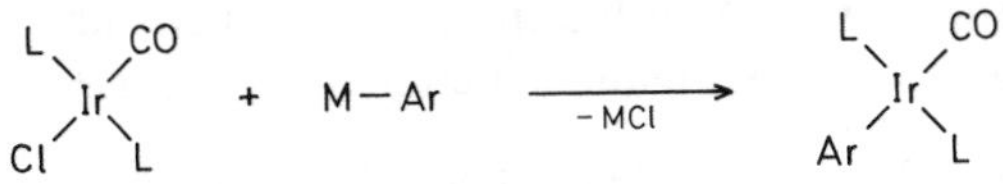

[1] C.K. BROWN, D. GEORGIOU u. G. WILKINSON, Soc. [A] **1971**, 3120.
[2] L. DAHLENBURG u. R. NAST, J. Organometal. Chem. **71**, C49 (1974).
[3] L. DAHLENBURG u. R. NAST, J. Organometal. Chem. **110**, 395 (1976).
[4] A. CLEARFIELD et al., Inorg. Chem. **14**, 2727 (1974).
R. GOPAL u. A. CLEARFIELD, Abstr. Pap. Amer. Chem. Soc., Summer Meeting, 1974, E 11, 230.

Achtung! Manche Halogen-haltige Organo-lithium-Verbindungen neigen im festen Zustand zum **explosiven** Zerfall[1]. Daher wird beim Einsatz dieser Verbindung eine modifizierte Arbeitsweise empfohlen (s. u.).

Wenn die Aryl-lithium-Verbindungen durch Umsetzung von Brom-arenen und Butyl-lithium hergestellt werden, müssen sie frei von einem Überschuß an Butyl-lithium sein. Anderenfalls entsteht aus dem intermediär gebildeten Butyl-iridium-Komplex durch β-Eliminierung von Buten der Hydrido-iridium-Komplex, der sich nur schwer von der Aryl-Verbindung abtrennen läßt. Wird Tetrahydrofuran als Lösungsmittel verwendet, so muß es mit Kaliumhydroxid und Natrium-naphthalid unter Stickstoff gereinigt werden[2]. Besser geeignet sind Kohlenwasserstoffe, in denen Butyl-lithium löslich, Aryl-lithium Verbindungen aber unlöslich sind.

Aryl-lithium-Verbindungen[1]; allgemeine Arbeitsvorschrift: Man arbeitet unter Feuchtigkeit- und Sauerstoff-Ausschluß. 20 mmol eines Brom- oder Jod-arens, gelöst in 50 ml Toluol/Hexan (1 : 1), werden mit 19 mmol Butyl-lithium (~2 M Lösungen in Hexan) versetzt. Man läßt 12 Stdn. (bei Einsatz des Jod-arens ~3 Stdn.) bei 20° stehen (beim 4-Trifluormethyl-phenyl-lithium unter Eiskühlung). Während dieser Zeit scheidet sich die Aryl-lithium-Verbindung als farbloser bis schwach gelber Niederschlag ab. Nach Abgießen der über dem Bodenkörper stehenden Lösung wird zur Reinigung 3mal mit 50 ml Hexan dekantiert. Anschließend löst man das noch Hexan-feuchte Produkt in der gerade ausreichenden Menge Ether, wobei man eine ~0,1–0,5 M Lösung erhält.

4-Brom-, 4-Trifluormethyl- sowie 3-Chlor-phenyl-lithium können mit äußerster Brisanz **detonieren**. Sicherheitshalber sollten die Verbindungen nur in kleinen Portionen hergestellt werden unter Berücksichtigung von Vorsichtsmaßnahmen, wie sie bei **explosiven** Verbindungen üblich sind.

Bis-[triphenylphosphan]-carbonyl-(pentafluorphenyl)-iridium. Die Reaktionen werden in wasserfreien und mit Stickstoff ges. Lösungsmitteln unter Inertgas durchgeführt.

(a) Aus Pentafluorphenyl-lithium[1]: Eine mit festem Kohlendioxid und Ethanol gekühlte Lösung von 0,44 g (2,0 mmol) Brom-pentafluor-benzol in 20 ml Diethylether wird unter Rühren mit 2,0 mmol Butyl-lithium (0,8 ml einer 2,51 M Lösung in Hexan) versetzt. Nach 15 Min. gibt man 1,56 g (2,0 mmol) pulverisiertes Bis-[triphenylphosphan]-carbonyl-chloro-iridium zu und verdünnt mit dem Ether auf 100 ml. Anschließend wird 30 Min. bei −78°, dann 15 Stdn. bei 20° gerührt. Man filtriert ab, versetzt die hellgelbe Reaktionslösung mit dem gleichen Vol. Ethanol und destilliert den Ether bei Normaldruck langsam ab. Durch stufenweises Abkühlen auf 0° und auf −25° läßt man die Verbindung innerhalb 24 Stdn. auskristallisieren, saugt dann ab, wäscht 2mal mit je 10 ml Ethanol und trocknet die zitronengelben Kristalle i. Hochvak.; Ausbeute: 1,30 g (71%); IR (in KBr oder Chloroform): ν_{CO} 1968(vs) cm^{-1}.

(b) Aus Pentafluorphenyl-silber[3,4]:

Pentafluorphenyl-silber[5]: Zu einer Lösung von Pentafluorphenyl-lithium, die aus 0,05 mol Butyl-lithium und 0,05 mol Brom-pentafluor-benzol in 100 ml Diethylether und 30 ml Hexan hergestellt wird (s. o.), gibt man bei −75° 0,05 mol Silber-trifluoracetat gelöst in Diethylether. Es entstehen bei 20min. Reaktionsdauer eine bräunlich gelbe Lösung und ein farbloser Niederschlag. Dazu gibt man 50 ml Acetonitril und destilliert bei 0,5 Torr und −30 bis −40° ~130 ml des Lösungsmittels ab. Die farblosen Kristalle werden 2mal mit je 15 ml Acetonitril gewaschen und i. Vak. bei 70° (0,1 Torr) getrocknet; Ausbeute: 10,7 g (78%).

Pentafluorphenyl-silber ist wesentlich stabiler als Phenyl-silber, das bereits bei −18° zerfällt. In Lösung und in diffusem Licht zersetzt sich die Verbindung bereits bei 20°. Die Kristalle sind bei −25° praktisch unbegrenzt haltbar.

Bis-[triphenylphosphan]-carbonyl-(pentafluorphenyl)-iridium: Eine Suspension aus 200 mg (0,26 mmol) Bis-[triphenylphosphan]-carbonyl-chloro-iridium und 107 mg (0,39 mmol) Pentafluorphenyl-silber in 200 ml Diethylether wird bei 20° 3 Stdn. gerührt, das gebildete Silberchlorid abfiltriert und das schwach gelbe Filtrat i. Vak. eingeengt, wobei gelbe Kristalle ausfallen; Ausbeute: 190 mg (80%); F: 208–210° (Zers.); IR: ν_{CO} 1965(s) cm^{-1}.

Die Arylierungsreaktion durch Aryl-lithium läßt sich auch auf andere Phosphan-Komplexe übertragen[6,7]. Die Phosphan-Liganden nehmen normalerweise die trans-Konfigura-

[1] L. Dahlenburg u. R. Nast, J. Organometal. Chem. **110**, 395 (1976).
[2] M. D. Rausch u. G. A. Moser, Inorg. Chem. **13**, 11 (1974).
[3] R. L. Bennett, M. I. Bruce u. R. C. F. Gardner, Soc. [Dalton] **1973**, 2653.
[4] A. Clearfield et al., Inorg. Chem. **14**, 2727 (1975). Die röntgenographische Kristallstrukturbestimmung der Verbindung ergibt eine leicht verzerrte quadratisch-planare Konfiguration.
[5] K. K. Sun u. W. T. Miller, Am. Soc. **92**, 6985 (1970).
[6] L. Dahlenburg, V. Sinnwell u. D. Thoennes, B. **111**, 3367 (1978).
[7] F. Mirzaei u. L. Dahlenburg, J. Organometal. Chem. **173**, 325 (1979).

ion ein. Auch Alkyl-phenyl-Reste lassen sich in den Komplex einführen; z.B.:

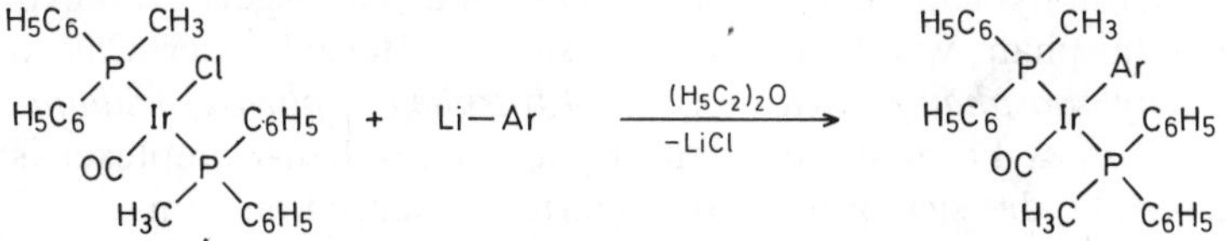

z.B.: Ar = 2-CH$_3$–C$_6$H$_4$; *Bis-[diphenyl-methyl-phosphan]-carbonyl-(2-methyl-phenyl)-iridium*; 34%

Ar = 2,4,6-(CH$_3$)$_3$–C$_6$H$_2$; *Bis-[diphenyl-methyl-phosphan]-carbonyl-(2,4,6-trimethyl-phenyl)-iridium*; 47%

Ar = 2-C$_2$H$_5$–C$_6$H$_4$; *Bis-[diphenyl-methyl-phosphan]-carbonyl-(2-ethyl-phenyl)-iridium*; 24–29%

Tab. 1: Bis-[triphenylphosphan]-aryl-carbonyl-iridium-Verbindungen aus Bis-[triphenylphosphan]-carbonyl-chlor-iridium-Verbindungen mit Aryl-lithium-Verbindungen

Aryl-M		Bis-[triphenylphosphan]-carbonyl-... ...-iridium	Ausbeute [% d. Th.]	F [°C]	Literatur
Aryl	M				
C$_6$H$_5$	Li	...-phenyl-...	38 (25)	159[a]	1–3
2-CH$_3$–C$_6$H$_4$	Li	...-(2-methyl-phenyl)-...	28		3
2-OCH$_3$–C$_6$H$_4$	Li	...-(2-methoxy-phenyl)-...	26		3
2,6-(OCH$_3$)$_2$–C$_6$H$_3$	Li	...-(2,6-dimethoxy-phenyl)-...	30		3
4-Cl–C$_6$H$_4$	Li	...-(4-chlor-phenyl)-...	48		3,4
4-N(CH$_3$)$_2$–C$_6$H$_4$	Li	...-(4-dimethylamino-phenyl)-...	62		3,4
3-CF$_3$–C$_6$H$_4$	Li	...-(3-trifluormethyl-phenyl)-...	44		3
C$_6$Cl$_5$	MgCl (Br)	...-(pentachlorphenyl)...	60	213[a]	2
C$_6$F$_5$	Li	} ...-(pentafluorphenyl)-...	36	206[a]	} 2,3,5
	Ag		80	208–210	6,7

[a] Abgeschmolzen unter Stickstoff

Analog erhält man *Triphenylphosphan-triphenylphosphit-* bzw. *Bis-[triphenylphosphit]-carbonyl-(2,4,6-trimethyl-phenyl)-iridium* zu 64 bzw. 52%[8].

Es können auch Gemische aus *cis*- und *trans*-Isomeren der quadratisch-planaren Konfiguration entstehen[4,9,10]:

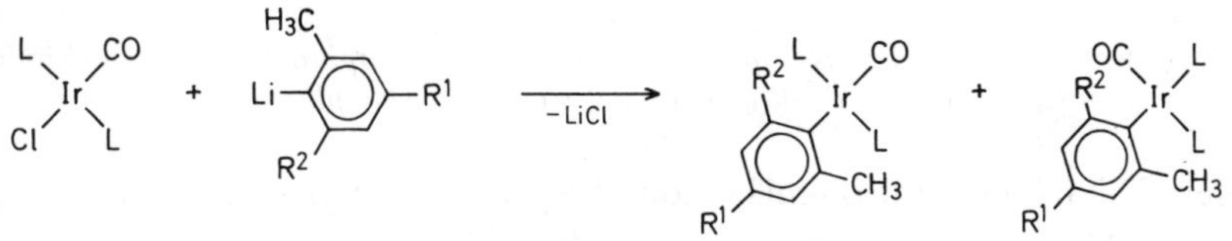

L = P(C$_6$H$_5$)$_3$; *Bis-[triphenylphosphan]-carbonyl-...-iridium*
R^1 = H; R^2 = CH$_3$; ...-(2,6-dimethyl-phenyl)-...
R^1 = R^2 = CH$_3$; ...-(2,4,6-trimethyl-phenyl)-...
R^1 = H; R^2 = C$_2$H$_5$; ...-(2-ethyl-6-methyl-phenyl)-...
L = P(CH$_3$)(C$_6$H$_5$)$_2$
R^1 = H; R^2 = CH$_3$; *Bis-[diphenyl-methyl-phosphan]-carbonyl-(2,6-dimethyl-phenyl)-iridium*

[1] G. YAGUPSKY, C.K. BROWN u. G. WILKINSON, Chem. Commun. **1969**, 1244; Soc. [A] **1970**, 1392.
[2] M.D. RAUSCH u. G.A. RAUSCH, Inorg. Chem. **13**, 11 (1974).
[3] L. DAHLENBURG u. R. NAST, J. Organometal. Chem. **110**, 395 (1976).
[4] L. DAHLENBURG u. R. NAST, J. Organometal. Chem. **71**, C 49 (1974).
[5] R.L. BENNETT, M.I. BRUCE u. R.C.F. GARDNER, Soc. [Dalton] **1973**, 2653.
[6] R.L. BENNETT, M.I. BRUCE u. R.J. GOODFELLOW, J. Fluorine Chem. **2**, 447 (1972/1973).
[7] B.F. JORDAN, A.H. HARRIS, K.C. NAINAN u. C.T. SEARS, J. Inorg. & Nuclear Chem. **39**, 1451 (1977).
s.a. A.G. OSBORNE u. R.H. WHITELEY, J. Organometal. Chem. **181**, 425 (1979).
[8] L. DAHLENBURG u. F. MIRZAI, J. Organometal. Chem. **251**, 113 (1983).
[9] L. DAHLENBURG u. R. NAST, Ang. Ch. **88**, 127 (1976).
[10] L. DAHLENBURG, V. SINNWELL u. D. THOENNES, B. **111**, 3367 (1978).
L. DAHLENBURG, K. VON DEUTEN u. J. KOPF, J. Organometal. Chem. **216**, 113 (1981).

Die *cis*-Verbindung entsteht zunächst infolge einer kinetisch kontrollierten Reaktion, die sich in die thermodynamisch stabile *trans*-Verbindung umlagert[1]. Katalytische Zusätze von Triphenylphosphan wandeln das ansonsten in Benzol oder Chloroform stabile rote *Bis-[triphenylphosphan]-cis-carbonyl-(2,4,6-trimethyl-phenyl)-iridium* innerhalb 24 Stdn. in die gelbe *trans*-Form um. Bei den Triphenylphosphan-Komplexen ist das *cis*-Isomere Hauptprodukt, das sich durch fraktionierte Kristallisation vom *trans*-Isomeren abtrennen läßt. Reines *trans*-Produkt erhält man durch Umlagerung des *cis*-Isomeren mit Triphenylphosphan-Zusatz in 85%iger Ausbeute oder durch Chromatographieren des Reaktionsgemisches mit Toluol über eine Kieselgel-Säule.

cis- und trans-Bis-[triphenylphosphan]-carbonyl-(2,4,6-trimethyl-phenyl)-iridium[2]: Unter Inertgas-Atmosphäre werden 7,80 g (10 mmol) Bis-[triphenylphosphan]-carbonyl-chloro-iridium und 15 mmol (2,4,6-Trimethyl-phenyl)-lithium in 1,5 *l* Diethylether 2 Stdn. bei 20° gerührt. Nach Filtration und Zugabe von 200 *ml* Ethanol dampft man den Ether unter Normaldruck ab. Dabei beginnt das *cis*-Isomere zu kristallisieren. Die Kristallisation dieses Isomeren ist nach 6–8 Stdn. nahezu beendet. Es wird 3mal mit je 20 *ml* Ethanol gewaschen; Ausbeute: 4,7–5,4 g (55–65%); IR(CHCl₃): ν_{CO}: 1973(vs) cm⁻¹.

Aus der Mutterlauge kristallisieren innerhalb 1 Woche bei 0° ~ 500 mg (~6% d. Th.) der gelben *trans*-Form aus. Die Spuren der *cis*-Form verschwinden, wenn man die unreinen Kristalle in 1-g-Portionen mit 30 mg Triphenylphosphan in 50 *ml* Benzol 24 Stdn. lang rührt. Nach Einengen der Lösung und Zusatz von 10 *ml* Hexan kristallisiert das *trans*-Isomere rein; IR (CHCl₃): ν_{CO} 1941(vs) cm⁻¹.

Analog können die entsprechenden 2,6-disubstituierten (2-Ethyl-6-methyl-phenyl)- bzw. -(2,6-Diethyl-phenyl)-iridium(I)-Komplexe hergestellt werden[3]. Dabei erweist es sich als günstig, das *cis*-Isomere zunächst durch partielle Kristallisation aus Diethylether und Ethanol abzutrennen und das in der Mutterlauge zurückbleibende *cis,trans*-Gemisch über eine Kieselgel-Säule mit Toluol zu chromatographieren. Dabei wird das verbleibende *cis*-Isomere auch in die *trans*-Form übergeführt (Farbwechsel von orangerot nach gelb).

Die Ausbeute an *cis*-Isomerem beträgt nach dieser Methode je nach Verbindung 34–61%, die an *trans*-Isomerem nach vollständiger Umlagerung des *cis*-Isomeren ~80%.

Aryl-thiocarbonyl-iridium-Verbindungen werden analog den Carbonyl-Komplexen hergestellt[4].

$$IrCl(CS)[P(C_6H_5)_3]_2 \; + \; R-MgX \xrightarrow[-\,MgClX]{\text{THF, 20°, } \sim 3 \text{ Tage}} IrR(CS)[P(C_6H_5)_3]_2$$

R = C₆F₅, X = Br; *Bis-[triphenylphosphan]-(pentafluorphenyl)-thiocarbonyl-iridium*; 62%
R = C₆Cl₅; X = Cl; *Bis-[triphenylphosphan]-(pentachlorphenyl)-thiocarbonyl-iridium*; 45%

In einigen Fällen können Iridium(I)-Komplexe durch Diaryl-thallium(III)-Verbindungen aryliert werden[5]:

$$IrH(CO)[P(C_6H_5)_3]_3 \; + \; (F_5C_6)_2Tl-Br$$

$$IrCl(CO)[P(C_6H_5)_3]_2 \; + \; (F_5C_6)_2Tl-OH$$

$$\longrightarrow F_5C_6-Ir(CO)[P(C_6H_5)_3]_2$$

Bis-[triphenylphosphan]-carbonyl-(pentafluorphenyl)-iridium

Durch Behandeln des Chloro-Komplexes mit Aryl-lithium erhält man *(Bis-[diphenylphosphanopropyl]-phenyl-phosphan-P,P,P)-(2-methyl-phenyl)-* bzw. *-(2,4,6-trimethyl-phenyl)-iridium* zu 30 bzw. 60%[6].

---

[1] Die in Benzol bei 25° gemessenen Dipolmomente für *cis* 6,5 D und für *trans* 1,7 D entsprechen der Erwartung
[2] L. Dahlenburg u. R. Nast, Ang. Ch. **88**, 127 (1976).
[3] F. Mirzaei u. L. Dahlenburg, J. Organometal. Chem. **173**, 325 (1979).
[4] G. Tresoldi, F. Faraone u. P. Piraino, Soc. [Dalton] **1979**, 1053.
[5] P. Royo u. F. Terreros, Ann. Univ. Murcia, Cienc (1972) **30**, 139; C. A. **89**, 109916 (1978).
[6] E. Arpac u. L. Dahlenburg, J. Organometal. Chem. **251**, 361 (1983).

Die folgenden Bis-[dien]-phenyl-iridium-Komplexe können leicht durch Substitution von Chlor mit Phenyl-lithium hergestellt werden[1]:

$$IrCl(dien)_2 \quad + \quad C_6H_5Li \quad \xrightarrow[-\,LiCl]{Hexan} \quad Ir(C_6H_5)(dien)_2$$

Bis-[η^4-1,3-cyclohexadien]-phenyl-iridium; 56%; Zers. ab 94°
Bis-[η^4-1,3-cycloheptadien]-phenyl-iridium; 50%; Zers. ab 90°

β) mit Aryl-Donor-Liganden durch ortho-Metallierung

Bei der ortho-Metallierung von Aryl-Donor-Liganden durch Iridium(I)-Verbindungen entsteht wahrscheinlich intermediär durch oxidative Addition der aromatischen C–H-Gruppe eine Aryl-hydrido-iridium(III)-Verbindung, die in einer reduktiven Eliminierung Halogenwasserstoff, Alkane, Carboran oder molekularen Wasserstoff abspaltet:

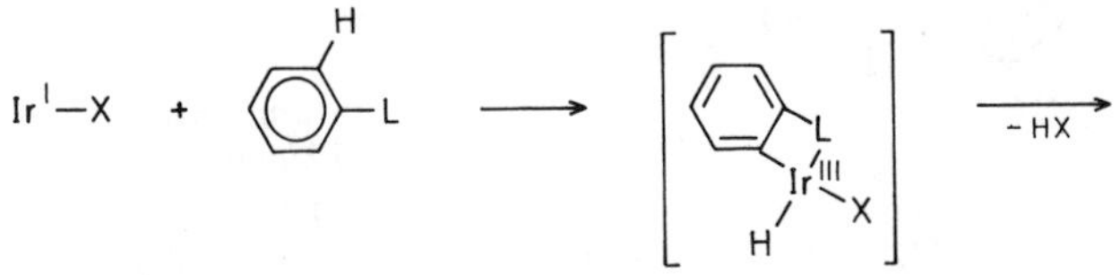

X = Halogen, Alkyl, Carboranyl, H

Aryl-Donor-Liganden sind z.B. Triphenylphosphan, das bei der ortho-Metallierung einen Iridium-4-Ring bildet, und Triphenoxyphosphan, bei dem ein 5-Ring entsteht.

Bis-[chloro-(η^4-1,5-cyclooctadien)-iridium] und Triaryloxyphosphane setzen sich in Ethanol zu ortho-metallierten Verbindungen des Typs II um[2]. Man kann auch den Kationkomplex III durch Erhitzen in Ethanol in die Verbindung II überführen[3,4]:

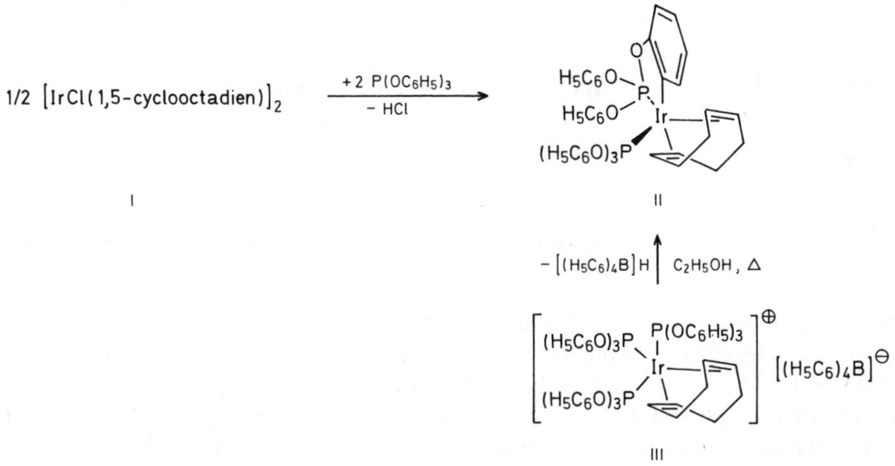

{C,P-2-(bis-[2-methyl-phenoxy]-phosphanoxy)-6-methyl-phenyl}-(η^4-1,5-cyclooctadien)-(tris-[2-methyl-phenoxy]-phosphan)-iridium(analog II)[2.5]: 0,74 g Bis-[chloro-(η^4-1,5-cyclooctadien)-iridium] I werden in 30 *ml* Ethanol suspendiert und mit 2,4 g Tris-[2-methyl-phenoxy]-phosphan versetzt. Die Mischung wird 3 Stdn. gerührt und dann filtriert. Nach Umkristallisieren des gebildeten Niederschlags in Dichlormethan und Ethanol erhält man farblose Prismen; Ausbeute: 1,1 g (50%); F: 165–166°.

---

[1] J. Müller u. H. Menig, J. Organometal. Chem. **191**, 303 (1980).
[2] M. Laing, M.J. Nolte, E. Singleton u. E. van der Stok, J. Organometal. Chem. **146**, 77 (1978).
[3] L.M. Haines u. E. Singleton, J. Organometal. Chem. **25**, C 83 (1970).
[4] Zur ortho-Metallierung von 2 Liganden und zur doppelten Metallierung von 1 Liganden s.S. 577, 578.
[5] E. Singleton u. E. van der Stok, Soc. [Dalton] **1978**, 926.

Carbonyl-hydrido-tris-[triphenylphosphan]-iridium und Aryldiazonium-tetrafluorobo-rat reagieren unter Insertion der Diazo-Gruppe in die Ir-H-Bindung und ortho-Metallie-rung des Aryl-Rests[1]. Es entsteht eine Iridium(I)-Verbindung, die in den meisten Fällen leicht, z.B. durch Sauerstoff-Spuren zu ortho-metallierten Aryldiazen-iridium(III)-Komplexen oxidiert wird[2,3] (vgl. S. 580). Die 2- bzw. 4-Nitro-Verbindungen sind relativ stabil.

Anstelle des Hydrido-Komplexes kann in Einzelfällen auch der Chloro-Komplex IVa in Gegenwart von Alkoholen eingesetzt werden. Die Alkohole wirken dabei als Reduk-tionsmittel[4]:

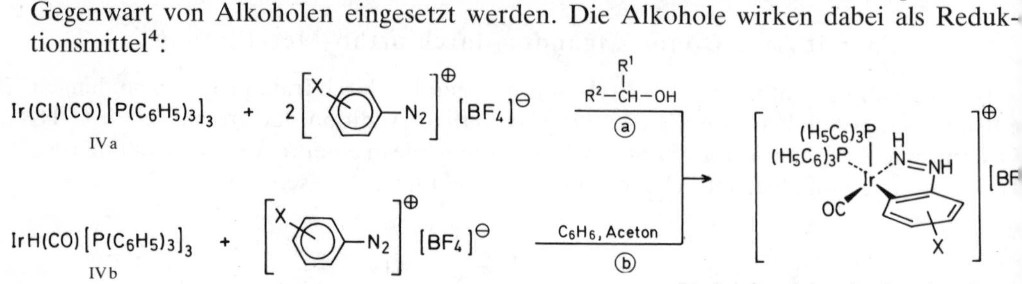

$Ir(Cl)(CO)[P(C_6H_5)_3]_3$ IVa

$IrH(CO)[P(C_6H_5)_3]_3$ IVb

Bis-[triphenylphosphan]-carbonyl-...-iridium-tetrafluoroborat

X = 4-F; ...-[2-(1-H-diazenio)-5-fluor-phenyl]-...; 43%
X = 2-NO₂; ...-[2-(1H-diazenio)-3-nitro-phenyl]-...; 92%; F: 160–170° (Zers.)
X = 4-NO₂; ...-(2-(1H-diazenio)-5-nitro-phenyl)-...; 11%

Es wird außerdem, vor allem bei p-ständigen Substituenten, der Komplex V gebildet. Das Diaryltetrazen V wird bevorzugt gebildet, wenn das molare Verhältnis von Hydrid IVb zu Diazonium-Salz 1:3 ist.

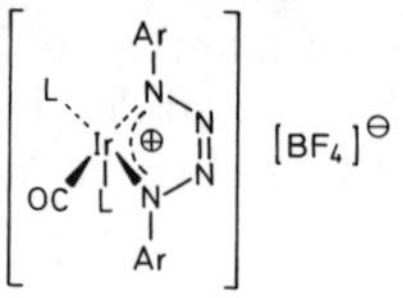

V

Leichter als Chlor können Alkyl-Reste abgespalten werden; z.B.[5]:

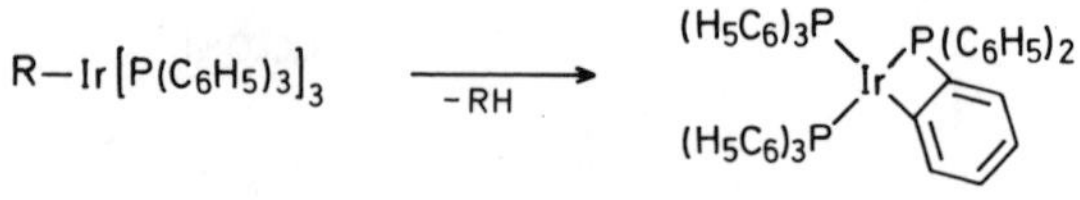

R = CH₃; C₂H₅; *C,P-(2-Diphenylphosphano-phenyl)-bis-[triphenylphosphan]-iridium*; F: 186–187° (Zers.)

Lösungsmittel wie Diethylether, die mit dem Metall Komplexe bilden können, erhöhen die Stabilität des Alkyl-Komplexes und bedingen höhere Reaktionstemperaturen.

Auch bei der Umsetzung von Chloro-tris-[triphenylphosphan]-iridium mit 1-Lithium-2-methyl- bzw. 2-phenyl-1,2-dicarbadecacarboran wird das *Bis-[triphenylphosphan]-[2-diphenylphosphano-phenyl(C,P)]-iridium* (70–80%) erhalten[6].

Bei Einsatz anderer Lithium- und Chlormagnesium-carborane entsteht lediglich der cyclometallierte Aryl-chloro-hydrido-iridium(III)-Komplex (s. S. 575)[7].

---

[1] N. FARRELL u. D. SUTTON, Soc. [Dalton] **1977**, 2124.
[2] J. A. CARROLL, R. E. COBBLEDICK, F. W. B. EINSTEIN, N. FARRELL, D. SUTTON u. P. L. VOGEL, Inorg. Chem. **16**, 2462 (1977).
[3] J. A. CARROLL, D. SUTTON u. Z. XIAOHENG, J. Organometal. Chem. **244**, 73 (1982).
[4] F. W. B. EINSTEIN, I. JONES, D. SUTTON u. Z. XIAOHENG, J. Organometal. Chem. **244**, 87 (1982).
[5] J. SCHWARTZ u. J. B. CANNON, Am. Soc. **94**, 6226 (1972).
[6] B. LONGATO, F. MORANDINI u. S. BRESADOLA, J. Organometal. Chem. **88**, C 7 (1975); ibid. **132**, 291 (1977).
[7] S. BRESADOLA, B. LONGATO u. F. MORANDINI, Inorg. Chim. Acta **25**, L 135 (1977).

Bis-[triphenylphosphan]-[(2-diphenylphosphano)-phenyl(C,P)]-iridium[1,2]: Eine Lösung aus 2,7 mmol 1-Lithium-2-methyl(bzw. -phenyl)-1,2-dicarbadecacarboran in 20 *ml* abs. Diethylether (Argon-Atmosphäre) wird langsam bei 20° zu einer Suspension von 1 g (0,98 mmol) Chloro-tris-[triphenylphosphan]-iridium in 20 *ml* abs. Diethylether gegeben. Die Mischung wird 2 Stdn. gerührt, der orange-rote Niederschlag abfiltriert, mit Diethylether gewaschen, i. Vak. getrocknet und aus Dichlormethan und Hexan umkristallisiert; Ausbeute: 0,75 g 80%); F: 186–187° (Zers.)

Der durch Umsetzung von Chloro-tris-[triphenylphosphan]-iridium mit Trimethylsilylmethyl-lithium (3-facher Überschuß) zu 40% erhältliche Komplex bildet dagegen rote Kristalle, die sich in Lösung leicht unter *ortho*-Metallierung des Triphenylphosphan-Liganden umlagern (s. S. 575)[3].

Zur Herstellung und Struktur von *Bis-[η^2-ethen]-[2-diphenylphosphano-phenyl(C,P)]-triphenylphosphan-iridium* s. Lit.[4].

2. aus Metall-iridaten(–I) mit Halogen-arenen

Iridium(–I)-Anion-Komplexe als Ausgangsverbindung erhält man durch Reduktion von Bis-[triphenylphosphan]-dicarbonyl-chloro-iridium mit Natrium-Amalgam bei 20° in Tetrahydrofuran. Es muß in einer Kohlenmonoxid-Atmosphäre gearbeitet werden, um dem Verlust eines Carbonyl-Liganden entgegenzuwirken. Bei höherem Druck, (z. B. 15 bar) und 60° wird ein Phosphan-Ligand durch Kohlenmonoxid unter Bildung von Tricarbonyl-triphenylphosphan-iridat substituiert, das weniger nucleophil ist als der Dicarbonyl-Komplex[5].

Iridat(–I)-Anionen-Komplexe reagieren mit aktivierten Polyfluor-arenen (Polyfluorbenzole, -pyridine) unter nucleophiler Substitution eines Fluor-Atoms[6].

$$IrCl(CO)_2[P(C_6H_5)_3]_2 \xrightarrow[-NaCl]{\substack{+2\,Na \\ 1\,bar\,CO}} Na^\oplus\{Ir(CO)_2[P(C_6H_5)_3]_2\}^\ominus \xrightarrow[-NaF]{+Ar_F-F} Ir(Ar_F)(CO)_2[P(C_6H_5)_3]_2$$

Bis-[triphenylphosphan]-dicarbonyl-...-iridium

$Ar_F =$ —CN ; ...-*(4-cyan-tetrafluor-phenyl)*-...; 61%; F: 238–240°

$Ar_F =$ —COOC$_2$H$_5$; ...-*(4-ethoxycarbonyl-tetrafluor-phenyl)*-...; 34%; F: 198°

$Ar_F =$ —CN ; ...-*(3,4-dicyan-trifluor-phenyl)*-...; 57%; F: 233–235°

Die gelben, kristallinen Polyfluor-aryl-iridium-Verbindungen sind mehrere Tage in Luft stabil, in den meisten organischen Lösungsmitteln löslich und auch in Lösung nur wenig empfindlich gegen Sauerstoff.

Hexafluor-benzol reagiert unter diesen Reaktionsbedingungen nicht mit dem Iridat.

Mit 2-Cyan-3,4,5,6-tetrafluor-pyridin entsteht ein Isomeren-Gemisch aus dem durch Säulen-Chromatographie die beiden Isomere II und III isoliert werden können[6].

[1] F. Morandini, B. Longato u. S. Bresadola, J. Organometal. Chem. **132**, 291 (1977).
[2] S. Bresadola, B. Longato u. F. Morandini, Inorg. Chim. Acta **25**, L 135 (1977).
[3] L. Dahlenburg, J. Organometal. Chem. **251**, 347 (1983).
[4] G. Perego, G. Del Pietro, M. Cesari, M. G. Cierici u. E. Perrotti, J. Organometal. Chem. **54**, C 51 (1973).
    Die Synthese der beiden Verbindungen ist nicht angegeben worden.
[5] J. P. Collman, F. D. Vastine u. W. R. Roper, Am. Soc. **90**, 2282 (1968).
[6] B. L. Booth, R. N. Haszeldine u. I. Perkins, Soc. [Dalton] **1975**, 1843.

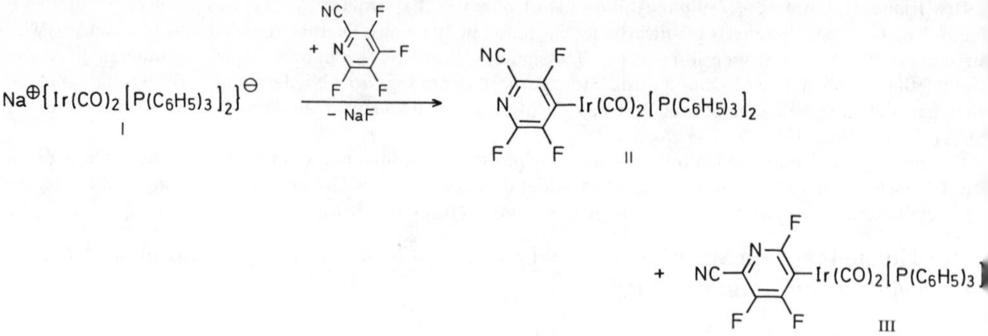

$$Na^{\oplus}\{Ir(CO)_2[P(C_6H_5)_3]_2\}^{\ominus} \xrightarrow[- NaF]{} $$

I

II

+ III

Bis-[triphenylphosphan]-carbonyl-. . .-iridium
II; . . .-(2-cyan-trifluor-4-pyridyl)-. . .; 35%; F: 19?
III; . . .-(6-cyan-trifluor-3-pyridyl)-. . .; 33%;

Bis-[triphenylphosphan]-dicarbonyl-(tetrafluor-4-pyridyl)-iridium[1]:

Natrium-(bis-[triphenylphosphan]-dicarbonyl-iridat): Man stellt den Anion-Komplex in Lö
sung frisch her. Eine Suspension von Bis-[triphenylphosphan]-chloro-dicarbonyl-iridium in THF wird m
1%igem Natrium-Amalgam im Überschuß 4 Stdn. bei 20°/1 bar Kohlenmonoxid gerührt. Es entsteht eine grün
Lösung des Natrium-Salzes (IR: ν_{CO} 1842(vs) und 1800 cm^{-1}) (100%iger Umsatz). Die Lösung des Anion
Komplexes wird nach Abtrennung des überschüssigen Amalgams ohne weitere Reinigung eingesetzt.

Bis-[triphenylphosphan]-dicarbonyl-(tetrafluor-4-pyridyl)-iridium: 1,98 g (2,56 mmol
des erhaltenen Anion-Komplexes und 1,0 g (6,0 mmol) Pentafluorpyridin werden in 20 *ml* THF 20 Stdn. bei 20
gerührt. Es entstehen schwach gelbe Kristalle; Ausbeute: 1,15 g (49%); F: 211–213° (nach Chromatographie
über eine Florisil-Säule mit Diethylether und Umkristallisation aus Diethylether und Hexan im Verhältnis 1:2)
IR(CH$_2$Cl$_2$): ν_{CO} 1968(vs) cm^{-1}.

Iridium(–I)-Komplexe sind auch durch elektrochemische Reduktion entsprechende
Halogeno-iridium(I)-Komplexe zugänglich[2, 3]; z.B.:

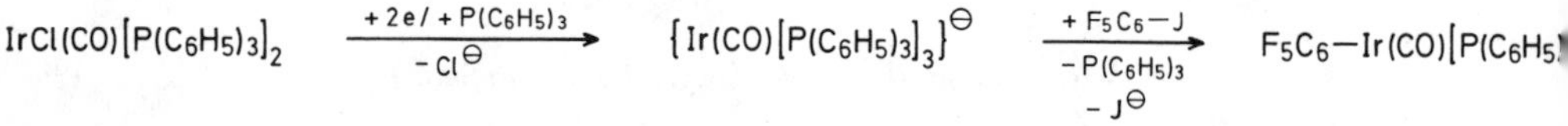

$$IrCl(CO)[P(C_6H_5)_3]_2 \xrightarrow[- Cl^{\ominus}]{+ 2e/ + P(C_6H_5)_3} \{Ir(CO)[P(C_6H_5)_3]_3\}^{\ominus} \xrightarrow[\substack{- P(C_6H_5)_3 \\ - J^{\ominus}}]{+ F_5C_6 - J} F_5C_6 - Ir(CO)[P(C_6H_5$$

Bis-[triphenylphosphan]-carbonyl-(penta-
fluorphenyl)-iridium

Der relativ schwach nucleophile Iridium(–I)-Anionkomplex IV bildet mit 2-Chlor-1,3-
thiazolium- bzw. -pyridinium-tetrafluoroborat Komplexen, die entweder als Aryl-iri-
dium(I)-Verbindungen mit positiver Ladung am Aryl-Rest V bzw. VI oder Carben-iri-
dium(I)-Komplex VII mit positiver Ladung am Metall aufgefaßt werden können[4]:

[1] B.L. Booth, R.N. Haszeldine u. I. Perkins, Soc. [Dalton] **1975**, 1843.
[2] S. Zecchin, G. Schiavon, G. Pilloni u. M. Martelli, J. Organometal. Chem. **110**, C 45 (1976).
[3] Zur Elektrolyse s.S. 480.
[4] P.J. Fraser, W.R. Roper u. F.G.A. Stone, Soc. [Dalton] **1974**, 760.

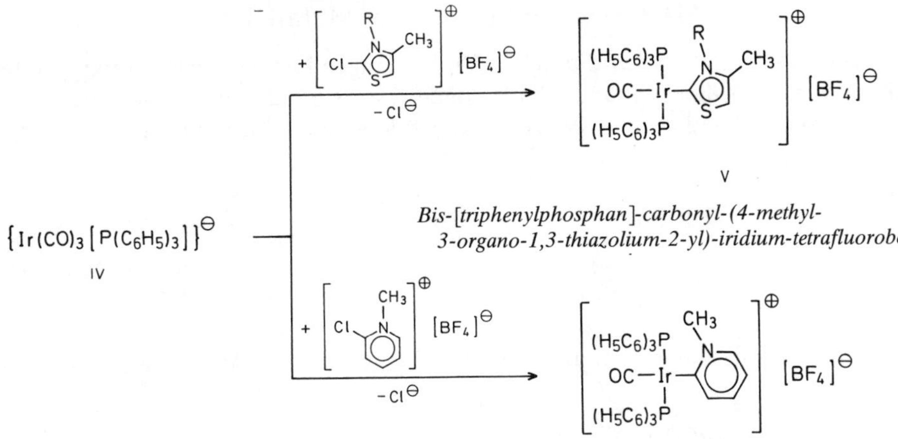

V

*Bis-[triphenylphosphan]-carbonyl-(4-methyl-
3-organo-1,3-thiazolium-2-yl)-iridium-tetrafluoroborat*

VI

*Bis-[triphenylphosphan]-carbonyl-(1-methyl-
pyridinium-2-yl)-iridium-tetrafluoroborat*

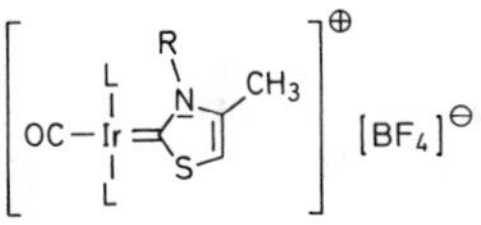

VII

3. aus Aroyl-iridium-Verbindungen durch Decarbonylierung

Die Decarbonylierung von Benzoyl-iridium(I)-Komplexen gelingt bereits unter milden Reaktionsbedingungen[1], z. B. beim Durchleiten von Stickstoff durch eine Lösung der Benzoyl-Verbindung[1]:

$$H_5C_6-CO-Ir(CO)_2[P(C_6H_5)_3]_2 \xrightarrow[-(n+1)CO]{N_2} H_5C_6-Ir(CO)_{2-n}[P(C_6H_5)_3]_2$$

n = 0, 1

Die beiden Carbonyl-Komplexe sind nicht isoliert, sondern lediglich in Lösung IR-spektroskopisch nachgewiesen worden.

4. aus anderen σ–C-Iridium-Verbindungen unter Erhalt mindestens einer C–Ir-Bindung

α) durch Reaktionen am σ–C-gebundenen Liganden

Der ortho-metallierte Aryl-hydrazido-iridium(III)-Komplex verliert beim Behandeln mit Basen Tetrafluoroborwasserstoff[2], und man erhält das extrem Sauerstoff-empfindliche *Bis-[triphenylphosphan]-carbonyl-(2-diazen-3-nitro-phenyl)-iridium*:

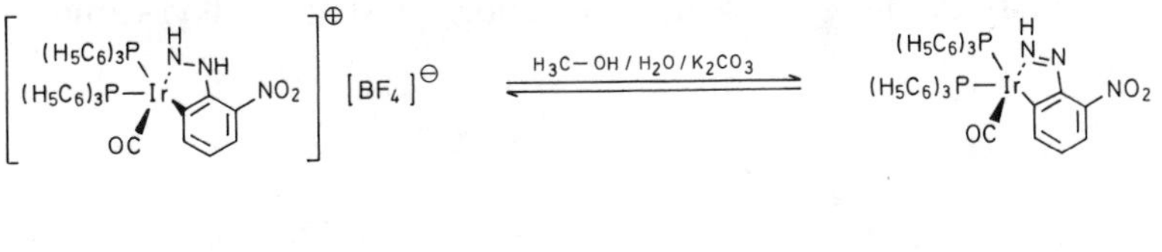

[1] G. YAGUPSKY, C. K. BROWN u. G. WILKINSON, Soc. [A] **1970**, 1392.
[2] J. A. CARROLL et al., Inorg. Chem. **16**, 2462 (1977).

β) durch Reaktionen am Metall-Atom

Die relativ stabilen Aryl-iridium(III)-Verbindungen können durch Erhitzen unter Abspaltung von am Iridium gebundenen Halogenwasserstoff oder durch Belichten unter Abspaltung von molekularem Wasserstoff in Aryl-iridium(I)-Komplexe übergeführt werden[1]:

$$Cl_5C_6-Ir(H)(Cl)(CO)[P(C_6H_5)_3]_2 \xrightarrow[-HCl]{\Delta,\ 10\ \text{Min.},\ C_2H_5OH} Cl_5C_6-Ir(CO)[P(C_6H_5)_3]_2$$

Bis-[triphenylphosphan]-carbonyl-(penta-chlorphenyl)-iridium

Dieselbe Verbindung wird durch reduktive Elektrolyse des Aryl-d⁶-Komplexes I erhalten[2]:

$$Cl_5C_6-Ir(Cl_2)(CO)[P(C_6H_5)_3]_2 \xrightarrow[-2Cl^\ominus]{+2e} Cl_5C_6-Ir(CO)[P(C_6H_5)_3]_2$$

I

5. durch spezielle Methoden

Triphenylphosphan kann nicht nur durch Abspaltung von Chlorwasserstoff (s. S. 493) oder Alkanen (s. S. 494), sondern auch durch Freisetzen von molekularem Wasserstoff ortho-metalliert werden. Die Reaktion gelingt durch Photolyse von mer- oder fac-Trihydrido-tris-[triphenylphosphan]-iridium, nicht jedoch durch Thermolyse (150°, 24 Stdn., Vak.) des Komplexes[3]. Dies deutet darauf hin, daß durch Bestrahlen (366 oder 254 nm) des Komplexes I zunächst unter Abspaltung von molekularem Wasserstoff ein koordinativ ungesättigter Iridium(I)-Komplex II entsteht, der bei 3stdgr. Photolyse unter Freisetzen eines weiteren Wasserstoff-Moleküls die ortho-metallierte Verbindung IV liefert. Die Reaktion ist umkehrbar. Der mer-Trihydrido-Komplex reagiert rascher als der fac-Komplex[4]:

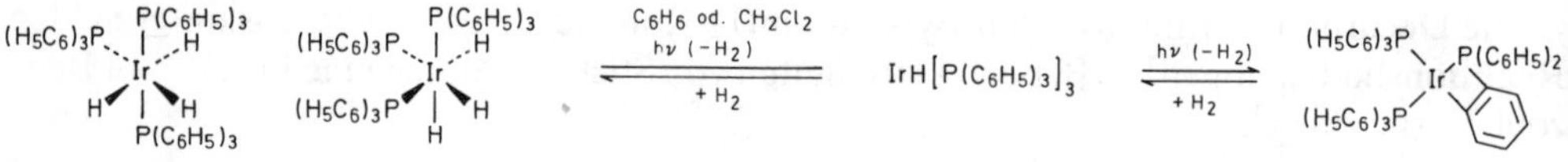

Bis-[triphenylphosphan]-[2-diphenylphos-phano-phenyl(C,P)]-iridium

e) Acyl-iridium(I)-Verbindungen aus σ–C-Iridium(I)-Verbindungen durch formale Insertion von Kohlenmonoxid

Zur Herstellung von Acyl-iridium-Verbindungen werden vor allem Alkyl-, aber auch π-Allyl- und Aryl-iridium-Verbindungen carbonyliert. Werden Alkyl-iridium-Verbindungen in einer Kohlenstoffoxid-Atmosphäre hergestellt, so tritt oft in situ Carbonylierung ein.

Bei der Alkylierung von Carbonyl-iridium-Komplexen tritt eine Insertion von Kohlenstoffoxid in die C–Ir-Bindung ein, ohne daß es möglich ist, den Alkyl-carbonyl-Komplex zu isolieren.

---

[1] M.D. RAUSCH u. G.A. MOSER, Inorg. Chem. **13**, 11 (1974).

[2] S. ZECCHIN, G. SCHIAVON, G. PILLONI u. M. MARTELLI, J. Organometal. Chem. **110**, C 45 (1976).

[3] G.L. GEOFFROY u. R. PIERANTOZZI, Am. Soc. **98**, 8054 (1976).

[4] Synthese der Trihydrido-Komplexe: N. AHMAD, S.D. ROBINSON u. M.F. UTTLEY, Soc. [Dalton] **1972**, 843.

Der Mechanismus der Insertion ist bei Iridium noch unbekannt. In Analogie zu anderen Metallen kann man eine Alkyl-Wanderung an die *cis*-ständige Carbonyl-Gruppe annehmen[1,2].

Methyl-tris-[triphenylphosphan]-iridium nimmt bei 1 bar lediglich einen Kohlenmonoxid-Liganden auf, bei 4 bar tritt zusätzliche Carbonylierung ein[3]:

$$H_3C-Ir(CO)\left[P(C_6H_5)_3\right]_3$$

with arrows: 1 bar CO, C_2H_5OH ; 4 bar CO

$$H_3C-Ir\left[P(C_6H_5)_3\right]_3 \xrightarrow[-(H_5C_6)_3P]{\text{4 bar CO}} H_3C-CO-Ir(CO)_2\left[P(C_6H_5)_3\right]_2$$

Beim Behandeln von Bis-[triphenylphosphan]-carbonyl-phenyl-iridium mit Kohlenmonoxid[4] entsteht zunächst *Benzoyl-bis-[triphenylphosphan]-dicarbonyl-iridium*, das bei weiterem Umsatz mit Kohlenmonoxid unter Eliminierung eines Phosphan-Liganden zum *Benzoyl-tricarbonyl-(triphenylphosphan)-iridium* umgesetzt wird[5]:

$$H_5C_6-Ir(CO)\left[P(C_6H_5)_3\right] \xrightarrow[2\ CO]{C_6H_{12}} H_5C_6-CO-Ir(CO)_2\left[P(C_6H_5)_3\right] \xrightarrow[P(C_6H_5)_3]{+CO} H_5C_6-CO-Ir(CO)_3\left[P(C_6H_5)_3\right]$$

Benzoyl-bis-[triphenylphosphan]-dicarbonyl-iridium[4]: In 15 *ml* Cyclohexan, das mit Kohlenmonoxid gesättigt ist, werden 0,1 g Bis-[triphenylphosphan]-carbonyl-phenyl-iridium gelöst und im Kohlenmonoxid-Strom unter Rühren aufkonzentriert. Die dabei ausgefallenen Kristalle werden abfiltriert und i. Vak. getrocknet; Ausbeute: 0,1 g (90%); IR(C_6H_{12}): ν_{CO} 1980(s) und 1940(s), $\nu_{C=O}$ 1620 cm^{-1}.

Die Acyl-Bildung ist aus sterischen Gründen bei großvolumigen Resten begünstigt; z.B. *(3,3-Dimethyl-butanoyl)-*, *(Trimethylsilyl-acetyl)-* bzw. *(2,4-Dimethyl-benzoyl)-bis-[triphenylphosphan]-dicarbonyl-iridium* zu 80–90%[6]. Aus sterischen Gründen entsteht beim (2,6-Dimethyl-phenyl)-Komplex stattdessen *(2,6-Dimethyl-benzoyl)-triphenylphosphan-tricarbonyl-iridium* zu 60%.

Während die beschriebenen π-Allyl-iridium-Komplexe bei $-5°$ nur einen Kohlenmonoxid-Liganden aufnehmen und in den σ-Allyl-Komplex übergehen (s. S. 479), wird bei 20° zusätzlich Kohlenmonoxid in die C–Ir-Bindung eingeschoben[4]. Die Reaktion kann durch Einleiten von Stickstoff rückgängig gemacht werden.

Für den Angriff von Kohlenmonoxid an die Allyl-Gruppe scheinen vor allem sterische Effekte maßgebend zu sein. So wird immer das unsubstituierte Ende carbonyliert. Bei entsprechender Substitution der C=C-Doppelbindung können *cis*- und *trans*-Isomere gebildet werden.

$$\text{(allyl complex)} \xrightarrow{+2\ CO;\ 20°,\ 8\ \text{Stdn.}} \text{(acyl product)}$$

Bis-[triphenylphosphan]-(3-butenoyl)-dicarbonyl-iridium[4]:
Bis-[triphenylphosphan]-carbonyl-(η^3-1-dehydro-propenyl)-iridium: Gasförmiges Allen wird durch eine Lösung von 0,30 g (0,39 mmol) Bis-[triphenylphosphan]-dicarbonyl-hydrido-iridium in 10 *ml* Benzol geleitet und 1 Stde. bei 20° gerührt. Bei Zusatz von 20 *ml* Ethanol zur gekühlten Lösung fallen schwach gelbe Kristalle aus, die abfiltriert, mit Ethanol gewaschen und i. Vak. getrocknet werden; Ausbeute: ~0,25 g (82%).

[1] R.J. Mawby, F. Basolo u. R.G. Pearson, Am. Soc. **86**, 5043 (1964).
[2] J.M. Davidson, *Inorg. Chemistry Series 1, Transition Metals II*, S. 347, Butterworths London/University Press Baltimore 1972.
[3] J. Schwartz u. J.B. Cannon, Am. Soc. **94**, 6226 (1972).
[4] C.K. Brown, W. Mowat, G. Yagupsky u. G. Wilkinson, Soc. [A] **1971**, 850.
[5] G. Yagupsky, C.K. Brown u. G. Wilkinson, Chem. Commun. **1969**, 1244; Soc. [A] **1970**, 1392.
[6] L. Dahlenburg u. F. Mirzaei, J. Organometal. Chem. **251**, 113 (1983).

Bis- [triphenylphosphan]-(3-butenoyl)- dicarbonyl-iridium: Eine Suspension von 0,1 g de π-Allyl-Komplexes in 10 *ml* Ethanol wird 8 Stdn. lang mit Kohlenmonoxid behandelt. Der dabei gebildete farb lose kristalline Niederschlag wird abfiltriert, mit Ethanol gewaschen und i. Vak. getrocknet; Ausbeute: ~0,08 (75%); IR(Nujol): v_{CO}1973(s) und 1925(s), $v_{C=O}$ 1638(m) cm^{-1}.

Auf ähnliche Weise erhält man u. a.[1]

Bis-[triphenylphosphan]-dicarbonyl-(3-pentenoyl)-iridium
Bis-[triphenylphosphan]-dicarbonyl-(3-methyl-3-butenoyl)-iridium
Bis-[triphenylphosphan]-dicarbonyl-(3-methyl-3-pentenoyl)-iridium
Bis-[triphenylphosphan]-dicarbonyl-(3,5-dimethyl-3-hexenoyl)-iridium

Auch in situ hergestellte Alkyl-iridium-Verbindungen können sofort mit Kohlenmon oxid umgesetzt werden. Die Methode hat den Vorteil, daß nicht die im Vergleich zu der Acyl-Komplexen weniger stabilen Alkyl-Verbindungen isoliert werden müssen; z. B.:

$$IrCl(CO)[P(C_6H_5)_3]_2 + H_3C-Li \xrightarrow[-LiCl]{+2CO, 40\ bar, 60°} H_3C-CO-Ir(CO)_2[P(C_6H_5)_3]_2$$

Acetyl-bis-[triphenylphosphan]-dicarbonyl-iridium[1]: 1 g Bis-[triphenylphosphan]-carbonyl-chloro-iridiun werden in 80 *ml* Benzol gelöst und die Lösung mit Kohlenmonoxid gesättigt. Zu der Lösung tropft man 7 *ml* eine 10%igen Methyl-lithium-Lösung in Diethylether. Dabei schlägt die Farbe von orange nach rot um. Die Lösun wird i. Vak. auf 50 *ml* eingeengt und unter Stickstoff-Atmosphäre filtriert. Das Filtrat wird in einem Autoklave mit 100 *ml* Inhalt übergeführt und unter Schütteln 12 Stdn. bei 60° mit 40 bar Kohlenmonoxid behandelt. Da Vol. des Reaktionsgemisches wird anschließend i. Vak. auf 10 *ml* eingeengt und mit 10 *ml* Ethanol versetzt. De gebildete gelbe Komplex wird abfiltriert und i. Vak. getrocknet; Ausbeute: 0,3 g (29%).

Das sehr stabile *Bis-[triphenylphosphan]-dicarbonyl-propanoyl-iridium* erhält man au Bis-[triphenylphosphan]-dicarbonyl-hydrido-iridium mit einem Gemisch aus Ethen un Kohlenmonoxid bei 30 bar[1]:

$$IrH(CO)_2[P(C_6H_5)_3]_2 \xrightarrow[70°]{+CO;\ +H_2C=CH_2,\ (1:1),\ 30\ bar} H_5C_2-CO-Ir(CO)_2[P(C_6H_5)_3]_2$$

Wird der Hydrido-Komplex nur mit Ethen unter einem Druck von 10 bar umgesetzt so erhält man ein Ge misch aus Ethyl- und Propanoyl-Verbindungen. Bei −70° wird das instabile *Bis-[triphenylphosphan]-carbonyl-propanoyl-iridium* gebildet.

Bis-[triphenylphosphan]-dicarbonyl-propanoyl-iridium[1]: 1 g Bis-[triphenylphosphan]-dicarbonyl-hydrido iridium wird mit 50 *ml* Benzol unter einer Ethen-Kohlenmonoxid-Atmosphäre (1:1) von 30 bar 12 Stdn. be 70° in einem 100-*ml*-Autoklaven geschüttelt. Die resultierende gelbe Lösung wird i. Vak. auf 10 *ml* eingeeng und mit 10 *ml* Ethanol versetzt. Die gebildeten farblosen Kristalle werden abfiltriert, mit Ethanol gewaschen unc i. Vak. getrocknet; Ausbeute: 1 g (93%); F: 116° (Zers.); IR(Benzol): v_{CO} 1975(s) und 1923(s), $v_{C=O}$ 1634(s cm^{-1}.

Bis-[triphenylphosphan]-carbonyl-chloro-iridium bildet bei der Reduktion mit Na trium-Amalgam in einer Kohlenmonoxid-Atmosphäre Tricarbonyl-triphenylphosphan iridat, das mit Jodmethan unter Insertion von Kohlenmonoxid reagiert[2].

$$IrCl(CO)[P(C_6H_5)_3]_2 \xrightarrow[\substack{-NaCl \\ -P(C_6H_5)_3}]{+2CO,\ NaHg,\ THF} Na^{\oplus}\{Ir(CO)_3[P(C_6H_5)_3]\}^{\ominus}$$

$$\xrightarrow[-NaJ]{\substack{J-CH_3 \\ +P(C_6H_5)_3}} H_3C-CO-Ir(CO)_2[P(C_6H_5)_3]_2$$

Acetyl-bis-[triphenylphosphan]-dicarbonyl-iridium[2]: 1,25 g (1,6 mmol) Bis-[triphenylphosphan]-chloro-di carbonyl-iridium werden mit 1%igem Natrium-Amalgam in 75 *ml* THF in einer Druckflasche reduziert. Hierau

[1] G. YAGUPSKY, C. K. BROWN u. G. WILKINSON, Chem. Commun. **1969**, 1244; Soc. [A] **1970**, 1392.
[2] J. P. COLLMAN, F. D. VASTINE u. W. R. ROPER, Am. Soc. **90**, 2282 (1968).

wird die stöchiometrische Menge Jodmethan (0,23 g) zugegeben, 15 Min. gerührt und einige Stdn. bei 50–60°
und 3,5 atm Kohlenmonoxid in einer Druckflasche erhitzt. Gekühlt, filtriert und bis zur Trockenen i. Vak. eingeengt, erhält man einen festen Rückstand, der aus einer Mischung Dichlormethan/Methanol umkristallisiert wird;
Ausbeute: 1,0 g (77%); IR(KBr): ν_{CO} 1975 und 1925(vs) cm^{-1}, $\nu_{C=O}$ 1615(s) cm^{-1}; ^{1}H-NMR: τ 7,80 (3H, s).

f) (1-Imino-alkyl)-iridium(I)-Verbindungen

π-Allyl-iridium(I)-Komplexe I reagieren mit zwei Molekülen Trifluoracetonitril unter Bildung von (1-Imi-
no-alkyl)-iridium-Komplexen[1, 2]; z.B.:

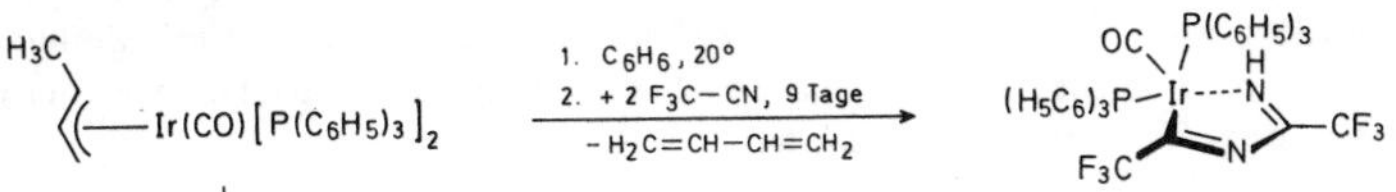

*Bis-[triphenylphosphan]-carbonyl-[1-(1-imino-2,2,2-trifluor-
ethylimino)-2,2,2-trifluor-ethyl(C,N]-iridium*; 5%; F: 241–243°

g) Alkoxycarbonyl-, Aminocarbonyl- und (Amino-thiocarbonyl)-iridium(I)-Verbindungen

1. Alkoxycarbonyl-iridium(I)-Verbindungen

Iridium besitzt in den Alkoxycarbonyl-Verbindungen im allgemeinen die Koordinationszahl 5.

α) aus Iridium(I)-Verbindungen, Kohlenmonoxid und Alkoholen

Die wichtigste Methode zur Herstellung von Alkoxycarbonyl-iridium-Verbindungen ist
die Umsetzung von Iridium(I)-Verbindungen mit Kohlenmonoxid und Alkoholen.
In Analogie zu den Carbonylierungsreaktionen von Organo-iridium-Verbindungen
kann die Reaktion formal als Insertion von Kohlenmonoxid in die O–Ir-Bindung aufgefaßt werden:

$$Ir—OR \quad + \quad CO \quad \longrightarrow \quad Ir—CO—OR$$

Da bei der Umsetzung der meisten Iridium(I)-Verbindungen mit Alkoholen starke Säuren freigesetzt werden, die die O–Ir- aber auch die C–Ir-Bindung wieder spalten würden,
werden dem Reaktionsgemisch starke Basen zugesetzt:

$$Ir^IX \quad bzw. \quad [Ir^I]^{\oplus}X^{\ominus} \quad + \quad ROH \quad + \quad CO \quad \xrightarrow[-HB^{\oplus}X^{\ominus}]{+IB} \quad Ir^I—CO—OR$$

z.B.: X = Halogen bzw.
$X^{\ominus} = ClO_4^{\ominus}, [PF_6]^{\ominus}, [AlCl_4]^{\ominus}$

Zur Bildung des Alkoxycarbonyl-Restes ist es unerheblich, ob sich die eingeschobene
Carbonyl-Gruppe bereits als Ligand im eingesetzten Iridium-Komplex befindet oder erst
bei der Reaktion aus der Atmosphäre aufgenommen wird.

M. GREEN, S. H. TAYLOR, J. J. DALY u. F. SANZ, Chem. Commun. **1974**, 361.
M. BOTTRILL, R. GODDARD, M. GREEN, R. P. HUGHES, M. K. LLOYD, S. H. TAYLOR u. P. WOODWARD, Soc. [Dal-
ton] **1975**, 1150.

Durch Umsetzung von Chloro- und Jodo-iridium(I)-Komplexen mit Alkoholen und Kohlenmonoxid in Gegenwart von Kalilauge oder Triethylamin erhält man die Alkoxy carbonyl-Komplexe[1, 2]; z. B.:

$$IrX(CO)L_2 \;+\; CH_3OH \;+\; 2CO \quad \xrightarrow[\substack{-KX \\ -H_2O}]{+KOH} \quad H_3COOC-Ir(CO)_2L_2$$

$$X = Cl, J$$
$$L = P(C_6H_5)_3, \; P(CH_3)_2(C_6H_5)$$

Da diese Verbindungen bevorzugt in der Koordinationszahl 5 auftreten, nehmen sie au ßerdem einen zweiten Carbonyl-Liganden auf.

Bis-[diphenyl-methyl-phosphan]-dicarbonyl-methoxycarbonyl-iridium[2]: 331 mg (0,5 mmol) Bis-[dimethyl phenyl-phosphan]-carbonyl-chloro-iridium und 3 ml Triethylamin werden in 6 ml Methanol 3 Stdn. unter Kohlenmonoxid-Atmosphäre gerührt und anschließend 1 Woche bei 0° gehalten. Dann werden die ausgefallenen Kristalle abfiltriert und mit Diethylether gewaschen.

Die C=C-Doppelbindung des aus Allylalkohol gebildeten Restes bildet intramolekular mit dem Zentralmetall einen π-Komplex[3]; z. B.:

$$IrCl(CO)[P(C_6H_5)_3]_2 \;+\; H_2C{=}CH-CH_2-OH \quad \xrightarrow[\substack{3\,Stdn.,\,20° \\ -KCl\,/\,-H_2O}]{+CO\,/\,KOH} \quad$$

Bis-[triphenylphosphan]-carbonyl-(η²-2 propenyloxycarbonyl)-iridium; 91%

Anstelle von Halogeno-iridium-Verbindungen haben sich Iridium-Kationkomplexe bewährt, da die Reaktion mit dem Alkohol durch die positive Ladung am Iridium begün stigt wird. Auch hier müssen starke Basen zugesetzt werden. Ein weiterer Vorteil diese Variante ist, daß die gebildeten Salze infolge der großen und komplexen Anionen sehr schlechte Komplex-Bildner mit Iridium sind und nicht die Umsetzung durch Blockierung von freien Koordinationsstellen behindern. Bei den folgenden Beispielen sind die Carbo nyl-Liganden bereits in der Ausgangsverbindung enthalten[4, 1]:

$$\{Ir(CO)_{5-n}[P(C_6H_5)_3]_n\}^{\oplus}ClO_4^{\ominus} \;+\; R-OH \;+\; KOH \quad \xrightarrow[\substack{-KClO_4 \\ -H_2O}]{} \quad ROOC-Ir(CO)_{4-n}[P(C_6H_5)_3]$$

n = 2,3; R = CH₃, C₂H₅, C₃H₇, CH₂−CH₂−OH

z. B.: n = 2; R = CH₃; *Bis-[triphenylphosphan]-dicarbonyl-methoxycarbonyl-iridium*; 75%; F: 124°

Auch Dicarbonyl-tris-[triphenylstiban]-iridium(I)-Kation-Komplexe (Herstellung s Lit.[5]) können zu den 5fach koordinierten Alkoxycarbonyl-iridium-Verbindungen umge setzt werden[5].

Carbonyl-ethoxycarbonyl-tris-[triphenylstiban]-iridium[5]: Die Reaktionen werden unter sorgfältigem Luft und Feuchtigkeitsausschluß durchgeführt.

Dicarbonyl-tris-[triphenylstiban]-iridium-tetrachloroaluminat und *-hexafluorophosphat:* Man überschichtet ei Gemenge aus 2,63 g (2 mmol) Carbonyl-chloro-tris-[triphenylstiban]-iridium und 0,90 g (~6,75 mmol) subli miertem Aluminiumtrichlorid mit 60 ml Benzol und leitet in die entstehende rote Lösung sofort trockenes Koh lenmonoxid ein. Die Farbe hellt sich auf, und aus der nunmehr gelben Lösung scheidet sich ein braungelbes Öl ab

[1] L. MALATESTA, G. CAGLIO u. M. ANGOLETTA, Soc. **1965**, 6974.

[2] H. C. CLARK u. K. v. WERNER, Synth. React. Inorg. Metal.-Org. Chem. **4**, 355 (1974).

[3] L. MALATESTA u. M. ANGOLETTA, J. Organometal. Chem. **129**, 117 (1977).

[4] L. MALATESTA, M. ANGOLETTA u. G. CAGLIO, Proceed. 8th Internat. Conference on Coordination Chemistry Vienna, 1964, correction to p. 210.

[5] W. HIEBER u. V. FREY, B. **99**, 2614 (1966).

Es wird so lange Kohlenmonoxid eingeleitet, bis die Lösung auf $\sim 25\,ml$ eingeengt ist. Auf Zusatz von Diethyl-ether kristallisieren hellgelbe Plättchen, die gut mit Ether gewaschen werden. Aus einem Tetrahydrofuran/Ether-Gemisch erhält man die sehr Luft-empfindliche Verbindung analysenrein; IR(THF): ν_{CO} 2013(vs) cm^{-1}.

1 mmol obigen Kation-Komplexes werden in 60 ml Methanol gelöst und mit einer auf 0° gekühlten Lösung von 2 mmol Natriumhexafluorophosphat in 150 ml Methanol vereinigt. 20 ml Wasser werden zugesetzt, die Lösung i. Vak. auf 30 ml eingeengt und filtriert. Aus Tetrahydrofuran/Ether erhält man hellgelbe, luftstabile Kristalle (Zers.p.: 174°).

Carbonyl-ethoxycarbonyl-tris-[triphenylstiban]-iridium: 0,73 g (0,5 mmol) des Iridium-tetrachloroaluminates werden in 30 ml Ethanol gelöst und mit einer ethanol. Lösung von 0,14 g (2,5 mmol) Kaliumhydroxid versetzt. Das kristallisierende Reaktionsprodukt wird mit Ethanol und Ether gewaschen und aus Benzol/Petrolether umkristallisiert; Zers.p.: 148°; IR(THF): ν_{CO} 1971(vs), $\nu_{C=O}$ 1608(s) cm^{-1}.

Auf ähnliche Weise wird *Carbonyl-methoxycarbonyl-tris-[triphenylphosphan]-iridium* (Zers.p.: 156°) gebildet.

Durch Umsetzen der Kationkomplexe mit Allylalkohol entstehen zwei isomere *Bis-[triphenylphosphan]-carbonyl-(η^2-2-propenyloxycarbonyl)-iridium* (100%)[1], die durch fraktionierte Kristallisation aus verschiedenen Lösungsmitteln getrennt werden können:

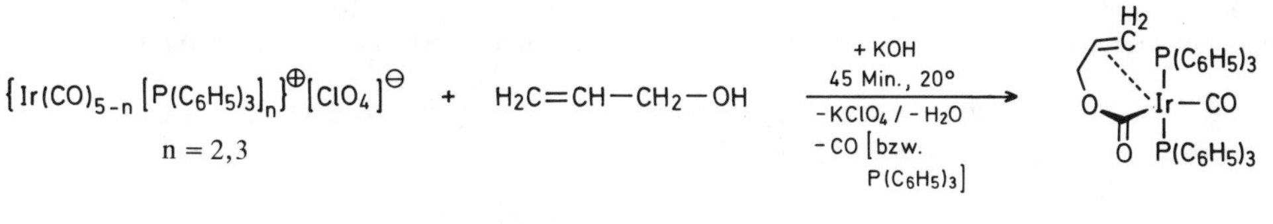

$$\{Ir(CO)_{5-n}[P(C_6H_5)_3]_n\}^{\oplus}[ClO_4]^{\ominus} \ + \ H_2C{=}CH{-}CH_2{-}OH$$

$$n = 2,3$$

Durch Behandeln mit Kohlenmonoxid kann die C=C-Doppelbindung durch einen Carbonyl-Liganden substituiert werden. Die Verbindung ist nur in Gegenwart von freiem Kohlenmonoxid stabil. Im festen Zustand ist aber die Abspaltung von Kohlenmonoxid sehr langsam.

Bei der Umsetzung des (Ethoxycarbonylamino)-iridium-Komplexes I mit Kohlenmonoxid und Methanol ist ein Zusatz von Basen nicht erforderlich, da der vom Komplex abgespaltene Rest das bei der Reaktion freigesetzte Proton bindet[2]:

$$H_5C_2O{-}CO{-}NH{-}Ir(CO)[P(C_6H_5)_3]_2 \xrightarrow[-H_2N-COOC_2H_5]{\substack{+2\,CO,\ +CH_3OH \\ 20°,\ 1\ bar}} H_3C{-}CO{-}Ir(CO)_2[P(C_6H_5)_3]_2$$

I

Bis-[triphenylphosphan]-dicarbonyl-methoxycarbonyl-iridium[2]:

Bis-[triphenylphosphan]-carbonyl-ethoxycarbonylamino-iridium[2]: Zu einer Mischung von 780 mg (1 mmol) Bis-[triphenylphosphan]-carbonyl-chloro-iridium, 365 mg (4 mmol) Carbamidsäure-ethylester und 50 ml Benzol werden 46,0 mg Natrium, gelöst in 10 ml Ethanol, getropft. Nach wenigen Min. erhält man eine klare, gelbe Lösung, engt auf 10 ml ein, gibt 30 ml Diethylether und 5 ml Pentan zu und läßt 12 Stdn. im Kühlschrank stehen. Das Gemisch wird abgesaugt, mit Ether gewaschen und nach Zugabe von 100 mg Triphenylphosphan aus Dichlormethan und Diethylether (1 : 2) umkristallisiert; Ausbeute: 80%; F: 150–152° (Zers.), IR(Nujol): ν_{CO} 1955(m), 1946,5(vs), $\nu_{C=O}$ 1662(s) cm^{-1}.

Die Verbindung kann auch durch Umsetzung von Bis-[triphenylphosphan]-carbonyl-isocyanato-iridium mit Ethanol und Natriummethanolat hergestellt werden.

Bis-[triphenylphosphan]-dicarbonyl-methoxycarbonyl-iridium: Zu einer Lösung von 208 mg des Ethoxycarbonylamino-Komplexes und 12 ml Methanol wird 90 Min. unter Rühren Kohlenmonoxid eingeleitet. Das farblose Produkt wird abfiltriert und getrocknet; Ausbeute: 70–80%; F: 131–134° (Zers.); IR(Nujol): ν_{CO} 1994(s), 1939 (vs), $\nu_{C=O}$ 1630(s) cm^{-1}.

Die Verbindung ist unter Kohlenmonoxid-Atmosphäre längere Zeit haltbar.

---

[1] L. MALATESTA u. M. ANGOLETTA, J. Organometal. Chem. **129**, 117 (1977).
[2] K. v. WERNER u. W. BECK, B. **105**, 3947 (1972).

β) durch Umesterung

Alkoxycarbonyl-iridium(I)-Komplexe lassen sich leicht durch Umesterung herstellen. Diese Methode empfiehlt sich bei Basen-empfindlichen Alkoholen.

Bei der Umesterung des leicht zugänglichen Methoxycarbonyl-iridium-Komplexes mit Alkanolen, Diolen oder 3-Penten-1-ol entstehen die entsprechenden Alkoxycarbonyl-Komplexe[1]:

$$\begin{array}{c}\text{(H}_5\text{C}_6\text{)}_3\text{P}\\ |\quad \text{CO}\\ \text{OC}-\text{Ir}\overset{\cdots}{\underset{\text{C}=\text{O}}{\cdots}}\\ |\\ \text{(H}_5\text{C}_6\text{)}_3\text{P}\\ \text{OCH}_3\end{array} \quad \xrightarrow[-\,\text{H}_3\text{C}-\text{OH}]{+\,\text{R}-(\text{CH}_2)_2-\text{OH}} \quad \begin{array}{c}\text{(H}_5\text{C}_6\text{)}_3\text{P}\\ |\quad \text{CO}\\ \text{OC}-\text{Ir}\overset{\cdots}{\underset{\text{C}=\text{O}}{\cdots}}\\ |\\ \text{(H}_5\text{C}_6\text{)}_3\text{P}\\ \text{O}-(\text{CH}_2)_2-\text{R}\end{array}$$

Bis-[triphenylphosphan]-dicarbonyl-. . .-iridium

R = OH; . . .-*(2-hydroxy-ethoxycarbonyl)*-. . .; 60%; F: 135–140° (Zers.)
R = C≡C–CH₃; . . .-*(3-pentinyloxycarbonyl)*-. . .; 71%; F: 130–140° (Zers. mit Gasentwicklung)

Die Verbindungen besitzen wahrscheinlich eine trigonal-bipyramidale Konfiguration. ω-Hydroxy-1-alkine reagieren dagegen als CH-acide Verbindungen unter Substitution der Methoxycarbonyl-Gruppe (s. S. 488).

2-Alken-1-ole reagieren wie die Alkanole, aber unter Substitution eines Carbonyl-Liganden durch die C=C-Doppelbindung[1]; z. B.:

$$\begin{array}{c}\text{(H}_5\text{C}_6\text{)}_3\text{P}\\ |\quad \text{CO}\\ \text{OC}-\text{Ir}\overset{\cdots}{\underset{\text{C}=\text{O}}{\cdots}}\\ |\\ \text{(H}_5\text{C}_6\text{)}_3\text{P}\\ \text{OCH}_3\end{array} \quad \xrightarrow[-\,\text{CO}\,/\,-\,\text{H}_3\text{C}-\text{OH}]{+\,\begin{array}{c}\text{H}_3\text{C}\\ \text{C}-\text{CH}_2-\text{OH}\\ \text{H}_2\text{C}\end{array}} \quad \begin{array}{c}\text{H}_2\text{C}\qquad \text{P(C}_6\text{H}_5\text{)}_3\\ \\ \text{H}_3\text{C}\quad\text{O}\qquad\text{Ir}-\text{CO}\\ \text{O}\quad\text{P(C}_6\text{H}_5\text{)}_3\end{array}$$

trans-Bis-[triphenylphosphan]-carbonyl-(η²-2-methyl-allyloxycarbonyl)-iridium; 80%; F: 146,5–147,5° (Zers.)

Bis-[triphenylphosphan]-carbonyl- (η²-2-propenyloxycarbonyl)-iridium[1]:
Die Lösungsmittel werden getrocknet und unter Stickstoff destilliert. Arbeiten werden unter sauerstoff-freiem Stickstoff durchgeführt.

Bis-[triphenylphosphan]-dicarbonyl-(methoxycarbonyl)-iridium: Eine stöchiometrische Menge Natriummethanolat in 1 *ml* Methanol wird langsam unter Rühren zu einer Suspension von 0,45 g (0,5 mmol) Bis-[triphenylphosphin]-tricarbonyl-iridium-perchlorat in 5 *ml* THF gegeben. Es entsteht eine klare, schwach gelbe Lösung, die nach 0,5 Stdn. bis zur Trockne i. Vak. eingedampft wird. Der feste Rückstand wird mit Benzol behandelt, und die so erhaltene Lösung wird filtriert. Bei langsamer Zugabe von Petrolether fallen farblose Nadeln aus; Ausbeute: 0,34 g (82%); IR(Nujol): ν_CO 1993, 1944, ν_C=O 1638 cm⁻¹.

Bis- [triphenylphosphin]-carbonyl-(η²- 2-propenyloxycarbonyl)-iridium: Die Methoxy-carbonyl-Verbindung (0,25 g = 0,3 mmol) wird mit Allylalkohol im Überschuß (0,5 mmol) in 10 *ml* Benzol 0,5 Stdn. gerührt. Bei langsamer Zugabe von Hexan fallen farblose Kristalle aus; Ausbeute: 0,20 g (78%); F: 164–166° (Zers.); IR(Nujol): ν_CO 2005, ν_C=O 1667 cm⁻¹.

Die Umesterung des (η²-2-Propenyloxycarbonyl)-iridium-Komplexes gelingt nur in Gegenwart von Kohlenmonoxid. Offensichtlich muß die C=C-Doppelbindung zuerst aus dem Komplex-Verband befreit werden[2].

2. Aminocarbonyl-iridium(I)-Verbindungen

Kohlenmonoxid wird in die N–Ir-Bindung einiger Triazenido-Komplexe eingeschoben unter Bildung von (2-Triazenocarbonyl)-iridium-Verbindungen[3]. Die Umsetzung

[1] P. J. FRASER, W. R. ROPER u. F. G. A. STONE, J. Organometal. Chem. **66**, 155 (1974).
[2] L. MALATESTA, M. ANGOLETTA u. G. CAGLIO, J. Organometal. Chem. **129**, 117 (1977).
[3] J. KUYPER, P. I. VAN VLIET u. K. VRIEZE, J. Organometal. Chem. **105**, 379 (1976).

nit Kohlenmonoxid ist mit Ausnahme der Dimethyl-Verbindung reversibel. Beim Me-
hyl-(4-methyl-phenyl)-Derivat ist die Rückreaktion so rasch, daß der Triazenocarbo-
yl-Komplex nicht isoliert werden kann.

$$(R-N=N-\bar{N}-R)Ir(CO)[P(C_6H_5)_3]_2 \underset{-2\ CO;\ Argon}{\overset{+2\ CO/-P(C_6H_5)_3}{\rightleftharpoons}} \text{[Struktur]} Ir(CO)_2[P(C_6H_5)_3]$$

R = 4-CH$_3$–C$_6$H$_4$; 40% d. Th.

$$IrCl(CO)[P(C_6H_5)_3]_2 \ + \ Ag(R-N=N-\bar{N}-R) \xrightarrow[-AgCl\,[P(C_6H_5)_3]]{+2\ CO} \text{[Struktur]} Ir(CO)_2[P(C_6H_5)_3]$$

R = 4-CH$_3$–C$_6$H$_4$; 40%

(1,3-Bis-[4-methyl-phenyl]- triazenocarbonyl-C,N)-dicarbonyl-triphenylphosphan-iridium[1]:
(1,3-Bis-[4-methyl-phenyl]- triazenidocarbonyl)-bis- [triphenylphosphan]-iridium:
mmol Silber-1,3-bis-[4-methyl-phenyl]-triazenid wird zu einer Suspension von 1 mmol Bis-[triphenylphos-
han]-carbonyl-chloro-iridium in 20 ml Dichlormethan gegeben und 14 Stdn. gerührt. Das Filtrat wird i. Vak.
uf 5 ml konzentriert und anschließend mit Hexan versetzt. Falls sich dabei ein Niederschlag bildet, wird er ab-
iltriert. Der Komplex fällt bei −35° in orangen Kristallen aus; Ausbeute: 90%.
(1,3-Bis-[4-methyl-phenyl]-triazenocarbonyl-C,N)-dicarbonyl-(triphenylphosphan)-iri-
dium: 800 mg des Triazenido-iridium-Komplexes werden in 6 ml Dichlormethan gelöst und bei 1 bar mit
Kohlenmonoxid umgesetzt. Nach 20 Min. wird die dunkelrote Lösung auf 0° gekühlt und unter intensivem Rühren mit 20 ml kaltem und mit Kohlenmonoxid ges. Pentan versetzt. Beim Abkühlen auf −35° fallen rote Kristalle
aus, die mit dem Triazenido-Komplex verunreinigt sein können; Ausbeute: 40%; IR(Nujol): ν_{CO}1979, $\nu_{C=O}$1635
cm^{-1}.
Die Verbindung ist nur unter einer Atmosphäre von Kohlenmonoxid stabil.

3. (Amino-thiocarbonyl)-iridium-Verbindungen

Im folgenden werden (Amino-thiocarbonyl)-iridium(I)-Verbindungen beschrieben, die
in einer η^1-Ir-C-Bindung (σ-Bindung) miteinander verknüpft sind (zur Herstellung der
η^2-Thioacyl-Komplexe s. Lit.[2]). Im Gegensatz zum Verhalten von Acyl-Gruppen scheinen
die Thioacyl-Reste bevorzugt η^2-Bindungen auszubilden.
Unter Abspaltung von Chlorwasserstoff wird in Bis-[triphenylphosphan]-carbonyl-
(C,S-dimethylamino-thiocarbonyl)-hydrido-iridium-Komplexen Ia + b die η^2- in eine η^1-
Aminothiocarbonyl-Gruppe übergeführt[2]. *Bis-[triphenylphosphan]-carbonyl-(dimethylamino-thiocarbonyl)-iridium* II steht im Gleichgewicht mit dem Diiridium-Komplex III
und Triphenylphosphan, so daß der Komplex II durch Zugabe von Triphenylphosphan bevorzugt gebildet wird (vgl. a.S. 604)[2]:

$$IrH(CO)[P(C_6H_5)_3]_3 \ + \ S=C\begin{smallmatrix}Cl\\N(CH_3)_2\end{smallmatrix} \xrightarrow{-(H_5C_6)_3P} \left[\text{Struktur}\right]^{\oplus}Cl^{\ominus} \xrightarrow[-[(H_5C_2)_3NH]^{\oplus}Cl^{\ominus}]{+(H_5C_2)_3N}$$

a; X = CO, Y = H
b; X = H, Y = CO

I

$$\text{[Struktur II]} \underset{+P(C_6H_5)_3}{\overset{-P(C_6H_5)_3}{\rightleftharpoons}} 1/2\ \text{[Struktur III]}$$

II   III

---

[1] J. KUYPER, P.I. VAN VLIET u. K. VRIEZE, J. Organometal. Chem. **105**, 379 (1976).
[2] A.W. GAL, H.P.M.M. AMBROSIUS, A.F.M.J. VAN DER PLOEG u. W.P. BOSMAN, J. Organometal. Chem. **149**, 81 (1978).

II. Organo-iridium(II)-Verbindungen

Organo-iridium(II)-Verbindungen mit einer Metall-Metall-Bindung werden auf S. 606 besprochen.

III. Organo-iridium(III)-Verbindungen

Die meisten Organo-iridium-Verbindungen kommen in der Oxidationsstufe 3 vor.

a) Alkyl-iridium(III)-Verbindungen

Reaktionen, bei denen das durch Protonen-Abspaltung erhältliche Iridium(I)- Anion die aktive Spezies ist, sind auf S. 529 beschrieben worden.

1. aus Iridium(III)-Verbindungen

α) aus Hydrido-iridium(III)-Verbindungen

$α_1$) mit Alkenen

Alkene, die durch Elektronen-anziehende Reste aktiviert sind, reagieren unter Addition der H–Ir-Gruppe an die C=C-Doppelbindung. Besonders geeignet für diese Methode sind Poly- und Perfluoralkene[1]. Manche Verbindungen, wie z.B. 1,1-Difluor-ethen, reagieren jedoch nur unter Substitution der Hydrido-Gruppe durch Fluor.

$$\text{Ir(H)Cl}_2[\text{P(C}_6\text{H}_5)_3]_3 \quad + \quad \text{R—CF=CF}_2 \quad \xrightarrow[- n\text{P(C}_6\text{H}_5)_3]{\text{H}_3\text{C—C}_6\text{H}_5,\ 100°} \quad \text{IrR}_F\text{Cl}_2[\text{P(C}_6\text{H}_5)_3]_n$$

R = H; R_F = $C_2F_3H_2$; n = 3
R = CF$_3$; R_F = CF(CF$_3$)–CF$_2$H, CF$_2$–CFH–CF$_3$; n = 2

Die Insertion der C=C-Doppelbindung in die H–Ir-Bindung gelingt auch mit ungesättigten Ketonen[2,3]:

$$\text{Ir(H)(Cl}_2)[(\text{H}_3\text{C})_2\text{SO}]_3 \quad + \quad \text{H}_5\text{C}_6\text{—CH=CH—CO—C}_6\text{H}_5 \quad \xrightarrow[- (\text{H}_3\text{C})_2\text{SO}]{\substack{\text{C}_6\text{H}_6\ \text{od.}\\(\text{H}_3\text{C})_2\text{CH—OH}}}$$

Bis-[dimethylsulfoxid]-dichloro-(1,3-diphenyl-3-oxo-propyl-C,O)-iridium[3,4]: 130 mg Dichloro-hydrido-tris-[dimethylsulfoxid]-iridium werden mit 130 mg Chalkon (1,3-Diphenyl-3-oxo-propen) in 15 ml 2-Propanol und 0,2 ml Wasser gerührt und unter Stickstoff auf 73° erhitzt (freies Dimethylsulfoxid inhibiert die Reaktion). Nach 1 Stde. hat sich das Hydrid vollständig gelöst und nach 2 Stdn. fällt ein Niederschlag aus. Man rührt weitere 30 Min. und läßt die Mischung abkühlen. Die ausgefallenen Kristalle werden abfiltriert; Ausbeute: 110 mg (67%); F: 211–212°.

Dijodo-hydrido-tricarbonyl-iridium reagiert auch mit nicht aktivierten Alkenen unter Addition von Ir–H an die C=C-Doppelbindung[5].

Hexachloroiridiumsäure reagiert mit 2-Diphenylphosphano-1-vinyl-benzol[6] zum μ,μ-Dichloro-bis-{carbonyl-chloro-[1-(2-diphenylphosphano-phenyl)-ethyl(C,P)]-iridium}:

$$2\ \text{H}_3[\text{IrCl}_6]\cdot(\text{H}_2\text{O})_n \quad + \quad 2 \quad \xrightarrow[\text{H}_3\text{CO—CH}_2\text{—CH}_2\text{—OH}]{\text{CO},\ \Delta}$$

---

[1] H.C. Clark u. R.K. Mittal, Canad. J. Chem. **51**, 1511 (1973).
[2] J. Trocha-Grimshaw u. H.B. Henbest, Chem. Commun. **1967**, 544.
[3] H.B. Henbest u. J. Trocha-Grimshaw, Soc. [Perkin] **1974**, 601.
[4] M. McPartlin u. R. Mason, Chem. Commun. **1967**, 545.
[5] Brit.P. 1507376 (1978), Monsanto; C.A. **90**, 23260 (1979).
[6] M.A. Bennett, R.N. Johnson u. I.B. Tomkins, J. Organometal. Chem. **133**, 231 (1977).

α_2) mit Alkanen bzw. Cycloalkanen

Der Dihydrido-Komplex I reagiert beim Belichten mit Alkanen bzw. Cycloalkanen (vg. S. 540) unter Inser-
~~on~~ von Iridium in die C,H-Bindung[1]. Die Hydrido-Verbindung II wird durch Umsetzen mit Tribrommethan in
~~en~~ stabileren Bromo-Komplex III umgewandelt.

β) aus Halogeno-iridium(III)-Verbindungen

β_1) mit Organo-metall-Verbindungen

Trichloro-iridium-Komplexe werden mit Methyl-magnesiumchlorid einfach und bei
~~Ü~~berschuß der Grignard-Verbindung dreifach alkyliert[2,3]:

$L = P(CH_3)_2(C_6H_5)$; $As(CH_3)_2(C_6H_5)$

$L = P(C_2H_5)_3$; *Trimethyl-tris-[triethylphosphan]-iridium*; ~15%; F: 120–129° (heftige Gasentwicklung)
$L = P(C_2H_5)_2(C_6H_5)$; *Trimethyl-tris-[diethyl-phenyl-phosphan]-iridium*; ~30%; F: 160–163° (Zers.)
$L = As(CH_3)_2(C_6H_5)$; *Trimethyl-tris-[dimethyl-phenyl-arsan]-iridium*; ~30%; F: 179–185° (Zers.)

Dichloro-methyl-tris-[dimethyl-phenyl-phosphan]-iridium[3]: Es wird eine Grignard-Lösung aus Chlormethan
~~u~~nd 0,96 g Magnesium in 50 *ml* Diethylether hergestellt und mit 50 *ml* Benzol versetzt. Anschließend wird der
~~Ä~~ther abdestilliert und der resultierenden Mischung 2,0 g fein verteiltes mer-Trichloro-tris-[dimethyl-phenyl-
~~p~~hosphan]-iridium zugesetzt. Zunächst wird das Gemisch 1 Stde. bei 20° und dann 20 Min. bei ~60° gerührt. Die
~~L~~ösung wird bei 0° mit Wasser hydrolysiert, die organ. Schicht wird abgetrennt und die wäßr. mit Benzol ausge-
~~s~~chüttelt. Die vereinigten Extrakte werden mit Magnesiumsulfat getrocknet, das Lösungsmittel i. Vak. entfernt
~~u~~nd der Rückstand aus Dichlormethan und Methanol umkristall.; Ausbeute: 0,55 g (60%); F: 190–195° (Zers.).

Auf analoge Weise wird *Dichlor-methyl-tris-[dimethyl-phenyl-arsan]-iridium* (80%; F:
~~1~~95–203°; Zers.) erhalten.

Trimethyl-tris-[dimethyl-phenyl-phosphan]-iridium[3]: Einer aus 1,92 g Magnesium und Chlormethan in 80 *ml*
~~D~~iethylether hergestellten Grignard-Lösung werden 50 *ml* Benzol zugesetzt. Nach dem Abdestillieren des
~~Ä~~thers werden 4,0 g fein gepulvertes mer-Trichloro-tris-[dimethyl-phenyl-phosphan]-iridium zugesetzt, und die
~~M~~ischung 2 Stdn. unter Rückfluß erhitzt. Sie wird bei 0° mit Wasser hydrolysiert. Die organ. Phase wird abge-
~~t~~rennt und die wäßr. mit Benzol extrahiert. Die Extrakte werden mit Magnesiumsulfat getrocknet, i. Vak. von
~~d~~em Lösungsmittel befreit, und der Rückstand aus Dichlormethan/Methan umkristallisiert (farblose Prismen);
~~A~~usbeute: 2,60 g (71%); F: 191–195° (Zers.).

Der η^5-Cyclopentadienyl-Rest ist so fest am Metall gebunden, daß er bei der Umsetzung
~~m~~it Grignard-Verbindungen nicht abgespalten wird[4]; z.B.:

---

[1] A.H. JANOWICZ u. R.G. BERGMAN, Am. Soc. **104**, 352 (1982); **105**, 3929 (1983).
[2] J. CHATT u. B.L. SHAW, Soc. [A] **1966**, 1836.
[3] B.L. SHAW u. A.C. SMITHIES, Soc. [A] **1967**, 1047.
[4] H. YAMAZAKI, Bl. Chem. Soc. Japan **44**, 582 (1971).

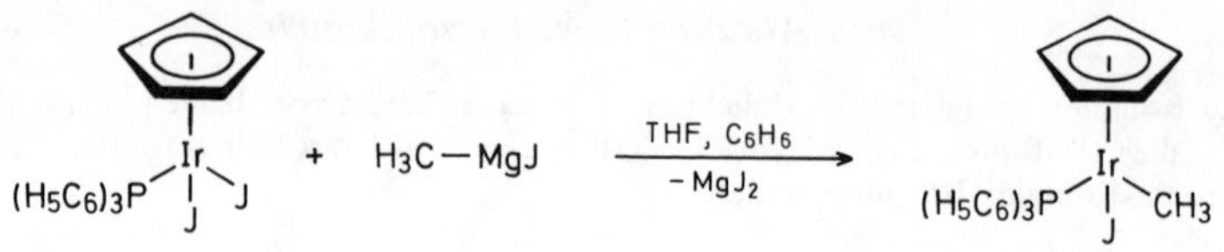

$$(H_5C_6)_3P-\underset{J}{\overset{Ir}{|}}-J \quad + \quad H_3C-MgJ \quad \xrightarrow[-MgJ_2]{THF,\ C_6H_6} \quad (H_5C_6)_3P-\underset{CH_3}{\overset{Ir}{|}}$$

(η⁵-Cyclopentadienyl)-jodo-methyl-(triphenylphosphan)-iridium; 80%; F: 233–236° (Zers.)

Durch Umsetzung von Dichlor-(η⁵-pentamethylcyclopentadienyl)-triphenylphosphan)-iridium mit 1,4-Bis-[brommagnesium]-butan oder Magnesiolan erhält man *1-
(η⁵-Pentamethylcyclopentadienyl)-1-triphenylphosphan-iridolan* (25% d. Th.)[1]:

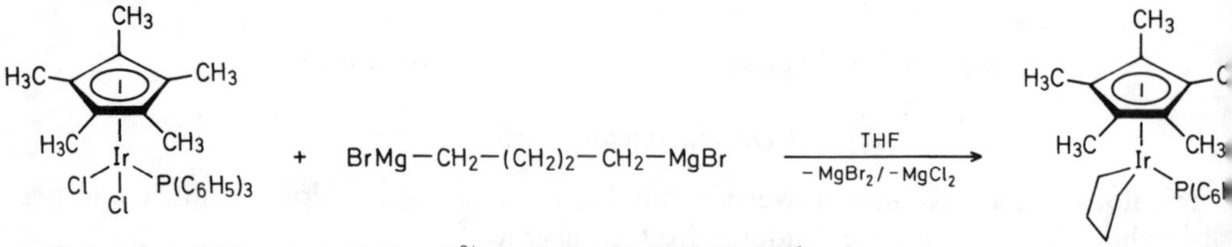

$$+ \quad BrMg-CH_2-(CH_2)_2-CH_2-MgBr \quad \xrightarrow[-MgBr_2/-MgCl_2]{THF}$$

Das analoge Iridinon entsteht in ∼8% Ausbeute [F: 188° (Zers.)][1].

Bei der Umsetzung der Trichloro-tris-[dimethyl-phenyl-phosphan]-iridium-Komplexe mit 2-Alkenylmagnesiumchloriden entstehen unter Verlust eines Phosphan-Liganden π-Allyl-Komplexe[2,3]. 2-Methyl-allylmagnesiumchlorid bildet sofort den π-Allyl-Komplex, da die sterische Hinderung durch die Methyl-Gruppe im
π-Komplex geringer ist als im σ-Komplex.

Iridium(III)-Chelatkomplexe werden durch Methyl-lithium oder Grignard-Verbindungen einfach alkyliert; z.B.[4,5]:

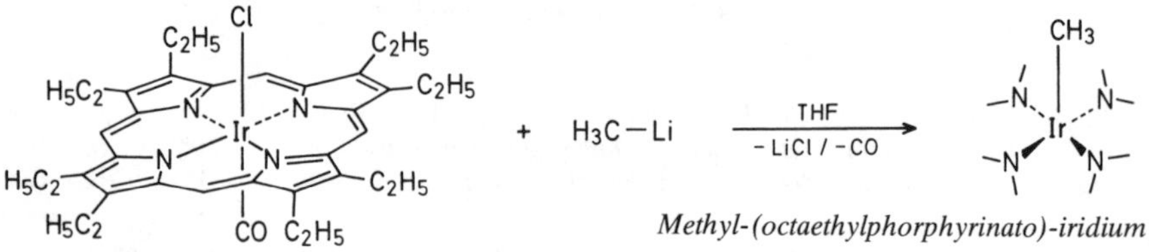

$$+ \quad H_3C-Li \quad \xrightarrow[-LiCl\ /\ -CO]{THF}$$

Methyl-(octaethylphorphyrinato)-iridium; 25%

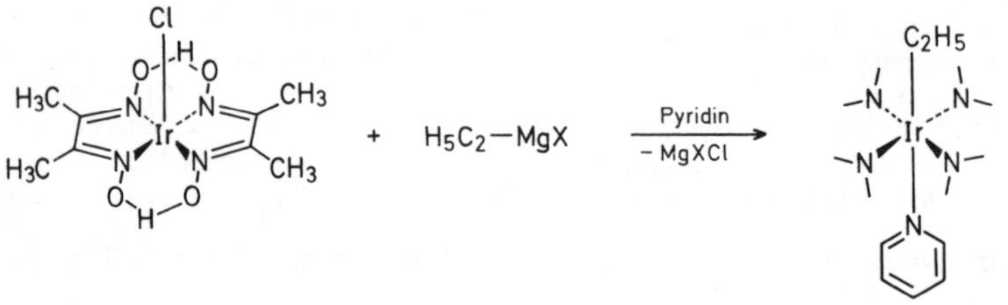

$$+ \quad H_5C_2-MgX \quad \xrightarrow[-MgXCl]{Pyridin}$$

*Bis-[dimethylglyoximato]-
ethyl-pyridin-iridium;
Zers.p.: ∼250°*

Zur Umsetzung eines Iridium-Komplexes mit Hexamethyldialuminium und Bildung von Dimethyl-, (Methylphenyl)- bzw. Diphenyl-iridium-Komplexen durch Spaltung mit Kohlenmonoxid und Benzol s. Lit. (vgl. S. 606)[6]

β₂) mit CH-aciden Verbindungen bzw. Alkanen

Die stark CH-acide Verbindung 2,4-Pentandion kann entweder als zweizähniger Ligand mit beiden Sauerstoff-Atomen am Metall oder als einzähniger Ligand mit dem γ-
ständigen C-Atom am Metall gebunden sein.

[1] P. Diversi, G. Ingrosso, A. Lucherini, W. Porzio u. M. Zocchi, Chem. Commun. **1977**, 811; Inorg. Chem. **19**, 3590 (1980).

[2] J. Powell u. B.L. Shaw, Soc. [A] **1968**, 780.

[3] B.L. Shaw u. E. Singleton, Soc. [A] **1967**, 1683.

[4] H. Ogoshi, J.-I. Setsune u. Z.-I. Yoshida, J. Organometal. Chem. **159**, 317 (1978).

[5] J.H. Weber u. G.N. Schrauzer, Am. Soc. **92**, 726 (1970).

[6] P.M. Maitlis et al., J. Organometal. Chem. **250**, C 25 (1983).

Beide Möglichkeiten sind beim Iridium realisiert, wenn Iridium(III)-chlorid-Hydrat mit viel 2,4-Pentandion in Gegenwart einer Base behandelt wird[1]. Dabei entsteht in 18%iger Ausbeute Tris-[2,4-pentadionato]-iridium und ein polymerer Iridium-Komplex II, der mit Aminen oder Pyridin definierte monomere Verbindungen III bildet.

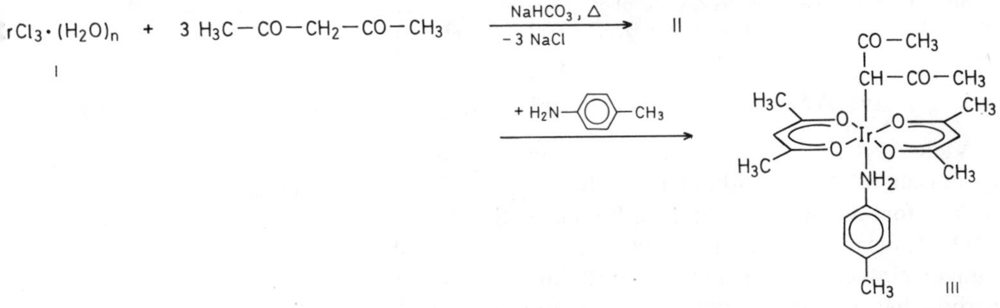

(1-Acetyl-2-oxo-propyl)-(4-amino-1-methyl-benzol)-bis-[2,4-pentandionato]-iridium; 29%

Der polymere Komplex II wird beim Erhitzen in Wasser in die dimere Verbindung IV (45%) umgewandelt, die drei verschiedene 2,4-Pentandionato-Liganden enthält[1]:

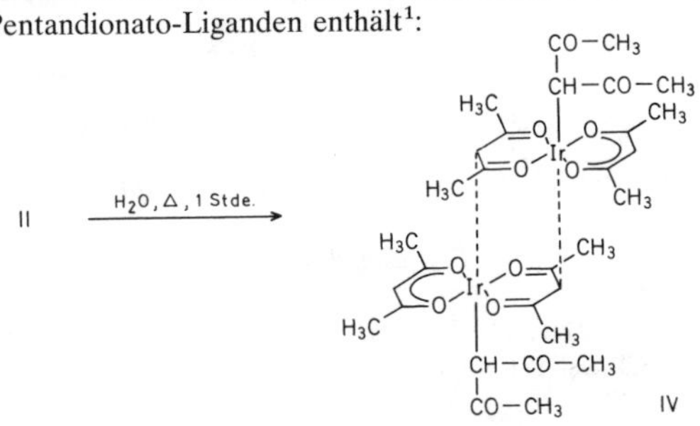

Der dimere Komplex IV kann leicht durch Amine und Ammoniak in die monomeren Komplexe III aufgespalten werden[1].

(1-Acetyl-2-oxo-propyl)-bis-[2,4-pentandionato]-pyridin-iridium[1]: 1,05 g Iridium (III)-chlorid-Hydrat, 10 ml 2,4-Pentandion und 2 g Natriumhydrogencarbonat werden in Stickstoff 40 Stdn. unter Rückfluß erhitzt. Der Überschuß des Dions wird i. Vak. entfernt und der Rückstand 3mal mit je 15 ml Dichlormethan extrahiert.
Der nicht lösliche hellgelbe Rückstand (II; 2,70 g) wird in einer Stickstoff-Atmosphäre 2 Stdn. mit 40 ml Pyridin unter Rückfluß erhitzt. Nach der Filtration und nach Abziehen des Lösungsmittels i. Vak. erhält man ein Zitronen-gelbes Produkt, das in Dichlormethan und Diethylether umkristallisiert werden kann; Ausbeute: 0,83 g (49%); IR(CHCl$_3$): $\nu_{C=O}$1670, 1645, ν_{acac}1550 und 1520 cm^{-1}.

Iridium(III)-chlorid-Hydrat bildet mit 1,5-Bis-[di-tert.-butyl-phosphano]-pentan unter Addition der mittleren C–H-Bindung an das Metall-Atom einen roten Chelat-Komplex mit zwei gleichen Fünfringen[2,3].

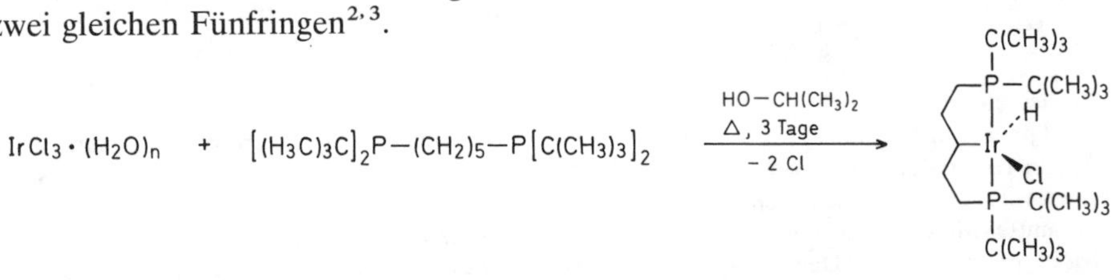

Chloro-[3-(di-tert.-butylphosphano)-1-(2-di-tert.-butylphosphano-ethyl)-propyl(P,P,C)]-hydrido-iridium; 12%; F: 195–208°

[1] M. A. BENNETT u. T. R. B. MITCHELL, Inorg. Chem. **15**, 2936 (1976).
[2] H. D. EMPSALL, E. M. HYDE, R. MARKHAM, W. S. McDONALD, M. C. NORTON, B. L. SHAW u. B. WEEKS, Chem. Commun. **1977**, 589.
[3] C. CROCKER, H. D. EMPSALL, R. J. ERRINGTON, E. M. HYDE, W. S. McDONALD, R. MARKHAM, M. C. NORTON, B. L. SHAW u. B. WEEKS, Soc. [Dalton] **1982**, 1217.

Vermutlich wird zunächst durch Reduktion mit dem Alkohol ein Iridium(I)-Komplex gebildet der in einer „oxidativen Addition" mit der CH-Gruppe reagiert, s. S. 536.

Durch Behandeln mit Kohlenmonoxid entsteht ein Monoaddukt, und beim Erhitzen auf 200°/15 Torr wird molekularer Wasserstoff unter Bildung eines Iridium(I)-Carbens abgespalten (Einzelheiten s. Lit.).

mer-Trichloro-tris-[dimethyl-organo-phosphan]-iridium reagiert in Gegenwart von starken Basen unter intramolekularer Addition einer Methyl-Gruppe (s. Lit.)[1] und Abspaltung von Chlorwasserstoff[1].

γ) aus Acyl-iridium(III)-Verbindungen durch Decarbonylierung

Viele Acyl-Komplexe, vor allem fünffach koordinierte, sind so instabil, daß sie sich nicht beim Behandeln von Iridium(I)-Verbindungen mit Acylhalogeniden isolieren lassen, sondern sofort die Alkyl-Komplexe bilden (s. S. 541).

Die folgenden durch oxidative Addition von Acylhalogeniden an Iridium(I)-Verbindungen einfach erhältlichen, relativ stabilen Acyl-iridium(III)-Komplexe werden zur Decarbonylierung eine Minute auf 150–200° erhitzt[2–4]. Die relativ hohen Decarbonylierungstemperaturen sind notwendig, da die Acyl-Komplexe als Verbindungen mit sechs Liganden bereits koordinativ gesättigt sind und zunächst durch Entfernen eines Liganden aktiviert werden müssen[1].

$$R-CO-Ir(X_2)(CO)L_2 \xrightarrow{-CO} R-Ir(X_2)(CO)L_2$$

z.B. R = CH₃; X = Br; L = P(C₂H₅)₂(C₆H₅); *Bis-[diethyl-phenyl-phosphan]-carbonyl-dibromo-methyl-iridium*[2]; 60%

X = Cl; L = P(CH₃)₂(C₆H₅); *Bis-[dimethyl-phenyl-phosphan]-carbonyl-dichloro-methyl-iridium*[2]; 61%; F: 156–159°

R = C₁₀H₂₁; X = Cl; L = P(C₆H₅)₃; *Bis-[triphenylphosphan]-carbonyl-decyl-dichloro-iridium*[2]; ~100%

R = CD₂–CD₂–C₆H₅; X = Cl; L = P(C₆H₅)₃; *Bis-[triphenylphosphan]-carbonyl-dichloro-(2-phenyl-tetra-deutero-ethyl)-iridium*[3]

Der folgende Bromo-decyl-iridium-Komplex ist wahrscheinlich aus sterischen Gründen fünffach koordiniert[3]:

$$H_3C-(CH_2)_9-CO-IrBrCl(CO)[P(C_6H_5)_3] \xrightarrow{-CO} H_3C-(CH_2)_9-IrBrCl(CO)[P(C_6H_5)_3]$$

Bromo-carbonyl-chloro-decyl-(triphenyl-phosphan)-iridium

Einige Acyl-Komplexe mit der Koordinationszahl 5 sind jedoch so stabil, daß sie im festen Zustand auf ~150–185° erhitzt werden müssen[5,6]:

$$R-CO-IrCl_2[P(C_6H_5)_3]_2 \xrightarrow{150-185° \text{ bzw. } C_6H_6, \Delta}$$

Die Ausbeuten sind praktisch quantitativ.

cis-Bis-[diphenyl-methyl-phosphan]-dichloro-cyclopropylcarbonyl-iridium lagert sich in Lösung reversibel zu ~30% in *cis*-*Bis-[diphenyl-methyl-phosphan]-dichloro-carbonyl-cyclopropyl-iridium* um, das sich beim Erhitzen irreversibel in das *trans*-Isomere umlagert[7].

Lösungsmittel-Moleküle, die die freie Koordinationsstelle blockieren, oder Liganden wie Triphenylphosphan oder Pyridin, erschweren die Decarbonylierung. So ist die Umwandlung in Dimethylformamid-Lösung nicht möglich.

---

[1] B.L. Shaw et al., Soc. [Dalton] **1981**, 1572.

[2] J. Chatt, N.P. Johnson u. B.L. Shaw, Soc. [A] **1967**, 604.

[3] J. Blum, S. Kraus u. Y. Pickholtz, J. Organometal. Chem. **33**, 227 (1971).

[4] A.J. Deeming u. B.L. Shaw, Soc. [A] **1969**, 1128.

[5] M. Kubota u. D.M. Blake, Am. Soc. **93**, 1368 (1971).

[6] D.M. Blake, J. de Faller, Y.L. Chung u. A. Winkelman, Am. Soc. **96**, 5568 (1974).

[7] N.L. Jones u. J.A. Ibers, Organometallics **2**, 490 (1983).

Die substituierten Acetyl-Komplexe können bereits in siedendem Benzol in die Car-
onyl-methyl-iridium-Verbindung umgelagert werden[1-3]. Die Geschwindigkeit der
Umlagerung nimmt in folgender Reihe ab:

$$CH_3 \gg CH_2F > CF_3 > CHF_2$$

Die Wanderungsgeschwindigkeit nimmt mit steigender Elektronegativität des Alkyl- Restes ab. Der Ethoxy-
arbonyl-Rest wandert dagegen rascher als es seiner Elektronegativität entspricht.

Eine entsprechende Abhängigkeit der Reaktionsgeschwindigkeit von den elektronischen Eigenschaften der
Substituenten findet man bei den substituierten Phenylacetyl-Komplexen[4]:

$$4\text{-}H_3CO\text{—}C_6H_4 > 4\text{-}H_3C\text{—}C_6H_4 > C_6H_5 > 4\text{-}O_2N\text{—}C_6H_4 \gg C_6F_5$$

Auf analoge Weise ist *Bis-[triphenylphosphan]-carbonyl-dichloro-(ethoxycarbonylmethyl)-iridium* (F: 225–226°) zugänglich[5].

Der fünffach koordinierte 2-Oxo-propanoyl-Komplex verliert beim Erhitzen auf 120°
im festen Zustand unter Stickstoff ein Molekül Kohlenmonoxid, unter Bildung von *Bis-
[triphenylphosphan]-carbonyl-dichloro-methyl-iridium*[3]:

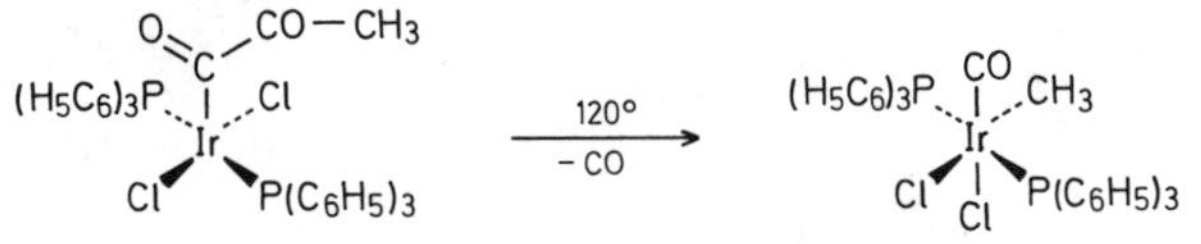

**Bis-[triphenylphosphan]-carbonyl-dichloro-fluormethyl- (bzw. difluormethyl-, bzw. -trifluormethyl)-iridi-
um[1]; allgemeine Vorschrift:**

Umlagerung im festen Zustand: 0,15 g Bis-[triphenylphosphan]-chloracetyl- (bzw. difluoracetyl-;
zw. trifluoracetyl)-dichloro-iridium werden i. Vak. 10 Min. auf 150–185° erhitzt; Ausbeute: ~ 100%.

Umlagerung in benzolischer Lösung: 0,15 g des Acyl-Komplexes werden 24 Stdn. in 5 *ml* Benzol un-
er Rückfluß erhitzt und bei 20° filtriert; Ausbeute: 60–70% d.Th.

Der aus Bis-[triphenylphosphan]-chloro-distickstoff-iridium mit Glutarsäureanhydrid
ugängliche Komplex I wird in Benzol bei 75°/25 Stdn. zum *2,2-Bis-[triphenylphosphan]-
-carbonyl-2-chloro-3,3,4,4,5,5-hexafluor-1,2-oxairidolan* (50%; F: 230–232°) umge-
agert[1]:

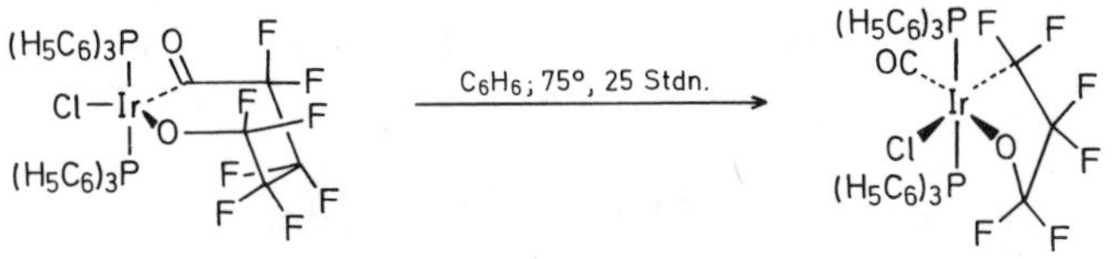

I

Acyl-dichloro-tris-[triorganophosphan]iridium-Komplexe lagern sich beim Behandeln
mit Ammonium-hexafluorophosphat z.B. zu {*mer-Carbonyl-chloro-cyclopropyl-tris-
diphenyl-methyl-phosphan]-iridium*}-hexafluorophosphat (62%) bzw. seinen Alkyl-
Derivaten um[6, 7].

δ) aus Alkylsulfinato-iridium(III)-Verbindungen durch Desulfonierung

Die fünffach koordinierten Alkylsulfinato-iridium(III)-Komplexe werden unter relativ
milden Bedingungen zu Alkyl-schwefeldioxid-iridium-Komplexen umgelagert[8]:

D.M. Blake, S. Shields u. L. Wyman, Inorg. Chem. **13**, 1595 (1974).
D.M. Blake, A. Winkelman u. Y.L. Chung, Inorg. Chem. **14**, 1326 (1975).
D.M. Blake, A. Vinson u. R. Dye, J. Organometal. Chem. **204**, 257 (1981).
M. Kubota, D.M. Blake u. S.A. Smith, Inorg. Chem. **10**, 1430 (1971).
M. Kubota u. D.M. Blake, Am. Soc. **93**, 1368 (1971).
M.A. Bennett, J.C Jeffery u. G.B. Robertson, Inorg. Chem. **20**, 323 (1981).
N.L. Jones u. J.A. Ibers, Organometallics **2**, 490 (1983).
M. Kubota u. B.M. Loeffler, Inorg. Chem. **11**, 469 (1972).

$$R-SO_2-Ir(Cl_2)[P(C_6H_5)_3]_2 \xrightarrow{80°,\ C_6H_6} R-Ir(Cl_2)(SO_2)[P(C_6H_5)_3]_2$$

Bis-[triphenylphosphan]-dichloro-...-schwefeldioxid-iridiu

R = CH₃; ...-methyl-...
R = C₂H₅; ...-ethyl-...;   F: 164–184° (Zers
R = C₃H₇; ...-propyl-...

2. aus Iridium(II)-Verbindungen

trans-Bis-[2-(di-tert.-butyl-phosphano)-phenoxy-P,O]-iridium(II) I oder sein Carbo
nyl-Adkukt III bilden mit Luft in einer intramolekularen Reaktion einer tert.-Butyl
Gruppe mit dem Metall die cyclometallierten Alkyl-iridium(III)-Komplexe II bzw. IV[1, 2]

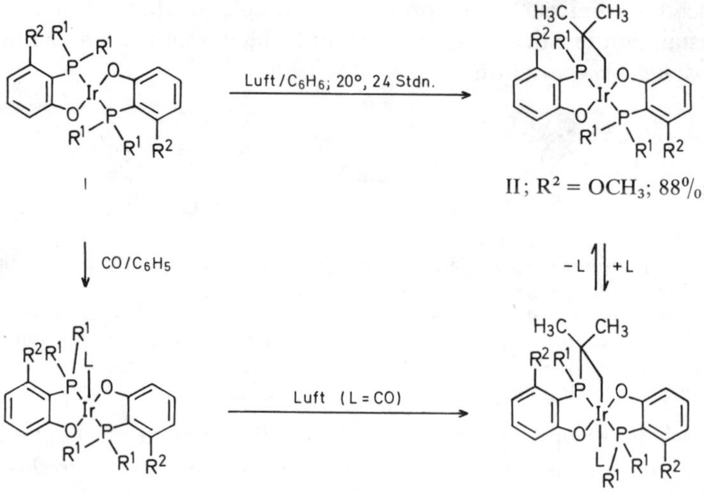

I

Luft/C₆H₆; 20°, 24 Stdn.

II; R² = OCH₃; 88%; F: 228–232°

CO/C₆H₅

III

R¹ = C(CH₃)₃

Luft (L = CO)

–L ↑↓ +L

IV; R² = H; L = CO; 72% (bez. auf I); F: 178–180°
     R² = OCH₃; L = CO; 79% (bez. auf II); F: 215–21
     L = P(CH₃)₂(C₆H₅); R = OCH₃; 85%; F: 138–141°
     L = NC–CH₃; R = OCH₃; 81%; F: 238–242°[1]

{2-[tert.-Butyl-(2-oxy-phenyl)-phosphano(C,O,P)]-2-methyl-propyl}-[2-(di-tert.-butyl-phosphano)-phen-oxy(P,O)]-iridium (II; R² = H)[1]:

Carbonyl-[di-tert.-butyl-(2-hydroxy-phenyl)-phosphan]-[2-(di-tert.-butyl-phospha-no)-phenoxy(O,P)]-iridium: Kohlenmonoxid wird durch eine Lösung von 1,55 g (3,44 mmol) Hexachlo
ro-iridium(III)-säure und 1,91 g (7,56 mmol) Di-tert.-butyl-(2-methoxy-phenyl)-phosphan in 20 *ml* 2-Meth
oxy-ethanol 16 Stdn. geleitet und gleichzeitig unter Rückfluß erhitzt. Nach dem Abkühlen der gelben Lösung au
−20° fallen in 24 Stdn. gelbe Prismen-förmige Kristalle aus; Ausbeute: 1,05 g (1,51 mmol; 44%); F: 290° (b
220° findet Sublimation unter Bildung von roten Prismen-förmigen Kristallen statt); IR(Nujol): ν_{CO} 1946 cm⁻

Bis-[2-di-tert.-butyl-phenoxy(O,P)]-iridium (I; R² = H): 0,10 g (0,14 mmol) der Iridium(I)
Verbindung wird in 1 *ml* Benzol gelöst und 1,5 Stdn. (unter Luft)[2] stehen gelassen. Man isoliert Komplex I als rot
Prismen-förmige Kristalle; Ausbeute: 0,051 g (53%); F: 305° (bei 220° Sublimation wie oben).

Komplex II: Eine Lösung aus 0,25 g (0,375 mmol) von Komplex I werden in 5 *ml* Benzol 24 Stdn. (unte
Luft) stehen gelassen. Nach Zusatz von 2 *ml* Methanol fallen aus der Lösung Purpur-farbige und Prismen-för
mige Kristalle aus; Ausbeute: 0,16 g (63%); F: 230°.

---

[1] H.D. Empsall, E.M. Hyde u. B.L. Shaw soc. [Dalton] **1975**, 1Z90.
[2] H.D. Empsall, P.N. Heys, W.S. McDonald, M.C. Norton u. B.L. Shaw, Soc. [Dalton] **1978**, 1119.

3. aus Iridium(I)-Verbindungen

α) mit Alkylierungsreagenzien

α₁) *mit Halogen-, Pseudohalogen-alkanen, Sulfonsäure-methylestern bzw. Trialkyloxonium-Salzen*

Die oxidative Addition von Alkylierungsmitteln an Iridium(I)-Verbindungen wurde hauptsächlich am Bis-[triphenylphosphan]-carbonyl-chloro-iridium (Vaska-Komplex) sowie seinen Analogen eingehend untersucht[1-3].

Die Komplexe vom Vaska-Typ sind relativ stabil und leicht herzustellen. Durch Änderung der Phosphan-Liganden kann ihre Reaktivität beträchtlich verändert werden. Die Reaktion kann gut IR-spektroskopisch (ν_{CO}) und NMR-spektroskopisch verfolgt werden.

Die vierfach koordinierten quadratisch-planaren Iridium(I)-Verbindungen sind koordinativ ungesättigt. Sie können einen fünften Liganden binden, ohne daß die Oxidationsstufe des Metalls verändert wird. Wenn das quadratisch-planar koordinierte Iridium(I) bei der Additionsreaktion gleichzeitig zum 3wertigen Metall oxidiert wird, kann es einen sechsten Liganden binden und ist dann ebenfalls koordinativ und elektronisch gesättigt. Dieser Zustand ist energetisch besonders günstig (oxidative Addition)[4]; z.B.:

Iridium nimmt die oktaedrische Koordination ein.

Die quadratisch planare Konfiguration des Ausgangskomplexes bleibt aus sterischen Gründen oft erhalten. Die beiden Liganden R und X werden dann in *trans*-Stellung zueinander an Iridium angelagert (*trans*-Addition). Die Reaktion wird vom Lösungsmittel beeinflußt (vgl. S. 521). Auch *cis*-Addukte sind nachgewiesen worden, die sich bei Änderung des Lösungsmittels rasch in das *trans*-Addukt umwandeln (thermodynamisch kontrollierte Reaktion). In diesen Fällen kann das *cis*-Addukt durch „kinetische Kontrolle" (z.B. durch rasches Ausfällen) nachgewiesen oder isoliert werden.

Im Gegensatz zu den vierfach koordinierten ist bei den fünffach koordinierten Iridium(I)-Komplexen eine Dissoziation des Komplexes vorgeschaltet. Je nach Eigenschaften der Liganden wird das Anion X des Reagenzes am Metall unter Abspaltung eines neutralen Liganden gebunden oder das Anion verläßt die innere Koordinationssphäre des Metalles unter Bildung eines Kation-Komplexes:

Die Fähigkeit zur oxidativen Addition nimmt mit zunehmendem Atom-Radius der Metalle wie folgt zu:

$$Co \; > \; Rh \; > \; Ir$$

---

[1] Übersichtsreferat: G. Dolcetti, M. Ghedini u. O. Gandolfi, Chimica e Ind. **57**, 336 (1975).

[2] L. Vaska u. J.W. Luzio, Am. Soc. **83**, 2784 (1961).

[3] K. Vrieze, J.P. Collman, C.T. Sears u. M. Kubota, Inorg. Synth. **9**, 101 (1968); Synthese des Vaska-Komplexes.

[4] Bei einer oxidativen Addition wird ein koordinativ ungesättigter Metall-Komplex in Komplexe mit höherer Koordinationszahl und Oxidationsstufe umgewandelt; s.a.: L. Vaska, Accounts Chem. Res. **1**, 335 (1968).

Der Mechanismus der oxidativen Addition von Halogen-alkanen an Iridium(I)-Verbindungen ist noch nicht endgültig geklärt[1,2]. Wahrscheinlich gibt es bei stark unterschiedlichen Reaktionspartnern verschiedene Reaktionsmechanismen[3,4].

Radikal-Mechanismus: Sterisch gehinderte Halogen-alkane scheinen in einem Radikal-Mechanismus mit Iridium(I) zu reagieren, da die Umsetzung durch molekularen Sauerstoff und andere Radikal-Bildner beschleunigt wird[2,5] (vgl. a. S. 522).

Dreizentren-Mechanismus: Ein Dreizentren-Mechanismus mit cis-Addition scheint dann vorzuliegen, wenn die Konfiguration am C-Atom erhalten bleibt; z. B. bei der Umsetzung von 2-Brom-propansäure-ethylester mit Iridium(I)-Verbindungen (s. S. 522)[6]. Auch bei der Addition von gasförmigem Brom- oder Jod-methan an kristalline Komplexe scheint dieser Mechanismus von Bedeutung zu sein.

(A)

Polarer Mechanismus nach einer S_N2-Reaktion: Dieser Mechanismus scheint bei den Reaktionen von Jodmethan, Chlormethyl-methyl-ether und Benzylhalogeniden mit Iridium-Komplexen in Lösung vorzuliegen.

Die Substitution verläuft unter Inversion am Kohlenstoff-Atom (s. S. 523):

(B)

Grund der Reaktionsbeschleunigung durch ortho-ständige Methoxy-Gruppe an der Phenyl-Gruppe von Di-organo-phenyl-phosphan-Liganden ist, daß durch Bindung der Gruppe am Iridium die C–J-Bindung gelockert wird. Die Reaktion läuft in diesen Fällen 100mal schneller ab als bei den analogen Komplexen mit para-ständigen Methoxy-Gruppen[7].

$R^1 = CH_3$
$R^2 = 2\text{-}OCH_3\text{–}C_6H_4$

Es sind Zwischenzustände (C) zwischen den beiden Übergangszuständen (A) und (B) möglich, wie es vor allem bei der oxidativen Addition von Jod-arenen diskutiert wird[8]:

(C)

Nach einer S_N1-Reaktion: Eine S_N1-Reaktion tritt möglicherweise dann auf, wenn das Reagens bereits dissoziiert ist, wie in Trialkyloxonium-Salzen I, oder leicht dissoziiert, wie in Sulfonsäureestern II in polaren Lösungsmitteln, deren anorganischer Rest ein schlechter Komplexbildner ist.

[1] P. B. CHOCK u. J. HALPERN, Am. Soc. 88, 3511 (1968).

[2] B. L. SHAW, J. Organometal. Chem. 94, 251 (1975).

[3] J. A. LABINGER u. J. A. OSBORN, Inorg. Chem. 19, 3230 (1980).

[4] J. A. LABINGER, J. A. OSBORN u. N. J. COVILLE, Inorg. Chem. 19, 3236 (1980).

[5] J. S. BRADLEY, D. E. CONNOR, D. DOLPHIN, J. A. LABINGER u. J. A. OSBORN, Am. Soc. 94, 4043 (1972).

[6] Die Ergebnisse in Lit. 3 und von R. G. PEARSON u. W. R. MUIR, Am. Soc. 92, 5519 (1970), sind widersprüchlich.

[7] E. M. MILLER u. B. L. SHAW, Soc. [Dalton] 1974, 480.

[8] R. J. MUREINIK, M. WEITZBERG u. J. BLUM, Inorg. Chem. 18, 915 (1979).

$$[R_3^1O]^{\oplus}X^{\ominus} \qquad\qquad R^1O-SO_2-R^2$$

$$\text{I} \qquad\qquad\qquad \text{II}$$

$$R^2 = F, CF_3$$

$$[R^1]^{\oplus} \;+\; X^{\ominus} \;+\; (Ir^I) \;\longrightarrow\; [(Ir^{III})-R^1]^{\oplus}X^{\ominus} \;\longrightarrow\; X-(Ir^{III})-R^1$$

Nach einer S_N2'-Reaktion: Die Reaktionsgeschwindigkeit von Allyl-halogeniden mit den Komplexen vom Vaska-Typ wird relativ wenig vom Halogen-Rest beeinflußt[1]:

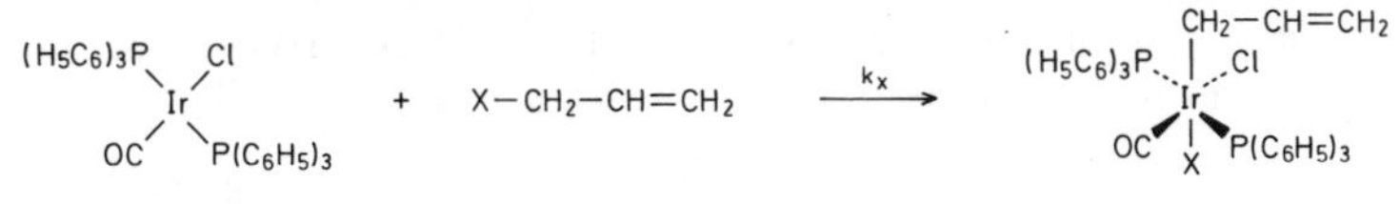

$$k_{Br}/k_{Cl} = \sim 2,5$$

Die Reaktion scheint demnach über einen π-Olefin-Komplex und unter Abspaltung von Halogenid über einen π-Allyl-Komplex zu verlaufen bzw. nach einem S_N2'-Mechanismus, wie er bei Allenyl- und Propargyl-halogeniden beobachtet wird:

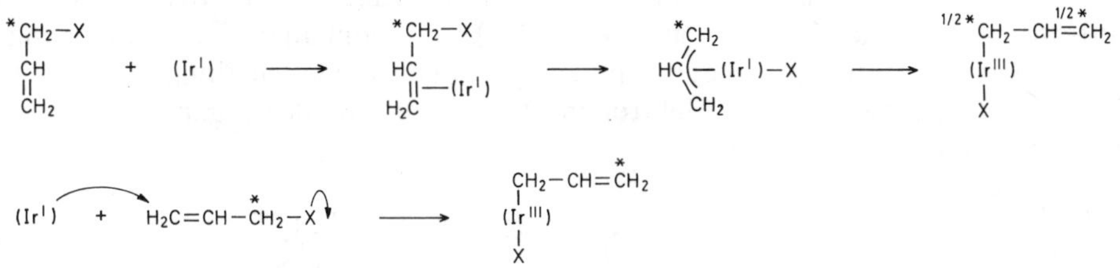

Die **Kinetik** der Reaktion von Jodmethan mit Komplexen der allgemeinen Formel

$$Ir(X)L_2^1L^2$$

gehorcht folgendem Gesetz (spektralphotometrisch ermittelt[2-4]):

$$-d[Ir(X)L_2^1L^2]/dt \;=\; k_2[Ir(X)L_2^1L^2][JCH_3]$$

Die wichtigsten Ergebnisse der kinetischen Untersuchungen sind.

(a) Die Reaktionsgeschwindigkeit nimmt mit steigender Basizität der Liganden L^1 zu:

z.B.:

$$P(OC_6H_5)_3 \;<\; P(C_6H_5)_3 \;<\; P\!\left[\!\langle\!\bigcirc\!\rangle\!-CH_3\right]_3 \;<\; P(CH_3)(C_6H_5)_2 \;<\; P(CH_3)_2(C_6H_5) \;<\; P(C_2H_5)_3$$

Arsan-Komplexe reagieren schneller als die analogen Phosphan-Komplexe.

[1] J.A. LABINGER, J.A. OSBORN u. N.J. COVILLE, Inorg. Chem. **19**, 3236 (1980).
[2] M. KUBOTA, G.W. KIEFER, R.M. ISHIKAWA u. K.E. BENCALA, Inorg. Chim. Acta **7**, 195 (1973).
[3] W.H. THOMPSON u. C.T. SEARS, Inorg. Chem. **16**, 769 (1977).
[4] J.P. COLLMAN, M. KUBOTA, F.O. VASTINE, S.Y. SUN u. J.W. KANG, Am. Soc. **90**, 5430 (1968).

ⓑ Für den Liganden L^2 gilt folgende Reihe:

$$CO \; < \; P(C_6H_5)_3 \; < \; N_2$$

ⓒ Bei den Halogen- und Pseudohalogen-Gruppen nimmt die Reaktivität mit abnehmender Basizität des Restes zu[1]:

$$F \; \gg \; Cl \; > \; Br \; > \; J$$

$$N_3 \; > \; NCO \; > \; NCS$$

In der Reihe der untersuchten Komplexe sind die mit niedriger CO-Frequenz im IR-Spektrum reaktionsfähiger gegenüber Jodmethan als die mit hoher.

$\alpha\alpha_1$) aus neutralen Iridium-Komplexen

i_1) mit 4 Liganden

ii_1) vom Vaska-Typ

Am besten untersucht sind die oxidativen Additionsreaktionen am Bis-[triphenylphosphan]-carbonyl-chloro-iridium (Vaska-Komplex) mit Jodmethan. Bei Einführung von para-ständigen Substituenten in den Triphenylphosphan-Liganden nimmt die Reaktionsgeschwindigkeit mit steigender Elektronen-Donor-Wirkung des Liganden zu, entsprechend der Hammett-Gleichung[2,3]:

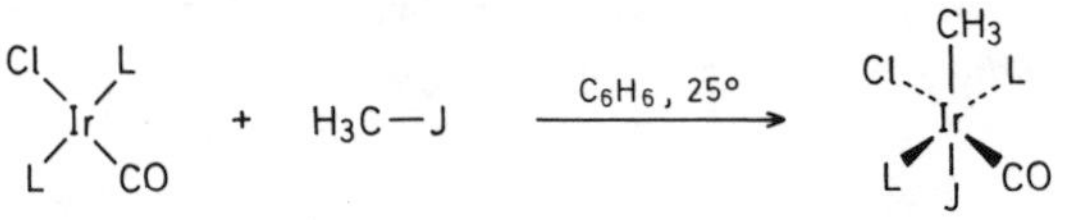

$$L = (4\text{-}X\text{-}C_6H_4)_3P \qquad X = OCH_3 \; > \; CH_3 \; > \; H \; > \; F \; > \; Br \; > \; Cl$$

Mit steigender Anzahl von p-ständigen Substituenten gilt folgende Reihenfolge in der Reaktionsgeschwindigkeit[2]; z.B.:

$$P(C_6H_5)_3 \; > \; P(C_6H_5)_2(4\text{-}Cl\text{-}C_6H_4) \; > \; P(C_6H_5)(4\text{-}Cl\text{-}C_6H_4)_2 \; > \; P(4\text{-}Cl\text{-}C_6H_4)_3$$

Bei stärkerer Änderung der Phosphan-Liganden spielen nicht nur elektronische, sondern auch sterische Einflüsse eine Rolle, so daß z.B. folgende Reihenfolge gilt[2,4]:

$$P(CH_3)_2(C_6H_5) \; > \; P(CH_3)(C_6H_5)_2 \; > \; P(C_2H_5)(C_6H_5)_2 \; > \; P(C_2H_5)_2(C_6H_5) \; > \; P(C_6H_5)_3$$

Die sterische Hinderung kann durch Einführung von verzweigten Alkyl-Resten stark erhöht werden[5]; so nimmt die Reaktionsgeschwindigkeit in folgender Reihe ab, wobei die oxidative Addition von Jodmethan bei zwei tert.-Butyl-Gruppen im Phosphan nicht mehr gelingt.

$$PR_2[C(CH_3)_3] \; \gg \; PR[C(CH_3)_3]_2$$
$$R = CH_3 \; > \; C_2H_5 \; > \; (CH_2)_2\text{-}CH_3 \; > \; (CH_2)_3\text{-}CH_3$$

Bei Reaktionen in polaren Lösungsmitteln (z.B. Methanol) kann im Gegensatz zu Benzol ein Isomeren-Gemisch entstehen und das Anion mit Jodmethan reagieren[4]:

---

[1] Dies steht im Gegensatz zu den Additionsreaktionen von Wasserstoff, Sauerstoff und Alkinen. Vielleicht spielen unterschiedliche Übergangszustände eine Rolle:

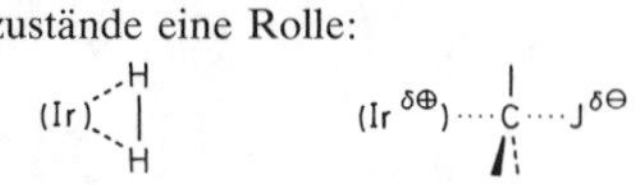

[2] W. H. THOMPSON u. C. T. SEARS, Inorg. Chem. **16**, 769 (1977).
[3] R. UGO, A. FUSI u. S. CENINI, Am. Soc. **94**, 7364 (1972).
[4] A. J. DEEMING u. B. L. SHAW, Soc. [A] **1969**, 1128.
[5] B. L. SHAW u. R. E. STAINBANK, Soc. [Dalton] **1972**, 223.

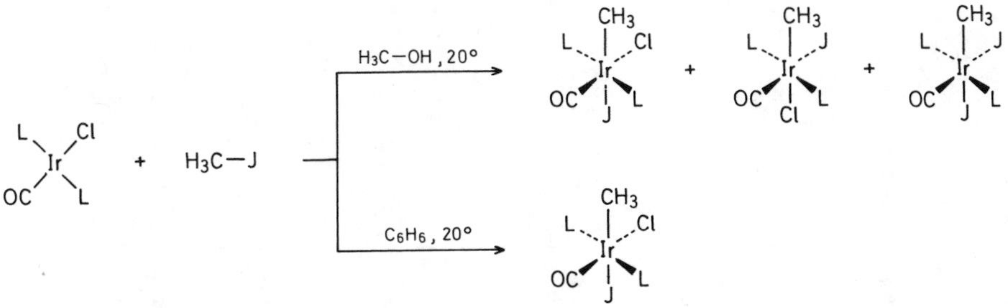

L =P(CH$_3$)$_2$(C$_6$H$_5$); *Bis-[dimethyl-phenyl-phosphan]-carbonyl-chloro-jodo-methyl-iridium*; 57%;
F: 207–209°

Die Methode läßt sich auch auf andere Halogen-alkane ausdehnen. Allerdings ist die Reaktionsgeschwindigkeit dieser Verbindungen aus sterischen und elektronischen Gründen beträchtlich geringer als bei Jodmethan.

Auch der anorganische Anion-Ligand der Iridium(I)-Verbindung kann variiert werden. In Tab. 2 (S. 518) sind Beispiele der Reaktion entsprechend der folgenden Gleichung aufgeführt:

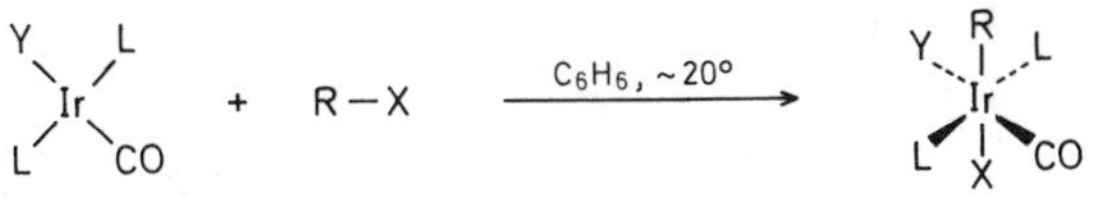

Nicht in allen Fällen ist aus der Lit. zu entnehmen, ob die Additionsverbindung das stereochemisch einheitliche *trans*-Addukt ist.

Anstelle von Phosphan- können auch Arsan-Liganden als stärkere Elektronen-Donoren eingesetzt werden.

Die oxidative Addition von Chlor- oder Brom-methan an den Bromo- bzw. Chloro-Komplex ermöglicht es, die beiden Isomere *Bis-[diphenyl-methyl-phosphan]-bromo-carbonyl-chloro-methyl-iridium* III und IV herzustellen[1]. Der Komplex IV wird durch Erhitzen in Benzol und Methanol in den thermodynamisch stabileren Komplex III umgewandelt:

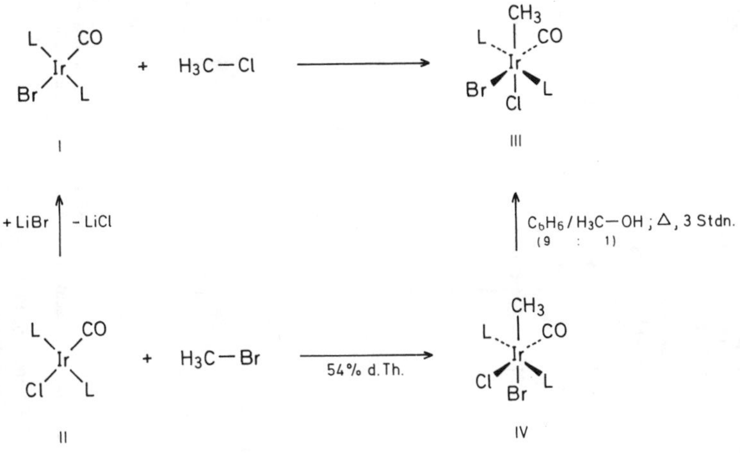

L = P(CH$_3$)(C$_6$H$_5$)$_2$

---

[1] J.P. COLLMAN u. C.T. SEARS, Inorg. Chem. **7**, 27 (1968).

Tab. 2: Alkyl-bis-[phosphan]-carbonyl-dihalogeno-iridium-Komplexe

$$\begin{array}{c} Y \;\;\;\; L \\ \backslash \; | \\ Ir \\ / \; \backslash \\ L \;\;\; CO \end{array} \xrightarrow{+ \, R-X, \; C_6H_6, \; \sim 20°} \begin{array}{c} Y \;\; R \;\; L \\ \backslash \; | \; / \\ Ir \\ / \; | \; \backslash \\ L \;\; X \;\; CO \end{array}$$

L	Y	R	X	Endprodukt	Ausbeute [%]	F [°C]	Literatur
P(C₆H₅)₃	Cl	CH₃	J	Bis-[triphenylphosphan]-carbonyl-chloro-jodo-methyl-iridium	–	268–269 (Zers.)	1,2
		CH=CH₂	Cl	Bis-[triphenylphosphan]-carbonyl-dichloro-vinyl-iridium	–	214	2,3
		CF₃	J	Bis-[triphenylphosphan]-carbonyl-chloro-trifluor-methyl-jodo-iridium	57	256–257	4
		CH₂-CO-OCH₃	J	Bis-[triphenylphosphan]-carbonyl-chloro-jodo-(methoxycarbonyl-methyl)-iridium	–	248–249	2
	J	CH₃	Br	Bis-[triphenylphosphan]-bromo-carbonyl-jodo-methyl-iridium	–	–	5
	SCN	CH₃	Br	Bis-[triphenylphosphan]-bromo-carbonyl-methyl-thio-cyanato-iridium[a]	–	–	6
P(CH₃)(C₆H₅)₂	Cl	CH₃	J	Bis-[diphenyl-methyl-phosphan]-carbonyl-chloro-jodo-methyl-iridium	81	–	7
	Cl	CH₂-O-CH₃	Cl	Bis-[diphenyl-methyl-phosphan]-carbonyl-dichloro-(methoxymethyl)-iridium	–	–	8
P[CH₂-(C₆H₃(OCH₃)₂)](C₆H₅)₂	Cl	CH₃	Cl	Bis-[(3,4-dimethoxy-benzyl)-diphenyl-phosphan]-carbonyl-dichloro-methyl-iridium	94	203–205	9
P(CH₃)₂(C₆H₅)	Cl	CH₃	Br	Bis-[dimethyl-phenyl-phosphan]-bromo-carbonyl-chloro-methyl-iridium[b]	82	168–172	10
	Cl	CCl₃	Cl	Bis-[dimethyl-phenyl-phosphan]-carbonyl-dichloro-trichlormethyl-iridium	~100	145–155	10

[a] Die Reaktion wird in 1,2-Dichlor-ethan mit Ammonium-thiocyanat durchgeführt. Die Verbindung wird mit Methanol ausgefällt. In polaren Lösungsmitteln wird dagegen ein trans-Addukt.
[b] In Benzol entsteht einheitlich das trans-Addukt.

[1] R.F. HECK, J. Org. Chem. 28, 604 (1963).
[2] R.F. HECK, Am. Soc. 86, 2796 (1964).
[3] A.E. CREASE, B.D. GUPTA, M.D. JOHNSON u. S. MOORHOUSE, Soc. [Dalton] 1978, 1821.
[4] D.M. BLAKE, S. SHIELDS u. L. WYMAN, Inorg. Chem. 13, 1595 (1974).
[5] P.J. FRASER, W.R. ROPER u. F.G.A. STONE, J. Organometal. Chem. 66, 155 (1974).
[6] R.G. PEARSON u. W.R. MUIR, Am. Soc. 92, 5519 (1970).
[7] J.P. COLLMAN u. C.T. SEARS, Inorg. Chem. 7, 27 (1968).
[8] J.A. LABINGER, J.A. OSBORN u. N.J. COVILLE, Inorg. Chem. 19, 3236 (1980).
[9] E.M. HYDE, B.L. SHAW u. I. SHEPHERD, Soc. [Dalton] 1978, 1696.
[10] A.J. DEEMING u. B.L. SHAW, Soc. [A] 1969, 1128.

L	Y	R	X	Endprodukt	Ausbeute [%]	F [°C]	Literatur
P(CH₃)₂(C₆H₅)	Cl	CH₂–C₆H₅	Br	*Benzyl-bis-[dimethyl-phenyl-phosphan]-bromo-carbonyl-chloro-iridium*	20	–	1
		C₃F₇	J	*Bis-[dimethyl-phenyl-phosphan]-carbonyl-chloro-(heptafluor-propyl)-jodo-iridium*	68	–	2
		CH₂–CN	Cl	*Bis-[dimethyl-phenyl-phosphan]-carbonyl-(cyan-methyl)-dichloro-iridium*	73	175–177	3
		CH=CH₂	Br	*Bis-[dimethyl-phenyl-phosphan]-bromo-carbonyl-chloro-vinyl-iridium*	–	–	1
	Br	CN / –CH–CH₃	Br	*Bis-dimethyl-phenyl-phosphan]-carbonyl-(1-cyan-ethyl)-dibromo-iridium*ᶜ	–	–	4
		NO₂ / –CH–CH₃	Br	*Bis-[dimethyl-phenyl-phosphan]-carbonyl-dibromo-(1-nitro-ethyl)-iridium*ᶜ	–	–	4
		CH₃	Br	*Bis-[dimethyl-phenyl-phosphan]-carbonyl-dibromo-methyl-iridium*	58	185–188	3
		CF₃	J	*Bis-[dimethyl-phenyl-phosphan]-bromo-carbonyl-jodo-trifluormethyl-iridium*	80	224–226	5
P(CH₃)₂(2-OCH₃–C₆H₄)	Cl	CH₃	J	*Bis-[dimethyl-(2-methoxy-phenyl)-phosphan]-carbonyl-chloro-jodo-methyl-iridium*	90	220–230	6
P(CH₃)₂(4-OCH₃–C₆H₄)	Cl	CH₃	J	*Bis-[dimethyl-(4-methoxy-phenyl)-phosphan]-carbonyl-chloro-jodo-methyl-iridium*ᵈ	88	–	6
P(C₂H₅)₂(C₆H₅)	Cl	CH=CH₂	Cl	*Bis-[diethyl-phenyl-phosphan]-carbonyl-dichloro-vinyl-iridium*ᵉ	92	156–160 (Zers.)	7
	Br	CH₃	Br	*Bis-[diethyl-phenyl-phosphan]-carbonyl-dibromo-methyl-iridium*	52	158–162 (Zers.)	7
		CH=CH₂	Br	*Bis-[diethyl-phenyl-phosphan]-carbonyl-dibromo-vinyl-iridium*	88	160–164 (Zers.)	7

ᶜ Es entsteht ein Isomerengemisch. Bei der Umsetzung des entsprechenden Chloro-Komplexes mit 1-Chlor-1-nitro-ethan entsteht der Acyl-Komplex (s. S. 598).

ᵈ Es entsteht in Benzol ein Isomerengemisch mit 80% *trans*-Addukt, das bei Zusatz eines polaren Lösungsmittels vollständig in die *trans*-Verbindung übergeführt wird.

ᵉ In Methanol.

¹ A. E. Crease, B. D. Gupta, M. D. Johnson u. S. Moorhouse, Soc. [Dalton] **1978**, 1821.
² J. P. Collman u. C. T. Sears, Inorg. Chem. **7**, 27 (1968).
³ A. J. Deeming u. B. L. Shaw, Soc. [A] **1969**, 1128.
⁴ T. A. B. M. Bolsman u. J. A. van Doorn, J. Organomet. Chem. **178**, 381 (1979).
⁵ D. M. Blake, A. Winkelman u. Y. L. Chung, Inorg. Chem. **14**, 1326 (1975).
⁶ E. M. Miller u. B. L. Shaw, Soc. [Dalton] **1974**, 480.
⁷ J. Chatt, N. P. Johnson u. B. L. Shaw, Soc. [A] **1967**, 604.

Tab. 2 (2. Forts.)

L	Y	R	X	Endprodukt	Ausbeute [%]	F [°C]	Literatur
$P(CH_3)_3$		C_2H_5	J	Bis-[trimethylphosphan]-carbonyl-chloro-ethyl-jodo-iridium	–	150 (Zers.)	1
		$CH(CH_3)_2$	J	Bis-[trimethylphosphan]-carbonyl-chloro-ethyl-jodo-iridium	–	125 (Zers.)	1
	Cl	$CH=CH_2$	Br	Bis-[trimethylphosphan]-bromo-carbonyl-chloro-vinyl-iridium	–	–	2
		$CH=CH_2$	Br	Bis-[trimethylphosphan]-bromo-carbonyl-chloro-propenyl-iridium	–	–	2
		$CH_2-C_6H_5$	Cl	Benzyl-bis-[trimethylphosphan]-carbonyl-dichloro-iridium	–	167–170	2
		CH_2-CN	Cl	Bis-[trimethylphosphan]-carbonyl-(cyanmethyl)-dichloro-iridium	60	136–138	3
		$-CH(COOC_2H_5)-CHF-C_6H_5$	Br	Bis-[trimethylphosphan]-bromo-carbonyl-chloro-(1-ethoxycarbonyl-2-fluor-2-phenyl-ethyl)-iridium[f,g]	–		
		$CH_2-CH_2-COOC_2H_5$	Cl	Bis-[trimethylphosphan]-carbonyl-dichloro-(2-ethoxycarbonyl-ethyl)-iridium[g]	–	144–146 (Zers.)	2
$P(CH_3)_2[C(CH_3)_3]$	Br	CH_3	Br	Bis-[tert.-butyl-dimethyl-phosphan]-carbonyl-dibromo-methyl-iridium	85	295–300	4
	Cl	$CH=CH-C_6H_5$	Cl	Bis-[tert.-butyl-dimethyl-phosphan]-carbonyl-dichloro-(2-phenyl-vinyl)-iridium	44	168–170 (Zers.)	4
		CCl_3	Cl	Bis-[tert.-butyl-dimethyl-phosphan]-carbonyl-dichloro-(trichlormethyl)-iridium	89	248–252 (Zers.)	4
$P(C_4H_9)_2[C(CH_3)_3]$	Cl	CH_3	J	Bis-[tert.-butyl-dibutyl-phosphan]-carbonyl-chloro-jodo-methyl-iridium[h]	91	143–147	4
	Br	CH_3	Br	Bis-[tert.-butyl-dibutyl-phosphan]-carbonyl-dibromo-methyl-iridium	82	114–119	4
$P[CH_2-Si(CH_3)_3]_3$	Cl	CH_3	J	Bis-[tris-(trimethylsilyl-methyl)-phosphan]-carbonyl-chloro-jodo-methyl-iridium	~100	158–159 (Zers.)	5
		CF_3	J	Bis-[tris-(trimethylsilyl-methyl)-phosphan]-carbonyl-chloro-trifluormethyl-jodo-iridium	78	192–193 (Zers.)	5
$As(CH_3)_2(C_6H_5)$	Cl	$CH_2-COOCH_3$	J	Bis-[dimethyl-phenyl-arsan]-carbonyl-dichloro-jodo-(methoxycarbonyl-methyl)-iridium	74	168–172 (Zers.)	6
		CH_2-CN	Cl	Bis-[dimethyl-phenyl-arsan]-carbonyl-cyanmethyl-dichloro-iridium	77	140–144	6

[f] Man erhält aus beiden Isomeren dasselbe Isomerengemisch von 2 Diastereomeren im Verhältnis 1:4,5. Das Hauptprodukt kann durch fraktionierte Kristallisation über eine 95%ige Reinheit angereichert werden.

[g] Die Reaktionen werden durch Radikal-Initiatoren (z. B. Azo-bis-[isobutyronitril]) beschleunigt und durch Radikal-Fänger inhibiert.

[h] Reaktionsdauer bei 20° in Benzol 3 Tage.

1 G. YONEDA u. D.M. BLAKE, Inorg. Chem. 20, 67 (1981).

2 I. A. LABINGER, I. A. OSBORN u. N. J. COVILLE, Inorg. Chem. 19, 3236 (1980).

4 B. L. SHAW u. R. E. STAINBANK, Soc. [Dalton] 1972, 223.

5 A. T. T. HSIEH, J. D. RUDDICK u. G. WILKINSON, Soc. [Dalton] 1970, 1966.

Gasförmiges Brommethan reagiert bereits bei 20° mit dem festen Komplex II[1].

Bis-[diphenyl-methyl-phosphan]-carbonyl-dichloro-methyl-iridium[2]: 5 *ml* Chlormethan werden in einem 0 *ml* Glasrohr kondensiert, das 0,40 g (0,6 mmol) Bis-[diphenyl-methyl-phosphan]-carbonyl-chloro-iridium in 0 *ml* Toluol enthält. Die Röhre wird unter Stickstoff abgeschmolzen und 3 Tage bei 20° gehalten. Dann werden überschüssiges Chlormethan und Toluol i. Vak. entfernt, und der farblose Komplex wird mehrmals aus Benzol und Methanol umkristallisiert; Ausbeute: 0,10 g (24%); IR(KBr): ν_{CO} 2025 cm^{-1}.

Die Addition von Brommethan ist kinetisch kontrolliert. Infolge der bereits bei der Reaktion auftretenden Isomerisierung in den thermodynamisch stabilen Komplex enthält IV ~10% von III. Eine Reinigung von IV durch Umkristallisieren aus Benzol und Methanol gelingt aus demselben Grund nicht.

Das sehr reaktionsfähige Bis-[trimethylphosphan]-carbonyl-chloro-iridium bildet bei 20° mit Brom- und Jodmethan in wenigen Sekunden *Bis-[trimethylphosphan]-bromo-carbonyl-chloro-methyl-* und *Bis-[trimethylphosphan]-carbonyl-chloro-jodo-methyl-iridium*[3]. Dagegen dauert die Reaktion mit Chlormethan zu *Bis-[trimethylphosphan]-carbonyl-dichloro-methyl-iridium* zwei Tage.

Im folgenden werden einige Beispiele zur Synthese von Alkyl-bis-[triorganophosphan]-carbonyl-halogeno-iridium-Derivaten wiedergegeben.

Bis-[dimethyl-(4-methoxy-phenyl)-phosphan]-carbonyl-dijodo-methyl-iridium[4]: 0,12 g (0,176 mmol) Bis-dimethyl-(4-methoxy-phenyl)-phosphan]-carbonyl-jodo-iridium werden bei 20° mit 1 *ml* Jodmethan behandelt und 1 Min. unter Rückfluß erhitzt. Nach Zusatz von Methanol zur braunen Lösung kristallisieren schwach gelbe Prismen; Ausbeute: 0,11 g (75%); F: 168–171° (Zers.); IR(CHCl$_3$): ν_{CO} 2030 und 2040 cm^{-1}, ^{1}H-NMR (CDCl$_3$): IrCH$_3$ τ 8,9 (t), ^{3}J(PH) 5,3 Hz.

Allyl-bis-[dimethyl-(2-methoxy-phenyl)-phosphan]-carbonyl-dichloro-iridium[4]: 0,20 g (0,34 mmol) Bis-dimethyl-(2-methoxy-phenyl)-phosphan]-carbonyl-chloro-iridium werden in einer Mischung aus 0,3 *ml* (3,6 mmol) 3-Chlor-propen und 2 *ml* Ethanol bei 20° gelöst. Die Additionsverbindung kristallisiert aus der Lösung in farblosen Kristallen aus; Ausbeute: 0,170 g (77%); F: 169–175° (Zers.); IR(Nujol): ν_{CO} 2025, $\nu_{C=C}$ 1620 cm^{-1}.

Bei der oxidativen Addition von 1-Halogen-2-propen (Allyl-halogenide) an Komplexe vom Vaska-Typ kann unter Umständen das zuerst gebildete *cis*-Addukt isoliert werden, das sich in ethanolischer Lösung rasch in das *trans*-Addukt umlagert[5]:

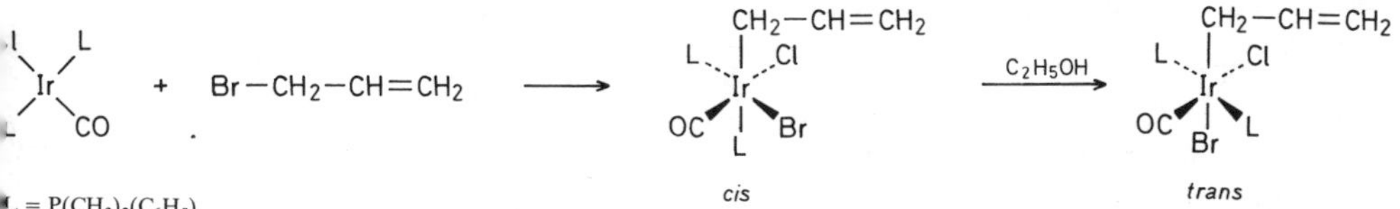

$L = P(CH_3)_2(C_6H_5)$

Allyl-bis-[dimethyl-phenyl-phosphan]-bromo-carbonyl-chloro-iridium

Die 2-Methyl-2-propenyl-Verbindungen lagern sich leicht unter Verlust eines Liganden in π-Allyl-Komplexe um. 2,3-Dichlor-tetrafluor-1-propen bildet mit Bis-[triphenyl-phosphan]-carbonyl-chloro-iridium im Gegensatz zur Reaktion mit Mangan-, Rhenium- und Kobalt-Komplexen den σ-Allyl-Komplex[6]:

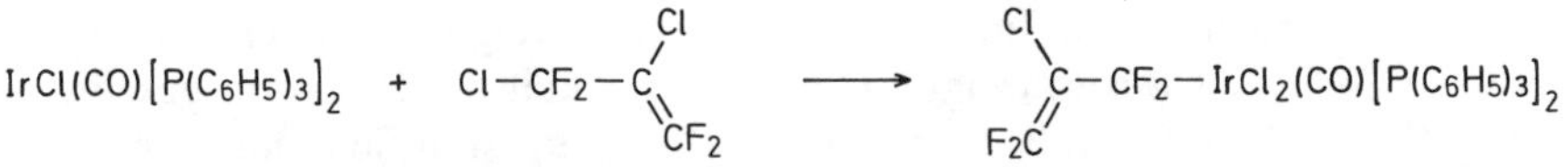

Bis-[triphenylphosphan]-carbonyl-[2-chlor-tetrafluor-2-propenyl]-dichloro-iridium[6]: 0,25 g (0,32 mmol) Bis-[triphenylphosphan]-carbonyl-chloro-iridium werden in 2 *ml* (3,2 g = 17 mmol) 2,3-Dichlor-tetrafluor-propen suspendiert und 70 Stdn. bei 20° unter Stickstoff gerührt. Die Mischung wird in 10 *ml* Petrolether (Kp: 40–60°) geschüttelt. Es fallen feine Kristalle aus, die 2mal mit je 2 *ml* Petrolether gewaschen und i. Vak. getrocknet werden; Ausbeute: 0,21 g (70%); IR(CHCl$_3$ oder CCl$_4$): ν_{CO} 2044 und 2020, $\nu_{C=C}$ 1728 cm^{-1}.

[1] R. G. Pearson u. W. R. Muir, Am. Soc. **92**, 5519 (1970).
[2] J. P. Collman u. C. T. Sears, Inorg. Chem. **7**, 27 (1968).
[3] J. A. Labinger, J. A. Osborn u. N. J. Coville, Inorg. Chem. **19**, 3236 (1980).
[4] E. M. Miller u. B. L. Shaw, Soc. [Dalton] **1974**, 480.
[5] A. J. Deeming u. B. L. Shaw, Chem. Commun. **1968**, 751; Soc. [A] **1969**, 1562.
[6] H. Goldwhite u. R. A. Wright, J. Organometal. Chem. **122**, 63 (1976).

Die oxidative Addition gelingt besonders leicht mit geradkettigen Perfluor-1-jod-al kanen[1], und man erhält einheitliche Addukte. Die Reaktionsgeschwindigkeit und di Ausbeute sind bei Chlor-trifluor-methan wesentlich geringer.

Bis-[diphenyl-methyl-phosphan]-carbonyl-chloro-jodo-trifluormethyl-iridium[2]: 0,4 g *trans*-Bis-[dipheny methyl-phosphan]-carbonyl-chloro-iridium werden auf −176° gekühlt. Darauf kondensiert man bei diese Temp. 5 *ml* Benzol und Jod-trifluor-methan. Die Mischung wird 24 Stdn. bei 20° gerührt und anschließend in Rotationsverdampfer bis zur Trockene eingedampft. Bei Zusatz von 15 *ml* Diethylether entsteht ein hellgelbe Niederschlag; Ausbeute: 80%; F: 231–234° (aus Benzol/Hexan); IR(CH$_2$Cl$_2$): ν_{CO}2069 cm^{-1} [3,4].

Die Umsetzung bestimmter Halogen-alkane wird von Sauerstoff oder radikalischen Ini tiatoren katalysiert[5]. Verunreinigungen können andererseits die Reaktion vollständig in hibieren. Dies erklärt wahrscheinlich die unterschiedlichen Ergebnisse in der Literatur[6,7]

So wird die folgende Reaktion durch Azo-bis-[isobutyronitril] oder Dibenzoylperoxi(gestartet und durch Tetramethyl-1,4-benzochinon oder Hydrochinon inhibiert[5]:

Bis-[trimethylphosphan]-bromo-carbonyl- chloro-(2-fluor-2-phenyl-ethyl)-iridium 75% (2 Isomere); F: 147–150° (Zers.)

Tab. 3: Alkyl-iridium(III)-Komplexe durch oxidative Addition von Halogenalkanen a Iridium(I)-Komplexen in Gegenwart von Azo-bis-isobutyronitril[5]

Cl, L / Ir / L, CO	R–X	R-Ir(CO)(Cl)(X)L$_2$	Ausbeute [%]	F [°C]
P(CH$_3$)$_2$(C$_6$H$_5$)		*Bis-[dimethyl-phenyl-phosphan]-bromo-car-bonyl-chloro-(1-ethoxycarbonyl-ethyl)-iridium*	70	–
P(CH$_3$)(C$_6$H$_5$)$_2$	H$_5$C$_2$OOC–CH–Br mit CH$_3$	*Bis-[diphenyl-methyl-phosphan]-...*	65	159–161
P(CH$_3$)$_3$	H$_5$C$_6$–CH$_2$–CH$_2$–Br	*Bis-[trimethylphosphan]-bromo-carbonyl-chloro-(2-phenyl-ethyl)-iridium*	93	157–160
	C$_2$H$_5$J	*Bis-[trimethylphosphan]-carbonyl-chloro-ethyl-jodo-iridium*	–	–
	(CH$_3$)$_2$CH-J	*Bis-[trimethylphosphan]-carbonyl-chloro-isopropyl-jodo-iridium*	–	–

Dagegen wird die oxidative Addition von z. B. Halogenmethan, Halogenmethyl-benzol 3-Halogen-propen und Chlormethyl-methyl-ether durch Radikal-Fänger nicht inhibiert

Bei den radikalischen Additionen reagieren verzweigte Halogen-alkane, z. B. 2-Brom-butan, rascher als unverzweigte. Die Abhängigkeit der Reaktionsgeschwindigkei vom Halogen-Rest ist sehr groß. So reagiert 2-Jod-propan in Sekunden und die Brom Verbindung in einigen Tagen mit Bis-[trimethylphosphan]-carbonyl-chloro-iridium zun *Bis-[trimethylphosphan]-bromo-carbonyl-chloro-isopropyl-* bzw. *Bis-[trimethylphos-phan]-carbonyl-chloro-isopropyl-jodo-iridium*.

---

[1] J. P. COLLMAN u. C. T. SEARS, Inorg. Chem. **7**, 27 (1968).

[2] D. M. BLAKE, A. WINKELMAN u. Y. L. CHUNG, Inorg. Chem. **14**, 1326 (1975).

[3] Einheitliches *trans*-Addukt.

[4] Vgl. a. J. P. COLLMAN u. C. T. SEARS, Inorg. Chem. **7**, 27 (1968). Dort wird aus Benzol und Methanol umkristalli siert; Ausbeute: 49% d. Th.

[5] J. S. BRADLEY, D. E. CONNOR, D. DOLPHIN, J. A. LABINGER u. J. A. OSBORN, Am. Soc. **94**, 4043 (1972).

[6] F. R. JENSEN u. B. KNICKEL, Am. Soc. **93**, 6339 (1971). Die Autoren erhalten kein Additionsprodukt.

[7] J. A. LABINGER, R. J. BRAUS, D. DOLPHIN u. J. A. OSBORN, Chem. Commun. **1970**, 612.

Mit 2-Brom-1-fluor-cyclohexan werden die isomeren *Bis-[trimethylphosphan]-bromo-carbonyl-chloro-(2-fluor-cyclohexyl)-iridium*-Komplexe erhalten[1, 2]:

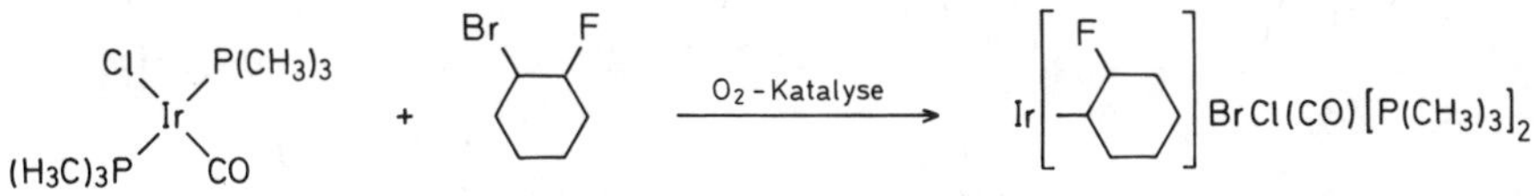

Zumindest teilweise stereospezifisch verläuft die Umsetzung des optisch aktiven 1-Brom-propansäure-ethylesters mit Iridium-Komplexen bei 20°[3].

Bis-[trimethylphosphan]-bromo- carbonyl- chloro-(2-fluor-cyclohexyl)-iridium[1]: Eine Lösung von 0,4 g Bis-trimethylphosphan]-carbonyl-chloro-iridium und 1,8 g *trans*-2-Brom-fluor-cyclohexan in 5 *ml* Benzol wird unter Argon 40 Stdn. auf 55° erhitzt. Die flüchtigen Verbindungen werden i. Vak. abgezogen, und der Rückstand wird mit Diethylether behandelt. Man erhält ein farbloses Pulver; Ausbeute: 0,17 g (30%); IR(Nujol): ν_{CO} 2020 cm^{-1}.

Durch Zusatz von ~ 1 mol Azo-bis-[isobutyronitril] auf 30 mol Halogen-cyclohexan-Derivat werden bei 65° in 18 Stdn. 50% umgesetzt gegenüber 15% ohne Initiator[2].

Während Monohalogen-methan-Verbindungen wahrscheinlich nach einem S_N2-Mechanismus reagieren, scheinen Polyhalogen-methan-Verbindungen über Radikale zu reagieren[2]. Die Reaktivität der Verbindungen nimmt mit der Zahl der Halogen-Substituenten zu.

$$IrCl(CO)[P(CH_3)_3]_2 \quad + \quad CH_{4-n}X_n \quad \longrightarrow \quad Ir(CH_{4-n}X_{n-1})ClX(CO)[P(CH_3)_3]_2$$

X	n	Reaktionsdauer bei 20°	Bis-[trimethylphosphan]-...-iridium	F [°C]
Cl	2	keine Reaktion	–	
	3	10 Min.	...-carbonyl-(dichlormethyl)-dichloro-...	–
Br	2	3 Stdn.	...-brommethyl-bromo-carbonyl-chloro-...	207–211 (Zers.)
	3	10 Sek.	...-brom-carbonyl-chloro-dibrommethyl-...	–
	2	5 Sek.	...-carbonyl-chloro-jodo-jodmethyl-...	–

Die Radikal-Reaktionen können durch Belichten stärker beschleunigt werden als durch Erhitzen[2]. So reagiert Dichlormethan thermisch nicht mit Bis-[triphenylphosphan]-carbonyl-chloro-iridium, wohl aber beim Belichten. Man muß aber darauf achten, daß die zunächst gebildeten Alkyl-iridium(III)-Verbindungen durch zu langes Bestrahlen nicht gespalten werden (s. S. 624)[2]:

$$IrCl(CO)[P(CH_3)_3]_2 \quad + \quad R-X \quad \xrightarrow{C_6H_6, \, hv, \, 1 \, Stde.} \quad R-IrClX(CO)[P(CH_3)_3]_2$$

Bis-[trimethylphosphan]-...-iridium

RX = CH_2Cl_2; ...-carbonyl-chlormethyl-dichloro-...
RX = C_2H_5Br; ...-bromo-carbonyl-chloro-ethyl-... F: 138° (Zers.);
RX = C_4H_9Br; ...-bromo-butyl-carbonyl-chloro-... F: 105–108°;

Überraschenderweise wird die Photoreaktion von Jod-ethan mit dem Diphenyl-methyl-phosphan-Komplex stark durch Zusatz dieses Phosphans beschleunigt. Bei der analogen thermischen Umsetzung ist die Beschleunigung durch Phosphan geringer.

J. A. LABINGER u. J. A. OSBORN, Inorg. Chem. **19**, 3230 (1980).
J. A. LABINGER, J. A. OSBORN u. N. J. COVILLE, Inorg. Chem. **19**, 3236 (1980).
R. G. PEARSON u. W. R. MUIR, Am. Soc. **92**, 5519 (1970).
vgl. dagegen J. A. LABINGER u. J. A. OSBORN, Inorg. Chem. **19**, 3230 (1980).

Anstelle von Halogen- oder Pseudohalogen-iridium(I)-Komplexen können auch O-Sulfinat-, Thiolat- und Aminoxy-Komplexe eingesetzt werden.

$$\text{(H}_5\text{C}_6)_3\text{P} \quad \underset{\text{CO}}{\overset{Y \qquad P(C_6H_5)_3}{\diagdown \text{Ir} \diagup}} \quad + \quad CH_3J \quad \xrightarrow{\text{CH}_2\text{Cl}_2 \text{ bzw. } C_6H_6, 20°} \quad H_3C - Ir(J)(Y)(CO)\left[P(C_6H_5)_3\right]_2$$

Bis-[triphenylphosphan]-...-iridium

Y = O–SO–⟨C₆H₄⟩–CH₃; ...-*carbonyl-jodo-methyl-(4-methyl-phenylsulfinoxy)-...*[1]; 60%; F: 148–149°

Y = S–C₆F₅; ...-*carbonyl-jodo-methyl-(pentafluorphenylthio)-...*[2]; 65%

Y = O–N(CF₃)₂; ...-*(bis-[trifluormethyl]-aminoxy)-carbonyl-jodo-methyl-...*[3]; 56%

Es ist sogar möglich, Komplexe mit Halogenmethan umzusetzen, die anstelle des anor ganischen Anion-Liganden organische Reste mit Elektronen-anziehenden Eigenschafte besitzen. Man erhält so Diorgano-iridium(III)-Verbindungen mit zwei verschiedenen or ganischen Resten; z.B.:

$$\text{(H}_5\text{C}_6)_3\text{P} \quad \underset{R}{\overset{OC \qquad P(C_6H_5)_3}{\diagdown \text{Ir} \diagup}} \quad + \quad CH_3X \quad \xrightarrow{C_6H_6 \text{ bzw. } CH_2Cl_2, 25°} \quad H_3C - Ir(R)(X)(CO)\left[P(C_6H_5)_3\right]_2$$

Bis-[triphenylphosphan]-...-iridium

R = C₆F₅, X = J; ...-*carbonyl-jodo-methyl-(pentafluorphenyl)-...*[4]

R = C≡C–C₆H₅, X = Cl; ...-*carbonyl-chloro-methyl-(phenylethinyl)-...*

X = Br; ...-*bromo-carbonyl-methyl-(phenylethinyl)-...*

R = CH₂–CN; X = J; ...-*carbonyl-cyanmethyl-jodo-methyl-...*; 70%[6]

Auch der Thiocarbonyl-Komplex kann mit Jodmethan umgesetzt werden[7]:

$$IrCl(CS)\left[P(C_6H_5)_3\right]_2 \quad + \quad CH_3J \quad \xrightarrow{\triangle, 8 \text{ Stdn.}} \quad H_3C - IrJCl(CS)\left[P(C_6H_5)_3\right]_2$$

Bis-[triphenylphosphan]-chloro-jodo-methyl-thiocarbonyl-iridiu

Bei der analogen Umsetzung von Cyclopentadienyl-thiocarbonyl-triphenylphosphan-iridium reagieren 2 m
Jodmethan unter Bildung von *Jodo-(1-methylthio-ethyliden)-iridium-chlorid.*

Anstelle von Halogen-alkanen können Pseudohalogen-alkane, Fluorsulfonsäure- bzw
4-Methyl-benzolsulfonsäure-methylester und Trialkyloxonium-Salze zur Alkylierung vo
Iridium(I)-Komplexen eingesetzt werden. Thiocyanato-methan muß bei erhöhten Tem
peraturen umgesetzt werden[8]. Der Fluorosulfonat-Rest scheint am Iridium gebunden z
sein[9-13]. Er kann aber leicht durch neutrale Liganden oder Anionen substituiert werden

$$\underset{L}{\overset{OC \qquad L}{\diagdown \text{Ir} \diagup}}\text{SCN} \quad + \quad H_3C - SCN \quad \longrightarrow \quad H_3C - Ir(SCN)_2(CO)L_2$$

...-*bis-[thiocyanato]-carbonyl-methyl-...*

L = P(C₆H₅)₃; *Bis-[triphenylphosphan]-...*

L = P(CH₃)(C₆H₅)₂; *Bis-[diphenyl-methyl-phosphan]-*

$$\underset{L}{\overset{X \qquad L}{\diagdown \text{Ir} \diagup}}\text{CO} \quad + \quad H_3C - O - SO_2 - R \quad \xrightarrow{C_6H_6, 20°, 5 \text{ Min.}} \quad H_3C - IrX(O - SO_2 - R)(CO)L_2$$

[1] C. A. REED u. W. R. ROPER, Soc. [Dalton] **1973**, 1370.

[2] M. H. B. STIDDARD u. R. E. TOWNSEND, Soc. [A] **1970**, 2719.

[3] B. L. BOOTH, R. N. HASZELDINE u. R. G. G. HOLMES, Chem. Commun. **1976**, 489.

[4] B. F. JORDAN, A. H. HARRIS, K. C. NAINAN u. C. T. SEARS, J. Inorg. & Nuclear Chem. **39**, 1451 (1977).

[5] R. H. WALTER u. B. F. G. JOHNSON, Soc. [Dalton] **1978**, 381.

[6] S. ZECCHIN, G. ZOTTI u. G. PILLONI, J. Organometal. Chem. **235**, 353 (1982).

[7] F. FARAONE, G. TRESOLDI u. G. A. LOPRETE, Soc. [Dalton] **1979**, 933.

[8] R. G. PEARSON u. W. R. MUIR, Am. Soc. **92**, 5519 (1970).

[9] J. L. PETERSON, T. E. NAPPIER u. D. W. MEEK, Am. Soc. **95**, 8195 (1973).

[10] D. STROPE u. D. F. SHRIVER, Am. Soc. **95**, 8197 (1973).

[11] C. EABORN, N. FARRELL, J. L. MURPHY u. A. PIDCOCK, Soc. [Dalton] **1976**, 58.

[12] Zur Kinetik s.: J. BURGESS, M. J. HACKER u. R. D. W. KEMMITT, J. Organometal. Chem. **72**, 121 (1974).

[13] J. A. LABINGER, J. A. OSBORN u. N. J. COVILLE, Inorg. Chem. **19**, 3236 (1980).

Bis-[triphenylphosphan]-carbonyl-chloro-fluorsulfonyloxy-methyl-iridium[1]: 0,25 *ml* (Überschuß) Fluorsulfonsäure-methylester und 0,22 g Bis-[triphenylphosphan]-carbonyl-chloro-iridium werden in 20 *ml* Benzol gelöst. Nach 5 Min. wird die Lösung i. Vak. auf das halbe Vol. eingeengt und mit Hexan versetzt. Das Addukt bildet einen mikrokristallinen weißen Niederschlag; Ausbeute: 0,21 g (84%); F: 165–170°.

Bis-[trimethylphosphan]-carbonyl-chloro-methyl-(4-methyl-phenylsulfonyloxy)-iridium[2]: Zu einer Lösung von 52 mg 4-Methyl-benzolsulfonsäure-methylester in 1 *ml* Dichlormethan gibt man 100 mg Bis-[trimethylphosphan]-carbonyl-chloro-iridium. Die Umsetzung wird IR-spektroskopisch verfolgt. Nach 1 Tag beträgt der Umsatz 75%. Nach 5 Tagen wird das Lösungsmittel i. Vak. entfernt und der Rückstand mit Hexan behandelt. Es entsteht ein farbloses Pulver, das in Dichlormethan und Hexan in farblosen Prismen kristallisiert; Ausbeute vor Umkristallisation: 100 mg (67%); F: 222–226° (Zers.); IR: ν_{CO} 2040 cm^{-1}.

ii$_2$) aus anderen vierfach koordinierten neutralen Iridium(I)-Komplexen

Distickstoff-Komplexe verlieren i. a. bei der Alkylierung molekularen Stickstoff; im folgenden Beispiel ist dies nicht der Fall[3, 4]:

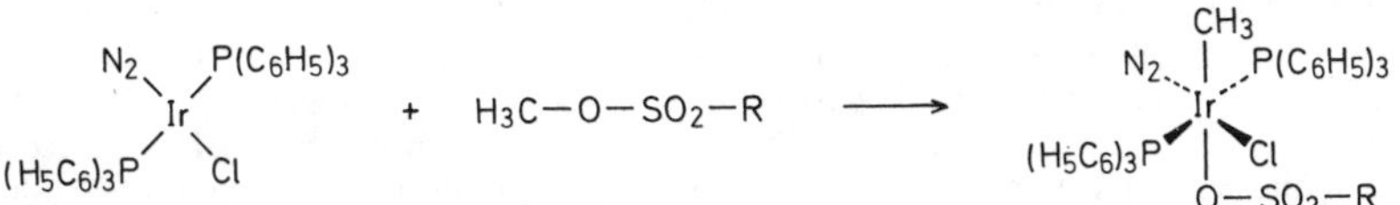

R = F, CF$_3$

Die Sulfonat-Reste sind infolge des stark labilisierenden *trans*-Effektes durch die Methyl-Gruppe leicht substituierbar[5, 6]. Dabei wird auch Stickstoff abgespalten.

Bis-[triphenylphosphan]-chloro-distickstoff-methyl-(trifluormethylsulfonyloxy)-iridium[4]: 10–15 *ml* Benzol und 0,3 *ml* Trifluormethansulfonsäure-methylester werden i. Vak. bei –197° auf 1,0 g *trans*-Bis-[triphenylphosphan]-chloro-distickstoff-iridium[7] kondensiert. Die Mischung wird auf 20° gebracht (~ 15–20 Min.) und gerührt, bis die gelbe Farbe des eingesetzten Komplexes verblaßt ist. Der gebildete cremefarbene Komplex wird abgetrennt, mit Benzol und Diethylether gewaschen und i. Vak. getrocknet; Ausbeute: 0,9–1,0 g (80–90%); F: 153–155°; IR(Nujol): ν_{N_2} 2215(s) cm^{-1}.

Auf ähnliche Weise ist *Bis-[triphenylphosphan]-chloro-distickstoff-fluorsulfonyloxy-methyl-iridium* zugänglich.

Chloro-tris-[triphenylphosphan]-iridium reagiert mit Jodmethan ähnlich wie der Wilkinson-Komplex[8]. Unter oxidativer Addition und gleichzeitiger Substitution von einem Phosphan-Liganden durch ein zweites Jodmethan-Molekül entsteht eine grüne mit dem Rhodium-Analogen isomorphe Verbindung.

$$IrCl[P(C_6H_5)_3]_3 \quad + \quad 2\,CH_3J \quad \xrightarrow{-L} \quad Ir(CH_3)ClJ[P(C_6H_5)_3]_2(JCH_3)$$

Bis-[triphenylphosphan]-chloro-jodmethan-jodo-methyl-iridium

Der Dithiophosphinato-Komplex I reagiert mit Jodmethan zum *Dicarbonyl-[S,S'-dicyclohexyl-dithiophosphinato]-jodo-methyl-iridium*[9]:

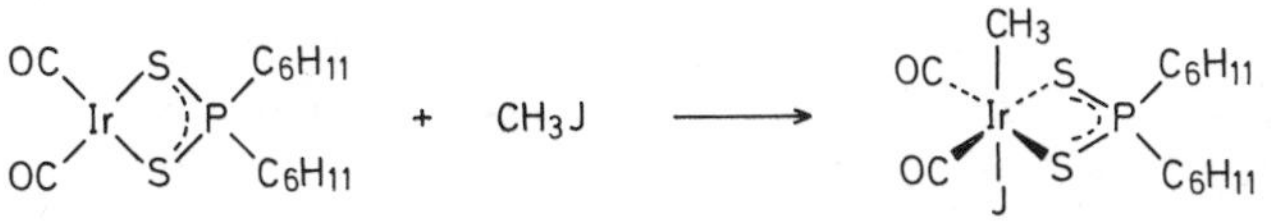

[1] C. EABORN, N. FARRELL, J.L. MURPHY u. A. PIDCOCK, Soc. [Dalton] **1976**, 58.
[2] J.A. LABINGER, J.A. OSBORN u. N.J. COVILLE, Inorg. Chem. **19**, 3236 (1980).
[3] D.M. BLAKE, Chem. Commun. **1974**, 815.
[4] L.R. SMITH u. D.M. BLAKE, Am. Soc. **99**, 3302 (1977).
[5] D. STROPE u. D.F. SHRIVER, Inorg. Chem. **13**, 2652 (1974); Am. Soc. **95**, 8197 (1973).
[6] In Lösungsmitteln, die als Komplex-Liganden wirken können, ist der Sulfonat-Ligand dissoziiert.
[7] J.P. COLLMAN, C.T. SEARS, F.D. VASTINE, J.Y. SUN u. J.W. KANG, Am. Soc. **90**, 5430 (1968).
[8] M.A. BENNETT u. D.L. MILNER, Chem. Commun. **1967**, 581.
[9] F. FARAONE u. P. PIRAINO, Inorg. Chim. Acta **16**, 89 (1976).

Auch (2-Dimethylamino-phenyl)- bzw. [2-(Dimethylamino-methyl)-phenyl]-diphenyl-phosphan-Komplexe können alkyliert werden:

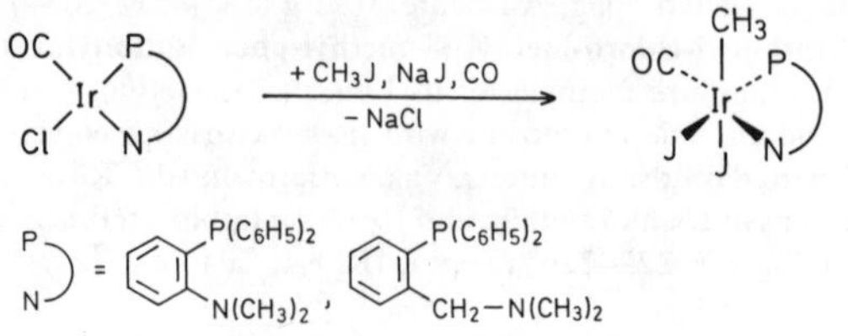

Carbonyl-dijodo- [2-(dimethylamino-methyl)- 1-diphenylphosphano-benzol-(N,P)]-methyl-iridium[1]:
Carbonyl-chloro- [2-(dimethylamino-methyl)- 1-diphenylphosphano-benzol-(N,P)]-iridium: Man leitet, während unter Rückfluß erhitzt und gerührt wird, Kohlenmonoxid in eine Lösung von 1,0 g Iridium(III)-chlorid-Hydrat und 0,145 g Lithiumchlorid in 40 ml 2-Methoxy-ethanol, bis die Farbe der Lösung stroh-gelb geworden ist (Lithium-[dicarbonyl-dichloro-iridat]). Man tauscht die Kohlenmonoxid-Atmosphäre durch Stickstoff aus, gibt unter Rühren 1,82 g 2-(Dimethylamino-methyl)- 1-diphenylphosphano-benzol gelöst in wenig Dichlormethan und Ethanol hinzu und läßt unter 2stdgm. Rühren abkühlen. Die gebildeten gelben Kristalle werden abfiltriert, mit Ethanol und Diethylether gewaschen und i. Vak. getrocknet; Ausbeute: 1,76 g (86%); F: 220° (Zers.); IR(Nujol): ν_{CO} 1957 cm^{-1}.
Carbonyl-dijodo- [2-(dimethylamino-methyl)- 1-diphenylphosphano-benzol-(N,P)]-methyl-iridium: 0,112 g des vorab erhaltenen Komplexes und 0,05 g Natriumjodid suspendiert in 20 ml Sauerstoff-freiem Aceton werden 30 Min. gerührt. Unter Durchleiten von Kohlenmonoxid wird Jodmethan im Überschuß zugegeben. Nach weiteren 30 Min. Rühren wird die Mischung auf 1–2 ml eingeengt und Hexan hinzugegeben. Der gelb-braune Niederschlag wird abfiltriert, mit Diethylether gewaschen und in der Luft getrocknet; Ausbeute: 0,13 g (81%); F: >300°, IR(Nujol): ν_{CO} 2050 cm^{-1}.

Auf ähnliche Weise wird *Carbonyl-dijodo-[2-dimethylamino-1-diphenylphosphano-benzol(N,P)]-methyl-iridium* erhalten. Zur Umsetzung von (8-Oxi-chinolato)-Komplexen mit Jodmethan bzw. Allylbromid s. Lit.[2].

i₂) aus neutralen Komplexen mit 5 Liganden

Bei der oxidativen Addition an 5fach koordinierte Iridium-Verbindungen ist zwischen zwei Reaktionstypen zu unterscheiden. Der Komplex verliert einen Liganden unter Bildung eines neutralen 6fach koordinierten Komplexes oder der anorganische Teil des Alkylierungsmittels wird nicht gebunden und es entsteht ein Kation-Komplex.

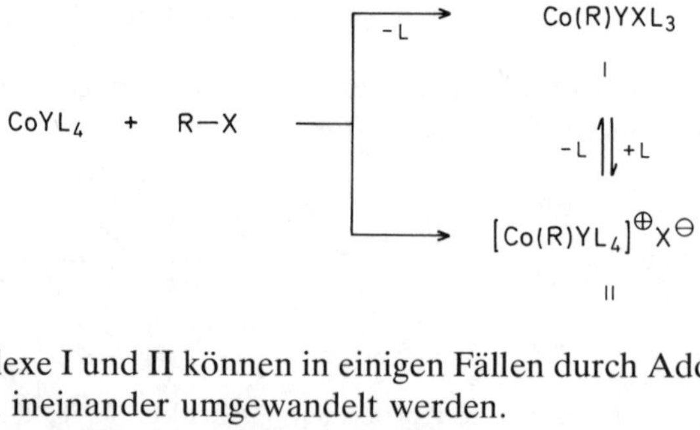

Die beiden Komplexe I und II können in einigen Fällen durch Addition bzw. Eliminierung eines Liganden ineinander umgewandelt werden.

Bei der Umsetzung von Hydrido-tetrakis-[trimethylphosphan]-iridium mit Halogen-methyl-ethern entsteht ein Kation-Komplex[3,4]:

[1] T. R. RAUCHFUSS, J. L. CLEMENTS, S. F. AGNEW u. R. M. ROUNDHILL, Inorg. Chem. 16, 775 (1977).
[2] R. USÓN, L. A. ORO, M. A. CIRIANO u. R. GONZALEZ, J. Organometal. Chem. 205, 259 (1981).
[3] D. L. THORN, Organometallics 1, 879 (1982).
[4] D. L. THORN u. T. H. TULIP, Organometallics 1, 1580 (1982).

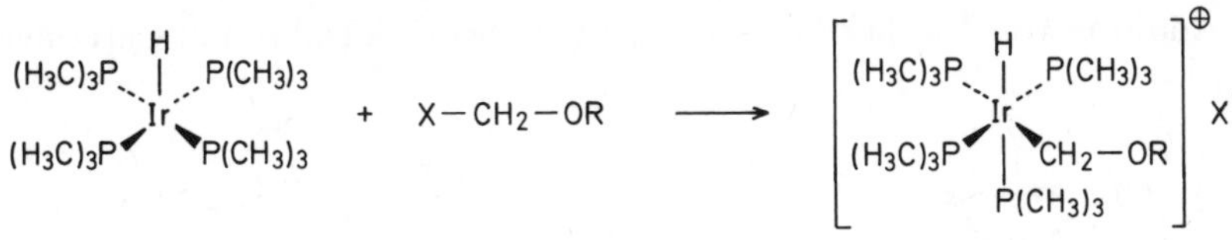

$(H_3C)_3P$, H, $P(CH_3)_3$ / $(H_3C)_3P$ Ir $P(CH_3)_3$ + X—CH$_2$—OR ⟶ [$(H_3C)_3P$, H, $P(CH_3)_3$ / $(H_3C)_3P$ Ir CH$_2$—OR / P(CH$_3$)$_3$]$^{\oplus}$ X$^{\ominus}$

...-tetrakis-[trimethylphosphan]-iridium-...

X = Br; R = CH$_3$; *Hydrido-(methoxy-methyl)-...-bromid*
X = J; R = Si(CH$_3$)$_3$; *Hydrido-(trimethylsilyloxy-methyl)-...-jodid*; 81%; Zers.p.: 185°

Dicarbonyl-(η^5-pentamethylcyclopentadienyl)-iridium reagiert mit Jod-alkanen oft unter Abspaltung eines Carbonyl-Liganden (bei der analogen Rhodium-Verbindung entsteht eher ein Acyl-Komplex). Bei der Reaktion des Iridium-Komplexes mit Jodmethan kann der ionische Komplex isoliert werden, wenn anstelle von Benzol als polares Lösungsmittel Diethylether oder Jodmethan selbst verwendet wird[1,2]:

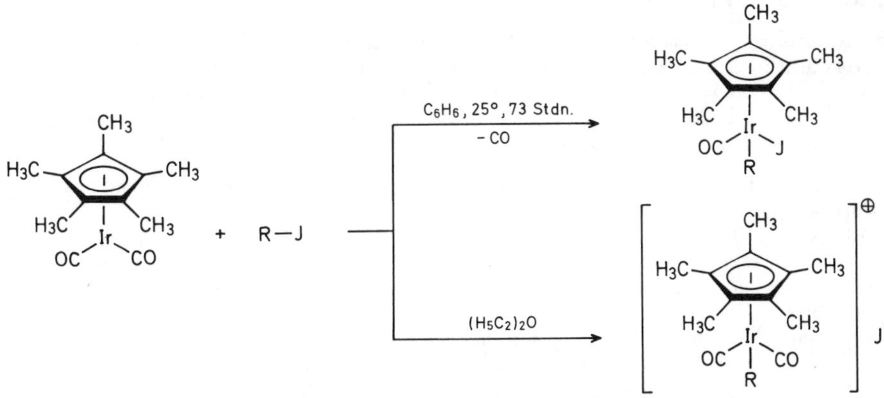

C$_6$H$_6$, 25°, 73 Stdn. – CO

(H$_5$C$_2$)$_2$O

R = CH$_3$; *Carbonyl-jodo-methyl-(η^5-pentamethylcyclopentadienyl)-iridium;* 24%; F: 190–191° (Zers.)
R = CH$_3$; *Dicarbonyl-methyl-(η^5-pentamethylcyclopentadienyl)-iridium-jodid*; 80–87%

In Gegenwart von Hexafluorophosphaten entstehen die stabileren Kation-Komplexe, die sich zudem besser isolieren lassen[1,3]; z.B.:

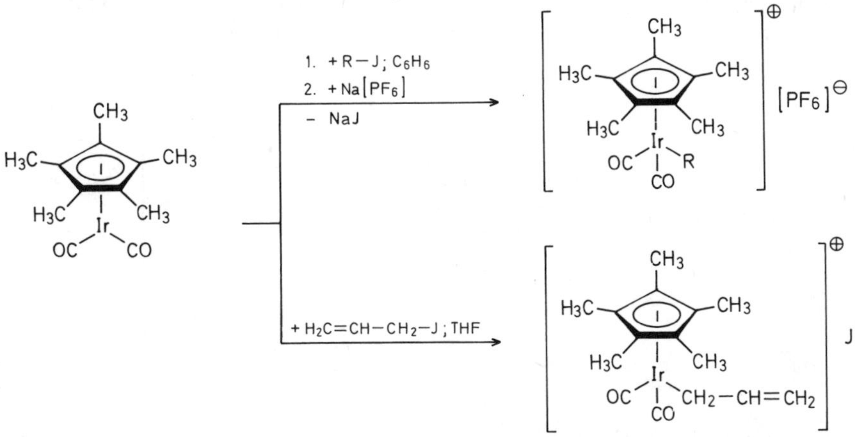

1. + R—J; C$_6$H$_6$
2. + Na[PF$_6$]
– NaJ

[PF$_6$]$^{\ominus}$

+ H$_2$C=CH—CH$_2$—J; THF

J$^{\ominus}$

Allyl-dicarbonyl-(η^5-pentamethylcyclopentadienyl)-iridium-jodid; 60%; F: 125–127°

[1] R.B. KING u. A. EFRATY, J. Organometal. Chem. **27**, 409 (1971).
[2] J.W. KANG u. P.M. MAITLIS, J. Organometal. Chem. **26**, 393 (1971).
[3] S.A. GARDNER u. M.D. RAUSCH, Inorg. Chem. **13**, 997 (1974).

Bei der Addition von Jod-perfluor-alkanen wird normalerweise ein Carbonyl-Ligand abgespalten[1].

Carbonyl-jodo-(η⁵-pentamethyl-cyclopentadienyl)-. . .-iridium

$R_F = CF_3$; . . .-*(trifluormethyl)-. . .*; 78%; F: 228–230° (Zers.)²

$R_F = C_2F_5$; . . .-*(pentafluorethyl)-. . .*; 88%; F: 235–236°²

$R_F = C_3F_7$; . . .-*(heptafluorpropyl)-. . .*; 88%; F: 161–162°²

Auf ähnliche Weise wird *Carbonyl-(η⁵-cyclopentadienyl)-jodo-trifluormethyl-iridium* hergestellt (40%; F: 195–197°)[3].

Carbonyl-jodo-(η⁵-pentamethylcyclopentadienyl)-(perfluoralkyl)-iridium-Verbindungen; allgemeine Herstellungsvorschrift[2]: 0,15–0,25 g Dicarbonyl-(η⁵-pentamethylcyclopentadienyl)-iridium⁴ werden mit 3–4 Perfluoralkyl-jodid im Überschuß in 3–4 *ml* Benzol 50 Stdn. bei ~25° in einer abgeschmolzenen Röhre behandelt. Nach Entfernen des überschüssigen Perfluoralkyl-jodids bei ~25°/40 Torr wird der Rückstand aus Dichlormethan/Hexan umkristallisiert. Die orange-gelben Verbindungen sind stabil gegen Luft.

[Dicarbonyl-(2-jod-tetrafluor-ethyl)-(η⁵-pentamethylcyclopentadienyl)-iridium(III)]-jodid bzw. -hexafluoro-phosphat[2]:

(a) Jodid: 0,15 g (0,39 mmol) Dicarbonyl-(η⁵-pentamethylcyclopentadienyl)-iridium und 0,35 g (1,0 mmol) 1,2-Dijod-tetrafluor-ethan in 5 *ml* abs. Benzol werden bei ~25° 4 Tage stehengelassen. Der orange Niederschlag wird abfiltriert, 4mal mit 5 *ml* Benzol gewaschen und getrocknet; Ausbeute: 0,205 g (80%); IR(CH₂Cl₂): $ν_{CO}$ 2119, 2087 cm⁻¹.

(b) Hexafluorophosphat: Das Jodid wird mit der 10fachen Menge Ammoniumhexafluorophosphat in Aceton behandelt und anschließend in einer Mischung aus Dichlormethan und Hexan umkristallisiert; Ausbeute ~0,21 g [80%, bez. auf die Iridium(I)-Verbindung]; F: 172–173°; IR(CH₂Cl₂): $ν_{CO}$ 2131, 2100 cm⁻¹.

Wenn ein Carbonyl-Ligand durch Triphenylphosphan substituiert wird, entsteht bei der oxidativen Addition in allen untersuchten Fällen der positiv geladene farblose oder gelbe Komplex[5,6].

Durch Austausch des Halogenids durch ein großes und komplexes Anion erhält man Verbindungen, die auch hier stabiler und leichter zu isolieren sind als das Halogenid. Die Reaktionsgeschwindigkeit der Halogen-alkane nimmt in folgender Reihe ab

$$X = J > Br > Cl$$

z.B.: R–X = Cl–CH₂–CN; Y = B(C₆H₅)₄

Carbonyl-(cyanmethyl)-(η⁵-cyclopentadienyl)-(triphenylphosphan)-iridium-tetraphenylborat; F: 111–148° (Zers.)

¹ **Achtung!** Beim Arbeiten mit Jod-perfluoralkanen ereignete sich ein **tödlicher** Unfall. S.: Nachr. Chem. Techn. **23**, 26 (1975).

² R.B. KING u. A. EFRATY, J. Organometal. Chem. **27**, 409 (1971).

³ S.A. GARDNER u. M.D. RAUSCH, Inorg. Chem. **13**, 997 (1974).

⁴ J.W. KANG, K. MOSELEY u. P.M. MAITLIS, Am. Soc. **91**, 5970 (1969).

⁵ A.J. OLIVER u. W.A.G. GRAHAM, Inorg. Chem. **9**, 2653 (1970).

⁶ A.J. HART-DAVIS u. W.A.G. GRAHAM, Inorg. Chem. **9**, 2658 (1970).

RX	I; *Carbonyl-(η^5-cyclopentadienyl)-... (triphenylphosphan)-iridium-...*	Ausbeute [%]	F[°C]
CH$_3$Br	...-methyl-...-bromid	84	180
CH$_3$J	...-methyl-...jodid	89	180
C$_2$H$_5$J	...-ethyl-...-jodid	51	160
C$_6$H$_{13}$J	...-hexyl-...-jodid	47	120
H$_5$C$_6$–CH$_2$–J	...-benzyl- ...-jodid	90	180
C$_3$F$_7$J	...-(heptafluorpropyl)-...-jodid	61	185

[Carbonyl-(η^5-cyclopentadienyl)-methyl-triphenylphosphan-iridium]-chlorid-semi-Dichlormethan[1]: 2 *ml* Chlormethan werden in einer Carius-Röhre kondensiert, in der 0,30 g (0,55 mmol) Carbonyl-(η^5-cyclopenta-dienyl)-triphenylphosphan-iridium vorgelegt werden. Nach dem Verschließen der Röhre läßt man das Gemisch 5 Tage bei 20° stehen und entfernt darauf Chlormethan i. Vak. Der feste Rückstand wird in 3 *ml* Dichlormethan aufgenommen, dem anschließend langsam unter Rühren 30 *ml* Diethylether zugesetzt werden. Der gebildete farblose Niederschlag wird abgetrennt und in Dichlormethan und Diethylether umkristallisiert; Ausbeute: 0,27 g (75%); F: 170°.

Auf ähnliche Weise ist *(Cyanmethyl)-(η^5-cyclopentadienyl)-thiocarbonyl-(triphenyl-phosphan)-iridium-tetraphenylborat* zugänglich[2,3].

Bei der Umsetzung der Sauerstoff-, Schwefeldioxid- oder Tetrafluorethen-Addukte des Vaska-Komplexes mit Fluorsulfonsäure-methylester entsteht als oxidierte Additionsver-bindung unter Verlust der zuvor gebundenen Liganden *Bis-[triphenylphosphan]-carbo-nyl-chloro-(fluorsulfonyloxy)-methyl-iridium*; (84%; F: 165–170°).[4]

Jodmethan lagert sich an Bis-[phosphan]-dicarbonyl-organo-iridium-Verbindungen unter Abspaltung von einer Carbonyl-Gruppe an (s.a. S. 524):

$$\text{IrR(CO)}_2\text{L}_2 + \text{CH}_3\text{J} \xrightarrow[-\text{CO}]{\text{C}_6\text{H}_6,\ 20°} \text{IrR(CH}_3)\text{J(CO)L}_2$$

R = C ≡ C–C$_4$H$_9$; L = P(C$_6$H$_5$)$_3$; *Bis-[triphenylphosphan]-carbonyl-(1-hexinyl)-jodo-methyl-iridium*[5]; 80%
R = COOCH$_3$; L = P(CH$_3$)(C$_6$H$_5$)$_2$; *Bis-[methyl-diphenyl-phosphan]-carbonyl-jodo-methoxycarbonyl-me-thyl-iridium*[6]

$\alpha\alpha_2$) aus Metall-iridaten(I)

Natrium-octaethylporphyrinato-iridat(I) wird durch Halogenalkane alkyliert[7]:

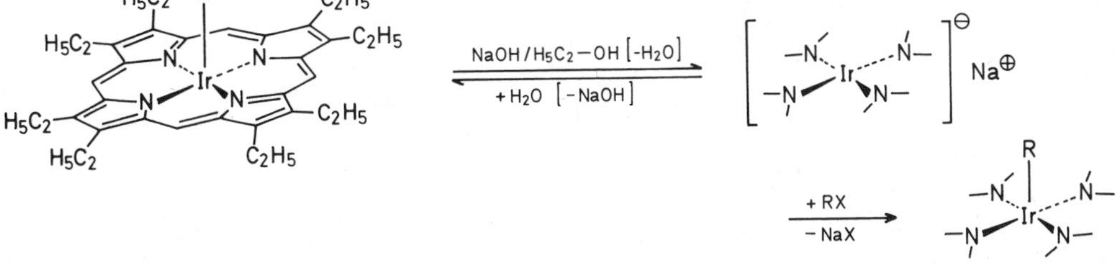

...-(octaethylporphyrinato)-iridium
R = CH$_3$; *Methyl-*...; 72%
R = C$_2$H$_5$; *Ethyl-*...; 85%
R = C$_6$H$_{13}$; *Hexyl-*...; 67%

[1] A.J. OLIVER u. W.A.G. GRAHAM, Inorg. Chem. **9**, 2653 (1970).
[2] F. FARAONE, F. CUSMANO, P. PIRAINO u. R. PIETROPAOLO, J. Organometal. Chem. **44**, 391 (1971).
[3] F. FARAONE, G. TRESOLDI u. G.A. LOPRETE, Soc. [Dalton] **1979**, 933.
[4] C. EABORN, N. FARRELL, J.L. MURPHY u. A. PIDCOCK, Soc. [Dalton] **1976**, 58.
[5] C.K. BROWN, D. GEORGIOU u. G. WILKINSON, Soc. [A] **1971**, 3120.
[6] H.C. CLARK u. K. v. WERNER, Syn. React. Inorg. Metal.-Org. Chem. **4**, 355 (1974).
[7] H. OGOSHI, J.-I. SETSUNE u. Z.-I. YOSHIDA, J. Organometal. Chem. **159**, 317 (1978).

$\alpha\alpha_3$). aus positiv geladenen Iridium(I)-Komplexen

Einige Iridium(I)-Komplexe reagieren trotz ihrer positiven Ladung mit Jodmethan in einer oxidativen Addition. Normalerweise entsteht ein Kation-Komplex. Die Addition von Jodmethan an den 1,10-Phenanthrolin-Komplex wird durch Zusatz von Natriumjodid beschleunigt[1].

$$[\text{Ir(Dien)}(2,2'\text{-Bipyridyl})]^{\oplus}[\text{PF}_6]^{\ominus} \quad + \quad \text{CH}_3\text{J} \quad \xrightarrow{\text{H}_3\text{C--CN}}$$

$$[\text{Ir(CH}_3)\text{J(Dien)}(2,2'\text{-Bipyridyl})]^{\oplus}[\text{PF}_6]^{\ominus}$$

z. B.: *(2,2'-Bipyridyl)-(η⁴-1,5-cyclooctadien)-jodo-methyl-iridium-hexafluorophosphat*
(η⁴-Bicyclo[2.2.1]heptadien)-(2,2'-bipyridyl)-jodo-...[2]

$$[\text{Ir(COD)L}_2]^{\oplus}[\text{B(C}_6\text{H}_5)_4]^{\ominus} \quad + \quad \text{CH}_3\text{J} \quad \xrightarrow{\text{CH}_2\text{Cl}_2,\ 16\ \text{Stdn.}} \quad [\text{Ir(CH}_3)\text{J(COD)L}_2]^{\oplus}[\text{B(C}_6\text{H}_5)_4]^{\ominus}$$

(η⁴-1,5-Cyclooctadien)-jodo-methyl-(bis-[4-methyl-phenyl]-phosphan)-iridium-tetraphenylborat[3]

Ebenso reagieren Polyphosphan-kation-Chelat-Komplexe[4]; z. B.:

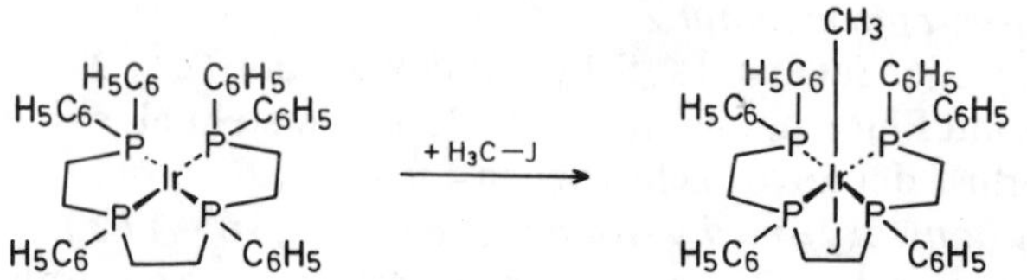

(P¹,P²,P³,P⁴-{1,2-Bis-[(2-diphenylphosphano-ethyl)-phenyl-phosphano]-ethan}-jodo-methyl-iridium

Tetrakis-[isonitril]-iridium-Kation-Komplexe reagieren ebenfalls mit Jodmethan[5-7]. Während die Alkylisonitril-Komplexe bereits bei 20° rasch reagieren, ist beim (4-Chlor-phenyl-isonitril)-Komplex Erhitzen in siedendem Aceton erforderlich:

$$[\text{Ir(C}\equiv\text{N--R)}_4]^{\oplus}\text{X}^{\ominus} \quad + \quad \text{CH}_3\text{J} \quad \longrightarrow \quad [\text{Ir(CH}_3)\text{J(C}\equiv\text{N--R)}_4]^{\oplus}\text{X}^{\ominus}$$

R = C_6H_{11}; X = $B(C_6H_5)_4$; *Jodo-methyl-tetrakis-[cyclohexylisonitril]-iridium-tetraphenylborat*; 74%
R = 4-Cl–C_6H_4; X = PF_6; *Jodo-methyl-tetrakis-[4-chlor-phenylisonitril]-iridium-tetrafluorophosphat*

Wird der Iridium-Komplex I mit Jodmethan umgesetzt, so entsteht das neutrale *Carbonyl-dijodo-(3,4-dimethyl-2- dehydro-1,3-thiazol-2-yl)-methyl-(triphenylphosphan)-iridium* [55%; F: 170–190° (Zers.)]:

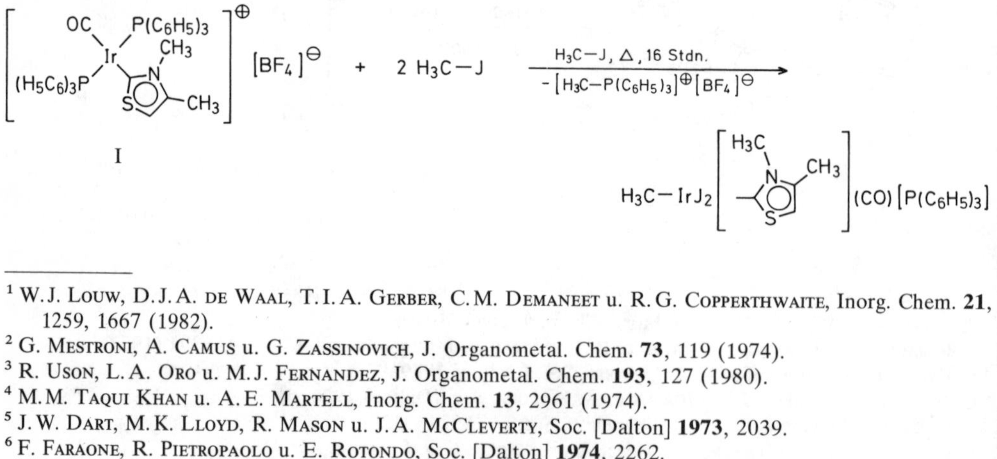

[1] W. J. Louw, D. J. A. de Waal, T. I. A. Gerber, C. M. Demaneet u. R. G. Copperthwaite, Inorg. Chem. **21**, 1259, 1667 (1982).
[2] G. Mestroni, A. Camus u. G. Zassinovich, J. Organometal. Chem. **73**, 119 (1974).
[3] R. Uson, L. A. Oro u. M. J. Fernandez, J. Organometal. Chem. **193**, 127 (1980).
[4] M. M. Taqui Khan u. A. E. Martell, Inorg. Chem. **13**, 2961 (1974).
[5] J. W. Dart, M. K. Lloyd, R. Mason u. J. A. McCleverty, Soc. [Dalton] **1973**, 2039.
[6] F. Faraone, R. Pietropaolo u. E. Rotondo, Soc. [Dalton] **1974**, 2262.
[7] P. J. Fraser, W. R. Roper u. F. G. A. Stone, Soc. [Dalton] **1974**, 760.

Jodo-methyl-tetrakis-[tert.-butylisonitril]-iridium-hexafluorophosphat[1]: Zu einer Lösung von 0,25 g Tetrakis-[tert.-butylisonitril]-iridium-hexafluorophosphat in 20 *ml* Aceton werden unter Stickstoff 0,5 *ml* Jodmethan gegeben. Die gelbe Lösung wird farblos. Durch Zusatz von Petrolether (Kp: 40–60°) werden farblose Kristalle ausgefällt; Ausbeute: 0,20 g (66%); Ir(KBr): ν_{CO} 2219(s) cm^{-1}.

α_2) *mit Alkenen bzw. kleinen Ringen*

$\alpha\alpha_1$) mit Alkenen

Alkene mit elektronenanziehenden Substituenten werden in basischer, alkoholischer Lösung an Iridat-Komplexe addiert[2]:

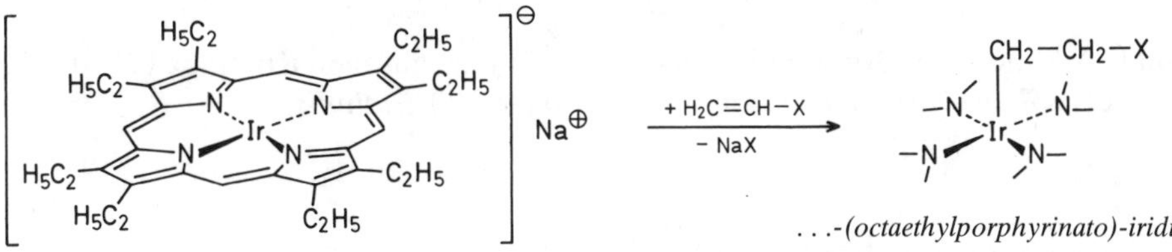

... -(octaethylporphyrinato)-iridium

X = COOC$_2$H$_5$; *(2-Ethoxycarbonyl-ethyl)*-...; 83%
X = CN; *(2-Cyan-ethyl)*-...; 53%

i$_1$) in Gegenwart von Säuren

Iridium(I)-Komplexe können mit Olefinen und Säuren unter oxidativer Addition Alkyl-iridium(III)-Verbindungen bilden:

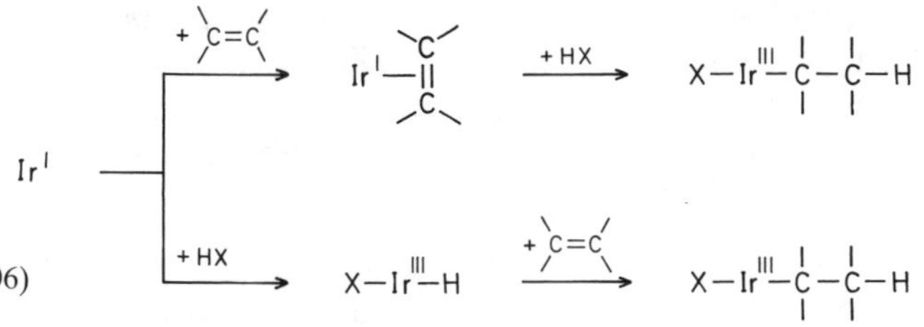

(vgl. S. 506)

Die folgenden Bis-[phosphano]-alkene reagieren zu π-Alken-iridium(I)-Verbindungen, die beim Behandeln mit Chlorwasserstoff bicyclische Iridium-Komplexe mit σ–C–Ir-Bindung bilden:

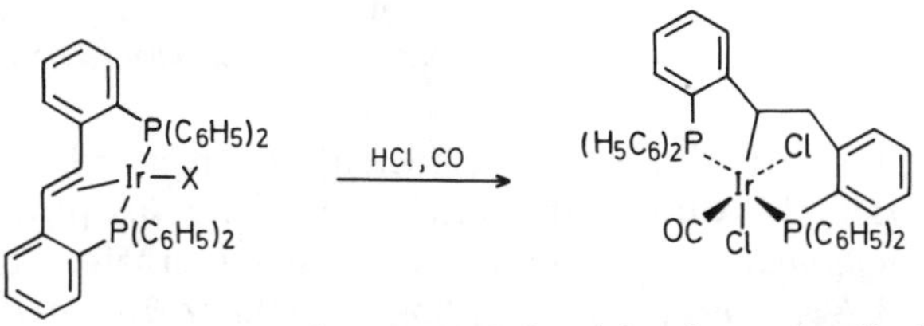

X = Cl; {*1,2-Bis-[2-diphenylphosphano-phenyl]-ethyl-(C,P,P')*} *-carbonyl-dichloro-iridium*[3]

[1] J. W. DART, M. K. LLOYD, R. MASON u. J. A. McCLEVERTY, Soc. [Dalton] **1973**, 2039.
[2] H. OGOSHI, J.-I. SETSUNE u. Z. I. YOSHIDA, J. Organometal. Chem. **159**, 317 (1978).
[3] M. A. BENNETT, R. N. JOHNSON u. I. B. TOMKONS, J. Organometal. Chem. **118**, 205 (1976).

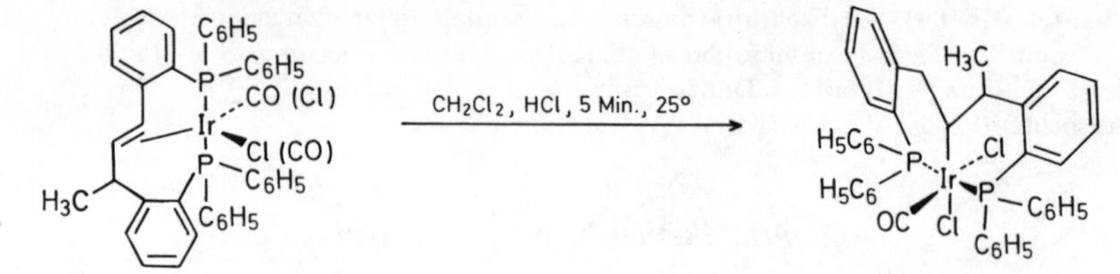

Carbonyl-dichloro-[1-(2-diphenylphosphano-benzyl)-2-(2-diphenylphosphano-phenyl)-propyl-(C,P,P')]-iridium[1] [2 nicht trennbare Isomere (3:1)]; 100%

i₂) und Brom

Unter Addition von Brom und Methanol erhält man aus dem Komplex I *Bis-[dimethyl-phenyl-phosphan]-carbonyl-dibrom-(2-methoxy-ethyl)-iridium*[2]:

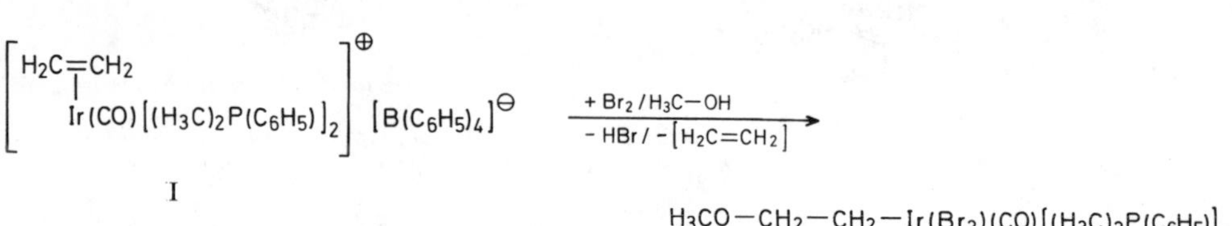

$$\left[\begin{array}{c} H_2C\!=\!CH_2 \\ | \\ Ir(CO)\,[(H_3C)_2P(C_6H_5)]_2 \end{array} \right]^{\oplus} [B(C_6H_5)_4]^{\ominus} \quad \xrightarrow[-HBr/-[H_2C=CH_2]]{+Br_2/H_3C-OH}$$

I

$$H_3CO-CH_2-CH_2-Ir(Br_2)(CO)[(H_3C)_2P(C_6H_5)]_2$$

$\alpha\alpha_2$) mit 1,2-Dienen bzw. Dienen mit isolierten C=C-Doppelbindungen

Eine formale Cycloaddition von zwei Olefin-Molekülen findet man bei der Reaktion von Bicyclo[2.2.1]heptadien mit μ,μ-Dichloro-bis-[(η^4-1,5-cyclooctadien)-iridium][3]; das dritte Molekül Dien wird als η^4-Ligand gebunden. Zunächst entsteht ein unlöslicher, wahrscheinlich polymerer Komplex, der beim Behandeln mit 2,4-Pentandion und Natriumcarbonat oder mit Trimethylphosphan monomere Komplexe bildet.

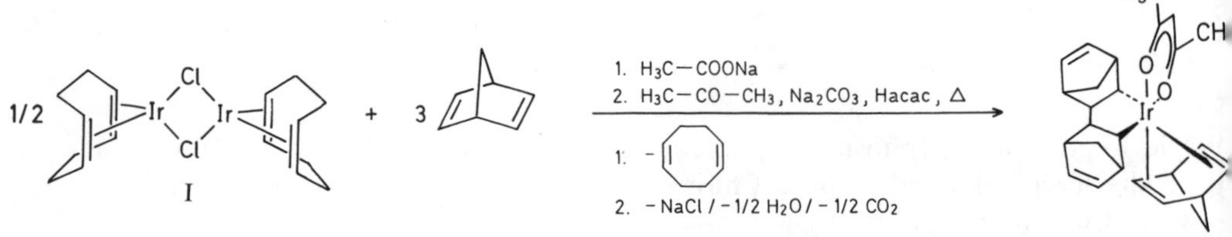

{5,5'-Bi-(bicyclo-[2.2.1]hept-2-enyl)-6,6'-diyl}-(η^4-bicyclo[2.2.1]heptadien)-(2,5-pentandionato)-iridium

Propadien (Allen) reagiert mit Bis-[η^2-cyclooocten]-(2,5-pentandionato)-iridium unter oxidativer Addition. Bei $-78°$ wird das thermisch instabile *1,1-Bis-[η^2-allen]-3,4-bis-[methylen]-1,1-(2,5-pentandionato)-iridolan* (II; bis $-20°$ stabil) erhalten, das mit Pyridin das stabile *1-(η^2-Allen)-3,4-bis-[methylen]-1,1-(2,5-pentandionato)-1-pyridin-iridolan* (III) liefert[4-6]:

[1] M. A. BENNETT, R. N. JOHNSON u. I. B. TOMKINS, J. Organometal. Chem. **133**, 231 (1977).
[2] A. J. DEEMING u. B. L. SHAW, Soc. [A] **1971**, 376.
[3] A. R. FRASER, P. W. BIRD, S. A. BEZMAN, J. R. SHAPLEY, R. WHITE u. J. A. OSBORN, Am. Soc. **95**, 597 (1973).
[4] P. DIVERSI, G. INGROSSO, A. IMMIRZI u. M. ZOCCHI, J. Organometal. Chem. **102**, C 49 (1975).
[5] P. DIVERSI, G. INGROSSO, A. IMMIRZI, W. PORZIO u. M. ZOCCHI, J. Organometal. Chem. **125**, 253 (1977).
[6] P. DIVERSI, G. INGROSSO, A. IMMIRZI u. M. ZOCCHI, J. Organometal. Chem. **104**, C 1 (1976).

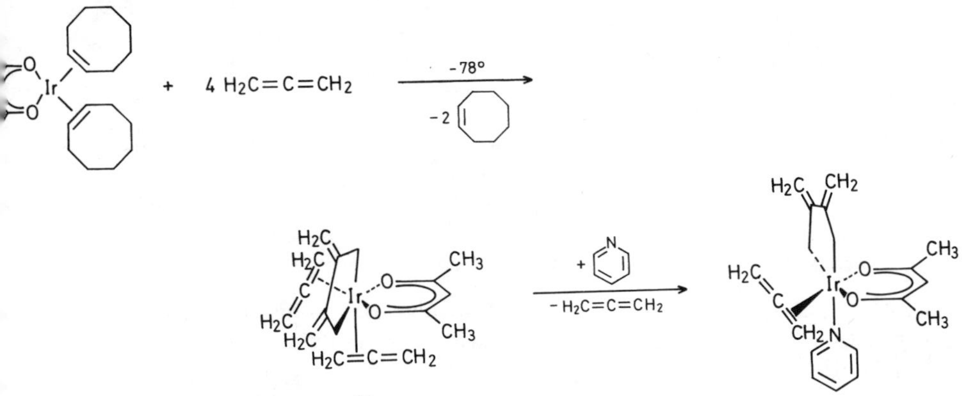

Bei 20° werden lediglich π-Komplexe erhalten.

1-(η^2-Allen)-3,4-bis-[methylen]-1,1-(2,5-pentandionato)-pyridin-iridolan III[1]:

Bis-[η^2-cycloocten]-(2,5-pentandionato)-iridium: 850 mg Thallium-2,5-pentandionat werden bei 20° zu einer Suspension von 1,18 g Bis-[bis-(η^2-cyclooclen)-chloro-iridium] in 100 ml Pentan gegeben. Die Suspension wird 3 Stdn. gerührt und dann filtriert. Die so erhaltene gelbe Lösung wird auf 10 ml eingeengt und dann auf $-30°$ abgekühlt. Nach 24 Stdn. können orange-gelbe Kristalle isoliert werden; Ausbeute: 977 mg (86%); F: 114–115°.

1,1-Bis-[η^2-allen]-3,4-bis-[methylen]-1,1-(2,5-pentandionato)-iridolan II: 246,2 mg des obigen Komplexes werden in 5 ml flüssigem Allen bei $-78°$ suspendiert. Die Mischung wird 30 Min. auf $-78°$ gehalten und mit 10 ml auf $-78°$ vorgekühltem Pentan versetzt sowie bei $-50°$ i. Hochvak. bis zur Trockene eingeengt. Das Produkt wird bei $-30°$ gelagert, da oberhalb von $-20°$ Zersetzung eintritt. IR(Nujol): ν 1717(s), 695(s), 1650(s) cm^{-1}.

Komplex III[1]: Zu der Suspension von 300 mg des Komplexes II in 50 ml Heptan gibt man 0,2 ml Pyridin bei $-78°$. Die Temp. wird langsam auf 30° erhöht, und die Mischung 2 Stdn. bei 30° gehalten (Allen entweicht). Die resultierende grünlich-gelbe Lösung wird auf 25 ml eingeengt, filtriert und auf $-30°$ abgekühlt. In 24 Stdn. fallen gelbe Kristalle aus; Ausbeute: 40%; F: 118–119° (Zers.); IR(KBr): ν 1770(s), 1700(w), 1615(s), 1602(s), 585(s) und 1520 cm^{-1}.

Bei Einsatz der Phosphan-Komplexe IV entsteht unter Dimerisierung des Allens und Reaktion mit dem Metall-Rest der Komplex V mit einer σ–C–Ir- und einer π-Allyl-Ir-Bindung[2]:

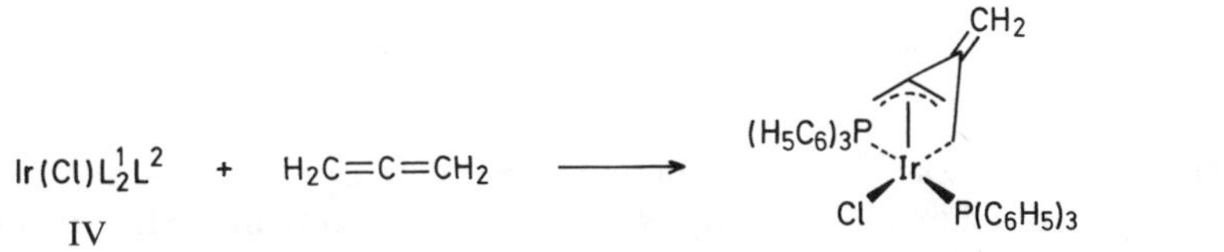

L^1 = L^2 = P(C$_6$H$_5$)$_3$
L^1 = P(C$_6$H$_5$)$_3$; L^2 = H$_2$C=C=CH$_2$

V; *(3,3',4-η^3-2,3-Bis-[methylen]-4-dehydro-butyl)-bis-[triphenylphosphan]-chloro-iridium*

(η^3-Allyl)-carbonyl-(η^2-tetrafluor-ethen)-(triphenylphosphan)-iridium reagiert mit einem zweiten Tetrafluorethen-Molekül[3]:

P. Diversi, G. Ingrosso, A. Immirzi, W. Porzio u. M. Zocchi, J. Organometal. Chem. **125**, 253 (1977).

A. van der Ent u. A.L. Onderlinden, Inorg. Chim. Acta **7**, 203 (1973).

M. Green u. S.H. Taylor, Soc. [Dalton] **1975**, 1128.

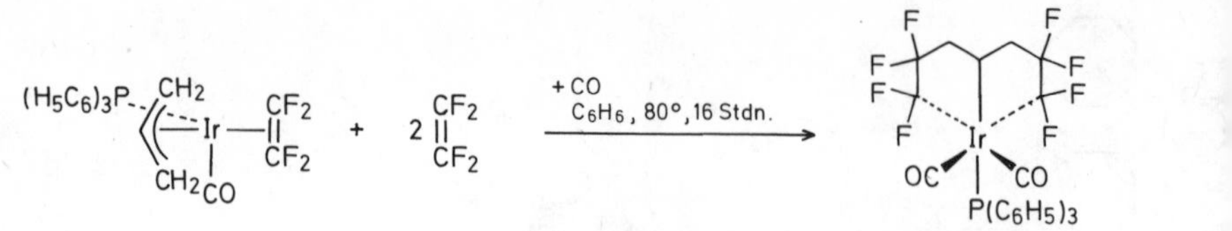

1,1-Dicarbonyl-2,2,3,3,7,7,8,8-octafluor-1-triphenyl-
phosphan-1-irida-bicyclo[3.3.0]octan; 70%; F: 197–199

αα₃) mit kleinen Ringen

1,3-Bishomocuban wird durch μ,μ-Dichloro-bis-[tricarbonyl-iridium] zum Tricyclo [5.2.1.0^{2,6}]deca-3,8-dien isomerisiert. Als Zwischenprodukt konnte der Komplex I iso liert werden[1,2]:

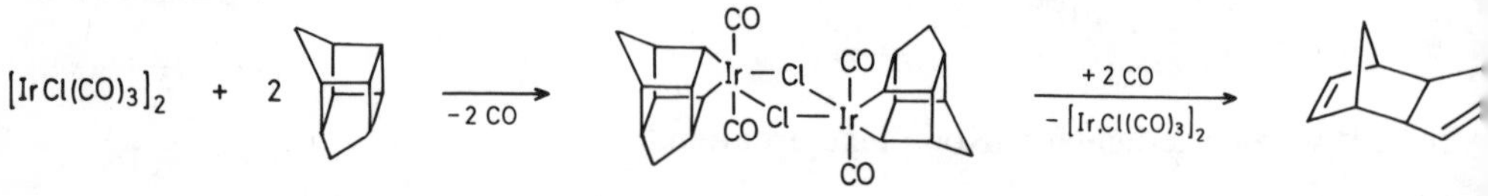

μ,μ-**Dichloro-bis-2,2-dicarbonyl-2-irida-1,3,5-tris-[homo]-cuban I**[1]: Eine Mischung von 0,75 mmol Bis-[ho mo]-cuban und 0,16 mmol μ,μ-Dichloro-bis-[tricarbonyl-iridium] in 3 ml trockenem Benzol wird in einer Druckrohr unter Stickstoff auf 120° erhitzt. Kohlenmonoxid wird freigesetzt und auf der Wand des Reaktionsge fäßes entsteht ein farbloser Niederschlag. Nach 48 Stdn. wird der glänzende Komplex von Hand unter dem Mi kroskop vom grauen μ,μ-Dichloro-bis-[tricarbonyl-iridium] abgetrennt; Ausbeute: 19%; F: 260–262° (Zers.) IR(Nujol): ν_{CO} 2050(vs) und 1998(vs) cm^{-1}.

Der Komplex II reagiert mit der CH₂-Gruppe von 2-substituierten Oxiranen zu de thermisch recht stabilen *cis*-Hydrido-(2-oxo-alkyl)-iridium-Verbindungen[3]:

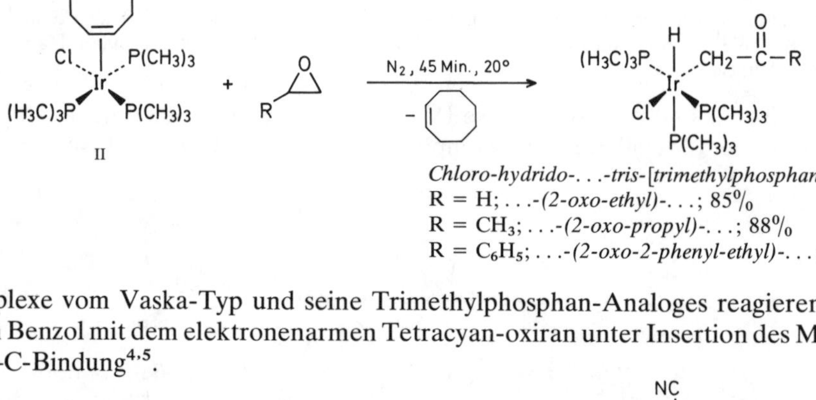

Chloro-hydrido-. . .-tris-[trimethylphosphan]-iridiun
R = H; . . .-*(2-oxo-ethyl)-. . .*; 85%
R = CH₃; . . .-*(2-oxo-propyl)-. . .*; 88%
R = C₆H₅; . . .-*(2-oxo-2-phenyl-ethyl)-. . .*; 82%

Komplexe vom Vaska-Typ und seine Trimethylphosphan-Analoges reagieren in sie dendem Benzol mit dem elektronenarmen Tetracyan-oxiran unter Insertion des Metalls i eine O–C-Bindung[4,5].

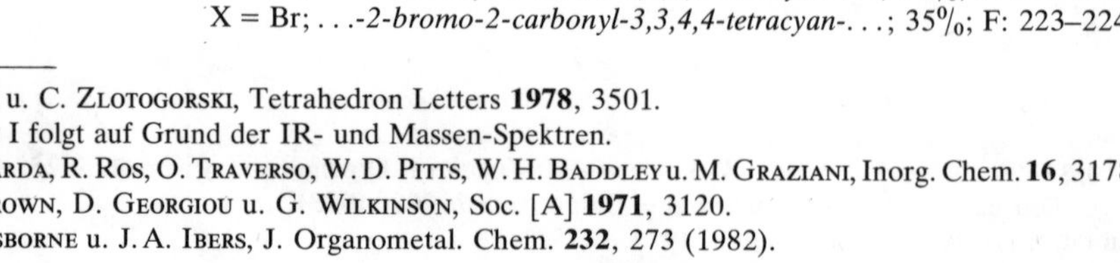

2,2-Bis-[triphenylphosphan]-. . .-1,2-oxairidetan
X = Cl; . . .-*2-carbonyl-2-chloro-3,3,4,4-tetracyan-. . .*; 60%; F: 235–237° (Zers.)
X = Br; . . .-*2-bromo-2-carbonyl-3,3,4,4-tetracyan-. . .*; 35%; F: 223–224° (Zers.

[1] J. BLUM u. C. ZLOTOGORSKI, Tetrahedron Letters **1978**, 3501.
[2] Struktur I folgt auf Grund der IR- und Massen-Spektren.
[3] M. LENARDA, R. ROS, O. TRAVERSO, W. D. PITTS, W. H. BADDLEY u. M. GRAZIANI, Inorg. Chem. **16**, 3178 (1977)
[4] C. K. BROWN, D. GEORGIOU u. G. WILKINSON, Soc. [A] **1971**, 3120.
[5] R. B. OSBORNE u. J. A. IBERS, J. Organometal. Chem. **232**, 273 (1982).

$\alpha\alpha_4$) mit 1,3-Dienen

1,3-Hexafluor-1,3-butadien liefert mit Bis-[triphenylphosphan]-carbonyl-(1-propinyl)-iridium in Benzol bei 20° *1,1-Bis-[triphenylphosphan]-1-carbonyl-2,2,3,4,5,5-hexafluor-1-(1-propinyl)-2,5-dihydro-iridol* (80%; F: 168°, Zers.)[1]:

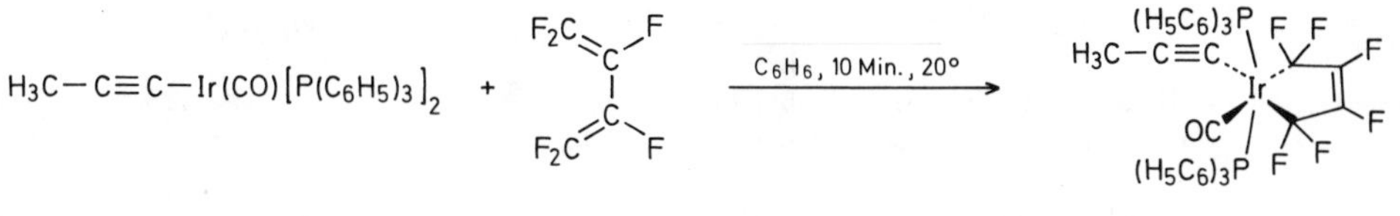

α_3) mit Alkinen

Iridium-Verbindungen können mit Benzol-Derivaten η^6-Benzol-Komplexe A, η^4-Benzol-Komplexe B und C bilden, wobei die Struktur C σ–C–Ir-Bindungen enthält[2]:

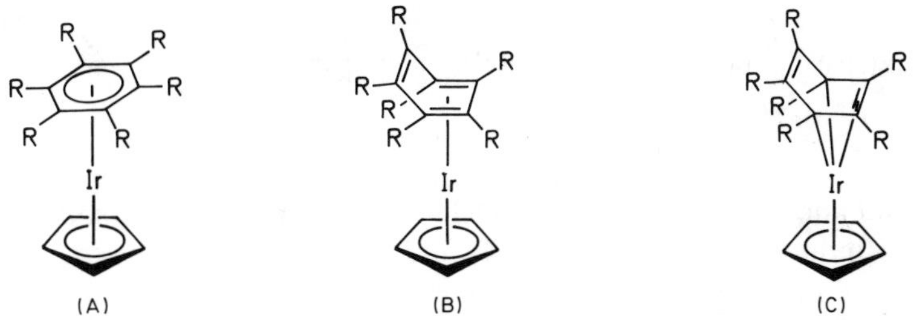

Als Vertreter des Typs B und C wird *1,2,3,4,5,6-Hexamethoxycarbonyl-7-(η^5-pentamethylcyclopentadienyl)-7-irida-bicyclo[2.2.1]heptadien-(2-η^2)* durch Umsetzung des Komplexes I mit Dimethoxycarbonyl-acetylen in Gegenwart von Wasserstoff erhalten[2]:

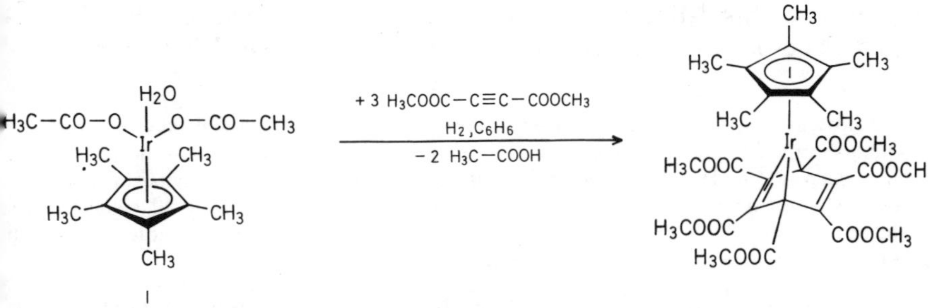

α_4) mit Diazoalkanen

Bis-[triphenylphosphan]-chloro-distickstoff-iridium lagert 2-Diazo-hexafluor-propan an, ohne daß die Diazo-Gruppe abgespalten wird[3,4]:

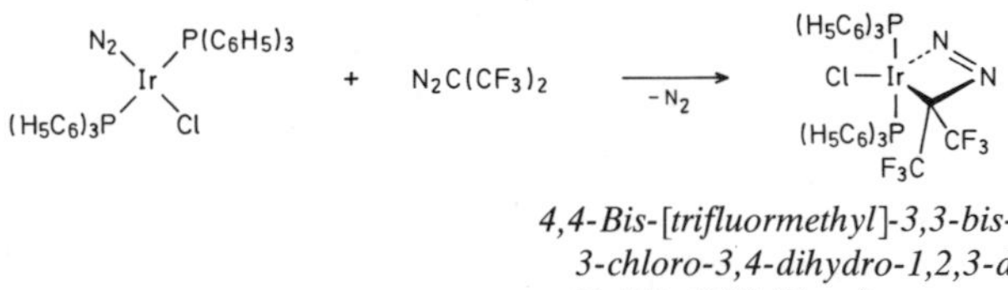

4,4-Bis-[trifluormethyl]-3,3-bis-[triphenylphosphan]-3-chloro-3,4-dihydro-1,2,3-diazairidet; 95%;
F: 171–173° (Zers.)

[1] C. K. Brown, D. Georgiou u. G. Wilkinson, Soc. [A] **1971**, 3120.
[2] J. W. Kang, R. F. Childs u. P. M. Maitlis, Am. Soc. **92**, 720 (1970).
[3] J. Cooke, W. R. Cullen, M. Green u. F. G. A. Stone, Soc. [A] **1969**, 1872.
[4] J. Clemens, M. Green u. F. G. A. Stone, Soc. [Dalton] **1973**, 1620.

α_5) mit CH-aciden Verbindungen bzw. anderen Alkan-Derivaten

C–H-acide Verbindungen wie Acetonitril reagieren mit Tris-[phosphan]-iridium(I) Komplexen in einer oxidativen Addition der C–H-Bindung an das Metall[1]. Die Verbindungen werden lediglich in Lösung erhalten; z.B.:

$$[IrL_4]^{\oplus}Cl^{\ominus} \;+\; H-CH_2-CN \;\xrightleftharpoons{30°}\; [Ir(CH_2-CN)HL_4]^{\oplus}Cl^{\ominus}$$
$$I$$

2 L = $(H_5C_2)_2P$–CH_2–CH_2–$P(C_2H_5)_2$; *1,2-Bis-[diethylphosphano]-(cyanmethyl)-ethyl-hydrido-iridium-chlorid*
L = $P(CH_3)_3$; *Cyanmethyl-hydrido-tetrakis-[trimethylphosphan]-iridium-chlorid*

Die Cyanmethyl-Komplexe I nehmen unter Druck Kohlendioxid auf und man erhält die entsprechenden Cyanacetoxy-Derivate die bei 80° unter Abspaltung von Kohlendioxid wieder die Komplexe I liefern.

Durch Umsetzung von Tetrakis-[trimethylphosphan- bzw. -arsan)]-iridium-chlorid mit verzweigten Alkyl-lithium-Verbindungen entstehen zunächst Alkyl-iridium(I)-Komplexe, die mit Ausnahme der Silyl-Verbindung (s.S. 473) sofort mit der C,H-Bindung einer Methyl- bzw. Phenyl-Gruppe (s.a. Lit.) reagieren[2]:

$$\left\{Ir\left[Y(CH_3)_3\right]_4\right\}^{\oplus} Cl^{\ominus} \;+\; Li-CH_2-X(CH_3)_3 \;\xrightarrow[-\,(H_3C)_3Y]{}\;$$

Y = P, As
X = C, Si

Trialkylphosphane reagieren mit Iridium(I)-Verbindungen unter oxidativer Addition an einer H–C-Bindung[3,4]. Dabei können 4- und 5-Ringe gebildet werden, jedoch keine 6-Ringe. Es zeigt sich, daß Methyl-Gruppen leichter metalliert werden als Methylen-Gruppen. Außerdem scheint der Winkel der Trialkylphosphan-Kegel für die Reaktivität eine große Rolle zu spielen. Bei kleinen Winkeln tritt keine Metallierung auf und bei zu großen sind die Ausbeuten gering (s. Tab. 4, S. 537). Auch die sterische Hinderung durch die anderen im Komplex gebundenen Liganden hat Einfluß auf Reaktionsgeschwindigkeit und Ausbeute.

Die Metallierung der Alkyl-Reste ist bei voluminösen Liganden, wie tert.-Butyl-phosphanen, energetisch besonders günstig, da auf diese Weise die sterische Hinderung erniedrigt wird.

Chloro-[2-diisopropylphosphano-propyl-(C,P)]-hydrido-(4-methyl-pyridin)-(triisopropylphosphan)-iridium[3,5] (alle Reaktionen werden unter reinem Stickstoff durchgeführt): 0,33 mmol μ,μ-Dichloro-bis-[bis-(η^2-cyclooocten)-iridium] werden in 15 *ml* Hexan suspendiert und mit 0,1 *ml* 4-Methyl-pyridin versetzt. Auf Zusatz von 1,22 mmol Triisopropylphosphan entsteht langsam eine gelbe klare Lösung, die 15 Min. auf 50° gehalten wird. Dann wird sie filtriert und auf $-30°$ gekühlt. Die hierbei ausgefallenen farblosen Kristalle werden mit kaltem Hexan gewaschen und i. Vak. getrocknet; Ausbeute: 80%; IR(Nujol): ν 2220 cm^{-1}.

Di-tert.-butyl-(methoxymethyl)-phosphan kann bereits bei 25° durch μ,μ-Dichlor-bis-[bis-(η^2-cyclooocten)-iridium] cyclometalliert werden[5]. Es entsteht ein koordinativ ungesättigter roter Komplex, der leicht Kohlenmonoxid bindet:

$$+\; 4\; H_3CO-CH_2-P[C(CH_3)_3]_2 \;\xrightarrow[-\,4\;\bigcirc]{\text{1. Hexan, 25°} \atop \text{2. + 2 CO}}\; 2$$

[1] A.D. ENGLISCH u. T. HERSKOVITZ, Am. Soc. **99**, 1648 (1977).
[2] T.H. TULIP u. D.L. THORN, Am. Soc. **103**, 2448 (1981).
[3] S. HIETKAMP, J. STUFKENS u. K. VRIEZE, J. Organometal. Chem. **139**, 189 (1977).
[4] S. HIETKAMP, J. STUFKENS u. K. VRIEZE, J. Organometal. Chem. **152**, 347 (1978).
[5] B.D. DOMBEK, J. Organometal. Chem. **169**, 315 (1979).

Tab. 4. [Phosphano-alkyl-(C,P)]-Iridium-Komplexe aus μ,μ'-Dichloro-bis-[(η⁴-cycloocten)-iridium] mit tert.-Phosphanen[1]

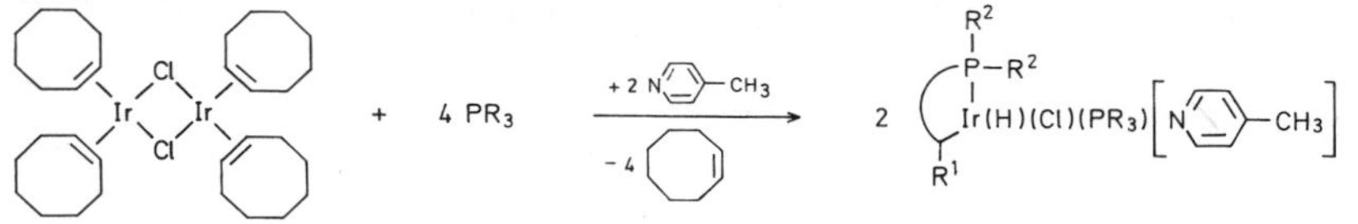

$$\text{[Ir-Cl-Ir(cycloocten)]} + 4\,PR_3 \xrightarrow[-4\,\text{(cycloocten)}]{+2\,N\text{-CH}_3\text{-pyridin}} 2\;\left[\underset{R^1}{\overset{R^2}{P}}\text{-Ir(H)(Cl)(PR}_3)\right]\left[N\text{-CH}_3\right]$$

R₃P	Vierring	[%]	Fünfring	[%]
[(H₃C)₂CH]₃P	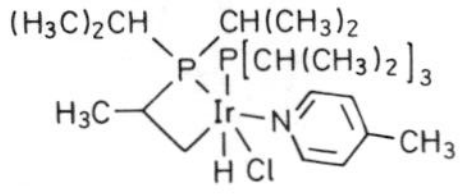 *Chloro-[2-diisopropylphosphano-propyl-(C,P)]-hydrido-(4-methyl-pyridin)-(triisopropyl-phosphan)-iridium*	80		–
[(H₃C)₃C]₂P–C₃H₇	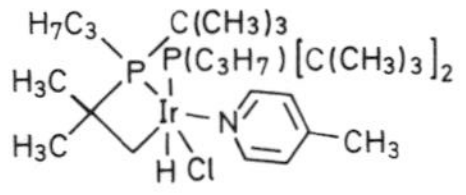 *[2-(tert.-Butyl-propyl-phosphano)-2-methyl-propyl-(C,P)]-chloro-(di-tert.-butyl-propyl-phosphan)-hydrido-(4-methyl-pyridin)-iridium*	20	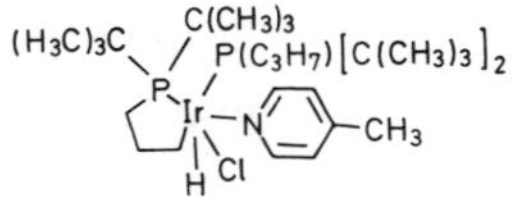 *Chloro-[3-di-tert.-butylphosphano-propyl-(C,P)]-(di-tert.-butyl-propyl-phosphan)-hydrido-(4-methyl-pyridin)-iridium*	55
[(H₃C)₃C]₂P–C₄H₉	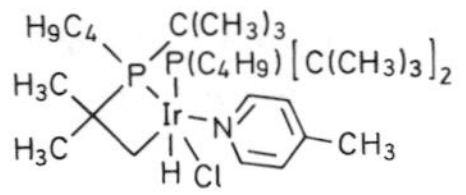 *[2-(Butyl-tert.-butyl-phosphano)-2-methyl-propyl-(C,P)]-(butyl-di-tert.-butyl-phosphan)-chloro-hydrido-(4-methyl-pyridin)-iridium*	50	mit Acetonitril: 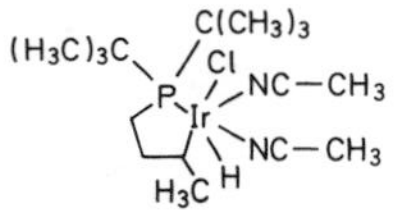 *Bis-[acetonitril]-chloro-[4-di-tert.-butylphosphano-1-methyl-propyl-(C,P)]-hydrido-iridium*	20

[1] S. HIETKAMP, D. J. STUFKENS u. K. VRIEZE, J. Organometal. Chem. 139, 189 (1977).

Tab. 4 (Forts.)

R_3P	Vierring	[%]	Fünfring	[%]
$[(H_3C)_3C]_3P$	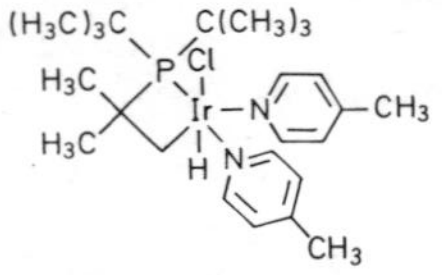 *Bis*-[4-methyl-pyridin]- *chloro*-[2-di-tert.-butyl-phosphano-2-methyl-propyl-(C,P)]-hydrido-iridium	20		
$P[C(CH_3)_3]_2$ $\;\mid$ $(CH_2)_5$ $\;\mid$ $P[C(CH_3)_3]_2$			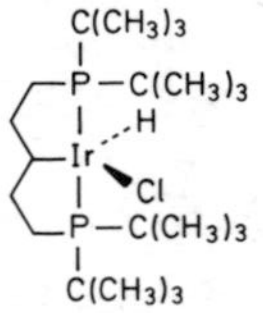 [3-(Di-tert.-butylphosphano)-1-(2-di-tert.-butylphosphano-ethyl)-propyl-(P,P',C)]-chloro-hydrido-iridium[1,2]	62

[1] C. CROCKER, H.D. EMPSALL, R.J. ERRINGTON, E.M. HYDE, W.S. McDONALD, R. MARHAM, M.C. NORTON, B.L. SHAW u. B. WEEKS, Soc. [Dalton] 1982, 1217.

[2] R.J. ERRINGTON u. B.L. SHAW, J. Organometal. Chem. 238, 319 (1982); Bildung von cyclometallierten Tetrahydriden und seinen Umwandlungen durch Reaktionen am Iridium-Atom.

Carbonyl-chloro-(di-tert.-butyl-methoxymethyl- phosphan)- [(di-tert.-butylphosphano-methoxy)-methyl-C,P)]-hydrido-iridium (I)[1] (s. S. 537):

Di-tert.-butyl-methoxymethyl-phosphan: 108 mmol Phenyl-lithium als 1,8 M Lösung in Diethylther und Benzol werden langsam zu 15,6 g (107 mmol) Di-tert.-butyl-phosphan in 100 ml THF gegeben. Nach Kühlen auf 25° wird diese Lösung langsam mit einer Kanüle in eine Lösung von 9 ml (119 mmol) Chlor-methxy-methan in 100 ml Diethylether gegeben. Hierauf werden die Lösungsmittel abgezogen und die Verbindung ird i. Vak. destilliert; Ausbeute: 13,64 g (67%); Kp$_{17}$: 112–115°.

Chloro-(di-tert.-butyl-methoxymethyl-phosphan)-[(di-tert.-butylphosphano-meth-xy)-methyl-(C,P)]-hydrido-iridium: Eine Suspension von 0,50 g (0,56 mmol) μ,μ-Dichloro-bis-bis-(η^2-cycloocten)-iridium] in 20 ml Hexan wird mit 0,74 g (3,89 mmol) Di-tert.-butyl-methoxymethyl-phos-han 5 Stdn. bei 25° gerührt. Die tief-rote Lösung wird filtriert und i. Vak. eingeengt, bis der dunkelrote Komlex auskristallisiert. Dann wird langsam auf –20° gekühlt; Ausbeute: 0,35 g (68%; bez. auf μ,μ-Dichloro-bis-bis-(η^2-cycloocten)-iridium]); IR(CH$_2$Cl$_2$): ν_{IrH} 2310 cm^{-1}.

Komplex I: Der tiefrote Komplex (0,3 g = 0,33 mmol) wird in 20 ml Hexan suspendiert und 10 Min. mit Kohlenmonoxid behandelt. Dabei entsteht eine schwach gelbe Lösung, die filtriert und i. Vak. eingeengt wird. Bei Kühlen auf –20° entstehen schwach gelbe Kristalle; Ausbeute: 0,15 g {~25%, bez. auf μ,μ-Dichloro-bis-bis-(η^2-cycloocten)-iridium]}; IR(CH$_2$Cl$_2$): ν_{IrH} 2190, ν_{CO} 1995 cm^{-1}.

1,2-Bis-[2-phosphano-phenyl]-ethan-iridium-Komplex II reagiert bei 20° in Dichlornethan, der analoge Arsan-Komplex beim Erhitzen in Chloroform mit der CH-Gruppe les Liganden[2]:

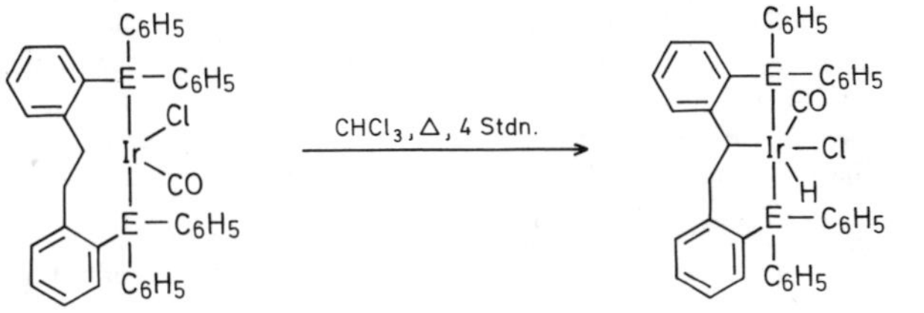

II; E = P, As

Cyclopropylmethyl-di-tert.-butyl-phosphan setzt sich mit dem Komplex II unter Metalierung des Cyclopropan-Ringes in 2 Stellung um[3].

{1,2-Bis-[(2-diphenylphosphano)-phenyl]-ethyl-(C,P,P')}-carbonyl-chloro-hydrido-iridium[2]: Eine Lösung aus 0,164 g (0,3 mmol) 1,2-Bis-[2-diphenylphosphano-phenyl]-ethan in 50 ml Dichlormethan wird bei 20° mit Kohlenmonoxid gesättigt und mit 0,20 g (0,3 mmol) μ,μ-Dichloro-bis-[(η^4-1,5-cyclooctadien)-iridium] versetzt. Die Lösung reagiert beim Stehenlassen unter Kohlenmonoxid-Atmosphäre (die Reaktion kann IR-spektrosko-isch durch Messung der CO-Bande bei 1958 cm^{-1} verfolgt werden). Nach 1 Stde. wird die nahezu farblose Lösung filtriert, i. Vak. auf 10 ml eingeengt und tropfenweise mit 20 ml Hexan versetzt. Nach 24 Stdn. wird die überstehende Mutterlauge abdekantiert und die farblosen Kristalle mit 2-Methyl-butan gewaschen und schließlich i. Vak. getrocknet; Ausbeute: 0,215 mg (90%; bez. auf das Phosphan); IR(CH$_2$Cl$_2$): ν_{IrH} 2200, ν_{CO} 2030 cm^{-1}.

Bei der Umsetzung von Bis-[triorganophosphan]-carbonyl-(2-methyl- bzw. -ethyl-iryl)-iridium-Verbindungen mit Triorganophosphiten werden die drei Liganden durch Phosphit substituiert. Aus dem σ–C–Ir-Aryl-Rest entsteht durch Spaltung einer H–C-Bindung unter gleichzeitiger Insertion von Kohlenstoffoxid in die Iridium-Aryl-Bindung ein Fünfring[4] (die früher postulierte Vierring-Struktur I ist falsch)[2,4,5]. Bei Einsatz des 2-Methyl-6-ethyl-phenyl)-iridium-Komplexes reagiert der Methyl-Rest (~100%):

B. D. Dombek, J. Organometal. Chem. 169, 315 (1979).

M. A. Bennett, R. N. Johnson u. I. B. Tomkins, J. Organometal. Chem. 128, 73 (1977).

W. J. Youngs u. J. A. Ibers, Am. Soc. 105, 639 (1983).

K. v. Deuten u. L. Dahlenburg, Transition Met. Chem. 5, 222 (1980).

L. Dahlenburg u. F. Mirzaei, J. Organometal. Chem. 251, 103 u. 113 (1983).

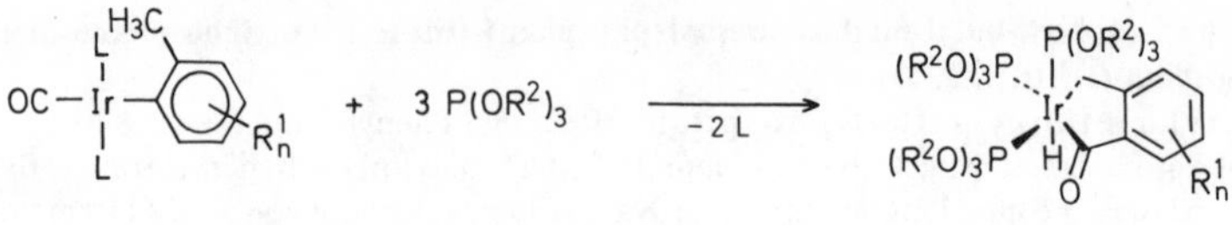

L = P(C$_6$H$_5$)$_3$, P(CH$_3$) (C$_6$H$_5$)$_2$
R$_n^1$ = H, 4-CH$_3$, 6-CH$_3$, 4,6-(CH$_3$)$_2$, 2,4,6-(CH$_3$)$_3$
R^2 = CH$_3$, C$_2$H$_5$, C$_6$H$_5$

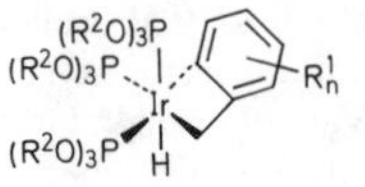

II; 40–90%

IV

Auch die (cis-2,6-Dimethyl-aryl)-Komplexe können eingesetzt werden[1].

fac-2-Hydrido-1-oxo-2,2,2-tris-[trimethoxyphosphan]- 2,3-dihydro-1H-⟨benzo[c]iridol⟩; allgemeine Vorschrift[2]: Zu den orange gefärbten Lösungen von 1,5 mmol des Bis-[tert.-phosphan]-carbonyl-(2-methylaryl)-iridium in 20 ml Toluol pipettiert man 1,1 ml (∼ 9 mmol) Trimethylphosphit. Unter spontaner Bildung des cyclometallierten Komplexes nimmt die Lösung augenblicklich eine blaßgelbe Farbe an. Nach 10 Min. Rühren wird i. Vak. auf ∼ 2 ml eingeengt. Das verbleibende hellgelbe Konzentrat filtriert man mit ∼ 30 ml Toluol über eine mit Tractogel PVA 500 (Merck) gefüllte Säule (1 = 30 cm, ∅ = 1 cm). Danach engt man i. Vak. auf ∼ 2 ml ein und chromatographiert die Rückstände auf einer Säule gleicher Dimension, die mit Kieselgel 60 (Merck) gefüllt ist. Zunächst werden mit ∼ 60 ml Toluol noch verbleibende Reste der bei der Reaktion freigesetzten Phosphane entfernt. Den hierbei im oberen Säulendrittel verbleibenden Komplex eluiert man anschließend mit 40 ml Toluol/Ethanol = 1 : 1. Nach Abziehen des Lösungsmittels und Umkristallisieren des Rückstands aus Hexan erhält man den cyclometallierten Komplex in Form blaßgelber Kristalle; Ausbeute: 42–84%.

Die Cyclometallierung gelingt auch, wenn anstelle von Triorganophosphiten Dialkoxy-phenyl-phosphane bzw. Diphenyl-methoxy-phosphan eingesetzt werden[3]. Sie ist bei den erstgenannten Liganden irreversibel, bei Diphenyl-methoxy-phosphan wird der zu II analoge Komplex in Lösung teilweise in den Aryl-carbonyl-iridium-Komplex aufgespalten.

Photochemisch aktiviertes Dicarbonyl-(η^2-pentamethylcyclopentadienyl)-iridium reagiert unter oxidativer Addition auch mit den nicht aktivierten CH-Bindungen des 2,2-Dimethyl-propans bzw. Cyclohexans[4] (vgl. S. 507):

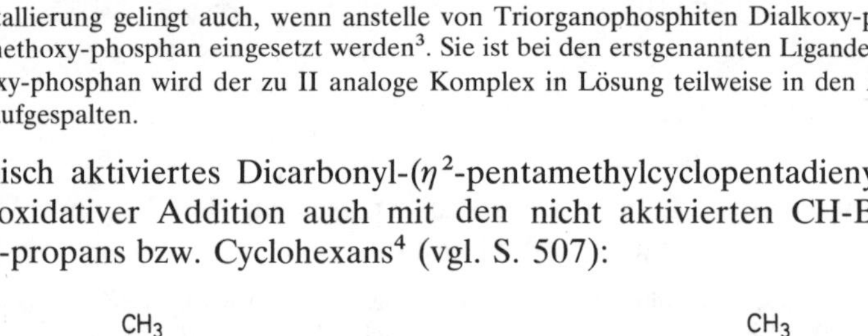

Carbonyl-...-hydrido-(η^5-pentamethylcyclopentadienyl)-iridium
R = CH$_2$–C(CH$_3$)$_3$; ...-(2,2-dimethyl-propyl)-...; 55%
R = C$_6$H$_{11}$; ...-cyclohexyl-...

Die erhaltenen Komplexe reagieren mit Tetrachlormethan unter Substitution der Hydrido- gegen eine Chloro-Funktion.

α$_6$) durch spezielle Alkylierungsmittel

Bis-[triphenylphosphan]-carbonyl-chloro-iridium (Vaska-Komplex) bildet mit 2 mo Natrium-chlor-difluor-acetat in Diglyme als Lösungsmittel unter oxidativer Addition Bis-[triphenylphosphan]-carbonyl-(chlor-difluor-acetoxy)-chloro-(difluormethyl)-iridi-

[1] L. DAHLENBURG, D. REHDER, W. REITH, W. STRÄNZ u. D. THOENNES, Transition Met. Chem. **1**, 206 (1976)
[2] L. DAHLENBURG, V. SINNWELL u. D. THOENNES, B. **111**, 3367 (1978).
[3] L. DAHLENBURG, J. Organometal. Chem. **251**, 215 (1983).
[4] J. K. HOYANO u. W. A. G. GRAHAM, Am. Soc. **104**, 3723 (1982).

$um^{1, 2}$, das beim Erhitzen quantitativ unter Abspaltung von Kohlendioxid und Difluor-carben in *Bis-[triphenylphosphan]-carbonyl-dichloro-difluormethyl-iridium* übergeht[3]:

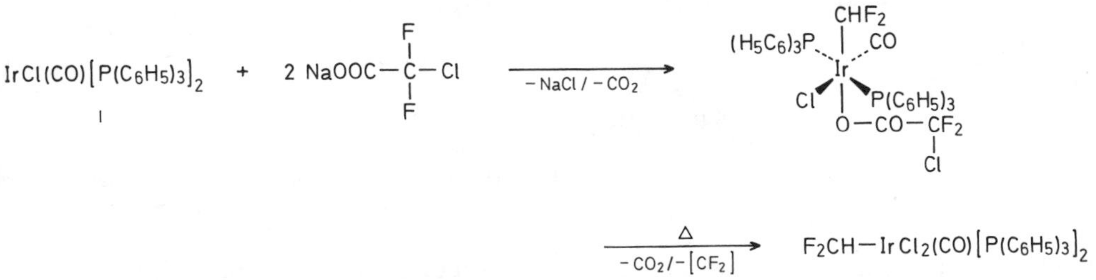

$$IrCl(CO)[P(C_6H_5)_3]_2 \quad + \quad 2\ NaOOC-\underset{\underset{F}{|}}{\overset{\overset{F}{|}}{C}}-Cl \xrightarrow[-NaCl\ /\ -CO_2]{}$$

$$\xrightarrow[-CO_2/-[CF_2]]{\Delta} \quad F_2CH-IrCl_2(CO)[P(C_6H_5)_3]_2$$

Bis-[triphenylphosphan]-carbonyl-(chlor-difluor-acetato)-chloro-difluormethyl-iridium[1, 2]: Unter Rühren in einer Stickstoff-Atmosphäre werden 0,61 g trockenes Natrium-chlor-difluor-acetat und 0,71 g Bis-[triphenyl-phosphan]-carbonyl-chloro-iridium in 30 ml Diglyme unter Rückfluß erhitzt. Das Lösungsmittel wird zuvor über Lithiumalanat getrocknet und destilliert. Nach 6 Min. entfärbt sich das gelbe Reaktionsgemisch plötzlich. Die Heizung wird hierauf sofort entfernt und überschüssiges Acetat und gebildetes Natriumchlorid werden abfiltriert. Nach Kühlung des Filtrats und Zusatz von Hexan fällt der Komplex aus; Ausbeute: 80%. Der Komplex kann aus Benzol/Hexan umkristallisiert werden; IR: ν_{CO} 2065, ν_{CO_2}: 1670 und 1370 cm^{-1} [1].

Der durch Reduktion mit Natriumboranat intermediär gebildete Dichloro-(N-methyl-octaethylporphyrinato)-iridium(I)-Komplex reagiert intramolekular mit der Methylami-no-Gruppe und bildet *Methyl-(octaethylporphyrinato)-iridium*[4].

(η^2-1,5-Cyclooctadien)-(2,4-pentandionato)-iridium nimmt pro Metall-Atom 2 mol Hexafluor-2-butin auf[5, 6]. (Mechanismus s. Lit.):

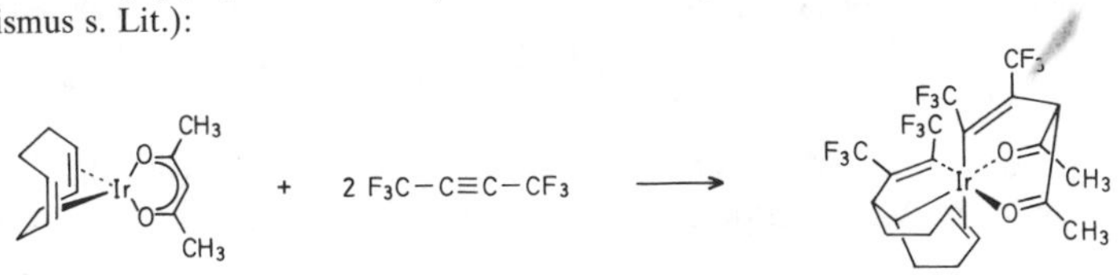

9,9,9-{3-Acetyl-1,2-bis-[trifluormethyl]-4-oxo-1-pentenyl-(C,O,O')}-
10,11-bis-[trifluormethyl]-(4-η^2)- 9-irida-bicyclo[6.3.0]undeca-4,10-dien

β) mit Acylierungsmitteln

Im folgenden werden Reaktionen beschrieben, in denen Iridium(I)-Verbindungen mit Carbonsäure-Derivaten zu Alkyl-iridium-Komplexen umgesetzt werden. Der oxidativen Addition unter Bildung von Acyl-iridium(III)-Komplexen schließt sich die Decarbonylie-rung (s. S. 510) an.

Aliphatische und cyclische Carbonsäure-chloride reagieren mit Stickstoff-iridium-Komplexen unter Austritt von molekularem Stickstoff zu einem 5fach koordinierten Acyl-Komplex, der in einigen Fällen isoliert werden kann. Der koordinativ ungesättigte Acyl-Komplex lagert sich rasch unter Abspaltung von Kohlenmonoxid in den koordinativ gesättigten Alkyl-Komplex um[7, 8]:

[1] A.J. Schultz, G.P. Khare, J.V. McArdle u. R. Eisenberg, Am. Soc. **95**, 3434 (1973).
[2] A.J. Schultz, G.P. Khare, C.D. Meyer u. R. Eisenberg, Inorg. Chem. **13**, 1019 (1974).
[3] A.J. Schultz, J.V. McArdle, G.P. Khare u. R. Eisenberg, J. Organometal. Chem. **72**, 415 (1974).
[4] H. Ogoshi, J.-I. Setsune u. Z.-I. Yoshida, J. Organometal. Chem. **159**, 317 (1978).
[5] A.C. Jarvis, R.D.W. Kemmitt, B.Y. Kimura, D.R. Russell u. P.A. Tucker, Chem. Commun. **1974**, 797.
[6] D.R. Russell u. P.A. Tucker, Soc. [Dalton] **1975**, 1749.
[7] M. Kubota u. D.M. Blake, Am. Soc. **93**, 1368 (1971).
[8] N.A. Dunham u. M.C. Baird, Soc. [Dalton] **1975**, 774.

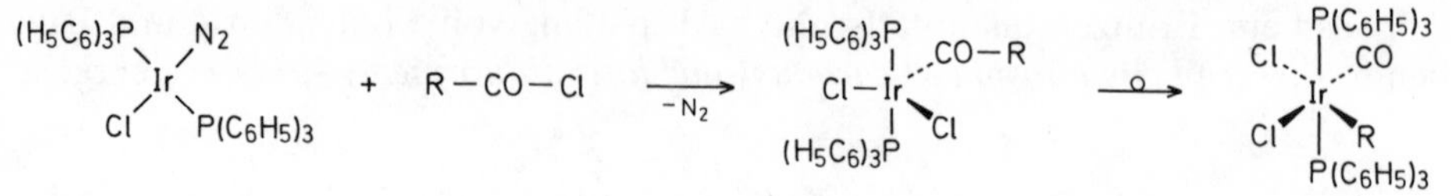

Bis-[triphenylphosphan]-carbonyl-dichloro-...-iridium

R = CH₃; ...-methyl-...; F: 247° (Zers.)
R = C₂H₅; ...-ethyl-...; F: 210° (Zers.)
R = (CH₂)₁₀–CH₃; ...-undecyl-...; F: 168° (Zers.)
R = CDH–CDH–C₆H₅(threo); ...-(1,2-dideutero-2-phenyl-ethyl)-...;
          51%; F: > 200°

Bei der Umsetzung des optisch aktiven 3,3,3-Trifluor-2-phenyl-propanoylchlorids mit Bis-[triphenylphosphan]-chloro-distickstoff-iridium wird ein optisch aktiver Iridium-Komplex gebildet[1]:

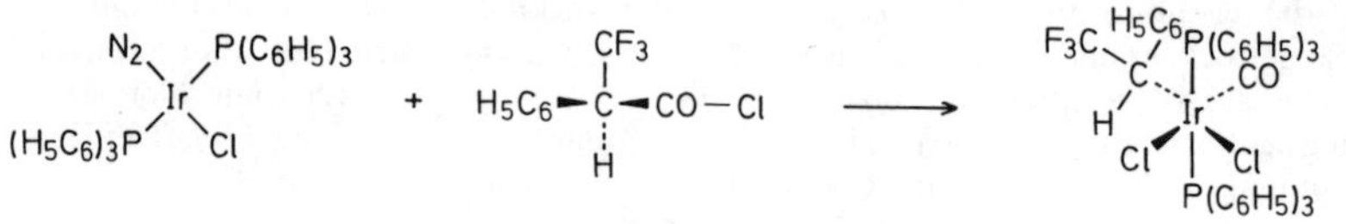

Bis-[triphenylphosphan]-carbonyl-dichloro-(2,2,2-trifluor-1-phenyl-ethyl)-iridium[1]: Zu einer Lösung von 0,30 g (0,38 mmol) Bis-[triphenylphosphan]-chloro-distickstoff-iridium in 2 ml Sauerstoff-freiem Benzol gibt man 0,1 g (0,4 mmol) 3,3,3-Trifluor-2-phenyl-propanoylchlorid ([α]$_D^{27}$: −112°]) und rührt die Mischung 20 Stdn. unter Stickstoff. Die creme-farbene Mischung wird unter kräftigem Rühren auf 100 ml Hexan geschüttet. Der gebildete Pulver-förmige Niederschlag wird abgesaugt und aus Chloroform/Diethylether umkristallisiert; Ausbeute: 0,20 g (71%); F: 168–174°; [α]$_D^{25}$: 5,8° (c2, CHCl₃); IR(CHCl₃): ν$_{CO}$ 2070 cm⁻¹.

Die geringe Drehung durch den Komplex weist darauf hin, daß der Alkyl-Rest zum Teil racemisiert ist.

Essigsäure-anhydrid reagiert gleichfalls mit dem Distickstoff-Komplex[2]. Zunächst entsteht eine Acyl-iridium-Verbindung, die durch den 2zähnigen Acetato-Liganden 6fach koordiniert ist.

Sie lagert sich bei 20° rasch in *Acetoxy-bis-[triphenylphosphan]-carbonyl-chloro-methyl-iridium* (70%; F: 229–231°) um:

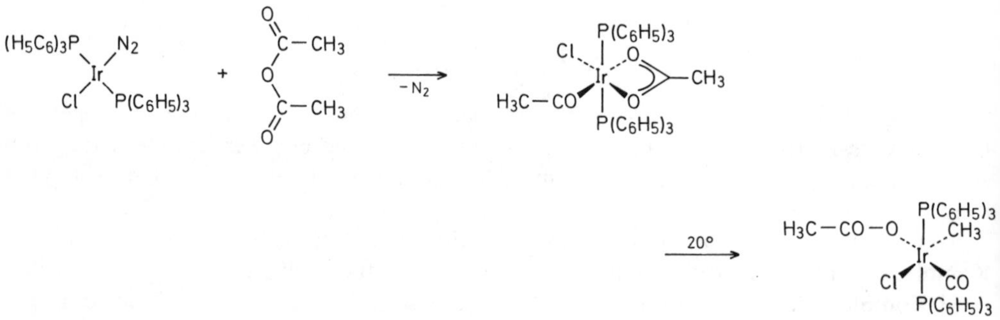

Bei der Umsetzung von Chloro-tris-[triphenylphosphan]-iridium mit Acylhalogeniden wird leicht ein Triphenylphosphan-Ligand abgespalten, so daß die Umlagerung des intermediär gebildeten 5fach koordinierten Acyl-Komplexes rasch abläuft[3].

---

[1] J.K. STILLE u. R.W. FRIES, Am. Soc. **96**, 1514 (1974).
[2] D.M. BLAKE, S. SINGLETON u. L. WHYMAN, Inorg. Chem. **13**, 1595 (1974).
[3] M. KUBOTA u. D.M. BLAKE, Am. Soc. **93**, 1368 (1971).

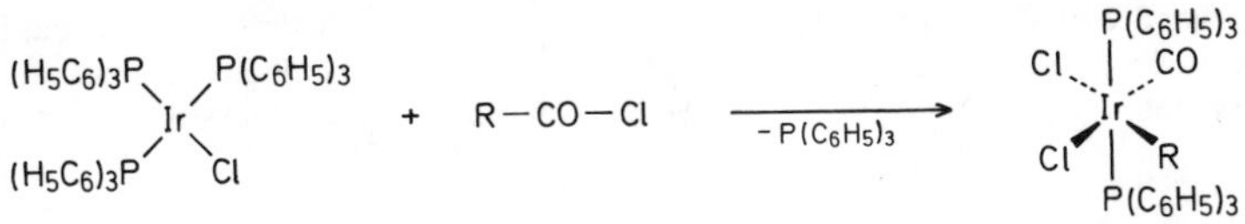

Bis-[triphenylphosphan]-. . .-iridium
R = CH$_3$; . . .-*carbonyl-dichloro-methyl-*. . .
R = C$_2$H$_5$; . . .-*carbonyl-dichloro-ethyl-*. . .

Bei der entsprechenden Umsetzung des Tris-phosphan-Komplexes mit verzweigten aliphatischen Acylchloriden entstehen infolge sterischer Induktion durch die voluminösen
Phosphan-Liganden ausschließlich geradkettige Alkyl-iridium-Verbindungen[1]:

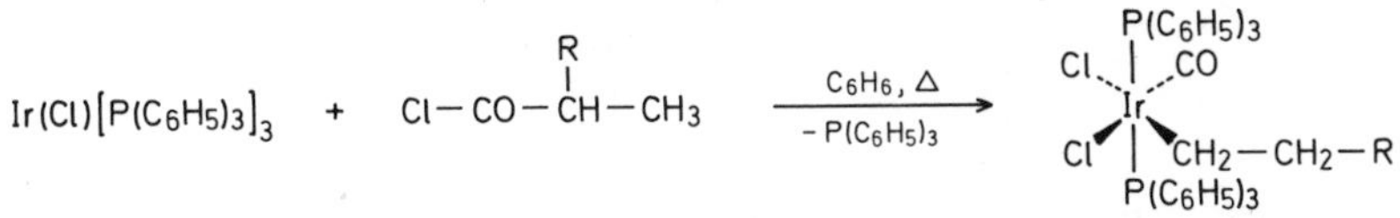

Bis-[triphenylphosphan]-carbonyl-dichloro-. . .-iridium
z.B.: R = CH$_3$; . . .-*propyl-*. . .; 55%
R = C$_6$H$_5$; . . .-*(2-phenyl-ethyl)-*. . .; 30–40%

Die Ausbeuten sind beim Einsatz von n-Alkanoyl- höher als bei 2-Organo-alkanoyl-
chloriden, da in den letzteren Fällen aus den Komplexen Olefin und Chlorwasserstoff abgespalten werden[2].

Beim analogen (Diphenyl-methyl-phosphan)-Komplex entsteht zunächst der *cis*-Bis-[phosphan]- Komplex,
der durch Erhitzen oder Behandeln mit Lithium-perchlorat in den *trans*-Komplex umgelagert wird[3, 4].

Bessere Ausbeuten erhält man bei der Reaktion von 2-Organo-alkanoylchloriden mit
μ,μ-Dichloro-bis-[(η^2-cycloocten)-iridium], wenn vier mol Triphenylphosphan pro mol
Komplex eingesetzt werden[2]; z.B.:

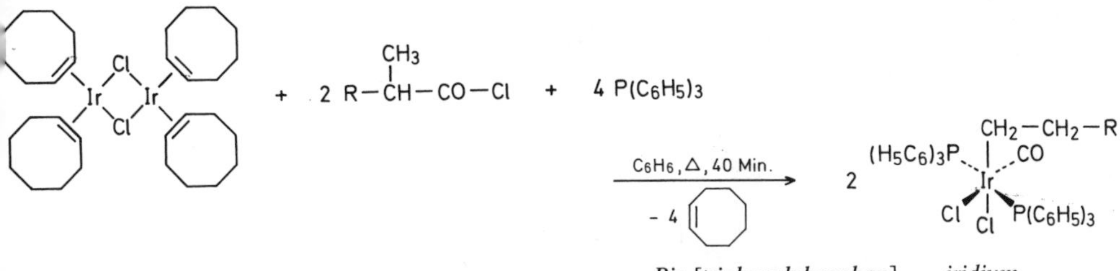

Bis-[triphenylphosphan]-. . .-iridium
R = C$_2$H$_5$; . . .-*butyl-carbonyl-dichloro-*. . .; 70%
R = C$_6$H$_5$; . . .-*carbonyl-dichloro-(2-phenyl-ethyl)-*. . .; 54%

Bei der Umsetzung von 2,2-Dideutero-propanoylchlorid mit μ,μ-Dichloro-bis-[bis-
(η^2-cycloocten)-iridium] (1 mol) und Triphenylphosphan (4 mol) in siedendem Benzol
wird allmählich ($\sim 4,5$ Stdn.) Deuterium über den Ethyl-Rest verteilt (die Alkyl-Gruppen
werden in Lösung über π-Olefin-Komplexe laufend umgelagert).

(n-Alkyl)-bis-[triphenylphosphan]-carbonyl-dichloro-iridium; allgemeine Arbeitsvorschrift[2]: Eine Lösung
von 0,45 g (0,45 mmol) Chloro-tris-[triphenylphosphan]-iridium in 5 *ml* Benzol wird mit 0,5 *ml* geradkettigen
Carbonsäurechloriden behandelt und 45 Min. unter Rückfluß erhitzt. 10 *ml* Hexan werden der gelben Lösung

[1] M. A. BENNETT u. R. CHARLES, Am. Soc. **94**, 666 (1972).
[2] M. A. BENNETT, R. CHARLES u. T. R. B. MITCHELL, Am. Soc. **100**, 2737 (1978).
[3] M. A. BENNETT u. J. C. JEFFERY, Inorg. Chem. **19**, 3763 (1980).
[4] N. L. JONES u. J. A. IBERS, Organometallics **2**, 490 (1983): s. Cyclopropyl-Derivat.

zugesetzt, die anschließend auf −10° gekühlt wird. Der farblose kristalline Niederschlag wird aus Dichlormethan Diethylether (bei Butyl-, Hexyl-, Heptyl-) oder Dichlormethan/Hexan (bei Pentyl-) sowie aus Benzol/Penta (bei Nonyl-) umkristallisiert, mit 2mal 10 *ml* Diethylether gewaschen und im Stickstoff-Strom getrocknet; Aus beute: 75–80%.

Bei der Umsetzung von Bis-[triphenylphosphan]-carbonyl-chloro-iridium (Vaska Komplex) mit Acylhalogeniden entstehen i.a. die recht stabilen, 6fach koordinierte Acyl-carbonyl-Komplexe. Eine Ausnahme bildet Undecanoylbromid, dessen Addukt be 45° in Lösung infolge sterischer Hinderung Triphenylphosphan und Kohlenmonoxid unte Bildung von *Bromo-carbonyl-chloro-decyl-(triphenylphosphan)-iridium* abspaltet[1].

$$IrCl(CO)[P(C_6H_5)_3]_2 \quad + \quad H_3C—(CH_2)_9—CO—Br$$

$$\xrightarrow[\substack{-CO \\ -P(C_6H_5)_3}]{45°,\ 26\ \text{Stdn.}} \quad Ir(C_{10}H_{21})BrCl(CO)[P(C_6H_5)_3]$$

Nach 10 stdgr. Reaktionsdauer kann der 5fach koordinierte Acyl-Komplex isoliert werden (s. S. 594).

Im Gegensatz zur Umsetzung von sek. aliphatischen Acyl-halogeniden mit Chloro-tris [triphenylphosphan]-iridium (s. S. 543), in der n-Alkyl-Komplexe entstehen, können be der Reaktion mit dem dimeren Cyclooocten-Komplex auch verzweigte Alkyl-iri dium(III)-Komplexe hergestellt werden[2,3]. Grund hierfür ist die geringere sterische Hin derung in den dimeren Komplexen. Einheitliche Verbindungen werden nur dann erhalten wenn die Umsetzung unter milden Bedingungen durchgeführt und die Alkyl-carbonyl Komplexe isoliert werden. So stellt sich beim Erhitzen des Isopropyl-Komplexes in Benzo nach 90 Min. das Gleichgewicht des Propyl- und Isopropyl-Komplexes ein. Ähnlich ver hält sich der Butyl-Rest. Die Einstellung des Isomeren-Gleichgewichts stellt sich auch in Lösung bei 30° innerhalb 3 Stdn. ein[4]. Überraschend ist, daß die dimere Chloro-iridium Struktur erhalten bleibt:

μ,μ-Dichloro-bis-...-iridium

z.B.: R = C_2H_5; ...-[*chloro-dicarbonyl-ethyl-*...; 58%; Zers.p. ab 136°
R = CH(CH_3)_2; ...-[*chloro-dicarbonyl-isopropyl-*...; 69%; Zers.p. ab 104°
R = C_3H_7; ...-[*chloro-dicarbonyl-propyl-*...; 80%
R = CH(CH_3)—C_6H_5; ...-[*chloro-dicarbonyl-(1-phenyl-ethyl)-*...; 60%

μ,μ-Dichloro-bis-[chloro-dicarbonyl-methyl-iridium][2,5]:
Carbonyl-chloro-tris-[η²-cycloocten]-iridium: Eine Lösung von 2,0 g Chlor-iridiumsäure (~51 g-% Ir) in 8 *ml* Propanol wird auf dem Wasserdampf-Bad so lange erhitzt, bis die Purpur-Farbe verschwinde (~10 Min.). Dann gibt man 2 *ml* Cycloocten zu und erhitzt die Mischung weitere 6 Stdn. Nach Kühlen auf −5° wird der gebildete Niederschlag abfiltriert und mit Eis-gekühltem Ethanol gewaschen. Die Verbindung kristalli siert in farblosen Prismen; Ausbeute: 1,04 g (34%); Zers.p. >100°, IR(Nujol): ν_{CO} 1994 cm⁻¹.

[1] J. BLUM, S. KRAUS u. Y. PICKHOLTZ, J. Organometal. Chem. **33**, 227 (1971).
[2] B.L. SHAW u. E. SINGLETON, Soc. [A] **1967**, 1683.
[3] M.A. BENNETT u. R. CHARLES, Am. Soc. **94**, 666 (1972).
[4] M.A. BENNET, R. CHARLES u. T.R.B. MITCHELL, Am. Soc. **100**, 2737 (1978). In einigen Fällen lassen sich die in termediär gebildeten Acyl-Komplexe isolieren (s. S. 597). 3-Phenyl-propanoylchlorid wird in Benzol bei 80° und 2-Phenyl-propanoylchlorid bereits bei 30° umgesetzt.
[5] N.A. BAILEY, C.J. JONES, B.L. SHAW u. E. SINGLETON, Chem. Commun. **1967**, 1051.

μ,μ-Dichloro-bis-[bis-(η^2-cyclooncten)-carbonyl-iridium]: 1,04 g des Tris-[η^2-cyclooncten]-Komplexes werden mit Diethylether gewaschen, und man erhält zitronen-gelbe Prismen; Ausbeute: 0,9 g (~100%), Zers.p.: >138°; IR(Nujol): ν_{CO} 1980 cm^{-1}.

μ,μ-Dichloro-bis-[chloro-dicarbonyl-methyl-iridium]: Zu einer Lösung von 0,242 g μ,μ-Di-chloro-bis-[bis-(η^2-cyclooncten)-carbonyl-iridium] in 4 ml siedendem Benzol gibt man 0,3 ml Acetylchlorid. Die Lösung wird filtriert und mit Petrolether (Kp: 100–120°) versetzt. Die Hauptmenge von Benzol wird bei 20° . Vak. entfernt, der Niederschlag abfiltriert und mit Diethylether gewaschen; Ausbeute: 0,13 g (77%); Zers.p.: >215° (ohne Schmelzen); IR(KCl): ν_{CO} 2137 und 2083 cm^{-1}.

4. aus π-Iridium-Komplexen durch π→σ-Alkyl-Umlagerung

π-Allyl-Liganden, die zwei Koordinationsstellen am Metall besetzen, können oft durch Behandeln mit starken Komplex-bildenden Liganden in σ-Allyl-Komplexe umgewandelt werden. Die Oxidationsstufe des Metalls wird dabei nicht verändert.

Die Umwandlung ist reversibel.

So kann σ-Allyl-carbonyl-dichloro-[dimethyl-phenyl-phosphan]-iridium durch Behandeln mit Natrium-hexafluorophosphat oder -tetraphenylborat in den π-Allyl-chloro-Komplex II umgelagert werden, der wiederum mit Natriumjodid σ-*Allyl-bis-[dimethyl-phenyl-phosphan]-carbonyl-chloro-jodo-iridium* liefert[1]:

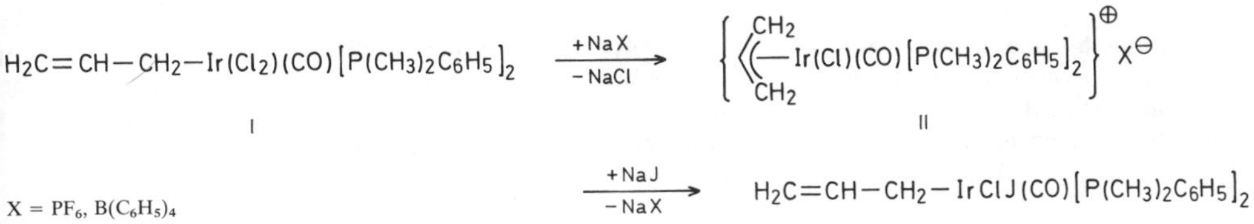

Der erste Kohlenmonoxid-Ligand wird i.a. vom Zentralmetall fest gebunden und ist folglich ein geeigneter Ligand für die π→σ-Umwandlung[2]; z.B.:

Bis-[dimethyl-phenyl-phosphan]-carbonyl-dichloro-(2-methyl-allyl)-iridium

5. aus anderen σ–C-Iridium-Verbindungen unter Erhalt mindestens einer C–Ir-Bindung

α) durch Reaktionen am σ–C-gebundenen Liganden

Die σ-Allyl-Gruppe reagiert bei vorsichtigem Behandeln mit Chlorwasserstoff unter Addition des Reagens an die C=C-Doppelbindung[3,4]. Durch Behandeln mit Triethylamin kann der Chlorwasserstoff im Falle der unsubstituierten Allyl-Gruppe unter Rückbildung der σ-Allyl-Gruppe wieder abgespalten werden:

[1] A.J. Deeming u. B.L. Shaw, Chem. Commun. **1968**, 751.
[2] J. Powell u. B.L. Shaw, Soc. [A] **1968**, 780.
[3] A.J. Deeming, B.L. Shaw u. R.E. Stainbank, Soc. [A] **1971**, 374.
[4] J.M. Duff, B.E. Mann, E.M. Miller u. B.L. Shaw, Soc. [Dalton] **1972**, 2337.

$$
\underset{\substack{\text{H}_2\text{C}=\text{C}-\text{CH}_2-\text{Ir(Cl}_2)(\text{CO})\text{L}_2}}{\overset{\text{R}}{|}} \quad \underset{\substack{\text{R}=\text{H};\ +\text{N(C}_2\text{H}_5)_3\\-(\text{HCl})}}{\overset{+\,\text{HCl}}{\rightleftharpoons}} \quad \underset{\substack{\text{H}_3\text{C}-\underset{\substack{|\\\text{Cl}}}{\overset{\substack{\text{R}\\|}}{\text{C}}}-\text{CH}_2-\text{Ir(Cl}_2)(\text{CO})\text{L}_2}}{}
$$

L = P(CH₃)₂(C₆H₅); R = H; *Bis-[dimethyl-phenyl-phosphan]-carbonyl-(2-chlor-propyl)-dichloro-iridium*

R = CH₃; *Bis-[dimethyl-phenyl-phosphan]-carbonyl-(2-chlor-2-methyl-propyl)-
dichloro-iridium*

L = P(C₂H₅)₂(C₆H₅); R = H; *Bis-[diethyl-phenyl-phosphan]-carbonyl-(2-chlor-propyl)-dichloro-iridium*;
95%; F: 160–165°

Beim Abziehen von Chloroform wird ebenfalls Chlorwasserstoff abgespalten, und es entsteht ein Gemisch der 2-Chlor-2-methyl-propyl- und der 2-Methyl-1-propenyl-Verbindung im Verhältnis von 1:1.

Bis-[dimethyl-phenyl-phosphan]-carbonyl-(2-chlor-propyl)-dichloro-iridium[1]: Trockener Chlorwasserstoff wird 30 Sek. durch eine Lösung von 0,26 g (0,42 mmol) σ-Allyl-bis-[dimethyl-phenyl-phosphan]-carbonyl-di-chloro-iridium in 4 *ml* abs. ethanolfreiem Chloroform geleitet, dann wird das Lösungsmittel i. Vak. abgezogen und der Rückstand mit Diethylether versetzt. Dabei fallen Prismen-förmige Kristalle aus, die aus Chloroform und Petrolether (Kp: 60–80°) umkristallisiert werden; Ausbeute: 0,25 g (93%); F: 139–142°; IR: ν_{CO} 2033 cm⁻¹.

Ein β-ständiger Chlor- oder Brom-Substituent wird rasch von Alkoholen, Natrium-acetat oder wäßr. Natriumcarbonat-Lösung nucleophil substituiert. Es entstehen die 2-Alkoxy-, 2-Acetoxy- und 2-Hydroxy-alkyl-iridium-Verbindungen[1–3]. Die Alkoxy-Gruppe läßt sich außerdem durch andere Alkohole substituieren; z.B.:

$$
\text{Cl}-\text{CH}_2-\text{CH}_2-\text{Ir(Cl}_2)(\text{CO})\left[\text{P(CH}_3)_2(\text{C}_6\text{H}_5)\right]_2 \quad \underset{\substack{-\text{NaCl}}}{\overset{\substack{+\,\text{H}_2\text{O}\\ \text{Na}_2\text{CO}_3/\text{Aceton}}}{\longrightarrow}} \quad \text{HO}-\text{CH}_2-\text{CH}_2-\text{Ir(Cl}_2)(\text{CO})\left[\text{P(CH}_3)_2(\text{C}_6\text{H}_5)\right]_2
$$

Bis-[dimethyl-phenyl-phosphan]-carbonyl-dichloro-(2-hydroxy-propyl)-iridium[3]: Der Lösung von 0,1 g (0,155 mmol) Bis-[dimethyl-phenyl-phosphan]-carbonyl-(2-chlor-propyl)-dichloro-iridium und 1 *ml* Aceton setzt man 0,016 g (0,155 mmol) Natriumcarbonat in 1 *ml* Wasser zu, kühlt auf −8°, filtriert und engt das Filtrat i. Vak. bis zur Trockene ein. Der Rückstand wird mit Wasser gewaschen und aus Aceton umkristallisiert; Ausbeute: 0,068 g (70%); F: 140–149° (Zers.); IR(Nujol): ν_{CO} 2038 cm⁻¹.

Die Acetyl-Gruppe kann im Acetyl-bis-[dimethyl-phenyl-phosphan]-carbonyl-di-chloro-iridium durch Diboran zur Ethyl-Gruppe hydriert werden, ohne daß das Metall angegriffen wird[4]:

$$
\underset{\substack{\text{Cl}}}{\overset{\substack{\text{CO}}}{\text{H}_5\text{C}_6(\text{H}_3\text{C})_2\text{P}\diagdown\mid\diagup\text{CO}-\text{CH}_3}}{\text{Ir}}\diagup\diagdown\underset{\substack{\text{Cl}}}{\overset{}{}}{\text{P(CH}_3)_2\text{C}_6\text{H}_5} \quad \overset{\text{B}_2\text{H}_6,\,\text{C}_6\text{H}_6}{\longrightarrow} \quad \underset{\substack{\text{Cl}}}{\overset{\substack{\text{CO}}}{\text{H}_5\text{C}_6(\text{H}_3\text{C})_2\text{P}\diagdown\mid\diagup\text{CH}_2-\text{CH}_3}}{\text{Ir}}\diagup\diagdown\underset{\substack{\text{Cl}}}{\overset{}{}}{\text{P(CH}_3)_2\text{C}_6\text{H}_5}
$$

Bis-[dimethyl-phenyl-phosphan]-carbonyl-dichloro-ethyl-iridium

Eine Formyl-Gruppe wird durch Boran/THF zur Methyl-Gruppe, mit Natriumboranat/THF zur Hydroxymethyl-Gruppe hydriert[5, 6]:

[1] A.J. DEEMING, B.L. SHAW u. R.E. STAINBANK, Soc. [A] **1971**, 374.

[2] A.J. DEEMING u. B.L. SHAW, Soc. [A] **1971**, 376.

[3] J.M. DUFF, B.E. MANN, E.M. MILLER u. B.L. SHAW, Soc. [Dalton] **1972**, 2337.

[4] J.A. VAN DOORN, C. MASTERS u. H.C. VOLGER, J. Organometal. Chem. **105**, 245 (1976).

[5] D.L. THORN, Am. Soc. **102**, 7109 (1981); Organometallics **1**, 197 (1982).

[6] D.L. THORN u. T.H. TULIP, Organometallics **1**, 1580 (1982).

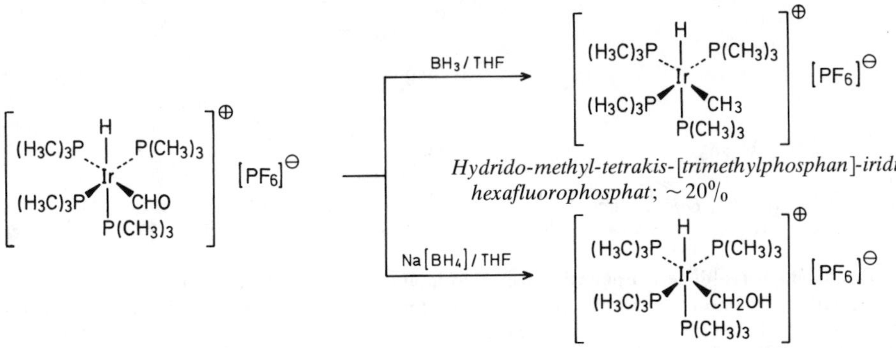

Hydrido-methyl-tetrakis-[trimethylphosphan]-iridium-hexafluorophosphat; ~20%

Hydrido-hydroxymethyl-tetrakis-[trimethylphosphan]-iridium-hexafluorophosphat; 26%; Zers.p.: 148°

Der Hydroxymethyl-Komplex ist in besserer Ausbeute durch Hydrolyse des entsprechenden (Trimethylsilyloxy-methyl)-Komplexes mit Ammoniumhydrogenfluorid zugänglich[1, 2].

Chloro-*cis*-hydrido-formylmethyl-tris-[trimethylphosphan]-iridium wird bei 100° vom Chloro-tris-[trimethylphosphan]-rhodium zum *Chloro-cis-hydrido-methyl-tris-[trimethylphosphan]-iridium* (90%) decarbonyliert[3]:

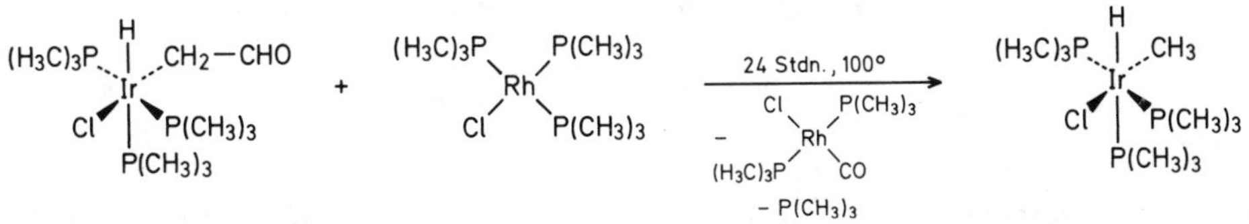

Hydrido-hydroxymethyl-tetrakis-[trimethylphosphan]-iridium-jodid und die entsprechenden O-Methyl- bzw. O-Trimethylsilyl-Derivate setzen sich mit Tetrafluoroborsäure-Diethyletherat in Dichlormethan rasch zum *Jodo-methyl-tetrakis-[trimethylphosphan]-iridium-tetrafluoroborat* (<90%) um[3].

β) durch Reaktion am Iridium

Bei Oxidationsreaktionen werden meist die σ–C–Ir-Bindungen gespalten.

In einigen σ–C-Iridium-Komplexen bleibt jedoch die σ–C–Ir-Bindung erhalten. So wird z.B. bei der Umsetzung von Bis-[triphenylphosphan]-carbonyl-(phenylethinyl)-iridium mit Brom oder Chlor nicht nur das Halogen an die C≡C-Dreifachbindung addiert, sondern auch an das Zentralmetall[4]. Es entsteht ein Gemisch der Verbindungen II–IV[4]; z.B.:

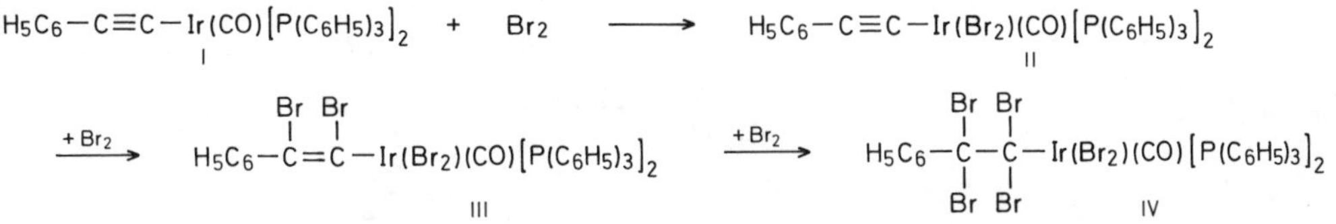

Trimethyl-tris-[triorganophosphan bzw. -triorganoarsan]-iridium-Komplexe können mit 1 mol Chlor, Brom oder Jod selektiv zu Halogen-dimethyl-iridium-Komplexen umgesetzt werden[5]. Durch Behandeln mit 2 mol Jod kann auch der Dijodo-methyl-iridium-Komplex hergestellt werden:

[1] D.L. Thorn, Am. Soc. **102**, 7109 (1981); Organometallics **1**, 197 (1982).
[2] D.L. Thorn u. T.H. Tulip, Organometallics **1**, 1580 (1982).
[3] D. Milstein u. J.C. Calabrese, Am. Soc. **104**, 3773 (1982).
[4] R.H. Walter u. B.F.G. Johnson, Soc. [Dalton] **1978**, 381.
[5] B.L. Shaw u. A.C. Smithles, Soc. [A] **1967**, 1047.

$$\text{Ir(CH}_3)_3\text{L}_3 \quad + \quad \text{X}_2 \quad \xrightarrow[-\,\text{CH}_3\text{X}]{\text{CHCl}_3,\,-45°} \quad \text{Ir(CH}_3)_2\text{XL}_3$$

z.B.: L = P(CH$_3$)$_2$(C$_6$H$_5$); X = J; *Jodo-dimethyl-tris-[dimethyl-phenyl-phosphan]-iridium* 77%; F: 183,5–187° (Zers.)

$$\text{Ir(CH}_3)_3\text{L}_3 \quad + \quad 2\,\text{J}_2 \quad \xrightarrow[-\,2\,\text{CH}_3\text{J}]{\text{CHCl}_3,\,-45°} \quad \text{Ir(CH}_3)\text{J}_2\text{L}_3$$

L = P(CH$_3$)$_2$(C$_6$H$_5$); *Dijodo-methyl-tris-[dimethyl-phenyl-phosphan]-iridium*; 70%; F: 238–241° (Zers.)
L = As(CH$_3$)$_2$(C$_6$H$_5$); *Dijodo-methyl-tris-[dimethyl-phenyl-arsan]-iridium*; 80%; F: 195–203° (Zers.)

Chloro-dimethyl-tris-[dimethyl-phenyl-phosphan]-iridium[1]: Zu einer Lösung von 0,130 g fac-Trimethyl-tris-[dimethyl-phenyl-phosphan]-iridium in 40 *ml* Chloroform gibt man bei –45° eine Lösung aus 14,2 mg Chlor in 20 *ml* Chloroform. Dann wird das Lösungsmittel i. Vak. abgezogen und der Rückstand aus Methanol umkristallisiert. Es entstehen farblose Prismen; Ausbeute: 0,07 g (52%); F: 137–141,5° (Zers.).

Zur Anlagerung von Wasserstoff bzw. Säuren an Bis-[trimethylphosphan]-carbonyl-cyanmethyl-iridium zum *Bis-[trimethylphosphan]-carbonyl-cyanmethyl-dihydrido-iridium* bzw. dem Säure-Adukt s. Lit.[2,3], z.B.:

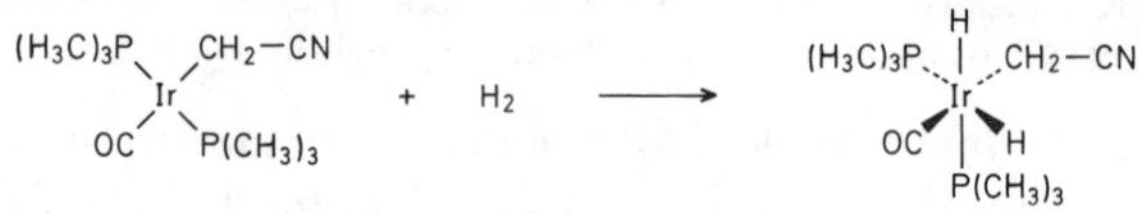

b) 1-Alkenyl-iridium(III)-Verbindungen

1. aus Iridium(III)-Verbindungen

α) mit Alkinen

Hydrido-iridium-Verbindungen reagieren mit elektronenarmen Alkinen unter Addition der H–Ir-Gruppe an die C≡C-Dreifachbindung. Als elektronenanziehende Gruppen wirken Phenyl-, Alkoxycarbonyl- und vor allem Trifluormethyl-Funktionen. Da diese Alkin-Derivate infolge back-donation bei der Komplex-Bildung gute η²-Liganden sind, wird oft ein zweites Alkin-Molekül gebunden.

Von Nachteil ist, daß die aktiven Alkine durch die Metall-Komplexe katalysiert leicht polymerisiert werden.

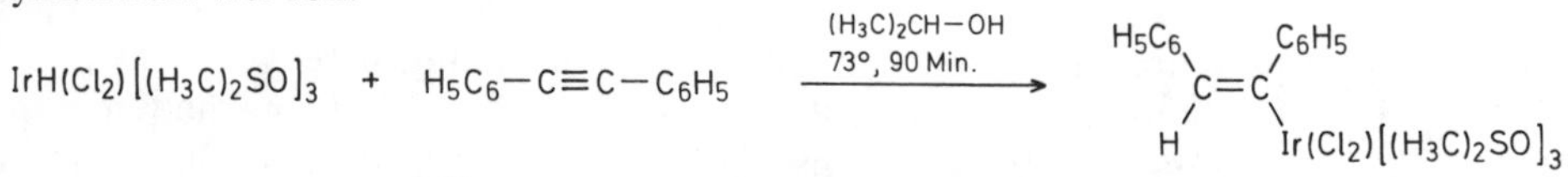

Dichloro-(cis-1,2-diphenyl-vinyl)-tris-[dimethylsulfoxid]-iridium[4,5]; F: 196–198°

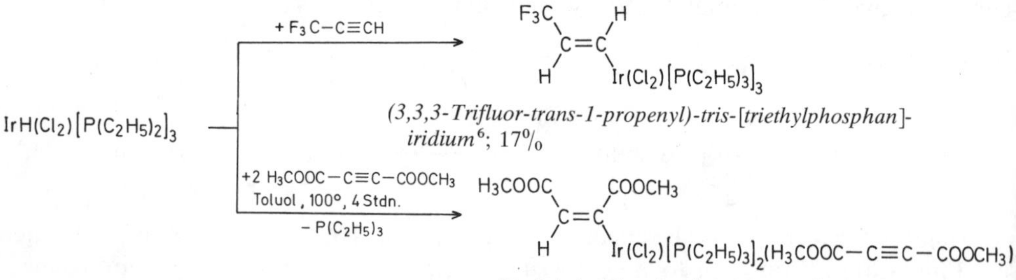

(3,3,3-Trifluor-trans-1-propenyl)-tris-[triethylphosphan]-iridium[6]; 17%

Bis-[triethylphosphan]-dichloro-(η²-dimethoxycarbonyl-ethin)-(1,2-cis-dimethoxycarbonyl-vinyl)-iridium[6]

---

[1] B.L. SHAW u. A.C. SMITHLES, Soc. [A] **1967**, 1047.
[2] S. ZECCHINI, G. ZOTTI u. G. PILLONI, J. Organometal. Chem. **235**, 253 (1982).
[3] D.L. THORN, Am. Soc. **102**, 7109 (1981); Organometallics **1**, 197 (1982).
[4] J. TROCHA-GRIMSHAW u. H.B. HENBEST, Chem. Commun. **1968**, 757.
[5] Beim Spalten der Verbindung durch Chlorwasserstoff in Methanol erhält man *cis*-Stilben (s.S. 613).
[6] H.C. CLARK u. R.K. MITTAL, Canad. J. Chem. **51**, 1511 (1973).

Dichloro-(trans-3,3,3-trifluor-1-propenyl)-tris-[triethylphosphan]-iridium[1]: 0,38 g (40 mmol) 1,1,1-Trifluor-propin und 0,62 g (1,0 mmol) gelbes Dichloro-hydrido-tris-[triethylphosphan]-iridium[2] werden in Dichlormethan gelöst und in einem Bombenrohr aus Glas 2 Stdn. bei 60° umgesetzt. Es entsteht eine gelbe ölige Verbindung, die durch Säulenchromatographie (Kieselgel, Hexan, Hexan/Benzol) gereinigt und aus Benzol/Hexan umkristallisiert wird (gelbe Kristalle); Ausbeute: 0,125 g (17%); IR: $\nu_{C=O}$ 1595 cm^{-1}.

β) durch spezielle Methoden

Tetracyan-ethen reagiert mit dem Hydrido-iridium(III)-Komplex I unter Abspaltung von Blausäure[1] zu σ-(Tricyan-vinyl)-iridium-Komplexen:

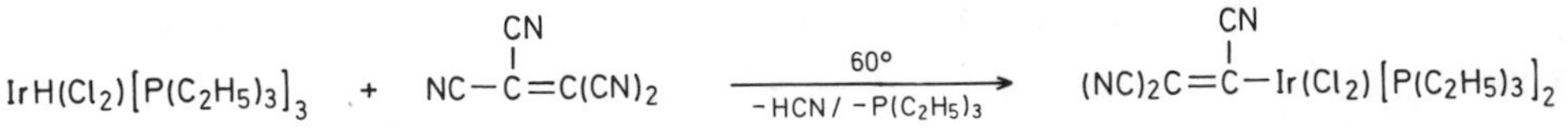

IrH(Cl2)[P(C2H5)3]3
+
NC—C(CN)=C(CN)2
60°
-HCN / -P(C2H5)3
(NC)2C=C(CN)—Ir(Cl2)[P(C2H5)3]2

I

Bis-[triethylphosphan]-dichloro-(tricyan-vinyl)-iridium

σ-(2-Methyl-2-propenyl)-iridium(III)-Komplexe werden durch katalytische Mengen trockenen Chlorwasserstoffs (0,04 mol pro Atom Iridium) zu σ-(2-Methyl-1-propenyl)-iridium(III)-Verbindungen isomerisiert[3]. Unsubstituierte σ-Allyl-Komplexe können nach dieser Methode nicht isomerisiert werden. Wird Chlorwasserstoff im Überschuß eingesetzt, wird er an die C=C-Doppelbindung angelagert. Bei Abspaltung von Chlorwasserstoff wird bei der unsubstituierten Verbindung der σ-Allyl-Komplex zurückgebildet, während bei der Methyl-Verbindung der 2-Methyl-1-propenyl-Komplex entsteht:

HCl (Überschuß), CHCl3
R = H, X = Cl / N(C2H5)3, CHCl3
katal. HCl / CHCl3
R = CH3, X = Cl, Br
R = CH3, X = Cl
N(C2H5)3 / CHCl3

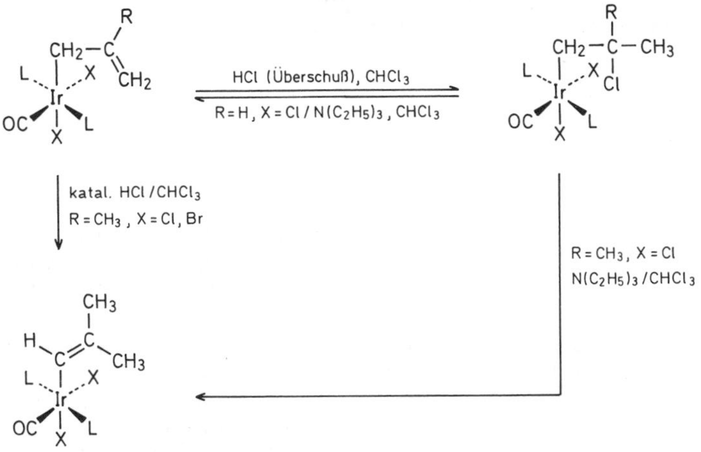

L = $P(CH_3)_2(C_6H_5)$; *Bis-[dimethyl-phenylphosphan]-...-(2-methyl-1-propenyl)-iridium*
X = Cl; ...*-carbonyl-dichloro-*...; 59%; F: 188–195°
X = Br; ...*-carbonyl-dibromo-*...; 88%; F: 202–205°

Bis-[dimethyl-phenyl-arsin]-carbonyl-dichloro-(2-methyl-1-propenyl)-iridium[3]: Eine Lösung von Chlorwasserstoff[4] in 7,5 *ml* trockenem Ethanol-freiem Chloroform wird zu einer Lösung von 42 mg (0,059 mmol) Bis-[dimethyl-phenyl-arsan]-carbonyl-dichloro-(σ-2-methyl-allyl)-iridium in 0,5 *ml* abs. Chloroform gegeben. Der Verlauf der Reaktion wird ^{1}H-NMR-spektroskopisch verfolgt. Bei 34° ist die Isomerisierung nach 13,5 Stdn. abgeschlossen. Das Lösungsmittel wird hierauf i. Vak. entfernt, und dem Rückstand wird Diethylether zugesetzt; Ausbeute: 39 mg (93%); F: 147–149°; IR(KCl): ν_{CO} 2035, $\nu_{C=C}$ 1582 cm^{-1}.

---

[1] H. C. Clark u. R. K. Mittal, Canad. J. Chem. **51**, 1511 (1973).
[2] J. Chatt u. B. L. Shaw, Chem. Canad. Ind. **1961**, 931; Chlor-Liganden stehen in *trans*-Stellung.
[3] A. J. Deming, B. L. Shaw u. R. E. Stainbank, Soc. [A] **1971**, 374.
[4] In der Vorschrift ist eine 0,314 M Lösung angegeben.

2. aus neutralen Iridium(I)-Verbindungen durch oxidative Addition

α) mit 1-Halogen-1-alken-Verbindungen

Die Umsetzung der folgenden 1-Halogen-1-alken-Verbindungen (s. Tab. 2, S. 518) wird durch Radikal-Fänger inhibiert[1]. Unabhängig, ob man von der *cis-* oder *trans-*Verbindung ausgeht, werden stets *cis-*, *trans-*Isomerengemische erhalten:

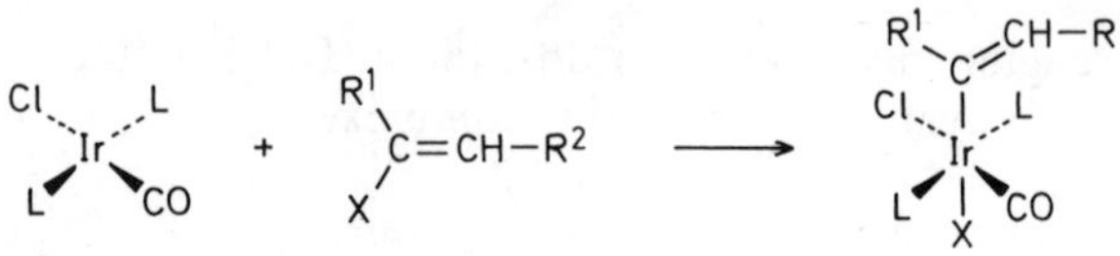

L = P(CH₃)₃; R¹ = H; R² = Cl; X = Cl; *Bis-[trimethylphosphan]-carbonyl-(2-chlor-vinyl)-dichloro-iridium*[1]
F: 128–135

R¹ = C₆H₅; R² = H; X = Br; *Bis-[trimethylphosphan]-bromo-carbonyl-chloro-(2-phenyl-vinyl)-iridium*[1]; F: 256–261° (Zers.)

β) mit 1-Halogen-1,2-alkadienen oder 3-Halogen-1-alkinen

1,2-Alkadienyl-iridium-Komplexe werden durch oxidative Addition von 1-Chlor-1,2-alkadienen[2] bzw. 3-Brom- und 3-Chlor-1-alkinen[2,3] an Iridium(I)-Verbindungen erhalten. Die Acetylen-Allen-Umlagerung erfolgt im Verlauf einer S_N2'-Substitution durch Iridium. Bei innenständiger C≡C-Dreifachbindung entstehen unbeständige π-Acetylen-iridium(I)-Komplexe. Auch im Falle des σ-Allenyl-Komplexes wird wahrscheinlich in einem ersten Reaktionsschritt ein π-Komplex gebildet.

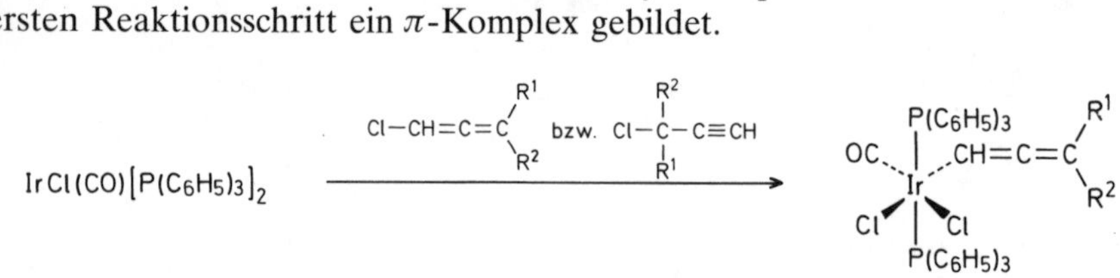

Bis-[triphenylphosphan]-carbonyl-dichloro-...-iridium
R¹ = H; R² = CH₃; ...-(1,2-butadienyl)-...
R¹ = R² = CH₃; ...-(3-methyl-1,2-butadienyl)-...

Bis-[triphenylphosphan]-carbonyl-dichloro-(1,2-propadienyl)-iridium[2]: Man arbeitet unter Stickstoff-Atmosphäre mit Sauerstoff-freien Lösungsmitteln. 320 mg (0,4 mmol) Bis-[triphenylphosphan]-carbonyl-chloro-iridium[4] in 10 *ml* entgastem Chloroform werden mit 35 mg (0,5 mmol) 3-Chlor-1-propin bzw. Chlor-allen umgesetzt und 1 Stde. gerührt. Die Lösung wird rasch farblos. Der gebildete Komplex wird hierauf mit Hexan ausgefällt, erneut in wenig Chloroform gelöst und mit Methanol versetzt, so daß die Verbindung auskristallisiert.

γ) mit Alkinen oder kleinen Ringen

μ,μ-Dichloro-bis-[(η⁴-1,5-cyclooctadien)-iridium] bildet mit Hexafluor-2-butin *μ,μ-Dichloro-bis-[(η⁵-dehydro-1,5-cyclooctadien)-(3,3,3-trifluor-1-trifluormethyl-1-propenyl)-iridium]*[5,6]:

---

[1] J.A. LABINGER, J.A. OSBORN u. N.J. COVILLE, Inorg. Chem. **19**, 3236 (1980).
[2] J.P. COLLMAN, J.N. CAWSE u. J.W. KANG, Inorg. Chem. **8**, 2574 (1969).
[3] A.E. CREASE, B.D. GUPTA, M.D. JOHNSON u. S. MOORHOUSE, Soc. [Dalton] **1978**, 1821.
[4] J.P. COLLMAN, C.T. SEARS u. M. KUBOTA, Inorg. Synth. **11**, 101 (1968).
[5] D.A. CLAKE, D.W. KEMMITT, D.R. RUSSELL u. P.A. TUCKER, J. Organometal. Chem. **93**, C 37 (1975).
[6] D.R. RUSSELL u. P.A. TUCKER, J. Organometal. Chem. **125**, 303 (1977).

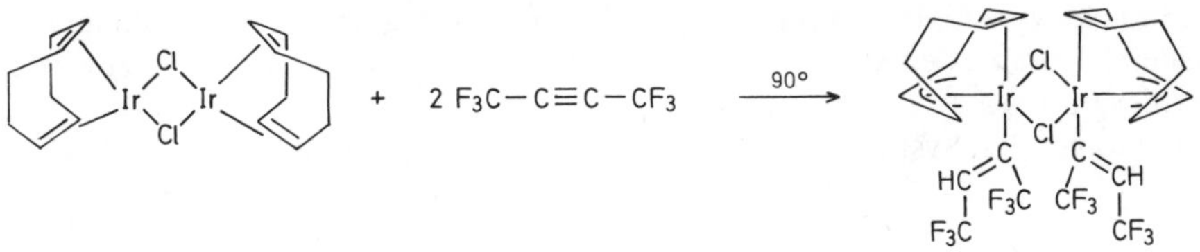

Analog den π-Alken-iridium(I)-Komplexen (s. S. 531) reagiert der Alkin-Komplex I mit Säuren unter oxidativer Addition und Bildung einer σ–C–Ir-Bindung[1].

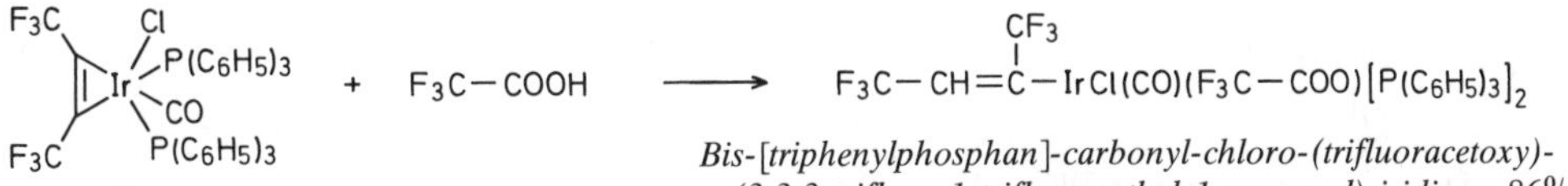

Bis-[triphenylphosphan]-carbonyl-chloro-(trifluoracetoxy)-
(3,3,3-trifluor-1-trifluormethyl-1-propenyl)-iridium; 86%

Bei der Umsetzung von Bis-[triphenylphosphan]-carbonyl-chloro-iridium mit zwei mol 1-Alkin entsteht ein (1-Alkenyl)-(1-alkinyl)-iridium(III)-Komplex[2]; z. B.:

$$rCl(CO)[P(C_6H_5)_3]_2 + 2HC{\equiv}C{-}R \longrightarrow Ir(CH{=}CH{-}R)(C{\equiv}C{-}R)Cl(CO)[P(C_6H_5)_3]_2$$

R = ; Bis-[triphenylphosphan]-carbonyl-chloro-(1,2-dicarba-
decarboran-1-yl-ethinyl)-[2-(1,2-dicarbadecacarboran-
1-yl)-vinyl]-iridium

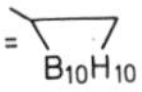

Triphenylcyclopropenium-tetrafluoroborat reagiert mit *trans*-Bis-[trimethylphos-phan]-carbonyl-chloro-iridium unter Ring-Öffnung und oxidativer Addition an das Me-tall[3,4].

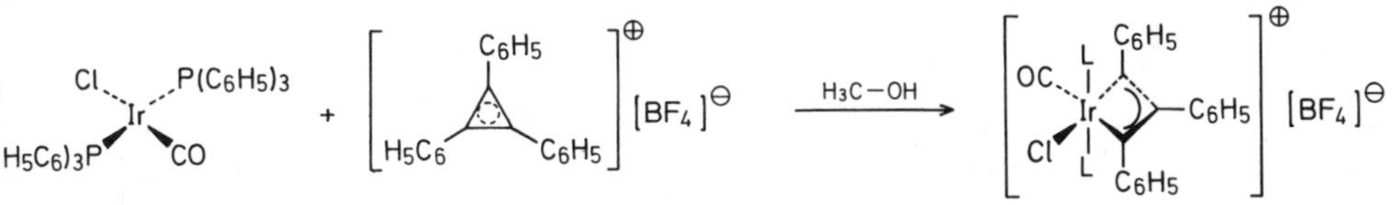

L = $(H_5C_6)_3P$

Bis-[triphenylphosphan]-1-carbonyl-1-chloro-2,3,4-triphenyl-
1-hydro-iret-tetrafluoroborat

δ) mit der C–H-Bindung von Alken-Derivaten

Die Spaltung der C–H-Bindung hängt stark von der Basizität des Metalls ab. So kann die Einführung des Elektronen-anziehenden Carbonyl-Liganden die Insertion des Metalls in die C–H-Bindung verhindern. Phosphane und Stickstoff-Verbindungen als Elektronen-Donoren begünstigen die Reaktion. Sie gelingt mit Iridium(I)- besser als mit Rho-dium(I)-Verbindungen.

Während das Metall hier nucleophil reagiert, können Metalle in höherer Oxidationsstufe wie Pd(II) elektro-phil mit dem Kohlenwasserstoff reagieren.

Die Hybridisierung des C-Atoms spielt ebenfalls eine große Rolle. Die CH-Gruppe von Alkinen ist als CH-acide Verbindung besonders aktiv. Die Reaktivität der C–H-Bindung anderer Kohlenwasserstoff-Verbindungen nimmt von den Arenen zu den Olefinen ab und ist bei Aliphaten am geringsten.

[1] R. D. W. KEMMITT, B. Y. KIMURA u. G. W. LITTLECOTT, Soc. [Dalton] **1973**, 636.
[2] K. P. CALLAHAN u. M. F. HAWTHORNE, Am. Soc. **95**, 4574 (1973).
[3] R. M. TUGGLE u. D. L. WEAVER, Am. Soc. **92**, 5523 (1970).
[4] R. M. TUGGLE u. D. L. WEAVER, Inorg. Chem. **11**, 2237 (1972).

Die Bildung von C–Ir-Bindungen wird besonders begünstigt, wenn dadurch ein 5-Ring-Chelat-Komplex entsteht, in dem die sterische Hinderung herabgesetzt wird (= Cyclometallierung).

Bei den folgenden Systemen ist eine Cyclometallierung von Alkenen beobachtet worden:

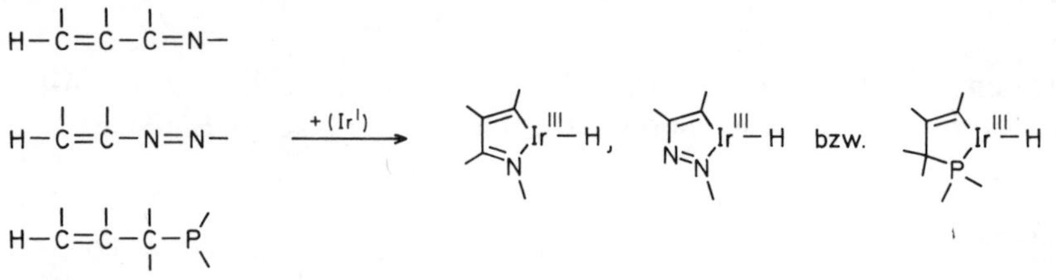

En-imine reagieren mit Phosphan-iridium(I)-Komplexen unter oxidativer Cycloaddition[1]. Dabei ist die Reaktionsgeschwindigkeit bei Tricyclohexylphosphan größer als bei Triphenylphosphan, da ersteres ein stärkerer Elektronen-Donor ist.

μ,μ-Dichloro-bis-[bis-(η^2-cycloocten)-iridium] setzt sich mit Iminen ungesättigter Aldehyde unter Addition an die C=N-Doppelbindung in Gegenwart von Phosphanen zu [3-Imino-1-propenyl-(C,N)]-iridium-Verbindungen um [1]:

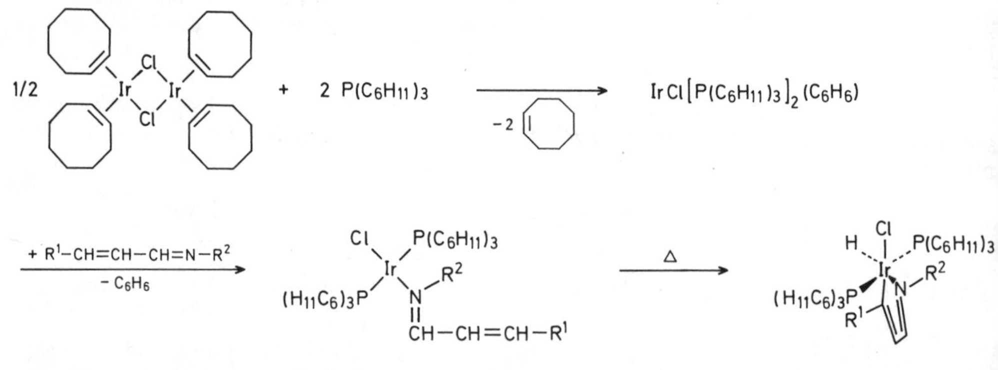

Bis-[tricyclohexylphosphan]-chloro-hydrido-[3-propylimino-1-phenyl-1-propenyl-(C,N)]-iridium[1]: 190 mg (1,1 mmol) Zimtaldehyd-propylimin werden in 20 *ml* vollständig entgastem Benzol gelöst und unter Rühren mit 447 mg (0,5 mmol) μ,μ-Dichloro-bis-[bis-(η^2-cycloocten)-iridium] in einer Argon-Schutzatmosphäre versetzt. Anschließend werden 560 mg (2 mmol) Tricyclohexylphosphan zugesetzt, und es wird die Lösung 2 Stdn. unter Rückfluß erhitzt. Es wird bei 20° filtriert und i. Vak. bis zur Trockene eingeengt. Der Rückstand wird mit Pentan gewaschen und aus Benzol-Pentan umkristallisiert (gelbe Kristalle); Ausbeute: 480 mg (50%); IR(CH$_2$Cl$_2$): ν_{IrH} 2200 cm^{-1}.

Isopropenyl-methyl-diazen wird ebenfalls von einer Iridium(I)-Verbindung cyclometalliert[2]; z.B.:

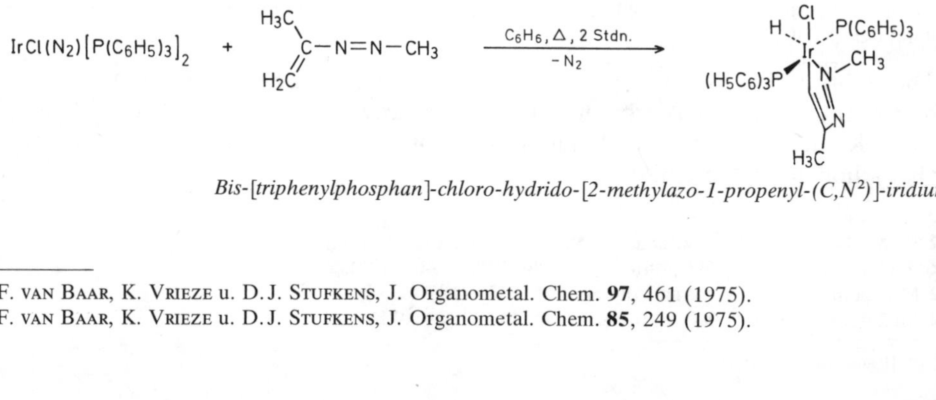

Bis-[triphenylphosphan]-chloro-hydrido-[2-methylazo-1-propenyl-(C,N²)]-iridium

[1] J.F. VAN BAAR, K. VRIEZE u. D.J. STUFKENS, J. Organometal. Chem. **97**, 461 (1975).
[2] J.F. VAN BAAR, K. VRIEZE u. D.J. STUFKENS, J. Organometal. Chem. **85**, 249 (1975).

2-Propenyl-phosphan-Derivate werden von Iridium-, aber nicht von Rhodium-Komplexen cyclometalliert[1]; z.B.

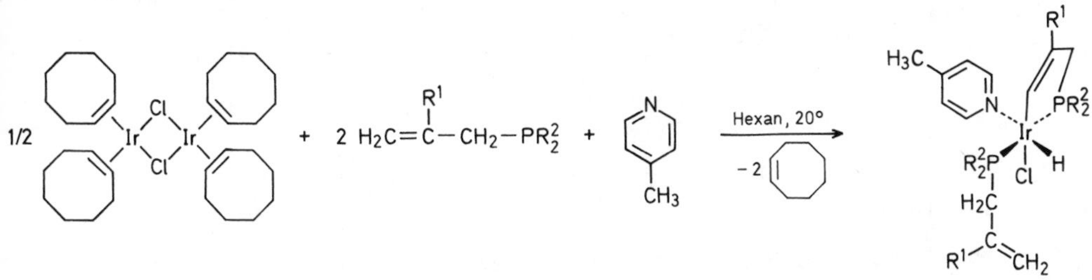

[Allyl-di-tert.-butyl-phosphan]-chloro-[3-di-tert.-butylphosphano-1-propenyl-(C,P)]-hydrido-(4-methyl-pyridin)-iridium[1]: 300 mg (0,33 mmol) μ,μ-Dichloro-bis-[bis-(η^2-cyclooocten)-iridium] werden in 15 ml Hexan suspendiert. Der Komplex löst sich bei Zusatz von 0,5 ml 4-Methyl-pyridin. Bei tropfenweiser Zugabe von 227 mg (1,22 mmol) Allyl-di-tert.-butyl-phosphan bei 20° schlägt die Farbe rasch von orange-rot nach gelb um.

Man rührt weitere 15 Min., filtriert und kühlt das Filtrat auf −30° ab. Es fallen Luft-stabile Kristalle aus, die abfiltriert, mit kaltem Hexan gewaschen und i. Vak. getrocknet werden; Ausbeute: 80%; IR(Nujol): ν_{IrH} 2310; $\nu_{C=C}$ 1630 und 1545 cm^{-1}.

Wird die Umsetzung ohne 4-Methyl-pyridin durchgeführt, so entsteht ein 5fach koordinierter cyclometallierter Komplex (65%)[1].

Auf analoge Weise wird *Chloro-[dicyclohexyl-(2-methyl-allyl)- phosphan]- [3-dicyclohexylphosphano-2-methyl-1-propenyl-(C,P)]-hydrido-(4-methyl-pyridin)-iridium* erhalten.

Bis-[η^2-ethen]-(2,4-pentandionato)-iridium reagiert in Gegenwart von 4-Methyl-pyridin oder Acetonitril ähnlich mit Allyl-phosphanen[2]. Im Unterschied zu den zuvor beschriebenen Umsetzungen wird kein zweiter Phosphan-Ligand gebunden:

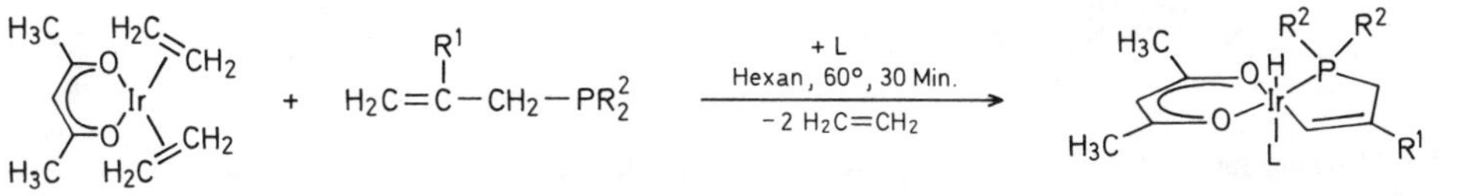

R^1 = H; R^2 = C(CH$_3$)$_3$; L = 4-CH$_3$-pyridin; [*3-Di-tert.-butylphosphano-1-propenyl-(C,P)]-hydrido-(4-methyl-pyridin)-(2,4-pentandionato)-iridium*; 70%

L = H$_3$C–CN; *(Acetonitril)-[3-di-tert.-butylphosphano-1-propenyl-(C,P)]-hydrido-(2,4-pentandionato)-iridium*; 50%

R^2 = C$_6$H$_{11}$; L = 4-CH$_3$-pyridin; [*3-Dicyclohexylphosphano-1-propenyl-(C,P)]-hydrido-(4-methyl-pyridin)-2,4-(pentandionato)-iridium*

R = CH$_3$; R^2 = C(CH$_3$)$_3$; L = 4-CH$_3$-pyridin; [*3-Di-tert.-butylphosphano-2-methyl-1-propenyl-(C,P)]-hydrido-(4-methyl-pyridin)-(2,4-pentandionato)-iridium*

3. aus anderen σ–C-Iridium-Verbindungen unter Erhalt mindestens einer σ–C–Ir-Bindung

α) Reaktionen am σ–C-gebundenen Liganden

Bei den sehr stabilen cyclometallierten En-iminen wird die C–Ir-Bindung bei 20° nicht durch elementares Chlor, Brom oder Chlorwasserstoff gespalten. Unter Erhaltung der C,C-Doppelbindung wird formal ein C$_{vinyl}$–H-Atom substituiert[3]; z.B.:

[1] S. HIETKAMP, D.J. STUFKENS u. K. VRIEZE, J. Organometal. Chem. **122**, 419 (1976).
[2] S. HIETKAMP, D.J. STUFKENS u. K. VRIEZE, J. Organometal. Chem. **134**, 95 (1977).
[3] J.F. VAN BAAR, J.M. KLERKS, P. OVERBOSCH, D.F. STUFKENS u. K. VRIEZE, J. Organometal. Chem. **112**, 95 (1976).

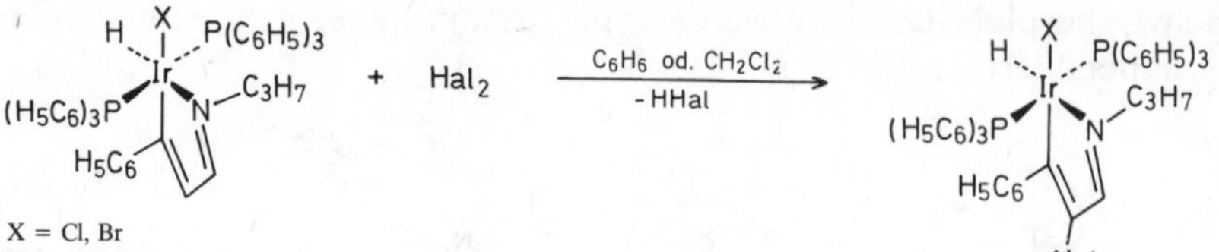

X = Cl, Br
Hal = Cl, Br

Das am Iridium-Atom gebundene Chlor-Atom wird bei der Umsetzung mit Brom teil-weise durch Brom substituiert.

Bis-[triphenylphosphan]-chloro-[2-chlor-1-phenyl-3-propylimino-1-propenyl-(C,N)]-hydrido-iridium[1]:
0,455 g (0,5 mmol) Bis-[triphenylphosphan]-chloro-hydrido-[1-phenyl-3-propylimino-1-propenyl-(C,N)]-iri-dium werden in ~ 15 ml Dichlormethan oder Benzol gelöst. Bei 20° wird langsam Chlor durch die Lösung gelei-tet. Nach einigen Min. wird das Reaktionsgefäß verschlossen und 2 Tage stehen gelassen. Hierauf wird die Lö-sung durch Aktivkohle filtriert und bis zur Trockenen i. Vak. eingeengt.

Der Rückstand wird in ~ 5 ml Aceton gelöst, aus dem beim Kühlen gelbe Kristalle abscheiden. Die Ver-bindung wird abfiltriert und 2mal mit je 5 ml Hexan gewaschen. Aus dem Filtrat wird durch Zusatz von Hexan beim Kühlen eine zweite Fraktion gewonnen. Beide Fraktionen werden aus einer Mischung von Dichlormethan und Hexan oder Benzol und Hexan umkristallisiert; Ausbeute: 0,28 g (0,3 mmol = 60%); IR: ν_{IrH} 2240 cm^{-1}.

β) Reaktionen am Iridium-Metall

1,4-Bis-[nitroso]-1,4-bis-[triphenylphosphan]-2,3,5,6-tetrakis-[trifluormethyl]-1,4-di-hydro-1,4-diiridin (s. S. 485) reagiert mit Jod in Benzonitril unter Abspaltung der Nitro-syl-Gruppen und Bindung von je einem Benzonitril- und Jod-Liganden an beiden Iri-dium-Atomen:

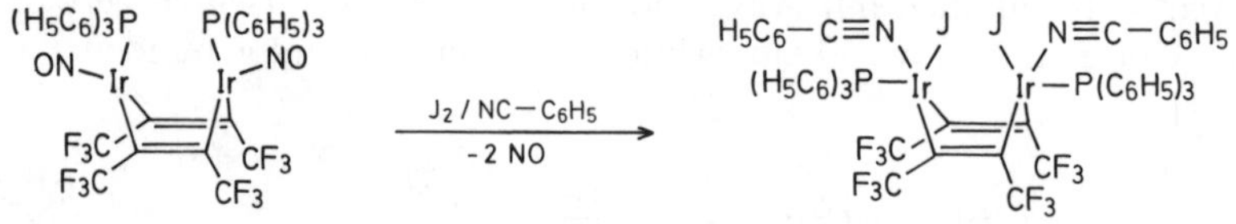

1,4-Bis-[benzonitril]-1,4-bis-[triphenylphosphan]-1,4-dijodo-2,3,5,6-tetrakis-[trifluormethyl]-1,4-dihydro-1,4-diiridin[2]: Es wird unter trockenem und Sauerstoff-freiem Stickstoff gearbeitet. – Eine Lösung von 0,06 g (0,10 mmol) 1,4-Bis-[nitroso]-1,4-bis-[triphenylphosphan]-2,3,5,6-tetrakis-[trifluormethyl]-1,4-dihydro-1,4-diiridin in 5 ml Benzonitril werden i. Vak. bei 30° mit 0,03 g (0,10 mmol) Jod behandelt. Dann wird das Lösungs-mittel i. Vak. entfernt und der Rückstand aus Dichlormethan umkristallisiert; Ausbeute: 0,07 g (80%); F: 179–181° (Zers.).

c) Iridole

1. aus Dihalogen-iridium(III)-Verbindungen

Cyclopentadienyl-dijodo-triphenylphosphan-iridium und 1,4-Dilithium-tetraphenyl-1,3-butadien bilden *1-(η^5-Cyclopentadienyl)-2,4,5,6-tetraphenyl-1-triphenylphosphan-iridol*[3]:

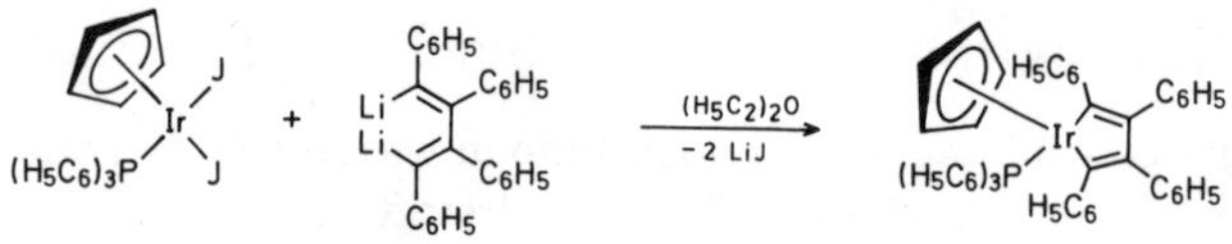

[1] J.F. van Baar, J.M. Klerks, P. Overbosch, D.F. Stufkens u. K. Vrieze, J. Organometal. Chem. **112**, 95 (1976).
[2] J. Clemens, M. Green u. F.G.A. Stone, Soc. [Dalton] **1973**, 375.
[3] S.A. Gardner u. M.S. Rausch, J. Organometal. Chem. **78**, 415 (1974).

2. aus Iridium(I)-Verbindungen durch oxidative Addition

α) von zwei Alkin-Molekülen

Durch die Cycloaddition von zwei Mol Alkin an Iridium(I)-Reste entstehen unter Oxidation des Zentralmetalls Iridole[1]. Die Reaktion läuft über π-Alkin-iridium(I)-Komplexe, die beim Behandeln mit Alkin ebenfalls das Iridol bilden:

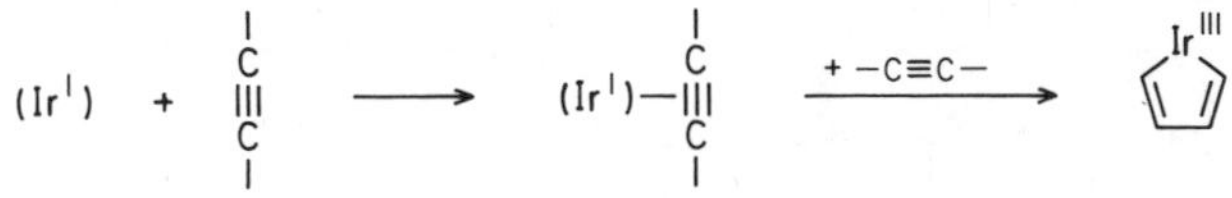

Alkine mit Elektronen-anziehenden Substituenten (z.B.: Trifluormethyl-, Alkoxycarbonyl- und Pentafluorphenyl-alkine) sind besonders gut geeignet. Am Iridium-Atom stehen vor allem Triphenylphosphan-Liganden. Auch 5- und 6fach koordinierte Iridole sind zugänglich.

Die Reaktion gelingt besonders leicht mit Bis-[tert.-phosphan]-chloro-distickstoff- iridium-Komplexen[2], die in situ durch Behandeln des Carbonyl-Komplexes mit 2-Furoylazid hergestellt werden:

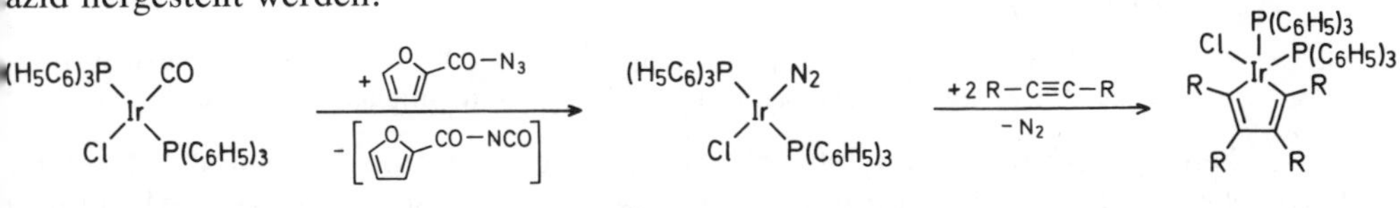

Die 5fach koordinierten Komplexe reagieren mit kleinen Liganden (z.B. Kohlenmonoxid) zu 6fach koordinierten Derivaten.

1,1-Bis-[triphenylphosphan]-1-chloro-2,3,4,5-tetramethoxycarbonyl-iridol[1]: Eine Mischung aus 500 mg (0,64 mmol) Bis-[triphenylphosphan]-chloro-distickstoff-iridium und 300 mg (2,11 mmol) Dimethoxycarbonyl-ethin in 10 *ml* Thiophen-freiem Benzol wird 5 Stdn. bei 40–45° gerührt. Abgekühlt auf 20° wird die rote kristalline Verbindung abfiltriert. Durch teilweises Einengen des Filtrats i. Vak. erhält man eine zweite Fraktion des Komplexes; Gesamtausbeute: 620 mg (93%); F: 250–251° (Zers.).

Auf ähnliche Weise sind zugänglich:

1,1-Bis-[triphenylphosphan]-1-chloro-2,3,4,5-tetraethoxycarbonyl-iridol   80%; F: 222–228° (Zers.)
1,1-Bis-[triphenylphosphan]-1-chloro-2,3,4,5-tetrakis-[trideuteromethoxycarbonyl]-iridol

Mit zwei verschiedenen Alkinen werden gemischt substituierte Iridole erhalten[1, 3]. Es ist zweckmäßig, zuerst den Komplex III herzustellen. Sind die beiden Alkine chemisch ähnlich, so entsteht ein Gemisch der drei möglichen Additionsprodukte, da zwischen dem Alkin-iridium-Komplex III und dem Alkin Austauschreaktionen stattfinden können:

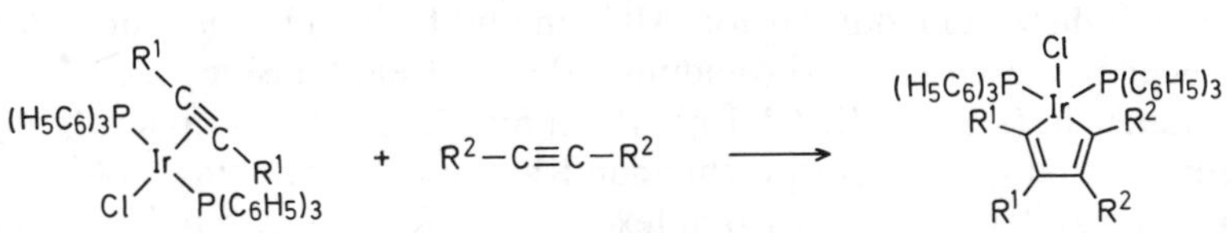

2,3-Bis-[trifluormethyl]-1,1-bis-[triphenylphosphan]-1-chloro-4,5-dimethyl-iridol[3]: Zu einer Lösung aus 0,11 g (0,12 mmol) Bis-[triphenylphosphan]-chloro-(η^2-hexafluor-2-butin)-iridium, (in situ hergestellt aus Bis-[triphenylphosphan]-chloro-distickstoff-iridium und Hexafluor-2-butin), und 10 *ml* Benzol werden 0,03 g (0,5 mmol) 2-Butin bei −196° kondensiert. Die Mischung wird unter dem Eigendruck bei 60° 7 Stdn. gehalten, das Lösungsmittel i. Vak. entfernt und der Rückstand aus Benzol und Hexan umkristallisiert; Ausbeute: 0,05 g (50%); F: 115° (lachsrot).

---

[1] J.P. COLLMAN, J.W. KANG, W.F. LITTLE u. M.F. SULLIVAN, Inorg. Chem. **7**, 1298 (1968).
[2] J.P. COLLMAN, J.T. SUN u. F. VASTINE, Am. Soc. **89**, 169 (1967).
[3] B. CLARKE, M. GREEN u. F.G.A. STONE, Soc. [A] **1970**, 951.

Bis-[diphenyl-methyl-phosphan]-carbonyl-chloro-iridium reagiert mit Hexafluor-2-butin über den isolierbaren Komplex V zu einem 6fach koordinierten Komplex[1]:

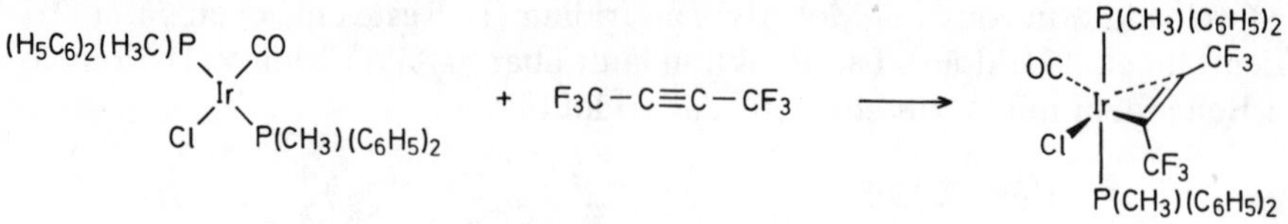

$(H_5C_6)_2(H_3C)P$ CO ... Ir ... Cl $P(CH_3)(C_6H_5)_2$ $+$ $F_3C-C\equiv C-CF_3$ $\longrightarrow$ OC ... $P(CH_3)(C_6H_5)_2$ ... Ir ... CF_3 ... Cl CF_3 ... $P(CH_3)(C_6H_5)_2$

V: *1,1-Bis-[diphenyl-methyl-phosphan]- 2,3-bis-[trifluormethyl]-1-carbonyl-1-chloro-iridirin*; 12%

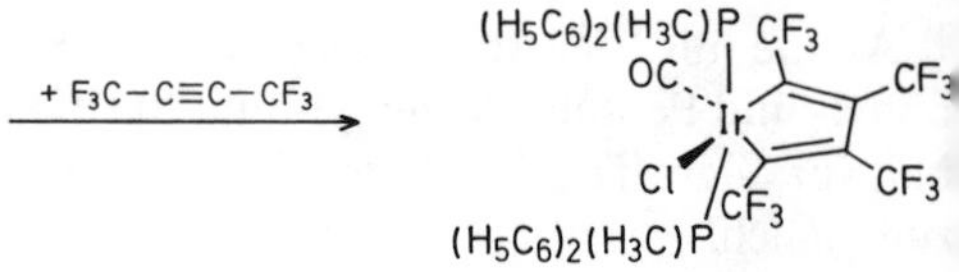

$+ F_3C-C\equiv C-CF_3$ $\longrightarrow$ $(H_5C_6)_2(H_3C)P$ CF_3 ... OC ... Ir ... CF_3 ... Cl CF_3 ... CF_3 ... $(H_5C_6)_2(H_3C)P$

*1,1-Bis-[diphenyl-methyl-phosphan]-
1-carbonyl-1-chloro-2,3,4,5-tetrakis-
[trifluormethyl]-iridol*; 12%; F: 208°

Die Umsetzung 5fach koordinierter Carbonyl-(η^5-cyclopentadienyl)-iridium-Verbindungen mit aktiven Alkinen ist bedeutungslos[2,3]; ebenfalls die der 5fach koordinierten (η^3-Allyl)-iridium-Komplexe[4].

1-(1-Alkenyl)-1,1-bis-[triphenylphosphan]- 1-carbonyl-iridirin-Verbindungen setzen sich bei erhöhter Temperatur mit aktiven Alkinen zu 1-(1-Alkenyl)-iridolen um[5]:

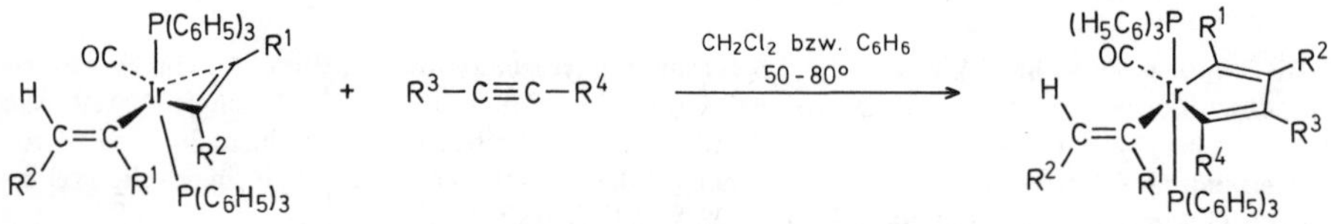

OC ... $P(C_6H_5)_3$ ... R^1 ... H ... Ir ... $C=C$ ... R^2 R^1 R^2 $P(C_6H_5)_3$ $+$ $R^3-C\equiv C-R^4$ $\xrightarrow[50-80°]{CH_2Cl_2\ bzw.\ C_6H_6}$ $(H_5C_6)_3P$ R^1 ... OC ... Ir ... R^2 ... H ... $C=C$ ... R^3 ... R^2 R^1 R^4 $P(C_6H_5)_3$

$R^1 = R^2 = COOCH_3$; $R^3 = C_6H_5$; $R^4 = COOC_2H_5$; *1,1-Bis-[triphenylphosphan]-1-carbonyl-2,3-dimethoxycarbonyl-(1,2-dimethoxycarbonyl-vinyl)-5-ethoxycarbonyl-4-phenyl-iridol*

$R^3 = R^4 = CF_3$; *4,5-Bis-[trifluormethyl]-1,1-bis-[triphenylphosphan]-1-carbonyl-2,3-dimethoxycarbonyl-1-(1,2-dimethoxycarbo-nyl-vinyl)-iridol*

β) von Diinen

Ein Sonderfall der Cycloaddition von Alkinen und Iridium ist die Umsetzung von Diinen zu di- oder polycyclischen Verbindungen[6]. Der Reaktionstyp wurde mit Rhodium gründlich untersucht (s. S. 380ff.)[7,8]. Er verläuft mit Chloro-tris-[triphenylphosphan]-iridium in völliger Analogie zur entsprechenden Rhodium-Verbindung. Allerdings sind zur Herstellung der stabileren Iridium-Komplexe längere Reaktionszeiten bzw. höhere Temperaturen erforderlich:

[1] B. CLARKE, M. GREEN u. F. G. A. STONE, Soc. [A] **1970**, 951.
[2] P. A. CORRIGAN u. R. S. DICKSON, Austral. J. Chem. **32**, 2147 (1979).
[3] M. D. RAUSCH u. R. G. GASTINGER, Z. Naturf. **34B**, 700 (1979).
[4] M. GREEN u. S. H. TAYLOR, Soc. [Dalton] **1975**, 1142.
[5] W. H. BADDLEY u. G. B. TUPPER, J. Organometal. Chem. **67**, C16 (1974).
[6] E. MÜLLER u. C. BEISSNER, Ch. Z. **6**, 170 (1972).
[7] E. MÜLLER, C. BEISSNER, H. JÄKLE, E. LANGER, H. MUHM, G. ODENIGBO, M. SAUERBIER, A. SEGNITZ, D. STEICHFUSS u. R. THOMAS, A. **754**, 64 (1971).
[8] E. MÜLLER, Synthesis **1974**, 761.

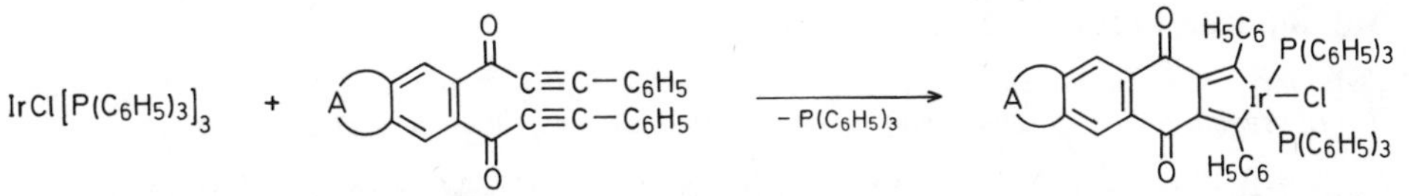

A = 2H; *2,2-Bis-[triphenylphosphan]-2-chloro-4,9-dioxo-1,3-diphenyl-4,9-dihydro-2H-⟨naphtho*
[2,3-c]iridol⟩ (weinrot)

A = CH=CH–CH=CH; *2,2-Bis-[triphenylphosphan]-2-chloro-4,11-dioxo-1,3-diphenyl-4,11-*
dihydro-2H-⟨anthra[2,3-c]iridol⟩ (rot)

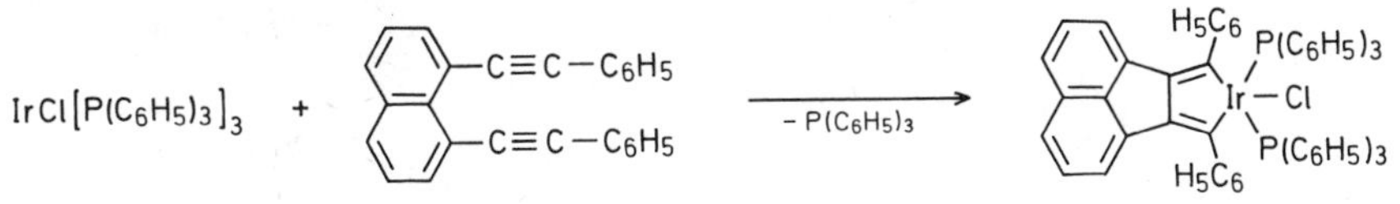

2,2-Bis-[triphenylphosphan]-2-chloro-1,3-diphenyl- 2H-⟨acenaphtheno[1,2-c]
iridol (grün)

d) 1-Alkinyl-iridium(III)-Verbindungen

Aryldiazenato-iridium(III)-Komplexe reagieren leicht mit Phenylethin, wobei der Kohlenstoff am Metall und der Wasserstoff am Stickstoff gebunden wird[1]:

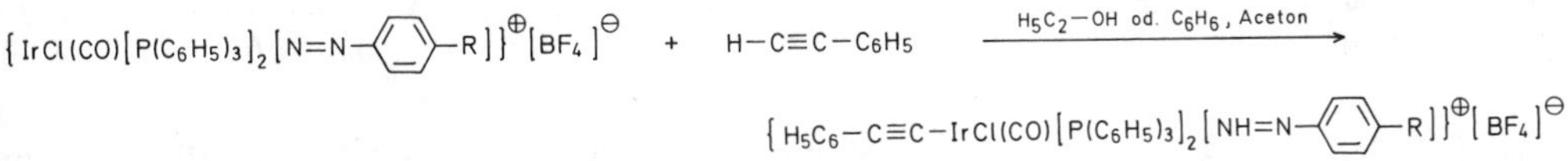

R = NO_2, CN, CO–CH_3; *Bis-[triphenylphosphan]-carbonyl-chloro-[4-acetyl- (bzw. 4-cyan-;*
bzw. -nitro)-phenyldiazen]-phenylethinyl-iridium-tetrafluoroborat

Durch Triethylamin wird reversibel Tetrafluoro-borsäure abgespalten.

1. aus Iridium(I)-Verbindungen

α) mit 1-Alkinen

Durch Elektronen-anziehende Substituenten aktivierte 1-Alkine werden besonders leicht an Bis-[triphenylphosphan]-carbonyl-chloro-iridium zu cis-1-Alkinyl-hydri-do-Komplexen angelagert[2,3]:

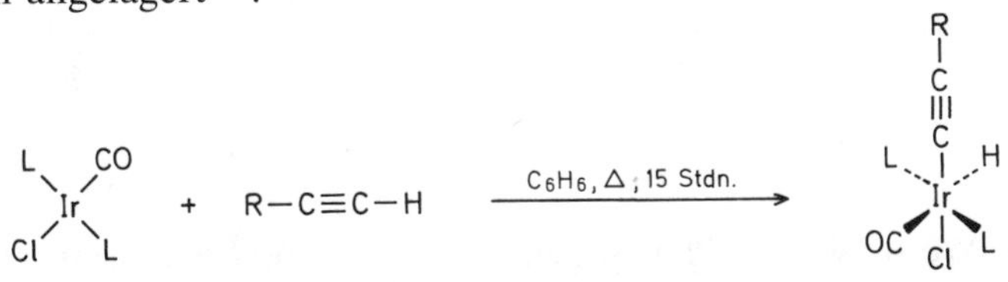

Bis-[triphenylphosphan]-carbonyl-chloro-hydrido-(3,3,3-trifluor-propinyl)-iridium[3]:   0,50 g (0,64 mmol) *trans*-Bis-[triphenylphosphan]-chloro-carbonyl-iridium in 40 *ml* abs. Stickstoff-gesättigtem Benzol und 3,0 g (31,9 mmol) 3,3,3-Trifluor-propin werden nach sorgfältigem Entgasen in einem dickwandigen Reaktionsgefäß 24 Stdn. auf 60° erhitzt. Der Überschuß an 3,3,3-Trifluor-propin wird in einer Kühlfalle aufgefangen. Nach Abziehen i. Vak. bleibt ein öliger Rückstand zurück. Beim Behandeln mit Diethylether entsteht ein braunes Pulver; Ausbeute: 0,457 g (83%); F: 211–213° (Zers.); IR(KBr) 2135(s), 2060(s) und 2040(vs) cm^{-1}.

[1] L. Toniolo u. D. Leonesi, J. Organometal. Chem. **113**, C73 (1976).
[2] J.P. Collman u. J.W. Kang, Am. Soc. **89**, 844 (1967).
[3] C.U. Pittman u. L.R. Smith, J. Organometal. Chem. **90**, 203 (1975).

Auf ähnliche Weise erhält man u. a.

Bis-[triphenylphosphan]-carbonyl-chloro-(ferrocenyl-ethinyl)-hydrido-iridium
Bis-[triphenylphosphan]-carbonyl-chloro-(ethoxycarbonyl-ethinyl)-hydrido-iridium

Chloro-tris-[triphenylphosphan]-iridium bildet mit 1-Alkinen stabilere Addukte als Bis-[triphenylphosphan]-carbonyl-chloro-iridium bzw. Chloro-tris-[triphenylphosphan]-rhodium[1]. Im Gegensatz zu Rhodium wird beim größeren Iridium kein Triphenyl-phosphan-Ligand abgespalten. Die im folgenden beschriebene Addition ist irreversibel:

$$IrCl[P(C_6H_5)_3]_3 \quad + \quad H-C\equiv C-R \quad \xrightarrow{C_6H_6,\,20°} \quad$$

$$\ldots\text{-}tris\text{-}[triphenylphosphan]\text{-}iridium$$

z. B.:   R = H; *Chloro-ethinyl-hydrido-*...; 71%; F: 150–155° (Zers.)
R = COOCH₃; *Chloro-hydrido-(methoxycarbonyl-ethinyl)-*...; 78%; F: 160–162°
R = C₃H₇; *Chloro-hydrido-1-pentinyl-*...; 75%; F: 150–152°
R = CH₂–CH₂–OH: *Chloro-hydrido-(4-hydroxy-1-butinyl)-*...; 66%; F: 110–115° (Zers.)

Chloro-hydrido-phenylethinyl-tris-[triphenylphosphan]-iridium[1]: 0,3 g (0,29 mmol) Chloro-tris-[triphenylphosphan]-iridium in 5 *ml* Benzol werden 34 mg (∼ 10% Überschuß) frisch destilliertes Phenylethin zugesetzt, das in 2 *ml* Benzol gelöst ist. Die Lösung färbt sich braun und wird 1,5 Stdn. bei 20° gerührt. Dann wird das Lösungsmittel bei 25°/15 Torr abdestilliert und der Rückstand in Chloroform/Ethanol sowie Dichlormethan/Hexan umkristallisiert; Ausbeute: 0,26 g (78%); F: 215–220°; IR(Nujol): ν_{IrH} 2188(m), $\nu_{C\equiv C}$ 2110(s) cm⁻¹.

Bei der Reaktion von Chloro-tris-[diphenyl-methyl-phosphan]-iridium mit Phenylethin entsteht zunächst kinetisch kontrolliert ein Addukt II, das sich beim Erhitzen in Dichlormethan in das thermodynamisch stabilere Isomere III umsetzt[2].

$$IrCl[P(C_6H_5)_2(CH_3)]_3 \quad \xrightarrow{+\,H-C\equiv C-C_6H_5} \quad \cdots \quad \xrightarrow[\text{15 Min.}]{\triangle,\,CH_2Cl_2,}$$

II   III

Chloro-hydrido-phenylethinyl-tris-[diphenyl-methyl-phosphan]-iridium-Isomeres II[1]:   Eine Lösung von 1 mmol Chloro-tris-[diphenyl-methyl-phosphan]-iridium in 5 *ml* Benzol {in situ hergestellt aus 0,45 g (0,5 mmol) μ,μ-Dichloro-bis-[bis-(η^2-cycloocten)-iridium] und 0,7 g (3,5 mmol) Diphenyl-methyl-phosphan} wird mit einer Lösung von 0,12 g (∼ 10%iger Überschuß) Phenylethin in 2 *ml* Benzol versetzt, die Mischung wird 30 Min. bei 20°, gerührt und dann i. Vak. bis zur Trockene eingeengt. Der Rückstand wird aus Dichlormethan/Ethanol/Hexan umkristallisiert; Ausbeute: 0,35 g (38%); F: 150° (Zers.); IR(Nujol): ν_{IrH} 2087(m), $\nu_{C\equiv C}$ 2120(s) cm⁻¹.

Auf analoge Weise wird *Chloro-hydrido-phenylethinyl-tris-[diphenyl-methyl-phosphan]-iridium* (90%; F: 129°, Zers.) hergestellt.

Zur Umsetzung der Komplexe IV–VI

$$IrH(CO)L_3 \qquad IrH(CO)_2L_2 \qquad Ir(C\equiv CR)(CO)L_n$$
$$IV \qquad\qquad V \qquad\qquad VI \quad {\scriptstyle n\,=\,2,3}$$

mit Phenylethin in Benzol s. Lit.[3, 4].

[1] M. A. BENNETT, R. CHARLES u. P. J. FRASER, Austral. J. Chem. **30**, 1213 (1977).
[2] Die Struktur der Isomere folgt aus ihren IR- und ¹H-NMR-Spektren.
[3] C. K. BROWN, D. GEORGIOU u. G. WILKINSON, Soc. [A] **1971**, 3120.
[4] R. H. WALTER u. B. F. G. JOHNSON, Soc. [Dalton] **1978**, 381.

Die oxidative Addition von Phenylethin gelingt auch mit Carbonyl-iridium-Kation-Komplexen[1, 2]. Bei Triphenylphosphan-Liganden stellt sich ein Gleichgewicht zwischen dem Alkin-Addukt VII und der Alkin-freien Verbindung VIII ein:

$$[Ir(CO)_3L_2]^{\oplus} X^{\ominus} \xrightarrow[-CO]{+HC\equiv C-C_6H_5} [Ir(C\equiv C-C_6H_5)H(CO)_2L_2]^{\oplus} X^{\ominus} \underset{+HC\equiv C-C_6H_5}{\overset{-HC\equiv C-C_6H_5}{\rightleftharpoons}} [Ir(CO)_2L_2]^{\oplus} X^{\ominus}$$

L = P(C₂H₅)₃; X = B(C₆H₅)₄

L = P(C₆H₅)₃; X = PF₆   VII   VIII

β) mit 1-Halogen-1-alkinen

Bis-[triphenylphosphan]-carbonyl-chloro-iridium bildet mit Halogen-phenyl-ethin unter oxidativer Addition – über η^2-Ethin-Komplexe – 1-Alkinyl-iridium(III)-Komplexe[3]:

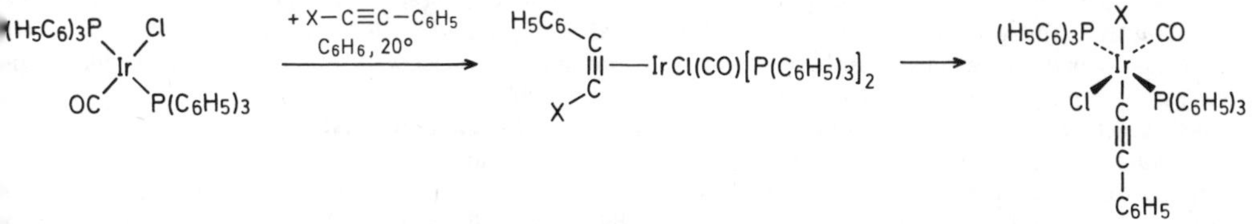

Bis-[triphenylphosphan]-carbonyl-dichloro-phenylethinyl-iridium[3]: 0,26 g (0,33 mmol) *trans*-Bis-[triphenylphosphan]-carbonyl-chloro-iridium und 0,05 g (0,36 mmol) Chlor-phenyl-ethin werden in Benzol bei 20° einige Tage gerührt. Es entsteht ein farbloser Niederschlag. Nach 4 Tagen wird abfiltriert, der Niederschlag mit Benzol gewaschen und aus Dichlormethan und Benzol umkristallisiert; Ausbeute: 0,18 g (59%); F: 252–255° (Zers.); IR(Nujol): $\nu_{C\equiv C}$ 2142(m), ν_{CO} 2070(s) cm⁻¹.

Der π-Komplex von Chloro-phenyl-ethin kann nach vorzeitigem Abbruch der Reaktion isoliert werden.

Auf analoge Weise sind *Bis-[triphenylphosphan]-bromo-carbonyl-chloro-phenylethinyl-* (51%; F: 243–246°) und *Bis-[triphenylphosphan]-carbonyl-chloro-jodo-phenylethinyl-iridium* (69%; F: 158–160°, Zers.) zugänglich.

γ) mit 1-Alkinyl-quecksilber(II)- und -zinn(IV)-Verbindungen

Alkinyl-iridium-Komplexe werden auch durch Addition von 1-Alkinyl-organo-metall-Verbindungen an Iridium(I)-Komplexe hergestellt. Bei den Quecksilber-Verbindungen reagiert ein Molekül pro Iridium-Atom, bei Zinn sind es dagegen zwei unter Bildung einer Halogen-triorgano-zinn-Verbindung[4, 5]; z.B.:

$$\underset{\text{I}}{IrCl(CO)[P(C_6H_5)_3]_2} + (R-C\equiv C)_2Hg \longrightarrow \underset{\text{II}}{Ir(C\equiv C-R)(Hg-C\equiv C-R)Cl(CO)[P(C_6H_5)_3]_2}$$

R = C₅H₁₁; *Bis-[triphenylphosphan]-carbonyl-chloro-1-heptinyl-(1-heptinylmercuri)-iridium*; 74%;
F: 144–145° (Zers.)[4]

$$\underset{\text{I}}{IrCl(CO)[P(C_6H_5)_3]_2} + 2\ R^1-C\equiv C-SnR_3^2 \xrightarrow[-ClSn(CH_3)_3]{C_6H_5} \underset{\text{III}}{Ir(C\equiv C-R^1)_2(SnR_3^2)(CO)[P(C_6H_5)_3]_2}$$

R¹ = C₆H₅; R² = CH₃; *Bis-[phenylethinyl]-bis-[triphenylphosphan]-carbonyl-chloro-trimethylstannyl-iridium*; 50%; F: 153–155° (Zers.)[5, 6]

---

[1] R. H. WALTER u. B. F. G. JOHNSON, Soc. [Dalton] **1978**, 381.
[2] F. P. STEFANINI, Thesis, University of Cambridge 1971.
[3] J. BURGESS, M. E. HOWDEN, R. D. W. KEMMITT u. N. S. SRIDHARA, Soc. [Dalton] **1978**, 1577.
[4] J. P. COLLMAN u. J. W. KANG, Am. Soc. **89**, 844 (1967).
[5] B. CETINKAYA, M. F. LAPPERT, J. McMEEKING u. D. PALMER, J. Organometal. Chem. **34**, C37 (1972).
[6] B. CETINKAYA, M. F. LAPPERT, J. McMEEKING u. D. PALMER, Soc. [Dalton] **1973**, 1202.

Die gleichen Verbindungen erhält man durch Addition von 1-Alkinyl-triorgano-zinn-Verbindungen an den 1-Alkinyl-iridium(I)-Komplexen[1]:

$$Ir(C\equiv C-R^1)(CO)[P(C_6H_5)_3]_2 \quad + \quad R^1-C\equiv C-SnR_3^2 \quad \xrightarrow{\ C_6H_6,\ 20°,\ 9\ Stdn.\ }$$

$$Ir(C\equiv C-R^1)_2(SnR_3^2)(CO)[P(C_6H_5)_3]_2$$

$R^1 = C_6H_5$; $R^2 = CH_3$; *Bis-[phenylethinyl]-bis-[triphenylphosphan]-carbonyl-trimethylstannyl-iridium*

Carbonyl-chloro-phenylethinyl-(phenylethinyl-mercuri)-bis-[triphenylphosphan]-iridium[2]: Zu einer Lösung von 300 mg (38 mmol) Bis-[triphenylphosphan]-carbonyl-chloro-iridium in 50 ml Dichlormethan unter Stickstoff gibt man langsam eine Lösung von 155 mg (38 mmol) von Bis-[phenylethinyl]-quecksilber in 10 ml desselben Lösungsmittels. Die Farbe der Lösung schlägt augenblicklich von gelb nach tiefpurpur um. Sie wird 1 Stde. unter Rückfluß erhitzt. Das Lösungsmittel wird i. Vak. entfernt und der Rückstand mit 50 ml Diethylether extrahiert. Nach Abziehen des Ethers erhält man ein Rohprodukt, das aus Diethylether und Ethanol umkristallisiert wird und purpur-rote Kristalle gibt; Ausbeute: 410 mg (90%); F: 172–173° (Zers.).

Bis-[dimethyl-phenyl-phosphan]-bis-[phenylethinyl]-carbonyl-trimethylstannyl-iridium[3]: 0,35 g (0,65 mmol) *trans*-Bis-[dimethyl-phenyl-phosphan]-carbonyl-chloro-iridium und 0,28 ml (1,3 mmol) Phenylethinyl-trimethyl-zinn werden in 15 ml Benzol 4 Stdn. in einem Ölbad auf 40–50° erhitzt. Dann wird die Lösung auf ~ 3 ml eingeengt und mit 10 ml Hexan versetzt. Der gelbe Niederschlag wird aus Benzol und Hexan umkristallisiert; Ausbeute: 0,34 g (60%).

2. aus anderen σ–C-Iridium-Verbindungen unter Erhalt mindestens einer σ–C–Ir-Bindung

Molekularer Wasserstoff oder Deuterium werden unter Spaltung der H–H-Bindung an das Zentralmetall angelagert[4]. Der gebundene Wasserstoff kann durch Durchleiten von Stickstoff wieder verdrängt werden. Wie auch bei anderen Reaktionen ist der Phenylethinyl-Komplex dem Vaska-Komplex ähnlich.

$$Ir(C\equiv C-C_6H_5)(CO)[P(C_6H_5)_3]_2 \quad + \quad H_2 \quad \underset{N_2}{\overset{CH_2Cl_2,\ 20°}{\rightleftharpoons}} \quad Ir(C\equiv C-C_6H_5)H_2(CO)[P(C_6H_5)_3]_2$$

Bis-[triphenylphosphan]-carbonyl-dihydrido-phenylethinyl-iridium

Elementares Chlor oder Brom liefern keine einheitlichen Verbindungen, da die C≡C-Dreifach- und die daraus resultierende C=C-Doppelbindung angegriffen werden (s. S. 547). Elementares Jod dagegen reagiert selektiv mit dem Metall zum *Bis-[triphenylphosphan]-carbonyl-dijodo-phenylethinyl-iridium*[4]:

$$Ir(C\equiv C-C_6H_5)(CO)[P(C_6H_5)_3]_2 \quad + \quad J_2 \quad \longrightarrow \quad Ir(C\equiv C-C_6H_5)J_2(CO)[P(C_6H_5)_3]_2$$

Chlorwasserstoff wird angelagert, ohne daß die C–Ir-Bindung merklich gespalten wird[1]:

$$Ir(C\equiv C-C_6H_5)(CO)[P(C_6H_5)_3]_2 \quad \xrightarrow[\ CHCl_3,\ 20°,\ 2\ Min.\ ]{+HCl} \quad Ir(C\equiv C-C_6H_5)HCl(CO)[P(C_6H_5)_3]_2$$

Bis-[triphenylphosphan]-carbonyl-chloro-hydrido-phenylethinyl-iridium; ~ 100%; F: 191–192° (Zers.)

---

[1] B. Cetinkaya, M. F. Lappert, J. McMeeking u. D. Palmer, J. Organometal. Chem. **34**, C37 (1972); Soc. [Dalton] **1973**, 1202.

[2] J. P. Collman u. J. W. Kang, Am. Soc. **89**, 844 (1967).

[3] B. Cetinkaya, M. F. Lappert, J. McMeeking u. D. Palmer, Soc. [Dalton] **1973**, 1202.

[4] R. H. Walter u. B. F. G. Johnson, Soc. [Dalton] **1977**, 381.

Die durch Reaktion von Kohlenmonoxid mit dem 6fach koordinierten Phenylethinyl-Komplex I erhältliche Verbindung II besitzt wahrscheinlich eine andere Konfiguration als obiger Komplex[1]:

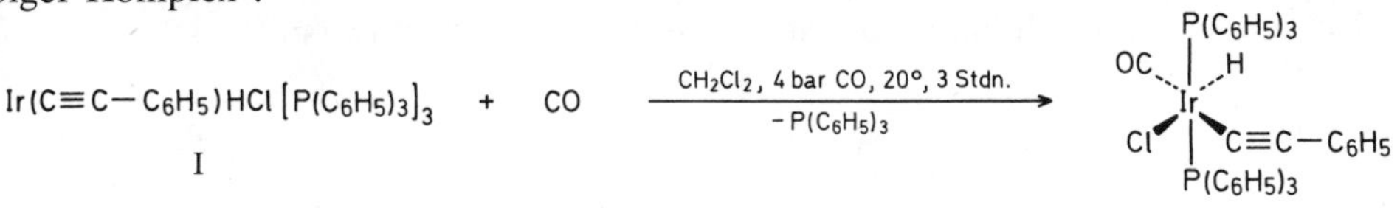

$$Ir(C\equiv C-C_6H_5)HCl\left[P(C_6H_5)_3\right]_3 \quad + \quad CO \quad \xrightarrow[- P(C_6H_5)_3]{CH_2Cl_2,\ 4\ bar\ CO,\ 20°,\ 3\ Stdn.}$$

I

II; 42%; F: 190–200° (Zers.)

Andererseits soll sich gasförmiger Chlorwasserstoff oder einige Tropfen wäßr. Salzsäure in Dichlormethan an die C,C-Dreifachbindung unter Erhaltung der C–Ir-Bindung anlagern[2]. Dasselbe scheint für Bromwasserstoff zu gelten.

Mit zwei Molekülen Carbonsäure werden unter Abspaltung des Wasserstoffs Diacyloxy-Komplexe erhalten[2]:

$$Ir(C\equiv C-C_6H_5)(CO)\left[P(C_6H_5)_3\right]_2 \quad + \quad CO \quad \xrightarrow[- 2\ [H\cdot]]{+ 2\ R-COOH} \quad Ir(C\equiv C-C_6H_5)(R-COO)_2(CO)\left[P(C_6H_5)_3\right]_2$$

R = CH$_3$; *Diacetoxy-bis-[triphenylphosphan]-carbonyl-phenylethinyl-iridium*
R = CF$_3$; *Bis-[trifluoracetoxy]-bis-[triphenylphosphan]-carbonyl-phenylethinyl-iridium*

Bei der Umsetzung des Chelat-Komplexes III mit Perchlorsäure lagert sich Wasserstoff an das Zentralmetall an, das dadurch koordinativ gesättigt wird[3]. Das große Anion bleibt in der äußeren Koordinationssphäre. Das Proton der Perchlorsäure kann jedoch auch an den Ethinyl-Liganden treten unter Bildung eines π-Acetylen-Komplexes:

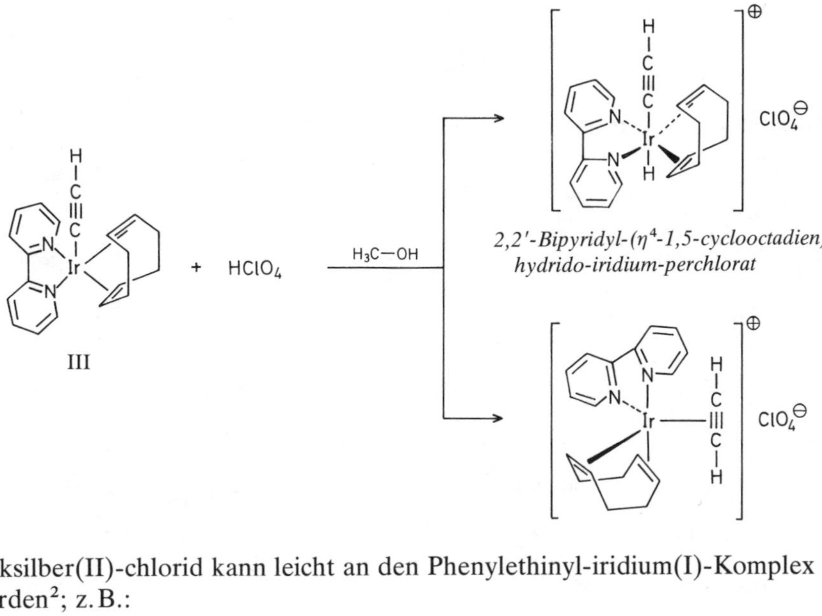

2,2'-Bipyridyl-(η^4-1,5-cyclooctadien)-ethinyl-hydrido-iridium-perchlorat

III + HClO$_4$ $\xrightarrow{H_3C-OH}$

Quecksilber(II)-chlorid kann leicht an den Phenylethinyl-iridium(I)-Komplex angelagert werden[2]; z.B.:

$$Ir(C\equiv C-C_6H_5)(CO)\left[P(C_6H_5)_3\right]_2 + HgCl_2 \longrightarrow Ir(C\equiv C-C_6H_5)Cl(HgCl)(CO)\left[P(C_6H_5)_3\right]_2$$

Bis-[triphenylphosphan]-carbonyl-chlormercuri-chloro-phenylethinyl-iridium

[1] M. A. BENNETT, R. CHARLES u. P. J. FRASER, Austral. J. Chem. **30**, 1213 (1977).
[2] R. H. WALTER u. B. F. G. JOHNSON, Soc. [Dalton] **1978**, 381.
[3] G. MESTRONI, G. ZASSINOVICH u. A. CAMUS, Inorg. Nucl. Chem. Letters **11**, 359 (1975).

Mit Schwefeldioxid/Sauerstoff wird *Bis-[triphenylphosphan]-carbonyl-phenylethinyl-sulfato-iridium* (>90%) erhalten.

Komplexe, die bereits Schwefeldioxid am Iridium gebunden haben, können durch Behandeln mit Sauerstoff Sulfato-Komplexe liefern[1,2] (auch die inverse Reaktion ist möglich); z.B.:

$Ir(C{\equiv}C-CH_3)(SO_2)(CO)[P(C_6H_5)_3]_2$ $\xrightarrow{+O_2}$

$Ir(C{\equiv}C-CH_3)(SO_4)(CO)[P(C_6H_5)_3]_2$

Bis-[triphenylphosphan]-carbonyl-(1-propinyl)-sulfato-iridium;
90%; Zers.p.: 218°

$Ir(C{\equiv}C-CH_3)(O_2)(CO)[P(C_6H_5)_3]_2$ $\xrightarrow{+SO_2}$

e) Aryl- bzw. Hetaryl-iridium(III)-Verbindungen

1. aus Iridium(III)-Verbindungen

α) aus Hydrido-iridium(III)-Verbindungen

Trihydrido-tris-[triphenylphosphit]-iridium reagiert in siedendem Dekalin unter ortho-Metallierung[3]:

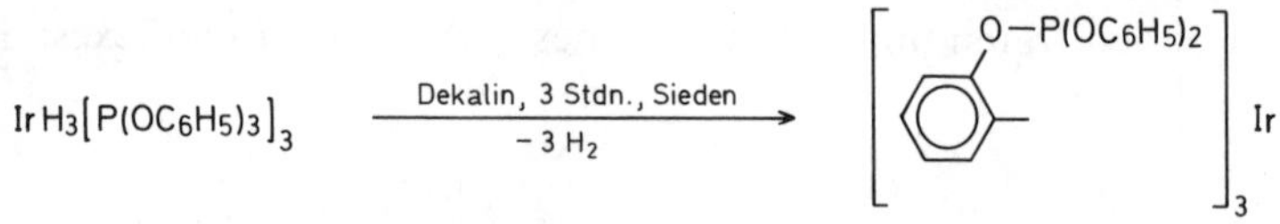

$IrH_3[P(OC_6H_5)_3]_3$ $\xrightarrow[-3\,H_2]{\text{Dekalin, 3 Stdn., Sieden}}$

Tris-[2-diphenoxyphosphanyloxy-phenyl-(C,P)]-iridium; 30%

Ortho-Metallierung tritt auch bei den folgenden Komplexen ein:

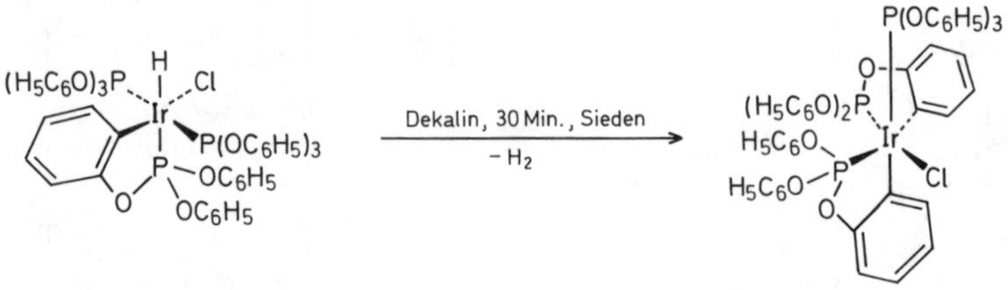

Bis-[2-diphenoxyphosphanyloxy-phenyl-(C,P)]-chloro-(triphenoxyphosphan)-iridium[3]; 82%

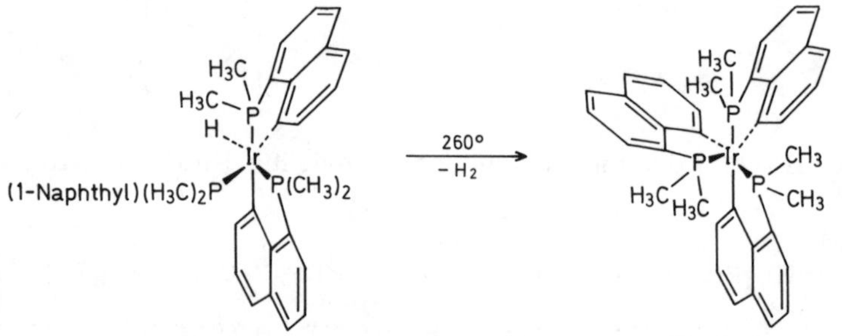

Tris-[8-dimethylphosphano-1-naphthyl-(C,P)]-iridium[4]

[1] C.K. BROWN u. J. WILKINSON, Chem. Commun. **1971**, 70.
[2] C.K. BROWN, D. GEORGIOU u. G. WILKINSON, Soc. [A] **1971**, 3120.
[3] E.W. AINSCOUGH, S.D. ROBINSON u. J.J. LEVINSON, Soc. [A] **1971**, 3413.
[4] J.M. DUFF u. B.L. SHAW, Soc. [Dalton] **1972**, 2219.

Der aus Trihydrido-tris-[triphenylphosphan]-iridium mit (4-Methoxy-phenyldiazo-
nium)-tetrafluoroborat zugängliche Kation-Komplex I spaltet leicht Wasserstoff ab un-
er ortho-Metallierung des Aryldiazen-Liganden zum [2-*Diazeno-5-methoxy-phenyl-*
C,N^ω)]-*hydrido-tris-[triphenylphosphan]-iridium-tetrafluoroborat* (II; 90%)[1,2].

Mit Chloroform oder dessen Zersetzungsprodukten wird bei 20° unter Cyclometallierung des Diazens und
Substitution des Hydrido-Liganden durch ein Chlor-Atom *Bis-[triphenylphosphan]-(2-diazeno-5-methoxy-*
phenyl)-dichloro-iridium III gebildet[3]:

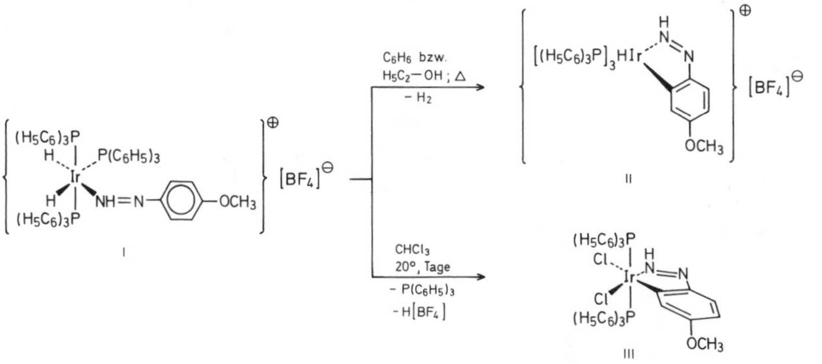

Bis-[triphenylphosphan]-trihydrido-iridium bildet mit para-substituierten Phenyldiazonium-Salzen die zu II
analogen 5fach koordinierten Komplexe[4].

(η^5-Pentamethylcyclopentadienyl)-dihydrido-triphenylphosphan- bzw. -trimethylphosphan-iridium reagieren mit Arenen in Aryl-hydrido-iridium-Komplexen und molekularem Wasserstoff (vgl. S. 507)[5]. Beim Triphenylphosphan-Komplex tritt gleichzeitig ortho-Cyclometallierung auf unter Bildung von *(η^5-Pentamethylcyclo-*
pentadienyl)-hydrido-[2-diphenylphosphano-phenyl-(C,P)]-iridium.

β) aus Halogen-iridium(III)-Verbindungen

β_1) mit Aryl-metall-Verbindungen

2,2'-Dilithio-biphenyle bilden unter Ringschluß mit Carbonyl-(η^5-cyclopentadienyl)-dijodo-iridium in geringer Ausbeute 5-Carbonyl-5-(η^5-cyclopentadienyl)-5H-⟨dibenzoiridol⟩[6,7]. Die Ausbeuten nehmen bei Einsatz gleicher Verbindungen in der Reihe Co >> Rh > Ir ab. Sie sind bei den Octafluor-dibenzoiri-
dol-Derivaten größer als bei den unsubstituierten (vgl. S. 554).

β_2) durch intramolekulare Metallierung

Aryl-Donor-Liganden reagieren mit Halogen-iridium-Komplexen besonders leicht un-
er Abspaltung von Halogenwasserstoff und ortho-Metallierung, wenn dadurch ein 5-
Ring-Chelat gebildet wird.

Es können 1, 2 oder sogar 3 solcher Liganden mit einem Zentralmetall reagieren.

In angularen mehrkernigen Hetarenen (z.B. 4-Phenanthridin) ist die ortho-Metallierung energetisch besonders günstig.

[1] M. ANGOLETTA, P.L. BELLON u. G. CAGLIO, J. Organometal. Chem. **114**, 219 (1976).
[2] Es entsteht ein Isomeren-Gemisch, aus dem durch Chromatographie ein Isomeres isoliert werden kann.
[3] P.L. BELLON, G. CAGLIO, M. MANASSERO u. M. SANSONI, Soc. [Dalton] **1974**, 897. Dieselbe Verbindung erhält
    man auch durch Behandeln des entsprechenden Hydrido-Komplexes mit Chlor.
[4] M. ANGOLETTA u. G. CAGLIO, J. Organometal. Chem. **234**, 99 (1982).
[5] A.H. JANOWICZ u. R.G. BERGMAN, Am. Soc. **104**, 352 (1982); ibid. **105**, 3929 (1983).
[6] H.D. RAUSCH, Pure Appl. Chem. **30**, 523 (1972).
[7] S.A. GARDNER, H.B. GORDON u. M.D. RAUSCH, J. Organometal. Chem. **60**, 179 (1973).

Tab. 5: Aryl- bzw. Hetaryl-iridium-Verbindungen durch ortho-Metallierung von Heteroaryl-(Aryl)halogen-Verbindungen durch Erhitzen (20 Stdn.) in 2-Methoxy-ethanol

Ausgangskomplex	Aren/hetaren	dimerer Komplex μ,μ-Dichloro-...	[%]	F[°C]	Ligand	monomerer Komplex	[%]	F[°C]	Literatur
$Na_3[IrCl_6]$	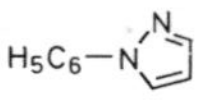 H_5C_6-N (pyrazol)	..-bis-{bis-[2-pyrazolo-phenyl-(C,N²)]-iridium}	–	340 (Zers.)	$P(C_4H_9)_3$	Bis-{[2-pyrazolo-phenyl-(C,N²)]-chloro-tributyl-phosphan-iridium}	–	224–226	1
	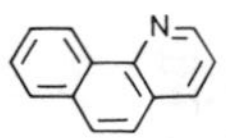 (benzo[h]chinolin)	..-bis-{bis-((benzo[h]-chinolin)-10-yl-C,N)-iridium}	–	305 (Zers.)	$S(C_6H_5)_2$	Bis-((benzo[h]-chinolin)-10-yl-C,N)-chloro-(diphenyl-sulfan)-iridium	–	300° (Zers.)	2
$IrCl_3 \cdot 3H_2O$	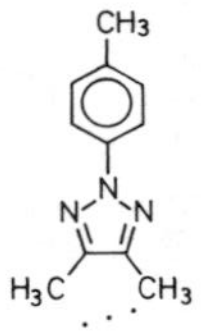 (triazol)	..-bis-[2-(4,5-di-methyl-2H-1,2,3-triazol-2-yl)-5-methyl-phenyl]-iridium}	57	310 (Zers.)	–	–	–	–	3
	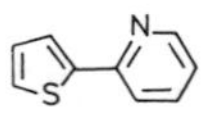 (2-(2-pyridyl)-thienyl)	..-bis-{bis-[2-(2-pyridyl)-3-thienyl-(C,N)]-iridium}	31	310 (Zers.)	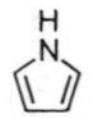 (pyrrol)	Bis-[2-(2-pyridyl)-3-thienyl-(C,N)]-chloro-pyrrol-iridium	73	300 (Zers.)	4
					$P(C_4H_9)_3$	Bis-[2-(2-pyridyl)-3-thienyl-(C,N)]-chloro-tri-butylphosphan-iridium	79	122–124	4

[1] M. NONOYAMA, J. Organometal. Chem. 86, 263 (1975).
[2] M. NONOYAMA, Bl. chem. Soc. Japan 47, 767 (1974).
[3] M. NONOYAMA u. C. HAYATA, Transition Met. Chem. 3, 366 (1978).
[4] M. NONOYAMA, Bl. chem. Soc. Japan 52, 3749 (1979).

Bei der Umsetzung von Iridium(III)-chlorid-Hydrat oder dem Natrium-Salz der Iridium(III)-säure mit (Hetaryl-aryl)-Verbindungen, mit mindestens einem Stickstoff-Atom in ortho-Stellung, entstehen unter zweifacher ortho-Metallierung Diaryl-iridium-Komplexe, die über Chlor- bzw. Brom-Brücken dimerisiert sind. Die dimeren Komplexe werden durch Behandeln mit Komplex-Bildnern in die monomeren umgewandelt (s. Tab. 5, S. 564).

μ,μ-Dichloro-bis-{(bis-(⟨benzo[h]chinolin⟩-10-yl-C,N)-iridium}[1]: Eine Lösung von 0,5 g Trinatrium-hexachloroiridat in 30 *ml* 2-Methoxy-ethanol und 0,6 g Benzo[h]chinolin wird unter Rühren 8 Stdn. bei 20° und anschließend 24 Stdn. unter Rückfluß erhitzt. Es bildet sich ein bräunlich-gelber Niederschlag, der mit Ethanol gewaschen und 3mal mit je 100 *ml* Chloroform extrahiert wird. Man erhält ein gelb-oranges Pulver, das pro mol 2/3 mol Chloroform gebunden hat; Ausbeute: 0,3 g (~50%); Zers.p.: 305°.

Auch bei der ortho-Metallierung von 1-(N-Dehydro-benzoylamino)-pyridin-Betainen wird ein Fünfringchelat-Komplex mit *cis*-ständigen Aryl-Gruppen gebildet[2]. Platin und Iridium bilden neutrale, Rhodium positiv geladene Komplexe.

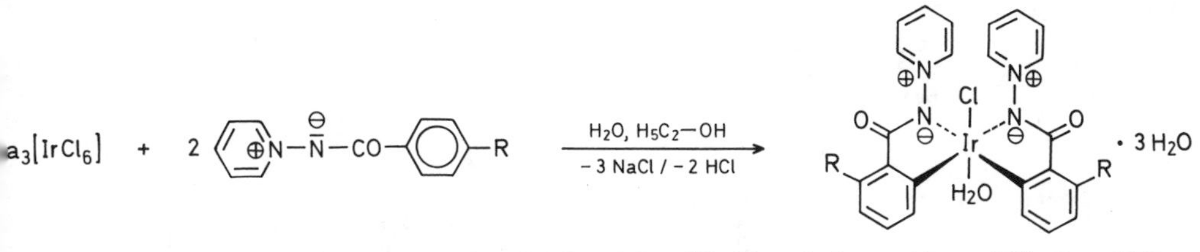

R = H; *Bis-[(2-pyridinioamenio-carbonyl)-phenyl-(C,N^1)]-chloro-hydrato-iridium*; 47%; F: >300°
R = CH$_3$; *Bis-[(3-methyl-2-(pyridinioamenio-carbonyl)-phenyl-(C,N^1)]-chloro-hydrato-iridium*; 23%; F: 210–220° (Zers.)

Der nur schwach gebundene Hydrat-Ligand kann leicht gegen andere Liganden ausgetauscht werden; die Substitution mit Kohlenmonoxid ist reversibel.

Dimethyl-(1-naphthyl)-phosphan wird durch Iridium(III)-Verbindungen in 8-Stellung metalliert. Die Umsetzung gelingt in siedendem 2-Methoxy-ethanol. So reagiert Iridium(III)-chlorid innerhalb einiger Stunden, Hexachloroiridat(III) innerhalb 10 Min. mit dem Phosphan und *mer*-Trichloro-tris-[dimethyl-(1-naphthyl)-phosphan]-iridium lagert sich innerhalb 2 Min. in den cyclometallierten Komplex I um[3]. Eine zweite Naphthyl-Gruppe wird nur in Gegenwart von Basen cyclometalliert (s.S. 566).

Der zweifach metallierte Komplex II wird durch Salzsäure in den einfach Cyclometall-Komplex zurückgeführt (87%):

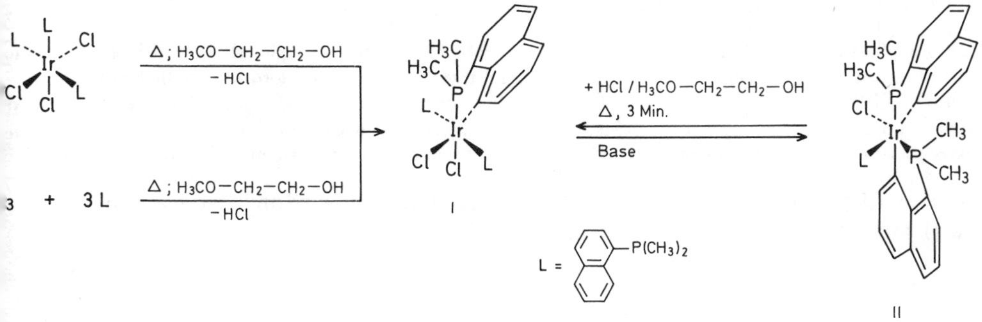

---

[1] M. NONOYAMA, Bl. chem. Soc. Japan **47**, 767 (1974).
[2] S. A. DIAS, A. W. DOWNS u. W. R. McWHINNIE, Inorg. Nucl. Chem. Lett. **10**, 233 (1974); Soc. [Dalton] **1975**, 162.
[3] J. M. DUFF u. B. L. SHAW, Soc. [Dalton] **1972**, 2219.

Bis-[dimethyl-(1-naphthyl)-phosphan]-dichloro-[8-(dimethylphosphano)-1-naphthyl-(C,P)]-iridium I[1]:
Eine Suspension von 1,90 g (4,8 mg-Atom Iridium) Iridium(III)-chlorid in 30 *ml* 2-Methoxy-ethanol und 1,4 *ml*
Salzsäure wird 5 Min. unter Rückfluß erhitzt. 3,17 g (16,9 mmol) Dimethyl-(1-naphthyl)-phosphan werden zugegeben, und die hellbraune Suspension wird 25 Stdn. unter Rückfluß erhitzt. Der beige Niederschlag wird mit
300 *ml* Dichlormethan extrahiert, das Extrakt i. Vak. auf ~ 100 *ml* eingeengt und mit ~ 400 *ml* Methanol verdünnt. Die Verbindung kristallisiert in Prismen; Ausbeute: 3,19 g (94%, bez. auf Iridium); F: 303–307°.

Durch Erhitzen des einfach metallierten Komplexes I mit Basen kann eine zweite Naphthyl-Gruppe in 8-Stellung metalliert werden (Komplex II)[1]. Diese zweite Abspaltung von
Chlorwasserstoff ist reversibel. Das Chlor-Atom kann durch Basen in siedendem 2-Meth-
oxy-ethanol durch Wasserstoff substituiert werden. Der Komplex II kann leicht aus dem
Hydrido-Komplex III hergestellt werden. Die Abspaltung von molekularem Wasserstoff
gelingt leichter als die von Chlorwasserstoff (vgl. S. 562):

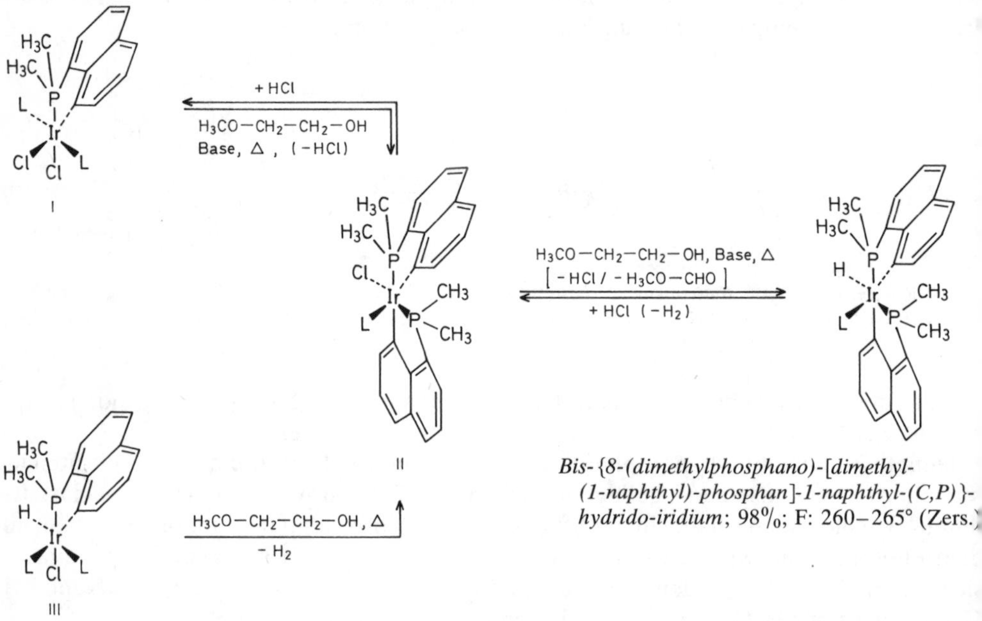

Bis-{8-(dimethylphosphano)-[dimethyl-
(1-naphthyl)-phosphan]-1-naphthyl-(C,P)}-
hydrido-iridium; 98%; F: 260–265° (Zers.)

Die Metallierung der Naphthyl-Gruppe im Methyl-(1-naphthyl)-phenyl-phosphan gelingt leichter als bei Dimethyl-(1-naphthyl)-phosphan[1].

Chloro-[dimethyl-(1-naphthyl)-phosphan]-bis-[8-(dimethylphosphano)-1-naphthyl-(C,P)]-iridium; II[1]: Eine
Suspension von 1,66 g (2,0 mmol) Bis-[dimethyl-(1-naphthyl)-phosphan]-dichloro-[8-dimethylphosphano)-1-
naphthyl-(C,P)]-iridium I und 2 *ml* (2 mmol) wäßr. Kaliumhydroxid-Lösung in 20 *ml* 2-Methoxy-ethanol wird
unter Rückfluß 1,75 Stdn. lang erhitzt. Beim Abkühlen fallen Nadeln aus, die in Dichlormethan und Methanol
umkristallisiert werden. Es können auch andere Basen eingesetzt werden; Ausbeute: 82–98%; F: 305–310°.

Tris-[8-(dimethylphosphano)-1-naphthyl-(C,P)]-iridium wird am besten aus dem Komplex II mit Silbertetrafluoroborat erhalten[1]:

[1] J.M. DUFF u. B.L. SHAW, Soc. [Dalton] **1972**, 2219.

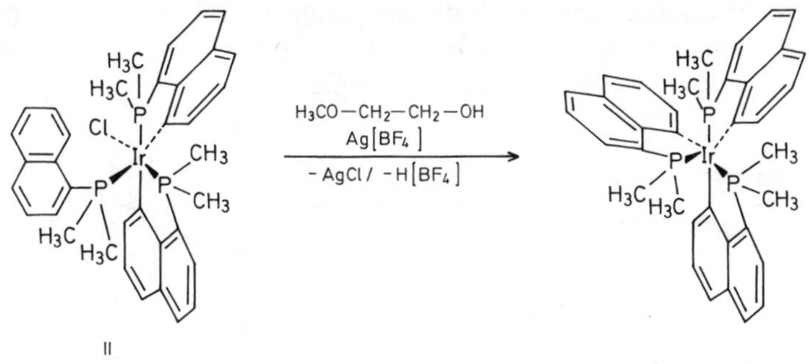

fac-Tris-[8-(dimethylphosphano)-1-naphthyl-(C,P)]-iridium[1]: Zu einer Suspension von 0,237 g (0,30 mmol) Bis-[8-(dimethylphosphano)-1-naphthyl-(C,P)]-chloro-[dimethyl-(1-naphthyl)-phosphan]-iridium in 10 *ml* 2-Methoxy-ethanol gibt man 0,076 g (0,40 mmol) Silbertetrafluoroborat. Der Komplex löst sich auf, und es fällt feinkristallines Silberchlorid aus. Nach 5 Min. wird die Suspension über Holzkohle filtriert und die klare Lösung 20 Min. unter Rückfluß erhitzt. Dabei entsteht ein grauer Niederschlag. Die Suspension wird abgekühlt und mit 0,2 *ml* wäßr. konz. Ammoniak versetzt; Ausbeute: 0,172 g (78%); F: 340° (Zers.).

Triarylphosphite reagieren leicht mit Iridium(I)-Komplexen unter oxidativer Cyclometallierung (s.a. S. 577). Die Liganden werden ebenfalls in Halogeno- bzw. Hydrido-iridium(III)-Komplexen cyclometalliert (Eliminierung von Halogenwasserstoff bzw. molekularem Wasserstoff)[2].

Die Leichtigkeit der Eliminierung von Halogenwasserstoff nimmt in folgender Reihe ab:

$$Cl > Br \gg J$$

Analog reagieren Tris-[2-methyl-phenyl]- und andere Triarylphosphite mit Chloro- und Bromo-iridium-Verbindungen.

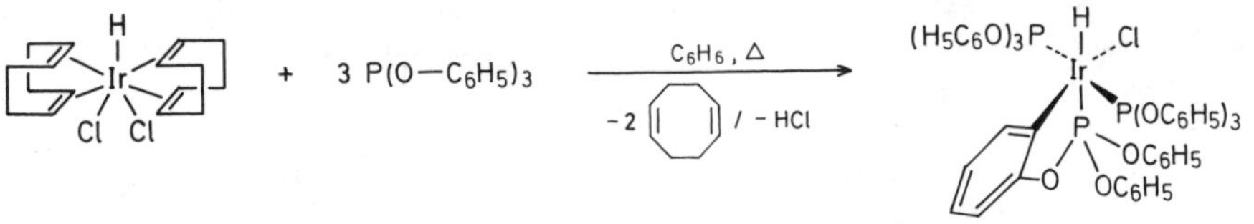

Bis-[triphenoxyphosphan]-chloro-hydrido-[2-(diphenoxy-phosphanyloxy)-phenyl-(C,P)] iridium; 30%

Triphenylphosphit wird gleichfalls durch Iridium(III)-Kation-Komplexe cyclometalliert[3]; z.B.:

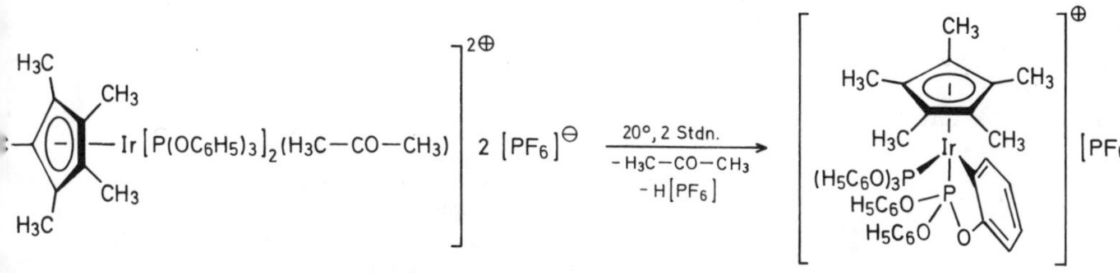

[2-(Diphenoxyphosphanyloxy)-phenyl-(C,P)]-(η⁵-pentamethylcyclopentadienyl)-triphenoxyphosphan-iridium-hexafluorophosphat; 36%

---

[1] J.M. DUFF u. B.L. SHAW, Soc. [Dalton] **1972**, 2219.
[2] E.W. AINSCOUGH, S.D. ROBINSON u. J.J. LEVINSON, Soc. [A] **1971**, 3413.
[3] S.J. THOMPSON, C. WHITE u. P.M. MAITLIS, J. Organometal. Chem. **136**, 87 (1977).

Durch Erhitzen von Dihalogeno-hydrido-tris-[triphenoxyphosphan]-iridium in siedendem Dekalin erhält man unter Abspaltung von 1 mol Halogenwasserstoff und 1 mol Wasserstoff einen 2fach cycloarylierten Iridium-Komplex[1,2]:

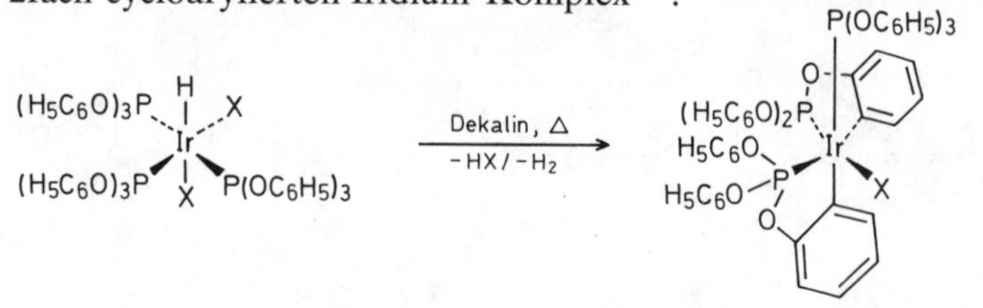

Bis-[2-(diphenoxyphosphanyloxy)-phenyl-(C,P)]-chloro-triphenoxyphosphan-iridium[2,3]: 0,6 g Dichloro-hydrido-tris-[triphenoxyphosphan]-iridium werden 30 Min. in Dekalin unter Rückfluß erhitzt. Die Lösung des eingesetzten Komplexes ist zunächst farblos. Sie wird beim Erhitzen rasch fahl gold-gelb und dann wieder farblos. Dabei entstehen Chlorwasserstoff- und Wasserstoff-Gas. Der beim Kühlen ausgefallene Niederschlag wird sorgfältig mit Hexan gewaschen und bei 25° i. Vak. getrocknet; Ausbeute: 0,27 g (46%).

Bei der Metallierung der Bis-[phosphano]-benzol-Verbindung I durch Iridium(III)-chlorid wird nicht Chlorwasserstoff abgespalten, sondern 2 Chlor-Atome[4,5]. Der erhaltene koordinativ ungesättigte Komplex II nimmt leicht einen Kohlenmonoxid-Liganden auf.

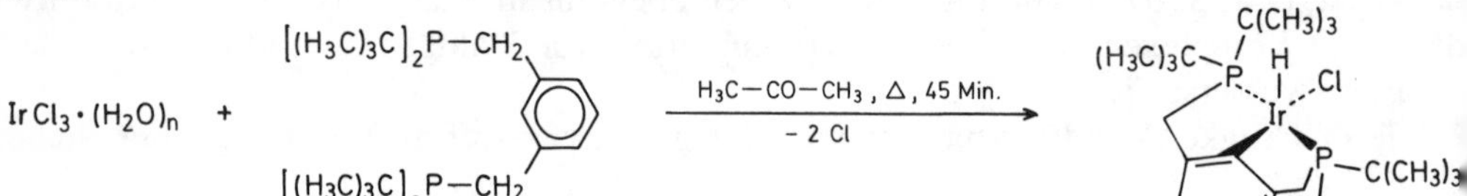

{2,6-Bis-[(di-tert.-butyl-phosphano)-methyl]-phenyl-(C,P,P′)}-chloro-hydrido-iridium; II[4]: 1,44 g (3,63 mmol) 1,3-Bis-[(di-tert.-butylphosphano)-methyl]-benzol, 0,65 g (1,82 mmol) Iridium(III)-chlorid-Hydrat, 2 ml Wasser und 15 ml 2-Propanol werden 20 Stdn. unter Rückfluß erhitzt. Beim Abkühlen auf −5° fällt ein Niederschlag aus, der aus Petrolether (Kp: 60–80°) in dunkelbraunen Nadeln kristallisiert; Ausbeute: 0,84 g (74%); Subl. p.: 245–350°.

γ) aus Alkyl-iridium(III)-Komplexen unter Alkan-Abspaltung

Die ortho-Metallierung von Iridium(III)-Komplexen mit Aryl-Donor-Liganden gelingt unter milderen Bedingungen als den zuvor beschriebenen, wenn der 5-fach koordinierte und daher ungesättigte Komplex III eingesetzt wird, dessen Methyl-Gruppe leicht unter Eliminierung als Methan abgespalten wird[6]:

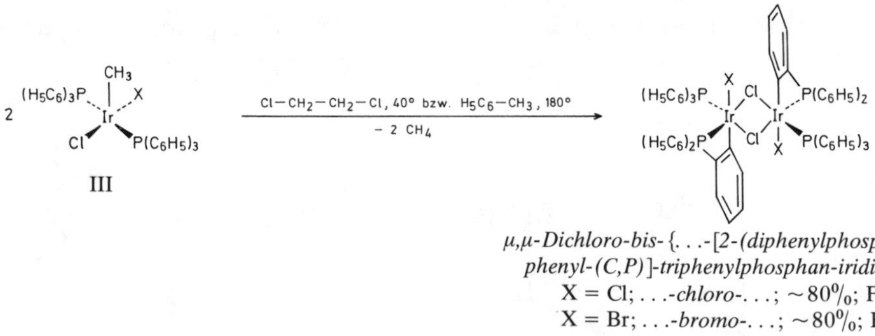

μ,μ-Dichloro-bis-{. . .-[2-(diphenylphosphano)-
phenyl-(C,P)]-triphenylphosphan-iridium}
X = Cl; . . .-chloro-. . .; ~80%; F: 210°
X = Br; . . .-bromo-. . .; ~80%; F: 215°

[1] E. W. Ainscough u. S. D. Robinson, Chem. Commun. **1970**, 863.
[2] E. W. Ainscough, S. D. Robinson u. J. J. Levinson, Soc. [A] **1971**, 3413.
[3] J. M. Guss u. R. Mason, Chem. Commun. **1971**, 58; Soc. [Dalton] **1972**, 2193.
[4] C. J. Moulton u. B. L. Shaw, Soc. [Dalton] **1976**, 1020.
[5] Die Struktur folgt aus den IR- und ^{1}H- sowie ^{31}-P-NMR-spektroskopischen Daten.
[6] L. R. Smith u. D. M. Blake, Am. Soc. **99**, 3302 (1977).

Der Alkyl- bzw. Cycloalkyl-Rest wird durch Behandeln der Iridium-Komplexe mit Benzol in Gegenwart von Aluminiumoxid substituiert unter Bildung von *(η^5-Pentamethyl-yclopentadienyl)-hydrido-phenyl-trimethylphosphan-iridium* und Alkan bzw. Cycloal-kan[1].

δ) aus Aroyl-iridium(III)-Verbindungen durch Decarbonylierung

Aroyl-irdium-Komplexe werden z.Tl. bereits bei milden Reaktionsbedingungen unter Decarbonylierung zu Aryl-iridium-Komplexen zersetzt (vgl. S. 596). Die folgenden Acyl-Komplexe werden erst bei 135° in Xylol decarbonyliert[2]:

$$Cl\text{---}Ir(L)(L)(CO)(Cl)(CO\text{---}C_6H_5) \xrightarrow[-CO]{Xylol,\ \triangle,\ 24\ Stdn.} Cl\text{---}Ir(L)(L)(CO)(Cl)(C_6H_5)$$

L = P(CH$_3$)(C$_6$H$_5$)$_2$; *Bis-[diphenyl-methyl-phosphan]-carbonyl-dichloro-phenyl-iridium* ~50%; F: 201° (Zers.)

L = P(CH$_3$)$_2$(C$_6$H$_5$); *Bis-[dimethyl-phenyl-phosphan]-carbonyl-dichloro-phenyl-iridium*; ~70%; F: 213–215°

ε) aus Arylsulfonyl-iridium(III)-Verbindungen durch Desulfonierung

Bei 6fach koordinierten Arylsulfonyl-iridium(III)-Verbindungen müssen zur Desulfo-nierung oft erhöhte Temperaturen anwenden, um eine freie Koordinationsstelle zu schaf-fen und den Komplex zu aktivieren. Elektronenanziehende Substituenten am Aryl-Rest erschweren die Reaktion[3,4].

$$Ir(SO_2\text{---}Ar)Cl_2(CO)[P(C_6H_5)_3]_2 \xrightarrow[-L]{110°,\ 3\ Stdn.} \{Ir(SO_2\text{---}Ar)Cl_2(CO)[P(C_6H_5)_3]\}$$

$$\longrightarrow \{Ir(Ar)Cl_2(CO)(SO_2)[P(C_6H_5)_3]\} \xrightarrow[-SO_2]{+L} Ir(Ar)Cl_2(CO)[P(C_6H_5)_3]_2$$

Bis-[triphenylphosphan]-...-iridium

Ar = C$_6$H$_5$; *...-carbonyl-dichloro-phenyl-...*[4]

Ar = 4-CH$_3$–C$_6$H$_4$; *...-carbonyl-dichloro-(4-methyl-phenyl)-...*[4]; ~100%; F: 259–260°

Ar = 4-Cl–C$_6$H$_4$; *...-carbonyl-dichloro-(4-chlor-phenyl)-...*[3]; F: 285° (Zers.)

Ar = 2-Naphthyl; *...-carbonyl-dichloro-2-naphthyl-...*[3]; F: >300° (Zers.)

Carbonyl-chloro-(4-methyl-phenyl)-(η^5-pentamethylcyclopentadienyl)-iridium[5]:

$$\xrightarrow[-SO_2]{110°}$$

Carbonyl-chloro-(4-methyl-phenylsulfinyl)-(η^5-pentamethylcyclopentadienyl)-iri-dium: Eine Lösung von 100 mg (0,26 mmol) Dicarbonyl-(η^5-pentamethylcyclopentadienyl)-iridium und 80 mg (0,42 mmol) 4-Methyl-benzolsulfonylchlorid in 20 *ml* Diethylether wird 10 Min. unter Rückfluß erhitzt. Aus der gelben Lösung fallen bei 20° beim Stehenlassen orange-gelbe Nadeln aus, die abfiltriert, mit kaltem Diethylether gewaschen und in Luft getrocknet werden; Ausbeute: 135 mg (94%); Zers.p.: 161–163°; IR(KBr): ν_{CO} 2050 cm^{-1}.

Carbonyl-chloro-(4-methyl-phenyl)-(η^5-pentamethylcyclopentadienyl)-iridium: 200 mg des Sulfonyl-Komplexes werden in 20 *ml* Toluol unter Rühren 24 Stdn. zum Rückfluß erhitzt. Der nach

[1] A.H. JANOWICZ u. R.G. BERGMAN, Am. Soc. **104**, 352 (1982); ibid. **105**, 3929 (1983).

[2] M. KUBOTA u. D. BLAKE, Am. Soc. **93**, 1368 (1971).

[3] J. BLUM u. G. SCHARF, J. Org. Chem. **35**, 1895 (1970).

[4] J.P. COLLMAN u. W.R. ROPER, Am. Soc. **88**, 180 (1966).

[5] J.W. KANG u. P.M. MAITLIS, J. Organometal. Chem. **26**, 393 (1971).

dem Abziehen des Lösungsmittels i. Vak. erhaltene hell gelbe Rückstand wird aus Diethylether und Hexan um kristallisiert; Ausbeute: 155 mg (81%); Zers.p.: 175–178°; IR(KBr): ν_{CO} 2010 cm^{-1}.

Auf analoge Weise erhält man u. a.

Carbonyl-chloro-(η^5-pentamethylcyclopentadienyl)-phenyl-iridium   87%; Zers.p.: 150–153°
(4-Brom-phenyl)-carbonyl-chloro-(η^5- pentamethylcyclopentadienyl)-iridium   65%; Zers.p.: 160–165°

Die Desulfonierung des Arylsulfinat-Liganden gelingt bei den 5fach koordinierter Komplexen des Typs I bei tieferen Temperaturen[1]. Elektronen-anziehende Substituenter beschleunigen die Umlagerungsreaktion, die einem Geschwindigkeitsgesetz 1. Ordnung gehorcht. Beim Pentafluorphenylsulfinato-Komplex ist die Geschwindigkeit so groß, daß er nicht mehr isoliert werden kann. Zusatz von Methanol beschleunigt die Umlagerung zusätzlich, die an der Farbänderung von braun nach schwach gelb erkenntlich ist:

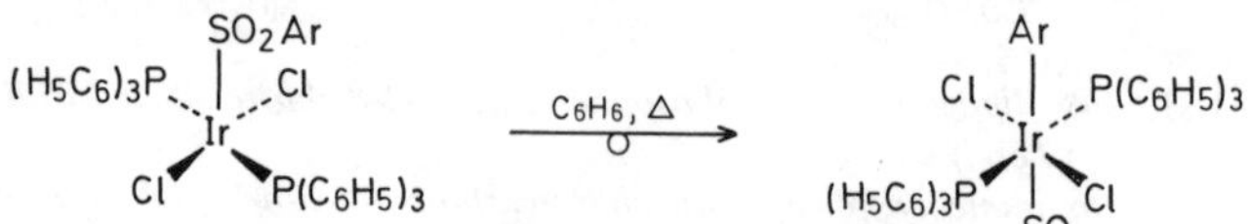

Bis-[triphenylphosphan]-dichloro-...-(schwefeldioxid)-iridium
Ar = C$_6$H$_5$; ...-phenyl-...; F: 213–220° (Zers.)
Ar = C$_6$F$_5$; ...(pentafluorphenyl)-...; F: 273–276° (Zers.)

2. aus Iridium(I)-Verbindungen

α) durch Arylierung

α$_1$) unter Spaltung einer C_{Aryl}-Hal-Bindung (oxidative Addition)

Am besten untersucht ist auch hier die oxidative Addition des Vaska-Komplexes (Bis [triphenylphosphan]-carbonyl-chloro-iridium) und seiner Phosphan-Analogen[2-4]. Die Reaktionsfähigkeit der Halogen-arene nimmt in folgender Reihe ab

$$Ar–J > Ar–Br > Ar–Cl$$

Elektronen-anziehende Substituenten am Halogen-aren und Phosphan-Liganden beschleunigen die Reaktion. Bei Reaktionstemperaturen von 140–180° dauert sie je nach Halogen-Substituenten wenige Minuten oder mehrere Stunden.

Die Aryl-iridium(III)-Komplexe dieses Typs sind an der Luft zwar stabil, es empfiehlt sich dennoch bei Umsetzungen unter Sauerstoff-Ausschluß zu arbeiten, da die Iridium(I)-Komplexe extrem oxidationsempfindlich sind.

$$IrCl(CO)L_2 \ + \ Ar{-}X \ \longrightarrow \ IrArClX(CO)L_2$$

L = P(C$_6$H$_5$)$_3$, P(CH$_3$)(C$_6$H$_5$)$_2$

Aryl-bis-[triphenylphosphan]- carbonyl-chloro-halogeno-iridium; allgemeine Herstellungsvorschrift[4]: 7,80 g (0,1 mmol) Bis-[triphenylphosphan]-carbonyl-chloro-iridium werden mit 3–5 g Halogen-aren unter Stickstoff in einem Druckgefäß umgesetzt, das in einem Öl-Bad erhitzt wird. Die Halogen-arene sind zugleich das Lösungsmittel.

Carbonyl-chloro-jodo-phenyl-bis-[triphenylphosphan]-iridium[2]: 100 mg Bis-[triphenylphosphan]-carbonyl-chloro-iridium werden in 1 ml reinem Jod-benzol 5 Min. unter Rückfluß erhitzt. Der Aryl-Komplex kristallisiert nach Zugabe von 3 ml Xylol und 10 ml Hexan. Die Kristalle werden mehrmals mit Hexan gewaschen; Ausbeute: 0,125 g (~ 100%); F: 261–263° (Zers. unter Bildung einer roten Flüssigkeit); IR(Nujol): ν_{CO} 2038 cm^{-1}

[1] M. Kubota u. B.M. Loeffler, Inorg. Chem. **11**, 469 (1972).
[2] J. Blum, Z. Aizenshtat u. S. Iflah, Transition Met. Chem. **1**, 52 (1972).
[3] J. Blum, M. Weitzberg u. R.J. Mureinik, J. Organometal. Chem. **122**, 261 (1976).
[4] J. Mureinik, M. Weitzberg u. J. Blum, Inorg. Chem. **18**, 915 (1979).

Ar-	X	[°C]	[Min]	Bis-[triphenylphosphan]-...-iridium	F[°C] (aus...)	Ir: ν_{CO} [cm^{-1}]
$_3$C-⬡-	J	150	45	...-carbonyl-chloro-jodo-(4-methyl-phenyl)-...	247–249 (Benzol)	2040
-⬡-	Br	175	40	...-bromo-carbonyl-chloro-(4-fluor-phenyl)-...	255–259[a]	2045
-⬡-	Cl	256	48 (Stdn.)[d]	...-carbonyl-dichloro-(4-chlor-phenyl)-...	281–282 (Benzol)	2050[c]
-⬡-	J	150	35	...-carbonyl-chloro-(4-chlor-phenyl)-jodo-...	240–242 (Benzol)	2048
-⬡-	Br	170	150	...-bromo-(4-brom-phenyl)-carbonyl-chloro-...	239–243[b] (Xylol)	2050
-⬡-	J	150	40	...-(4-brom-phenyl)-carbonyl-chloro-jodo-...	239–241 (Xylol/Petrolether)	2045
⬡	Br	175	180	...-bromo-(3-brom-phenyl)-carbonyl-chloro-...	246–247[a]	2043

Kristallisiert aus dem Reaktionsgemisch
Zersetzung
In Nujol
Ein reines Produkt wird besser hergestellt durch 20min. Erhitzen der Reaktionsmischung über einer offenen Flamme

Da die oxidative Addition von Jodbenzol an den Trimethylphosphan-iridium-Komplex durch Radikal-Fänger inhibiert wird, verläuft sie wahrscheinlich nach einem Radikal-Mechanismus[1].

Bei der oxidativen Addition von Halogen-benzaldehyden an Bis-[triphenylphosphan]-carbonyl-chloro-iridium wird zusätzlich der Aldehyd decarbonyliert[2]. Auch hier steigt die Reaktivität von Chlor- über das Brom- zum Jod-Derivat. Sie ist bei den Halogen-benzaldehyden größer als bei den entsprechenden Halogen-benzol-Derivaten.

Der Chloro-Ligand des Vaska-Komplexes wird bei der Umsetzung mit überschüssigem Halogen-benzaldehyd teilweise oder ganz durch Brom oder Jod substituiert. Bei der Bildung von Aryl-dijodo-Komplexen wird dann infolge größer werdender sterischer Hinderung ein Triphenylphosphan-Ligand abgespalten.

IrCl(CO)[P(C$_6$H$_5$)$_3$]$_2$ + X-⬡(CHO)(R$_n$) $\xrightarrow[-CO]{\substack{190°, 20\ \text{Stdn.} \\ \text{bzw. 15 Min.}}}$ Ir[⬡(R$_n$)]BrX$_2'$(CO)[P(C$_6$H$_5$)$_3$]$_2$

Bis-[triphenylphosphan]-...-iridium

R$_n$ = H; X = 2-, 4-Cl; X' = Cl; ...-carbonyl-dichloro-phenyl-...

X = 2-Br; X' = Cl/Br bzw. Br; ...-bromo-carbonyl-chloro-phenyl-...
+ ...-carbonyl-dibromo-phenyl-...

R$_n$ = 4-CH$_3$; X = 2-Br; X' = Cl/Br; ...-bromo-carbonyl-chloro-(4-methyl-phenyl)-...; 33%; F: 190°

IrCl(CO)[P(C$_6$H$_5$)$_3$]$_2$ + 2 J-⬡CHO $\xrightarrow[\substack{-CO/\ -P(C_6H_5)_3 \\ -[Cl-⬡^{CHO}]}]{200°, 1\ \text{Min.}}$ Ir[⬡]J$_2$(CO)[P(C$_6$H$_5$)$_3$]$_2$

Carbonyl-dijodo-phenyl-[triphenylphosphan]-iridium

J. A. Labinger u. J. A. Osborn, Inorg. Chem. 19, 3230 (1980).
J. Blum, Z. Aizenshtat u. S. Iflah, Transition Met. Chem. 1, 52 (1972).

Bei der Umsetzung von 2-Brom-4-methyl-benzaldehyd wandert das Metall in *trans*-Stellung zur Methyl-Gruppe, und man erhält *Bis-[triphenylphosphan]-bromo-carbonyl-chloro-(4-methyl-phenyl)-iridium*.

Bis-[triphenylphosphan]-carbonyl-dichloro-phenyl-iridium[1]:   300 mg   Bis-[triphenylphosphan]-carbonyl-chloro-iridium (Vaska-Komplex) und 3,00 g destillierter 2-Chlor-benzaldehyd werden unter Durchleiten von Stickstoff in einer Röhre 20 Stdn. auf 190° erhitzt. Bei Zusatz von 5 *ml* Xylol entsteht eine klare gelbe Lösung, aus der mit Petrolether (Kp: 40–60°) das Rohprodukt gefällt wird, das mit Xylol umkristallisiert wird. Es entstehen farblose Kristalle; Ausbeute: 140 mg (41%); F: 270–272°; IR(Nujol): ν_{CO} 2046 cm^{-1}.

2-Brom-azobenzol reagiert ebenfalls in einer oxidativen Addition mit dem Vaska-Komplex[2]. Gleichzeitig wird unter Freisetzen von Kohlenmonoxid mit der Azo-Gruppe ein Chelat-Komplex gebildet; z.B.:

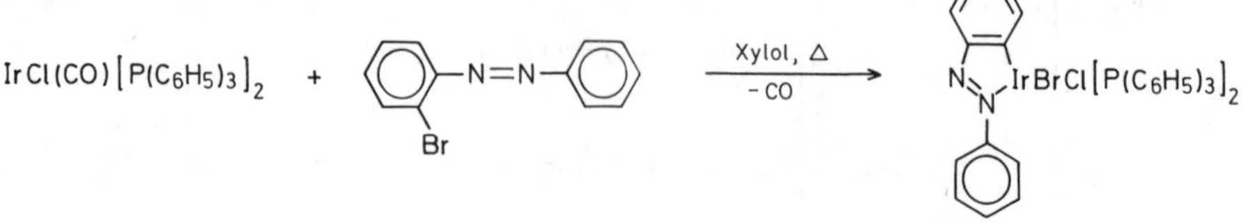

Bis-[triphenylphosphan]-bromo-chloro-[phenylazo-phenyl-(C,N′)]-iridium[2]:   1,30 g (1,67 mmol) Bis-[triphenylphosphan]-carbonyl-chloro-iridium und 800 mg (3,07 mmol) 2-Brom-azobenzol werden in 40 *ml* Xylol Tage unter Rückfluß erhitzt. Bei Zugabe von Petrolether zur Kastanien-braunen Lösung fällt ein roter Niederschlag aus, der aus Petrolether/Dichlormethan umkristallisiert wird; Ausbeute: 750 mg (43%); F: 257–258° (Zers.).

Wahrscheinlich liegt ein Isomeren-Gemisch vor.

Auch Chlorhetarene, z.B. 2-Chlor-5-methyl-1,3-thiazol, 2-Chlor-1,3-benzothiazol und -1,3-benzoxazol, lassen sich oxidativ an Iridium(I)-Komplexe addieren und bilden farblose Verbindungen[3]:

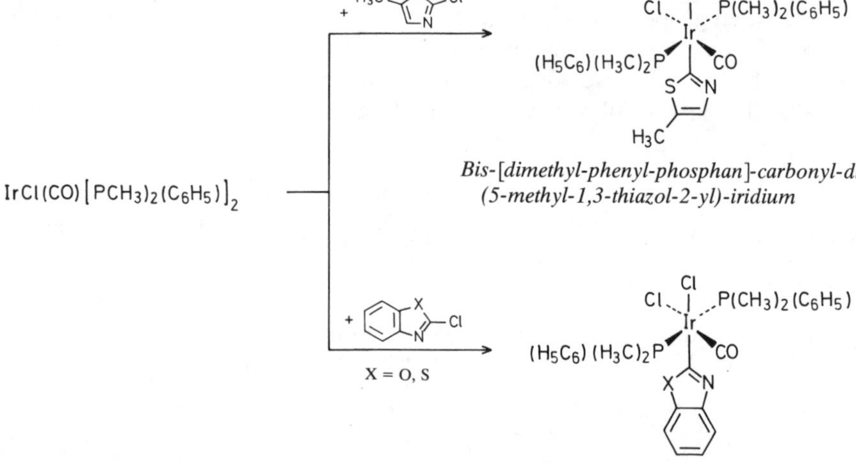

Bis-[dimethyl-phenyl-phosphan]-carbonyl-dichloro-(5-methyl-1,3-thiazol-2-yl)-iridium

(1,3-Benzothiazol-2-yl)-bis-[dimethyl-phenyl-phosphan]-carbonyl-dichloro-iridium (X = S)[3]: 0,40 g (0,7 mmol) Bis-[dimethyl-phenyl-phosphan]-carbonyl-chloro-iridium werden mit frisch destilliertem 2-Chlor-1,3-benzothiazol im geringen molaren Überschuß behandelt und 24 Stdn. in 20 *ml* Benzol unter Rückfluß erhitzt. Das Lösungsmittel wird i. Vak. entfernt. Das resultierende schwach gelbe Öl wird mit 20 *ml* Diethylether verrieben. Dabei entsteht ein festes Produkt, das aus Dichlormethan/Cyclohexan: 1:5 (10 *ml*) umkristallisiert; Ausbeute: 49%; F: 230–231°; IR(Nujol): ν_{CO} 2069 cm^{-1}.

[1] J. BLUM, Z. AIZENSHTAT u. S. IFLAH, Transition Met. Chem. **1**, 52 (1972).
[2] M.I. BRUCE, B.L. GOODALL, F.G.A. STONE u. B.J. THOMSON, Austral. J. Chem. **27**, 2135 (1974).
[3] P.J. FRASER, W.R. ROPER u. F.G.A. STONE, J. Organometal. Chem. **50**, C54 (1973); Soc. [Dalton] **1974**, 102

Auf ähnliche Weise erhält man u. a. *(1,3-Benzoxazol-2-yl)-bis-[dimethyl-phenyl-phosphan]-carbonyl-dichloro-iridium* (X = O; 38%; F: 232–233°)

Die (3,4-Dimethyl-3,4-dihydro-1,3-thiazol-2-yl)-, (1,3-Benzoxazol-2-yl)- und (1,3-Benzthiazol-2-yl)-iridium-Komplexe können durch Perchlorsäure und Tetrafluorborsäure protoniert und in Carben-iridium(III)-Kationkomplexe (z.B. I) übergeführt werden. Den Carben- Komplex erhält man direkt durch oxidative Addition von 2-Chlor-3,5-dimethyl-1,3- thiazolium-tetrafluorborat an einen Iridium(I)-Komplex. Eine nachträgliche Alkylierung durch Trialkyloxonium-Salz ist wahrscheinlich aus sterischen Gründen nicht möglich.

Die durch Protonierung gebildeten Carben-Komplexe können durch Abspaltung der Protonen mit starken Basen in die neutralen σ-Komplexe zurückgeführt werden; z.B.:

I; *(1,3-Benzothiazolium-2-yl)-bis-[triphenylphosphan]-carbonyl-dichloro-iridium-tetrafluoroborat*

Da die oxidative Addition von Halogen-arenen an Iridium(I)-Komplexe wesentlich schwieriger ist als mit Halogen-alkanen, empfiehlt es sich, starke Phenylierungsreagenzien (z.B. Diphenyljodonium-Salze) einzusetzen[1]. Die Ausbeuten liegen zwischen 55 und 60%:

$$IrCl(CO)L_2 + [J(C_6H_5)_2]^{\oplus}Cl^{\ominus} \xrightarrow[-[C_6H_5J]]{} Ir(C_6H_5)Cl_2(CO)L_2$$

...-*carbonyl-dichloro-phenyl-iridium*

L = P(C_6H_5)_3; *Bis-[triphenylphosphan]-*...[1]; F: 265–270°
L = P(CH_3)(C_6H_5)_2; *Bis-[diphenyl-methyl-phosphan]-*...[1]; F: 202–205°

Während das Chlorid-Ion am Iridium gebunden wird, ist dies beim Tetrafluoroborat nicht möglich, so daß wahrscheinlich dimere Komplexe entstehen.

α_2) *unter Spaltung einer* C_{Aryl}-*Metall-Bindung*

Aryl-metall-Verbindungen können Aryl-Gruppen auf das Iridium-Atom übertragen; z.B.[2]:

$$IrCl(CO)[P(C_6H_5)_3]_2 + Tl(C_6F_5)_2Br \xrightarrow[-TlBr]{C_6H_6, \triangle} Ir(C_6F_5)_2Cl(CO)[P(C_6H_5)_3]_2$$

Bis-[pentafluorphenyl]-bis-[triphenyl-phosphan]-carbonyl-chloro-iridium

α_3) *unter Spaltung einer oder mehrerer* C_{Aryl}-*H-Bindungen*

αα_1) von Benzol bzw. Halogenmethyl-benzol

Benzylchlorid reagiert unterschiedlich mit Iridium(I)- und Rhodium(I)-Komplexen. Bei der Reaktion des Vaska-Komplexes entstehen zwei Verbindungen, die außerdem Benzylchlorid als Solvat gebunden enthalten[1]. Das vom Aren abgespaltene Proton reagiert mit einem zweiten Benzylchlorid-Molekül unter H–Cl-Austausch:

---

[1] N. FARRELL u. D. SUTTON, J. Canad. Chem. **55**, 360 (1977).
[2] P. ROYO u. F. TERREROS, Ann. Univ. Murcia Cienc. **30**, 139 (1972); C.A. **89**, 109 916 (1978).

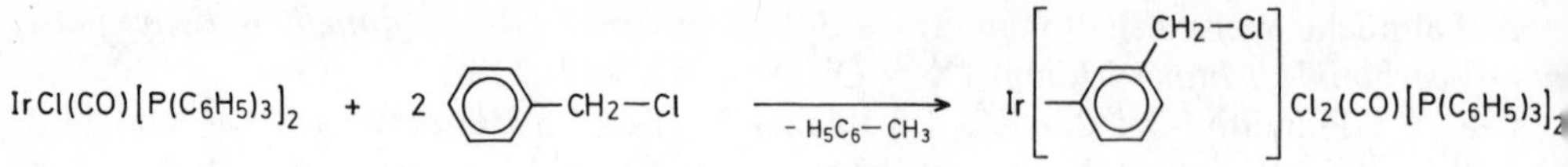

$$\text{IrCl(CO)}\,[\text{P(C}_6\text{H}_5)_3]_2 \;+\; 2 \;\langle\!\!\bigcirc\!\!\rangle\!\!-\!\text{CH}_2\!-\!\text{Cl} \xrightarrow[-\,\text{H}_5\text{C}_6\!-\!\text{CH}_3]{} \text{Ir}\left[\begin{array}{c}\text{CH}_2\!-\!\text{Cl}\\ \langle\!\!\bigcirc\!\!\rangle\end{array}\right]\text{Cl}_2\text{(CO)}\,[\text{P(C}_6\text{H}_5)_3]_2$$

Bis-[triphenylphosphan]-carbonyl-(3-chlormethyl-phenyl)-dichloro-iridium; ~70%; F: 123–127°

Die Solvat-Moleküle werden beim Chromatographieren mit Dichlormethan durch das Lösungsmittel ausgetauscht.

Beim Belichten von Dicarbonyl-(η^5-pentamethylcyclopentadienyl)-iridium entsteht durch oxidative Addition von Benzol der instabile Hydrido-phenyl-iridium-Komplex, der durch Behandlung mit Tetrachlormethan das stabile *Carbonyl-chloro-(η^5-pentamethyl-cyclopentadienyl)-phenyl-iridium* liefert (vgl. S. 607)[1].

$\alpha\alpha_2$) von Aryl- bzw. Arylalkyl-phosphan-, -arsan- oder -stiban- sowie -phosphit-Liganden

i_1) in Aryl-phosphan-, -arsan- bzw. -stiban-Liganden

Die oxidative ortho-Metallierung wird durch starke σ-Donoren im Komplex begünstigt. So ist Bis-[triphenylphosphan]-carbonyl-chloro-iridium sehr stabil, während Chloro-tris-[triphenylphosphan]-iridium sich bereits unter milden Reaktionsbedingungen in die ortho-metallierte Verbindung umlagert[2-4].

Bromo- und Chloro-tris-[triphenylphosphan]-iridium sind luftempfindlich, noch empfindlicher sind die Arsan- und Stiban-Komplexe. Infolge ihrer thermischen Labilität und Sauerstoff-Empfindlichkeit empfiehlt es sich, die genannten Komplexe vor der Umsetzung herzustellen und sie nicht aus ihrer Lösung zu isolieren.

Die ortho-Metallierung ist durch Erhitzen in Benzol beim Triphenylphosphan-Komplex innerhalb ~2 Stdn. und beim Arsan- bzw. Stiban-Komplex innerhalb ~6 Stdn. abgeschlossen[4]:

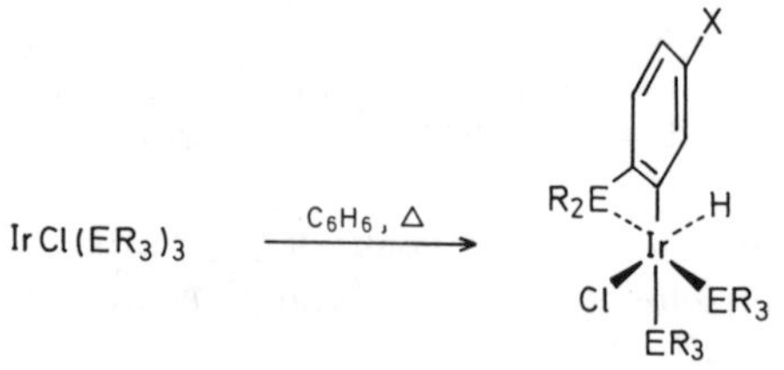

$$\text{IrCl(ER}_3)_3 \xrightarrow{\;\text{C}_6\text{H}_6,\,\Delta\;} \begin{array}{c} X \\ \langle\!\!\bigcirc\!\!\rangle \\ R_2E\cdots\!\!\overset{H}{\underset{\underset{\text{ER}_3}{|}}{\text{Ir}}}\!\!\overset{}{\underset{\text{Cl}}{}}\!\!\text{ER}_3 \end{array}$$

z. B.: ER$_3$ = (4-X–C$_6$H$_5$)$_3$P; X = H, CH$_3$, OCH$_3$, F
ER$_3$ = As(C$_6$H$_5$)$_3$; Sb(C$_6$H$_5$)$_3$

Die Reaktionsgeschwindigkeit gehorcht einem Gesetz 1. Ordnung. Der Isotopen-Effekt der Umlagerung ist jedoch gering.

Bis-[triphenylphosphan]-chloro-[2-(diphenylphosphano)-phenyl-(C,P)]-hydrido-iridium-Komplexe; allgemeine Arbeitsvorschrift[2]:

Chloro-tris-[triphenylphosphan]-iridium: 0,3 g (1 mmol) μ,μ-Dichloro-bis-[bis-(η^2-cyclooocten)-iridium] und ~6 mmol substituiertes Triphenylphosphan werden in 30 *ml* Petrolether (Kp: 60–80°) suspendiert und bei 20° gerührt. Die Lösung wird augenblicklich orange, und es fallen orange bis rote Kristalle aus. Nach 8 Stdn. wird abfiltriert und i. Vak. aufbewahrt. IR(Nujol): ν_{IrH} ~2200 cm^{-1}.

[1] J. K. Hoyano u. W. A. G. Graham, Am. Soc. **104**, 3723 (1982).
[2] K. v. Deuten u. L. Dahlenburg, Cryst. Struct. Commun. **9**, 421 (1980); C. Á. **93**, 58 714ʹ (1980).
[3] M. A. Bennett u. D. L. Milner, Chem. Commun. **1967**, 581.
[4] M. A. Bennett u. D. L. Milner, Am. Soc. **91**, 6983 (1969).

Bis-[triphenylphosphan]-chloro-[2-(diphenylphosphano)-phenyl-(C,P)]-hydrido-iri-
ium: 0,5 g des Komplexes werden unter Stickstoff 1 Stde. in Benzol unter Rückfluß erhitzt. Die Umwandlung,
rsichtlich am Farbumschlag von rot-braun nach gelb, beginnt bereits unterhalb des Siedepunkts von Benzol.
Nach dem Abkühlen gibt man 20 ml Petrolether hinzu und engt die Lösung auf ~15 ml bei 25°/15 Torr ein.
Der Creme-farbige Niederschlag wird abfiltriert und aus Benzol umkristallisiert; Ausbeute: 0,39 g (78%); F:
'50° (der Komplex wird bereits bei 212° dunkel).

Die Triphenylarsan- und -stiban-Komplexe werden analog hergestellt. Bei einer Reak-
ionsdauer von 6 Stdn. betragen die Ausbeuten ~60 bzw. 50%.

Die intramolekulare ortho-Metallierung von Chloro-tris-[triphenylphosphan]-iridium
gelingt unter milden Bedingungen, wenn zu einer Suspension des Komplexes in Benzol,
Tetrahydrofuran oder Diethylether bestimmte 1-Lithium- oder 1-Chloromagnesium-car-
ɔorane bzw. (2,4,6-Trimethyl-phenyl)-lithium zugesetzt werden[1,2]; z.B.:

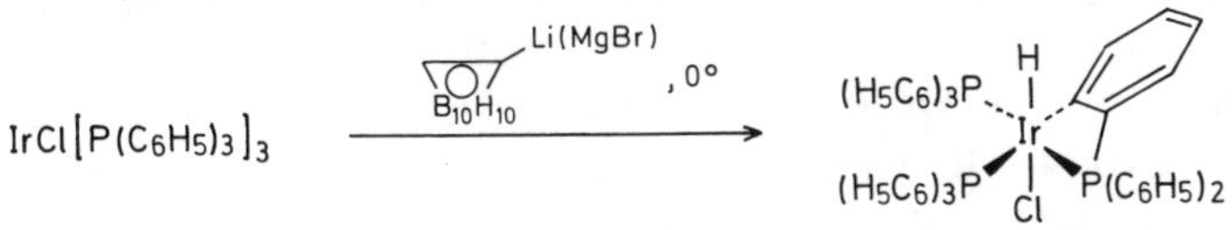

*Bis-[triphenylphosphan]-chloro-[2-(diphenylphosphano)-phenyl-
(C,P)]-hydrido-iridium*; 80–85%; F: 226–228° (Zers.)

Bei anderen Lithium- oder Chlormagnesium-carboranen entsteht unter Abspaltung von Chlorwasserstoff der
cyclometallierte Iridium(I)-Komplex (s. S. 494).

Chloro-dihydro-tris-[triphenylphosphan]-iridium wird beim Belichten ($\lambda < 400$ nm) in
Benzol bzw. Dichlormethan bereits bei 20° unter Abspaltung von molekularem Wasserstoff zum *Bis-[triphenylphosphan]-chloro-[2-(diphenylphosphano)-phenyl-(C,P)]-hydri-
do-iridium* ortho-metalliert[3,4]:

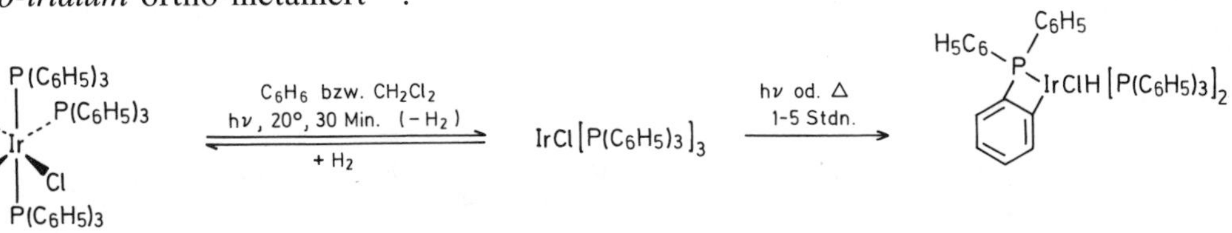

Das farblose *Triphenylphosphan-bis-[2-(diphenylphosphano)-phenyl-(C,P)]-hydri-
do-iridium* entsteht durch Umlagerung von Bis-[triphenylphosphan]-[(diphenylphosphano)-phenyl-(C,P)]-iridium bei 20° in Tetrahydrofuran nahezu quantitativ oder bei
der Umsetzung von Chloro-tris-[triphenylphosphan]-iridium mit Phenyl-lithium in Diethylether zu 64%[2].

*Chloro-(dimethylsulfoxid)-[2-(diphenylphosphano)-phenyl-(C,P)]-hydrido-triphenyl-
phosphan-iridium*, das leicht Kohlenmonoxid aufnimmt, wird in Dimethylsulfoxid bereits
bei 20° gebildet, wenn der Distickstoff-Komplex eingesetzt wird, da durch Abspaltung von
Stickstoff ein koordinativ ungesättigter Komplex entsteht[5].

Der Carbonyl-Komplex ist bei –5° stabil und bei 20° in Lösung, aber auch im kristallinen Zustand, instabil, da
er sich reduktiv in den Vaska-Komplex umlagert.

Der Tetrakis-[dimethyl-phenyl-phosphan]-iridium-Kationkomplex I reagiert in Acetonitril bei 80° unter Cyclometallierung eines Phenyl-phosphan-Restes[6] zum [2-(Dime-

[1] S. Bresadola, B. Longato u. F. Morandini, Inorg. Chim. Acta 25, L135 (1977).
[2] L. Dahlenburg, J. Organometal. Chem. 251, 347 (1983).
[3] G.L. Geoffroy u. R. Pierantozzi, Am. Soc. 98, 8054 (1976).
[4] L. Vaska, Am. Soc. 83, 756 (1961): Synthese der Ausgangsverbindung.
[5] J.S. Valentine, Chem. Commun. 1973, 857.
[6] R.H. Crabtree, J.M. Quirk, H. Felkin, T. Fillebeen-Khan u. C. Pascard, J. Organometal. Chem. 187, C32
(1980).

thylphosphano)-phenyl-(C,P)]-hydrido-tris-[dimethyl-phenyl-phosphan]-iridium-hexa-fluorophosphat (60%):

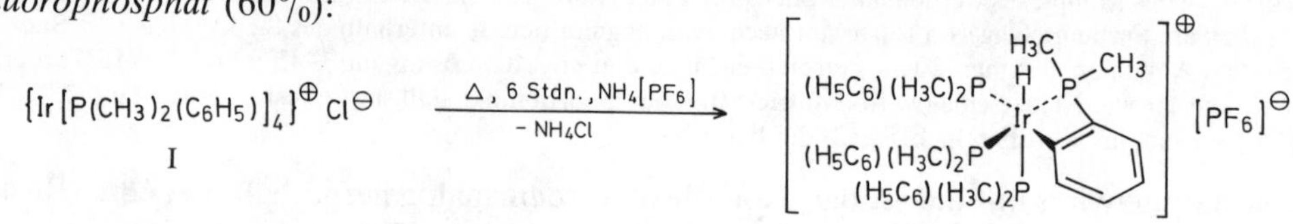

Zur Umsetzung von Bis-[triphenylphosphan]-*trans*-chloro-distickstoff-iridium mit Dibenzoyldiazomethan Lit.[1].

i₂) in (Arylalkyl)-phosphanen

Benzyl-phosphane können am Aromaten metalliert werden, wenn die beiden anderen Reste am Phosphan groß sind, da durch die Cyclometallierung die sterische Hinderung er niedrigt wird[2,3].

Die Umsetzung von μ,μ-Dichloro-bis-[bis-(η^2-cyclooctene)-iridium] wird in Hexan be 25° in Gegenwart von 4-Methyl-pyridin durchgeführt (bei Rhodium ist Rückflußkoche erforderlich), dabei wird z.B. der 3-Fluor-benzyl-Rest zu 80% in ortho-Stellung und z 20% in para-Stellung zum Fluor metalliert:

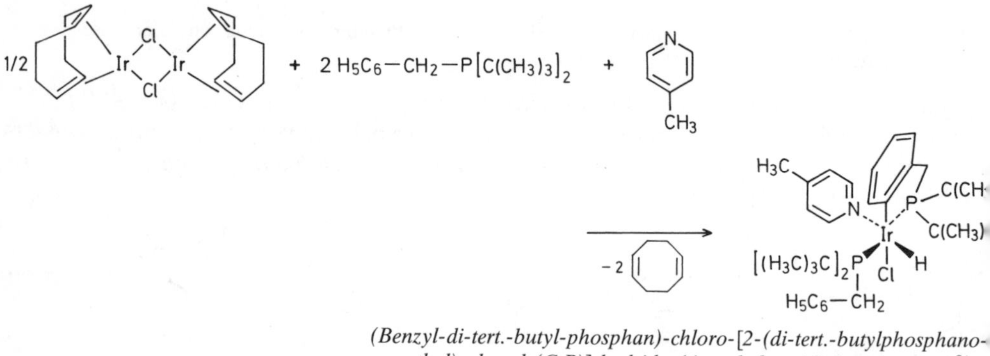

(Benzyl-di-tert.-butyl-phosphan)-chloro-[2-(di-tert.-butylphosphano-methyl)-phenyl-(C,P)]-hydrido-(4-methyl-pyridin)-iridium; 80%

i₃) in 1-Naphthyl-phosphan-Derivaten

Die oxidative Cyclometallierung gelingt auch beim Dimethyl-(1-naphthyl)-phosphan in 8-Stellung[2]; Dimethyl-(1-naphthyl)-arsan läßt sich schwerer metallieren[4]:

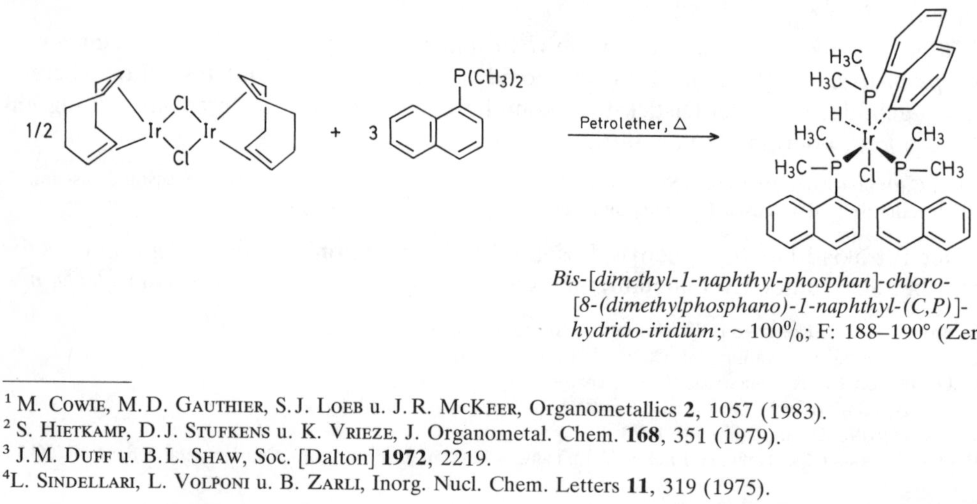

Bis-[dimethyl-1-naphthyl-phosphan]-chloro-[8-(dimethylphosphano)-1-naphthyl-(C,P)]-hydrido-iridium; ~100%; F: 188–190° (Zers.

[1] M. COWIE, M.D. GAUTHIER, S.J. LOEB u. J.R. McKEER, Organometallics **2**, 1057 (1983).
[2] S. HIETKAMP, D.J. STUFKENS u. K. VRIEZE, J. Organometal. Chem. **168**, 351 (1979).
[3] J.M. DUFF u. B.L. SHAW, Soc. [Dalton] **1972**, 2219.
[4] L. SINDELLARI, L. VOLPONI u. B. ZARLI, Inorg. Nucl. Chem. Letters **11**, 319 (1975).

i₄) in Triarylphosphit

Triphenylphosphit wird leicht cyclometalliert, da auf diese Weise ein sterisch begünstigter 5-Ring entsteht. Aus diesem Grunde werden oft zwei oder gar drei Phosphit-Liganden pro Iridium-Atom metalliert (s. a. S. 562).

Schlüsselverbindung der Reaktion ist der Halogeno-tris-[triarylphosphit]-iridium-Komplex[1-3]:

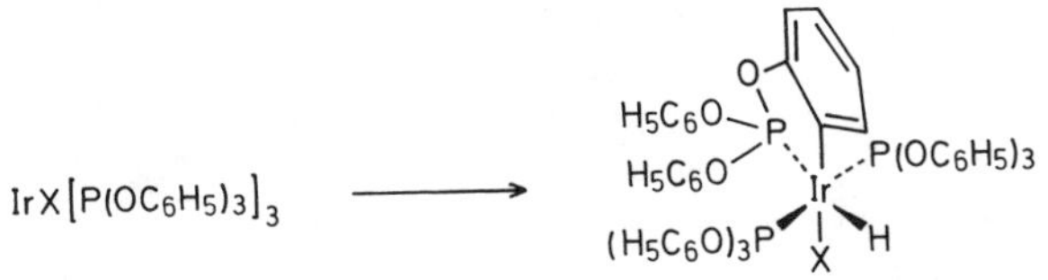

$$IrX[P(OC_6H_5)_3]_3 \longrightarrow$$

X = Cl, Br

Bis-[triphenoxyphosphan]-chloro-[2-(diphenoxyphosphanyloxy)-phenyl-(C,P)]-hydrido-iridium[2,4]: 0,2 g (1 mmol) μ,μ-Dichloro-bis-[bis-[η²-cycloocten]-iridium] werden in 5 ml Benzol suspendiert und tropfenweise mit 0,46 g (3,3 mmol) Triphenylphosphit versetzt. Die gelbe Suspension löst sich in kurzer Zeit unter Bildung einer farblosen Lösung. Das Lösungsmittel wird bei 15 Torr entfernt und der Rückstand in 5 ml abs. Diethylether gelöst. Aus der Lösung fallen nach mehreren Stdn. bei 0° farblose Kristalle aus, die 2mal aus Diethylether umkristallisiert werden; Ausbeute: 0,4 g (77%); F: 146–147°, IR(Nujol): ν_{IrH} 2080 cm⁻¹.

Während im Chloro-tris-[triphenylphosphit]-iridium ein Ligand cyclometalliert wird, sind es bei Bis-[triphenoxyphosphan]-carbonyl-chloro-iridium zwei. Gleichzeitig verliert der Komplex den Carbonyl-Liganden sowie molekularen Wasserstoff und man erhält *μ,μ-Dichloro-bis-{bis-[2-(diphenoxyphosphanyloxy)-phenyl-(C,P)]-iridium}*[3]:

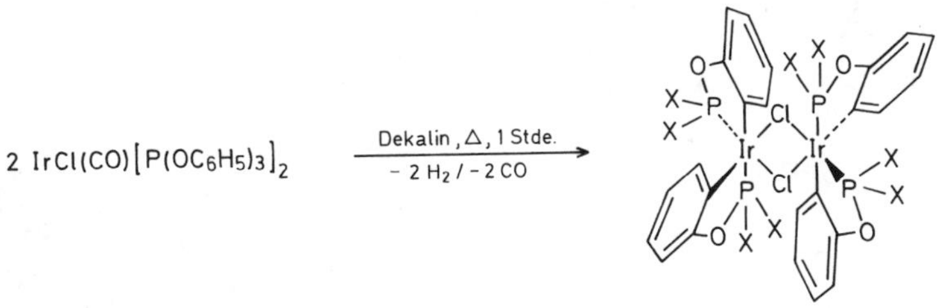

$$2\ IrCl(CO)[P(OC_6H_5)_3]_2 \xrightarrow[-2H_2\,/\,-2\,CO]{\text{Dekalin},\triangle,\,1\,\text{Stde.}}$$

X = OC₆H₅

Alkyl-iridium-Komplexe mit großvolumigen Alkyl-Resten (2,2-Dimethyl-propyl-, Trimethylsilylmethyl-) reagieren mit Triphenylphosphit unter Abspaltung von Alkan und Bildung von *Bis-[(2-diphenoxyphosphanyloxy)-phenyl-(C,P)]-(triphenoxyphosphan)-hydrido-iridium* zu ~20%[5].

Bei der Umsetzung von μ,μ-Dimethoxy-bis-[(η⁴-1,5-cyclooctadien)-iridium] mit Triphenylphosphit bei 25° entsteht zunächst *Bis-[triphenoxyphosphan]-[2-(diphenoxyphosphanyloxy)-phenyl-(C,P)]-methoxy-iridium*, das beim Erhitzen rasch Methanol unter Cyclometallierung eines zweiten Liganden[3] abspaltet (der analoge (2,4-Pentandionato)-Komplex bildet ebenfalls die Hydrido-Verbindung).

Zur Herstellung kann auch von Hydrido-Komplexen ausgegangen werden, die in siedendem Dekalin umgesetzt werden[3]:

[1] E. W. Ainscough u. S. D. Robinson, Chem. Commun. **1970**, 863.
[2] M. A. Bennett u. R. Charles, Austral. J. Chem. **24**, 427 (1971).
[3] E. W. Ainscough, S. D. Robinson u. J. J. Levinson, Soc. [A] **1971**, 3413.
[4] Die Konfiguration folgt aus den IR- und ¹H-NMR-Spektren.
[5] L. Dahlenburg u. F. Mirzaei, J. Organometal. Chem. **251**, 123 (1983).

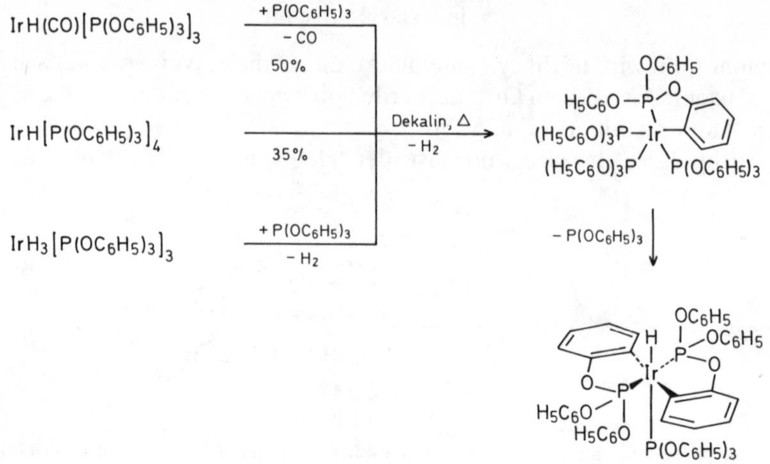

$$IrH(CO)\left[P(OC_6H_5)_3\right]_3 \quad \xrightarrow[\substack{-\,CO \\ 50\%}]{+\,P(OC_6H_5)_3}$$

$$IrH\left[P(OC_6H_5)_3\right]_4 \quad \xrightarrow[35\%]{\substack{\text{Dekalin, }\Delta \\ -\,H_2}}$$

$$IrH_3\left[P(OC_6H_5)_3\right]_3 \quad \xrightarrow[-\,H_2]{+\,P(OC_6H_5)_3}$$

Wird μ,μ-Dichloro-bis-[(η^4-1,5-cyclooctadien)-iridium] mit 2 mol Tris-[2-methyl-phenyl]-phosphit in siedendem Benzol, Aceton oder Ethanol behandelt, so wird *Bis-{2-[bis-(2-methyl-phenoxy)-phosphanyloxy]-3-methyl-phenyl-(C,P)}-chloro-(tris-[2-methyl-phenyl]-phosphan)-iridium* (34%; F: 230–255°) erhalten[1].

Normalerweise wird nur ein Aryl-Rest eines Phosphit-Liganden durch das Zentralatom metalliert, jedoch gelingt es Tris-[2-methyl-phenyl]-phosphit an zwei Phenoxy-Resten zu metallieren[1, 2]:

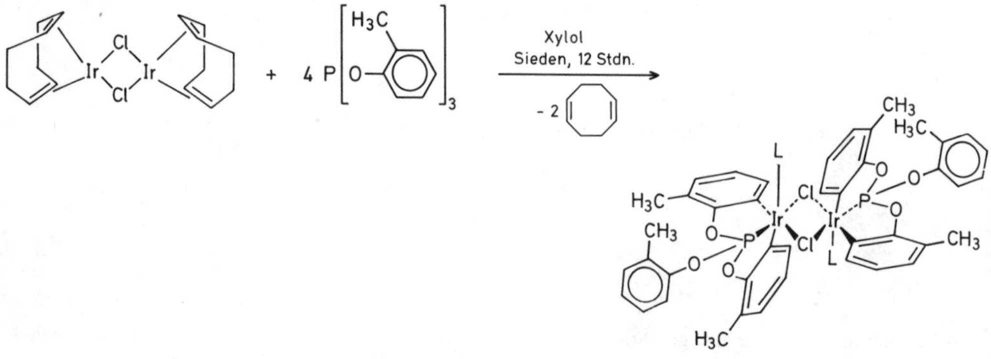

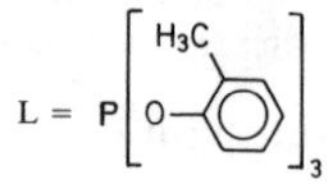

$$L = P\left[O-\!\!\left\langle \text{C}_6\text{H}_4\text{-CH}_3 \right\rangle\right]_3 \quad ; \text{I; 81\%; F: 122–124°}$$

Der Komplex I kann durch Erhitzen mit Komplex-Bildnern (z.B.: Alkohole, Acetonitril, Triphenylstiban, Kohlenmonoxid) in die Komplexe II umgewandelt werden[1]. Die Chlor-Brücken in Komplex I und II werden dagegen leicht durch Pyridine bzw. Phosphane aufgespalten[3]; z.B.:

[1] E. Singleton u. E. van der Stok, Soc. [Dalton] 1978, 926.
[2] M.J. Nolte, E. van der Stok u. E. Singleton, J. Organometal. Chem. 105, C 13 (1976).
[3] M. Nolte, E. Singleton u. E. van der Stok, J. Organometal. Chem. 142, 387 (1977).

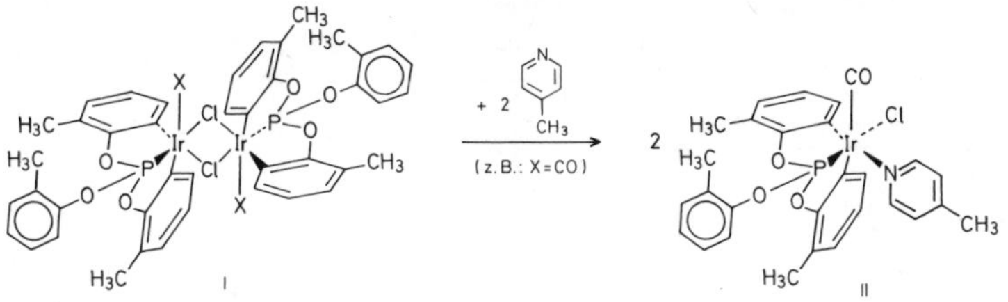

X = CH₂OH; 25%; F: 232–237°   III; 78%; F: 187–200°
X = CO; 94%; F: 248–251°

Wird der Komplex I in siedendem Ethanol und Acetonitril (1:1) mit Hexafluorophosphat- oder Tetraphenyl-borat-Salzen umgesetzt, so werden unter Abspaltung der Chlor-Liganden 3 Acetonitril-Liganden gebunden und man erhält z.B. *Tris-[acetonitril]- {tris-[6-methyl-phenoxy]-phosphan-2,2'-diyl-(C,C,P) }-iridium-hexafluoro-phosphat* (35%; F: 230–240°)[1].

αα₃) von Benzaldiminen

Benzaldimine werden durch Bis-[triphenylphosphan]-chloro-distickstoff-iridium in or-tho-Stellung zur Aldimin-Gruppe metalliert[2]:

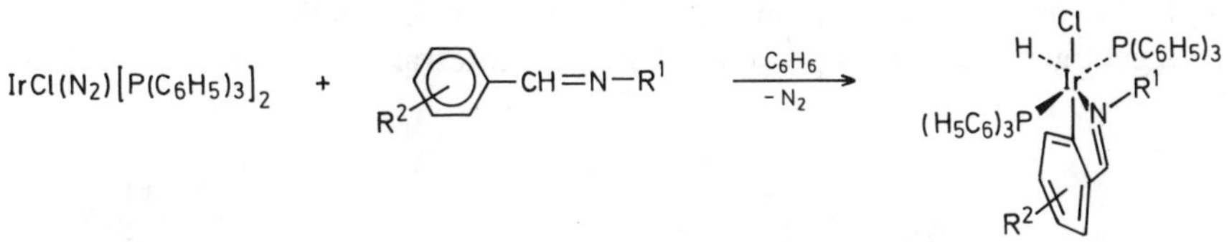

Bis-[triphenylphosphan]-chloro-hydrido-[2-(phenylimino-methyl)-phenyl-(C,P)]-iridium[2]:   60 mg (0,33 mmol) Benzaldehyd-phenylimin werden mit einer Suspension von 246 mg (0,32 mmol) Bis-[triphenylphos-phan]-chloro-distickstoff-iridium[3] in 15 *ml* Benzol unter Sauerstoff-Ausschluß entweder 3 Tage bei 20° oder 2 Stdn. unter Rückfluß gerührt. Dann wird das Lösungsmittel zum Teil i. Vak. abgezogen und der Komplex voll-ständig durch Zusatz von 5 *ml* Hexan gefällt. Er wird abfiltriert, mit Hexan gewaschen und aus Dichlormethan und Hexan umkristallisiert; Ausbeute: 160 mg (55%); bei 20° (70%).

αα₄) von Azoarenen

Iridium(I)-Komplexe können auch Azoarene cyclometallieren[2,4]. Die Reaktionen lau-fen intermediär über Iridium-Komplexe IV, die auch direkt eingesetzt werden können. Je stärker die Elektronen-Donoreigenschaften der Liganden sind, desto höher ist die Reak-tionsgeschwindigkeit:

[1] E. SINGLETON u. E. VAN DER STOK, Soc. [Dalton] **1978**, 926.
[2] J.F. VAN BAAR, K. VRIEZE u. D.F. STUFKENS, J. Organometal. Chem. **85**, 249 (1975).
[3] J.P. COLLMAN, M. KUBOTA, F.D. VASTINE, J.Y. SUN u. J.W. KANG, Am. Soc. **90**, 5430 (1968).
    J.P. COLLMANN, N.W. HOFFMAN u. J.W. HOSKING, Inorg. Synth. **12**, 8 (1970).
[4] J.F. VAN BAAR, K. VRIEZE u. D.J. STUFKENS, J. Organometal. Chem. **97**, 461 (1975).

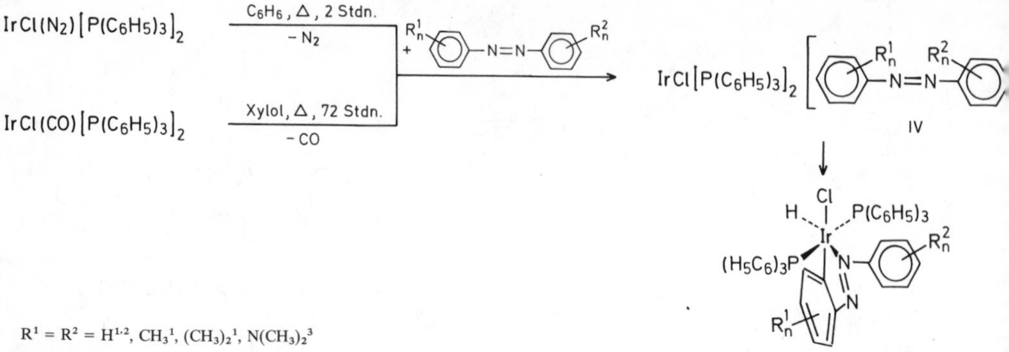

$$IrCl(N_2)\left[P(C_6H_5)_3\right]_2$$

$$\xrightarrow[-\,N_2]{C_6H_6,\,\triangle,\,2\,Stdn.}$$

$$IrCl(CO)\left[P(C_6H_5)_3\right]_2$$

$$\xrightarrow[-\,CO]{Xylol,\,\triangle,\,72\,Stdn.}$$

$R^1 = R^2 = H^{1,2}, CH_3{}^1, (CH_3)_2{}^1, N(CH_3)_2{}^3$

[2-Arylazo-aryl-(C,N²)]-bis-[triphenylphosphan]-chloro-hydrido-iridium; allgemeine Arbeitsvorschrift[1]:
0,33 mmol des entsprechenden Azobenzols werden mit einer Suspension von 246 mg (0,32 mmol) Bis-[triphenyl-phosphan]-chloro-(distickstoff)-iridium in 15 *ml* Benzol unter Sauerstoff-Ausschluß gemischt und ~2 Stdn. unter Rückfluß erhitzt. Nach dem Abkühlen wird die orange-gelbe Lösung i. Vak. eingeengt und mit 5 *ml* Hexan versetzt. Der ausgefällte gelbe Komplex wird abfiltriert, mit Hexan gewaschen und aus Dichlormethan/Hexan umkristallisiert; Ausbeute: 50–70%.

$\alpha\alpha_5$) von Aryl-diazonium-Verbindungen

Bis-[triphenylphosphan]-carbonyl-halogeno-iridium und das Perchlorat-Derivat reagieren mit Aryldiazonium-Salzen unter ortho-Metallierung des Aryl-Restes[4-6]. Unter Wanderung des abgespaltenen Wasserstoffes an den Stickstoff entsteht eine Diazen-Gruppe. Die Umsetzung scheint nur in Gegenwart von Alkoholen mit α-ständigem Wasserstoff zu gelingen. Als Nebenprodukte fallen Iridiotetrazole ohne eine σ–C–Ir-Bindung an.

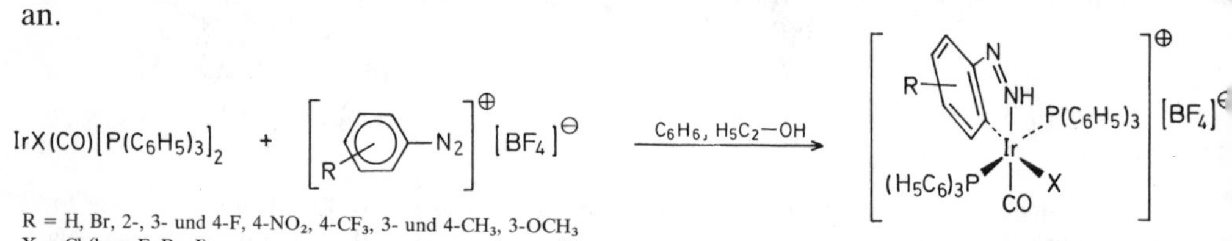

R = H, Br, 2-, 3- und 4-F, 4-NO₂, 4-CF₃, 3- und 4-CH₃, 3-OCH₃
X = Cl (bzw. F, Br, J)

Die Umsetzung gelingt aber nicht mit den stärker basischen Liganden Diphenyl-methyl- oder Dimethyl-phenyl-phosphan.

Der Diazen-Komplex II kann durch Behandeln mit Basen in den Neutralkomplex III umgewandelt und durch Zusatz von Tetrafluoroborsäure wieder in Komplex II zurückgeführt werden:

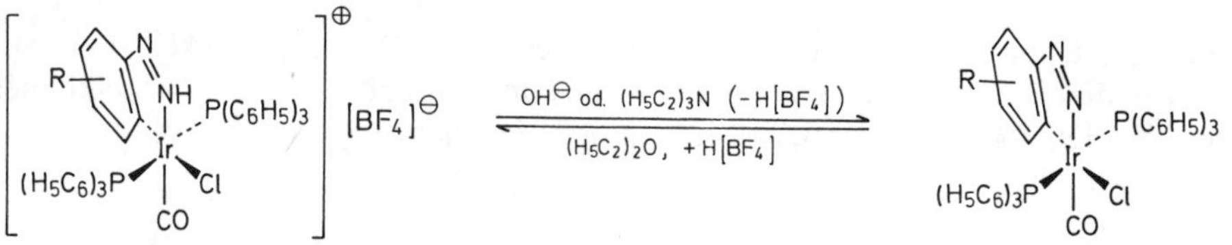

II   III

[1] J.F. van BAAR, K. VRIEZE u. D.J. STUFKENS, J. Organometal. Chem. **85**, 249 (1975).
[2] J.F. van BAAR, R. MEIJ u. K. OLIE, Cryst. Struct. Commun. **3**, 587 (1974).
[3] M.I. BRUCE, B.L. GOODALL, F.G.A. STONE u. B.J. THOMSON, Austral. J. Chem. **27**, 2135 (1974).
[4] F.W.B. EINSTEIN, A.B. GILCHRIST, G.W. RAYNER-CANHAM u. D. SUTTON, Am. Soc. **94**, 645 (1972).
[5] F.W.B. EINSTEIN u. D. SUTTON, Inorg. Chem. **11**, 2827 (1972); Soc. [Dalton] **1973**, 434.
[6] A.B. GILCHRIST u. D. SUTTON, Soc. [Dalton] **1977**, 677.

3,3-Bis-[triphenylphosphan]-3-carbonyl-3-chloro-5-fluor-3H-⟨benzo-1,2,3-diazairidol⟩[1, 2]:   97,6 mg
(0,125 mmol) Bis-[triphenylphosphan]-carbonyl-chloro-iridium werden in 15 *ml* Benzol gelöst, zuerst mit 26,3
mg (0,125 mmol) (4-Fluor-phenyl-diazonium)-tetrafluoroborat und dann mit 5 *ml* abs. Ethanol versetzt. Die
gelbe Mischung wird 3 Stdn. unter Argon gerührt. Sie wird allmählich rot. Daraufhin wird das Lösungsmittel
durch Gefriertrocknen entfernt und der Rückstand mit 15 *ml* Benzol gerührt. Die in Benzol unlöslichen Anteile
werden abgetrennt, und es wird 2mal aus Aceton und Diethylether umkristallisiert. Die gelben Kristalle sind die
gewünschte Verbindung II. Sie enthält Aceton als Solvat; Ausbeute: 15 mg (12%); IR: ν_{CO} 2048 cm^{-1}.

Bis-[triphenylphosphan]-carbonyl- [2-diazeno-5-fluor-phenyl-(C,N²)]-fluoro-iridium-tetrafluoroborat wird durch oxidative Addition von 4-Fluor-phenyldiazonium-tetrafluoroborat an Bis-[triphenylphosphan]-carbonyl-fluoro-iridium hergestellt[2]: Ähnliche Kationenkomplexe erhält man auch durch Reaktion des Diazonium-Salzes mit Carbonyl-hydrido-tris-[triphenylphosphan]-iridium, wobei der intermediär gebildete orthometallierte Arylhydrazino-Komplex durch Luftsauerstoff oxidiert wird (s. S. 494)[1].

$\alpha\alpha_6$) durch spezielle Methoden

Zwei para-substituierte 2-Phenyl-pyridin-Liganden pro Iridium-Atom werden durch Iridium(III)-chlorid-Trihydrat ortho-metalliert unter Bildung von dimeren Komplexen (s. Lit.)[3].
Zur Umsetzung von (2-Chinolyl-methyl)-phosphan s. Lit.[4].

μ,μ-Dichloro-bis-[bis-(η^2-cyclooocten)-iridium] vermag drei Carben-Liganden, die aus einem elektronenreichen Olefin gebildet werden, zu binden, bei gleichzeitiger ortho-Metallierung einer Phenyl-Gruppe eines Carben-Liganden[5]:

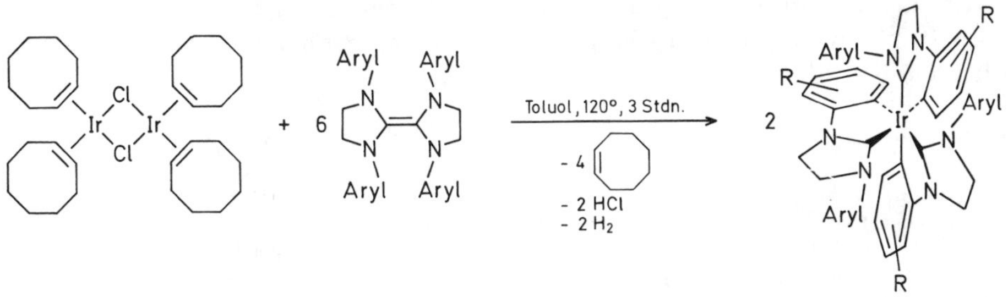

Z.B.: Aryl = 4-CH₃–C₆H₄; R = 5-CH₃; *Tris-[1,3-bis-(4-methyl-phenyl)-imidiazolidin-2,2'-diyl]-iridium*; F: 318–320° (Zers.)

Beim Behandeln mit Chlorwasserstoff wird eine Aryl-Ir-Bindung gespalten, die bei der Umsetzung mit Triethylamin wieder geknüpft wird.

β) durch Acylierung mit anschließender Decarbonylierung

Bei der oxidativen Addition von Acylhalogeniden an Iridium(I)-Verbindungen (s. a. S. 592) lassen sich die intermediär gebildeten Acyl-iridium(III)-Komplexe oft nicht isolieren, da sie sich leicht in die Aryl-carbonyl-Komplexe umlagern. Diese Reaktion wird begünstigt, wenn die Acyl-Komplexe koordinativ ungesättigt sind. So werden die 5fach koordinierten Komplexe bei der Umlagerung 6fach koordiniert und gesättigt.

Zur Synthese koordinativ ungesättigter Iridium(III)-Komplexe durch oxidative Additionen ist besonders der Distickstoff-Komplex geeignet, da molekularer Stickstoff irreversibel abgespalten wird[6]:

[1] F.W.B. EINSTEIN u. D. SUTTON, Soc. [Dalton] **1973**, 434.
[2] A.B. GILCHRIST u. D. SUTTON, Soc. [Dalton] **1977**, 677.
[3] J. SELBIN u. M.A. GUTIERREZ, J. Organomet. Chem. **214**, 253 (1981).
[4] A.J. DEEMING et al., Soc. [Dalton] **1981**, 1974.
[5] P.B. HITCHCOCK, M.F. LAPPERT u. P. TERREROS, J. Organomet. Chem. **239**, C 26 (1982).
[5] A.B. GILCHRIST u. D. SUTTON, Soc. [Dalton] **1977**, 677.

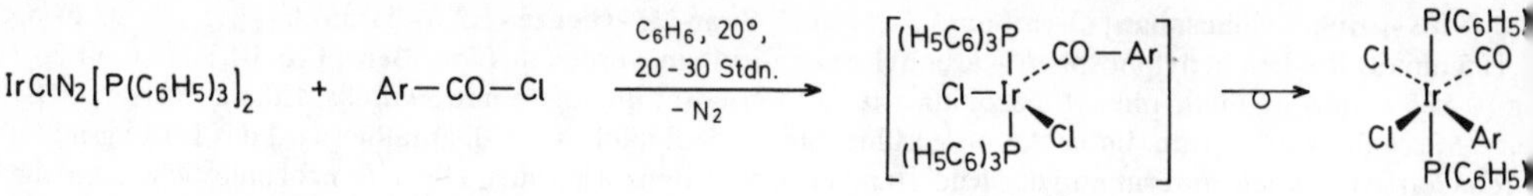

$$\text{IrClN}_2\left[\text{P}(\text{C}_6\text{H}_5)_3\right]_2 \;+\; \text{Ar}-\text{CO}-\text{Cl} \xrightarrow[-\text{N}_2]{\substack{\text{C}_6\text{H}_6,\ 20°,\\ 20-30\ \text{Stdn.}}} \left[\begin{array}{c}(\text{H}_5\text{C}_6)_3\text{P} \quad \text{CO}-\text{Ar}\\ \text{Cl}-\text{Ir}\\ (\text{H}_5\text{C}_6)_3\text{P} \quad \text{Cl}\end{array}\right] \xrightarrow{\quad} \begin{array}{c}\text{P}(\text{C}_6\text{H}_5)\\ \text{Cl}\quad \text{CO}\\ \text{Ir}\\ \text{Cl}\quad \text{Ar}\\ \text{P}(\text{C}_6\text{H}_5)\end{array}$$

Bis-[triphenylphosphan]-carbonyl-dichloro-...-iridiur

z.B.: Ar = C$_6$H$_5$; ...-*phenyl*-...; F: 276° (Zers.)
Ar = 4-OCH$_3$-C$_6$H$_4$; ...-*(4-methoxy-phenyl)*-...; F: 276° (Zers.)
Ar = 4-NO$_2$-C$_6$H$_4$; ...-*(4-nitro-phenyl)*-... (hauptsächlich Chloro-Liganden in trans-Stellung);
    F: 211° (Zers
Ar = C$_6$F$_5$; ...-*(pentafluorphenyl)*-... (hauptsächlich Chloro-Liganden in *trans*-Stellung); F: 160–164
    (Zers

Wird Chloro-tris-[triphenylphosphan]-iridium mit Acylchloriden umgesetzt, so sin
längere Reaktionszeiten erforderlich, da Triphenylphosphan abgespalten werden muß

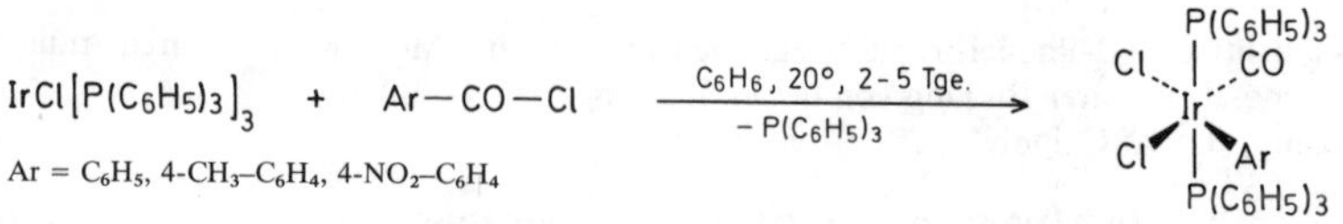

$$\text{IrCl}\left[\text{P}(\text{C}_6\text{H}_5)_3\right]_3 \;+\; \text{Ar}-\text{CO}-\text{Cl} \xrightarrow[-\text{P}(\text{C}_6\text{H}_5)_3]{\text{C}_6\text{H}_6,\ 20°,\ 2-5\ \text{Tge.}} \begin{array}{c}\text{P}(\text{C}_6\text{H}_5)_3\\ \text{Cl}\quad \text{CO}\\ \text{Ir}\\ \text{Cl}\quad \text{Ar}\\ \text{P}(\text{C}_6\text{H}_5)_3\end{array}$$

Ar = C$_6$H$_5$, 4-CH$_3$–C$_6$H$_4$, 4-NO$_2$–C$_6$H$_4$

Während die Aryl-Komplexe bei der Umsetzung des Distickstoff-Komplexes ode
Chloro-tris-[triphenylphosphan]-iridium mit Acylchloriden bereits bei 20° gebildet wer
den, tritt die Decarbonylierungsreaktion von (Methyl-phenyl-phosphan)-Komplexe
bzw. Bis-[triphenylphosphan]-carbonyl-chloro-iridium erst bei hoher Temperatur ein[1−
(Ausbeuten: 85–95%):

$$\text{IrCl}(\text{CO})\left[\text{P}(\text{C}_6\text{H}_5)_3\right]_2 \;+\; \text{Ar}-\text{CO}-\text{Cl} \xrightarrow[-\text{CO}]{\text{Xylol},\ \nabla,\ 6\ \text{Stdn.}} \text{Ir}(\text{Ar})\text{Cl}_2(\text{CO})\left[\text{P}(\text{C}_6\text{H}_5)_3\right]_2$$

Ar = C$_6$H$_5$; *Bis-[triphenylphosphan]-carbonyl-dichloro-phenyl-iridium*[4]; F: 292°
Ar = 3,4-Cl$_2$–C$_6$H$_3$; *Bis-[triphenylphosphan]-carbonyl-dichloro-(3,4-dichlor-phenyl)-iridium*; F: 26
Ar = 4-NO$_2$–C$_6$H$_4$; *Bis-[triphenylphosphan]-carbonyl-dichloro-(4-nitro-phenyl)-iridium*; F: 278°
Ar = 2-Thienyl; *Bis-[triphenylphosphan]-carbonyl-dichloro-2-thienyl-iridium*; F: 271°

Bei der analogen Umsetzung mit Benzoylbromid entsteht unter Verlust eines Triphe
nylphosphan-Liganden *Bromo-carbonyl-chloro-phenyl-triphenylphosphan-iridium*[1, 2] (F
279°).
Der dimere Komplex I bildet beim Behandeln mit Benzoylchlorid unter Substitutio
von Cyclooocten *μ,μ-Dichloro-bis-[chloro-dicarbonyl-phenyl-iridium]* (47%; Zers.p.: a
200°)[5,6]:

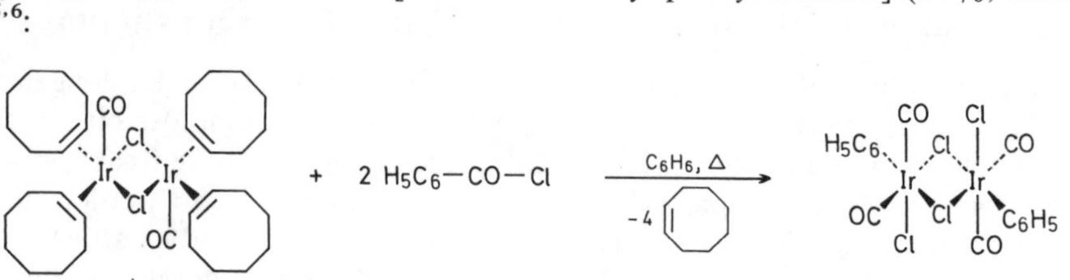

[1] J. BLUM, S. KRAUS u. Y. PICKHOLTZ, Soc. [A] **1967**, 1683.
[2] J. BLUM, S. KRAUS u. Y. PICKHOLTZ, J. Organometal. Chem. **33**, 227 (1971).
[3] J. BLUM, Z. AIZENSHTAT u. S. IFLAH, Transition Met. Chem. **1**, 52 (1976).
[4] A.J. DEEMING u. B.L. SHAW, Soc. [A] **1969**, 1128.
[5] N.A. BAILEY, C.J. JONES, B.L. SHAW u. E. SINGLETON, Chem. Commun. **1967**, 1051.
[6] B.L. SHAW u. E. SINGLETON, Soc. [A] **1967**, 1683.

3. aus anderen Aryl- bzw. Hetaryl-iridium(III)-Verbindungen unter Erhalt mindestens einer σ–C-Iridium-Bindung

α) Reaktionen am σ–C-gebundenen Liganden

Cyclometallierte Aryl-Gruppen werden durch das dreiwertige Iridium so aktiviert, daß sie leicht mehrfach durch elementares Chlor substituiert werden[1]. Der nicht-metallierte Aryl-Rest wird nicht chloriert.

Mit tert.-Butyl-hypochlorit im Überschuß entstehen mit Trimethylphosphan als Ligand Monochlor-Derivate. Bei anderen Komplexen können auch die ortho-ständigen Methyl-Gruppen chloriert werden.

Die ortho-metallierte Aryldiazen-Gruppe im Komplex I kann durch Wasserstoff/Palladium-Bariumsulfat unter milden Bedingungen an der N=N-Doppelbindung hydriert werden, ohne daß die C–Ir-Bindung gespalten wird[2,3]:

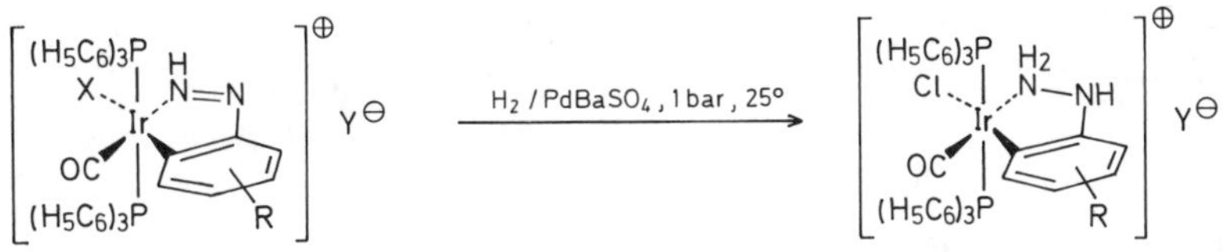

z.B.:   X = Cl;   R = 4-Br;   Y = BF₄;   *Bis-[triphenylphosphan]-carbonyl-chloro-[2-hydrazino-phenyl-(C,N²)]-iridium-tetrafluoroborat*; 75%

Anlagerung und Abspaltung von Chlorwasserstoff an ortho-metallierten Arylhydrazino-Komplexen bzw. Substitutionsreaktionen am Aryl-C-Atom sind in Lit.[4] ausführlich beschrieben.

β) Reaktionen am Metall

β₁) *unter Erhalt aller σ–C–Ir-Bindungen*

Da die Aryl-iridium-Bindung im Vergleich zu anderen Organo-iridium-Verbindungen relativ beständig ist, können zahlreiche Aryl-iridium(I)-Komplexe durch oxidative Addition ohne Spaltung der σ–C–Ir-Bindung in Aryl-iridium(III)-Verbindungen umgewandelt werden.

Quadratisch planare Aryl-bis-[triorganophosphan]-carbonyl-iridium-Komplexe addieren Halogen, Halogenwasserstoff, Quecksilber(II)-halogenide, organische Halogen-Verbindungen, Trichlorsilan, Wasserstoff und andere Verbindungen.

Die oxidative Addition von elementarem Halogen gelingt, wenn der Aryl-Rest Elektronen-anziehende Substituenten besitzt[5]. Dabei können z.B. die beiden Chloro-Liganden *cis*- oder *trans*-ständig zueinander stehen; die beiden Phosphan-Liganden sind immer *trans*-ständig angeordnet[6]:

[1] M.J. NOLTE, E. SINGLETON u. E. VAN DER STOK, Chem. Commun. **1978**, 973.

[2] A.B. GILCHRIST, G.W. RAYNER-CANHAM u. D. SUTTON, Nature **235**, 42 (1972).

[3] A.B. GILCHRIST u. D. SUTTON, Soc. [Dalton] **1977**, 677.

[4] F.W.B. EINSTEIN, T. JONES, D. SUTTON u. Z. XIAOHENG, J. Organometal. Chem. **244**, 87 (1982).

[5] R.L. BENNETT, M.I. BRUCE u. R.C.F. GARDNER, Soc. [Dalton] **1973**, 2653.

[6] Die Konfiguration der Komplexe folgt aus den IR- und ¹H-NMR-Spektren.

$$Ir(C_6F_5)(CO)L_2 \quad + \quad X_2 \quad \xrightarrow{CCl_4,\ 20°} \quad Ir(C_6F_5)X_2(CO)L_2$$

L = P(C$_6$H$_5$)$_3$; X = Cl (*cis*)[s. dgng.1]; *Bis-[triphenylphosphan]-carbonyl-dichloro-(pentafluorphenyl)-iridium*;

93%

X = Br (*cis*); *Bis-[triphenylphosphan]-carbonyl-dibromo-(pentafluorphenyl)-iridium*; 64%;

F: 230–231°

X = J (*cis*); *Bis-[triphenylphosphan]-carbonyl-(pentafluorphenyl)-dijodo-iridium*; 67%;

183–185°

L = P(CH$_3$)(C$_6$H$_5$)$_2$; X = Cl (*trans*); *Bis-[diphenyl-methyl-phosphan]-carbonyl-dichloro-(pentafluorphenyl)-iridium*; 53%; F: 236°

X = Br (*trans*); *Bis-[diphenyl-methyl-phosphan]-carbonyl-dibromo-(pentafluorphenyl)-iridium*; 20%

X = J (*trans*); *Bis-[diphenyl-methyl-phosphan]-carbonyl-dijodo-(pentafluorphenyl)-iridium*; 35%; F: 196–197°

Die oxidative Addition von Halogen gelingt auch mit dem analogen Thiocarbonyl-Komplex[2].

$$Ir(C_6H_5)(CS)[P(C_6H_5)_3]_2 \quad + \quad X_2 \quad \longrightarrow \quad Ir(C_6F_5)X_2(CS)[P(C_6H_5)_3]_2$$

X = Br, J

Bis-[triphenylphosphan]-dibromo (bzw.-dijodo)-(penta-fluorphenyl)-thiocarbonyl-iridium

Auch Hetaryl-iridium-Kationkomplexe lagern Halogen an[3]:

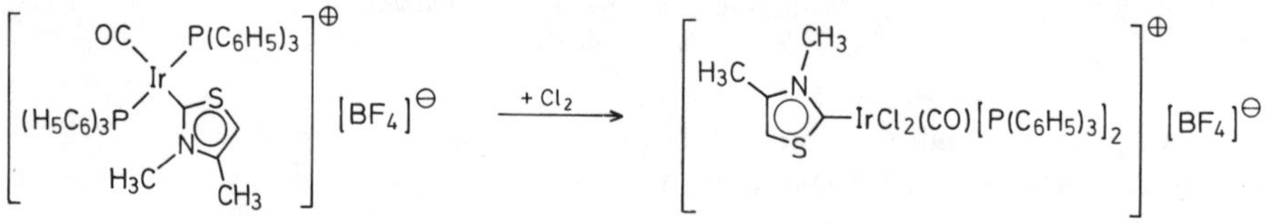

Bis-[triphenylphosphan]-carbonyl-dichloro-(3,4-dimethyl-1,3-thiazolium-2-yl)-iridium-tetrafluoroborat

Cyclometallierte Triarylphosphit-Komplexe verlieren beim Behandeln mit Halogen ihren Diolefin-Liganden unter gleichzeitiger Oxidation des Metalls durch Halogen[4].

Bis-[triphenylphosphan]-carbonyl-(pentafluorphenyl)-iridium reagiert mit Heptafluorbutanoyl-chlorid unter Addition von Chlor[5]:

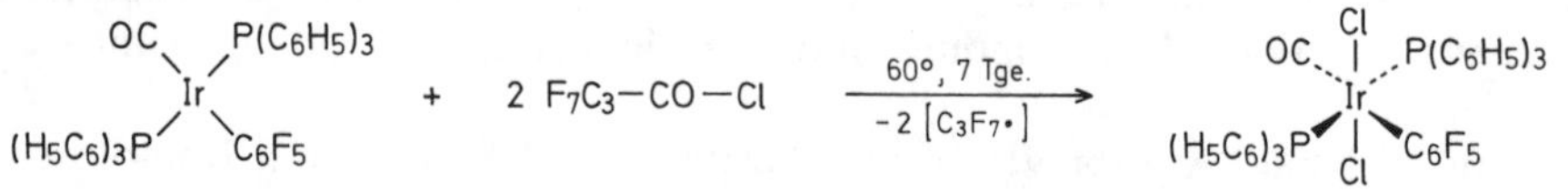

Bis-[triphenylphosphan]-carbonyl-dichloro-(pentafluorphenyl)-iridium; 62%; F: 268–269°

Bei der Umsetzung des Thiocarbonyl-Komplexes I mit Jodmethan wird der Ligand unter 1,2-Addition in *Bis-[triphenylphosphan]-dijodo-(methyl-methylthio-carben)-(pentafluorphenyl)-iridium*[2] umgewandelt:

[1] P. Royo u. F. Terreros, Ann. Univ. Murcia Cienc. **30**, 131 (1972); C.A. **89**, 129 677 (1978).

[2] G. Tresoldi, F. Faraone u. P. Piraino, Soc. [Dalton] **1979**, 1053.

[3] P.J. Fraser, W.R. Roper u. F.G.A. Stone, Soc. [Dalton] **1974**, 760.

[4] M.J. Nolte, E. Singleton u. E. van der Stok, Chem. Commun. **1978**, 973.

[5] R.L. Bennett, M.I. Bruce u. R.C.F. Gardner, Soc. [Dalton] **1973**, 2653.

$$\underset{\text{I}}{\underset{(H_5C_6)_3P}{\overset{SC}{\diagdown}}\underset{C_6F_5}{\overset{P(C_6H_5)_3}{\diagup}}} \quad + \quad 2\ CH_3J \quad \xrightarrow{\ \triangle,\ 8\ Min.\ } \quad Ir(C_6F_5)J_2 \left[C \overset{CH_3}{\underset{S-CH_3}{\diagdown}} \right] [P(C_6H_5)_3]_2$$

Während Phenyl- oder Pentafluorphenyl-iridium(I)-Komplexe II augenblicklich mit Chlorwasserstoff reagieren, setzt sich der Pentachlorphenyl-Komplex erst innerhalb 24 Stdn. vollständig um[1,2]. Der Unterschied wird mit der großen sterischen Hinderung des Pentachlorphenyl-Restes erklärt. Bei der Pentafluorphenyl-Verbindung kann Chlorwasserstoff durch Erhitzen in Ethanol wieder aus dem Komplex entfernt werden, ohne daß die C–Ir-Bindung gespalten wird.

$$\underset{\text{II}}{Ir(Ar)(CO)L_2} \quad + \quad HX \quad \xrightarrow{\ 20°\ } \quad \underset{L}{\overset{OC}{\diagdown}}\underset{X}{\overset{H}{\underset{|}{Ir}}}\underset{Ar}{\diagup}\overset{L}{}$$

L = P(C_6H_5)_3, Ar = 4-CH_3–C_6H_4, X = Cl; *Bis-[triphenylphosphan]-carbonyl-chloro-hydrido-(4-methyl-*
phenyl)-iridium[3]; 87%

Ar = C_6F_5, X = Cl; *Bis-[triphenylphosphan]-carbonyl-chloro-hydrido-(pentafluor-*
phenyl)-iridium[1]

X = Br; *Bis-[triphenylphosphan]-bromo-carbonyl-hydrido-(pentafluor-*
phenyl)-iridium[2]; 61%

Ar = C_6Cl_5; X = Cl; *Bis-[triphenylphosphan]-carbonyl-chloro-hydrido-(pentachlorphenyl)-*
iridium[4]; 90%; F: 238°

L = P(CH_3)(C_6H_5)_2, Ar = C_6F_5, X = Cl; *Bis-[diphenyl-methyl-phosphan]-carbonyl-chloro-hydrido-(penta-*
fluorphenyl)-iridium; 46%; F: 191–192°

Bis-[triphenylphosphan]-carbonyl-chloro-hydrido-(pentafluorphenyl)-iridium[1]: Gasförmiger Chlorwasserstoff wird bei 20° in eine Lösung aus 150 mg (0,165 mmol) Bis-[triphenylphosphan]-carbonyl-(pentafluorphenyl)-iridium in 60 ml Diethylether geleitet. Die gelbe Farbe verschwindet sofort. Nach Zusatz von 20 ml Hexan wird Diethylether teilweise abgezogen. Es fallen farblose Kristalle aus; Ausbeute: 124 mg (79%); F: 274–276°; IR: ν_{IrH} 2246(m), ν_{CO} 2041(s) cm^{-1}.
In benzolischer Lösung beträgt die Ausbeute 99%.

An den roten Thiocarbonyl-Komplexen wird ebenfalls reversibel Chlorwasserstoff gebunden[4]; die Addukte sind farblos:

$$Ir(Ar)(CS)[P(C_6H_5)_3]_2 \quad + \quad HCl \quad \underset{C_2H_5OH,\ \triangle}{\overset{C_6H_6,\ 20°}{\rightleftharpoons}} \quad Ir(Ar)HCl(CS)[P(C_6H_5)_3]_2$$

Bis-[triphenylphosphan]-....-thiocarbonyl-iridium
Ar = C_6F_5; *....-chloro-hydrido-(pentafluorphenyl)-...*
Ar = C_6Cl_5; *....-chloro-hydrido-(pentachlorphenyl)-...*

Bis-[triethylphosphan]-carbonyl-phenyl-iridium bindet Bromwasserstoff sogar in einer ethanolischen Lösung von Lithiumbromid, die Lithiumethanolat enthält[3,5]:

$$Ir(C_6H_5)(CO)[P(C_2H_5)_3]_2 \quad \xrightarrow{\ LiBr,\ H_5C_2-OH\ } \quad \underset{(H_5C_2)_3P}{\overset{OC}{\diagdown}}\underset{Br}{\overset{H}{\underset{|}{Ir}}}\underset{C_6H_5}{\diagup}\overset{P(C_2H_5)_3}{}$$

Bis-[triethylphosphan]-bromo-carbonyl-hydrido-
phenyl-iridium[3]; 23%

---

[1] R.L. Bennett, M.I. Bruce u. R.C.F. Gardner, Soc. [Dalton] **1973**, 2653.
[2] M.D. Rausch u. G.A. Moser, Inorg. Chem. **13**, 11 (1974).
[3] L. Dahlenburg u. R. Nast, J. Organometal. Chem. **110**, 395 (1976).
[4] G. Tresoldi, F. Faraone u. P. Piraino, Soc. [Dalton] **1979**, 1053.
[5] U. Behrens u. L. Dahlenburg, J. Organometal. Chem. **116**, 103 (1976).

37*

Auch der folgende Heteroaryl-Komplex bindet Halogenwasserstoff[1]:

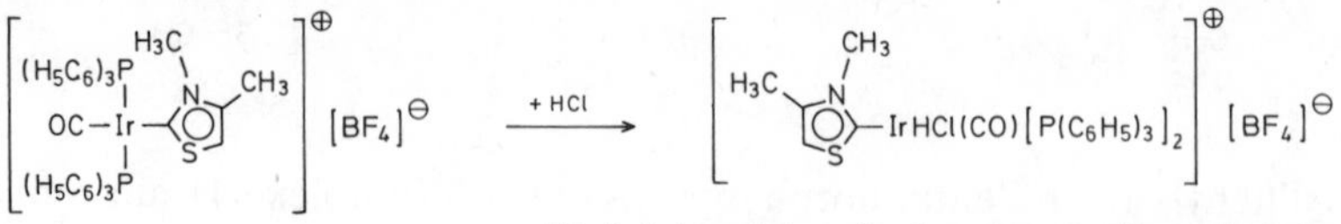

Bis-[triphenylphosphan]-carbonyl-chloro-(3,4-dimethyl-1,3-thi azolium-2-yl)-hydrido-iridium-tetrafluoroborat

Quecksilber(II)-halogenide bilden mit Bis-[triphenylphosphan]-*trans*-carbonyl- (bzw. *trans*-thiocarbonyl)-(pentafluorphenyl)-iridium stabile Additionskomplexe[2,3]:

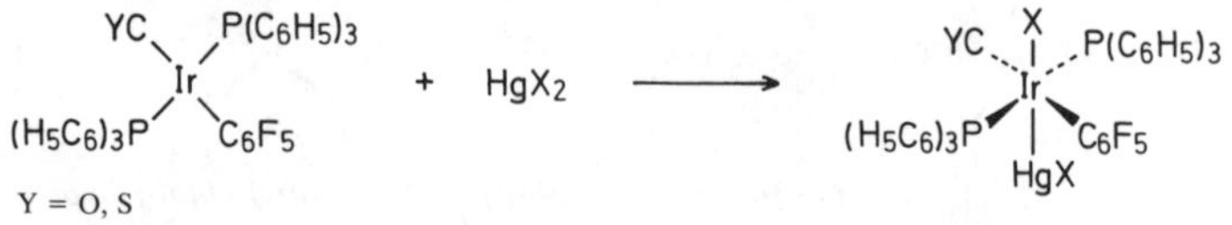

Bis-[triphenylphosphan]-carbonyl-(chlormercuri)-chloro-(pentafluorphenyl)-iridium[2,4]:   Zu einer benzol. Lösung von 462 mg (0,5 mmol) Bis-[triphenylphosphan]-carbonyl-(pentafluorphenyl)-iridium gibt man bei 20° 137 mg (0,505 mmol) Quecksilber(II)-chlorid gelöst in Ethanol. Die anfangs gelbe Lösung wird bei Zugabe der Quecksilber-Verbindung entfärbt. Sie wird 30 Min. bei 20° gerührt. Nach dem Abziehen des Lösungsmittels i. Vak. entstehen farblose Nadeln; F: 187° (Zers.); IR(Nujol): ν_{CO} 2030 cm^{-1}.

Auf analoge Weise erhält man u. a.

Bis-[pentafluorphenyl]-brommercuri-carbonyl-bromo-(pentafluorphenyl)-iridium   F: 155° (Zers.)
Bis-[pentafluorphenyl]-carbonyl-jodmercuri-jodo-(pentafluorphenyl)-iridium   F: 135° (Zers.)
Bis-[pentafluorphenyl]-chloro-chlormercuri-(pentafluorphenyl)-thiocarbonyl-iridium   95%

Der 4fach koordinierte Carbonyl-iridium-Komplex I reagiert quantitativ und irreversibel mit molekularem Wasserstoff oder Deuterium unter Bildung der Isomeren II (a:b = 6:1)[5]:

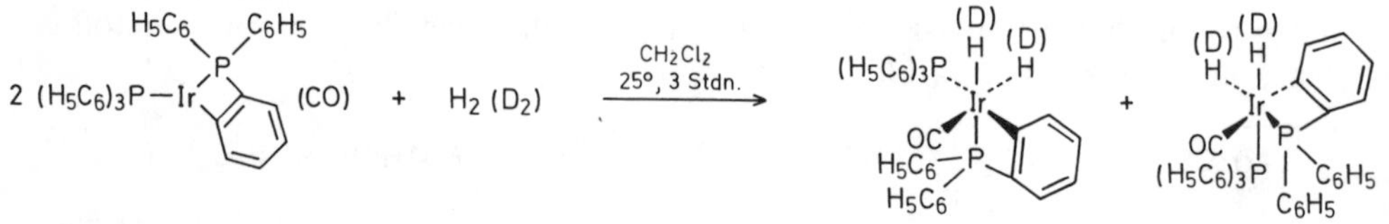

Carbonyl-dihydrido (bzw. dideutero)-[2-diphenyl-phosphano-phenyl-(C,P)]-triphenylphosphan-iridium; 81% (II a + b)

Dagegen wird Bis-[*triphenylphosphan*]-[*2-diphenylphosphano-phenyl-(C,P)*]-*iridium* durch molekularen Wasserstoff unter Spaltung der Ir–C-Bindung irreversibel und quantitativ hydriert (s. a. S. 616).

Mit Methanol als Wasserstoff-Donor entsteht in der ersten Stufe *Bis-[triphenylphosphan]-dihydrido-[2-diphenylphosphano-phenyl-(C,P)]-iridium*, das dann unter C–Ir-Spaltung weiterreagiert[5]:

---

[1] P. J. Fraser, W. R. Roper u. F. G. A. Stone, Soc. [Dalton] **1974**, 760.
[2] P. Royo u. F. Terreros, Synth. React. Inorg. Metal.-org. Chem. **5**, 327 (1975).
[3] G. Tresoldi, F. Faraone u. P. Piraino, Soc. [Dalton] **1979**, 1053.
[4] Der Quecksilber-Rest kann durch Behandeln mit elementarem Chlor durch Chlor substituiert werden.
[5] F. Morandini, B. Longato u. S. Bresadola, J. Organometal. Chem. **132**, 291 (1977).

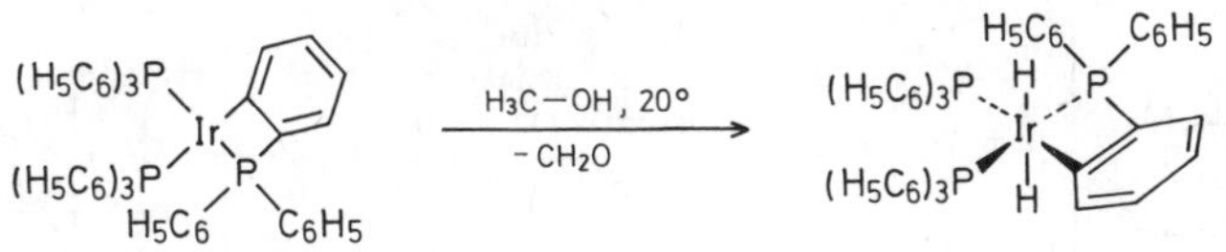

Bis-[triphenylphosphan]-dihydrido-[2-diphenylphosphano-phenyl-(C,P)]-iridium[1]: Eine Suspension von 0,5 g (0,51 mmol) Bis-[triphenylphosphan]-[2-diphenylphosphano-phenyl-(C,P)]-iridium in 5 *ml* Dichlormethan wird mit 7 *ml* reinem und Sauerstoff-freiem Methanol bei 20° behandelt. Nach 3 Stdn. werden 10 *ml* Hexan zugegeben, der Niederschlag abfiltriert und mit Hexan gewaschen. Die rohe Verbindung wird aus Dichlormethan und Hexan umkristallisiert; Ausbeute: 0,4 g (80%); F: 161–163° (Zers.); IR(Nujol): ν_{IrH} 1742(s) cm^{-1}.

Der Thiazolium-Komplex I bildet mit molekularem Wasserstoff oder Natriumboranat[1] *Bis-[triphenylphosphan]-carbonyl-dihydrido-(3,4-dimethyl-1,3-thiazolium-2-yl)-iridium-tetrafluoroborat*[2]:

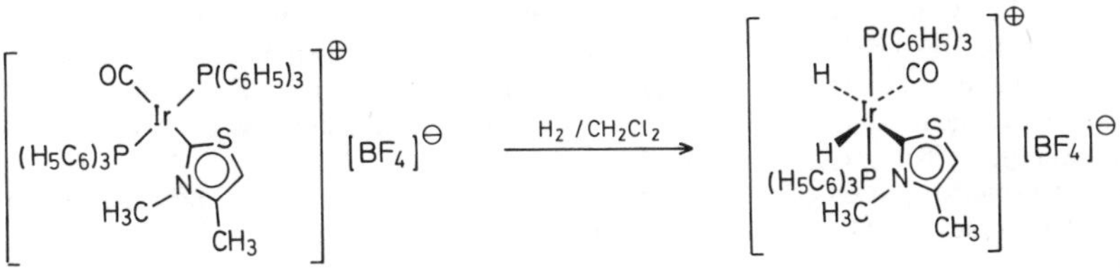

I

T r i c h l o r s i l a n und N a t r i u m b o r a n a t bilden mit Bis-[triphenylphosphan]-carbonyl-(pentafluorphenyl)-iridium Additionsprodukte[3]:

$Ir(C_6F_5)(CO)[P(C_6H_5)_3]_2$ $\xrightarrow{HSiCl_3,\ 20°}$ $Ir(C_6F_5)H(SiCl_3)(CO)[P(C_6H_5)_3]_2$

Bis-[triphenylphosphan]-carbonyl-trichlorsilyl-hydrido-(pentafluorphenyl)-iridium 60%; F: >325°

$Ir(C_6F_5)(CO)[P(C_6H_5)_3]_2$ $\xrightarrow{NaBH_4,\ 20°,\ 16\ Stdn.}$ $Ir(C_6F_5)H_2(CO)[P(C_6H_5)_3]_2$

Bis-[triphenylphosphan]-carbonyl-dihydrido-(pentafluorphenyl)-iridium 57%; F: 169–172°

Komplex II wird in Lösung durch Luft unter Eintritt eines Fluor-Atoms oxidiert[4]. Bei der Oxidation mit Brom wird ein Brom-Atom gebunden[5].

---

[1] F. MORANDINI, B. LONGATO u. S. BRESADOLA, J. Organometal. Chem. **132**, 291 (1977).
[2] P. J. FRASER, W. R. ROPER u. F. G. A. STONE, Soc. [Dalton] **1974**, 760.
[3] R. L. BENNETT, M. I. BRUCE u. R. C. F. GARDNER, Soc. [Dalton] **1973**, 2653.
[4] J. A. CARROLL, R. E. COBBLEDICK, F. W. B. EINSTEIN, N. FARRELL, D. SUTTON u. P. L. VOGEL, Inorg. Chem. **16**, 2462 (1977).
[5] J. A. CARROLL, D. SUTTON u. Z. XIAOHENG, J. Organometal. Chem. **244**, 73 (1982).

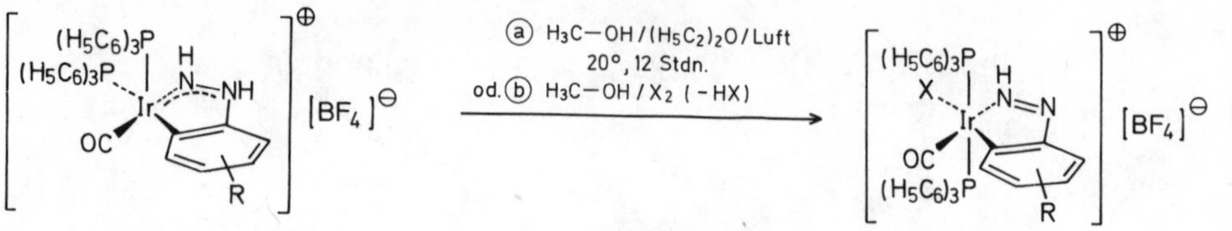

II

(a) X = F; (b) = X = Br

Bis-[triphenylphosphan]-. . .-iridium-tetrafluorobora

z.B.: R = 5-NO₂; . . .-*bromo* (bzw.-*fluoro*)-*carbonyl-[2-diazeno-5-nitro-phenyl-(C,N²)]-*. . .

R = 3-NO₂; . . .-*bromo* (bzw.-*fluoro*)-*carbonyl-[2-diazeno-3-nitro-phenyl-(C,N²)]-*. . .

R = 3-CF₃; . . .-*brom-* (bzw.-*fluoro*)-*carbonyl-[2-diazeno-3-trifluormethyl-phenyl-(C,N²)]-*. .

Bei manchen Substituenten (R = 3-CF₃ bzw. 5-Br) kann der Komplex II nicht oder nur in geringer Ausbeute isoliert werden, da er beim Aufarbeiten oxidiert wird (vgl. S. 494)[1]

Bis-[triphenylphosphan]-carbonyl-[2-diazeno-5-fluor-phenyl-(C,N²)]-fluoro-iridium-tetrafluoroborat[2]:
Einer Lösung von 0,112 g Carbonyl-hydrido-tris-[triphenylphosphan]-iridium in 2 *ml* Benzol wird langsam eine Lösung von 70 mg 4-Fluor-phenyldiazonium-tetrafluoroborat in 1 *ml* Aceton bei 20° zugesetzt. Es bildet sich eine tief-rote Lösung, die nach 45 Min. eingeengt wird. Das so erhaltene rote Öl wird mit Benzol gerührt. Die obenaufschwimmende gelb-orange Lösung wird mit Hexan versetzt und auf 0° gekühlt. Es fallen Kristalle aus. F: 152–154° (Zers.); IR(KBr): ν_CO 2038 cm⁻¹.

Aus dem zurückbleibenden Öl erhält man durch Behandeln mit Diethylether und Ethanol den kristallinen Diaryl-tetrazen-Komplex; F: 148–155° (Zers.); Ir(KBr): ν_CO 2057 cm⁻¹.

[2-(Diphenoxy-phosphanyloxy)-phenyl-(C,P)]-iridium-Komplexe binden elementares Halogen[3]. Im Falle von Chlor werden auch die cyclometallierten Aryl-Reste vollständig chloriert.

β₂) unter Spaltung einer σ–C–Ir-Bindung

Der Bis-[σ–C-chelato]-iridium(III)-Komplex wird durch Behandeln mit Chlorwasserstoff in *Bis-[dimethyl-1-naphthyl-phosphan]-dichloro-[8-dimethylphosphano-1-naphthyl-(C,P)]-iridium* umgewandelt (vgl. a. S. 566)[4]:

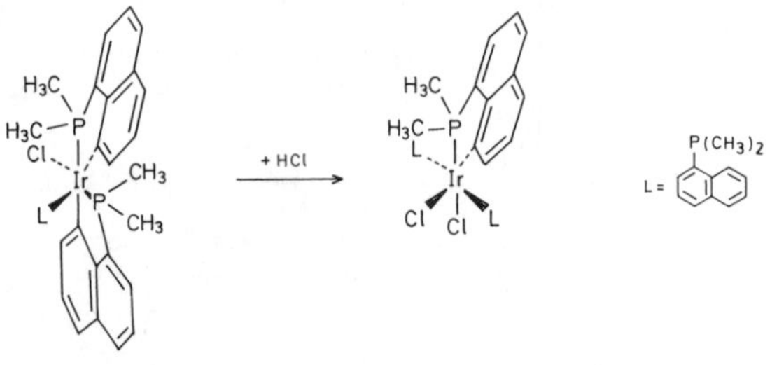

Der folgende Chelat-Komplex kann auch durch Hydrierung mit Ethanol in *Bis-[acetonitril]-{2-(bis-[2-methylphenoxy]-phosphanyloxy)-3-methyl-phenyl-(C,P)}-chloro-hydrido-iridium* übergeführt werden[5]:

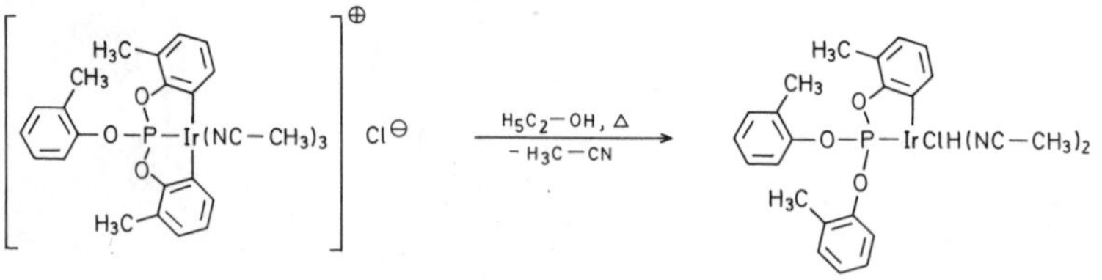

[1] N. FARRELL u. D. SUTTON, Soc. [Dalton] **1977**, 2124.
[2] J.A. CARROLL, R.E. COBBLEDICK, F.W.B. EINSTEIN, N. FARRELL, D. SUTTON u. P.L. VOGEL, Inorg. Chem. **16**, 2462 (1977).
[3] E. SINGLETON et al., S. Afr. J. Chem. **36**, 37 (1983); C.A. **99**, 5789 (1983).
[4] J.M. DUFF u. B.L. SHAW, Soc. [Dalton] **1972**, 2219.
[5] M.J. NOLTE, E. VAN DER STOK u. E. SINGLETON, J. Organometal. Chem. **105**, C 13 (1976).

f) Acyl-iridium(III)-Verbindungen

1. aus σ-Organo-iridium(III)-Verbindungen durch formale Insertion von Kohlenmonoxid

Während der erste Carbonyl-Ligand meist fest am Iridium gebunden ist, kann der zweite relativ leicht mit dem organischen Liganden reagieren. Die Reaktionsfähigkeit der Carbonyl-Liganden wird stark durch die elektronischen Eigenschaften der anderen am Metall gebundenen Liganden beeinflußt.

Bei den im folgenden beschriebenen Reaktionen bleibt die Koordinationszahl 6 des Metalls erhalten.

Zwischenzeitlich entsteht bei der Reaktion ein 5fach koordinierter Acyl-Komplex, der sich entweder durch Addition eines in Lösung befindlichen Liganden stabilisiert oder durch Dimerisierung über Halogen-Brücken.

Bei der Addition eines Liganden kann zunächst ein instabiles Addukt entstehen, das man u. U. durch rasches Ausfällen isolieren kann („kinetisch kontrolliertes" Produkt) und das sich in Lösung insbesondere beim Erhitzen in das thermodynamisch stabile Produkt umwandelt.

α) durch Umsetzung mit Kohlenmonoxid

Bis-[triphenylphosphan]-carbonyl-dichloro-methyl-iridium wird in einer Dichlormethan-Methanol-Lösung mit Kohlenmonoxid carbonyliert[1] (in benzolischer Lösung wird keine Kohlenmonoxid-Insertion beobachtet). Ein ionisierendes Lösungsmittel (z.B. Methanol) beschleunigt die Reaktion. Eine Carbonylierung der entsprechenden Dibromo- und Chloro-jodo-methyl-iridium-Komplexe gelang nicht.

Acetyl-bis-[triphenylphosphan]-carbonyl-dichloro-iridium[1]: Eine Lösung von 20 mg Bis-[triphenylphosphan]-carbonyl-dichloro-methyl-iridium in 10 *ml* Dichlormethan und 10 *ml* Methanol wird mit Kohlenmonoxid bei 1,4 bar behandelt und kräftig gerührt. Nach 1 Stde. bildet sich ein farbloser Niederschlag, nach 12 Stdn. wird der Acetyl-Komplex abfiltriert; F: 238–241° (Zers.); IR(Nujol): ν_{CO} 2040(vs), $\nu_{C=O}$ 1620(s) cm^{-1}.

Alkyl-dicarbonyl-dijodo-iridium-Komplexe werden bereits bei 1 bar Kohlenmonoxid carbonyliert[2]. Der Acyl-Komplex wird mit Tetrabutylammoniumjodid in At-Komplexe übergeführt.

Das Iridiol I nimmt beim Behandeln mit Kohlenmonoxid in Dichlormethan einen Carbonyl-Rest auf und substituiert bei der Umsetzung mit Triphenylphosphan den π-gebundenen Dien-Liganden (75%ige Ausbeute)[3]:

I

---

[1] M. KUBOTA u. D.M. BLAKE, Am. Soc. **93**, 1368 (1971).
[2] Brit. P. 1 507 376 (1974/1978), Monsanto; C.A. **90**, 23 260 (1979).
[3] A.R. FRASER, P.W. BIRD, S.A. BEZMAN, J.R. SHAPLEY, R. WHITE u. J.A. OSBORN, Am. Soc. **95**, 597 (1973); Inorg. Chem. **19**, 3755 (1980).

β) durch Umsetzung mit anderen Donor-Liganden

Die großen Triorganophosphan- oder -arsan-Liganden sind in der stabilen Form *trans*-ständig zueinander. Bei der folgenden Reaktion läßt sich in einigen Fällen das kinetisch kontrollierte *cis*-Produkt I isolieren[1,2]. Die Reaktionsgeschwindigkeit der Kohlenmonoxid-Insertion ist proportional zur Konzentration des Komplexes, aber unabhängig von der Konzentration und der Natur des zugesetzten freien Liganden.

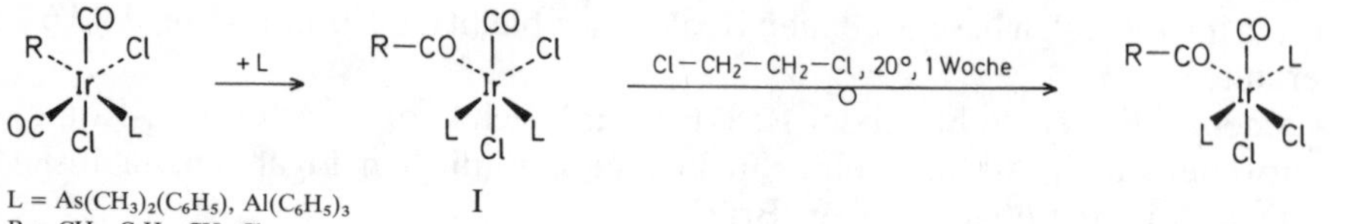

$$L = As(CH_3)_2(C_6H_5), Al(C_6H_5)_3$$
$$R = CH_3, C_2H_5, CH_2 Cl_2$$

Bei Einsatz unterschiedlicher Arsan-Liganden im Ausgangsprodukt und in der Lösung kann man Komplexe mit zwei verschiedenen Arsan-Liganden herstellen[1,2]; z.B.:

$$IrRCl_2(CO)_2[As(CH_3)_2(C_6H_5)] \xrightarrow{\ +\ [As(C_6H_5)_3]\ }$$

$$Ir(CO-C_2H_5)Cl_2(CO)[As(CH_3)_2(C_6H_5)][As(C_6H_5)_3]$$

Bis-[diphenyl-methyl-arsan]-carbonyl-dichloro-propanoyl-iridium[1]: 0,25 g Dicarbonyl-dichloro-(diphenyl-methyl-arsan)-ethyl-iridium in 10 *ml* Dichlormethan werden mit 0,2 g Diphenyl-methyl-arsan behandelt und bei 20° 2 Tage stehengelassen. Dann wird Petrolether zugesetzt und Dichlormethan langsam durch Abziehen i. Vak. entfernt. Die Verbindung, die in kristalliner Form ausfällt, wird aus Dichlormethan und Petrolether umkristallisiert; F: 176–178°.

Auf ähnliche Weise wird *Carbonyl-dichloro-(dimethyl-phenyl-arsan)-(triphenylarsan)-propanoyl-iridium* (F: 178–180°) erhalten.

Die Stabilisierung der intermediär bei der Kohlenmonoxid-Insertion gebildeten 5fach koordinierten Acyl-Komplexe durch Dimerisierung über Chloro-Brücken findet man bei folgenden Dimethyl-phenyl-arsan- und Triphenylphosphit-Komplexen[1,2]. Die Umlagerung des Alkyl-Komplexes unter Dimerisierung der Acyl-Verbindung erfolgt bereits in Lösung bei 20°.

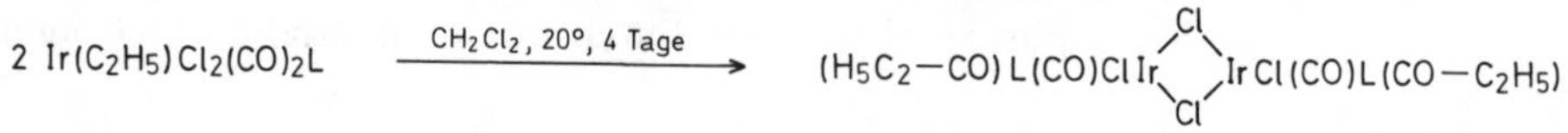

$$\mu,\mu\text{-}Dichloro\text{-}bis\text{-}[carbonyl\text{-}chloro\text{-}\ldots\text{-}propanoyl\text{-}iridium]$$
$$L = P(OC_6H_5)_3; \ldots\text{-}(triphenoxyphosphan)\text{-}\ldots$$
$$L = As(CH_3)_2(C_6H_5); \ldots\text{-}(dimethyl\text{-}phenyl\text{-}arsan)\text{-}\ldots; \text{F: } 141\text{–}143°$$

Die dimeren Alkyl-dichloro-dicarbonyl-Komplexe reagieren mit den entsprechenden Phosphan-Derivaten unter rascher Insertion von Kohlenmonoxid in die Ir–C-Bindung. Kommt auf ein Iridium-Atom ein Phosphan-Ligand, so entstehen dimere Acyl-Komplexe:

[1] R. W. Glyde u. R. J. Mawby, Inorg. Chim. Acta **4**, 331 (1970).
[2] R. W. Glyde u. R. J. Mawby, Inorg. Chim. Acta **5**, 317 (1971).

Die dimeren Acyl-Verbindungen können durch Zusatz von Liganden in Monomer-Komplexe aufgespalten werden.

μ,μ-Dichloro-bis-[carbonyl-chloro-(dimethyl-phenyl-phosphan)-propanonyl-iridium][1]: 40 μl Dimethyl-phenyl-phosphan (1,1 mol auf 1 Ir-Atom) werden zu einer Suspension von 83 mg μ,μ-Dichloro-bis-[carbonyl-chloro-methyl-iridium] in 3 ml Chloroform gegeben. Die Mischung wird 30 Min. geschüttelt und dann filtriert. Das Vol. wird i. Vak. auf 1 ml eingeengt, hierauf wird Diethylether hinzugegeben. Die Verbindung kristallisiert beim Stehen in farblosen Prismen; Ausbeute: 79 mg (67%); Zers.p.: >275° (ohne Schmelzen); IR(KCl): ν_{CO}: 2070, $\nu_{C=O}$: 1618 cm^{-1}.

Analog erhält man z.B. μ,μ-*Dichloro-bis-[acetyl-carbonyl-chloro-(dimethyl-phenyl-phosphan)-iridium]* (F: 168–174°) zu 87%.

Werden die dimeren Komplexe mit zwei mol Phosphan pro Iridium-Atom umgesetzt, so entstehen einkernige Verbindungen[1–3]:

R	L	...iridium	Ausbeute [%]	F [°C]
CH$_3$	P(C$_2$H$_5$)$_2$(C$_6$H$_5$)[4]	*Acetyl-bis-[diethyl-phenyl-phosphan]-carbonyl-dichloro-...*	45	–
C$_2$H$_5$	P(CH$_3$)$_2$(C$_6$H$_5$)	*Carbonyl-bis-[dimethyl-phenyl-phosphan]-dichloro-propanoyl-...*	25	118–120 (Zers.)
C$_3$H$_7$	P(C$_6$H$_5$)$_3$	*Butanoyl-bis-[triphenylphosphan]-dichloro-...*	65	–
CH(CH$_3$)$_2$	P(CH$_3$)$_2$(C$_6$H$_5$)	*Carbonyl-bis-[dimethyl-phenyl-phosphan]-dichloro-(2-methyl-propanoyl)...*	74	193–194 (Zers.)
C$_6$H$_5$	P(CH$_3$)$_2$(C$_6$H$_5$)	*Benzoyl-bis-[dimethyl-phenyl-phosphan]-carbonyl-dichloro-...*	24	146–148

Anstelle von einfachen Phosphanen lassen sich auch zweizähnige Phosphane umsetzen.

Acetyl-{1,2-bis-[diphenylphosphano]-ethan}-carbonyl-dichloro-iridium[1]: 0,34 g 1,2-Bis-[diphenylphosphano]-ethan werden zu einer Suspension von 0,29 g μ,μ-Dichloro-bis-[chloro-dicarbonyl-methyl-iridium] in 10 ml Dichlormethan gegeben. Methanol wird zugesetzt und Dichlormethan i. Vak. entfernt. Die Verbindung fällt in schwach gelben Prismen aus; Ausbeute: 0,35 g (56%); F: 232–236°; IR(Nujol): ν_{CO} 2051, $\nu_{C=O}$ 1600 cm^{-1}.

---

[1] B.L. SHAW u. E. SINGLETON, Soc. [A] **1967**, 1683.
[2] N.A. BAILEY, C.J. JONES, B.L. SHAW u. E. SINGLETON, Chem. Commun. **1967**, 1051.
[3] M.A. BENNETT, R. CHARLES u. T.R.B. MITCHELL, Am. Soc. **100**, 2737 (1978).
[4] Die Verbindung ist identisch mit dem in folgender Lit. beschriebenen Komplex: J. CHATT, N.P. JOHNSON u. B.L. SHAW, Soc. [A] **1967**, 604.

2. aus Iridium(I)-Verbindungen

α) mit Acylhalogeniden

Die durch Umsetzung von Iridium(I)-Verbindungen und Acylhalogeniden intermediär gebildeten Acyl-Komplexe lagern sich in ungünstigen Fällen rasch in die Carbonyl-organo-iridium(III)-Verbindung um. Die Reaktion wird begünstigt durch Abdissoziieren von Liganden.

So entsteht beim Behandeln von Chloro-tris-[triphenylphosphan]-iridium mit prim. bzw. sek. Acylchloriden in siedendem Benzol unter Verlust eines Phosphan-Liganden Alkyl-bis-[triphenylphosphan]-dichloro-iridium (s. S. 541)[1]. Diese Umlagerung ist bei Iridium rascher als beim analogen Rhodium-Komplex. Die oxidative Addition von Acyl-halogeniden ist hauptsächlich mit dem 4fach koordinierten Bis-[triorganophosphan bzw. -arsan]-carbonyl-halogeno-iridium-Komplex untersucht worden.

Die Acylchloride reagieren in Benzol bei 20° innerhalb 2–3 Tagen, die Acylbromide dagegen innerhalb 10–15 Minuten.

Die zunächst beschriebenen Acyl-Verbindungen sind *trans*-Addukte des Chloro- und Acyl-Restes an das Zentralmetall[2].

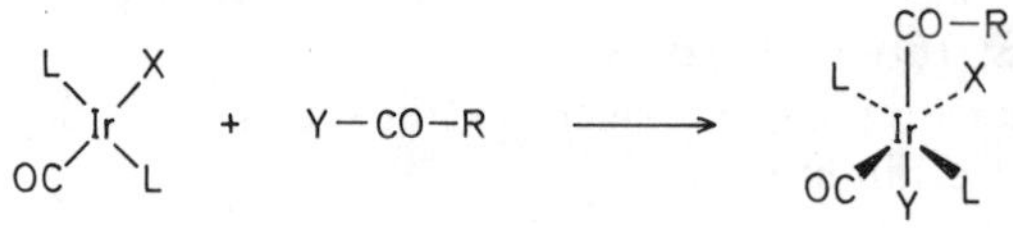

Tab. 6: Acyl-iridium(III)-Komplexe aus Iridium(I)-Verbindungen mit Acylhalogeniden

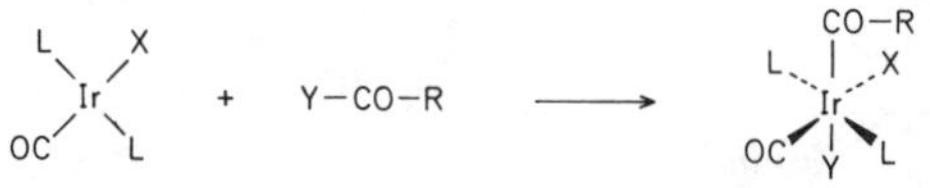

R–CO–Y		L		X	...-iridium	Ausbeute [%]	F [°C]	Literatur
R	Y							
CH₃	Br	P(C₂H₅)₃		Br	*Acetyl-bis-[triethylphosphan]-dibromo-carbonyl-...*	47	134–139	3
	Cl	P(C₂H₅)₂(C₆H₅)		Cl	*Acetyl-bis-[diethyl-phenyl-phosphan]-carbonyl-di-chloro-...*	68	200–204 (Zers.)	4
	Br	As(C₂H₅)₂(C₆H₅)		Br	*Acetyl-bis-[diethyl-phenyl-ar-san]-carbonyl-dibromo-...*	–	163–166	3
	Cl	P(CH₃)₂(C₆H₅)		Cl	*Acetyl-bis-[dimethyl-phenyl-phosphan]-carbonyl-dichloro-...*	68	190–193	5,2
	Br	P(CH₃)₂(C₆H₅)		Cl	*Acetyl-bis-[dimethyl-phenyl-phosphan]-bromo-carbonyl-chloro-...*	87	194–196	2

[1] M. A. Bennett, R. Charles u. T. R. B. Mitchell, Am. Soc. **100**, 2737 (1978).
[2] A. J. Deeming u. B. L. Shaw, Soc. [A] **1969**, 1128.
[3] J. P. Collman u. C. T. Sears, Inorg. Chem. **7**, 27 (1968).
[4] J. Chatt, N. P. Johnson u. B. L. Shaw, Soc. [A] **1967**, 604.
[5] B. L. Shaw u. E. Singleton, Soc. [A] **1967**, 1683.

Tab. 6 (Forts.)

R–CO–Y		L	X	...-iridium	Ausbeute [%]	F [°C]	Literatur
R	Y						
CH_3	Cl	$P(CH_3)_2(2–OCH_3–C_6H_4)$	Cl	*Acetyl-bis-[dimethyl-(2-methoxy-phenyl)-phosphan]-carbonyl-dichloro-...*	76	189–210 (Zers.)	1
C_2H_5	Cl	$P(CH_3)_2(C_6H_5)$	Cl	*Bis-[dimethyl-phenyl-phosphan]-carbonyl-dichlorpropanoyl-...*	63	–	2
C_5H_{11}	Cl	$P(C_2H_5)_2(C_6H_5)$	Cl	*Bis-[diethyl-phenyl-phosphan]-carbonyl-dichlorohexanoyl-...*	36	147–149	3
$C_{10}H_{21}$	Cl	$P(C_6H_5)_3$	Cl	*Bis-[triphenylphosphan]-carbonyl-dichloro-undecanoyl-...*	95	–	4
CH_2F	Cl	$P(CH_3)(C_6H_5)_2$	Cl	*Bis-[diphenyl-methyl-phosphan]-carbonyl-dichloro-(fluoracetyl)-...*	~100	199–201	5
CF_3	Cl	$P(C_6H_5)_3$	Cl	*Bis-[triphenylphosphan]-carbonyl-dichloro-(trifluoracetyl)-...*	~100	217–219	6
▷–	Cl	$P(CH_3)(C_6H_5)_2$	Cl	*Bis-[diphenyl-methyl-phosphan]-carbonyl-(cyclopropylcarbonyl)-dichloro-...*	80–98	78 (Zers.)	7
		$P(C_6H_5)_3$	Cl	*Bis-[triphenylphosphan]-carbonyl-(cyclopropylcarbonyl)-dichloro-...*	20	220–221	8
$CH_2–C_6H_5$	Cl	$P(CH_3)(C_6H_5)_2$	Cl	*Bis-[diphenyl-methyl-phosphan]-carbonyl-dichloro-(phenylacetyl)-...*	80–98	178 (Zers.)	7
		$P(C_6H_5)_3$	Br	*Bis-[triphenylphosphan]-bromo-carbonyl-chloro-(phenylacetyl)-...*	60	160 (Zers.)	7
			Cl	*Bis-[triphenylphosphan]-carbonyl-dichloro-(phenylacetyl)-...*	~100	177 (Zers.)	7
$CD_2–CD_2–C_6H_5$	Cl	$P(C_6H_5)_3$	Cl	*Bis-[triphenylphosphan]-carbonyl-dichloro-(tetradeutero-3-phenyl-propanoyl)-...*	–	–	4
$CH = CH–C_6H_5$	Cl	$P(C_2H_5)_2(C_6H_5)$	Cl	*Bis-[diethyl-phenyl-phosphan]-carbonyl-dichloro-(3-phenyl-acryloyl)-...*	62	146–149	3

[a] in Benzol
[b] in Nujol
[c] in KBr
[d] in CHCl₃
[e] in CH₂Cl₂

[1] E.M. MILLER u. B.L. SHAW, Soc. [Dalton] **1974**, 480.
[2] A.J. DEEMING u. B.L. SHAW, Soc. [A] **1969**, 1128.
[3] J. CHATT, N.P. JOHNSON u. B.L. SHAW, Soc. [A] **1967**, 604.
[4] J. BLUM, S. KRAUS u. Y. PICKHOLTZ, J. Organometal. Chem. **33**, 227 (1971).
[5] D.M. BLAKE, A. WINKELMAN u. Y.L. CHUNG, Inorg. Chem. **14**, 1326 (1975).
[6] D.M. BLAKE, S. SHIELDS u. L. WYMAN, Inorg. Chem. **13**, 1595 (1974).
[7] M. KUBOTA u. D.M. BLAKE, Am. Soc. **93**, 1368 (1971).
[8] A. NORRIS u. J.A. VAN KESSEL, Canad. J. Chem. **51**, 4145 (1973).

Der Einfluß der sterischen Hinderung durch die Phosphan-Liganden wurde an tert.-Butyl-dialkyl-phosphan-Komplexen vom Vaska-Typ untersucht[1]. Während Komplexe mit tert.-Butyl-dimethyl-phosphan auch größere Moleküle oxidativ anlagern, z.B. Acetylchlorid oder 3-Methyl-2-butenoylchlorid, werden an tert.-Butyl-diethyl-, -dipropyl- und -dibutyl-phosphan-Komplexe lediglich kleine Moleküle wie Halogenwasserstoff, Halogen, Wasserstoff oder Jodmethan angelagert (s. a. S. 516):

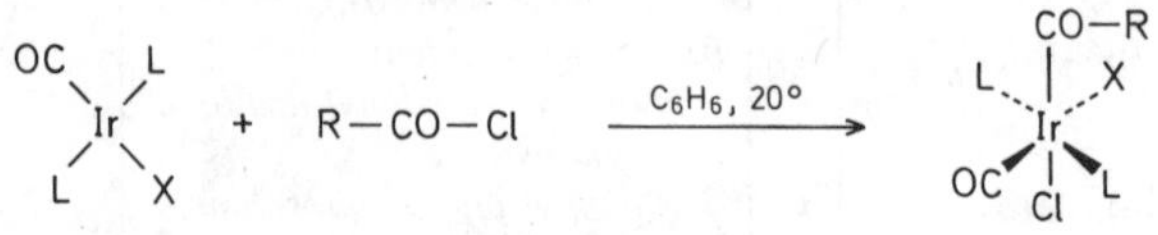

L = P(CH₃)₂[C(CH₃)₃]
X = Cl; R = CH₃; *Acetyl-bis-(tert.-butyl-dimethyl-phosphan)-carbonyl-dichloro-iridium*; 97%;
          F: 294–296° (Zers.)
     R = CH=C(CH₃)₂; *Bis-[tert.-butyl-dimethyl-phosphan]-carbonyl-dichloro-(3-methyl-2-butenoyl)-*
          iridium; 88%; F: 165–170°
X = Br; R = CH₃; *Acetyl-bis-[tert.-butyl-dimethyl-phosphan]-bromo-carbonyl-chloro-iridium*; 46%;
          F: 250–254° (Zers.)

Acetyl-bis-[diethyl-phenyl-phosphan]-carbonyl-dibromo-iridium[2]: 0,435 g *trans*-Bis-[diethyl-phenyl-phosphan]- bromo-carbonyl-iridium und 0,07 *ml* Acetylbromid werden 15 Min. in Diethylether geschüttelt. Der Niederschlag wird aus Ethanol und Methanol umkristallisiert; Ausbeute: 0,49 g (87%); F: 199–204°; IR(C₆H₆): ν_{CO} 2044, $\nu_{C=O}$ 1630 cm⁻¹.

Bei der Umsetzung des (Bis-[trifluormethyl]-nitroxy)-bis-[triphenylphosphan]-carbonyl-iridium mit Phenylacetylchlorid wird zusätzlich zur oxidativen Addition der Nitroxy-Ligand durch Chlor substituiert, und man erhält *Bis-[triphenylphosphan]-carbonyl-dichloro-phenylacetyl-iridium* (73%)[3]:

$$\text{Ir[ON(CF}_3\text{)}_2\text{](CO)[P(C}_6\text{H}_5\text{)}_3\text{]}_2 \xrightarrow{\text{+2 H}_5\text{C}_6\text{—CH}_2\text{—CO—Cl}} \text{H}_5\text{C}_6\text{—CH}_2\text{—CO—IrCl}_2\text{(CO)[P(C}_6\text{H}_5\text{)}_3\text{]}_2$$

In der Umsetzung von Bis-[dimethyl-phenyl-phosphan]-carbonyl-chloro-iridium mit Acetyl-bromid bzw. von Bis-[dimethyl-phenyl-phosphan]-bromo-carbonyl-iridium mit Acetyl-chlorid entsteht jeweils ein Isomerengemisch *(Acetyl-bis-[dimethyl-phenyl-phosphan]-bromo-carbonyl-chloro-iridium* 44%)[4,5].

Undecanoylbromid bildet mit Bis-[triphenylphosphan]-carbonyl-chloro-iridium innerhalb 90 Min. *Bis-[triphenylphosphan]-bromo-carbonyl-chloro-undecanoyl-iridium*, das mit der Zeit infolge sterischer Hinderung einen Phosphan-Liganden verliert[6] [*Bromo-carbonyl-chloro-(triphenylphosphan)-undecanoyl-iridium*]:

$$\text{IrCl(CO)[P(C}_6\text{H}_5\text{)}_3\text{]}_2 \xrightarrow[\text{45°, 90 Min.}]{\text{+H}_{21}\text{C}_{10}\text{—CO—Br}} \text{H}_{21}\text{C}_{10}\text{—CO—IrBrCl(CO)[P(C}_6\text{H}_5\text{)}_3\text{]}_2$$

$$\xrightarrow[-\text{P(C}_6\text{H}_5\text{)}_3]{\text{45°, 10 Stdn.}} \text{Ir(CO—C}_{10}\text{H}_{21}\text{)BrCl(CO)[P(C}_6\text{H}_5\text{)}_3\text{]}$$

[1] B.L. Shaw u. R.E. Stainbank, Soc. [Dalton] **1972**, 223.
[2] J. Chatt, N.P. Johnson u. B.L. Shaw, Soc. [A] **1967**, 604.
[3] B.L. Booth, R.N. Haszeldine u. R.G.G. Holmes, Chem. Commun. **1976**, 489.
[4] J.P. Collman u. C.T. Sears, Inorg. Chem. **7**, 27 (1968).
[5] A.J. Deeming u. B.L. Shaw, Soc. [A] **1969**, 1128.
[6] J. Blum, S. Kraus u. Y. Pickholtz, J. Organometal. Chem. **33**, 227 (1971).

Während Bis-[triphenylphosphan]-carbonyl-chloro-iridium bei 20° nur langsam mit Benzoyl-halogenid reagiert, läuft die Umsetzung bei stärker basischen Phosphan-Liganden rasch ab, z.B. bei der Synthese von *Benzoyl-bis-[trimethylphosphan]-carbonyl-chloro-jodo-iridium* [F: 110° (Zers.)][1].

Ar = C_6H_5; L = $P(CH_3)_2(2\text{-}OCH_3\text{-}C_6H_4)$; *Benzoyl-bis-[dimethyl-(2-methoxy-phenyl)-phosphan]-carbonyl-dichloro-iridium*[2]; 86%; F: 202–207° (Zers.)

L = $P(CH_3)(C_6H_5)_2$; *Benzoyl-bis-[diphenyl-methyl-phosphan]-carbonyl-dichloro-iridium*[3]; 80–90%; F: 187° (Zers.)

L = $P\left[\underset{3}{\text{—}\bigcirc\text{—}CH_3}\right]$; *Benzoyl-carbonyl-dichloro-tris-(tris-[4-methyl-phenyl]-phosphan)-iridium*[3]; F: 177° (Zers.)

Ar = $2\text{-}CH_3\text{-}C_6H_4$; L = $P(CH_3)(C_6H_5)_2$; *Bis-[diphenyl-methyl-phosphan]-carbonyl-dichloro-(2-methyl-benzoyl)-iridium*[1]; 80–98%; F: 182° (Zers.)

Ar = $4\text{-}OCH_3\text{-}C_6H_4$; L = $P(CH_3)(C_6H_5)_2$; *Bis-[diphenyl-methyl-phosphan]-carbonyl-dichloro-(4-methoxy-benzoyl)-iridium*[3]; 80–98%; F: 176° (Zers.)

Ar = $4\text{-}NO_2\text{-}C_6H_4$; L = $P(CH_3)(C_6H_5)_2$; *Bis-[diphenyl-methyl-phosphan]-carbonyl-dichloro-(4-nitro-benzoyl)-iridium*[3]; 80–98%; F: 200° (Zers.)

Benzoyl-bis-[triphenylphosphan]-carbonyl-dichloro-iridium[2]: Eine Suspension von 300 mg *trans*-Bis-[triphenylphosphan]-carbonyl-chloro-iridium in 2 *ml* Benzoylchlorid wird 48 Stdn. gerührt. Das Rohprodukt fällt in nahezu quantitativer Ausbeute aus. Es wird abfiltriert und aus Benzol und Hexan umkristallisiert; F: 174° (Zers.); IR(Nujol): ν_{CO} 2042, $\nu_{C=O}$ 1622, 1596 cm^{-1}.

Bei der Addition von 3,5-Dinitro-benzoylchlorid an *trans*-Bis-[dimethyl-phenyl-phosphan]-carbonyl-chloro-iridium entstehen zwei Isomere im Verhältnis 3:1, die durch unterschiedliche Löslichkeiten in Benzol-Petrolether und Diethylether getrennt werden können[4]. Die Acyl-Gruppe wird durch 24stdgs. Rückflußerhitzen in Xylol nicht decarbonyliert, der *cis*-Komplex I wird jedoch in den *trans*-Komplex II umgewandelt. Nitro-Substituenten am Aren erschweren die Decarbonylierung:

I; F: 121–125° (Zers.)   II; F: 197–200° (Zers.)

Bis-[dimethyl-phenyl-phosphan]-carbonyl-dichloro-(3,5-dinitro-benzoyl)-iridium

Zur Herstellung von *Bis-[triphenylphosphan]-carbonyl-dichloro-(2-oxo-propanoyl)-iridium* [90%; F: 265–268° (Zers.)] s.Lit.[5]:

[1] G. YONEDA u. D.M. BLAKE, Inorg. Chem. **20**, 67 (1981).

[2] E.M. MILLER u. B.L. SHAW, Soc. [Dalton] **1974**, 480.

[3] M. KUBOTA u. D.M. BLAKE, Am. Soc. **93**, 1368 (1971).

[4] M.I. BRUCE, M.Z. IQBAL u. F.G.A. STONE, J. Organometal. Chem. **51**, 4145 (1973).

[5] D.M. BLAKE, A. VINSON u. R. DYE, J. Organometal. Chem. **204**, 257 (1981).

Während die zuvor beschriebenen koordinativ gesättigten Acyl-Komplexe oft recht beständig sind, erhält man durch Umsetzung von Bis-[triphenylphosphan]-chloro-distickstoff-iridium mit Acylhalogeniden unter irreversiblem Austritt von Distickstoff die koordinativ ungesättigten Acyl-halogeno-Addukte, die sich in Lösung, vor allem am Licht, rasch in die Carbonyl-organo-iridium-Komplexe umlagern[1]. Auch im kristallinen Zustand lagern sich die Komplexe beim Erhitzen über den Umwandlungspunkt spontan um (s. S. 510). Die Acyl-Komplexe sind oft in festem Zustand und in Lösung stabil gegen Luft und Feuchtigkeit. Die freie Koordinationsstelle kann Liganden wie Kohlenmonoxid aber auch Lösungsmittel-Moleküle binden (vgl. Tab. 7).

Nach dieser Methode wird sogar *Bis-[triphenylphosphan]-dichloro-ethoxalyl-iridium* erhalten[2]. Der Komplex kann nicht umkristallisiert werden, da er sich rasch unter Abspaltung von Kohlenmonoxid in den Ethoxycarbonyl-Komplex umwandelt (s. S. 603).

Tab. 7: Acyl-bis-[triphenylphosphan]-dichloro-iridium-Komplexe aus Bis-[triphenylphosphan]-chloro-distickstoff-iridium und Acylchloriden

R	Bis-[triphenylphosphan]-dichloro-...-iridium	Ausbeute [%]	F (Zers.) [°C]	Literatur
CH₂–C₆H₅	...-(phenylacetyl)-...	80	138–148	1
–CH₂–⬡–OCH₃	...(4-methoxy-phenylacetyl)-...	80–90	132 (Zers.)	3
–CH₂–⬡–NO₂	...-(4-nitro-phenylacetyl)-...	80–90	153–154	3
C₆F₅	...-(pentafluorphenyl-acetyl)...	80–90	162–163	3
CH₂–Cl	...-(chlor-acetyl)-...	80	133–140	2
CH₂–F	...-(fluor-acetyl)-...	80	123, 145^{a,b}	4,5
CH₂–OC₆H₅	...-(phenoxy-acetyl)-...	80	125–128^a	2
CH₂–COOC₂H₅	...-(ethoxycarbonyl-acetyl)-...	76	223	2
CO–CH₃	...-(2-oxo-propanoyl)-...	60	116^a	2
COOC₂H₅	...-(ethoxalyl)...-	92	116^a	2

ª Bei dieser Temp. wandert der org. Rest.
ᵇ Beim Umkristallisieren aus Dichlormethan entsteht das Solvat.

Zur Umsetzung von Carbonyl-[chinolin-8-yloxy-(O,N)-triarylphosphan-iridium mit Acylchloriden s. Lit.[6].

[1] M. KUBOTA u. D.M. BLAKE, Am. Soc. **93**, 1368 (1971).
[2] D.M. BLAKE, A. VINSON u. R. DYE, J. Organometal. Chem. **204**, 257 (1981).
[3] M. KUBOTA, D.M. BLAKE u. S.A. SMITH, Inorg. Chem. **10**, 1430 (1971).
[4] D.M. BLAKE, S. SHIELDS u. L. WYMAN, Inorg. Chem. **13**, 1595 (1974).
[5] D.M. BLAKE, A. WINKELMAN u. Y.L. CHUNG, Inorg. Chem. **14**, 1326 (1975).
[6] R. USÓN, L.A. ORO, M.A. CIRIANO u. R. GONZALES, J. Organometal. Chem. **205**, 259 (1981).

Bis-[triphenylphosphan]-dichloro-(difluoracetyl)-iridium[1]: 0,4 g Bis-[triphenylphosphan]-chloro-distick-stoff-iridium werden vorgelegt. Man kondensiert bei −176° 5 *ml* Toluol und 0,15 *ml* Difluoracetylchlorid auf, läßt die Temp. auf 0° kommen und rührt die orange Suspension 15 Min. Die hellorange Verbindung wird abfiltriert, aus Benzol/Hexan oder Dichlormethan/Diethylether umkristallisiert. Der Komplex enthält entweder ein halbes Mol Benzol oder Dichlormethan als Solvat; Ausbeute: 85%; F: 168° (C_6H_6-Solvat) bzw. F: 185° (CH_2Cl_2-Solvat)[2]; IR(CH_2Cl_2): $\nu_{C=O}$: 1689 cm^{-1}.

Dimere Acyl-iridium(III)-Komplexe können bei der oxidativen Addition einiger Acylchloride an μ,μ-Dichlor-bis-[bis-(η^2-cyclooocten)-carbonyl-iridium] isoliert werden[3]. Die Acyl-Komplexe lagern sich leicht unter Verlust sämtlicher Olefin-Liganden in farblose dimere Alkyl-dicarbonyl-iridium(III)-Verbindungen um.

Zur Umsetzung mit Acrylsäure-chlorid s. Lit.[4].

Beim Behandeln von μ,μ-Dichlor-bis-[bis-(η^2-cyclooocten)-iridium] mit Acylchloriden in Gegenwart von (Diphenyl-methyl)- bzw. (Dimethyl-phenyl)-phosphan entstehen Tris-[triorganophosphan]-dichloro-acyl-iridium-Komplexe in 80–90%iger Ausbeute[5,6].

β) von Carbonsäureanhydriden

Die Reaktionsfähigkeit der O–C-Bindung von Carbonsäureanhydriden mit Iridium scheint geringer zu sein als die der Halogen-C-Bindung von Acylhalogeniden, da relativ wenige Beispiele der Anhydrid-Reaktion beschrieben worden sind.

Die Reaktionsfähigkeit des Anhydrids wird durch Fluor-Substituenten bzw. durch stark basische Liganden erhöht[7]. Die Ausbeuten betragen bei den Fluor-Derivaten 80–90%.

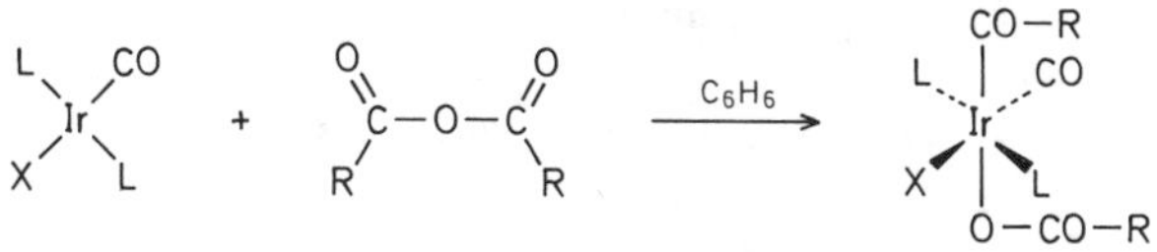

z.B.: R = CH_3; L = $P(CH_3)(C_6H_5)_2$; X = Cl; *Acetoxy-acetyl-bis-[diphenyl-methyl-phosphan]-carbonyl-chloro-iridium*; F: 179–180°

R = CF_3; L = $P(CH_3)(C_6H_5)_2$; X = Cl; *Bis-[diphenyl-methyl-phosphan]-carbonyl-chloro-trifluor-acetoxy-trifluoracetyl-iridium*; F: 195–196°

L = $P(C_6H_5)_3$; X = Br; *Bis-[triphenylphosphan]-bromo-carbonyl-trifluoracetoxy-trifluoracetyl-iridium*; F: 210–212°

R = C_2F_5; L = $P(C_6H_5)_3$; X = Cl; *Bis-[triphenylphosphan]-carbonyl-chloro-(pentafluorpropanoyl)-(pentafluorpropanoyloxy)-iridium*; F: 199–201°

Bis-[tert.-phosphan]-carbonyl-halogeno-(perfluoralkanoyl)-(perfluoralkanoyloxy)-iridium-Komplexe[7]; **allgemeine Arbeitsvorschrift:** 0,2 *ml* Perfluorcarbonsäureanhydrid und 4–5 *ml* Benzol werden i. Vak. bei −196° zu 0,5 g *trans*-Bis-[tert.-phosphan]-carbonyl-halogeno-iridium überdestilliert. Beim Erwärmen auf 20° wird die Mischung farblos. Wenn die Verbindung nicht ausfällt, werden die flüchtigen Anteile i. Vak. entfernt, und der Rückstand wird mit Diethylether aus dem Kolben herausgewaschen. Man erhält die farblosen Komplexe zu 80–90%. Die Triphenylphosphan-Komplexe fallen sofort aus, nicht die von Diphenyl-methyl-phosphan. Die Komplexe können aus heißem Benzol durch Zusatz von Hexan und Stehenlassen bei 20° umkristallisiert werden.

Die Methode läßt sich auch auf Perfluorbernsteinsäure- und -glutarsäureanhydrid übertragen[7]:

[1] D.M. Blake, A. Winkelman u. Y.L. Chung, Inorg. Chem. **14**, 1326 (1975).
[2] Umlagerungstemp. zum Difluormethyl-carbonyl-Komplex.
[3] M.A. Bennett, R. Charles u. T.R.B. Mitchell, Am. Soc. **100**, 2737 (1978).
[4] B.L. Shaw u. E. Singleton, Soc. [A] **1967**, 1683.
[5] M.A. Bennett, J.C. Jeffery u. G.B. Robertson, Inorg. Chem. **20**, 323 (1981).
[6] N.L. Jones u. J.A. Ibers, Organometallics **2**, 490 (1983).
[7] D.M. Blake, S. Shields u. L. Wyman, Inorg. Chem. **13**, 1595 (1974).

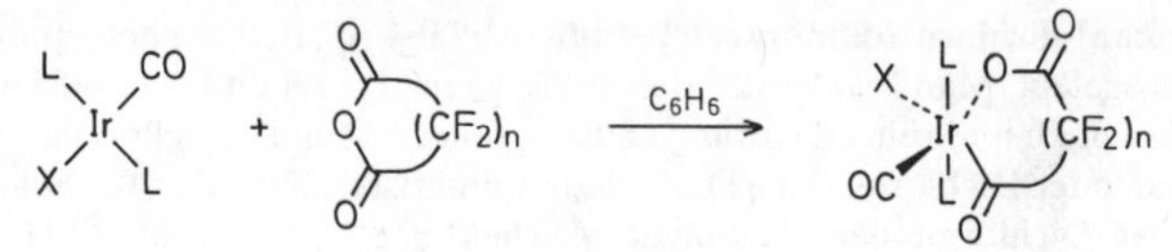

n = 2, L = P(C$_6$H$_5$)$_3$, X = Cl; 2,2-Bis-[triphenylphosphan]-2-carbonyl-2-chloro-3,6-dioxo-4,4,5,5-tetrafluor-1,2-oxairidinan; F: 228–235°

       X = Br; 2,2-Bis-[triphenylphosphan]-2-bromo-2-carbonyl-3,6-dioxo-4,4,5,5-tetrafluor-1,2-oxairidinan; F: 203–205°

       L = P(CH$_3$)(C$_6$H$_5$)$_2$; X = Cl; 2,2-Bis-[diphenyl-methyl-phosphan]-2-carbonyl-2-chloro-3,6-dioxo-4,4,5,5-tetrafluor-1,2-oxairidinan; F: 211–213°

n = 3; L = P(C$_6$H$_5$)$_3$; X = Cl; 2,2-Bis-[triphenylphosphan]-2-carbonyl-2-chloro-3,7-dioxo-4,4,5,5,6,6-hexafluor-1,2-oxairidepan

Bei der oxidativen Addition von Carbonsäureanhydriden an *trans*-Bis-[triphenylphosphan]-chloro-distickstoff-iridium wird molekularer Stickstoff freigesetzt[1]. Dadurch wird die Additionsreaktion begünstigt. Der Carboxyl-Rest wirkt als zweizähniger Ligand. Die Ausbeuten betragen 80–100%:

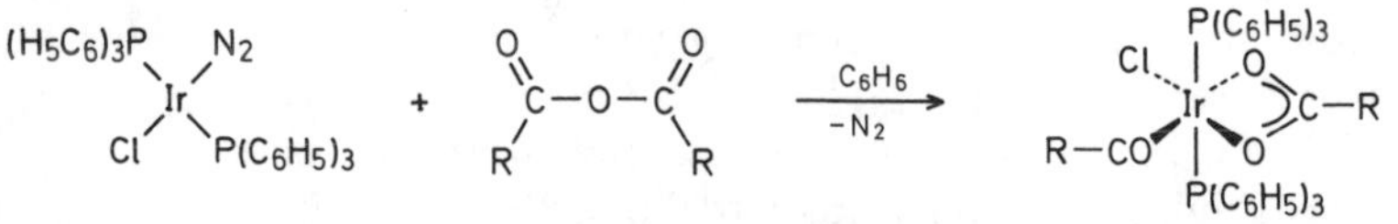

Bis-[triphenylphosphan]-...-iridium

R = CF$_3$; ...-chloro-[trifluoracetoxy-(O,O)]-(trifluoracetyl)-...; F: 175–178°

R = C$_2$F$_5$; ...-chloro-(pentafluorpropanoyl)-[pentafluorpropanoyloxy-(O,O)]-...; F: 171–172°

Beim Erhitzen wandert der Perfluoralkyl-Rest ans Metall (s. a. S. 542).

γ) mit Kohlenmonoxid

γ$_1$) und Halogenalkanen

Halogenalkane bilden mit Carbonyl-iridium(I)-Verbindungen 6fach koordinierte Alkyl-carbonyl-Komplexe, die sich normalerweise nicht in die ungesättigten 5fach koordinierten Acyl-Komplexe umlagern, da die Aktivierungsenergie dafür, z. B. für die Benzyl- oder Trifluormethyl-Gruppe, zu hoch ist und eher die Ir–C-Bindung gespalten wird.

Die Insertionsreaktion wird auch durch Addition eines Liganden ermöglicht (s. S. 590)[2].

Im folgenden Beispiel wird die Einschiebung von Kohlenmonoxid in die C–Ir-Bindung durch die Nitro-Gruppe induziert, die die Umlagerung durch Chelat-Bildung energetisch begünstigt.

So reagiert 1-Chlor-1-nitro-ethan mit *trans*-Bis-[dimethyl-phenyl-phosphan]-carbonyl-chloro-iridium in Benzol bei 20° unter oxidativer Addition und anschließender Insertion des Carbonyl-Liganden in die C–Ir-Bindung[3] (zum Mechanismus s. Lit.). Die resultierenden Acyl-Komplexe I und II können durch Behandeln mit Pyridin unter Abspaltung von Chlorwasserstoff in den monomeren Chelatkomplex III übergeführt werden:

[1] D. M. BLAKE, S. SHIELDS u. L. WYMAN, Inorg. Chem. **13**, 1595 (1974).

[2] D. M. BLAKE, A. VINSON u. R. DYE, J. Organometal. Chem. **204**, 257 (1981).

[3] T. A. M. BOLSMAN u. J. A. VAN DOORN, J. Organometal. Chem. **178**, 381 (1979).

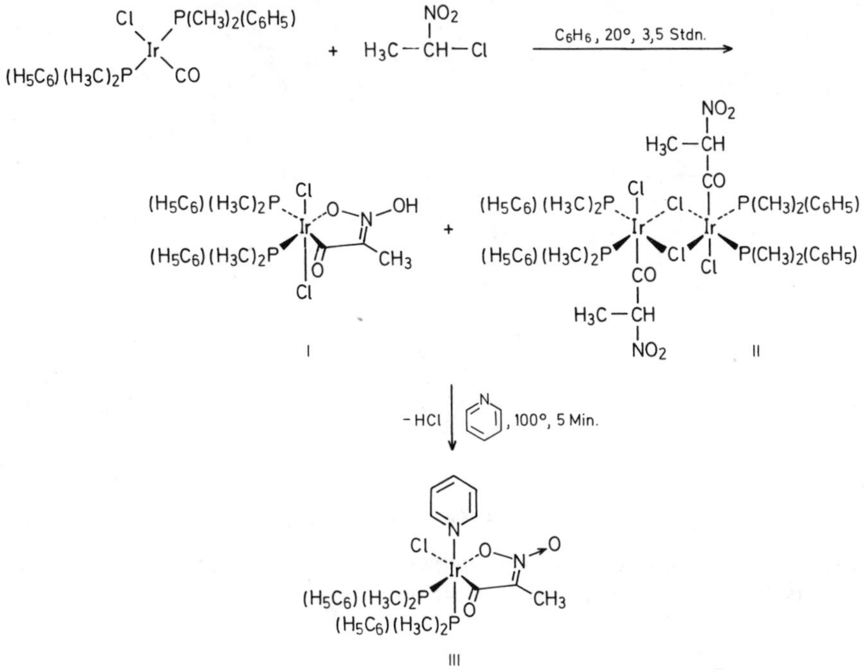

I; 5,5-Bis-[dimethyl-phenyl-phosphan]-5,5-dichloro-2-hydroxy-3-methyl-4-oxo-4,5-dihydro-1,2,5-oxaziridol
II; Di-μ-chloro-bis-{bis-[dimethyl-phenyl-phosphan]-chloro-(2-nitro-propanoyl)-iridium}
III; 5,5-Bis-[dimethyl-phenyl-phosphan]-5-chloro-3-methyl-4-oxo-5-pyridino-4,5-dihydro-1,2,5-oxazairidol-
2-oxid

$γ_2$) und Alkinen

Dicarbonyl-($η^5$-pentamethylcyclopentadienyl)-iridium bildet mit Hexafluor-2-butin neben einem Diiridium-Komplex (s. S. 607) 2,3-Bis-[trifluormethyl]-1-carbonyl-4-oxo-1-($η^5$- pentamethylcyclopentadienyl)-1,4-di-
hydro-iridet[1]:

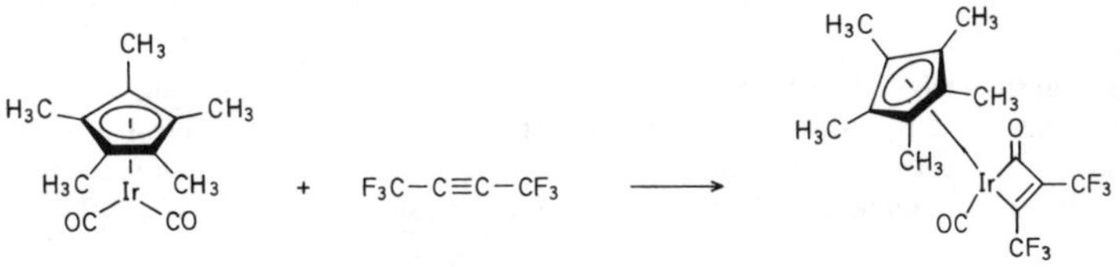

Reaktionen, in denen formal ein Dicarbonyl-iridium-Rest mit einer 1 Alkin-Gruppe
reagieren sind ebenfalls bekannt, z.B. die Umsetzung von Halogeno-tricarbonyl-iridium
mit Diphenylethin oder 3-Hexin[2]. Die zunächst gebildeten Komplexe sind polymer. Sie
werden durch Liganden wie Triphenylphosphan, 1,2-Bis-[diphenylphosphano]-ethan,
2,2'-Bipyridyl und Brom- oder Jod-Anionen in Monomer-Komplexe aufgespalten
(2,5-Dioxo-2,5-dihydro-iridole). Die C–Ir-Bindungen dieser Komplexe sind
thermisch und chemisch recht stabil.

[1] P. A. CORRIGAN, R. S. DICKSON, G. D. FALLON, L. J. MICHEL u. C. MOK, Austral. J. Chem. 31, 1937 (1978).
[2] F. CANZIANI, M. C. MALATESTA u. G. LONGONI, Chem. Commun. 1975, 268.

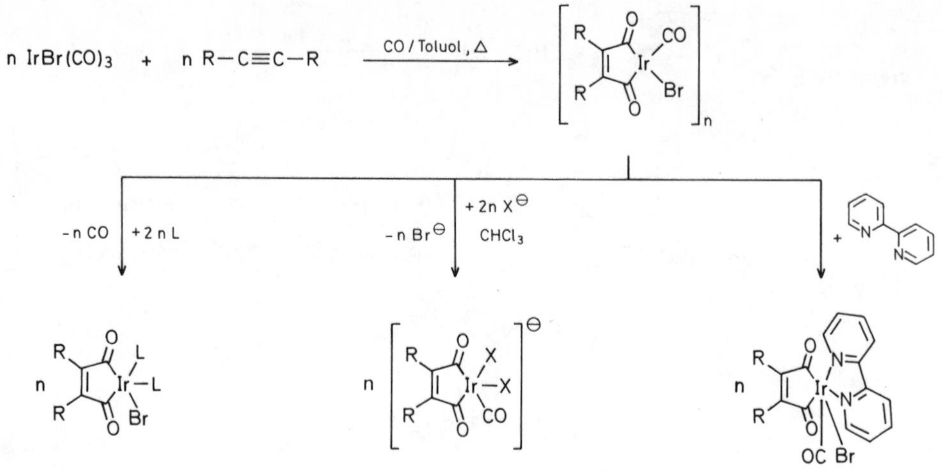

δ) mit Aldehyden (CH-Insertion)

Die oxidative Addition der C–H-Bindung von Form- und Acetaldehyd an Iridium gelingt mit verschiedenen aktiven Iridium(I)-Komplexen[1, 2]; z.B.:

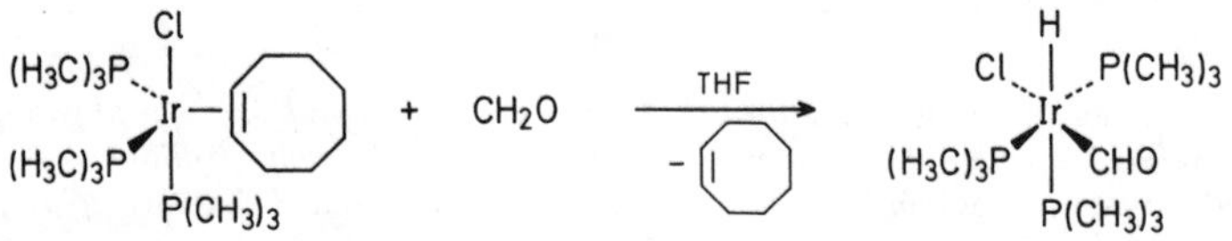

Chloro-formyl-hydrido-tris-[trimethylphosphan]-iridium; 83%; F: 130° (Zers.)

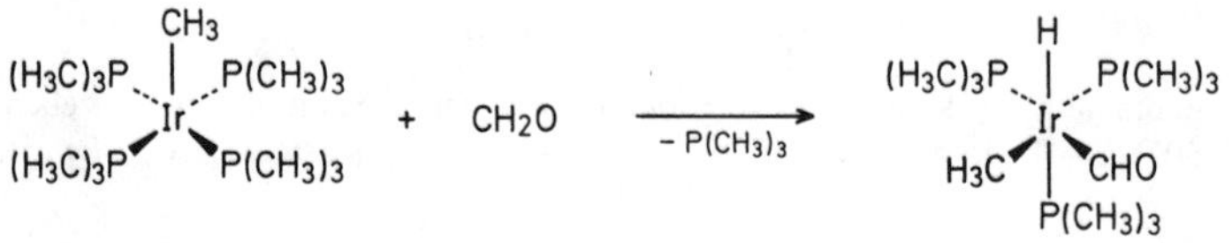

Formyl-hydrido-methyl- tris-[trimethylphosphan]-iridium[1]: 0,030 g Paraformaldehyd gibt man unter Rühren zu einer Lösung von 0,32 g Methyl-tetrakis-[trimethylphosphan]-iridium in 15 *ml* Tetrahydrofuran. Nach 1 Stde. wird das Reaktionsgemisch filtriert, die Lösung auf ~ 1 *ml* eingeengt und mit Pentan versetzt. Die Lösung läßt man 12 Stdn. bei –30° stehen; dabei fällt die farblose Verbindung aus; Ausbeute: 0,21 g (72%); F: 135° (Zers.)

Die oxidative Addition der Formyl-Gruppe wird durch den „Chelat- Effekt" thermodynamisch begünstigt.

So können z.B. von 2-Diphenylphosphano- bzw. Diphenylarsano-benzaldehyd und Iridium(I)-Komplexen Addukte erhalten werden, nicht aber von Benzaldehyd[3, 4]:

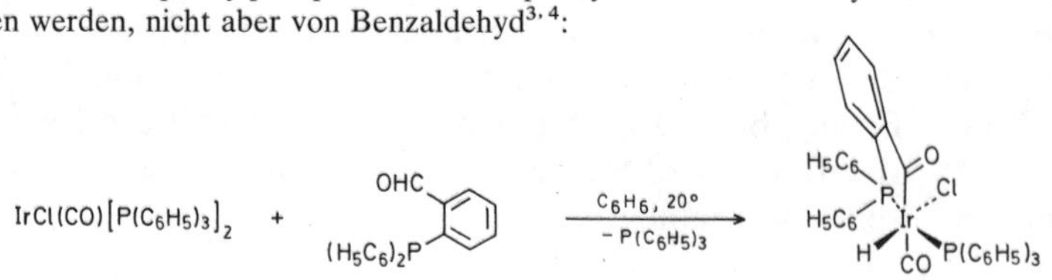

Carbonyl-chloro-hydrido-[2-(diphenylphosphano)-ben-zoyl-(C,P)]-(triphenylphosphan)-iridium; stabil

[1] D.L. Thorn, Am. Soc. **102**, 7109 (1981); Organometallics **1**, 197 (1982).
[2] D. Milstein u. J.C. Calabrese, Am. Soc. **104**, 3773 (1982).
[3] T.B. Rauchfuss, Am. Soc. **101**, 1045 (1979).
[4] E.F. Landvatter u. T.B. Rauchfuss, Organometallics **1**, 506 (1982).

ε) durch spezielle Methoden

Der Methoxycarbonyl-Ligand wird von Boran/Tetrahydrofuran ohne Spaltung der
C–Ir-Bindung in die Formyl-Gruppe umgewandelt[1]; z.B.:

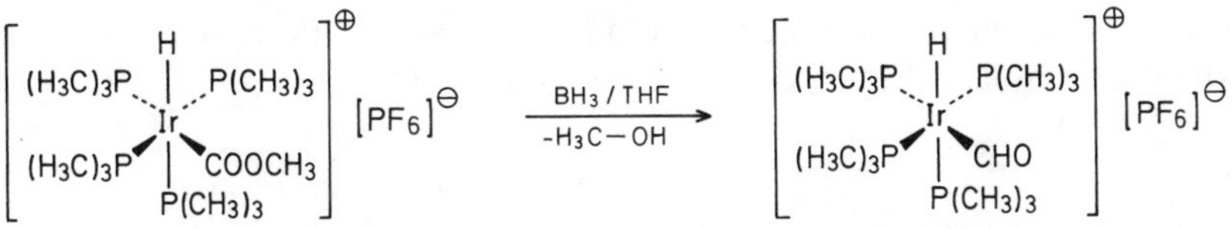

$$\left[\begin{array}{c} H \\ (H_3C)_3P\cdots | \cdots P(CH_3)_3 \\ Ir \\ (H_3C)_3P \diagup | \diagdown COOCH_3 \\ P(CH_3)_3 \end{array}\right]^{\oplus} [PF_6]^{\ominus} \xrightarrow[-H_3C-OH]{BH_3/THF} \left[\begin{array}{c} H \\ (H_3C)_3P\cdots | \cdots P(CH_3)_3 \\ Ir \\ (H_3C)_3P \diagup | \diagdown CHO \\ P(CH_3)_3 \end{array}\right]^{\oplus} [PF_6]^{\ominus}$$

Hydrido-formyl-tetrakis-[trimethylphosphan]-
iridium-hexafluorophosphat; 25%

g) Thioformyl-iridium(III)-Verbindungen

Der Thiocarbonyl-iridium(III)-Kationkomplex I wird durch Natrium-boranat zum *Bis-[triphenylphosphan]-*
carbonyl-dichloro-thioformyl-iridium reduziert[2]:

$$[IrCl_2(CS)(CO)L_2]^{\oplus}J_3^{\ominus} \xrightarrow{NaBH_4} Ir(CH=S)Cl_2(CO)L_2$$
$$I$$

h) Organooxycarbonyl-iridium(III)-Verbindungen

1. aus Carbonyl-iridium(III)-Verbindungen mit Alkanolaten

Carbonyl-iridium(III)-Komplexe werden durch nucleophilen Angriff von Alkanolat an
einem Carbonyl-Liganden in Alkoxycarbonyl-Verbindungen umgewandelt. Gleichzeitig
wird ein Anion abgespalten, das am Iridium gebunden ist oder, wie große Anionen, sich in
der äußeren Koordinationssphäre befindet[3].

$$[IrJ_4(CO)_2]^{\ominus} + OR^{\ominus} + 2L \xrightarrow{-2J^{\ominus}} Ir(COOR)J_2(CO)L_2$$

Nach dieser Methode kann auch der σ–C-Alkyl-iridium-Komplex II umgesetzt werden,
da die Verbindungen gegenüber Basen weniger empfindlich ist als gegenüber Säuren[4]. Der
analoge Rhodium-Komplex reagiert rascher als der von Iridium.

$$\{Ir(CH_2-CN)(C_5H_5)(CO)[P(C_6H_5)_3]\}^{\oplus}[B(C_6H_5)_4]^{\ominus} + LiOCH_3$$
$$II$$

$$\xrightarrow[-Li[B(C_6H_5)_4]]{CH_3OH, 5 Stdn.} Ir(COOCH_3)(CH_2-CN)(C_5H_5)[P(C_6H_5)_3]$$

Cyanmethyl-(η⁵-cyclopentadienyl)-methoxycarbonyl-triphenylphosphan-iridium;
F: 138–140° (Zers.)

---

[1] D.L. Thorn, Organometallics **1**, 197 (1982).
[2] W.R. Roper u. K.G. Town, Chem. Commun. **1977**, 781.
[3] L. Malatesta u. M. Angoletta, persönl. Mitteilung in: N.A. Albano, P.L. Bellon u. M. Sansoni, Inorg.
   Chem. **8**, 298 (1969).
[4] F. Faraone, F. Cusmano, P. Piraino u. R. Pietropaola, J. Organometal. Chem. **44**, 391 (1972).

2. aus Iridium(I)-Verbindungen mit Chlor-ameisensäureestern bzw. Ameisensäureestern

Durch oxidative Addition von Chlor-ameisensäureestern an Komplexe vom Vaska-Typ können Alkoxycarbonyl- aber auch Aryloxycarbonyl-iridium(III)-Komplexe hergestellt werden[1,2]. Die beschriebenen Verbindungen besitzen Phosphan- oder Arsan-Liganden, die deutlich basischer sind als Triphenylphosphan.

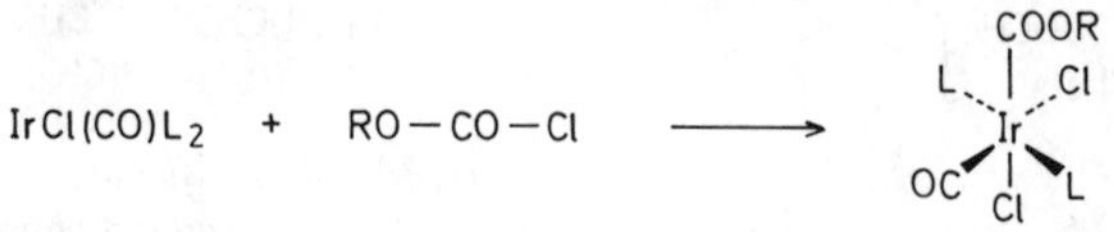

$$IrCl(CO)L_2 \quad + \quad RO-CO-Cl \quad \longrightarrow$$

R = CH$_3$; L = P(CH$_3$)$_3$; *Bis-[trimethylphosphan]-carbonyl-dichloro-methoxycarbonyl-iridium*; 63%; F: 159–162°

    L = P(CH$_3$)$_2$[C(CH$_3$)$_3$]; *Bis-[tert.-butyl-dimethyl-phosphan]-carbonyl-dichloro-methoxycarbonyl-iridium*; 53%; Zers. ~275°

R = C$_2$H$_5$; L = As(CH$_3$)$_2$(C$_6$H$_5$); *Bis-[dimethyl-phenyl-arsan]-carbonyl-dichloro-ethoxycarbonyl-iridium*; 73%; F: 70–72°

R = C$_6$H$_5$; L = P(CH$_3$)$_2$(C$_6$H$_5$); *Bis-[dimethyl-phenyl-phosphan]-carbonyl-dichloro-phenoxycarbonyl-iridium*; 73%; F: 157–170°

Bis-[dimethyl-phenyl-phosphan]-carbonyl-dichloro-methoxycarbonyl-iridium[1]: 0,021 *ml* Chlor-ameisensäure-methylester werden zu einer Lösung von 0,13 g Bis-[dimethyl-phenyl-phosphan]-carbonyl-chloro-iridium in 10 *ml* trockenem Benzol unter Stickstoff gegeben und 13,5 Stdn. stehen gelassen. Das Lösungsmittel wird dann i. Vak. abgezogen. Nach Zusatz von Diethylether zum öligen Rückstand fällt die Verbindung in farblosen Prismen aus; Ausbeute: 0,14 g (91%); F: 139–144°; IR(CHCl$_3$): ν_{CO}: 2064, $\nu_{C=O}$: 1675 cm^{-1}.

Der Methoxycarbonyl-Ligand kann mit Wasser-freiem Chlorwasserstoff in Benzol oder Chloroform in den Carbonyl-Kation-Komplex umgewandelt werden, der durch Behandeln mit feuchtem Diethylether die Hydroxycarbonyl-iridium-Verbindung bildet.

$$Ir(COOCH_3)Cl_2(CO)L_2 \xrightarrow[-CH_3OH]{HCl,\ CHCl_3} [IrCl_2(CO)_2L_2]^{\oplus}Cl^{\ominus}$$

$$\xrightarrow[-HCl]{H_2O,\ (C_2H_5)_2O} Ir(COOH)Cl_2(CO)L_2$$

... -*carbonyl-carboxy-dichloro-iridium*

L = P(CH$_3$)$_2$(C$_6$H$_5$); *Bis-[dimethyl-phenyl-phosphan]*. . .; 80%; F: 101–111° (Zers.)
L = As(CH$_3$)$_2$(C$_6$H$_5$); *Bis-[dimethyl-phenyl-arsan]*-. . .; 94%; F: 92–97° (Zers.)

Ameisensäure-methylester reagiert unter oxidativer Addition der C–H-Bindung mit einem Iridium(I)-Komplex:

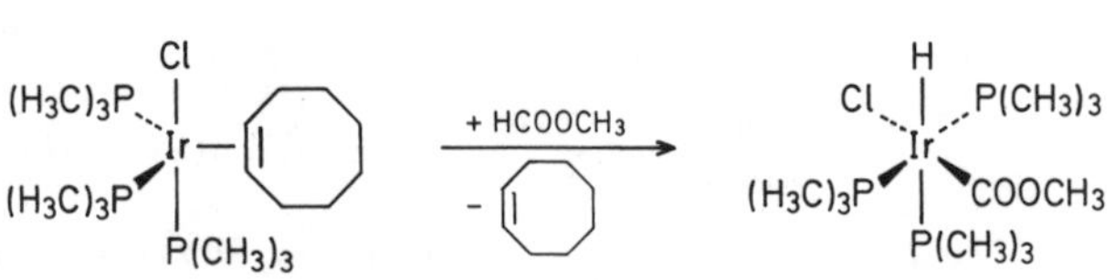

Chloro-hydrido-methoxycarbonyl-tris-[trimethylphosphan]-iridium[3]: 0,15 g (2,5 mmol) Ameisensäure-methylester gibt man zu einer Lösung von 1,10 g (1,95 mmol) Chloro-(η^2-cycloocten)-tris-[trimethylphosphan]-iridium in 30 *ml* THF und rührt die Lösung 2,5 Stdn. Das Lösungsmittel wird i. Vak. entfernt und der Rückstand in Hexan umkristallisiert; Ausbeute: 0,83 g (83%); F: 138–140°.

[1] A.J. DEEMING u. B.L. SHAW, Soc. [A] **1969**, 443.
[2] B.L. SHAW u. R.E. STAINBANK, Soc. [Dalton] **1972**, 223.
[3] D.L. THORN, Organometallics **1**, 197 (1982).

3. durch spezielle Methoden

Bei der oxidativen Addition von Methanol/Lithiummethanolat an Carbonyl-tetrakis-[trimethylphosphan]- iridium-chlorid und anschließender Behandlung mit Natrium- hexa-fluorophosphat wird mit 74% Ausbeute *Hydrido-methoxycarbonyl-tetrakis-[trimethyl-phosphan]-iridium-hexafluorophosphat* (Zers.: 185°; F: 298–300°) erhalten[1].

Ethoxycarbonyl-carbonyl-dichloro-bis-[triphenylphosphan]-iridium (F: 223°, Zers.) entsteht durch Wanderung der Äthoxycarbonyl-Gruppe der Ethoxalyl-Verbindung I an das Iridium-Atom[2]:

Chloro-cyclooocten-tris-[trimethylphosphan]-iridium, das in situ aus Di-μ-chloro-bis-[bis-(η^2-cyclooocten)-iridium] und Trimethylphosphan hergestellt wird, reagiert mit Kohlendioxid unter formaler Addition des nicht existenten cyclischen Kohlensäureanhydrids an das Iridium-Atom[3]:

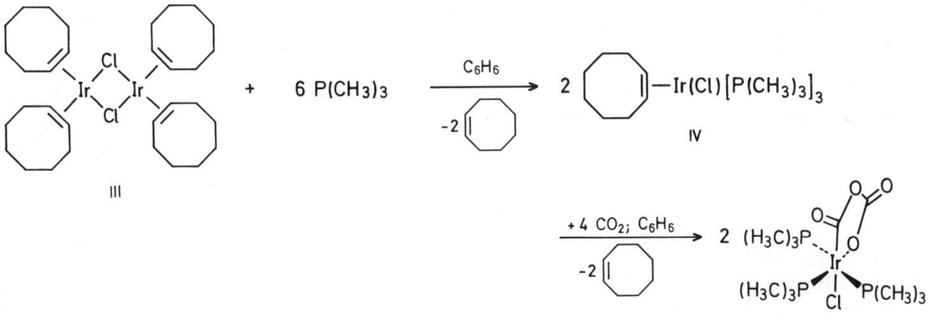

4-Chloro-2,5-dioxo-4,4,4-tris-[trimethylphos-phan]-1,3,4-dioxairidolan

Die (Bis-[trifluormethyl]-nitroxy)-Gruppe kann ähnlich wie Alkanolat mit dem Carbonyl-Liganden am nucleophilen C-Atom reagieren („Insertion" von Kohlenmonoxid in die Ir–O-Bindung)[4]. Gleichzeitig werden 2-(Bis-[trifluormethyl]-nitroxy)-Radikale oxidativ an das Zentralmetall angelagert:

$$Ir[O-N(CF_3)_2](CO)[P(C_6H_5)_3]_2 \xrightarrow[\text{ON(CF}_3)_2]{+2\ ON(CF_3)_2}$$

$$Ir[CO-O-N(CF_3)_2][O-N(CF_3)_2]_2[P(C_6H_5)_3]_2$$

Bis-[bis-(trifluormethyl)-aminoxy]-[bis-(trifluormethyl)-aminoxycarbonyl]-bis-[triphenylphosphan]-iridium; 41%

D.L. Thorn, Organometallics **1**, 197 (1982).

D.M. Blake, A. Vinson u. R. Dye, J. Organometal. Chem. **204**, 257 (1981).

T. Hershkovitz u. L.J. Guggenberger, Am. Soc. **98**, 1615 (1976).

B.L. Booth, R.N. Haszeldine u. R.G.G. Holmes, Chem. Commun. **1976**, 489.

i) (Alkylthio-thiocarbonyl)-, Aminocarbonyl- und (Amino-thiocarbonyl)-iridium(III)-Verbindungen

Chlor-dithioameisensäure-ethylester reagiert mit Komplexen von Rhodium(I), Iri dium(I) und Platin(0) unter oxidativer Addition des Chlor- und Dithioformiat-Restes a das Metall[1]. Die Reaktion verläuft beim Iridium am schnellsten; z.B.:

$$IrCl(CO)[P(C_6H_5)_3]_2 \quad + \quad Cl-\overset{\overset{\displaystyle S}{\|}}{C}-SC_2H_5 \xrightarrow{THF,\ C_6H_6,\ 25°} Ir(CS-SC_2H_5)Cl_2(CO)[P(C_6H_5)_3]$$

Bis-[triphenylphosphan]-carbonyl-dichlor (ethylthio-thiocarbonyl)-iridium; 75%

2,2-Bis-[triphenylphosphan]-2-carbonyl-2-chloro-3-methylthio-1,2-thiiridiran-trifluo methansulfonat (II) erhält man in quantitativer Ausbeute bei der Umsetzung von Bis [triphenylphosphan]-carbonyl-chloro-iridium(I) in Schwefelkohlenstoff mit Trifluorme thansulfonsäure-methylester[2]. Dabei wird der im gelösten Zustand gebundene Schwefel kohlenstoff methyliert. Nach Umsetzung mit Natriumboranat entsteht *Bis-[tripheny phosphan]-carbonyl-chloro-hydrido-(methylthio-thiocarbonyl)-iridium* (III):

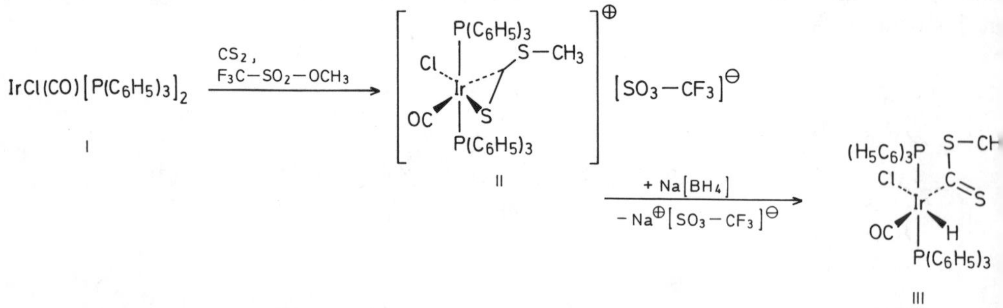

Wenn die Umsetzung des η^2-(Methylthio-thiocarbonyl)-Komplexes IV in Benzol mi Triethylamin (vgl. a. S. 505) in Gegenwart von (Dimethylamino-thiocarbonyl)-chloric durchgeführt wird, entsteht ein Gemisch der Komplexe V und VI[3]:

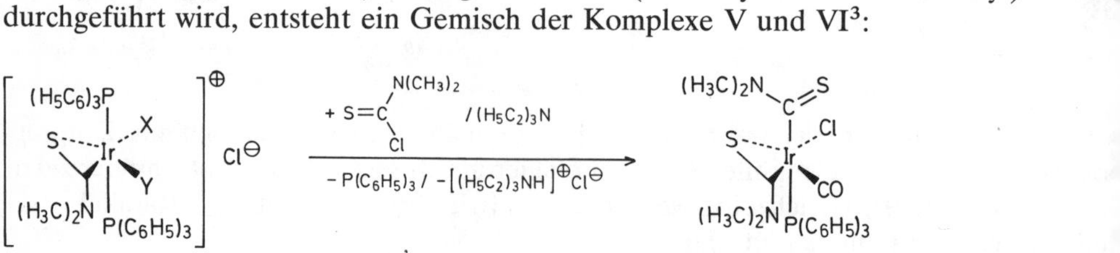

IV; X = H, CO
Y = CO, H

V; *2-Carbonyl-2-chloro-3-dimethylamino-2-(dimethylamino-thiocarbonyl) 2-(triphenylphosphan)-1,2-thiiridiran*

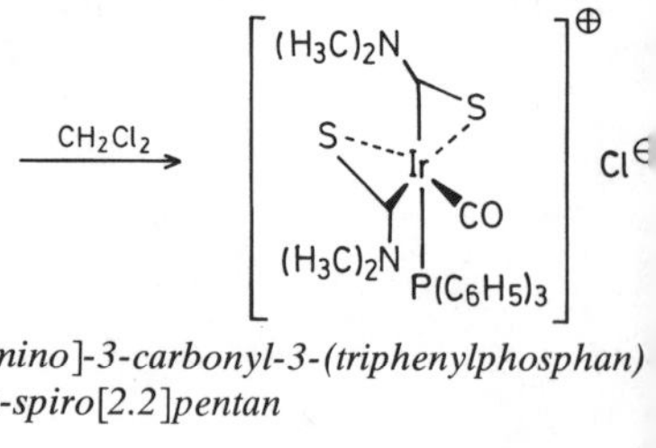

VI; *2,5-Bis-[dimethylamino]-3-carbonyl-3-(triphenylphosphan) 1,4-dithia-3-irida-spiro[2.2]pentan*

---

[1] D. Commereuc, I. Douek u. G. Wilkinson, Soc. [A] **1970**, 1771.

[2] T.J. Collins, W.R. Roper u. K.G. Town, J. Organometal. Chem. **121**, C 41 (1976).

[3] A.W. Gal, H.P.M.M. Ambrosius, A.F.M.J. van der Ploeg u. W.P. Bosman, J. Organometal. Chem. **149**, 8 (1978).

Triazeno-quecksilber(II)-Verbindungen reagieren mit Carbonyl-iridium(I)-Komplexen unter Addition der Quecksilber-Verbindung an Iridium und Insertion von Kohlenmonoxid in die Ir–N-Bindung. Die Metall-Quecksilber-Bindung ist beim Iridium stabiler als beim Rhodium, bei dem sich metallisches Quecksilber abscheidet[1].

Die Konfiguration der Acyltriazeno-Komplexe ist verschieden. So können die Phosphan-Liganden *trans-* oder *cis*-ständig bzw. die Quecksilber- und Acyl-Reste *trans-* oder *cis*-ständig sein. Außerdem ist ein Halogen-Austausch zwischen Iridium und Quecksilber möglich:

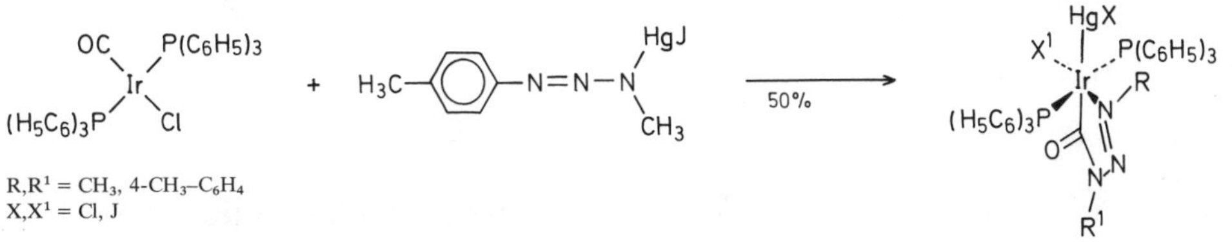

$$OC\diagdown_{Ir}\diagup P(C_6H_5)_3 \quad + \quad H_3C-\langle\rangle-N=N-N\diagup^{HgJ}_{CH_3} \quad \xrightarrow{50\%} \quad \text{[Produkt]}$$

R,R^1 = CH$_3$, 4-CH$_3$–C$_6$H$_4$
X,X^1 = Cl, J

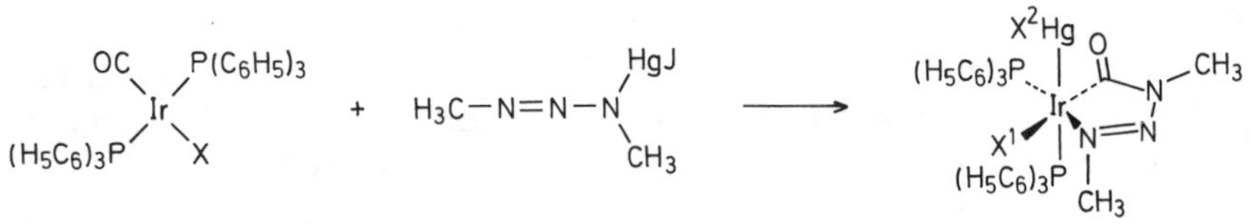

$$OC\diagdown_{Ir}\diagup P(C_6H_5)_3 \quad + \quad H_3C-N=N-N\diagup^{HgJ}_{CH_3} \quad \longrightarrow \quad \text{[Produkt]}$$

X = Cl, X^1 = J, X^2 = Cl; *Bis-[triphenylphosphan]-chlormercuri-[1,3-dimethyl-2-triazeno-carbonyl-(C,N^3)]-jodo-iridium*

X = OOC–CF$_3$, X^1 = OOC–CF$_3$, X^2 = J; *Bis-[triphenylphosphan]-chlormercuri-[1,3-dimethyl-2-triazeno-carbonyl-(C,N^3)]-jodo-trifluoracetoxy-iridium*

Analog kann durch Anlagerung von Chloro-dimethyltriaazano-quecksilber der (Triazeno-carbonyl)-dichloro-iridium(III)-Komplex hergestellt werden[1]. Mit Bis-[triazeno]-quecksilber wird folgende Verbindung erhalten:

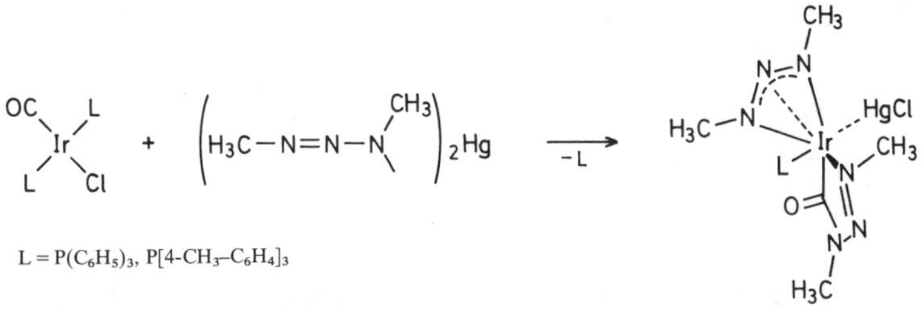

$$OC\diagdown_{Ir}\diagup L \quad + \quad \left(H_3C-N=N-N\diagup^{CH_3}\right)_2 Hg \quad \xrightarrow{-L} \quad \text{[Produkt]}$$

L = P(C$_6$H$_5$)$_3$, P[4-CH$_3$–C$_6$H$_4$]$_3$

Chlormercuri-(η^3-dehydro-1,3-dimethyl-triazen)-[1,3-dimethyl-2-triazeno-carbonyl-(C,N^3)]-iridium; 50–70%

[1] P. I. VAN VLIET, J. KUYPER u. K. VRIEZE, J. Organometal. Chem. **122**, 99 (1976).

IV. Organo-iridium(V)-Verbindungen

Di-μ-chloro-bis-[(μ^5-pentamethylcyclopentadienyl)-chloro-iridium] bildet mit Hexamethyldialuminium ein Addukt, das oxidativ zu 40% in *(η^5-Pentamethylcyclopentadienyl)-tetramethyl-iridium* umgewandelt wird (s. u.)[1]:

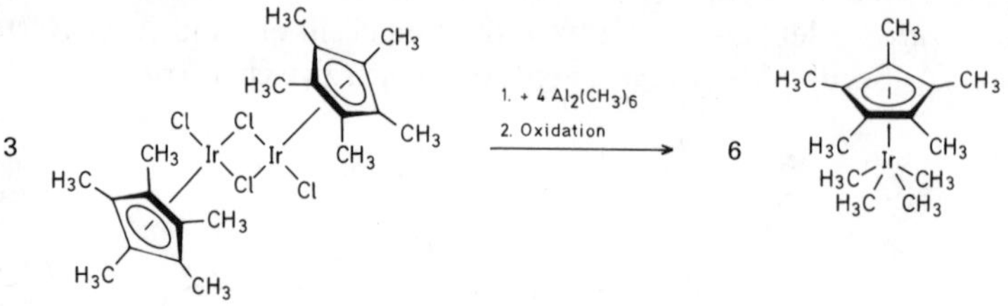

V. Organo-diiridium-Verbindungen mit Ir–Ir-Bindungen

In diesem Abschnitt werden σ–C-Iridium-Verbindungen besprochen, die Metall-Metall-Bindungen besitzen.

Zunächst werden Methoden beschrieben, in denen die Ir–Ir-Bindung gleichzeitig mit der σ–C–Ir-Bindung geknüpft wird, und anschließend Methoden, bei denen mit der bereits vorhandenen Ir–Ir-Gruppe σ–C–Ir-Bindungen gebildet werden.

Beim Zersetzen des o. a. Adduktes I durch Aceton entstehen *cis*- und *trans-1,3-Bis-[η⁵- pentamethylcyclopentadienyl]-1,3-dimethyl-1,3-diirida-bicyclo[1.1.0]butan* (s. a. S. 508)[1].

Di-μ-chloro-bis-[(η^4-1,5-cyclooctadien)-iridium] liefert beim Behandeln mit Methyllithium und überschüssigem 1,5-Cyclooctadien in Diethylether *1,3-Bis-[(η^4-1,5-cyclooctadien)-1,3-diirida-bicyclo[1.1.0]cyclobutan* (34%), das eine Ir–Ir-Bindung besitzt[2].

Beschrieben werden Verbindungen vom Typ II, bei denen die C–C-Alkin- und die Ir–Ir-Bindung in einer Ebene liegen. Die Alkin-Gruppe besitzt 2 σ–C–Ir-Bindungen.

Die Alkin-Gruppe steht z.B. in Alkin-hexacarbonyl-diiridium-Verbindungen senkrecht zur Metall-Metall-Bindung I. Solche Verbindungen werden als π-Komplexe nicht besprochen.

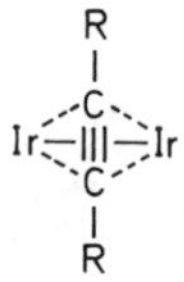

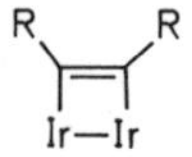

Hexafluor-2-butin und (η^5-Cyclopentadienyl)-dicarbonyl-iridium bilden in Xylol bei 160° eine Vielzahl von monomeren und dimeren Iridium-Verbindungen, die σ–C–Ir-Bindungen, aber auch nur π-Bindungen enthalten[3] (die monomeren Iridiocyclen sind auf S. 555 beschrieben). Das Alkin wird in 4fachem Überschuß eingesetzt. Durch Variation von Reaktionstemp. und -dauer läßt sich die Zusammensetzung des Reaktionsgemisches etwas beeinflussen. Bei 160° und 72 Stdn. erhält man in ~15%iger Ausbeute den *trans* Diiridium-Komplex III; bei 120° entsteht die *cis*-Verbindung IV in 8%iger Ausbeute.

[1] P. MAITLIS et al., Chem. Commun. **1981**, 808; J. Organometal. Chem. **250**, C 25 (1983).
[2] J. MÜLLER, B. PASSON u. J. PICKARDT, J. Organometal. Chem. **228**, C 51 (1982).
[3] P. A. CORRIGAN u. R. S. DICKSON, Austral. J. Chem. **32**, 2147 (1979).

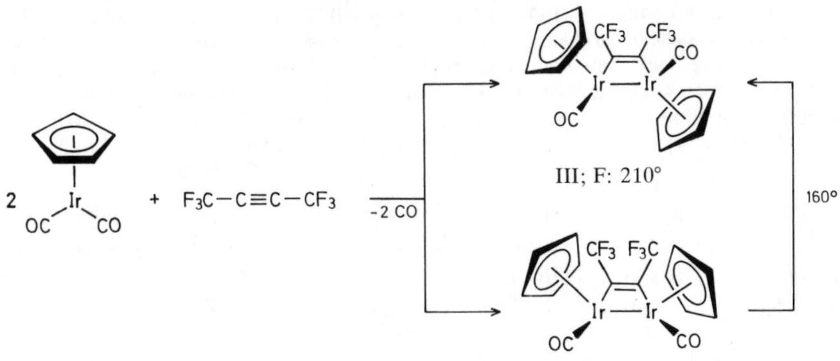

III; F: 210°

160°

IV; F: 245–247°

1,2-Dicarbonyl-1,2-bis-[η⁵-cyclopentadienyl]-3,4-bis-[trifluormethyl]-1,2-dihydro-1,2-diiridet

Das *trans*-Isomere ist im Gegensatz zur *cis*-Form in Chloroform gut löslich. Letztere ist in stark polaren Lösungsmitteln wie Aceton besser löslich. Bei 160° wird die *cis*-Form langsam in die *trans*-Form isomerisiert.

Bei 160° wird schließlich in 4%iger Ausbeute eine dritte Di-iridium-Verbindung erhalten.

(η^5-Cyclopentadienyl)-dicarbonyl-iridium bildet beim Belichten, aber nicht beim Erhitzen, in benzolischer Lösung unter zweifacher oxidativer Addition von C–H-Bindungen des Lösungsmittels *1,2-Bis-[η⁵-cyclopentadienyl]-1,2-dicarbonyl-1,2-dihydro-⟨benzo-1,2-diiredet⟩* (6%; F: 225–227°) (vgl. S. 574)[1]:

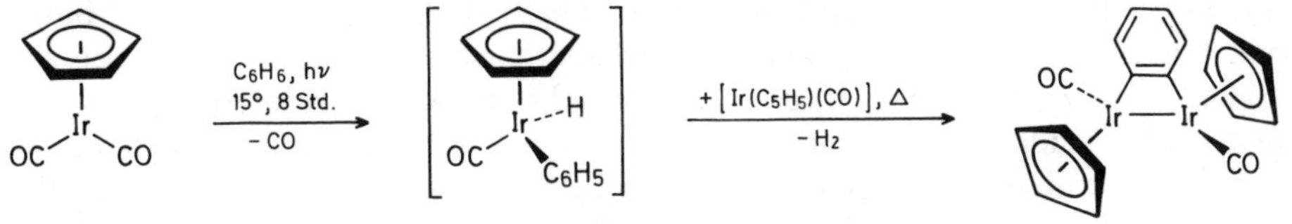

Beim Erhitzen von Hexafluor-2-butin und Dicarbonyl-(η^5-pentamethylcyclopentadienyl)-iridium entsteht folgende Verbindung[2]:

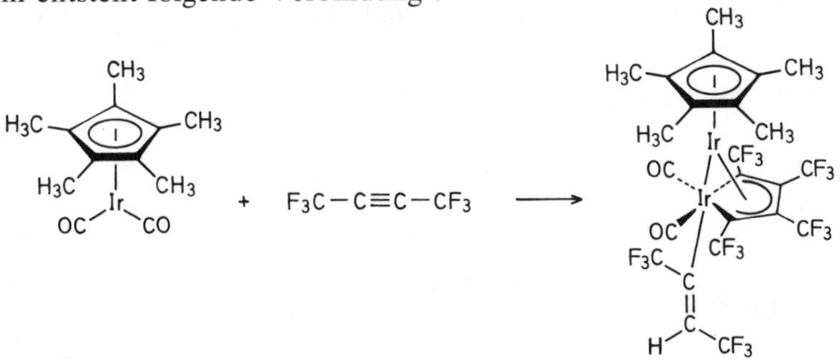

Zur Synthese eines Iridol-Komplexes, der ein Dicarbonyl-iridium enthält, durch Umsetzung von Bis-[tricarbonyl-triphenylphosphan-iridium] mit Bis-[ethoxycarbonyl]-ethin s. Lit.[3].

[1] M.D. Rausch, R.G. Gastinger, S.A. Gardner, R.K. Brown u. J.S. Wood, Am. Soc. **99**, 7870 (1977).
[2] P.A. Corriga, R.S. Dickson, G.D. Fallon, L.J. Michel u. C. Mok, Austral. J. Chem. **31**, 1937 (1978).
[3] M. Angoletta, P.L. Bellon, F. Demartin u. M. Manassero, Soc. [Dalton] **1981**, 150.

{1,1-Dicarbonyl-1-(3,3,3-trifluor-1-(trifluormethyl)-propenyl)-2,3,4,5-tetrakis-[trifluormethyl]-iridol}-
(η5-pentamethylcyclopentadienyl)-iridium(Ir–Ir)[1]: 0,225 g Dicarbonyl-(η5-pentamethylcyclopentadienyl)-iri-
dium, 0,80 g Hexafluor-2-butin (Mol-Verhältnis ~ 1 : 8) und 2 *ml* Xylol werden 72 Stdn. auf 135° erhitzt. Die
freigesetzten Gase werden sorgfältig abgeleitet. Das Reaktionsgemisch wird filtriert, der Rückstand in Aceton
gelöst. Die vereinigten Filtrate werden aufkonzentriert und anschließend auf der Dünnschicht mit Hexan und
Aceton (1 : 1) chromatographiert. Die größte Bande enthält den gelb-grünen kristallinen Komplex; Ausbeute
0,084 g (27%); F: 194°; Ir(CHCl₃): ν_{CO} 2090(s) und 2048(s), $\nu_{C=C}$ 1610(m) cm⁻¹.

Der 2kernige Iridium-Komplex V bildet mit aktiven Acetylen-Verbindungen ein 1:1-
Addukt[2,3], wobei das Acetylen beide Iridium-Atome über σ-Bindungen verknüpft, und
die Brücke parallel zur Metall-Metall-Bindung steht. Bei Einsatz des zu V analogen Te-
tracarbonyl-Komplexes entstehen Triiridium-Cluster (s. S. 609).

R = CF₃; *μ,μ-Bis-[tert.-butylthio]-3,4-bis-[trifluormethyl]-1,2-bis-[trimethoxyphosphan]-1,2-dicarbonyl-*
1,2-dihydro-1,2-diiridet; ~80%; F: 165° (Zers.);
R = COOCH₃; ...-3,4-dimethoxycarbonyl-...; ~80%; F: 154°

Di-μ-pyrazolyl-bis-[(η4-1,5-cyclooctadien)-iridium] bildet mit Hexafluor-2-butin das
gleiche Addukt[4]. Der Komplex reagiert mit Jodmethan unter oxidativer Addition von der
Methyl-Gruppe an dem einen Iridium-Atom und von Jod am anderen.

Die ortho-Metallierung von einfachen Iridium-Verbindungen mit der Oxidationszahl
+ 1 oder + 3 ist eine mehrfach untersuchte Reaktion. Sie gelingt auch mit 1,2-Bis-[tri-
phenylphosphan]-hexacarbonyl-diiridium und p-substituierten Aryldiazonium-Salzen
unter Erhalt der Metall-Metall-Bindung[5]. Die diamagnetischen Komplexe sind sehr beständig gegenüber Hitze und Kohlenmonoxid. Durch Laugen wird Tetrafluoroborsäure
abgespalten, ohne daß die Ir–C- und Ir–Ir-Bindungen angegriffen werden:

1,2-Bis-[2-diazeno-aryl-1,2-bis-[triphenyl-
phosphan-(C,N²)]-1,1,2,2-tetracarbonyl-
diiridium-bis-[tetrafluoroborat]

3,3'-Bi-{3,3-dicarbonyl-3-triphenylphosphan
⟨benzo-1,2,3-diazairidolyl⟩}
R = OCH₃, F, NO₂ (47, 63 bzw. 43%)

[1] P.A. Corriga, R.S. Dickson, G.D. Fallon, L.J. Michel u. C. Mok, Austral. J. Chem. **31**, 1937 (1978).
[2] J. Devillers, J.-J. Bonnet, D. de Montauzon, J. Galy u. R. Poilblanc, Inorg. Chem. **19**, 154 (1980);
   R. Poilblanc et al., Ang. Ch. **93**, 296 (1981).
[3] M. Elamane, R. Mathieu u. R. Poilblanc, Nouv. J. Chim. **6**, 191 (1982); C.A. **97**, 198338 (1982);
   R. Poilblanc et al., Organometallics **2**, 1123 (1983).
[4] A.W. Coleman, D.T. Eadie u. S.R. Stobart, Am. Soc. **104**, 922 (1982).
[5] M. Angoletta u. G. Caglio, J. Organometal. Chem. **182**, 425 (1979).

1,2-[2-Diazeno-5-methyl-phenyl-(C,N^2)]-1,2,-bis-[triphenylphosphan]-1,1,2,2-tetracarbonyl-diiridium-bis-tetrafluoroborat][1]: Einer Lösung von 0,2 g 1,2-Bis-[triphenylphosphan]-hexacarbonyl-diiridium in 60 *ml* Benzol und 2 *ml* Dichlormethan werden in einer Stickstoff-Atmosphäre unter Rühren bei 20° 0,12 g (4-Methyl-phenyldiazonium)-tetrafluoroborat zugegeben. Nach 5 Stdn. wird die tief-rote Lösung filtriert und aufkonzentriert. Bei Zusatz von Hexan fällt der tief-rote Komplex aus, der aus Benzol und Hexan umkristallisiert wird; Ausbeute: 0,115 g (43%); IR: ν_{CO} 2110(sh), 2080(sh), 2060(vs) und 2000(sh) cm^{-1}.

Diphenylethin wird in die C–Ir-Bindung einer Methylen-Gruppe von Bis-μ-[methylen]-bis-[(η^4-1,5-cyclooctadien)-iridium] eingeschoben[2]. Es entsteht ein 1,2-Diphenyl-allyl-Ligand, der die beiden Iridium-Atome mit einer σ–C–Ir- und einer π-Allyl-Ir-Bindung verknüpft.

VI. Organo-polyiridium-Verbindungen mit Ir–Ir-Bindungen

In diesem Abschnitt werden σ–C-Iridium-Verbindungen beschrieben, die direkte Metall-Metall-Bindungen und mehr als zwei Iridium-Atome im Komplex besitzen.

Während bei Kobalt sehr viel μ_3-Methylidin-trikobalt-Verbindungen hergestellt werden, die außerordentlich stabil sind, gibt es nur wenige σ–C-Trirhodium und -iridium-Komplexe. Stattdessen nimmt die Neigung der schwereren Metalle zu, Cluster mit 4 oder 6 Metallen zu bilden.

Natrium-tetracarbonyliridat und 1,1,1-Trichlor-ethan bzw. -methyl-benzol bilden Triiridium-Verbindungen, denen folgende Struktur zugeschrieben wird[3,4]:

$$3\,Na^{\oplus}[Ir(CO)_4]^{\ominus} \quad + \quad Cl_3C{-}R \quad \xrightarrow[-3\,NaCl;\,-3\,CO]{THF,\,20°,\,4-6\,Tage} \quad R{-}C[Ir(CO)_3]_3$$

$$R = CH_3;\ 15\%$$
$$R = C_6H_5;\ 18\%$$

Der mit Thiolato-Brücken verknüpfte Diiridium-Komplex I wird von aktiven Acetylen-Verbindungen in Triiridium-Cluster umgewandelt[5]. Es entstehen keine Nebenprodukte, wenn das molare Verhältnis von Komplex I zu Alkin 3:2 beträgt.

R = COOCH$_3$; ~80%; F: 142° (Zers.)

Komplex II; R = CF$_3$[5]: 1,012 g (~1,5 mmol) Bis-μ-[tert.-butylthio]-tetracarbonyl-diiridium I werden in ein dickwandiges Glasgefäß, das mit einem Teflon-Schliffstopfen verschlossen ist, gegeben und das Gefäß bei −196° evakuiert. Es werden ~20 *ml* Pentan und ~0,2 g Hexafluor-2-butin einkondensiert. Hierauf wird die Mischung langsam auf 20° gebracht und 12 Stdn. gerührt. Das Lösungsmittel wird i. Vak. abgezogen, der Rückstand bei −40° in Toluol umkristallisiert. Die Zitronen-gelben Kristalle werden abgetrennt und i. Vak. getrocknet; Ausbeute: 0,950 g (~80%); F: 148°; IR(CsBr): $\nu_{C=O}$ 1620 cm^{-1}.

Zur Synthese eines *Phenyl-phosphatriiridatetrahedrans* s. Lit.[6].

[1] M. Angoletta u. G. Caglio, J. Organometal. Chem. **182**, 425 (1979).
[2] J. Müller, B. Passon u. J. Pickardt, J. Organometal. Chem. **236**, C 11 (1982).
[3] W. Kruppa u. G. Schmid, J. Organometal. Chem. **202**, 379 (1980).
[4] M. Angoletta, L. Malatesta u. G. Caglio, J. Organometal. Chem. **94**, 99 (1974).
[5] J. Devillers, J.-J. Bonnet, D. de Montauzon, J. Galy u. R. Poilblanc, Inorg. Chem. **19**, 154 (1980).
[6] M.M. Harding, B.S. Nicholls u. A.K. Smith, Soc. [Dalton] **1983**, 1479.

Dicarbonyl-(η^5-cyclopentadienyl)-iridium bildet mit Bis-[pentafluorphenyl]-ethin eine Reihe von Verbindungen (s.S. 555, 606)[1]; z.B.:

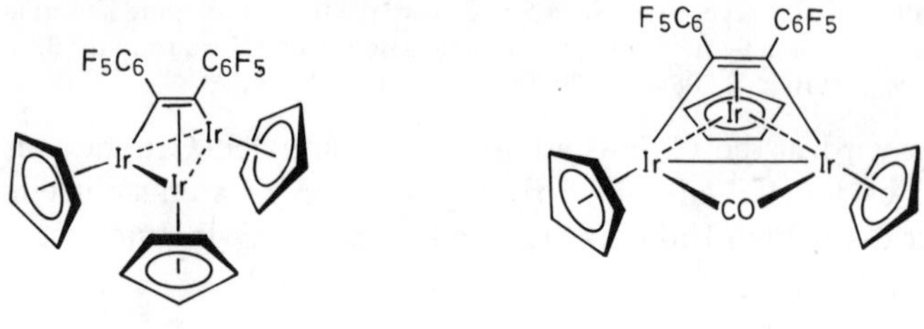

Beim Belichten mit Dimethoxycarbonyl-ethin reagieren 4 Alkin-Gruppen mit Dodeca-carbonyl-tetrairidium unter Erhalt des Ir_4-Clusters ($\sim 35\%$)[2].

Zur weiteren Herstellung von höheren Cluster-Verbindungen s. Lit.[3-8].

VII. Organo-iridium-metall-Verbindungen mit Ir-Metall-Bindungen

Die folgenden Verbindungen besitzen σ–C–Ir- und Ir-Metall-Bindungen. Es sind M_4- und M_6-Cluster.

Wenn Komplexe vom Vaska-Typ mit Arylethinyl-kupfer oder -silber umgesetzt werden, entstehen 6kernige Iridium-Kupfer- oder -Silber-Cluster[9, 10]. Im Fall von Kupfer kann man auch IrCu₃-, IrCu- und Cu₂-Einheiten isolieren[9].

$$2\,IrCl(CO)L_2 \quad + \quad 8\,R{-}C{\equiv}C{-}Cu \quad \longrightarrow \quad Ir_2Cu_4(C{\equiv}C{-}R)_8L_2$$

$$I$$

R = C_6H_5; L = $P(CH_3)(C_6H_5)_2$; 90%; F: 242°
R = 4–CH_3–C_6H_4; L = $P(C_6H_5)_3$; 73%; F: 242–244°
R = 4–F–C_6H_4; L = $P(C_6H_5)_3$; 65%; F: 304° (Zers.)
R = C_6F_5; L = $P(C_6H_5)_3$; 63%; F: > 350° (Zers.)

Zur Struktur s. Lit.[10].

Bis-[triphenylphosphan]-octakis-[phenylethinyl]-diiridium-tetrakupfer[10]: Die Reaktionen werden in einer Stickstoff-Atmosphäre und in Lösungsmitteln, die mit Natrium getrocknet und über Calciumhydrid unter Stickstoff destilliert sind, durchgeführt. Beim Aufarbeiten der Reaktionsprodukte werden aber keine besonderen Vorsichtsmaßnahmen ergriffen, um Luft fernzuhalten. Es wird an Säulen chromatographiert, die mit Florisil in Petrolether (Kp: 40–60°) gefüllt sind.

Eine Mischung aus 780 mg (1 mmol) trans-Bis-[triphenylphosphan]-carbonyl-chloro-iridium und 658 mg (4 mmol) Phenylethinyl-kupfer wird in 70 ml Benzol 36 Stdn. unter Rückfluß erhitzt. Die Lösung wird gekühlt, dann filtriert und nach dem Einengen über einer Säule chromatographiert. Mit Petrolether-Benzol wird der Pur-pur-farbige Cluster-Komplex I eluiert, der in Aceton und Petrolether umkristallisiert wird; Ausbeute: 600 mg (61%); F: 235°, IR: $\nu_{C\equiv C}$ 2061(w), 2017(w) und 1973(w) cm^{-1}.

[1] S. A. GARDNER, P. S. ANDREWS u. M. D. RAUSCH, Inorg. Chem. **12**, 2396 (1973).

[2] P. F. HEVELDT, B. F. G. JOHNSON, J. LEWIS, P. R. RAITHBY u. G. M. SHELDRICK, Chem. Commun. **1978**, 340.

[3] G. F. STUNTZ, J. R. SHAPLEY u. C. G. PIERPONT, Inorg. Chem. **17**, 2596 (1978).

[4] C. G. PIERPONT, G. F. STUNTZ u. J. R. SHAPLEY, Am. Soc. **100**, 616 (1978).
C. G. PIERPONT, Inorg. Chem. **18**, 2972 (1979).

[5] M. ANGOLETTA, L. MALATESTA u. G. CAGLIO, J. Organometal. Chem. **94**, 99 (1975).
P. CHINI, persönl. Mitteilung.

[6] R. L. PRUETT, R. C. SCHOENING, J. L. VIDAL u. R. A. FIATO, J. Organometal. Chem. **182**, C 57 (1979).

[7] F. DEMARTIN, M. MANASSERO, M. SANSONI, L. GARLASCHIELLI, C. RAIMONDI u. S. MARTINENGO, J.Organometal. Chem. **243**, C 10 (1983).

[8] L. GARLASCHELLI, S. MARTINENGO, P. CHINI, F. CANZIANI u. R. BAK, J. Organometal. Chem. **213**, 379 (1981).
O. M. ABU SALAH, M. I. BRUCE, M. R. CHURCHILL u. S. A. BEZMAN, Chem. Commun. **1972**, 858.

[9] O. M. ABU SALAH u. M. I. BRUCE, Austral. J. Chem. **29**, 531 (1976).

[10] M. R. CHURCHILL u. S. A. BEZMAN, Inorg. Chem. **13**, 1418 (1974).

Bis-[triphenylphosphan]-carbonyl-chloro-iridium reagiert mit Arylethinyl-silber ähnlich wie mit der Kupfer-Verbindung[1]:

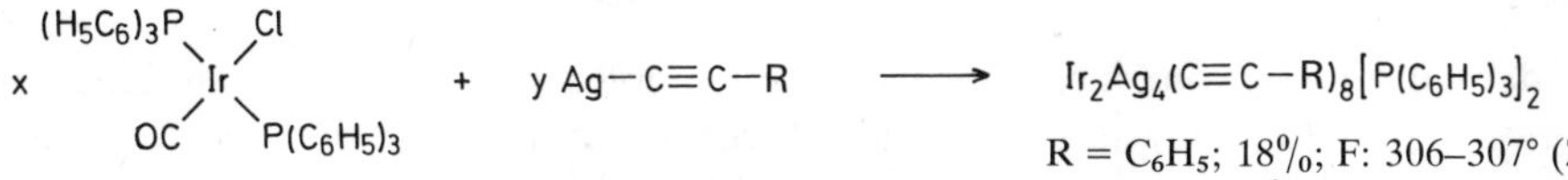

$$x \quad \begin{array}{c} (H_5C_6)_3P \quad Cl \\ Ir \\ OC \quad P(C_6H_5)_3 \end{array} \quad + \quad y \ Ag-C\equiv C-R \quad \longrightarrow \quad Ir_2Ag_4(C\equiv C-R)_8[P(C_6H_5)_3]_2$$

R = C_6H_5; 18%; F: 306–307° (Zers.)
R = C_6F_5; 24%; F: 327° (Zers.)

Zur Umsetzung mit Pentafluorphenyl-ethinyl-silber s. Lit.[1].

Die 6kernigen Cluster-Komplexe können mit Nonacarbonyldieisen unter Bindung von 2 Tetracarbonyleisen-Einheiten umgesetzt werden[2]:

$$Ir_2Cu_4(C\equiv C-R)_8[P(C_6H_5)_3]_2 \quad \xrightarrow[-CO]{\substack{+Fe_2(CO)_9 \\ 20°, C_6H_6}} \quad Ir_2Cu_4Fe_2(C\equiv C-R)_8(CO)_8[P(C_6H_5)_3]_2$$

R = C_6H_5; 63%; F: 154–156° (Zers.)
R = 4-CH_3–C_6H_4; 53%; F: 148–152° (Zers.)

B. Umwandlung

I. Spaltungsreaktionen

a) mit protischen Lösungsmitteln bzw. Protonen-säuren

1. von Organo-iridium(I)-Verbindungen

Bei der Spaltung von Organo-iridium(I)-Verbindungen durch Protonen-aktive Reagenzien, entstehen wahrscheinlich zunächst die Hydrido-organo-iridium(III)-Addukte, die in einem zweiten Reaktionsschritt ihren organischen Rest verlieren:

$$(Ir^I)R \quad + \quad HX \quad \longrightarrow \quad \begin{array}{c} X(Ir^{III})R \\ | \\ H \end{array} \quad \xrightarrow{-RH} \quad (Ir^I)X$$

Im trans-(1,2-Diphenyl-vinyl)-iridium-Komplex wird auf diese Weise mittels wasserfreiem Chlorwasserstoff in abs. Benzol nahezu quantitativ trans-Stilben abgespalten[3]:

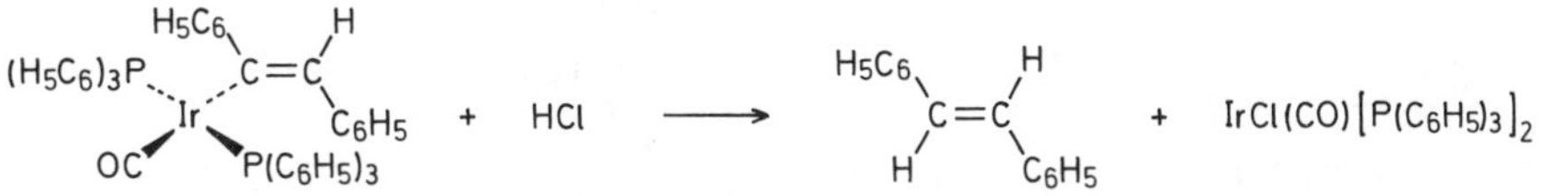

$$\begin{array}{c} (H_5C_6)_3P \quad H_5C_6 \quad H \\ Ir \quad C=C \\ OC \quad P(C_6H_5)_3 \quad C_6H_5 \end{array} \ + \ HCl \ \longrightarrow \ \begin{array}{c} H_5C_6 \quad H \\ C=C \\ H \quad C_6H_5 \end{array} \ + \ IrCl(CO)[P(C_6H_5)_3]_2$$

Auch die Alkinyl-Gruppe von Iridium(I)-Komplexen wird rasch und quantitativ abgespalten (ein intermediär gebildetes Chlorwasserstoff-Addukt kann nicht nachgewiesen werden)[4]:

[1] O. M. Abu Salah u. M. I. Bruce, Austral. J. Chem. 30, 2639 (1977).
[2] O. M. Abu Salah u. M. I. Bruce, Austral. J. Chem. 29, 531 (1976).
[3] R. A. Sanchez-Delgado u. G. Wilkinson, Soc. [Dalton] 1977, 804.
[4] C. K. Brown, D. Georgiou u. G. Wilkinson, Soc. [A] 1971, 3120.

$$Ir(C{\equiv}C{-}R)(CO)[P(C_6H_5)_3]_2 \xrightarrow{\ HCl\ } \{Ir(C{\equiv}C{-}R)ClH(CO)[P(C_6H_5)_3]_2\}$$

$$\xrightarrow[-R-C{\equiv}CH]{\ HCl\ } IrHCl_2(CO)[P(C_6H_5)_3]_2$$

Bei der Umsetzung von 5fach koordinierten Komplexen muß zunächst ein Ligand abdissoziieren, damit Halogenwasserstoff addiert werden kann. Bei folgendem Acyl-Komplex kann das wenig stabile Chlorwasserstoff-Addukt durch Zugabe von Petrolether zur benzolischen Lösung ausgefällt werden[1]. Kohlenmonoxid inhibiert die Spaltungsreaktion.

$$Ir(CO{-}C_2H_5)(CO)_2[P(C_6H_5)_3]_2 \ + \ HCl \xrightarrow[-CO]{} Ir(CO{-}C_2H_5)HCl(CO)[P(C_6H_5)_3]_2$$

$$\xrightarrow[-H_5C_2-CHO]{} IrCl(CO)L_2$$

Bei der Säure-Spaltung des Komplexes I entsteht wahrscheinlich zunächst ein π-Allyl-Komplex, der mit Säure unter Abspaltung von Propen reagiert[2]:

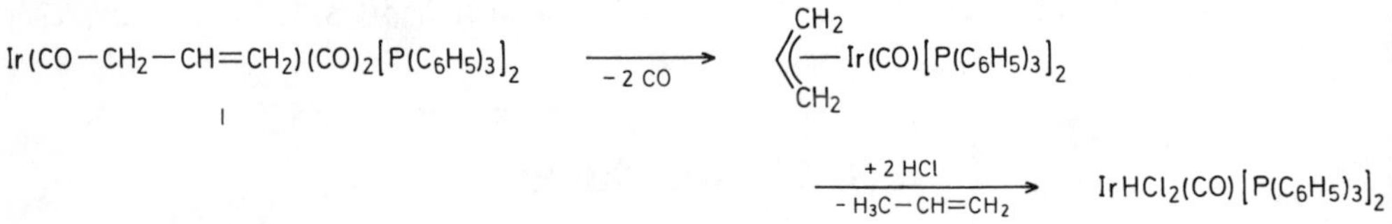

$$Ir(CO-CH_2-CH{=}CH_2)(CO)_2[P(C_6H_5)_3]_2 \xrightarrow[-2\,CO]{} \left(\!\!\left(\overset{CH_2}{\underset{CH_2}{-}}Ir(CO)[P(C_6H_5)_3]\right)\!\!\right)_2$$

I

$$\xrightarrow[-H_3C-CH=CH_2]{+2\,HCl} IrHCl_2(CO)[P(C_6H_5)_3]_2$$

Bei dem Komplex II wird andererseits bei der Spaltung durch Perchlorsäure Methanol vom Cycloocten-Derivat abgespalten, wodurch ein stabiler Chelat-Komplex entsteht[3].

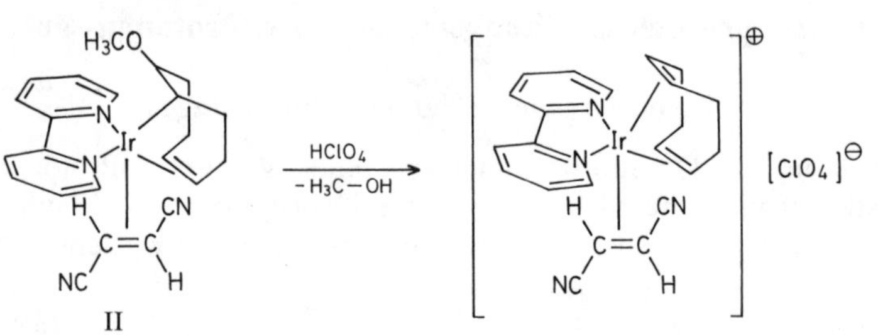

II

Ähnlich verläuft die Spaltung von Alkoxycarbonyl-iridium-Verbindungen durch Säuren; das Proton wandert an den Sauerstoff der Alkoxy-Gruppe und es wird Alkohol abgespalten, während die Carbonyl-Gruppe am Metall verbleibt[4,5].

$$Ir(COOCH_3)(CO)[Sb(C_6H_5)_3]_3 \ + \ 2\,HCl \xrightarrow[\substack{-CH_3OH \\ -CO \\ -Sb(C_6H_5)_3}]{(C_2H_5)_2O,\ 20°} IrHCl_2(CO)[Sb(C_6H_5)_3]_2$$

$$Ir(COOCH_3)(CO)_2[Sb(C_6H_5)_3]_2 \ + \ HX \xrightarrow[\substack{-CH_3OH \\ -nCO}]{} IrX(CO)_{3-n}[Sb(C_6H_5)_3]_2$$

X = Cl; n = 2
X = J; n = 1

$$Ir(COOCH_3)(CO)_2[P(C_6H_5)_3]_2 \ + \ HClO_4 \xrightarrow[-CH_3OH]{} \{Ir(CO)_3[P(C_6H_5)_3]_2\}^{\oplus}ClO_4^{\ominus}$$

[1] G. Yagupsky, C. K. Brown u. G. Wilkinson, Chem. Commun. 1969, 7244; Soc. [A] 1970, 1392.
[2] C. K. Brown, W. Mowat, G. Yagupsky u. G. Wilkinson, Soc. [A] 1971, 850.
[3] G. Mestroni, G. Zassinovich u. A. Camus, Inorg. Nuclear Chem. Letters 11, 359 (1975).
[4] L. Malatesta, G. Caglio u. M. Angoletta, Soc. 1965, 6974.
[5] W. Hieber u. V. Frey, B. 99, 2614 (1966).

Ebenso verhalten sich der (3-Alkenyloxy-carbonyl)- und (2-Hydroxy-ethoxycarbo-yl)-Komplex[1]:

$$(H_5C_6)_3P\overset{.\cdot\cdot}{\underset{H_2C\overset{\|}{\underset{\underset{P(C_6H_5)_3}{|}}{Ir}}}{}}\overset{CO}{\underset{O}{\diagdown}}O \quad bzw. \quad Ir(CO-CH_2-CH_2-OH)(CO)_2[P(C_6H_5)_3]_2 \xrightarrow{+HX} \{Ir(CO)_3[P(C_6H_5)_3]_2\}^{\oplus}X^{\ominus}$$

X = BF$_4$, ClO$_4$

Aryl-iridium(I)-Komplexe binden in einigen Fällen reversibel Halogenwasserstoff, der durch Erhitzen wieder abgespalten wird, ohne daß die C–Ir-Bindung gespalten wird[2] (vgl. a. S. 583):

$$Ir(C_6F_5)(CO)[P(C_6H_5)_3]_2 \quad + \quad HCl \quad \underset{\Delta}{\rightleftharpoons} \quad Ir(C_6F_5)HCl(CO)[P(C_6H_5)_3]_2$$

Bei weniger stabilen Komplexen wird die Ir-Aryl-Bindung beim Erhitzen gespalten[3]:

$$4\text{-}H_3C\text{—}C_6H_4)Ir(CO)[P(C_6H_5)_3]_2 \xrightarrow[C_6H_5CH_3, 25°]{+HCl}$$

$$(4\text{-}H_3C\text{—}C_6H_4)IrHCl(CO)[P(C_6H_5)_3]_2 \xrightarrow[-H_5C_6\text{—}CH_3]{100°} IrCl(CO)[P(C_6H_5)_3]_2$$

2. von Organo-iridium(III)-Verbindungen

Organo-iridium(III)-Verbindungen können gleichfalls durch Säuren gespalten werden, wenn auch ein anderer Mechanismus vorliegen muß als bei der Spaltung von Organo-iridium(I)-Komplexen. So wird der folgende Chelat-Komplex nach längerem Erhitzen in 2-Propanol durch Chlorwasserstoff zersetzt[4, 5].

$$\begin{array}{c}H_5C_6\diagdown\hspace{-1em}\overset{C_6H_5}{} \\ Cl\cdots\overset{|O}{\underset{\underset{Cl}{|}}{Ir}}\diagdown \\ (H_3C)_2S-O\hspace{0.5em}O-S(CH_3)_2 \end{array} \quad + \quad HCl \quad \xrightarrow{(H_3C)_2CH-OH, \Delta, 3 \text{ Stdn.}} \quad H_5C_6-CO-CH_2-CH_2-C_6H_5$$

Die Umsetzung vom *cis*-1,2-Diphenyl-vinyl-Komplex ist rasch und selektiv[5].

$$\begin{array}{c}H_5C_6\diagdown\hspace{2em}C_6H_5 \\ C=C \\ H\hspace{2em}IrCl_2[(H_3C)_2SO]_3 \end{array} \quad + \quad HCl \quad \xrightarrow[90\% \text{ d.Th.}]{H_3C-OH, 2 \text{ Min.}, 73°} \quad \begin{array}{c}H_5C_6\diagdown\hspace{2em}C_6H_5 \\ C=C \\ H\hspace{2em}H \end{array}$$

Der folgende Komplex wird durch Wasser in Gegenwart von Kalilauge unter Bildung von *Propen* zersetzt[6]:

$$Ir(CH_2-CH=CH_2)Cl_2[P(CH_3)_2(C_6H_5)]_3 \xrightarrow{H_2O, KOH} H_3C-HC=CH_2$$

(η^5-Pentamethylcyclopentadienyl)-bromo-(2,2-dimethyl-propyl)-trimethylphosphan-iridium spaltet beim Behandeln mit Deutero-fluorsulfonsäure *1-Deutero-2,2-dimethyl-propan* ab[7].

---

[1] P.J. FRASER, W.R. ROPER u. F.G.A. STONE, J. Organometal. Chem. **66**, 155 (1974).

[2] M.D. RAUSCH u. G.A. MOSER, Inorg. Chem. **13**, 11 (1974).

[3] L. DAHLENBURG u. R. NAST, J. Organometal. Chem. **110**, 395 (1976).

[4] H.B. HENBEST u. J. TROCHA-GRIMSHAW, Soc. [Perkin] **1974**, 601.

[5] J. TROCHA-GRIMSHAW u. H.B. HENBEST, Chem. Commun. **1968**, 757.

[6] J. POWELL u. B.L. SHAW, Chem. Commun. **1968**, 780.

[7] A.H. JANOWICZ u. R.G. BERGMAN, Am. Soc. **105**, 3929 (1983).

Bei Verwendung eines Gemisches aus Wasser, Methanol und Kaliumhydroxid entsteht lediglich ein π-Allyl-Komplex.

Bei der Spaltung von Iridolanen und Iridinanen durch wasserfreien Chlorwasserstoff entstehen die entsprechenden Alkene und Alkane (s. Lit.)[1].

Werden die Hydrido-(σ-C-L)-iridium(III)-chelat-Komplexe mit Säuren unter Erhitzen umgesetzt, so wird zunächst in einer reduktiven Eliminierung die σ–C–Ir-Bindung gespalten und an den resultierenden Iridium(I)-Komplex oxidativ die Säure angelagert; z.B.:

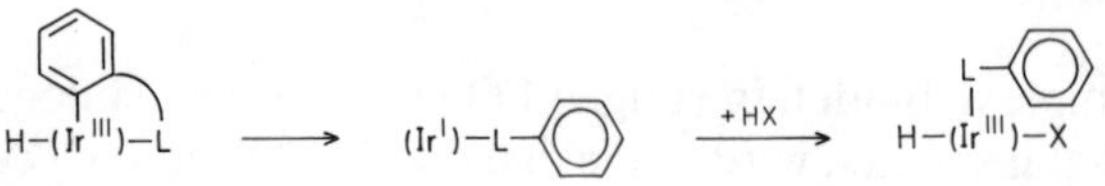

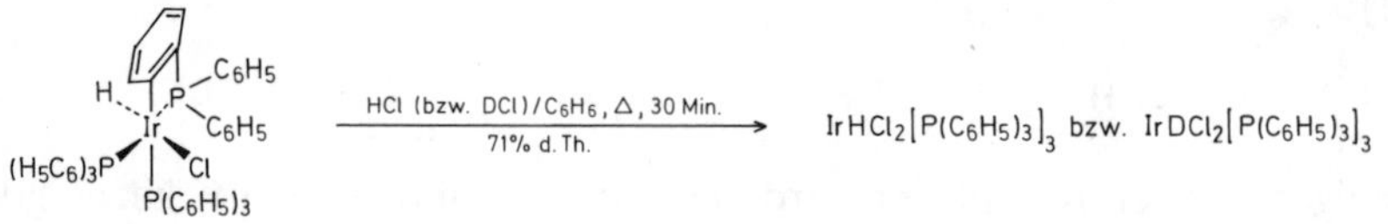

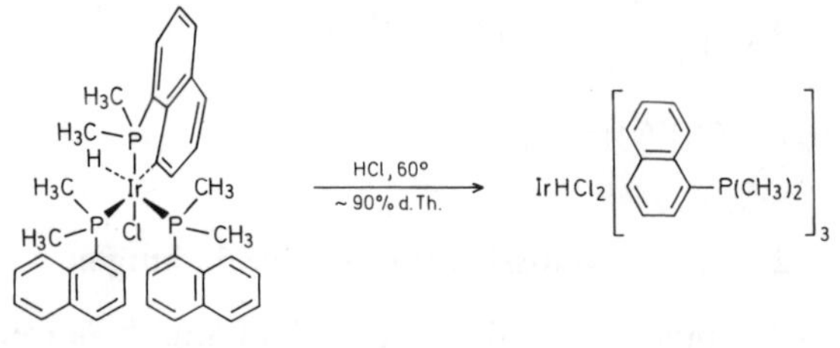

Dichloro-bis-[dimethyl-phenyl-phosphan]-[(methyl-phenyl-phosphano)-methyl-(C,P)]-iridium reagiert mit Chlorwasserstoff quantitativ unter Bildung von *mer-Trichloro-tris-[dimethyl-phenyl-phosphan]-iridium*[4].

Die Umwandlung von Alkoxycarbonyl-iridium(III)-Verbindungen durch Säuren ist ähnlich wie die der Iridium(I)-Komplexe[5, 6]. Zunächst wird der Alkohol abgespalten, der Carbonyl-Rest bleibt am Metall gebunden. Mit Wasser kann dieser wie in folgendem Beispiel den Hydroxycarbonyl-Komplex bilden (s. S. 602), der beim Erhitzen Kohlendioxid abspaltet:

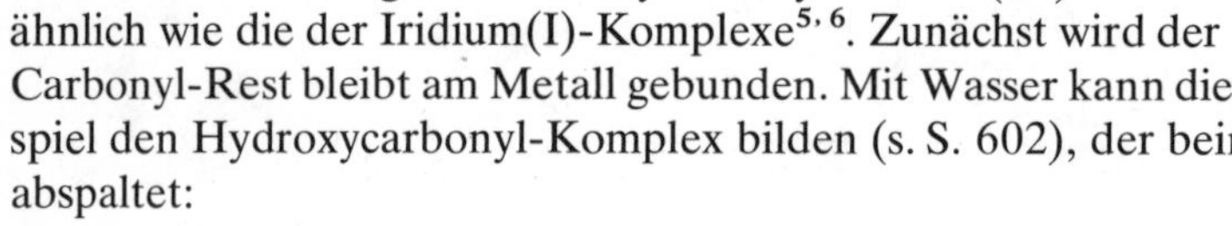

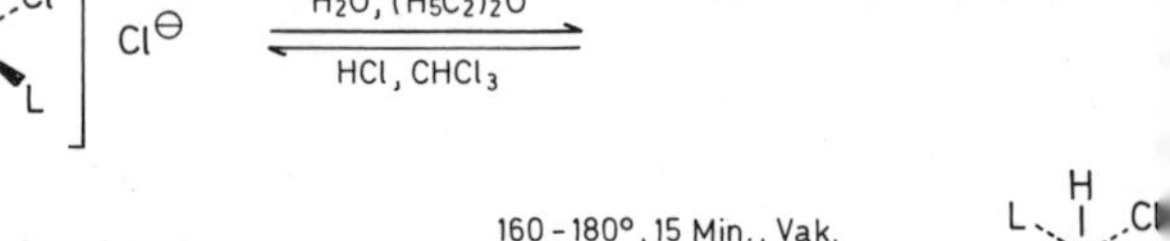

b) mit Lewis-Säuren

Stark elektrophile Verbindungen, wie Trialkyloxonium- oder Triphenylmethyl-tetrafluoroborat, spalten von Alkoxycarbonyl-iridium(I)-Verbindungen den Alkoxy-Rest ab[7], die Carbonyl-Gruppe verbleibt am Metall.

[1] P. DIVERSI, G. INGROSSO, A. LUCHERINI, W. PORZIO u. M. ZOCCHI, Inorg. Chem. **19**, 3590 (1980).
[2] M.A. BENNETT u. D.L. MILNER, Am. Soc. **91**, 6983 (1969).
[3] J.M. DUFF u. B.L. SHAW, Soc. [Dalton] **1972**, 2219.
[4] B.L. SHAW et al. Soc. [Dalton] **1981**, 1572.
[5] A.J. DEEMING u. B.L. SHAW, Soc. [A] **1969**, 443.
[6] D.L. THORN, Organometallics **1**, 197 (1982).
[7] P.J. FRASER, W.R. ROPER u. F.G.A. STONE, J. Organometal. Chem. **66**, 155 (1974).

Durch Behandlung von (η^2-Ethen)-methoxymethyl-tris-[trimethylphosphan]-iridium mit dem elektrophilen Trifluormethansulfonsäure- trimethylsilylester entsteht aus der intermediär gebildeten Methylen-Gruppe und den Ethen-Liganden zu 88% ein π-Allyl-hydrido-Komplex[1]:

$$
\begin{array}{c}
(H_3C)_3P\diagdown\ \ \Big|^{CH_2-OCH_3} \\
(H_3C)_3P\diagup\ ^{Ir}\overset{CH_2}{\underset{CH_2}{-\!/\!/}} \\
(H_3C)_3P
\end{array}
\quad \xrightarrow{\ +\,F_3C-SO_2-O-Si(CH_3)_3\ } \quad
\left[
\begin{array}{c}
H\ H_2 \\
(H_3C)_3P\diagdown\ \Big|\ \overset{C}{} \\
(H_3C)_3P\diagup\ ^{Ir}\!\!\Rrightarrow \\
(H_3C)_3P\ \ \Big|\ \underset{H_2}{C}
\end{array}
\right]^{\oplus}
[F_3C-SO_3]^{\ominus}
$$

c) mit Basen bzw. nucleophilen Verbindungen

Das bei 20° in Pyridin stabile Hydrido-(hydroxymethyl)-tetrakis-[trimethylphosphan]-iridium wird von Kalium-tert.-butanolat zersetzt[2]:

$$
\left[
\begin{array}{c}
H \\
(H_3C)_3P\diagdown\ \Big|\ \diagup P(CH_3)_3 \\
{}^{Ir} \\
(H_3C)_3P\diagup\ \Big|\ \diagdown CH_2-OH \\
(H_3C)_3P
\end{array}
\right]^{\oplus}
X^{\ominus}
\quad \xrightarrow[-\,CH_2O\,/\,-\,KX\,/\,-\,(H_3C)_3C-OH]{+\,KO-C(CH_3)_3} \quad
\begin{array}{c}
H \\
(H_3C)_3P\diagdown\ \Big|\ \diagup P(CH_3)_3 \\
{}^{Ir} \\
(H_3C)_3P\diagup\ \ \diagdown P(CH_3)_3
\end{array}
$$

X = J, [PF$_6$]

d) mit Wasserstoff bzw. reduzierenden Reagenzien

1. mit Wasserstoff

Die 5fach koordinierten Acyl-iridium(I)-Komplexe müssen zuerst dissoziieren, ehe sie mit Wasserstoff reagieren können. Der intermediär gebildete Acyl-dihydrido-Komplex zerfällt unter reduktiver Eliminierung von Aldehyd[3,4]. Die Hydrogenolyse gelingt bei Kobalt und Rhodium unter milderen Bedingungen als bei Iridium. Sie wird durch Kohlenmonoxid inhibiert, da es die freie Koordinationsstelle blockiert:

$$
Ir(CO-C_2H_5)(CO)_n[P(C_6H_5)_3]_2 \quad \underset{+L}{\overset{-L}{\rightleftharpoons}} \quad Ir(CO-C_2H_5)(CO)_{2-n}[P(C_6H_5)_3]_{2-m} \quad \xrightarrow{+H_2}
$$

$$
Ir(CO-C_2H_5)(H_2)(CO)_{2-n}[P(C_6H_5)_3]_{2-m} \quad \xrightarrow[-\,H_5C_2-CHO]{+L} \quad IrH(CO)_2[P(C_6H_5)_3]_2
$$

L = P(C$_6$H$_5$)$_3$ bzw. CO
n = 0, m = 1
n = 1, m = 0

σ-Allyl- und 3-Butenoyl-iridium(I)-Verbindungen wandeln sich bei 20° zunächst in den π-Allyl-Komplex um, ehe sie durch Wasserstoff abgespalten werden[5]:

---

[1] D. L. THORN, Organometallics 1, 879 (1982).

[2] D. L. THORN u. T. H. TULIP, Organometallics 1, 1580 (1982).

[3] G. YAGUPSKY, C. K. BROWN u. G. WILKINSON, Chem. Commun. 1969, 1244; Soc. [A] 1970, 1392.

[4] C. K. BROWN, W. MOWAT, G. YAGUPSKY u. G. WILKINSON, Soc. [A] 1971, 850.

[5] Der σ-Allyl-Komplex dissoziiert in Lösung sofort.

$$\text{Ir(CO}-\text{CH}_2-\text{CH}=\text{CH}_2)(\text{CO})_2[\text{P}(\text{C}_6\text{H}_5)_3]_2$$

$$\text{Ir(CH}_2-\text{CH}=\text{CH}_2)(\text{CO})_2[\text{P}(\text{C}_6\text{H}_5)_3]_2$$

$$\xrightarrow[-\text{CO}]{-2\,\text{CO} \quad \text{C}_6\text{H}_6,\,1\,\text{Stde.}} \quad \begin{matrix}\text{CH}_2\\ \langle\!\!\langle \quad -\text{Ir(CO)}[\text{P}(\text{C}_6\text{H}_5)_3]_2\\ \text{CH}_2\end{matrix}$$

$$\downarrow\,-\,\text{H}_3\text{C}-\text{CH}=\text{CH}_2 \quad +2\,\text{H}_2$$

$$\text{IrH}_3(\text{CO})[\text{P}(\text{C}_6\text{H}_5)_3]_2$$

Der Benzoyl-Komplex wird im Gegensatz zu aliphatischen Acyl-Verbindungen zunächst decarbonyliert. Es entsteht sowohl bei der Spaltung mit Wasserstoff als auch mit einem Kohlenmonoxid-Wasserstoff-Gemisch im Gegensatz zur Rhodium-Verbindung immer ein Aromat und nicht Benzaldehyd[1].

$$\text{Ir(CO}-\text{C}_6\text{H}_5)(\text{CO})_{2+n}[\text{P}(\text{C}_6\text{H}_5)_3]_{2-n} \xrightarrow[\substack{-2\,\text{CO}\\-\text{IrH}_3(\text{CO})[\text{P}(\text{C}_6\text{H}_5)_3]_2}]{+2\,\text{H}_2} \quad \text{C}_6\text{H}_6$$

$$n = 0,1$$

Auch 1-Alkinyl-iridium-Verbindungen zersetzen sich unter relativ drastischen Bedingungen durch ein Wasserstoff-Kohlenmonoxid-Gemisch[2]:

$$\text{Ir(C}\equiv\text{C}-\text{CH}_3)(\text{CO})[\text{P}(\text{C}_6\text{H}_5)_3]_2 \xrightarrow{\text{H}_2/\text{CO, 60 bar, C}_6\text{H}_6,\,50°,\,10\,\text{Stdn.}} \text{IrH(CO)}_2[\text{P}(\text{C}_6\text{H}_5)_3]_2$$

Ortho-metallierte Triphenylphosphan-Komplexe werden durch Behandeln mit Wasserstoff in fac-Trihydrido-tris-[triphenylphosphan]-iridium ($\sim 100\%$; F: 213–214°, Zers.) umgewandelt. Dagegen entsteht bei der Spaltung mit Methanol der mer-Komplex (s. S. 617)[3,4]; z.B.:

$$\begin{matrix}\text{H}_5\text{C}_6 \quad \text{C}_6\text{H}_5\\ (\text{H}_5\text{C}_6)_3\text{P}\diagdown\;\diagup\text{P}\\ \text{Ir}\\ (\text{H}_5\text{C}_6)_3\text{P}\diagup\end{matrix} \xrightarrow{+2\,\text{H}_2\,;\,\text{CHCl}_3\,,\,20°,\,5\,\text{Min.}} \begin{matrix}\text{H}\quad\text{H}\quad\text{H}\\ \diagdown\!\!\mid\!\!\diagup\\ (\text{H}_5\text{C}_6)_3\text{P}\;\overset{\text{Ir}}{\mid}\;\text{P}(\text{C}_6\text{H}_5)_3\\ \text{P}(\text{C}_6\text{H}_5)_3\end{matrix}$$

Die ortho-metallierte σ–C–Ir-Bindung des dreiwertigen Hydrido-triphenylphosphan-Komplexes I wird gleichfalls durch Wasserstoff gespalten[4,5]. Bei Verwendung von molekularem Deuterium entstehen zwei Addukte:

$$\begin{matrix}\text{H}_5\text{C}_6\diagdown\text{P}\quad\text{H}\\ \text{H}_5\text{C}_6\diagup\;\;\text{Ir}\\ \text{Cl}\;\overset{\mid}{\;}\;\text{P}(\text{C}_6\text{H}_5)_3\\ \text{P}(\text{C}_6\text{H}_5)_3\end{matrix}$$

I

$$\xrightarrow{\text{C}_6\text{H}_6,\,\triangle\,,\,1\,\text{Stde.}} \text{IrCl}[\text{P}(\text{C}_6\text{H}_5)_3]_3 \xrightarrow{+\text{D}_2} \text{IrD}_2\text{Cl}[\text{P}(\text{C}_6\text{H}_5)_3]_3$$

$$\xrightarrow{+\text{D}_2\,;\,\triangle,\,\text{C}_6\text{H}_6} \text{IrHDCl}\left[\text{P}(\text{C}_6\text{H}_5)_2\!-\!\!\bigcirc\!\!-\!\!\right][\text{P}(\text{C}_6\text{H}_5)_3]_2$$

$$\text{D}$$

[1] G. Yagupsky, C. K. Brown u. G. Wilkinson, Soc. [A] **1970**, 1392.

[2] C. K. Brown, D. Georgiou u. G. Wilkinson, Soc. [A] **1971**, 3120.

[3] F. Morandini, B. Longato u. S. Bresadola, J. Organometal. Chem. **132**, 291 (1977).

[4] G. L. Geoffroy u. R. Pierantozzi, Am. Soc. **98**, 8054 (1976).

[5] M. A. Bennett u. D. L. Milner, Am. Soc. **91**, 6983 (1969).

2. Alkohole als Wasserstoff-Lieferant

Die Transfer-Hydrierung von Ketonen durch Alkohole mit Verbindungen der 8. Nebengruppe als Katalysatoren ist mehrfach beschrieben worden (vgl. Bd. VI/1b).

Gleichfalls als Wasserstoff-Quelle wirkt der Alkohol bei der Umsetzung des Komplexes I in siedendem Ethanol[1]:

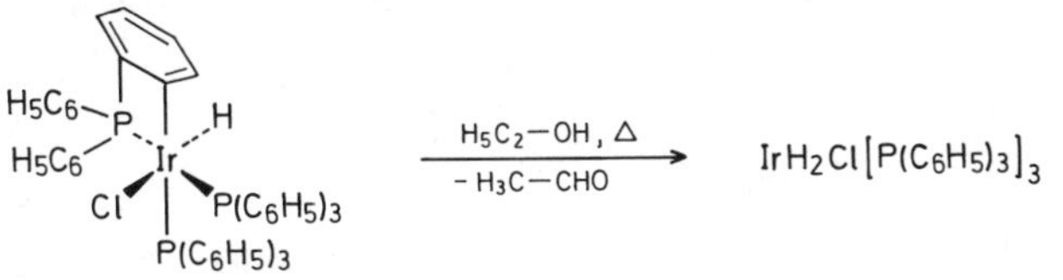

I

Die oben beschriebene Reaktion gelingt auch mit dem analogen Dihydrido-Komplex und Methanol als Wasserstoff-Donator[2]:

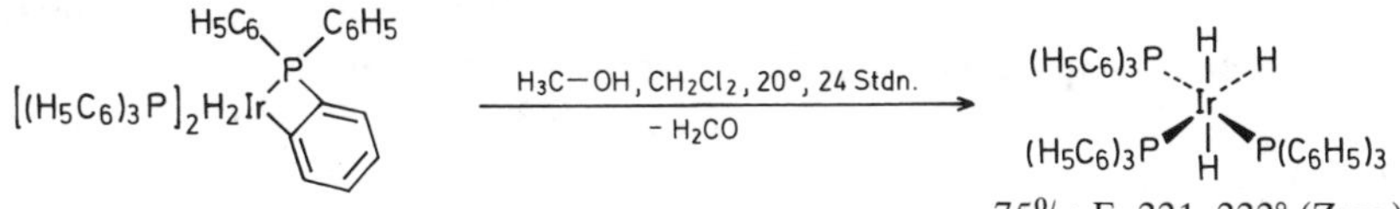

75%; F: 221–222° (Zers.)

3. Elektrochemische Reduktion

Die elektrochemische Reduktion von Alkyl- und Aryl-iridium(I)-Verbindungen ist eingehend in Acetonitril an einer Quecksilber-Elektrode untersucht worden[3]. Sie verläuft in einem Zwei-Elektronenschritt. Das Reduktionspotential hängt von der Fähigkeit des organischen Restes ab, Elektronen aufzunehmen.

Zusatz von freiem Triphenylphosphan beeinflußt nicht das Reduktionspotential. Zur Stabilisierung des bei der Reduktion gebildeten Anions ist aber ein fünffacher Phosphan-Überschuß notwendig:

$$IrR(CO)[P(C_6H_5)_3]_2 \xrightarrow[H_3C-CN\,/\,C_6H_6\,/\,0{,}1\,M\,[(H_5C_2)_4N]^{\oplus}[ClO_4]^{\ominus}]{+2e\,/\,P(C_6H_5)_3\,/\,HX\,;\,Ar,\,25^\circ} \{Ir(CO)[P(C_6H_5)_3]_3\}^{\ominus} + R-H$$

$R = CH_3, C_6H_5, C(C_6H_5)_3, C_6F_5$

e) mit Halogenen bzw. Organo-halogen-Verbindungen

1. mit Halogenen

Der Alkoxycarbonyl-iridium(I)-Komplex I wird durch Behandeln mit Brom in den Tribromo-iridium(III)-Komplex umgewandelt[4]:

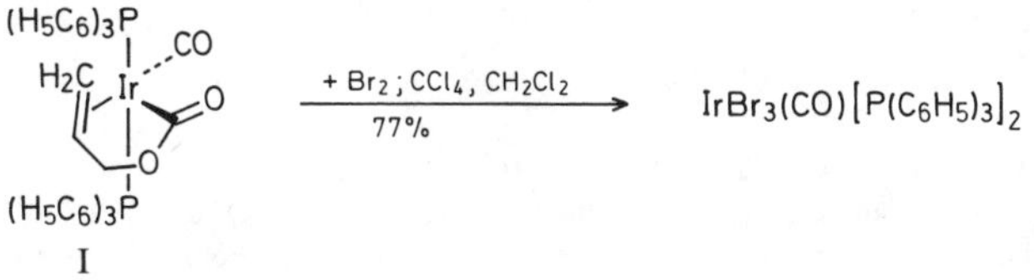

I

---

[1] M. A. Bennett u. D. L. Milner, Am. Soc. **91**, 6983 (1969).

[2] F. Morandini, B. Longato u. S. Bresadola, J. Organometal. Chem. **132**, 291 (1977).

[3] G. Schiavon, S. Zecchin, G. Pilloni u. M. Martelli, J. Organometal. Chem. **121**, 261 (1976).

[4] P. J. Fraser, W. R. Roper u. F. G. A. Stone, J. Organometal. Chem. **66**, 155 (1974).

Alkyl- bzw. Cycloalkyl-iridium(III)- und Iridolan-Verbindungen werden gleichfalls durch elementares Brom gespalten[1-3]:

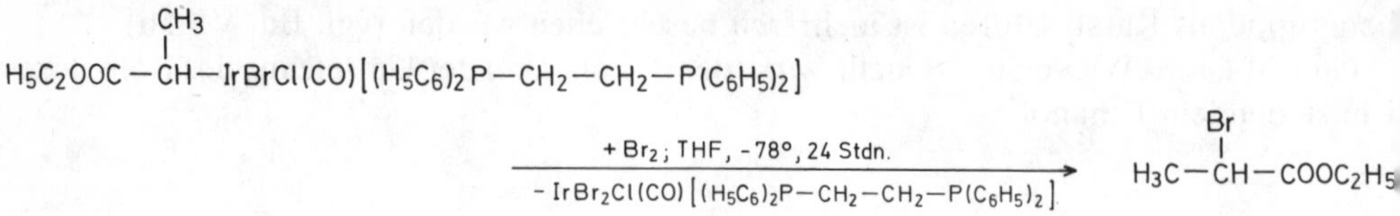

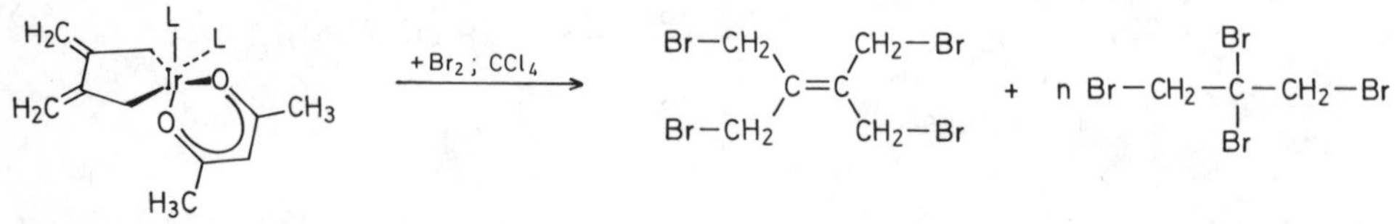

L = Pyridin, Allen

Bei der Spaltung der folgenden Acyl- und (Alkylthio-thiocarbonyl)-iridium(III)-Verbindungen verbleiben Carbonyl- oder Thiocarbonyl-Ligand am Metall[4, 5].

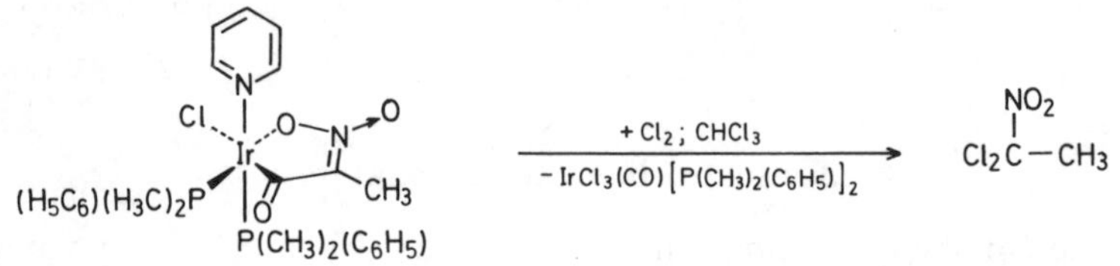

$$Ir(CS—SCH_3)Cl_2(CO)[P(C_6H_5)_3]_2 \xrightarrow{2J_2} \{IrCl_2(CS)(CO)[P(C_6H_5)_3]_2\}^{\oplus}J_3^{\ominus}$$

Wird der ortho-metallierte Triphenylphosphan-iridium-Komplex II mit viel Chlor behandelt, entsteht u.a. die Tetrachloro-iridium(IV)-Verbindung III[6]. Aus der analogen Arsan-Verbindung entsteht einheitlich der Komplex III:

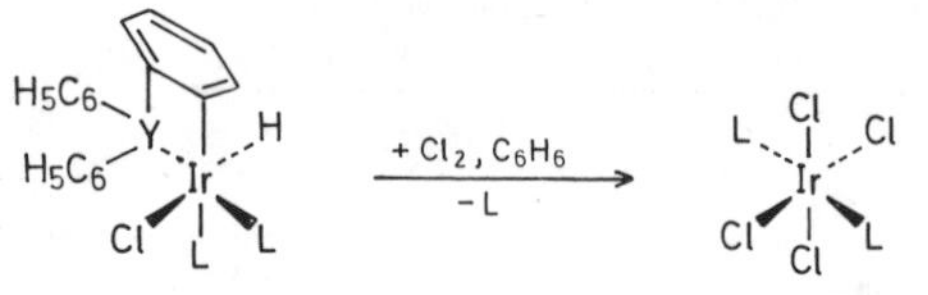

L = P(C₆H₅)₃, As(C₆H₅)₃,
Y = P, As

Das Produktgemisch besitzt ein magnetisches Moment von 1,76 ± 0,06 BM und ein ESR-Spektrum, das für die Struktur III spricht.

Zur Aufspaltung von Bis-[dimethyl-phenyl-phosphan]-dichloro-[(methyl-phenyl-phosphano)-methyl-(C,P)]-iridium durch Halogen s. Lit.[7].

[1] R.G. PEARSON u. W.R. MUIR, Am. Soc. 92, 5519 (1970).
[2] A.H. JANOWICZ u. R.G. BERGMAN, Am. Soc. 104, 352 (1982); 105, 3929 (1983).
[3] P. DIVERSI, G. INGROSSO, A. IMMIRZI u. M. ZOCCHI, J. Organometal. Chem. 104, C1 (1976).
P. DIVERSI et al. Inorg. Chem. 19, 3590 (1980).
[4] T.A.B.M. BOLSMAN u. J.A. VAN DOORN, J. Organometal. Chem. 178, 381 (1979).
[5] W.R. ROPER u. K.G. TOWN, Chem. Commun. 1977, 781.
[6] M.A. BENNETT u. D.L. MILNER, Am. Soc. 91, 6983 (1969).
[7] B.L. SHAW et al., Soc. [Dalton] 1981, 1572.

2. mit organischen Halogen-Verbindungen

Jodmethan bildet mit (Allyloxy-carbonyl)-bis-[triphenylphosphan]-carbonyl-iridium zunächst den Dicarbonyl-jodo-Komplex, der mit einem Jodmethan-Überschuß unter oxidativer Addition zum *Bis-[triphenylphosphan]-carbonyl-dijodo-methyl-iridium* (65%) weiter reagiert[1]:

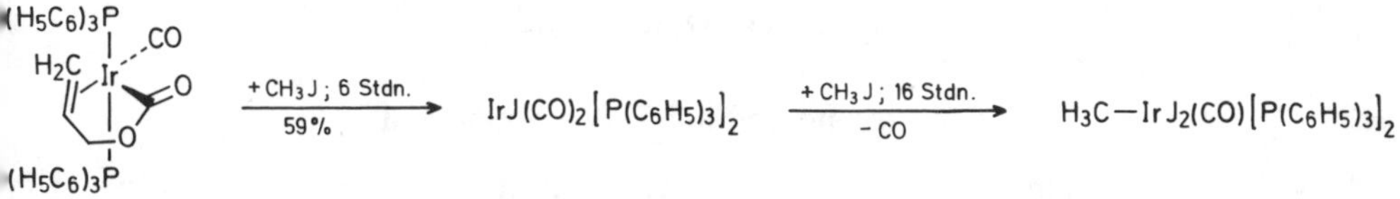

Zur Spaltung von Alkoxycarbonyl-iridium(I)-Komplexen kann auch 2-Chlor-ethanol und 3-Chlor-propanol verwendet werden[1, 2]:

$$Ir(COOCH_3)(CO)_2[P(C_6H_5)_3]_2 \quad \xrightarrow[-2CO]{\substack{+ Cl-(H_2C)_n-OH \\ C_6H_6, 20°, 16 \text{ bzw. } 4 \text{ Stdn.}}} \quad IrCl(CO)[P(C_6H_5)_3]_2$$

$$n = 2,3 \qquad\qquad\qquad\qquad\qquad\qquad 72 \text{ bzw. } 92\%$$

Die folgenden Organo-iridium(III)-Komplexe reagieren mit Polyhalogenmethan unter Spaltung der C–Ir-Bindung[3]. Auffällig ist, daß die Reaktion bei relativ tiefer Temperatur gelingt, wenn die organischen Reste Mesomerie-stabilisierte Radikale bilden können. Die Reaktion wird durch Radikal-Initiatoren wie Dibenzoyl-peroxid beschleunigt. Der Angriff des Trichlormethyl-Radikals erfolgt i.a. an der C=C-Doppelbindung in γ-Stellung zum Metall:

$$Ir(R)X^1Y(CO)L_2 \quad + \quad X^2-CCl_3 \quad \xrightarrow[-IrX^1X^2Y(CO)L_2]{40-60°} \quad R-CCl_3$$

R	X^1	Y	L	X^2	Cl_3C-R
$CH_2-CH=CH_2$	Br	Cl	$P(CH_3)_2(C_6H_5)$	Br	*4,4,4-Trichlor-1-buten*
			$P(C_6H_5)_3$	Br	*4,4,4-Trichlor-1-buten*
					+ 3-Chlor-propen
	Cl	Cl	$P(C_6H_5)_3$	Cl	*4,4,4-Trichlor-1-buten*
					+ 3-Chlor-propen
$\underset{CH_2-C=CH_2}{\overset{CH_3}{\mid}}$	Cl	Cl	$P(CH_3)_2(C_6H_5)$	Br	*2-Methyl-4,4,4-trichlor-1-buten*
$CH_2-CH=CH-CH_3$	Br	Cl	$P(C_6H_5)_3$	Br	*1,1,1-Trichlor-3-penten*
					+ 3-Chlor-1-buten
$CH=C=CH_2$	Br	Cl	$P(C_6H_5)_3$	Br	*4,4,4-Trichlor-1-butin*
$CH_2-C_6H_5$	Br	Cl	$P(CH_3)_2(C_6H_5)$	Br	*Benzylchlorid*

Aryl-iridium(III)-Komplexe können als Arylierungsreagenzien dienen. So erhält man *Biphenyl* beim Erhitzen von Bis-[triphenylphosphan]-carbonyl-chloro-iridium mit Chlorbenzol (<200°, 2 Tage)[4]. Beim kurzzeitigen Erhitzen auf 220° von Bis-[triphenylphosphan]-carbonyl-chloro-jodo-phenyl-iridium mit Phenylacetylchlorid erhält man *1,2-Diphenyl-1-oxo-ethan* in annehmbarer Ausbeute:

$$Ir(C_6H_5)ClJ(CO)[P(C_6H_5)_3]_2 \quad \xrightarrow[-\{IrCl_2J(CO)[P(C_6H_5)_3]_2\}]{+ H_5C_6-CH_2-CO-Cl; 220°} \quad H_5C_6-CO-CH_2-C_6H_5$$

[1] P.J. FRASER, W.R. ROPER u. F.G.A. STONE, J. Organometal. Chem. **66**, 155 (1974).
[2] H.C. CLARK u. K. v. WERNER, Synth. React. Inorg. Met.-org. Chem. **4**, 355 (1974).
[3] A.E. CREASE, B.D. GUPTA, M.D. JOHNSON u. S. MOORHOUSE, Soc. [Dalton] **1978**, 1821.
[4] J. BLUM, M. WEITZBERG u. R.J. MUREINIK, J. Organometal. Chem. **122**, 261 (1976).

f) mit Chalkogenen

Die Umsetzung von Iridol-Verbindungen mit Chalkogenen zu den entsprechenden Chalkogen-Heterocyclen ist auf S. 626 beschrieben worden.

g) durch Thermolyse

1. von Organo-iridium(I)-Verbindungen

Alkyl-iridium-Verbindungen verlieren relativ leicht ihren organischen Rest, wenn in β-Stellung zum Metall Wasserstoff-Atome stehen. Unter Abspaltung von Olefinen entstehen Hydrido-iridium(I)-Verbindungen („β-Hydrid-Eliminierung"). Die Reaktion wurde mit Hilfe des Isotopen-Effektes von Deuterium näher untersucht[1, 2]:

$$H_{11}C_6-\underset{\underset{X}{|}}{\overset{\overset{D}{|}}{C}}-CH_2-Ir(CO)[P(C_6H_5)_3]_2 \rightleftharpoons \underset{D-Ir(CO)[P(C_6H_5)_3]_2}{\overset{H_{11}C_6}{\underset{X}{\searrow}}C=CH_2} \xrightarrow{k_1 (D)} \underset{H_{11}C_6}{\overset{X}{\searrow}}C=CH_2$$

X = D, H

Die Reaktion kann zur Isomerisierung von höheren Olefinen mit Iridium-Komplexen verwendet werden; z.B.:

$$\underset{H}{\overset{R^2-CH_2}{\searrow}}C=CH-R^1 \xrightarrow{(IrH)} R^2-CH_2-\underset{Ir}{\overset{|}{C}H}-CH_2-R^1 \xrightarrow{-(IrH)} R^2-CH=CH-CH_2-R^1$$

Acyl-iridium-Verbindungen werden beim Erhitzen zunächst decarbonyliert, ehe sie das Olefin abspalten[3]:

$$Ir(CO-C_2H_5)(CO)_2[P(C_6H_5)_3]_2 \xrightarrow[-CO]{C_6H_6, \triangle} Ir(C_2H_5)(CO)_2[P(C_6H_5)_3]_2$$

$$\xrightarrow[-H_2C=CH_2]{} IrH(CO)_2[P(C_6H_5)_3]_2$$

Die termische Stabilität von Vinyl-iridium(I)-Verbindungen ist größer als von Alkyl-Analogen[4]. Je nachdem ob die β-Wasserstoff-Atome der C=C-Doppelbindung cis- oder trans-ständig zum Iridium-Rest stehen, treten beträchtliche Unterschiede auf:

$$\underset{H_3C}{\overset{H_3C}{\searrow}}C\underset{C-H}{\overset{Ir(CO)[P(C_6H_5)_3]_2}{|}} \xrightarrow{C_6H_6, 20°} \left[\begin{array}{c}CH_3 \\ | \\ C \\ ||| -Ir(CO)[P(C_6H_5)_3]_2 \\ C \\ | \\ CH_3\end{array}\right] \xrightarrow{L} \begin{array}{c}CH_3 \\ | \\ C \\ ||| \\ C \\ | \\ CH_3\end{array} + HIr(CO)[P(C_6H_5)_3]_2$$

$$\underset{H}{\overset{H_3C}{\searrow}}C\underset{CH_3}{\overset{Ir(CO)[P(C_6H_5)_3]_2}{|}} \xrightarrow{C_6D_6, 90°, 8 Stdn.} \left[\begin{array}{c}CH_2 \\ || \quad Ir(CO)[P(C_6H_5)_3]_2 \\ C \\ || \\ CH-CH_3\end{array}\right] \rightarrow \underset{H_3C}{\overset{CH_2}{\diagdown\!\!\diagup}}-Ir(CO)[P(C_6H_5)_3]_2$$

[1] J. EVANS, J. SCHWARTZ u. P.W. URQUHART, J. Organometal. Chem. **81**, C 37 (1974).
[2] J. SCHWARTZ u. J.B. CANNON, Am. Soc. **96**, 2276 (1974).
[3] G. YAGUPSKY, C.K. BROWN u. G. WILKINSON, Soc. [A] **1970**, 1392.
[4] J. SCHWARTZ, D.W. HART u. B. McGIFFERT, Am. Soc. **96**, 5613 (1974).

Der *cis*-ständige Vinyl-Wasserstoff reagiert schneller als der β-ständige allylische Methyl-Wasserstoff. Wenn keine zu Iridium β-*cis*-ständigen Wasserstoff-Atome vorhanden sind, wird der Vinyl-Rest erst nach oxidativer Addition der C–H-Bindung von Triphenylphosphan abgespalten[1]:

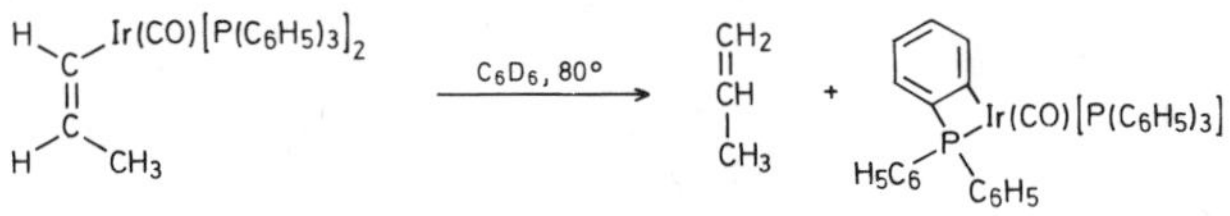

2. von Iridium(III)-Verbindungen

Die Abspaltung von Olefinen gelingt bei Alkyl-iridium(III)-Komplexen erst bei höheren Reaktionstemperaturen als bei den Alkyl-iridium(I)-Verbindungen. So wird beim Erhitzen von Dicarbonyl-dichloro-ethyl-pyridin-iridium auf 137° Ethen und Pyridin abgespalten[2].

Der Vaska-Komplex katalysiert selektiv und unter milden Bedingungen die Umwandlung aliphatischer Acyl-halogenide zu Olefinen[3]:

$$IrCl(CO)[P(C_6H_5)_3]_2 \xrightarrow{X-CO-CR_2-CR_2H} Ir(CO-CR_2-CR_2H)ClX(CO)[P(C_6H_5)_3]_2 \xrightarrow{-CO}$$

$$Ir(CR_2-CR_2H)ClX(CO)[P(C_6H_5)_3]_2 \xrightarrow[-H-IrClX(CO)[P(C_6H_5)_3]_2]{} R_2C=CR_2$$

Der (1,2-Dideutero-2-phenyl-ethyl)-iridium-Komplex I verliert seinen organischen Rest erst beim Erhitzen in Hexamethyldisiloxan in einem evakuierten und abgeschmolzenen Rohr über einer offenen Flamme. Es entstehen alle sechs Mono- und Dideutero-styrol- Derivate. Das Disiloxan wird verwendet, um freigesetzten Halogenwasserstoff rasch abzufangen, der anderenfalls mit Styrol reagiert[4].

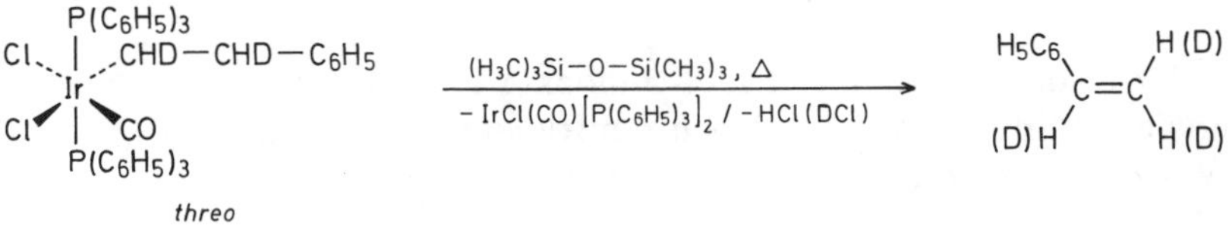

Bis-[trimethylphosphan]-bromo-carbonyl-chloro-(1-ethoxycarbonyl-2-fluor-2-phenyl-ethyl)-iridium verliert bereits beim Behandeln mit Silber-hexafluorophosphat *trans*-*Zimtsäure-ethylester*[5]:

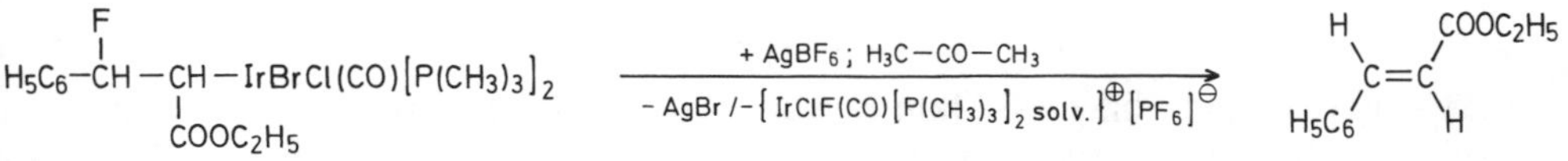

---

[1] J. SCHWARTZ, D. W. HART u. B. McGIFFERT, Am. Soc. **96**, 5613 (1974).

[2] B. L. SHAW u. E. SINGLETON, Soc. [A] **1967**, 1683.

[3] J. BLUM, S. KRAUS u. Y. PICKHOLTZ, J. Organometal. Chem. **33**, 227 (1971).

[4] N. A. DUNHAM u. M. C. BAIRD, Soc. [Dalton] **1975**, 774.

[5] J. A. LABINGER u. J. A. OSBORN, Inorg. Chem. **19**, 3230 (1980).

Der (η^5-Pentamethylcyclopentadienyl)-Komplex II zersetzt sich bereits bei 20°; zur Zersetzung des entsprechenden Cyclopentadienyl- Komplexes ist dagegen Erhitzen auf 110° in Toluol erforderlich[1]:

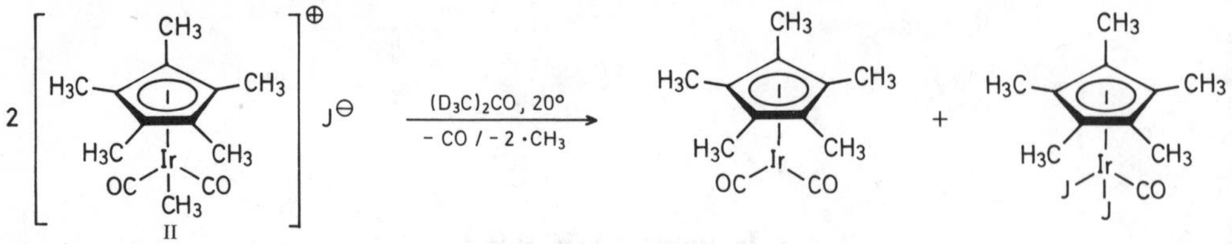

Beim längeren Erhitzen des dimeren Alkyl-iridium(III)-Komplexes III wird der organische Rest als Olefin abgespalten[2]:

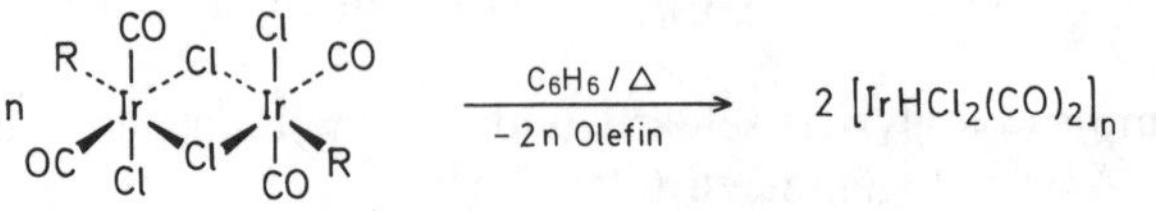

Die Iridolane und Iridinane sind schwerer zu spalten als die analogen Rhodium-Verbindungen[3,4]. Die Aktivierungsenergie ist mit 63–77 kcal/mol etwa doppelt so hoch wie bei Rhodium. Es entsteht ein Kohlenwasserstoff-Gemisch, das hauptsächlich C_4- bzw. C_5-Cycloalkane enthält. So reagiert der folgende Komplex unter Ringverengung zu einem Cyclobutan-Derivat[5]:

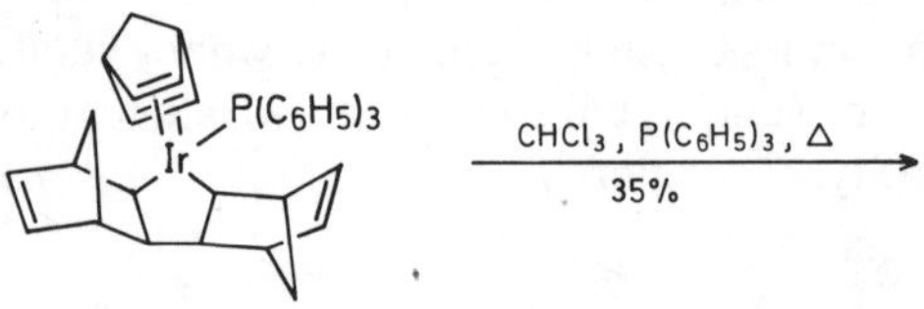

Beim Erhitzen des sehr stabilen Iridol-chinons IV auf 290° wird, wie bereits bei der analogen Rhodium-Verbindung beschrieben, der Iridium-Rest abgespalten[6]. Unter 1,3-Wasserstoff-Wanderung wird eine Phenyl-Gruppe an den Metall-freien Rest ankondensiert.

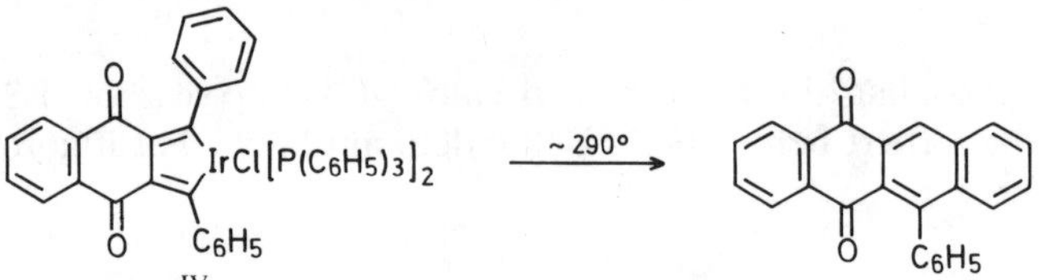

Alkyl-, Cycloalkyl- bzw. 1-Alkinyl-hydrido-iridium(III)-Verbindungen können in Umkehr der „oxidativen Addition" 1-Alkine in einer „reduktiven Eliminierung" abspalten; z.B.[7,8]:

[1] A.J. OLIVER u. W.A.G. GRAHAM, Inorg. Chem. **9**, 2653 (1970).

[2] M.A. BENNETT, R. CHARLES u. T.R.B. MITCHELL, Am. Soc. **100**, 2737 (1978).

[3] P. DIVERSI, G. INGROSSO, A. LUCHERINI, W. PORZIO u. M. ZOCCHI, Chem. Commun. **1977**, 811.

[4] A. CUCCURU, P. DIVERSI, G. INGROSSO u. A. LUCHERINI, J. Organometal. Chem. **204**, 123 (1981).

[5] A.R. FRASER, P.H. BIRD, S.A. BEZMAN, J.R. SHAPLEY u. J.A. OSBORN, Am. Soc. **95**, 597 (1973).

[6] E. MÜLLER u. C. BEISSNER, Ch.Z. **96**, 170 (1972).

[7] A.H. JANOWICZ u. R.G. BERGMAN, Am. Soc. **104**, 352 (1982); **105**, 3929 (1983).

[8] M.A. BENNETT, R. CHARLES u. P.J. FRASER, Austral. J. Chem. **30**, 1213 (1977).

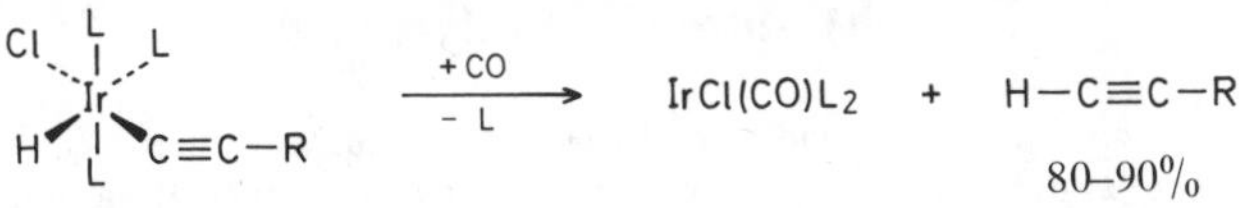

$$\text{Cl} \overset{\overset{L}{|}}{\underset{\underset{L}{|}}{\text{Ir}}} \overset{L}{\underset{C\equiv C-R}{}} \quad \xrightarrow[-\ L]{+\ CO} \quad IrCl(CO)L_2 \quad + \quad H-C\equiv C-R$$

$$R = C_3H_7,\ C_4H_9,\ CH_2-CH_2-OH \qquad\qquad\qquad 80–90\%$$

Die reduktive Eliminierung ist auch bei Aryl-hydrido-Komplexen möglich[1,2].

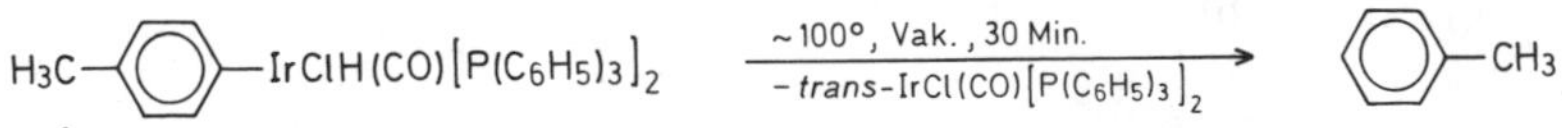

$$H_3C-\!\!\!\bigcirc\!\!\!-IrClH(CO)[P(C_6H_5)_3]_2 \quad \xrightarrow[-\ trans\text{-}IrCl(CO)[P(C_6H_5)_3]_2]{\sim 100°,\ Vak.,\ 30\ Min.} \quad \bigcirc\!\!\!-CH_3$$

Enthält die Aryl-iridium(III)-Verbindung keine Hydrido-Gruppe, so dimerisieren die Aryl-Reste, der 4-Methyl-phenyl-Rest leichter als die Phenyl-Gruppe[3].

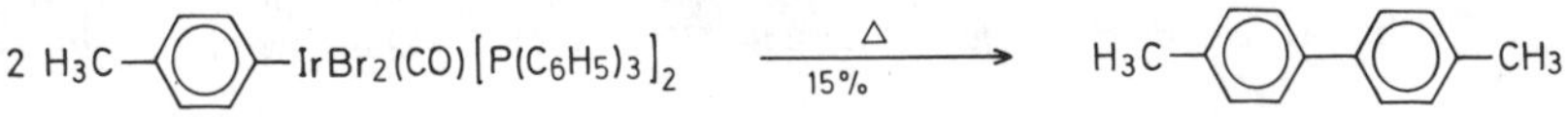

$$2\ H_3C-\!\!\!\bigcirc\!\!\!-IrBr_2(CO)[P(C_6H_5)_3]_2 \quad \xrightarrow[15\%]{\Delta} \quad H_3C-\!\!\!\bigcirc\!\!\!-\!\!\!\bigcirc\!\!\!-CH_3$$

Der ortho-metallierte Hydrido-triphenylphosphan-iridium(III)-Komplex V reagiert beim Erhitzen ebenfalls unter reduktiver Rekombination des am Liganden gebundenen Aryl-Restes mit dem Hydrid[4]. Ähnlich verhält sich der cyclometallierte Benzoyl-Rest, der bei der thermischen Behandlung zunächst decarbonyliert wird[5].

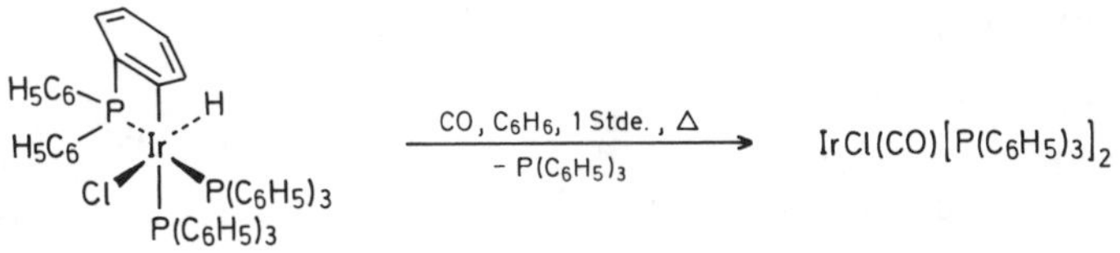

$$\xrightarrow[-\ P(C_6H_5)_3]{CO,\ C_6H_6,\ 1\ Stde.,\ \Delta} \quad IrCl(CO)[P(C_6H_5)_3]_2$$

V

$$\xrightarrow[-\ CO]{Xylol,\ 139–141°} \quad IrCl(CO)[P(C_6H_5)_3]_2$$

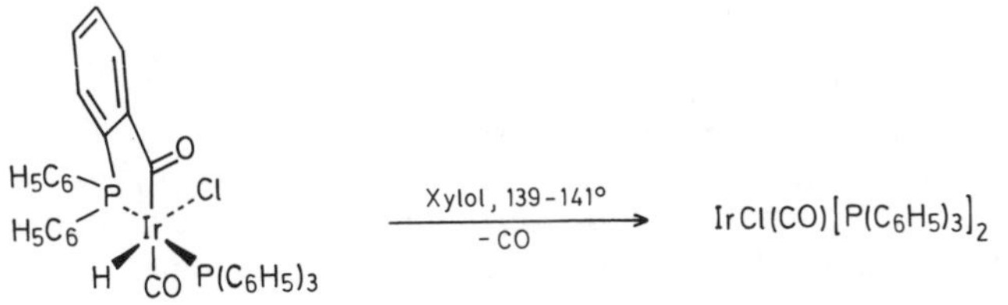

Wird der (Methylthio-thiocarbonyl)-iridium(III)-Komplex VI in tert.-Butanol unter Rückfluß erhitzt, verbleibt der Thiocarbonyl-Rest am Metall[6]. Unter 1,2-Eliminierung wird Methanthiol abgespalten:

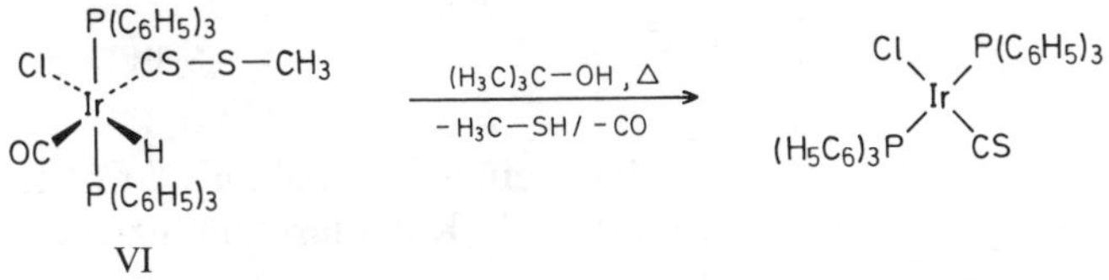

$$\text{OC} \overset{\overset{P(C_6H_5)_3}{|}}{\underset{\underset{P(C_6H_5)_3}{|}}{\text{Ir}}} \overset{Cl}{\underset{H}{CS-S-CH_3}} \quad \xrightarrow[-\ H_3C-SH\ /\ -\ CO]{(H_3C)_3C-OH,\ \Delta} \quad (H_5C_6)_3P \overset{Cl}{\underset{CS}{\diagdown Ir \diagup}} P(C_6H_5)_3$$

VI

---

[1] M.A. Bennett, R. Charles u. P.J. Fraser, Austral. J. Chem. 30, 1213 (1977).
[2] L. Dahlenburg u. R. Nast, J. Organometal. Chem. 110, 395 (1976).
[3] J. Blum, Z. Aizenshtat u. S. Iflah, Transition Met. Chem. 1, 52 (1976).
[4] M.A. Bennett u. D.L. Milner, Am. Soc. 91, 6983 (1969).
[5] T.B. Rauchfuss, Am. Soc. 101, 1045 (1979).
[6] T.J. Collins, W.R. Roper u. K.G. Town, J. Organometal. Chem. 121, C 41 (1976).

h) durch Photolyse

Die Photolyse von Organo-iridium-Verbindungen ist wenig untersucht worden.

Ethyl-pyridino-iridoxim[1] ergibt beim Belichten wie beim Erhitzen ein Ethen-Ethan-Gemisch im Verhältnis 2:1[2].

Alkyl-bis-[triorganophosphan]-carbonyl-dihalogeno-iridium-Verbindungen werden beim Belichten unter β-Eliminierung gespalten[3]; z.B.:

$$\text{Ir}(C_2H_5)\text{ClJ}(CO)[P(CH_3)(C_6H_5)_2]_2 \xrightarrow[- \text{IrClJH}(CO)[P(CH_3)(C_6H_5)_2]_2]{C_6H_6,\ h\nu} H_2C{=}CH_2$$

i) durch Ummetallierung

Beim Behandeln von Bromo-2,2-dimethyl-propyl-(η^5-pentamethylcyclopentadienyl)-trimethylphosphan-iridium mit Quecksilber(II)-chlorid findet man in Lösung (^{1}H–NMR) *2,2-Dimethyl-propyl-quecksilberchlorid*[4].

j) σ→π-Umwandlungen

Bis-[triphenylphosphan]-(*trans*-2-butenyl)-carbonyl-iridium lagert sich beim Erhitzen unter β-Hydrid-Eliminierung am α-Methyl-Rest in den stabileren π-Allyl-Komplex um[5]:

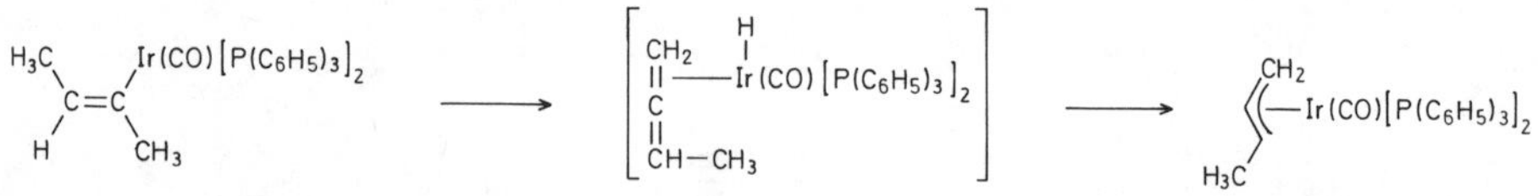

Die *cis*-2-Butenyl-Verbindung spaltet unter β-Hydrid-Eliminierung des olefinischen Protons 2-Butin ab (s. S. 620).

σ-Allyl-bis-[trimethylphosphit]-(η^4-1,5-cyclooctadien)-iridium spaltet beim Erhitzen i. Vak. einen Phosphit-Liganden ab unter Bildung von *η^3-Allyl-(η^4-1,5-cyclooctadien)-trimethylphosphit-iridium*[6].

k) durch spezielle Methoden

Während bei der analogen Rhodium-Verbindung durch Behandeln mit Methyl-magnesiumjodid die Trifluormethyl-Gruppe durch die Methyl-Funktion substituiert wird, entsteht aus (η^5-Cyclopentadienyl)-jodo-trifluormethyl-triphenylphosphan-iridium die Dijodo-iridium-Verbindung[7]:

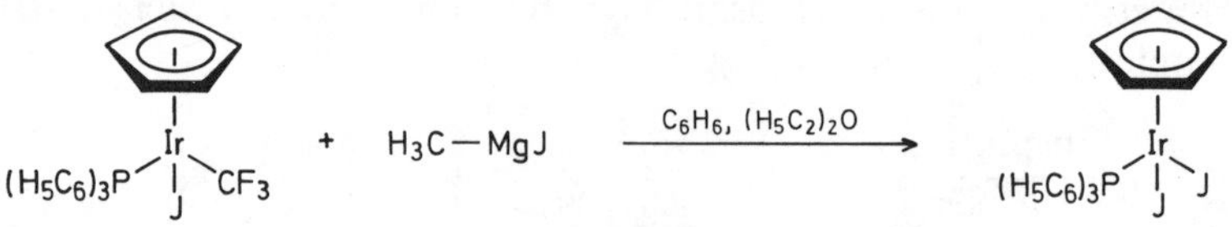

Ungewöhnlich ist es, daß Alkalimetallhalogenide die Spaltung der C–Ir-Bindung in ortho-metallierten aromatischen Diiridium-Chelat-Komplexen induzieren[8]; z.B.:

[1] Die Bezeichnung Iridoxim in Analogie zu Cobaloxim.
[2] J. H. Weber u. G. N. Schrauzer, Am. Soc. **92**, 726 (1970).
[3] J. A. Labinger, J. A. Osborn u. N. J. Coville, Inorg. Chem. **19**, 3236 (1980).
[4] A. H. Janowicz u. R. G. Bergman, Am. Soc. **105**, 3929 (1983).
[5] J. Schwartz, D. W. Hart u. B. McGriffert, Am. Soc. **96**, 5613 (1974).
[6] E. L. Muetterties, V. W. Day et al., Organometallics **1**, 1562 (1982).
[7] S. A. Gardner u. M. D. Rausch, Inorg. Chem. **13**, 997 (1974).
[8] M. Angoletta u. G. Caglio, J. Organometal. Chem. **182**, 425 (1979).

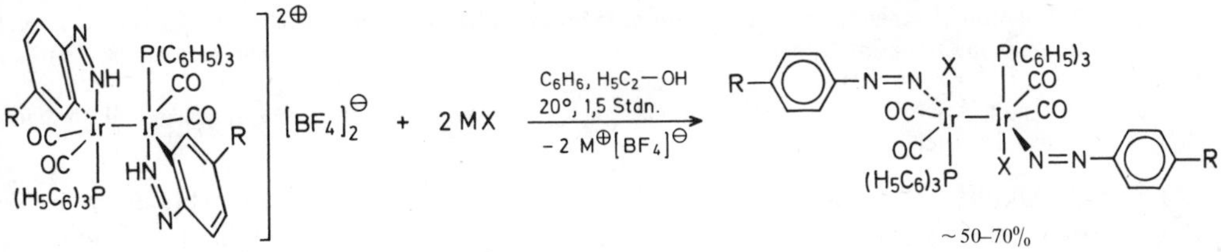

MX = LiCl, LiBr, NaJ
R = CH$_3$, OCH$_3$, F, NO$_2$

Bis-[triphenylphosphan]-dicarbonyl-propanoyl-iridium wird durch den starken Kohlenmonoxid-Akzeptor Chloro-tris-[triphenylphosphan]-rhodium decarbonyliert[1]; unter β-Eliminierung entsteht schließlich die Hydrido-iridium-Verbindung.

II. Insertionsreaktionen

Die Cyclotrimerisierung von Acetylen-Verbindungen zu Benzol-Derivaten ist eine schon seit längerer Zeit bekannte Reaktion. Sie wird durch Elemente der 8. Nebengruppe katalysiert (zum Mechanismus s. Lit.[2-4] sowie Bd. V/2b, S. 78ff.).

Da stabile Iridole mit Acetylen leicht zu Benzol-Verbindungen umgesetzt werden können, ist es naheliegend, daß auch die katalytische Reaktion über Iridole abläuft[3]. Analoge Rhodium- bzw. Kobalt-Komplexe sind bessere Katalysatoren, offensichtlich weil die σ–C–Ir-Bindungen zu stabil sind. In manchen Fällen ist die Reaktion gegen Änderung der Acetylen-Substituenten empfindlich. So gelingt die Cyclotrimerisation im folgenden Beispiel nicht, wenn das Acetylen anstelle der Methoxycarbonyl-Gruppe Ethoxycarbonyl- oder Phenyl-Reste besitzt[3] (sterische Hinderung). Der geschwindigkeitsbestimmende Schritt scheint der Ringschluß zu sein. Die erforderliche Reaktionstemperatur liegt bei 110°.

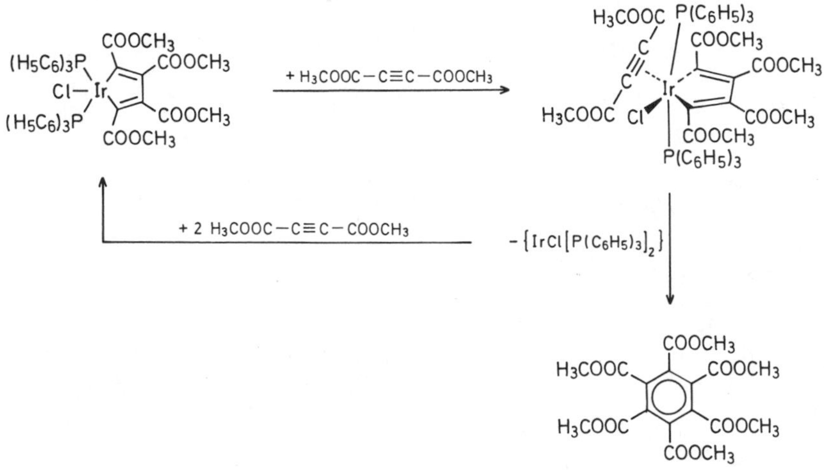

Hexamethoxycarbonyl-benzol[3]: Eine Lösung von 500 mg (3,52 mmol) Dimethoxycarbonyl-acetylen und 150 mg (0,145 mmol) 1,1-Bis-[triphenylphosphan]-1-chloro-2,3,4,5-tetramethoxycarbonyl-iridol in 15 ml Toluol wird 14 Stdn. unter Rückfluß erhitzt. Nach dem Abkühlen gibt man 35 ml Hexan zu. Ein rotes festes Produkt wird

[1] G. YAGUPSKY, C. K. BROWN u. G. WILKINSON, Soc. [A] **1970**, 1392.
[2] G. N. SCHRAUZER, Ang. Chem. (Intern.) **3**, 185 (1964).
[3] J. P. COLLMAN, J. W. KANG, W. F. LITTLE u. M. F. SULLIVAN, Inorg. Chem. **7**, 1298 (1968).
[4] J. P. COLLMAN u. J. W. KANG, Am. Soc. **89**, 844 (1967).

abfiltriert und 24 Stdn. in einer Soxhlet-Apparatur mit Hexan extrahiert. Nach Abziehen des Extraktionsmittel i. Vak. erhält man ein Öl, das mehrmals mit heißem Hexan ausgezogen wird. Die vereinigten Hexan-Extrakte werden eingeengt; Ausbeute: 240 mg (48%, bez. auf Alkin).

Der Rückstand aus der Soxhlet-Apparatur liefert nach Umkristalisation aus Dichlormethan und Methanol das Ausgangsiridol zurück (50 mg; 33%).

Die σ-1-Alkenyl-iridol-Komplexe sind bessere Katalysatoren[1]. Bemerkenswert ist es daß der eingesetzte Katalysator koordinativ nicht ungesättigt zu sein braucht. Wahrscheinlich entsteht in rascher Dissoziation der Verbindung die aktive Form des Katalysators.

Durch stöchiometrische Reaktion des Komplexes mit disubstituierten Acetylenen können so gezielt verschiedene substituierte Benzol-Derivate hergestellt werden; z. B.:

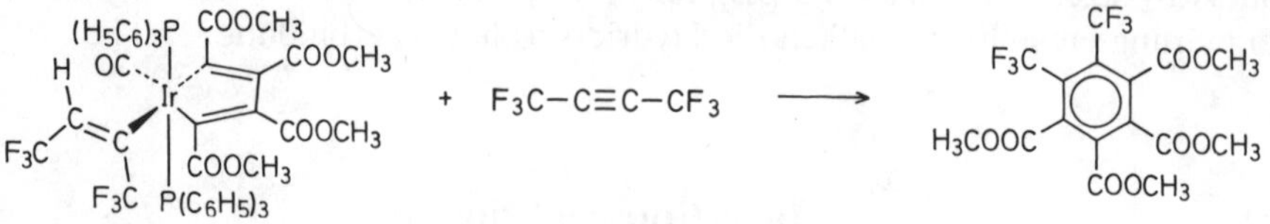

Die aus Di-acetylen-Verbindungen und Chloro-tris-[triphenylphosphan]-iridium erhältlichen Iridol-Derivate I–III (vgl. a. S. 556) bilden beim Erhitzen mit Chalkogenen oder Acetylenen in xylolischer Lösung Acen- und Heteroacenchinone sowie Fluoranthen-Derivate[2]; z. B.:

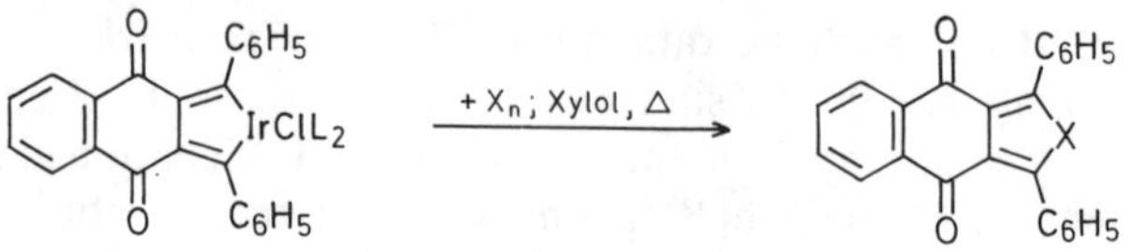

I   X = O, n = 2; *1,3-Diphenyl-⟨naphtho[2,3-c]-furan⟩-4,9-chinon*; 15%
      X = S, n = 8; *1,3-Diphenyl-⟨naphtho[2,3-c]-thiophen⟩-4,9-chinon*; 64%

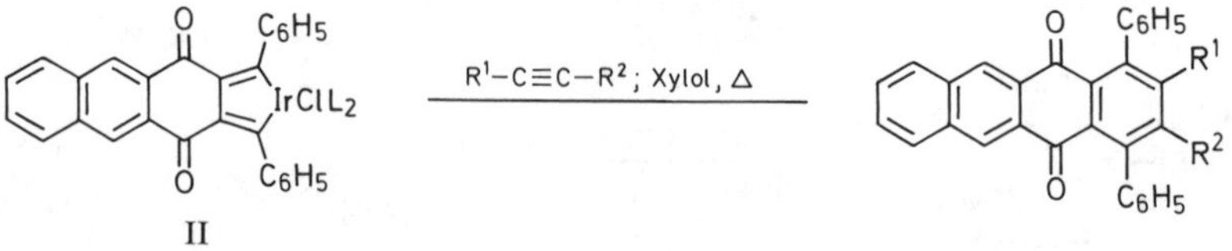

II

R¹ = C₆H₅; R² = H; *1,2,3-Triphenyl-naphthacen-5,12-chinon*; 74%
R¹ = N(C₂H₅)₂; R² = CH₃; *3-Diethylamino-1,4-diphenyl-2-methyl-naphthacen-5,12-chinon*; 66%

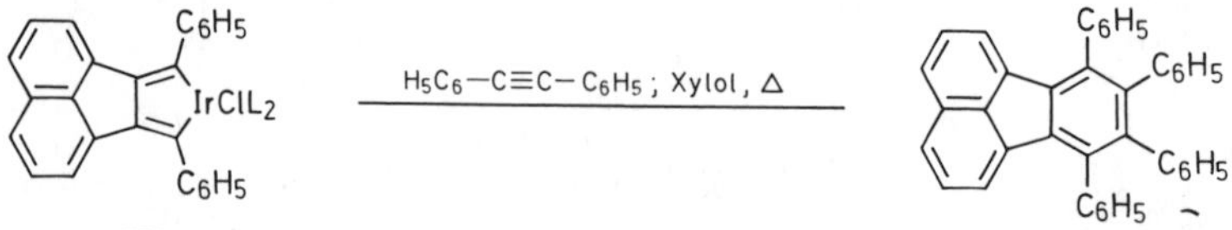

III   *7,8,9,10-Tetraphenyl-fluoranthen*; 79%

---

[1] W.H. BADDLEY u. G.B. TUPPER, J. Organometal. Chem. **67**, C 16 (1974).

[2] E. MÜLLER u. C. BEISSNER, Ch. Z. **96**, 170 (1972). Beim Rhodium sind weitere Synthesen von Arenen und Hetarenen beschrieben (s. S. 459ff.). Zur thermischen Spaltung des Komplexes s. S. 622.

Methoden zur Herstellung und Umwandlung von Organo-nickel-Verbindungen

bearbeitet von

Prof. Dr. HANS-FRIEDRICH KLEIN

Anorganisch-chemisches Institut
der Technischen Hochschule Darmstadt

mit 2 Tabellen

Literatur berücksichtigt bis Mitte 1983

Organo-nickel-Verbindungen

Einkernige Organo-nickel-Verbindungen sind in den Oxidationsstufen 0, II und II bekannt. Während Organo-nickel(0)- und (III)-Verbindungen bisher erst durch wenige Beispiele vertreten sind, sind Organo- und Diorgano-nickel(II)-Verbindungen mit Alkyl- Vinyl- und Aryl-Resten in großer Zahl beschrieben. Von ihnen wiederum besitzt die überwiegende Mehrzahl die folgende allgemeine Zusammensetzung:

$$R_3^2P \diagdown \diagup R$$
$$Ni$$
$$R^1 \diagup \diagdown PR_3^2$$

R = Alkyl, Vinyl, Aryl, Alkinyl
R^1 = R, Halogen, etc.
R^2 = Alkyl, Aryl, Alkoxy, etc.

Das Nickel(II)-Ion hat mit der d^8-Konfiguration seiner Valenz-Elektronen und der vier in der Ebene der koordinierten Liganden insgesamt 16 Elektronen. Es besitzt nach der Edelgasregel (18-Elektronen-Regel) einen freien Koordinationsplatz und kann, wenn keine sterischen Probleme entgegenstehen, einen weiteren Elektronenpaar-Donator reversibel aufnehmen, z.B.:

$$\begin{array}{c} L \diagdown \diagup R \\ Ni \\ R \diagup \diagdown L \end{array} \quad + \quad L \quad \rightleftharpoons \quad \begin{array}{c} R \\ | \\ L \diagdown \; \diagup \\ \; Ni{-}L \\ L \diagup \; \diagdown \\ | \\ R \end{array}$$

R = CH$_3$, L = P(CH$_3$)$_3$; *Bis-[trimethylphosphan]-dimethyl-nickel*

Die gebräuchlichste Methode zur Herstellung von Organo-nickel-Verbindungen ist die Substitution von Nickel-Halogen-Funktionen durch Organo-alkalimetall-, -magnesium- oder Organo-aluminium-Verbindungen.

$$\text{(Ni)}{-}X \quad + \quad M{-}R \quad \longrightarrow \quad \text{(Ni)}{-}R \quad + \quad MX$$

X = Hal; M = Li, Na, MgX, etc.
X = 2,4-Pentandionato; M = AlR$_2$, AlR(OR), etc.
R = Alkyl, Vinyl, Aryl, 1-Alkinyl.

Ebenfalls häufig geht man von Nickel(0)-Verbindungen und organischen Halogen-Verbindungen aus. Diese Reaktion ist eine oxidative Addition und geht meist mit einer Substitution von Neutralliganden einher; z.B.:

$$[(H_5C_6)_3P]_2Ni(H_2C{=}CH_2) \quad + \quad Cl{-}CH_2{-}C_6H_5 \quad \xrightarrow[-\,H_2C=CH_2]{} \quad [(H_5C_6)_3P]_2Ni \begin{array}{c} Cl \\ \diagdown \\ \diagup \\ CH_2{-}C_6H_5 \end{array}$$

Bei vielen organischen Synthesen oder bei der Herstellung von Katalysator-Systemen wird auf eine Isolierung der Organo-nickel-Verbindungen verzichtet und die erhaltene Lösung oder Mischung direkt weiter verwendet.

Die meisten Organo-nickel-Verbindungen sind in Lösung Monomere, ihre Löslichkeit in gängigen organischen Lösungsmitteln ist in der Regel gut. Allerdings ist für absoluten Ausschluß von Sauerstoff zu sorgen, auch wenn die kristallinen Substanzen als luftstabil beschrieben werden.

Die thermische Stabilität von Organo-nickel-Verbindungen ist im allgemeinen gut, sie hängt aber stark von sterischen und elektronischen Einflüssen der Liganden ab. Diorgano-nickel-Verbindungen sind thermisch weniger stabil als Monoorgano-nickel-Verbindungen mit dem gleichen σ-gebundenen organischen Liganden. Elektronegative Substitution im Kohlenwasserstoff-Rest erhöht die Stabilität.

Eine Korrelation der thermischen Stabilität mit der Ni–C-Bindungslänge ist dabei nicht gegeben. Daten von Röntgenstruktur-Analysen geben etwa folgende Bereiche an:

$$Ni-C\diagdown^{/} \quad : \; 1{,}94 - 1{,}98\,\text{Å} \qquad\qquad Ni\diagdown^{/}\!\!\!\!\overset{H_2}{C}\!\!\diagup\!\!Ni \quad : \; 2{,}04 - 2{,}07\,\text{Å}$$

$$Ni-\underset{|}{C}=C\diagdown^{/} \quad : \; 1{,}85 - 1{,}91\,\text{Å} \qquad\qquad Ni-Aryl \quad : \; 1{,}90 - 1{,}98\,\text{Å}$$

$$Ni-C\equiv C- \quad : \; 1{,}86 - 1{,}88\,\text{Å}$$

Im Infrarot-Spektrum zeigt sich die Ni–C-Valenzschwingung durch eine mittelstarke Bande bei 570–520 cm^{-1} für Alkyl-nickel-Verbindungen, ebenfalls um 570 cm^{-1} für 1-Alkinyl-nickel-Verbindungen, während bei 1-Alkenyl- und Aryl-nickel-Verbindungen eine Zuordnung unsicher ist. Diagnostisch für Acyl-nickel-Verbindungen ist eine sehr starke Bande bei 1620–1690 cm^{-1}.

Im ^{1}H-NMR erfahren Protonen in der Nähe des Nickel-Atoms eine charakteristische Hochfeld-Verschiebung:

$$\tau\,(Ni-\underset{|}{\overset{|}{C}}-H): \; 10{,}3-11{,}1$$

Reaktionen an der Ni–C-σ-Bindung verlaufen entsprechend der vorgegebenen Polarisierung

$$\overset{\delta+}{\boxed{Ni}}-\overset{\delta-}{C}$$

im Sinne eines elektrophilen Angriffs am nickel-ständigen Kohlenstoff, oft allerdings nur formell. Alternativ kann auch zunächst das immer noch elektronenreiche Nickel-Zentrum in Sinne einer oxidativen Addition

$$Ni(II) \rightarrow Ni(IV)$$

bzw. radikalisch

$$Ni(II) \rightarrow Ni(III)$$

oxidiert werden, woran sich eine Umwandlung durch reduktive Eliminierung

$$Ni(IV) \rightarrow Ni(II)$$

bzw. durch Redox-Disproportionierung

$$2\,Ni(III) \rightarrow Ni(II) + Ni(IV)$$

anschließt. Trotzdem verlaufen viele Reaktionen mit Elektrophilen eindeutig und in guten Ausbeuten.

Protonen spalten die Kohlenwasserstoff-Reste von Diorgano-nickel-Verbindungen stufenweise ab; z.B.:

$$\underset{CH_3}{\overset{CH_3}{\boxed{Ni}}} \quad \xrightarrow[-CH_4]{+H^{\oplus}} \quad \overset{\oplus}{\underset{CH_3}{\boxed{Ni}}} \quad \xrightarrow[-CH_4]{+H^{\oplus}} \quad \boxed{Ni}^{2\oplus}$$

Dabei gelingt die Ablösung des letzten Kohlenwasserstoff-Restes bisweilen erst mit konzentrierten Mineralsäuren. Der präparative Wert der Methode ist gering.

Halogene spalten alle Ni–C–σ-Bindungen:

$$\text{(Ni)}-CH_3 \;+\; Cl_2 \;\longrightarrow\; \text{(Ni)}-Cl \;+\; CH_3Cl$$

Allerdings lassen sich Bromierungen, z.B. mit N-Brom-succinimid (NBS) auch unter Erhalt der Ni–C-Bindung durchführen; z.B.:

L = P(CH$_3$)$_2$(C$_6$H$_5$); *Bis-[dimethyl-phenyl-phosphan]-(3,5-dibrom 2,6-dimethoxy-phenyl)-(trichlor-vinyl)-nickel*

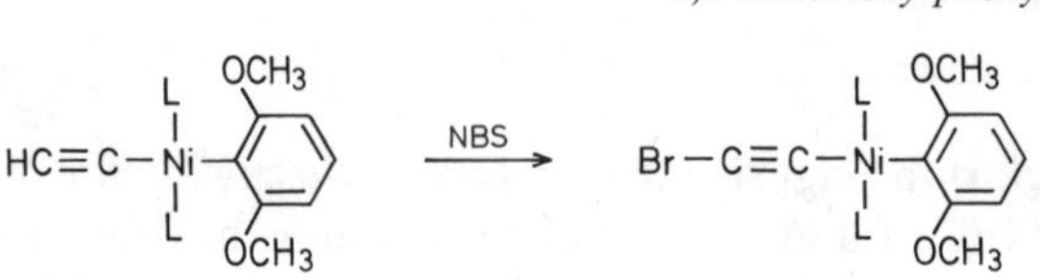

L = P(CH$_3$)$_2$(C$_6$H$_5$); *Bis-[dimethyl-phenyl-phosphan]-(brom ethinyl)-(2,6-dimethoxy-phenyl)-nickel*

Die Thermolyse von Diorgano-nickel-Verbindungen verläuft oft formal im Sinne einer reduktiven Eliminierung; allerdings läßt sich ein radikalischer Mechanismus nicht ausschließen:

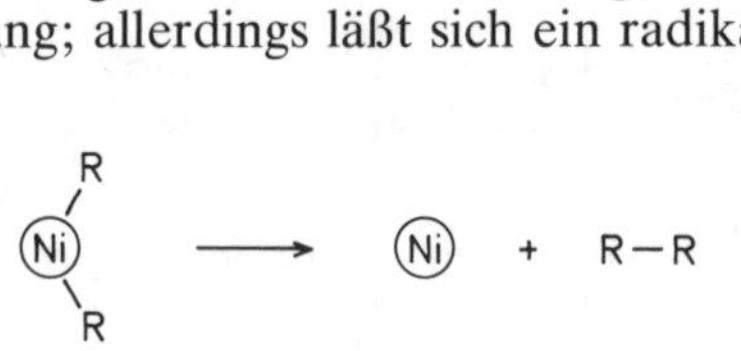

$$\text{(Ni)}\overset{R}{\underset{R}{\diagdown}} \;\longrightarrow\; \text{(Ni)} \;+\; R-R$$

Bei Mono-organo-nickel-Verbindungen tritt der radikalische Zerfall in den Vordergrund:

$$\text{(Ni)}-R \;\longrightarrow\; \text{(Ni)} \;+\; R\cdot$$

Enthält aber ein nickelständiger Alkyl-Rest in β-Stellung ein H-Atom, dann dominiert die Olefin-Bildung auf dem Wege der reversiblen β-Eliminierung:

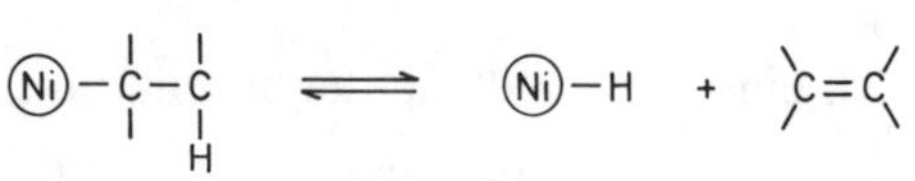

$$\text{(Ni)}-\overset{|}{\underset{|}{C}}-\overset{|}{\underset{H}{C}} \;\rightleftharpoons\; \text{(Ni)}-H \;+\; \overset{}{C}=\overset{}{C}$$

Mit Ausnahme der Ylid-nickel-Verbindungen können fast alle Organo-nickel-Verbindungen eine Reihe kleiner ungesättigter Moleküle in die Ni–C–σ-Bindungen einschieben (Insertionsreaktionen):

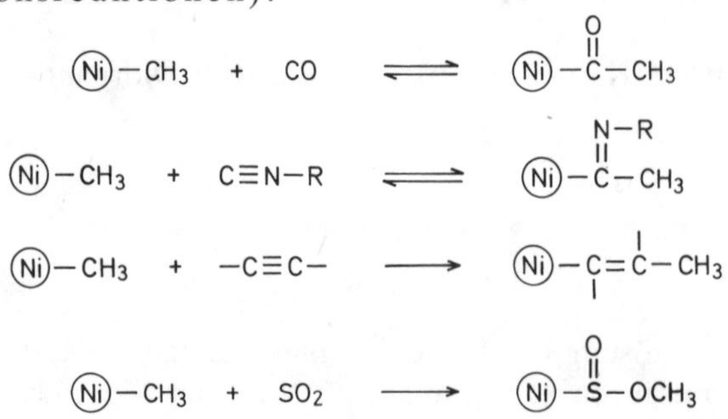

Von diesen Reaktionen wird besonders die Carbonylierung in der organischen Synthese n großer Breite angewendet, wobei eine Isolierung der oft instabilen Acyl-nickel-Zwi- chenstufen in der Regel nicht notwendig ist; z.B.[1]:

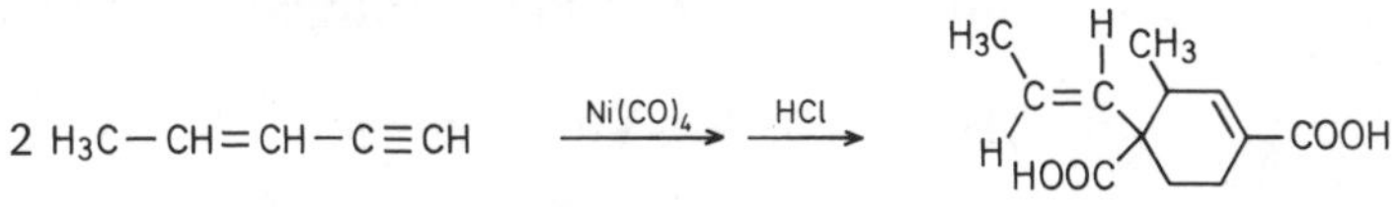

2 H3C—CH=CH—C≡CH
Ni(CO)4
HCl
H3C
H
CH3
C=C
H
HOOC
COOH

1,4-Dicarboxy-3-methyl-4-(trans-1-propenyl)-cyclohexen; 16%

Vor allem liegt die Bedeutung der Organo-nickel-Verbindungen in ihrer Katalysa- or-Funktion bei der Oligomerisierung von Alkenen und Alkinen, der Polymerisation und ler Oligomerisierung von Dienen, der Kupplungsreaktionen organischer Halogen-Ver- bindungen und in stöchiometrischen Reaktionen; z.B.[2]:

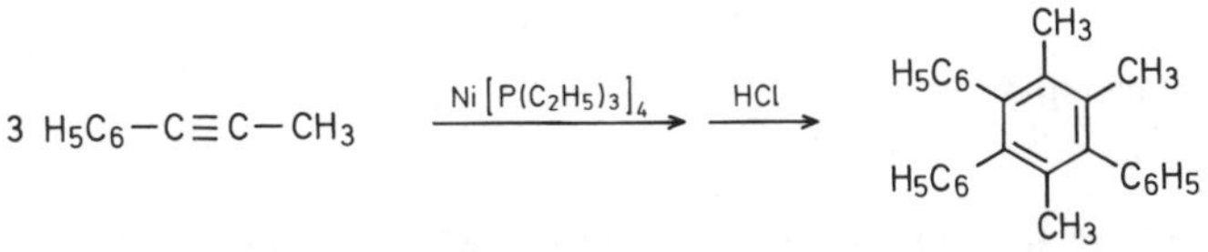

3 H5C6—C≡C—CH3
Ni[P(C2H5)3]4
HCl
CH3
H5C6
CH3
H5C6
C6H5
CH3

3,5,6-Trimethyl-1,2,4-triphenyl-benzol; 70%

Zur vollständigen Literatur-Übersicht sowie einer kritischen Bestandsaufnahme der Vorstellung von den Reaktionsmechanismen über σ- und π-Organo-nickel-Verbindungen s. Lit.[3].

Im vorliegenden Kapitel werden nur solche σ–C-gebundenen Nickel-Verbindungen be- rücksichtigt, für die eine Synthesevorschrift mit Angabe der Ausbeute und die analytische Identifizierung vorliegen.

Die Auswahl der Verbindungen, etwa die Abgrenzung zu den Nickel-π-Komplexen (s. Bd. E 18), ist in gewisser Weise willkürlich. Nickela-Dreiringe der Struktur

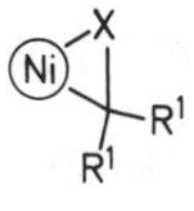

X
Ni
R1
R1

X = CR^2_2, N, O, S

werden den π-Komplexen zugerechnet, selbst wenn im gegebenen Beispiel (X = O; R^1 = CF_3) klar ist, daß sie eher Nickel(II)-Komplexe sind und das Dianion des Hexafluor-2- propanols enthalten. Ebenfalls nicht berücksichtigt sind z.B. zweikernige Nickel-Verbin- dungen mit einer Diphenyl-acetylen-Einheit (I), während Dreikern-Verbindungen z.B. II auf S. 652 besprochen werden.

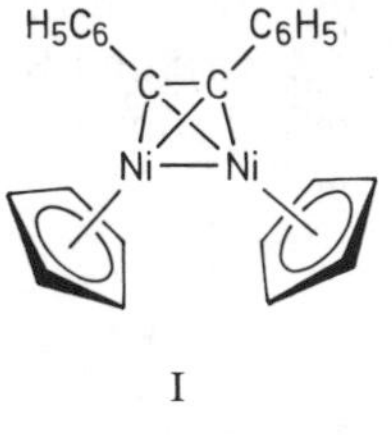

H5C6
C6H5
C—C
Ni—Ni

I

C6H5
C
Ni
Ni
Ni

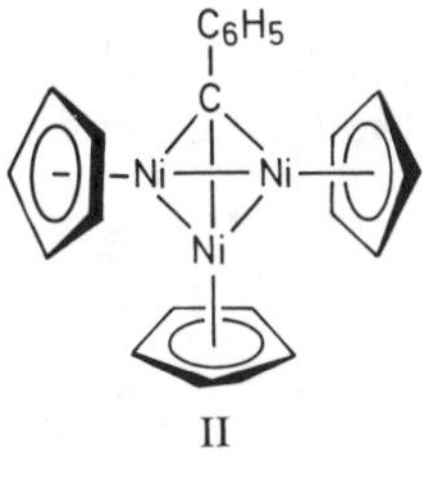

II

[1] E.H.R. Jones, T.Y. Shen u. M.C. Whiting, Soc. **1951**, 763.
[2] J.J. Eisch u. G.A. Damasevitz, J. Organometal. Chem. **96**, C 19 (1975).
[3] P.W. Jolly u. G. Wilke, *The Organic Chemistry of Nickel*, Academic Press, New York 1975.

A. Herstellung

I. Organo-nickel(0)-Verbindungen

a) Alkyl-nickel(0)-Verbindungen

Die wenigen bisher bekannten Organo-nickel(0)-Verbindungen werden entweder durch metallische Reduktion von Organo-nickel(II)-Komplexen oder durch Verdrängung π-gebundener Olefin-Liganden vom Nickel(0)-Zentrum durch Organo-lithium-Verbindungen erhalten:

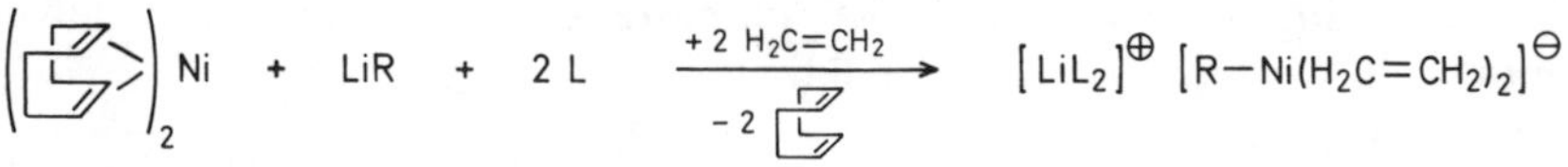

$$L = (CH_3)_2N-CH_2CH_2-N(CH_3)_2$$
$$R = CH_3,\ C_2H_5,\ C_6H_5$$

Lithium-bis-[1,2-bis-(dimethylamino)-ethan]-bis-[ethen]-methyl-nickelat(0)[1]: Ein Gemisch von 6,36 g (23,1 mmol) Bis-[1,5-cyclooctadien]-nickel[2] und 20 *ml* 1,2-Bis-[dimethylamino]-ethan in 80 *ml* Ether wird bei −20° mit Ethen gesättigt. Dazu gibt man 23 mmol Methyl-lithium in Ether (hergestellt aus Dimethyl-quecksilber mit Lithium in Ether). Unter Rühren wird bei 20° eine klare hellgelbe Lösung erhalten. Beim erneuten Abkühlen auf −60° kristallisiert das Nickelat aus; Ausbeute: 7,60 g (89%); ^{1}H-NMR (D[8]-THF): τ_{NiCH_3} = 10,58 d(Ni−CH_3) = 1,91 Å.
Die Verbindung ist unter Argon bei 20° stabil.

Auf analoge Weise erhält man

Lithium-bis-[1,2-bis-(dimethylamino)-ethan]-bis-[ethen]-ethyl-nickelat(0)[1]
Lithium-bis-[1,2-bis-(dimethylamino)-ethan]-bis-[ethen]-phenyl-nickelat(0)[1]
Lithium-bis-[1,2-bis-(dimethylamino)-ethen]-(6,7,8-η^3-8-dehydro-2,6-octadienyl)-nickel[3]; 64%

b) Aryl-nickel(0)-Verbindungen

Einige Diphenyl-nickelate(0) komplexer Zusammensetzung und Struktur werden auf dem vorab skizzierten Wege erhalten[4−6].

Allerdings spielen die Reaktionsbedingungen (Solvens, N- und O-Donor-Moleküle, das verwendete Alkalimetall und der Einbau von Distickstoff oder Ethen) anscheinend eine entscheidende Rolle. Ausgehend von *trans,trans,trans*-1,5,9-Cyclododecatrien-nickel(0) und salzfreien Lösungen von Phenyl-alkalimetall in Ether unter Ethen-, Argon- bzw. Stickstoff-Atmosphäre werden erhalten:

$Na_2Ni(C_6H_5)_2(H_2C=CH_2) \cdot 2\ O(C_2H_5)_2$,   orangerot (80−90%)[5]
$[(NaC_6H_5)_{2,44}(LiC_6H_5)_{0,67}Ni]_2 \cdot 2,8\ O(C_2H_5)_2$,   rotgelb (64%)[6]

Besonders gut kann sich Diphenyl-(2-lithio-benzyl)-phosphan an Nickel(0)-Zentren anlagern, wobei 1,5-Cyclooctadien vollständig verdrängt wird und Kohlenmonoxid oder Triphenylphosphan die Hälfte der Koordinationsplätze behaupten[7]; z.B.:

[1] K. JONAS, K. R. PÖRSCHKE, C. KRÜGER u. Y.-H. TSAY, Ang. Ch. **88**, 682 (1976).
[2] B. BOGDANOVIĆ, M. KRÖNER u. G. WILKE, A. **699**, 1 (1966).
[3] S. HOLLE, P. W. JOLLY, R. MYNOTT u. R. SALZ, Z. Naturf. **37b**, 675 (1982).
[4] K. JONAS, Ang. Ch. **87**, 1050 (1975).
[5] K. JONAS, Ang. Ch. **88**, 51 (1976).
[6] K. JONAS, D. J. BRAUER, C. KRÜGER, P. J. ROBERTS u. Y.-H. TSAY, Am. Soc. **98**, 74 (1976).
[7] A. P. ABICHT u. K. ISSLEIB, Synth. React. Inorg. Metal-org. Chem. **12**, 331 (1982).

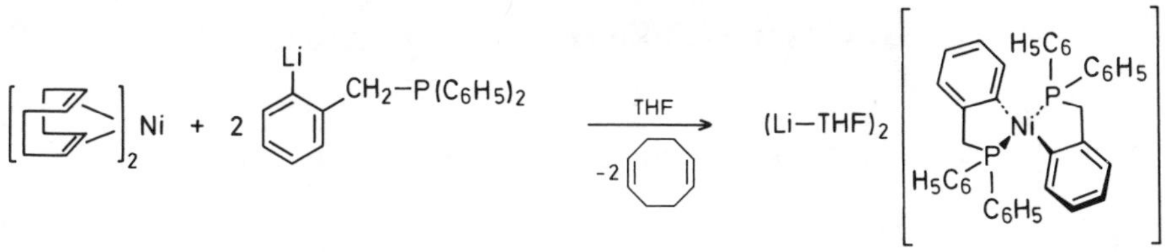

Bis-[tetrahydrofuran]-dilithium-bis-[2-(diphenyl-phosphano-methyl)-phenyl]-nickelat; 53%

c) Organo-ylid-nickel(0)-Verbindungen

Eine Reihe von Alkyliden-phosphoranen vermögen einen Liganden im Tetracarbo-nyl-nickel zu verdrängen:

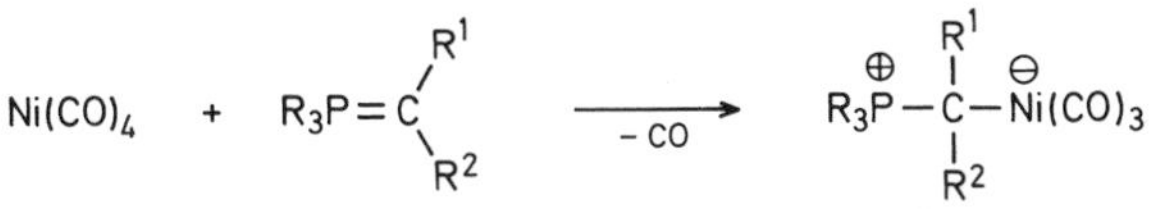

$$Ni(CO)_4 \; + \; R_3P=C\overset{R^1}{\underset{R^2}{\big\langle}} \quad \xrightarrow{-CO} \quad R_3\overset{\oplus}{P}-\overset{R^1}{\underset{R^2}{C}}-\overset{\ominus}{Ni}(CO)_3$$

Eine zweite Substitution läßt sich nicht durchführen, und Kohlenmonoxid schiebt sich nicht in die neue Ni–C–σ-Bindung ein.

Tricarbonyl-(triphenylphosphonio-methyl)-nickel(0)[1]: Zu einer Lösung von 3,596 g (21,1 mmol) Tetracar-bonyl-nickel[2] in 30 *ml* Ether tropft man bei 20° eine Lösung von 1,367 g (5,2 mmol) Methylen-triphenyl-phos-phoran[3] in 30 *ml* Ether. An der Eintropfstelle bildet sich zunächst ein voluminöser, gelber Niederschlag, der sich langsam wieder auflöst. Aus der gelben, klaren Lösung entwickeln sich 126 N*ml* Kohlenmonoxid. Man verdampft das Lösungsmittel und überschüssiges Tetracarbonylnickel unter Durchleiten von Argon; Ausbeute: 2,063 g (98%) (dunkelrot);
IR: ν_{CO} 2040, 1955 cm^{-1}; ^{1}H-NMR: τ_{CH_2} = 8,82 d (^{2}J(PH) = 12,5 Hz).

Auf ähnliche Weise erhält man u. a.[1]

Tricarbonyl-(trimethylphosphonio-methyl)-nickel	61%
Tricarbonyl-(triisopropylphosphonio-methyl)-nickel	82%
Tricarbonyl-(tricyclohexylphosphonio-methyl)-nickel	62%
Tricarbonyl-(1-triphenylphosphonio-ethyl)-nickel	98%

Wie bei den komplexen Nickel(II)-cyaniden, die in diesem Kapitel nicht beschrieben werden, führt die Reduktion von Tetrakis-[1-alkinyl]-nickelaten mit Alkalimetall in flüs-sigem Ammoniak zu Tetrakis-[1-alkinyl]-nickelaten(0)[4]; z. B.:

$$K_2[Ni(C\equiv CH)_4] \; + \; 2\,K \quad \xrightarrow{fl.\ NH_3} \quad K_4[Ni(C\equiv CH)_4]$$

Kalium-tetrakis-[ethinyl]-nickelat(0), diamagnetisch

---

[1] F. Heydenreich, A. Mollbach, G. Wilke, H. Dreeskamp, E. G. Hoffmann, G. Schroth, K. Seevogel u. W. Stempfle, Israel J. Chem. **10**, 293 (1972).
[2] **Vorsicht**, da flüchtig und **hochtoxisch**!
[3] H. Schmidbaur, H. Stühler u. W. Vornberger, B. **105**, 1084 (1972).
[4] R. Nast u. K. Vester, Z. anorg. Ch. **279**, 146 (1955).

II. Organo-nickel(II)-Verbindungen

a) Alkyl-nickel(II)-Verbindungen

1. aus Nickel(II)-Salzen durch nucleophile Substitution

α) Monoalkyl-nickel(II)-Verbindungen

(η^5-Cyclopentadienyl)-Ligand-nickel-halogenide können durch Alkyl-Grignard-Verbindungen in die entsprechenden Alkyl-nickel-Verbindungen überführt werden. Es wird unter Inertgas gearbeitet.

R = Alkyl, Cycloalkyl
L = PR$_3$, AsR$_3$, SbR$_3$

(η^5-**Cyclopentadienyl)-(triphenylphosphan)-methyl-nickel**[1]: Zu einer eisgekühlten Grignard-Lösung, hergestellt aus 5,8 g Methyljodid und 1 g Magnesium in 70 *ml* Ether, werden 4,22 g (10 mmol) (η^5-Cyclopentadienyl)-(triphenylphosphan)-nickel-chlorid, gelöst in 100 *ml* Benzol, hinzugegeben. Die tiefgrüne Lösung wird 2 Stdn. gerührt und dann mit wäßr. Ammoniumchlorid-Lösung hydrolysiert. Die grüne organ. Phase wird abgetrennt und über Natriumsulfat getrocknet. Nach Abziehen des Lösungsmittels wird mit wenig Benzol aufgenommen und an Aluminiumoxid mit Hexan/Benzol (1:1) chromatographiert. Die dunkelgrüne Fraktion wird gesammelt, fast zur Trockne eingedampft und nach Zugabe von 20 *ml* Hexan im Kühlschrank kristallisiert; Ausbeute: 2,68 g (67%) (dunkelgrün); F: 126–139°; ^{1}H-NMR: $\tau_{CH_3} = 10,82$ d, $\tau_{C_5H_5} = 4,94$ s.

Auf diese Weise erhält man u. a.

(η^5-*Cyclopentadienyl)-(triphenylphosphan)-propyl-nickel*[1]	71%; F: 75–77° (Zers.)
(η^5-*Cyclopentadienyl)-(1-methyl-propyl)-(triphenylphosphan)-nickel*[1]	27%; F: 111–112° (Zers.)
Benzyl-(η^5-cyclopentadienyl)-(triphenylphosphan)-nickel[1]	79%; F: 129–131° (Zers.)
(η^5-*Cyclopentadienyl)-(4,4-dideutero-3-butenyl)-(triphenylphosphan)-nickel*[2]	78%
(η^5-*Cyclopentadienyl)-(1,1-dideutero-3-butenyl)-(triphenylphosphan)-nickel*[2]	65%
(η^5-*Cyclopentadienyl)-cyclopropyl-(triphenylphosphan)-nickel*[2]	~80%; F: 122–125°
Cyclobutyl-(η^5-cyclopentadienyl)-(triphenylphosphan)-nickel[2]	~80%; F: 121–124°
(η^5-*Cyclopentadienyl)-methyl-(tributylphosphan)-nickel*[1]	53%; F: 29–30°
(η^5-*Cyclopentadienyl)-methyl-(triphenylarsan)-nickel*[1]	50%; F: 101–104° (Zers.)

Aus (η^3-Allyl)-nickel-bromid wird bei $-78°$ thermisch labiles (η^3-*Allyl)-methyl-nickel*[3] erhalten. Die Verbindung kristallisiert als Dimeres und enthält zwei CH$_3$-Brücken[4]:

μ,μ-*Dimethyl-bis-[η^3-allyl-nickel]*;
96%; F: $-40°$ (Zers.)

Organophosphan-Liganden spalten die CH$_3$-Brücken und ergeben stabilere monomere (η^3-Allyl)-methyl-triorganophosphan-nickel-Verbindungen[3].

---

[1] H. Yamazaki, T. Nishido, Y. Matsumoto, S. Sumida u. N. Hagihara, J. Organometal. Chem. **6**, 86 (1966).
[2] J.M. Brown u. K. Mertis, Soc. [Perkin Trans.] **1973**, 1993.
[3] B. Bogdanovic, H. Bönnemann u. G. Wilke, Ang. Ch. **78**, 591 (1966).
[4] C. Krüger, J.C. Sekutowski, H. Berke u. R. Hoffmann, Z. Naturf. **33b**, 1110 (1978).

Etwas geringere Ausbeuten werden mit Organo-lithium-Verbindungen erzielt:

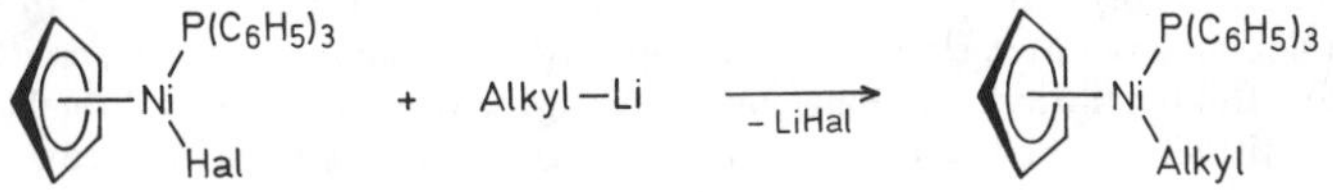

(η^5-Cyclopentadienyl)-(2,2-dimethyl-propyl)-(triphenylphosphan)-nickel[1]: Eine Lösung von 0,46 g (5,95 mmol) 2,2-Dimethyl-propyl-lithium in 17 ml Hexan wird innerhalb 20 Min. zu einer eisgekühlten Lösung von ,60 g (5,60 mmol) (η^5-Cyclopentadienyl)-(triphenylphosphan)-nickel-bromid in 40 ml Benzol getropft und die 1ischung 1 Stde. bei 20° gerührt. Die Lösung wird an Aluminiumoxid mit Hexan/Benzol (1:1) chromatogra-hiert und aus Benzol/Pentan bei −10° umkristallisiert; Ausbeute: 1,41 g (55%) (dunkelgrün); F: 111–113° Zers.).

Auf ähnliche Weise erhält man u.a.

(η^5-Cyclopentadienyl)-methyl-(trimethylphosphan)-nickel[2]	83%
(η^5-Cyclopentadienyl)-ethyl-(triphenylphosphan)-nickel[3]	40%; Zers. >123°
(η^5-Cyclopentadienyl)-(trimethylsilyl-methyl)-(triphenylphosphan)-nickel[1]	54%; F: 118–120° (Zers.)
(η^5-Cyclopentadienyl)-(2-naphthyl-methyl)-(triphenylphosphan)-nickel[1]	43%; F: 192–195° (Zers.)
(η^5-Cyclopentadienyl)-methyl-(trimethoxyphosphit)-nickel[4]	84%; F: 7–9°
(η^5-Cyclopentadienyl)-methyl-(tris-[2-methoxy-phenoxy]-phosphan)-nickel[4]	37%; F: 48–50°
(η^5-Pentamethyl-cyclopentadienyl)-methyl-(triphenylphosphan)-nickel[5]	34%; F: 130° (Zers.)

Mit schwächeren Nucleophilen wie dem Dicyanmethyl-Anion, das im Überschuß einge-etzt wird, verläuft die Bildung der Organo-nickel-Verbindungen bei 20° und in guten Ausbeuten:

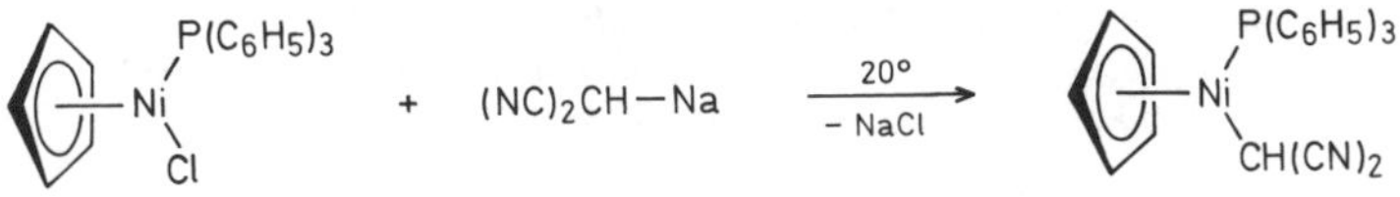

(η^5-Cyclopentadienyl)-(dicyan-methyl)-(triphenylphosphan)-nickel[6]: 0,42 g (1 mmol) (η^5-Cyclopentadi-nyl)-(triphenylphosphan)-nickel-chlorid und 0,26 g (3 mmol) Dicyanmethyl-natrium werden in 20 ml Benzol 3 Stdn. bei 20° gerührt. Das Lösungsmittel wird i. Vak. entfernt, der Rückstand mit Benzol/Hexan extrahiert und lie Lösung durch Kühlen zur Kristallisation gebracht; Ausbeute: 0,32 g (70%); F: 147,5–148,5°; ^{1}H-NMR CDCl$_3$): τ CH(CN)$_2$ = 9,10 d, ^{3}J(PH) = 12,2 Hz.

In Ether als Lösungsmittel erhält man auf gleichem Wege *(η^5-Cyclopentadienyl)-(dicy-n-methyl)-(tributylphosphan)-nickel*[6] (84%; F: 79,5–80°, aus Ether/Hexan).

Nitrosyl-nickel-chlorid reagiert mit Salzen des Tricyanmethyl-Anions in alkoholischer Lösung zu polymerem *Nitrosyl-tricyanmethyl-nickel*, das sich durch Reaktion mit zwei-zähnig chelatisierenden Phosphan-Liganden zur kristallinen Nickel-Verbindung abbauen äßt:

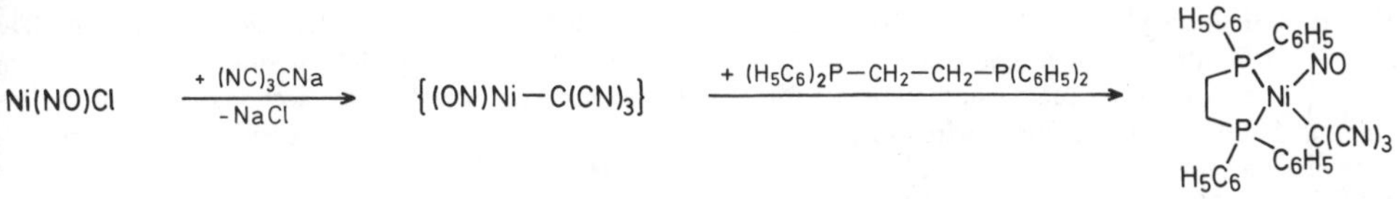

[1] B.L. Booth u. G.C. Casey, J. Organometal. Chem. **178**, 371 (1979).
[2] N. Kuhn u. M. Winter, Ch. Z. **106**, 438 (1982).
[3] M.D. Rausch, Y.F. Chang u. H.B. Gordon, Inorg. Chem. **8**, 1355 (1969).
[4] N. Kuhn u. H. Werner, Synth. React. Inorg. Metal-org. Chem. **8**, 249 (1978).
[5] T. Mise u. H. Yamazaki, J. Organometal. Chem. **164**, 391 (1979).
[6] F. Sato, J. Noguchi u. M. Sato, J. Organometal. Chem. **118**, 117 (1976).

(1,2-Bis-[diphenylphosphano]-ethan)-nitrosyl-(tricyan-methyl)-nickel[1]: Zu einer ethanol. Lösung von te
tramerem Jodo-nitrosyl-nickel wird die ber. Menge Tricyanmethyl-kalium[2] gegeben und die Mischung 3 Stdn
geschüttelt. Das unlösliche polymere Nitrosyl-(tricyan-methyl)-nickel wird abfiltriert, getrocknet und in Ben
zol-Suspension mit äquimolaren Mengen an 1,2-Bis-[diphenylphosphano]-ethan versetzt. Die rotviolette Lö
sung wird nach 1 Stde. Rühren filtriert, eingeengt und nach Zugabe von Ethanol 12 Stdn. gekühlt. Hierbei schei
den sich rotviolette Kristalle ab, die filtriert, gewaschen und getrocknet werden; Ausbeute: ~ 100%; F: 174°
ν_{NO} 1780 cm^{-1}.

Demgegenüber ist eine Alkylierung mit Alkyl-lithium-Verbindungen die bevorzugte
Methode zur Herstellung von Alkyl-nickel-halogeniden:

$$L_2NiX_2 \;+\; Alkyl-Li \;\xrightarrow[-\;LiX]{(H_5C_2)_2O}\; L_2Ni\begin{smallmatrix}X\\ \\Alkyl\end{smallmatrix}$$

L = 2-Elektronen-Donor
X = Halogen

Die Zugabe erfolgt am besten unter Kühlung auf −78°. Bei der Aufarbeitung ist die Ab
trennung der Lithium-Salze durch Filtrieren oder durch Hydrolyse und Phasentrennung
möglich. Bei allen Arbeitsgängen ist auf absoluten Ausschluß von Sauerstoff zu achten

trans-Bis-[trimethylphosphan]-chloro-methyl-nickel[3]: Zu 6,0 g (21,3 mmol) Bis-[trimethylphosphan]-nik
kel(II)-chlorid[4] in 80 ml Ether werden bei −40° unter Rühren langsam 25 ml einer 1 N ether. Methyl-lithium-Lö
sung[5] getropft. Nach Erwärmen auf −5° werden 2 ml Methanol zugegeben und bei 20° 2 Stdn. gerührt. Filtrieren
und Abkühlen der Lösung liefert orangefarbene Blättchen; Ausbeute: 5,3 g (95%); ^{1}H-NMR (Toluol, 35°)
τ_{NiCH_3} = 11,1 s; IR(Nujol) ν_{Nic} 526 cm^{-1}.

trans-Bis-[triisopropylphosphan]-chloro-methyl-nickel[6]: Zu 1,5 g (3,3 mmol) Bis-[triisopropylphosphan]
nickel(II)-chlorid in 120 ml Ether werden bei −78° 7,7 ml einer 0,64 N ether. Methyl-lithium Lösung[5] unter Rüh
ren getropft. Die Mischung wird innerhalb 24 Stdn. auf −5° erwärmt und mit 30 ml entgastem Wasser hydroly
siert. Die wäßr. Phase wird gefroren und die Ether-Lösung dekantiert und mit Natriumsulfat getrocknet. Einen
gen i. Vak. bis zur beginnenden Kristallisation und Ausfrieren bei −78° liefert gelbe Kristalle, die aus Ether bei
−78° umkristallisiert werden.
^{1}H-NMR(CH$_3$OCH$_3$, 0°): τ_{NiCH_3} = 10,8 t; ^{3}J(PH) = 8 Hz.

Auch die Mono-alkylierung mit Grignard-Verbindungen ist mit Erfolg angewendet
worden:

$$\underset{\underset{Cl}{|}}{\overset{\overset{Cl}{|}}{L-Ni-L}} \;+\; R-MgCl \;\xrightarrow[-\;MgCl_2]{(H_5C_2)_2O}\; \underset{\underset{R}{|}}{\overset{\overset{Cl}{|}}{L-Ni-L}}$$

R = CH$_2$-Si(CH$_3$)$_3$, CH$_2$-C(CH$_3$)$_2$-C$_6$H$_5$
L = P(CH$_3$)$_3$, P(CH$_3$)$_2$C$_6$H$_5$

Allerdings bereitet die Abtrennung der Magnesium-Salze ohne den Hydrolyse-Schritt
bisweilen Schwierigkeiten.

Bis-[trimethylphosphan]-chloro-(2-methyl-2-phenyl-propyl)-nickel[7]: Zu einer Suspension von 1,16 g (4,12
mmol) Bis-[trimethylphosphan]-nickel(II)-chlorid in 40 ml Ether werden bei −60° 6,6 ml einer 0,63 N ether.
2-Methyl-2-phenyl-propyl-magnesiumchlorid-Lösung unter Rühren pipettiert. Die Mischung wird auf 20° er
wärmt und 5 Stdn. gerührt. Danach wird auf 10−15 ml eingeengt und mit 40 ml Pentan gefällt. Nach Abzentrifu
gieren wird eine Lösung erhalten, die bei −30° rotbraune Kristalle abscheidet. Man kristallisiert aus Ether/Pen
tan (1:3) bei −30° um; Ausbeute: 1,10 g (~70%); ^{1}H-NMR(C$_6$H$_6$): τ_{NiCH_2} = 8,74.

---

[1] W. BECK, W. HIEBER u. G. NEUMAIR, Z. anorg. Ch. **344**, 285 (1966).
[2] S. TROFIMENKO, E.L. LITTLE jr. u. H.F. MOWER, J. Org. Chem. **27**, 433 (1962).
[3] H.-F. KLEIN u. H.H. KARSCH, B. **106**, 1433 (1973).
[4] W. WOLFSBERGER u. H. SCHMIDBAUR, Synth. React. Inorg. Metal.-org. Chem. **4**, 149 (1974).
[5] Hergestellt aus Methylchlorid und Lithium.
[6] M.L.H. GREEN u. M.J. SMITH, Soc. [A] **1971**, 639.
[7] E. CARMONA, F. GONZALEZ, M.L. POVEDA, J.L. ATWOOD u. R.D. ROGERS, Soc. [Dalton Trans.] **1980**, 2108.

Auf analoge Weise erhält man z. B.

trans-Bis-[trimethylphosphan]-chloro-(trimethylsilyl-methyl)-nickel	60%
trans-Bis-[dimethyl-phenyl-phosphan]-chloro-(trimethylsilyl-methyl)-nickel	60%
trans-Bis-[dimethyl-phenyl-phosphan]-chloro-(2-methyl-2-phenyl-propyl)-nickel	60%

Methyl-(1,5,8,12-tetramethyl-1,5,8,12-tetraaza-cyclotetradecan)-nickel-trifluormethansulfonat[1]:

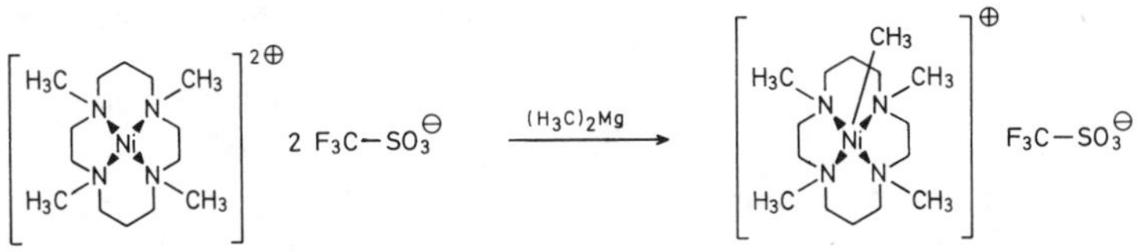

Zu 1 g (1,6 mmol) (1,5,8,12-Tetramethyl-1,5,8,12-tetraaza-cyclotetradecan)-nickel-bis-[trifluormethansulfonat][2] in 25 *ml* THF wird ein leichter Überschuß von Halogenid-freiem Dimethyl-magnesium in THF pipettiert. Nach 15 Min. Rühren wird die grüne Lösung auf 10 *ml* eingeengt und mit 20 *ml* Ether versetzt. Das Rohprodukt wird aus Tetrahydrofuran/Ether umkristallisiert; Ausbeute: 570 mg (75%) (grün).

Das Produkt ist unter Stickstoff bei 20° einige Tage stabil.

β) Dialkyl-nickel-Verbindungen

Dialkyl-nickel-Verbindungen lassen sich aus Nickel-Salzen mit zwei Äquivalenten Alkyl-lithium herstellen:

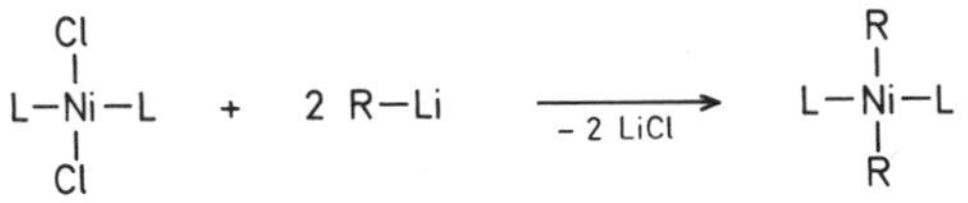

R = Alkyl, Cycloalkyl
L = 2-Elektronen-Donor

Mit chelatisierenden Donor-Liganden bzw. mit α,ω-Dilithium-alkanen geeigneter Kettenlänge wird eine *cis*-Konfiguration der Nickel-Komplexe erzwungen.

Die Herstellung erfordert auch hier anfangs tiefe Temperaturen, und beim Aufarbeiten müssen neben dem Sauerstoff auch protonenaktive Substanzen (Wasser, Alkohole, Aceton, etc.) ausgeschlossen bleiben.

Bis-[trimethylphosphan]-dimethyl-nickel[3]: Zu 1,0 g (3,45 mmol) Bis-[trimethylphosphan]-nickel(II)-chlorid in 20 *ml* THF werden bei –70° langsam 12 *ml* einer 0,6 N ether. Methyl-lithium-Lösung[4] getropft. Bei 0° werden die flüchtigen Bestandteile i. Vak. entfernt und der Rückstand mit 10 *ml* Pentan ausgewaschen. Aus dieser Lösung kristallisiert das Produkt bei –78° aus; Ausbeute: 700 mg (82%) (gelb); Zers.p.: 69–71°; ^{1}H–NMR (Toluol, 35°): τ_{NiCH_3} = 11,1.

Ausgehend von Pyridin-nickel-Komplexen und mit Trimethylsilyl-methyl-magnesium-chlorid werden unter Zusatz ein- oder zweizähniger Neutral-Liganden u. a. erhalten[5]:

[1] M. J. D'ANIELLO, jr. u. E. K. BAREFIELD, Am. Soc. **98**, 1610 (1976).
[2] F. WAGNER u. E. K. BAREFIELD, Inorg. Chem. **15**, 408 (1976).
[3] H.-F. KLEIN u. H. H. KARSCH, B. **105**, 2628 (1972).
[4] Hergestellt aus Methylchlorid und Lithium.
[5] E. CARMONA, F. GONZALES, M. L. POVEDA, J. L. ATWOOD u. R. D. ROGERS, Soc. [Dalton Trans.] **1981**, 777.

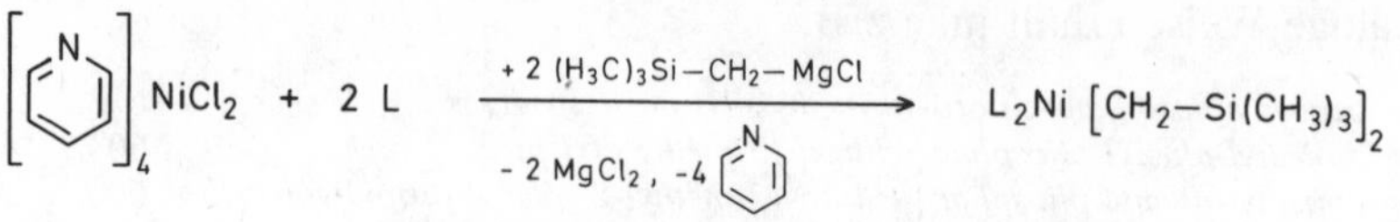

$$\left[\begin{array}{c}N\\ \end{array}\right]_4 NiCl_2 \ + \ 2\ L \quad \xrightarrow[- 2\ MgCl_2,\ -4\ \overset{N}{\bigcirc}]{+2\ (H_3C)_3Si-CH_2-MgCl}\quad L_2Ni\left[CH_2-Si(CH_3)_3\right]_2$$

L = C_5H_5N; *cis-Bis-[trimethylsilyl-methyl]-bis-[pyridin]-nickel*; 70%
L–L = $(H_5C_6)_2P–CH_2–CH_2–P(C_6H_5)_2$; *(1,2-Bis-[diphenylphosphano]-*
            ethan)-cis-bis-[trimethylsilyl-methyl]-nickel; 80%
L–L = $(H_3C)_2N–CH_2–CH_2–N(CH_3)_2$; *(1,2-Bis-[dimethylamino]-*
            ethan)-bis-[2-methyl-2-phenyl-propyl]-nickel; 30%

cis-Dimethyl-nickel-Verbindungen mit raumerfüllenden 1,2-Bis-[imino]-alkan-Liganden werden mit Grignard-Reagenz hergestellt[1]:

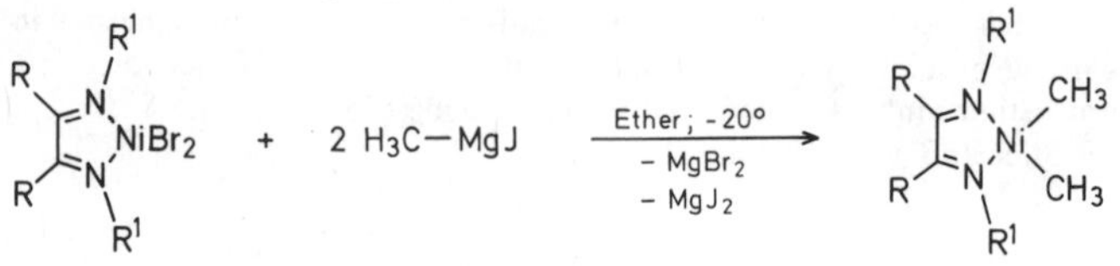

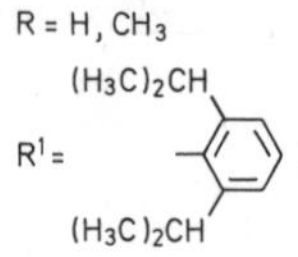

R = H, CH_3

$$R^1 = \begin{array}{c}(H_3C)_2CH\\ \\ (H_3C)_2CH\end{array}$$

Bei der Isolierung der Produkte ist auf sorgfältiges Entfernen des Ethers zu achten, um beim anschließenden Kristallisieren aus dem Hexan-Extrakt eine Mitfällung von Magnesiumhalogenid zu vermeiden.

(2,3-Bis-[2,6-diisopropyl-phenylimino]-butan)-dimethyl-nickel[1]: Zu einer Suspension von 4,5 g (8,1 mmol) (2,3-Bis-[2,6-diisopropyl-phenylimino]-butan)-nickel(II)-bromid in 100 *ml* Ether wird unter Rühren bei −80° eine ether. Lösung von 9,6 mmol Methyl-magnesiumjodid getropft. Nach Beendigung der Zugabe wird 2 Stdn. bei −80° gerührt, die flüchtigen Bestandteile i. Vak. abgezogen. Der Rückstand wird mit 100 *ml* Hexan extrahiert und die Lösung durch Abkühlen zur Kristallisation gebracht; Ausbeute: 0,8 g (35%) (blau); ^{1}H-NMR(C_6D_6): τ_{NiCH_3} = 8,98; IR(Nujol): $\nu_{C=N}$ 1556 cm^{-1}.
Die Löslichkeit in Ether und Benzol ist gut, in Hexan mäßig.

Das bei 20° zersetzliche *(1,2-Bis-[2,6-diisopropyl-phenylimino]-ethan)-dimethyl-nickel*[1] wird analog zu 60% erhalten.
Eine Reihe von Nickelolan-Komplexen wird aus Dihalogen-nickel-Komplexen und 1,4-Dilithio-butan bei tiefen Temperaturen erhalten[2, 3]; z.B.:

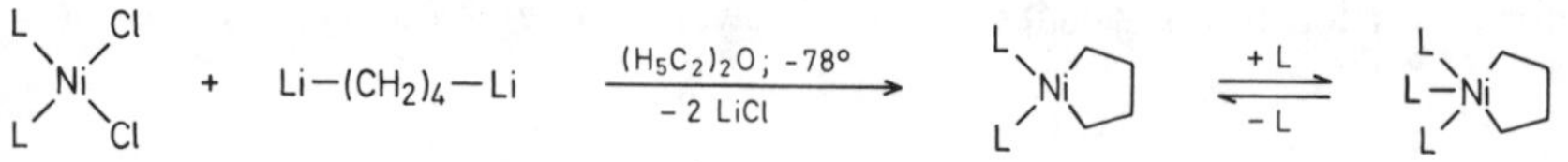

L = $P(C_6H_5)_3$, $P(C_6H_{11})_3$, $P(C_4H_9)_3$, $P(CH_3)(C_6H_5)_2$
    $P(CH_2-C_6H_5)(C_6H_5)_2$
L–L = $(H_5C_6)_2P–CH_2–CH_2–P(C_6H_5)_2$

[1] M. Svoboda u. H. tom Dieck, J. Organometal. Chem. **191**, 321 (1980).
[2] R.H. Grubbs, A. Miyashita, M.M. Lin u. P.L. Burk, Am. Soc. **99**, 3863 (1977).
[3] R.H. Grubbs, A. Miyashita, M.M. Lin u. P.L. Burk, Am. Soc. **100**, 2418 (1978).

Die Verbindungen zersetzen sich bei 9° in Lösung zu Nickel(0) und Kohlenwasserstoff. Mit Triphenylphosphan im Überschuß kristallisiert die pentakoordinierte Verbindung in besserer Ausbeute.

Tris-[triphenylphosphan]-nickelolan[1]: 31 *ml* einer 6,4 m ether. Lösung von 1,4-Dilithio-butan werden bei -50° langsam unter Rühren zu einer Suspension von 2,5 g (3,8 mmol) Bis-[triphenylphosphan]-nickel(II)-dichlorid in 80 *ml* Ether getropft. Dann wird langsam auf 0° erwärmt und so lange nachgerührt, bis eine tiefgelbe Lösung erhalten wird. Sobald sich ein hellgelber Niederschlag abzuscheiden beginnt, werden 3,0 g (11,4 mmol) Triphenylphosphan hinzugegeben, wodurch sich die Lösung nach dunkelbraun verfärbt und einen goldbraunen Feststoff abscheidet. Dieser wird abfiltriert, in Toluol gelöst, das bei -60° mit Triphenylphosphan gesättigt wurde, und die Lösung bei -50° kristallisiert. Man filtriert und wäscht den Niederschlag mit Ether; Ausbeute: 1,7 g 51%); F: 128-130° (Zers.).

Ohne Zusatz von weiterem Phosphan-Ligand werden u.a. erhalten:

Bis-[tributylphosphan]-nickelolan[1]   10%
Bis-[tricyclohexylphosphan]-nickelolan[1]   43%
Bis-[triphenylphosphan]-nickelolan[1]   36%
(1,2-Bis-[diphenylphosphano]-ethan)-nickelolan[1]   25%
Bis-[triphenylphosphan]-8-nickela-bicyclo[4.3.0]nonan[2]   48%

Besonders geeignet ist Alkyl-lithium zur Einführung eines Alkyl-Restes neben einem Aryl-Rest; z.B.:

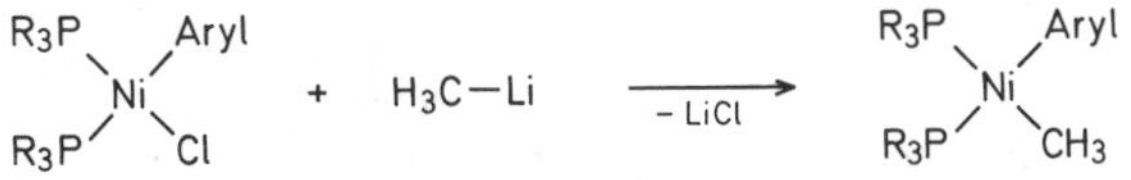

$$\begin{array}{c} R_3P \diagdown \diagup Aryl \\ Ni \\ R_3P \diagup \diagdown Cl \end{array} \quad + \quad H_3C-Li \quad \xrightarrow{-LiCl} \quad \begin{array}{c} R_3P \diagdown \diagup Aryl \\ Ni \\ R_3P \diagup \diagdown CH_3 \end{array}$$

Obwohl die Herstellung unter milden Bedingungen durchgeführt wird, sind die Ausbeuten nicht hoch.

trans-Bis-[triethylphosphan]-methyl-phenyl-nickel[3]: Zu einer ether. Lösung von 4,0 g (9 mmol) *trans*-Bis-triethylphosphan]-phenyl-nickel-bromid (Herstellung s. S. 669) werden bei 0° unter Rühren 7,3 *ml* einer 1,8 N ether. Methyl-lithium-Lösung pipettiert. Es wird 30 Min. bei -30° gerührt, mit 2,5 *ml* (20 mmol) Chlor-trimethyl-silan versetzt und bei 0° i. Vak. bis auf 10 *ml* eingeengt. Jetzt wird auf -78° gekühlt, die überstehende ether. Lösung abpipettiert und der braungelbe Rückstand bei 20° i. Vak. getrocknet. Nach Auswaschen mit Hexan bei 20°, Filtrieren und Einengen der Lösung wird auf -78° abgekühlt; Ausbeute: 1,35 g (39%); F: 71,5-72° (Zers.); ^{1}H-NMR(C_6H_5): τ_{NiCH_3} = 10,76 t; ^{3}J(PH) = 12 Hz.

Bei gleicher Arbeitsweise werden u.a. erhalten:

Bis-[triethylphosphan]-methyl-(2-methyl-phenyl)-nickel[3]   79%; F: 72-73° (Zers.)
Bis-[triethylphosphan]-methyl-(2,4,6-trimethyl-phenyl)-nickel[4]   47%; F: 114-116° (Zers.)
Bis-[triethylphosphan]-(4-fluor-phenyl)-methyl-nickel[5]   57%; F: 73-75° (Zers.)
Bis-[diphenyl-methyl-phosphan]-methyl-(pentachlor-phenyl)-nickel[6]   15%; F: 121° (Zers.)
Bis-[diphenyl-methyl-phosphan]-methyl-(2,4,6-trimethyl-phenyl)-nickel[6] 38%; F: 118,5-120° (Zers.)

In Abwesenheit von Phosphan-Liganden läßt sich Dimethyl-nickel durch zwei Äquivalente Methyl-lithium komplexieren. Das *Dilithium-tetramethyl-nickelat* wird als *Tetrahydrofuran-Solvat* (56%; Zers.p.: 129-130°) erhalten[7]:

[1] R.H. GRUBBS, A. MIYASHITA, M.M. LIN u. P.L. BURK, Am. Soc. **100**, 2418 (1978).
[2] R.H. GRUBBS u. A. MIYASHITA, J. Organometal. Chem. **161**, 371 (1978).
[3] D.G. MORRELL u. J.K. KOCHI, Am. Soc. **97**, 7262 (1975).
[4] D.R. FAHEY u. B.A. BALDWIN, Inorg. Chim. Acta **36**, 269 (1979).
[5] G.W. PARSHALL, Am. Soc. **96**, 2360 (1974).
[6] M.D. RAUSCH u. F.E. TIBBETTS, Inorg. Chem. **9**, 512 (1970).
[7] R. TAUBE u. G. HONYMUS, Ang. Ch. **87**, 291 (1975).

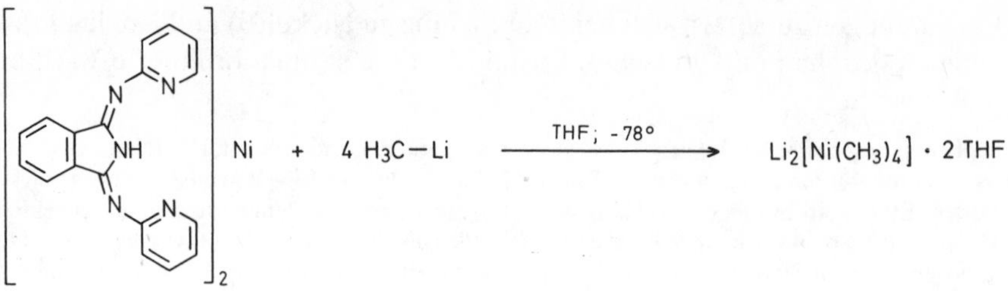

Hochreaktive Kalium-organische Verbindungen werden nur in besonderen Fällen fü[r] die Synthese von Organo-nickel-Verbindungen verwendet. Eines der wenigen Beispiel[e] ist die Herstellung des folgenden zweifach chelatisierten Dialkyl-nickel-Komplexes[1]:

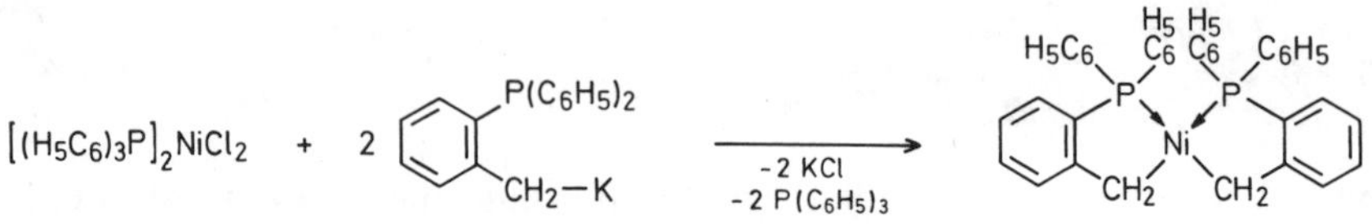

cis-Bis-[2-(diphenylphosphano)-benzyl]-nickel[1]:
2-Diphenylphosphano-benzyl-kalium: Zu einer Lösung von 19,4 mmol Butyl-lithium in 10 *ml* Hexa[n] wird eine Suspension von 5,35 g (19 mmol) Diphenyl-(2-methyl-phenyl)-phosphan und 2,17 g (19,3 mmol) Ka[-] lium-tert.-butanolat in 80 *ml* Hexan zugetropft. Nach 3 Stdn. Rühren wird der ziegelrote Niederschlag abfiltrier[t] mit Benzol und Hexan gewaschen und i. Vak. getrocknet: Ausbeute: 68%.
cis-Bis-[2-diphenylphosphano-benzyl]-nickel: Zu einer Suspension von 4,07 g (12,7 mmol) 2-Di[-] phenylphosphano-benzyl-kalium in 20 *ml* Benzol wird eine Lösung von 2,15 g (5,9 mmol) Bis-[triphenylphos[-] phan]-nickel(II)-chlorid in 20 *ml* Benzol zugetropft. Es wird 1 Stde. gerührt, vom rotbraunen Feststoff abfiltrier[t] und zur Trockne verdampft. Nach dem Trocknen (6 Stdn./60°/10⁻² Torr) wird der gelbbraune Rückstand mi[t] kaltem Hexan gewaschen und aus heißem THF umkristallisiert; Ausbeute: 1,1 g (31%).

Im Gegensatz dazu fällt das schwach nucleophile Tricyanmethyl-Anion Nickel(II)-Io[-] nen aus wäßriger Lösung[2]:

$$NiSO_4 \quad + \quad 2\,(NC)_3C-K \quad \xrightarrow{H_2O} \quad [(NC)_3C]_2Ni \cdot {}^1/_2 H_2O$$

Bis-[tricyanmethyl]-nickel, 41%

2. aus Bis-[2,4-pentandionato]-nickel durch nucleophile Substitution

In Ether unlösliche Bis-[organo]- sowie (2,4-Pentandionato)-organo-nickel-Verbin[-] dungen werden bevorzugt aus Bis-[2,4-pentandionato]-nickel(II) und einer Organo-alu[-] minium-Verbindung hergestellt, die in die entsprechende Ether-lösliche 2,4-Pentan[-] dionato-aluminium-Verbindung übergeht:

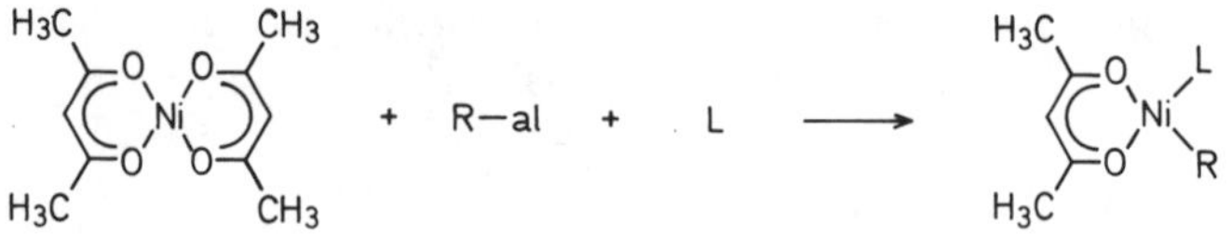

L = PR₃, 2,2'-Bipyridyl, usw.
R–al = R₃Al, R₂Al–OR, usw.

---

[1] G. Longoni, P. Chini, F. Canziani u. P. Fantucci, G. **104**, 249 (1974).
[2] S. Trofimenko, E.L. Little jr. u. H.F. Mower, J. Org. Chem. **27**, 433 (1962).

Die Organo-nickel-Verbindungen scheiden sich (bei 20° oder beim Kühlen der Lösung) ab.

Ethyl-(2,4-pentandionato)-(triphenylphosphan)-nickel[1]: Eine Lösung von Diethyl-ethoxy-aluminium, hergestellt aus 1,5 ml (20 mmol) Triethyl-aluminium und 5,25 ml (20 mmol) Ethanol in 30 ml Hexan, wird unter Rühren zu einer Mischung von 5,0 g (20 mmol) Bis-[2,4-pentandionato]-nickel und 5,25 g (20 mmol) Triphenylphosphan in 75 ml Ether bei −20° zugetropft. Nach langsamem Aufwärmen wird 45 Min. bei 10° gerührt. Dann wird filtriert und der Rückstand mit 30 ml Hexan gewaschen. Aus dem Filtrat scheiden sich innerhalb 12 Stdn. bei 0° rötlich gelbe Kristalle ab, die mit Hexan gewaschen und getrocknet werden; Ausbeute: 5,5 g (63%); F: 94–99° (Zers.).
Die kristalline Substanz ist mehrere Stdn. an der Luft stabil.

In ähnlicher Weise erhält man u. a.:

mit Dimethyl-ethoxy-aluminium:
(2,2'-Bipyridyl)-dimethyl-nickel[2]	70%
Bis-[triethylphosphan]-dimethyl-nickel[3]	60%

mit Diethyl-ethoxy-aluminium:
Bis-[triphenylmethyl]-bis-[triphenylphosphan]-nickel[4]	90%
(2,2'-Bipyridyl)-diethyl-nickel[2, 5]	80%

mit Trimethyl-aluminium:
Methyl-(2,4-pentandionato)-(tricyclohexylphosphan)-nickel[6]	66%
Bis-[cyclohexylphosphan]-dimethyl-nickel[6]	50%
Bis-[tris-(4-biphenylyl)-phosphan]-dimethyl-nickel[2]	30%
Dimethyl-tris-[dimethyl-phenyl-phosphan]-nickel[7]	70%

mit Tris-[trimethylsilyl-methyl]-aluminium:
(2,2-Bipyridyl)-bis-[trimethylsilyl-methyl]-nickel[8]	72%

mit Tribenzyl-aluminium:
2,2'-Bipyridyl-dibenzyl-nickel[9]	75%

3. durch interne Metallierung unter Ringschluß

Wenn der Kohlenwasserstoff-Teil eines Substituenten einem Nickel-Zentrum nahekommt, dann führt eine formale Abspaltung von Halogenwasserstoff mit Hilfe einer Base in einigen Fällen zu cyclischen Alkyl-nickel-Verbindungen. Bevorzugt werden 5-Ringe gebildet, die auch in vielen anderen Chelat-Komplexen des Nickels(II) angetroffen werden.

Während beim Palladium und Platin entsprechende Organo-metall-Verbindungen in größerer Zahl beschrieben wurden[10], gibt es für die Herstellung von Alkyl-nickel-Verbindungen auf diesem Wege erst ein Beispiel.

[1] F. A. Cotton, B. A. Frenz u. D. L. Hunter, Am. Soc. **96**, 4820 (1974).
[2] G. Wilke u. G. Herrmann, Ang. Ch. **78**, 591 (1966).
[3] T. Yamamoto, M. Takamatsu u. A. Yamamoto, Bl. chem. Soc. Japan **55**, 325 (1982).
[4] G. Wilke u. H. Schott, Ang. Ch. **78**, 592 (1966).
[5] T. Saito, Y. Uchida, A. Misono, A. Yamamoto, K. Morifuji u. S. Ikeda, Am. Soc. **88**, 5198 (1966).
[6] P. W. Jolly, K. Jonas, C. Krüger u. Y.-H. Tsay, J. Organometal. Chem. **33**, 109 (1971).
[7] E. A. Jeffery, Austral. J. Chem. **26**, 219 (1973).
[8] G. Sonnek u. E. Dinjus, Z. anorg. Ch. **441**, 58 (1978).
[9] E. Uhlig u. W. Poppitz, Z. anorg. Ch. **477**, 167 (1981).
[10] D. E. Webster, Adv. Organometallic Chem. **15**, 147 (1977).

Bromo-{2,5-dimethyl-4-isopropyl- 3-[2-(1-isopropyl- 2-methyl-propylimino)-ethylidenamino]-hexyl}- nik-kel[1]: Zu einer Suspension von 2,8 g (6 mmol)(1,2-Bis-[1-isopropyl-2-methyl-propylimino]-ethan)-nickel(II)-bromid in 80 ml Ether wird bei $-15°$ langsam eine ether. Lösung von 6 mmol 2-Methyl-phenyl-magnesium-bromid getropft. Die blaue Mischung ergibt nach Einengen zur Trockne einen goldbraun glänzenden, blauvioletten Rückstand, der mit 75 ml Toluol versetzt und mit stickstoffgesättigtem Wasser 2mal ausgeschüttelt wird. Einengen der Toluol-Lösung ergibt ein Rohprodukt (50% Ausbeute), das aus Ethanol/Petrolether umkristallisiert wird; F: 94° (N_2).

Reduktive Cyclisierungen von Nickelhalogeniden mit (ω -Halogen-alkyl)-phosphan-Liganden ergeben dimere Komplexe[2]; z.B.:

$$n = 4; \ (\eta^5\text{-}Cyclopentadienyl)\text{-}(4\text{-}diphenyl\text{-}$$
$$phosphano\text{-}butyl)\text{-}nickel; \ 23\%; \ F: 99°$$

$$\eta^5\text{-}Cyclopentadienyl\text{-}(diphenyl\text{-}$$
$$phosphano\text{-}methyl)\text{-}nickel \ (dimer);$$
$$40\%; \ F: 131° \ (Zers.)$$

4. aus Nickel(0)-Verbindungen

α) durch oxidative Addition von Halogenalkanen

Einkernige Nickel(0)- oder zweikernige Nickel(I)-Verbindungen mit leicht verdrängbaren Neutral-Liganden addieren Brom- oder Jod-alkane und ergeben, oft unter gleichzeitiger Substitution, Alkyl-nickel(II)-bromide bzw. Jodide. Bei dieser Art der Herstellung sind die angegebenen Bedingungen (Temperatur, Solvens, Art der Zugabe) besonders sorgfältig einzuhalten, da eine Reihe von Nebenreaktionen die Ausbeuten drastisch verringern können.

Es kann auch von in situ erzeugtem Bis-[triphenylphosphan]-ethen-nickel(0)[3] ausgegangen werden:

$R = CH_2\text{-}C_6H_5$, Perfluoralkyl
$X = Br, J$
$L = P(C_6H_5)_3, P(C_6H_{11})_3$

Bis-[triphenylphosphan]- jodo-(trifluormethyl)-nickel[4]: 0,5 g (0,81 mmol) Bis-[triphenylphosphan]-ethen-nickel(0) und überschüssiges Jod-trifluor-methan (5 mmol) in 15 ml Ether werden 24 Stdn. bei 20° im Bombenrohr aufbewahrt. Dann wird unter Stickstoff geöffnet, die orangebraunen Kristalle abfiltriert und aus Dichlormethan/Hexan umkristallisiert; Ausbeute: 0,53 g (72%).

Bis-[triphenylphosphan]-(heptafluor-propyl)-jodo-nickel[4] wird analog zu 75% erhalten.

---

[1] H. TOM DIECK u. M. SVOBODA, B. **109**, 1657 (1976).
[2] E. LINDNER, F. BOUACHIR u. W. HILLER, Z. Naturf. **37b**, 1146 (1982).
[3] G. WILKE u. G. HERRMANN, Ang. Ch. **74**, 693 (1962).
[4] J. ASHLEY-SMITH, M. GREEN u. F. G. A. STONE, Soc. [A] **1969**, 3019.

Mit Halogen-alkanen werden bei gleicher Arbeitsweise i. a. keine Alkyl-nickel-Verbindungen erhalten sondern hauptsächlich Tris-[triphenylphosphan]-nickel(I)-halogenide[1]. Lediglich Benzylchlorid addiert sich bei −20 bis −30° glatt.

Benzyl-bis-[triphenylphosphan]-chloro-nickel[2]: 4,3 g (7 mmol) Bis-[triphenylphosphan]-ethen-nickel(0)[3] werden von einer G 3-Fritte mit 200 *ml* Ether, der 1,1 g (8,7 mmol) Benzylchlorid enthält, bei −20° i. Vak. herabextrahiert. Die Fritte wird dazu über einen spitzwinkligen Krümmer mit einem zweiten Schlenk-Gefäß verbunden. Aus der tiefvioletten Lösung scheiden sich 4,42 g blauviolette Kristalle ab. Durch Einengen der Mutterlauge werden weitere 0,15 g gewonnen; Ausbeute: 4,57 g (91%).

Das in ähnlicher Weise hergestellte *Benzyl-bis-[triphenylphosphan]-bromo-nickel*[2] (60%) wird nicht frei von paramagnetischen Verunreinigungen erhalten[3].

Mit 1,4-Bis-[chlormethyl]-benzol reagieren bei −30° beide funktionellen Gruppen, und man erhält verbrückte Zweikern-Komplexe[4]:

$$2\ [(H_5C_6)_3P]_2Ni(H_2C{=}CH_2) \ \xrightarrow[-\ H_2C=CH_2]{\substack{+\ Cl-CH_2-\langle\ \rangle-CH_2-Cl \\ (H_5C_2)_2O}} \ (H_5C_6)_3P\underset{\underset{(H_5C_6)_3P}{|}}{\overset{\overset{Cl}{|}}{Ni}}-CH_2-\langle\ \rangle-CH_2-\underset{\underset{P(C_6H_5)_3}{|}}{\overset{\overset{Cl}{|}}{Ni}}-P(C_6H_5)_3$$

1,4-Bis-{[bis-(triphenylphosphan)-chloro-nickelo]-methyl}-benzol; 85%

Auf ähnliche Weise werden u. a. erhalten[5]:

2,3-Bis-{[bis-(triphenylphosphan)-chloro-nickelo]-methyl}-naphthalin   86%
1,4-Bis-{[chloro-(tricyclohexylphosphan)-nickelo]-methyl}-benzol   61%

Das Produkt[6] der oxidativen Addition von Phenyl-acetonitril an Bis-[tricyclohexylphosphan]-nickel zersetzt sich bei 20°:

$$Ni\left[P(C_6H_{11})_3\right]_2 \ +\ H_5C_6-CH_2-CN \ \xrightarrow[-P(C_6H_{11})_3]{} \ \underset{NC}{\overset{(H_{11}C_6)_3P}{\diagdown}}Ni\overset{H_2C}{\diagup}\langle\ \rangle$$

Cyano-(1,1′,2-η³-α-dehydro-toluol)-(tricyclohexylphosphan)-nickel[6]; 25%; F: 20° (Zers.)

Perfluor-jod-alkane addieren sich an (1,2-Bis-[diphenylphosphano]-ethan)-dicarbonyl-nickel(0) unter Verdrängung beider Kohlenmonoxid-Liganden:

$$\underset{H_5C_6}{\overset{H_5C_6}{}}\!\!\!\!\overset{C_6H_5}{\underset{C_6H_5}{\diagup P}}\ Ni\ \overset{CO}{\underset{CO}{}} \ \xrightarrow[-\ 2\ CO]{+\ R^F-J} \ \underset{H_5C_6}{\overset{H_5C_6}{}}\!\!\!\!\overset{C_6H_5}{\underset{C_6H_5}{\diagup P}}\ Ni\ \overset{R^F}{\underset{J}{}}$$

$R^F = CF_3,\ C_3F_7$

(1,2-Bis-[diphenylphosphano]-ethan)-(heptafluor-propyl)-jodo-nickel[7]: 2,6 g (10 mmol) (1,2-Bis-[diphenylphosphano]-ethan)-dicarbonyl-nickel(0) und 12 g (40 mmol) Heptafluor-1-jod-propan werden in einem 300-*ml*-Pyrex-Kolben eingeschmolzen und 60 Stdn. stehengelassen. Das rotbraune Produkt wird durch Umkristallisieren aus Benzol erhalten; Ausbeute: 3,5 g (92%); F: 220–224° (Zers.).

---

[1] M. L. H. Green u. M. J. Smith, Soc. [A] **1971**, 639.
[2] E. Bartsch, E. Dinjus, R. Fischer u. E. Uhlig, Z. anorg. Ch. **433**, 5 (1977).
[3] J. Ashley-Smith, M. Green u. F. G. A. Stone, Soc. [A] **1969**, 3019.
[4] B. Hipler u. E. Uhlig, J. Organometal. Chem. **199**, C 27 (1980).
[5] B. Hipler, E. Uhlig u. J. Vogel, J. Organometal. Chem. **218**, C 1 (1981).
[6] G. Favero, A. Morvillo u. A. Turco, J. Organometal. Chem. **241**, 251 (1983).
[7] D. W. McBride, S. L. Stafford u. F. G. A. Stone, Soc. **1963**, 723.

Auf ähnliche Weise wird *(1-,2-Bis-[diphenylphosphano]-ethan)-jodo-(pentafluor-ethyl)-nickel* (70%; Zers. >260°) erhalten[1].

Die oxidative Addition von Jod-alkanen an Tetrakis-[tert.-phosphan]-nickel(0)-Verbindungen gelingt nur, wenn die Substitution von Neutral-Liganden verhindert wird. Ein pentakoordiniertes Alkyl-nickel-Kation ist in polarem Medium vor weiterem Angriff durch Jod-alkan geschützt, der unter Alkan-Bildung zum komplexen Nickel(II)-jodid führen würde. Mit räumlich kleinen Trialkylphosphan-Liganden und in Acetonitril wird bei 20° glatt die Methyl-nickel(II)-Verbindung gebildet[2]:

$$[(H_3C)_3P]_4Ni \;+\; CH_3J \;\xrightarrow{H_3C-CN}\; \{[(H_3C)_3P]_4Ni-CH_3\}^{\oplus}\,J^{\ominus}$$

Methyl-tetrakis-[trimethylphosphan]-nickel-jodid[1]:
Tetrakis-[trimethylphosphan]-nickel(0)[1]: 600 mg Magnesium-Späne werden i. Vak. 2 Stdn. trocken gerührt, bis ein schwarzer Abrieb erhalten wird. Unter Argon wird dann eine Lösung von 2,82 g (10 mmol) Bis-[trimethylphosphan]-nickel(II)-chlorid[3] und 2,30 g (30,3 mmol) Trimethylphosphan in 50 ml THF zugegeben und bis zum Verschwinden der blauen Farbe (~5 Stdn.) gerührt. Die hellrote Lösung wird zur Trockne eingedampft und der Rückstand bei 70°/0,1 Torr sublimiert.
Das Sublimat[4] wird durch Aufkondensieren von wenig Pentan i. Vak. gelöst, in ein Vorratsgefäß mit Schutzgas-Einlaß überführt und 30 Min. i. Vak. bei 20° getrocknet; Ausbeute: 3,09 g (85%); Zers. >185°.
Methyl-tetrakis-[trimethylphosphan]-nickel-jodid: Zu einer Suspension von 910 mg (2,51 mmol) Tetrakis-[trimethylphosphan]-nickel(0) in 30 ml Acetonitril werden bei −40° 360 mg (2,53 mmol) Jodmethan i. Vak. kondensiert. Nach 8 Stdn. Rühren bei 0° im Dunkeln wird eine orangerote Lösung erhalten, die nach Einengen bei 0° i. Vak. und Ausfällen mit 70 ml Ether rote Kristalle liefert; Ausbeute: 1,03 g (81%); Zers. >113°
Die Substanz ist bei 20° im Dunkeln stabil.

2,2′-Bipyridyl-nickel(0)-Komplexe bewirken eine reduktive Cyclisierung von 1,4-Dihalogen-alkanen[5], wobei Nickelolane als Zwischenstufen auftreten[6,7]. *(2,2′-Bipyridyl)-nickelolan* selbst ist durch Umsetzung von Bis-[η^4-1,5-cyclooctadien]-nickel(0) mit 2,2′-Bipyridyl und 1,4-Dibrom-butan in einfacher Weise zugänglich[8]:

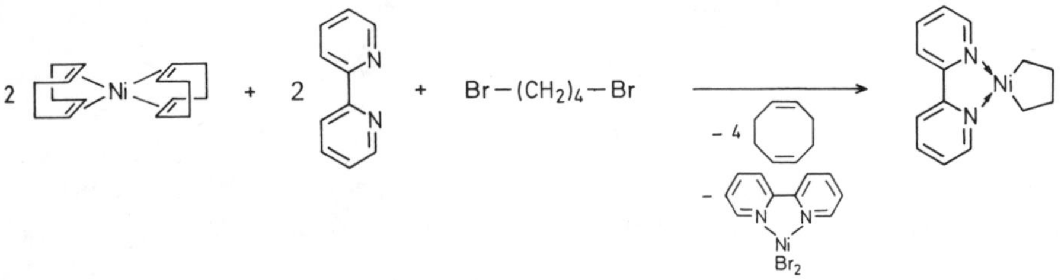

(2,2′-Bipyridyl)-nickelolan[8]: Zu 10,4 g (66,7 mmol) 2,2′-Bipyridyl und 8,25 g (30 mmol) Bis-[η^4-1,5-cyclooctadien]-nickel(0) in 200 ml THF werden bei 20° innerhalb 1 Stde. 3,74 g 1,4-Dibrom-butan getropft, wobei sich die Lösung auf maximal 28° erwärmt. Nach 12 Stdn. Rühren wird vom schwarzgrünen Niederschlag abfiltriert und dieser mit insgesamt 500 ml THF ausgewaschen, bis die ablaufende Lösung nahezu farblos ist. Die dunkelgrüne Lösung wird auf 100 ml eingeengt, mit 20 ml Pentan versetzt und vom dunkelgrünen Niederschlag abfiltriert. Dieser wird mit Pentan gewaschen und bei 10⁻¹ Torr getrocknet; Ausbeute: 3,38 g (83%); Zers. >~120°. d(Ni–C) 1,949(4) Å.

---

[1] D. W. McBride, S. L. Stafford u. F. G. A. Stone, Soc. **1963**, 723.

[2] H.-F. Klein u. H. H. Karsch, B. **109**, 2512 (1976).

[3] In die Reaktion können auch wasserfreies Nickel(II)-chlorid und zwei Moläquivalente Trimethylphosphan eingesetzt werden.

[4] **Vorsicht!** Bei Luftzutritt **explosionsartige** Zersetzung.

[5] S. Takahashi, Y. Suzuki u. N. Hagihara, Chem. Letters **1974**, 1363.

[6] M. J. Doyle, J. McMeeking u. P. Binger, Chem. Commun. **1976**, 376.

[7] S. Takahashi, Y. Suzuki, K. Sonogashira u. N. Hagihara, Chem. Commun. **1976**, 839.

[8] P. Binger, M. J. Doyle, C. Krüger u. Y.-H. Tsay, Z. Naturf. **34 b**, 1289 (1979).

Bis-[η^5-cyclopentadienyl]-dicarbonyl-dinickel ist ebenfalls zur oxidativen Addition von Halogen-alkanen befähigt. Seine Reaktivität wird beträchtlich gesteigert, wenn es durch Alkalimetall in Ethern vorab zum Carbonyl-(η^5-cyclopentadienyl)-nickel-Anion reduziert wird:

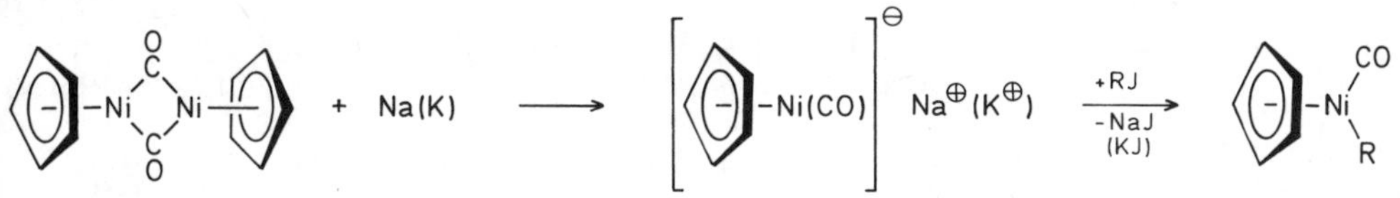

5–10%

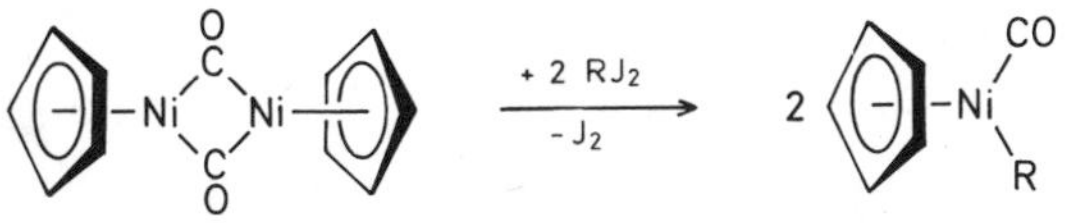

18–25%

Die Carbonyl-Verbindungen fallen als rote Öle an und werden in $\sim 75\%$ Ausbeute durch Substitution in die entsprechenden Triphenylphosphan-Verbindungen umgewandelt, die in kristalliner Form erhalten werden.

(η^5-Cyclopentadienyl)-(trifluormethyl)-(triphenylphosphan)-nickel[1]: Zu 2,42 g (7,96 mmol) Bis-[η^5-cyclopentadienyl]-dicarbonyl-dinickel in 30 *ml* Ether werden bei −78° 2,0 *ml* (26 mmol) Jod-trifluor-methan kondensiert. Man erwärmt im verschlossenen Druckgefäß unter Stickstoff innerhalb 90 Min. unter Rühren auf 20°. Dann wird erneut auf −78° gekühlt und das Lösungsmittel ohne Erwärmen bei 10 Torr abgezogen, anschließend wird i. Hochvak. über 3 Kühlfallen (−15°, 0°, 0°) destilliert; Ausbeute: 430 mg (25%) (rotes Öl).

Das rote Öl wird in 30 *ml* Dichlormethan mit 513 mg (2,15 mmol) Triphenylphosphan bei 20° 3 Stdn. gerührt, das Lösungsmittel i. Vak. entfernt und der grüne Rückstand aus Ether/Pentan umkristallisiert; Ausbeute: 660 mg (75%); F: 160–161° (grün).

Analog erhält man u. a.

(η^5-Cyclopentadienyl)-(heptafluor-propyl)-(triphenylphosphan)-nickel[1]; 25% und 83%; F: 147–148° (grün)
(η^5-Cyclopentadienyl)-(pentafluor-ethyl)-(triphenylphosphan)-nickel[2]; 18% und 76%; F: 164–165° (grün).

Carbonyl-(η^5-cyclopentadienyl)-(cyclopropyl-methyl)-nickel[3]: 3,04 g (10 mmol) Bis-[η^5-cyclopentadienyl]-dicarbonyl-dinickel in 30 *ml* THF werden mit 820 mg Natrium-Kalium-Legierung (1:4) gerührt und gelegentlich geschüttelt. Nach 15 Min. wird die tief orangerote Lösung filtriert und bei −75° mit 2,7 g (20 mmol) Cyclopropylmethyl-bromid in 5 *ml* THF versetzt. Das Lösungsmittel wird i. Vak. abgezogen und der Rückstand mit Pentan extrahiert. Die Pentan-Lösung wird an 50 g basischem Aluminiumoxid chromatographiert, die purpurrote Zone isoliert und einer Molekular-Destillation unterworfen; Ausbeute: 400 mg (10%) (rotes luftempfindliches Öl); ^{1}H–NMR(C_6D_6): τ_{NiCH_2} = 8,35 d, J_{HH} = 7 Hz.

β) durch Addition an Mehrfachbindungen

Nickel(0)-Komplexe mit Olefin- oder Fluor-olefin-Liganden, sowie Tetrakis-[Donorligand]-nickel(0)-Komplexe addieren Tetrafluor- oder Trifluor-ethen zu Nickelolanen; z. B.:

[1] M.D. Rausch, Y.F. Chang u. H.B. Gordon, Inorg. Chem. **8**, 1355 (1969).
[2] D.W. McBride, E. Dudek u. F.G.A. Stone, Soc. **1964**, 1752.
[3] J.M. Brown, J.A. Conneely u. K. Mertis, Soc. [Perkin Trans. II] **1974**, 905.

$$\text{NiL}_4 \;+\; 2\;\text{F}_2\text{C}=\text{CF}_2 \quad \xrightarrow{-\,2\,\text{L}} \quad$$

. . .-octafluor-nickelolan

z.B.: L = P(C_2H_5)$_3$; *Bis-[triethylphosphan]*-. . .[1] (1 Tag, 20°, Hexan); 96%; F: 141–142°
L = (H_5C_6)$_2$P–CH$_2$–CH$_2$–P(C_6H_5)$_2$; *(1,2-Bis-[diphenylphosphano]-ethan)*-. . .[1,2] (10 Tage 20°, Hexan);
    91%; F: 268–269°
L = P(OCH$_3$)$_3$; *Bis-[trimethoxyphosphan]*-. . .[1] (4 Tage 100°, Benzol); 64%; F: 89–91°
L = As(CH$_3$)(C_6H_5)$_2$; *Bis-[diphenyl-methyl-arsan]*-. . .[3] (1 Stde. 20°, Ether); 97%; F: 165–166°
L = C≡N–C(CH$_3$)$_3$; *Bis-[tert.-butyl-isocyan]*-. . .[4] (2 Tage 20°, Ether); 70%; F: 160°

$$\text{NiL}_4 \;+\; 2\;\text{F}_2\text{C}=\text{CH}-\text{F} \quad \xrightarrow{-\,2\,\text{L}} \quad$$

. . .-2,3,3,4,4,5-hexafluor-nickelolan

z.B.: L = P(CH$_3$)(C_6H_5)$_2$; *Bis-[diphenyl-methyl-phosphan]*-. . .[1] (1 Tag 75°, Hexan); 82%; F: 133–134°
                                                              (Zers.)
L = [Struktur mit As(CH$_3$)$_2$-Gruppen am Benzolring]; *(1,2-Bis-[dimethylarsano]-benzol)*-. . .[3] (7 Tage 20°, Ether); 65%; F: 249–250°

Die Nickel(0)-Verbindung wird in Ether, Hexan oder Benzol vorgelegt, ein drei- bis vierfacher Überschuß des Fluorolefins bei tiefer Temp. aufkondensiert und im verschlossenen Rohr auf die Reaktionstemp. erwärmt. Die Ausbeuten sind durchweg gut.

Ein pentakoordiniertes Nickelolan wird aus {1,3-Bis-[diphenylarsano]-2-(diphenylar-sano-methyl)-2-methyl-propan}-nickel(0) und dem sechsfachen Überschuß an Tetra-fluor-ethen in Benzol zu 80% erhalten[5]:

$$\text{[Struktur]} \;+\; \text{F}_2\text{C}=\text{CF}_2 \quad \xrightarrow{\text{C}_6\text{H}_6,\;2\,\text{Tage};\;60°} \quad \text{[Struktur]}$$

{1,3-Bis-[diphenylarsano]- 2-(diphenylarsano-methyl)-
2-methyl-propan}-octafluor-nickelolan

Perfluor-1,3-butadien addiert sich oxidativ unter Substitution an Nickel(0)-Komplexen und bildet Hexafluor-2,5-dihydro-nickelole[3,4]:

$$\text{NiL}_4 \;+\; \text{F}_2\text{C}=\text{CF}-\text{CF}=\text{CF}_2 \quad \xrightarrow{-\,2\,\text{L}} \quad$$

L = Arsan, Isonitril

Bis-[tert.-butyl-isocyan]-hexafluor-2,5-dihydro-nickelol[4]: 240 mg (1,5 mmol) Hexafluor-1,3-butadien werden mit 390 mg (1,0 mmol) Tetrakis-[tert.-butyl-isocyan]-nickel in 30 *ml* Ether 2 Tage stehengelassen. Man

[1] C.S. Cundy, M. Green u. F.G.A. Stone, Soc. [A] **1970**, 1647.
[2] NiL$_4$ = (1,2-Bis-[diphenylphosphano]-ethan)-bis-[tributylphosphan]-nickel(0).
[3] J. Browning, M. Green u. F.G.A. Stone, Soc. [A] **1971**, 453.
[4] M. Green, S.K. Shakshooki u. F.G.A. Stone, Soc. [A] **1971**, 2828.
[5] P.K. Maples, M. Green u. F.G.A. Stone, Soc. [Dalton Trans.] **1973**, 388.

filtriert und kristallisiert aus Ether/Hexan bei $-78°$ um; Ausbeute: 310 mg (80%); F: 107°; IR: 2210, 2200 cm^{-1} (ν_{NC}).

Auf ähnliche Weise wird *Bis-[diphenyl-methyl-arsan]-hexafluor-2,5-dihydro-nickelol*[1] (67%; F: 125°, Zers.) erhalten.

Hexafluor-aceton und dessen Imin können am Nickel(0)-Komplex-Zentrum dimerisieren und liefern 1,4,2-Dioxanickelolane, 1,4,2-Diazanickelolane bzw. 1,4,2-Oxazanickelolane:

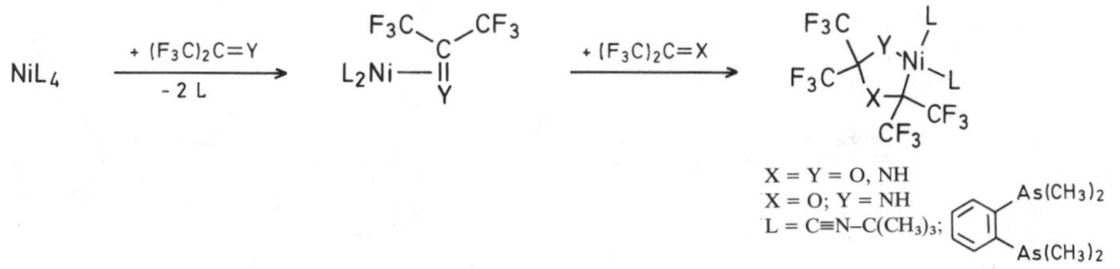

$$X = Y = O, NH$$
$$X = O; Y = NH$$
$$L = C≡N–C(CH_3)_3;$$

Im Falle der tert.-Butyl-isocyan-Liganden kann vom Tetrakis-[ligand]-nickel(0)-Komplex ausgegangen werden, in den anderen Fällen gelingt die Herstellung aus dem isolierten Bis-[ligand]-[hexafluor-aceton (bzw. -imin)]-nickel(0)-Komplex mit der perfluorierten Verbindung im Überschuß.

So erhält man z.B. aus dem

① Tetrakis-[tert.-butyl-isocyan]-nickel(0):
  Bis-[tert.-butyl-isocyan]-3,3,5,5-tetrakis-[trifluormethyl]-
      1,4,2-dioxanickelolan[2] (2 Tage 20°); 70%; F: 160°
      1,4,2-diazanickelolan[2] (1 Tag 20°); 70%; F: 128° (Zers.)
② Bis-[tert.-butyl-isocyan]-(hexafluor-aceton)-nickel(0):
  Bis-[tert.-butyl-isocyan]-3,3,5,5-tetrakis-[trifluormethyl]-
      1,4,2-dioxanickelolan[2] (4 Tage 20°); 60%; F: 160°
      1,4,2-oxazanickelolan[2] (4 Tage 20°); 60%; F: 158°
③ Bis-[phenyl-isocyan]-(hexafluor-aceton)-nickel(0):
  Bis-[phenyl-isocyan]-3,3,5,5-tetrakis-[trifluormethyl]-
      1,4,2-oxazanickelolan[2] (2 Tage 20°); 70%; F: 93°
④ (1,2-Bis-[dimethylarsano]-benzol)-(hexafluor-aceton)-nickel(0):
  (1,2-Bis-[dimethylarsano]-benzol)-3,3,5,5-tetrakis-[trifluormethyl]-
      1,4,2-dioxanickelolan[1] (28 Tage 20°; 7 Tage 60°); 65%; F: 180–181°
      1,4,2-oxazanickelolan[1] (21 Tage 20°); 91%; F: 151–153°
⑤ Bis-[tert.-butyl-isocyan]-(hexafluor-acetonimin)-nickel(0):
  Bis-[tert.-butyl-isocyan]-3,3,5,5-tetrakis-[trifluormethyl]-1,4,2-diaza-
      nickelolan[2] (2 Tage 20°); 80%; F: 128° (Zers.)

Oxidative Cyclisierungen dreier Komponenten, von denen eine Kohlendioxid sein kann, verlaufen mit Nickel(0) nach folgendem Schema:

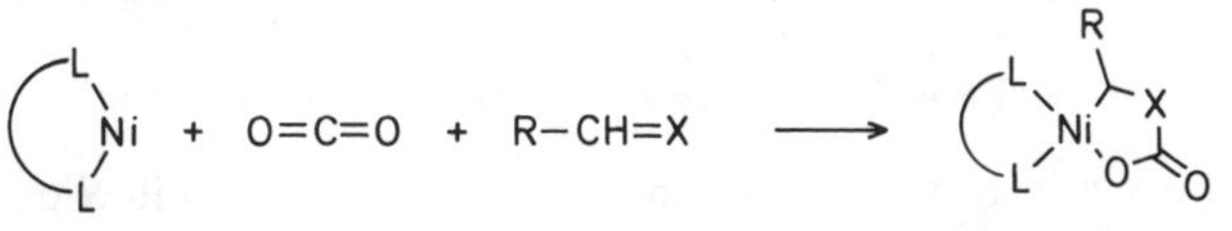

$$X = CH–R^1, N–R^2, O$$

Zweizähnige Chelatliganden verdrängen z.B. 1,5,9-Cyclododecatrien oder 1,5-Cyclooctadien aus dem Nickel-Komplex unter Bildung eines Nickela-heterocyclus; z.B.:

[1] J. BROWNING, M. GREEN u. F.G.A. STONE, Soc. [A] **1971**, 453.
[2] C.S. CUNDY, M. GREEN u. F.G.A. STONE, Soc. [A] **1970**, 1647.

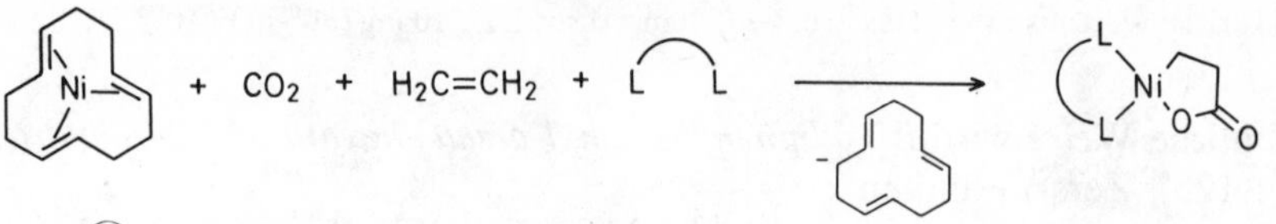

L L = $(H_{11}C_6)_2P-CH_2-CH_2-P(C_6H_{11})_2$: *2,2-(1,2-Bis-[dicyclohexylphosphano]-ethan)-5-oxo-1,2-oxanickelolan*[1]; 50%; F: 170° (Zers.)

L L = 2,2'-Bipyridyl: *2,2-(2,2'-Bipyridyl)-5-oxo-1,2-oxanickelolan*[1]; 85%; F: 228° (Zers.)

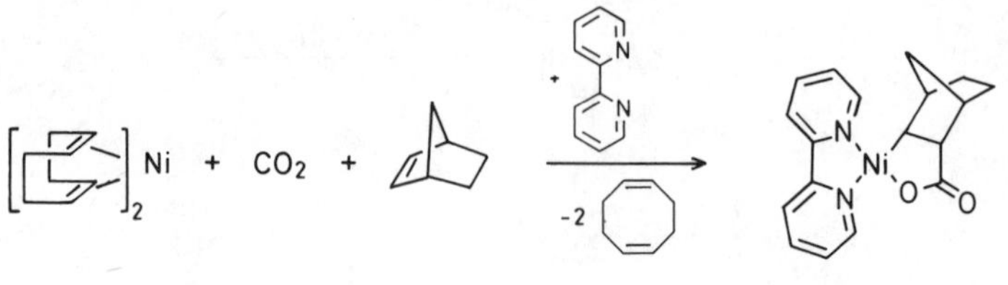

3,3-(2,2'-Bipyridyl)-5-oxo-4-oxa-3-nickela-tricyclo[5.2.1.0^{2,6}]decan[2];
93%; F: 235° (Zers.)

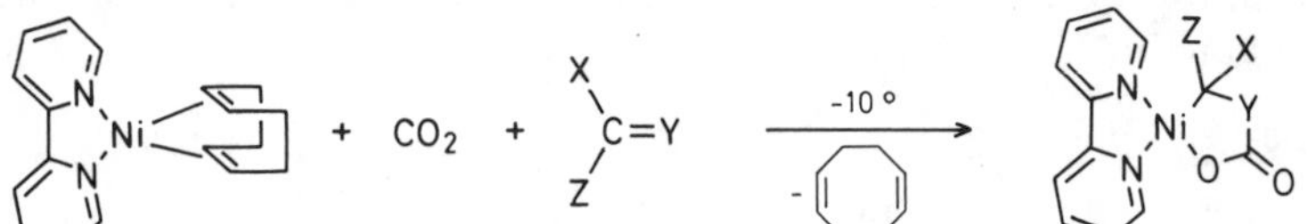

X = H; Y = O; Z = CH_3; *4,4-(2,2'-Bipyridyl)-3-methyl-5-oxo-1,4,2-dioxanickelolan*[3]; 80%

X – Z = Y = $N-C_6H_{11}$; *2,2-(2,2'-Bipyridyl-4-cyclohexyl-3-cyclohexylimino-5-oxo-1,4,2-oxazanickelolan*[4]; 90%

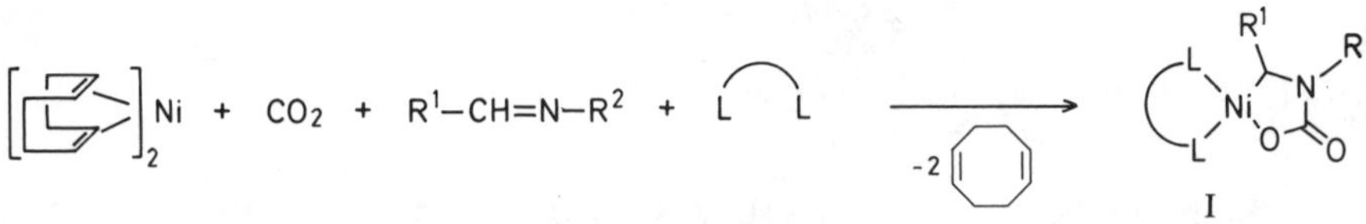

5-Oxo-1,4,2-oxazanickelolane(I); allgemeine Arbeitsvorschrift[5]: Zu 10 mmol Bis-[η^4-1,5-cyclooctadien]-nickel und 40 mmol 1,2-Bis-[dimethylamino]-ethan bzw. 10 mmol 2,2'-Bipyridyl, in 70 *ml* THF werden 10 mmol Imin, in wenig THF gelöst, bei 20° getropft. Bei – 10° wird mit Kohlendioxid gesättigt und 12 Stdn. stehengelassen.

Die Kristalle werden abfiltriert, mit Ether gewaschen und i. Vak. getrocknet; Ausbeute: ~90%.

Die Substanzen sind unter Inertgas bis 120° stabil.

Auf diese Weise erhält man u. a.

L L = $(H_3C)_2N-CH_2-CH_2-N(CH_3)_2$; $R^1 = R^2 = C_6H_5$;
2,2-(1,2-Bis-[dimethylamino]-ethan)-3,4-diphenyl-5-oxo-1,4,2-oxazanickelolan; ν_{CO}: 1638 cm^{-1}

L L = 2,2'-Bipyridyl; $R^1 = C_3H_7$; $R^2 = C_6H_{11}$;
2,2-(2,2'-Bipyridyl)-4-cyclohexyl-5-oxo-3-propyl- . . .; ν_{CO}: 1620 cm^{-1}

β,γ-Ungesättigte Carbonsäuren oder ihre Amide ergeben mit Nickel(0)-Komplexen Hetero-nickelinan-Systeme[6]:

[1] H. Hoberg u. D. Schäfer, J. Organometal. Chem. **251**, C 51 (1983).
[2] H. Hoberg u. D. Schäfer, J. Organometal. Chem. **236**, C 28 (1982).
[3] J. Kaiser, J. Sieler, U. Braun, L. Golic, E. Dinjus u. D. Walther, J. Organometal. Chem. **224**, 81 (1982).
[4] D. Walther, E. Dinjus u. V. Herzog, Z. Chem. **23**, 188 (1983).
[5] D. Walther, E. Dinjus, J. Sieler, J. Kaiser, O. Lundqvist u. L. Anderson, J. Organometal. Chem. **240**, 289 (1982).
[6] K. Sano, T. Yamamoto u. A. Yamamoto, Chem. Letters **1982**, 695.

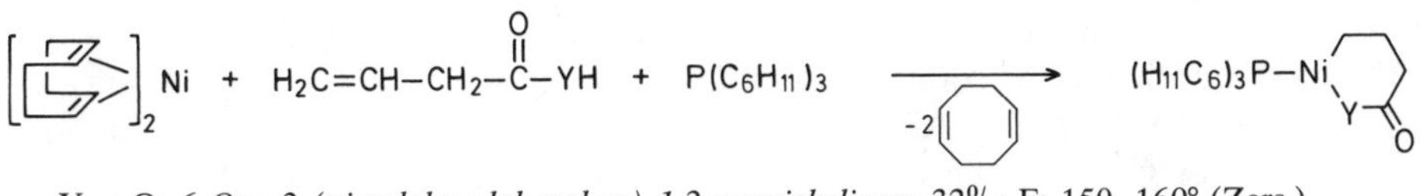

Y = O; *6-Oxo-2-(tricyclohexylphosphan)-1,2-oxanickelinan*; 32%; F: 150–160° (Zers.)
Y = NH; *6-Oxo-2-(tricyclohexylphosphan)-hexahydro-1,2-azanickelin*; 28%; F: 210–215° (Zers.)

Einfache Monoolefine wie Ethen, Propen, etc. zeigen keine Neigung zur Dimerisierung am Nickel(0)-Komplex-Zentrum unter Ausbildung halogenfreier Nickelolane. Die Lage der Monomer-Dimer-Gleichgewichte scheint weitgehend auf der Seite der Monomeren zu liegen. Dagegen begünstigen die Ringsspannung wie im Cyclopropen[1] oder kumulierte C,C-Doppelbindungen wie im Allen[2] die Dimerisierung unter Ausbildung von Nickelolanen.

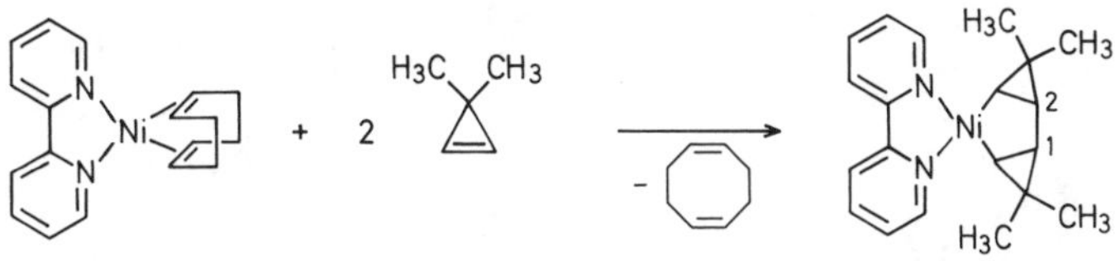

5,5- (2,2′-Bipyridyl)- 3,3,7,7-tetramethyl- 5-nickela- trans-tricyclo [4.1.0.0^{2,4}] heptan[1]: Zu einer Suspension von 3,1 g (9,6 mmol) (2,2′-Bipyridyl)-(η^4-1,5-cyclooctadien)-nickel in 10 *ml* Ether werden 4 *ml* (~47 mmol) 3,3-Dimethyl-cyclopropen bei −78° zugegeben. Unter Rühren wird langsam auf 20° erwärmt, wobei sich die Mischung tief grün färbt. Nach 1 Stde. wird auf −30° abgekühlt und nach 2 Stdn. filtriert, mit 3mal 5 *ml* kaltem Ether gewaschen und i. Vak. getrocknet; Ausbeute: 3,12 g (92%) (dunkelgrün); d (Ni–C) = 1,904(7)Å.

Auch Methylen-cyclopropan reagiert in diesem Sinne; z. B.[3]:

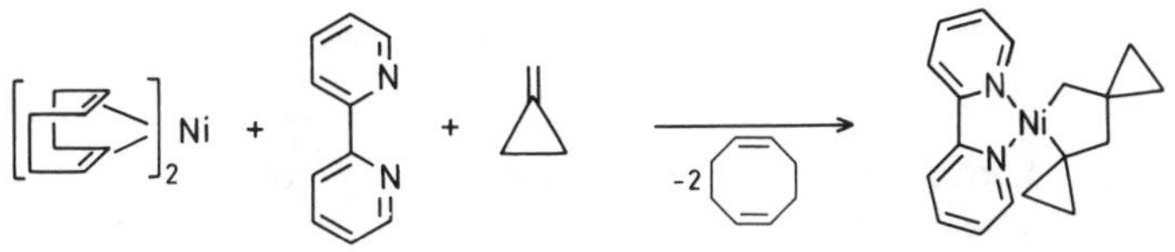

8,8-(2,2′-Bipyridyl)-8-nickela-dispiro
[2.1.2.2]nonan; 92%; F: 70° (Zers.)

Die leichte Spaltung unsubstituierter Nickelolane unter Abgabe von Ethen läßt sich mittels geeigneter Diene zur Herstellung stabilerer Nickela-cyclen heranziehen; z. B.:

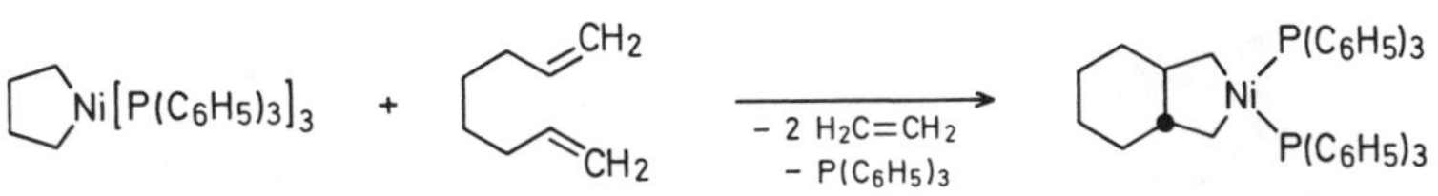

Bis-[triphenylphosphan]-trans-8-nickela-bicyclo[4.3.0]nonan[4]: Zu einer tief roten Lösung von 2,3 g (2,6 mmol) Tris-[triphenylphosphan]-nickelolan (s. S. 639) werden bei Temp. unterhalb −20° langsam 10 *ml* (130 mmol) 1,7-Octadien zugegeben. Nach 10 Stdn. Rühren bei −10° färbt sich die Lösung langsam gelb und entwickelt Ethen. Nach Zugabe von 10 *ml* Hexan läßt man abkühlen; Ausbeute: 950 mg (53%).
Die Verbindung zersetzt sich langsam bei 0° in Toluol.

5. durch spezielle Methoden

Alkyl-Grignard-Verbindungen substituieren einen η^5-Cyclopentadienyl-Liganden des Nickelocens. Die dabei gebildeten Alkyl-(η^5-cyclopentadienyl)-nickel-Verbin-

---

[1] P. BINGER, M.J. DOYLE, J. McMEEKING, C. KRÜGER u. Y.-H. TSAY, J. Organometal. Chem. **135**, 405 (1977).
[2] P.W. JOLLY, C. KRÜGER, R. SALZ u. J.C. SEKUTOWSKI, J. Organometal. Chem. **165**, C 39 (1979).
[3] P. BINGER, M.J. DOYLE u. R. BENN, B. **116**, 1 (1983).
[4] R.H. GRUBBS u. A. MIYASHITA, J. Organometal. Chem. **161**, 371 (1978).

dungen sind als 16-Elektronen-Verbindungen in Abwesenheit eines weiteren 2-Elektronen-Donor-Liganden wenig stabil. Bietet man aber eine 4-Alkenyl-Grignard-Verbindung an oder eine solche, die den 4-Alkenyl-Liganden durch Protonenwanderung bilden kann, dann bewirkt der Chelat-Effekt bei geeigneter Kettenlänge eine Stabilisierung der Alkyl-Nickel-Verbindungen. Auch Isopropyl-magnesium-halogenide ergeben in Gegenwart eines geeignet substituierten 1,4-Diens bei 20° entsprechende (4-Alkenyl)-(η^5-cyclopentadienyl)-nickel-Verbindungen[1,2]:

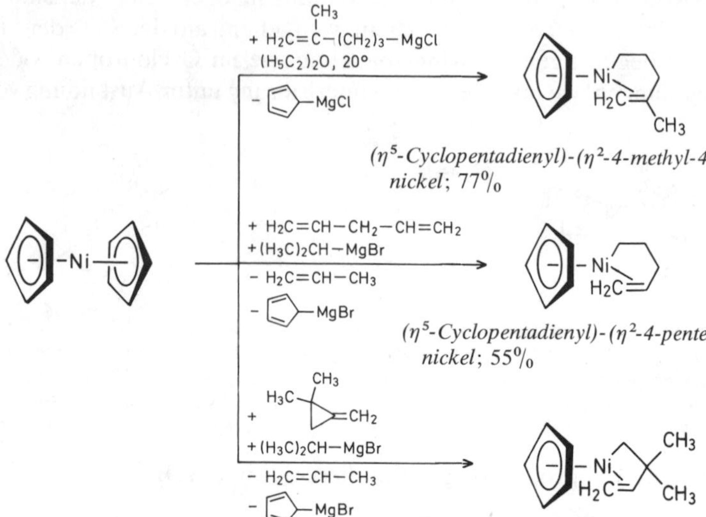

$$+ \; H_2C = \underset{\underset{CH_3}{|}}{C} - (CH_2)_3 - MgCl$$
$$(H_5C_2)_2O, \; 20°$$
$$- \; \text{(Cp)} - MgCl$$

(*η^5-Cyclopentadienyl)-(η^2-4-methyl-4-pentenyl)-nickel*; 77%

$$+ \; H_2C = CH - CH_2 - CH = CH_2$$
$$+ \; (H_3C)_2CH - MgBr$$
$$- \; H_2C = CH - CH_3$$
$$- \; \text{(Cp)} - MgBr$$

(*η^5-Cyclopentadienyl)-(η^2-4-pentenyl)-nickel*; 55%

$$H_3C - \underset{\underset{CH_3}{|}}{C} \diagdown = CH_2$$
$$+ \; (H_3C)_2CH - MgBr$$
$$- \; H_2C = CH - CH_3$$
$$- \; \text{(Cp)} - MgBr$$

(*η^5-Cyclopentadienyl)-(η^2-2,2-dimethyl-3-butenyl)-nickel*; 62%

Ohne den Chelat-Effekt, etwa in Gegenwart von Ethen oder Propen, sind tiefe Temperaturen bei der Synthese und/oder ein Partialdruck von Olefin über der Lösung nötig, um der Dissoziation und der anschließenden Zersetzung der Alkyl-olefin-nickel-Komplexe bei 20° zu begegnen. Besonders milde Bedingungen werden mit Alkyl-lithium erzielt.

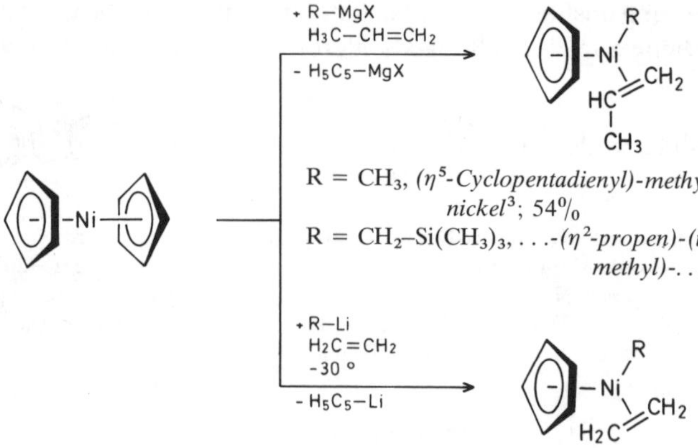

$$+ \; R - MgX$$
$$H_3C - CH = CH_2$$
$$- \; H_5C_5 - MgX$$

R = CH$_3$, (*η^5-Cyclopentadienyl)-methyl-(η^2-propen)-nickel*[3]; 54%

R = CH$_2$–Si(CH$_3$)$_3$, . . .-(*η^2-propen)-(trimethylsilyl-methyl)-*. . .[3]; 67%

$$+ \; R - Li$$
$$H_2C = CH_2$$
$$- 30°$$
$$- \; H_5C_5 - Li$$

R = C$_2$H$_5$, (*η^5-Cyclopentadienyl)-(η^2-ethen)-ethyl-nickel*[4]; 78%

[1] H. LEHMKUHL, A. RUFINSKA, R. BENN, G. SCHROTH u. R. MYNOTT, J. Organometal. Chem. **188**, C 36 (1980).
[2] H. LEHMKUHL, C. NAYDOWSKI, R. BENN, A. RUFINSKA, G. SCHROTH, R. MYNOTT u. C. KRÜGER, B. **116**, 2447 (1983); dort weitere Verbindungen dieses Typs.
[3] H. LEHMKUHL, S. PASYNKIEWICZ, R. BENN u. A. RUFINSKA, J. Organometal. Chem. **240**, C 27 (1982).
[4] H. LEHMKUHL, C. NAYDOWSKI u. M. BELLENBAUM, J. Organometal. Chem. **246**, C 5 (1983).

Reaktionen unter Beteiligung π-gebundener Liganden an Nickel führen unter Diels-Alder-Addition am Cyclopentadienyl-Liganden zu z.B. *(η^5-Cyclopentadienyl)-(2,3-di-methoxycarbonyl-bicyclo[2.2.1]heptadien-syn-7-yl)-nickel*[1] (48%; F: 84°):

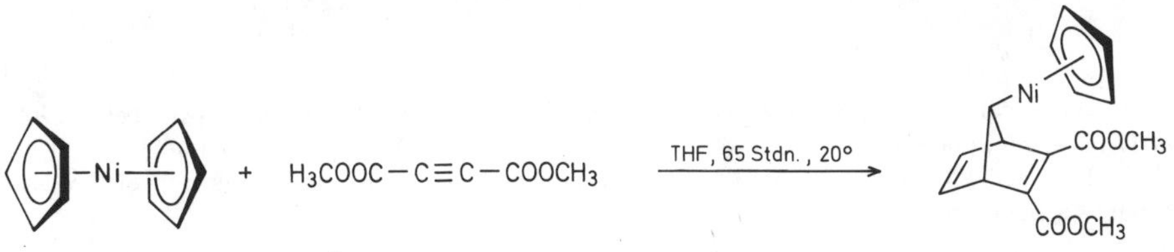

Elektrophiler Angriff am π-gebundenen Alken oder Dien ergibt gleichfalls Alkyl-nickel-Verbindungen[2]; z.B.:

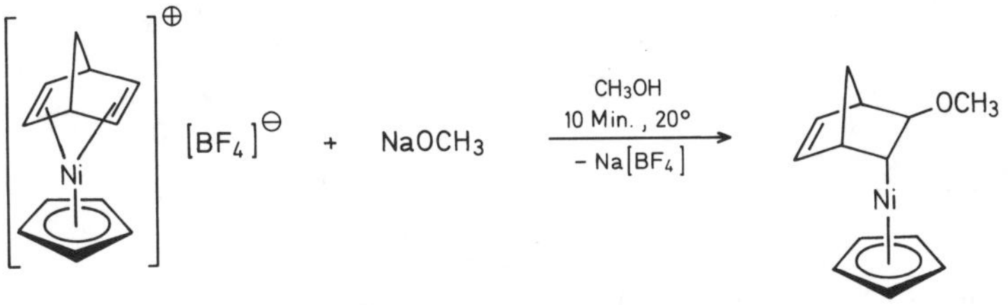

(η^5-Cyclopentadienyl)-(6-exo-methoxy-bicyclo[2.2.1]hept-2-en-5-endo-yl)-nickel; 51%

Demgegenüber muß die Protonierung des π-gebundenen Alkens an einer Nickel(0)-Verbindung erfolgen, damit eine Alkyl-nickel(II)-Verbindung entsteht[3]; z.B.:

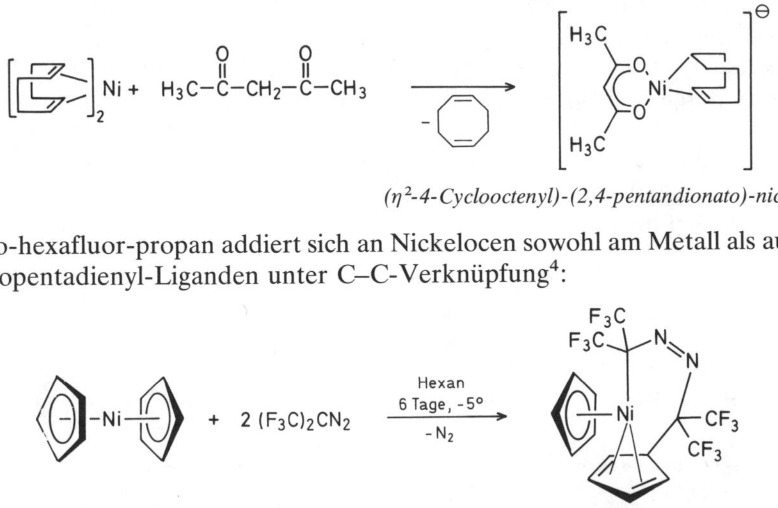

(η^2-4-Cyclooctenyl)-(2,4-pentandionato)-nickelat, 80%

2-Diazo-hexafluor-propan addiert sich an Nickelocen sowohl am Metall als auch an einem Cyclopentadienyl-Liganden unter C–C-Verknüpfung[4]:

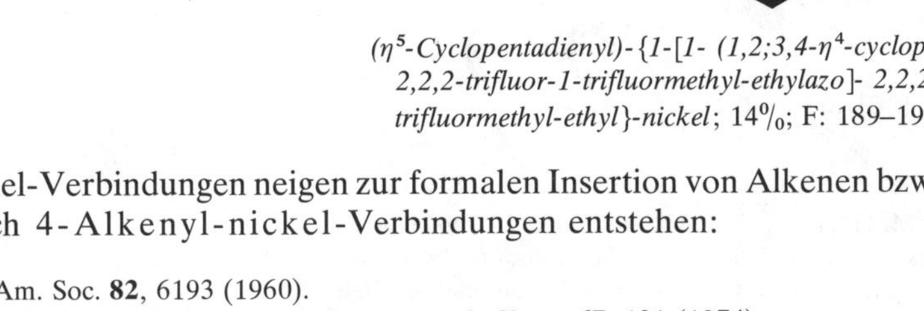

(η^5-Cyclopentadienyl)-{1-[1- (1,2;3,4-η^4-cyclopentadien-5-yl)-2,2,2-trifluor-1-trifluormethyl-ethylazo]- 2,2,2-trifluor-1-trifluormethyl-ethyl}-nickel; 14%; F: 189–191°

Allyl-nickel-Verbindungen neigen zur formalen Insertion von Alkenen bzw. Fluoralkenen, wodurch 4-Alkenyl-nickel-Verbindungen entstehen:

[1] M. Dubeck, Am. Soc. **82**, 6193 (1960).
[2] G. Parker, A. Salzer u. H. Werner, J. Organometal. Chem. **67**, 131 (1974).
[3] B. Bogdanovic, M. Kröner u. G. Wilke, A. **699**, 1 (1966).
[4] J. Clemens, M. Green u. F.G.A. Stone, Soc. [Dalton] **1974**, 93.

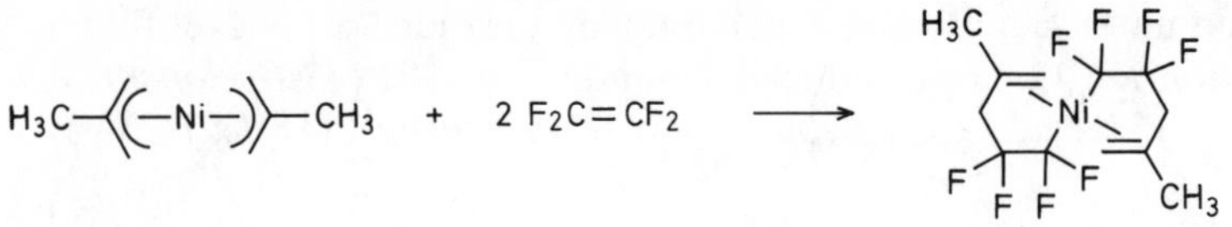

$$H_3C-\!\!\langle\!\!\langle-Ni-\rangle\!\!\rangle-CH_3 \quad + \quad 2\ F_2C=CF_2 \quad\longrightarrow$$

Bis-[η^2-4-methyl-1,1,2,2-tetrafluor-4-pentenyl]-nickel[1]: 0,1 mol Tetrafluor-ethen wird bei $-196°$ in ein 250-*ml*-Druckgefäß kondensiert, in dem sich eine Lösung von 2,32 g Bis-[η^3-2-methyl-allyl]-nickel[2] in 80 *ml* Ether befindet. Nach 2 Tagen bei 20° wird das ausgeschiedene Produkt abgetrennt, mit Benzol gewaschen und getrocknet; Ausbeute: 54%; F: 110–111°.

Die *exo-cis*-Insertion von Bicyclo[2.2.1]hepten in eine (η^3-2-Methyl-allyl)-nickel-Funktion erfolgt durch einen Angriff am Nickel unter Ausbildung eines zweikernigen 4-Alkenyl-nickel-Komplexes[3]:

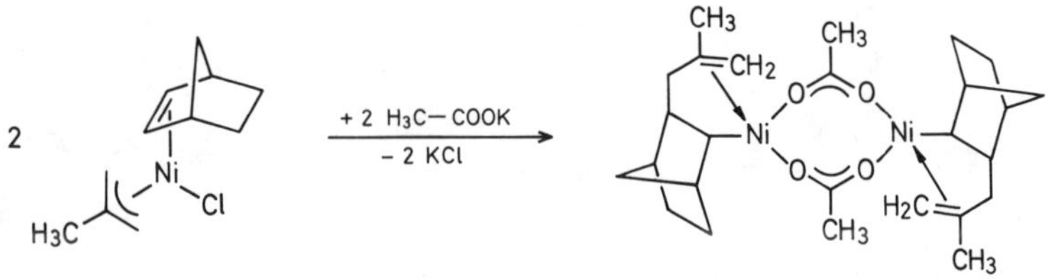

Di-μ-acetato-bis-[*exo*-3-(η^3-2-methyl-allyl)-bicyclo[2.2.1]hept-2-yl-*exo*-nickel][3]: Eine Suspension von 5 g Kaliumacetat und 0,5 g (2,05 mmol) (η^2-Bicyclo[2.2.1]hepten)-chloro-(η^3-2-methyl-allyl)-nickel in 20 *ml* Pentan werden 2 Stdn. geschüttelt. Vom Kaliumchlorid wird abfiltriert und die rotbraune Lösung i. Vak. eingeengt; Ausbeute: 0,5 g (90%).

Eine große Bildungstendenz haben Carbin-nickel-Cluster vom Tetrahedran-Typ. So entsteht diamagnetisches *4-Phenyl-1,2,3-tris-[η^5-cyclopentadienyl]-trinickelatetrahedran* durch thermische Zersetzung von Benzyl-(η^5-cyclopentadienyl)-nickel[4]- bzw. Alkyl-(η^5-cyclopentadienyl)-nickel-Verbindungen in Toluol[5] oder durch Abfangen des Phenyl-carbin-Liganden durch Nickelocen[6], jeweils in Ausbeuten von 10–37% neben anderen Produkten.

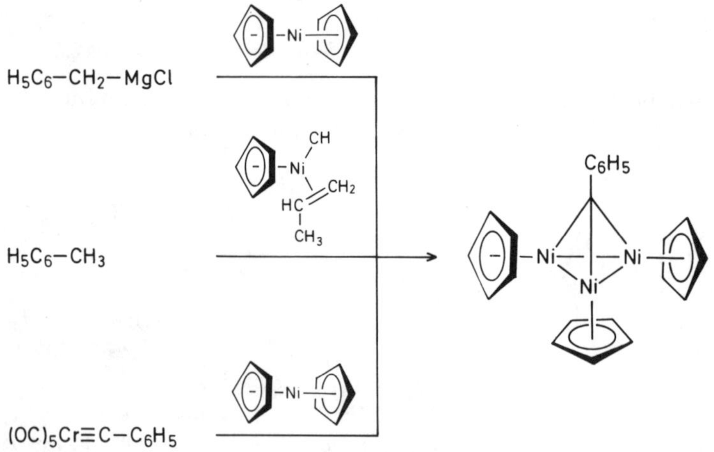

[1] J. Browning, M. Green u. F. G. A. Stone, Soc. [A] **1971**, 453.
[2] Hergestellt aus 2-Methyl-allylbromid, Magnesium und wasserfreiem Nickel-bromid.
[3] M. C. Gallazzi, L. Porri u. G. Vitulli, J. Organometal. Chem. **97**, 131 (1975).
[4] T. J. Voyevodskaya, J. M. Pribytkova u. Yu. A. Ustynyuk, J. Organometal. Chem. **37**, 187 (1972).
[5] H. Lehmkuhl, S. Pasynkiewcz, R. Benn u. A. Rufinska, J. Organometal. Chem. **240**, C 27 (1982).
[6] E. O. Fischer u. A. Däweritz, B. **111**, 3525 (1978).

In Polymetalla-tetrahedran-Clustern läßt sich eine Carbonyl-metall-Einheit gezielt gegen einen (η^5-Cyclopentadienyl)-nickel-Rest austauschen; z.B.:

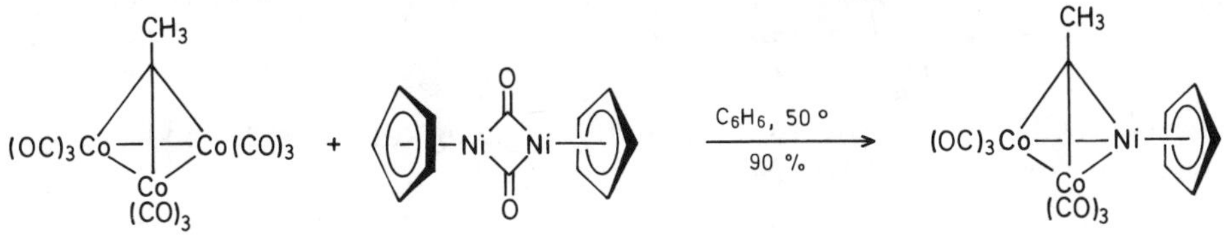

3-(η^5-Cyclopentadienyl)-1,1,1,2,2,2-hexacarbonyl-
4-methyl-1,2-dikobalta-3-nickela-tetrahedran[1]

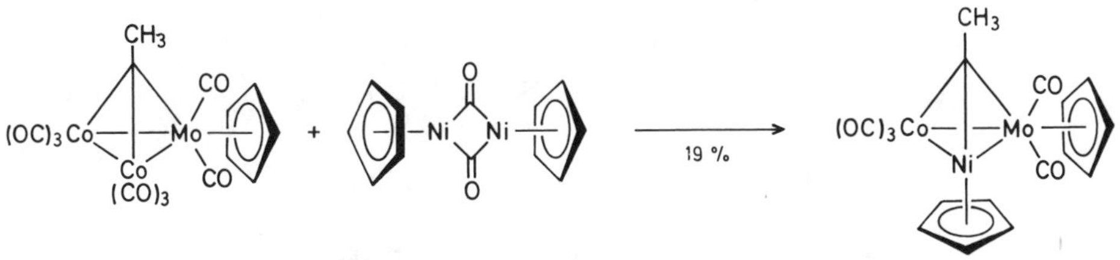

1,3-Bis-[η^5-cyclopentadienyl]-4-methyl-1,1,2,2,2-penta-
carbonyl-1-molybda-2-kobalta-3-nickela-tetrahedran[2]

Weniger gezielte Synthesen von Polymetall-Clustern mit Carbin- oder Vinyliden-Bausteinen ergeben deutlich niedrigere Ausbeuten und sehr oft Trennprobleme[3].

6. aus Dialkyl-nickel-Verbindungen unter Erhalt einer σ-Ni-C-Bindung

Protonenaktive Verbindungen spalten aus *trans*-Dialkyl-nickel-Verbindungen spezifisch nur eine Alkyl-Gruppe als Alkan ab. Einige Heteroliganden verdrängen dabei gleichzeitig einen neutralen Donor-Liganden und bilden Brückenstruktur-Einheiten zweikerniger Komplexe:

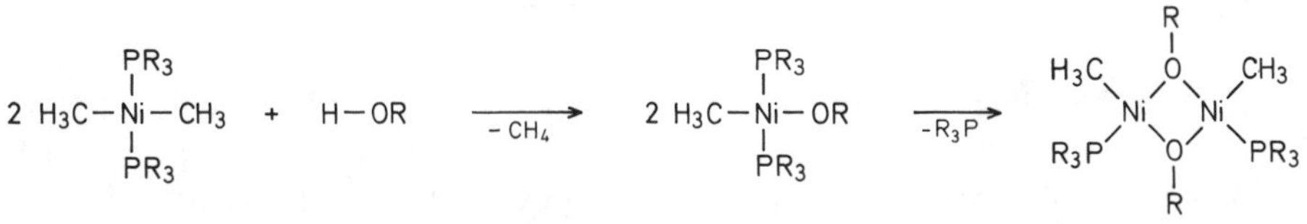

trans/cis-μ,μ-Dihydroxy-bis-[trimethylphosphan]-dimethyl-dinickel[4]: 2,0 g (6,3 mmol) *trans*-Dimethyl-tris-[trimethylphosphan]-nickel (s. S. 628, 637) werden in 25 *ml* sauerstoff-freiem Wasser 6 Stdn. bei 20° gerührt. Die flüchtigen Bestandteile werden i. Vak. entfernt, der gelbe Rückstand in 30 *ml* Toluol gelöst, die braune Lösung filtriert und abgekühlt. Die ausgefallenen Kristalle werden abfiltriert; Ausbeute: 0,95 g (90%); Zers. >100–102°; IR: 3674 cm^{-1} (ν_{OH}).

Durch Reaktion der Dimethyl-nickel-Verbindung mit äquimolaren Mengen an Alkohol oder Phenol sowie Silanol in Pentan, Benzol oder Ether werden u. a. folgende Verbindungen erhalten:

---

[1] H. BEURICH, R. BLUMHOFER u. H. VAHRENKAMP, B. **115**, 2409 (1982); dort weitere Cluster-Synthesen.
[2] H. BEURICH u. H. VAHRENKAMP, Ang. Ch. **93**, 128 (1981).
[3] s. z. B. E. SAPPA, A. TIRIPICCHIO u. M. TIRIPICCHIO-CAMELLINI, J. Organometal. Chem. **246**, 287 (1983); zit. Lit.
[4] H.-F. KLEIN u. H. H. KARSCH, B. **106**, 1433 (1973).

cis-μ,μ-Dimethoxy-bis-[methyl-(trimethylphosphan)-nickel][1,2]   96%; F:98–100° (Zers.)
cis-μ,μ-Bis-[trimethylsilyloxy]-...[1]   87%; F: 96–98°
trans-Bis-[trimethylphosphan]-methyl-phenoxy-nickel[1]   88%; F: 159–161°
cis-(1,2-Bis-[diphenylphosphano]-ethan)-methyl-phenoxy-nickel[3]   75%; F: 150° (Zers.)
cis-2,2'-Bipyridyl-(4-cyan-phenoxy)-methyl-nickel[4]   71%; F: 137° (Zers.)
cis-2,2'-Bipyridyl-ethyl-phthalimido-nickel[5]   87%; F: 190° (Zers.)

Auch Nickelolan-Komplexe lassen sich unter sorgfältig kontrollierten Bedingungen mit Phenol unter Erhalt einer Ni–C-Bindung spalten; z.B.:

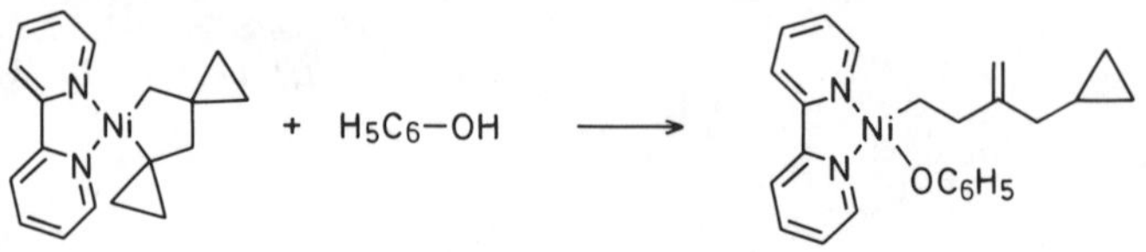

2,2'-Bipyridyl-(4-cyclopropyl-3-methylen-butyl)-phenoxy-nickel[6]; 79%; F: 118° (Zers.)

b) Organo-ylid-nickel(0)-Verbindungen

Alkyliden-phosphorane bilden mit Nickel die stabilsten Ni–C-σ-Bindungen aus. Grund hierfür ist der Einfluß des benachbarten Phosphonium-P-Atoms. Der Carbanion-Charakter des C–Atoms der Alkyliden-Gruppe macht die Ylide zu starken Nucleophilen, wodurch diese Phosphan-Liganden substituieren können:

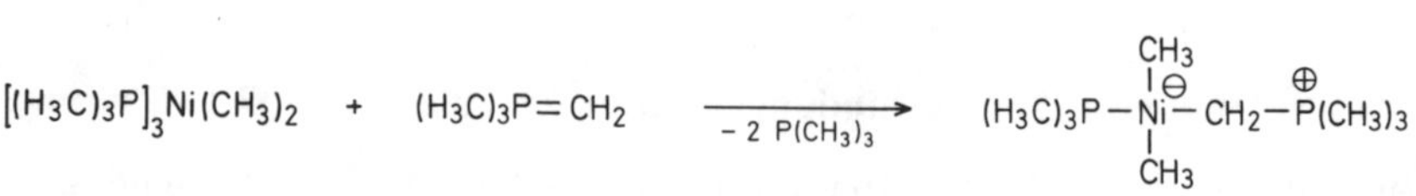

trans-Dimethyl-(trimethylphosphan)-(trimethylphosphonio-methyl)-nickel[7]: Zu 1600 mg (5,05 mmol) Tris-[trimethylphosphan]-dimethyl-nickel in 90 *ml* Pentan werden bei −20° 455 mg (5,05 mmol) Methylen-trimethyl-phosphoran pipettiert. Man rührt 6 Stdn. bei 20°, filtriert und kristallisiert durch Abkühlen der Lösung; Ausbeute: 566 mg (44%); Zers. >70°; ^{1}H-NMR (Toluol, 30°): τNiCH$_3$ 10,63 d; ^{3}J(PH) 9,4 Hz; τ CH$_2$ 9,41 dd; ^{2}J(PH) 14,7 Hz; ^{3}J(PH) 4,9 Hz.

Besonders leicht gelingt die Substitution anionischer Liganden (Halogenid, etc.), wobei Salze entstehen, die sich als Ylid-Komplexe oder als P-metallierte Phosphonium-Salze auffassen lassen. Unter Normalbedingungen erfolgt gelegentlich gleichzeitig eine Substitution von Neutral-Ligand durch das Ylid.

Zur Lösung des Nickel(II)-halogenid-Komplexes in Pentan, Ether oder Benzol wird eine Lösung des Alkyliden-phosphorans im gleichen Lösungsmittel unter Rühren langsam zugetropft, der Niederschlag gewaschen und im Vakuum getrocknet. Die Ausbeuten sind oft quantitativ; z.B.:

[1] H.-F. KLEIN u. H.H. KARSCH, B. **106**, 1433 (1973).
[2] Ethanol reagiert nicht in diesem Sinne[1]. Die Methoxy-Brücken lassen sich jedoch in Abwesenheit von freiem Trimethylphosphan leicht durch Ethoxy-Reste ersetzen (90–95%).
[3] M.L.H. GREEN u. M.J. SMITH, Soc. [A] **1971**, 639.
[4] T. YAMAMOTO, T. KOHARA u. A. YAMAMOTO, Bl. chem. Soc. Japan **54**, 2010 (1981).
[5] T. YAMAMOTO, T. KOHARA u. A. YAMAMOTO, Bl. chem. Soc. Japan **54**, 1720 (1981); dort weitere Alkyl-nickel-Verbindungen.
[6] P. BINGER, M.-J. DOYLE u. R. BENN, B. **116**, 1 (1983).
[7] H.H. KARSCH, H.-F. KLEIN u. H. SCHMIDBAUR, B. **107**, 93 (1974).

Methode A:

$$[(H_3C)_3P]_2NiCl_2 \quad + \quad 2\ (H_3C)_3P=CH_2 \quad \xrightarrow[-\ P(CH_3)_3]{0°} \quad \left[\begin{array}{c} Cl \\ \overset{|}{(H_3C)_3P}-\overset{\ominus}{Ni}-CH_2-\overset{\oplus}{P}(CH_3)_3 \\ \underset{|}{CH_2}-\overset{\oplus}{P}(CH_3)_3 \end{array} \right] Cl^{\ominus}$$

Bis-[trimethylphosphonio-methyl]-
chloro-(trimethylphosphan)-nickel-chlorid[1];
93%; Zers.: >125°

$$[(H_3C)_3P]_2Ni\overset{Cl}{\underset{CH_3}{<}} \quad + \quad 2\ (H_3C)_3P=CH_2 \quad \xrightarrow[-\ P(CH_3)_3]{0°} \quad \left[\begin{array}{c} CH_3 \\ \overset{|}{(H_3C)_3P}-\overset{\ominus}{Ni}-CH_2-\overset{\oplus}{P}(CH_3)_3 \\ \underset{|}{CH_2}-\overset{\oplus}{P}(CH_3)_3 \end{array} \right] Cl^{\ominus}$$

Bis-[trimethyl-phosphonio-methyl]-
methyl-(trimethylphosphan)-nickel-chlorid[2];
96%; Zers.: >95°

Methode B:

$$\text{Cp}-Ni\overset{P(C_6H_5)_3}{\underset{Br}{<}} \quad + \quad (H_5C_6)_3P=CH_2 \quad \xrightarrow{20°} \quad \left[\text{Cp}-Ni\overset{P(C_6H_5)_3}{\underset{CH_2-\overset{\oplus}{P}(C_6H_5)_3}{<}} \right] Br^{\ominus}$$

(η^5-Cyclopentadienyl)-(triphenylphosphan)-
(triphenylphosphonio-methyl)-nickel-bromid[3];
62%; Zers.: 110–113°

Mit wenig präparativem Aufwand lassen sich kationische Bis-[triphenylphosphonio-methyl]-nickel-Verbindungen aus Nickelocen und Alkyliden-phosphoranen herstellen, wenn man den Phosphonium-Zentren nicht polarisierbare Anionen anbietet:

$$\text{Cp}-Ni-\text{Cp} \quad + \quad 2\ (H_5C_6)_3P=CH_2 \quad + \quad NaX \quad \xrightarrow{-\ NaC_5H_5} \quad \left[\text{Cp}-\overset{\ominus}{Ni}\overset{CH_2-\overset{\oplus}{P}(C_6H_5)_3}{\underset{CH_2-\overset{\oplus}{P}(C_6H_5)_3}{<}} \right] X^{\ominus}$$

X = [PF$_6$], [(H$_5$C$_6$)$_4$B]; *Bis-[triphenylphosphonio-*
methyl)-(η^5-cyclopentadienyl)-nickel-hexafluorophosphat
bzw. *-tetraphenylborat*

Dazu läßt man entweder eine langsam zutropfende Methylen-phosphoran-Lösung mit vorgelegtem Nickelocen in Toluol reagieren und fällt dann aus alkoholischer Lösung mit Natriumtetraphenylborat (41%), oder man tropft die Methylen-phosphoran-Lösung bei 0° zu einem Gemisch der beiden anderen Komponenten in Tetrahydrofuran und kristallisiert nach 1 Stde. Rühren bei 20° aus Aceton/Wasser um: *Tetraphenylborat* (38%; F: 164–165°, Zers.), *Hexafluorophosphat* (18%; F: 186–188° Zers.)[3].

Etwas bessere Ausbeuten ergibt der Umweg über Bis-[phosphan]-(η^5-cyclopentadienyl)-nickel-Salze[4], die mit zwei Moläquivalenten Methylen-phosphoran umgesetzt werden; 54% *Tetraphenylborat* bzw. 57% *Hexafluorophosphat*[3].

Analog lassen sich mit bifunktionellen Alkyliden-phosphoranen Nickela-cyclen verschiedener Ringgröße herstellen[5].

[1] H.H. KARSCH u. H. SCHMIDBAUR, B. **107**, 3684 (1974).
[2] H.H. KARSCH, H.-F. KLEIN u. H. SCHMIDBAUR, B. **107**, 93 (1974).
[3] B.L. BOOTH u. K.G. SMITH, J. Organometal. Chem. **178**, 361 (1979).
[4] P.M. TREICHEL u. R.L. SHUBKIN, Inorg. Chim. Acta **2**, 485 (1968).
[5] B.L. BOOTH u. K.G. SMITH, J. Organometal. Chem. **220**, 229 (1981).

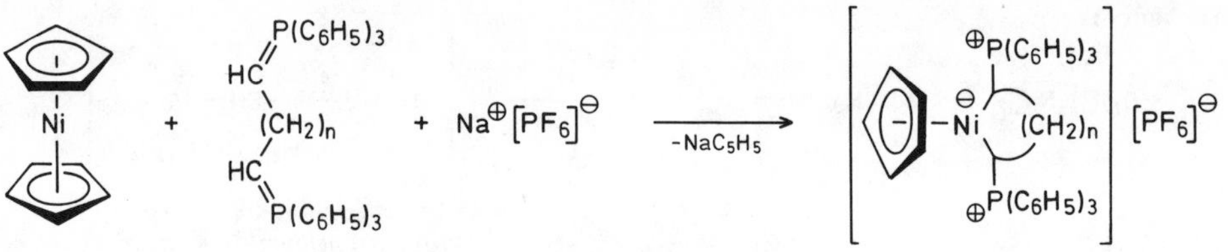

*...-Bis-[triphenylphosphoniono]-1-(η^5-cyclopentadienyl)-
...-hexafluorophosphat*

n = 1; *2,4-* ... *-nickeletan-* ...; 68%; F: 133–135° (Zers.)
n = 2; *2,5-* ... *-nickelolan-* ...; 62%; F: 165–169° (Zers.)
n = 3; *2,6-* ... *-nickelinan-* ...; 32%; F. 127–129° (Zers.)

Aus Bis-[trimethylphosphan]-nickel(II)-chlorid und Methylen-trialkyl-phosphoran im Molverhältnis 1:4 entstehen durch Deprotonierung des komplex gebundenen Ylid-Liganden („Umylidierung") Alkyl-nickel-Verbindungen mit ausschließlich C-gebundenen Liganden. Das deprotonierte Ylid-Anion kann dabei pseudo-π-allylisch an einem Nickel-Atom gebunden sein oder zwei Nickel-Komplex-Zentren verbrücken.

Beide Arten der Koordination werden mit Methylen-trimethyl-phosphoran gefunden[1]. Mit tert.-Butyl-Substituenten am Phosphor oder durch Verknüpfen von Alkyl-Resten am Phosphor zu fünf- oder sechsgliedrigen Ringen wird der zweizähnige Ylid-Ligand ausschließlich an dasselbe Nickel-Atom koordiniert:

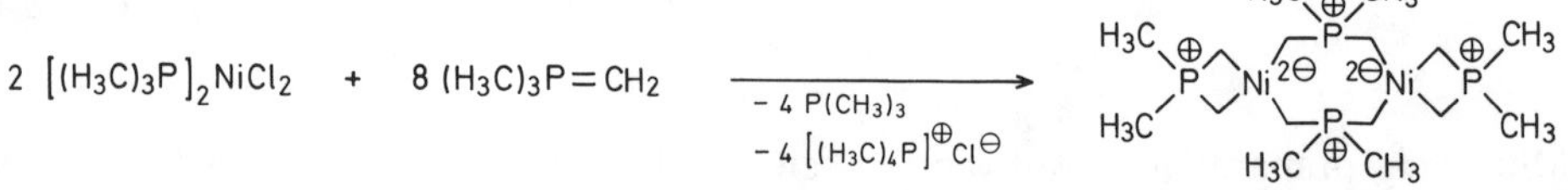

*2,2,6,6,10,10,13,13-Octamethyl-2,6,10,13-tetraphosphonia-
4,8-dinickelata-dispiro[3.3.3.3]tetradecan*[2];
94%; Zers. >123° (aus siedendem THF)

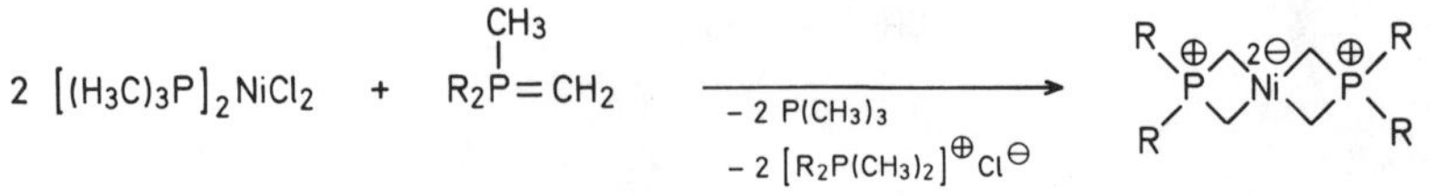

R = C(CH$_3$)$_3$; *2,2,6,6-Tetra-tert.-butyl-2,6-diphosphonia-4-nickelata-
spiro[3.3]heptan*[3]; 88%; F: 134°
R–R = –(CH$_2$)$_4$–; *5,9-Diphosphonia-7-nickelata-trispiro[4.1.1.4.1.1]
pentadecan*[3]; 86%; F: 97°
R–R = –(CH$_2$)$_5$–; *6,10-Diphosphonia-8-nickelata-trispiro[5.1.1.5.1.1]
heptadecan*[3]; 83%; F: 85°

Eine Reihe ausschließlich C-gebundener, quadratisch koordinierter Ylid-Nickel-Verbindungen wird mit den isoelektronischen Chelat-Liganden der folgenden Art erhalten:

[1] D.J. BRAUER, C. KRÜGER, P.J. ROBERTS u. Y.-H. TSAY, B. **107**, 3706 (1974).
[2] H.H. KARSCH u. H. SCHMIDBAUR, B. **107**, 3684 (1974); bei –78° fällt ein zweites Isomeres an (Zers. >87°).
[3] H. SCHMIDBAUR, G. BLASCHKE u. H.P. SCHERM, B. **112**, 3311 (1979).

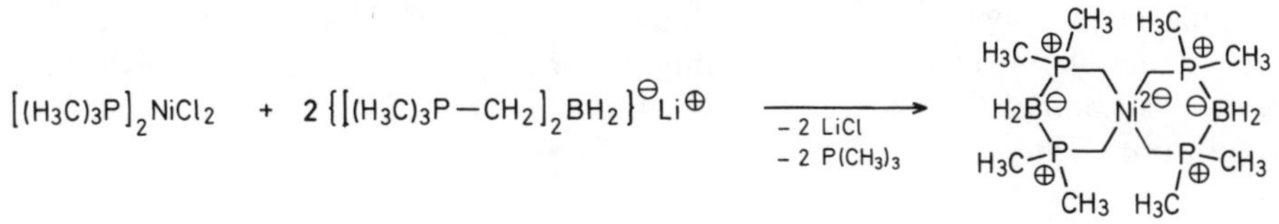

$[(H_3C)_3P]_2NiCl_2$ + 2 $\{[(H_3C)_3P-CH_2]_2BH_2\}^{\ominus}Li^{\oplus}$ $\xrightarrow[- 2\ P(CH_3)_3]{- 2\ LiCl}$

2,2,4,4,8,8,10,10-Octamethyl-3,9-dihydrido-2,4,8,10-tetraphosphonia-3,9-diborata-6-nickelata-spiro[5.5]undecan[1]; 78%; Zers.: 90°

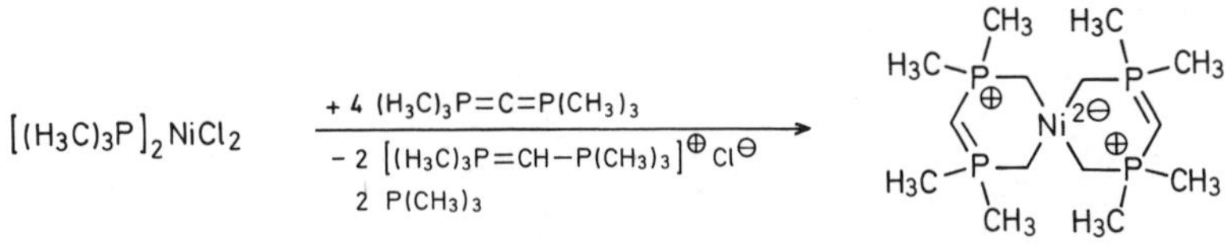

$[(H_3C)_3P]_2NiCl_2$ $\xrightarrow[2\ P(CH_3)_3]{+ 4\ (H_3C)_3P=C=P(CH_3)_3 \atop - 2\ [(H_3C)_3P=CH-P(CH_3)_3]^{\oplus}Cl^{\ominus}}$

2,2,4,4,8,8,10,10-Octamethyl-2λ^5,8λ^5-diphospha-4,10-diphosphonia-6-nickelata-spiro[5.5]undeca-3,8-dien[2]; 65%; F: 175°

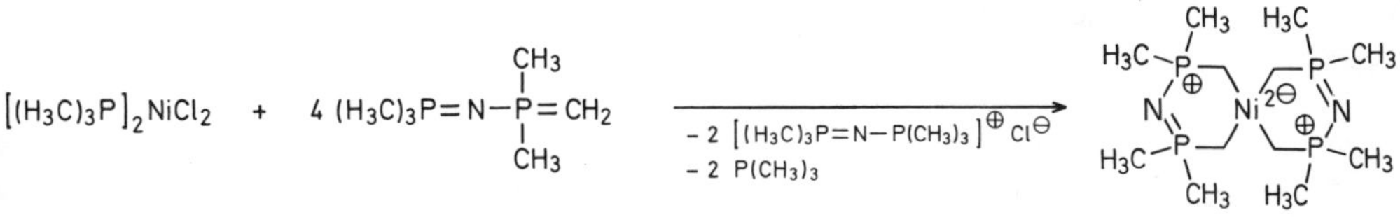

$[(H_3C)_3P]_2NiCl_2$ + 4 $(H_3C)_3P=N-\underset{\underset{CH_3}{|}}{\overset{\overset{CH_3}{|}}{P}}=CH_2$ $\xrightarrow[- 2\ P(CH_3)_3]{- 2\ [(H_3C)_3P=N-P(CH_3)_3]^{\oplus}Cl^{\ominus}}$

2,2,4,4,8,8,10,10-Octamethyl-3,9-diaza-2λ^5,8λ^5-diphospha-4,10-diphosphonia-6-nickelata-spiro[5.5]undeca-3,8-dien[3]; 94%; F: 230° (Zers.)

Diphospha-dihydronickelol-Systeme werden mit metalliertem Methyl-(phosphano-methylen)-phosphoran[4] aufgebaut, z.B.[5]:

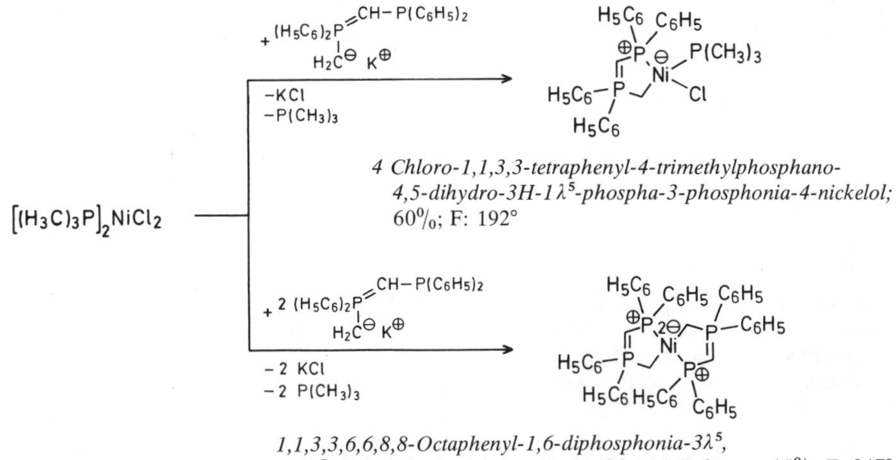

$[(H_3C)_3P]_2NiCl_2$

$+ (H_5C_6)_2P{\overset{CH-P(C_6H_5)_2}{\underset{\overset{\parallel}{H_2C^{\ominus}}\ K^{\oplus}}{}}}$ $\xrightarrow[-P(CH_3)_3]{-KCl}$

4 Chloro-1,1,3,3-tetraphenyl-4-trimethylphosphano-4,5-dihydro-3H-1λ^5-phospha-3-phosphonia-4-nickelol; 60%; F: 192°

$+ 2\ (H_5C_6)_2P{\overset{CH-P(C_6H_5)_2}{\underset{\overset{\parallel}{H_2C^{\ominus}}\ K^{\oplus}}{}}}$ $\xrightarrow[- 2\ P(CH_3)_3]{- 2\ KCl}$

1,1,3,3,6,6,8,8-Octaphenyl-1,6-diphosphonia-3λ^5,8λ^5-diphospha-5-nickela-spiro[4.4]deca-2,7-dien; 45%; F: 247°

[1] G. MÜLLER, U. SCHUBERT u. H. SCHMIDBAUR, B. **112**, 3302 (1979).
[2] H. SCHMIDBAUR, O. GASSER, C. KRÜGER u. J.C. SEKUTOWSKI, B. **110**, 3517 (1977).
[3] H. SCHMIDBAUR, H.-J. FÜLLER, V. BEJENKE, A. FRANK u. G. HUTTNER, B. **110**, 3536 (1977).
[4] K. ISSLEIB u. R. LINDNER, A. **699**, 40 (1966); **707**, 120 (1967).
[5] H. SCHMIDBAUR, U. DESCHLER u. B. MILEWSKI-MAHRLA, Ang. Ch. **93**, 598 (1981).

Das unlösliche polymere Nickel-Salz aus Bis-[trimethylphosphan]-nickel(II)-chlorid und Bis-[dimethylphosphano]-methyl-lithium[1] wird durch Methylen-trimethyl-phosphoran zum löslichen *6,6-Dimethyl-1,1,3,3-tetraphenyl-1λ⁵-diphospha-3,6-phosphonia-4-nickelataspiro[3.3]hept-1-en* (53%; Zers. >90°) abgebaut[2]:

$$[(H_3C)_3P]_2NiCl_2 \quad \xrightarrow[\substack{-2\,LiCl \\ -P(CH_3)_3}]{+\,[(H_5C_6)_2P]_2CH-Li} \quad \{Polymer\} \quad \xrightarrow[\substack{-[(H_5C_6)_2P]_2CH_2}]{+\,(H_3C)_3P=CH_2}$$

Die einzige bisher beschriebene Stickstoff-ylid-nickel-Verbindung erhält man aus Bis-[triphenylphosphan]-ethen-nickel(0)[3] mit Dimethyl-methylen-iminium-chlorid[4] nach anschließender Reaktion mit Cyclopentadienyl-natrium und Quaternierung durch Methyl-jodid[5]:

$$\text{Ni}-\overset{P(C_6H_5)_3}{\underset{CH_2-N(CH_3)_2}{}} \quad + \quad CH_3J \quad \longrightarrow \quad \left[\text{Ni}-\overset{P(C_6H_5)_3}{\underset{CH_2-\overset{\oplus}{N}(CH_3)_3}{}}\right] J^{\ominus}$$

(η⁵-Cyclopentadienyl)-(trimethylammonio-methyl)-(triphenylphosphan)-nickel-jodid; 39%

c) 1-Alkenyl-nickel(II)-Verbindungen

1. aus Halogen-nickel-Verbindungen durch nucleophile Substitution

Die anionische Alkenylierung von Halogen-Nickel-Verbindungen mit Grignard- oder anderen 1-Alkenyl-metall-Verbindungen ist wenig gebräuchlich.

Bei den bisherigen Beispielen läßt sich aufgrund der Reaktionsbedingungen nicht entscheiden, ob die 1-Alkenylierung anionisch durch eine primär gebildete Grignard-Verbindung oder kationisch durch oxidative Addition von Vinylbromid an eine Nickel(0)-Spezies erfolgt:

$$[(H_5C_2)_3P]_2NiCl_2 \;+\; Mg \;+\; F_2C=\overset{F}{\underset{Br}{C}} \quad \xrightarrow{-\,MgCl_2} \quad [(H_5C_2)_3P]_2Ni\overset{\overset{F}{C}=CF_2}{\underset{Br}{}}$$

Bis-[triethylphosphan]-bromo-(trifluor-vinyl)-nickel[6]: In eine Lösung von 366 mg (1 mmol) Bis-[triethylphosphan]-nickel(II)-chlorid in 5 *ml* THF mit 120 mg (5 mmol) Magnesium-Spänen wird unter Rühren bei 20° Brom-trifluor-ethen eingeleitet, bis kein Gas mehr absorbiert wird. Nach 1 Stde. wird das Lösungsmittel i. Vak. abgezogen und der Rückstand mit Benzol und Wasser ausgeschüttelt. Die Benzol-Phase wird eingeengt; Ausbeute: 310 mg (68%); F: 63–64°.

Im absoluten Tetrahydrofuran (über einem Molekularsieb getrocknet und über Lithiumalanat destilliert) werden bei gleicher Arbeitsweise neben 17% *Bis-[triethylphos-*

[1] K. Issleib u. H. P. Abicht, J. pr. **312**, 456 (1970).

[2] J. M. Bassett, J. R. Mandl u. H. Schmidbaur, B. **113**, 1145 (1980).

[3] J. Ashley-Smith, M. Green u. F. G. A. Stone, Soc. [A] **1969**, 3019.

[4] H. Böhme u. K. Hartke, B. **93**, 1305 (1960).

[5] D. J. Sepelak, C. G. Pierpont, E. K. Barefield, J. T. Budz u. C. A. Poffenberger, Am. Soc. **98**, 6178 (1976).

[6] A. J. Rest, D. T. Rosevear u. F. G. A. Stone, Soc. [A] **1967**, 66.

phan]-bromo-(trifluorvinyl)-nickel aus Pentan 25% *Bis-[triethylphosphan]-bis-[trifluor-vinyl]-nickel*[1] (F: 117–118°, Zers.) erhalten.

Glatter verlaufen Synthesen von (1-Alkenyl)-aryl-nickel-Verbindungen mit α-metallierten cyclischen Vinylethern:

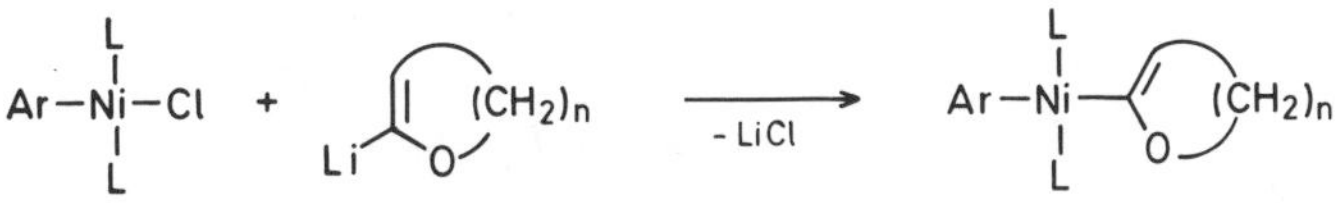

n = 2; L = P(CH$_3$)$_3$; Ar = 2,4,6–(CH$_3$)$_3$–C$_6$H$_2$: *Bis-[trimethylphosphan]-(4,5-dihydro-2-furanyl)-(2,4,6-trimethyl-phenyl)-nickel*[2]; 60%

Ar = C$_6$Cl$_5$: . . .-*(pentachlor-phenyl)-nickel*[2]; 58%

n = 3; L = P(CH$_3$)$_2$(C$_6$H$_5$); Ar = 2,4,6–(CH$_3$)$_3$–C$_6$H$_2$: *Bis-[dimethyl-phenyl-phosphan]-(5,6-dihydro-4H-pyran-2-yl)-(2,4,6-trimethyl-phenyl)-nickel*[2]; 43%

2. aus Nickel(0)-Verbindungen durch oxidative Addition

Im Unterschied zu den Alkyl-halogeniden addieren sich Vinyl- bzw. Polyfluor-vinylhalogenide glatt und mit guten Ausbeuten an Nickel(0)-Verbindungen. Man kann dabei von ɔliertem[3] oder in situ erzeugtem[4] Bis-[phosphan]-ethen-nickel(0) ausgehen.

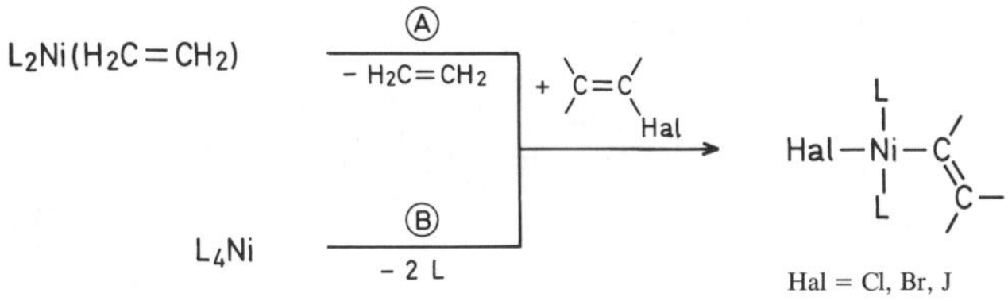

Das Vinyl-halogenid wird in äquimolaren Mengen zu einer Lösung der Nickel(0)-Verbindung in Ether oder Hexan bei tiefen Temperaturen kondensiert oder pipettiert, die Mischung auf 20° erwärmt und, gegebenenfalls in einem weniger polaren Solvens, durch Abkühlen kristallisiert. Die erhaltenen Nickel-Komplexe sind ausnahmslos *trans*-konfiguriert. Auf diese Weise erhält man u.a. die in Tab. 1 (S. 661) aufgeführten Verbindungen.

Darüber hinaus bleibt bei der oxidativen Addition die Konfiguration des Vinyl-Restes erhalten; z.B.[5]:

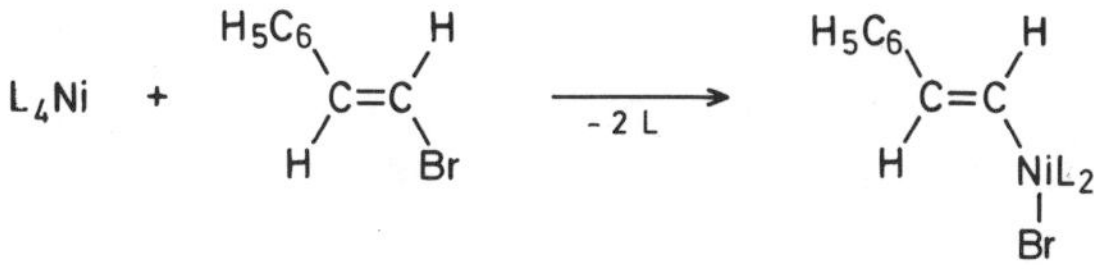

. . .-*bromo-(trans-2-phenyl-vinyl)-nickel*

L = P(C$_2$H$_5$)$_3$; *Bis-[triethylphosphan]-*. . .; 76%; F: 78°
L = P(C$_6$H$_5$)$_3$; *Bis-[triphenylphosphan]-*. . .; 92%; F: 94–95°

[1] A.J. REST, D.T. ROSEVEAR u. F.G.A. STONE, Soc. [A] **1967**, 66.
[2] M. WADA, K. SAMESHIMA, K. NISHIWAKI u. Y. KAWASAKI, Soc. [Dalton Trans.] **1982**, 793.
[3] J. ASHLEY-SMITH, M. GREEN u. F.G.A. STONE, Soc. [A] **1969**, 3019.
[4] G. WILKE u. G. HERRMANN, Ang. Ch. **74**, 693 (1962).
[5] L. CASSAR u. A. GIARRUSSO, G. **103**, 793 (1973).

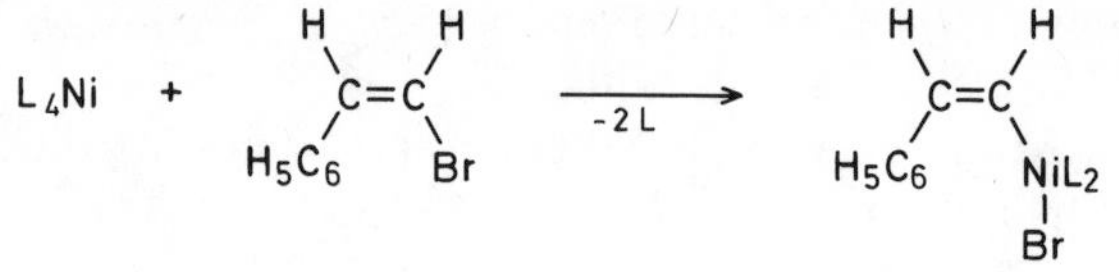

...-bromo-(cis-2-phenyl-vinyl)-nickel

L = P(C$_2$H$_5$)$_3$; Bis-[triethylphosphan]-...; 74%; F: 74°
L = P(C$_6$H$_5$)$_3$; Bis-[triphenylphosphan]-...; 82%; F: 116–118°

Als Beispiel für eine Eintopf-Synthese, die wahrscheinlich auf dem Wege einer oxidativen Addition von Tetrachlor-ethen an eine intermediär gebildete Nickel(0)-Verbindung verläuft, sei folgende Vorschrift charakteristisch.

trans-Bis-[triethylphosphan]-chloro-(trichlor-vinyl)-nickel[1]: 10,88 g (42,3 mmol) Bis-[2,4-pentandionato]-nickel werden in einer Mischung von 100 ml Tetrachlor-ethen und 100 ml Toluol suspendiert. Nach Zugabe von 10,0 g (84,6 mmol) Triethylphosphan wird auf –25° gekühlt und 24,2 ml einer 2,72 M Lösung von Triethyl-aluminium in Toluol unter Rühren so langsam zugetropft, daß die Temp. unter –10° bleibt. Dann wird langsam erwärmt und 1,25 Stdn. bei 43° zu einer dunkelroten Lösung homogenisiert. Nach Abkühlen auf 20° werden 10 ml Isopropanol zugesetzt und die flüchtigen Bestandteile i. Vak. entfernt. Der rotgelbe Feststoff wird mit Pentan ausgewaschen und das lösliche Material an Aluminiumoxid chromatographiert. Nach Eluieren mit Ether/Pentan (1:3) wird aus Pentan umkristallisiert; Ausbeute: 13,0 g (67%); F: 91–92°.

Ausgehend von Bis-[phosphan]-nickel-dichlorid und Natriumboranat als Reduktionsmittel wird Tetrachlor-ethen ebenfalls glatt addiert; z.B.:

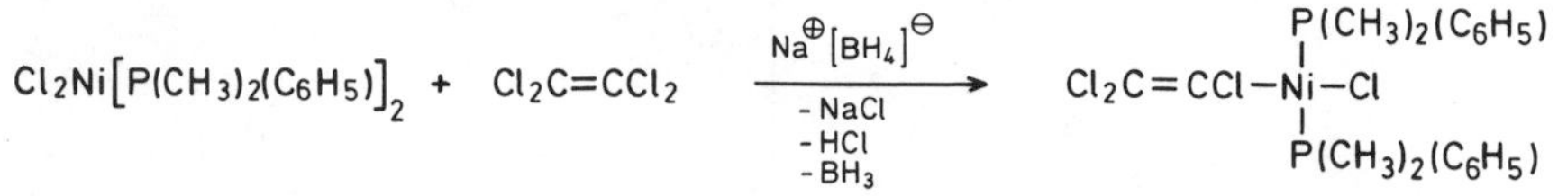

trans-Bis-[dimethyl-phenyl-phosphan]-chloro-(trichlor-vinyl)-nickel[2]; 75%

3. mit Alkenen durch formale Abspaltung von Halogenwasserstoff

2,2'-Bis-[diphenylphosphano]-trans-stilben[3] setzt sich mit Nickel(II)-halogeniden spontan unter Eliminierung von Halogenwasserstoff zur 1-Alkenyl-nickel-Verbindung[3] um:

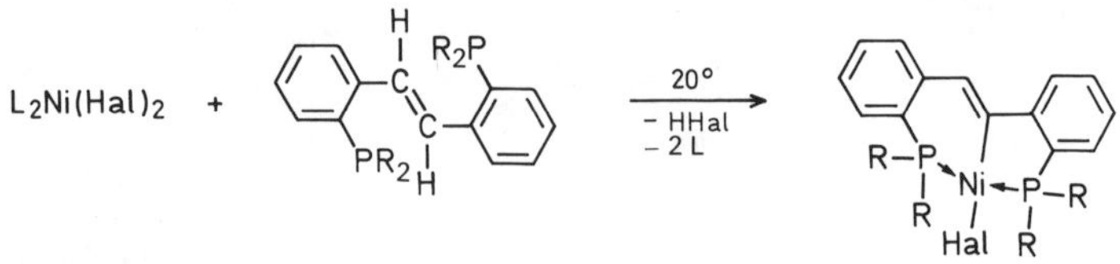

Hal = Cl; R = C$_6$H$_5$ (8 Stdn., 1,2-Dimethoxy-ethan); (1,2-Bis-[2-diphenylphosphano-phenyl]-vinyl)-chloro-nickel; 74%

R = 2–CH$_3$–C$_6$H$_4$ (22 Stdn., 1,3,5-Trimethyl-benzol); ⟨1,2-Bis-{2-[bis-(2-methyl-phenyl)-phosphano]-phenyl}-vinyl⟩-chloro-nickel; 57%

Hal = Br; R = 2–CH$_3$–C$_6$H$_4$ (22 Stdn.; m-Xylol); ⟨1,2-Bis-{2-[bis-(2-methyl-phenyl)-phosphano]-phenyl}-vinyl⟩-bromo-nickel; 56%

[1] R.G. MILLER, R.D. STAUFFER, D.R. FAHEY u. D.R. PARNELL, Am. Soc. **92**, 1511 (1970).
[2] K. OGURO, M. WADA u. N. SONODA, J. Organometal. Chem. **165**, C 10 (1979).
[3] M.A. BENNETT u. P.W. CLARK, J. Organometal. Chem. **110**, 367 (1976).

Tab. 1: (Polyhalogen-vinyl)-nickel-Verbindungen Halogen-nickel-Verbindungen mit Alkenen

Ausgangsverbindungen		Lösungsmittel	Produkt	Ausbeute [%]	F [°C]	Literatur
Nickel-Verbindung	Olefin					
[(H₅C₆)₂(H₃C)P]₄Ni	F₂C=CF–Cl	CH₂Cl₂, Hexan	Bis-[diphenyl-methyl-phosphan]-chloro-(trifluor-vinyl)-nickel	89	125	1
[(H₃C)₂(H₅C₆)As]₄Ni	F₂C=CF–Cl	(H₅C₂)₂O, Hexan	Bis-[dimethyl-phenyl-arsan]-chloro-(trifluor-vinyl)-nickel	64	87–88	2
	F₂C=CF–Br	(H₅C₂)₂O, Hexan	Bis-[dimethyl-phenyl-arsan]-bromo-(trifluor-vinyl)-nickel	65	85–85,5	2
	F₂C=CCl₂	(H₅C₂)₂O	Bis-[dimethyl-phenyl-arsan]-(1-chlor-2,2-difluor-vinyl)-chloro-nickel	60	72–73,5	2
[(H₅C₆)₃P]₂Ni(H₂C=CH₂)	F₂C=CF–Cl	Benzol	Bis-[triphenylphosphan]-chloro-(trifluor-vinyl)-nickel	64	169	1
	F₂C=CF–Br	Benzol	Bis-[triphenylphosphan]-bromo-(trifluor-vinyl)-nickel	87	159–161	1
	H₂C=CH–Br	Hexan	Bis-[triethylphosphan]-bromo-vinyl-nickel	76	(Zers. >30°)	3
[(H₅C₂)₃P]₂Ni⟨⟩ (in situ)	Cl | H₂C=C–CH=CH₂	(H₅C₂)₂O	Bis-[triethylphosphan]-chloro-(1-methylen-allyl)-nickel	83	68–68,5	3

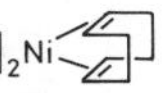

[1] J. Ashley-Smith, M. Green u. F. G. A. Stone, Soc. [A] **1969**, 3019.
[2] J. Browning, M. Green u. F. G. A. Stone, Soc. [A] **1971**, 453.
[3] D. R. Fahey u. J. E. Mahan, Am. Soc. **99**, 2501 (1977).

4. Nickelole

Metallole werden als Zwischenstufen der katalysierten Cyclo-Oligomerisierung von Alkinen bzw. bei der Cyclo-Cooligomerisierung von Alkinen mit Nitrilen postuliert. Stabile Modellverbindungen sind beim Nickel aus 1,4-Dilithium-1,3-butadienen und Dihalogen-Nickel-Komplexen zugänglich[1]:

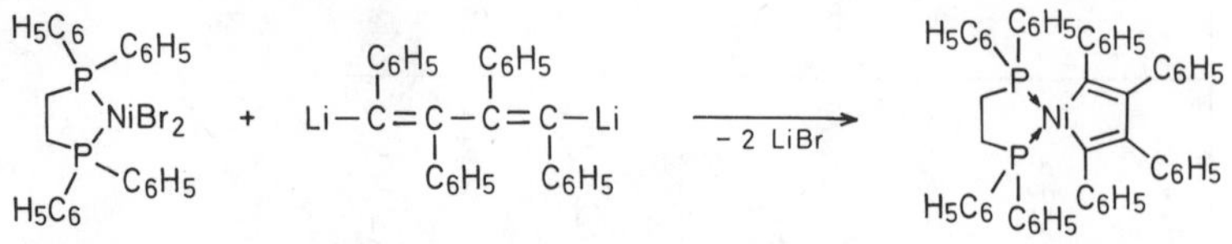

(1,2-Bis-[diphenylphosphano]-ethan)-tetraphenyl-nickelol[1]: Zu einer Suspension von 3,3 g (5,35 mmol) (1,2-Bis-[diphenylphosphano]-ethan)-nickel(II)-bromid[2] in 70 ml Ether wird unter Rühren innerhalb 4 Stdn. bei −30° eine Lösung von 2,2 g 1,4-Dilithium-tetraphenyl-1,3-butadien in 180 ml Ether getropft. Nach 3 Tagen Rühren bei −30° und 2 Tagen Rühren bei −15° wird zum Kristallisieren abgekühlt. Der orangegelbe Niederschlag wird bei −30° abfiltriert und mehrmals mit kaltem Ether gewaschen; Ausbeute: 4,1 g (94%).

Die Verbindung wandelt sich bei 30° in Dichlormethan in (1,2-Bis-[diphenylphosphano]-ethan)-(tetraphenyl-cyclobutadien)-nickel(0) um.

Analog wird *(1,2-Bis-[dicyclohexylphosphano]-ethan)-tetraphenyl-nickelol* (83%)[1] erhalten.

Thiaphosphanickelole entstehen durch Reaktion aktivierter Alkine mit Dialkylthiophosphinat-nickel-Komplexen[3]; z. B.:

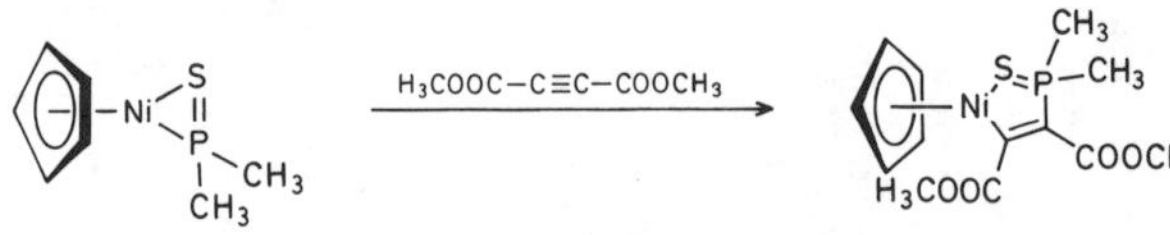

(η⁵-Cyclopentadienyl)-[1,2-dimethoxy-carbonyl)-2-dimethyl-thiophosphinyl)-vinyl-(C,S)]-nickel; 15%; F: 85° (Zers.)

5. Spezielle Methoden

Formale Insertion von Diphenyl-acetylen in Ni–CH₃-Bindungen, sehr wahrscheinlich auf dem Wege einer *cis*-Addition an die C=C-Bindung verlaufend, ergibt kinetisch kontrolliert das *E*-Isomere einer Vinyl-nickel-Verbindung:

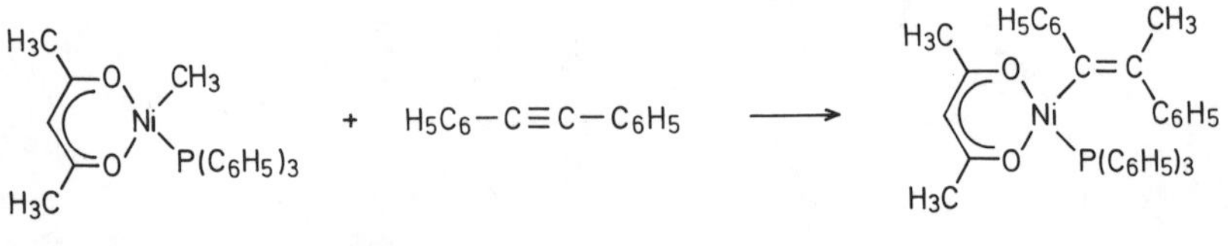

E-(1,2-Diphenyl-1-propenyl)-(2,4-pentandionato)-(triphenylphosphan)-nickel[4]: Eine Lösung von 205 mg (1,15 mmol) Diphenylacetylen in 1 ml Toluol wird bei 20° zu einer Lösung von 500 mg (1,15 mmol) (2,4-Pentandionato)-(triphenylphosphan)-methyl-nickel (s. S. 641) in 20 ml Toluol gegeben. Nach 30 Min. wird der Niederschlag abfiltriert; Ausbeute: 630 mg (89%); d(NiC) = 1,89 Å[4].

Die Verbindung wandelt sich in Lösung innerhalb einiger Tage zum Teil in ihr *Z*-Isomeres um.

---

[1] H. Hoberg u. W. Richter, J. Organometal. Chem. **195**, 355 (1980).
[2] G.R. van Hecke u. W.D. Horrocks, Inorg. Chem. **5**, 1969 (1966).
[3] E. Lindner, F. Bouachir u. W. Hiller, J. Organometal. Chem. **210**, C 37 (1981).
  E. Lindner, F. Bouachir u. S. Hoehne, B. **116**, 46 (1983).
[4] J.M. Huggins u. R.G. Bergman, Am. Soc. **101**, 4410 (1979).

Oxidierende Cyclisierung am Nickel(0)-Zentrum unter Beteiligung von Kohlendioxid oder Isocyanaten und Alkinen ergibt cyclische Alkenyl-nickel-Verbindungen; z.B.:

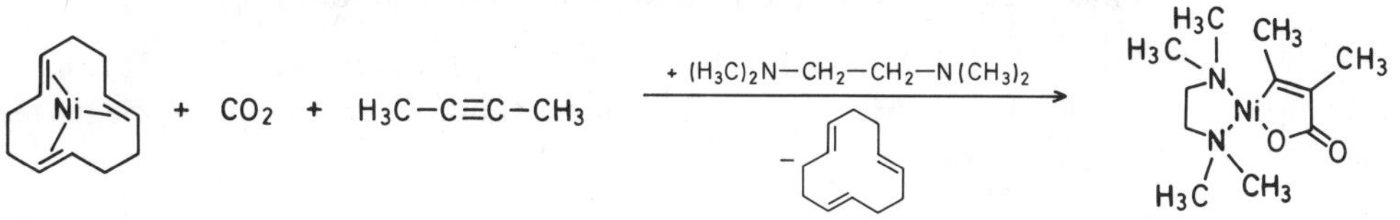

(1,2-Bis-[dimethylamino]-ethan)-3,4-dimethyl-5-oxo-2,5-dihydro-1,2-oxanickelol[1]; 65%; F: 170° (Zers.)

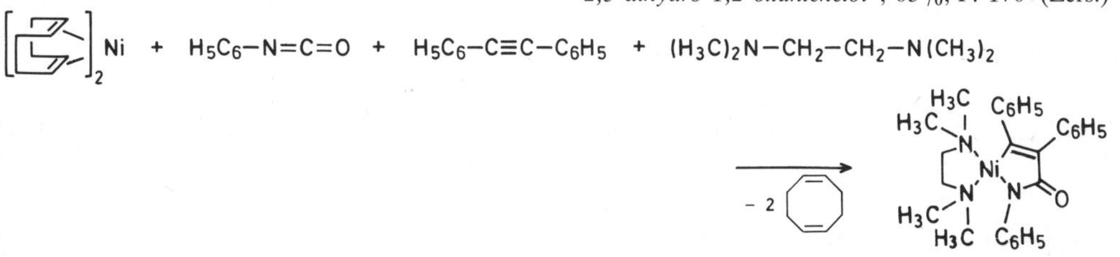

(1,2-Bis-[dimethylamino]-ethan)-5-oxo-1,3,4-triphenyl-2,5-dihydro-1,2-azanickelol[2]; 45%; F: 140° (Zers.)

Cyclische 1-Alkenyl-nickel-Verbindungen unterliegen einer Ringerweiterung durch formale Insertion von Alkin[3]; z.B.:

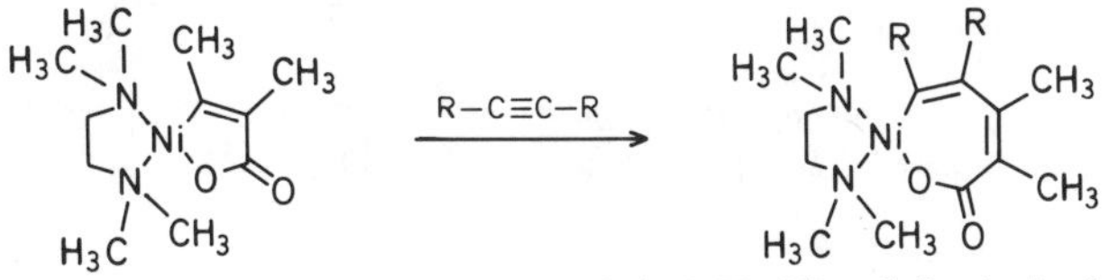

2,2-(1,2-Bis-[dimethylamino]-ethan)-...-5,6-dimethyl-7-oxo-2,7-dihydro-1,2-oxanickelepin
R = CF_3; ...-3,4-bis-[trifluormethyl]-...; 71%
R = COOCH_3; ...-3,4-dimethoxycarbonyl-...; 72%

Wolfram-carbin-Komplexe lassen sich durch alkinartige Koordination an Nickel(0)-Komplexen in bimetallische 1-Alkenyl-nickel-Verbindungen umwandeln[4]; z.B.:

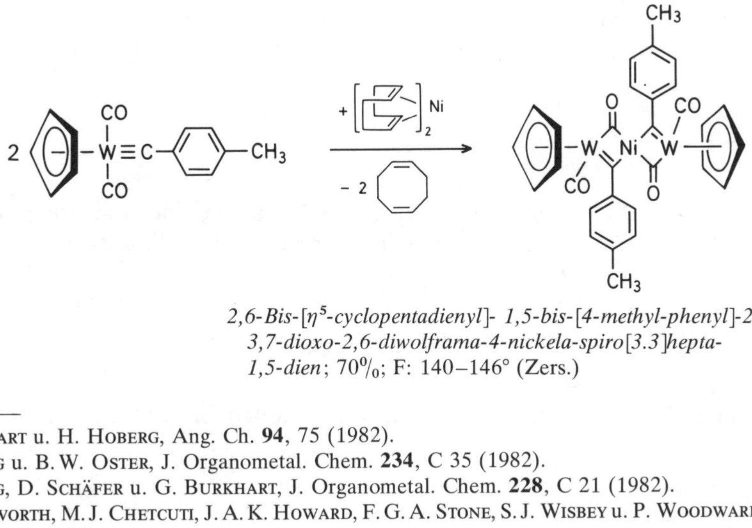

2,6-Bis-[η^5-cyclopentadienyl]- 1,5-bis-[4-methyl-phenyl]-2,6-dicarbonyl-3,7-dioxo-2,6-diwolframa-4-nickela-spiro[3.3]hepta-1,5-dien; 70%; F: 140–146° (Zers.)

---

[1] G. BURKHART u. H. HOBERG, Ang. Ch. **94**, 75 (1982).
[2] H. HOBERG u. B.W. OSTER, J. Organometal. Chem. **234**, C 35 (1982).
[3] H. HOBERG, D. SCHÄFER u. G. BURKHART, J. Organometal. Chem. **228**, C 21 (1982).
[4] T.V. ASHWORTH, M.J. CHETCUTI, J.A.K. HOWARD, F.G.A. STONE, S.J. WISBEY u. P. WOODWARD, Soc. [Dalton Trans.] **1981**, 763.

d) 1-Alkinyl-nickel(II)-Verbindungen

1. aus Nickel-Salzen mit 1-Alkinyl-metall-Verbindungen

Die klassische Methode der Herstellung von Tetrakis-[1-alkinyl]-nickelaten(II) beruht auf der Reaktion von 1-Alkinyl-natrium- oder -kalium-Verbindungen mit gut löslichen Nickel-Salzen in flüssigem Ammoniak[1-3]:

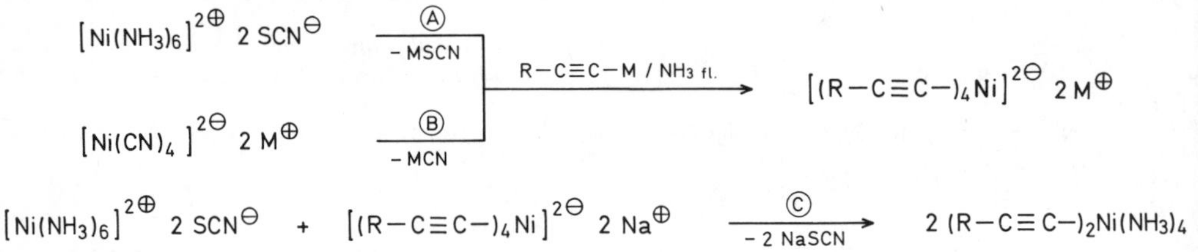

$$[Ni(NH_3)_6]^{2\oplus}\ 2\ SCN^\ominus \quad \xrightarrow[- MSCN]{\textcircled{A}}$$

$$[Ni(CN)_4]^{2\ominus}\ 2\ M^\oplus \quad \xrightarrow[- MCN]{\textcircled{B}} \quad R-C{\equiv}C-M\ /\ NH_3\ \text{fl.} \longrightarrow [(R-C{\equiv}C-)_4Ni]^{2\ominus}\ 2\ M^\oplus$$

$$[Ni(NH_3)_6]^{2\oplus}\ 2\ SCN^\ominus\ +\ [(R-C{\equiv}C-)_4Ni]^{2\ominus}\ 2\ Na^\oplus \quad \xrightarrow[- 2\ NaSCN]{\textcircled{C}} \quad 2\ (R-C{\equiv}C-)_2Ni(NH_3)_4$$

M = Na, K
R = H, CH_3, C_6H_5, etc.

1-Alkinyl-nickel(II)-Verbindungen, Ammoniak solvatisiert:

Methode Ⓐ : 4–5 g 1-Alkinyl-natrium oder -kalium in 100 *ml* flüssigem Ammoniak werden bei –78° unter Rühren mit so viel Tetrakis-[ammin]-nickel(II)-thiocyanat, gelöst in möglichst wenig flüssigem Ammoniak, versetzt, daß ein ~ 20%iger Überschuß an Acetylenid vorhanden ist. Nach Eindampfen der Lösung auf das halbe Vol. und Kühlen auf –78° wird der gelbe Feststoff abfiltriert und mit mehreren 10-*ml*-Portionen flüssigen Ammoniaks bei tiefer Temp. gewaschen. Die Kalium-Verbindungen sind schwerer löslich und werden bei –35° gewaschen. Trocknen bei –30° i. Vak. liefert die Ammoniak-solvatisierten 1-Alkinyl-nickelate(II).

Auf diese Weise erhält man u. a.

Natrium-tetraethinyl-nickelat(II)-Bis-[amin][1]   70%
Kalium-tetrakis-[1-propinyl]-nickelat(II)-Bis-[amin][1,2]   55%
Kalium-tetrakis-[phenyl-ethinyl]-nickelat(II)-Tris-[amin][1,2]   90%

Methode Ⓑ : Analog Methode Ⓐ

Auf diese Weise erhält man u. a.

Kalium-tetraethinyl-nickelat(II)-Bis-[amin][1,2]   90%
Kalium-tetrakis-[1-propinyl]-nickelat(II)-Bis-[amin][1,2]   55%

Methode Ⓒ : Eine Lösung von Natrium-tetrakis-[1-alkinyl]-nickelat in flüssigem Ammoniak wird vor dem Einengen (Methode A) mit so viel konz. Lösung von Hexakis-[amin]-nickel(II)-thiocyanat versetzt, daß ein ~ 25%iger Überschuß an Nickel-thiocyanat vorhanden ist. Hierbei fallen die 1-Alkinyl-nickel-Verbindungen als orangegelbe Tetrakis-[amin]-Solvate aus.
Alle Amin-Solvate verlieren bei 20° i. Vak. oder unter Stickstoff leicht Ammoniak und färben sich braun. Solche teilweise zersetzten Substanzen können ohne erkennbare Ursache spontan **detonieren**! Vorsicht!

Auf diese Weise erhält man u. a.

Diethinyl-nickel-Tetrakis-[amin][3]   85%
Bis-[1-propinyl]-nickel-Tetrakis-[amin][3]   25%
Bis-[phenylethinyl]-nickel-Tetrakis-[amin][3]   70%

Verwendet man jedoch Bis-[phosphan]-nickel(II)-halogenide und arbeitet in einem Gemisch von flüssigem Ammoniak und Ether, dann entstehen die solvatfreien Bis-[1-alkinyl]-bis-[phosphan]-nickel-Verbindungen.

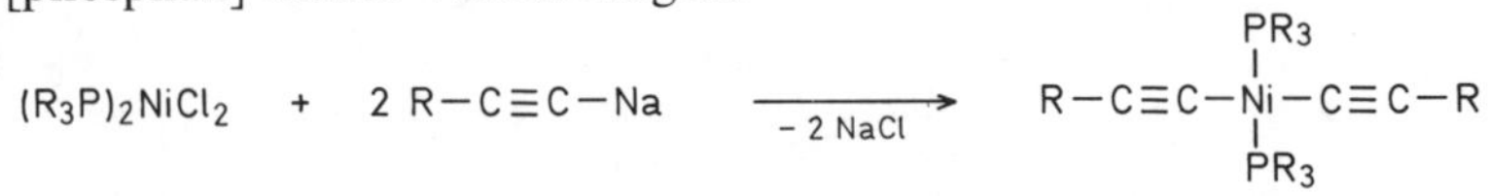

$$(R_3P)_2NiCl_2\ +\ 2\ R-C{\equiv}C-Na \quad \xrightarrow{- 2\ NaCl} \quad \overset{\overset{\displaystyle PR_3}{|}}{\underset{\underset{\displaystyle PR_3}{|}}{R-C{\equiv}C-Ni-C{\equiv}C-R}}$$

Die erhaltenen Verbindungen lassen sich durch Säulenchromatographie reinigen.

[1] R. Nast u. K. Vester, Z. anorg. Ch. **279**, 146 (1955).
[2] R. Nast u. H. Kasperl, Z. anorg. Ch. **295**, 227 (1958).
[3] R. Nast, K. Vester u. H. Griesshammer, B. **90**, 2678 (1957).

trans-Bis-[1-alkinyl]-bis-[phosphan]-nickel[1]: Zu einer Suspension von 1-Alkinyl-natrium (im geringen Überschuß) in flüssigem Ammoniak/Ether (4:1) wird das entsprechende Bis-[phosphan]-nickel(II)-halogenid unter Rühren zugegeben. Nach 20 Min. wird der Überschuß an 1-Alkinyl-natrium durch Zugabe von Ammoniumchlorid zerstört und das Ammoniak verdampft. Die anorgan. Salze werden mit Wasser gelöst, die Ether-Phase abgetrennt, getrocknet und chromatographiert bzw. im geeigneten Lösungsmittel kristallisiert.

Auf diese Weise erhält man u. a.

Bis-[triethylphosphan]-diethinyl-nickel[1]	39%; F: 36–36,5°
Bis-[1-propinyl]-bis-[triethylphosphan]-nickel[1]	66%; F: 74–75°
Bis-[phenyl-ethinyl]-...[1]	94%; F: 149–151°
Bis-[diethyl-phenyl-phosphan]-bis-[phenylethinyl]-nickel[1]	~40%; F: 106–108°
Bis-[phenylethinyl]-bis-[diethyl-phenyl-phosphan]-nickel[1]	62%; F: 64–68° (Zers.)
...-bis-[triphenylphosphan]-nickel[1]	27%; F: 170–172° (Zers.)
Bis-[3-buten-1-inyl]-bis-[triethylphosphan]-nickel[2]	F: 43–45°
Bis-[4-phenyl-3-buten-1-inyl]-...[2]	F: 130° (Zers.)
Bis-[1,3-butadiinyl]-...[2]	F: 140° (Zers.)

Flüssiges Ammoniak als Solvens läßt sich vermeiden, indem man das 1-Alkin zunächst mit Butyl-lithium in Hexan metalliert und das 1-Alkinyl-lithium mit der Nickel-halogen-Verbindung in Ether umsetzt; z.B.[3]:

$$[(H_5C_2)_3P]_2Ni\begin{matrix}Cl\\\diagup\\\diagdown\\C=CCl_2\\|\\Cl\end{matrix} \quad + \quad H_5C_6-C\equiv C-Li \quad \xrightarrow{-\ LiCl} \quad [(H_5C_2)_3P]_2Ni\begin{matrix}C\equiv C-C_6H_5\\\diagup\\\diagdown\\C=CCl_2\\|\\Cl\end{matrix}$$

trans-Bis-[triethylphosphan]-(phenyl-ethinyl)-(trichlor-vinyl)-nickel[4], 95%; F: 102–103°

Auf ähnliche Weise sind zugänglich:

trans-Bis-[triethylphosphan]- (2,6-dimethyl-phenylethinyl)-(phenylethinyl)-nickel[5]	42%; F: 94–95°
trans-(2,6-Bis-[di-tert.-butyl-phosphanomethyl]-phenyl)-(phenylethinyl)-nickel[6]	~100%; F: 195–230°
(η⁵-Pentamethyl-cyclopentadienyl)-(phenylethinyl)-(trimethylphosphan)-nickel[7]	36%; F: 91–92°

In einigen Fällen wird die Metallierung des 1-Alkins durch Ethyl-magnesiumhalogenid vorgenommen, was i. a. ohne Einfluß auf die Ausbeuten bleibt. Voraussetzung ist allerdings, daß sich die 1-Alkinyl-nickel-Verbindungen mit unpolaren Lösungsmitteln aus dem Salzrückstand extrahieren lassen:

$$(R_3P)_2NiCl_2 \quad \xrightarrow[-\ MgCl_2]{+\ R^1-C\equiv C-MgX} \quad (R_3P)_2Ni\begin{matrix}C\equiv C-R^1\\\diagup\\\diagdown\\X\end{matrix} \quad \xrightarrow[-\ MgX_2]{+\ R^1-C\equiv C-MgX} \quad (R_3P)_2Ni(C\equiv C-R^1)_2$$

R = C₂H₅; R¹ = C₆H₅; X = CCl = CCl₂; *Bis-[triethylphosphan]-(phenyl-ethinyl)-(trichlor-vinyl)-nickel*[4]; 99%; F: 102–103°

R¹ = CF₃; X = J; *Bis-[triethylphosphan]-jodo-(trifluor-1-propinyl)-nickel*[8]; 19%; F: 102–103°

[1] J. CHATT u. B.L. SHAW, Soc. **1960**, 1718.
[2] H. MASAI, K. SONOGASHIRA u. N. HAGIHARA, J. Organometal. Chem. **26**, 271 (1971).
[3] R.G. MILLER, R.D. STAUFFER, D.R. FAHEY u. D.R. PARNELL, Am. Soc. **92**, 1511 (1970).
[4] R.G. MILLER u. D.P. KUHLMAN, J. Organometal. Chem. **26**, 401 (1971).
[5] D.R. FAHEY u. B.A. BALDWIN, Inorg. Chim. Acta **36**, 269 (1979).
[6] C.J. MOULTON u. B.L. SHAW, Soc. [Dalton Trans.] **1976**, 1020.
[7] T. MISE u. H. YAMAZAKI, J. Organometal. Chem. **164**, 391 (1979).
[8] M.I. BRUCE, D.A. HARBOURNE, F. WAUGH u. F.G.A. STONE, Soc. [A] **1968**, 356.

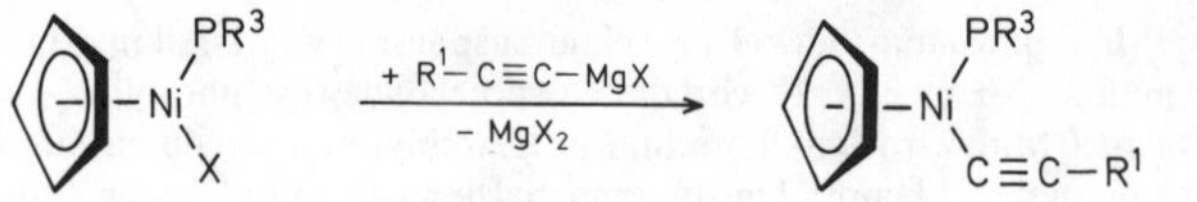

R = C_6H_5; R^1 = H; *(η^5-Cyclopentadienyl)-ethinyl-(triphenylphosphan)-nickel*[1]; 75%; F: 111,5–112°
R^1 = C_6H_5; *(η^5-Cyclopentadienyl)-(phenylethinyl)-(triphenylphosphan)-nickel*[1]; 65%; F: 135°

2. aus Nickel-halogeniden mit 1-Alkinen und einer Base

In Bis-[phosphan]-nickel(II)-bromid wird mit Triethylamin als Hilfsbase nur ein Alkinyl-Rest eingeführt; z.B.:

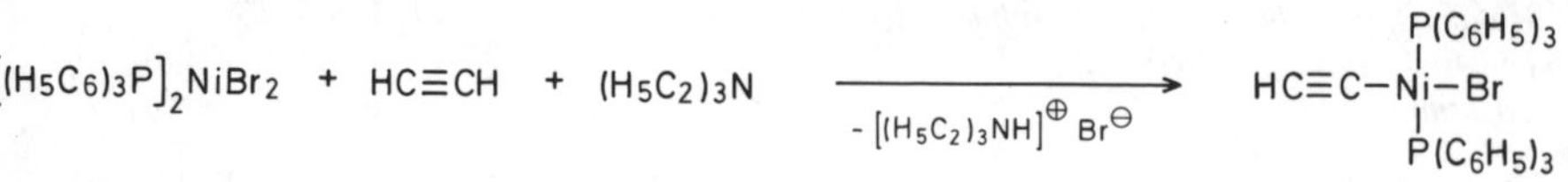

trans-Bis-[triphenyl-phosphan]-
bromo-ethinyl-nickel[2]; 91%;
F: 113° (Zers.)

Kationische Organo-nickel-Komplexe reagieren im polaren Medium mit 1-Alkinen in Gegenwart stöchiometrischer Mengen Triethylamin zu 1-Alkinyl-organo-nickel-Verbindungen:

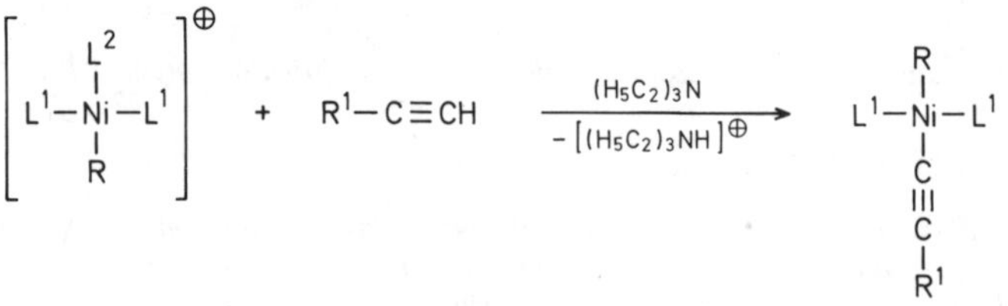

R = C_6Cl_5, CCl = CCl_2 usw.
R^1 = H, Alkyl, Aryl, CH_2–OH, CH_2–CH_2–OH, usw.
L^1 = $P(CH_3)_2$ (C_6H_5)
L^2 = CH_3–CN, $(H_3C)_2$O

trans-(1-Alkinyl)-bis-[tert.-phosphan]-organo-nickel; allgemeine Arbeitsweise: trans-Bis-[phosphan]-halogeno-organo-nickel wird mit äquimolaren Mengen an Silberperchlorat in Aceton versetzt (in situ Herstellung der kationischen Organo-nickel-Verbindung). Nach Abfiltrieren vom Silberhalogenid setzt man der Lösung bei 0° Triethylamin im 50%igen Überschuß und das 1-Alkin in großem Überschuß zu. Nach 2 Stdn. wird die orange Lösung i.Vak. eingedampft und der Rückstand aus Aceton/Methanol umkristallisiert. Man erhält gelbe bis orangefarbene Kristalle (Ergebnisse s. Tab. 2, S. 667).

3. durch oxidative Addition an Nickel(0)-Verbindungen

1-Alkinyl-nickel-Verbindungen werden nur in Ausnahmefällen durch oxidative Addition geeigneter Alkin-Verbindungen an Nickel(0)-Komplexe erhalten[3,4].

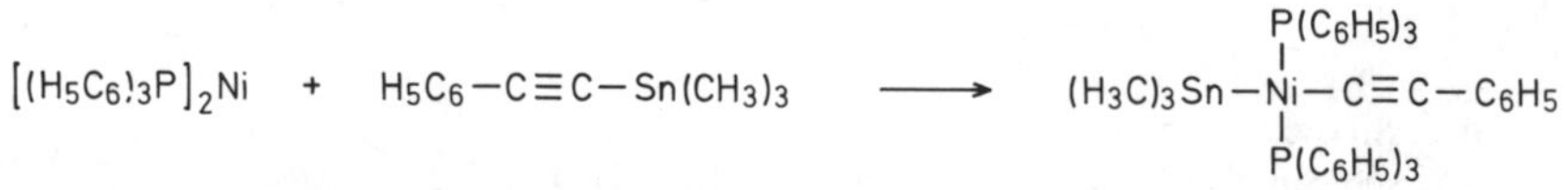

[1] H. Yamazaki, T. Nishido, Y. Matsumoto, S. Sumida u. N. Hagihara, J. Organometal. Chem. **6**, 86 (1966).
[2] H. Hoberg u. H.J. Riegel, J. Organometal. Chem. **241**, 245 (1983).
[3] B. Cetinkaya, M.F. Lappert, J. McMeeking u. D.E. Palmer, Soc. [Dalton Trans] **1973**, 1202.
[4] R.J. de Pasquale, J. Organometal. Chem. **32**, 381 (1971).

Tab. 2: *trans*-(1-Alkinyl)-bis-[dimethyl-phenyl-phosphan]-organo-nickel aus kationischen Organo-nickel-Verbindungen mit einem 1-Alkin in Gegenwart von Triethylamin

$[(H_3C)_2(H_5C_6)P]_2Ni\overset{R}{\underset{Hal}{\diagup}}$		$R^1-C\equiv CH$	*Bis-[dimethyl-phenyl-phos-phan]-...-nickel*	Ausbeute [%]	F [°C]	Lite-ratur
R	Hal	R^1				
$CCl=CCl_2$		H	...-ethinyl-(trichlor-vinyl)-...	63	81–82 (Zers.)	1
		C_6H_5	...-(phenyl-ethinyl)-(trichlor-vinyl)-...	50	98–90 (Zers.)	1
C_6H_5		CH_2-CH_2-OH	...-(4-hydroxy-1-butinyl)-phenyl-...	68	138–139 (Zers.)	2
C_6Cl_5		H	...-ethinyl-(pentachlor-phenyl)-...	89	126–128 (Zers.)	2
		C_2H_5	...-(1-butinyl)-(pentachlor-phenyl)-...	93	124–125 (Zers.)	2
		$4-OCH_3-C_6H_4$	...-(4-methoxy-phenylethinyl)-(pentachlor-phenyl)-...	77	148–149	2
$2,6-(OCH_3)_2-C_6H_3$		H	...-(2,6-dimethoxy-phenyl)-ethinyl-...	50	97 (Zers.)	1
		C_6H_5	...-(2,6-dimethoxy-phenyl)-(phenylethinyl)-...	50	101–102 (Zers.)	1
$2,4,6-(CH_3)_3-C_6H_2$		CH_3	...-(2,4,6-trimethyl-phenyl)-(1-propinyl)-...	38	108–109 (Zers.)	1
		CH_2-CH_2-OH	...-(4-hydroxy-1-butinyl)-(2,4,6-trimethyl-phenyl)-...	34	113–114 (Zers.)	1
		C_6H_5	...-(phenylethinyl)-(2,4,6-tri-methyl-phenyl)-...	74	107–108	1

Bis-[triphenylphosphan]-(phenylethinyl)-(trimethylstannyl)-nickel[3]: 0,30 *ml* (1,5 mmol) (Phenylethinyl)-trimethyl-stannan werden unter Rühren zu einer Lösung von 640 mg (1,1 mmol) Bis-[triphenylphosphan]-nik-kel(0) in 25 *ml* Benzol pipettiert. Nach 20 Min. wird filtriert und die Lösung mit 20 *ml* Hexan versetzt; Ausbeute: 380 mg (41%) (dunkelgrün).

4. aus Bis-[1-alkinyl]-nickel-Verbindungen durch Protolyse

Starke Mineralsäuren lösen in *trans*-Bis-[phenylethinyl]-nickel-Verbindungen nur eine der beiden Ethinyl-Gruppen als Phenylacetylen ab; z.B.[4]:

$$H_5C_6-C\equiv C-\underset{\underset{(H_5C_2)_2P-C_6H_5}{|}}{\overset{\overset{(H_5C_2)_2P-C_6H_5}{|}}{Ni}}-C\equiv C-C_6H_5 \quad + \quad HCl \quad \xrightarrow[-HC\equiv C-C_6H_5]{THF} \quad H_5C_6-C\equiv C-\underset{\underset{(H_5C_2)_2P-C_6H_5}{|}}{\overset{\overset{(H_5C_2)_2P-C_6H_5}{|}}{Ni}}-Cl$$

trans-Bis-[diethyl-phenyl-phosphan]-chloro-(phenylethinyl)-nickel; 80%; F: 87–89°

Diese Methode läßt sich vermutlich auch auf andere Bis-[1-alkinyl]-nickel-Verbindungen anwenden.

---

[1] M. WADA, K. OGURO u. Y. KAWASAKI, J. Organometal. Chem. **178**, 261 (1979).
[2] K. OGURO, M. WADA u. R. OKAWARA, J. Organometal. Chem. **159**, 417 (1978).
[3] B. CETINKAYA, M.F. LAPPERT, J. McMEEKING u. D.E. PALMER, Soc. [Dalton Trans.] **1973**, 1202.
[4] J. CHATT u. B.L. SHAW, Soc. **1960**, 1718.

e) Aryl-nickel(II)-Verbindungen

1. aus Nickel(II)-Salzen durch nucleophile Substitution

α) Monoaryl-nickel-Verbindungen

Zur Herstellung von Aryl-nickel-Verbindungen wird die Grignard-Methode bevorzugt angewendet. Sie hat den Vorteil der milden Reaktionsbedingungen, außerdem erlaubt die Stabilität der Produkte eine Abtrennung vom Magnesiumsalz durch Hydrolyse und Phasentrennung.

Monofunktionelle Cyclopentadienyl-ligand-nickel-halogenide werden in Ethern unter Eiskühlung zur Reaktion gebracht, zur Reinigung wird chromatographiert und aus benzolischer Lösung durch Hexan-Zugabe kristallisiert[1]. Es wird unter Stickstoff gearbeitet.

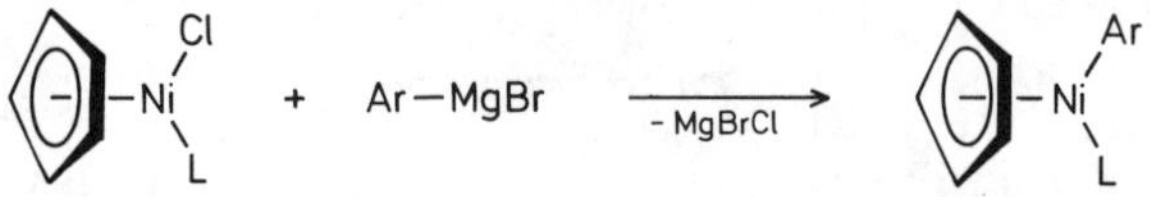

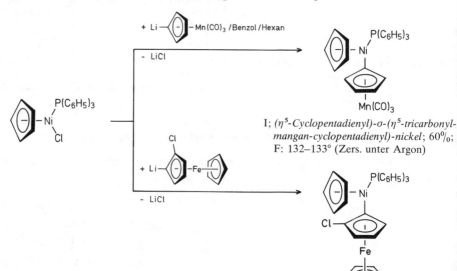

(η⁵-Cyclopentadienyl)-. . .-nickel

z.B.: L = (H₅C₆)₃P; Ar = C₆H₅; . . .-*phenyl-triphenylphosphan-*. . .; 77%; F: 137–139°
      Ar = 4-Cl–C₆H₄; . . .-*(4-chlor-phenyl)-triphenylphosphan-*. . .; 28%; F: 140–143°
      Ar = 4-OCH₃–C₆H₄; . . .-*(4-methoxy-phenyl)-triphenylphosphan-*. . .; 18%; F: 164–165°
      Ar = 2-CH₃–C₆H₄; . . .-*(2-methyl-phenyl)-triphenylphosphan-*. . .; 65%; F: 139–142°
      Ar = 2,4,6-(CH₃)₃–C₆H₂; . . .-*(2,4,6-trimethyl-phenyl)-triphenylphosphan-*. . .; 57%;
                                           F: 190–191°
    L = (H₅C₆)₃As; Ar = C₆H₅; . . .-*phenyl-triphenylarsan-*. . .; 36%; F: 96–98°
    L = (H₅C₆)₃Sb; Ar = C₆H₅; . . .-*phenyl-triphenylstiban-*. . .; 42%; F: 134–135°

In einigen Fällen erweist sich die Lithiierung des Arens als praktischer[2], z.B.:

Benzol/Hexan

I; *(η⁵-Cyclopentadienyl)-σ-(η⁵-tricarbonyl-mangan-cyclopentadienyl)-nickel*; 60%;
F: 132–133° (Zers. unter Argon)

2-Chlor-2-(η⁵-cyclopentadienyl-triphenyl-phosphan-nickel)-ferrocen; 46%;
F: 151–153° (Zers. unter Argon)

---

[1] H. YAMAZAKI, T. NISHIDO, Y. MATSUMOTO, S. SUMIDA u. N. HAGIHARA, J. Organometal. Chem. **6**, 86 (1966).
[2] A. N. NESMEYANOV, E. G. PEREVALOVA, L. I. KHOMIK u. L. I. LEONT'EVA, Dokl. Akad. Nauk SSSR **209**, 869 (1973); C. A. **79**, 18828 (1973).

Aryl-nickel-halogenide vom Typ I werden durch Zugabe geeigneter Bis-[phosphan]-nickel-dihalogenide (fest oder gelöst) bei $\sim -10°$ zu einer etherischen Aryl-magnesium-halogenid-Lösung erhalten. Nach einigen Minuten wird hydrolysiert und aufgearbeitet[1]:

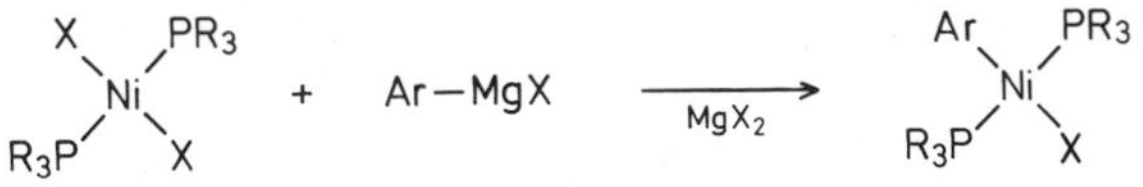

Die folgende Arbeitsvorschrift ist typisch für eine Vielzahl von Monoaryl-nickel-Verbindungen. Die Aufstellung nach der Arbeitsvorschrift enthält eine Auswahl von Verbindungen mit den leichter zugänglichen Liganden Triphenyl- und Triethyl-phosphan.

cis-Konfigurierte Aryl-nickel-halogenide werden mit den Chelat-Liganden Bis-[diphenyl-phosphano]-ethan und 2,2′-Bipyridyl erhalten.

trans-Bis-[triethyl-phosphan]-(2-methyl-phenyl)-nickel-bromid[1]: 3,0 g Bis-[triethyl-phosphan]-nickel-di-bromid[2], suspendiert in 20 *ml* Benzol, werden bei $-10°$ zu einer Grignard-Lösung, hergestellt aus 1,71 g 2-Brom-toluol und 240 mg Magnesium in 50 *ml* Ether und 30 *ml* Benzol, unter Rühren zugegeben. Nach 2 Min. wird auf $-40°$ gekühlt und mit verd. Bromwasserstoff-Säure hydrolysiert. Nach der Phasentrennung werden Ether und Benzol abdestilliert und der Rückstand aus Ethanol/Methanol umkristallisiert; Ausbeute: 2,58 g (84%); F: 102–103°.

Auf ähnliche Weise erhält man u.a.

trans-Bis-[triethyl-phosphan]-phenyl-nickel-bromid[3]	85%; F: 82–83° (Zers.)
...-(*pentachlor-phenyl)-nickel-chlorid*[1]	84%; F: 156–158°
...-(*9-phenanthryl)-nickel-bromid*[1]	54%; F: 156–159° (Zers.)
...-(*2-phenyl-propenyl)-nickel-chlorid*[4]	40%; F: 78–79°
trans-Bis-[triphenyl-phosphan]-(pentafluor-phenyl)-nickel-bromid[5]	81%; F: 199–200° (Zers.)
...-(*pentachlor-phenyl)-nickel-bromid*[6,7]	85%; F: 250° (Zers.)
...-(*2,4,6-trichlor-phenyl)-nickel-chlorid*[8]	65%; F: 226–229° (Zers.)
cis-(1,2-Bis-[diphenylphosphano]-ethan)-(pentachlor-phenyl)-nickel-bromid[9]	75%; F: 254–256° (Zers.)
...-(*2,3,5,6-tetrachlor-phenyl)-nickel-chlorid*[8]	65%; F: 230–232°

Mit Aryl-lithium werden in der Regel niedrigere Ausbeuten erhalten. Dagegen wird oft durch das Auslassen des Hydrolyse-Schrittes die Aufarbeitung und Isolierung der Aryl-nickel-Verbindungen einfacher.

Bei der Herstellung der Aryl-η^5-cyclopentadienyl-(Ligand)-nickel-Verbindungen unterscheiden sich beide Methoden praktisch nicht; z.B.:

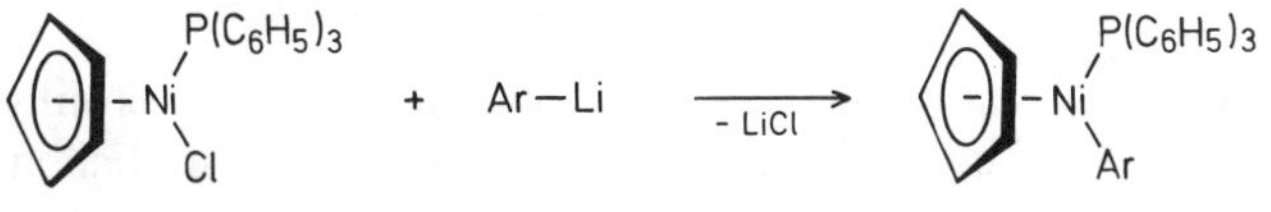

[1] J. CHATT u. B.L. SHAW, Soc. **1960**, 1718; dort zahlreiche weitere Beispiele.
[2] K.A. JENSEN, Acta chem. scand. **3**, 474 (1949).
[3] D.G. MORREL u. J.K. KOCHI, Am. Soc. **97**, 7262 (1975).
[4] R.G. MILLER, R.D. STAUFFER, D.R. FAHEY u. D.R. PARNELL, Am. Soc. **92**, 1511 (1970).
[5] J.R. PHILLIPS, D.T. ROSEVEAR u. F.G.A. STONE, J. Organometal. Chem. **2**, 455 (1964).
[6] K.P. MacKINNON u. B.O. WEST, Austral. J. Chem. **21**, 2801 (1968).
[7] J.M. CORONAS u. J. SALES, J. Organometal. Chem. **94**, 107 (1975).
[8] M. ANTON, J.M. CORONAS u. J. SALES, J. Organometal. Chem. **129**, 249 (1977).
[9] J.M. CORONAS, O. ROSSELL u. J. SALES, J. Organometal. Chem. **97**, 473 (1975).

(η^5-Cyclopentadienyl)-organo-triorganophosphan-nickel; allgemeine Arbeitsvorschrift[1]: Zur Lösung von Aryl-lithium in Diethylether, das am besten vorher aus dem entsprechenden Arylbromid und Butyl-lithium in situ hergestellt wird, wird bei −78° die moläquivalente Menge an (η^5-Cyclopentadienyl)-triphenylphosphan-nickel-chlorid[1] in Ether langsam zugetropft. Nach Erwärmen auf 20° wird mit wäßr. Ammoniumchlorid hydrolysiert und die organ. Phase an neutralem Aluminiumoxid chromatographiert. Eluieren der dunkelgrünen Zone mit Benzol/Hexan (1:1) und Kristallisieren aus Hexan ergibt dunkelgrüne Kristalle. Die Verbindungen sind luftstabil. U.a. erhält man auf diese Weise

(η^5-Cyclopentadienyl)-(diphenyl-methyl-phosphan)-. . .

    . . .-(pentafluor-phenyl)-nickel[1]   74%; F: 104–105°

    . . .-(pentachlor-phenyl)-nickel[1]   53%; F: 152–154°

(η^5-Cyclopentadienyl)-. . .-(triphenylphosphan)-nickel

    . . .-phenyl-. . .[1]   48%; F: 134–135°

    . . .-(tetrachlor-2-thienyl)-. . .[2]   29%; F: 196–197°

Deutlichere Einbußen in den Ausbeuten gegenüber der Grignard-Methode müssen bei der Herstellung von Aryl-bis-[phosphan]-nickel-halogeniden hingenommen werden:

$$[R_3P]_2NiCl_2 \ + \ Ar{-}Li \ \xrightarrow[-\ LiCl]{} \ [R_3P]_2Ni\begin{smallmatrix} Ar \\ \diagup \\ \diagdown \\ Cl \end{smallmatrix}$$

PR_3 = $P(CH_3)_3$; Ar = C_6Cl_5; *Bis-[trimethylphosphan]-(pentachlor-phenyl)-nickel-chlorid*[3]; 69%; F: 235° (Zers.)

PR_3 = $P(C_2H_5)_3$; Ar = C_6F_5; *Bis-[triethylphosphan]-(pentafluor-phenyl)-nickel-chlorid*[4]; 62%; F: 112–113°

    Ar = C_6Cl_5; *Bis-[triethylphosphan]-(pentachlor-phenyl)-nickel-chlorid*[5]; 60%; F: 132–135°

    Ar = 2,6-(CH_3)–C_6H_3; *Bis-[triethylphosphan]-(2,6-dimethyl-phenyl)-nickel-chlorid*[6]; 69%; F: 108,5–109,5°

PR_3 = $(H_3C)_2P$–C_6H_5; Ar = 2,6-$(OCH_3)_2$–C_6H_3; *Bis-[dimethyl-phenyl-phosphan]-(2,6-dimethoxy-phenyl)-nickel-chlorid*[7]; 43%; F: 116–117°

PR_3 = $(H_5C_2)_2P$–C_6H_5; Ar = 2-CF_3–C_6H_4; *Bis-[diethyl-phenyl-phosphan]-(2-trifluormethyl-phenyl)-nickel-chlorid*[8]; 22%; F: 100–101°

PR_3 = H_3C–$P(C_6H_5)_2$; Ar = C_6Cl_5; *Bis-[diphenyl-methyl-phosphan]-(pentachlor-phenyl)-nickel-chlorid*[9]; 63%; F: 218–219°

PR_3 = $P(C_6H_5)_3$; Ar = 4-Li–C_6H_4; *1,4-Bis-[bis-(triphenylphosphan)-bromo-nickelo]-benzol*[10]; 77%

Die Zugabe des Bis-[phosphan]-nickel-dihalogenids zur vorgelegten Lösung von Aryl-lithium in Ether erfolgt bei −78° wie in der oben angegebenen allgemeinen Arbeitsvorschrift. Zur Aufarbeitung wird vom Lithiumhalogenid abfiltriert, bzw. nach Hydrolyse und Phasentrennung aus dem angegebenen Solvens kristallisiert. Auf analoge Weise ist auch *2,2'-Bis-[bis-(triethylphosphan)-chloro-nickel]-biphenyl* zu 11% zugänglich[11].

Repräsentative Arbeitsvorschriften sowie weitere Aryl-nickel-Verbindungen sind in der Literatur beschrieben[8, 9].

β) Diaryl-nickel-Verbindungen

Die Grignard-Methode eignet sich auch zur Herstellung *trans*-konfigurierter Diaryl-nickel-Verbindungen. Im Unterschied zu den hydrolyseempfindlichen Dialkyl-nickel-Verbindungen ist hier die Abtrennung von Magnesiumsalz durch Hydrolyse und Phasen-

[1] M.D. Rausch, Y.F. Chang u. H.B. Gordon, Inorg. Chem. **8**, 1355 (1969); dort zahlreiche weitere Beispiele.

[2] M.D. Rausch, T.R. Criswell u. A.K. Ignatowicz, J. Organometal. Chem. **13**, 419 (1968).

[3] M. Wada, K. Sameshina, K. Nishiwaki u. Y. Kawasaki, Soc. [Dalton Trans.] **1982**, 793.

[4] J.R. Phillips, D.T. Rosevear u. F.G.A. Stone, J. Organometal. Chem. **2**, 455 (1964).

[5] M.D. Rausch, F.E. Tibbetts u. H.B. Gordon, J. Organometal. Chem. **5**, 493 (1966).

[6] D.R. Fahey u. B.A. Baldwin, Inorg. Chim. Acta **36**, 269 (1979).

[7] M. Wada, K. Oguro u. Y. Kawasaki, J. Organometal. Chem. **178**, 261 (1979).

[8] J. Chatt u. B.L. Shaw, Soc. **1960**, 1718.

[9] M.D. Rausch u. F.E. Tibbetts, Inorg. Chem. **9**, 512 (1970).

[10] B. Hipper, E. Uhlig u. J. Vogel, J. Organometal. Chem. **218**, C 1 (1981).

[11] D.R. Fahey, J. Organometal. Chem. **57**, 385 (1973).

rennung möglich. Trotz hoher thermischer Stabilität der Produkte (unter Inertgas) können die Ausbeuten stark schwanken.

$$[R_3P]_2Ni(Hal)_2 \quad + \quad 2\,Ar-Mg-Hal \quad \xrightarrow{-\,2\,Mg(Hal)_2} \quad [R_3P]_2NiAr_2$$

$R_3P = (H_5C_2)_3P$; $Ar = 2,4,6\text{-}(CH_3)_3\text{-}C_6H_2$; *Bis-[triethylphosphan]-bis-[2,4,6-trimethyl-phenyl]-nickel*[1]; 65%;
F: 148–150° (Zers.)

$R_3P = (H_3C)_2P\text{-}C_6H_5$; $Ar = 2\text{-}CH_3\text{-}C_6H_4$; *Bis-[dimethyl-phenyl-phosphan]-bis-[2-methyl-phenyl]-nickel*[2];
11%; F: 148–151°

$R_3P = (H_5C_2)_2P\text{-}C_6H_5$; $Ar = 2,4,6\text{-}(CH_3)_3\text{-}C_6H_2$; *Bis-[diethyl-phenyl-phosphan]-bis-[2,4,6-trimethyl-phe-nyl]-nickel*[1]; 58%; F: 154–157° (Zers.)

$R_3P = (H_5C_6)_3P$; $Ar = 2,3,5,6\text{-}F_4\text{-}C_5N$; *Bis-[2,3,5,6-tetrafluor-4-pyridyl]-bis-[triphenylphosphan]-nickel*[3];
37%; F: >200°

Die elektronischen Eigenschaften der Pentafluor-phenyl-Gruppe ermöglichen eine interessante Variante der Grignard-Methode. Während Ether-Donatoren Aryl-nickel-
Verbindungen in der Regel nicht stabilisieren können, gelingt die Herstellung von *Bis-
[pentafluorphenyl]-nickel* in Tetrahydrofuran unter Zusatz von 1,4-Dioxan.

$$NiBr_2 \quad + \quad F_5C_6-MgBr \quad \underset{THF}{\overset{THF}{\rightleftharpoons}} \quad (F_5C_6)_2Ni \cdot THF \quad + \quad 2\,MgBr_2$$

$$\downarrow + 1,4\text{-Dioxan}$$

$$(F_5C_6)_2Ni \cdot 1,4\text{-Dioxan} \quad + \quad 2\,MgBr_2 \cdot 1,4\text{-Dioxan}$$

Abfiltrieren vom unlöslichen Magnesiumsalz-Dioxan-Komplex ergibt eine gelbe Lösung, die unter Inertgas
bei 20° stabil ist. Aus ihr kann durch vorsichtiges Einengen i. Vak. kristallines *Bis-[1,4-dioxan]-bis-[pentafluor-
phenyl]-nickel* zu 80% erhalten werden[4].

Aus dieser Stammverbindung lassen sich durch einfache Liganden-Substitution zahlreiche *trans*- oder *cis*-konfigurierte Bis-[pentafluorphenyl]-nickel-Verbindungen in Ausbeuten von 70–80% herstellen[5].

$$(1,4\text{-Dioxan})_2Ni(C_6F_5)_2 + 2\,L \;\rightarrow\; L_2Ni(C_6F_5)_2 + 2\;1,4\text{-Dioxan}$$

L = RP_3, R_3As, R_3Sb, NH_3, Pyridin, 2,2'-Bipyridyl, etc.

An quadratisch-planaren Nickel-Zentren können Aryl-Grignard-Reagentien unterschiedliche Aryl-Reste in *trans*-Stellung zu den bereits vorhandenen einführen; z.B.[6]:

$$[(H_5C_2)_3P]_2Ni\!\!\begin{smallmatrix}\\\text{Ar}\\\text{Br}\end{smallmatrix} \quad + \quad H_5C_6-MgBr \quad \xrightarrow[-MgBr_2]{(H_5C_2)_2O;\;20°} \quad [(H_5C_2)_3P]_2Ni\!\!\begin{smallmatrix}\\\text{Ar}\\\text{C}_6\text{H}_5\end{smallmatrix}$$

trans-Bis-[triethylphosphan]-(4-fluor-phenyl)-
phenyl-nickel; 70%; F: 138–139°
(aus Pentan)

[1] J. CHATT u. B.L. SHAW, Soc. **1960**, 1718.
[2] J.R. MOSS u. B.L. SHAW, Soc. [A] **1966**, 1793.
[3] M. GREEN, A. TAUNTON-RIGBY u. F.G.A. STONE, Soc. [A] **1968**, 2762.
[4] A. ARCAS u. P. ROYO, Inorg. Chim. Acta **30**, 205 (1978).
[5] A. ARCAS u. P. ROYO, Inorg. Chim. Acta **31**, 97 (1978).
[6] G.W. PARSHALL, Am. Soc. **96**, 2360 (1974).

Problematisch ist die Synthese von *trans*-Diaryl-nickel-Verbindungen mit Aryl-li-thium-Verbindungen. Obwohl die Produkte thermisch recht stabil sind und die Reaktion schon bei tiefen Temperaturen abläuft, vermindern besonders bei einfachen Aryl-Resten (Phenyl-, Methyl-phenyl-, etc.)[1] Nebenreaktionen, etwa die Zersetzung im Sinne einer re-duktiven Eliminierung von Biaryl, die Ausbeuten. Sterische Abschirmung der Li–C-Bin-dung (2,6-Dimethyl-, 2,4,6-Trimethyl-phenyl, etc.) sowie eine Änderung ihrer Polarisie-rung (Pentafluor-, Pentachlor-phenyl-, etc.) begünstigen den Erfolg der Synthesen:

$$[R_3P]_2Ni(Hal)_2 \quad + \quad 2\,Ar\!-\!Li \quad \xrightarrow[-\,2\,LiHal]{} \quad [R_3P]_2NiAr_2$$

$R_3P = (H_3C)_3P$; $Ar = 2,6\text{-}(H_3CO)_2\text{-}C_6H_3$; *trans-Bis-[2,6-dimethoxy-phenyl]-bis-[trimethylphosphan]-nickel*[2]; 80%; F: 183° (Zers.)

$R_3P = (H_3C)_2P(C_6H_5)$; $Ar = 2,6\text{-}(H_3CO)_2\text{-}C_6H_3$; *trans-Bis-[2,6-dimethoxy-phenyl]-bis-[dimethyl-phenyl-phosphan]-nickel*[3]; 79%; F: 153° (Zers.)

$R_3P = (H_5C_2)_3P$; $Ar = C_6Cl_5$; *trans-Bis-[pentachlorphenyl]-bis-[triethylphosphan]-nickel*[4]; 60%; F: 132,5–134°

$R_3P = (H_5C_2)_2P\text{-}C_6H_5$; $Ar = C_6F_5$; *trans-Bis-[diethyl-phenyl-phosphan]-bis-[pentafluorphenyl]-nickel*[5]; 37%; F: 210–211°

$R_3P = H_3C\text{-}P(C_6H_5)_2$; $Ar = C_6F_5$; *trans-Bis-[diphenyl-methyl-phosphan]-bis-[pentafluorphenyl]-nickel*[5]; 74%; F: 192–193°

Ferner sind so zugänglich

$L = (H_5C_2)_3P$; *5,5-Bis-[triethylphosphan]-⟨dibenzo-1,7-dioxa-4-nickela-cyclo-undeca-2,5-dien⟩*[6]; 43%; F: 141–144°

$L = (H_5C_2)_2P\text{-}C_6H_5$; *5,5-Bis-[diethyl-phenyl-phosphan]-⟨dibenzo-1,7-dioxa-4-nickela-cycloundeca-2,5-dien⟩*[6]; 75%; F: 132–136°

2,2'-Bipyridyl-bis-[pentafluorphenyl]-nickel[7]; 29%; F: 255° (Zers.)

Bis-[2-(diphenylphosphano-methyl)-phenyl]-nickel[8]; 55%; F: 138–142°

Stark unterschiedliche Ausbeuten kennzeichnen auch die Synthese von Diaryl-nickel-Verbindungen mit verschiedenen Aryl-Resten

[1] J. CHATT u. B.L. SHAW, Soc. **1960**, 1718.
[2] M. WADA, K. NISHIWAKI u. Y. KAWASAKI, Soc. [Dalton Trans.] **1982**, 1443.
[3] K. OGURO, M. WADA u. N. SONODA, J. Organometal. Chem. **165**, C 13 (1979).
[4] M.D. RAUSCH, F.E. TIBBETTS u. H.B. GORDON, J. Organometal. Chem. **5**, 493 (1966).
[5] M.D. RAUSCH u. F.E. TIBBETTS, Inorg. Chem. **9**, 512 (1970).
[6] L.C. SAWKINS, B.L. SHAW u. B.L. TURTLE, Soc. [Dalton Trans.] **1976**, 2053.
[7] J.R. PHILIPS, D.T. ROSEVEAR u. F.G.A. STONE, J. Organometal. Chem. **2**, 455 (1964).
[8] H.-P. ABICHT u. K. ISSLEIB, J. Organometal. Chem. **149**, 209 (1978).

R_3P	Ar^1	Ar^2		[%]	F [°C]	Lite-ratur
$(H_3C)_3P$	3-CH_3–C_6H_4	2,4,6-$(CH_3)_3$–C_6H_2	Bis-[trimethylphosphan]-(3-methyl-phenyl)-(2,4,6-trimethyl-phenyl)-nickel	91	151–152	1
$(H_3C)_2P$–C_6H_5	2-$(H_3C)_2N$–C_6H_4	C_6Cl_5	Bis-[dimethyl-phenyl-phosphan]-(2-dimethylamino-phenyl)-(pentachlor-phenyl)-nickel	54	164–165	2
H_3C–$P(C_6H_5)_2$	C_6H_5	C_6Cl_5	Bis-[diphenyl-methyl-phosphan]-(pentachlorphenyl)-phenyl-nickel	70	152–153	3
	C_6Cl_5	C_6F_5	Bis-[diphenyl-methyl-phosphan]-(pentachlor-phenyl)-(pentafluorphenyl)-nickel	15	223–226	4
$(H_5C_6)_3P$	2-Furyl	C_6Cl_5	Bis-[triphenylphosphan]-2-furyl-(pentachlor-phenyl)-nickel	58	147–148	2

2. aus Bis-[2,4-pentandionato]-nickel durch nucleophile Substitution

Während käufliche Trialkyl-aluminium-Verbindungen zur Herstellung von Alkyl-nik-kel-Verbindungen oft verwendet werden, setzt eine entsprechende Synthese von Phenyl-nickel-Verbindungen die Herstellung von Triphenyl-aluminium-Etherat[5] voraus. Man er-hält quadratisch-planare *Monophenyl*-nickel-Verbindungen, die aus der Reaktionslösung (in Diethylether) als gelbe Pulver ausfallen[6].

(Pentan-2,4-dionato)-phenyl-...-nickel

$R_3P = (H_5C_2)_3P; \ldots$-*(triethylphosphan)-...*;
$R_3P = (H_{11}C_6)_3P; \ldots$-*(tricyclohexylphosphan)-...*; F: 155,5–158° (Zers.)
$R_3P = (H_5C_6)_3P; \ldots$-*(triphenylphosphan)-...*; F: 148–149,5° (Zers.)

3. durch interne Metallierung unter Ringschluß

Bis-[η^5-cyclopentadienyl]-nickel und Diaryl-diazene reagieren beim Erhitzen unter Metallierung an einem der C^2-Atome zu [2-Arylazo-aryl(C,N')]-(η^5-cyclopentadienyl)-nickel-Verbindungen. Der Wasserstoff findet sich in Anilin-Derivaten als Begleitproduk-ten. Durch Chromatographieren an Aluminiumoxid mit Benzol/Hexan und Eluieren der blauen Zone werden die Pentan-löslichen Verbindungen isoliert. Eine Halogen- oder Quecksilber-Funktion[7] in 2-Stellung erhöht die Reaktionsgeschwindigkeit.

[1] M. Wada u. K. Sameshima, Soc. [Dalton Trans.] **1981**, 240.
[2] M. Wada, N. Asada u. K. Oguro, Inorg. Chem. **17**, 2353 (1978).
[3] M. Wada, K. Kusabe u. K. Oguro, Inorg. Chem. **16**, 446 (1977).
[4] M.D. Rausch u. F.E. Tibbetts, Inorg. Chem. **9**, 512 (1970).
[5] T. Mole, Austral. J. Chem. **16**, 794 (1963).
[6] K. Maruyama, T. Ito u. A. Yamamoto, J. Organometal. Chem. **155**, 359 (1978).
[7] R.J. Cross u. N.H. Tennent, J. Organometal. Chem. **61**, 33 (1973).

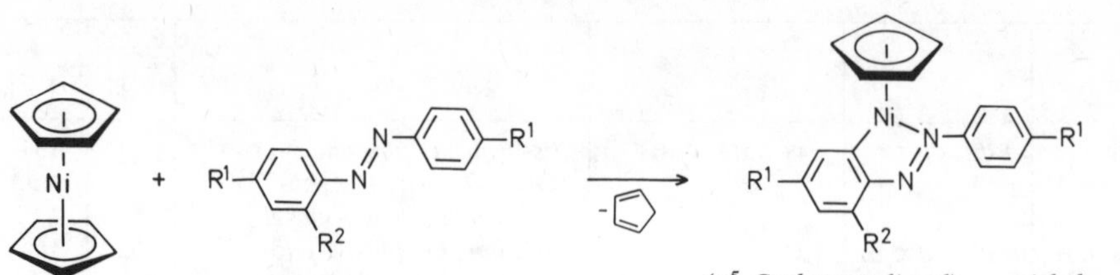

$(\eta^5\text{-}Cyclopentadienyl)\text{-}\ldots\text{-}nickel$

$R^1 = R^2 = H$ (4 Stdn. 135°)[1]; ...   25%; F: 118–119°
$R^1 = H$; $R^2 = \frac{1}{2}$ Hg (18 Stdn. 80°/Benzol)[2];   ...-[2-phenylazo-phenyl(C,N')]-...; 91%
      $R^2 = Cl$ (10 Min. 144°/o-Xylol)[3];   47%
$R^1 = CH_3$; $R^2 = Cl$ (15 Stdn. 144°/o-Xylol)[3]; ...-[5-methyl-2-(4-methyl-phenylazo)-phenyl(C,N')]-...; 33%;
                                                                                     F: 112–113°

Einer spontanen Metallierung unterliegt der zunächst zweizähnige Chelat-Ligand 1,3-Bis-[(di-tert.-butyl-phosphano)-methyl]-benzol[4] bei der Reaktion mit Nickel(II)-chlorid-Hexahydrat in alkoholischer Lösung[4]:

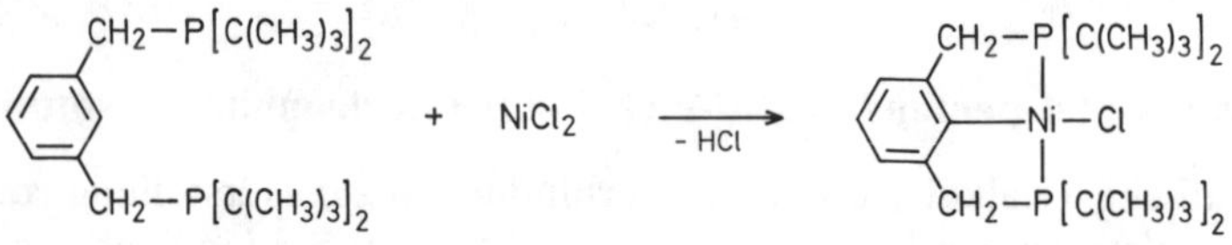

{2,6-Bis-[(di-tert.-butyl-phosphano)-methyl]-phenyl}-
-nickel-chlorid; 54%; F: 240–250° (Subl.).

4. durch oxidative Addition an Nickel(0)-Verbindungen

Eine Reihe Phosphan-substituierter Nickel(0)-Verbindungen, die aus Bis-[pentan-2,4-dionato]-nickel durch Reduktion mit Ethyl-aluminium-Verbindungen in Gegenwart der gewünschten Liganden hergestellt werden[5], addiert Arylhalogenide im Sinne einer oxidativen Additionsreaktion. Obwohl die Reaktion durch die Beteiligung radikalischer Prozesse kompliziert wird[6], lassen sich die Bedingungen so wählen, daß Aryl-nickel-halogenide zum Hauptprodukt werden. Als Nebenprodukte fallen Biaryle und Tris-[phosphan]-nickel(I)-halogenide an. Sicher können einige der Synthesen, für die niedrige Ausbeuten berichtet werden, durch Variation des Nickel(0)-Reagens, des Solvens oder der Art der Zugabe optimiert werden; jedoch ist es ratsam, die Arbeitsvorschriften der Primärliteratur genau zu befolgen. Der Ausschluß von Sauerstoff ist wesentlich.

[1] J. P. KLEIMAN u. M. DUBECK, Am. Soc. 85, 1544 (1963).
[2] R. J. CROSS u. N. H. TENNENT, J. Organometal. Chem. 72, 21 (1974).
[3] YU. A. USTYNYUK u. I. V. BARINOV, J. Organometal. Chem. 23, 551 (1970).
[4] C. J. MOULTON u. B. L. SHAW, Soc. [Dalton Trans.] 1976, 1020.
[5] G. WILKE u. G. HERRMANN, Ang. Ch. 74, 693 (1962).
[6] T. T. TSOU u. J. K. KOCHI, Am. Soc. 101, 6319 (1979).

$$\text{Ni(PR}_3)_4 \quad + \quad \text{ArX} \quad \xrightarrow{- 2\ R_3P} \quad \begin{array}{c} R_3P \quad X \\ \diagdown \quad \diagup \\ Ni \\ \diagup \quad \diagdown \\ Ar \quad PR_3 \end{array}$$

$R_3P = (H_5C_2)_3P^{[1]}$; $Ar = C_6H_5$; $X = Cl$; *trans-Bis-[triethylphosphan]-phenyl-*   85%; F: 75–75,5°
                                nickel-chlorid[2]

                $X = Br$; . . .*-bromid*[2]   72%; F: 85–86°

$Ar = 2\text{-}Cl\text{-}C_6H_4$; $X = Cl$; . . .*-(2-chlor-phenyl)-*   70%; F: 89–90°
                                nickel-chlorid[2]

$Ar = 4\text{-}Cl\text{-}C_6H_4$; $X = Br$; . . .*-(4-chlor-phenyl)-*   84%; F: 118–120° (Zers.)
                                nickel-bromid[2]

$Ar = 4\text{-}H_5C_6\text{-}CO\text{-}C_6H_4$; $X = J$; . . .*-(4-benzoyl-phenyl)-*   88%; F: 106–109°
                                nickel-jodid[3]

$Ar = 4\text{-}H_3COOC\text{-}C_6H_4$; $X = Cl$; . . .*-(4-methoxycarbonyl-*   83%; F: 176–178°
                              phenyl)-nickel-chlorid[3]

$R_3P = (H_5C_6)_3P^{[7]}$; $Ar = C_6H_5$; $X = Cl$; *trans-Bis-[triphenyl-phosphan]-*   71%; F: 122–123° (Zers.)
                                phenyl-nickel-chlorid[4]

$Ar = 4\text{-}F\text{-}C_6H_4$; $X = Cl$; . . .*-(4-fluor-phenyl)-*   53%; F: 87–91°
                                nickel-chlorid[5]

$Ar = 8\text{-}Chinolyl$; $X = Cl$; . . .*-8-chinolyl-nickel-chlorid*[1,6]   90%; F: 170° (Zers.)

Die gleiche Reaktion wird auch zur Herstellung eines Polystyrol-nickel-Komplexes (p-Phenyl-C-Ni) benutzt[7], der nach Aktivierung mit Trifluorboran-Diethyletherat und Wasser die Dimerisierung von Propen katalysiert.

$$(R_3P)_2Ni \overset{CH_2}{\underset{CH_2}{\mid\mid}} \quad + \quad ArX \quad \xrightarrow{- H_2C=CH_2} \quad \begin{array}{c} R_3P \quad X \\ \diagdown \quad \diagup \\ Ni \\ \diagup \quad \diagdown \\ Ar \quad PR_3 \end{array}$$

$R = C_2H_5^{[8-10]}, C_6H_5^{[8,2,11]}$
$Ar = C_6H_5, Cl\text{-}C_6H_4, Br\text{-}C_6H_4$ usw.
$X = Cl, Br$

trans-Bis-[triethylphosphan]-(pentafluor-phenyl)-nickel-. . .[10]

$X = F$; . . .*-fluorid*; 7%; F: 60–61°
$X = Cl$; . . .*-chlorid*; 79%; F: 113–114°
$X = Br$; . . .*-bromid*; 77%; F: 127–129°

[1] R. A. SHUNN, Inorg. Chem. **15**, 208 (1976); s.a. Inorg. Synth. **13**, 124 (1972).
[2] D. R. FAHEY, Am. Soc. **92**, 402 (1970); dort zahlreiche weitere Beispiele.
[3] T. T. TSOU u. J. K. KOCHI, Am. Soc. **101**, 6319 (1979).
[4] M. HIDAI, T. KASHIWAGI, T. IKEUCHI u. Y. UCHIDA, J. Organometal. Chem. **30**, 279 (1971).
[5] G. W. PARSHALL, Am. Soc. **96**, 2360 (1974).
[6] K. ISOBE, Y. NAKAMURA u. S. KAWAGUCHI, Bl. chem. Soc. Japan **53**, 139 (1980); dort zahlreiche weitere Verbindungen.
[7] N. KAWATA, T. MIZOROKI u. A. OZAKI, J. Mol. Catal. **1**, 275 (1975/76).
[8] G. WILKE u. G. HERRMANN, Ang. Ch. **74**, 693 (1962).
[9] R. G. MILLER, D. R. FAHEY, H. J. GOLDEN u. L. C. SATEK, J. Organometal. Chem. **82**, 127 (1974).
[10] D. R. FAHEY u. J. E. MAHAN, Am. Soc. **99**, 2501 (1977).
[11] J. E. DOBSON, R. G. MILLER u. J. P. WIGGEN, Am. Soc. **93**, 554 (1971).

Mit Phenyl-quecksilber-Verbindungen verläuft die oxidative Addition an Tetrakis-[triphenylphosphan]-nickel(0) unter sehr schonenden Bedingungen (die Methode eignet sich auch zur Herstellung von Nickel-Quecksilber-Bindungen[1]).

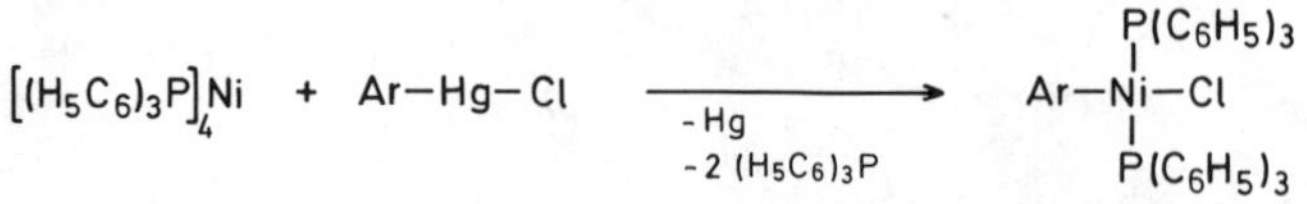

trans-Bis-[*triphenylphosphan*]-...-*nickel-chlorid*
R = C₆H₅; ...-*phenyl*-...; 76%; F: 134–136°
R = C₆F₅; ...-(*pentafluorphenyl*)-...; 44%; F: 197–199°

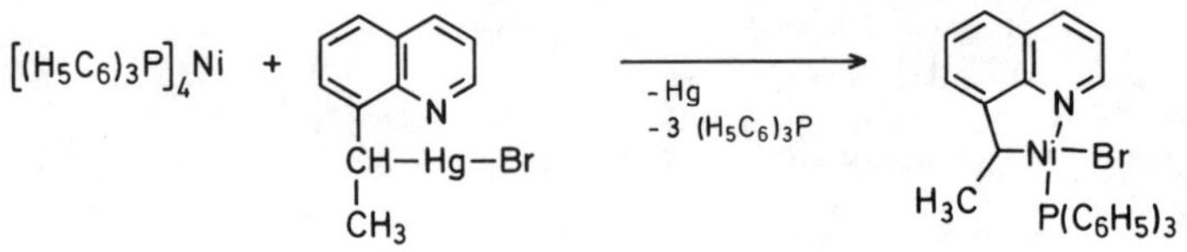

[*1-(8-Chinolinyl)-ethyl(C,N)*]-*triphenylphosphan-nickel-bromid*;
54%; F: 135–136°

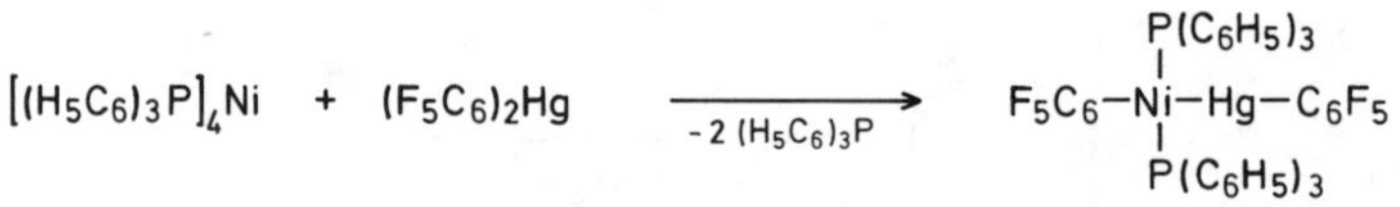

trans-Bis-[*triphenylphosphan*]-(*pentafluorphenyl*)-(*pentafluorphenyl-mercuri*)-*nickel*; 76%; F: 140–142°

Wird Bis-[η^4-1,5-cyclooctadien]-nickel in Hexan mit zwei Moläquivalenten Tris-{(+)-bicyclo[2.2.1]hept-2-yloxy}-phosphan[2] umgesetzt, so erhält man einen zweikernigen Nickel(0)-Komplex (77% Ausbeute), der sich bei 20° in Chlorbenzol unter oxidativer Addition an beide Nickel(0)-Zentren zum *Bis*-{(+)-*tris*-(*bicyclo[2.2.1]hept-2-yloxy*)-*phosphan*}-*phenyl-nickel-chlorid* (90%; F: 174°, Zers.) umsetzt:

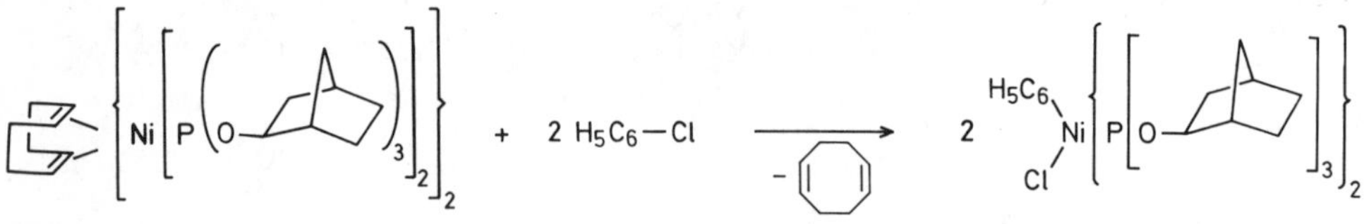

Die Neigung des 2,2'-Bipyridyl-diethyl-nickels zur reduktiven Eliminierung seiner *cis*-ständigen Ethyl-Gruppen als Butan wird verstärkt, wenn Arylhalogenide für eine anschließende oxidative Addition zur Verfügung stehen. Daraus ergibt sich eine Methode der Herstellung *cis*-konfigurierter Aryl-2,2'-bipyridyl-nickel-halogenide[3].

[1] L. S. ISAEVA, L. N. MOROZOVA, P. V. BASHILOV, P. V. PETROVSKII, V. J. SOKOLOV u. O. A. REUTOV, J. Organometal. Chem. **243**, 253 (1983).
[2] S. OTSUKA, K. TANI, I. KATO u. O. TERANAKA, Soc. [Dalton Trans.] **1974**, 2216.
[3] M. UCHINO, K. ASAGI, A. YAMAMOTO u. S. IKEDA, J. Organometal. Chem. **84**, 93 (1975).

C2H5
N
Ni
N
C2H5
+ Ar—X
− C4H10
Ar
Ni
X

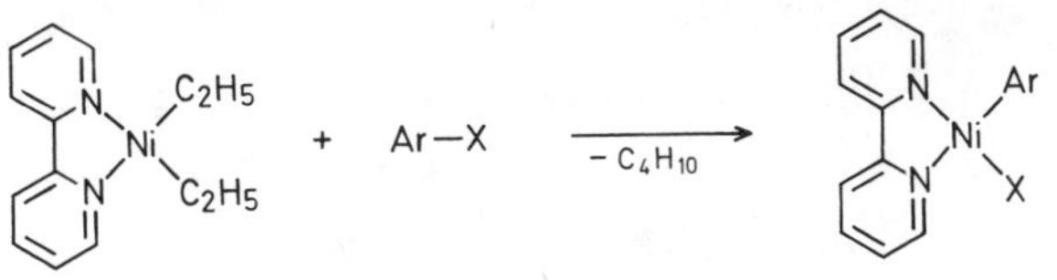

2,2'-Bipyridyl-. . .

Ar = C_6H_5; X = Cl; . . .*-phenyl-nickel-chlorid*; 60%; F: 76° (Zers.; kristallisiert mit 0,5 mol Chlorbenzol)
X = Br; . . .*-bromid*; 45%; F: 103° (Zers.)
X = J; . . .*-jodid*; 35%; F: 99° (Zers.)
Ar = 2-Cl–C_6H_4; X = Cl; . . .*-(2-chlor-phenyl)-nickel-chlorid*; 70%; F: 172° (Zers.)
Ar = 2-CH_3–C_6H_4; X = Cl; . . .*-(2-methyl-phenyl)-nickel-chlorid*; 50%; F: 147° (Zers.)

Anstelle der Nickel(0)-Verbindungen kann Nickelmetall-Schlamm in Ethern zur Herstellung von (Pentafluor-aryl)-nickel-Verbindungen herangezogen werden[1].

Auf diese Weise erhält man z.B.:

Bis-[triphenylphosphan]-(pentafluorphenyl)-nickel-bromid[2]	46%
Bis-[pentafluorphenyl]-bis-[triethylphosphan]-nickel[1]	69%
Bis-[pentafluorphenyl]-bis-[pyridin]-nickel[3]	40%

Im gleichen Sinne gelingt die oxidative Addition von Arylhalogeniden an verdampfte Nickel-Atome in einer Tieftemperatur-Matrix, welche die Reaktionspartner im Überschuß enthält[4]; z.B.:

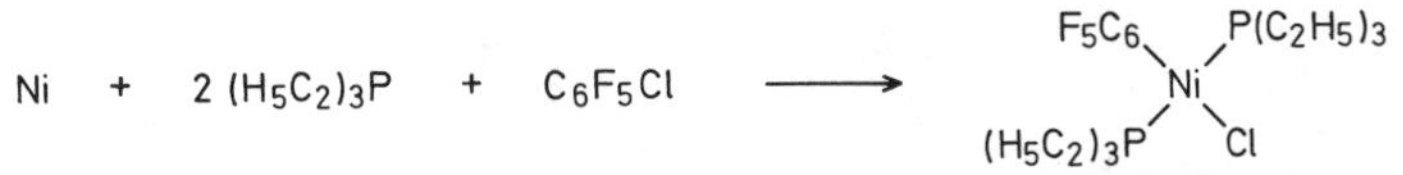

Ni + 2 (H5C2)3P + C6F5Cl
F5C6
P(C2H5)3
Ni
(H5C2)3P
Cl

trans-Bis-[triethylphosphan]-(pentafluorphenyl)-nickel-chlorid

Die Ausbeuten liegen bei 55% bezogen auf verdampftes Nickel[4], wobei je nach Konstruktion des Metallverdampfers nur ~60% der Metallatome in die Reaktionszone gelangen.

Mit dieser Technik sind auch Aryl-nickel-Verbindungen mit π-gebundenen Aryl-Liganden zugänglich[5]; z.B.:

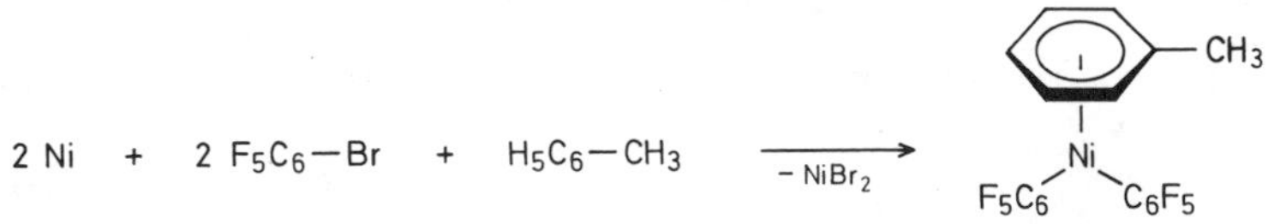

2 Ni + 2 F5C6—Br + H5C6—CH3
− NiBr2
CH3
Ni
F5C6
C6F5

Bis-[pentafluorphenyl]-(η^6-toluol)-nickel; 32%
(bez. auf verdampftes Nickel); F: 137–140°

Der π-gebundene Aromat wird leicht durch Mesitylen, Anisol oder zwei Phosphan-Liganden substituiert.

Eine Übertragung von Pentafluorphenyl-Gruppen von Thallium(III)- auf Nickel(I)-Verbindungen verläuft ebenfalls mit guten Ausbeuten (60–65%)[6].

---

[1] A. V. Kavaliunas u. R. D. Rieke, Am. Soc. **102**, 5945 (1980).
[2] R. D. Rieke, W. J. Wolf, N. Kujundzic u. A. V. Kavaliunas, Am. Soc. **99**, 4159 (1977).
[3] A. V. Kavaliunas, A. Taylor u. R. D. Rieke, Organometallics **2**, 377 (1983).
[4] K. J. Klabunde, J. Y. F. Low u. H. F. Efner, Am. Soc. **96**, 1984 (1974).
[5] K. J. Klabunde, B. B. Anderson, M. Bader u. L. J. Radonovich, Am. Soc. **100**, 1313 (1978).
[6] F. Caballero u. P. Royo, Synth. React. Inorg. Metal-org. Chem. **7**, 531 (1977).

$$2 \ L_3Ni-X \ + \ (F_5C_6)_2Tl-Br \ \xrightarrow[-TlBr]{-2 \ L} \ 2 \ L_2Ni\begin{smallmatrix}C_6F_5 \\ \diagup \\ \diagdown \\ X\end{smallmatrix}$$

z.B.: L = $(H_5C_2)_3$P; X = Cl; *Bis-[triethylphosphan]-(pentafluorphenyl)-nickel-chlorid*
L = $(H_5C_6)_3$As; X = Br; *Bis-[triphenylarsan]-(pentafluorphenyl)-nickel-bromid*

Aroylhalogenide unterliegen einer oxidativen Addition an Nickel(0)-Zentren rascher als Arylhalogenide. Primär entstehen Aroyl-nickel-Verbindungen, deren Umwandlung durch Decarbonylierung zu Aryl-nickel-halogeniden unter geeigneten Bedingungen dominiert. Entweder spaltet die Aroyl-nickel-Zwischenstufe spontan Kohlenmonoxid ab, oder die vorgelegte Nickel(0)-Verbindung fängt das freiwerdende Kohlenmonoxid rascher ab, als die oxidative Addition erfolgen kann. Wichtig ist daher oft die Art der Zugabe: Langsames Zutropfen des Aroylhalogenids zur Lösung der Nickel(0)-Verbindung bei 20° führt zur Bildung der Aryl-nickel-Verbindung, während bei inverser Zugabe oft die entsprechenden Aroyl-nickel-Verbindungen erhalten werden (s. S. 682):

$$(R_3P)_4Ni \ + \ Ar-CO-Cl \ \xrightarrow[-2 \ R_3P]{-CO} \ (R_3P)_2Ni\begin{smallmatrix}Ar \\ \diagup \\ \diagdown \\ Cl\end{smallmatrix}$$

$$(R_3P)_2Ni-\|\begin{smallmatrix}CH_2 \\ \\ CH_2\end{smallmatrix} \ + \ Ar-CO-Cl \ \xrightarrow[-H_2C=CH_2]{-CO} \ (R_3P)_2Ni\begin{smallmatrix}Ar \\ \diagup \\ \diagdown \\ Cl\end{smallmatrix}$$

R = C_2H_5, C_6H_5

trans-Bis-[triphenylphosphan]-(pentafluorphenyl)-nickel-chlorid[1]: 0,5 g (2,2 mmol) Pentafluor-benzoyl-chlorid in 5 *ml* Diethylether werden unter Rühren zu 0,5 g (0,8 mmol) Bis-[triphenylphosphan]-ethen-nickel(0)[1] in 15 *ml* Diethylether getropft. Man läßt 2 Tage bei 20° stehen, entfernt die flüchtigen Bestandteile i. Vak. und nimmt den Rückstand mit 10 *ml* Dichlormethan auf. Bei Zugabe von 5 *ml* Hexan fällt ein blauer Niederschlag aus, von dem abfiltriert wird. Das Filtrat wird langsam eingedampft; Ausbeute: 0,4 g (63%); F: 210°.

5. durch spezielle Methoden

Eine formale Insertion von Arin in eine Ni–C_{in}-Bindung ergibt eine Aryl-nickel-Verbindung, die durch Substitution von Halogenid mit der entsprechenden Aryl-lithium-Verbindung nur in geringer Ausbeute erhalten wird[2]:

$$[(H_5C_2)_3P]_2Ni-C\equiv C-C_6H_5 \ + \ \bigcirc \ \longrightarrow \ [(H_5C_2)_3P]_2Ni \ + \ \bigcirc \ 56\%$$

*Bis-[triethylphosphan]-(2-
phenylethinyl-phenyl)-
(trichlor-vinyl)-nickel*;
24%; F: 134–136° (Zers.)

Zur Umsetzung wird 2-Diazonia-benzolcarboxylat im siebenfachen Überschuß in einer Lösung von Bis-[triethylphosphan]-(phenyl-ethinyl)-(trichlor-vinyl)-nickel[2] in Dichlormethan suspendiert und durch Erhitzen zum Rückfluß zersetzt.

---

[1] J. ASHLEY-SMITH, M. GREEN u. F.G.A. STONE, Soc. [A] **1969**, 3019.
[2] R.G. MILLER u. D.P. KUHLMANN, J. Organometal. Chem. **26**, 401 (1971).

Zersetzt man die Nickel-Salze fluorierter Benzoesäuren in Gegenwart von 2,2'-Bipyridyl oder 1,10-Phenanthrolin in siedendem Toluol, so werden infolge Decarboxylierung die entsprechenden *cis*- D i a r y l - n i c k e l - Verbindungen erhalten[1]:

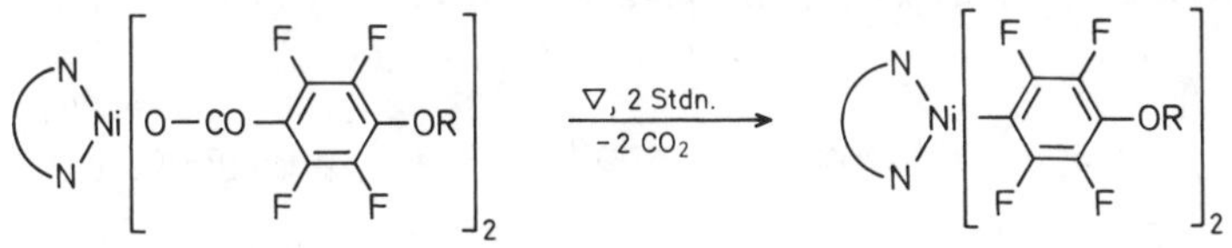

z.B.: N͡N = 2,2'-Bipyridyl; R = CH$_3$; *2,2'-Bipyridyl-bis-[4-methoxy-tetrafluor-phenyl]-nickel*; 60%
N͡N = 1,10-Phenanthrolin; R = C$_2$H$_5$; *Bis-[4-ethoxy-tetrachlor-phenyl]-1,10-phenanthrolin-nickel*; 8%

Ein hochselektiver Katalysator, der Ethen zu α-Olefinen oder Polyethylen umsetzt, entsteht durch Umsetzung von Bis-[η^4-1,5-cyclooctadien]-nickel(0) mit (2-Oxo-2-phenyl-ethyliden)-triphenyl-phosphoran in Gegenwart von Triphenylphosphan:

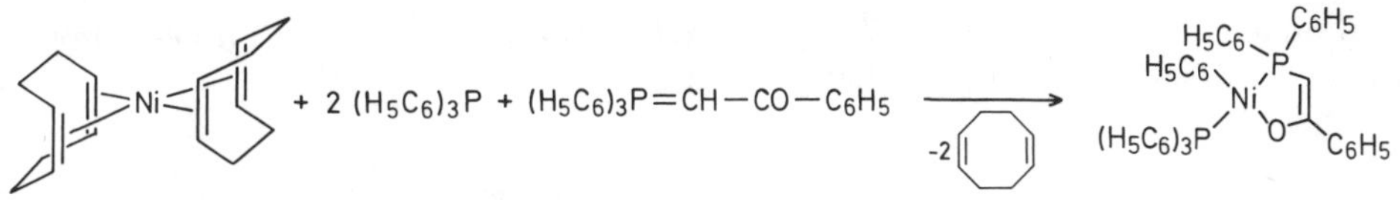

(2-Diphenylphosphano-1-phenyl-vinyloxy)-phenyl-(triphenylphosphan)-nickel[2]: Zu einer Lösung von 27,5 g (0,1 mol) Bis-[η^4-1,5-cyclooctadien]-nickel in 600 *ml* Toluol wird bei 0° eine Lösung von 26,2 g (0,1 mol) Triphenylphosphan und 38 g (2-Oxo-2-phenyl-ethyliden)-triphenyl-phosphoran[3] in 900 *ml* Toluol getropft. Man rührt 24 Stdn. bei 20° und 2 Stdn. bei 50°. Danach wird i. Vak. bis zur Trockne eingedampft. Das braune Rohprodukt wird bei 50–70° in Toluol gelöst, mit wenig Octan versetzt und auf 0° abgekühlt. Der auskristallisierte Niederschlag wird abfiltriert; Ausbeute: 48,5 g (69%).

6. aus anderen σ-C-Nickel-Verbindungen

Abgesehen von einfachen Liganden-Substitutions-Reaktionen (z.B. Metathese von Ni-Halogenid, das in *trans*-Stellung zur Aryl-Funktion steht, durch andere anionische Liganden) gibt es bei quadratisch-planaren Aryl-nickel-Verbindungen mit einem zweiten σ–C-gebundenen Liganden die Möglichkeit einer Reaktion an diesem Liganden. Je nachdem, ob dabei die zweite σ–C-Nickel-Bindung erhalten bleibt oder gespalten wird, unterscheidet man zwischen Reaktion am σ–C-gebundenen Liganden bzw. am Nickel-Atom.

α) Reaktionen am σ–C-gebundenen Liganden

(2-Halogen-aryl)-nickel-halogenide lassen sich in Ether durch Lithium reduzieren und unter Ni–C-Neuknüpfung zu D i b e n z o - 1 , 4 - d i n i c k e l i n e n umsetzen[4]:

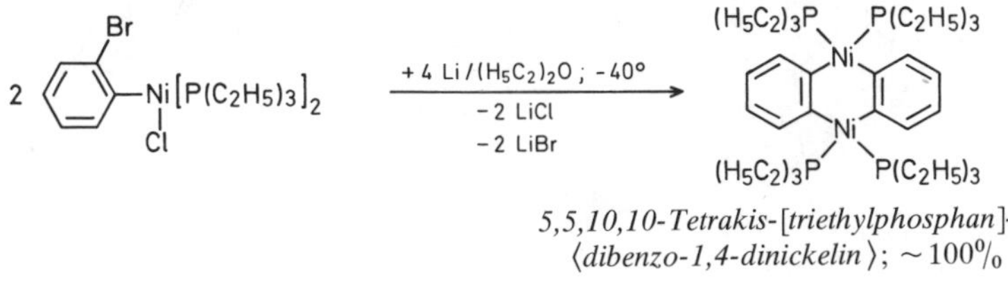

5,5,10,10-Tetrakis-[triethylphosphan]-5,10-dihydro-
⟨dibenzo-1,4-dinickelin⟩; ~100%

---

[1] P.G. Cookson u. G.B. Deacon, J. Organometal. Chem. **33**, C 38 (1971).
[2] W. Keim, F.H. Kowaldt, R. Goddard u. C. Krüger, Ang. Ch. **90**, 493 (1978).
[3] F. Ramirez u. S. Dershowitz, J. Org. Chem. **22**, 43 (1957).
[4] J.E. Dobson, R.G. Miller u. J.P. Wiggen, Am. Soc. **93**, 554 (1971).

Die Verbindung zerfällt langsam bei 20° und neigt in Lösung zur Abspaltung von Phosphan-Liganden[1]. Zu oxidativen Spaltung des Ringsystems s. u.

trans-1-Alkinyl-aryl-nickel-Verbindungen werden durch Alkohole in Gegenwart von Säuren in kationische (Alkoxy-carben)-aryl-nickel-Komplexe überführt[2,3]; z. B.:

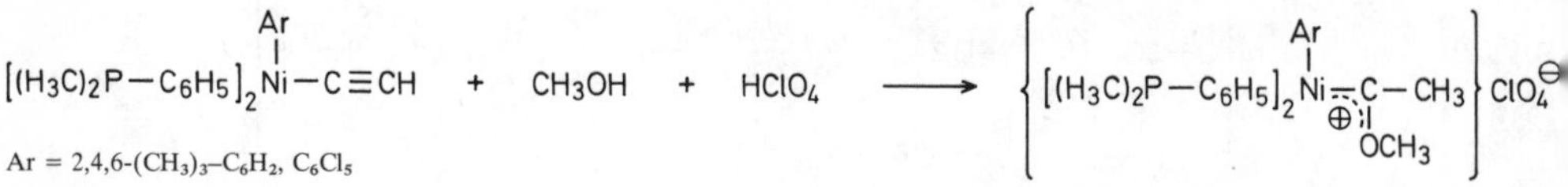

$$[(H_3C)_2P-C_6H_5]_2\,Ni-C\equiv CH \;+\; CH_3OH \;+\; HClO_4 \;\longrightarrow\; \left\{ [(H_3C)_2P-C_6H_5]_2\,\underset{\oplus\,\ddot{\text{:}}}{Ni}\!=\!\!\underset{OCH_3}{C}-CH_3 \right\} ClO_4^{\ominus}$$

Ar = 2,4,6-(CH$_3$)$_3$–C$_6$H$_2$, C$_6$Cl$_5$

trans-Bis-[dimethyl-phenyl-phosphan]-(methoxy-methyl-carben)-(2,4,6-trimethyl-phenyl)-nickel-perchlorat[3]: Zu einer Suspension von 478 mg (1 mmol) *trans*-Bis-[dimethyl-phenyl- phosphan]- ethinyl-(2,4,6- trimethyl-phenyl)-nickel in 5 *ml* Methanol werden bei 0° 0,12 *ml* einer 60%igen wäßr. Perchlorsäure (1,1 mmol), gelöst in 2 *ml* Methanol, unter Rühren zugetropft. Aus der klaren Lösung fällt nach wenigen Min. ein feinkristalliner Feststoff aus, der nach 30 Min. abfiltriert und aus Methanol umkristallisiert wird; Ausbeute: 0,238 g (39%); Zers.-p.: 150–154°.

Auf analoge Weise wird *trans-Bis-[dimethyl-phenyl-phosphan]-(methoxy-methyl-carben)-(pentachlorphenyl)-nickel*[2] (84%) erhalten.

β) Reaktionen am Metall

Die Herstellung von Aryl-nickel-halogeniden durch Spaltung einer Ni–C-Bindung in Diaryl-nickel-Verbindungen mit moläquivalenten Mengen starker Mineralsäuren ist uninteressant, da sie mit der Grignard-Methode oder der Synthese mittels Aryl-lithium-Verbindungen trotz hoher Ausbeuten nicht konkurrieren kann; z. B.[4]:

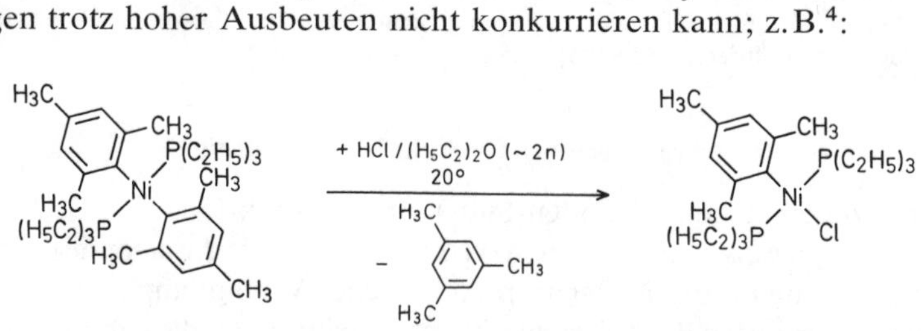

trans-Bis-[triethylphosphan]-chlor-(2,4,6-trimethyl-phenyl)-nickel; 78%; F: 166–167°

5,10-Bis-[triethylphosphan]-5,10-dihydro-⟨dibenzo-1,4-dinickelin⟩ wird in Umkehrung seiner Synthese (s. S. 679) mit ~75% der stöchiometrisch erforderlichen Menge Jod zum *Bis-[triethylphosphan]-(2-jod-phenyl)-nickel-jodid* (67%) oxidativ gespalten[1]:

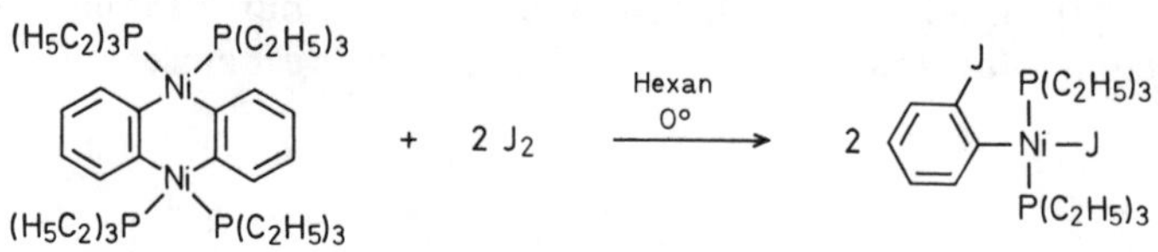

[1] J. E. Dobson, R. G. Miller u. J. P. Wiggen, Am. Soc. **93**, 554 (1971).
[2] K. Oguro, M. Wada u. R. Okawara, J. Organometal. Chem. **159**, 417 (1978).
[3] M. Wada, K. Oguro u. Y. Kawasaki, J. Organometal. Chem. **178**, 261 (1979).
[4] J. Chatt u. B. L. Shaw, Soc. **1960**, 1718.

f) Acyl-nickel(II)-Verbindungen

1. durch oxidative Addition an Nickel(0)-Verbindungen

Mit der oxidativen Addition von Acylhalogeniden an Nickel(0)-Komplexe geht eine Substitution von Neutral-Liganden einher. Besonders bei den oft verwendeten Phosphannickel(0)-Verbindungen muß mit zahlreichen Konkurrenzreaktionen gerechnet werden (s.S. 674).

Bei stark nucleophilen Phosphan-Liganden ist es in erster Linie die Quartärisierung des bei der Reaktion freigesetzten Phosphans zum Acyl-phosphonium-Salz, das seinerseits zwar ebenfalls acylierend wirkt, aber im Vergleich mit Acylhalogeniden so langsam reagiert, daß die Decarbonylierung der gebildeten Acyl-nickel(II)-Verbindung durch noch vorhandenen Nickel(0)-Komplex die Oberhand gewinnt (vgl. S. 678). Da Acyl-nickel-halogenide durch Acylhalogenid nur langsam angegriffen werden, ist ein Zutropfen von Nickel(0)-Komplex zum vorgelegten Acylhalogenid nur wenig oberhalb der Reaktionstemperatur (-30 bis $0°$) die beste Methode. Eine Diskussion dieser Zusammenhänge findet sich in Lit.[1].

Die Stöchiometrie der Reaktion, die optimalen Reaktionsbedingungen sowie die thermische Stabilität der Acyl-nickel-Verbindungen hängen in noch ungeklärter Weise von den verwendeten Neutral-Liganden und vom Acylhalogenid ab.

Acetyl-bis-[trimethylphosphan]-nickel-chlorid[2]: Zu 1,45 g (4 mmol) Tetrakis-[trimethylphosphan]-nickel(0)[2] in 50 *ml* Ether werden bei $-70°$ 0,86 *ml* (12,1 mmol) Acetylchlorid pipettiert. Beim Erwärmen auf 20° bildet sich ein voluminöser Niederschlag von Phosphoniumsalz. Nach 1 Stde. wird filtriert und mit Ether gewaschen, bis das Phosphonium-Salz farblos ist. Aus 30 *ml* Ether kristallisieren beim Abkühlen über Trockeneis orangegelbe Nadeln; Ausbeute: 0,98 g (84%); F: 98–99°; $\nu_{C=O}$ 1635 cm^{-1}.

Geht man von Alken-bis-[phosphan]-nickel(0)-Verbindungen aus, so wird die konkurrierende Decarbonylierung der Acyl-nickel-Verbindung bereits dadurch vermieden, daß man moläquivalente Mengen des Acylhalogenids bei tiefen Temperaturen zur (ggf. in situ erzeugten) Nickel(0)-Verbindung zugibt und die Lösung langsam erwärmt. Manche Acyl-nickel-Verbindungen, die zur spontanen Decarbonylierung neigen, lassen sich unter einer Kohlenmonoxid-Atmosphäre, ggf. auch unter Druck isolieren; z.B.[3]:

trans-Bis-[triethylphosphan]-...

R = C(CH$_3$)$_3$; X = Cl; ...-*(2,2-dimethyl-propanoyl)-nickel-chlorid*; 66%; F: 73–74°
R = 1-Adamantyl; X = Cl; ...-*(1-adamantylcarbonyl)-nickel-chlorid*; 76%; F: 148–149° (Zers.)
R = C$_6$H$_5$; X = F; ...-*benzoyl-nickel-fluorid*; 69%; F: 55,5–57° (langsame Zers.)
     X = Cl;   ...-*chlorid*; 78%; F: 73,5–75°
     X = Br;   ...-*bromid*; 34%; F: 77–80°
R = 4-Cl–C$_6$H$_4$; X = Cl; ...-*(4-chlor-benzoyl)-chlorid*; 71%; F: 101–110° (Zers.)

[1] H.-F. KLEIN u. H.H. KARSCH, B. **109**, 2515 (1976).
[2] H.-F. KLEIN u. H.H. KARSCH, B. **109**, 2524 (1976).
[3] D.R. FAHEY u. J.E. MAHAN, Am. Soc. **99**, 2501 (1977).

Benzoylchlorid im Überschuß addiert sich bei 20° an Nickel(0)-Komplexe mit optisch aktiven Phosphit-Liganden[1]; z.B.:

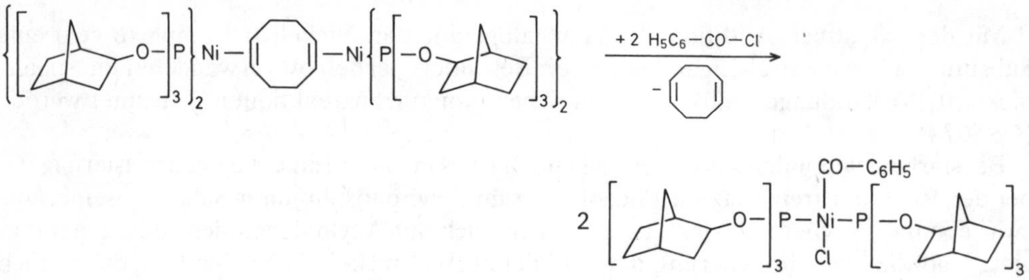

Benzoyl-trans-bis-[tris-(bicyclo[2.2.1]hept-2-yloxy)-phosphan]-nickel-chlorid; 10%; F: 179–181°

Die alternative Herstellung über die Phenyl-nickel-Verbindung (90%) ist günstiger (s.S. 683).

Eine trigonal-bipyramidal konfigurierte Benzoyl-nickel-Verbindung wird durch oxidative Addition von Benzoylchlorid an Tetrakis-[tert.-butyl-isocyanid]-nickel(0)[2] in Hexan bei 20° erhalten[3]:

$$[(H_3C)_3C{-}NC]_4Ni \quad + \quad H_5C_6{-}CO{-}Cl \xrightarrow[-\ (H_3C)_3C-NC]{} [(H_3C)_3C{-}NC]_3\overset{\overset{Cl}{|}}{Ni}{-}CO{-}C_6H_5$$

Benzoyl-tris-[tert.-butyl-isocyanid]-nickel-chlorid; 74%; F: 83–85°; zersetzt sich bei 20° in Lösung

Phthalsäure- und Bernsteinsäure-anhydrid addieren sich an 2,2′-Bipyridyl-(η^4-1,5-cyclooctadien)-nickel(0) in Tetrahydrofuran bei sorgfältiger Temperatur-Kontrolle unter Bildung cyclischer Acyl-nickel-carboxylate, die bei erhöhter Temperatur unter Decarbonylierung einer Ringverengungs-Reaktion unterliegen[4,5].

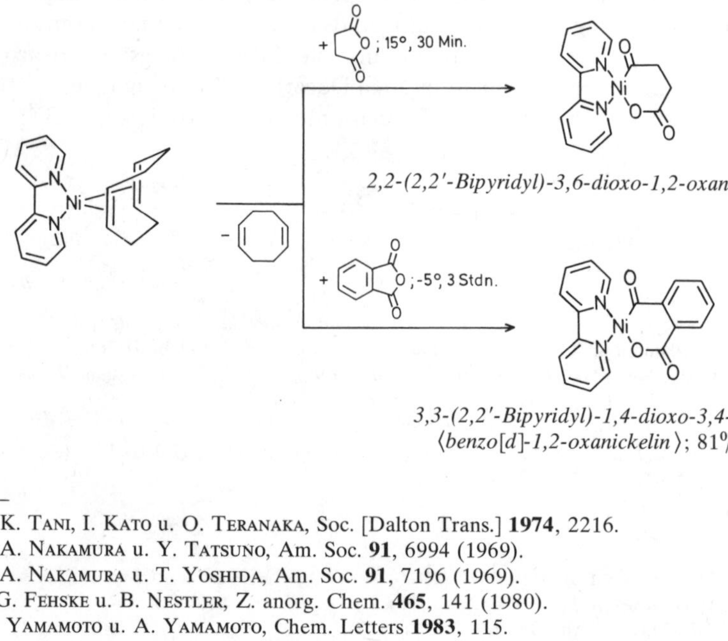

2,2-(2,2′-Bipyridyl)-3,6-dioxo-1,2-oxanickelinan; 80%

3,3-(2,2′-Bipyridyl)-1,4-dioxo-3,4-dihydro-1H-⟨benzo[d]-1,2-oxanickelin⟩; 81%

---

[1] S. Otsuka, K. Tani, I. Kato u. O. Teranaka, Soc. [Dalton Trans.] **1974**, 2216.
[2] S. Otsuka, A. Nakamura u. Y. Tatsuno, Am. Soc. **91**, 6994 (1969).
[3] S. Otsuka, A. Nakamura u. T. Yoshida, Am. Soc. **91**, 7196 (1969).
[4] E. Uhlig, G. Fehske u. B. Nestler, Z. anorg. Chem. **465**, 141 (1980).
[5] K. Sano, T. Yamamoto u. A. Yamamoto, Chem. Letters **1983**, 115.

2. durch formale Insertion von Kohlenmonoxid in σ-C-Ni-Bindungen

Die Carbonylierung von Organo-nickel-Verbindungen gelingt in der Regel bereits bei 20° und unter Normaldruck, aus gesättigter Lösung kristallisieren dabei die schwerer löslichen Acyl-nickel-Verbindungen aus. Wird unter erhöhtem Druck gearbeitet, so muß dieser bei allen Operationen in Lösung aufrechterhalten werden.

$$(Ni)-\overset{|}{\underset{|}{C}}- \ + \ CO \ \rightleftharpoons \ (Ni)-\overset{O}{\overset{||}{C}}-\overset{|}{\underset{|}{C}}-$$

Besonders die Insertionsprodukte von Diorgano-nickel-Verbindungen neigen zu Folgereaktionen im Sinne einer reduktiven Eliminierung von Ketonen oder Diacyl-Verbindungen; zudem bilden sich Carbonyl-nickel(0)-Verbindungen.

Acetyl-trans-bis-[trimethylphosphan]-nickel-chlorid[1]: Über einer ges. Lösung von 0,70 g *trans*-Bis-[trimethylphosphan]-methyl-nickel-chlorid[2] in 20 *ml* Pentan wird bei 20° die Stickstoff-Schutzgas-Atmosphäre gegen Kohlenmonoxid ausgetauscht. Nach 1 Stde. wird auf $-50°$ abgekühlt, das farblose Lösungsmittel dekantiert und das Produkt i.Vak. getrocknet; Ausbeute: 0,69 g ($\sim 100\%$); F: 98–99°; $\nu_{C=O}$ 1635 cm^{-1}.

Auf ähnliche Weise erhält man u.a.

Acetyl-trans-bis-[trimethylphosphan]-nickel-bromid[1]	95%; F: 88° (Zers.)
...-acetat[1]	95%; F: 44–45°
Bis-[trimethylphosphan]-(3-methyl-3-phenyl-butanoyl)-nickel-chlorid[3]	90%
...-(trimethylsilyl-acetyl)-nickel-chlorid[3]	90%
Benzoyl-bis-[triethylphosphan]-nickel-chlorid[4]	80%; F: 73–75°
Bis-[triethylphosphan]-(3-chlor-benzoyl)-nickel-chlorid[4]	92%; F: 83–88°
Bis-[dimethyl-phenyl-phosphan]-(4-methoxy-benzoyl)-(pentachlorphenyl)-nickel[5]	31%; F: 109° (Zers.)
...-(4-dimethylamino-benzoyl)-(pentachlorphenyl)-nickel[5]	78%; F: 108–109° (Zers.)
Acetyl-(pentan-2,4-dionato)-(trimethylphosphan)-nickel[1]	95%; F: 61–62°
(Pentan-2,4-dionato)-propanoyl-(triphenylphosphan)-nickel[6]	85%
(2,2'-Bipyridyl)-propanoyl-nickel-chlorid[7]	48%; F: 130° (Zers.)
Acetyl-(2,2'-bipyridyl)-(4-cyan-phenoxy)-nickel[7]	36%; F: 140° (Zers.)
Acetyl-bis-[triethylphosphan]-phthalimido-nickel[7]	83%; F: 100° (Zers.)
Bis-[triethylphosphan]-(4-cyan-phenoxy)-propanoyl-nickel[8]	78%; F: 120° (Zers.)
(N,N-Dimethyl-dithiocarbaminato)-(trimethylphosphan)-(trimethylsilyl-acetyl)-nickel[9]	90%

3. durch spezielle Methoden

Eine Mehrstufenreaktion von Dimethylketen am Nickel-Atom des Bis-[η^5-cyclopentadienyl]-nickels ergibt in hoher Selektivität einen der wenigen σ-Acyl-nickel-π-Komplexe:

[1] H.-F. KLEIN u. H.H. KARSCH, B. **109**, 2524 (1976).

[2] s. S. 636.

[3] E. CARMONA, F. GONZALEZ, M. POVEDA, J.L. ATWOOD u. R.D. ROGERS, Soc. [Dalton Trans.] **1980**, 2108.

[4] D.R. FAHEY u. J.E. MAHAN, Am. Soc. **99**, 2501 (1977).

[5] M. WADA, N. ASADA u. K. OGURO, Inorg. Chem. **17**, 2353 (1978).

[6] T. SARUYAMA, T. YAMAMOTO u. A. YAMAMOTO, Bl. chem. Soc. Japan **49**, 546 (1976).

[7] T. YAMAMOTO, T. KOHARA u. A. YAMAMOTO, Bl. chem. Soc. Japan **54**, 2161 (1981).

[8] T. KOHARA, S. KOMIYA, T. YAMAMOTO u. A. YAMAMOTO, Chem. Letters **1979**, 1513.

[9] E. CARMONA, F. GONZALEZ, M.L. POVEDA u. J.M. MARTIN, Synth. React. Inorg. Metal-org. Chem. **12**, 185 (1982).

(η^5-Cyclopentadienyl)-{σ-2-(2,3-π-⟨7,7-dimethyl-6-oxo-bicyclo[3.2.0]hept-2-en-4-yl⟩}-2-methyl-propano-yl}-nickel[1]: 48,9 g (0,259 mol) Bis-[η^5-cyclopentadienyl]-nickel in 800 ml abs. Benzol werden mit 70 ml Di-methyl-keten[2] versetzt. Nach 2 Tagen wird eingeengt, mit Hexan gefällt und bei 5° kristallisiert; Ausbeute[3]: 57,1 g (67%); F: 173,5–174° (Zers.); $\nu_{C=O}$ 1771, 1680, 1645 cm^{-1}.

Gespannte Ringe werden durch den Einfluß eines Nickel(0)-Zentrums aufgespalten und in Anwesenheit von Carbonyl-Liganden unter formaler Insertion von Kohlenstoff-monoxid erweitert. Nur selten bleiben derartige Reaktionen auf der Stufe der Acyl-nik-kel-Verbindungen stehen, in der Regel schließen sich Folgereaktionen vom Typ einer re-duktiven Eliminierung an (vgl. S. 690); z.B.[4]:

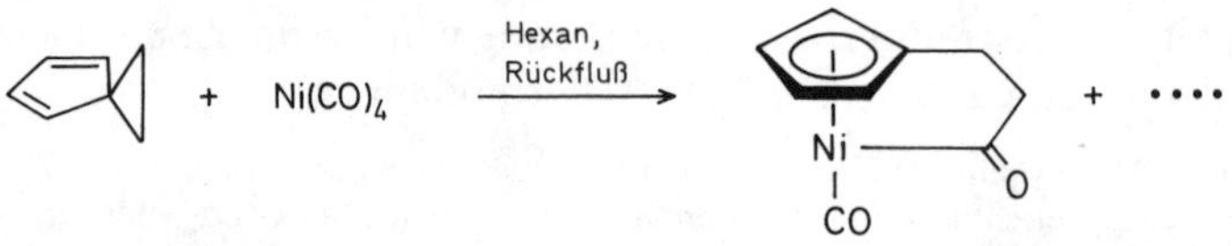

Carbonyl-(η^5-3-cyclopentadienyl-propanoyl)-nickel; 18%; F: 25°; $\nu_{C=O}$ 1685 cm^{-1}

Diphenylacetylen und zwei Kohlenstoffmonoxid-Liganden des Nickels in 2,2'-Bipyri-dyl-nickel(0)-Komplexen reagieren unter Bildung einer cyclischen Diacyl-nickel-Verbin-dung:

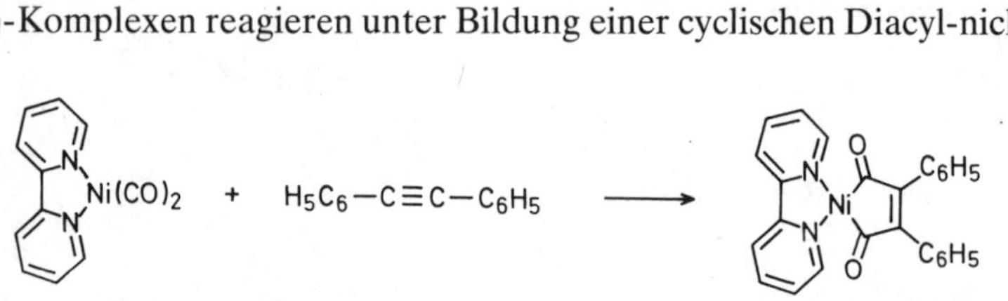

1,1-(2,2'-Bipyridyl)-2,5-dioxo-3,4-diphenyl-2,5-dihydro-nickelol[5]: Zu einer Lösung von 11,0 g (40,6 mmol) 2,2'-Bipyridyl-dicarbonyl-nickel(0) in 150 ml THF werden bei 20° 7,42 g (41,6 mmol) Diphenyl-acetylen in 50 ml THF getropft. Nach 24 Stdn. werden die ausgeschiedenen dunkelroten Kristalle abfiltriert, mit 30 ml THF gewaschen und getrocknet; Ausbeute: 12,0 g (59%); F: 234° (Zers.).

g) Alkoxycarbonyl-nickel(II)-Verbindungen

Chlorameisensäure-ester reagieren mit Tetrakis-[triphenylphosphan]-nickel(0) im Sinne einer oxidativen Addition zu Alkoxycarbonyl-bis-[triphenylphosphan]-nickel-ha-logeniden. Die Verbindungen sind sehr luftempfindlich und infolge der leichten Abspal-tung von Kohlendioxid auch thermisch instabil[6].

R = CH$_3$, C$_2$H$_5$, CH$_2$-C$_6$H$_5$

Bis-[triphenylphosphan]-methoxycarbonyl-nickel-chlorid[6]: Zu einer Suspension von 850 mg (0,77 mmol) Tetrakis-[triphenylphosphan]-nickel(0)[7] in 35 ml Toluol werden unter Rühren 0,06 ml Chlorameisensäure-me-thylester (geringer Überschuß) in 1 ml Toluol zugegeben. Nach 5 Stdn. bei 20° wird der feine gelbe Niederschlag abfiltriert, mit Hexan gewaschen und i. Vak. getrocknet; Ausbeute: 69%; F: 150–153° (Zers.); $\nu_{C=O}$ 1649, 1629 cm^{-1}.

---

[1] D.A. Young, J. Organometal. Chem. **70**, 95 (1974).
[2] **Vorsicht:** Bildung von Peroxiden!
[3] M. Sato, K. Ichibori u. F. Sato, J. Organometal. Chem. **26**, 267 (1971).
[4] P. Eilbracht, B. **109**, 3136 (1976).
[5] H. Hoberg u. A. Herrera, Ang. Ch. **92**, 951 (1980).
[6] S. Otsuka, A. Nakamura, T. Yoshida, M. Naruto u. K. Ataka, Am. Soc. **95**, 3180 (1973).
[7] R.A. Shunn, Inorg. Synth. **13**, 124 (1972).

Analog erhält man u. a.

Bis-[triphenylphosphan]-ethoxycarbonyl-nickel-chlorid   F: 134–138° (Zers.); $\nu_{C=O}$ 1630 cm^{-1};
Benzyloxycarbonyl-bis-[triphenylphosphan]-nickel-chlorid   10–30%; ν_{CO} = 1630 cm^{-1}.

B. Umwandlung

(Reaktionen an der Nickel-Kohlenstoff-σ-Bindung)

I. Spaltungsreaktionen

a) mit protischen Lösungsmitteln bzw. Säuren

Unter der Einwirkung starker Mineralsäuren spalten Monoorgano-nickel-Verbindungen ihren Kohlenwasserstoff-Rest quantitativ ab. Die Reaktion hat vorwiegend analytische Bedeutung[1].

Bereits schwache Protonensäuren wie Alkohole spalten in *trans*-konfigurierten Diorgano-nickel-Verbindungen eine Ni–C-Bindung ($\sim 90\%$)[2].

Aus Alkyl-aryl-nickel-Verbindungen läßt sich mit Chlorwasserstoff spezifisch nur die C_{Alkyl}-Ni-Bindung spalten[3].

cis-Konfigurierte Diorgano-nickel-Verbindungen reagieren i. a. weniger spezifisch unter Ablösung beider Organo-Reste. Es sind auch Beispiele für spezifische Reaktionen bekannt[4, 5]; z. B.:

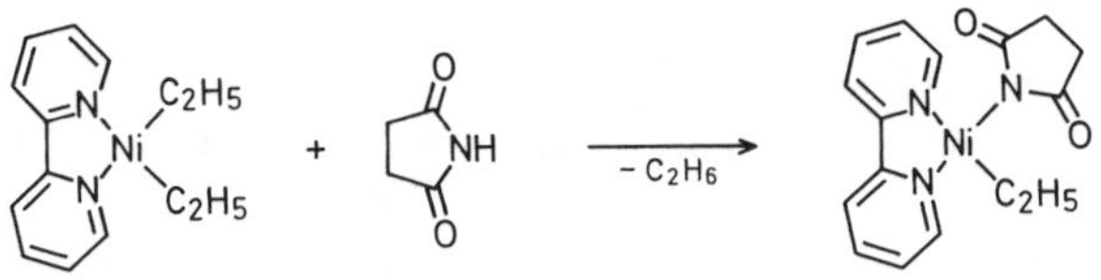

2,2'-*Bipyridyl-ethyl-succinimido-nickel*; 79%

Auf ähnliche Weise erhält man u. a.

2,2'-Bipyridyl-methyl-phenoxy-nickel[6]   87%; F: 145° (Zers.)
Methyl-(8-oxy-chinolinato)-(triethylphosphan)-nickel[6]   76%; F: 74–75°
Methyl-(1-phenyl-1,3-butandionato)-(triethylphosphan)-nickel[6]   62%; F: 62–63° (Zers.)

Nickela-cycloalkane werden mit Säuren in der Regel dadurch abgebaut, daß beide am Nickel-Zentrum *cis*-ständigen C-Atome angegriffen werden. Allerdings gelingt bei geeigneter Reaktionsführung auch die Ringöffnung unter Spaltung nur einer Ni–C-Bindung[7]; z. B.:

[1] E. Uhlig, G. Fehske u. B. Nestler, Z. anorg. Ch. **465**, 141 (1980).
[2] H.-F. Klein u. H. H. Karsch, B. **106**, 1433 (1973).
[3] D. G. Morell u. J. K. Kochi, Am. Soc. **97**, 7262 (1975).
[4] G. Wilke u. G. Herrmann, Ang. Ch. **78**, 591 (1966).
[5] T. Saito, Y. Uchida, A. Misono, A. Yamamoto, K. Morifuji u. S. Ikeda, Am. Soc. **88**, 5198 (1966).
[6] T. Yamamoto, T. Kohara u. A. Yamamoto, Bl. chem. Soc. Japan **54**, 2010 (1981).
[7] P. Binger u. M. J. Doyle, J. Organometal. Chem. **162**, 195 (1978).

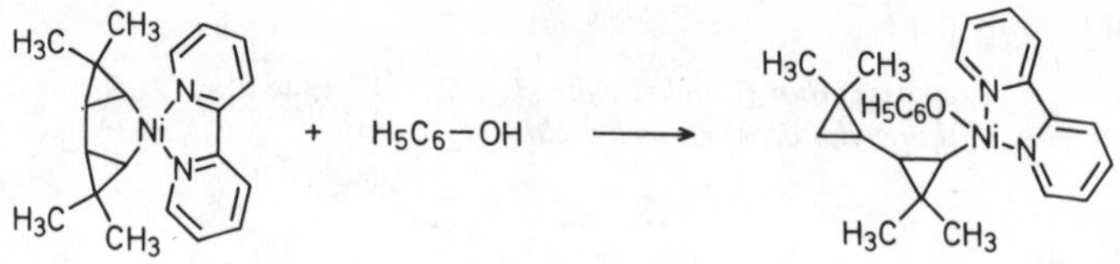

2,2'-Bipyridyl-[3,3-dimethyl-2-(2,2-dimethyl-
cyclopropyl)-cyclopropyl]-phenoxy-nickel; 77%

Sauerstoff- oder Stickstoff-Donor-Atome im HX-Molekül können einen Neutralliganden vom Nickel verdrängen und Brückenstrukturen dimerer Komplexe bilden[1]:

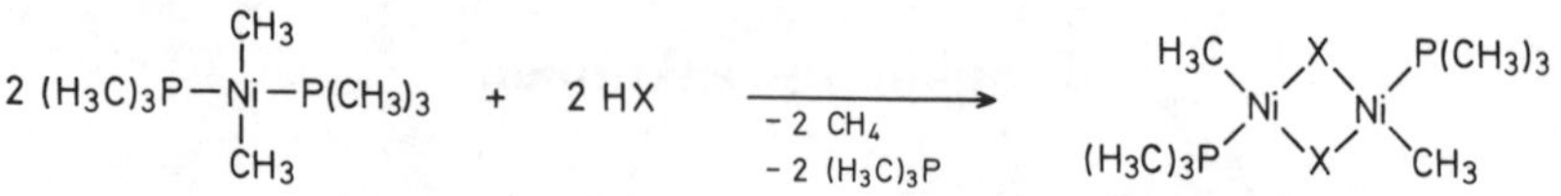

...-bis-[methyl-trimethylphosphan-nickel]

X = OH; μ,μ-Dihydroxy-...; 90%
X = OCH$_3$; μ,μ-Dimethoxy-...; 96%
X = OSi(CH$_3$)$_3$; μ,μ-Bis-[trimethylsilyloxy]-...; 87%

Anstelle von Protonensäuren können auch metallische Lewissäuren eingesetzt werden (Transmetallierung). Häufig werden Quecksilber(II)-halogenide verwendet[2]:

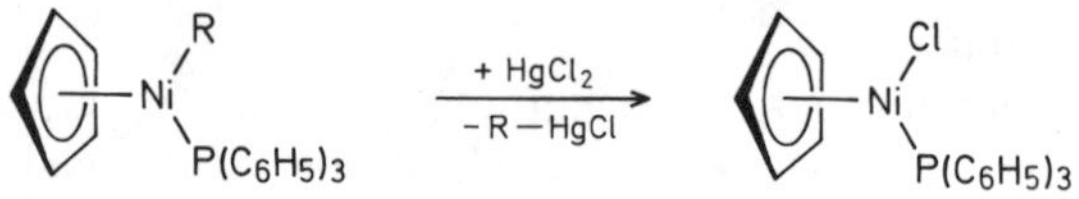

b) mit Wasserstoff bzw. anderen Reduktionsmitteln

Mit Wasserstoff bei Normaldruck reagieren Organo-nickel-Verbindungen nicht unter Ni–C-Spaltung. Sie kommen daher als Katalysatoren für Hydrierungs-Reaktionen in Betracht[3,4].

Lithiumalanat als mildes Reduktionsmittel spaltet bei 20° Aryl-Reste in glatter Reaktion vom Nickel-Zentrum ab. Mit Lithium-tetradeuteroaluminat kann somit der Ort der Ni–C-Bindung in Aromaten aufgezeigt werden[5]; z.B.:

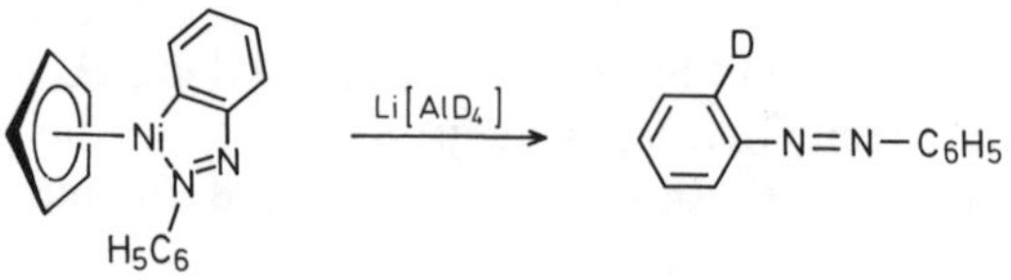

[1] H.-F. KLEIN u. H.H. KARSCH, B. 106, 1433 (1973).
[2] A.N. NESMEYANOV, E.G. PEREVALOVA, L.I. KHOMIK u. L.I. LEONTEVA, Dokl. Akad. Nauk. SSSR 209, 869 (1973); C.A. 79, 18828 (1973).
[3] R.G. GASTINGER, B.B. ANDERSON u. K.J. KLABUNDE, Am. Soc. 102, 4959 (1980).
[4] B. BOGDANOVIĆ, M. KRÖNER u. G. WILKE, A. 699, 1 (1966).
[5] J.P. KLEIMAN u. M. DUBECK, Am. Soc. 85, 1544 (1963).

c) mit Halogenen bzw. Halogen-alkanen

Bereits bei tiefen Temperaturen und in meist glatter Reaktion wandeln Halogene eine Organo-nickel-Funktion in eine Organo-halogen-Verbindung um. Auch diese Methode dient in erster Linie der analytischen Untersuchung von Organo-nickel-Verbindungen; z.B.:

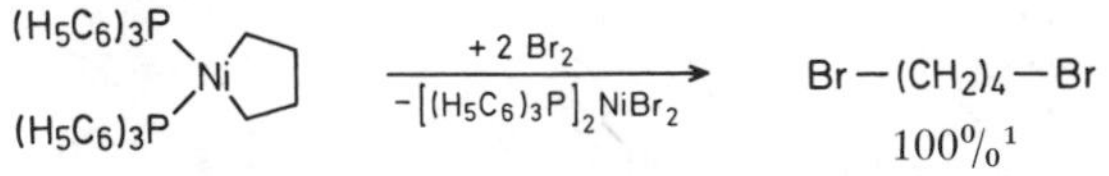
(H5C6)3P
Ni
(H5C6)3P
+ 2 Br2
- [(H5C6)3P]2NiBr2
Br—(CH2)4—Br

100%[1]

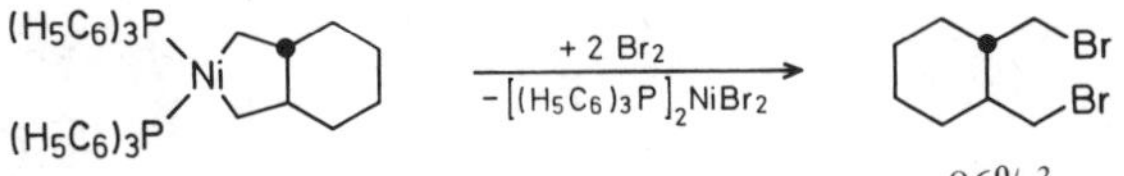
(H5C6)3P
Ni
(H5C6)3P
+ 2 Br2
- [(H5C6)3P]2NiBr2
Br
Br

96%[2]

Nickela-cycloalkane reagieren mit 1,1-Dihalogen-alkanen unter formaler Carben-Insertion und Austritt des Metalls, so daß ein Cycloalkan gleicher Ringgröße entsteht; z.B.:

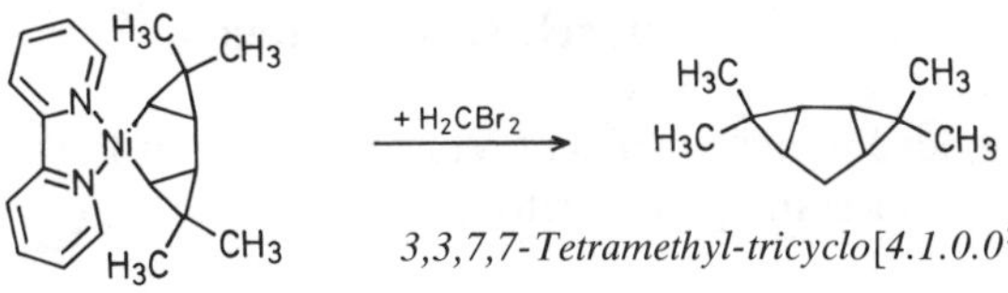
H3C
CH3
N
Ni
N
H3C
CH3
+ H2CBr2
H3C
CH3
H3C
CH3

3,3,7,7-Tetramethyl-tricyclo[4.1.0.0^{2,4}]heptan[3]; 47%

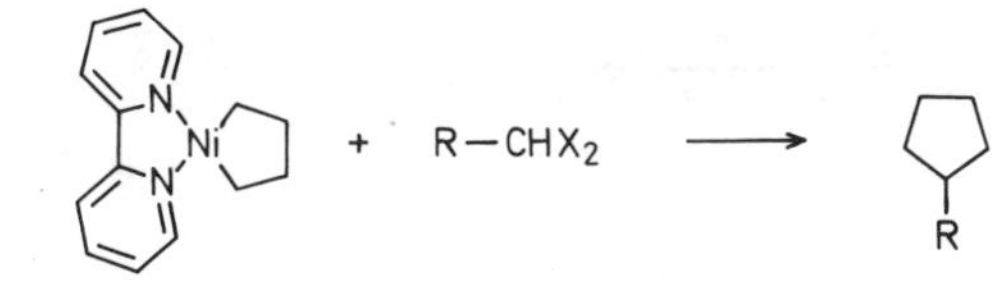
N
Ni
N
+
R—CHX2
R

X = Br, J

27–74%[4]

Cyclische 1-Alkenyl-nickel-Verbindungen unterliegen einer Abbau-Reaktion durch Alkylhalogenid. Es entstehen offenkettige Verbindungen mit dem Alkyl-Rest an der Stelle der Ni–C-Bindung; z.B.:

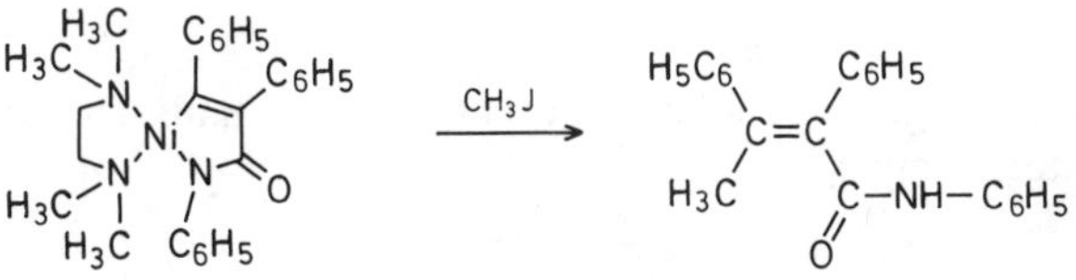
H3C
H3C
C6H5
C6H5
N
Ni
N
N
O
H3C
H3C
C6H5
CH3J
H5C6
C6H5
C=C
H3C
C—NH—C6H5
O

87%[5]

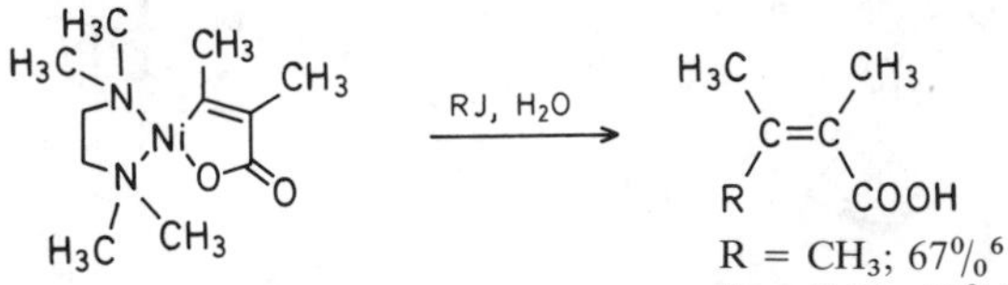
H3C
H3C
CH3
CH3
N
Ni
N
O
O
H3C
CH3
RJ, H2O
H3C
CH3
C=C
R
COOH

R = CH_3; 67%[6]
R = C_2H_5; 78%[6]

---

[1] R.H. Grubbs, A. Miyashita, M. Liu u. P. Burk, Am. Soc. **100**, 2418 (1978).
[2] R.H. Grubbs u. A. Miyashita, J. Organometal. Chem. **161**, 371 (1978).
[3] P. Binger u. M.J. Doyle, J. Organometal. Chem. **162**, 195 (1978).
[4] S. Takahashi, Y. Suzuki, K. Sonogashira u. N. Hagihara, Soc., Chem. Commun. **1976**, 839.
[5] H. Hoberg u. B.W. Oster, J. Organometal. Chem. **234**, C 35 (1982).
[6] H. Hoberg, D. Schäfer u. G. Burkhart, J. Organometal. Chem. **228**, C 21 (1982).

Jodalkane reagieren mit Organo-nickel-Verbindungen sehr unübersichtlich. Neben Kupplungs- werden auch Radikal-Reaktionen beobachtet[1].

Übersichtlicher verlaufen Kupplungsreaktionen von Arylhalogeniden mit (η^5-Cyclopentadienyl)-aryl-nickel-Verbindungen unter Einbezug der Cyclopentadienyl-Gruppe; z.B.[2]:

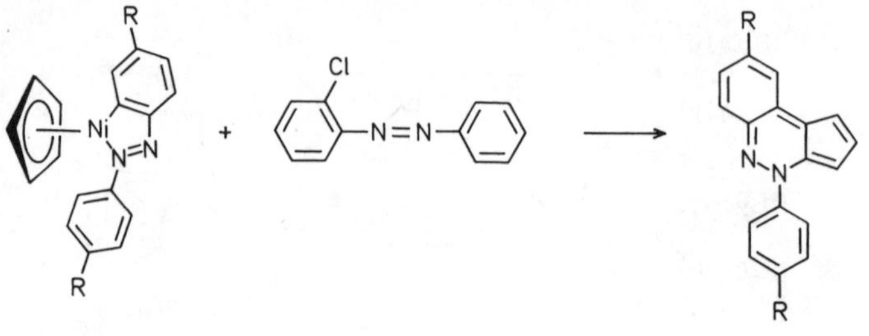

R = H; 32%
R = CH₃; 40%

d) durch Oxidationen

Bei der Umsetzung der Phenylazo-nickel-Verbindung I mit Perbenzoesäure überwiegt Hydroxylierung des nickel-ständigen C-Atoms[3]:

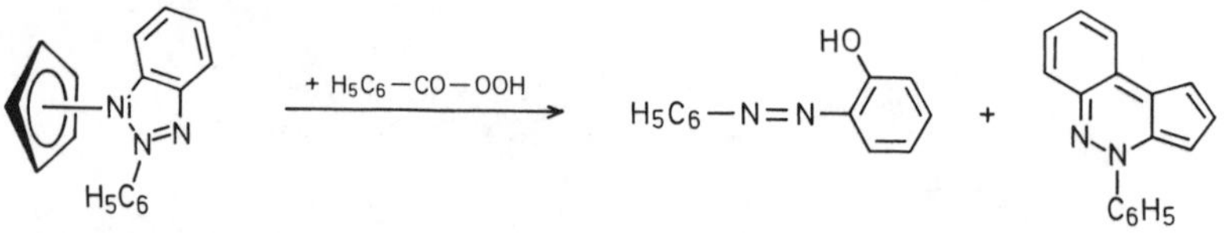

I   46%   4%

Luft-Zutritt bewirkt in einigen Fällen glatte Eliminierung zweier Organo-Reste vom Nickel(II)-Zentrum im Sinne einer oxidativen Eliminierung (Umsetzung mit stöchiometrischen Mengen Sauerstoff)[4].

Die Lösungen werden dabei schwarz und paramagnetisch, und es ist unbekannt, welche Nickel-Verbindungen dabei entstehen.

Acyl-nickel-Verbindungen werden mit Cer(IV)-Salzen in alkoholischer Lösung zu den entsprechenden Estern umgesetzt; z.B.[5]:

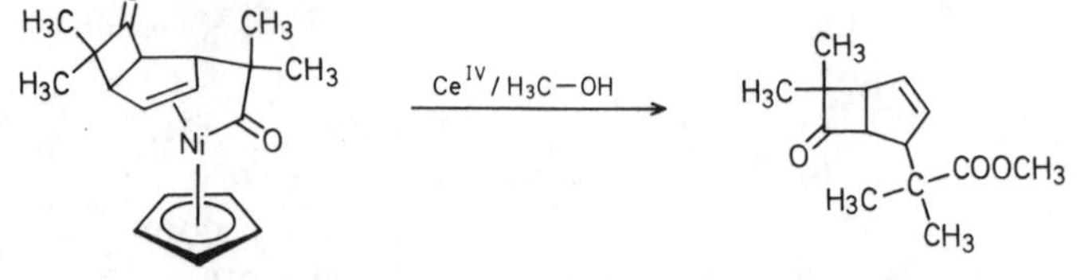

12%

[1] K. MARUYAMA, T. ITO u. A. YAMAMOTO, J. Organometal. Chem. **155**, 359 (1978).
[2] YU. A. USTYNYUK u. I. V. BARINOV, J. Organometal. Chem. **23**, 551 (1970).
[3] YU. A. USTYNYUK, I. V. BARINOV u. E. I. SIROTKINA, Dokl. Akad. Nauk SSR **187**, 112 (1969); C. A. **71**, 70710 (1969).
[4] D. G. MORELL u. J. K. KOCHI, Am. Soc. **97**, 7262 (1975).
[5] D. A. YOUNG, J. Organometal. Chem. **70**, 95 (1974).

e) durch reduktive Eliminierungen

Die thermische Abspaltung zweier Organo-Reste vom Nickel(II)-Komplexzentrum unter C–C-Neuknüpfung wird als reduktive Eliminierung bezeichnet[1], wenn gleichzeitig eine Reduktion zum Nickel(0)-Komplex erfolgt. Unterstützt wird diese Reaktion durch π-Akzeptor-Liganden wie Triorganophosphite, Olefine oder Kohlenmonoxid; z.B.[2]:

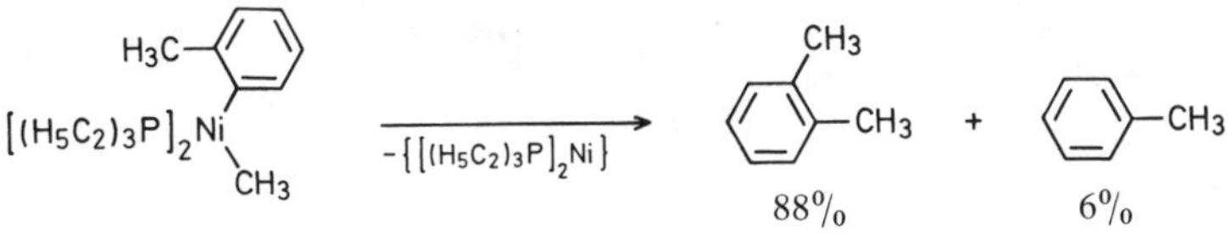

Mit Triarylphosphan-Liganden können Aryl-nickel-Verbindungen Aryl-Reste austauschen[3].

Bis-[pentafluorphenyl]-(η^6-toluol)-nickel bildet beim thermischen Zerfall in Substanz oder in Lösung *Decafluor-biphenyl* (76%) und *Toluol* (84%) neben elementarem Nickel[4].

Tetraphenyl-nickelole mit chelatisierenden Phosphan-Liganden isomerisieren quantitativ zu den (η^4-Tetraphenyl-cyclobutadien)-nickel-Komplexen[5]; z.B.:

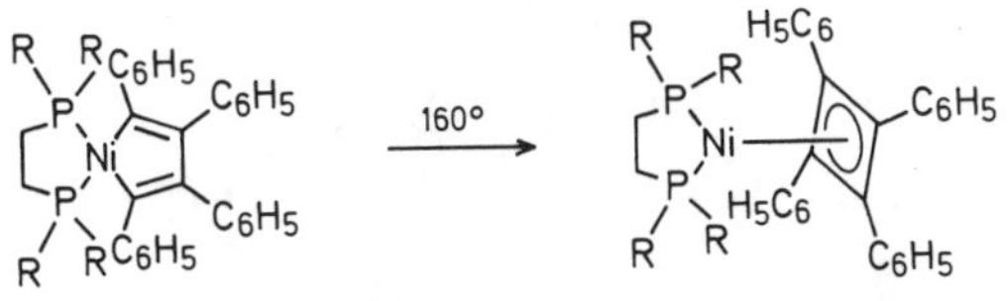

Wenn nicht wie in diesem Beispiel eine σ-π-Umlagerung im Liganden für eine 18-Elektronen-Konfiguration des Metalls im Nickel(0)-Komplex sorgt, dann bedarf es der Unterstützung zusätzlicher π-Akzeptor-Liganden, um die Reaktionstemperatur zu senken und zugleich eine Abscheidung von elementarem Nickel zu vermeiden[6].

Einer Ringverengungsreaktion unterliegen Nickela-cycloalkane bei 20° unter Einwirkung elektronenarmer Olefine; z.B.[7,8]:

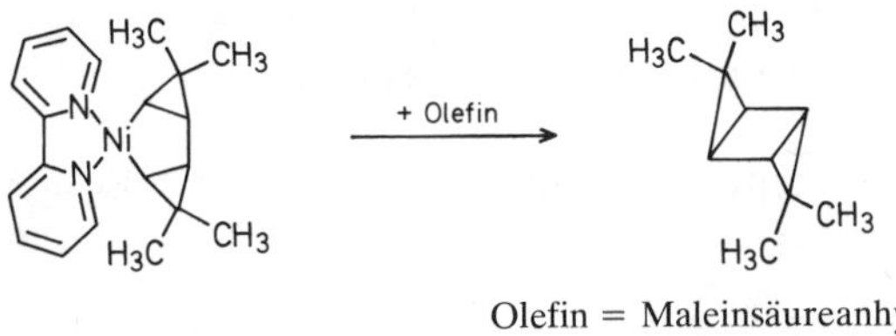

Olefin = Maleinsäureanhydrid; 97%[7]
Olefin = Tetracyan-ethen; 64%[7]

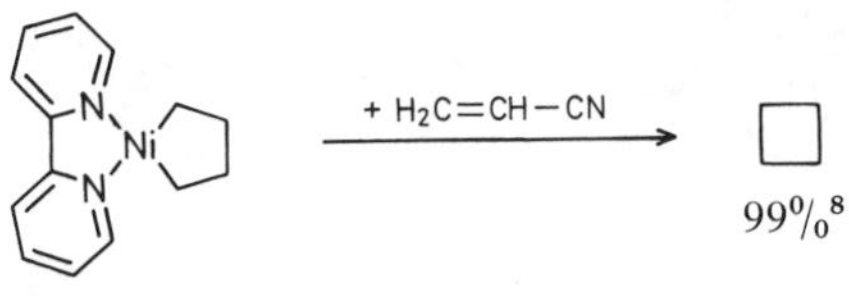

99%[8]

[1] J. HALPERN, Accounts Chem. Res. **3**, 386 (1970).
[2] D.G. MORRELL u. J.K. KOCHI, Am. Soc. **97**, 7262 (1975).
[3] A. NAKAMURA u. S. OTSUKA, Tetrahedron Letters **1974**, 463.
[4] R.B. GASTINGER, B.B. ANDERSON u. K.J. KLABUNDE, Am. Soc. **102**, 4959 (1980).
[5] H. HOBERG u. W. RICHTER, J. Organometal. Chem. **195**, 355 (1980).
[6] K. ISOBE, Y. NAKAMURA u. S. KAWAGUCHI, Chem. Letters **1977**, 1383.
[7] P. BINGER u. J.J. DOYLE, J. Organometal. Chem. **162**, 195 (1978).
[8] P. BINGER, M.J. DOYLE, C. KRÜGER u. Y.-H. TSAY, Z. Naturf. **34b**, 1289 (1979).

In Gegenwart ausreichender Mengen an Neutralliganden zur Stabilisierung einer Nikkel(0)-Spezies können Methyl-nickel-Verbindungen mit brückenbildenden anionischen Liganden gespalten werden und in spontaner Zersetzungsreaktion unter Methan-Bildung zerfallen. Voraussetzung ist, daß der anionische Ligand bei seinem Zerfall Protonen liefert[1].

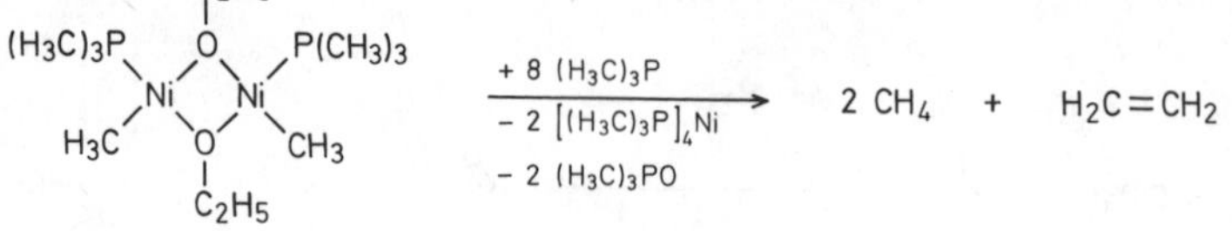

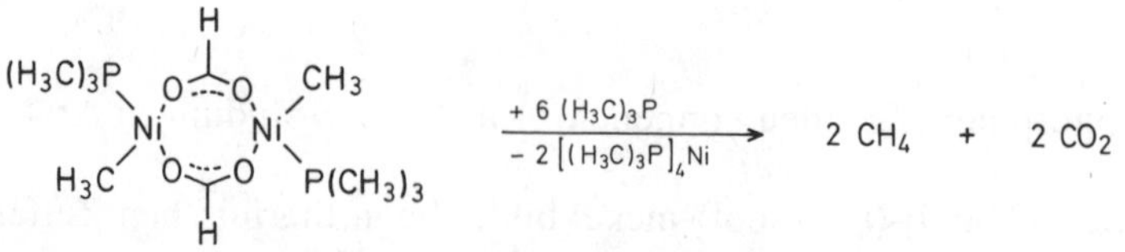

$$\text{(H}_3\text{C)}_3\text{P} \ldots \text{Ni} \ldots \text{Ni} \ldots \text{P(CH}_3\text{)}_3 \quad \xrightarrow[\substack{-2\,[(H_3C)_3P]_4Ni \\ -2\,(H_3C)_3PO}]{+8\,(H_3C)_3P} \quad 2\,CH_4 \;+\; H_2C=CH_2$$

$$\xrightarrow[\substack{-2\,[(H_3C)_3P]_4Ni}]{+6\,(H_3C)_3P} \quad 2\,CH_4 \;+\; 2\,CO_2$$

Auch eine β-Wasserstoff-Eliminierung kann die reduktive Eliminierung von Kohlenwasserstoff einleiten; z.B.[2]:

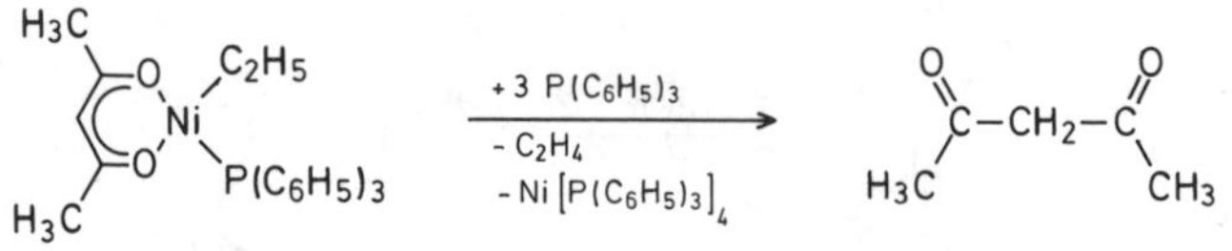

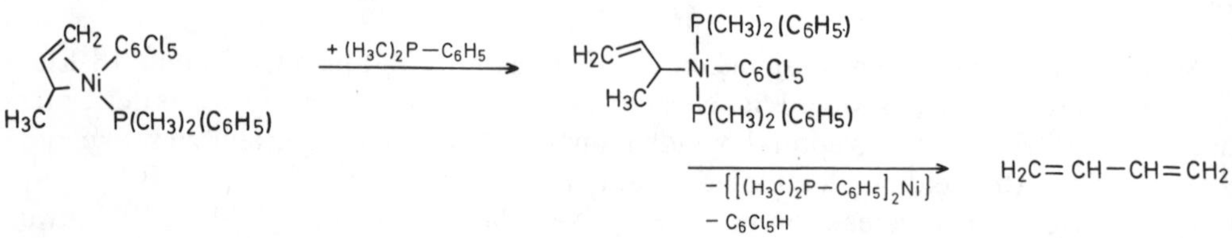

$$\xrightarrow[\substack{-C_2H_4 \\ -Ni[P(C_6H_5)_3]_4}]{+3\,P(C_6H_5)_3} \quad H_3C-\overset{O}{C}-CH_2-\overset{O}{C}-CH_3$$

$$\xrightarrow{+(H_3C)_2P-C_6H_5}$$

$$\xrightarrow[\substack{-C_6Cl_5H}]{-\{[(H_3C)_2P-C_6H_5]_2Ni\}} \quad H_2C=CH-CH=CH_2$$

Reaktionen dieser Art können die Herstellung von π-Allyl-σ-aryl-nickel-Verbindungen aus Aryl-bis-[phosphan]-nickel-halogenid und Allyl-magnesiumhalogenid begleiten und besonders in gut koordinierenden Lösungsmitteln wie Tetrahydrofuran die Ausbeuten senken[3].

2,5-Dioxo-nickelole wandeln sich unter dem Einfluß von Kohlenmonoxid reversibel in Nickel(0)-Komplexe mit π-gebundenem 3,4-Dioxo-cyclobuten um[4]; z.B.:

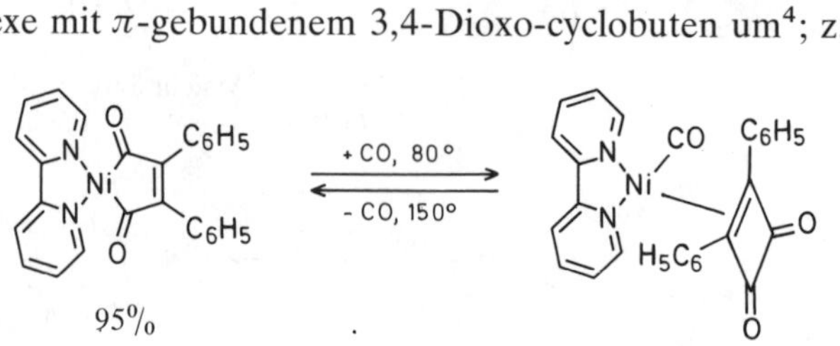

$$\underset{95\%}{} \quad \xrightleftharpoons[-CO,\,150°]{+CO,\,80°} \quad \underset{39\%}{}$$

1,1-(2,2'-Bipyridyl)-2,5-dioxo-3,4-diphenyl-2,5-dihydro-nickelol

[1] H.-F. Klein u. H. H. Karsch, B. **106**, 1433 (1973).
[2] L. S. Isaeva, L. N. Morozowa, P. V. Bashilov, P. V. Petrovskii, V. I. Sokolov u. O. A. Reutov, J. Organometal. Chem. **243**, 253 (1983).
[3] M. Wada u. T. Wakabayashi, J. Organometal. Chem. **96**, 301 (1975).
[4] H. Hoberg u. A. Herrera, Ang. Ch. **93**, 924 (1981).

f) durch Thermolyse bzw. Photolyse

Die β-Wasserstoff-Eliminierung gehört zu den bevorzugten thermisch induzierten Zerfallswegen von Organo-nickel-Verbindungen. Photochemisch induziert wird dagegen meist eine Liganden-Dissoziation, die einen freien Koordinationsplatz erzeugt und damit Umlagerungen unter Koordination und Rekombination instabiler Bruchstücke begünstigt. Ein gut untersuchtes Beispiel ist die Umwandlung koordinativ gesättigter σ-Alkenyl-nickel-Verbindungen in π-Allyl-nickel-Verbindungen unter Abgabe vom Neutralligand[1]:

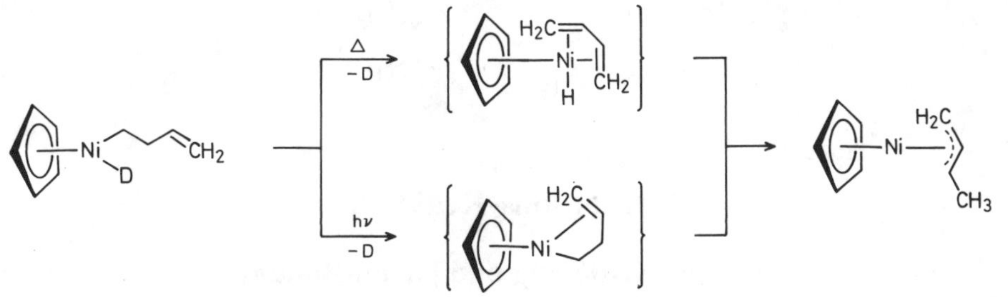

In vielen Fällen, in denen in β-Stellung zum Nickel ein H-Atom fehlt, entstehen Produkte, die auf radikalische Zwischenstufen hindeuten. Man erhält stets beträchtliche Mengen Kohlenwasserstoff, die sich durch Wasserstoff-Abstraktion aus dem Solvens oder aus Neutralliganden am Nickel bilden. Arylphosphan-Liganden beteiligen sich unter Umständen auch durch Abgabe von Aryl-Gruppen, die z.B. beim Zerfall von Aryl-nickel-Verbindungen für das Auftreten unerwartet großer Mengen an Biaryl verantwortlich sind[2].

Acyl-nickel-Verbindungen sind vergleichsweise wenig untersucht, doch scheinen sie keine radikalischen Zwischenstufen zu bilden. Es dominieren Decarbonylierung und Keton-Bildung[3].

Cyclisierungen unter dem Einfluß des Nickel-Zentrums verlaufen bei geeigneter Ringgröße (5 oder 6) oft in hohen Ausbeuten; z.B.[4]:

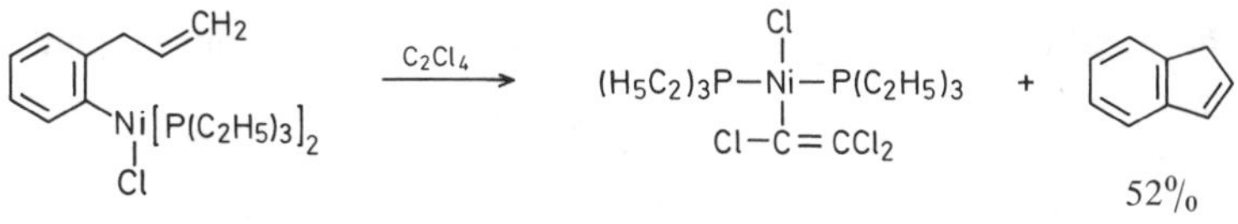

Unübersichtlich verläuft dagegen der thermische Zerfall von Nickelolen. Je nach Substitutionsmuster am Ring und Art der Neutralliganden am Nickel sowie in Abhängigkeit vom Solvens und der Reaktionstemperatur entsteht eine ganze Palette von Cycloalkanen bzw. von offenkettigen Alkenen und Alkanen.

Tris-[triphenylphosphan]-nickelinan zerfällt bei 23° innerhalb eines Tages zu *Methan* (15%), *Ethen* (40%), *Cyclopentan* (8%) und Pentenen (36%)[5]. Ein Überschuß von Triphenylphosphan in der Lösung begünstigt das Ethen im Produktgemisch, während Bis-[triphenylphosphan]-nickelinan hauptsächlich Cyclopentan liefert.

Ähnlich verhalten sich die Nickelole. Bei Überschuß an Phosphan-Ligand überwiegt Ethen, bei starker Dissoziation von Liganden treten *Cyclobutan* und *Buten* in den Vordergrund[6].

---

[1] J.M. BROWN u. K. MERTIS, Soc. [Perkin Trans. II] **1973**, 1993.

[2] K. MARUYAMA, T. ITO u. A. YAMAMOTO, J. Organometal. Chem. **155**, 359 (1978).

[3] T. SARUYAMA, T. YAMAMOTO u. A. YAMAMOTO, Bl. chem. Soc. Japan **49**, 546 (1976).

[4] R.G. MILLER, D.R. FAHEY, H.J. GOLDEN u. L.C. SATEK, J. Organometal. Chem. **82**, 127 (1974).

[5] R.H. GRUBBS u. A. MIYASHITA, Am. Soc. **100**, 7418 (1978).

[6] R.H. GRUBBS, A. MIYASHITA, M.M. LIU u. P.L. BURK, Am. Soc. **99**, 3863 (1977).

2,2′-Bipyridyl-nickelol wird in Substanz bei 165° (5 Stdn.) zu B u t e n e n (90%), in Mesi-tylen-Lösung (6 Stdn. 165°) verstärkt auch zu *Cyclobutan* (43%)[1] zersetzt.

Intensiv untersucht ist die Thermolyse von Bis-[triphenylphosphan]-8-nickela-bicyclo[4.3.0]nonanen, deren *cis*- und *trans*-Isomere verschiedene Produkte liefern[2]:

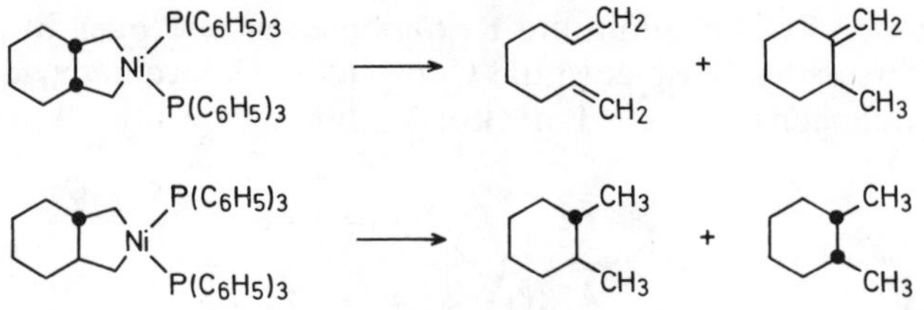

II. Insertions-Reaktionen

a) Carbonylierung und Keton-Bildung

Werden Nickela-cycloalkane unter Normaldruck carbonyliert, so entstehen unter milden Bedingungen und in hohen Ausbeuten C y c l o a l k a n o n e, in denen das CO-Fragment an die Stelle des Metallatoms getreten ist; z.B.:

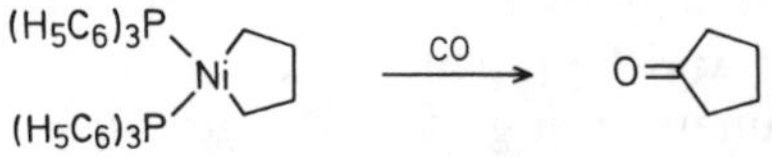

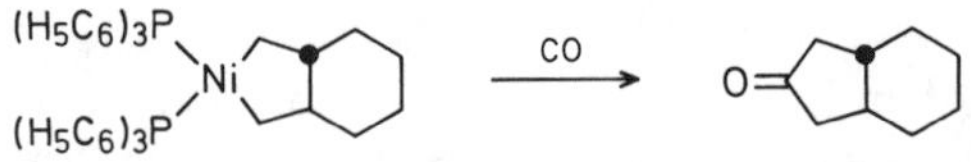

Eine solche Reaktion läßt sich auch an Hetero-nickela-Verbindungen durchführen; z.B.:

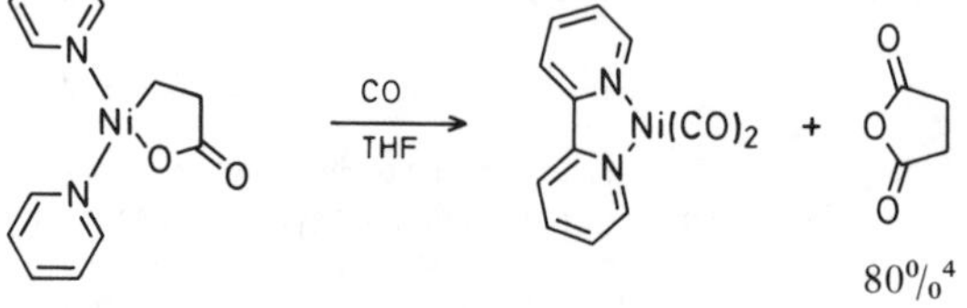

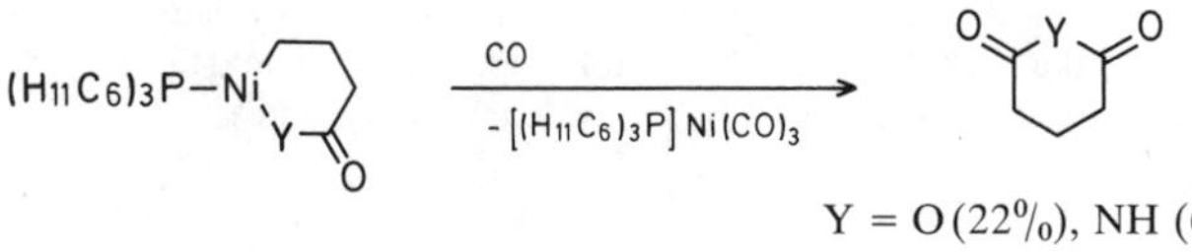

$$Y = O\,(22\%),\ NH\,(60\%)[5]$$

---

[1] P. Binger, M.J. Doyle, C. Krüger u. Y.-H. Tsay, Z. Naturf. **34b**, 1289 (1979).
[2] R.H. Grubbs u. A. Miyashita, J. Organometal. Chem. **161**, 371 (1978).
[3] R.H. Grubbs, A. Miyashita, M. Lin u. P. Burk, Am. Soc. **100**, 2418 (1978).
[4] H. Hoberg u. D. Schäfer, J. Organometal. Chem. **251**, C 51 (1983).
[5] K. Sano, T. Yamamoto u. A. Yamamoto, Chem. Letters **1982**, 695.

Am 2,2'-Bipyridyl-3,3,7,7-tetramethyl-5-nickela-*trans*-tricyclo[4.1.0.0²·⁴]heptan bleibt die Reaktion unter diesen Bedingungen aus[1].

Dihydro-hetero-nickelole liefern durch Carbonylierung und Metall-Eliminierung glatt die entsprechenden Heterocyclen[2]; z. B.:

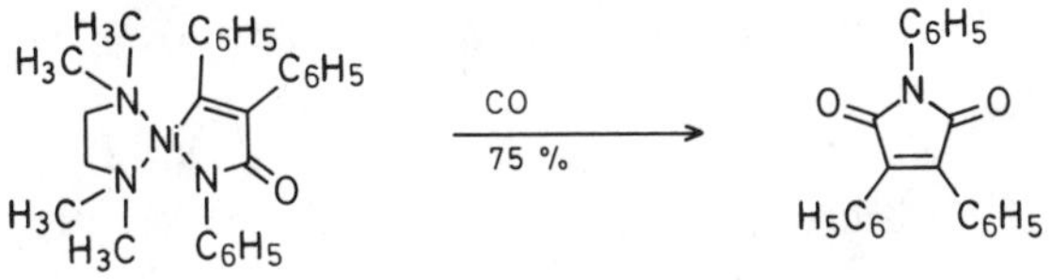

Nickelol-Systeme werden bereits bei $-78°$ carbonyliert.

Aus (1,2-Bis-[diphenylphosphano]-ethan)-tetraphenyl-nickelol bildet sich über die isolierbare Zwischenstufe des (1,2-Bis-[diphenylphosphano]-ethan)-(η^4-oxo-tetraphenyl-cyclopentadien)-nickel(0) unter Substitution durch weiteres Kohlenmonoxid *Tetraphenyl-cyclopentadienon* in 92%iger Ausbeute[3]:

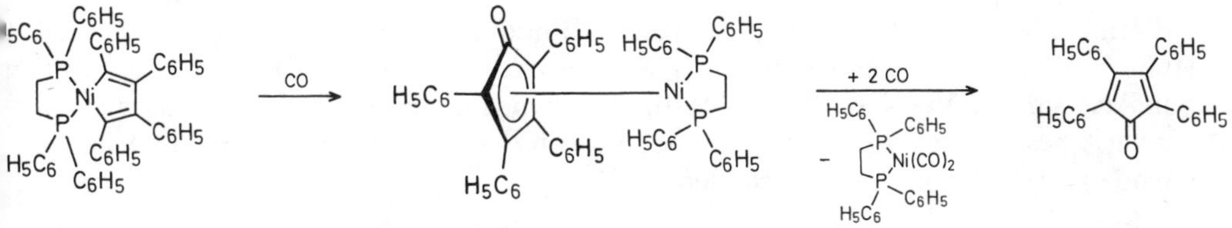

In der Regel werden bei der Carbonylierung von Diaryl-nickel-Verbindungen nur mäßige Ausbeuten (26–37%) an Ketonen erzielt[4].

Alkyl-nickel-Verbindungen ergeben bei der Carbonylierung in Einzelfällen auch Dicarbonyl-Verbindungen; z. B.[5]:

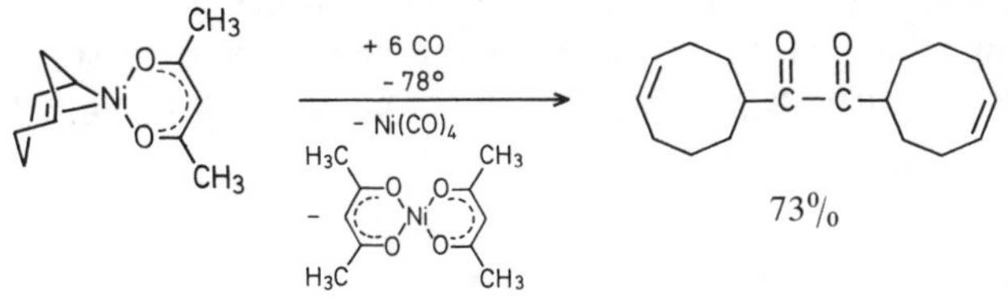

Als Vorstufe einer Kohlenmonoxid-Insertion wird ein penta-koordinierter Alkinyl-carbonyl-nickel-Komplex isoliert; z. B.[6]:

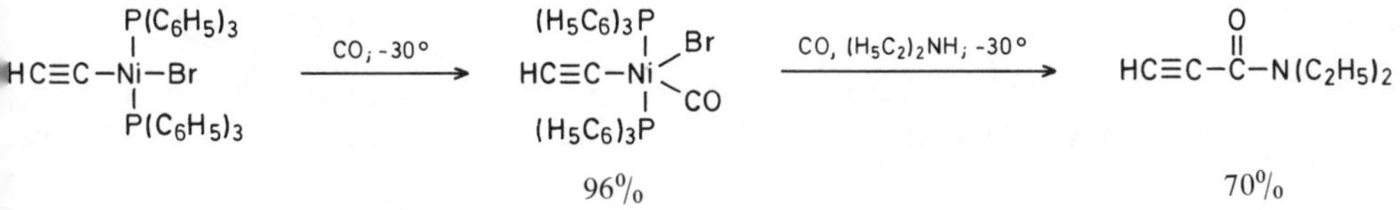

[1] P. BINGER u. M.J. DOYLE, J. Organometal. Chem. **162**, 195 (1978).
[2] H. HOBERG u. B.W. OSTER, J. Organometal. Chem. **234**, C 35 (1982).
[3] H. HOBERG u. W. RICHTER, J. Organometal. Chem. **195**, 355 (1980).
[4] M. WADA, K. KUSABE u. K. OGURO, Inorg. Chem. **16**, 446 (1977).
[5] B. BOGDANOVIĆ, M. KRÖNER u. G. WILKE, A. **699**, 1 (1966).
[6] H. HOBERG u. H.J. RIEGEL, J. Organometal. Chem. **241**, 245 (1982).

b) Sulfonierung

Alkyl-nickel-Verbindungen reagieren unter sehr milden Bedingungen mit Schwefeldioxid unter formaler Insertion in die Ni–C-Bindung zu Alkyl-sulfinato-nickel-Verbindungen. Dieser Reaktionstyp ist mit einiger Sicherheit viel breiter anwendbar, als es die geringe Zahl der veröffentlichten Beispiele erkennen läßt; z.B.[1]:

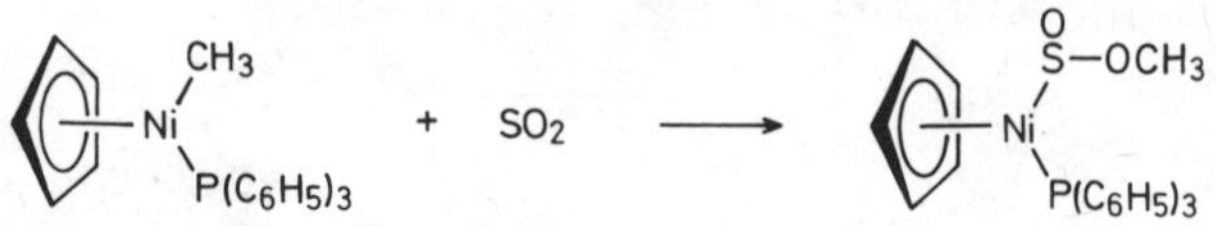

Zur Durchführung der Sulfonierungsreaktion wird der Nickel-Komplex in flüssigem Schwefeldioxid bei −78° gelöst und langsam aufgetaut. Der Rückstand wird mit einem polaren Solvens (z. B. Dichlormethan) extrahiert und die Lösung mit Hexan zur Kristallisation gebracht.

Eine Bildung der isomeren O-Sulfinato-nickel-Verbindungen[2] wird allgemein nicht beobachtet.

c) Insertion von Alkenen und Alkinen

Formale Insertionen von Alkenen in Ni–C-Bindungen sind als Zwischenschritte mehrstufiger Reaktionen oder katalytischer Kreisprozesse oft formuliert worden. Synthesen von Alkyl-nickel-Verbindungen durch Insertion von Alken sind allerdings bisher nur vereinzelt[3,4] beschrieben. Leichter lassen sich Alkenyl-nickel-Verbindungen durch entsprechende Insertion von Alkin herstellen[5]; z.B.:

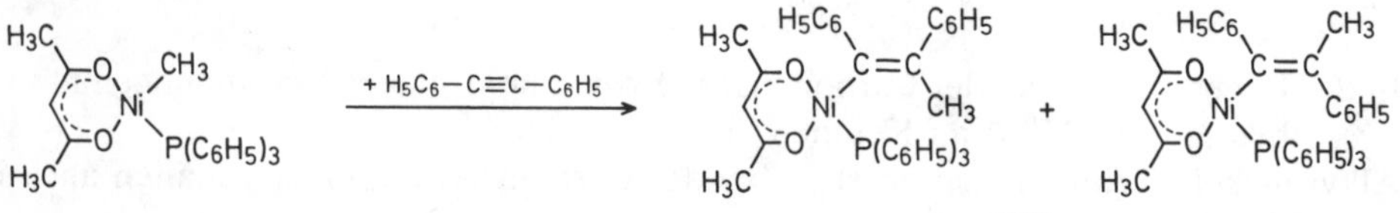

89%

Cyclodimerisierung eines Alkins mit einer 1-Alkinyl-nickel-Verbindung am η^5-Cyclopentadienyl-cobalt-Komplexrest ergibt *(η^5-Cyclopentadienyl)-[η^4-(η^5-cyclopentadienyl-kobalt)-3,4-dimethoxycarbonyl-2-phenyl-cyclobutadien-yl]-(triphenylphosphan)-nickel* (34%)[6]:

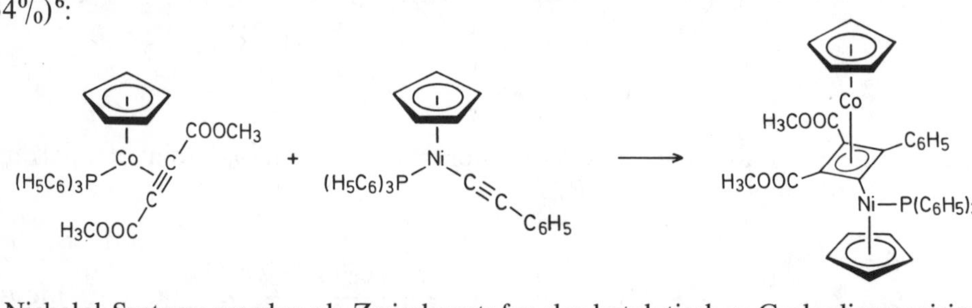

Nickelol-Systeme werden als Zwischenstufen der katalytischen Cyclooligomerisierung von Alkinen postuliert. Modellcharakter besitzt daher die folgende, unter milden Bedingungen ablaufende Synthese substituierter Benzole[7]:

[1] M.D. RAUSCH, Y.F. CHANG u. H.B. GORDON, Inorg. Chem. **8**, 1355 (1969).
[2] C. MEALLI u. P. STOPPIONI, J. Organometal. Chem. **175**, C 19 (1979).
[3] G.T. CRISP, S. HOLLE u. P.W. JOLLY, Z. Naturf. **37 b**, 1667 (1982).
[4] H. LEHMKUHL, C. NAYDOWSKI, R. BENN, A. RUFINSKA u. G. SCHROTH, J. Organometal. Chem. **246**, C 9 (1983).
[5] J.M. HUGGINS u. R.G. BERGMAN, Am. Soc. **101**, 4410 (1979).
[6] K. YASUFUKU u. H. YAMAZAKI, J. Organometal. Chem. **121**, 405 (1976).
[7] H. HOBERG u. W. RICHTER, J. Organometal. Chem. **195**, 355 (1980).

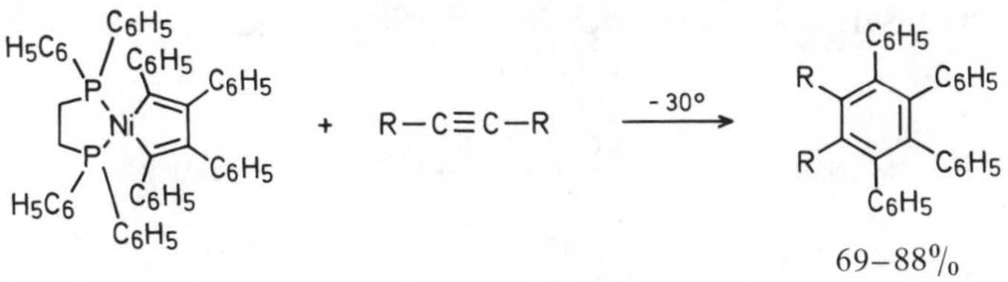

$$69-88\%$$

Es wird mit 2 N wäßr. Salzsäure hydrolysiert und nach Phasentrennung chromatographiert[1].
Durch solche Alkin-Insertionen werden auch Heterocyclen erhalten; z.B.:

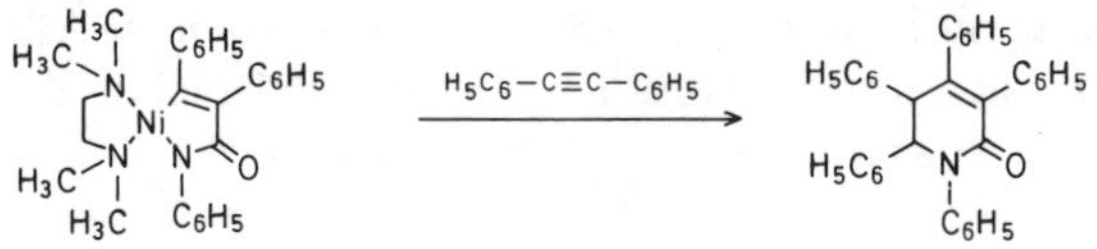

$$12\%[1]$$

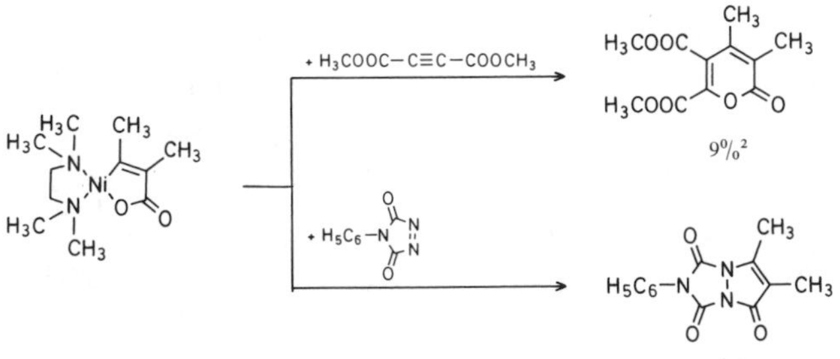

$$9\%[2]$$

$$20\%[3]$$

Carbenoide 1,1-Dihalogen-Verbindungen reagieren mit Nickela-cyclen auf folgende
Weise[3]:

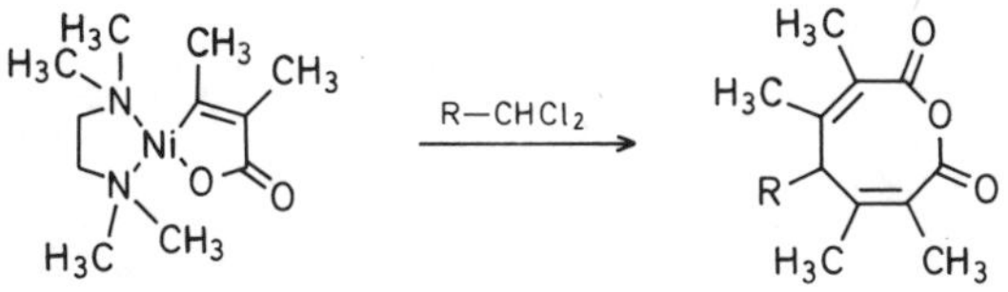

R = H;   80%
R = CH₃; 26%

d) Sonstige Insertions-Reaktionen

Hetero-kumulene zeigen eine ähnliche Bereitschaft zu Insertionsreaktionen wie Alkine; z.B.[4]:

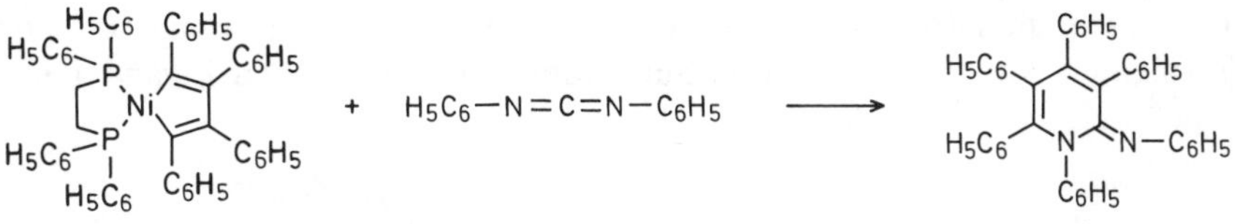

$$56\%$$

[1] H. HOBERG u. B. W. OSTER, J. Organometal. Chem. **234**, C 35 (1982).
[2] H. HOBERG u. D. SCHÄFER, J. Organometal. Chem. **238**, 383 (1982).
[3] H. HOBERG, D. SCHÄFER u. G. BURKHART, J. Organometal. Chem. **228**, C 21 (1982).
[4] H. HOBERG u. W. RICHTER, J. Organometal. Chem. **195**, 355 (1980).

Diphenylketen insertiert in eine der beiden Ni–C-Bindungen von Dimethyl-nickel-Verbindungen[1]; z.B.:

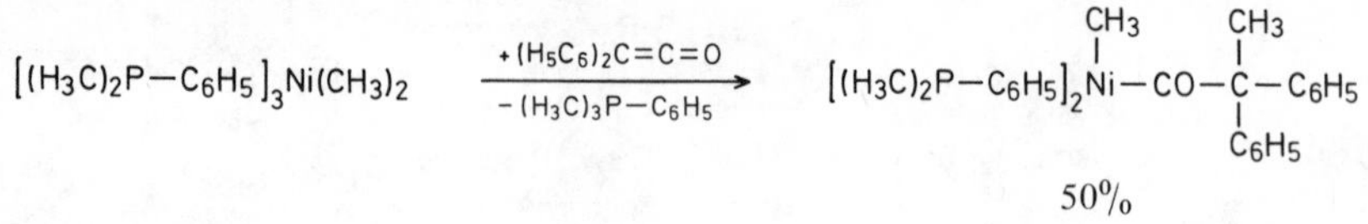

$$[(H_3C)_2P-C_6H_5]_3Ni(CH_3)_2 \xrightarrow[-(H_3C)_3P-C_6H_5]{+(H_5C_6)_2C=C=O} [(H_3C)_2P-C_6H_5]_2Ni-CO-\underset{\underset{C_6H_5}{|}}{\overset{\overset{CH_3}{|}}{C}}-C_6H_5$$

50%

Phenylthiocyanat schiebt sich ebenfalls in Ni–C-Bindungen ein, allerdings ist die Natur der Produkte (Tautomere) noch nicht vollständig geklärt[2].

Insertionen von Kohlendioxid in Ni–C-Bindungen wurden an Allyl-nickel-Verbindungen näher untersucht. Sie laufen vermutlich über σ-Allyl-nickel-Zwischenstufen und ergeben π-Allyl-nickel-carboxylat-Verbindungen[3]; z.B.:

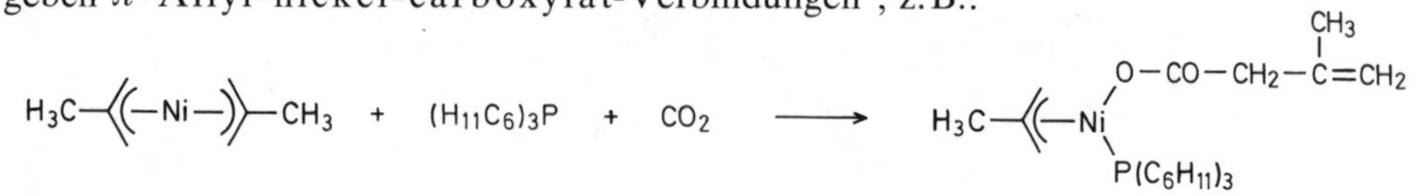

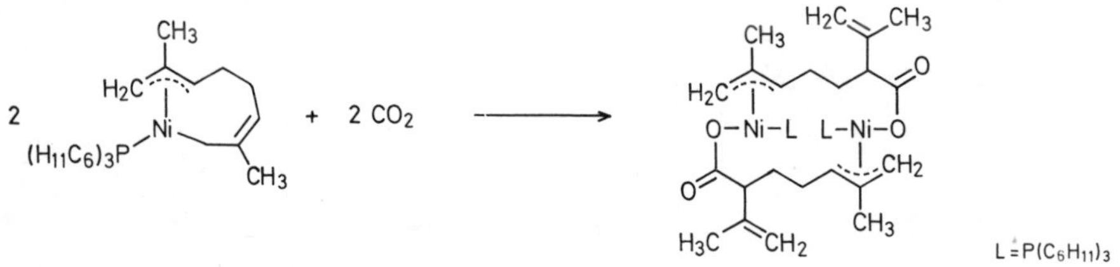

Das analoge, aus Bis-[tricyclohexyl-phosphan]-nickel(0), Kohlendioxid und 1,3-Butadien herstellbare dimere Allyl-nickel-carboxylat lagert bei wenig erhöhter Temperatur in einen Nickela-cyclus um, der im Kristall zu tetrameren Moleküleinheiten assoziiert ist[3].

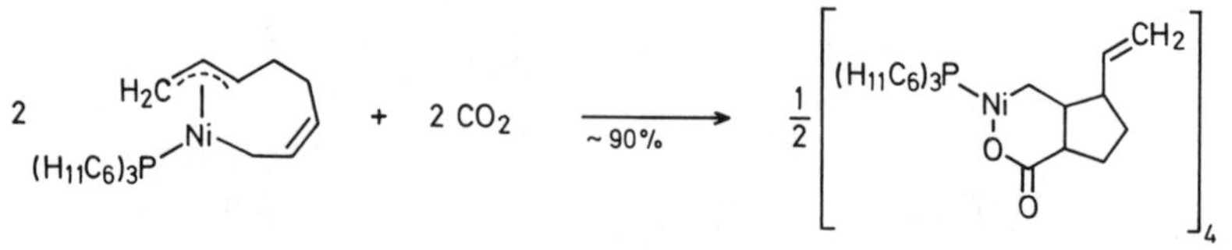

Nicht immer verlaufen Kohlendioxid-Insertionen glatt. Besonders bei einfachen Alkyl-nickel-Verbindungen wird zusätzlich Reduktion des Kohlendioxids am Auftreten von Kohlenmonoxid-Insertionsprodukten beobachtet[4].

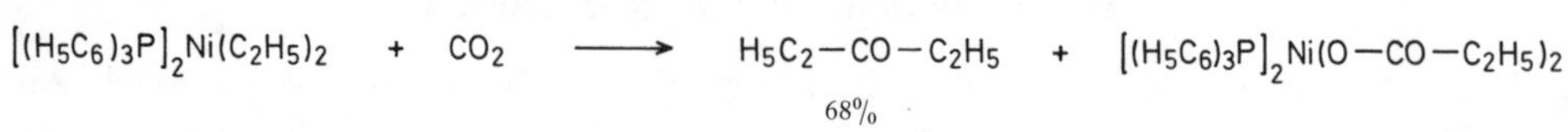

$$[(H_5C_6)_3P]_2Ni(C_2H_5)_2 + CO_2 \longrightarrow H_5C_2-CO-C_2H_5 + [(H_5C_6)_3P]_2Ni(O-CO-C_2H_5)_2$$

68%

(η^5-Cyclopentadienyl)-organo-phosphan-nickel-Verbindungen reagieren mit zwei Moläquivalenten Alkylisocyanid unter Substitution eines Phosphan-Liganden und Insertion in die zweite Ni–C-Bindung[5]:

[1] E. A. JEFFERY u. A. MEISTERS, J. Organometal. Chem. **82**, 315 (1974).
[2] F. SATO, J. NOGUCHI u. M. SATO, J. Organometal. Chem. **118**, 117 (1976).
[3] P. W. JOLLY, S. STOBBE, G. WILKE, R. GODDARD, C. KRÜGER, J. C. SEKUTOWSKI u. Y.-H. TSAY, Ang. Ch. **90**, 144 (1978).
[4] T. YAMAMOTO u. A. YAMAMOTO, Chem. Letters **1978**, 615.
[5] Y. YAMAMOTO, H. YAMAZAKI u. N. HAGIHARA, J. Organometal. Chem. **18**, 189 (1969).

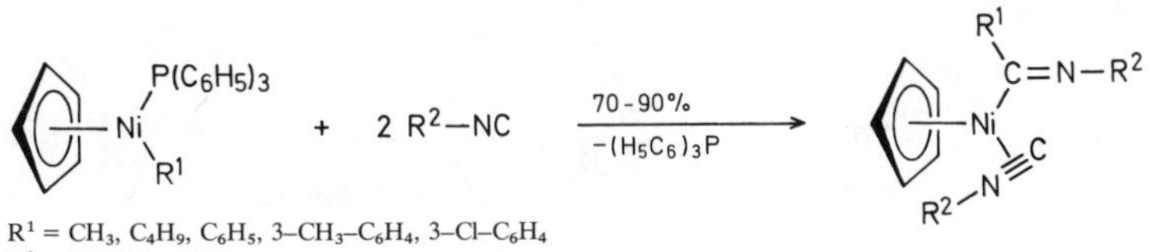

$R^1 = CH_3, C_4H_9, C_6H_5, 3\text{-}CH_3\text{-}C_6H_4, 3\text{-}Cl\text{-}C_6H_4$
$R^2 = C(CH_3)_3, C_6H_{11}$

Sind mehrere Koordinationsplätze am Nickel-Zentrum durch Isocyanid-Liganden besetzt, dann erfolgt eine Mehrstufen-Insertion, und es bilden sich heterocyclische Fünf-ring-Verbindungen[1]; z.B.:

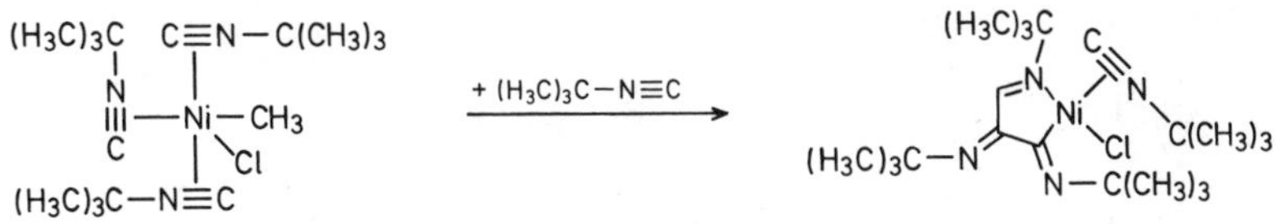

tert.-Butylisonitril-(1,2,3-tris-[tert.-butylimino]-propyl)-nickel-chlorid; 91%

Je nach Organo-nickel-Funktion können weitere Isocyanid-Einheiten die C-Kette ver-längern, was bei höheren Temperaturen bis zum Polyisocyanid fortschreiten kann.

III. σ-π-Umlagerungen

Umwandlungen von σ-Allyl- in π-Allyl-nickel-Verbindungen unter dem Einfluß von Neutralliganden spielen bei Oligomerisierungen von Dienen oder Co-oligomerisieren von Dienen mit Alkenen u.a. eine bedeutende Rolle[2].

Abgelöst vom mehrstufigen Geschehen solcher Reaktionen spielt dieser Reaktionstyp als Methode einer einstufigen Umwandlung von Organo-nickel-Verbindungen bisher noch keine große Rolle. Bedeutung für das Verständnis hat die thermische Spaltung von Nickela-cycloalkanen[3]; z.B.:

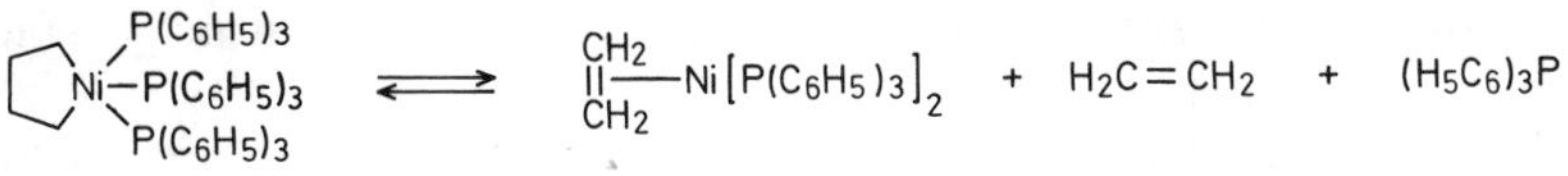

Umwandlungen von Acyl- bzw. Alkinyl-nickel-Verbindungen in kationische Carben-nickel-Komplexe finden sich im folgenden Abschnitt IV.

IV. Reaktionen unter Erhalt der Ni–C-Bindung

Auch der η^5-Cyclopentadienyl-Ligand kann durch nucleophilen Angriff unter Erhalt einer Ni–C-Bindung in einen Organo-phosphan-nickel-halogenid-Komplex eingeführt werden[4]; z.B.:

[1] S. Otsuka, A. Nakamura u. T. Yoshida, Am. Soc. **91**, 7196 (1969).
[2] P.W. Jolly u. G. Wilke, *The Organic Chemistry of Nickel*, Vol. II, Academic Press, New York 1975.
[3] R.H. Grubbs u. A. Miyashita, Am. Soc. **100**, 1300, 7418 (1978).
[4] E. Carmona, F. Gonzalez, M.L. Poveda, J.L. Atwood u. R.D. Rogers, Soc. [Dalton Trans.] **1980**, 2108.

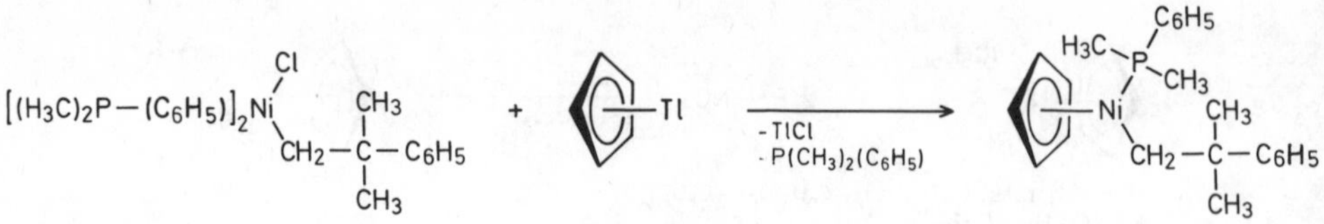

(η⁵-Cyclopentadienyl)-(dimethyl-phenyl-phosphan)-(2-methyl-2-phenyl-propyl)-nickel; 70–80%

Die stärker gebundenen perfluor-organischen Substituenten des Bis-[tert.-butyl-isocyanid]-octafluor-nickelols lenken den nucleophilen Angriff von sekundärem Amin auf das C-Atom eines Neutralliganden[1]:

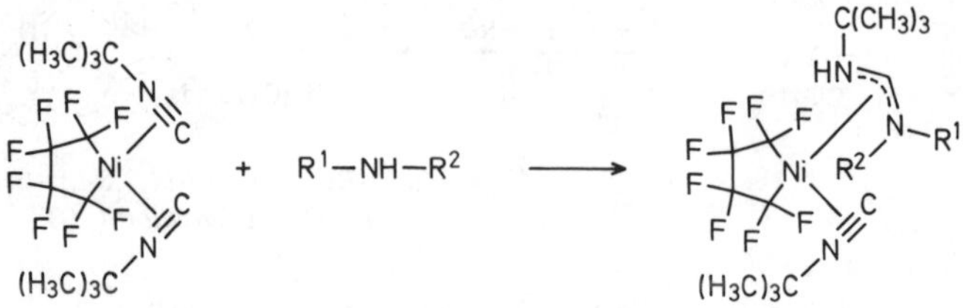

Spezifische Solvatation durch die O-Donatoren im 2,6-Dimethoxy-phenyl-Rest ermöglicht eine glatte Metallierung von Methyl-phosphan-Liganden, die unter sonst gleichen Bedingungen bei Aryl-nickel-Verbindungen nicht gelingt; z.B.:

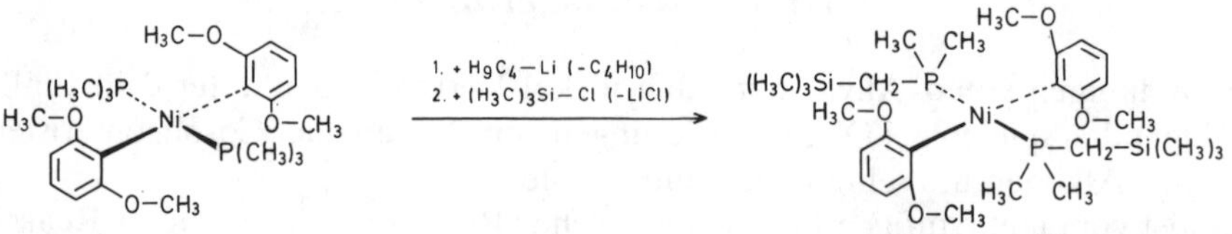

Bis-[2,6-dimethoxy-phenyl]-bis-[dimethyl-trimethyl-silylmethyl-phosphan]-nickel[2]; 45%

Besonders bei Monoorgano-nickel-Verbindungen überrascht die Vielfalt elektrophiler Reagenzien, die nicht unter Oxidation am Nickel-Zentrum sondern am geeignet funktionalisierten organischen Rest angreifen.

Obwohl viele Organo-nickel-Verbindungen luftempfindlich sind, erlauben (η⁵-Cyclopentadienyl)-alkinyl-nickel-Verbindungen eine Glaser-Kupplung ihrer Alkin-Funktion[3].

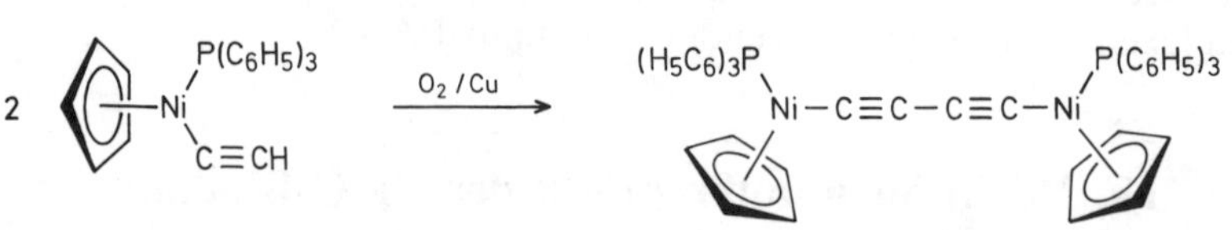

Bis-[(η⁵-cyclopentadienyl)-(triphenylphosphan)-nickel]-butadiin; 33%

[1] C.H. Davies, C.H. Game, M. Green u. F.G.A. Stone, Soc. [Dalton Trans.] **1974**, 357.
[2] M. Wada, K. Nishiwaki u. Y. Kawasaki, Soc. [Dalton Trans.] **1982**, 1443.
[3] P.J. Kim, H. Masai, K. Sonogashira u. N. Hagihara, Inorg. Nucl. Chem. Letters **6**, 181 (1970).

Die Addition einer Alkin-Wasserstoff-Einheit an Aryl-isocyanate scheint durch das Nickel-Zentrum begünstigt zu werden[1]:

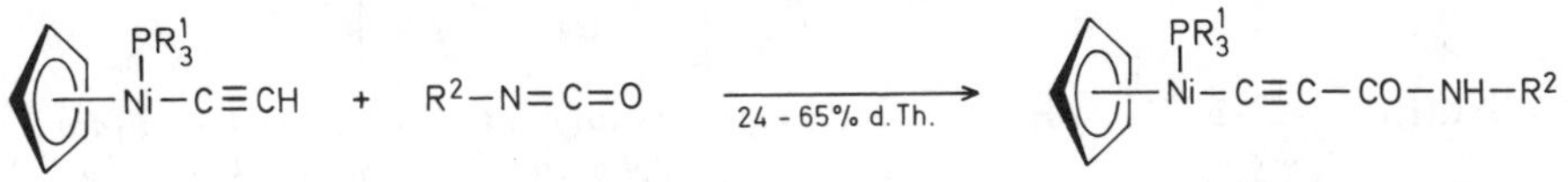

$R^1 = C_4H_9, C_6H_5$
$R^2 = C_6H_5, 3\text{-}CH_3\text{-}C_6H_5$

Alkylierungen mit Methansulfonsäure-fluorid lassen Aryl-nickel-Funktionen intakt[2]:

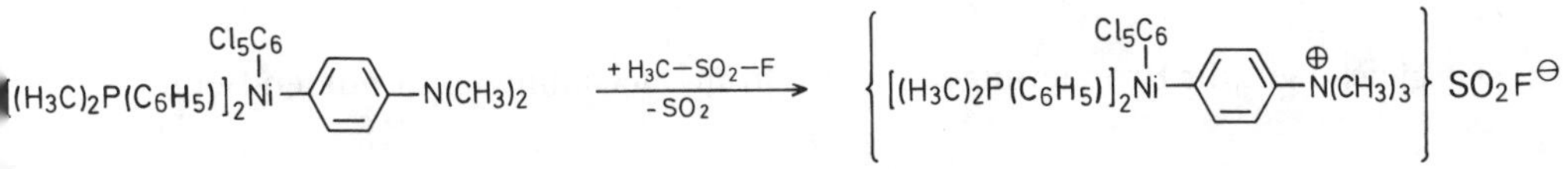

Bis-[dimethyl-phenyl-phosphan]-(pentachlor-phenyl)-
(4-trimethylammoniono-phenyl)-nickel-fluorsulfinat; 71%

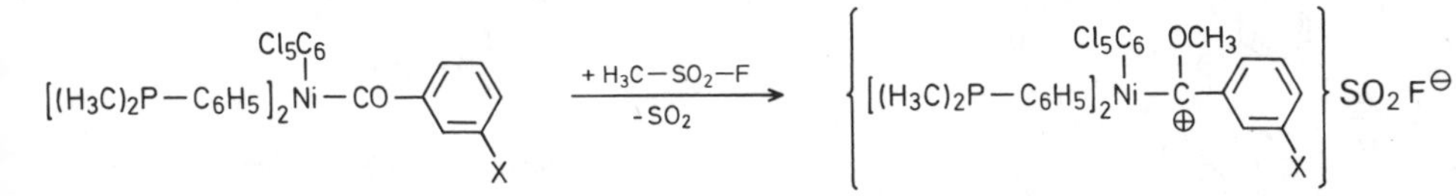

Bis-[dimethyl-phenyl-phosphan]-...-(pentachlor-phenyl)-nickel-fluorsulfinat
$X = N(CH_3)_2$; ...-[(3-dimethylamino-phenyl)-methoxy-carbenyl]-...; 73%
$X = OCH_3$; ...-[methoxy-(3-methoxy-phenyl)-carbenyl]-...; 50%
$X = CH_3$; ...-[methoxy-(3-methyl-phenyl)-carbenyl]-...; 28%

Ethinyl-nickel-Verbindungen, die in *trans*-Position die sehr fest gebundene Pentachlor-phenyl-Gruppe tragen, reagieren mit Alkoholen in Gegenwart starker Mineralsäuren zu Carbenyl-nickel-Verbindungen[3]:

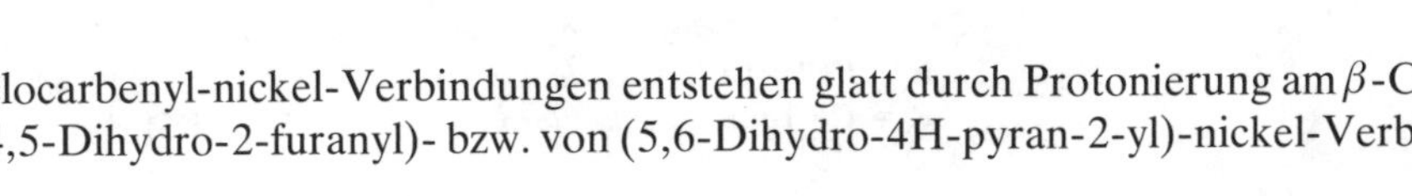

Bis-[dimethyl-phenyl-phosphan]-...-(pentachlor-phenyl)-nickel-perchlorat
$R = CH_3$; ...-(methoxy-methyl-carbenyl)-...; 84%
$R = C_2H_5$; ...-(ethoxy-methyl-carbenyl)-...; 60%

Cyclocarbenyl-nickel-Verbindungen entstehen glatt durch Protonierung am β-C-Atom von (4,5-Dihydro-2-furanyl)- bzw. von (5,6-Dihydro-4H-pyran-2-yl)-nickel-Verbindungen[4]:

---

[1] P. Hong, K. Sonogashira u. N. Hagihara, Tetrahedron Letters **19**, 1633 (1970).
[2] M. Wada, N. Asada u. K. Oguro, Inorg. Chem. **17**, 2353 (1978).
[3] K. Oguro, M. Wada u. R. Okawara, J. Organometal. Chem. **159**, 417 (1978).
[4] s. S. 659.

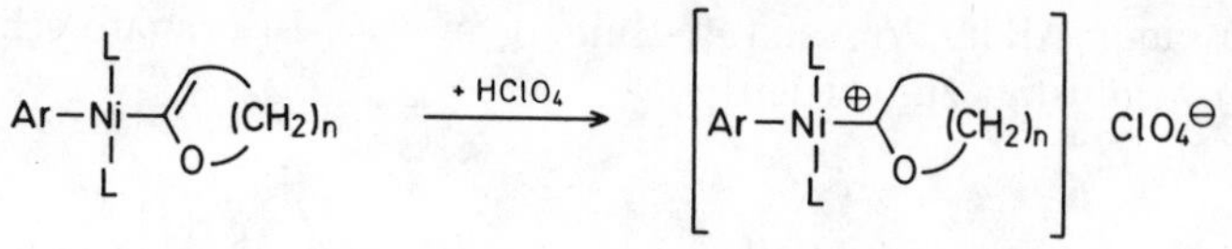

L = P(CH$_3$)$_3$; n = 2; Ar = 2,4,6-(CH$_3$)$_3$–C$_6$H$_2$; *Bis-[trimethylphosphan]-(3,4,5-trihydro-2-furyl)-(2,4,6-trimethyl-phenyl)-nickel-perchlorat*[1]; 52%

Ar = C$_6$Cl$_5$; *Bis-[trimethylphosphan]-(pentachlorphenyl)-(3,4,5-trihydro-2-furyl)-nickel-perchlorat*[1]; 76%

L = P(CH$_3$)$_2$(C$_6$H$_5$); n = 3; Ar = 2,4,6-(CH$_3$)$_3$–C$_6$H$_2$; *Bis-[dimethyl-phenyl-phosphan]-(3,5,6-trihydro-4H-pyran-2-yl)-(2,4,6-trimethyl-phenyl)-nickel-perchlorat*[1]; 57%

Das gleiche gilt für Bromierungen mit N-Brom-succinimid unter milden Bedingungen:

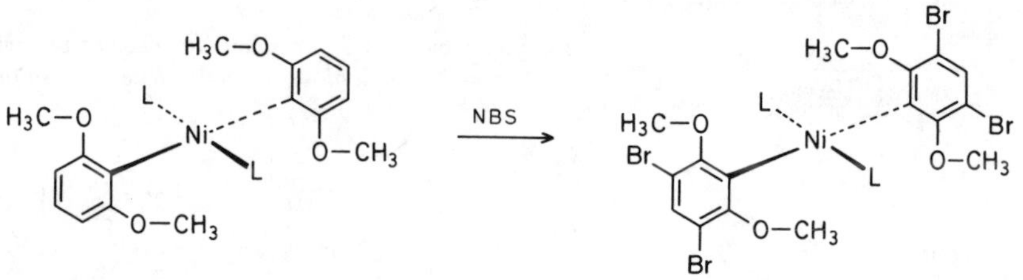

Bis-[3,5-dibrom-2,6-dimethoxy-phenyl]- . . .-nickel

L = P(CH$_3$)$_3$; . . .-*bis-[trimethylphosphan]*- . . .[2]; 33%

L = P(CH$_3$)$_2$(C$_6$H$_5$); . . .-*bis-[dimethyl-phenyl-phosphan]*- . . .[3]; 74%

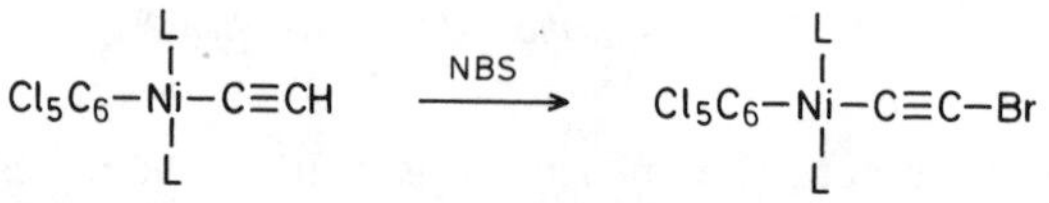

Bis-[dimethyl-phenyl-phosphan]-(brom-ethinyl)-(pentachlorphenyl)-nickel[3]; 69%

Unter gleichen Bedingungen werden Organo-nickel-bromide durch N-Brom-succinimid zu Nickel(III)-Verbindungen[4] oxidiert; z.B.:

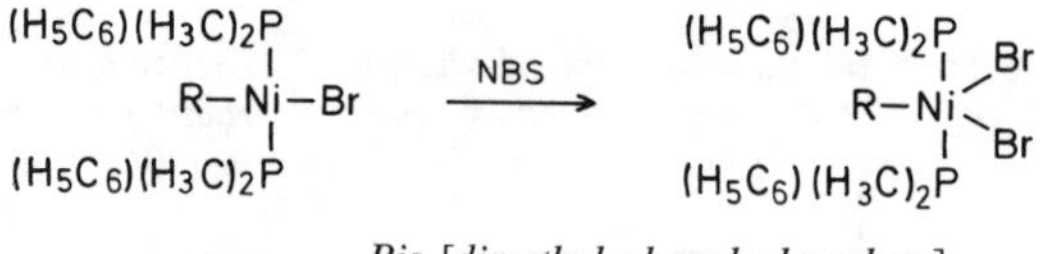

Bis-[dimethyl-phenyl-phosphan]- . . . -nickel-dibromid

R = CCl$_2$=CCl; . . .-*(trichlor-vinyl)*- . . .[5]; 53%; F: 112–113° (Zers.)

R = C$_6$Cl$_5$; . . .-*(pentachlorphenyl)*- . . .[5]; 57%; F: 133–136°

Viele Reaktionen, die in der Organo-platin-Chemie (s. Bd. XIII/9a) bekannt sind, werden auch beim Nickel beobachtet.

[1] M. WADA, K. SAMESHIMA, K. NISHIWAKI u. Y. KAWASAKI, Soc. [Dalton Trans.] **1982**, 793.

[2] M. WADA, K. NISHIWAKI u. Y. KAWASAKI, Soc. [Dalton Trans.] **1982**, 1443.

[3] K. OGURO, M. WADA u. N. SONODA, J. Organometal. Chem. **165**, C 13 (1979).

[4] D.M. GROVE, G. VAN KOTEN u. R. ZOET, Am. Soc. **105**, 1379 (1983).

[5] K. OGURO, M. WADA u. N. SONODA, J. Organometal. Chem. **165**, C 10 (1979).

Methoden zur Herstellung und Umwandlung von σ-Organo-palladium-Verbindungen

bearbeitet von

Dr. ADOLPH SEGNITZ

Chemische Fabrik Wibarco GmbH
Ibbenbüren

mit 53 Tabellen

Literatur bearbeitet bis Ende 1982, teilweise 1983

Methoden zur Herstellung und Umwandlung von Organo-palladium-Verbindungen

Seit ~1955 hat die Chemie der σ-Organo-palladium-Verbindungen einen enormen Aufschwung genommen. Seit der Verwirklichung der Acetaldehyd-Synthese durch den WACKER-Prozeß aus Ethen und Wasser mit Palladium- und Kupferchlorid als Katalysatoren sind viele neue Reaktionen, die über σ-Kohlenstoff-Palladium-Bindungen verlaufen, entdeckt worden. Zahlreiche Reaktionen setzen den stöchiometrischen Einsatz der Palladium-Verbindung voraus. Die σ-gebundenen Palladium-Verbindungen können häufig isoliert werden. Bei der Gewinnung der organischen Verbindung fällt dann Palladium-Metall an. Man kann diesen Typ von Reaktionen auch als Oxidationsreaktionen mit Palladium(2+)-Verbindungen auffassen. Aber auch katalytische Reaktionen verlaufen häufig über σ–C–Pd-Bindungen. Es gehört jedoch zum Konzept des Houben-Weyl, daß nur die Herstellung der Organometall-Verbindungen ausführlich behandelt wird. Das Kapitel Umwandlung beschränkt sich nur auf prinzipielle Reaktionsweisen, die von σ–C–Pd-Verbindungen ausgehen oder sich über intermediäre σ-Bindungen erklären lassen. Die Endprodukte (Stoffklassen) dieser Reaktionen sind bereits in anderen Houben-Weyl-Bänden ausführlich methodisch beschrieben.

Bei den σ-Kohlenstoff gebundenen Palladium-Verbindungen fällt auf, daß Organo-palladium-Verbindungen der Oxidationsstufe II weitaus am häufigsten vorkommen. Palladium-Verbindungen der Oxidationsstufe 0 mit Kohlenwasserstoff-Resten (also ohne Cyan- und Isocyanid-Komplexe) gibt es nur mit sp-hybridisiertem Kohlenstoff in Form von Dialkinyl-palladaten(0). Die Verbindungen sind diamagnetisch und pyrophor, jedoch nicht schockempfindlich. Sie werden durch Reduktion der entsprechenden Palladium(II)-Verbindungen mit Kalium in flüssigem Ammoniak erhalten. Auf der anderen Seite sind σ-Organo-palladium(IV)-Verbindungen nur mit Aryl-Resten und Chelat-Liganden stabil. Die trockenen Verbindungen der Oxidationsstufe IV sind an der Luft stabil, zersetzen sich jedoch rasch in Lösung (unter Reduktion zur Oxidationsstufe II). Die Herstellung der Palladium(IV)-Verbindungen erfolgt aus den entsprechenden Palladium(II)-Verbindungen durch oxidative Addition von Halogen. Stabile Alkyl-Verbindungen des Palladiums in der Oxidationsstufe IV sind jedoch nicht bekannt.

σ-Organo-palladium(II)-Verbindungen lassen sich nach einer Vielzahl von Methoden herstellen.

(a) Alkyl-palladium-Verbindungen

Alkyl-palladium-Verbindungen werden am häufigsten aus Halogeno-palladium-Verbindungen und Alkyl-metall-Verbindungen durch nucleophile Substitution von Halogen hergestellt[1]:

$$\overset{|}{\underset{|}{-Pd}}-X \quad + \quad R-M \quad \xrightarrow{-MX} \quad \overset{|}{\underset{|}{-Pd}}-R$$

X: Halogen
R: Alkyl
M: MgX, Li, Na, K, Al, Hg, Tl, Sn

---

[1] Bei den Beispielen sind in der Einleitung häufig nur die Liganden eingezeichnet, die bei der σ–C–M-Bindungsknüpfung eine Rolle spielen.

Tab. 1: Oxidationsstufen des Palladiums mit σ-C-Pd-Bindungen

Oxidations-stufen	Elektronen-konfiguration	Koordinations-zahl	Beispiele
0	$4 s^2 p^6 d^{10}$	2	$K_2[(R-C\equiv C)_2Pd]$ R: H, CH₃, C₆H₅
II	$4 s^2 p^6 d^8$	4	L_2PdR_2, L_2PdXR L: O,N,S,P, π-Donoren R: Alkyl, Alkenyl, Aryl, Alkinyl sp³, sp², sp-C X: Halogen
		?	$F_5C_6-Pd-Br$
		?	$(NC-CH_2)_2Pd$
IV	$4 s^2 p^6 d^6$	6	

$$\underset{CI}{\overset{CI}{(F_5C_6)_2Pd}}\diagup\overset{L}{\underset{L}{\diagdown}}\qquad F_5C_6\overset{CI}{\underset{CI}{\diagdown}}Pd\overset{L}{\underset{L}{\diagdown}}$$

$\widehat{L\,L}$: z. B.

$R_2N-CH_2-CH_2-NR_2$ (R: H, CH₃)

2,2'-Bipyridyl

Statt des Halogens können auch 2,4-Pentandionato-Liganden, π-Allyl-Gruppen, Pseudohalogene und Alkyl-Reste (Umalkylierung) ausgetauscht werden.

Eine Spezialreaktion ist die Umwandlung von Bis-[2,4-pentandionato]-palladium mit Donoren in (2,4-Dioxo-3-pentyl)-(2,4-pentandionato)-(donor)-palladium-Verbindungen:

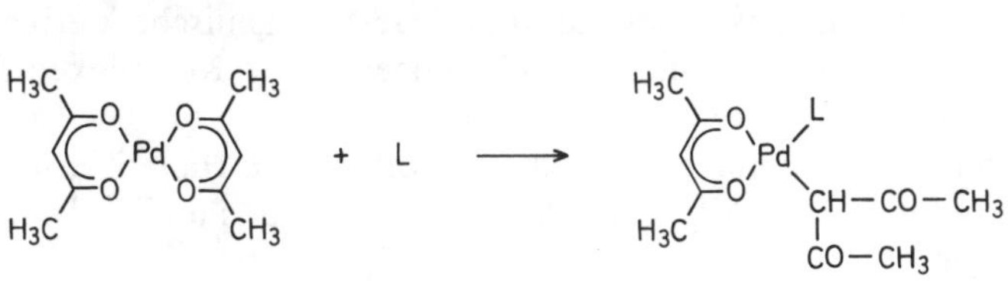

Alkyl-palladium-Verbindungen können auch durch interne Palladierung unter Abspaltung von Halogenwasserstoff erhalten werden:

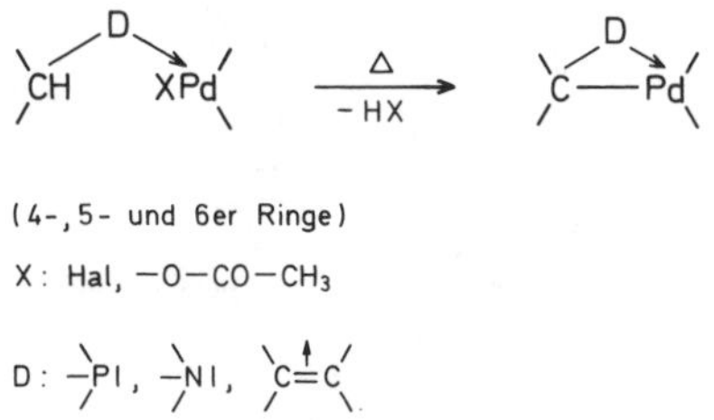

(4-, 5- und 6er Ringe)

X: Hal, $-O-CO-CH_3$

D: $\overset{\diagup}{-P}\diagdown$, $\overset{\diagup}{-N}\diagdown$, $\diagup C\overset{\cdot}{=}C\diagdown$

Bevorzugt entstehen 5er-Ringe aus sterisch günstigen Alkyl- bzw. Alkylaryl-phosphanen und -aminen und Palladium-halogeniden, wobei in situ Donor-palladium-Verbindungen entstehen. Während die oberen drei Reaktionsfolgen nucleophile Substitutionen am Palladium darstellen, können Alkyl-palladium-Verbindungen auch durch Additionsreaktionen an ungesättigte Verbindungen wie Acetylenen und Carbenen an Palladiumhalogenide entstehen. Dabei bilden sich interessante Ausgangsprodukte für die organische Synthese. Gleichzeitig gewähren diese Reaktionen einen Einblick in den Mechanismus der palladium-katalysierten Oligomerisierung von Acetylenen, zum Beispiel:

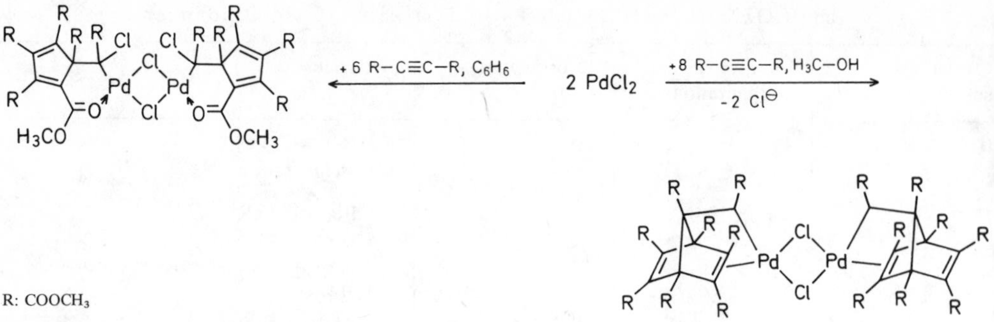

R: COOCH$_3$

Eine Reaktion, die von großer praktischer Bedeutung ist, ist die oxidative Addition von Halogen-alkanen (bevorzugter Reaktionspartner), Alkylquecksilber, ungesättigten Verbindungen oder gespannten Ringen an Palladium(0)-Verbindungen oder hochaktives Palladium-Metall:

$$ \overset{(0)}{PdL_n} \ + \ R-X \ \longrightarrow \ \overset{(II)}{R-PdX(L)_{n-m}} \ + \ mL $$

n: 2,3,4
L: neutrale Donor-Liganden
X: Cl, Br, J

Eine Reaktionsfolge, die synthetisch von großer Bedeutung ist (Wacker-Hoechst-Prozeß der Acetaldehyd-Synthese, die Vinylacetat-Herstellung sowie Herstellung von Ausgangssubstanzen für komplizierte organische Verbindungen) ist die Herstellung von Alkyl-palladium-Verbindungen aus π-Komplexen durch $\pi \rightarrow \sigma$-Umwandlung über die Addition von Nucleophilen.

Ausgangsverbindungen können nicht-chelatisierte sowie chelatisierte η^2-Monoen-palladium-Verbindungen, η^3-Allyl-palladium-Verbindungen und η^4-Dien-palladium-Verbindungen sein.

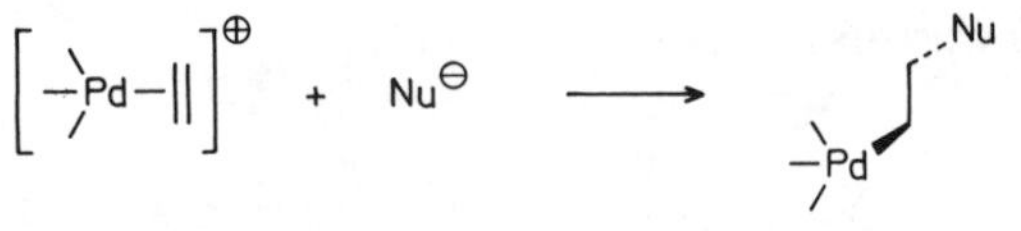

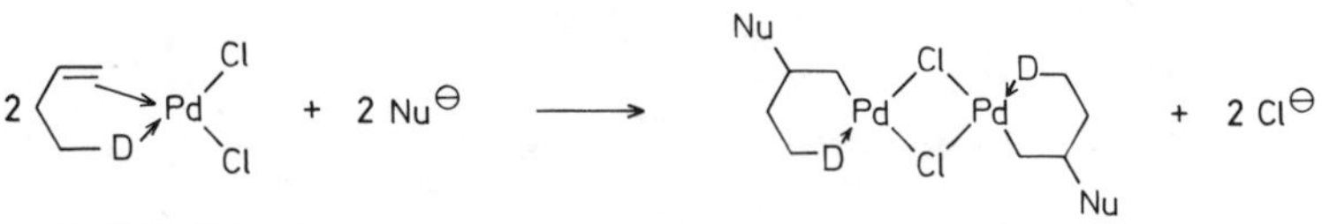

D: N-, P-, S-Donor
Nu: Nucleophil

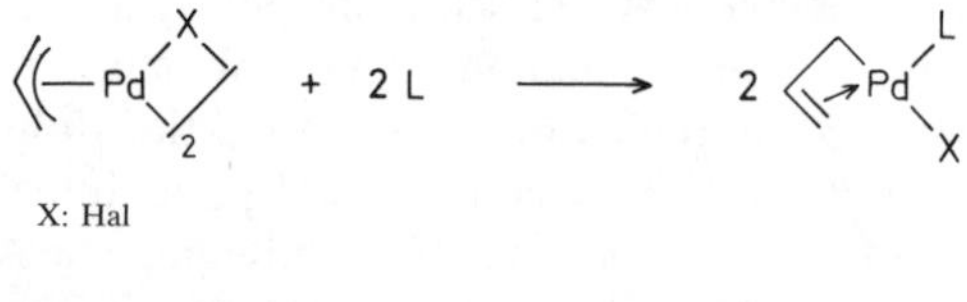

X: Hal

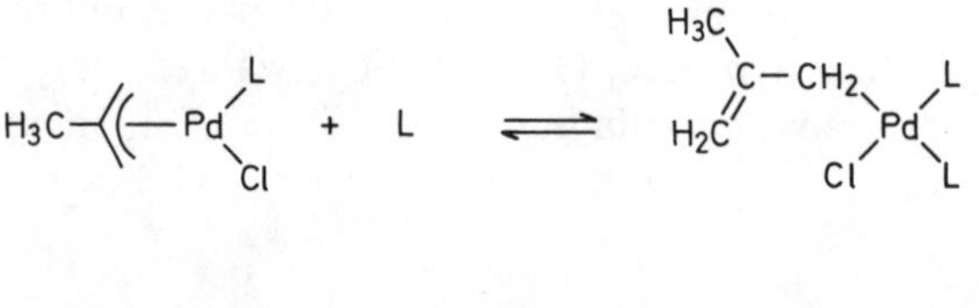

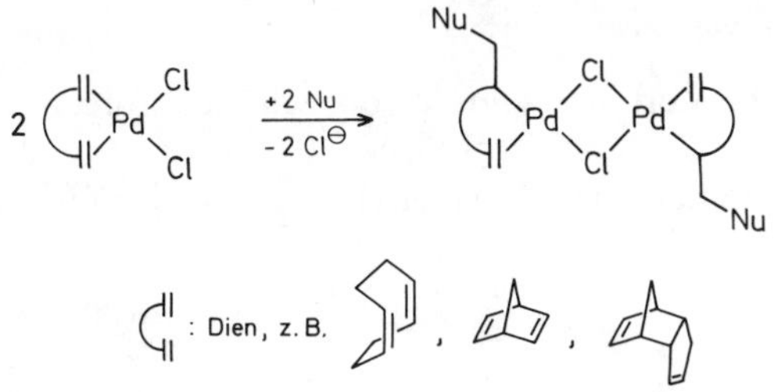

Nu: Nucleophil, z. B.: $RO^{\ominus}$, $HO^{\ominus}$, $R_2CH^{\ominus}$, H_3C–$COO^{\ominus}$, R_2NH, NH_3, $N_3^{\ominus}$, Aryl-HgCl, Ar_2Hg, $Na[(H_5C_6)_4B]$

Ähnlich lassen sich auch σ,π- in σ-Alkyl-palladium-Verbindungen umwandeln. So lagert sich z. B. das σ,π-Bicyclo[2.2.1]heptenyl-palladium-System bei Zugabe von Donoren in das σ-Tricyclo[$2.2.1.0^{2,6}$]hept-3-yl-palladium-System um:

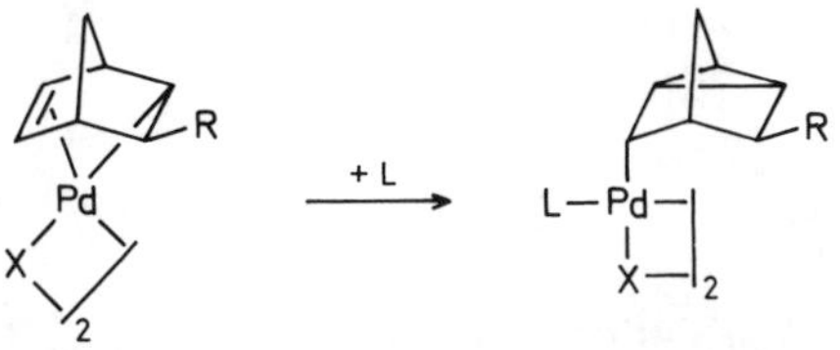

Alkyl-palladium-Verbindungen lassen sich auch aus anderen Alkyl-palladium-Verbindungen herstellen, z. B. durch Reaktionen am σ–C-gebundenen Liganden

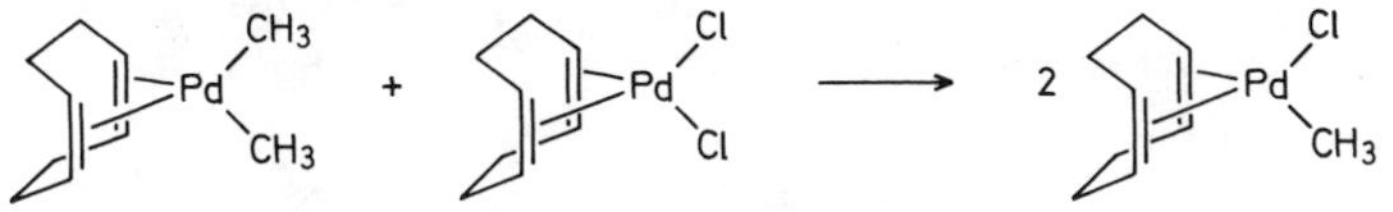

oder durch Spaltung einer C–Pd-Bindung (von mehreren) durch Halogenide, Acylhalogenide und Halogen-alkane:

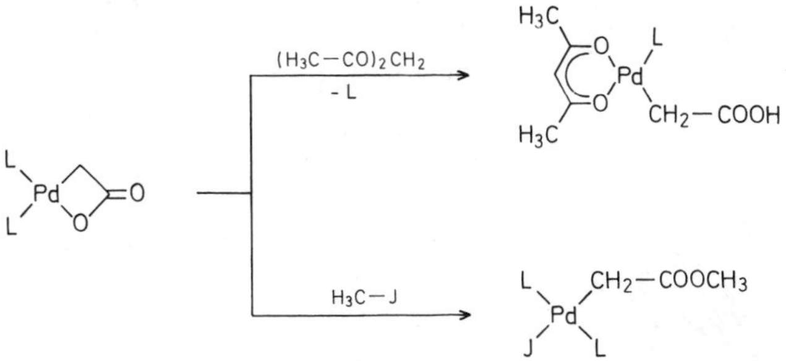

ⓑ Organo-ylid-palladium-Verbindungen

Oxo-, Cyano- bzw. Silyl-stabilisierte Phosphonium-Ylide sowie Oxo-stabilisierte Sulfonium-Ylide reagieren in guten Ausbeuten zu den entsprechenden Organo-ylid-palladium-Verbindungen; z. B.:

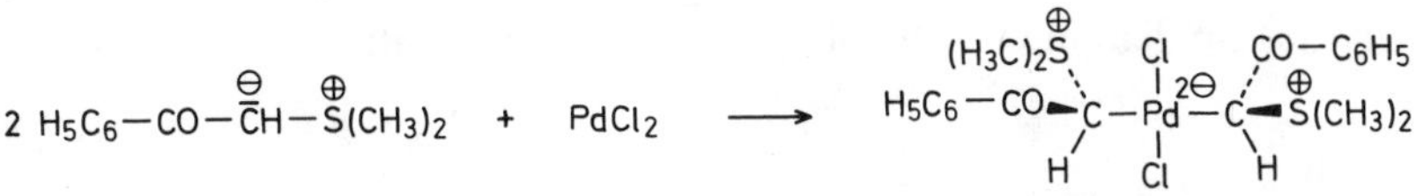

Bis-[1-dimethylthionio-2-oxo-2-phenyl-ethyl]-dichloro-palladium

ⓒ **1-Alkenyl-palladium-Verbindungen**

1-Alkenyl-palladium-Verbindungen lassen sich nach folgenden Methoden herstellen:

Aus Palladiumhalogeniden und 1-Alkenyl-metall-Verbindungen durch nucleophile Substitution:

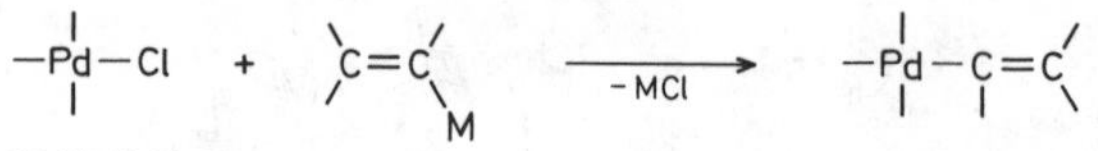

$$-\overset{|}{\underset{|}{Pd}}-Cl \;+\; \overset{}{\underset{}{}}C=C\overset{}{\underset{M}{}} \xrightarrow{-MCl} -\overset{|}{\underset{|}{Pd}}-\overset{|}{\underset{|}{C}}=C\overset{}{\underset{}{}}$$

M: Li, HgCl

Aus Palladiumhalogeniden und ungesättigten Verbindungen durch interne Metallierung, z.B.:

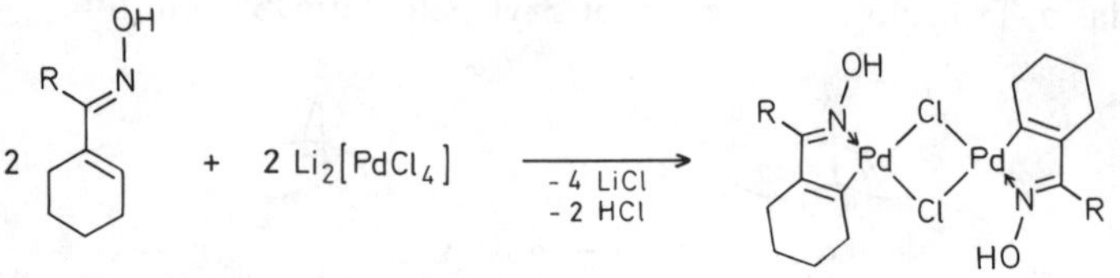

$$2 \quad \text{(Cyclohexenyl-Oxim)} \;+\; 2\,Li_2[PdCl_4] \xrightarrow[-2\,HCl]{-4\,LiCl} \text{(dimerer Pd-Komplex)}$$

1-Alkenyl-palladium-Verbindungen können auch aus Palladium-Verbindungen und ungesättigten Verbindungen (Alkine, Alkene) entstehen:

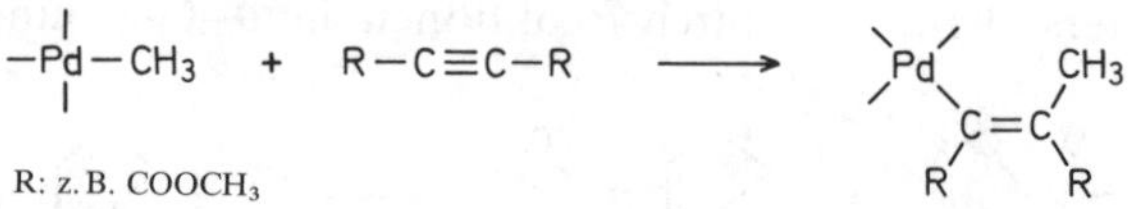

$$-\overset{|}{\underset{|}{Pd}}-CH_3 \;+\; R-C\equiv C-R \longrightarrow \overset{}{\underset{}{}}Pd\overset{CH_3}{\underset{}{}}\;\;C=C\overset{CH_3}{\underset{R}{R}}$$

R: z.B. COOCH₃

$$-\overset{|}{\underset{|}{Pd}}-CH_3 \;+\; \overset{NC}{\underset{NC}{}}C=C\overset{CN}{\underset{CN}{}} \xrightarrow{-H_3C-CN} \overset{}{}Pd\;\;C=C\overset{CN}{\underset{CN}{}}$$

$$\overset{}{}Pd\;\;C=C\overset{}{\underset{}{}} \;+\; R-C\equiv C-R \longrightarrow \overset{}{}Pd\;\;C=C\overset{}{\underset{R}{}}\;\;C=C$$

$$\text{(dimerer Pd-Amin-Chlorid-Komplex)} \;+\; 2\,R-CH=CH_2 \longrightarrow \text{(Pd-Komplex)}$$

$$-\overset{|}{\underset{|}{Pd}}-C\equiv C- \;+\; R-C\equiv C-R \longrightarrow \overset{}{}Pd\;\;C=C\overset{C\equiv C-}{\underset{R}{R}}$$

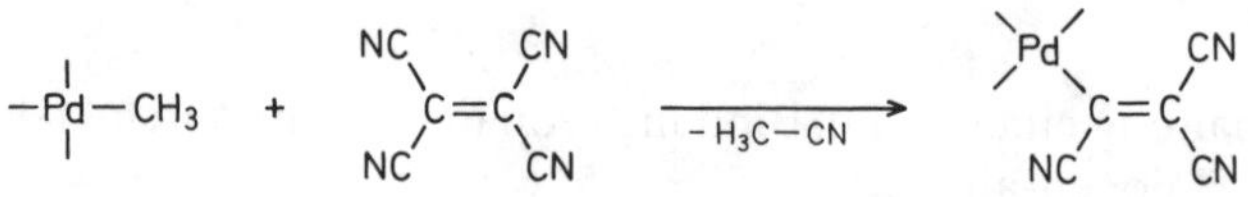

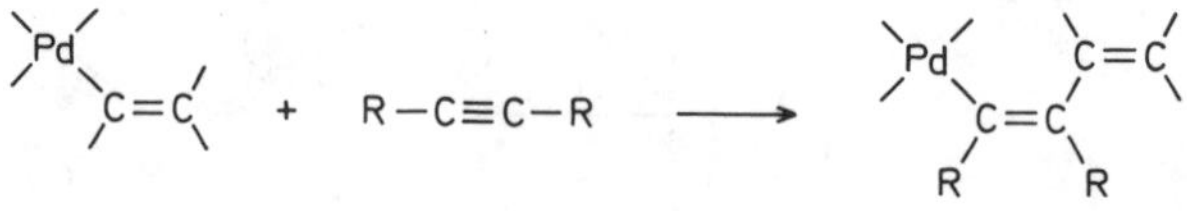

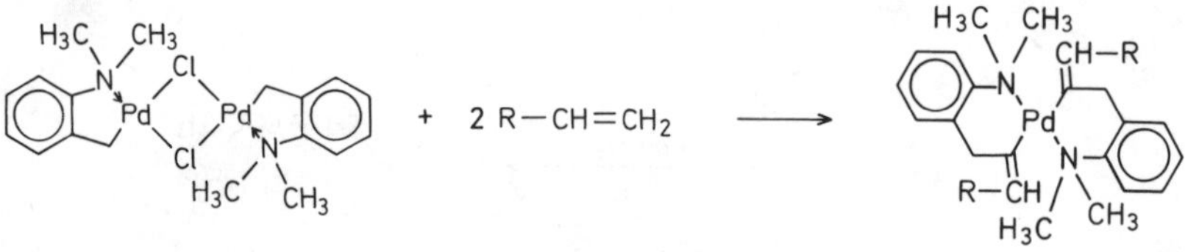

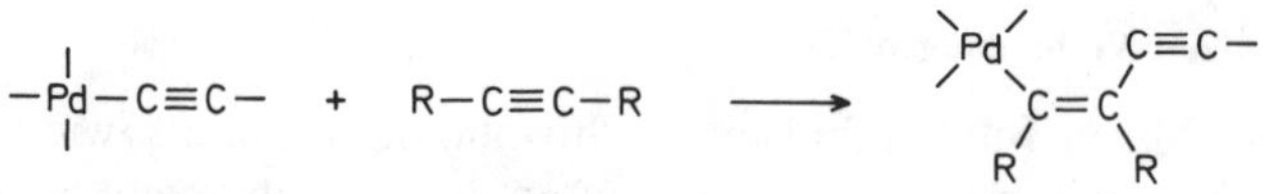

Auch Hydrido-palladium-Verbindungen können eingesetzt werden:

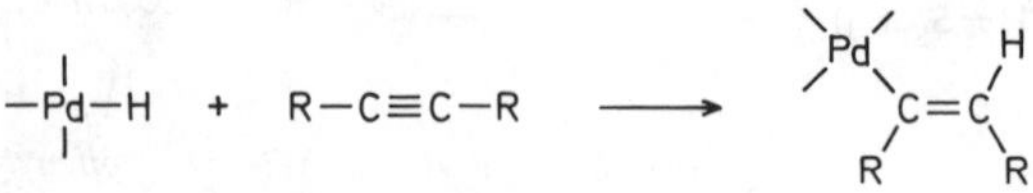

$$-\overset{|}{\underset{|}{Pd}}-H \;+\; R-C\equiv C-R \longrightarrow \overset{}{}Pd\;\;C=C\overset{H}{\underset{R}{R}}$$

bzw. Halogeno-palladium-Verbindungen setzen sich analog um:

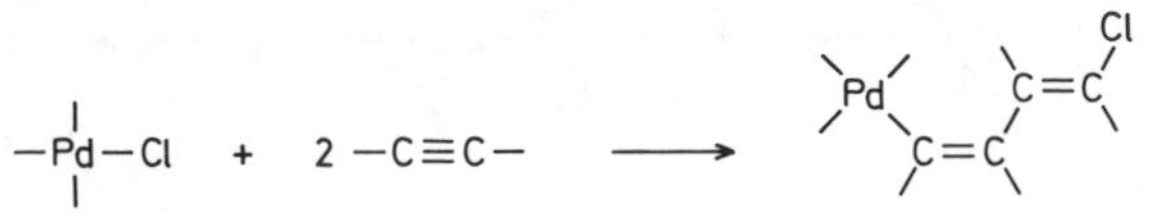

Eine weitere, weniger häufig angewandte Methode ist die oxidative Addition von 1-Halogen-1-alkenen an Palladium(0)-Verbindungen:

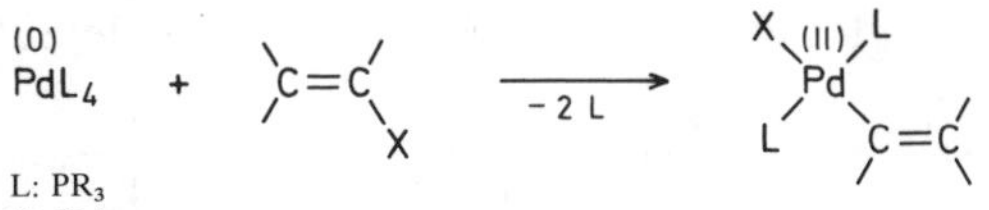

L: PR$_3$
X: Halogen

Auch Umlagerungen zu 1-Alkenyl-palladium-Verbindungen (unter Spaltung einer Pd–C)-Bindung) sind möglich:

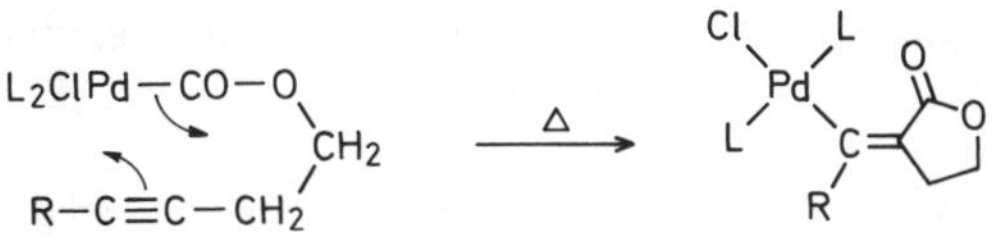

Weitere Methoden sind die $\pi \rightarrow \sigma$-Umwandlung, und zwar durch Addition von Elektrophilen an den π-gebundenen Liganden

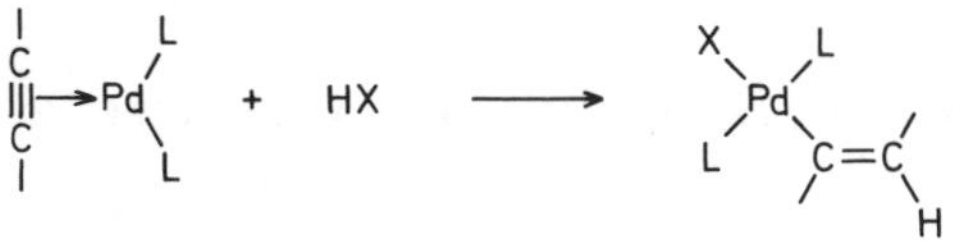

sowie durch Addition von Nucleophilen an das Metall:

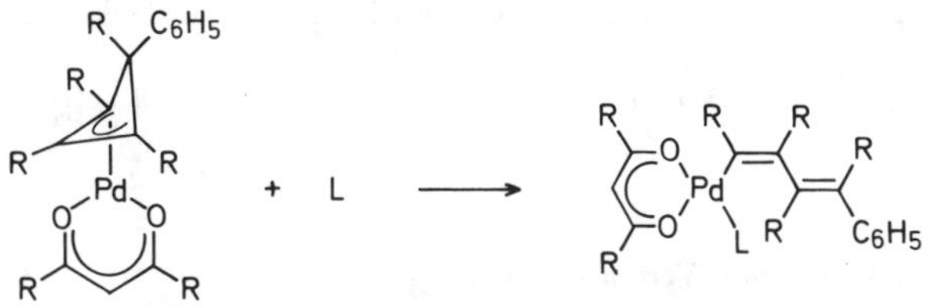

Man erhält 1-Alkenyl-palladium-Verbindungen auch aus anderen σ–C-Palladium-Verbindungen durch Reaktionen am Metall (Ringöffnungsreaktionen von Palladolen), z.B.:

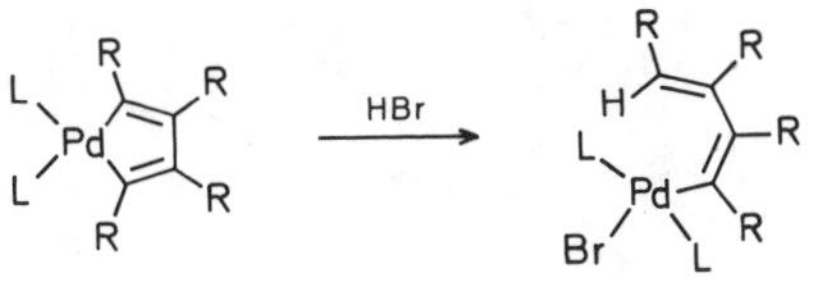

L: (H$_5$C$_6$)$_3$P
R: COOCH$_3$

ⓓ **Palladole**

Von den vielfältigen Möglichkeiten Metallole herzustellen, hat beim Palladium bisher nur eine Methode, die Umsetzung von π-Olefin-palladium-Verbindungen mit Acetylenen, zum Erfolg geführt, z.B.

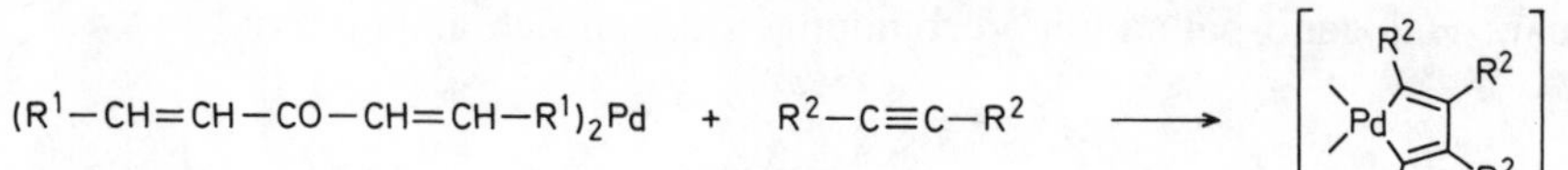

$$(R^1-CH=CH-CO-CH=CH-R^1)_2Pd \ + \ R^2-C\equiv C-R^2 \longrightarrow \left[\begin{array}{c} R^2 \\ Pd \\ \end{array} \begin{array}{c} R^2 \\ R^2 \\ R^2 \end{array} \right]_n$$

R¹: C₆H₅
R²: COOCH₃

(e) **1-Alkinyl-palladium-Verbindungen**

Eine der Hauptmethoden ist die Umsetzung von Halogeno-palladium-Verbindungen mit 1-Alkinyl-metall-Verbindungen durch nucleophile Substitution:

$$-\overset{|}{\underset{|}{Pd}}-X \ + \ M-C\equiv C-R \ \xrightarrow[-MX]{} \ -\overset{|}{\underset{|}{Pd}}-C\equiv C-R$$

X: Cl, Br, J, CN
M: MgX, Na, K, Li, Cu, Pd

Auch die Einführung der C≡C-Dreifachbindung unter intermolekularer Halogenwasserstoff-Abspaltung zwischen Halogeno-palladium-Verbindungen und 1-Alkinen ist bekannt:

$$-\overset{|}{\underset{|}{Pd}}-X \ + \ H-C\equiv C- \ \xrightarrow[-NH_4X]{NH_3,\ -60°} \ -\overset{|}{\underset{|}{Pd}}-C\equiv C-$$

Oxidative Additionsreaktionen von 1-Alkinen oder 1-Halogen-1-alkinen an Palladium(0)-Verbindungen führen zu 1-Alkinyl-palladium-Verbindungen:

$$PdL_4 \ + \ X-C\equiv C-R \ \longrightarrow \ X-\overset{L}{\underset{L}{Pd}}-C\equiv C-R \ + \ 2\,L$$

X: H, Cl, Br
L: PR₃

Eine Verknüpfung mit der C≡C-Dreifachbindung gelingt auch unter Kohlenwasserstoff-Abspaltung aus σ–C-Palladium-Verbindungen und 1-Alkinen:

$$L_2Pd(CH_3)_2 \ + \ 2\,H-C\equiv C-R \ \xrightarrow[-2\,CH_4]{} \ L_2Pd(-C\equiv C-R)_2$$

(f) **Aryl- bzw. Heteroaryl-palladium-Verbindungen**

Eine Standard-Methode ist die Umsetzung von Halogeno-palladium-Verbindungen mit Aryl-metall-Verbindungen:

$$-\overset{|}{\underset{|}{Pd}}-X \ + \ M-Aryl \ \xrightarrow[-MX]{} \ -\overset{|}{\underset{|}{Pd}}-Aryl$$

X: Halogen
Aryl: Aryl, Hetaryl, Quasiaryl
M: z.B. MgX, Li, Hg, Tl, Pd

Aryl-palladium-Verbindungen entstehen auch aus donor-substituierten Aromaten und Palladiumhalogeniden bzw. aus den in situ gebildeten Aryldonor-palladium-halogeniden durch intramolekulare Halogenwasserstoff-Abspaltung (ortho-Palladierung). Derartige Cyclometallierungs-Reaktionen des Palladiums sind mit Stickstoff-, Phosphor-, Schwefel-, Sauerstoff- und Carben-Donoren bekannt. C_{Aryl}-Pd-σ-Bindungen bilden sich durch intramolekulare C–H-Bindungsspaltung mittels eines Palladiumhalogenids oder -acetats unter Palladium-Chelat-Bildung und Halogenwasserstoff- bzw. Essigsäure-Abspaltung:

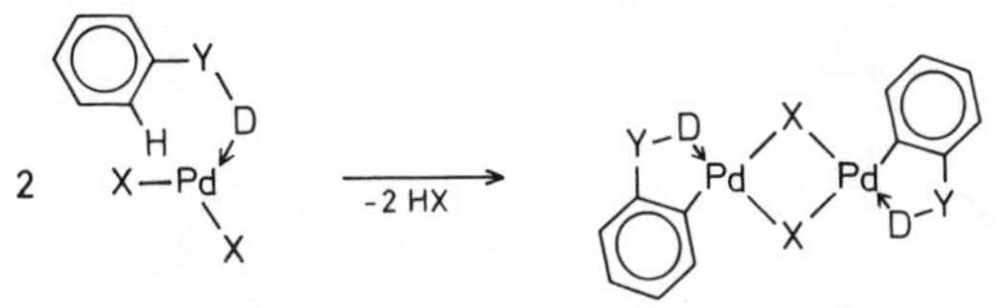

$$X:\ Cl,\ Br,\ O-CO-CH_3$$

$$Y:\ (CH_2)_n,\ (n=0-3),\ -CH=,\ -N=,\ -O-$$

$$D:\ -N=,\ -N\diagdown^{/},\ -P\diagdown^{/},\ =S,\ -S-,\ =O,\ \diagdown Cl$$

Eine weitere Standard-Methode ist die oxidative Addition von Halogenaromaten, Aryl-quecksilber-Verbindungen (unter Quecksilber-Abspaltung) und Benzoylhalogeniden (unter Decarbonylierung) an Palladium(0)-Verbindungen:

$$PdL_4\ +\ Aryl-X\ \xrightarrow{-2\,L}\ X-\underset{L}{\overset{L}{Pd}}-Aryl$$

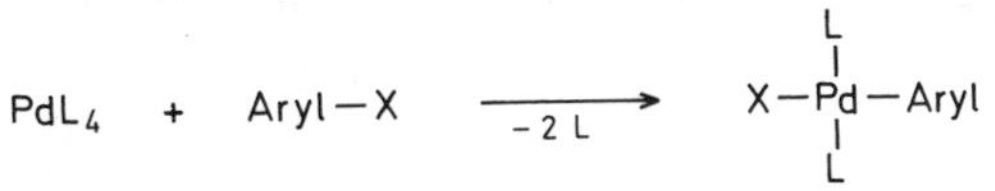

X: Halogen
L: PR₃

(g) **Acyl- bzw. Iminoacyl-palladium-Verbindungen**

Eine Standard-Methode ist die oxidative Addition von Acylhalogeniden bzw. Imidsäurehalogeniden an Palladium(0)-Verbindungen

$$PdL_4\ +\ R-CO-X\ \longrightarrow\ R-CO-\underset{L}{\overset{L}{Pd}}-X\ +\ 2\,L$$

L: PR₃
X: Halogen
R: Alkyl, Acyl, Aryl

oder von Halogen-alkanen, -alkenen bzw. -aromaten an Carbonyl-palladium(0)-Verbindungen:

$$\underset{PdL_3}{\overset{CO}{|}}\ +\ R-X\ \longrightarrow\ R-CO-\underset{L}{\overset{L}{Pd}}-X$$

Eine weitere wichtige Methode ist die formale Insertion von CO (direkte Carbonylierung)

$$R-\underset{L}{\overset{L}{Pd}}-X\ +\ CO\ \longrightarrow\ R-CO-\underset{L}{\overset{L}{Pd}}-X$$

oder von Isocyaniden in σ–C-Palladium-Verbindungen:

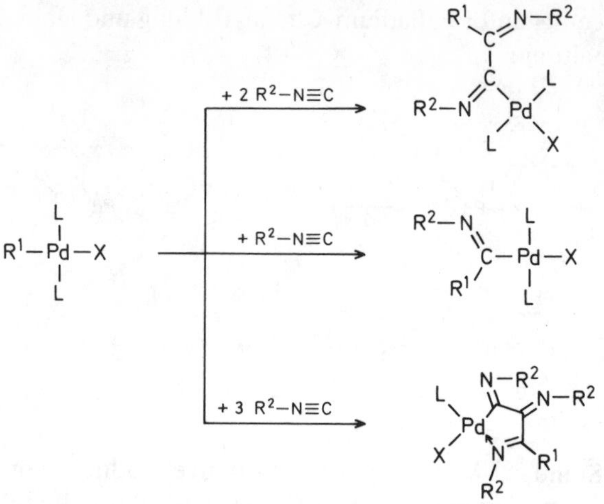

Acyl-palladium-Verbindungen lassen sich auch aus Halogeno-palladium-Verbindungen, Olefinen und Kohlenmonoxid in Gegenwart von tertiären Phosphanen herstellen:

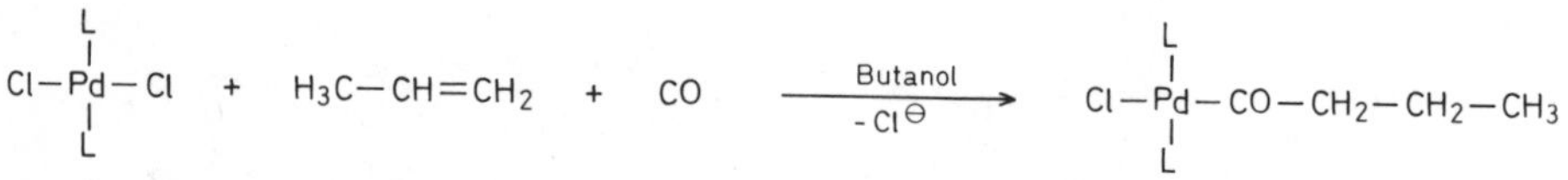

L = R_3P

Über eine Arylierung von σ–C–Pd-gebundenem Isocyanid unter Erhalt von C–Pd lassen sich Iminoacyl-palladium-Verbindungen gewinnen:

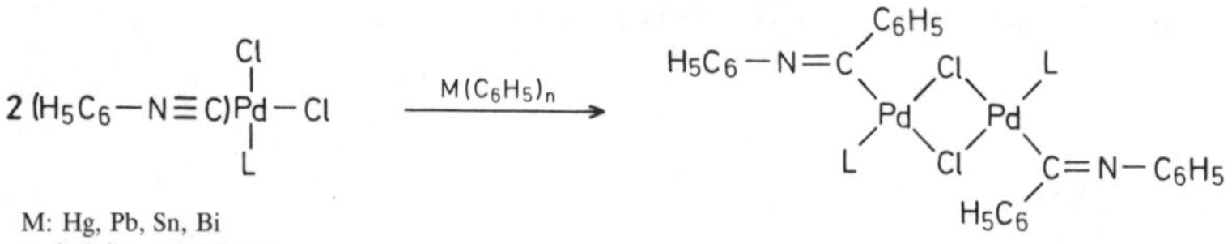

M: Hg, Pb, Sn, Bi
n: 2–4 (je nach Metall)

ⓗ **Alkoxycarbonyl- und Aminocarbonyl-palladium-Verbindungen**

Vier Methoden werden zur Herstellung von Alkoxycarbonyl-palladium-Verbindungen angewendet:

① Nucleophile Addition von Alkoholen an kationische Carbonyl-palladium-Zwischenstufen (aus Halogeno-palladium-Verbindungen, CO und Alkanolaten):

$$PdX_2L_2 \quad + \quad CO \quad + \quad ROH \quad \xrightarrow{+B} \quad PdX(COOR)L_2 \quad + \quad [HB]^{\oplus}X^{\ominus}$$

B: Base
L: tert. Phosphane
X: Cl, Br

② Oxidative Addition von Chlorameisensäure-estern an Palladium(0)-Verbindungen:

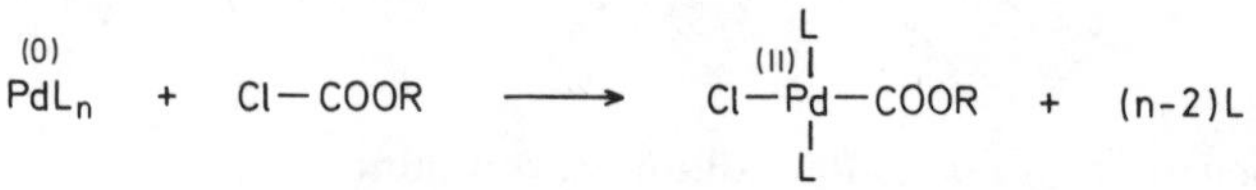

③ Decarbonylierung von Alkoxalyl-palladium-Verbindungen:

$$PdCl(CO-COOR)L_2 \xrightarrow[-CO]{25°} PdCl(COOR)L_2$$

④ Deprotonierung von Amino-alkoxy-carben-palladium-Verbindungen:

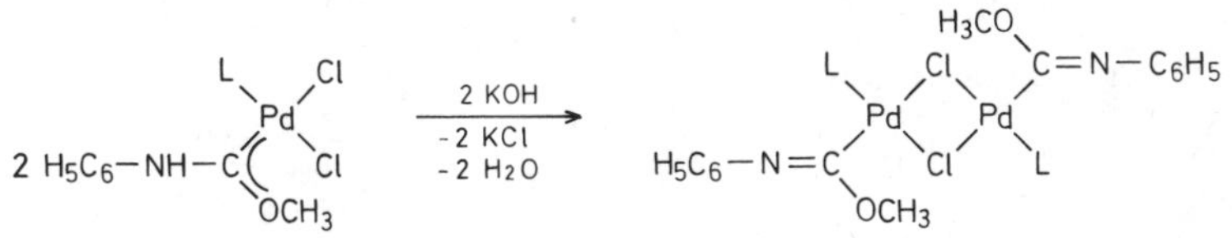

Aminocarbonyl- bzw. (Amino-thiocarbonyl)-palladium-Verbindungen lassen sich wie folgt herstellen:

① Aus Halogeno-palladium-Verbindungen, Kohlenmonoxid und Aminen:

② Aus Palladium(0)-Verbindungen und Chlorameisensäure-amiden bzw. Chlorthioameisensäureamiden durch oxidative Addition:

Die Pd–C-Bindungslängen von verschiedenen σ-Organo-palladium-Verbindungen sind in der folgenden Tabelle zusammengefaßt (ermittelt durch Röntgenstrukturanalyse).

Tab. 2: Pd-C-Bindungslängen von σ-Organo-palladium-Verbindungen

Art der Bindung	Beispiel	Å	Verbindungstyp	Literatur
Pd-sp³–C	Pd–CH–R (R)	2,16		[1]
	Pd–C–OR (CF₃, CF₃)	2,080		[2]
	Pd–CH₂–CO–R	2,051	σ-Alkyl	[3]
	Pd–CH–CO–R (R)	2,068		[4]
		2,074		[4]
		2,086		[5]
		2,036		[6]

[1] E. Forsellini, G. Bombieri, B. Crociani u. T. Boschi, Chem. Commun. 1970, 1203.
[2] A. Modinos u. P. Woodward, Soc. [Dalton] 1974, 2065.
[3] M. Horike et al., J. Organometal. Chem. 86, 269 (1975).
[4] Y.T. Struchkov et al., J. Organometal. Chem. 172, 421 (1979).
[5] M. Green, P. Woodward et al., Soc. [Dalton] 1976, 1890.
[6] E.C. Alyea et al., Am. Soc. 99, 4985 (1977).

Tab. 2 (1. Forts.)

Art der Bindung	Beispiel	Å	Verbindungstyp	Literatur
Pd-sp³-C (Forts.)	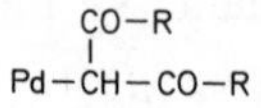 $\underset{\text{Pd}-\text{CH}-\text{CO}-\text{R}}{\overset{\text{CO}-\text{R}}{}}$	2,11	⎫	1
	$\text{Pd}-\text{CH}_2-\text{S}-\text{CH}_3$	2,061	⎪	2
	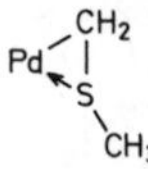 $\underset{\text{S}-\text{CH}_3}{\overset{\text{CH}_2}{\text{Pd}}}$	2,042	⎬ σ-Alkyl	3
	$\text{Pd}-\text{CH}_2-\text{S}-\text{C}_6\text{H}_5$	2,04 bis 2,09	⎭	4
	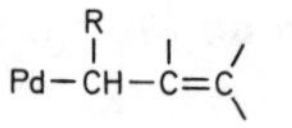 $\underset{\text{Pd}-\text{CH}-\text{C}=\text{C}}{\overset{\text{R}}{}}$	2,02	σ-Allyl	5
	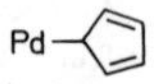 Pd—⬠	2,22	σ-Cyclopentadienyl	6
	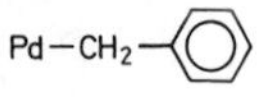 $\text{Pd}-\text{CH}_2-$⬡	2,032	σ-Benzyl	7
Pd-sp²–C	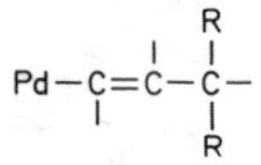 $\underset{\text{R}}{\overset{\text{R}}{\text{Pd}-\text{C}=\text{C}-\text{C}-}}$	2,001 1,985	⎫ σ-Alkenyl ⎬	8 8
	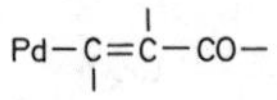 $\text{Pd}-\text{C}=\text{C}-\text{CO}-$	1,942 2,05 2,06	⎫ ⎬ σ-3-Oxo-propenyl ⎭	9 10 10
	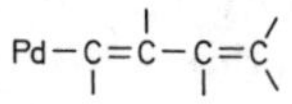 $\text{Pd}-\text{C}=\text{C}-\text{C}=\text{C}$	1,999 1,922 2,06 2,027 2,007 2,016 2,020 1,99	⎫ ⎪ ⎪ ⎬ σ-1,3-Butadienyl ⎪ ⎪ ⎭	11 11 12 13 14 14 14 15
	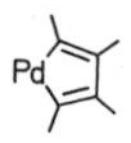 Pd⬠	2,019 2,026	⎫ ⎬ σ-Palladol	16 16

[1] N. Kasai et al., J. Organometal. Chem. 72, 441 (1974).
[2] K. Miki et al., J. Organometal. Chem. 165, 79 (1979).
[3] K. Miki et al., J. Organometal. Chem. 135, 53 (1977).
[4] K. Miki et al., J. Organometal. Chem. 149, 195 (1978).
[5] J. Levisalles et al., Chem. Commun. 1974, 505.
[6] H. Werner, A. Kühn u. C. Burschka, B. 113, 2291 (1980).
[7] G.J. Gainsford u. R. Mason, J. Organometal. Chem. 80, 395 (1974).
[8] D.R. Russell u. P.A. Tucker, Soc. [Dalton] 1975, 1743.
[9] H.C. Clark, C.R.C. Milne u. N.C. Payne, Am. Soc. 100, 1164 (1978).
[10] N. Kasai et al., Bl. chem. Soc. Japan 50, 2888 (1977).
[11] J. Dehand et al., Soc. [Dalton] 1979, 547.
[12] B.E. Mann, P.M. Bailey u. P.M. Maitlis, Am. Soc. 97, 1275 (1975).
[13] E.A. Kelley, P.M. Bailey u. P.M. Maitlis, Chem. Commun. 1977, 289.
[14] P.M. Bailey, S.H. Taylor u. P.M. Maitlis, Am. Soc. 100, 4711 (1978).
[15] D.M. Roe, P.M. Bailey, K. Moseley u. P.M. Maitlis, Chem. Commun. 1972, 1273.
[16] K. Itoh, J.A. Ibers et al., Am. Soc. 98, 8494 (1976).

Tab. 2 (2. Forts.)

Art der Bindung	Beispiel	Å	Verbindungstyp	Literatur
Pd-sp–C	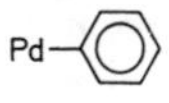 Pd—⬡	1,994 1,981 1,988	} σ-Aryl	1 2 3
	Pd—CO—	1,974 1,95	} σ-Acyl	4 5
	Pd—C≡C—	2,03 2,04 1,952	} σ-Alkinyl	6 6 7

Die folgende Übersicht gibt einige Kenndaten aus IR-Spektren wieder:

Pd—CH$_3$ 1130, 530, 485 cm^{-1} [8]

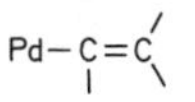

Pd—C=C   1535 bis 1631 cm^{-1} [9-12]

Pd—C≡C—   1950 bis 2125 cm^{-1} [13-16]

Pd—CO—   1630 bis 1720 cm^{-1} [17]

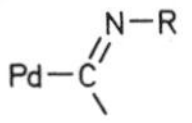

Pd—C(N—R)   1560 bis 1570 cm^{-1} [17]

Charakteristische NMR-Daten, vor allem bei Alkyl-palladium-Verbindungen, sind bei den einzelnen Verbindungen im Abschnitt Alkyl-palladium-Verbindungen S. 715–788 mit angeführt.

[1] D.L. WEAVER, Inorg. Chem. **9**, 2250 (1970).
[2] J. DEHAND et al., Inorg. Chem. **15**, 2675 (1976).
[3] J. ERRINGTON, W.S. McDONALD u. B.L. SHAW, Soc. [Dalton] **1980**, 2312.
[4] R. BARDI et al., Inorg. Chim. Acta **35**, L 345 (1979).
[5] L.S. HEGEDUS et al., Inorg. Chem. **16**, 1887 (1977).
[6] N. KASAI et al., Bl. chem. Soc. Japan **50**, 2888 (1977).
[7] R. NAST u. V. PANK, J. Organometal. Chem. **129**, 265 (1977).
[8] D. MILSTEIN u. J.K. STILLE, Am. Soc. **101**, 4981 (1979).
     Weitere Beispiele s. Alkyl-palladium-Verbindungen S. 715–788.
[9] H.C. CLARK, C.R.C. MILNE u. N.C. PAYNE, Am. Soc. **100**, 1164 (1978).
[10] H.C. CLARK u. C.R.C. MILNE, J. Organometal. Chem. **161**, 51 (1978).
[11] B.F.G. JOHNSON, J. LEWIS et al., Soc. [Dalton] **1974**, 34.
[12] J. BURGESS, R.D.W. KEMMITT u. G.W. LITTLECOTT, J. Organometal. Chem. **56**, 405 (1973).
     Weitere Literatur s. 1-Alkenyl-palladium-Verbindungen S. 789–808.
[13] Y. TOHDA, K. SONOGASHIRA u. N. HAGIHARA, J. Organometal. Chem. **110**, C 53 (1976).
[14] F.G.A. STONE et al., Soc. [A] **1968**, 356.
[15] H. MASAI, K. SONOGASHIRA u. N. HAGIHARA, J. Organometal. Chem. **26**, 271 (1971).
[16] R. NAST, H.P. MÜLLER u. V. PANK, B. **111**, 1627 (1978).
     Weitere Literatur s. 1-Alkinyl-palladium-Verbindungen S. 809–816.
[17] s. Acyl-palladium-Verbindungen; da der Schmelzpunkt der Acyl-palladium-Verbindungen eine sehr wenig charakteristische Eigenschaft darstellt (Verbindung zersetzt sich unter Decarbonylierung), ist die charakteristische ν_{CO}-Bande bei jeder Verbindung mit angegeben.

I. Organo-palladium(0)-Verbindungen

σ-Organo-palladium-Verbindungen der Oxidationsstufe 0 mit der Elektronenkonfiguration $4s^2p^6d^{10}$ und einer vollständig gefüllten d-Schale sind relativ selten. Als einzige σ-Kohlenstoff-Palladium-Verbindungen sind Alkinyl-palladium-Komplexe bekannt. Offensichtlich ist der Alkinyl-Ligand mit sp-hybridisiertem C-Atom und dem hohen s-Charakter der betätigten Bindung ein besserer σ-Donor als andere Organokohlenstoff-Reste. Die einzige Herstellungsmöglichkeit dieser Verbindungsklasse ist die Reduktion der entsprechenden 1-Alkinyl-palladium(II)-Verbindungen. Es handelt sich also nicht um eine Neuknüpfung von σ-C–Pd-Bindungen, sondern um eine Herstellung aus anderen σ-C-Palladium-Verbindungen durch Reaktion am Metall unter Erhalt der Kohlenstoff-Metall-Bindung.

Durch Reduktion Acetylenid-haltiger Lösungen von Kalium-tetracyanopalladat(II) bzw. Palladium(II)-cyanid mit metallischem Kalium in flüssigem Ammoniak werden gelbe, kristalline, pyrophore Kalium-[di-1-alkinyl-palladate(0)] erhalten[1]:

$$K_2[(R-C\equiv C)_2Pd(CN)_2] \quad + \quad 2K \quad \xrightarrow[-2\,KCN]{} \quad K_2[(R-C\equiv C)_2Pd]$$

R: H, CH$_3$, C$_6$H$_5$

Kalium-[diethinyl-palladat(0)][1]: Zu einer Lösung von 0,953 g (6 mmol) Palladium(II)-cyanid in 70 ml flüssigem Ammoniak werden im Ammoniak-Gegenstrom 0,835 g (13 mmol) festes Kalium-acetylenid gegeben und 15 Min. am Sieden gehalten. Die so erhaltene farblose Lösung von Kalium-[dicyano-diethinyl-palladat(II)], die ganz analog auch aus Kalium-[tetracyano-palladat(II)] gewonnen werden kann, wird filtriert und mit einer filtrierten Lösung von 0,430 g (11 mmol) Kalium in 40 ml Ammoniak versetzt. Unter sofortiger Entfärbung der blauen Kalium-Lösung wird augenblicklich ein voluminöser, zitronengelber Niederschlag gebildet. Dieser wird nach einmaligem Aufsieden der Suspension filtriert und unter ständigem Aufwirbeln 6mal mit je 40–50 ml flüssigem Ammoniak gewaschen. Infolge einer merklichen Löslichkeit des Komplexes in Ammoniak ist das Filtrat stets gelblich gefärbt. Die Substanz wird 5–6 Stdn. i. Hochvak. bei 20° getrocknet, wobei sie vor direkter Lichteinwirkung geschützt werden muß; Ausbeute: 50–60% (strohgelbes Pulver).

Auf analoge Weise lassen sich *Kalium-[bis-(propinyl)-palladat(0)]* (50%) und *Kalium-[bis-(phenylethinyl)-palladat(0)]* (50%) herstellen[1].

Die Reduktion von (1,2-Bis-[diphenylphosphano]-ethan)-bis-[phenylethinyl]-palladium mit Kalium in flüssigem Ammoniak führt zur Fällung von reinem *Kalium-[bis-(phenyl-ethinyl)-palladat(0)]*:

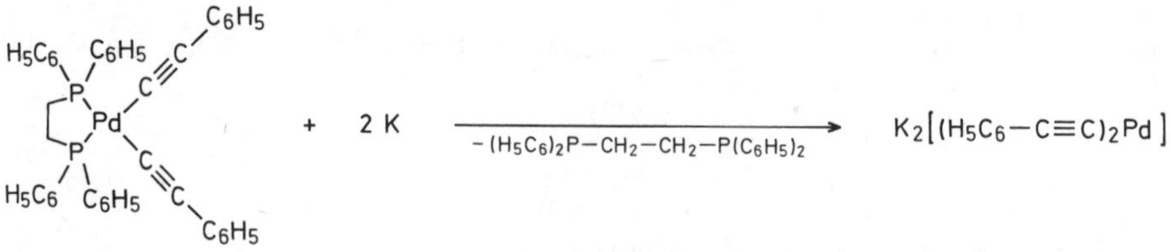

Kalium-[bis-(phenylethinyl)-palladat(0)][2]: Durch Umsetzung einer Lösung von 0,261 g (1,86 mmol) Phenyl-ethinyl-kalium in 60 ml flüssigem Ammoniak mit einer solchen von 0,499 g (0,87 mmol) [1,2-Bis-(diphenylphosphano)-ethan]-dichloropalladium in 40 ml flüssigem Ammoniak wird [1,2-Bis-(diphenylphosphano)-ethan]-bis-[phenyl-ethinyl]-palladium gefällt, abfiltriert, 4mal mit je 15 ml flüssigem Ammoniak gewaschen und dann in 30 ml flüssigem Ammoniak suspendiert. Zur Suspension wird eine filtrierte Lösung von 0,172 g (4,4 mmol) Kalium in 60 ml flüssigem Ammoniak gegeben, wobei der feste Palladium-Komplex teilweise in Lösung geht. Nach

[1] R. Nast u. W. Hörl, B. **95**, 1470 (1962).
[2] R. Nast, H. P. Müller u. V. Pank, B. **111**, 1627 (1978).

10 Min. ist die tiefblaue Lösung dunkelrot geworden, wobei sich orangegelbe Kristalle abzuscheiden beginnen. Nach 1 stdg. Stehenlassen bei −78° wird abfiltriert, die Fällung 3mal mit je 15 *ml* flüssigem Ammoniak gewaschen und 2 Stdn. i. Hochvak. bei 20° getrocknet; Ausbeute: ∼50% (dunkelgelb); IR$\nu_{C\equiv C}$ 2024 cm^{-1}.

II. Organo-palladium(II)-Verbindungen

a) Alkyl-palladium(II)-Verbindungen

1. Aus Palladium-Verbindungen durch Substitution

α) Aus Halogeno- bzw. (2,4-Pentandionato)-palladium-Verbindungen mit Alkyl-metall-Verbindungen (nucleophile Substitution von Halogen bzw. 2,4-Pentandion)

α₁) *mit Alkyl-magnesiumhalogeniden*

Umsetzungen von Palladium(II)-halogenid mit Alkyl-magnesiumhalogeniden führen zu Organo-palladium-Verbindungen, die sich nicht in Substanz isolieren lassen.

Die Addition von Ethyl-magnesiumbromid in Ether zu in Ether suspendiertem Palladium(II)-chlorid ergibt (vermutlich über die Stufe des *Brom-ethyl-palladiums*) rasch Palladium und ein Gas, das 49% Ethen, 49% Ethan und geringe Mengen Propen, Propan, Butan, 1-Buten, 2-Buten, 2-Methyl-propen sowie Pentane und Pentene enthält[1].

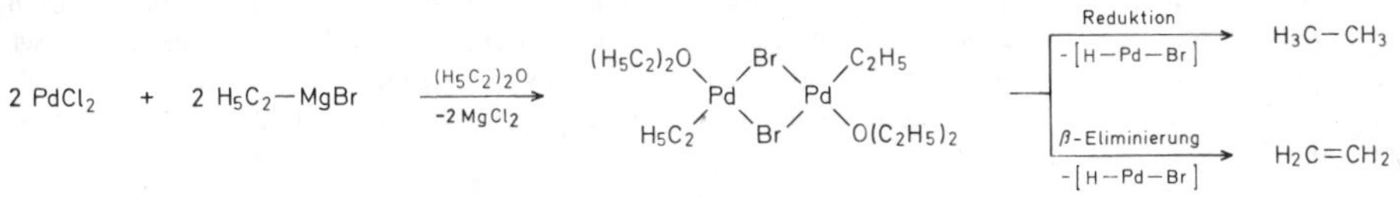

Die Umsetzung von Palladium(II)-chlorid mit Methyl-magnesiumchlorid (im Molverhältnis 1:3) in THF bei −70° unter Stickstoff führt zu *Dimethyl-palladium* (in situ, nicht isoliert), das als Methylierungs-Reagens gegenüber Diphenylethin verwendet wird[2,3]:

$$PdCl_2 \quad + \quad 2 H_3C-MgCl \quad \xrightarrow[-2MgCl_2]{THF} \quad [(H_3C)_2Pd(THF)_n]$$

Relativ stabile Alkyl-palladium-Verbindungen lassen sich dagegen isolieren, wenn man von tert.-Phosphan-substituierten Palladiumhalogeniden ausgeht. Um eine Monoalkylierung durchzuführen, setzt man vorzugsweise die gegenüber den Organo-lithium-Verbindungen weniger reaktiven Grignard-Verbindungen ein:

X = Br, Cl
R¹ = Br, Cl, Aryl
R² = Alkyl

L = z.B. (H₅C₂)₃P, (H₅C₆)₃P, P(OC₆H₅)₃ etc.
L₂ = z.B. (H₅C₆)₂P–CH₂–CH₂–P(C₆H₅)₂

So erhält man in guter Ausbeute aus Dibromo-bis-[triethylphosphan]-palladium mit Methyl-magnesiumbromid *trans-Bromo-methyl-bis-[triethylphosphan]-palladium*:

¹ I. I. Moiseev u. M. N. Vargaftik, Doklady Akad. SSSR **166**, 370 (1966); engl.: 80; C. A. **64**, 11 248 (1966).
² J. R. C. Light u. H. H. Zeiss, J. Organometal. Chem. **21**, 517 (1970).
³ Vergl. auch: N. Garty u. M. Michman, J. Organometal. Chem. **36**, 391 (1972).

$$[(H_5C_2)_3P]_2PdBr_2 \quad + \quad H_3C-MgBr \quad \longrightarrow \quad \underset{\underset{P(C_2H_5)_3}{|}}{\overset{\overset{P(C_2H_5)_3}{|}}{H_3C-Pd-Br}} \quad + \quad MgBr_2$$

trans-Bromo-methyl-bis-[triethylphosphan]-palladium[1]: 10 g (0,02 mol) Dibromo-bis-[triethylphosphan]-palladium in 200 ml Ether werden auf −65° gekühlt und 0,045 mol Methyl-magnesiumbromid in 40 ml Ether unter Rühren innerhalb 30 Min. zugefügt. Die Reaktionsmischung wird 15 Min. bei −65° gerührt und dann 30 Min. ohne Kühlung bis zum Erwärmen auf 20° weiter gerührt. Dabei schlägt die Farbe von gelb nach farblos um. Nach Hydrolyse bei 0° mit 100 ml Wasser wird die Ether-Phase von der filtrierten Mischung abgetrennt, das Lösungsmittel abgezogen und der Rückstand aus Hexan umkristallisiert. Ausbeute: 6,7 g (78%; farblose Kristalle); F.: 73−74°.

Aus *cis*-Dichloro-bis-[triethylphosphan]-palladium und (Trimethylsilyl-methyl)-magnesiumchlorid erhält man analog *trans-Chloro-bis-[triethylphosphan]-(trimethylsilyl-methyl)-palladium* (50%; F: 32−34°)[2]. Ähnlich werden aryl-substituierte Methyl-palladium-Verbindungen hergestellt; z.B.:

$$\underset{F\ (3-\ bzw.\ 4-\ )}{\overset{(H_5C_2)_3P}{\diagdown}\underset{P(C_2H_5)_3}{\diagup}} \quad + \quad H_3C-MgBr \quad \xrightarrow[-MgBr_2]{} \quad \underset{F\ (3-\ bzw.\ 4-\ )}{\overset{(H_5C_2)_3P}{\diagdown}\underset{P(C_2H_5)_3}{\diagup}\overset{CH_3}{\diagup}}$$

trans-(3-Fluor-phenyl)-methyl-bis-[triethylphosphan]-palladium[3]: 1,0 ml einer 2,4 M Methyl-magnesiumbromid-Lösung in Diethylether wird zu einer Lösung von 1,04 g (2,0 mmol) *trans*-Brom-(3-fluor-phenyl)-bis-[triethylphosphan]-palladium in 20 ml Ether und 20 ml Benzol gegeben. Nach 30 Min. Rühren bei 20° wird die Mischung zur Trockne eingeengt. Der Rückstand wird mit Pentan extrahiert und der Extrakt gekühlt, wobei das Produkt auskristallisiert und aus Pentan umkristallisiert wird; Ausbeute: 0,6 g (66%); NMR τ_{CH3}: 10,17 (t, J_{PH}: 5,6 Hz).

Analog erhält man *trans-(4-Fluor-phenyl)-methyl-bis-[triethylphosphan]-palladium* (78%)[3].

Auch mit Benzonitril oder Bicyclo[2.2.1]heptadien stabilisiertes Palladium(II)-chlorid läßt sich mit Methyl-magnesiumbromid in THF bei −60° methylieren. Die Lösungen sind jedoch nur bis −20° unter Stickstoff stabil und werden direkt zur Methylierung von Diphenylethin verwendet[4]. Eine zusätzliche Stabilisierung erreichen Alkyl-palladium-Verbindungen durch gleichzeitige Anwesenheit von (Cyclopentadienyl)- und tert.-Phosphan-Liganden. Die Umsetzung von Bromo-(cyclopentadienyl)-(triphenylphosphan)-palladium mit Grignard-Verbindungen führt in guter Ausbeute zu Alkyl-(cyclopentadienyl)-(triphenylphosphan)-palladium[5]:

$$\underset{(H_5C_6)_3P}{\diagup}Pd-Br \quad + \quad R-MgBr \quad \xrightarrow{\text{Toluol, }(H_5C_2)_2O,\ -78°} \quad \underset{(H_5C_6)_3P}{\diagup}Pd-R \quad + \quad MgBr_2$$

R = CH₃, C₄H₉

---

[1] G. CALVIN u. G.E. COATES, Chem. & Ind. **1958**, 160; Soc. **1960**, 2008.
[2] B. WOZNIAK, J.D. RUDDICK u. G. WILKINSON, Soc. [A] **1971**, 3116.
[3] G.W. PARSHALL, Am. Soc. **96**, 2360 (1974).
[4] N. GARTY u. M. MICHMAN, J. Organometal. Chem. **36**, 391 (1972).
[5] G.K. TURNER u. H. FELKIN, J. Organometal. Chem. **121**, C 29 (1976).

Alkyl-(cyclopentadienyl)-(triphenylphosphan)-palladium; allgemeine Arbeitsvorschrift[1]: Die grüne Toluol-Lösung von Bromo-(cyclopentadienyl)-(triphenylphosphan)-palladium wird bei −78° mit überschüssiger ether. Methyl-magnesiumbromid-Lösung versetzt; innerhalb 15 Min. erhält man eine orange Lösung. Die Lösung wird mit wäßr. Ammoniumchlorid-Lösung hydrolysiert, über Magnesiumsulfat getrocknet, filtriert und die Lösungsmittel i. Vak. abgezogen. Umkristallisieren aus Toluol/Pentan bei −30° ergibt *(Cyclopentadienyl)-methyl-(triphenylphosphan)-palladium* (70%; F: 130–132°, Zers.). Analog erhält man mit Butyl-magnesiumbromid *Butyl-(cyclopentadienyl)-(triphenylphosphan)-palladium*.

Die Addition starker Nucleophile wie Triphenylphosphan, 1,2-Bis-[diphenylphosphano]-ethan bzw. Triphenylphosphit zu einer gekühlten Mischung (−70°) von Bis-[benzonitril]-dichloro-palladium und Methyl-magnesiumbromid (bzw. -chlorid) liefert die entsprechenden Dimethyl-palladium-Verbindungen in guten Ausbeuten:

$$(H_5C_6\!-\!CN)_2PdCl_2 \quad \xrightarrow[-2\,MgBrCl]{\substack{+2\,H_3C\!-\!MgBr \\ THF,\,-70°}} \quad (H_5C_6\!-\!CN)_2Pd(CH_3)_2 \quad \xrightarrow{2\,L} \quad L_2Pd(CH_3)_2$$

[1,2-Bis-(diphenylphosphano)-ethan]-dimethyl-palladium[2]: Zu 0,76 g (2 mmol) Bis-[benzonitril]-dichloropalladium in 60 *ml* THF bei −70° (Stickstoffatmosphäre) werden 15 mmol Methyl-magnesiumchlorid in 15 *ml* THF gegeben. Nach 2 Stdn. Rühren werden 1,4 g (3 mmol) 1,2-Bis-[diphenylphosphano]-ethan in 50 *ml* THF zugefügt und weitere 3 Stdn. gerührt, wobei die Mischung farblos wird. Die Mischung wird auf 20° gebracht und angesäuertes Eiswasser (p$_H$: 5–6) zugefügt. Das Produkt wird mit Ether extrahiert, getrocknet und der Ether abgezogen. Der Rückstand kristallisiert bei Zusatz einiger Tropfen Aceton; Ausbeute: 0,41 g (60%); F: 163°.

Analog erhält man *Dimethyl-bis-[triphenoxyphosphan]-palladium* (60%; F: 96°, Zers.) und *Dimethyl-bis-[triphenylphosphan]-palladium* (40%; F: 128°, Zers.)[2].

Die Umsetzung von 1,2-Bis-[bromomagnesio-methyl]-1,2-dicarbaclosododecaboran mit Dichloro-bis-[triphenylphosphan]-palladium liefert *2,2-Bis-[triphenylphosphan]-1,3-dihydro-2H-〈palladolo-1,2-dicarbaclosododecaboran〉* (30%)[3]:

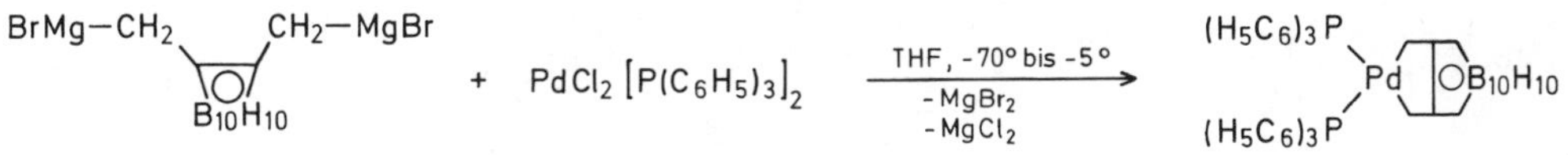

α₂) mit Alkyl-lithium

Die Umsetzung von Halogeno-palladium-Verbindungen mit Alkyl-lithium wird vor allem dann angewandt, wenn sämtliche Halogene durch Alkyl-Gruppen substituiert werden sollen:

$$L_2PdX_2 \quad + \quad 2\,R\!-\!Li \quad \longrightarrow \quad L_2PdR_2 \quad + \quad 2\,LiX$$

X = Cl, Br
L bzw. L$_2$ = z.B. tert.-Phosphane, tert.-Arsane, 2,2′-Bipyridyl, 1,2-Bis-[alkylthio]-ethan, Dien, Benzonitril

Am besten untersucht sind Bis-tert.-phosphan- und 2,2′-Bipyridyl-substituierte Dialkyl-palladium-Verbindungen. Zwei typische Herstellungsverfahren werden im folgenden wiedergegeben.

---

[1] G. K. TURNER u. H. FELKIN, J. Organometal. Chem. **121**, C 29 (1976).
[2] N. GARTY u. M. MICHMAN, J. Organometal. Chem. **36**, 391 (1972).
[3] L. I. ZAKHARKIN u. N. F. SHEMYAKIN, Izv. Akad. SSSR **1981**, 1856; Chem. Inform 8203–225.

Dimethyl-bis-[triethylphosphan]-palladium[1]: 10,0 g (0,02 mol) Dibromo-bis-[triethylphosphan]-palladium in 200 ml abs. Ether werden mit einer Spur Triethylphosphan versetzt und zu der auf −60° gekühlten Mischung 0,045 mol Methyl-lithium in 38 ml Ether innerhalb 15 Min. zugefügt. Es wird weitere 15 Min. gerührt, wobei man die Reaktionsmischung auf 20° kommen läßt. Nach Hydrolyse bei 0° engt man die ether. Phase zur Trockne ein und kristallisiert aus Hexan um; Ausbeute: 7,4 g (90%); F.: 47−49°.

Bis-[cyanmethyl]-bis-[triphenylphosphan]-palladium[2]: In einem 500-ml-Dreihalskolben, versehen mit Argon-Zuleitung und Wilke-Rührer, werden 150 ml THF auf −70° gekühlt und dazu 22 ml (44 mmol) einer 2 M Lösung von Butyl-lithium in Hexan gegeben. Nach 10 Min. wird unter starkem Rühren 2,6 ml (49,5 mmol) Acetonitril zugesetzt, es bildet sich eine milchige Suspension von Cyanmethyl-lithium, in die nach 30 Min. 11,2 g (16 mmol) Dichloro-bis-[triphenylphosphan]-palladium anaerob eingebracht werden. Danach wird 1 Stde. bei −70° gerührt und innerhalb 2 Stdn. auf ~0° aufgewärmt. Unter kräftigem Rühren werden 20 ml 20%ige Natriumchlorid-Lösung zugegeben, dann wird die obere, bräunlichgelbe THF-Phase abdekantiert und anaerob über Natriumsulfat getrocknet. Beim Abkühlen auf −70° scheiden sich wenige gelbe Kristalle aus, die abfiltriert werden. Das Filtrat wird zur Trockne eingedampft und der Rückstand mehrfach mit Ether digeriert; Rohausbeute 8,1 g (72%). Man reinigt durch Extraktion auf der Fritte mit siedendem Benzol; F: 172° (Zers.).

Andere Dialkyl-bis-[donor]-palladium-Verbindungen werden nach analogen Verfahren hergestellt. Tab. 3 (S. 719) gibt eine Übersicht über Verbindungen dieses Typs.

In einigen Fällen ist es günstiger, Ligandenaustausch-Reaktionen vorzunehmen (s. S. 782).

Die ligandfreie Verbindung *Bis-[cyanmethyl]-palladium* (70%) ist durch Umsetzung von Bis-[cyanmethyl]-(1,2-bis-[diphenylphosphano]-ethan)-palladium mit Palladium-(II)-chlorid in Acetonitril zugänglich[2]:

$$[(H_5C_6)_2P-CH_2-CH_2-P(C_6H_5)_2]Pd(CH_2-CN)_2 \xrightarrow[-[(H_5C_6)_2P-CH_2-CH_2-P(C_6H_5)_2]PdCl_2]{PdCl_2} Pd(CH_2-CN)_2$$

Unter Insertion zu *(1-Chlor-ethyl)-chloro-(1,2-bis-[diphenylphosphano]-ethan)-palladium* (~100%) verläuft die Umsetzung von (1,2-Bis-[diphenylphosphano]-ethan)-chloro-methyl-palladium mit Dichlormethyl-lithium in Ether bei −110°[3]:

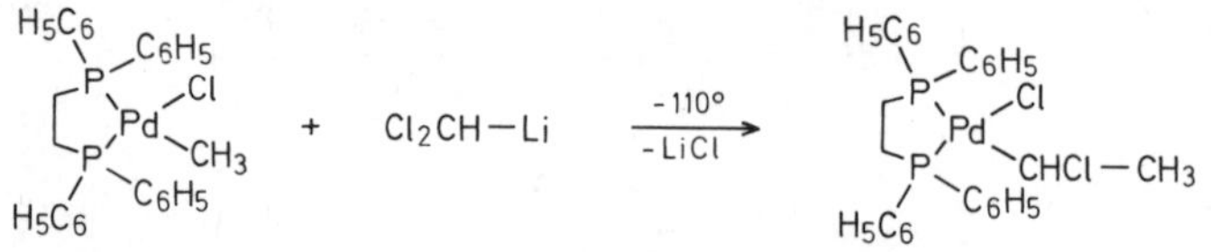

Durch Umsetzung von *trans*-Chloro-(phenylethinyl)-bis-[triethylphosphan]-palladium mit Butyl-lithium kann in Lösung bei −78° *trans-Butyl-(phenylethinyl)-bis-[triethylphosphan]-palladium* hergestellt und direkt für weitere Umsetzungen verwendet werden[4].

Auch verbrückte Palladiumhalogenide lassen sich mit Alkyl-lithium zu den entsprechenden Alkyl-palladium-Verbindungen umsetzen. So erhält man aus Bis-μ-[ethylthio]-dichloro-bis-[tributylphosphan]-dipalladium mit Methyl-lithium *Bis-μ-[ethylthio]-bis-[methyl-tributylphosphan-palladium]* (84%; F: 51−53°)[1]:

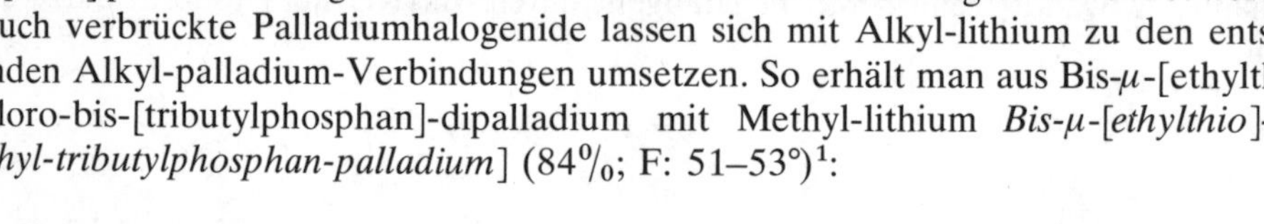

---

[1] G. Calvin u. G. E. Coates, Soc. **1960**, 2008.

[2] G. Öhme, K. C. Röber u. H. Pracejus, J. Organometal. Chem. **105**, 127 (1976).

[3] P. W. N. M. van Leeuwen, C. F. Roobeek u. R. Huis, J. Organometal. Chem. **142**, 243 (1977).

[4] Y. Tohda, K. Sonogashira u. N. Hagihara, J. Organometal. Chem. **110**, C 53 (1976).

Tab. 3: Dialkyl-palladium-Verbindungen des Typs L_2PdR_2 nach der Lithium-Methode

L_2PdX_2	R-Li	L_2PdR_2	Ausbeute [%]	F [°C]	Literatur
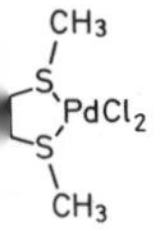	H_3C–Li	*(1,2-Bis-[methylthio]-ethan)-dimethyl-palladium*		75	1
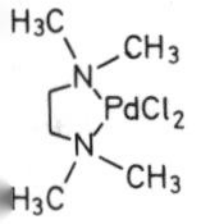	NC–CH_2–Li	*Bis-[cyanmethyl]-(1,2-bis-[dimethylamino]-ethan) palladium*	14	148–150	2
	Li–$(CH_2)_4$–Li	*1,1-(1,2-Bis-[dimethylamino]-ethan)-palladolan*	50	80–90	3
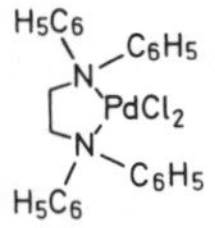	Li–$(CH_2)_4$–Li	*1,1-(1,2-Bis-[diphenylamino]-ethan)-palladolan*	40	162–165	4,3
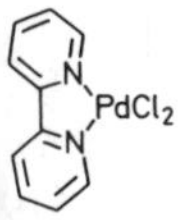	NC–CH_2–Li	*(2,2'-Bipyridyl)-bis-[cyan-methyl]-palladium*	50	233	2
	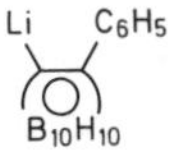	*5,5-(2,2'-Bipyridyl)-5H-⟨1-benzopalladolo-1,2-di-carbadodecacarboran⟩* 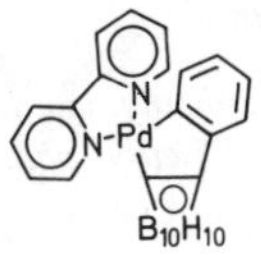	25	190	5
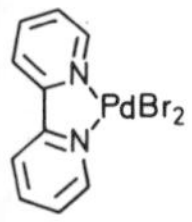	H_3C–Li	*(2,2-Bipyridyl)-dimethyl-palladium*	57	155	1
	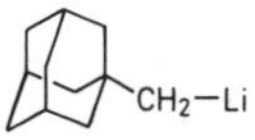	*Bis-[1-adamantylmethyl]-(2,2'-bipyridyl)-palla-dium*	47	160	6
$[(H_5C_6O)_3P]_2PdCl_2$	H_3C–Li	*Dimethyl-bis-[triphenoxy-phosphan]-palladium*	in situ		7
$[(H_5C_2)_3P]_2PdCl_2$	H_3C–Li	*Dimethyl-bis-[triethyl-phosphan]-palladium*	90	47–49	1,8
	$(H_3C)_3C$–CH_2–Li	*Bis-[2,2-dimethyl-propyl]-bis-[triethylphosphan]-palladium*	in situ		9
	$(H_3C)_3Si$–CH_2–Li	*Bis-[triethylphosphan]-bis-[trimethylsilyl-methyl]-palladium*	64	60–62	9

[1] G. CALVIN u. G. E. COATES, Soc. **1960**, 2008.
[2] G. ÖHME, K. C. RÖBER u. H. PRACEJUS, J. Organometal. Chem. **105**, 127 (1976).
[3] P. DIVERSI et al., Soc. [Dalton] **1980**, 1633.
[4] P. DIVERSI, G. INGROSSO u. A. LUCHERINI, Chem. Commun. **1978**, 735.
[5] L. I. ZAKHARKIN u. A. I. KOVREDOV, Ž. obšč. Chim. **44**, 1832 (1974); engl.: 1796.
[6] M. BOCHMANN, G. WILKINSON u. G. B. YOUNG, Soc. [Dalton] **1980**, 1879.
[7] N. GARTY u. M. MICHMAN, J. Organometal. Chem. **36**, 391 (1972).
[8] G. CALVIN u. G. E. COATES, Chem. & Ind. **1958**, 160.
[9] B. WOZNIAK, J. D. RUDDICK u. G. WILKINSON, Soc. [A] **1971**, 3116.

Tab. 3 (1. Forts.)

L_2PdX_2	R–Li	L_2PdR_2	Ausbeute [%]	F [°C]	Lite-ratur
$[(H_5C_2)_3P]_2PdCl_2$	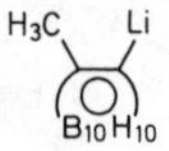 H₃C / Li ($B_{10}H_{10}$)	(2-Diethylphosphano-ethyl)-(2-methyl-1,2-dicarbacloso-dodecaboran-1-yl)-(triethyl-phosphan)-palladium	25	110–113	1
	 Li Li ($B_{10}H_{10}$)	(1,2-Dicarbadodecaboran-1,2-diyl)-bis-[triphenyl-phosphan]-palladium	25	155	2
$[(H_5C_6)_3P]_2PdCl_2$	H₃C–Li	Dimethyl-bis-[triphenyl-phosphan]-palladium	66	197–198	3,4
	NC–CH₂–Li	Bis-[cyanmethyl]-bis-[tri-phenylphosphan]-palladium	94	172	5
(H₅C₆)(C₆H₅)P–CH₂–CH₂–P(C₆H₅)(H₅C₆)·PdCl₂	H₃C–Li	(1,2-Bis-[diphenylphosphano]-ethan)-dimethyl-palladium	75	166–168	3
	NC–CH₂–Li	Bis-[cyanmethyl]-(1,2-bis-[diphenylphosphano]-ethan)-palladium	88	209–215	5
	Cl₂CH–Li	Chloro-(dichlormethyl)-(1,2-bis-[diphenylphosphano]-ethan)-palladium	100		6
$[(H_5C_2)_3As]_2PdBr_2$	H₃C–Li	Dimethyl-bis-[triethylarsan]-palladium		49	3
(H₃C)(CH₃)As–C₆H₄–As(CH₃)(H₃C)·PdBr₂	H₃C–Li	(1,2-Bis-[dimethylarsano]-benzol)-dimethyl-palladium		105	3
$(H_5C_6–CN)_2PdCl_2$	H₃C–Li	Bis-[benzonitril]-dimethyl-palladium	in situ		7
 (1,5-Cyclooctadien)PdCl₂	H₃C–Li	$(\eta^4$-1,5-Cyclooctadien)-dimethyl-palladium	in situ		3
	Li[(H₃C)₂Cu]		93	92	8
	H₅C₆–SO₂–CH₂–Li(Na)	Chloro-$(\eta^4$-1,5-cyclooctadien)-(phenylsulfonyl-methyl)-palladium	65[a]		9
		$(\eta^4$-1,5-Cyclooctadien)-bis-[phenylsulfonyl-methyl]-palladium	90[b]		9
(bicyclo[2.2.1]heptadien)PdCl₂	H₃C–Li	Dimethyl-$(\eta^4$-bicyclo[2.2.1]heptadien)-palladium	in situ		7

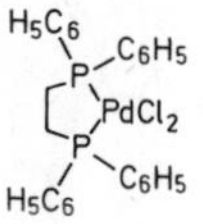

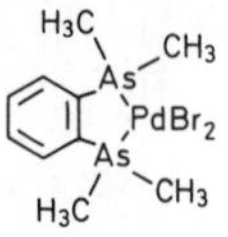

[a] Molverhältnis 1 : 1
[b] Molverhältnis 1 : 2

[1] S. Bresadola et al., Inorg. Chem. 12, 2788 (1973).
[2] L. I. Zakharkin u. A. I. Kovredov, Doklady Akad. SSSR 1975, 2619; engl.: 2512; C. A. 84, 105732 (1976).
[3] G. Calvin u. G. E. Coates, Soc. 1960, 2008.
[4] D. Milstein u. J. K. Stille, Am. Soc. 101, 4981 (1979).
[5] G. Öhme, K. C. Röber u. H. Pracejus, J. Organometal. Chem. 105, 127 (1976).
[6] P. W. N. M. van Leeuwen, C. F. Roobeek u. R. Huis, J. Organometal. Chem. 142, 243 (1977).
[7] N. Garty u. M. Michman, J. Organometal. Chem. 36, 391 (1972).
[8] M. Rudler-Chauvin u. H. Rudler, J. Organometal. Chem. 134, 115 (1977).
[9] M. Julia u. L. Saussine, Tetrahedron Letters 1974, 3443.

Bei der Umsetzung von Bis-[η-allyl]-di-μ-chloro-dipalladium mit Bis-[diphenylphosphano]-methyl-lithium erhält man *Bis-[η-allyl]-bis-μ-[bis-(diphenylphosphano)-methyl]-dipalladium* (60%; F: 178–181°)[1]:

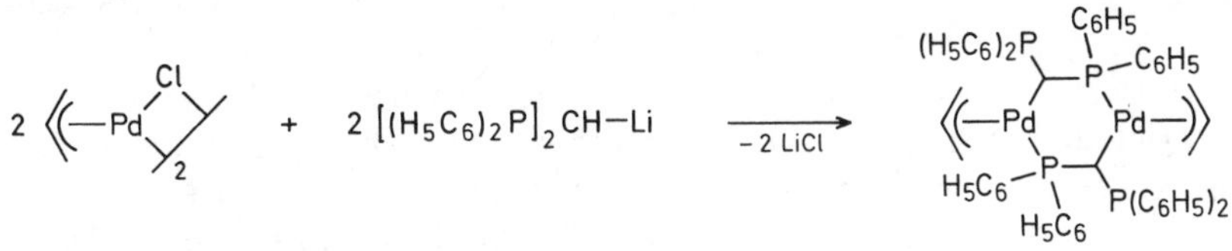

Chelatisierte Donor-alkyl-palladium-Verbindungen lassen sich ebenfalls nach der Lithium-Methode herstellen.

Eine Palladium-Cluster-Verbindung mit zweizähnigen Liganden erhält man bei der Umsetzung von Bis-[benzonitril]-dichloro-palladium mit Phenylthiomethyl-lithium[2].

$$4(H_5C_6-CN)_2PdCl_2 + 8H_5C_6-S-CH_2-Li \xrightarrow[-8LiCl]{} [(H_5C_6-S-CH_2)_2Pd]_4$$

Bis-[phenylthiomethyl]-palladium(II)-Tetramer[2]: Zu 20 *ml* einer abs. benzolischen Lösung von Bis-[benzonitril]-dichloro-palladium (3,94 mmol), gekühlt auf 0°, wird Phenylthiomethyl-lithium (15,74 mmol in 15 *ml* abs. THF) tropfenweise zugefügt. Nach 4 Stdn. Rühren bei 0° wird die Mischung mit einer ges. wäßr. Lösung von Ammoniumchlorid hydrolyisert. Die organ. Schicht wird über Magnesiumsulfat bei tiefer Temp. getrocknet. Nach Abziehen des Lösungsmittels i. Vak. bleibt ein gelbes Öl zurück, das in einem Minimum an Dichlormethan aufgelöst wird und anschließend mit Hexan versetzt wird. Dabei fällt eine gelbe Festsubstanz aus, die aus Dichlormethan/Diethylether umkristallisiert wird; Ausbeute: 1,27 g (74%); F: 164° (Zers.).

Auch Dien-substituierte Palladiumhalogenide lassen sich in hohen Ausbeuten mit Lithium-(dimethyl-cuprat) methylieren:

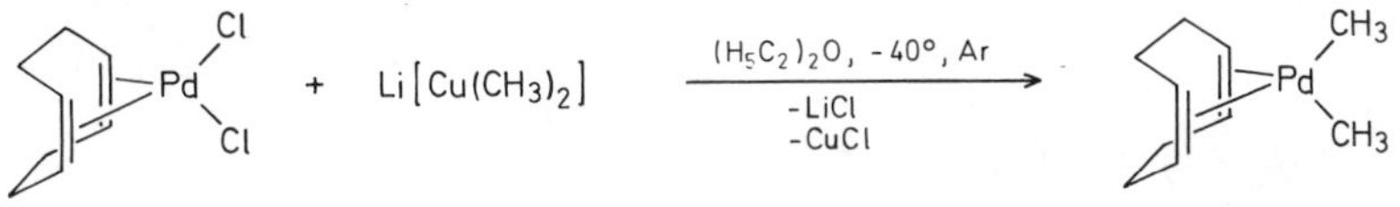

(η^4-1,5-Cyclooctadien)-dimethyl-palladium[3]: 1 g Dichloro-(η^4-1,5-cyclooctadien)-palladium in 20 *ml* abs. Diethylether unter Argon wird bei –40° unter Rühren mit Lithium-(dimethyl-cuprat) (2 Äquivalente) in Ether versetzt. Nach 2 Stdn. Rühren bei –40° unter Argon läßt man langsam auf 0° kommen und fügt unter Rühren eine gesättigte Kaliumcyanid-Lösung zu. Die etherische Schicht wird abgetrennt und Ether i. Vak. bei 20° abgezogen; Ausbeute: 0,800 g (93%); F: 92° (aus Ether bei –40°).

α_3) mit Alkyl-natrium bzw. -kalium

Die Herstellung von Alkyl-palladium-Verbindungen mit Alkyl-natrium bzw. -kalium ist weniger gebräuchlich als die Umsetzung mit Alkyl-lithium bzw. Grignard-Verbindungen. Es sind jedoch auch einige Umsetzungen mit Alkyl-natrium und -kalium bekannt. Die Reaktion von Dichloro-bis-[triphenylphosphan]-palladium mit Dicyanmethyl-natrium liefert *(Dicyanmethyl)-(1,3-dimethoxy-propan-1,3-bis-imidato)-(triphenylphosphan)-palladium*[4]:

[1] K. Issleib, H.P. Abicht u. H. Winkelmann, Z. anorg. Ch. **388**, 89 (1972).
[2] K. Miki, G. Yoshida et al., J. Organometal. Chem. **149**, 195 (1978); mit Röntgenstruktur.
[3] M. Rudler-Chauvin u. H. Rudler, J. Organometal. Chem. **134**, 115 (1977).
[4] K. Suzuki u. S. Nakamura, Inorg. Chim. Acta **25**, L 21 (1977).

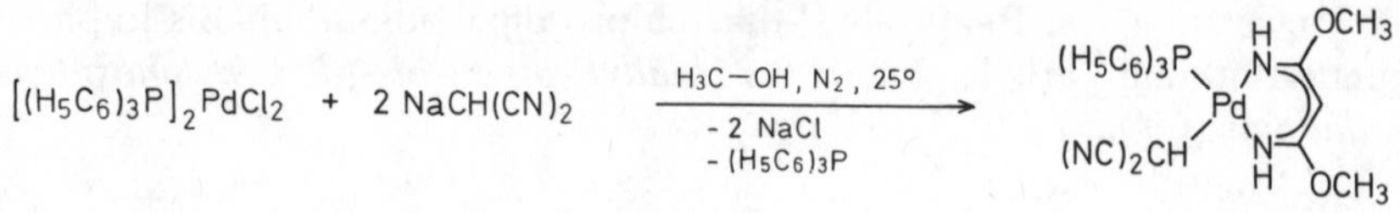

$$[(H_5C_6)_3P]_2PdCl_2 \ + \ 2\,NaCH(CN)_2 \xrightarrow[\substack{-\,2\,NaCl \\ -\,(H_5C_6)_3P}]{H_3C-OH,\,N_2,\,25°}$$

Werden Dichloro- bzw. Dinitrato-bis-[triphenylphosphan]-palladium in Chloroform mit einem großen Überschuß von Tricyanmethyl-kalium drei Tage unter Lichtausschluß geschüttelt, so erhält man in 80–90%iger Ausbeute *trans-Chloro-(tricyanmethyl)-bis-[triphenylphosphan]-* bzw. *Bis-[tricyanmethyl]-bis-[triphenylphosphan]-palladium*[1]:

$$[(H_5C_6)_3P]_2PdCl_2 \ + \ K[C(CN)_3] \xrightarrow[-\,KCl]{CHCl_3} [(H_5C_6)_3P]_2PdCl[C(CN)_3]$$

$$[(H_5C_6)_3P]_2Pd(NO_3)_2 \ + \ 2\,K[C(CN)_3] \xrightarrow[-\,2\,KNO_3]{CHCl_3} [(H_5C_6)_3P]_2Pd[C(CN)_3]_2$$

Chelatisierte Alkyl-palladium-Verbindungen des Typs

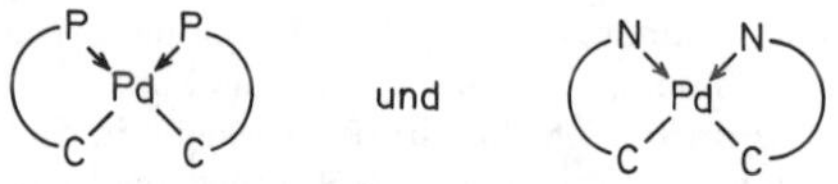

und

lassen sich vorteilhaft aus Dichloro-bis-[donor]-palladium-Verbindungen mit den entsprechenden Kalium-[2,3,4] oder Lithium-Verbindungen[4] herstellen:

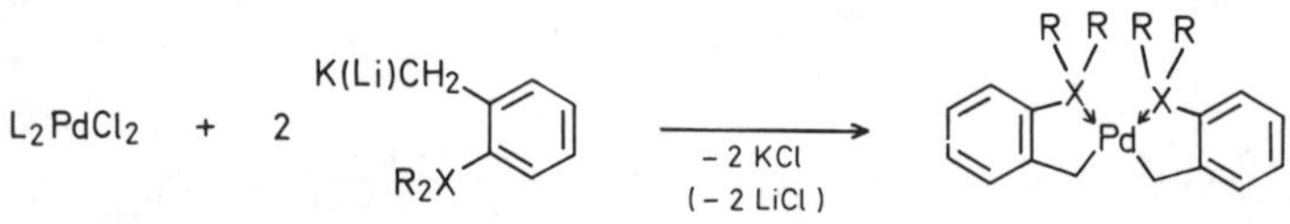

$$L_2PdCl_2 \ + \ 2 \quad \xrightarrow[(-\,2\,LiCl)]{-\,2\,KCl}$$

L = (H₅C₂)₃P, (H₉C₄)₃P, (H₅C₂)₂S
X = P, N
R = CH₃, C₆H₅

L = $(H_5C_2)_3P$, $(H_9C_4)_3P$, $(H_5C_2)_2S$
X = P, N
R = CH_3, C_6H_5

cis-Bis-[2-diphenylphosphano-benzyl-(C,P)]-palladium[2]: Eine Lösung von 2,48 g *trans*-Dichloro-bis-[triethylphosphan]-palladium in 10 *ml* Benzol wird tropfenweise unter Rühren zu einer Suspension von 4,2 g [2-Diphenylphosphano-benzyl]-kalium in 20 *ml* Benzol gegeben. Nach 1 Stde. Rühren wird die braune Suspension filtriert. Der farblose Niederschlag wird mit Wasser und Methanol gewaschen und aus THF umkristallisiert; Ausbeute: 1,5 g (~40%); F: 257° (Zers.); τ_{CH_2}: 6,54 d, J_{P-H}: 7,5 Hz.

α_4) *mit Alkyl-aluminium-Verbindungen in Gegenwart tert. Phosphane*

Die Reaktion von Bis-[2,4-pentandionato]-palladium und Alkyl-aluminium-Verbindungen in Gegenwart tert. Phosphane in Diethylether unter Stickstoff führt zu Dialkyl-bis-[tert.-phosphan]-palladium-Verbindungen[5]:

[1] W. BECK et al., B. **106**, 2144 (1973).
[2] G. LONGONI et al., G. **104**, 249 (1974); C. A. **81**, 63760 (1974).
[3] G. LONGONI et al., Chem. Commun. **1971**, 470.
[4] DBP 2148925 (1972), G. LONGONI et al.; C.A. **78**, 43718 (1973).
[5] T. ITO, H. TSUCHIYA u. A. YAMAMOTO, Bl. chem. Soc. Japan **50**, 1319 (1977).

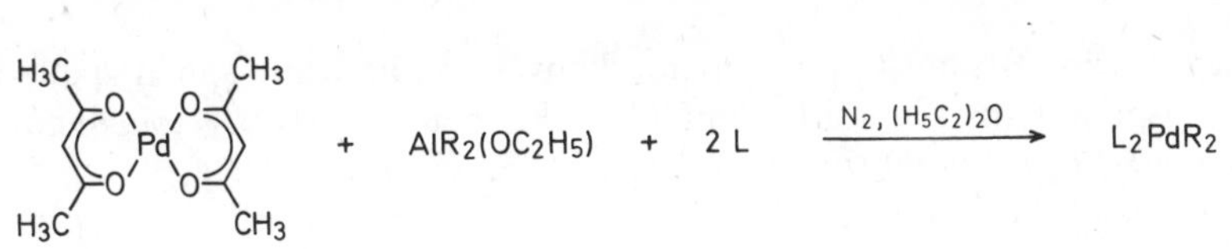

$$+ \quad AlR_2(OC_2H_5) \quad + \quad 2 L \quad \xrightarrow{N_2, (H_5C_2)_2O} \quad L_2PdR_2$$

R = CH$_3$, C$_2$H$_5$, C$_3$H$_7$
L = (H$_5$C$_2$)$_3$P, (H$_5$C$_6$)$_2$(H$_3$C)P
L$_2$ = (H$_5$C$_6$)$_2$P–CH$_2$–CH$_2$–P(C$_6$H$_5$)$_2$

Dimethyl-bis-[triethylphosphan]-palladium[1]: Zu einer gelben, heterogenen Mischung von 1,5 g (5,0 mmol) Bis-[2,4-pentandionato]-palladium, 1,5 *ml* (10 mmol) Triethylphosphan und 30 *ml* Diethylether, gekühlt auf −70°, werden tropfenweise 3,0 *ml* (18 mmol) Dimethyl-ethoxy-aluminium zugegeben. Beim langsamen Erhöhen der Temp. wird die Mischung bei −30° homogen. Man bringt die Lösung auf 0° und rührt mehrere Stdn. bei dieser Temperatur. Anschließend hält man die klare Lösung 12 Stdn. bei −70°. Der farblose Niederschlag wird abfiltriert, mit wenig Ether (−78°) gewaschen, i. Vak. getrocknet und aus kaltem Hexan umkristallisiert; Ausbeute: 0,71 g (40%); F: 56–64°.

Analog werden die *Ethyl-* und *Propyl*-palladium-Verbindungen hergestellt. Besonders stabil sind[1]

Dimethyl-(1,2-bis-[diphenylphosphano]-ethan)-palladium	45%;	F: 166–168°
Diethyl-(1,2-bis-[diphenylphosphano]-ethan)-palladium	75%;	F: 144–148°
Dipropyl-(1,2-bis-[diphenylphosphano]-ethan)-palladium	85%;	F: 132–140°

α_5) mit Alkyl-quecksilber-Verbindungen

Alkyl-quecksilberchloride können ebenfalls mit Erfolg als Alkylierungsmittel eingesetzt werden. Während man jedoch bei der Umsetzung von Palladium(II)-chlorid mit (2-Alkoxy- ethyl)- bzw. (2-Acyloxy-ethyl)-quecksilberchlorid stets Zersetzungsprodukte erhält[2], kann man mit *threo-* bzw. *erythro-*(3-Dimethylamino-2-butyl)-quecksilberchlorid und Bis-[benzonitril]-dichloro-palladium unter Erhaltung der Konfiguration des Alkyl-Liganden die *threo-* und *erythro-*Substitutionsprodukte *Bis-[benzonitril]-chloro-(3-dimethylamino-2-butyl)-palladium* bei −30° bis −40° in Tetrahydrofuran-Lösung in situ herstellen[3]:

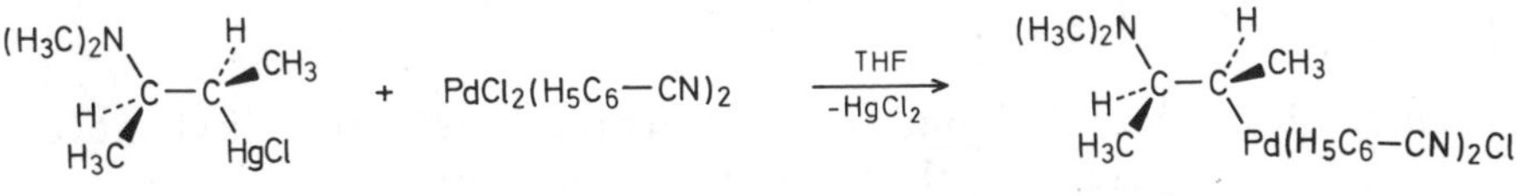

Zur Umsetzung von Tetrakis-[triphenylphosphan]-palladium mit Cyanmethyl-quecksilberchlorid (oxidative Addition) s. S. 756.

Aus 5-Acetoxymercuri-1,3-dimethyl-2,4-dioxo-1,2,3,4-tetrahydro-pyrimidin und D-Glucal in Gegenwart von Dilithium-[diacetato-dichloro-palladat] und Triphenylphosphan erhält man *3,4,6-Tri-O-acetyl-2-(chloro-triphenylphosphan-palladyl)-1-[(4-O-Pd)-1,3-dimethyl-2,4-dioxo-1,2,3,4-tetrahydro-5-pyridyl]-2,3-bis-deoxy-pyranoglucose* (45%)[4]:

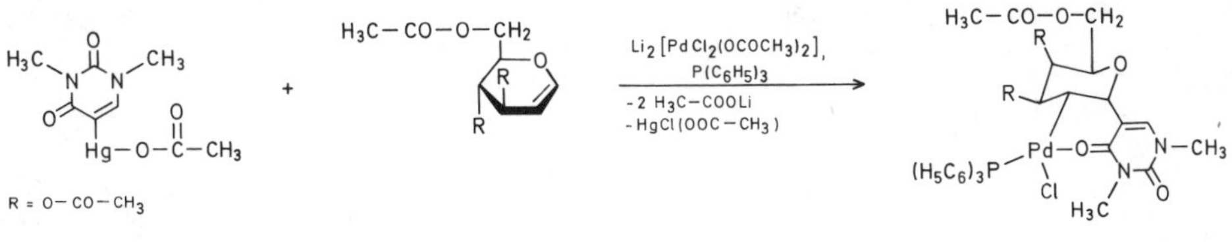

---

[1] T. Ito, H. Tsuchiya u. A. Yamamoto, Bl. chem. Soc. Japan **50**, 1319 (1977).
[2] I. I. Moiseev u. M. N. Vargaftik, Doklady Akad. SSSR **166**, 370 (1966); engl.: 80.
[3] J. E. Bäckvall u. B. Åkermark, Chem. Commun. **1975**, 82.
[4] I. Arai u. G. D. Daves, Am. Soc. **103**, 7683 (1981).

Ausgehend von Bromo-(η^5-cyclopentadienyl)-(triphenylphosphan)-palladium und (2,4-Dioxo-3-pentyl)-thallium erhält man in THF bei $-19°$ (η^5-*Cyclopentadienyl*)-*(2,4-dioxo-3-pentyl)-(triphenylphosphan)-palladium* (F: 126°, Zers.)[1]:

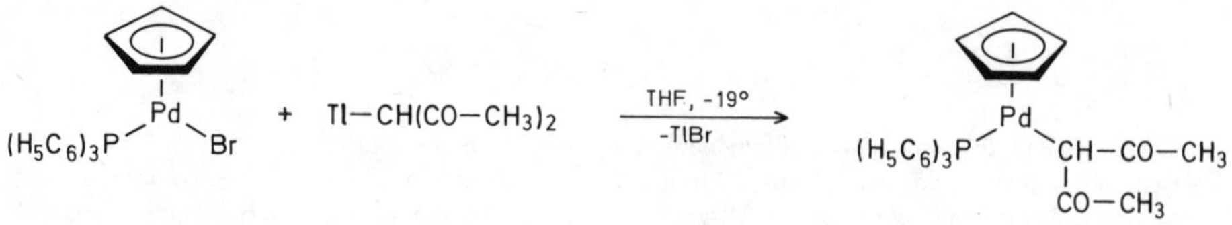

α_6) *(σ-Cyclopentadienyl)-palladium-Verbindungen aus Di-μ-acetato-dichloro-bis-[tert.-phosphan]-dipalladium mit Cyclopentadienyl-thallium*

Die Umsetzung von Di-μ-acetato-dichloro-bis-[tert.-phosphan]-dipalladium mit Cyclopentadienyl-thallium (Molverhältnis $\sim$ 1:4,4) in Benzol bei 20° gibt nach wenigen Minuten eine dunkelgrüne Lösung, aus der nach Abziehen des Solvens und Extrahieren mit Pentan (η^5-*Cyclopentadienyl)-(σ-2,4-cyclopentadienyl)-(trimethylphosphan)-*, *-(triisopropylphosphan)-* bzw.*-(triphenylphosphan)-palladium*(60–85%; grüne Kristalle) erhalten werden[2]:

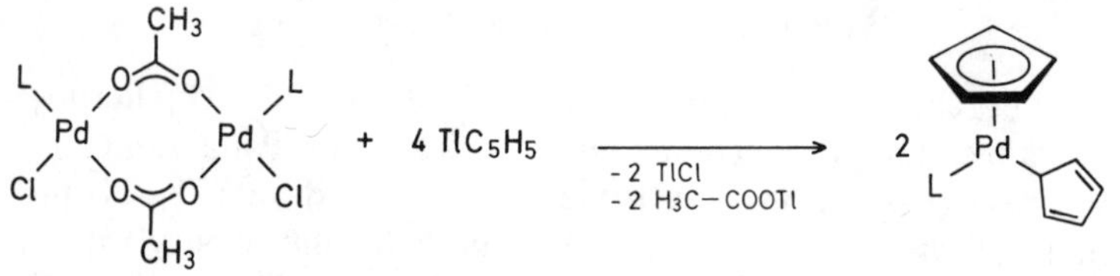

L = $(H_3C)_3P$; $[(H_3C)_2CH]_3P$, $(H_5C_6)_3P$

Die Verbindungen sind nur wenig luftempfindlich und bei $-20°$ längere Zeit haltbar. Die $\sigma \rightarrow \pi$-Umwandlung ist auf S. 997 beschrieben.

β) aus anderen σ-Alkyl-palladium-Verbindungen mit Alkyl-metall-Verbindungen (Spaltung und Neuknüpfung von C–Pd)

Bei der Umsetzung von Benzyl-chloro-bis-[triphenylphosphan]-palladium mit Methyl-magnesiumbromid wird bevorzugt die Benzyl-Gruppe substituiert, gefolgt von der Substitution des Halogens. Man erhält eine Mischung von *Chloro-methyl-bis-[triphenylphosphan]-palladium* (56%; F: 221–223°, Zers.) und *cis-Dimethyl-bis-[triphenylphosphan]-palladium* (36%)[3]:

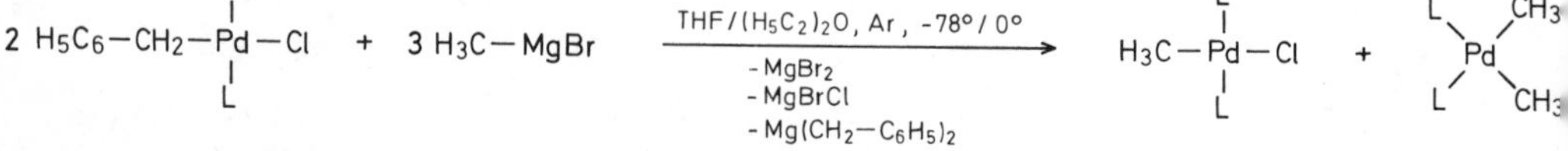

L = $(H_5C_6)_3P$

---

[1] H. KUROSAWA, T. MAJIMA u. N. ASADA, Am. Soc. **102**, 6996 (1980).

[2] H. WERNER u. H.J. KRAUS, Ang. Ch. **91**, 1013 (1979).

[3] D. MILSTEIN u. J.K. STILLE, Am. Soc. **101**, 4981 (1979).

Benzyl-chloro- bzw. Benzyl-bromo-bis-[triphenylphosphan]-palladium reagieren mit Tetramethyl-zinn bei 25° in HMPTA unter bevorzugter Spaltung der Benzyl-palladium-Bindung (und nicht der Halogen-Palladium-Bindung!) zu *Chloro-methyl-bis-[triphenylphosphan]-palladium* (83%; F: 205–210°) bzw. *Bromo-methyl-bis-[triphenylphosphan]-palladium* (80%; F: 188–190°)[1]:

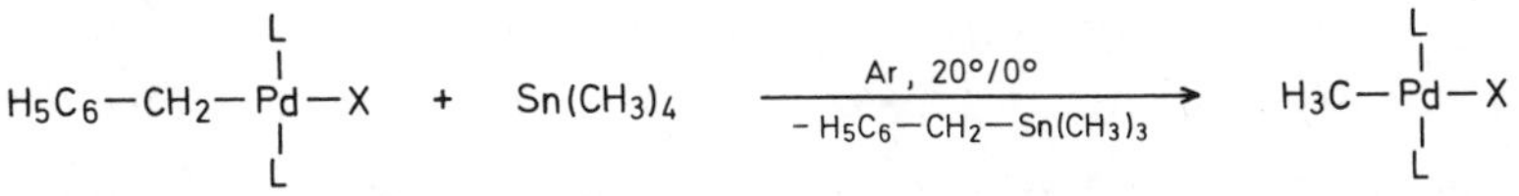

$$H_5C_6-CH_2-\underset{\underset{L}{|}}{\overset{\overset{L}{|}}{Pd}}-X \quad + \quad Sn(CH_3)_4 \quad \xrightarrow[-H_5C_6-CH_2-Sn(CH_3)_3]{Ar,\ 20°/0°} \quad H_3C-\underset{\underset{L}{|}}{\overset{\overset{L}{|}}{Pd}}-X$$

L = (H₅C₆)₃P
X = Br, Cl

Während die Umsetzung von Dibromo-bis-[triphenylphosphan]-palladium mit Tetramethyl-zinn in HMPTA bei 64° unter Argon nur Zersetzungsprodukte ergibt, erhält man bei Zusatz von Benzylbromiden *Bromo-methyl-bis-[triphenylphosphan]-palladium* (67%)[2]:

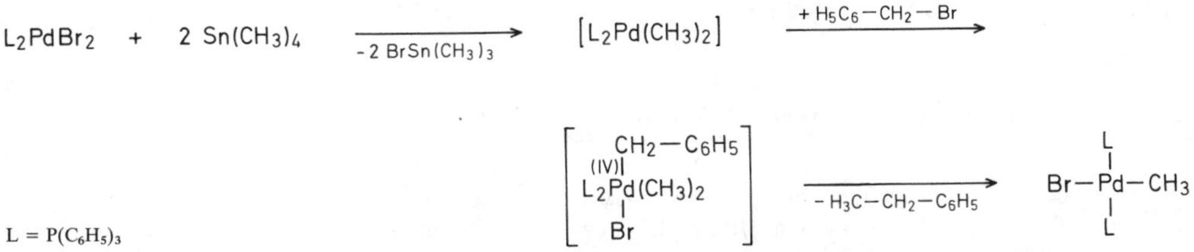

$$L_2PdBr_2 \quad + \quad 2\ Sn(CH_3)_4 \quad \xrightarrow[-2\ BrSn(CH_3)_3]{} \quad [L_2Pd(CH_3)_2] \quad \xrightarrow{+H_5C_6-CH_2-Br}$$

L = P(C₆H₅)₃

$$\begin{bmatrix} CH_2-C_6H_5 \\ (IV)| \\ L_2Pd(CH_3)_2 \\ | \\ Br \end{bmatrix} \quad \xrightarrow[-H_3C-CH_2-C_6H_5]{} \quad Br-\underset{\underset{L}{|}}{\overset{\overset{L}{|}}{Pd}}-CH_3$$

Bromo-methyl-bis-[triphenylphosphan]-palladium erhält man nahezu quantitativ, wenn man Tetrakis-[triphenylphosphan]-palladium(0) mit Benzylbromid (Molverhältnis 1:2) und überschüssigem Tetramethyl-zinn umsetzt[2]:

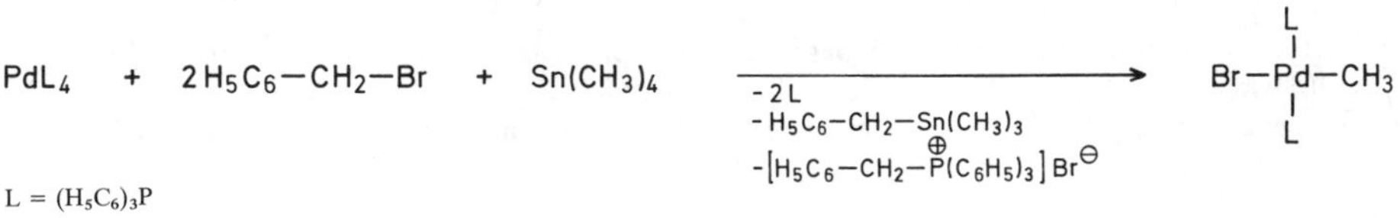

$$PdL_4 \quad + \quad 2\,H_5C_6-CH_2-Br \quad + \quad Sn(CH_3)_4 \quad \xrightarrow[\substack{-2\,L \\ -H_5C_6-CH_2-Sn(CH_3)_3 \\ -[H_5C_6-CH_2-\overset{\oplus}{P}(C_6H_5)_3]\,Br^\ominus}]{} \quad Br-\underset{\underset{L}{|}}{\overset{\overset{L}{|}}{Pd}}-CH_3$$

L = (H₅C₆)₃P

Wird Chloro-bis-[triphenylphosphan]-(2-oxo-propyl)- bzw. -(2-oxo-2-phenyl-ethyl)-palladium mit Dicyanomethyl-natrium in Methanol behandelt, so entsteht *Chloro-(dicyanomethyl)-bis-[triphenylphosphan]-palladium* (30%; F: 170–172°, Zers.)[3]:

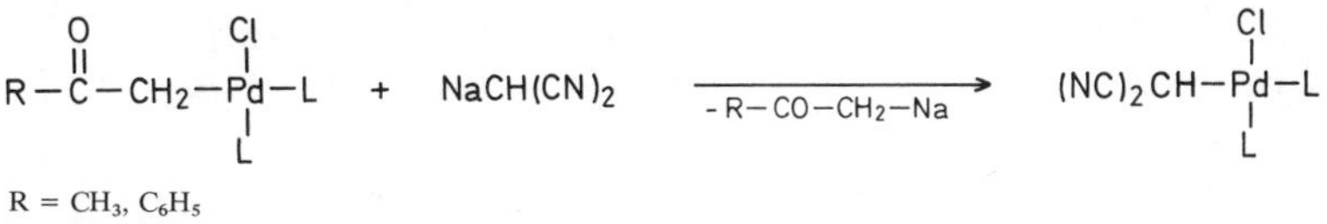

$$R-\underset{\underset{L}{|}}{\overset{\overset{O}{\|}}{C}}-CH_2-\underset{\underset{L}{|}}{\overset{\overset{Cl}{|}}{Pd}}-L \quad + \quad NaCH(CN)_2 \quad \xrightarrow[-R-CO-CH_2-Na]{} \quad (NC)_2CH-\underset{\underset{L}{|}}{\overset{\overset{Cl}{|}}{Pd}}-L$$

R = CH₃, C₆H₅
L = (H₅C₆)₃P

γ) aus π-Allyl-palladium-Verbindungen mit Methyl-lithium unter Abspaltung der π-Allyl-Gruppe

Nach einem nicht geklärten Mechanismus ergibt die Umsetzung von (1,2-Bis-[diphenylphosphano]-ethan)-(η³-1-methyl-allyl)-palladium(II)-tetrafluoroborat mit Methyl-lithium (Molverhältnis 1:2) *(1,2-Bis-[diphenylphosphano]-ethan)-dimethyl-palladium* (30%)[4]:

[1] D. MILSTEIN u. J.K. STILLE, Am. Soc. **101**, 4981 (1979).
[2] D. MILSTEIN u. J.K. STILLE, Am. Soc. **101**, 4992 (1979).
[3] H. YAMAMOTO u. K. SUZUKI, J. Organometal. Chem. **71**, C 38 (1974).
[4] P. DIVERSI et al., Soc. [Dalton] **1980**, 1633.

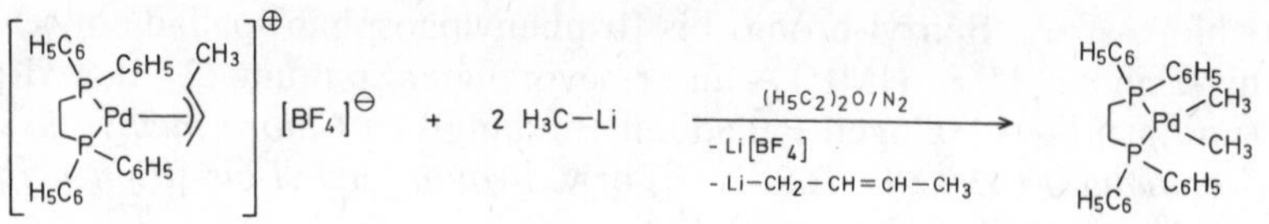

$$[\text{Struktur}]^{\oplus} \ [\text{BF}_4]^{\ominus} \ + \ 2 \ \text{H}_3\text{C}{-}\text{Li} \ \xrightarrow[\substack{-\text{Li}[\text{BF}_4] \\ -\text{Li}-\text{CH}_2-\text{CH}=\text{CH}-\text{CH}_3}]{(\text{H}_5\text{C}_2)_2\text{O}/\text{N}_2} \ [\text{Struktur}]$$

δ) aus Bis-[2,4-pentandionato]-palladium mit Donoren bzw. aus Palladiumhalogeniden mit 1,3-Dicarbonyl-Verbindungen und Donoren

σ–C-gebundene 1-Acetyl-2-oxo-propyl-palladium-Verbindungen erhält man in hoher Ausbeute, wenn man Bis-[2,4-pentandionato]-palladium mit äquimolaren Mengen von tertiären Phosphanen oder prim., sek. oder tert. Stickstoffbasen umsetzt:

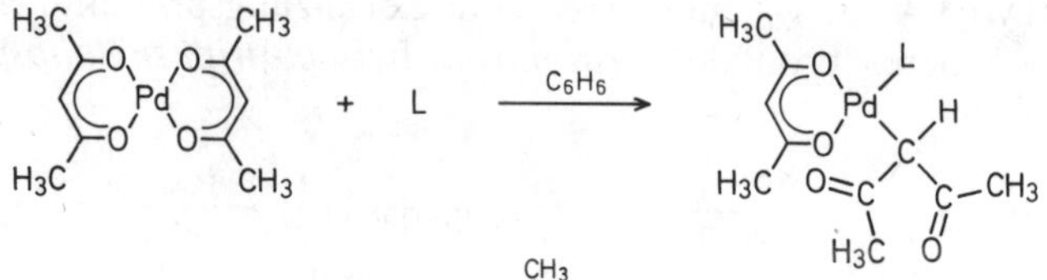

$L = (\text{H}_5\text{C}_6)_3\text{P}, \ [(\text{H}_3\text{C})_2\text{CH}]_3\text{P}, \ (\text{H}_{11}\text{C}_6)_3\text{P}, \ \text{[Pyridin]N} \ , (\text{H}_5\text{C}_2)_2\text{NH}, \ \text{H}_5\text{C}_6{-}\text{CH}_2{-}\text{NH}_2 \ \text{usw.}$

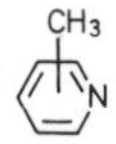

Die Reaktion versagt mit Triphenylarsan, Benzonitril und zweizähnigen Liganden wie 2,2'-Bipyridin, 1,10-Phenanthrolin und 1,2-Diamino-ethan. Mit überschüssigem Triphenylphosphan erhält man Tetrakis-[triphenyl-phosphan]-palladium.

Ein typisches Beispiel für diese Basen-initiierte Umwandlung des O,O'-Chelats in die σ–C-gebundene Verbindung ist die Umsetzung von Bis-[2,4-pentandionato]-palladium mit Triphenylphosphan.

(1-Acetyl-2-oxo-propyl)-(2,4-pentandionato)-(triphenylphosphan)-palladium[1, 2, 3]: Eine Mischung von 0,272 g (0,89 mmol) Bis-[2,4-pentandionato]-palladium und 0,240 g (0,91 mmol) Triphenylphosphan wird in 6 *ml* Benzol bei 20° gerührt, bis die Lösung transparent ist. Dann wird durch Zugabe von Petrolether (Kp: 30–60°) das Produkt ausgefällt; Ausbeute: 0,473 g (87%); F: 142° (Zers.) (aus Benzol/Petrolether).

Die Tab. 4 (S. 727) gibt eine Übersicht über weitere Reaktionsprodukte aus der Umsetzung von Bis-[2,4-pentandionato]-palladium mit Donoren.

Auch andere 1,3-Dionato-palladium-Verbindungen lassen sich mit Donoren in σ–C-gebundene Alkyl-palladium-Verbindungen umwandeln. Wird Bis-[1-ethoxy-1,3-butandionato]-palladium in Dichlormethan mit 2,6-Dimethyl-pyridin oder Benzylamin bei 20° umgesetzt, so entsteht *(1-Ethoxy-1,3-butandionato)-(1-ethoxycarbonyl-2-oxo-propyl)-(2,6-dimethyl-pyridin)-* (67%; F: 113°) bzw. *-(benzylamin)-palladium* (6%; F: 109°)[4]:

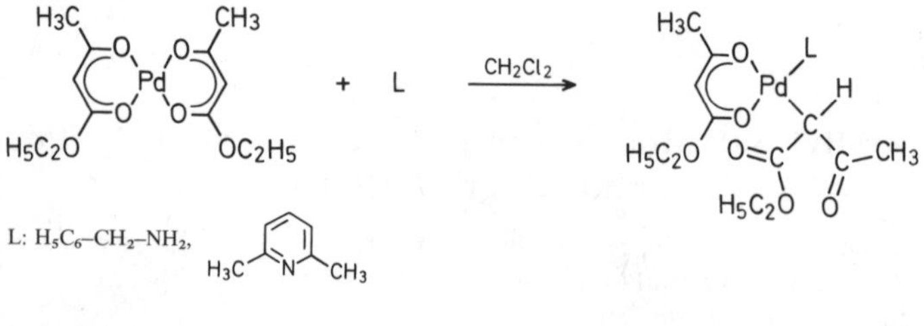

$L: \text{H}_5\text{C}_6{-}\text{CH}_2{-}\text{NH}_2, \ \text{[2,6-Dimethylpyridin]}$

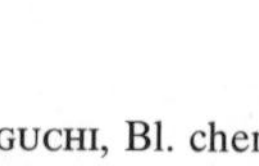

[1] S. Baba, T. Ogura u. S. Kawaguchi, Bl. chem. Soc. Japan **47**, 665 (1974).
[2] S. Baba, T. Ogura u. S. Kawaguchi, Inorg. Nucl. Chem. Letters **7**, 1195 (1971).
[3] N. Kasai et al., J. Organometal. Chem. **72**, 441 (1974); Röntgenstruktur.
[4] S. Okeya u. S. Kawaguchi, Inorg. Chem. **16**, 1730 (1977).

Bis-[1,1,1,6,6,6-hexafluor-2,4-pentandionato]-palladium reagiert in Pentan mit den entsprechenden Lewis-Basen zu *(2-Oxo-3,3,3-trifluor-1-trifluoracetyl-propyl)-(1,1,1, 6,6,6-hexafluor-2,4-pentandionato)-(donor)-palladium*[1]:

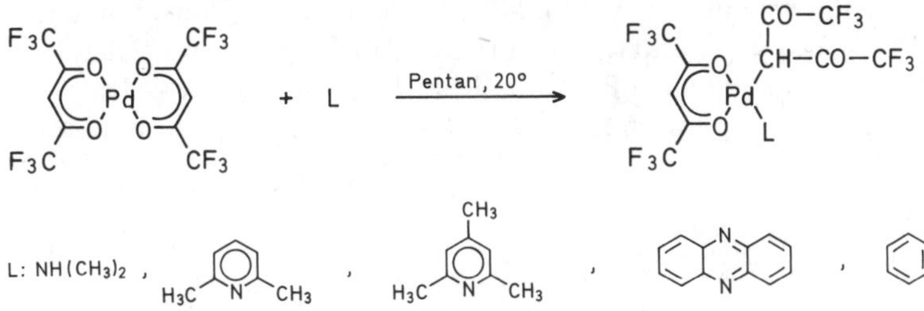

L: NH(CH₃)₂ ,

Tab. 4: (1-Acetyl-2-oxo-propyl)-(2,4-pentandionato)-(donor)-palladium aus Bis-[2,4-pentandionato]-palladium mit Donoren

	Ausbeute [%]	F [°C]	Lite-ratur
(1-Acetyl-2-oxo-propyl)-(2,4-pentandionato)-(tricyclohexylphosphan)-palladium	58	178–181	2
(1-Acetyl-2-oxo-propyl)-(2,4-pentandionato)-(triisopropylphosphan)-palladium	59	114–116	3
(1-Acetyl-2-oxo-propyl)-(diethylamin)-(2,4-pentandionato)-palladium	87	106	4,5
(1-Acetyl-2-oxo-propyl)-(N-benzyl-N-methyl-amin)-(2,4-pentandionato)-palladium	90	156	4
(1-Acetyl-2-oxo-propyl)-(benzylamin)-(2,4-pentandionato)-palladium	90		6
(1-Acetyl-2-oxo-propyl)-(2,4-pentandionato)-(pyridin)-palladium	91	150	4,5
(1-Acetyl-2-oxo-propyl)-(2,4-pentandionato)-(2-methyl-pyridin)-palladium	45	125	7
(1-Acetyl-2-oxo-propyl)-(2,4-pentandionato)-(3-methyl-pyridin)-palladium	20	90	7
(1-Acetyl-2-oxo-propyl)-(2,4-pentandionato)-(4-methyl-pyridin)-palladium	35	100	7

Die Umsetzung von Bis-[benzonitril]-dichloro-palladium mit 2,5-Pentandion in Aceton ergibt ein unlösliches Produkt, das mit Basen wie Triphenylphosphan, Triphenylarsan oder Lithiumchlorid in eine Palladium-Verbindung mit σ,η-Koordination übergeht, z.B. *Chloro-(2,3-η-2-hydroxy-4-oxo-2-pentenyl)-(triphenylphosphan)-palladium*[8]:

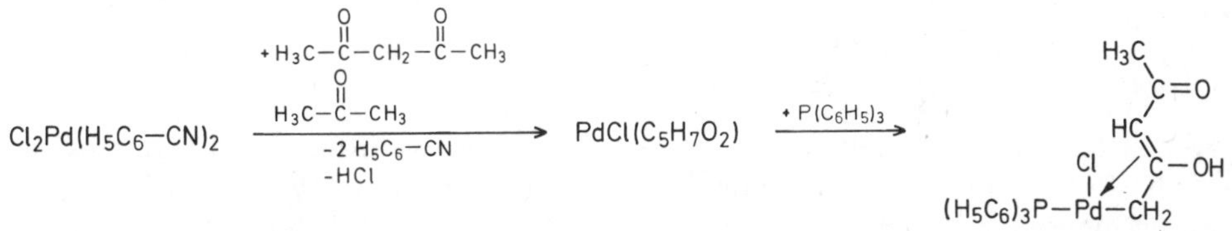

---

[1] A. R. SIEDLE u. L. H. PIGNOLET, Inorg. Chem. **20**, 1849 (1981).

[2] T. ITO, T. KIRIYAMA u. A. YAMAMOTO, Bl. chem. Soc. Japan **49**, 3250 (1976).

[3] H. WERNER u. H. J. KRAUS, B. **113**, 1072 (1980).

[4] S. BABA, T. OGURA u. S. KAWAGUCHI, Bl. chem. Soc. Japan **47**, 665 (1974).

[5] S. BABA, T. OGURA u. S. KAWAGUCHI, Inorg. Nucl. Chem. Letters **7**, 1195 (1971).

[6] S. BABA u. S. KAWAGUCHI, Inorg. Nucl. Chem. Letters **11**, 415 (1975).

[7] S. OKEYA u. S. KAWAGUCHI, Inorg. Chem. **16**, 1730 (1977).

[8] Z. KANDA, Y. NAKAMURA u. S. KAWAGUCHI, Chem. Lett. **1976**, 199; C. A. **84**, 165006 (1976).

ε) durch interne Palladierung und Ringschluß bzw. aus sterisch günstigen Alkyl- bzw. Alkyl-aryl-phosphanen und -aminen und Palladiumhalogeniden

Aromatische Phosphane mit voluminösen Gruppen am Phosphor und einer ortho-ständigen Alkyl-Gruppe am Aryl-Rest gehen beim Erhitzen mit Palladiumhalogeniden über den zunächst entstehenden P-Donor-Komplex unter Proton-Abstraktion und interner Palladierung in phosphor-chelatisierte σ-Alkyl-palladium-Verbindungen über:

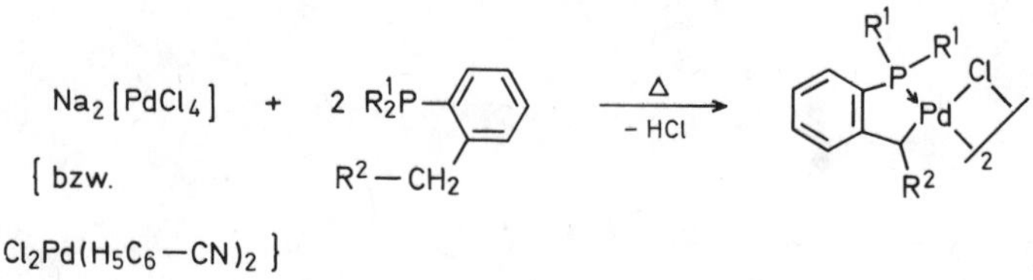

R^1; z.B.: $C(CH_3)_3$, C_6H_5, $2\text{-}CH_3\text{-}C_6H_4$

R^2; z.B.: H, CH_3, $-CH_2-\langle\rangle$
$(H_5C_6)_2P$

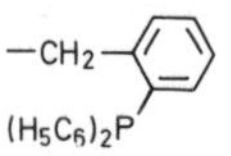

So kann beispielsweise *trans*-Dichloro-bis-[tert.-butyl-bis-(2-methyl-phenyl)-phosphan]-palladium nach folgenden drei Methoden an der o-ständigen Methyl-Gruppe palladiert werden:

> Es wird in Propanol 3 Min. unter Rückfluß erhitzt.
> Es wird zunächst mit Natrium-tetrachloropalladat(II) in Methanol bei 50° 2 Min. erhitzt, dann mit Propanol versetzt und 5 Min. unter Rückfluß erhitzt.
> Das Phosphan wird mit Natrium-tetrachloropalladat(II) in Methanol 3 Min. unter Rückfluß erhitzt (verläuft intermediär über den Donor-Komplex)

Dabei fällt das schwerer lösliche *sym.-trans-Di-μ-chloro-bis-{2-[tert.-butyl-(2-methyl-phenyl)-phosphano(C,P)]-benzyl-palladium}* (96%; F: 320°, Zers.)[1,2] aus:

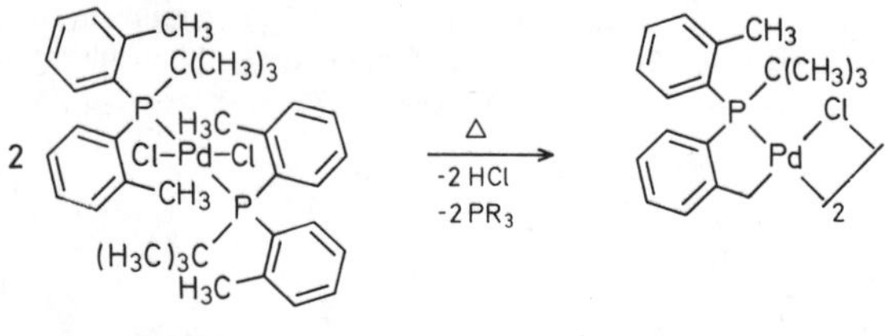

Auf gleiche Weise erhält man aus *trans*-Dichloro-bis-[di-tert-butyl-(2-methyl-phenyl)-phosphan]-palladium das intern palladierte *sym.-trans-Di-μ-chloro-bis-{[2-(di-tert-butyl-phosphano)-benzyl(C,P)]-palladium}* (90%; F: 250°, Zers.)[1]. Je voluminöser die Gruppen am Phosphin sind, um so mehr werden die internen Metallierungs-Reaktionen bevorzugt.

Dichloro-bis-[tris-(2-methyl-phenyl)-phosphan]-palladium reagiert in Eisessig in Gegenwart von Lithiumacetat beim Erhitzen unter Rückfluß (unter Wasserstoff-Atmosphäre, 2 Stdn.) zu orangefarbenem *Dichloro-{2-(bis-[2-methyl-phenyl]-phosphano)-benzyl(C,P)}-(tris-[2-methyl-phenyl]-phosphan)-palladium*[3]:

---

[1] A.J. CHENEY u. B.L. SHAW, Soc. [Dalton] **1972**, 860.
[2] Röntgenstruktur vom acetato-verbrückten Palladium-Komplex siehe: G.J. GAINSFORD u. R. MASON, J. Organometal. Chem. **80**, 395 (1974).
[3] D.M. FENTON, J. Org. Chem. **38**, 3192 (1973).

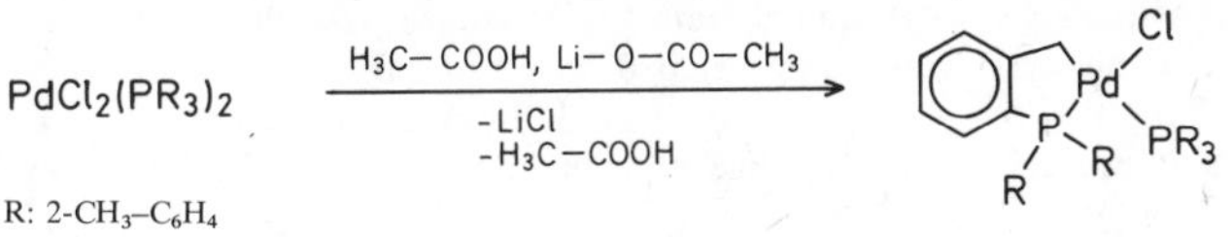

$$\text{PdCl}_2(\text{PR}_3)_2 \xrightarrow[\substack{-\text{LiCl} \\ -\text{H}_3\text{C}-\text{COOH}}]{\text{H}_3\text{C}-\text{COOH, Li}-\text{O}-\text{CO}-\text{CH}_3}$$

R: 2-CH$_3$–C$_6$H$_4$

Auch [Di-tert.-butyl-(2-ethyl-phenyl)-phosphan]-palladium-Verbindungen reagieren analog[1, 2]:

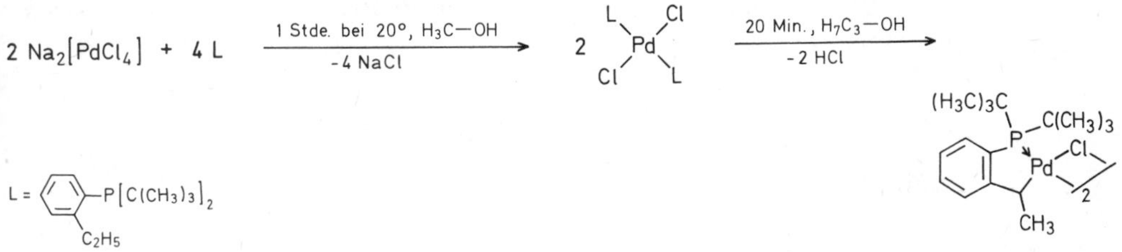

$$2\ \text{Na}_2[\text{PdCl}_4]\ +\ 4\ \text{L} \xrightarrow[-4\ \text{NaCl}]{\text{1 Stde. bei 20}^\circ,\ \text{H}_3\text{C}-\text{OH}} 2 \xrightarrow[-2\ \text{HCl}]{\text{20 Min.},\ \text{H}_7\text{C}_3-\text{OH}}$$

$$\text{L} = \langle \rangle -\text{P}[\text{C}(\text{CH}_3)_3]_2$$
$$\text{C}_2\text{H}_5$$

sym.-trans-Di-μ-chloro-bis-{1-[2-(di-tert.-butyl-phosphano)-phenyl(C,P)]-ethyl-palladium}[1]: Eine Suspension von 1,09 g (1,61 mmol) *trans*-Dichloro-bis-[di-tert.-butyl-(2-ethyl-phenyl)-phosphan]-palladium in 40 *ml* Propanol wird 20 Min. unter Rückfluß erhitzt. Der entstehende hellgelbe Niederschlag wird abfiltriert und mit Methanol gewaschen; Ausbeute: 0,70 g (95%); F: 305–310° (Zers.).

1,2-Bis-[2-(diphenylphosphano)-phenyl]-ethan geht mit Bis-[benzonitril]-dichloro-palladium, Kalium-tetrabromopalladat(II) bzw. Dijodo-bis-[triphenylphosphan]-palladium unter Protonabstraktion in *Chloro-, Bromo-* bzw. *Jodo-{1,2-bis-[2-(diphenyl-phosphano)-phenyl]-ethyl}-palladium* (75%, 26% bzw. 86%) über[3, 4]:

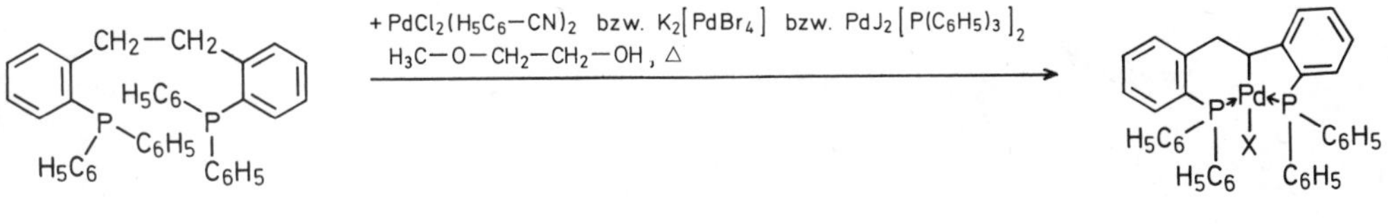

X: Cl, Br, J

Im Falle des 1,3-Bis-[2-(diphenylphosphano)-phenyl]-*trans*-1-butens besetzen die Phosphor-Atome die *trans*-Positionen im Palladium-Komplex, so daß die Lage des Kohlenstoff-Gerüstes zum Palladium fixiert ist. Unter Umlagerung der Doppelbindung und C–H-Bindungsspaltung der benzylischen CH$_2$-Gruppe entsteht eine Verbindung mit Palladium-Kohlenstoff-σ-Bindung.

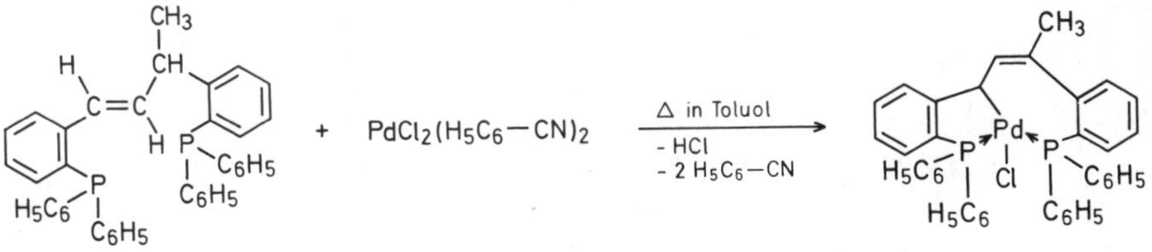

[1] D.F. Gill, B.E. Mann u. B.L. Shaw, Soc. [Dalton] **1973**, 270.
[2] D.F. Gill u. B.L. Shaw, Chem. Commun. **1972**, 65.
[3] M.A. Bennett u. P.W. Clark, J. Organometal. Chem. **110**, 367 (1976).
[4] M.A. Bennett et al., J. Organometal. Chem. **63**, C 15 (1973).

46*

{1,3-Bis-[2-(diphenylphosphano)-phenyl]-2-buten-1-yl}-chloro-palladium[1]: 0,09 g (0,16 mmol) 1,3-Bis-[2-(diphenylphosphano)-phenyl]-*trans*-1-buten und 0,06 g (0,16 mmol) Bis-[benzonitril]-dichloro-palladium werden in einer Mischung aus 20 *ml* Toluol und 10 *ml* 2-Methoxy-ethanol unter Rückfluß und unter Stickstoff 2 Stdn. erhitzt. Das Lösungsmittel wird i. Vak. abgezogen und der Rückstand aus Chloroform/Hexan umkristallisiert; Ausbeute: 0,083 g (70%); F: >235° (Zers.).

Aromatische Amine, die eine ortho-ständige Alkyl-Gruppe am Aryl-Rest enthalten, sind ebenfalls zur internen Palladierung unter Bildung von stickstoff-chelatisierten σ-Alkyl-palladium-Verbindungen befähigt. So ergibt die Umsetzung von 2-Dimethylaminotoluol mit äquivalenten Mengen Palladium(II)-acetat in Eisessig bei 50° *Di-μ-acetato-bis-[(2-dimethylamino-benzyl)-palladium]* (80%; *cis-trans*-Gemisch)[2]:

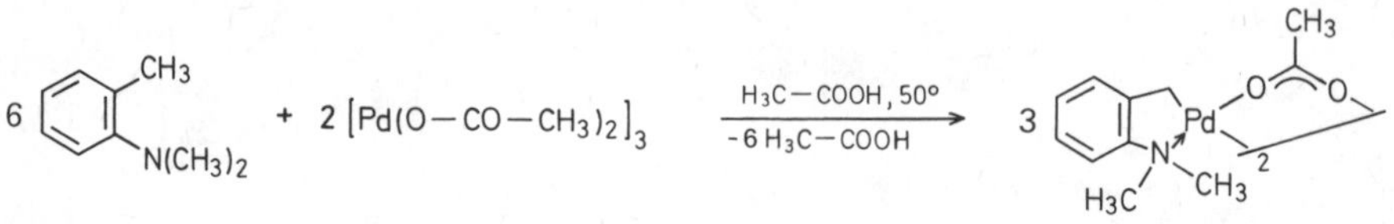

8-Methyl- und 8-Ethyl-chinolin sind ebenfalls zur internen Palladierung befähigt. Werden zwei Äquivalente 8-Methyl-chinolin in Methanol mit einem Äquivalent Lithium-tetrachloropalladat(II) in Wasser gerührt, bis die rote Farbe des Palladat-Ions verschwunden ist, so erhält man unter Proton-Abstraktion *Di-μ-chloro-bis-[(8-chinolylmethyl-palladium]*[3]. Die Reaktion mit Palladium(II)-acetat liefert die entsprechende *Di-μ-acetato*-dipalladium-Verbindung[4]. Die Reaktion von 8-Ethyl-chinolin mit Lithium-tetrachloropalladat gibt neben einem Donor-Komplex auch das interne Metallierungs-Produkt *Di-μ-chloro-bis-{[1-(8-chinolyl)-ethyl(C,N)]-dipalladium}*[5]:

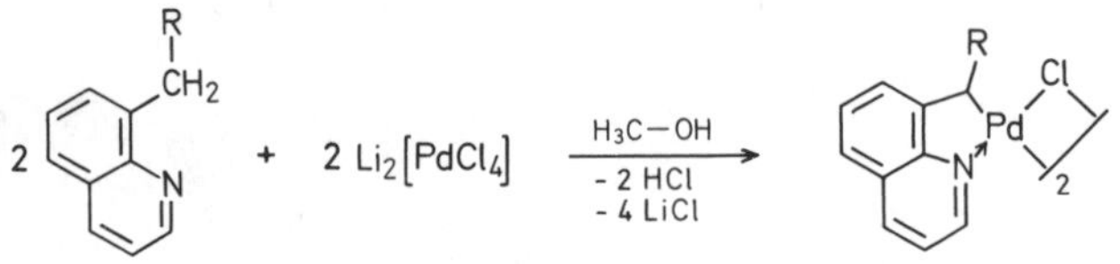

Bei Verwendung von 8-Methyl-chinolin als Cyclopalladierungsligand entsteht *Di-μ-chloro-bis-[(8-chinolyl-methyl)-palladium]*[6].

Wird 8-Methyl-2-(methylimino-methyl)-chinolin mit Natrium-tetrachloropalladat (II) (oder anderen Palladiumhalogeniden) in Methanol gekocht, so erhält man nach Soxhlet-Extraktion *Chloro-[2-(methylimino-methyl)-8-chinolyl-methyl(C,N,N')]-palladium* (bis zu 46%)[7]. Die Umsetzung mit Palladium(II)-acetat in Chloroform ergibt in hoher Ausbeute *Acetato-aqua-{2-(methylimino-methyl)-8-chinolyl)-methyl(C,N)}-palladium* (95%)[7]:

[1] M. A. Bennett et al., Am. Soc. **98**, 3514 (1976).
[2] C. Mutet u. M. Pfeffer, J. Organometal. Chem. **171**, C 34 (1979).
[3] G. E. Hartwell, R. V. Lawrence u. M. J. Smas, Chem. Commun. **1970**, 912.
[4] A. J. Deeming u. I. P. Rothwell, Chem. Commun. **1978**, 344.
[5] V. I. Sokolov et al., J. Organometal. Chem. **36**, 389 (1972).
[6] M. Pfeffer, D. Grandjean u. G. le Borgne, Inorg. Chem. **20**, 4426 (1981).
[7] A. J. Deeming et al., Soc. [Dalton] **1979**, 1899.

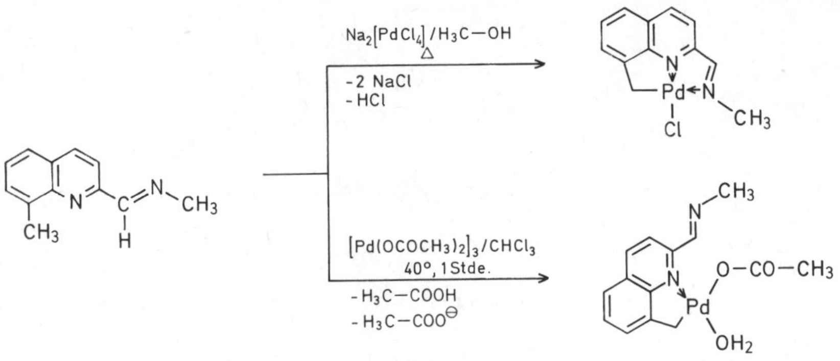

Eine interne Palladierung gelingt auch ohne eine Benzyl-CH-Gruppe. So reagiert Tri-tert.-butyl-phoshan mit Bis-[benzonitril]- bzw. (η^4-1,5-Cyclooctadien)-dichloro-palladium oder Natrium-tetrachloropalladat(II) zu *trans-Dichloro-bis-[tri-tert.-butyl-phosphan]-palladium* (F: 209°, Zers.), das in Benzol bei 20° in den metallierten Komplex *Chloro-[2-(di-tert.-butyl-phosphano)-2-methyl-propyl(C,P)]-(tri-tert.-butyl-phosphan)-palladium* (F: 142°, Zers.) umgewandelt wird[1]:

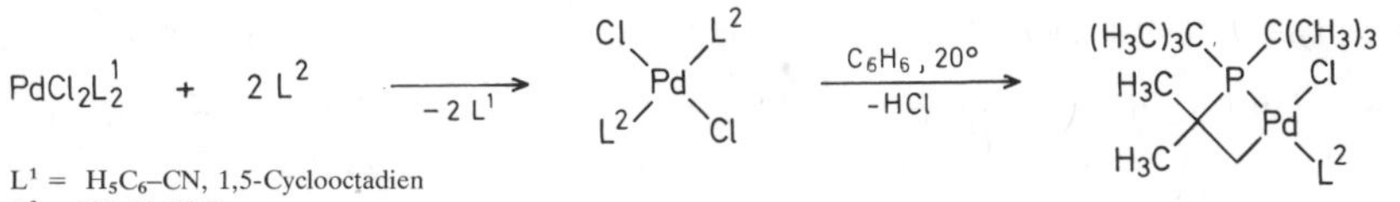

$L^1 = H_5C_6{-}CN$, 1,5-Cyclooctadien
$L^2 = [(H_3C)_3C]_3P$

Wird Tri-tert.-butyl-phosphan mit Kalium-tetrachloropalladat(II) in Dimethylformamid 12 Stdn. oder mit Bis-[benzonitril]-dichloro-palladium in Dichlormethan bei 20° 2 Stdn. gerührt, so erhält man *Di-µ-chloro-bis-{[2-(di-tert.-butyl-phosphano)-2-methyl-propyl(C,P)]-palladium}* (70–72%; F: 172–174°, Zers.)[2]:

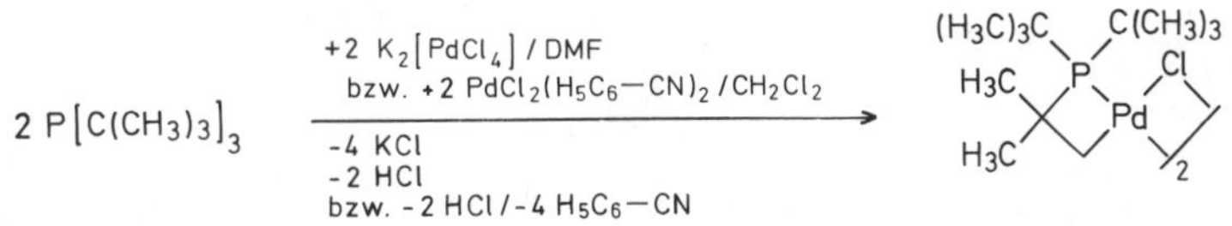

Die durch oxidative Addition von Protonsäuren an Bis-[tri-tert.-butyl-phosphan]-palladium(0) gebildeten Palladiumhydrid-Komplexe (Ausbeute: ~ 100%) erleiden in Lösung leicht eine intramolekulare Metallierungsreaktion zu *Bromo-* (nicht rein isolierbar), *Chloro-* bzw. *Trifluoracetato-[2-(di-tert.-butyl-phosphano)-2-methyl-propyl(C,P)]-(tri-tert.-butyl-phosphan)-palladium*. Je voluminöser die am Palladium gebundene Gruppe X ist, desto schneller dimerisieren die monomeren Palladium-Verbindungen in ihre dimeren Komplexe (Br > Cl) *Di-µ-bromo-, Di-µ-chloro-* bzw. *Di-µ-trifluoracetato-bis-{[2-(di-tert.-butyl-phosphano)-2-methyl-propyl(C,P)]-palladium}*[3,4]:

---

[1] R.G. GOEL u. R.G. MONTEMAYOR; Inorg. Chem. **16**, 2183 (1977).
[2] H.C. CLARK et al., Inorg. Chim. Acta **31**, L 441 (1978);
  s.a. R.G. GOEL u. W.O. OGINI, Organometallics **1**, 654 (1982).
[3] H.C. CLARK, A.B. GOEL u. S. GOEL, J. Organometal. Chem. **166**, C 29 (1979).
[4] H.C. CLARK, A.B. GOEL u. S. GOEL, Inorg. Chem. **18**, 2803 (1979).

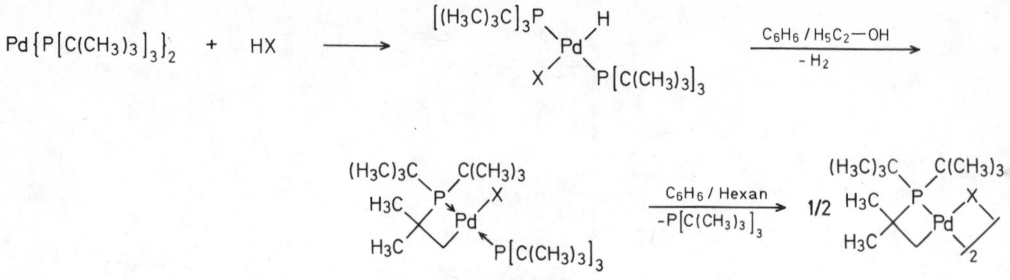

$$\text{Pd}\{P[C(CH_3)_3]_3\}_2 \;+\; HX \;\longrightarrow\; [(H_3C)_3C]_3P \diagdown_{\underset{X}{Pd}}^{H} \diagup P[C(CH_3)_3]_3 \quad \xrightarrow[-H_2]{C_6H_6\,/\,H_5C_2-OH}$$

X = Br, Cl, O–CO–CF$_3$ *trans*

Ein typisches Beispiel für die angegebene Reaktionsfolge wird im folgenden wiedergegeben.

Chloro-[2-(di-tert.-butyl-phosphano)-2-methyl-propyl(C,P)]-(tri-tert.-butyl-phosphan)-palladium[1]: Zu einer Lösung von 0,55 g (1 mmol) Chloro-hydrido-bis-[tri-tert.-butyl-phosphan]-palladium in 25 *ml* Benzol werden einige Tropfen Äthanol zugefügt (Stickstoff-Atmosphäre). Die farblose Lösung wird augenblicklich gelb. Nach 30 Min. wird das Lösungsmittel i. Vak. abgezogen und der Rückstand mit Hexan extrahiert. Der Extrakt wird getrocknet und eine hellgelbe, kristalline Verbindung isoliert; Ausbeute >80%; F: 142° (Zers.).

Di-μ-chloro-bis-{[2-(di-tert.-butyl-phosphno)-2-methyl-propyl(C,P)]-palladium}[1]: Eine Lösung von 1,1 g (2 mmol) Chloro-[2-(di-tert.-butyl-phosphano)-2-methyl-propyl-(C,P)]-(tri-tert.-butyl-phosphan)-palladium (s. o.) in einer Mischung aus Benzol und Hexan wird 12 Stdn. zum langsamen Kristallisieren gestellt. Das nicht metallierte Phosphin wird dabei abgespalten und die auskristallisierende hellgelbe Verbindung als die Chloro-verbrückte dimere σ-C-Palladium-Verbindung identifiziert; Ausbeute >80%; F: 172–173° (Zers.).

Werden äquimolare Mengen Bis-[benzonitril]-dichloro-palladium und 1,5-Bis-[di-tert.-butyl-phosphano]-pentan in Ethanol 18 Stdn. unter Rückfluß erhitzt, so erhält man *trans-Bis-μ-[1,5-bis-(di-tert.-butyl-phosphano)-pentan]-tetrachloro-dipalladium* (62%; F: 274–279°)[2]. Wird dieser Komplex auf 260° erhitzt, sublimiert und aus Petrolether (Kp: 60–80°) umkristallisiert, so erhält man den cyclometallierten Komplex [*1,5-Bis-(di-tert.-butyl-phosphino)-pentan-3-yl(C,P,P')]-chloro-palladium* (farblose Kristalle; 12%; F: 270–273°)[2]:

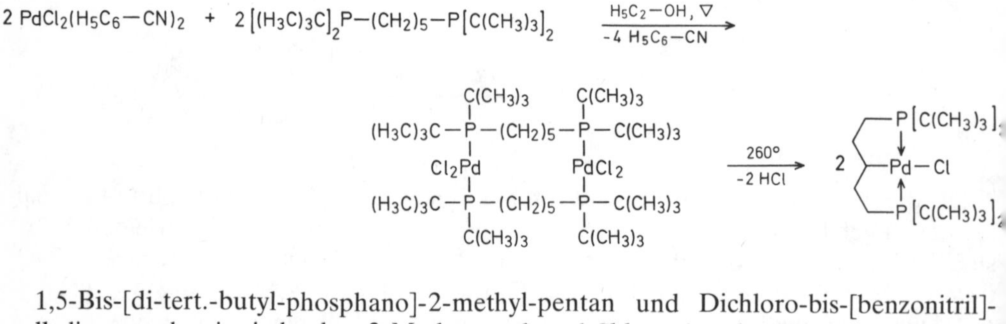

$$2\,PdCl_2(H_5C_6-CN)_2 \;+\; 2\,[(H_3C)_3C]_2P-(CH_2)_5-P[C(CH_3)_3]_2 \quad \xrightarrow[-4\,H_5C_6-CN]{H_5C_2-OH,\ \nabla}$$

1,5-Bis-[di-tert.-butyl-phosphano]-2-methyl-pentan und Dichloro-bis-[benzonitril]-palladium ergeben in siedendem 2-Methoxy-ethanol *Chloro-(1,5-bis-[di-tert.-butyl-phosphano]-2-methyl-3-pentyl)-palladium* (36%)[3]:

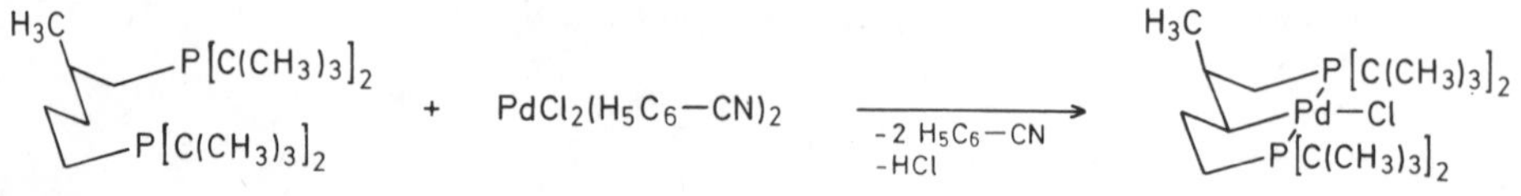

---
[1] H. C. CLARK, A. B. GOEL u. S. GOEL, Inorg. Chem. **18**, 2803 (1979).
[2] B. L. SHAW et al., Soc. [Dalton] **1979**, 1972.
[3] R. J. ERRINGTON, W. S. McDONALD u. B. L. SHAW, Soc. [Dalton] **1982**, 1829.

Oxime, die am Carbonyl-Kohlenstoff einen tert.-Butyl-Rest tragen, werden bei der Umsetzung mit Natrium-tetrachloropalladat(II) in Gegenwart von Natriumacetat in Methanol an der tert.-Butyl-Gruppe regiospezifisch ortho-palladiert[1, 2]:

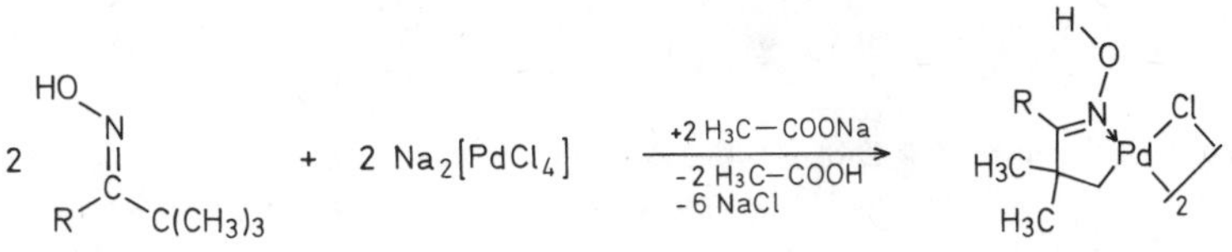

R = CH₃, C₂H₅, C₆H₅

Di-μ-chloro-bis-{[2,2-dimethyl-3-hydroxyimino-butyl-(C,N)]-palladium}[1]: Eine Lösung von 0,637 g (5,5 mmol) E-3,3-Dimethyl-butanon-oxim, 2,02 g (5,5 mmol) Natrium-tetrachloropalladat(II) und 0,462 g (5,6 mmol) Natrium-acetat in 20 ml Methanol wird bei 20° 3 Tage stehen gelassen. Das Lösungsmittel wird i. Vak. entfernt und der Rückstand 4mal mit je 25 ml Dichlormethan extrahiert. Einengen des Extraktes i. Vak. ergibt das Produkt; Ausbeute: 0,995 g (71%); F: 156–160° (aus Methanol).

Analog erhält man[1]:

Di-μ-chloro-bis-{[2,2-dimethyl-3-hydroxyimino-3-phenyl-propyl(C,N)]-palladium}   66%; F: 78–82°
Di-μ-chloro-bis-{[2,2-dimethyl-3-hydroxyimino-pentyl(C,N)]-palladium}   45%; F: 125–128°

Im Gegensatz dazu ortho-palladieren die entsprechenden Hydrazone, die eine Methyl- und eine tert.-Butyl-Gruppe am Carbonyl-C-Atom tragen, an der Methyl-Gruppe (nicht an der tert.-Butyl-Gruppe)[1, 2]:

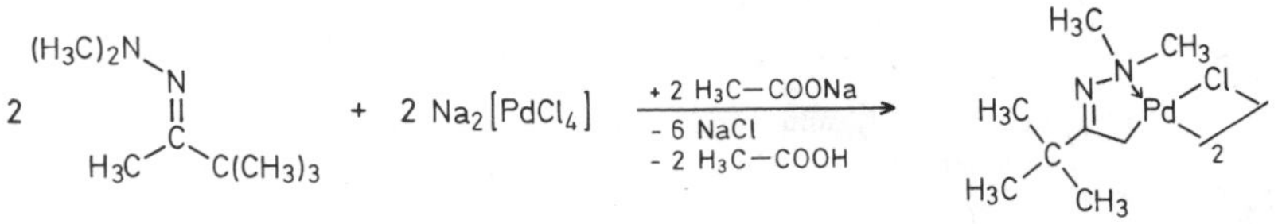

Di-μ-chloro-bis-{[3,3-dimethyl-2-dimethylhydrazono-butyl(C,N²)]-palladium}[1]:   0,63 g (4,43 mmol) 3,3-Dimethyl-2-butanon-dimethylhydrazon und 0,332 g (4,05 mmol) Natriumacetat werden zu einer Lösung von 1,37 g (4,03 mmol) Natrium-tetrachloropalladat(II) in 12 ml Methanol gegeben. Ein Niederschlag bildet sich nach ~ 5 Min.; die Mischung wird 24 Stdn. stehen gelassen. Das Lösungsmittel wird i. Vak. abgezogen und der Rückstand mit Dichlormethan extrahiert und der Extrakt eingeengt; Ausbeute: 0,95 g (83%); F: 208–211° (Zers.) (aus Dichlormethan/Methanol).

Bei aryl-methyl-substituiertem Carbonyl-C-Atom in Keton-hydrazonen findet eine ortho-Palladierung am Aromaten statt.

Di-μ-chloro-bis-[2,4-pentandionato]-dipalladium(II) geht in Gegenwart von freiem 2,5-Pentandion bei 20° in *Di-μ-chloro-bis-[(η²-2-hydroxy-4-oxo-2-pentenyl)-palladium]* (40%) über[3]:

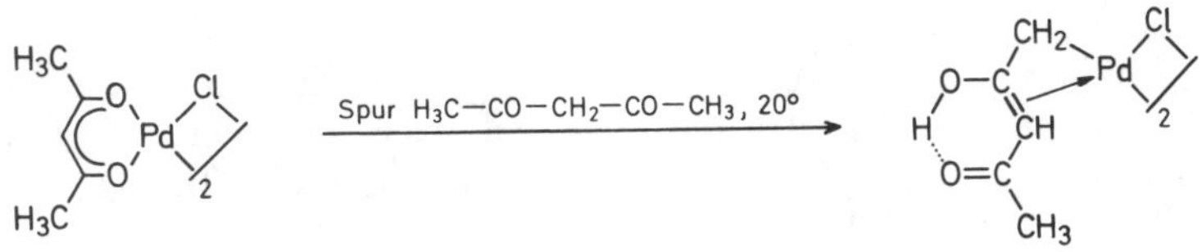

Formal kann diese Reaktion auch als eine innere Palladierung unter Proton-Abstraktion an der Methyl-Gruppe, σ–C–Pd-Bindungsknüpfung und Stabilisierung durch die olefinische Doppelbindung aufgefaßt werden. Die üblichen Brückenspaltungsreaktionen mit tert.-Phosphanen, Arsanen und 2,2'-Bipyridyl sind möglich, z. B.[3]:

---

[1] W. S. McDonald, B. L. Shaw et al., Soc. [Dalton] **1980**, 1992.
[2] W. S. McDonald, B. L. Shaw et al., Chem. Commun. **1978**, 1061.
[3] Z. Kanda, Y. Nakamura u. S. Kawaguchi, Inorg. Chem. **17**, 910 (1978).

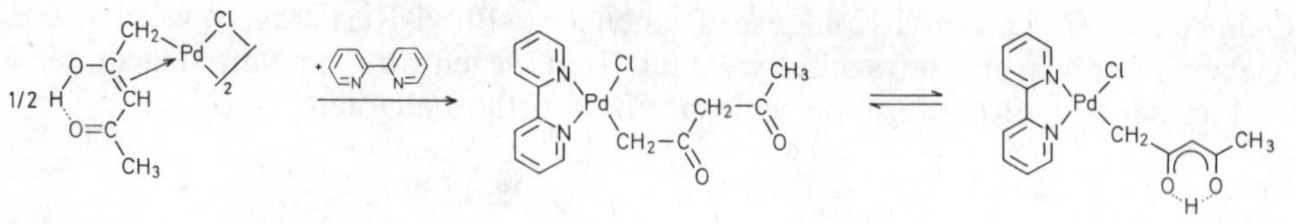

Der terminal σ–C-gebundene 2,4-Dioxo-3-pentyl-Rest im Palladium-Komplex zeigt Keto-Enol-Tautomerie und kann Metall-2,4-pentandionate bilden [z.B. mit Kupfer(II), Palladium(II)][1].

N-Hetarene wie Pyridin oder 2,2′-Bipyridyl, die in sterisch günstiger Nachbarstellung zum Stickstoff-Atom (2,6- bzw. 6,6′-substituiert) CH-acide Gruppen tragen, lassen sich mit Palladium(II)-chloriden in Gegenwart von Chlorwasserstoff-Fängern (z.B. Kalium-hydroxid in Pyridin[2], Natrium-ethanolat in Ethanol[3]) leicht intern palladieren. Läßt man z.B. eine wäßrige Mischung von äquimolaren Mengen 2,6-Bis-[2-acetyl-3-oxo-butyl]-py-ridin, Kaliumhydroxid, Kalium-tetrachloropalladat(II) und überschüssiges Pyridin meh-rere Stunden reagieren, so erhält man *2,6-Bis-[2-acetyl-3-oxo-2-σ-Pd-butyl]-1-pyridinio-palladio-pyridin* (62%; F: 195°, Zers.)[2,4]:

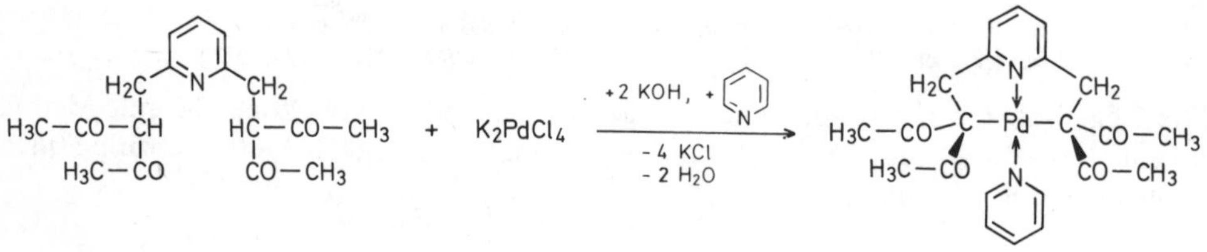

Wird eine wasserfreie ethanolische Lösung von Natrium-ethanolat tropfenweise zu einer THF-Lösung von Bis-[benzonitril]-dichloro-palladium und 6,6′-Bis-[2,2-diethoxycarbonyl-ethyl]-2,2′-bipyridyl gegeben, so kann man nach 12 Stdn. Rühren bei 25° aus dem Konzentrat *6,6′-Bis-[2,2-diethoxycarbonyl-ethyl]-2,2′-palladio-2,2′-bipyridin* (25%; F: 230–232°, Zers.) und *6-[2,2-Bis-(ethoxycarbonyl)-2-σ-Pd-ethyl]-6′-[2,2-bis-(ethoxy-carbonyl)-ethyl]-2,2′-(chloropalladio)-2,2′-bipyridin* (6%; F: 187–189°, Zers.) isolieren[3]:

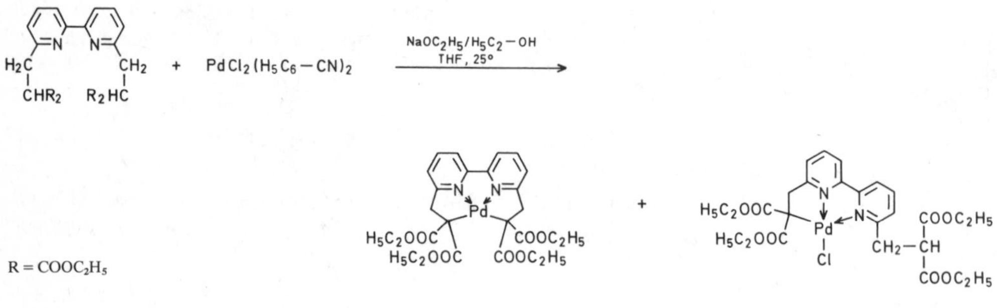

2,6-Bis-[2,2-diethoxycarbonyl-ethyl]- sowie 2,6-Bis-[2,2-dimethoxycarbonyl-ethyl]-pyridin reagieren mit Kalium-tetrachloropalladat nach anschließender Zugabe eines brückenbildenden Liganden zu den folgenden palladierten Verbindungen[5]:

---

[1] N. Yanase, Y. Nakamura u. S. Kawaguchi, Inorg. Chem. **17**, 2874 (1978).
[2] G. R. Newkome u. T. Kawato, Inorg. Chim. Acta **37**, L 481 (1979).
[3] G. R. Newkome et al., Am. Soc. **102**, 4551 (1980).
[4] G. R. Newkome et al., Am. Soc. **103**, 3423 (1981); viele weitere Beispiele.
[5] G. R. Newkome, D. K. Kohli u. F. R. Fronczek, Am. Soc. **104**, 994 (1982); dort weitere Beispiele.

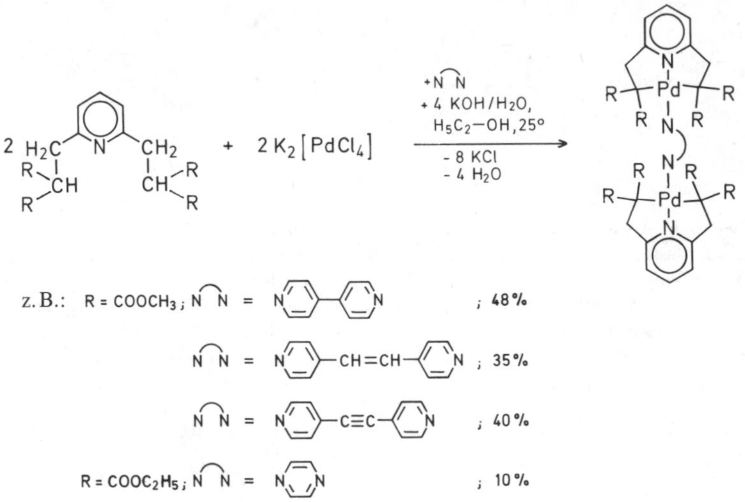

N,N-Dimethyl-thiobenzamid setzt sich mit Palladium(II)-chlorid in siedendem Methanol zum an der N–CH$_3$-Gruppe C-metallierten Produkt *Di-μ-chloro-bis-{[N-methyl-N-phenylthiocarbonylamino-methyl(C,S)]-palladium}* (96%; R^1 = C$_6$H$_5$; R^2 = H; R^3 = CH$_3$) um[1]. Eine ortho-Metallierung am Aromaten wird nicht beobachtet.

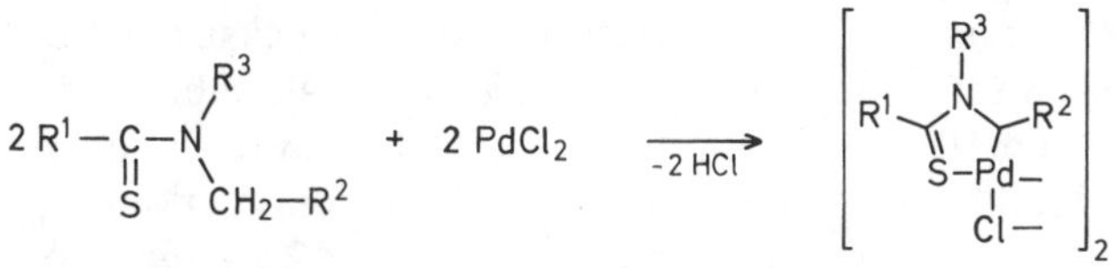

R^1 = CH$_3$; CH=CH–C$_6$H$_5$, R^2 = H; R^3 = CH$_3$;
R^1 = CH(CH$_3$)$_2$; R^2–R^3 = –(CH$_2$)$_3$–; R^2 = H; R^3 = CH$_3$
R^1 = C(CH$_3$)$_3$; R^2–R^3 = –(CH$_2$)$_4$–; R^2 = H; R^3 = CH$_3$
R^1 = C$_6$H$_5$; R^2 = H, CH$_3$; R^3 = C$_2$H$_5$

N-(Phenyl-thiocarbonyl)-pyrrolidin ergibt mit Palladium(II)-chlorid in siedendem HMPTA *Di-μ-chloro-bis-{[1-(phenyl-thiocarbonyl)-2-pyrrolidinyl(C,S)]-palladium}* (89%)[1]:

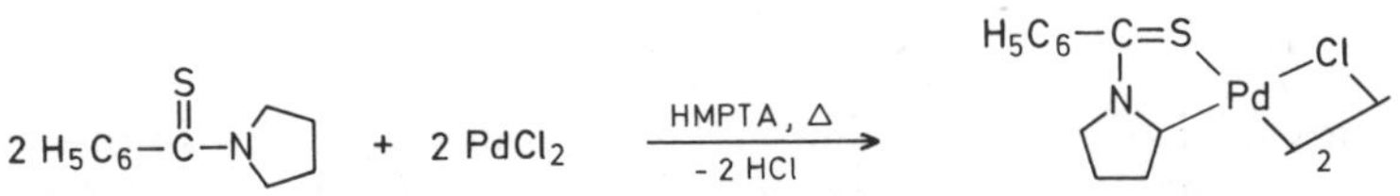

ζ) σ-Allyl-palladium-Verbindungen aus Palladium(II)-halogeniden mit 3-Acyl-4-aryl-pyrylium-Kationen

3-Benzoyl-2,4,6-triphenyl-pyrylium-perchlorat reagiert mit Bis-[benzonitril]-dichloro-palladium in Wasser/Ethanol in Gegenwart von Natriumacetat zur σ-Allyl-palladium-Verbindung[2]:

[1] Y. TAMURA, M. KAGOTANI u. Z. YOSHIDA, Ang. Ch. **93**, 1031 (1981).
[2] Y.T. STRUCHKOV et al., J. Organometal. Chem. **172**, 421 (1979); mit Röntgenstrukturanalyse.

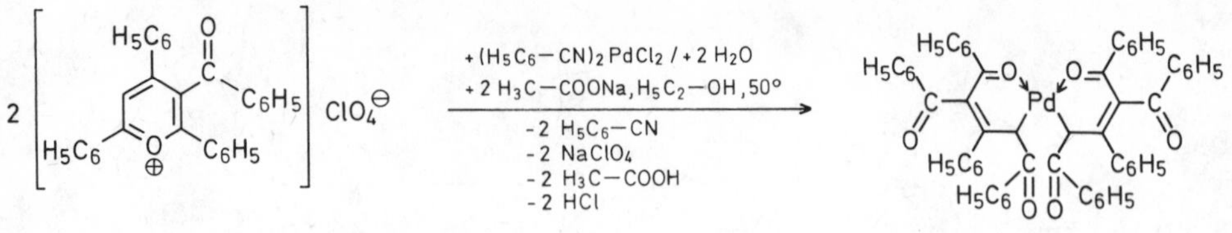

cis-Bis-[1,3-dibenzoyl-4-oxo-2,4-diphenyl-2-butenyl-(C,O)]palladium[1]: Eine Lösung von 0,2 g (2,4 mmol) Natriumacetat in 2 *ml* Wasser wird unter Rühren zu einer Suspension von 0,54 g (1,04 mmol) 3-Benzoyl-2,4,6-triphenyl-pyrylium-perchlorat und 0,2 g (0,52 mmol) Bis-[benzonitril]-dichloro-palladium in 20 *ml* Ethanol gegeben. Man rührt 5 Min. bei 20° und 5 Min. bei 50°. Der Niederschlag wird abfiltriert, auf dem Filter getrocknet und mehrere Male mit Chloroform gewaschen. Das orangenfarbene Filtrat wird mit Diethylether behandelt, der hellrote Niederschlag abfiltriert, mit Ether gewaschen und getrocknet; Ausbeute: 0,2 g (40%); F: 202–208°, Zers.

Pyrylium-Salze mit einer Acyl-Gruppe und einer unbesetzten γ-Position ergeben dagegen nur π-Allyl-palladium-Verbindungen[1].

2. aus Palladiumhalogeniden mit ungesättigten Verbindungen durch Addition

α) mit Alkinen

Die Reaktionen einiger Acetylene mit Palladiumhalogeniden führen zu Insertions-Produkten mit Palladium-Kohlenstoff σ-Bindung, die interessante Ausgangsprodukte für organische Synthesen darstellen und gleichzeitig einen Einblick in den Mechanismus der Palladium-katalysierten Oligomerisierung von Acetylenen gewähren.

So ergibt Palladium(II)-chlorid mit Acetylendicarbonsäure-dimethylester (Molverhältnis ca. 1:10) in Methanol bei 20° die dimere Palladium-Verbindung *Di-μ-chloro-bis-⟨{2,3-η²-(1,2,3,4,5,6,7-heptamethoxycarbonyl-bicyclo[2.2.1]hepta-2,5-dien-7-yl)-methoxycarbonyl-methyl}-palladium⟩* (52%)[2]:

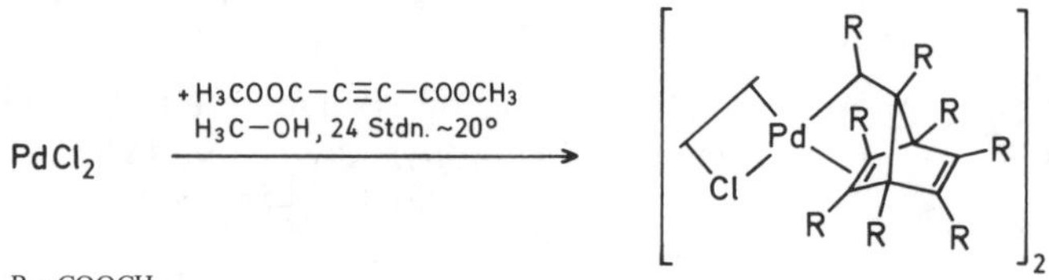

Bei der Reaktion mit Palladium(II)-chlorid (als Benzonitril-Addukt) in aprotischen Lösungsmitteln (z.B. Benzol) entsteht dagegen *Di-μ-chloro-bis-{[chlor-(1,2,3,4,5-penta-methoxycarbonyl-2,4-cyclopentadien-1-yl)-methoxycarbonyl-methyl(C,O)]-palladium}*[3–5]:

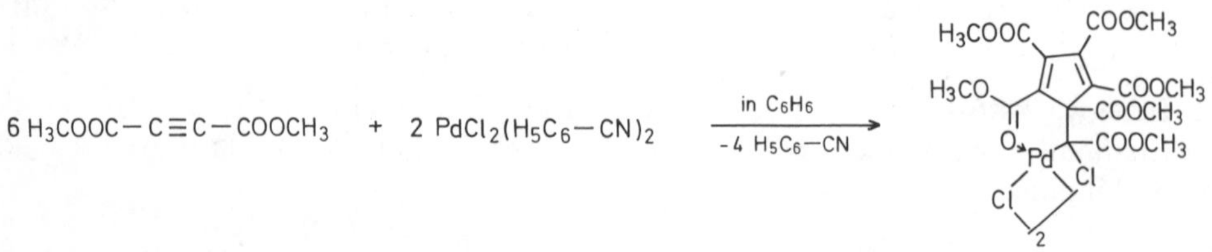

---

[1] Y. T. STRUCHKOV et al., J. Organometal. Chem. **172**, 421 (1979).

[2] A. KONIETZNY, P. M. BAILEY u. P. M. MAITLIS, Chem. Commun. **1975**, 78.

[3] M. AVRAM et al., Rev. Roumaine Chim. **14**, 1191 (1969).

[4] D. M. ROE, C. CALVO, N. KRISHNAMACHARI u. P. M. MAITLIS, Soc. [Dalton] **1975**, 125.

[5] P. M. MAITLIS et al., Chem. Commun. **1973**, 436.

Di-μ-chloro-bis-{[chlor-(1,2,3,4,5-pentamethoxycarbonyl- 2,4-cyclopentadien-1-yl)-methoxycarbonyl-methyl]-palladium} [1,2]: In eine Lösung von 3,8 g (10 mmol) Bis-[benzonitril]-dichloro-palladium in 80 ml abs. Benzol werden 5,0 g (35 mmol) Acetylendicarbonsäure-dimethylester eingetragen. Nach 24 stdg. Stehen bei 20° wird die rote Lösung mit 300 ml Petrolether (Kp: 40–50°) versetzt. Der ziegelrote Niederschlag wird filtriert und mit Petrolether gewaschen (durch Dekantieren); Ausbeute: 5,6–5,7 g (93–95%).

5 g dieser Substanz werden mit 50 ml Methanol bis zur vollständigen Lösung gerührt und nach 24 stdg. Stehen bei 20° filtriert; Ausbeute: 3,5 g (70%); F: 170° (Zers.)

Bei der Umsetzung von 2-Hydroxy-2,5,5-trimethyl-3-hexin mit Bis-[benzonitril]-dichloro-palladium in inerten Lösungsmitteln (Benzol) bildet sich zunächst *Di-μ-chloro-bis-{[η²-1-(2,5-di-tert.-butyl-4-isopropenyl-3-furyl)-1-methyl-ethyl]-palladium}* [3], das nur bei sofortiger Aufarbeitung des Reaktionsgemisches isolierbar ist und sich beim Aufbewahren in Lösung oder bei der Reinigung an Aluminiumoxid in den Komplex I umwandelt:

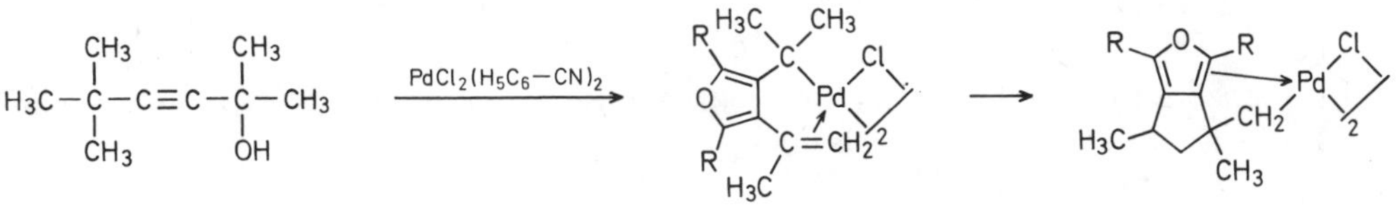

Di-μ-chloro-bis-{{[3,4-η- (1,3-di-tert.-butyl-4,6-dimethyl-5,6-dihydro-4H-⟨cyclopent[c]furan⟩-4-yl)-methyl}-palladium} [3,4]: 8,0 g (20,8 mmol) Bis-[benzonitril]-dichloro-palladium in 400 ml abs. Benzol werden mit 6,0 g (42,8 mmol) 2-Hydroxy-2,5,5-trimethyl-3-hexin in 20 ml abs. Benzol versetzt. Nach 48 Stdn. Stehenlassen bei 20°, wobei sich Wasser ausscheidet, wird die organ. Phase getrocknet und i. Vak. eingeengt. Nach weiterem 24 stdg. Aufbewahren bei 20° wird der kristalline ziegelrote Niederschlag abfiltriert und mit Petrolether (Kp: 30–50°) gewaschen; Ausbeute: 3,1 g (37%).

1,0 g des rohen Komplexes liefern beim Chromatographieren an Aluminiumoxid mit Dichlormethan als Laufmittel 0,6 g (F: 151°).

Erhitzt man 1,2-Di-tert.-butyloxy-acetylen mit Palladiumchlorid in Acetonitril, so erhält man *Chloro-(1,2,3,4-tetra-tert.-butyloxy- 4-chlor-2-cyclobuten-1-yl)-palladium* [5]:

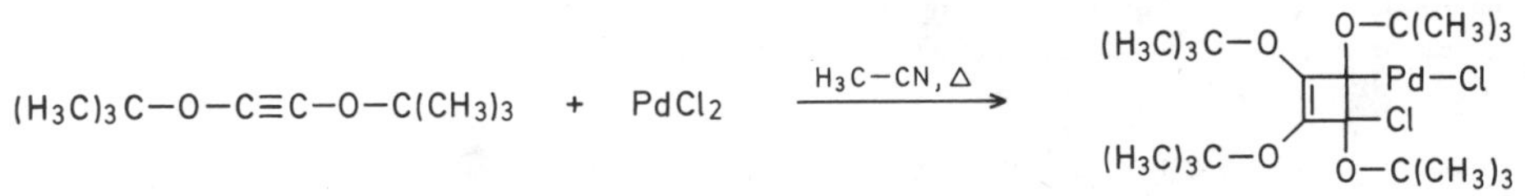

Bei der Heck-Reaktion von Diaryl-quecksilber mit Bis-[benzonitril]-dichloro-palladium und 2-Butin in Dichlormethan erhält man ebenfalls eine σ,π-Alkyl-palladium-Verbindung [6,7]:

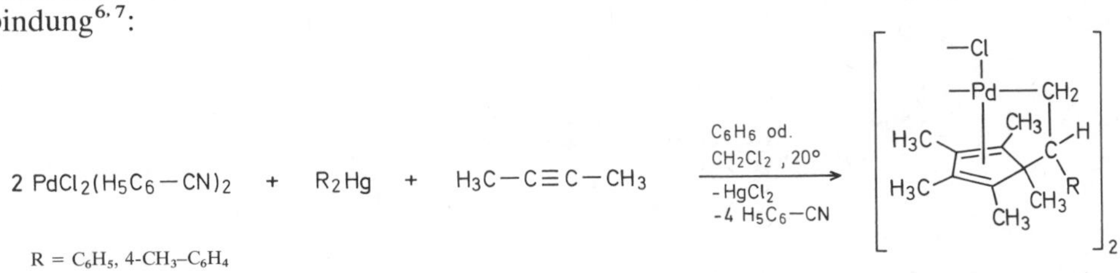

R = C₆H₅, 4-CH₃–C₆H₄

[1] M. AVRAM et al., Rev. Roumaine Chim. **14**, 1191 (1969).
[2] D.M. ROE, C. CALVO, N. KRISHNAMACHARI u. P.M. MAITLIS, Soc. [Dalton] **1975**, 125.
[3] M. AVRAM et al., B. **108**, 1830 (1975).
[4] Siehe auch: M. AVRAM et al., B. **105**, 2375 (1972).
[5] A. BOU, M.A. PERICAS u. F. SERRATOSA, Tetrahedron Letters **23**, 361 (1982).
[6] P.M. MAITLIS et al., Am. Soc. **95**, 4914 (1973).
[7] P.M. MAITLIS et al., Am. Soc. **94**, 3237 (1972).

Di-μ-chloro-bis-{[η^4-2-(1,2,3,4,5-pentamethyl-2,4-cyclopentadien-1-yl)-2-phenyl-ethyl]-palladium}[1]:
1,92 g (5 mmol) Bis-[benzonitril]-dichloro-palladium werden langsam in kleinen Portionen innerhalb von 15 Min. unter Rühren zu einer Lösung von 2,7 ml (35 mmol) 2-Butin und 1,77 g (5 mmol) Diphenyl-quecksilber in Dichlormethan so zugegeben, daß die Temp. der Lösung nicht über 25° steigt. Schon während der Zugabe beginnt Phenyl-quecksilberchlorid auszufallen. Nach beendeter Zugabe wird die Lösung weitere 15 Min. gerührt, dann werden 50 ml Petrolether (Kp: 30–50°) zugefügt. Das ausgefallene Phenyl-quecksilberchlorid (1,08 g) wird abfiltriert und das hellgelbe Filtrat am Rotationsverdampfer zur Trockne eingeengt. Das Öl wird mit 125 ml Petrolether geschüttelt und die Lösung filtriert, um den letzten Rest Phenyl-quecksilberchlorid abzutrennen. Das gelbe Filtrat wird bei –10° 18 Stdn. stehen gelassen, wobei das Produkt auskristallisiert; Ausbeute: 0,86 g (45%); F: 125–126° (Zers.) (nach Säulenchromatographie an Aluminiumoxid und Umkristallisieren aus Petrolether).

Analog wird *Di-μ-chloro-bis-{[η^4-2-(1,2,3,4,5-pentamethyl-2,4-cyclopentadienyl)-2-(4-methyl-phenyl)-ethyl]-palladium}* (28%; F: 127–129°, Zers.) erhalten[1].

β) mit Carbenen

Bis-[benzonitril]-dichloro-palladium geht mit Bis-[trifluormethyl]-diazomethan eine Insertions-Reaktion in die Pd-Cl-Bindung ein[2,3]:

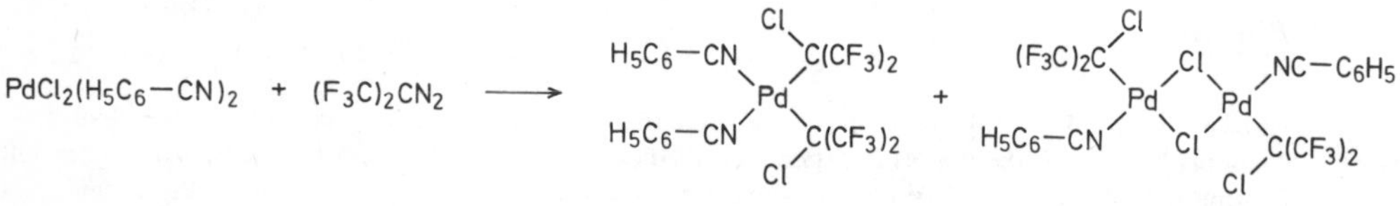

Bis-[benzonitril]-bis-[1-chlor-2,2,2-trifluor-1-trifluormethyl-ethyl]-palladium (I); Di-μ-chloro-bis-[benzonitril-(1-chlor-2,2,2-trifluor-1-trifluormethyl-ethyl)-palladium](II)[2]: 0,38 g (2,5 mmol) Bis-(trifluormethyl)-diazomethan wird in ein Carius-Gefäß, das 1,00 g (2,63 mmol) Bis-[benzonitril]-dichloro-palladium in 20 ml Diethylether enthält, bei –196° einkondensiert. Nach 9 Tagen bei 20° fallen gelbe und orangefarbene Kristalle aus der roten Lösung aus. Die Kristalle werden von Hand getrennt und zusätzliches orangefarbiges Produkt durch Zugabe von Hexan zur Diethylether-Lösung erhalten. Man kristallisiert das gelbe Produkt aus Dichlormethan/Hexan um; Ausbeute I: 0,60 g (32%); F: 170° (Zers.).
Das orangefarbige Material wird ebenfalls aus Dichlormethan/Hexan umkristallisiert; Ausbeute II: 0,60 g (28%); F: 150° (Zers.).

Beim Behandeln einer etherischen Suspension von Di-μ-chloro-bis-[chloro-(triphenylphosphan)-palladium] mit einem Überschuß an Diazo-acetonitril bei 0° entsteht das stabile farblose Insertionsprodukt (in die Pd–Cl-Bindung) *Bis-[chlor-cyan-methyl]-(triphenylphosphan)-palladium* (F: 265°, Zers.)[4]:

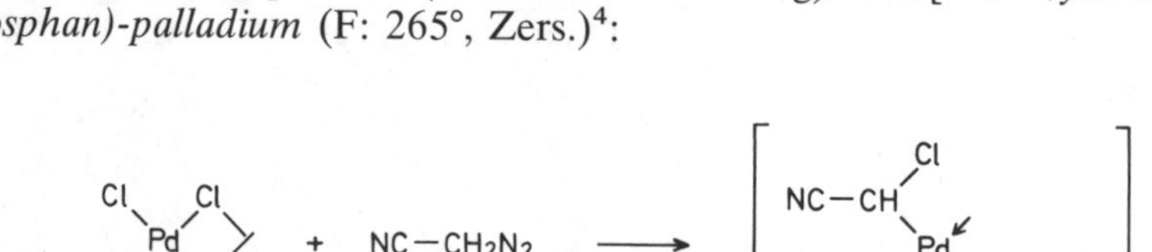

[1] P. M. Maitlis et al., Am. Soc. **95**, 4914 (1973).
[2] J. Clemens, M. Green u. F. G. A. Stone, Soc. [Dalton] **1973**, 1620.
[3] F. G. A. Stone et al., J. Organometal. Chem. **17**, P 23 (1969).
[4] K. Matsumoto, Y. Odaira u. S. Tsutsumi, Chem. Commun. **1968**, 832.

γ) mit Alkenen bzw. Cyclopropanen

Bis-[acetonitril]-chloro-nitro-palladium reagiert mit Bicyclo [2.2.1] hepten in Aceton zu *Di-μ-chloro-bis-[(3-nitrosooxy-bicyclo[2.2.1] hept-2-yl)-palladium]*[1]:

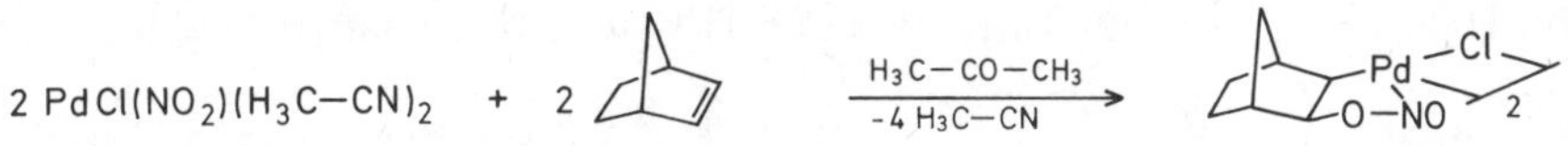

π-Allyl-palladium(II)-Verbindungen I reagieren mit Bicyclo[2.2.1] heptenen bzw. Bicyclo[2.2.2]octenen zu Bicycloalkyl-palladium-Verbindungen (40–90%)[2]:

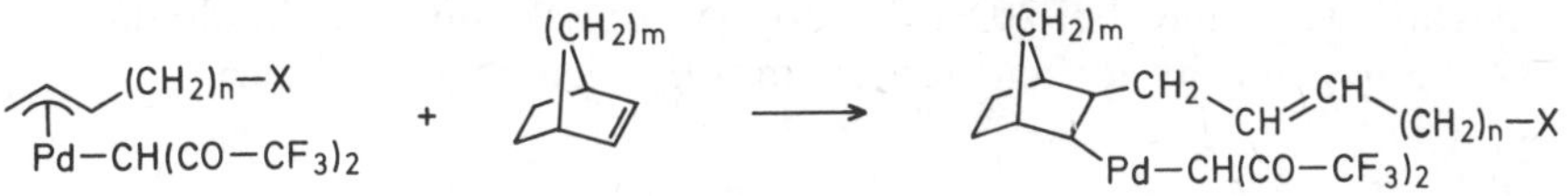

m = 1, 2;
n = 0, 3, 7;
X = COOCH₃; CH₂–O–Si(CH₃)₂–C(CH₃)₃

Aus 1-(Fluorenyliden-diphenyl- phosphonium)-2-(diphenylphosphano)-ethan und Dichloro-bis-[triphenylphosphan]-palladium erhält man *Bis-{9-[(2-diphenylphosphano-ethyl)-diphenyl-phosphano]-9-fluorenyl(C,P$^\omega$)-palladium}-[tetrachloropalladat]* (90%)[3]:

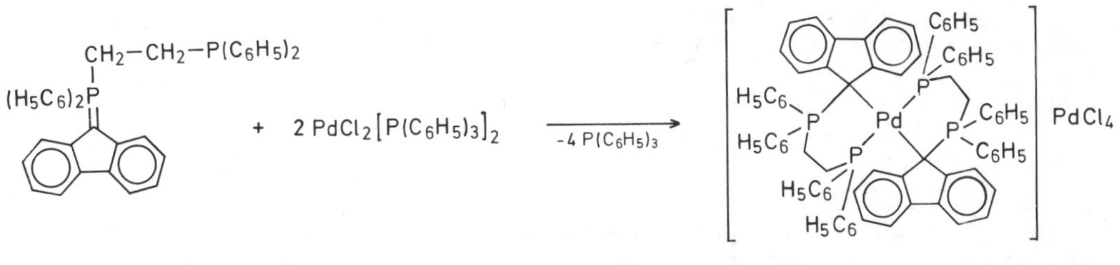

Exo- und *endo*-9-Methyl-bicyclo[6.1.0]non-4-en reagieren mit Bis-[benzonitril]-dichloro-palladium in Dichlormethan zu isomeren dimeren chlorverbrückten π-Komplexen, die bereits bei 20° in *Di-μ-chloro-bis-[η^2-2-(1-chlor-ethyl)-5-cyclooctenyl-palladium]* (*exo* 39%; *endo* 59%) übergehen (Spaltung der *exo*cyclischen Cyclopropan-C–C-Bindung)[4]:

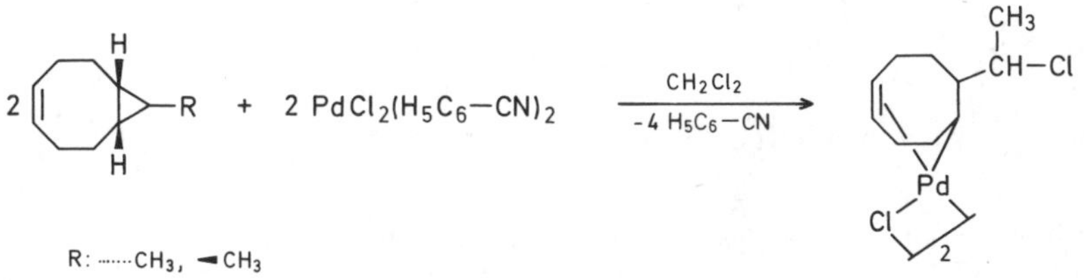

R: ·····CH₃, ◄CH₃

[1] M.A. ANDREWS u. C.W.F. CHENG, Am. Soc. **104**, 4268 (1982).
[2] R.C. LAROCK, J.P. BURKHART u. K. OERTLE, Tetrahedron Letters **23**, 1071 (1982).
[3] N. HOLY, U. DESCHLER u. H. SCHMIDBAUR, B. **115**, 1379 (1982).
[4] M.F. RETTIG, D.E. WILCOX u. R.S. FLEISCHER, J. Organometal. Chem. **214**, 261 (1981).

3. aus Palladium-Metall bzw. Palladium(0)-Verbindungen durch oxidative Addition

α) von Halogen-alkanen

Eine relativ einfache Methode zur Einführung der Alkyl-Gruppe ist die oxidative Addition von Halogen-alkanen an Tetrakis- oder Tris-[tert.-phosphan]-palladium(0)[1]:

$$Pd[P(C_6H_5)_3]_n \quad + \quad R—X \quad \longrightarrow \quad [(H_5C_6)_3P]_2Pd(R)X \quad + \quad (n-2)P(C_6H_5)_3$$

n = 3,4
X = Cl, Br, J

Die Reaktion wird meist bei 20° in Benzol unter Stickstoff oder Argon durchgeführt. Zwei typische Arbeitsvorschriften werden im folgenden wiedergegeben.

L = (H₅C₆)₃P

Chloro-(α-deuterio-benzyl)-bis-[triphenylphosphan]-palladium[2,3]: Zu einer Lösung von 13,0 g (11,3 mmol) Tetrakis-[triphenylphosphan]-palladium(0) in 250 ml entgastem Benzol werden 3,0 g (2,4 mmol) (S)-(+)-Chlor-deuterio-phenyl-methan ([α]$_D^{28}$ + 1,24°) unter Stickstoff gegeben. Die Reaktionsmischung wird 72 Stdn. bei 25° gerührt und dann i. Vak. eingeengt. Zum Rückstand werden 100 ml Ether und dann 200 ml Pentan gegeben. Der gelbe Niederschlag wird abfiltriert und mit 100 ml Pentan gewaschen; Ausbeute: 8,0 g (94%); F: 140–144°, Zers.; NMR (CDCl₃) τ: 7,30 (bs, 1 H).

Chlor-(cyanmethyl)-bis-[triphenylphosphan]-palladium[4]: 2,0 ml Chlor-acetonitril werden unter Stickstoff zu einer Lösung von 2,5 g Tetrakis-[triphenylphosphan]-palladium in 200 ml Benzol bei 20° gegeben. Nach 30 Min. beginnt sich ein farbloser Niederschlag abzuscheiden. Nach 3 Stdn. Rühren wird das Produkt abfiltriert, mit Ether gewaschen und aus Aceton umkristallisiert; Ausbeute: 53%; F: 240° (Zers.).

In Tabelle 5 (S. 741) sind weitere Umsetzungen zusammengestellt. Um eine Dimerisierung gemäß

zu verhindern, wird vorteilhaft in Gegenwart geringer Mengen Triphenylphosphan umkristallisiert.

Subst. Benzyl-chloro-bis-[triphenylphosphan]-palladium-Verbindungen (s. Tab. 5, S. 741); allgemeine Arbeitsvorschrift[5]: 6,0 g des Benzylchlorids werden unter Stickstoff zu einer Suspension von 20,0 g Tetrakis-[triphenylphosphan]-palladium in 150 ml Benzol gegeben. Die Reaktionsmischung wird bei 55° 1 Stde., dann bei 20°

[1] Tris-[tert.-phosphan]-palladium(0): W. KURAN u. A. MUSCO, Inorg. Chim. Acta **12**, 187 (1975).
   Tetrakis-[tert.-phosphan]-palladium(0): F. A. COTTON, Inorganic Synth. **13**, S. 113, 121 (1972).
[2] K. S. Y. LAU, P. K. WONG u. J. K. STILLE, Am. Soc. **98**, 5832 (1976).
[3] D. MILSTEIN u. J. K. STILLE, Am. Soc. **101**, 4981 (1979).
[4] K. SUZUKI u. H. YAMAMOTO, J. Organometal. Chem. **54**, 385 (1973).
[5] R. Ros et al., Inorg. Chim. Acta **25**, 61 (1977).

25–80 Stdn. gerührt (je nach der Aktivität des Benzyl-Restes: z. B. beim 4-Cyan-benzyl-Rest 25 Stdn., bei 3-Cyan-Substitution 80 Stdn.). Danach wird die Fällung durch Zugabe von Diethylether oder Hexan vervollständigt. Das Rohprodukt wird in Dichlormethan gelöst, das unlösliche Dichloro-bis-[triphenylphosphan]-palladium abfiltriert und das Filtrat auf ein Vol. von ~ 50 ml eingeengt. Zugabe von Methanol gibt einen Niederschlag, der aus Dichlormethan/Ether in Gegenwart von 1 g Triphenylphosphan zur Verhinderung der Dimerisierung umkristallisiert wird; Ausbeuten: 60–75%.

Tab. 5: Alkyl-halogeno-bis-[tert.-phosphan]-palladium durch oxidative Addition von Halogen-alkanen an Tris- oder Tetrakis-[tert.-phosphan]-palladium(0)

PdL_n (n = 3,4) L	R–X	$L_2Pd(R)X$ Reaktionsprodukt	Ausbeute [%]	F [°C]	Literatur
$(H_3C)_3P$	J–CH₃	*Jodo-methyl-bis-[trimethylphosphan]-palladium*	75	124	1
$(H_5C_2)_3P$	Cl–CH₂–C₆H₅	*Benzyl-chloro-bis-[triethylphosphan]-palladium*	98	77–79	2
	Br–CH₂–C₆H₅	*Benzyl-bromo-bis-[triethylphosphan]-palladium*	71	89–90	2
	Cl–CH–C₆H₅ D	*Chloro-(α-deuterio-benzyl)-bis-[triethylphosphan]-palladium*	94	77–78	2
$(H_5C_6)_2P–CH_3$	J–CH₃	*Jodo-methyl-bis-[methyl-diphenyl-phosphan]-palladium*	67	139	1
	J–C₃F₇	*(Heptafluorpropyl)-jodo-bis-[methyl-diphenyl-phosphan]-palladium*	20	106	3
$[(H_3C)_2CH]_3P$	J–CH₃	*Jodo-methyl-bis-[triisopropylphosphan]-palladium*	78	130	1
$(H_5C_6)_3P$	Br–CH₃	*Bromo-methyl-bis-[triphenylphosphan]-palladium*	92	188–190	4
	J–CH₃	*Jodo-methyl-bis-[triphenylphosphan]-palladium*		151–154	5–7
	J–CF₃	*Jodo-(trifluormethyl)-bis-[triphenylphosphan]-palladium*	78	255	8
	Cl–CH₂–CN	*Chloro-(cyanmethyl)-bis-[triphenylphosphan]-palladium*	53	190–192	9–11
	Cl–CH₂–C=CH₂ CH₃	*Chloro-(σ-2-methyl-allyl)-bis-[triphenylphosphan]-palladium* + *Chloro-(2-methyl-2-propenyl)-bis-[triphenylphosphan]-palladium*		121–143	5
	Cl–CH₂–C₆H₅	*Benzyl-chloro-bis-[triphenylphosphan]-palladium*	92	147–151	7, 12–14
	Br–CH₂–C₆H₅	*Benzyl-bromo-bis-[triphenylphosphan]-palladium*	95	136–139	4,6,13

[1] H. WERNER u. W. BERTLEFF, J. Chem. Research (M) **1978**, 2720.

[2] Y. BECKER u. J. K. STILLE, Am. Soc. **100**, 838 (1978).

[3] A. J. MUKHEDKAR, M. GREEN u. F. G. A. STONE, Soc.[A] **1969**, 3023.

[4] D. MILSTEIN u. J. K. STILLE, Am. Soc. **101**, 4981 (1979).

[5] P. FITTON, M. P. JOHNSON u. J. E. McKEON, Chem. Commun. **1968**, 6.

[6] P. E. GARROU u. R. F. HECK, Am. Soc. **98**, 4115 (1976).

[7] J. F. FAUVARQUE u. A. JUTAND, Bl. **1976**, 765.

[8] D. T. ROSEVEAR u. F. G. A. STONE, Soc. [A] **1968**, 164.

[9] K. SUZUKI u. H. YAMAMOTO, J. Organometal. Chem. **54**, 385 (1973).

[10] G. ÖHME u. H. BAUDISCH, Tetrahedron Letters **1974**, 4129.

[11] G. ÖHME, K. C. RÖBER u. H. PRACEJUS, J. Organometal. Chem. **105**, 127 (1976).

[12] P. FITTON, J. E. McKEON u. B. C. REAM, Chem. Commun. **1969**, 370; beim Erhitzen entsteht die Chlor-verbrückte Verbindung: *Di-μ-chloro-bis-[benzyl-triphenylphosphan-palladium]*.

[13] J. K. STILLE u. K. S. Y. LAU, Am. Soc. **98**, 5841 (1976).

[14] R. ROS et al., Inorg. Chim. Acta **25**, 61 (1977).

Tab. 5 (Forts.)

PdL_n (n = 3,4) L	R–X	L_2Pd(R)X Reaktionsprodukt	Ausbeute [%]	F [°C]	Literatur
$(H_5C_6)_3P$	Cl–CH(D)–C_6H_5	Chloro-(α-deuterio-benzyl)-bis-[triphenylphosphan]-palladium	94	140–144	1, 2
	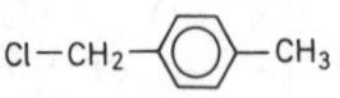 Cl–CH_2–C_6H_4–CH_3	Chloro-(4-methyl-benzyl)-bis-[triphenylphosphan]-palladium	92	158–160	3
	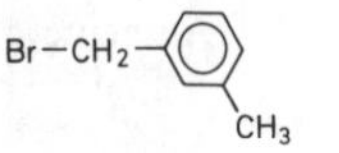 Br–CH_2–C_6H_4(CH_3)	Bromo-(3-methyl-benzyl)-bis-[triphenylphosphan]-palladium	93	134–136	3
	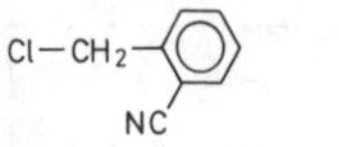 Cl–CH_2–C_6H_4(NC)	Chloro-(2-cyano-benzyl)-bis-[triphenylphosphan]-palladium	75	160–162	4
	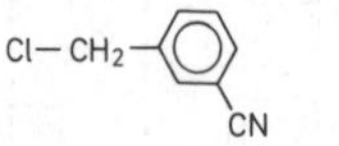 Cl–CH_2–C_6H_4(CN)	Chloro-(3-cyano-benzyl)-bis-[triphenylphosphan]-palladium	75	167–169	4
	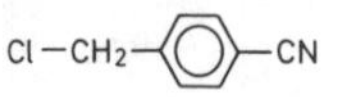 Cl–CH_2–C_6H_4–CN	Chloro-(4-cyano-benzyl)-bis-[triphenylphosphan]-palladium	75	158–160	4
	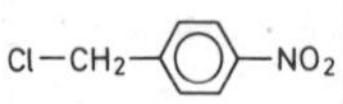 Cl–CH_2–C_6H_4–NO_2	Chloro-(4-nitro-benzyl)-bis-[triphenylphosphan]-palladium	93	143–145	3
	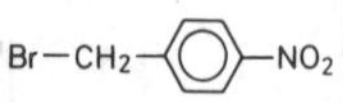 Br–CH_2–C_6H_4–NO_2	Bromo-(4-nitro-benzyl)-bis-[triphenylphosphan]-palladium	94	148–150	3, 5, 6
	Cl–CH(CF_3)–C_6H_5	Chloro-(2,2,2-trifluor-1-phenyl-ethyl)-bis-[triphenylphosphan]-palladium			7
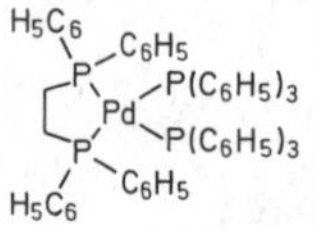 $\begin{matrix} H_5C_6 & C_6H_5 \\ P & P(C_6H_5)_3 \\ Pd & \\ P & P(C_6H_5)_3 \\ H_5C_6 & C_6H_5 \end{matrix}$	J–CF_3	(1,2-Bis-[diphenylphosphano]-ethan)-jodo-(trifluormethyl)-palladium	47	273	8
	Cl–CH_2–C_6H_5	Benzyl-chloro-(1,2-bis-[diphenyl-phosphano]-ethan)-palladium	64	184–186	9

Durch Rühren mit 30%igem Wasserstoffperoxid in Aceton können die *trans*-Alkyl-halogeno-bis-[tert.-phosphan]-palladium-Verbindungen in die di-μ-chloro-verbrückten Verbindungen überführt werden (Ausbeuten: 90–98%), z.B.[4]:

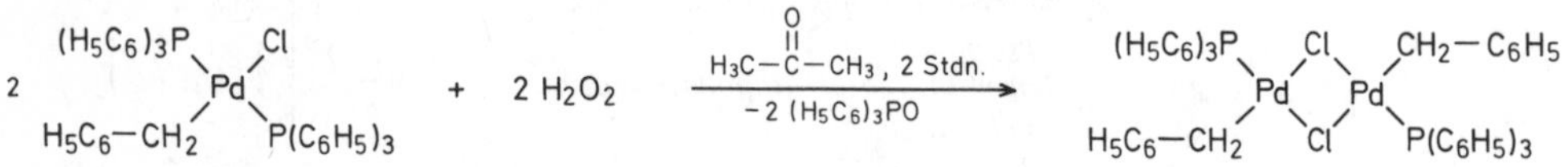

Di-μ-chloro-bis-[benzyl-triphenylphosphan-palladium]

Der Verlauf der oxidativen Addition bzw. die Beständigkeit der Produkte ist vom Alkyl-Rest abhängig. So mißlingt die Isolierung der oxidativen Additionsprodukte bei Alkyl-Resten, die zur β-Eliminierung neigen[6]:

[1] K.S.Y. Lau, P.K. Wong u. J.K. Stille, Am. Soc. **98**, 5832 (1976).
[2] P.K. Wong, K.S.Y. Lau u. J.K. Stille, Am. Soc. **96**, 5956 (1974).
[3] D. Milstein u. J.K. Stille, Am. Soc. **101**, 4981 (1979).
[4] R. Ros et al., Inorg. Chim. Acta **25**, 61 (1977).
[5] P.E. Garrou u. R.F. Heck, Am. Soc. **98**, 4115 (1976).
[6] J.K. Stille u. K.S.Y. Lau, Am. Soc. **98**, 5841 (1976).
[7] K.S.Y. Lau, R.W. Fries u. J.K. Stille, Am. Soc. **96**, 4983 (1974).
[8] D.T. Rosevear u. F.G.A. Stone, Soc. [A] **1968**, 164.
[9] D. Milstein u. J.K. Stille, Am. Soc. **101**, 4992 (1979).

Sterisch gehinderte Alkyl-Reste und Alkyl-Gruppen mit elektronenziehenden Substituenten können zu Kupplungsprodukten führen[1]:

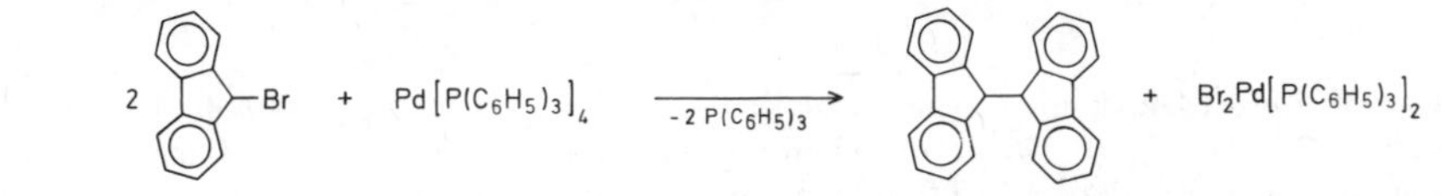

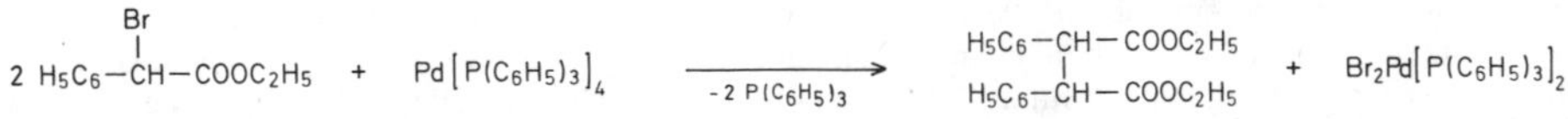

Die oxidative Addition von 1-Brom-2-oxo-2-phenyl-ethan bzw. 1-Brom-inden führt zur Debromierung der Brom-alkane[1]:

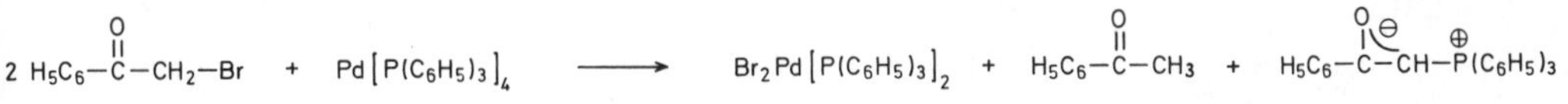

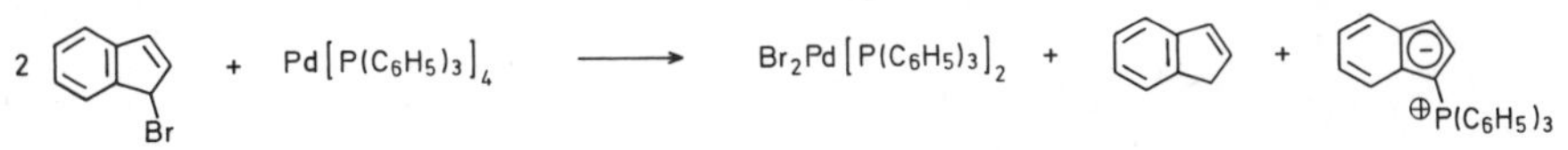

Die Reaktion von Bis-[tricyclohexylphosphan]-palladium(0) mit 3-Butensäure liefert *6-Oxo-2-tricyclohexylphosphan-1,2-oxapalladium*[2]:

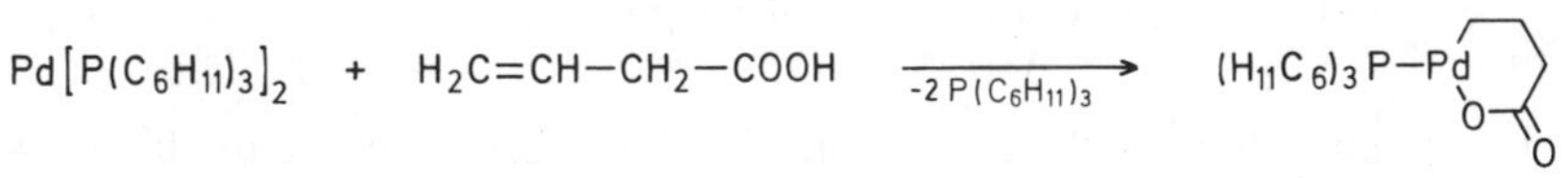

Ein Sonderfall stellt die Addition von Chlor-methylthio-methan an Tetrakis-[triphenylphosphan]-palladium dar, die zunächst zum *Chloro-(methylthio-methyl)-bis-[triphenylphosphan]-palladium*[3] führt, das beim Umkristallisieren aus Dichlormethan/Ether unter Abgabe eines Phosphans in *Chloro-[methylthio-methyl(C,S)]-(triphenylphosphan)-palladium* übergeht[4,5]:

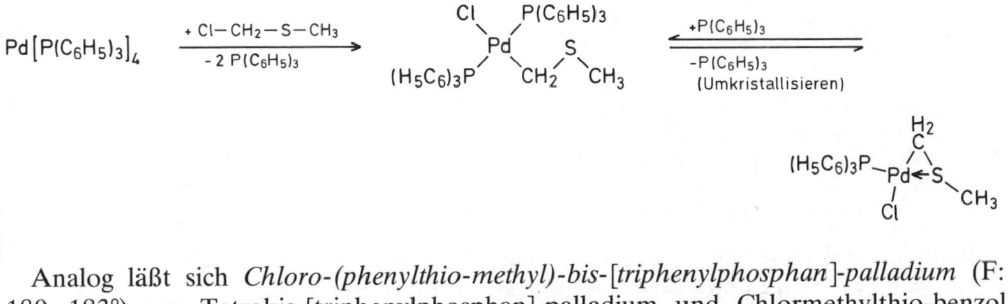

Analog läßt sich *Chloro-(phenylthio-methyl)-bis-[triphenylphosphan]-palladium* (F: 180–183°) aus Tetrakis-[triphenylphosphan]-palladium und Chlormethylthio-benzol herstellen[6].

Auch Tris-[triethylphosphan]-palladium reagiert mit Jodmethan unter oxidativer Addition[7]:

[1] J. K. Stille u. K. S. Y. Lau, Am. Soc. **98**, 5841 (1976).
[2] K. Sano, T. Yamamoto u. A. Yamamoto, Chem. Letters **1982**, 695.
[3] K. Miki et al., J. Organometal. Chem. **165**, 79 (1979); mit Röntgenstruktur.
[4] G. Yoshida, H. Kurosawa u. R. Okawara, J. Organometal. Chem. **113**, 85 (1976).
[5] K. Miki et al., J. Organometal. Chem. **135**, 53 (1977); mit Röntgenstruktur.
[6] H. D. McPherson u. J. L. Wardell, Inorg. Chim. Acta **35**, L 353 (1979).
[7] R. A. Schunn, Inorg. Chem. **15**, 208 (1976).

$$\text{Pd}\,[\text{P}(\text{C}_2\text{H}_5)_3]_3 \;+\; \text{H}_3\text{C}-\text{J} \quad \xrightarrow[-\;\text{P}(\text{C}_2\text{H}_5)_3]{} \quad \underset{(\text{H}_5\text{C}_2)_3\text{P}}{\overset{\text{J}\qquad\text{P}(\text{C}_2\text{H}_5)_3}{\text{Pd}}}\diagdown\text{CH}_3$$

trans-Jodo-methyl-bis-[triethylphosphan]-palladium[1]: Eine Lösung von 1,38 g (0,003 mol) Tris-[triethyl-phosphan]-palladium und 2,05 g (0,006 mol) Natrium-tetraphenylborat in 50 ml THF wird mit 0,57 g (0,004 mol) Jodmethan behandelt. Aus der gelben Lösung scheidet sich ein farbloser Niederschlag von Triethyl-methyl-phosphonium-tetraphenylborat ab, der nach 1 Stde. Rühren abfiltriert wird. Das Filtrat wird i. Vak. eingeengt, der Rückstand mit Ethanol gewaschen und der ethanollösliche Anteil i. Vak. zur Trockne eingeengt. Extraktion mit 100 ml Pentan, Filtrieren und 3 Stdn. Kühlen bei −78° ergibt gelbe Kristalle, die mit Pentan gewaschen und bei 25° 2 Stdn. getrocknet werden; Ausbeute: 0,93 g (65%); F: 53−65°.

Olefin-substituierte Palladium(0)-Komplexe addieren Jodmethan unter gleichzeitiger Oxidation[2]:

$$\underset{\substack{\text{H}_2\text{C}\\ }}{\overset{\text{H}_5\text{C}_2\text{OOC}\diagdown_{\text{C}}\diagup\text{CH}_3}{\underset{\parallel}{}}}\!\!-\!\!\text{Pd}\begin{bmatrix}\text{P}(\text{C}_6\text{H}_5)_2\\ |\\ \text{CH}_3\end{bmatrix}_2 \;+\; \text{H}_3\text{C}-\text{J} \quad \xrightarrow[-\,\text{H}_2\text{C}=\text{C}-\text{COOC}_2\text{H}_5]{\underset{\text{CH}_3}{|}} \quad \underset{\text{J}}{\overset{\text{H}_3\text{C}}{\diagdown}}\!\!\text{Pd}\begin{bmatrix}\text{P}(\text{C}_6\text{H}_5)_2\\ |\\ \text{CH}_3\end{bmatrix}_2$$

Jodo-methyl-bis-[methyl-diphenyl-phosphan]-palladium[2]: Jodmethan (∼ 4 ml) wird über Calciumhydrid i. Vak. in einen Kolben destilliert, der 0,10 g (0,17 mmol) Methacrylsäure-ethylester enthält. Beim Rühren der Mischung bei 20° schlägt die Farbe der anfangs homogenen braunen Lösung nach hellgelb um. Das dabei freiwer-dende Olefin wird gaschromatographisch nachgewiesen. Einengen der gelben Lösung auf ∼ 1 ml gibt einen hell-gelben Niederschlag, der abfiltriert und i. Vak. getrocknet wird; Ausbeute: 0,11 g (100%).

Auch Isocyanid-substituierte Palladium-Verbindungen können oxidative Additions-Reaktionen eingehen. Bis-[tert.-butyl-isocyanid]-palladium addiert Jodmethan bei 0° in Hexan zu *trans-Bis-[tert.-butyl-isocyanid]-jodo-methyl-palladium* (42%; F: 77−78°)[3]. Analog wird Benzylbromid oder -jodid addiert[4].

$$\text{Pd}\,[\text{C}\!\equiv\!\text{N}-\text{C}(\text{CH}_3)_3]_2 \;+\; \text{R}-\text{X} \quad\longrightarrow\quad \underset{(\text{H}_3\text{C})_3\text{C}-\text{NC}}{\overset{\text{R}\diagdown\qquad\text{CN}-\text{C}(\text{CH}_3)_3}{\diagup\text{Pd}\diagdown}}\text{X}$$

R−X: H₃C–J, Br–CH₂–C₆H₅, J–CH₂–C₆H₅, Br–CH₂–COOCH₃,
Br–CH(CH₃)–COOC₂H₅, Br–CH(C₆H₅)–COOC₂H₅

trans-Benzyl-bromo-bis-[tert-butyl-isocyanid]-palladium; trans-Benzyl-bis-[tert-butyl-isocyanid]-jodo-pal-ladium[4]: Zu einer Suspension von 0,560 g (2,0 mmol) Bis-[tert-butyl-isocyanid]-palladium in 30 ml Hexan wer-den 0,393 g (2,3 mmol) Benzylbromid bzw. 0,501 g (2,3 mmol) Benzyljodid bei −78° zugegeben. Nach 2 Stdn. Rühren läßt man auf 20° kommen, filtriert die Niederschläge, wäscht mit Hexan und trocknet i. Vak. Ausbeute: 94%; F: 73−74° (für X = J); 50%; F: 149−159°, Zers. (für X = Br).

Benzylchlorid ergibt unter obigen Bedingungen ein Insertionsprodukt.
Die Addition von α-Brom-carbonsäureestern[5] führt analog zu

(1-Ethoxycarbonyl-ethyl)-bromo-bis-[tert.-butyl-isocyanid]-palladium   35%; F: 75°
(Ethoxycarbonyl-phenyl-methyl)-bromo-bis-[tert.-butyl-isocyanid]-palladium   30%; F: 95−97°
Bromo-bis-[tert.-butyl-isocyanid]-(methoxycarbonyl-methyl)-palladium   78%; F: 101−104°

---

[1] R. A. Schunn, Inorg. Chem. **15**, 208 (1976).
[2] A. Yamamoto et al., J. Organometal. Chem. **168**, 375 (1979).
[3] S. Otsuka, A. Nakamura u. T. Yoshida, Am. Soc. **91**, 7196 (1969).
[4] S. Otsuka u. K. Ataka, Soc. [Dalton] **1976**, 327.
[5] S. Otsuka et al., Am. Soc. **95**, 3180 (1973).

Eine oxidative Addition von Halogen-alkanen an Palladium-Atome (feinstverteiltes, aktives Palladium) ist ebenfalls beschrieben worden[1]. Die Palladium-Atome werden durch Verdampfung in widerstandsbeheizten Tiegeln erzeugt und die Metall-Atome gemeinsam mit Lösungsmitteln wie Tetrahydrofuran oder Hexan oder direkt mit dem flüchtigen Reaktionspartner bei −196° kondensiert[1]. Im Falle hochreaktiver, nicht isolierbarer Spezies wird eine Abfangreaktion mit tert.-Phosphanen durchgeführt:

$$\text{''Pd-Atom''} + \text{R-X} \longrightarrow \text{R-Pd-X} \xrightarrow{+2\,(H_5C_2)_3P} \underset{\underset{P(C_2H_5)_3}{|}}{\overset{\overset{P(C_2H_5)_3}{|}}{R-Pd-X}}$$

R = CH_3, C_2H_5, $C(CH_3)_3$, CH_2–$C(CH_3)_3$, CF_3, C_2F_5, C_3F_7
X = Br, J

Isolierbare Spezies sind

Jodo-(trifluor-methyl)-palladium[2,3,4]
Jodo-(pentafluorethyl)-palladium (49%)[2,3]
(Heptafluorpropyl)-jodo-palladium[2,3]

Bromo- bzw. Jodo-(trifluormethyl)-palladium kann ebenfalls als *trans-Bromo-* (7%; F: 96–97°)[5] bzw. trans-*Jodo-bis-[triethylphosphan]-(trifluormethyl)-palladium* (10%; F: 111–112°)[3] isoliert werden.

Jodo-(trifluormethyl)-palladium[2]: 0,683 g (6,42 mmol) Palladium-Dampf wird bei −196° mit Trifluor-jod-methan, das im großen Überschuß eingesetzt wird (∼ 30 mmol), kondensiert. Der Reaktor wird auf 20° gebracht und die flüchtigen Bestandteile i. Vak. entfernt. Die nichtflüchtigen Bestandteile werden in 50 *ml* getrocknetem [über Phosphor(V)-oxid] Aceton gelöst. Durch Einengen der Lösung und Zugabe von 10 *ml* Pentan wird ein rotes Pulver ausgefällt; Ausbeute: 0,38 g (20%).

Wird Chlor-methylthio-methan mit Palladium-Atomen in Gegenwart von Triphenylphosphan kokondensiert, so entsteht u. a. *Chloro-(methylthio-methyl)-(triphenylphosphan)-palladium*[6]:

$$2\ H_3C-S-CH_2-Cl + 2\ Pd \xrightarrow[\ 2.\ +3\,P(C_6H_5)_3\,,\,20°\ ]{\ 1.\ -196°\ } \underset{(H_5C_6)_3P}{\overset{(H_5C_6)_3P}{}}\!\!\diagup\!\!\overset{S-CH_3}{\underset{Cl}{Pd}} + \underset{H_3C}{\overset{H_2C}{}}\!\!\diagup\!\!\overset{Cl}{\underset{S}{P}}\!\!\diagdown P(C_6H_5)_3$$

Die Addition von organischen Halogeniden an die zweikernige Palladium(0)-Verbindung Tris-[bis-(diphenylphosphano)-methan]-dipalladium(0) ergibt keine Palladium(I)-Dimere, sondern in allen Fällen entstehen Palladium(II)- Verbindungen. Mit organischen Dihalogeniden ergeben sich dabei A-Gerüst-Moleküle über eine Zweizentren-Dreifragment-Addition. So erhält man mit Dihalogen-alkanen die entsprechenden μ-Alkyliden-dipalladium-Verbindungen[7]:

$$Pd_2(\overset{\frown}{P\ \ P})_3 + RCHX_2 \longrightarrow \underset{\overset{|}{P}}{\overset{\overset{|}{P}}{X\diagdown Pd}}\!\!\overset{\overset{R}{|}}{\underset{}{CH}}\!\!\underset{\overset{|}{P}}{\overset{\overset{|}{P}}{Pd\diagup X}}$$

$\overset{\frown}{P\ \ P}$: $(H_5C_6)_2P-CH_2-P(C_6H_5)_2$

X = J; R = H, CH_3
X = Cl, Br; R = H

---

[1] Übersichtsartikel: K. J. KLABUNDE, Ang. Ch. **87**, 309 (1975); enthält auch eine Beschreibung des Reaktors für Metallatom-Reaktionen.

[2] K. J. KLABUNDE u. J. S. ROBERTS, J. Organometal. Chem. **137**, 113 (1977).

[3] K. J. KLABUNDE u. J. Y. F. LOW, Am. Soc. **96**, 7674 (1974).

[4] K. J. KLABUNDE et al., Inorg. Chem. **19**, 3719 (1980).

[5] K. J. KLABUNDE, J. Y. F. LOW u. H. F. EFNER, Am. Soc. **96**, 1984 (1974).

[6] T. CHIVERS u. P. L. TIMMS, J. Organometal. Chem. **118**, C 37 (1976).

[7] A. L. BALCH et al., Am. Soc. **103**, 3764 (1981).

1,3-Dijodo-1,3-bis-[bis-(diphenylphosphano)-methan(P,P′)]-1,3-dipallada-propane; allgemeine Arbeits-vorschrift[1]: 0,5 *ml* Dijodmethan wird zu einer Lösung von 0,225 g (0,164 mmol) Tris-[bis-(diphenylphosphano)-methan]-dipalladium[2] in 15 *ml* Dichlormethan gegeben. Man läßt 45 Min. unter Stickstoff stehen, filtriert die rote Lösung und gibt Diethylether zu. Dabei fallen hellgelbe Kristalle aus, die abfiltriert und aus Dichlormethan/Ether umkristallisiert werden; Ausbeute: 0,14 g (68%).

Dichlormethan kann als Lösungsmittel verwendet werden, da die Reaktionszeit sehr lang ist. Erst nach 6 stdg. Stehen bildet sich in minimaler Ausbeute die entsprechende Chlor-Verbindung.

Jod- bzw. Brom-methan ergeben bei der Addition *Dijodo-* bzw. *Dibromo-dimethyl-bis-μ-(bis-[diphenylphosphano]-methan)-dipalladium*, die als A-Gerüst-Moleküle in Lösung existieren[1]:

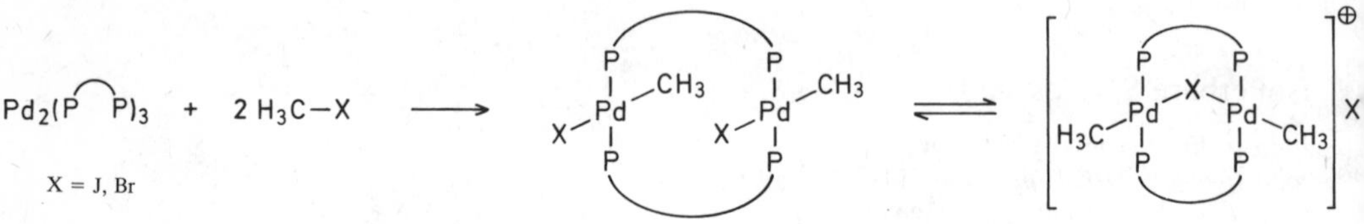

β) von Alkyl-quecksilberhalogeniden

Relativ wenig ist über die oxidative Addition von Alkyl-quecksilberhalogeniden an Palladium(0)-Verbindungen bekannt. So erhält man bei der Umsetzung von Tetrakis-[triphenylphosphan]-palladium mit Cyanmethyl-quecksilberchlorid in Tetrahydrofuran *Chloro-(cyanmethyl)-bis-[triphenylphosphan]-palladium* (53%)[3]:

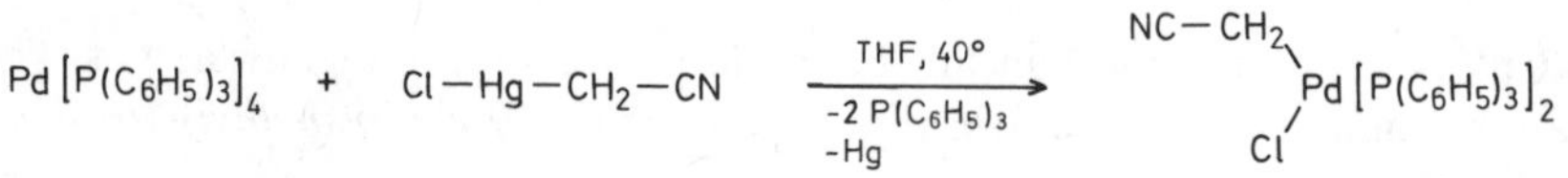

8-(1-Bromomercuri-ethyl)-chinolin reagiert mit Tris-[1,5-diphenyl-3-oxo-1,4-penta-dien]-dipalladium(0) unter oxidativer Addition an Palladium(0) und Redox-Demercurie-rung zu *Di-μ-bromo-bis-{[1-(8-chinolyl)-ethyl(C,N)]-palladium}* (81%)[4]:

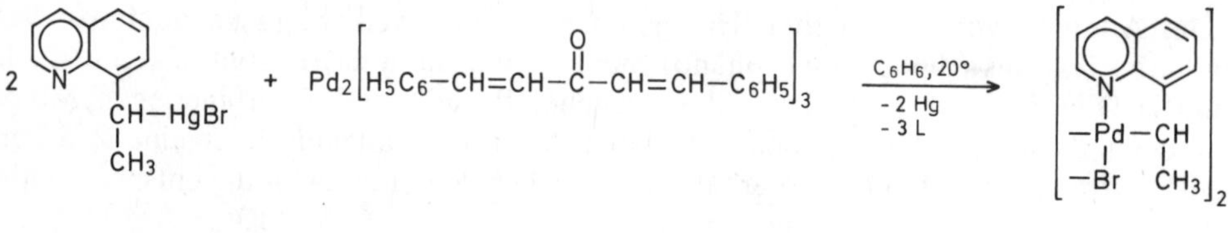

γ) von ungesättigten Verbindungen

Phosphan-, Arsan-, Isocyanid-, Sauerstoff- sowie Olefin-substituierte Palladium(0)-Verbindungen reagieren mit aktivierten Ketonen, Azomethinen, Olefinen und Keten zu Palladio-cycloalkanen (die meist weitere Heteroatome enthalten).

---

[1] A.L. BALCH et al., Am. Soc. **103**, 3764 (1981).
[2] E.W. STERN u. P.K. MAPLES, J.Catalysis **27**, 134 (1972).
[3] G. ÖHME, K.C. RÖBER u. H. PRACEJUS, J. Organometal. Chem. **105**, 127 (1976).
[4] V.I. SOKOLOV et al., J. Organometal. Chem. **225**, 57 (1982).

Die Reaktion von Tetrakis-[tert.-phosphan]- bzw. -[tert.-arsan]-palladium(0) mit Hexafluor-aceton führt abhängig vom Liganden und vom eingesetzten Molverhältnis zu drei- bzw. fünf-gliedrigen Ringen $(32-75\%)$[1]:

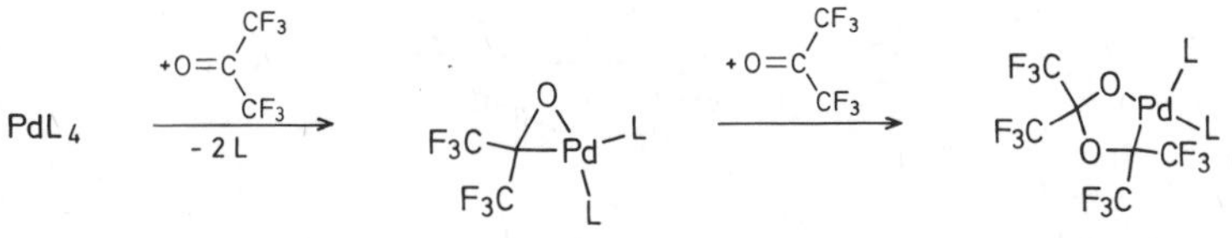

L = z. B. $P(OC_6H_5)_3$, $P(C_6H_5)_2(CH_3)$, $P(OCH_3)_3$, $P(OCH_3)_2(C_6H_5)$ $As(CH_3)_2(CH_2-C_6H_5)$

4,4-Bis-[benzyl-dimethyl-arsano]-2,2,5,5-tetrakis-[trifluormethyl]-1,3,4-dioxapalladolan[1]: Eine Lösung von Tetrakis-[benzyl-dimethyl-arsano]-palladium, hergestellt aus 1,56 g (8,0 mmol) Benzyl-dimethyl-arsan und 0,42 g (2,0 mmol) $(\eta^3$-Allyl)-$(\eta^5$-cyclopentadienyl)-palladium in 20 ml Diethylether, wird mit 1,33 g (8,0 mmol) Hexafluoraceton im verschlossenen Gefäß behandelt. Nach 5 Tagen bei 20° werden die abgeschiedenen Kristalle filtriert, mit Petrolether (Kp: 30–50°) gewaschen und aus Diethylether umkristallisiert; Ausbeute: 1,26 g (75%); F: 131° (Zers.).

Auch andere nullwertige Palladium-Verbindungen wie Bis-[cyclohexylisocyanid]- und Bis-[η^4-1,5-cyclooctadien]-palladium(0) reagieren analog zu *4,4-Bis-[cyclohexylisocyanid]-2,2,5,5-tetrakis-[trifluormethyl]-1,3,4-dioxapalladolan* $(72\%$; F: 116°)[2] bzw. *2-(η^4-1,5-Cyclooctadien)-3,3-bis-[trifluormethyl]-1,2-oxapalladiran* $(84\%$; F: 110°)[3]:

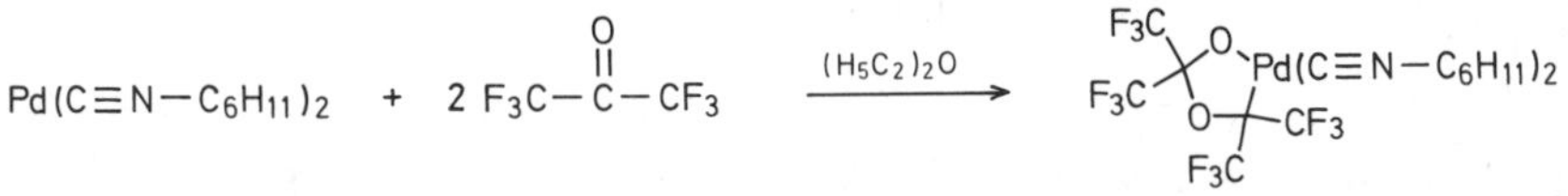

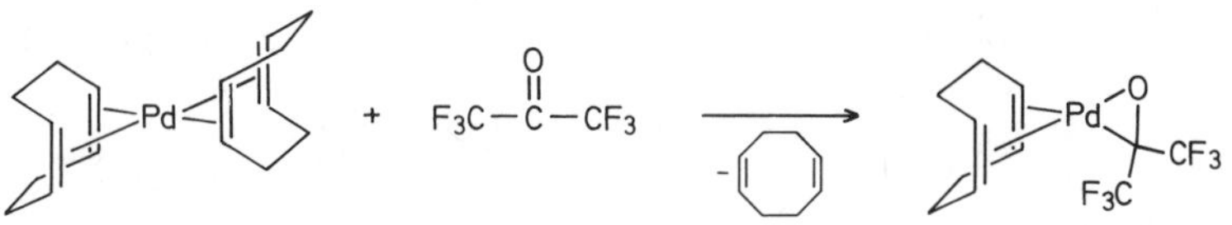

Bei der Umsetzung von 1,2-Oxapalladiranen mit Hexafluoraceton-imin erhält man unter Insertion z.B. *5-(1,2-Bis-[diphenylphosphano]-ethan)-2,2,4,4-tetrakis-[trifluormethyl]-1,3,5-oxazapalladolan* $(25\%$; F: 168–172°, Zers.)[1]:

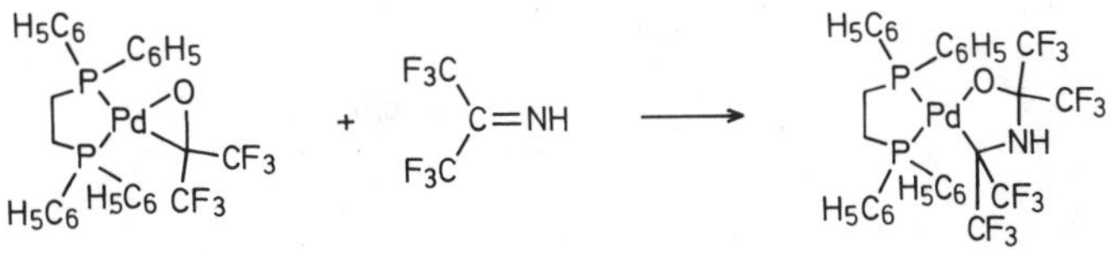

Auch fluorierte Ethene bzw. Trifluormethyl- oder Cyan-substituierte Ethene können sich mit Palladium(0)-Verbindungen unter Insertion umsetzen. Wird Tetrafluorethen bei $-196°$ in ein Carius-Gefäß kondensiert, das eine Suspension von Bis-[η^4-1,5-cyclooctadien]-palladium in Diethylether enthält, so erhält man beim Erwärmen auf $-30°$ gelbes *1,2-Bis-[η^4-1,5-cyclooctadien]-3,3,4,4-tetrafluor-1,2-dipalladetan* (90%)[3]. Mit äquimolaren Mengen Hexafluorpropen entsteht *1-(η^4-1,5-Cyclooctadien)- 2,2,3-trifluor- 3-(trifluormethyl)-palladiran* (45%)[3]. Kondensation von überschüssigem Hexafluorpropen

[1] H.D. EMPSALL, M. GREEN u. F.G.A. STONE, Soc. [Dalton] **1972**, 96.

[2] F.G.A. STONE et al., Soc. [Dalton] **1974**, 357.
  Zur Röntgenstruktur siehe: A. MODINOS u. P. WOODWARD, Soc. [Dalton] **1974**, 2065.

[3] F.G.A. STONE et al., Soc. [Dalton] **1977**, 1010.

ergibt dagegen *1,2-Bis-[η^4-1,5-cyclooctadien]-3,3-bis-[trifluormethyl]-1,2-dipalladiran* (69%; F: 160°, Zers.)[1]. Mit Hexafluorisopropyliden-malonsäure-dinitril entsteht *2-(η^4-1,5-Cyclooctadien)-3,3-bis-[trifluormethyl]-1,2-oxapalladiran* (63%; F: 280°, Zers.)[1]:

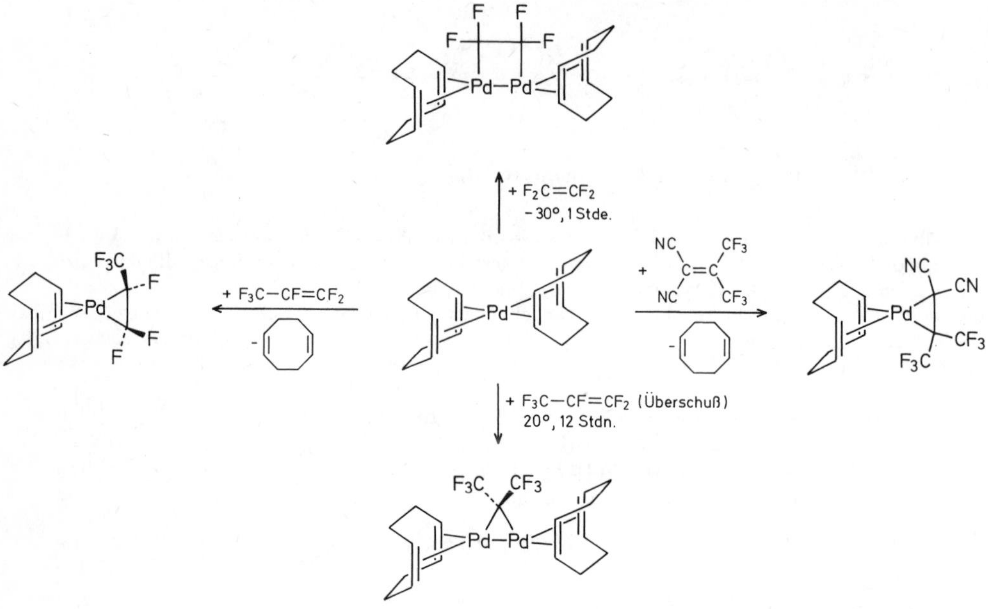

$+ F_2C=CF_2$
$-30°, 1\,Stde.$

$+ F_3C-CF=CF_2$

$+ F_3C-CF=CF_2$ (Überschuß)
$20°, 12\,Stdn.$

Durch stöchiometrische Reaktionen des Palladium-Komplexes I mit den jeweiligen Phosphanen und Cyclopropen gelingt es, Palladacycloalkane unterschiedlicher Ringgröße zu erhalten; z.B.[2]:

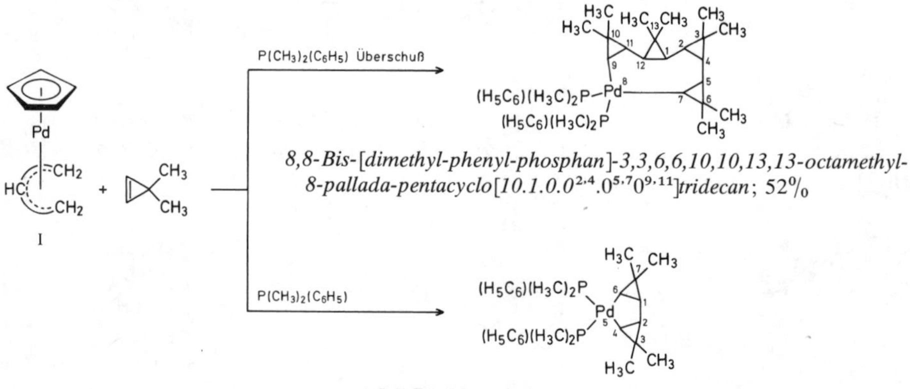

$P(CH_3)_2(C_6H_5)$ Überschuß

8,8-Bis-[dimethyl-phenyl-phosphan]-3,3,6,6,10,10,13,13-octamethyl-8-pallada-pentacyclo[10.1.0.0^{2,4}.0^{5,7}0^{9,11}]tridecan; 52%

$P(CH_3)_2(C_6H_5)$

5,5-Bis-[dimethyl-phenyl-phosphan]-3,3,7,7-tetramethyl-5-pallada-tricyclo[4.1.0.0^{2,4}]heptan; 76%

Wird Keten durch eine Lösung von Bis-[triphenylphosphan]-1,2,3-dioxapalladiran in Benzol geleitet, so entsteht als Insertions-Produkt in die Pd-O-Bindung *2,6-Dioxo-4,4-bis-[triphenylphosphan]-1,4-oxapalladinan* (F: 153°, Zers.). Bei der Hydrolyse in Tetrahydrofuran erhält man Essigsäure und *4-Oxo-2,2-bis-[triphenylphosphan]-1,2-oxapalladetan* (F: 116°, Zers.)[3,4]:

[1] F.G.A. STONE et al., Soc. [Dalton] **1977**, 1010.
[2] P. BINGER et al., Ang. Ch. **94**, 66 (1982).
[3] S. KAWAGUCHI et al., Chem. Commun. **1972**, 910.
[4] S. DABA u. S. KAWAGUCHI, Proc.Int.Conf.Coord. Chem. 16th, **1974**, C.A. **85**, 143269 (1976).

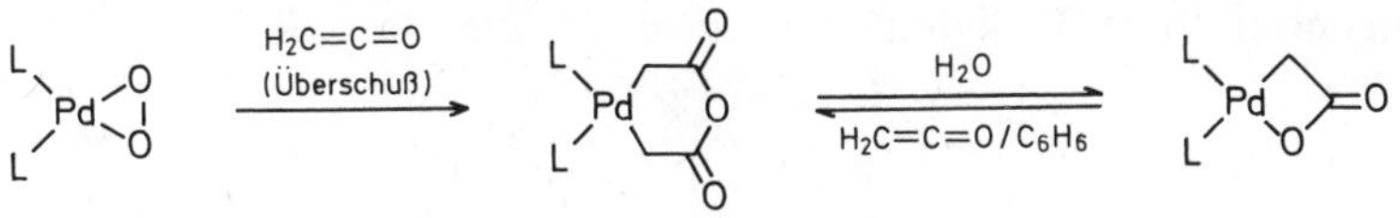

Durch nucleophile Addition von 1,2,3-Dioxapalladiran-Komplexen an elektrophile Olefine entstehen 1,2,3-Dioxapalladolane $(74-89\%)$[1]:

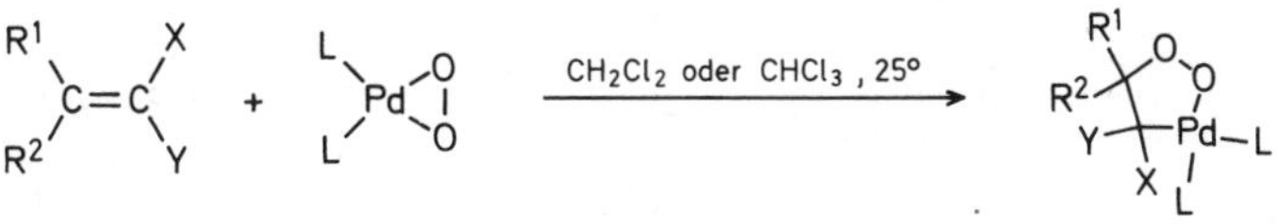

L = $(H_5C_6)_3P$
a) X = CN; Y = CN, COOC$_2$H$_5$; R^1 = CH$_3$; R^2 = CH$_3$
b) X = CN; Y = NO$_2$; R^1 = H; R^2 = C$_6$H$_5$, 4-OCH$_3$–C$_6$H$_4$, 4-CH$_3$–C$_6$H$_4$

4,4-Dicyan-5,5-dimethyl-3,3-bis-[triphenylphosphan]-1,2,3-dioxapalladolan[1]: 0,111 g (1,05 mmol) Isopro-pyliden-malonsäure-dinitril werden zu einer Lösung von 0,662 g (1,0 mmol) Bis-[triphenylphosphan]-dioxapal-ladiran in 10 ml Dichlormethan bei 0° gegeben. Nach 1 Min. wird die Lösung in 100 ml Ether gegossen. Die aus-fallenden goldgelben Kristalle werden abfiltriert, mit Ether gewaschen und i. Vak. getrocknet; Ausbeute: 0,643 g (84%); F: 118–123°, Zers. (aus Dichlormethan/Pentan).

δ) von gespannten Ringen

Ein Spezialfall ist die Addition von Tetracyan-cyclopropan an Tetrakis-[triphenylphosphan]- bzw. Tetrakis-[methyl-diphenyl-phosphan]-palladium zu *2,2,4-Tetracyan-1,1-bis-[triphenylphosphan]-* (50%) bzw. *2,2,4-Tetracyan-1,1-bis-[methyl-diphenyl-phosphan]-palladetan* (80%)[2]:

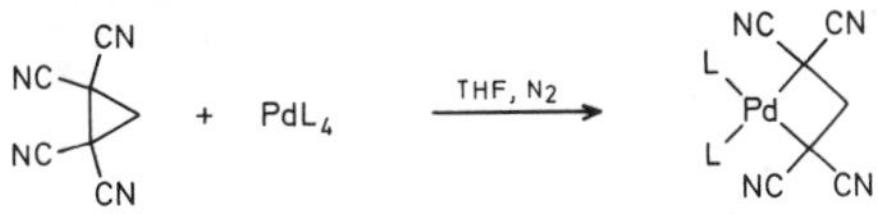

L = $(H_5C_6)_3P$, (H_3C) $(C_6H_5)_2P$

4. aus π-Komplexen durch $\pi \rightarrow \sigma$-Umwandlung bzw. aus Palladiumhalogeniden mit Olefinen

α) durch Addition von Nucleophilen an η^2-Monoen-palladium-Verbindungen

Die nucleophile Addition an mit Palladium koordinierte Olefine hat große technische Bedeutung erlangt. So sind der **Wacker-Hoechst-Prozeß** der *Acetaldehyd*-Synthese durch Ethylen-Oxidation und die **Acetoxy-ethen**-Herstellung auf der Basis Ethen-Es-sigsäure mittels Palladium(II)-chlorid als Katalysator und Zugabe von Kupfer(II)-Salzen

[1] R. A. SHELDON u. J. A. VAN DOORN J. Organometal. Chem. **94**, 115 (1975).
[2] M. GRAZIANI, U. BELLUCO et al., J. Organometal. Chem. **65**, 407 (1974).

für die Regenerierung zu Palladium(II+) zwei wichtige Beispiele[1-6]:

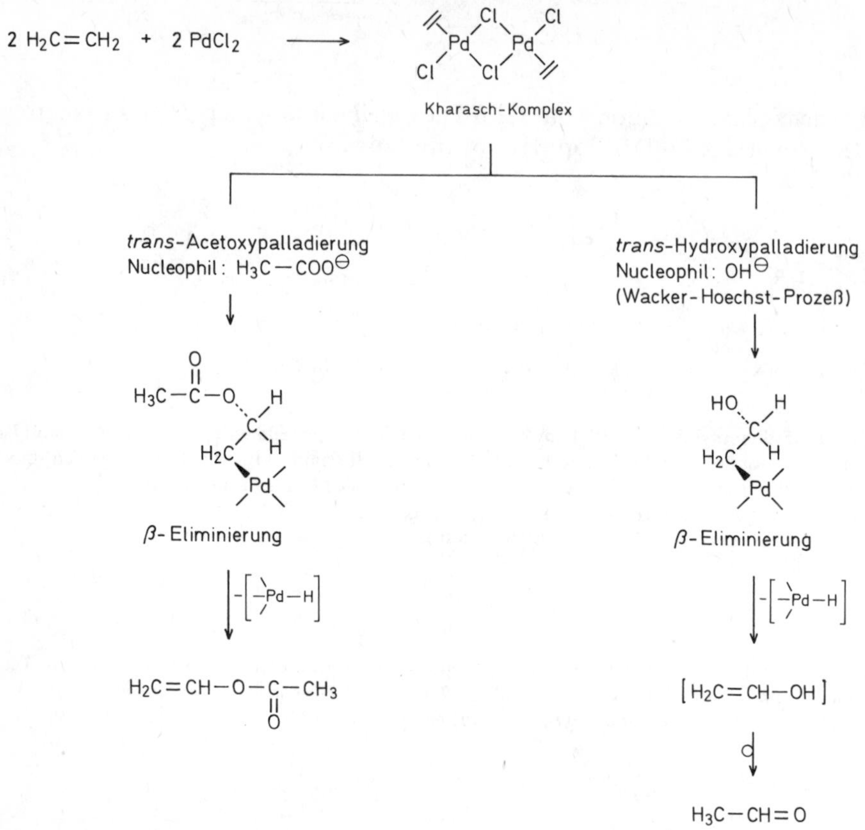

$$2 \ H_2C=CH_2 \ + \ 2 \ PdCl_2 \longrightarrow$$

Kharasch-Komplex

trans-Acetoxypalladierung
Nucleophil: $H_3C-COO^\ominus$

trans-Hydroxypalladierung
Nucleophil: $OH^\ominus$
(Wacker-Hoechst-Prozeß)

β-Eliminierung

β-Eliminierung

$-\left[\overset{\backslash}{\underset{/}{Pd}}-H \right]$

$-\left[\overset{\backslash}{\underset{/}{Pd}}-H \right]$

$$H_2C=CH-O-\underset{\underset{O}{\|}}{C}-CH_3$$

$$[H_2C=CH-OH]$$

$$H_3C-CH=O$$

Nucleophile Additionen an Monoolefin-Palladium-Komplexe sind daher von besonderem Interesse. In der Regel sind diese Reaktionen an durch Donor-Atome chelatisierten π-Olefin-palladium-Verbindungen untersucht. Sie führen zu 4-, 5- oder 6-Ring-Chelat-Verbindungen mit σ-Alkyl-palladium-Struktur:

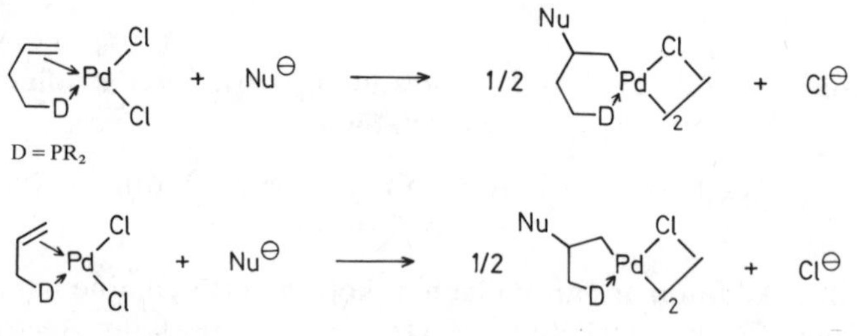

$$+ \ Nu^\ominus \longrightarrow 1/2 \quad + \ Cl^\ominus$$

$D = PR_2$

$$+ \ Nu^\ominus \longrightarrow 1/2 \quad + \ Cl^\ominus$$

$D = NR_2, PR_2, SR$
$Nu = H_2O, R-OH, H_3C-COOR, NR_3, R_3C^\ominus$

[1] P. M. MAITLIS, *The Organic Chemistry of Palladium*, Academic Press **1971**, Bd. **2**, S. 79 ff.

[2] M. GREEN, *MTP International Review of Science, Inorganic Chemistry*, Series One, Vol. **6**, Butterworths – University Park Press **1972**, s. S. 183.

[3] K. WEISSERMEL u. H. J. ARPE, *Industrielle Organische Chemie*, Verlag Chemie **1976**, s. S. 137 und 191.

[4] R. F. HECK, *Addition – Elimination Reactions of Palladium Compounds with Olefins*, Fortschr. chem. Forsch. **16**, 221 (1971).

[5] J. TSUJI, *Organic Synthesis with Palladium Compounds*, Springer Verlag, Berlin · Heidelberg · New York 1980.

[6] N. GRAGOR u. P. M. HENRY, Am. Soc. **103**, 681 (1981); *Hydroxypalladation in aqueous solution*.

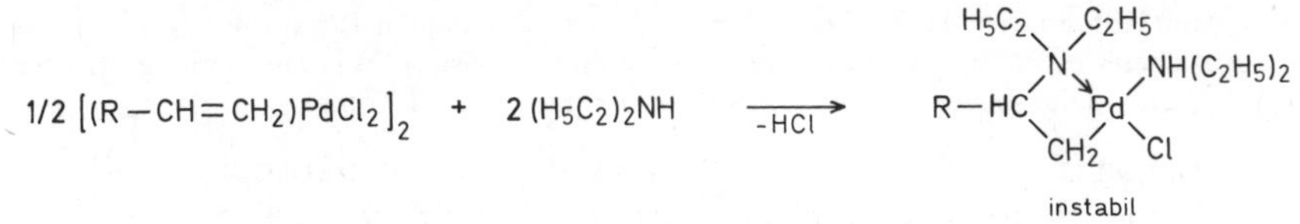

$$1/2 \left[(R-CH=CH_2)PdCl_2\right]_2 \ + \ 2\,(H_5C_2)_2NH \ \xrightarrow[-HCl]{} \ \text{(siehe Struktur)}$$

instabil

Beispiele für die Reaktion von nicht chelatisierten π-Olefin-palladium-Verbindungen mit Nucleophilen sind nur wenige bekannt[1, 2], da die entstehenden Verbindungen leicht β-Eliminierungs-Reaktionen eingehen.

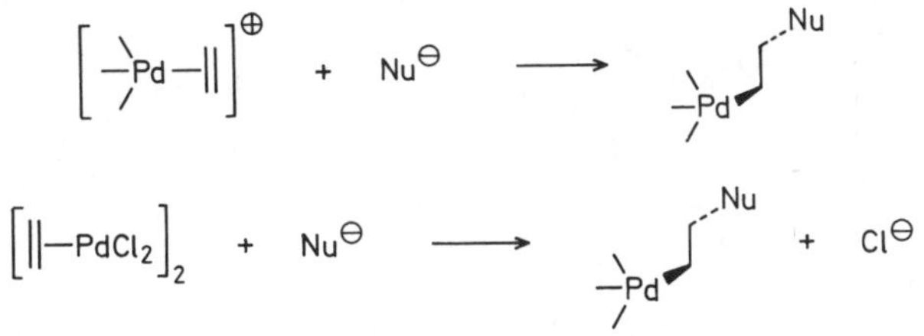

$$\left[\overset{\backslash}{\underset{/}{-}}Pd-\| \right]^{\oplus} \ + \ Nu^{\ominus} \ \longrightarrow \ \overset{\backslash}{\underset{/}{-}}Pd\diagup\cdots Nu$$

$$\left[\|-PdCl_2 \right]_2 \ + \ Nu^{\ominus} \ \longrightarrow \ \overset{\backslash}{\underset{/}{-}}Pd\diagup\diagup Nu \ + \ Cl^{\ominus}$$

α_1) *aus nicht chelatisierten Monoen-palladium-Verbindungen mit Alkanolaten, Arylierungs-Reagenzien bzw. sonstigen Nucleophilen*

Die ersten stabilen Alkoxypalladierungs-Produkte des Ethens sind durch Umsetzung von [(η^2-Ethen)-(η^5-cyclopentadienyl)-(triphenylphosphan)-palladium]-perchlorat mit Natriumalkanolat in Dichlormethan-Methanol bei $-10°$ erhalten worden, z.B. *(η^5-Cyclopentadienyl)-(2-methoxy-ethyl)-(triphenylphosphan)-palladium* (F: 142–144°, Zers.; orangerote Kristalle)[1,3]:

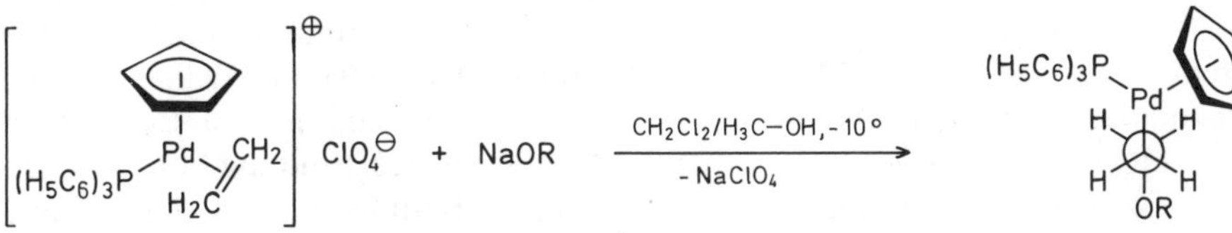

$$\left[\text{(Struktur)} \right]^{\oplus} ClO_4^{\ominus} \ + \ NaOR \ \xrightarrow[-\,NaClO_4]{CH_2Cl_2/H_3C-OH,\,-10°} \ \text{(Struktur)}$$

R = CH$_3$, C$_2$H$_5$, C$_3$H$_7$, CH(CH$_3$)$_2$, C(CH$_3$)$_3$

Die Umsetzung mit Natrium-acetylacetonat ergibt *(3-Acetyl-4-oxo-pentyl)-(η^5-cyclopentadienyl)-(triphenylphosphan)-palladium*[3]:

$$\left[\text{(Struktur)} \right]^{\oplus} X^{\ominus} \ \xrightarrow[-\,NaX]{\begin{array}{c}Na-CH(CO-CH_3)_2\\THF/N_2,\,-19°,\,30\,Min.\end{array}} \ \text{(Struktur)}$$

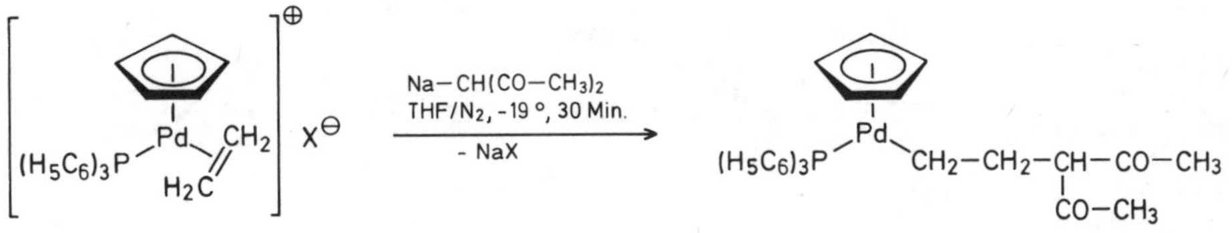

X: ClO$_4^{\ominus}$, [BF$_4$]$^{\ominus}$

(3-Acetyl-4-oxo-pentyl)-(η^5-cyclopentadienyl)-(triphenylphosphan)-palladium[3]: Zu einer Suspension von 0,500 g (0,89 mmol) [(η^2-Ethen)-(η^5-cyclopentadienyl)- (triphenylphosphan)-palladium]-perchlorat in 5 *ml* abs. THF wird bei $-19°$ unter Stickstoff 15 *ml* einer THF-Lösung gegeben, die 0,89 mmol Natriumacetylacetonat ent-

[1] T. MAJIMA u. H. KUROSAWA, Chem. Commun. **1977**, 610.
[2] H. HORINO, M. ARAI u. N. INOUE, Tetrahedron Letters **1974**, 647.
[3] H. KUROSAWA, T. MAJIMA u. N. ASADA, Am. Soc. **102**, 6996 (1980).

hält. Nach 30 Min. Rühren wird das Lösungsmittel i. Vak. entfernt und der Rückstand mit Diethylether extrahiert. Nach Abziehen des Ethers wird aus Toluol-Hexan umkristallisiert. Man erhält orangefarbene Kristalle vom F: 94–95°, Zers. Die isolierte Verbindung enthält 0,5 mol Kristall-Toluol.

Der Einsatz von *cis*-1,2-Dideuterio-ethen als an Palladium koordiniertes Olefin zeigt eindeutig, daß die Methoxypalladierung stereospezifisch *trans* verläuft[1]. Die Umsetzung von Lithium-trichloropalladat(II) mit Bicyclo[2.2.1]hepten und Phenyl-quecksilberchlorid verläuft unter *cis*-Addition:

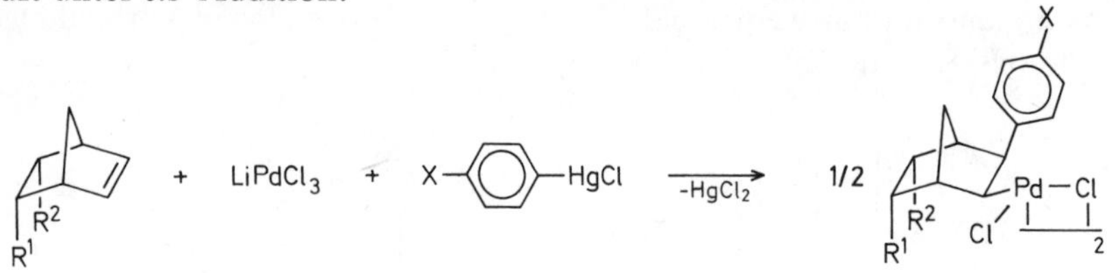

X = H, Cl, OCH$_3$
R^1 = R^2 = H, COOH
R^1–R^2 = –CO–O–CO–

Di-μ-chloro-bis-[(exo-3-phenyl-bicyclo[2.2.1]hept-exo-2-yl)-chloro-exo-palladium][2]: Zu einer Lösung von 2,2 g (10 mmol) Lithium-trichloropalladat(II) in Acetonitril unter Stickstoff werden 1,13 g (12 mmol) Bicyclo[2.2.1]hepten und 3,13 g (10 mmol) Phenyl-quecksilberchlorid zugefügt und die Mischung 2 Stdn. bei 20° gerührt. Filtrieren des Niederschlags und Umkristallisieren aus Dichlormethan ergibt ein gelbes Produkt; F: 147–148° (Zers.).

Stabile σ-Alkyl-palladium-Verbindungen können auch aus Alkenen, Palladiumhalogeniden und Nucleophilen gebildet werden, wenn die entstehende σ-Verbindung durch eine π-Bindung stabilisiert (chelatisiert) ist. Als Nucleophil kann dabei das Chlorid-Ion des Palladiumhalogenids fungieren. Aber auch externe Nucleophile können die Überführung in die σ,π-Palladium-Verbindung bewirken.

Trans- und *cis*-2,3-Dimethoxycarbonyl-1-methylen-cyclopropane reagieren mit Bis-[acetonitril]-dichloro-palladium in Dichlormethan zu isomeren Ring-geöffneten [3-Chlor-1,2-dimethoxycarbonyl-3-butenyl]-palladium(II)-Verbindungen. Die Reaktionen verlaufen über η^2-gebundene Methylen-cyclopropan-Komplexe des Palladiums. Ein intramolekularer nucleophiler Angriff durch Chlorid-Ionen an das interne C$_{Vinyl}$-Atom gefolgt vom elektrophilen Angriff durch Palladium auf die 1,2-Bindung des Cyclopropan-Rings führt zur stereospezifischen Ringöffnung unter Bildung des σ,π-Komplexes:

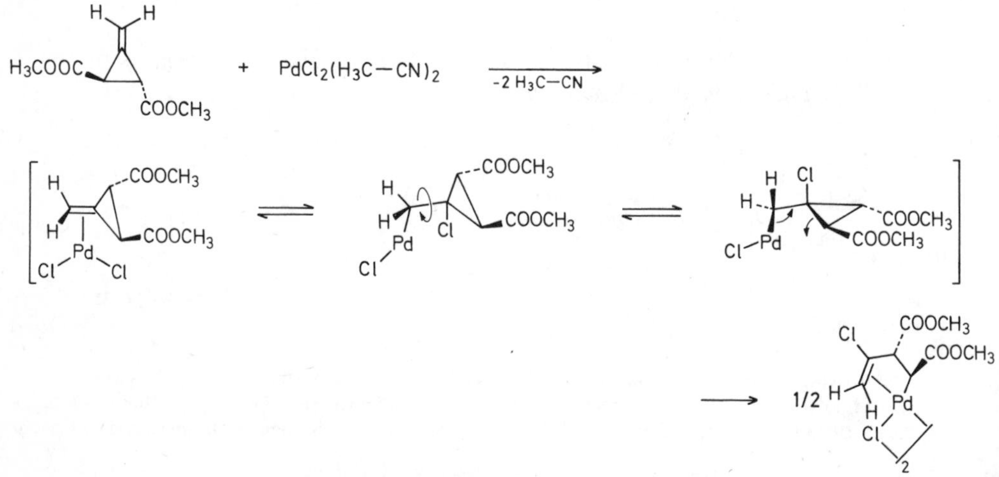

---

[1] T. Majima u. H. Kurosawa, Chem. Commun. **1977**, 610.
[2] H. Horino, M. Arai u. N. Inoue, Tetrahedron Letters **1974**, 647.

Di-μ-chloro-bis-[(3-chlor-trans-1,2-dimethoxycarbonyl-3-butenyl)-palladium][1]: Eine Lösung von 1,53 g (5,9 mmol) Bis-[acetonitril]-dichloro-palladium und 1,00 g (5,9 mmol) trans-2,3-Dimethoxycarbonyl-1-methylen-cyclopropan in 150 ml Dichlormethan wird bei 21° 48 Stdn. gerührt. Dabei schlägt die Farbe der Lösung von anfänglich orange nach hellgoldgelb um. Die Lösung wird auf ~ 50 ml eingeengt und 200 ml Pentan langsam zugefügt, wobei gelbe Kristallnadeln ausfallen; Ausbeute: 2,00 g (98%); F: 135–139° (Zers.).

Bei nur 1 Stde. Reaktionszeit entsteht dagegen der unlösliche π-Komplex.

Ausgehend von der cis-Verbindung entsteht die entsprechende cis-Butenyl-Verbindung Di-μ-chloro-bis-[(3-chlor-cis-1,2-dimethoxycarbonyl-3-butenyl)-palladium] (94%; F: 145–149°, Zers.)[1].

In Methanol in Gegenwart von Natriumcarbonat erfolgt dagegen der nucleophile Angriff durch das Lösungsmittel auf das exo-cyclische C_{Vinyl}-Atom. Hydrid-Transfer gefolgt durch eine elektrophile Ringöffnung durch Palladium ergibt Di-μ-chloro-bis-[(4-methoxy-trans-1,2-dimethoxycarbonyl-3-butenyl)-palladium] (87%; F: 106–108°, Zers.)[1]:

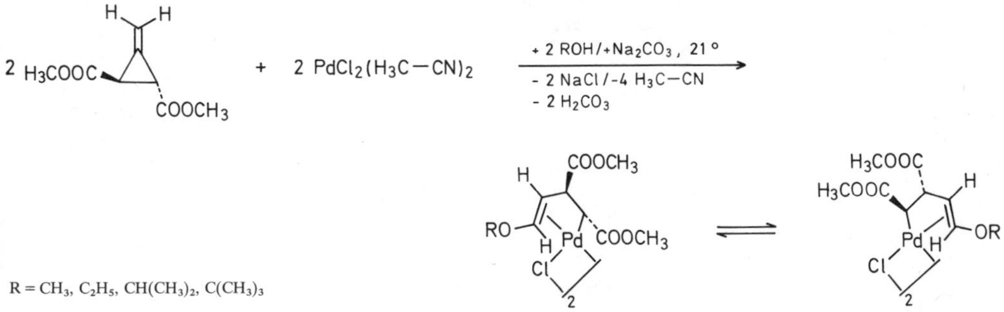

R = CH₃, C₂H₅, CH(CH₃)₂, C(CH₃)₃

Analog reagieren Ethanol, Isopropanol und tert.-Butanol[1]. Die Reaktion von Bis-[benzonitril]-dichloro-palladium mit Bicyclo[5.1.0]oct-3-en in Dichlormethan führt innerhalb weniger Minuten unter Chlorpalladierung des Cyclopropan-Rings zu dem stabilen Di-μ-chloro-bis-[(η^2-7-chlor-4-cyclooctenyl)-palladium] (86%; F: 147–153°, Zers.)[2]:

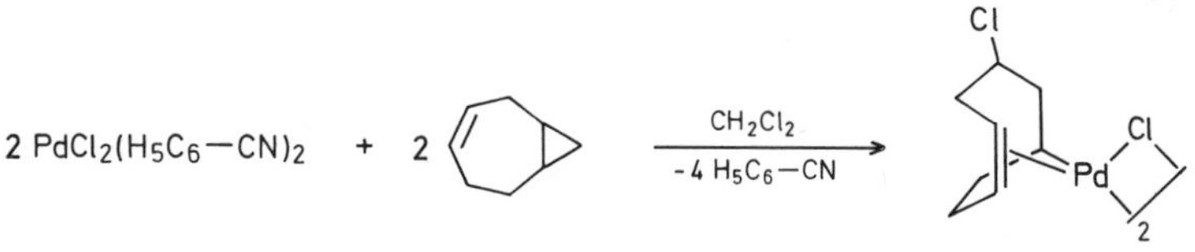

Die Umsetzung von Bicyclo[2.2.1]hepten mit Di-μ-halogeno-bis-[(η^3-2-methyl-allyl)-palladium] in Benzol bei 20° (X:J) bzw. bei 50° (X: Cl, Br) liefert Di-μ-halogeno-bis-⟨{$\eta^3$2-(2-methyl-allyl)-bicyclo[2.2.1]hept-3-yl}-palladium⟩, wobei die (2-Methyl-allyl)-Gruppe und Palladium cis-exo an das Bicyclo[2.2.1]hepten gebunden sind[3,4]:

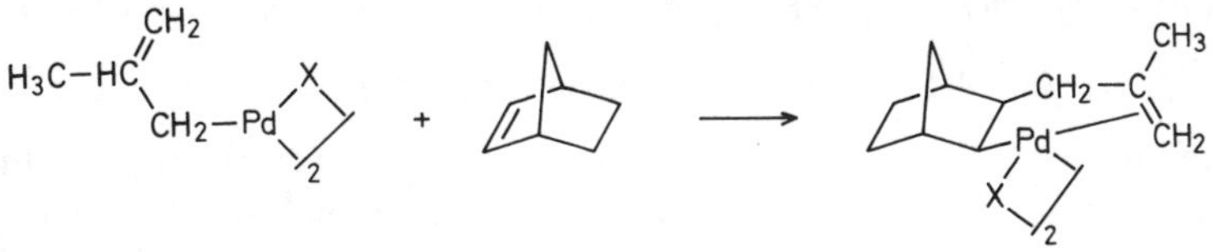

[1] M. GREEN u. R.P. HUGHES, Chem. Commun. **1974**, 686; Soc. [Dalton] **1976**, 1880.
[2] G. ALBELO, G. WIGER u. M.F. RETTIG, Am. Soc. **97**, 4510 (1975).
[3] M.C. GALLAZZI et al., J. Organometal. Chem. **33**, C 45 (1971).
[4] Röntgenstruktur der Di-μ-acetato-palladium-Verbindung: M. ZOCCHI et al., J. Organometal. Chem. **33**, C 47 (1971); Soc. [Dalton] **1973**, 883.

Diese Reaktionsweise läßt sich auch auf andere η^3-Allyl-palladium-Verbindungen und andere gespannte Cycloolefine übertragen. Die Reaktion vollzieht sich über einen intermediären (σ-Allyl)-(η^2-olefin)-palladium-Komplex und anschließende „Insertion" des Olefins in die am wenigsten substituierte Allyl-palladium-Bindung. Man erhält σ,π-Komplexe[1]:

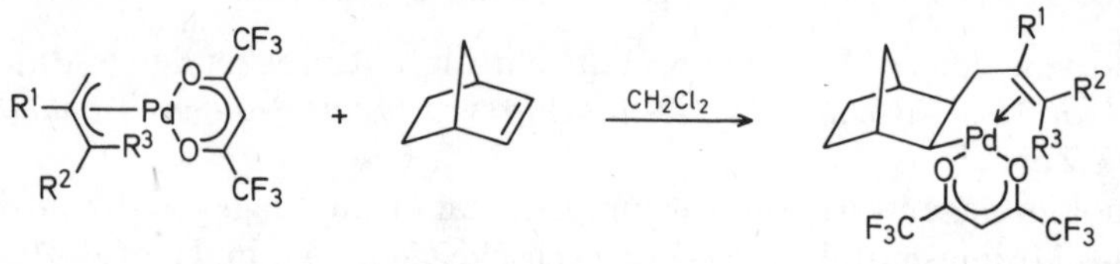

{3-exo-Allyl-bicyclo[2.2.1]hept-exo-2-yl}-(1,1,1,5,5,5-hexafluor-2,4-pentandionato)-palladium; allgemeine Arbeitsvorschrift[1]: Eine Lösung von äquimolaren Mengen (η^3-Allyl)-(1,1,1,5,5,5-hexafluor-2,4-pentandionato)-palladium und Bicyclo[2.2.1]hepten in Dichlormethan wird 2−48 Stdn. bei 20° stehen gelassen und anschließend durch Säulenchromatographie an Florisil mit Dichlormethan als Eluierungsmittel gereinigt. Abziehen des Lösungsmittels und Umkristallisieren aus Petrolether (Kp: 30−60°) ergibt die Verbindungen.

Auf diese Weise erhält man u. a.:

{3-Allyl-. . .; R^1 = H; R^2 = H; R^3 = H	88%; F: 160−165°
{3-(2-Chlor-allyl)-. . .; R^1 = Cl; R^2 = H; R^3 = H	92%; F: 173−175°
{3-(2-Methylen-3-phenyl-butyl)-. . .; R^1 = CH(CH$_3$)–C$_6$H$_5$; R^2 = H; R^3 = H	84%; F: 89−92°
{3-(2-Phenyl-allyl)-. . .; R^1 = C$_6$H$_5$; R^2 = H; R^3 = H	91%; F: 125−128°
{3-(trans-3-Methoxycarbonyl-allyl)-. . .; R^1 = H; R^2 = COOCH$_3$; R^3 = H	88%; F: 102−104°
{3-(4-Methoxy-2-methyl-trans-2-butenyl)-. . .; R^1 = CH$_3$; R^2 = CH$_2$–OCH$_3$; R^3 = H	97%; F: 49−53°
{3-(3-Methyl-trans-2-butenyl). . .; R^1 = H; R^2 = R^3 = CH$_3$	59%; F: 100−103°

Auch Bicyclo[2.2.2]octen, 2,3-Dimethoxycarbonyl-bicyclo[2.2.1]heptadien, 5,5-Dimethyl-bicyclo[2.2.1]hepten und Benzo-bicyclo[2.2.1]heptadien reagieren analog[1].

Bicyclo[2.2.1]heptadien kann je nach dem eingesetzten Molverhältnis mono- oder disubstituierte Produkte ergeben und Isomere bilden; z. B.[1]:

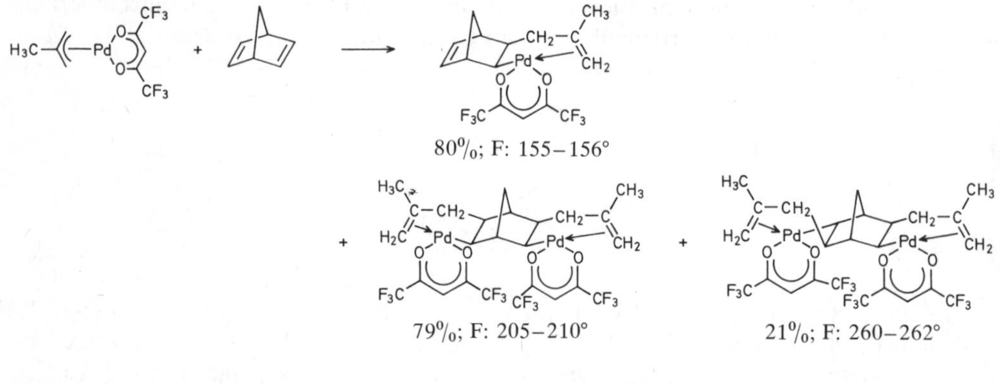

80%; F: 155−156°

79%; F: 205−210°   21%; F: 260−262°

α_2) *aus chelatisierten Monoen-palladium-Verbindungen mit Nucleophilen*

$\alpha\alpha_1$) aus N-chelatisierten Monoen-palladium-Verbindungen

Am besten untersucht sind die Umsetzungen von tert. Allylaminen, 2-Methyl-allylaminen, 4-Amino-1-butenen und 2-Vinyl-pyridin mit Palladium(II)-chlorid oder Lithium-tetrachloropalladat(II) in Gegenwart nucleophiler Reagenzien wie Alkoholen, Carbanionen

---

[1] R. P. HUGHES u. J. POWELL, J. Organometal. Chem. **60**, 387 (1973).

von CH-aciden Verbindungen oder Arylierungs-Reagenzien. Die Reaktion verläuft über einen nur in wenigen Fällen isolierten intermediären Monoen-π-Komplex[1, 2] und Angriff des nucleophilen Reagenzes unter gleichzeitiger Ausbildung einer Palladium-C-σ-Bindung. Da 5-Ring-σ-Komplexe bevorzugt werden, ist die Regiochemie des nucleophilen Angriffs festgelegt; z. B.

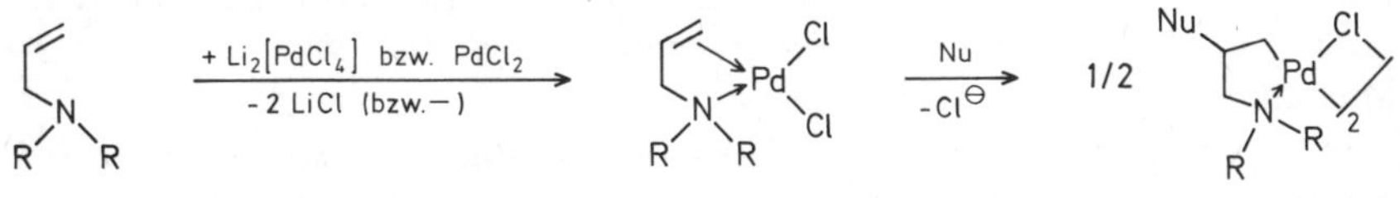

Die Umsetzung wird meist in einer Eintopfreaktion unter gleichzeitigem Einsatz aller Reaktionspartner durchgeführt. So reagieren tert.-Allylamine mit Palladium(II)-chlorid oder Lithium-tetrachloropalladat(II) in alkoholischem Medium unter Alkoxypalladierung zu Di-μ-chloro-bis-[(2-alkoxy-3-dialkylamino-propyl)-palladium]-Verbindungen.

Di-μ-chloro-bis-[(2-methoxy-3-dimethylamino-propyl)-palladium][3]: Zu einer Lösung von 0,85 g (0,01 mol) Allyl-dimethyl-amin in 15 *ml* Methanol wird eine Lösung von 1,31 g (0,005 mol) Lithium-tetrachloropalladat(II) in 20 *ml* Methanol gegeben. Beim Mischen bildet sich sofort ein gelber Niederschlag, der sich nach einigen Sek. unter Bildung einer klaren gelben Lösung auflöst. Das Produkt kristallisiert bei $-20°$ aus der Lösung aus und wird abfiltriert; Ausbeute: 1,20 g (97%).
Umkristallisation aus Methanol ergibt 1,0 g gelbe Kristalle; F: 124−126°.

Di-μ-chloro-bis-[(3-dimethylamino-2-methoxy-2-methyl-propyl)-palladium][3]: Zu einer Lösung, die 1,00 g (0,0038 mol) Lithium-tetrachloropalladat(II) in 5 *ml* Methanol enthält, werden 0,739 g (0,0074 mol) Dimethyl-(2-methyl-allyl)-amin in 5 *ml* Methanol gegeben. Der sofort gebildete grüne Niederschlag (0,931 g; 90%) wird nach zwei Tagen Stehen bei $-20°$ abfiltriert und aus Chloroform/Pentan umkristallisiert; Ausbeute: 0,658 g (62%); F: 128−130° (Zers.).

Analog erhält man

Di-μ-chloro-bis-[(2-ethoxy-3-dimethylamino-2-methyl-propyl)-palladium]   92%; F: 128−130°[3]
Di-μ-chloro-bis-{[3-dimethylamino-2-(2-hydroxy-ethoxy)-2-methyl-   92%; F: 110−112°[3]
    propyl]-palladium}
Di-μ-chloro-bis-[(3-dimethylamino-1-methyl-2-methoxy-propyl)-palladium]   10%[4]

Natrium-Salze von CH-aciden Verbindungen (1,3-Dicarbonyl-Verbindungen) liefern bei der Umsetzung mit Allyl-dimethyl-amin in Gegenwart äquimolarer Mengen Lithium-tetrachloropalladat(II) in Tetrahydrofuran bei 20° in 6−8 Stdn. in hohen Ausbeuten (81−94%) unter nucleophiler Addition mit vollständiger Regiospezifität die entsprechenden cyclischen σ-Alkyl-palladium-Verbindungen:

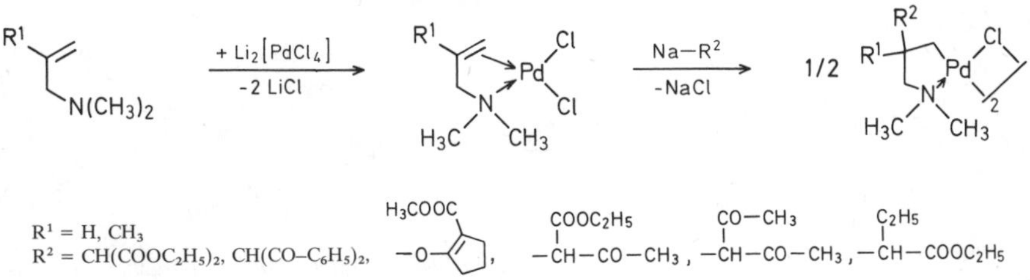

[1] R. A. HOLTON u. R. A. KJONAAS, J. Organometal. Chem. **142**, C 15 (1977).
[2] E. C. ALYEA et al., Am. Soc. **99**, 4985 (1977).
[3] A. C. COPE, J. M. KLIEGMAN u. E. C. FRIEDRICH, Am. Soc. **89**, 287 (1967).
[4] R. A. HOLTON u. R. A. KJONAAS, J. Organometal. Chem. **133**, C 5 (1977).

Di-μ-chloro-bis-{[2-(diethoxycarbonyl-methyl)-3-dimethylamino-propyl]-palladium}[1]:   Eine Tetrahydro-furan-Lösung äquimolarer Mengen Allyl-dimethyl-amin und Lithium-tetrachloropalladat(II) wird mit stöchiometrischen Mengen Natrium-malonsäure-diethylester versetzt, 6–8 Stdn. bei 20° gerührt und filtriert. Das Lösungsmittel wird abgezogen und der Rückstand umkristallisiert; Ausbeute: 91%; F: 184–187° (Zers.).

Ausgehend von 3-Dimethylamino-2-methyl-propen, Diethoxycarbonylmethyl-natrium und Lithium-tetrachloropalladat(II) in Tetrahydrofuran mit 20% HMPTA erhält man analog *Di-μ-chloro-bis-{[2-(diethoxycarbonyl-methyl)-3-dimethylamino-2-methyl-propyl]-palladium}* (60%; F: 135–136°)[1].

Werden Arylierungs-Reagenzien als Nucleophile eingesetzt, so wird zunächst mittels Lithium-tetrachloropalladat(II) und Aryl-quecksilberchlorid ein Aryl-palladiumchlorid-Spezies gebildet, das mit dem Olefin komplexiert und anschließend unter Aryl-Wanderung den σ-Komplex bildet (Heck-Reaktion[2,3]); z.B.[4]:

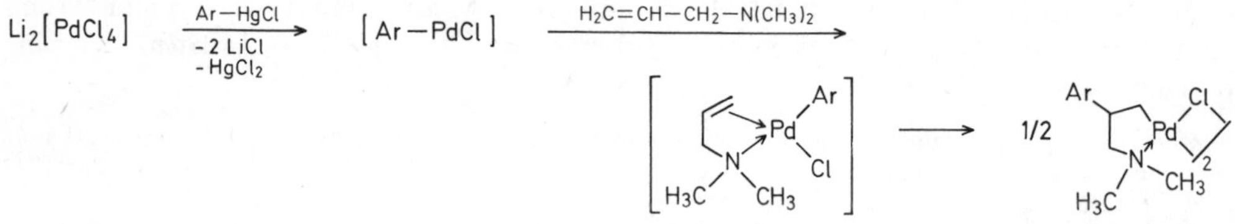

Di-μ-chloro-bis-[(2-...-3-dimethylamino-propyl)-palladium]
Ar = C₆H₅; ...-phenyl-...
Ar = 3-NO₂–C₆H₄; ... (3-nitro-phenyl)-...
Ar = 4-OCH₃–C₆H₄; ...-(4-methoxy-phenyl)-...
Ar = 4-CH₃–C₆H₄; ...-(4-methyl-phenyl)-...

Im Prinzip sollte diese Reaktion jedoch auch möglich sein, indem man zunächst den π-Komplex aus Allylamin und Lithium-tetrachloropalladat(II) herstellt und anschließend direkt mit Aryl-quecksilberchlorid (bzw. Diaryl-quecksilber) oder Natrium-tetraarylboranat aryliert[5].

π-Komplexe aus Lithium-tetrachloropalladet(II) und 3-Butenylamin können analog mit Nucleophilen reagieren[6]: z.B.:

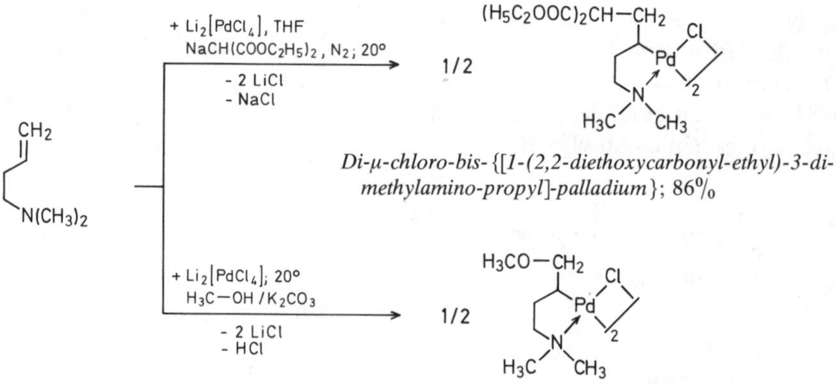

Di-μ-chloro-bis-{[1-(2,2-diethoxycarbonyl-ethyl)-3-dimethylamino-propyl]-palladium}; 86%

Di-μ-chloro-bis-[(3-dimethylamino-1-methoxymethyl-propyl)-palladium]; 83%

[1] R.A. Holton u. R.A. Kjonaas, Am. Soc. **99**, 4177 (1977).
[2] R.F. Heck, Am. Soc. **91**, 6707 (1969).
[3] R.F. Heck, Am. Soc. **93**, 6896 (1971).
[4] T. Izumi, T. Takeda u. A. Kasahara, Yamagata Diagaku Kiyo, Kogaku **14**, 173 (1976); C.A. **85**, 143266 (1976).
[5] P.M. Maitlis, A. Segnitz et al., J. Organometal. Chem. **124**, 113 (1977).
[6] R.A. Holton u. R.A. Kjonaas, J. Organometal. Chem. **142**, C 15 (1977).

Die basen-unterstützte (Triethylamin, Kaliumcarbonat) Reaktion von Dichloro-[3,3-dimethyl-4-dimethyl-amino-1-buten]-palladium mit Methanol führt zu einem Produktgemisch aus *Di-μ-chloro-bis-[(3-dimethylami-no-1,2,2-trimethyl-propyl)-palladium]*, *-bis-[(2,2-dimethyl-3-dimethylamino-1-formyl-propyl)-palladium]* (F: 164– 166°, Hauptprodukt) und *-bis-{[1-(methoxycarbonyl)-2,2-dimethyl-3-dimethylamino-propyl]-palla-dium}*[1]:

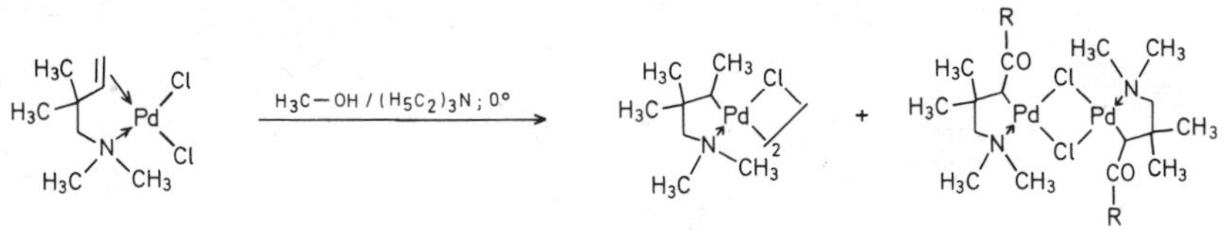

R = H, OCH₃

Die Reaktion von *cis*- oder *trans*-3,3-Dimethyl-4-dimethylamino-1-methoxy-1-buten mit Bis-[benzonitril]-dichloro-palladium in Aceton liefert den π-Chelat-Komplex I, der in Gegenwart von Wasser und einer schwachen Base (N,N-Dimethyl-anilin) über einen iso-lierbaren Vinylalkohol-Komplex II quantitativ in *Di-μ-chloro-bis-{[2,2-dimethyl-3-di-methylamino-1-formyl-propyl(C,N)]-palladium}*[2] übergeht:

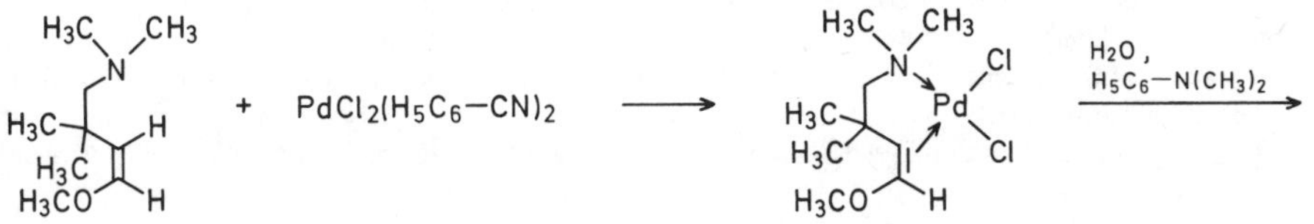

I

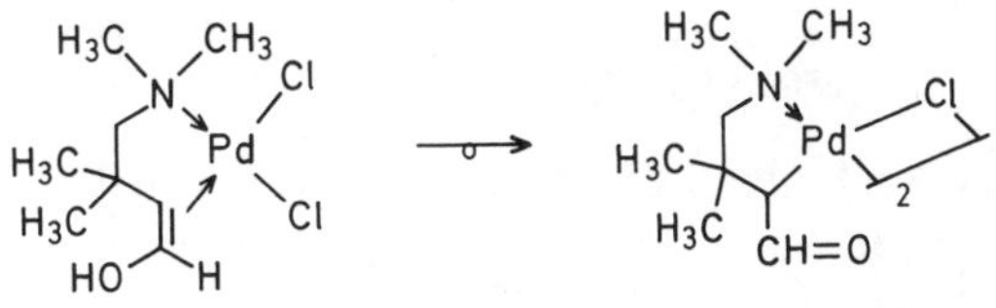

II

2-Vinyl-pyridin reagiert nach dem üblichen Mechanismus mit Natrium-tetrachloropal-ladat(II) in Gegenwart von Alkoholen zu *Di-μ-chloro-bis-{[2-methoxy-(bzw. -ethoxy-bzw. -isopropyloxy)-2-(2-pyridyl)-ethyl]-palladium}* (11–23%)[3]:

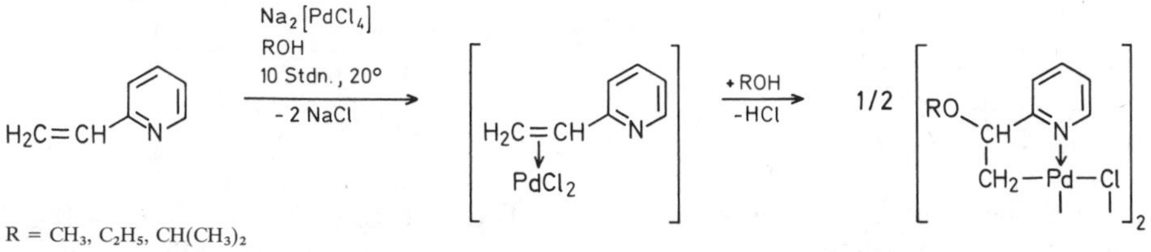

R = CH₃, C₂H₅, CH(CH₃)₂

---

[1] E.C. ALYEA et al., Am. Soc. **99**, 4985 (1977); mit Röntgenstruktur.
[2] R. McCRINDLE et al., Soc. [Dalton] **1981**, 986.
[3] A. KASAHARA, K. TANAKA u. T. IZUMI, Bl. chem. Soc. Japan **42**, 1702 (1969).

Mit Aryl-quecksilberchlorid und Lithium-trichloropalladat(II) entsteht nach der Heck-Reaktion Di-μ-chloro-bis-{[2-aryl-2-(2-pyridyl)-ethyl]-palladium}[1]:

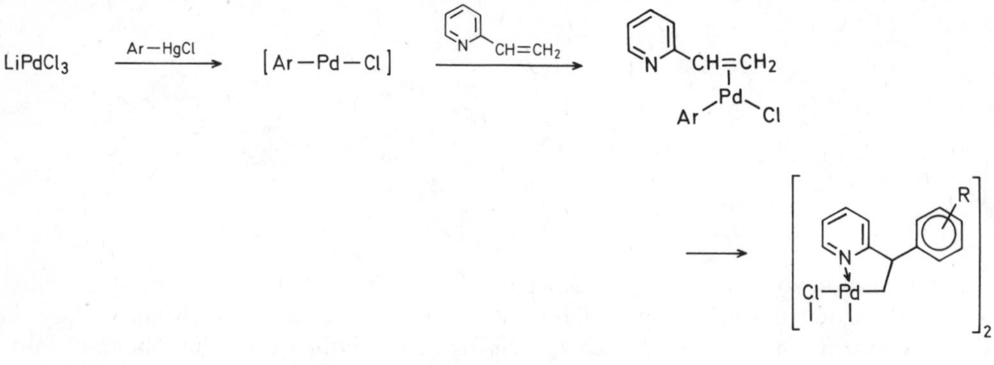

LiPdCl$_3$ $\xrightarrow{\text{Ar}-\text{HgCl}}$ [Ar —Pd—Cl] $\xrightarrow{}$ (Bild)

$\longrightarrow$ (Bild)

Di-μ-chloro-bis-{[2-aryl-2-(2-pyridyl)-ethyl]-palladium}; allgemeine Arbeitsvorschrift[1]: Zu einer Lithium-trichloropalladat(II)-Lösung, hergestellt durch Rühren (12 Stdn., 20°) von 0,42 g (10 mmol) wasserfreiem Lithiumchlorid und 1,77 g (10 mmol) wasserfreiem Palladium(II)-chlorid in 100 ml Acetonitril werden 10 mmol Aryl-quecksilberchlorid gegeben und bei 20° 5 Min. gerührt. Danach werden 1,26 g (12 mmol) 2-Vinyl-pyridin in einer Portion zugefügt. Die Mischung wird 6 Stdn. bei 20° gerührt, filtriert (um ausgefallenes Palladium zu entfernen) und i. Vak. das Lösungsmittel abgezogen. Der Rückstand wird in Chloroform gelöst und an neutralem Aluminiumoxid chromatographiert. Das erste Eluat enthält die Biphenyle (15–20%). Weitere Elution mit Chloroform ergibt die gelben Palladium-C-σ-Komplexe, die aus Chloroform-Cyclohexan umkristallisiert werden.

Man erhält auf diese Weise z. B.:

Di-μ-chloro-bis-{[2-phenyl-2-(2-pyridyl)-ethyl]-palladium}	28%; F: 162–163° (Zers.)
Di-μ-chloro-bis-{[2-(4-methyl-phenyl)-2-(2-pyridyl)-ethyl]-palladium}	24%; F: 148–150° (Zers.)
Di-μ-chloro-bis-{[2-(4-methoxy-phenyl)-2-(2-pyridyl)-ethyl]-palladium}	30%; F: 128–131° (Zers.)
Di-μ-chloro-bis-{[2-(3-nitro-phenyl)-2-(2-pyridyl)-ethyl]-palladium}	25%; F: 145–148° (Zers.).

Auch Oxim-O-allylether können mit Palladiumhalogeniden intermediär π-Komplexe bilden, die sich durch nucleophile Addition von Alkoholen in σ-Alkyl-palladium-Verbindungen umwandeln. O-Allyl-N-isopropyliden-hydroxylamin liefert bei der Umsetzung mit Natriumtetrachloropalladat(II) in Methanol in Gegenwart von Natriumacetat *Di-μ-chloro-bis-{[2-isopropylidenaminoxy-3-methoxy-propyl(C,N)]-palladium}[2]*:

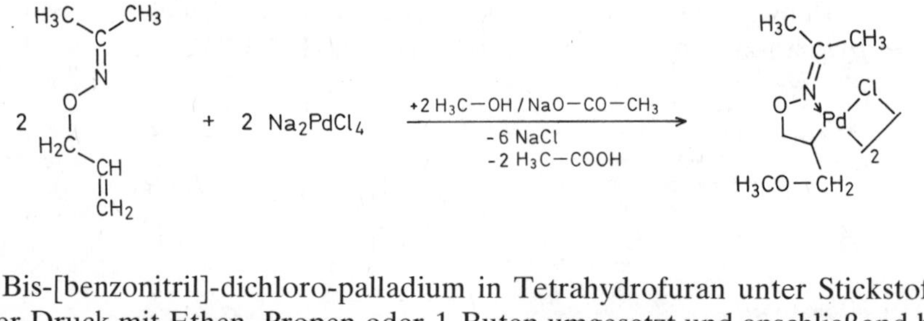

(Bild) 2 ... $+$ 2 Na$_2$PdCl$_4$ $\xrightarrow[\substack{-6\ \text{NaCl} \\ -2\ \text{H}_3\text{C}-\text{COOH}}]{+2\ \text{H}_3\text{C}-\text{OH}/\text{NaO}-\text{CO}-\text{CH}_3}$ ...

Wird Bis-[benzonitril]-dichloro-palladium in Tetrahydrofuran unter Stickstoff gelöst und unter Druck mit Ethen, Propen oder 1-Buten umgesetzt und anschließend bei –50° Diethylamin zugesetzt, so entstehen in situ die instabilen Chloro-diethylamino-(2-diethylamino-alkyl)-palladium-Verbindungen, die durch Carbonylierung in die stabilen Acyl-Komplexe überführt werden können (vgl. S. 865)[3]:

[1] A. KASAHARA, H. IMAMURA et al., Bl. chem. Soc. Japan **47**, 183 (1974).
[2] W.S. McDONALD, B.L. SHAW et al., Chem. Commun. **1978**, 1061.
[3] L.S. HEGEDUS u. K. SIIRALA-HANSÉN, Am. Soc. **97**, 1184 (1975).

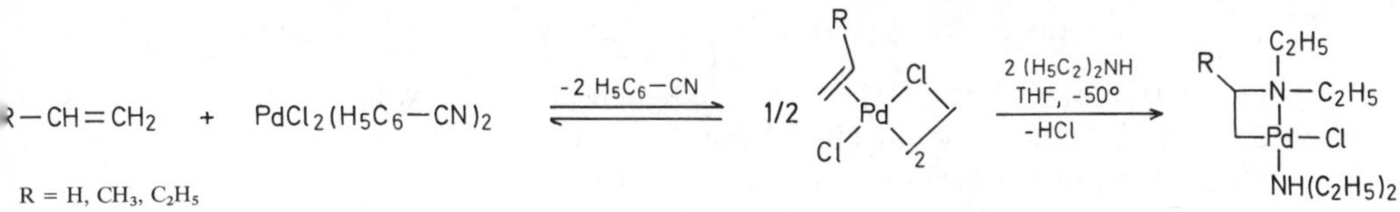

$\alpha\alpha_2$) aus P-chelatisierten Monoen-palladium-Verbindungen

Wird 4-(Diphenylphosphano)-1-buten mit Bis-[benzonitril]-dichloro-palladium in Dichlormethan mit überschüssigem Silberacetat gerührt, so erhält man das instabile, nicht rein zu erhaltende *Di-μ-acetato-bis-[(2-acetyloxy-4-diphenylphosphano-butyl)-palladium]*[1]:

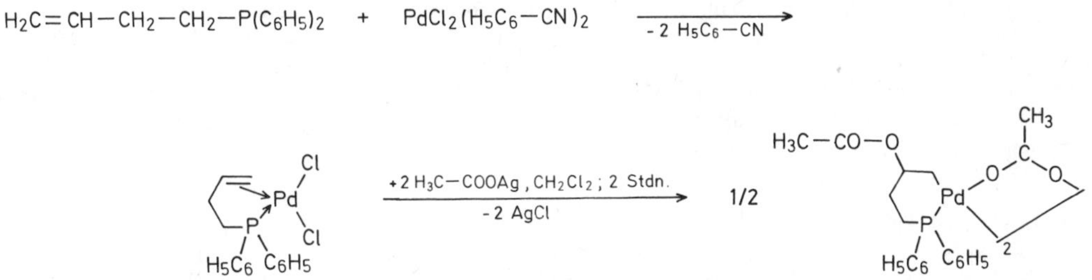

Die Umsetzung von Allyl-diphenyl-phosphan mit Bis-[benzonitril]-dichloro-palladium führt zu einem dimeren Phosphan-palladium-Komplex, in dem die C=C-Doppelbindung nicht mit Palladium koordiniert ist. Die Reaktion mit Nucleophilen führt zur Zersetzung[1].

8-Ethoxycarbonyl-8-aza-bicyclo[5.1.0]oct-3-en reagiert mit Bis-[benzonitril]-dichloro-palladium in Gegenwart von 1,2-Bis-[diphenylphosphano]-ethan unter interner Chlor-palladierung zu einem Phosphin-stabilisierten σ-Palladium-Komplex[2]:

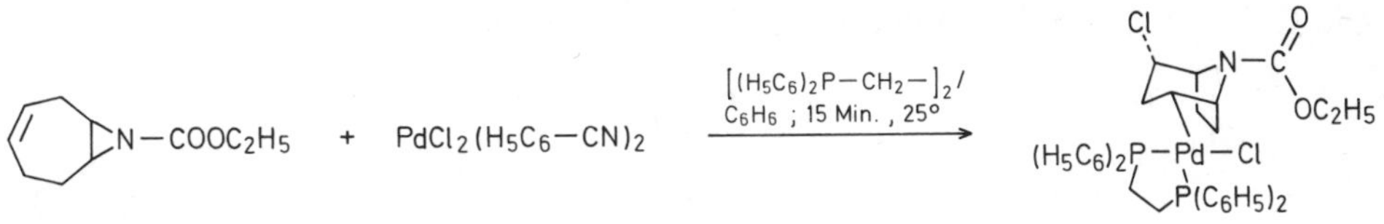

Chloro-(1,2-bis-[diphenylphosphano]-ethan)- (4-chlor-8-ethoxycarbonyl-8-aza-bicyclo[3.2.1]oct-2-yl)-palladium[2]: 0,670 g (1,7 mmol) Bis-[benzonitril]-dichloro-palladium werden zu einer Lösung von 0,330 g (1,8 mmol) 8-Ethoxycarbonyl-8-aza-bicyclo[5.1.0]oct-3-en in 20 *ml* Benzol gegeben. Die Lösung wird 15 Min. bei 20° gerührt und danach 0,720 g 1,2-Bis-[diphenylphosphano]-ethan zugefügt. Nach 5 Min. Rühren werden 0,750 g hellrote Substanz abfiltriert. Die Festsubstanz wird in 20 *ml* Dichlormethan aufgelöst, filtriert und mit dem ursprünglichen Benzol-Filtrat vereinigt. Beim Einengen auf 15 *ml* fallen 0,350 g Dichloro-(1,2-bis-[diphenylphosphano]-ethan)-palladium aus. Nach Filtrieren und Einengen auf 5 *ml* wird mit 15 *ml* Diethylether versetzt und 0,300 g hellbraune Substanz abfiltriert. Das Filtrat wird mit 30 *ml* Petrolether (Kp: 30–50°) versetzt. Dabei fallen 0,155 g hellgelbe Substanz aus. Der braune Niederschlag wird aus Dichlormethan umkristallisiert; Gesamtausbeute: 0,405 g (31%); F.: 75–80°.

---

[1] R. N. Haszeldine, R. J. Lunt u. R. V. Parish, Soc.[A] **1971**, 3705.
[2] G. R. Wiger u. M. F. Rettig, Am. Soc. **98**, 4168 (1976).

$\alpha\alpha_3$) aus S-chelatisierten Monoen-palladium-Verbindungen

Natriumtetrachloropalladat(II) reagiert lediglich mit den Allylsulfiden I in Gegenwart von Methanol-Natriumcarbonat zu σ-Komplexen II, während andersartig substituierte Allyl-sulfide nicht in dieser Weise reagieren[1]:

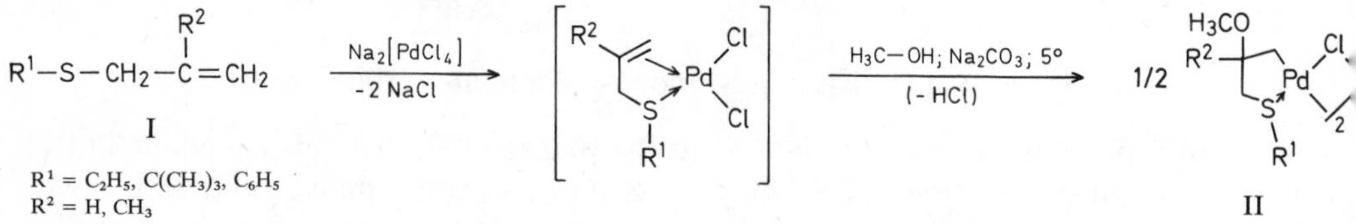

$R^1 = C_2H_5, C(CH_3)_3, C_6H_5$
$R^2 = H, CH_3$

Di-μ-chloro-bis-[(2-methoxy-3-organothio-propyl)-palladium] aus Allylsulfanen und Palladium(II)-chlorid; allgemeine Arbeitsvorschrift[1]: Zu einer methanol. Lösung von Natriumtetrachloropalladat(II), hergestellt aus 0,500 g (2,82 mmol) Palladium(II)-chlorid, 0,340 g (5,80 mmol) Natriumchlorid und 20 *ml* Methanol, werden ~3 mmol des Allylsulfids tropfenweise bei Eisbadtemp. zugegeben. Darauf werden 0,140 g Natriumcarbonat (wasserfrei; 1,56 mmol) zugefügt und die Mischung 1,5 Stdn. bei Eisbadtemp. gerührt. Der sich bildende kristalline Niederschlag wird abfiltriert, nacheinander mit Wasser und Methanol gewaschen und aus Methanol umkristallisiert. Falls kein Niederschlag auftritt, wird die Mischung in 100 *ml* Wasser gegeben, mit Chloroform extrahiert und das Lösungsmittel i. Vak. abgezogen.

Auf diese Weise werden u. a. hergestellt[1]:

Di-μ-chloro-bis-[(3-tert.-butylthio-2-methoxy-2-methyl-propyl)-palladium]   89%; F: 178–184° (Zers.)
Di-μ-chloro-bis-[(2-methoxy-2-methyl-3-phenylthio-propyl)-palladium]   76%; F: 172–174° (Zers.)
Di-μ-chloro-bis-[(3-ethylthio-2-methoxy-propyl)-palladium]   93%; Öl; gelb

Analog ist 3-Ethylsulfinyl-1-propen das einzige Allylsulfoxid, das einen entsprechenden σ-Komplex *Di-μ-chloro-bis-[(3-ethylsulfinyl-2-methoxy-propyl)-palladium]* (20%; F: 150–160°) bildet[1]:

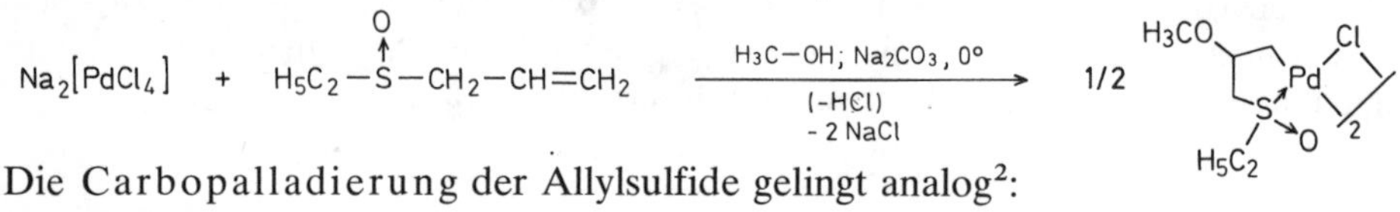

Die Carbopalladierung der Allylsulfide gelingt analog[2]:

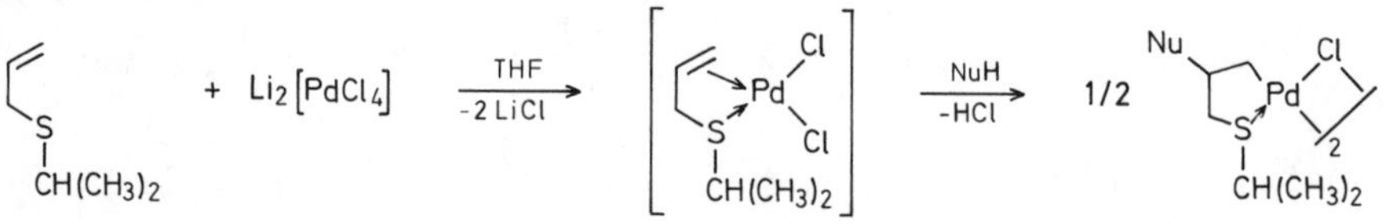

z.B.: Nu = CH(COOC$_2$H$_5$)$_2$; *Di-μ-chloro-bis-{[2-(diethoxycarbonyl-methyl)-3-isopropylthio-propyl]-palladium}*; 95%

Nu = $-$CH$-$CO$-$C$_6$H$_5$; *Di-μ-chloro-bis-{[2-(1-benzoyl-2-oxo-propyl)-3-isopropylthio-propyl]-palladium}*; 92%; F: 209–210°
(mit CO$-$CH$_3$-Substituent)

Nu = (O=, H$_3$COOC-cyclopentenyl) ; *Di-μ-chloro-bis-{[3-isopropylthio-2-(1-methoxycarbonyl-2-oxo-cyclopentyl)-propyl]-palladium}*; 94%; F: >300°

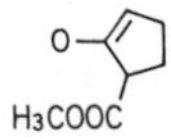

[1] Y. TAKAHASHI et al., J. Organometal. Chem. **35**, 415 (1972).
[2] R. A. HOLTON u. R. A. KJONAAS, Am. Soc. **99**, 4177 (1977).

Die Behandlung von 3-Butenyl-sulfanen z.B. (3-Butenyl)-isopropyl-sulfan mit Lithiumtetrachloropalladat(II) und Natrium-2-methoxycarbonyl-cyclopentenolat führt zu *Di-μ-chloro-bis-{[4-isopropylthio-1-(1-methoxycarbonyl-2-oxo-cyclopentylmethyl)-propyl]-palladium}* (96%)[1]:

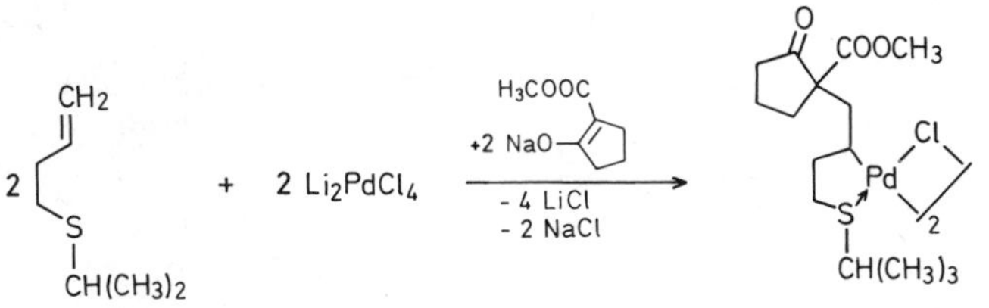

Analog erhält man z.B.[1]:

Di-μ-chloro-bis-{[1-(2,2-diethoxycarbonyl-ethyl)-3-isopropylthio-propyl]-palladium}   92%
Di-μ-chloro-bis-{[1-(2-benzoyl-3-oxo-butyl)-3-isopropylthio-propyl]-palladium}   94%

β) durch Addition von Nucleophilen an η^3-Allyl-palladium-Verbindungen (π-Allyl- → σ-Allyl-Umlagerungen)

Während nur relativ wenig über stabile σ-Allyl-palladium-Verbindungen durch Umlagerungen bekannt ist, gibt es eine ganze Reihe von NMR-Studien, die das Auftreten von σ-Allyl-palladium-Zwischenstufen bei der Umsetzung von π-Allyl-palladium-Verbindungen mit Nucleophilen (tert.-Phosphanen, tert.-Arsanen, Pyridin, Chlorid-Ionen) beschreiben, z.B.[2-9]:

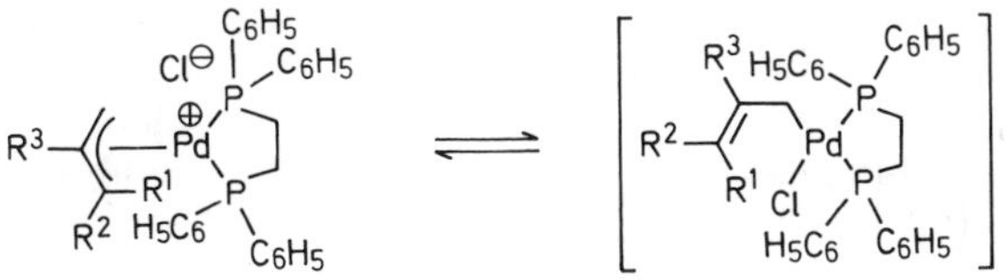

$R^1 = R^2 = R^3 = H$; *Allyl-chloro-(1,2-bis-[diphenylphosphano]-ethan)-palladium*[2]

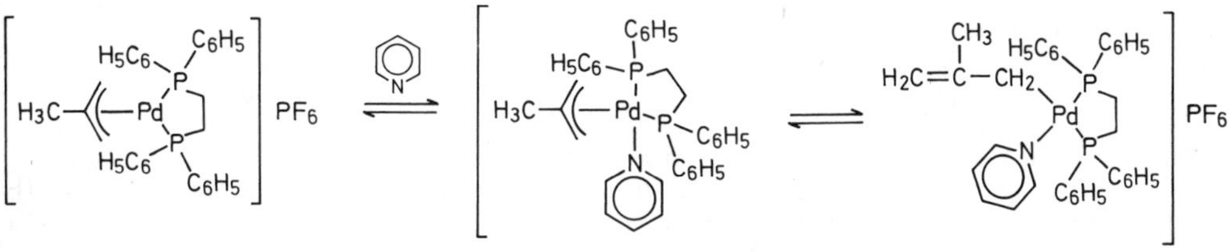

(2-Methyl-allyl)-(1,2-bis-[diphenylphosphano]-ethan)-pyridin-palladium[3]

[1] R.A. Holton u. R.A. Kjonaas, J. Organometal. Chem. **142**, C 15 (1977).
[2] M. Oslinger u. J. Powell, Canad. J. Chem. **51**, 274 (1973).
[3] D.L. Tibbetts u. T.L. Brown, Am. Soc. **92**, 3031 (1970).
[4] J. Powell u. A.W.L. Chan, J. Organometal. Chem. **35**, 203 (1972).
[5] K. Vrieze et al., J. Organometal. Chem. **11**, 353 (1968).
[6] K. Vrieze et al., J. Organometal. Chem. **12**, 533 (1968).
[7] R.J. Cross u. R. Wardle, Soc. [A] **1971**, 2000.
[8] P.W.N.M. van Leeuwen u. A.P. Praat, Chem. Commun. **1970**, 365.
[9] K. Vrieze et al., R. **85**, 1077 (1966).

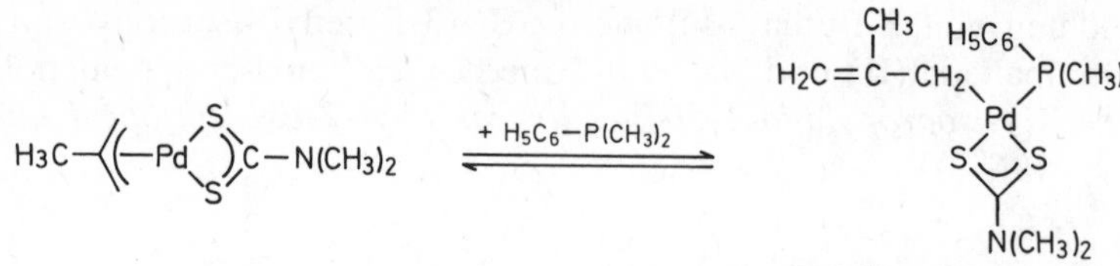

(Dimethylamino-methylendithiolato)-(2-methyl-allyl)-
(dimethyl-phenyl-phosphan)-palladium[1]

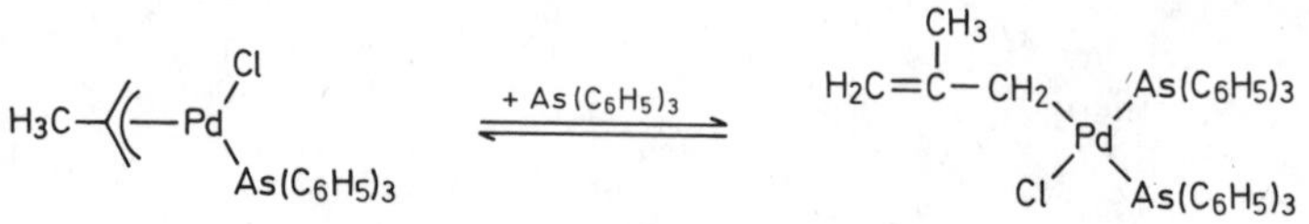

Chloro-(2-methyl-allyl)-bis-[triphenylarsan]-palladium[2]

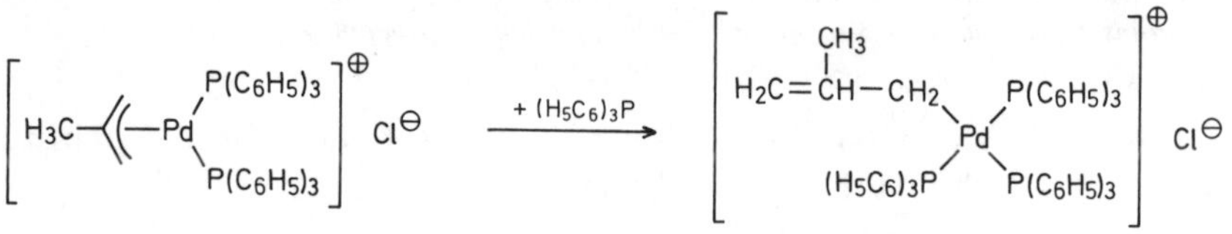

(2-Methyl-allyl)-tris-[triphenylphosphan]-palladiumchlorid[3]

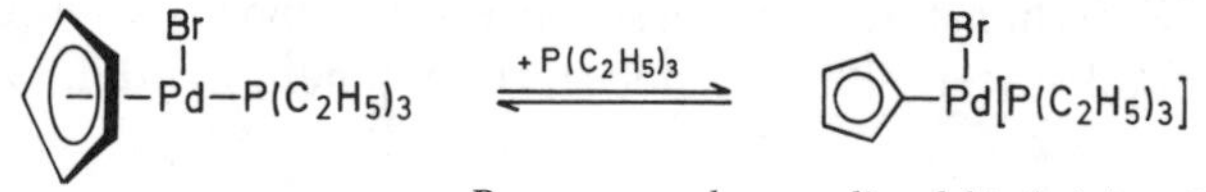

Bromo-σ-cyclopentadienyl-bis-[triphenylphosphan]-palladium[4]

Werden Halogeno-verbrückte η-Allyl-palladium-Verbindungen mit tertiären Phosphanen, Arsanen oder Stibanen behandelt, so entstehen Verbindungen, die im festen Zustand die Struktur von σ,η-Allyl-palladium-Verbindungen besitzen:

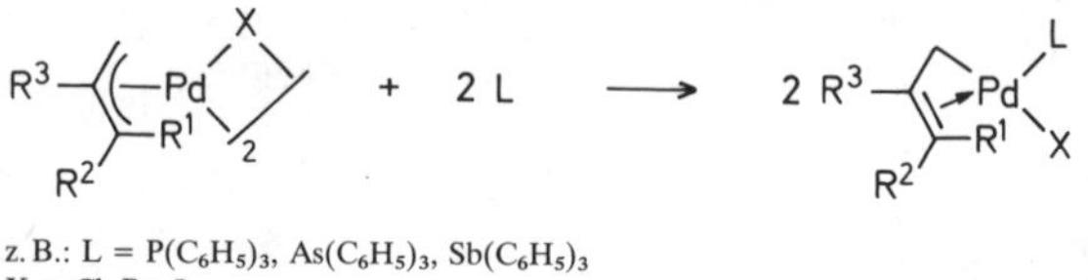

z. B.: L = P(C_6H_5)$_3$, As(C_6H_5)$_3$, Sb(C_6H_5)$_3$
X = Cl, Br, J

Chloro-(η^2-2-methyl-allyl)-(triphenylphosphan)-palladium[5, 6]: Eine Lösung von 0,40 g Triphenylphosphan in 1 *ml* warmem Benzol wird zu einer Lösung von 0,30 g Di-μ-chloro-bis-[(η^3-2-methyl-allyl)-palladium] in 4 *ml* warmem Benzol gegeben. Beim Kühlen fallen gelbe Kristalle aus, die beim Umkristallisieren aus Ethanol farblose Kristalle ergeben; Ausbeute: 0,55 g (80%); F: 210–216° (Zers.).

Die nicht verbrückten η-Allyl-palladium-Verbindungen (η^3-Allyl)-(2,3,5,6-tetrachlorphenyl)- bzw. -(pentafluorphenyl)-(triphenylphosphan)-palladium ergeben mit 1,2-Bis-[diphenylphosphano]-ethan bzw. Dimethyl-phenyl-phosphan stabile σ-Allyl-palladium-Verbindungen. Werden zwei Äquivalente Dimethyl-phenyl-phosphan und ein Äquivalent (η^3-Allyl)-(2,3,5,6-tetrachlor-phenyl)-(triphenylphosphan)-palladium in Chloro-

[1] J. Powell u. A. W. L. Chan, J. Organometal. Chem. **35**, 203 (1972).
[2] K. Vrieze et al., J. Organometal. Chem. **11**, 353 (1968).
[3] K. Vrieze et al., J. Organometal. Chem. **12**, 533 (1968).
[4] R. J. Cross u. R. Wardle, Soc. [A] **1971**, 2000.
[5] J. Powell u. B. L. Shaw, Soc. [A] **1967**, 1839.
[6] Röntgenstruktur siehe: R. Mason u. D. R. Russell, Chem. Commun. **1966**, 26.

form bei 20° umgesetzt, so erhält man *(σ-Allyl)-bis-[dimethyl-phenyl-phosphan]-(2,3,5,6-tetrachlor-phenyl)-palladium* (50%; F: 107–108°, aus Ether/Hexan)[1]. Wird 1,2-Bis-[diphenylphosphano]-ethan zu äquimolaren Mengen $(\eta^3$-Allyl)-(2,3,5,6-tetrachlor-phenyl)-(triphenylphosphan)- bzw. $(\eta^3$-Allyl)-(pentafluorphenyl)-(triphenyl-phosphan)-palladium in Dichlormethan gegeben, so entstehen *(σ-Allyl)-(2,3,5,6-tetrachlor-phenyl)-(1,2-bis-[diphenylphosphano]-ethan)-* (65%; F: 145–147°) bzw. *(σ-Allyl)-(1,2-bis-[diphenylphosphano]-ethan)-(pentafluorphenyl)-palladium* (95%; F: 156–159°)[1]:

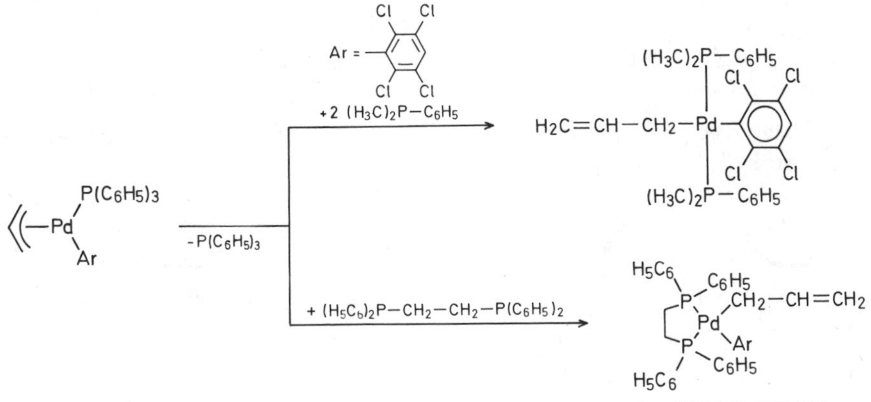

Die Leichtigkeit der Bildung von σ-Allyl-Strukturen nimmt in folgender Reihenfolge ab[1]:

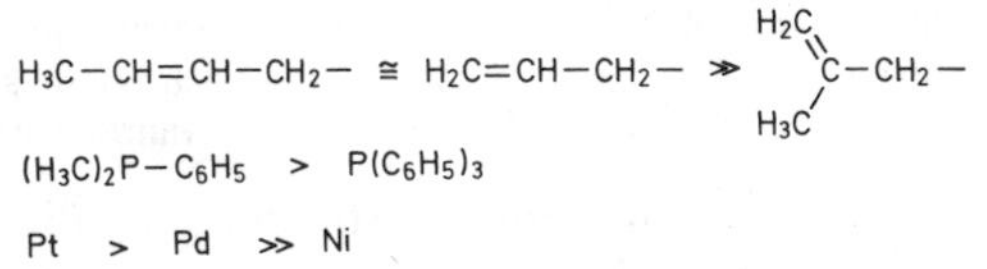

Bei der Cokondensation von Benzylchlorid mit Palladium-Dampf wird durch oxidative Addition der organischen Verbindung an die Palladium-Atome das Dimere Di-μ-chloro-bis-[(1,1′,2′-η^3-benzyl)-palladium] (39%) gebildet[2]. In Gegenwart von überschüssigem Triethylphosphan entsteht direkt unter $\pi \to \sigma$-Umlagerung die σ-Benzyl-palladium-Verbindung:

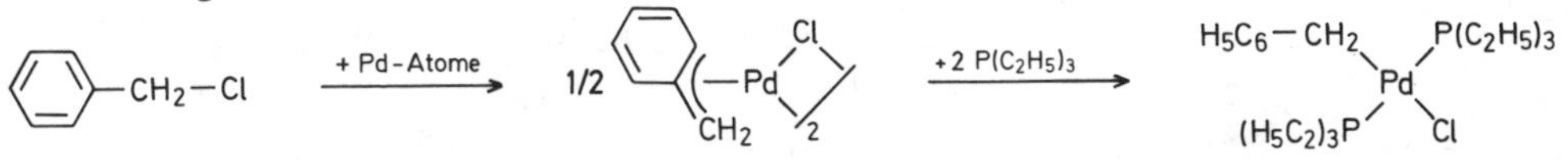

trans-Benzyl-chloro-bis-[triethylphosphan]-palladium[2]: 3,8 g (30 mmol) Benzylchlorid und 0,146 g (1,37 mmol) Palladium-Dampf werden bei −196° cokondensiert (flüssiges Stickstoff-Bad). Das Kühlbad wird entfernt, man läßt unter Rühren auf 20° kommen und entfernt überschüssiges Benzylchlorid i.Vak. Dann werden 0,78 g (6,63 mmol) Triethylphosphan in den Reaktor einkondensiert. Überschüssiges Triethylphosphan wird i.Vak. abgezogen und der Reaktor belüftet. Man schwenkt 4mal mit 25 *ml* Portionen Hexan aus, vereinigt die Waschlösungen, entfärbt mit Aktiv-Kohle und filtriert. Das Vol. der Lösung wird durch einen Stickstoff-Strom auf 25 *ml* eingeengt. Der Kolben wird verschlossen und bei − 10° gekühlt. Die gelblich-farblosen Kristalle werden abgenutscht, mit kaltem Hexan gewaschen und an der Luft getrocknet; Ausbeute: 0,15 g (23%).

Werden $(\eta^3$-Allyl)-$(\eta^5$-cyclopentadienyl)-palladium-Verbindungen bei −50° mit tert.-Phosphanen in Toluol im Molverhältnis 1:2 bis 1:8 umgesetzt, so läßt sich im NMR eine Umlagerung zu $(σ$-Allyl)-$(\eta^5$-cyclopentadienyl)-(tert.-phosphan)-palladium-Verbindungen feststellen[3]:

[1] S. Numata, R. Okawara u. H. Kurosawa, Inorg. Chem. **16**, 1737 (1977).
[2] J.S. Roberts u. K.J. Klabunde, Am. Soc. **99**, 2509 (1977).
[3] G. Parker u. H. Werner, Helv. **56**, 2819 (1973).

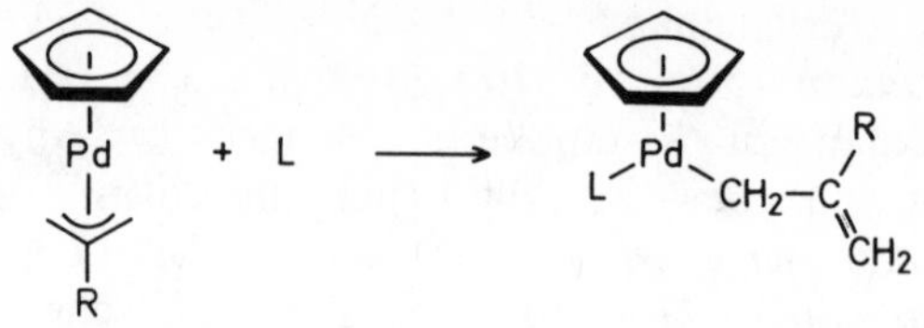

R = H, CH$_3$, C(CH$_3$)$_3$, Cl
L = P(OCH$_3$)$_3$, P(OC$_2$H$_5$)$_3$, P(OC$_6$H$_5$)$_3$, P(C$_6$H$_5$)$_3$, P(C$_4$H$_9$)$_3$

Auf diese Art sind beispielsweise *(η^5-Cyclopentadienyl)-(trimethylphosphit)-(σ-2-methyl-allyl)-* und *(η^5-Cyclopentadienyl)-(σ- 2,3,3-trimethyl-allyl)-(triphenylphosphan)-palladium* in situ hergestellt worden[1].

Eine Isolierung gelingt ausgehend von der (η^3-2-Chlor-allyl)-palladium-Verbindung mit Tris-[2-methyl-phenoxy]-phosphan:

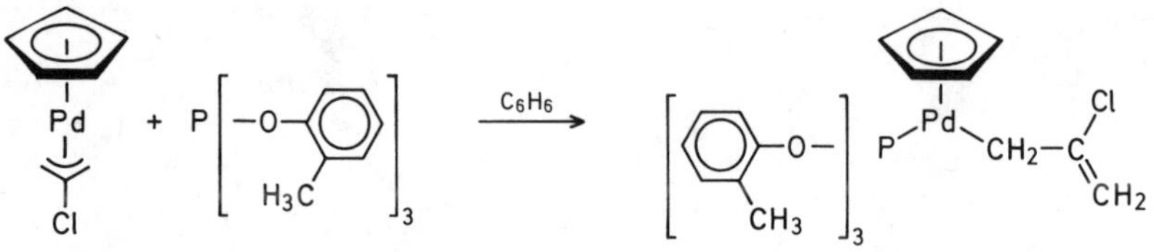

(σ-2-Chlor-allyl)-(cyclopentadienyl)- (tris-[2-methyl-phenoxy]-phosphan)-palladium[2]: 0,155 *ml* (0,5 mmol) Tris-[2-methyl-phenoxy]-phosphan werden bei 20° zu einer Lösung von 0,123 g (0,5 mmol) (η^3-2-Chlor-allyl)-(η^5-cyclopentadienyl)-palladium in 2 *ml* Pentan hinzugegeben. Nach kurzem Rühren kühlt man die Lösung auf −30° ab und läßt sie mehrere Stdn. bei dieser Temp. stehen. Es scheidet sich ein rotes Öl ab. Das Pentan wird vorsichtig abgezogen und das verbleibende Öl in der Tiefkühltruhe aufbewahrt; Ausbeute: ~quantitativ.

(η^3-Allyl)-(η^5-cyclopentadienyl)-palladium-Verbindungen, die in der Allyl-Gruppe 2-Methyl- bzw. 2-tert.-Butyl-substituiert sind, reagieren mit weniger sperrigen tert.-Phosphanen besonders bei 20° rasch zu verbrückten Zweikern-Verbindungen mit π-Bindungen[3-5]. Mit sperrigen Phosphanen kann man dagegen (η^3-Allyl)-(2,4-cyclopentadienyl)-(tert.-phosphan)-palladium-Verbindungen isolieren[4,5].

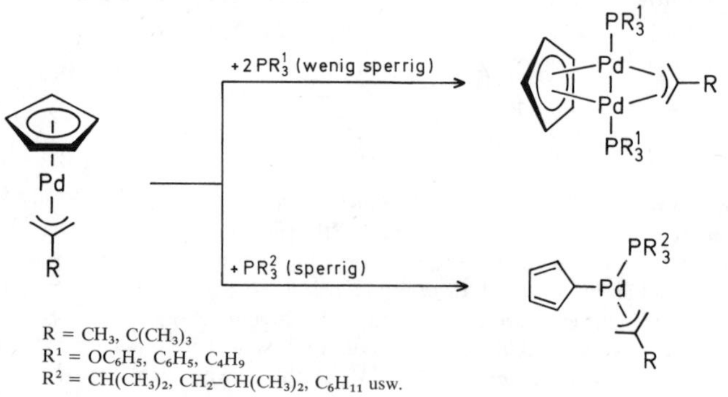

R = CH$_3$, C(CH$_3$)$_3$
R^1 = OC$_6$H$_5$, C$_6$H$_5$, C$_4$H$_9$
R^2 = CH(CH$_3$)$_2$, CH$_2$–CH(CH$_3$)$_2$, C$_6$H$_{11}$ usw.

[1] G. Parker u. H. Werner, Helv. **56**, 2819 (1973).
[2] D.J. Tune u. H. Werner, Helv. **58**, 2240 (1975).
[3] H. Werner et al., B. **110**, 1763 (1977).
[4] H. Werner, A. Kühn u. C. Burschka, B. **113**, 2291 (1980).
[5] H. Werner u. A. Kühn, Ang. Ch. **91**, 447 (1979).

(2,4-Cyclopentadienyl)-(2-methyl-allyl)- (tert.-phosphan)-palladium-Verbindungen zeigen bei tiefen Temperaturen (−60°) in Lösung zwei CH$_3$-Signale. Es liegen offensichtlich zwei Isomere vor, die sich bei 20° sehr rasch ineinander umlagern[1, 2]:

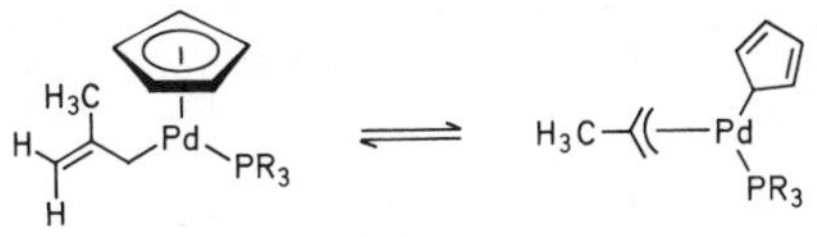

(2,4-Cyclopentadienyl)-(η^3-2-methyl-allyl)- (bzw. η^3-2-tert.-butyl-allyl)-(tert.-phosphan)-palladium; allgemeine Arbeitsvorschrift[1, 3]: (alle Arbeiten unter Stickstoff in abs. Lösungsmitteln) Zur Lösung von 1 mmol (η^5-Cyclopentadienyl)-(η^3-2-methyl-allyl)- bzw. -(η^3-2-tert.-butyl-allyl)-palladium in 5 *ml* Benzol gibt man 1 mmol des entsprechenden Phosphans (wenn dieses fest ist, dann gelöst in wenig Benzol). Es wird 1 Stde. bei 20° gerührt, danach das Lösungsmittel i. Vak. entfernt und der verbleibende ölige Rückstand in 3–5 *ml* Pentan aufgenommen. Abkühlen der Pentan-Lösung ergibt in den meisten Fällen farblose bis gelbe Kristalle, die aus Benzol/Pentan umkristallisiert werden; Reinausbeute: 40–90%.

Bei (η^3-2-Methyl-allyl)-Liganden und Phosphanen ohne Cyclohexyl-Rest muß die dunkelrote Lösung der Palladium-Verbindung (1 mmol) in 6 *ml* Pentan auf −20° gekühlt werden und unter kräftigem Rühren 1 mmol des Phosphans zugetropft und mit 1 *ml* Pentan nachgespült werden. Falls ein Feststoff ausfällt, wird über eine Umkehrfritte abfiltriert, sonst wird das Öl isoliert; Ausbeute: 50–60%.

Auch π-allyl-gebunde Palladium-acetoacetate[4, 5] können mit Donoren[5−8] in σ−C-gebundene Alkyl-palladium-Verbindungen übergeführt werden.

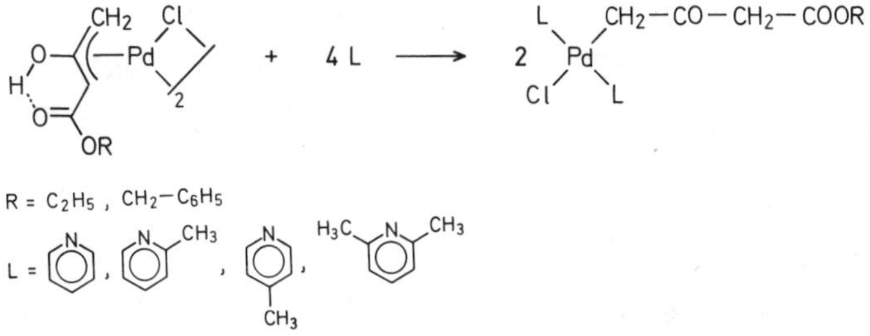

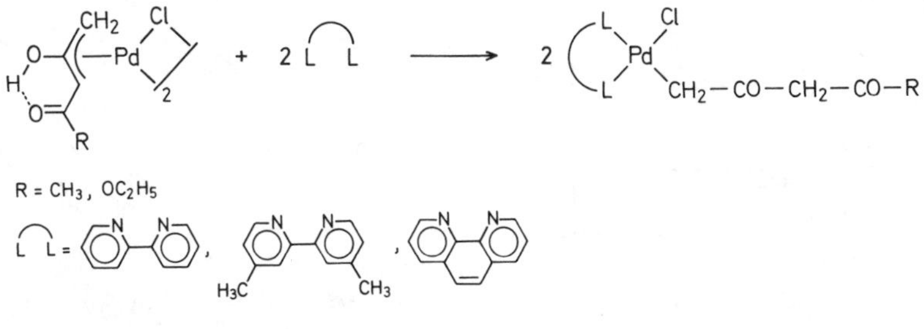

R = C$_2$H$_5$, CH$_2$−C$_6$H$_5$

R = CH$_3$, OC$_2$H$_5$

Analog reagiert Di-μ-chloro-bis-[(η^3-1-acetyl-2-hydroxy-allyl)-palladium] mit den entsprechenden N N-Liganden[5].

[1] H. WERNER, A. KÜHN u. C. BURSCHKA, B. **113**, 2291 (1980).
[2] H. WERNER u. A. KÜHN, Ang. Ch. **91**, 447 (1979).
[3] Siehe auch H. WERNER et al., B. **110**, 1763 (1977).
[4] S. KAWAGUCHI et al., Bl. chem. Soc. Japan **42**, 443 (1969).
[5] N. YANASE, Y. NAKAMURA u. S. KAWAGUCHI, Inorg. Chem. **19**, 1575 (1980).
[6] S. KAWAGUCHI et al., Bl. chem. Soc. Japan **47**, 2792 (1974).
[7] S. KAWAGUCHI et al., Inorg. Nucl. Chem. Letters **8**, 605 (1972).
[8] Röntgenstrukturanalyse N. KASAI et al., J. Organometal. Chem. **86**, 269 (1975).

(3-Ethoxycarbonyl-2-oxo-propyl)-chloro-bis-[pyridin]-palladium[1,2]: 2−3 *ml* Pyridin werden unter Rühren zu einer Suspension von 0,7 g Di-μ-chloro-bis-[(η^3-1-ethoxycarbonyl-2-hydroxy-allyl)-palladium] in 10 *ml* Benzol gegeben. Die Mischung wandelt sich sofort in eine klare, gelbgrüne Lösung um. Durch Zugabe von Petrolether fällt ein Niederschlag aus; Ausbeute: 1,0 g (91%); F: 110°; Zers. (aus Dichlormethan/Petrolether).

Analog werden u. a. folgende *(3-Benzyloxycarbonyl-2-oxo-propyl)-chloro-...-palladium*-Verbindungen hergestellt[1,2]:

...-bis-[pyridin]-...	82%; F: 107°
...-[2,2'-bipyridyl]-...	82%; F: 166°
...-bis-[4-methyl-pyridin]-...	96%; F: 105°
...-bis-[2,6-dimethyl-pyridin]-...	94%; F: 136°

Von Vorteil ist die Umsetzung in Chloroform oder Dichlormethan als Lösungsmittel und das Ausfällen des σ-Komplexes mit Diethylether.

Chloro-(4,4'-dimethyl-2,2'-bipyridyl)-(2,4-dioxo-pentyl)-palladium[3]: Eine Lösung von 0,138 g (0,75 mmol) 4,4'-Dimethyl-2,2'-bipyridyl in 5 *ml* Chloroform wird tropfenweise zu einer Suspension von 0,174 g (0,361 mmol) Di-μ-chloro-bis-[(η^3-1-acetyl-2-hydroxy-allyl)-palladium][4] suspendiert in 10 *ml* Chloroform gegeben und weitere 15 Min. bei 20° gerührt. Nach Filtrieren wird das Filtrat i. Vak. auf ∼10 *ml* eingeengt und dann Diethylether zugefügt. Ein gelber Niederschlag fällt aus; Ausbeute: 0,295 g (96%). Gereinigt wird durch Umfällen aus Chloroform/Diethylether.

Analog erhält man z. B.[3]:

Chloro-(2,4-dioxo-pentyl)-(1,10-phenanthrolin)-palladium	94%
(3-Ethoxycarbonyl-2-oxo-propyl)-chloro-(4,4'-dimethyl-2,2'-bipyridyl)-palladium	97%

Auch carbonyl-analoge η^3-Allyl-Verbindungen ergeben mit Nucleophilen $\pi \rightarrow \sigma$-Umlagerungen:

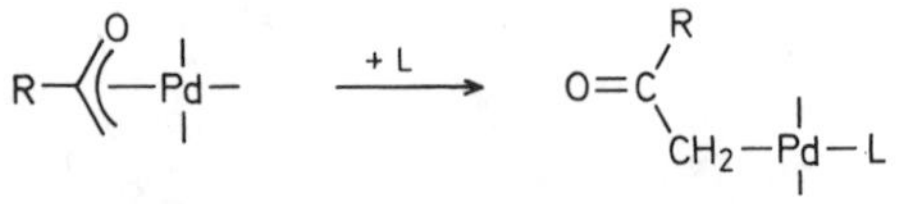

Mit überschüssigen N-Donor-Basen (Pyridin, 2-Methyl-pyridin, Benzylamin, Butylamin, 2,2'-Bipyridyl) reagiert die O-analoge η^3-Allyl-palladium-Verbindung in Ether, Benzol bzw. Dichlormethan bei 20° zu den σ−C-gebundenen Palladium-Verbindungen[5,6]:

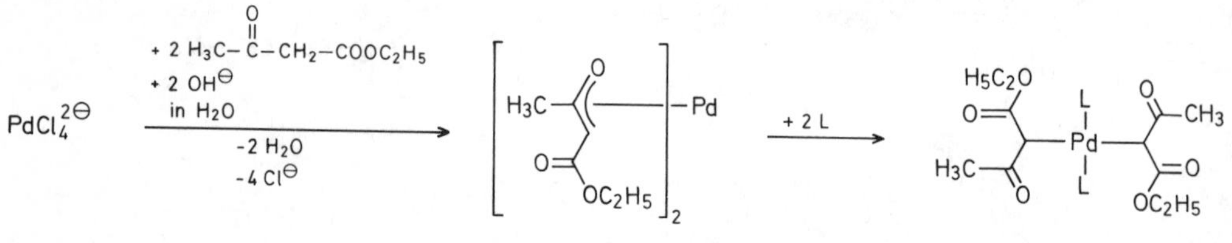

Bis-[1-ethoxycarbonyl-2-oxo-propyl]-...-palladium
...-bis-[pyridin]-...; 72%; F: 99°
...-bis-[2-methyl-pyridin]-...; 80%; F: 84°
...-bis-[benzylamin]-...; 67%; F: 124°
...-bis-[butylamin]-...; 42%; F: 109°
...-bis-[2,2'-bipyridyl]-...; ∼100%; F: 201°

[1] S. KAWAGUCHI et al., Bl. chem. Soc. Japan **47**, 2792 (1974).
[2] S. KAWAGUCHI et al., Inorg. Nucl. Chem. Letters **8**, 605 (1972).
[3] N. YANASE, Y. NAKAMURA u. S. KAWAGUCHI, Inorg. Chem. **19**, 1575 (1980).
[4] Herstellung siehe: Z. KANDA, Y. NAKAMURA u. S. KAWAGUCHI, Inorg. Chem. **17**, 910 (1978).
[5] S. OKEYA u. S. KAWAGUCHI, Inorg. Chem. **16**, 1730 (1977).
[6] S. KAWAGUCHI et al., Chem. Letters **1976**, 53; C.A. **84**, 122010 (1976).

γ) aus η^4-Dien-palladium-Verbindungen mit Nucleophilen

Chelatbildende Diene reagieren quantitativ mit Palladium-halogeniden zu den η^4-Dien-dihalogeno-palladium-Verbindungen. Mit Nucleophilen erfolgt meist eine *exo*-Addition an eine koordinierte C=C-Doppelbindung unter gleichzeitiger Pd–C-σ-Bindungsbildung. Die entstehenden Verbindungen sind Dimere mit symmetrischen Chlorbrücken.

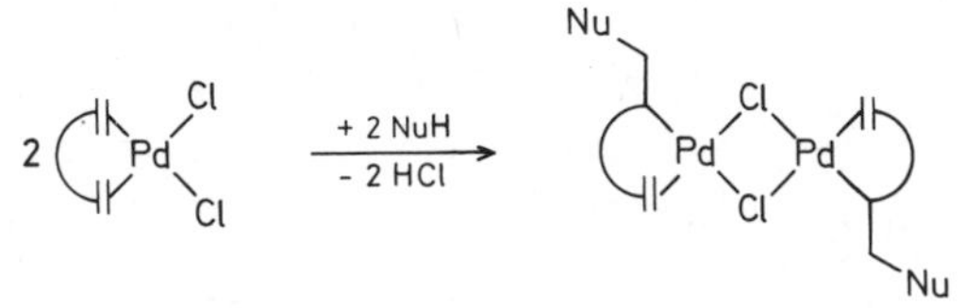

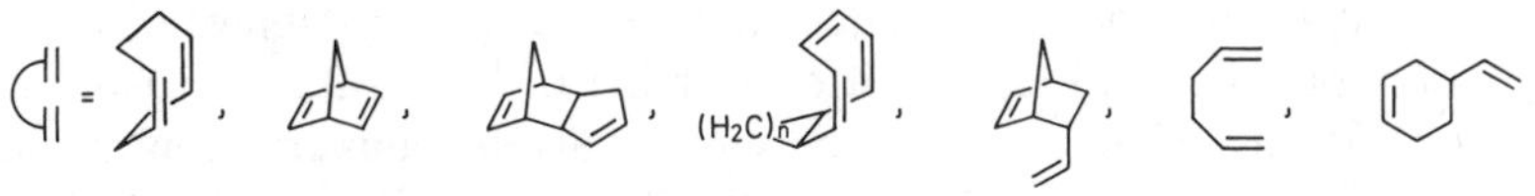

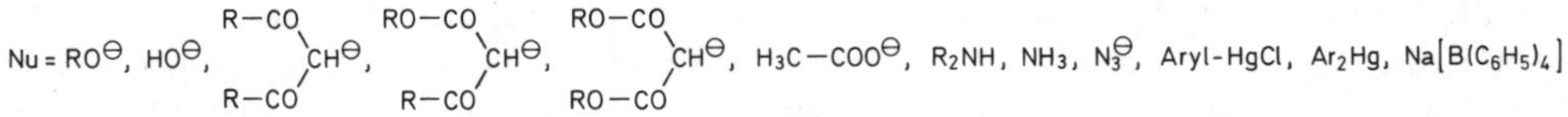

$$Nu = RO^{\ominus},\ HO^{\ominus},\ \begin{matrix} R-CO \\ \diagdown \\ R-CO \end{matrix} CH^{\ominus},\ \begin{matrix} RO-CO \\ \diagdown \\ R-CO \end{matrix} CH^{\ominus},\ \begin{matrix} RO-CO \\ \diagdown \\ RO-CO \end{matrix} CH^{\ominus},\ H_3C-COO^{\ominus},\ R_2NH,\ NH_3,\ N_3^{\ominus},\ Aryl-HgCl,\ Ar_2Hg,\ Na[B(C_6H_5)_4]$$

Die entstehenden σ,π-Verbindungen sind interessante Ausgangsverbindungen für organische Synthesen.

Durch Brückenspaltungs-Reaktionen mit Donor-Liganden kann man häufig eine Stabilisierung der σ,π-Verbindung erreichen, z.B.[1] mit

N-Donoren wie Pyridin[2, 3, 4, 5], p-Toluidin[6]
P-Donoren wie Triphenylphosphan[5, 7]
O-Donoren wie Thallium-acetylacetonaten[8, 9, 10]
π-Donoren wie Cyclopentadienyl-thallium[4, 8, 11]

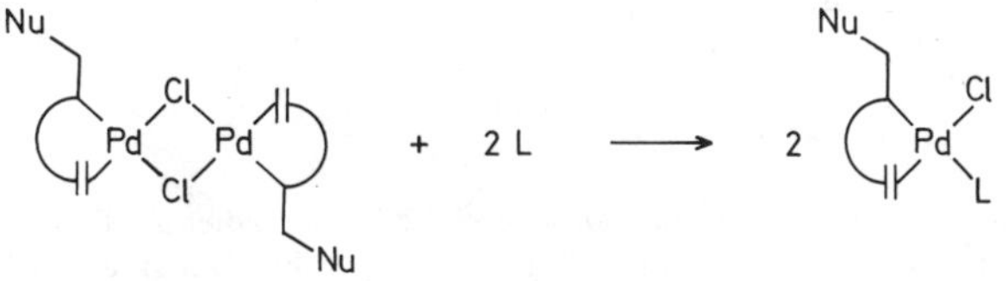

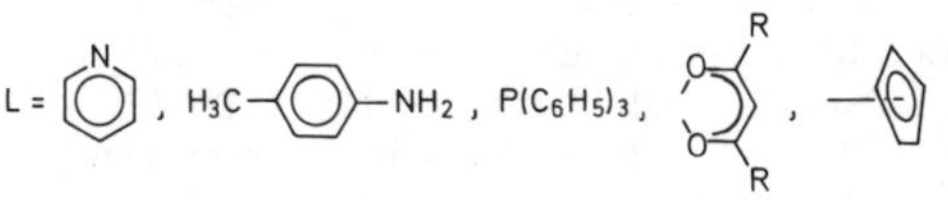

<hr>

[1] Da es sich hierbei nicht um eine σ–C–Pd-Bindungsbildung handelt, wird dieser Reaktionstypus nicht näher beschrieben.

[2] U. BELLUCO et al., Soc. [A] **1968**, 2869; **1970**, 363.

[3] J.K. STILLE et al., Am. Soc. **87**, 3282 (1965).

[4] J.K. STILLE u. R.A. MORGAN, Am. Soc. **88**, 5135 (1966).

[5] M. GREEN u. R.I. HANCOCK, Soc. [A] **1967**, 2054.

[6] J. CHATT, L.M. VALLARINO u. L.M. VENANZI, Soc. **1957**, 3413.

[7] G. PAIARO, A. DE RENZI u. R. PALUMBO, Chem. Commun. **1967**, 1150.

[8] D.A. WHITE, Soc. [A] **1971**, 145.

[9] R.P. HUGHES u. J. POWELL, J. Organometal. Chem. **60**, 427 (1973).

[10] B.F.G. JOHNSON, J. LEWIS u. D.A. WHITE, Soc. [A] **1970**, 1738.

[11] G. PARKER, A. SALZER u. H. WERNER, J. Organometal. Chem. **67**, 131 (1974).

Mit zweizähnigen Liganden erhält man stabile Salze[1]:

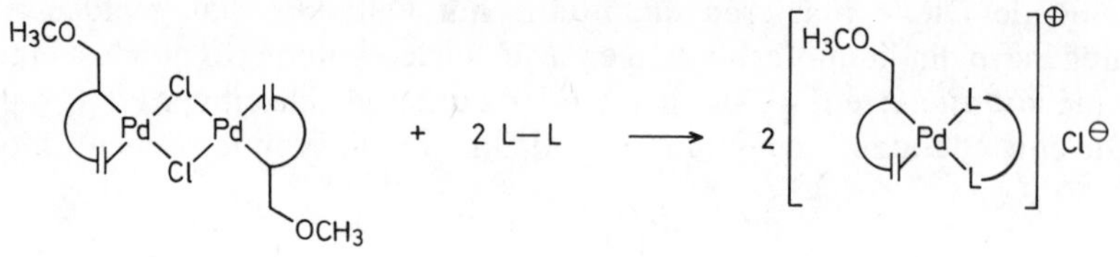

γ_1) *mit Alkanolaten und Hydroxid-Ionen (Oxypalladierung)*

Am besten untersucht ist die nucleophile Addition von Methanol in Gegenwart schwacher Basen wie Natriumcarbonat[2] oder Natriumacetat[3] an Dichloro-(η^4-bicyclo[2.2.1] heptadien)-, -(η^4-1,5-cyclooctadien)- und -(η^4-tricyclo[5.2.1.0^{2,6}]deca-3,8-dien)-palladium. Die Addition kann jedoch auch mit Natriummethanolat als Reagens erfolgen[4]. Eine besonders elegante Methode ist die Eintopfreaktion von Palladium(II)-chlorid mit dem betreffenden Dien in Methanol in Gegenwart geringer Mengen Natriumcarbonat, die ohne Isolierung des π-Komplexes in hohen Ausbeuten zum Oxypalladierungsprodukt führt[5]. Wegen der besonderen Bedeutung für viele Umwandlungsreaktionen und als Vergleichssubstanzen für andere Additionsprodukte mit Nucleophilen sei für jedes der drei erwähnten Diene eine typische Oxypalladierungsreaktion mit Methanol beschrieben.

Di-μ-chloro-bis-$\{(\eta^2$-3-exo- methoxy-5-bicyclo[2.2.1]hepten-2-yl)-endo-palladium$\}$[2]:

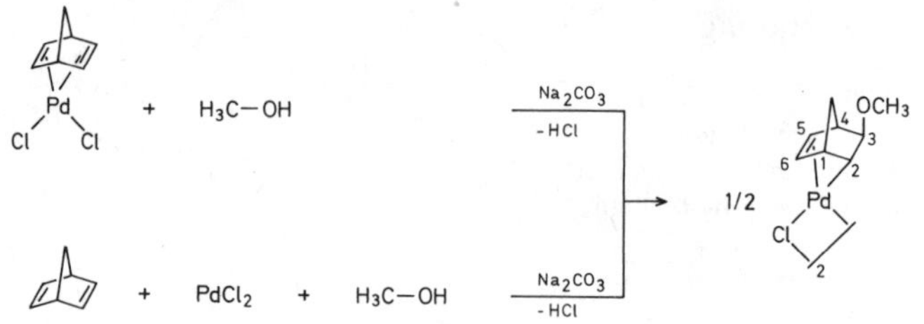

Eine Lösung von 4,0 g (0,015 mol) Dichloro-(η^4-bicyclo[2.2.1]heptadien)-palladium(II) und 1,58 g (0,015 mol) Natriumcarbonat in 200 *ml* Methanol wird 40 Min. bei 20° gerührt. Der graubraune Rückstand wird abfiltriert, mit 20 *ml* Ether gewaschen und an der Luft getrocknet. Nach Auflösen in Dichlormethan und Behandeln mit Aktivkohle wird heiß filtriert. Nach Kühlen bildet sich ein gelber Niederschlag, der abfiltriert, mit Ether gewaschen und i. Vak. getrocknet wird; Ausbeute: 3,2 g (80%); F: 108–111° (Zers.).

Die Umsetzung ist mit Trideuteriomethanol/Natriumcarbonat (67%) oder mit Natriummethanolat/Methanol (70%) möglich[4]. Auch die direkte Umsetzung von Palladium(II)-chlorid mit Bicyclo[2.2.1]heptadien in Methanol mit Natriumcarbonat führt zur Methoxy-Verbindung[5].

[1] P. Uguagliati, B. Crociani u. U. Belluco, Soc. [A] **1970**, 363.
[2] J. K. Stille u. R. A. Morgan, Am. Soc. **88**, 5135 (1966).
[3] C. B. Anderson u. B. J. Burreson, J. Organometal. Chem. **7**, 181 (1967).
[4] M. Green u. R. I. Hancock, Soc. [A] **1967**, 2054.
[5] W. T. Wipke u. G. L. Goeke, Am. Soc. **96**, 4244 (1974).

Di-μ-chloro-bis-[(η^2-2-exo-methoxy-5-cyclooctenyl)-palladium][1,2]:

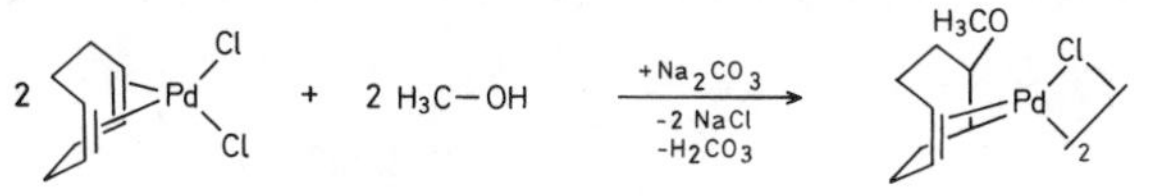

Eine Mischung von 2,85 g (0,01 mol) Dichloro-(η^4-1,5-cyclooctadien)-palladium(II) und 0,53 g (0,005 mol) Natriumcarbonat wird in 75 *ml* Methanol suspendiert und bei 25° 3 Stdn. gerührt. Die gelbe Farbe des Dien-Komplexes verschwindet innerhalb 1 Stde. Nach 3 Stdn. wird die Suspension filtriert, mit Methanol gewaschen und mit 75 *ml* Wasser verrieben. Die wäßr. Suspension wird filtriert, der Rückstand mit Wasser gewaschen und an der Luft getrocknet; Ausbeute: 2,62 g (93%); F: 136–140° (Zers.). Es kann aus Methanol umkristallisiert werden[2].

Die direkte Eintopfreaktion von Palladium(II)-chlorid mit 1,5-Cyclooctadien in Methanol mit Natriumcarbonat unter Stickstoff führt ebenfalls zur Methoxy-Verbindung (88%)[3].

Di-μ-chloro-bis-{(η^2-8-exo-methoxy-tricyclo[5.2.1.0^{2,6}]dec-3-en-9-endo-yl)-palladium}[3]:

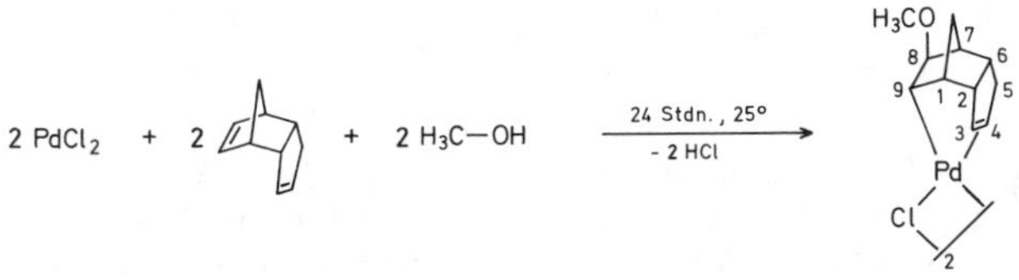

0,175 g (1,0 mmol) Palladium(II)-chlorid und 0,25 g Tricyclo[5.2.1.0^{2,6}]deca-3,8-dien werden in 10 *ml* Methanol 24 Stdn. bei 20° unter Stickstoff gerührt. Das hellgelbe Produkt wird abfiltriert; Ausbeute: 0,2756 g (91%); F: 165–180° (Zers.).

Analog erhält man die Methoxy-Verbindung ausgehend von Natriumtetrachloropalladat(II) (89%)[2,4].

Analog gelingt die nucleophile Addition von Ethanol, Propanol und Isopropanol an Dichloro-(tricyclo[5.2.1.0^{2,6}]deca-3,8-dien)-palladium(II)[2].

Statt Addition der nucleophilen Alkanolat-Anionen an die neutralen Dien-Palladium-Verbindungen kann man diese Komplexe auch durch Einwirkung von Triethyloxonium-tetrafluoroborat in die kationischen Brückenverbindungen überführen. Diese reagieren bereits mit den neutralen Agenzien. So erhält man aus (Di-μ-chloro-bis-[η-1,5-cyclooctadien]-dipalladium)-bis-[tetrafluoroborat] mit Methanol *Di-μ-chloro-bis-[5,6-η^2-2-methoxy-5-cyclooctenyl-palladium]* (92%)[5]:

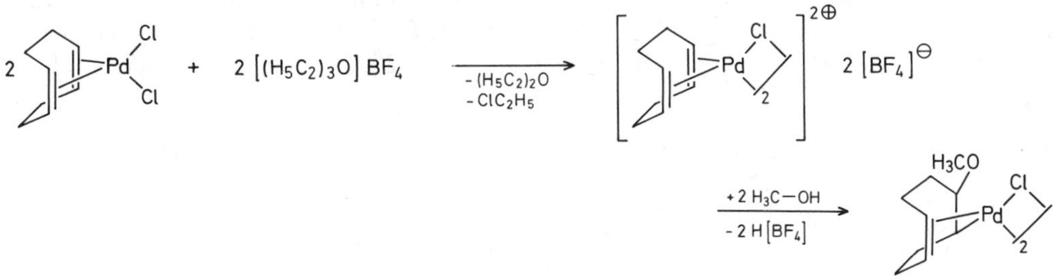

Mit Silbernitrat oder -acetat in Methanol gelingt ebenfalls eine Überführung der Dichloro-(dien)-palladium-Komplexe in die entsprechenden kationischen π-Olefin-palla-

[1] R.G. Schultz, J. Organomet. Chem. **6**, 435 (1966).
[2] J. Chatt, L.M. Vallarino u. L.M. Venanzi, Soc. **1957**, 3413.
[3] W.T. Wipke u. G.L. Goeke, Am. Soc. **96**, 4244 (1974).
[4] J.K. Stille u. R.A. Morgan, Am. Soc. **88**, 5135 (1966).
[5] C. Eaborn, N. Farrell u. A. Pidcock, Soc. [Dalton] **1976**, 289.

dium-Komplexe. Nucleophiler Angriff des Methanols auf das koordinierte Olefin liefert dann den entsprechenden σ-Komplex, der durch verschiedene Donoren stabilisiert werden kann:

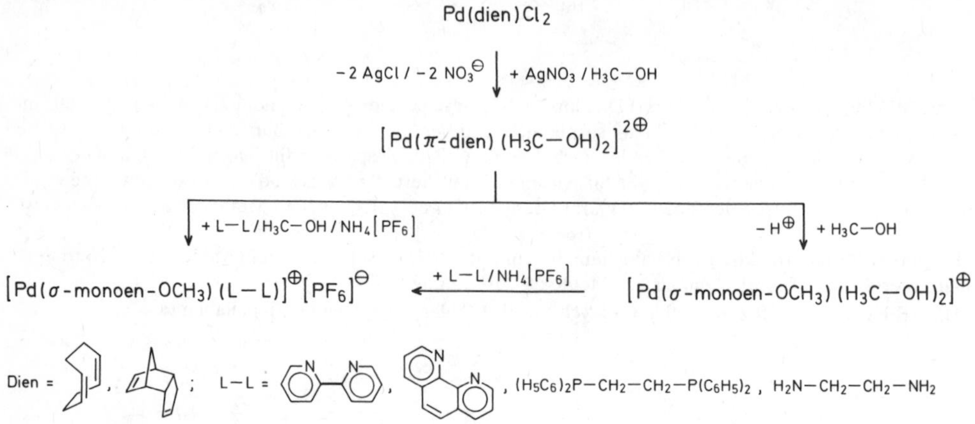

(Bis-[donor]-(methoxy-σ-monoenyl)-palladium)-hexafluorophosphat; allgemeine Arbeitsvorschrift[1]: Dichloro-dien-palladium und Silbernitrat werden bei 20° im Verhältnis 1 : 2 in Methanol gemischt. Nach dem Abfiltrieren des Silberchlorids wird die Bis-[donor]-Verbindung im Verhältnis 1 : 1 mit Ammonium-hexafluorophosphat versetzt. Die Lösungen werden bei –20° stehen gelassen und die sich abscheidenden Komplexe abfiltriert. Auf diese Weise erhält man z. B.[1]:

[(2,2'-Bipyridyl)-(η^2-2-methoxy-5-cyclooctenyl)-palladium]-hexafluorophosphat	67%
[(η^2-2-Methoxy-5-cyclooctenyl)-(1,10-phenanthrolin)-palladium]-hexafluorophosphat	75%
[(1,2-Diamino-ethan)-(η^2-2-methoxy-5-cyclooctenyl)-palladium]-chlorid	70%
{[1,2-Bis-(diphenylphosphano)-ethan]-(η^2-8-exo-methoxy-tricyclo[5.2.1.0^{2,6}]dec-3-en-9-endo-yl)-endo-palladium}- hexafluorophosphat	70%

Di-μ-acetato-bis- [η^2-**2-methoxy- 5-cyclooctenyl-palladium**]; Beispiel für die Umsetzung mit Silberacetat[2]: 1,0 g (0,006 Mol) Silberacetat und 0,4 g (0,0014 Mol) Dichloro-(1,5-cyclooctadien)-palladium werden in 60 *ml* Methanol 1 Stde. gerührt. Die gelbe Farbe verschwindet. Die Lösung wird filtriert, i. Vak. konzentriert und gekühlt. Ausbeute: 0,25 g (60%); F: 115–130° (Zers.).

Auch bicyclische Triene wie *cis*-Bicyclo[6.1.0]nona-2,4,6-trien und Bicyclo[6.2.0]deca-2,4,6-trien ergeben die entsprechenden (2,3,6,7-η^4-Polyolefin)-palladium-Verbindungen, die in Methanol bei 20° ohne Base leicht in die entsprechenden Methoxy-substituierten Derivate *Di-μ-chloro-bis-* {(6,7-η^2-*cis*-3-methoxy-bicyclo[6.1.0]nona-4,6-dien-2-yl)-palladium} (90%; F: 115–119°, Zers.) bzw. *Di-μ-chloro-bis-* {(6,7-η^2-*cis*-3-methoxy-bicyclo* [6.2.0]deca- 4,6-dien-2-yl)-palladium} (92%; F: 165–170°) überführt werden können[3]:

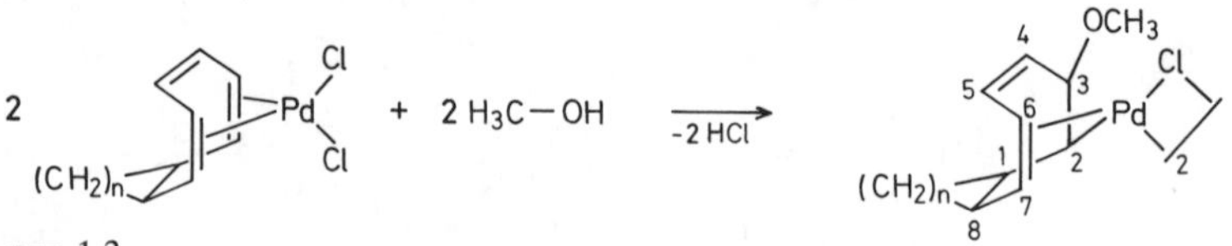

n = 1,2

Die Umsetzung von 5-Vinyl-bicyclo[2.2.1]hept-2-en mit Palladium(II)-chlorid in Methanol oder Ethanol (2–3 Tage Rühren bei 20° unter Stickstoff) liefert ebenfalls die *exo*-Alkoxylierungs-Produkte *Di-μ-chloro-bis-* {(2-exo-methoxy-5-endo-vinyl-bicyclo[2.2.1]

[1] R. PIETROPAOLO, A. SPARADO et al., J. Organomet. Chem. **155**, 117 (1978).
[2] C.B. ANDERSON u. B.J. BURRESON, J. Organomet. Chem. **7**, 181 (1967).
[3] U. BELLUCO et al., Inorg. Chim. Acta **17**, 65 (1976).

hept-endo-3-yl)- (74%; F: 142–144°, Zers.) bzw. *Di-μ-chloro-bis-{(2-exo-ethoxy-5-endo-vinyl-bicyclo[2.2.1]hept-endo-3-yl)-palladium}* (91%; F: 153–154°, Zers.)[1]:

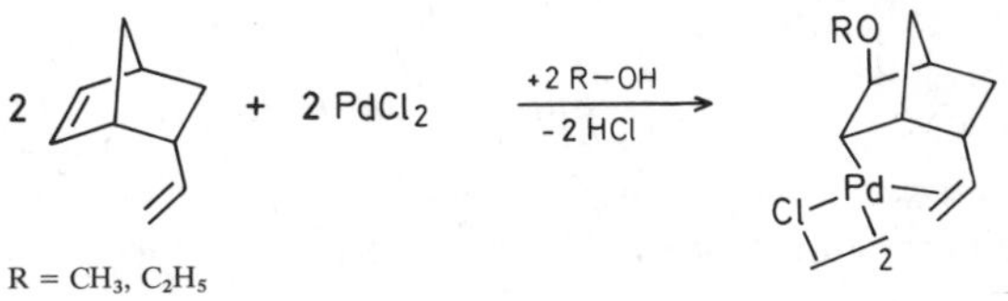

R = CH₃, C₂H₅

Werden substituierte 7-Methylen-bicyclo[2.2.1]hept-2-ene mit Bis-[benzonitril]-di-chloro-palladium in Gegenwart von Methanol umgesetzt, so erhält man unter *trans-*Methoxypalladierung die entsprechenden σ,π-Komplexe[2]:

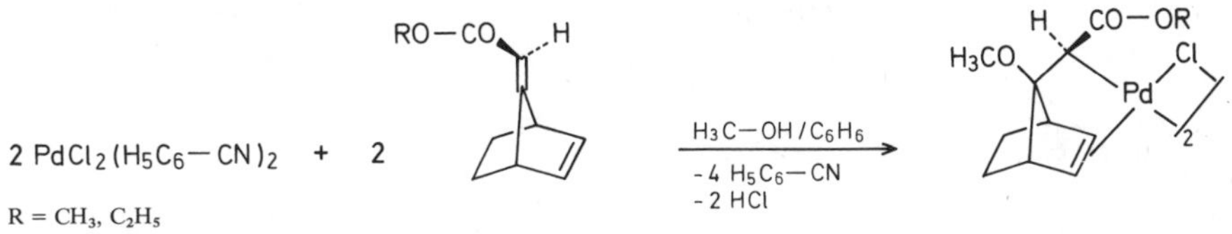

R = CH₃, C₂H₅

Di-μ-chloro-bis-⟨{η^2-7-methoxy-bicyclo[2.2.1]hept-2-en-7-yl)-methoxycarbonyl-methyl}-palladium⟩[2]:
0,280 g (1,7 mmol) 7-(Methoxycarbonyl-methylen)-bicyclo[2.2.1]hept-2-en und 0,314 g (0,82 mmol) Bis-[ben-zonitril]-dichloro-palladium werden in 25 *ml* Methanol-Benzol (1:1) gelöst. Die Lösung wird 2 Tage unter Rückfluß erhitzt, konzentriert und Diethylether zugegeben. Der hellgelbe Niederschlag wird abfiltriert, mit Ether gewaschen und getrocknet; Ausbeute: 0,239 g (87%; F: 190–195°, Zers.).

Analog wird *Di-μ-chloro-bis-{(ethoxycarbonyl)-(η^2-7-methoxy-bicyclo[2.2.1]hept-2-en-7-yl)-methyl]-palladium}* (93%; F: 187–192°, Zers.) hergestellt[2].

Die Hydroxypalladierung von Dichloro-(η^4-1;5-cyclooctadien)-palladium zu *Di-μ-chloro-bis-[(η^2-2-hydroxy-5-cyclooctenyl)-palladium]* (96%) erfolgt leicht mit Wasser in Gegenwart von Natriumcarbonat[3]. Die Umsetzung mit Wasser gelingt ohne Base, wenn man von der kationischen Palladium-Verbindung ausgeht (66%; F: 113–116°)[4].

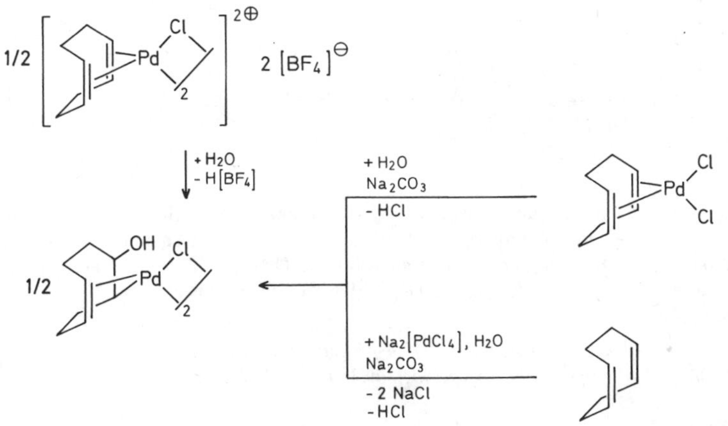

---

[1] W.T. WIPKE u. G.L. GOEKE, Am. Soc. **96**, 4244 (1974).

[2] G. WIGER, G. ALBELO u. M.F. RETTIG, Soc. [Dalton] **1974**, 2242.

[3] J.K. STILLE u. D.E. JAMES, Am. Soc. **97**, 674 (1975).

[4] C. EABORN, N. FARRELL u. A. PIDCOCK, Soc. [Dalton] **1976**, 289.

Ausgehend von einer Mischung aus Natrium-tetrachloropalladat(II), Lithiumbromid, Natriumcarbonat, Wasser und 1,5-Cyclooctadien gelangt man zu *Di-μ-bromo-bis-[(η²-2-hydroxy-5-cycloocten-1-yl)-palladium]* (76%)[1].

γ₂) *mit Carbanionen*

Malonsäure-diester sowie Acetessigsäure-ester addieren sich in Gegenwart schwacher Basen nucleophil an eine der beiden koordinierten C=C-Doppelbindungen in Dichloro-dien-palladium[2,3]:

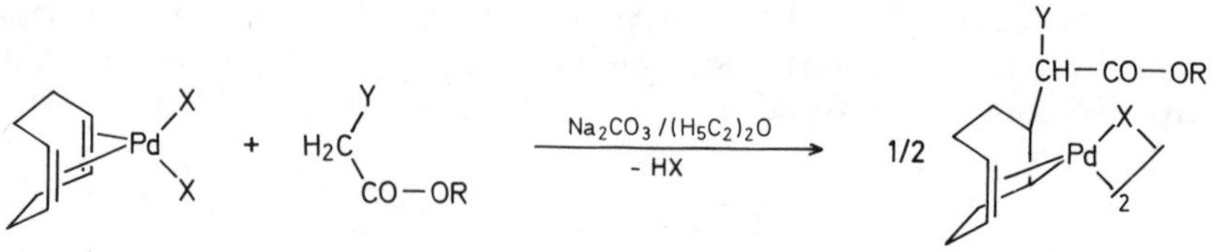

X = Cl, Br
Y = CO-CH₃, COOR
R = CH₃, C₂H₅

Di-μ-chloro-bis-{[η²-2-(diethoxycarbonyl-methyl)-5-cyclooctenyl]-palladium}[2]:   0,5 g Dichloro-(η⁴-1,5-cyclooctadien)-palladium, 0,5 g wasserfreies Natriumcarbonat und 1,0 g Malonsäure-diethylester werden in überschüssigem Ether 15 Stdn. unter Stickstoff bei 20° gerührt. Der gelbliche Komplex wird abfiltriert, i. Vak. getrocknet und aus Essigsäure-ethylester/Hexan umkristallisiert; F: 155–156° (Zers.).

Analog werden erhalten[2,3]

Di-μ-chloro-bis-{[η²-2-(dimethoxycarbonyl-methyl)-5-cyclooctenyl]-palladium};   F: 155–156° (Zers.)
Di-μ-chloro-bis-{[η²-2-(1-ethoxycarbonyl-2-oxo-propyl)-5-cyclooctenyl]-palladium}; F: 157–158° (Zers.)

Die entsprechenden *Di-μ-bromo*-verbrückten Palladium-Verbindungen werden auf gleichem Wege erhalten.

1,3-Diketone lassen sich in Form des Thallium-1,3-diketonats leicht an Dichloro-dien-palladium addieren, wobei gleichzeitig die Chlor-Substituenten gegen die β-Diketonate ausgetauscht werden:

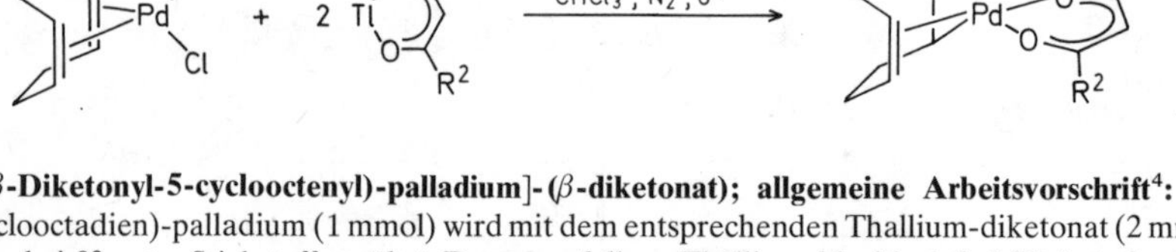

[(η²-2-β-Diketonyl-5-cyclooctenyl)-palladium]-(β-diketonat); allgemeine Arbeitsvorschrift[4]:   Dichloro-(η⁴-1,5-cyclooctadien)-palladium (1 mmol) wird mit dem entsprechenden Thallium-diketonat (2 mmol) in 50 *ml* Chloroform bei 0° unter Stickstoff gerührt. Das ausgefallene Thalliumchlorid wird abfiltriert, das Filtrat i. Vak. eingeengt und der Rückstand aus Petrolether (Kp: 40–60°) umkristallisiert.
Man erhält so[4]

[η²-2-(2,4-Dioxo-3-pentyl)-5-cyclooctenyl]-(2,4-pentandionato)-palladium; F: 123° (Zers.)
[η²-2-(1,3-Dioxo-1-phenyl-2-butyl)-5-cyclooctenyl]-(1-phenyl-1,3-butandionato)-palladium; F: 90–92°
                                                                              (Zers.)
[η²-2-(1,3-Dioxo-1,3-diphenyl-2-propyl)-5-cyclooctenyl]-(1,3-diphenyl-1,3-propandionato)-palladium; F:
                                                                              127°

---

[1] D.A. WHITE, Soc. [A] **1971**, 145.
[2] H. TAKAHASHI u. J. TSUJI, Am. Soc. **90**, 2387 (1968).
[3] J. TSUJI u. H. TAKAHASHI, Am. Soc. **87**, 3275 (1965).
[4] B.F.G. JOHNSON, J. LEWIS u. M.S. SUBRAMANIAN, Soc. [A] **1968**, 1993.

Bei der Umsetzung von Dichloro-(η^4-1,5-cyclooctadien)-palladium mit Phenylsulfo-nyl-methyl-lithium in Tetrahydrofuran beobachtet man neben der Chlor-Substitution auch eine nucleophile Addition an das koordinierte Dien zu *Di-μ-chloro-bis-{[η^2-2-(phenylsulfonyl-methyl)-5-cyclooctenyl]-palladium}* (20%)[1]:

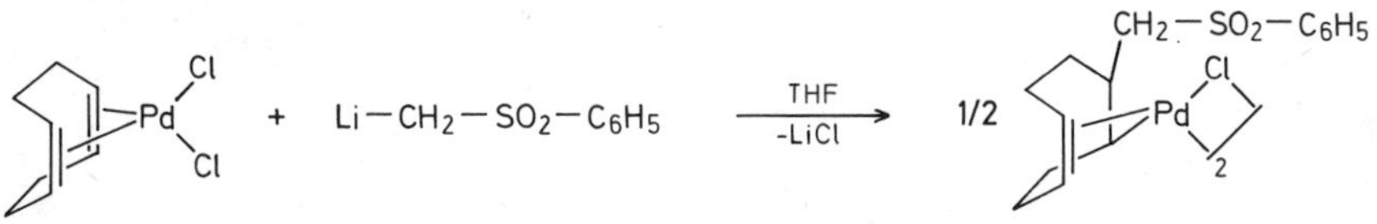

α-Palladierte Thioamide mit σ–C-Palladium-Bindung werden hergestellt durch nucleo-phile Addition von Carbanionen CH-acider Verbindungen an π-gebundene Palladium-Komplexe von α,β-ungesättigten Thiocarbonsäure-amiden[2]:

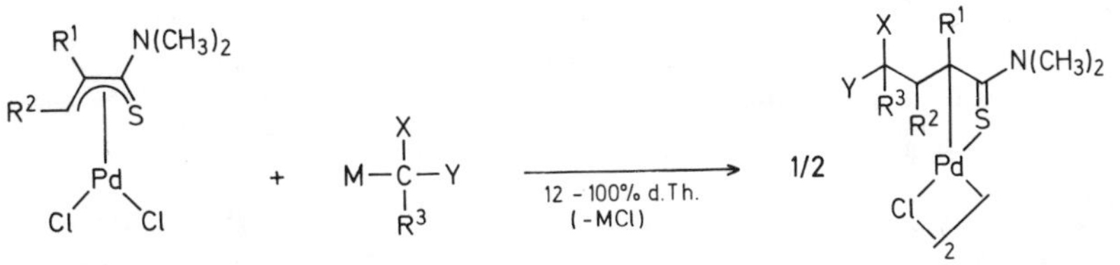

R^1, R^2, R^3 = H, CH$_3$
X, Y = COOCH$_3$, COOC$_2$H$_5$, CO–CH$_3$
M = Na, K

Di-μ-chloro-bis-{[3,3-diethoxycarbonyl-1-(dimethylamino-thiocarbonyl)-1-methyl-propyl]-palladium}[2]:
In eine orangefarbene Suspension von Dichloro-(η^4-N,N-dimethyl-2-methyl-thioacrylamid)-palladium (100%; F: 185°), hergestellt aus N,N-Dimethyl-2-methyl-thioacrylamid (1,22 mmol) und Lithium-tetrachloropalla-dat(II) (1,0 mmol) in 13 *ml* abs. THF, wird eine THF-Lösung von Diethoxycarbonyl-methyl-lithium (1,54 mmol) bei 20° eingespritzt und die Reaktionsmischung 20 Stdn. unter Argon gerührt. Das Lösungsmittel wird i. Vak. abgezogen und der feste Rückstand mit Dichlormethan gewaschen. Die Dichlormethan-Extrakte werden mit wäßr. Ammoniumchlorid gewaschen, über wasserfreiem Natriumsulfat getrocknet, filtriert und das Filtrat i. Vak. zur Trockne eingeengt; Ausbeute: 100%; F: 180°.
Die Verbindung ist gegen Luft und Feuchtigkeit stabil.

Auf analoge Weise erhält man u. a.

Di-μ-chloro-bis-{[1-(dimethylamino-thiocarbonyl)-3-ethoxycarbonyl-1-methyl-4-oxo-pentyl]-palladium}
12% (R^1 = CH$_3$, R^2 = R^3 = H; X = COOC$_2$H$_5$, Y = CO–CH$_3$)
Di-μ-chloro-bis-{[3,3-dimethoxycarbonyl-1-(dimethylamino-thiocarbonyl)-1-methyl-butyl]-palladium}
56% (R^1 = R^3 = CH$_3$; R^2 = H; X = Y = COOCH$_3$)
Di-μ-chloro-bis-[3,3-dimethoxycarbonyl-1-(dimethylamino-thiocarbonyl)-2-methyl-propyl]-palladium}
36% (R^1 = R^3 = H; R^2 = CH$_3$; X = Y = COOCH$_3$)

γ_3) mit Acetat-Ionen

Dichloro-dien-palladium-Verbindungen reagieren mit Silberacetat in Dichlormethan[3] oder Ether[4] leicht zu den entsprechenden Acetato-verbrückten 2-exo-Acetoxy-alke-nyl-palladium-Verbindungen:

[1] M. JULIA u. L. SAUSSINE, Tetrahedron Letters **1974**, 3443.
[2] Y. TAMARU, M. KAGOTANI u. Z. YOSHIDA, J. Org. Chem. **44**, 2816 (1979).
[3] R. N. HASZELDINE et al., Soc. [A] **1971**, 3699.
[4] C. B. ANDERSON u. B. J. BURRESON, J. Organomet. Chem. **7**, 181 (1967).

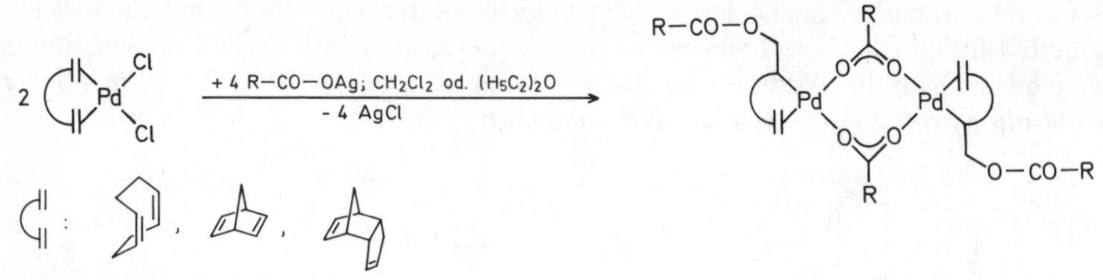

R = CH₃, CH₂Cl, CH₂F

2-exo-Acetoxy-alkenyl-palladium-Verbindungen; allgemeine Arbeitsvorschrift[1]: Dichloro-dien-palladium {0,95 mmol, z. B. 0,35 g Bicyclo[2.2.1]heptadien-dichloro-palladium} und 0,50 g (3,0 mmol) Silberacetat werden in 20 *ml* trockenem Dichlormethan 90 Min. unter Inertgas gerührt. Die Mischung wird filtriert und das Filtrat i. Vak. konzentriert. Das Produkt kristallisiert nach Hexan-Zugabe und Kühlen auf 0°. Es wird aus Dichlormethan/Hexan oder Ether umkristallisiert; Ausbeute: 60–70%.

Auf diese Weise erhält man

Di-μ-acetato-bis-{[η²-5-exo-acetoxy-bicyclo[2.2.1]hept-2-en-6-yl)-endo-palladium} [1]
Di-μ-acetato-bis-{[η²-exo-8-acetoxy-tricyclo[5.2.1.0²,⁶]dec-3-en-9-endo-yl)-endo-palladium} [1]

Analog reagieren Silber-(fluor-acetat) und Silber-(chlor-acetat)[1].

Di-μ-acetato-bis-[(η²-2-acetoxy-5-cyclooctenyl)-palladium] (67%; F: 120°, Zers.) erhält man aus der entsprechenden Dien-Verbindung mit Silberacetat in Ether[2]. Arbeitet man mit äquimolaren Mengen Silberacetat, so erhält man eine Acetoxylierung der koordinierten Doppelbindung unter Erhalt der Chlor-Verbrückung:

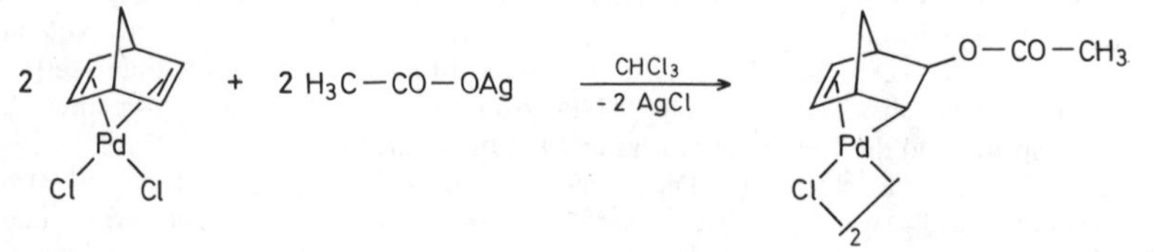

Di-μ-chloro-bis-{η²-5-exo-acetoxy-bicyclo[2.2.1]hept-2-en-6-endo-yl)- endo- palladium}[3]: Eine Suspension von 7,2 g (0,027 mol) (η⁴-Bicyclo[2.2.1]heptadien)-dichloro-palladium und 4,4 g (0,026 Mol) Silberacetat in 400 *ml* abs. Chloroform [destilliert über Phosphor(V)-oxid] wird 1 Stde. heftig unter Stickstoff gerührt. Nach Filtrieren und Abziehen des Lösungsmittels i. Vak. wird das ölige Produkt fest. Nach Waschen mit Ether erhält man 7,5 g (97%) hellgelbes Pulver (rein genug für die Weiterverarbeitung).

Wird die Umsetzung mit Silberacetat in Gegenwart von 1,3-Diketonen durchgeführt, so erhält man die einkernigen Palladium-Verbindungen[4]; z.B.:

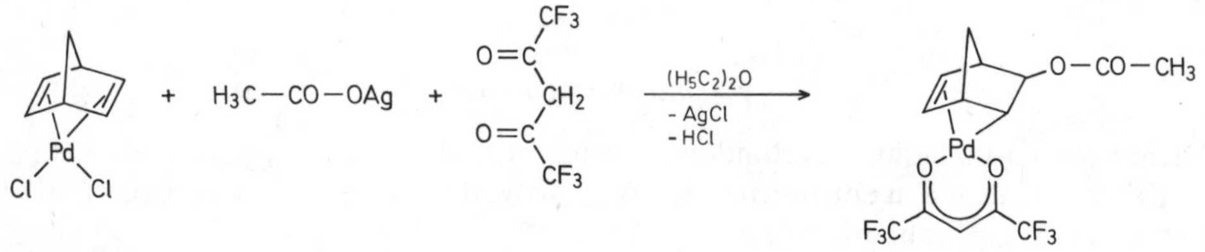

(η²-5-exo-Acetoxy-bicyclo [2.2.1] hept-2-en-6-endo-yl)-(1,1,1,5,5,5-hexafluor-2,4-pentandionato)-endo-palladium[4]: Eine Suspension von 1,328 g (Bicyclo[2.2.1]heptadien)-dichloro-palladium in 75 *ml* abs. Ether wird mit 2,550 g Silberacetat behandelt. Die Mischung wird 30 Min. heftig gerührt und filtriert. 1,05 *ml* 2,4-Dioxo-

[1] R.N. HASZELDINE et al., Soc. [A] **1971**, 3699.
[2] C.B. ANDERSON u. B.J. BURRESON, J. Organometal. Chem. **7**, 181 (1967).
[3] E. VEDEJS u. M.F. SALOMON, J. Org. Chem. **37**, 2075 (1972).
[4] R.P. HUGHES u. J. POWELL, J. Organometal. Chem. **60**, 427 (1973).

1,1,1,5,5,5-hexafluor-pentan werden zu dem goldgelben Filtrat gegeben und die erhaltene hellgelbe Lösung zur Trockne i. Vak. eingeengt. Dar Rückstand wird i. Hochvak. (~1 Stde.) von Essigsäure befreit und aus Petrolether (Kp: 30–60°) umkristallisiert; Ausbeute: 1,870 g (82%); F: 90–95° (Zers.).

Analog erhält man *(η^2-2-Acetoxy-5-cycloocten-yl)-(1,1,1,5,5,5-hexafluor-2,4-pentandionato)-palladium* (85%; F: 91–94°) aus Dichloro-(η^4-1,5-cyclooctadien)-palladium[1].

Wird 5-Vinyl-bicyclo[2.2.1]hept-2-en mit Palladium(II)-chlorid und Natriumacetat in Essigsäure 5 Tage unter Stickstoff gerührt, so entsteht *Di-μ-chloro-bis-{[2-exo-acetoxy-5-endo-vinyl-bicyclo[2.2.1]hept-3-endo-yl)-palladium}* (92%; F: 189°, Zers.)[2]:

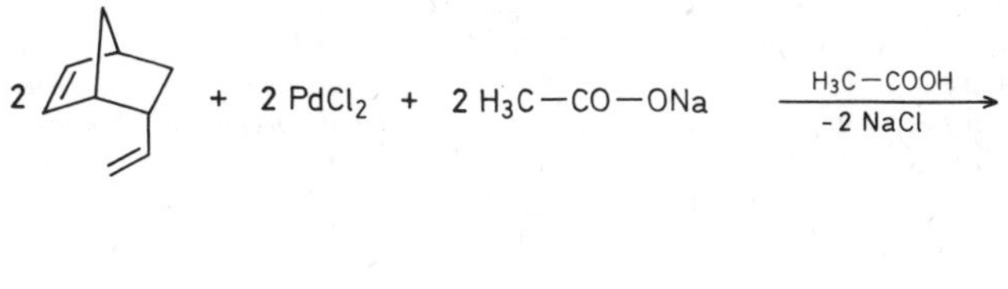

Statt des nucleophilen Angriffs von Silberacetat auf die neutrale Dien-palladium-Verbindung läßt sich auch Essigsäure selbst an die kationische Dien-palladium-Verbindung in guter Ausbeute addieren[3]:

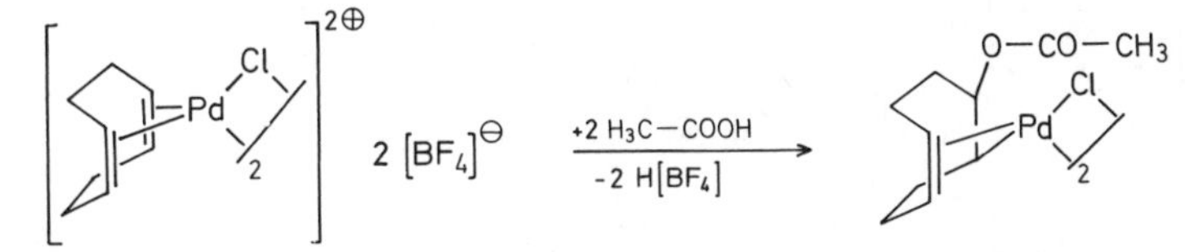

Di-μ-chloro-bis-[(η^2-2-acetoxy-5-cyclooctenyl)-palladium][3]: Zugabe von 0,2 g Di-μ-chloro-bis-[(η^4-1,5-cyclooctadien)-palladium]-bis-[tetrafluoroborat] zu 5 *ml* Eisessig und 3 Stdn. Erhitzen unter Rückfluß ergibt eine hellgelbe Lösung, die i. Vak. eingeengt wird. Man filtriert und wäscht den Niederschlag mit Chloroform und Hexan; Ausbeute: 0,16 g (90%); F: 90–110°.

Aus Dichloro-(η^4-1,5-cyclooctadien)-palladium erhält man bei der Behandlung mit Blei(IV)-acetat in Eisessig über die Stufe des *Di-μ-acetato-bis-[(η^2-2-endo-chlor-5-cyclooctenyl)-palladiums]* ein bicyclisches Zersetzungsprodukt[4].

γ_4) *mit Ammoniak, Aminen bzw. dem Azid-Ion*

Die nucleophile Addition von Aminen an eine koordinierte C=C-Doppelbindung in Dichloro-(η^4-1,5-cyclooctadien)-palladium führt je nach der Substitution und der Art des Amins zu dimeren oder tetrameren Chlor-verbrückten Palladium-Verbindungen, wobei nicht in jedem Fall eindeutig geklärt ist, ob eine weitere Brückenbildung über die Amino-Gruppe erfolgt oder ob die noch freie C=C-Doppelbindung in Form einer π-Bindung mit dem Palladium koordiniert ist[5]:

[1] R.P. Hughes u. J. Powell, J. Organometal. Chem. **60**, 427 (1973).

[2] W.T. Wipke u. G.L. Goeke, Am. Soc. **96**, 4244 (1974).

[3] C. Eaborn, N. Farrell u. A. Pidcock, Soc. [Dalton] **1976**, 289.

[4] S.K. Chung u. A.I. Scott, Tetrahedron Letters **1975**, 49.

[5] H. Hemmer, J. Rambaud u. I. Tkatchenko, J. Organometal. Chem. **97**, C 57 (1975).

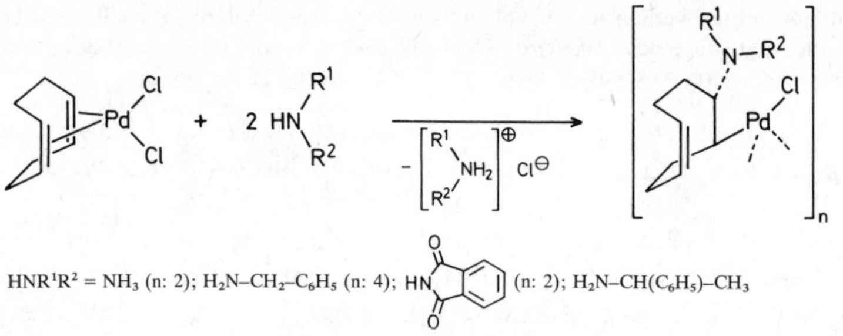

$$HNR^1R^2 = NH_3 \text{ (n: 2); } H_2N-CH_2-C_6H_5 \text{ (n: 4); } HN\langle\text{phthalimide}\rangle \text{ (n: 2); } H_2N-CH(C_6H_5)-CH_3$$

Leitet man gasförmiges Ammoniak im Überschuß durch eine benzolische Lösung des Palladium-Komplexes, so erhält man *Di-μ-chloro-bis-[(2-amino-5-cyclooctenyl)-palladium]* (90%; F: 100°, Zers.)[1]. Mit Benzylamin erhält man die tetramere Verbindung *Tetra-μ-chloro-tetrakis-[(2-benzylamino-5-cycloocten-yl)-tetrapalladium* [2-5]. (1-Phenyl-ethyl)-amin ergibt dagegen *Di-μ-chloro-bis-{[2-(1-phenyl-ethylamino)-5-cyclooctenyl]-palladium}* (100% bei 25° in Aceton, Methanol oder Dichlormethan)[5] bzw. mit (Bicyclo[2.2.1]heptadien)-dichloro-palladium *Di-μ-chloro-bis-⟨η²-5-exo-(1-phenyl-ethylamino)-bicyclo[2.2.1]hept-2-en-6-endo-yl⟩-palladium⟩*[5]. Aus Dichloro-(η⁴-1,5-cyclooctadien)-palladium und Phthalimid erhält man *Di-μ-chloro-bis-[(2-phthalimido-5-cyclooctenyl)-palladium]*[2].

Aus Dichloro-($η^4$-1,5-hexadien)-palladium erhält man mit ein bzw. zwei Äquivalenten Benzylamin zwitterionische Produkte[4]:

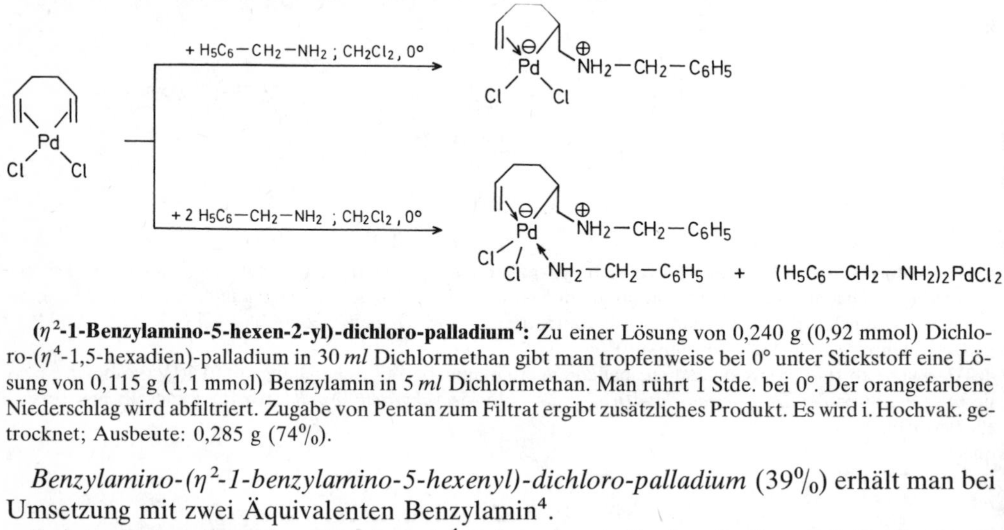

($η^2$-1-Benzylamino-5-hexen-2-yl)-dichloro-palladium[4]: Zu einer Lösung von 0,240 g (0,92 mmol) Dichloro-($η^4$-1,5-hexadien)-palladium in 30 *ml* Dichlormethan gibt man tropfenweise bei 0° unter Stickstoff eine Lösung von 0,115 g (1,1 mmol) Benzylamin in 5 *ml* Dichlormethan. Man rührt 1 Stde. bei 0°. Der orangefarbene Niederschlag wird abfiltriert. Zugabe von Pentan zum Filtrat ergibt zusätzliches Produkt. Es wird i. Hochvak. getrocknet; Ausbeute: 0,285 g (74%).

Benzylamino-($η^2$-1-benzylamino-5-hexenyl)-dichloro-palladium (39%) erhält man bei Umsetzung mit zwei Äquivalenten Benzylamin[4].

Bei der Behandlung von Dichloro-($η^4$-1,5-cyclooctadien)-palladium mit äquimolaren Mengen Triethylamin in Dichlormethan bei 0° unter Stickstoff tritt keine nucleophile Addition ein, sondern eine Umwandlung in den σ-Allyl-palladium-Komplex *Di-μ-chloro-bis-[($η^2$-2,5-cyclooctadienyl)-palladium]* (87%)[6, 7]:

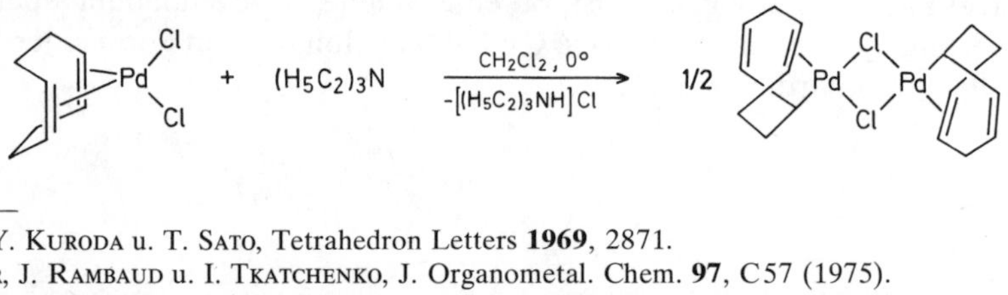

[1] M. TADA, Y. KURODA u. T. SATO, Tetrahedron Letters **1969**, 2871.
[2] H. HEMMER, J. RAMBAUD u. I. TKATCHENKO, J. Organometal. Chem. **97**, C57 (1975).
[3] C. AGAMI, J. LEVISALLES u. F. ROSE-MUNCH, J. Organometal. Chem. **39**, C 17 (1972).
[4] C. AGAMI, J. LEVISALLES u. F. ROSE-MUNCH, J. Organometal. Chem. **65**, 401 (1974).
[5] G. PAIARO, A. DE RENZI u. R. PALUMBO, Chem. Commun. **1967**, 1150.
[6] C. AGAMI, J. LEVISALLES u. F. ROSE-MUNCH, J. Organometal. Chem. **35**, C 59 (1972).
[7] J. LEVISALLES et al., Chem. Commun. **1974**, 505; Röntgenstruktur.

Die Umsetzung von Dichloro-(η^4-1,5-cyclooctadien)-palladium mit äquivalenten Mengen Natriumazid in Methanol ergibt *Di-μ-chloro-bis-[(η^2-2-azido-5-cyclooctenyl)-palladium]* (F: 170°, Zers.)[1]:

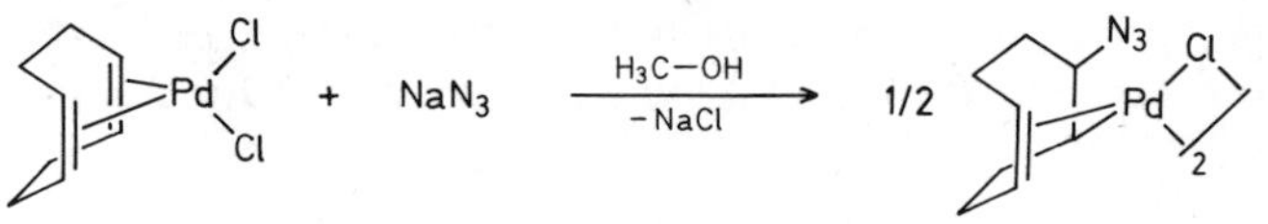

γ_5) mit Arylierungs-Reagenzien

Ausgehend von Lithium-trichloropalladat(II) und Aryl-quecksilberchlorid in Acetonitril werden durch Zugabe von 1,5-Cyclooctadien bzw. Tricyclo[5.2.1.0^{2,6}]deca-3,8-dien die *endo*-substituierten Chloro-verbrückten Palladium-Verbindungen erhalten[2]:

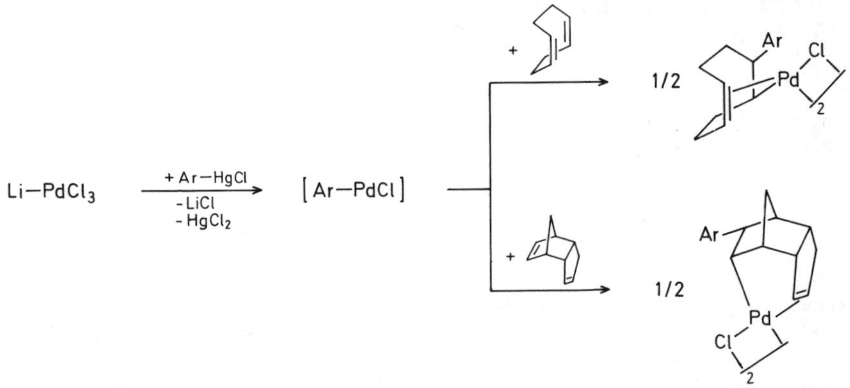

Di-μ-chloro-bis-[(η^2-2-endo-aryl-5-cyclooctenyl)-palladium] und -bis-{η^2-8-endo-aryl-tricyclo[5.2.1.0^{2,6}] dec-3-en-9-endo-yl)-endo-palladium}; allgemeine Arbeitsvorschrift[2]: In eine Lithium-trichloropalladat(II)-Lösung, hergestellt durch 24 Stdn. Rühren einer Mischung aus 0,42 g (10 mmol) wasserfreiem Lithiumchlorid, 1,77 g (10 mmol) wasserfreiem Palladium(II)-chlorid und 100 *ml* Acetonitril bei 20°, werden 10 mmol Aryl-quecksilberchlorid eingetragen und anschließend 12 mmol des Diens (1,5-Cyclooctadien, Tricyclo [5.2.1.0^{2,6}]deca-3,8-dien) in einer Portion zugefügt. Es wird 6 Stdn. bei 20° gerührt, die Lösung filtriert und das Filtrat i. Vak. zur Trockne eingeengt. Der Rückstand wird in Chloroform aufgelöst und an neutralem Aluminiumoxid chromatographiert. Im Vorlauf befinden sich 8–12% Biaryle. Weitere Eluierung mit Chloroform und Umkristallisation aus Chloroform/Cyclohexan ergibt die gelben σ-Alkyl-palladium-Verbindungen.

So erhält man z.B. mit

1,5-Cyclooctadien: *Di-μ-chloro-bis-{...-5-cyclooctenyl]-palladium}*
    ...-[η^2-2-endo-phenyl-...   28%; 176–178°
    ...-[η^2-2-endo-(4-methyl-phenyl)-...   32%; 154–155°
    ...-[η^2-2-endo-(4-methoxy-phenyl)-...   33%; 182–184°
Tricyclo[5.2.1.0^{2,6}]deca-3,8-dien: *Di-μ-chloro-bis-⟨...-tricyclo[5.2.1.0^{2,6}]dec-3-en-9-endo-yl}-*
           palladium⟩
    ...-{η^2-8-endo-phenyl-...   40%; F: 108–110°
    ...-{η^2-8-endo-(4-methyl-phenyl)-...   48%; F: 147–149°
    ...-{η^2-8-endo-(4-methoxy-phenyl)-...   42%; F: 118–120°

---

[1] M. OOKITA et al., Bl. chem. Soc. Japan **47**, 1967 (1974).
[2] M. TADA, Y. KURODA u. T. SATO, Tetrahedron Letters **1969**, 2871.

Die Reaktion von Natrium-arensulfinat und Palladiumsalz ist eine andere Methode zur Erzeugung von Arylpalladium-Spezies in situ[1, 2]. Während man so aus Palladium(II)-chlorid, Natrium-4-methyl-benzolsulfinat und 1,5-Cyclooctadien in siedendem Methanol (2 Stdn.) das erwartete *Di-μ-chloro-bis-{[η²-2-endo-(4-methyl-phenyl)-5-cycloocten-yl]-palladium}* (86%)[3] erhält, ergibt die Umsetzung mit Tricyclo[5.2.1.0²,⁶]deca-3,8-dien dagegen *Di-μ-chloro-bis-{exo-8-(4-methyl-phenyl)-tricyclo[5.2.1.0²,⁶]dec-3-en-exo-9σ)-palladium}* (20–25%)[3]:

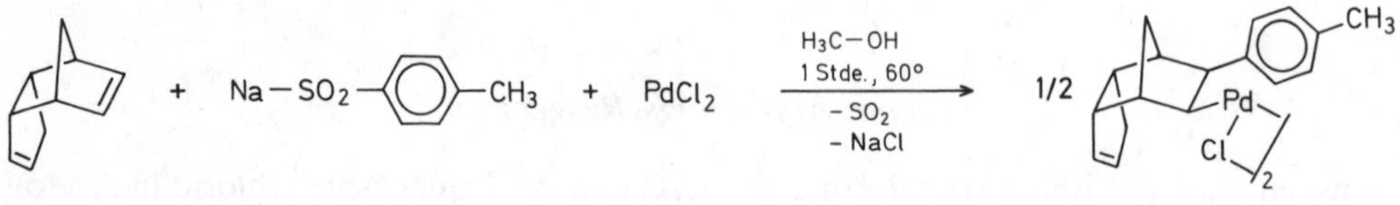

Die Phenylierung von (η⁴-Bicyclo[2.2.1]heptadien)-dichloro-palladium gelingt mit Diphenyl-quecksilber[4], Natrium-(tetraphenyl-borat)[4, 5] oder Trimethyl-phenyl-zinn[6]. Man erhält unter *cis*-Addition von Pd–R an die koordinierte C=C-Doppelbindung die *endo*-Phenyl-Verbindung; z.B.:

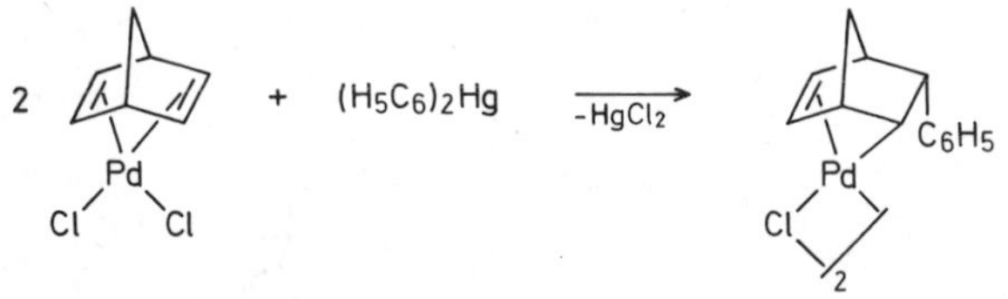

Di-μ-chloro-bis-{(η²-5-endo-phenyl-bicyclo[2.2.1]hept-2-en-6-endo-yl-2-yl)-endo-palladium}[5]: 3,8 g (11,1 mmol) Natrium-tetraphenylborat gelöst in 10 *ml* Aceton werden langsam zu einer Suspension von 3,0 g (11,1 mmol) (η⁴-Bicyclo[2.2.1]heptadien)-dichloro-palladium in 300 *ml* Aceton unter heftigem Rühren (Stickstoffatmosphäre) gegeben. Die Reaktionsmischung wird dunkel. Nach beendeter Zugabe wird das Vol. der Lösung am Rotationsverdampfer auf 20 *ml* reduziert und die Lösung 1 Stde. bei 0° gehalten. Das Rohprodukt (3,5 g) wird abfiltriert und durch Säulenchromatographie an Kieselgel mit Dichlormethan als Eluierungsmittel gereinigt. Umkristallisieren aus Dichlormethan/Methanol ergibt gelbe Kristallnadeln; Ausbeute: 2,72 g (79%); F: 190° (Zers.).

Auch Aryl-zinn-Verbindungen sind als Arylierungsreagens geeignet[6]. So erhält man u.a.

Di μ-chloro-bis-⟨{η²-5-endo-(4-methoxy-phenyl)-bicyclo[2.2.1]hept-2-en-6-endo-yl}-endo-palladium⟩   92%; F: 167° (Zers.)

Di-μ-chloro-bis-⟨{η²-5-endo-(4-methyl-phenyl)-bicyclo[2.2.1]hept-2-en-6-endo-yl}-endo-palladium⟩   85%; F: 178–180° (Zers.)

γ₆) mit sonstigen nucleophilen Reagenzien

Die Umsetzung von 5-Vinyl-bicyclo[2.2.1]hepten mit Bis-[benzonitril]-dichloro-palladium oder Natrium-tetrachloropalladat führt zu dem dimeren σ,π-Komplex *Di-μ-chloro-bis-{(η²-2-exo-chlor-5-endo-vinyl-bicyclo[2.2.1]hept-3-yl)-palladium}* (91%; F:

[1] B. Chiswell u. L.M. Venanzi, Soc. [A] **1966**, 1246.

[2] K. Garves, J. Org. Chem. **35**, 3273 (1970).

[3] Y. Tamaru u. Z. Yoshida, Tetrahedron Letters **46**, 4527 (1978).

[4] A. Segnitz, P.M. Bailey u. P.M. Maitlis, Chem. Commun. **1973**, 698; mit Röntgenstruktur.

[5] A. Segnitz, P.M. Maitlis et al., J. Organometal. Chem. **124**, 113 (1977).

[6] C. Eaborn, K.J. Odell u. A. Pidcock, Soc. [Dalton] **1978**, 357.

220°, Zers.)[1]. Es entsteht nicht der erwartete π-Komplex, sondern ein beständiger σ-gebundener Palladium-Komplex, der durch *trans*-Addition der Elemente Pd–Cl an eine C=C-Doppelbindung gebildet wird. Außerdem ist das *endo*-Palladium-Atom mit der *endo*-Vinyl-Gruppe koordiniert[1]:

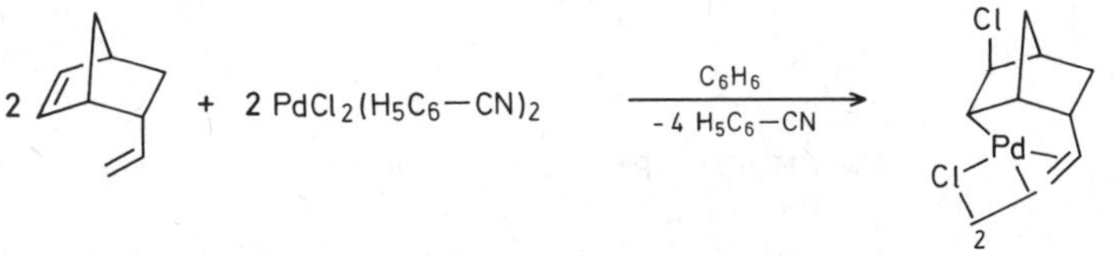

Eine *trans*-Halogenopalladierung erhält man auch bei der Umsetzung von 7-Methylen-bicyclo[2.2.1]hepten und seiner Derivate mit Bis-[benzonitril]-dichloro-palladium bzw. -dibromo-palladium in Dichlormethan oder Chloroform[2]:

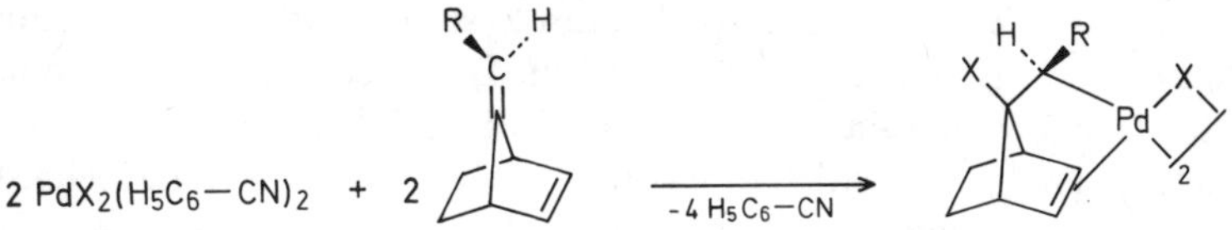

X = Cl, Br
R = H, COOCH₃, COOC₂H₅

Di-μ-chloro-bis-{[(η^2- 7-chlor-bicyclo[2.2.1]hept-2-en-7-yl-methyl)-palladium}[2]: 0,045 g (0,12 mmol) Bis-[benzonitril]-dichloro-palladium werden zu einer Lösung von 0,106 g (1 mmol) 7-Methylen-bicyclo[2.2.1]hepten in 1 *ml* Chloroform gegeben. Es fällt sofort ein farbloser Niederschlag aus, der abfiltriert, mit Diethylether gewaschen und getrocknet wird; Ausbeute: 0,032 g (96%); F: 210° (Zers.).

Auch andere Diene sind zur Bildung von π,σ-Komplexen befähigt. So reagieren olefinische Silyl-enol-äther wie z. B. 5-Phenyl-2-trimethylsilyloxy-1,5-hexadien mit Bis-[benzonitril]-dichloro-palladium unter den unten angegebenen Reaktionsbedingungen nach Einengen i. Vak. und Ausfällen mit Hexan zu *Di-μ-chloro-bis-[(2-oxo-5-phenyl-5-hexen-1-yl)-palladium]* (92%)[3]:

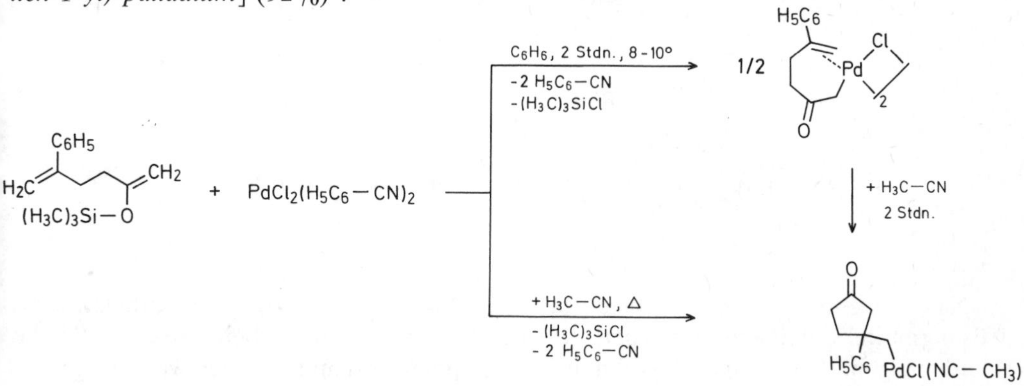

Wird Di-μ-chloro-bis-[(2-oxo-5-phenyl-5-hexen-1-yl)-palladium] in Acetonitril unter Rückfluß gekocht, so erhält man *(Acetonitril)-chloro-[(1-phenyl-3-oxo-cyclopentyl)-methyl]-palladium* (87%)[3]. In hohen Ausbeuten können die [(3-Oxo-cyclopentyl)]-

[1] W. T. WIPKE u. G. L. GOEKE, Am. Soc. **96**, 4244 (1974).
[2] G. WIGER, G. ALBELO u. M. F. RETTIG, Soc. [Dalton] **1974**, 2242.
[3] Y. ITO, H. AOYAMA u. T. SAEGUSA, Am. Soc. **102**, 4519 (1980).

methyl-palladium-Verbindungen durch direkte Umsetzung in siedendem Acetonitril hergestellt werden[1]:

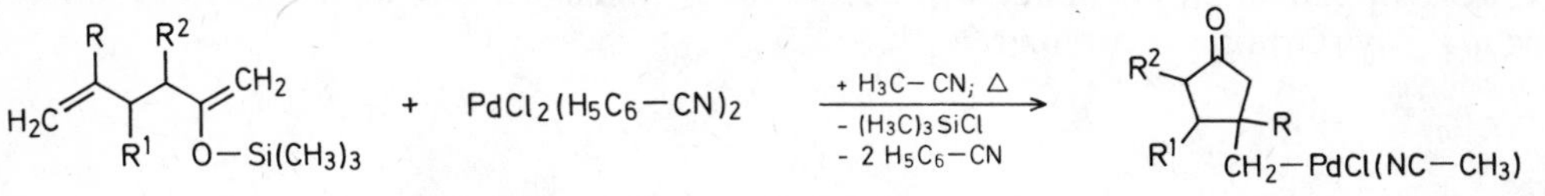

Acetonitril-chloro-. . .-palladium

R = CH$_3$; R^1 = R^2 = H; . . .-*(1-methyl-3-oxo-cyclopentylmethyl)-. . .* 88%

R = R^2 = CH$_3$; R^1 = H; . . .-*(1,3-dimethyl-4-oxo-cyclopentylmethyl)-. . .* 91%

R = C$_6$H$_5$; R^1 = R^2 = H; . . .-*(3-oxo-1-phenyl-cyclopentylmethyl)-. . .* 87%

R–R^1 = –(CH$_2$)$_3$–; R^2 = H; . . .-*(3-oxo-bicyclo[3.3.0]oct-1-ylmethyl)-. . .* 68%

R–R^1 = –(CH$_2$)$_5$–; R^2 = H; . . .-*(9-oxo-bicyclo[5.3.0]dec-1-ylmethyl)-. . .* 96%

δ) Umwandlung von σ,π- in σ-Alkyl-palladium-Verbindungen

Das σ,π-Bicyclo[2.2.1]heptenyl-palladium-System wandelt sich bei Zugabe von Donoren in das σ-Tricyclyl-palladium-System um. Di-μ-acetato- bzw. -bromo-, -chloro-bis-⟨{η²-5-*exo*- (bzw. *endo*) -substituierte-bicyclo[2.2.1]hept-2-en-6-endo-yl}-palladium⟩-Verbindungen lagern mit stöchiometrischen Mengen Donoren zunächst in verbrückte Mono-(donor)- und dann mit einem weiteren Äquivalent Donor in *trans*-Bis-[donor]-acetato-, -bromo- bzw. -chloro-[5-exo- (bzw. endo) substituierte-tricyclo[2.2.1.0² ⁶]hept-3-yl]-*endo*-palladium-Verbindungen um:

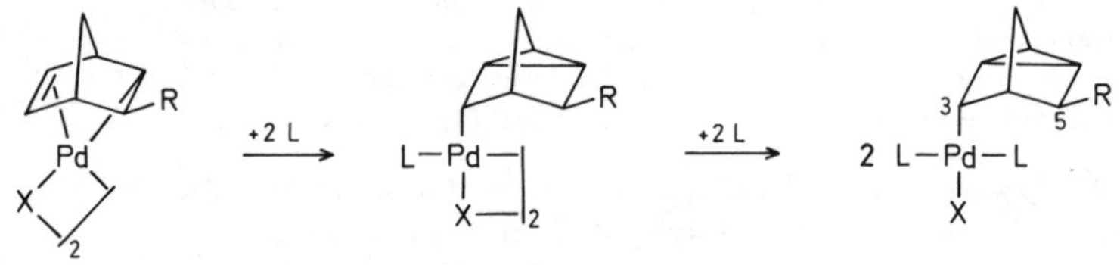

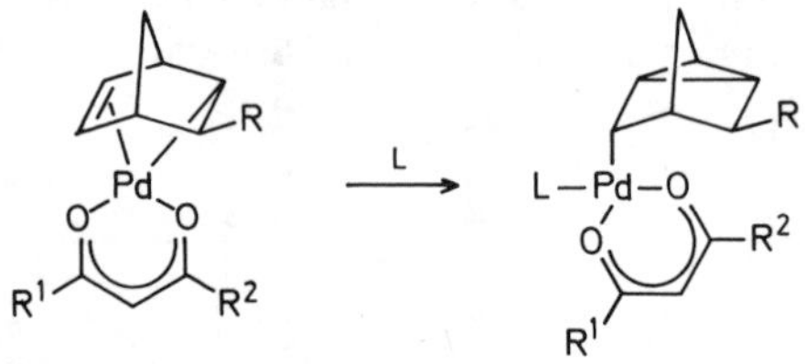

X = O–CO–CH$_3$, Cl, Br
R = OCH$_3$ (*exo*), O–CO–CH$_3$ (*exo*), C$_6$H$_5$(*endo*)
L = Pyridin, P(C$_6$H$_5$)$_3$, P(CH$_3$)$_2$(C$_6$H$_5$), As(C$_6$H$_5$)$_3$, Sb(C$_6$H$_5$)$_3$, H$_3$C–NC, H$_{11}$C$_6$–NC
L–L = (H$_5$C$_6$)$_2$P–CH$_2$–CH$_2$–P(C$_6$H$_5$)$_2$
R^1 = R^2 = CF$_3$
R^1 = C$_6$H$_5$; R^2 = CF$_3$

Die Umsetzungen können in Dichlormethan, Chloroform, Benzol oder Diethylether als Lösungsmittel durchgeführt werden. Je eine charakteristische Arbeitsvorschrift für die Umsetzung mit Phosphanen, Pyridin und Isocyaniden wird im folgenden wiedergegeben.

Di-μ-acetato-bis-{(5-exo-acetoxy-tricyclo[2.2.1.0²⁶]hept-endo-2-yl)-(tert.-phosphan)-palladium}; Acetato-(5-exo-acetoxy-tricyclo[2.2.1.0² ⁶]hept-3-yl)-bis-[tert.-phosphan]-endo-palladium}; allgemeine Arbeitsvorschrift[2]: Eine Lösung von Di-μ-acetato-bis-{(η²-5-*exo*-acetoxy-bicyclo[2.2.1]hept-6-yl)-*endo*-palladium} in Dichlormethan wird mit einem bzw. zwei Äquivalenten tert.-Phosphan (z. B. Triphenylphosphan) gelöst in Dichlormethan tropfenweise unter Rühren versetzt (Stickstoffatmosphäre).

[1] Y. Ito, H. Aoyama u. T. Saegusa, Am. Soc. **102**, 4519 (1980).
[2] R. N. Haszeldine et al., Soc. [A] **1971**, 3699.

Nach Filtrieren und Einengen des Filtrats i. Vak. wird durch Zugabe von Hexan und mehrstündiges Kühlen bei 0° der kristalline Komplex isoliert; Ausbeute: ~50%.

(5-exo-Acetoxy-tricyclo[2.2.1.0^{2,6}]hept-3-yl)-(1,1,1,5,5,5-hexafluor-2,4-pentandionato)-(pyridin)-endo-palladium[1]: 28 μl Pyridin werden tropfenweise zu einer Lösung von 0,159 g (η^2-5-exo-Acetoxy-bicyclo[2.2.1] hept-2-en-6-yl)-(1,1,1,5,5,5-hexafluor-2,4-pentandionato)-palladium in 2 ml Benzol unter Stickstoff gegeben. Die erhaltene Lösung wird i. Vak. zur Trockne eingeengt und der Rückstand aus Diethylether-Petrolether (Kp: 30–60°) umkristallisiert; Ausbeute: 0,150 g (80%); F: 122–124° (Zers.).

Di-μ-chloro-bis-{cyclohexylisocyanid-(5- exo-methoxy-tricyclo[2.2.1.0^{2,6}]hept- endo-3-yl)-palladium}[2]: Zu einer Lösung von 0,265 g (0,5 mmol) Di-μ-chloro-bis-{(η^2-5-exo-methoxy-bicyclo[2.2.1]hept- endo-6-yl)-palladium} in Dichlormethan bei 0° unter Stickstoff werden 0,109 g (1 mmol) Cyclohexylisocyanid in 10 ml Dichlormethan tropfenweise zugefügt. Teilweises Abziehen des Lösungsmittels und Zugabe von Hexan ergibt ein farbloses Produkt; F: 122° (Zers.).

Weitere analog hergestellte Nortricyclyl-palladium-Verbindungen sind in Tabelle 6 zusammengestellt.

Tab. 6: (5-substituierte- 3-Nortricyclyl)-endo- palladium-Verbindungen

	Ausbeute [%]	F [°C] (Zers.)	Literatur
Di-μ-acetato-bis-{(5-exo-acetoxy-tricyclo[2.2.1.0^{2,6}]hept-endo-3-yl)-triphenylphosphan-palladium}	50		3
trans-Acetato-(5-exo-acetoxy-tricyclo[2.2.1.0^{2,6}]hept-endo-3-yl)-bis-(triphenylphosphan)-palladium	50		3
(1,2-Bis-[diphenylphosphano]-ethan)-chloro-(5-exo-methoxy-tricyclo-[2.2.1.0^{2,6}]hept-endo-3-yl)-palladium	90	195	4
(5-exo-Acetoxy-tricyclo[2.2.1.0^{2,6}]hept-endo-3-yl)-(1,1,1,5,5,5-hexafluor-2,4-pentandionato)-triphenylphosphan-palladium	80	Öl	1
(5-exo-Acetoxy-tricyclo[2.2.1.0^{2,6}]hept-endo-3-yl)-(dimethyl-phenyl-phosphan)-(1,1,1,5,5,5-hexafluor-2,4-pentandionato)-palladium	80	Öl	1
(5-exo-Acetoxy-tricyclo[2.2.1.0^{2,6}]hept-endo-3-yl)-(1,1,1,5,5,5-hexafluor-2,4-pentandionato)-triphenylstiban-palladium	80	Öl	1
(5-exo-Acetoxy-tricyclo[2.2.1.0^{2,6}]hept-endo-3-yl)-pyridin-(1,1,1-trifluor-4-phenyl-2,4-butandionato)-palladium	78	91–96	1
trans-(5-exo-Acetoxy-tricyclo[2.2.1.0^{2,6}]hept-endo-3-yl)-chloro-bis-[pyridin]-palladium	95	116–118	5,6
trans-Chloro-(5-exo-methoxy-tricyclo[2.2.1.0^{2,6}]hept-endo-3-yl)-bis-[pyridin]-palladium		124	6
trans-Bromo-(5-exo-methoxy-tricyclo[2.2.1.0^{2,6}]hept-endo-3-yl)-bis-[pyridin]-palladium		fest	7
trans-Chloro-(5-endo-phenyl-tricyclo[2.2.1.0^{2,6}]hept-endo-3-yl)-bis-[pyridin]-palladium	66	150–152	8
cis-[1,2-Bis-(diphenylphosphano)-ethan]-chloro-{5-endo-(4-methoxy-phenyl)-tricyclo[2.2.1.0^{2,6}]hept-endo-3-yl}-palladium	61	168–173	9
trans-Chloro-bis-[cyclohexylisocyanid]-(5-exo-methoxy-tricyclo[2.2.1.0^{2,6}]hept-endo-3-yl)-palladium		90	2

[1] E. BAN, R.P. HUGHES u. J. POWELL, J. Organometal. Chem. **34**, C 51 (1972); **69**, 455 (1974).
[2] U. BELLUCO et al., J. Organometal. Chem. **82**, 421 (1974).
[3] R.N. HASZELDINE et al., Soc. [A] **1971**, 3699.
[4] D.R. COULSON, Am. Soc. **91**, 200 (1969).
[5] E. VEDEJS u. M.F. SALOMON, J. Org. Chem. **37**, 2075 (1972).
[6] E. VEDEJS u. M.F. SALOMON, Am. Soc. **92**, 6965 (1970).
[7] G. BOMBIERI, B. CROCIANI et al., Chem. Commun. **1970**, 1203; mit Röntgenstrukturanalyse, Pd–C 2,16 Å.
[8] A. SEGNITZ, E. KELLY, S.H. TAYLOR u. P.M. MAITLIS, J. Organometal. Chem. **124**, 113 (1977).
[9] C. EABORN, K.J. ODELL u. A. PIDCOCK, Soc. [Dalton] **1978**, 357.

Eine ähnliche $\sigma,\pi \rightarrow \sigma$-Umlagerung unter gleichzeitiger Ringverknüpfung mittels des Isocyanid-Kohlenstoffs tritt im folgenden Beispiel ein[1]:

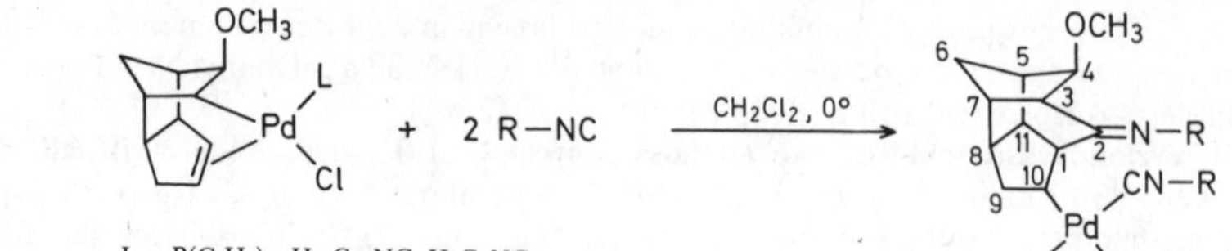

L = P(C$_6$H$_5$)$_3$, H$_{11}$C$_6$–NC, H$_3$C–NC
R = CH$_3$,C$_6$H$_{11}$

Chloro-(4-methoxy-2-methylimino-tetracyclo[6.2.1.0^{3,7}.0^{5,11}]undec-10-yl)-methylisocyanid-(triphenyl-phos- phan)-palladium[1]: Zu einer Dichlormethan-Lösung von 0,567 g (1 mmol) Chloro-(η^2-9-exo-methoxy-tricyclo[5.2.1.0^{2,6}]dec-3-en-8-yl)-(triphenylphosphan)-palladium werden bei $-10°$ unter Stickstoff tropfenweise 0,084 g (2 mmol) Methyl-isocyanid in 15 ml Dichlormethan zugefügt. Die Lösung wird orangegelb. Man hält 1 Stde. bei 0°. Das Lösungsmittel wird i.Vak. entfernt und das farblose Öl mit Diethylether gewaschen. Das Rohprodukt wird i.Vak. getrocknet und bei $-60°$ aus Dichlormethan/Pentan umkristallisiert; F: 101°.

Die Reaktion von σ,π-(3-Butenyl)-palladium-Verbindungen mit Pyridin oder 1,5-Cyclooctadien führt ebenfalls zu σ-(3-Butenyl)-palladium-Verbindungen[2], z.B.:

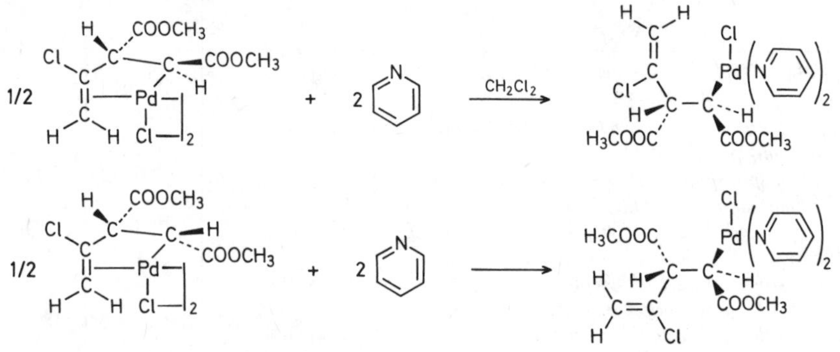

Chloro-(3-chlor-1,2-dimethoxycarbonyl-3-butenyl)-bis-[pyridin]-palladium[2]: Eine Lösung von 0,123 g (0,35 mmol) Di-μ-chloro-bis-[(η^2-3-chlor-1,2-dimethoxycarbonyl-3-butenyl)-palladium] in 5 ml Dichlormethan wird mit 0,06 g (0,76 mmol) Pyridin behandelt. Die sich ergebende hellgelbe Lösung wird zur Trockne eingeengt und der Rückstand aus Dichlormethan-Pentan bei $-30°$ umkristallisiert; Ausbeute: 0,17 g (95%); F: 120–122° (Zers.).

5. aus anderen σ–C-Palladium-Verbindungen unter Erhalt mindestens einer C–Pd-Bindung

α) durch Liganden-Austausch

In Bis-[cyanmethyl]-bis-[triphenylphosphan]-palladium kann der P-Ligand leicht gegen andere Liganden unter Erhalt der Pd–C-Bindung ausgetauscht werden. So erhält man beispielsweise mit 1,2-Bis-[diphenylphosphano]-ethan *Bis-(cyanmethyl)-bis-[1,2-bis-(diphenylphosphano)-ethan]-palladium* (88%; F: 209–215°, Zers.) und mit 1,2-Bis-[dimethylamino]-ethan *Bis-[cyanmethyl]-(1,2-bis-[dimethylamino]-ethan)-palladium* (71%)[3]:

[1] U. BELLUCO et al., J. Organomet. Chem. **82**, 421 (1974).
[2] R. GODDARD, M. GREEN, R.P. HUGHES u. P. WOODWARD, Soc. [Dalton] **1976**, 1890; viele Beispiele; mit Röntgenstrukturanalyse.
[3] G. ÖHME, K.C. RÖBER u. H. PRACEJUS, J. Organomet. Chem. **105**, 127 (1976).

β) durch Reaktionen am σ–C-gebundenen Liganden

Die Umsetzung von 4-Oxo-2,2-bis-[triphenylphosphan]-1,2-oxapalladetan mit OH-aciden Verbindungen wie 2,4-Pentandion und 8-Hydroxy-chinolin ergibt unter Ring-öffnung *(Carboxy-methyl)-(2,4-pentandionato)-* bzw. *(Carboxy-methyl)-(oxinato)-(triphenylphosphan)-palladium*[1, 2]. Mit Jodmethan erhält man *trans-Jodo-(methoxycarbonyl-methyl)-bis-[triphenylphosphan]-palladium*[1]:

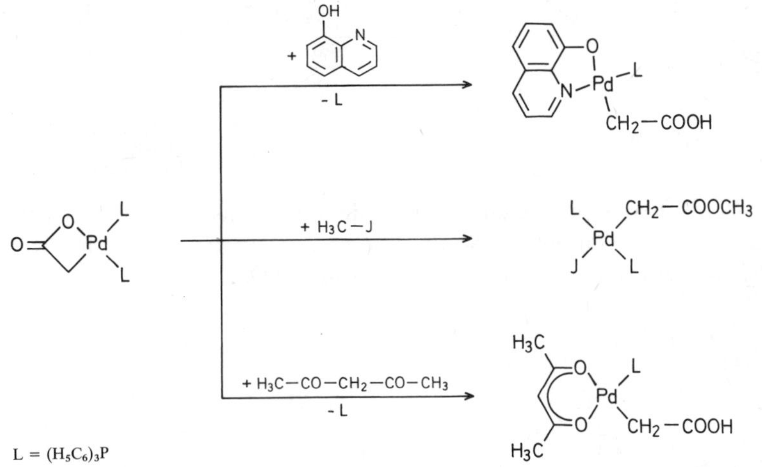

Die Umsetzung von 2-Chloro-1-methyl-2-triphenylphosphan-1,2-thioniapalladat-iran mit Cyclopentadienyl-thallium in Benzol ergibt *(η⁵-Cyclopentadienyl)-(methylthio-methyl)-(triphenylphosphan)-palladium*[3]. Aus Chloro-cyanmethyl-bis-[triphenylphos-phan]-palladium erhält man analog *(η⁵-Cyclopentadienyl)-cyanmethyl-(triphenylphos-phan-palladium*[3]:

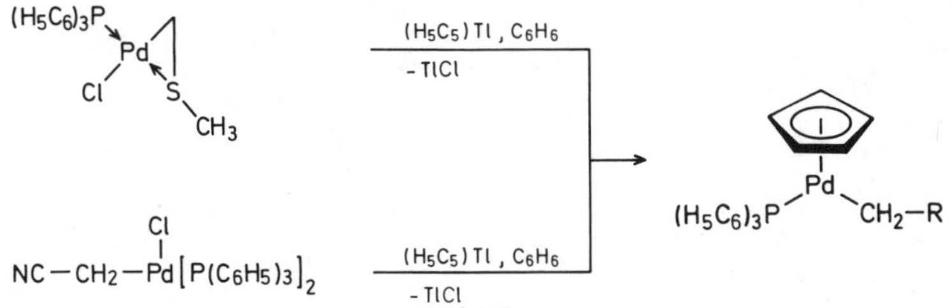

Die Behandlung von 2-Chloro-1-methyl-2-triphenylphosphan-1,2-thioniapalladat-iran in Dichlormethan mit Natrium-N,N-dimethyl-dithioformamid in Ethanol bei 20° er-gibt (ebenfalls unter Ringöffnung) *(N,N-Dimethyl-dithioformamido)-(methylthio-me-thyl)-(triphenylphosphan)-palladium*[4]:

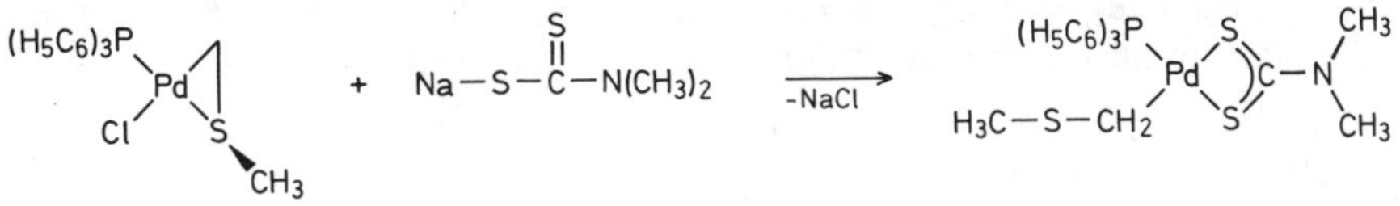

[1] S. Baba u. S. Kawaguchi, Inorg. Nucl. Chem. Lett. **9**, 1287 (1973).
[2] S. Baba u. S. Kawaguchi, Proc. Int. Conf. Coord. Chem., 16th, **1974**; C. A. **85**, 143 269 (1976).
[3] K. Suzuki u. K. Hanaki, Inorg. Chim. Acta **20**, L 15 (1976).
[4] G. Yoshida, Y. Matsumura u. R. Okawara, J. Organometal. Chem. **92**, C 53 (1975).

γ) durch Spaltung einer C–Pd-Bindung

Dialkyl-palladium-Verbindungen können durch Halogenide, Acylhalogenide und Halogenalkane in Monoalkyl-halogeno-palladium-Verbindungen umgewandelt werden. (η^4-1,5-Cyclooctadien)-dimethyl-palladium (s. S. 721) kann auf diese Weise als Alkylierungsmittel für die entsprechende Dichloro-palladium-Verbindung eingesetzt werden:

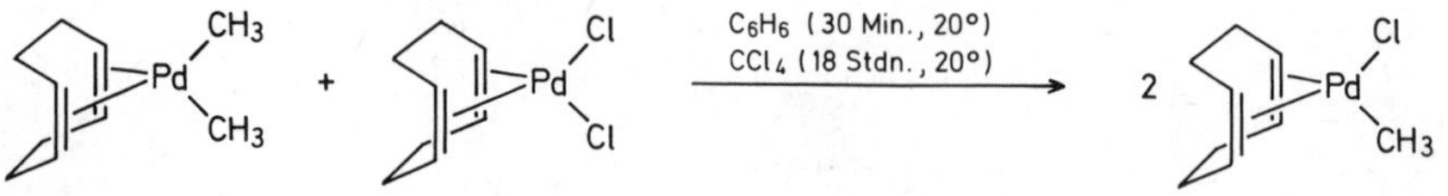

Chloro-(η^4-1,5-cyclooctadien)-methyl-palladium[1]; $\sim 100\%$; F: 70° (Zers.)

Aus (1,2-Bis-[diphenylphosphano]-ethan)-dimethyl-palladium und Acetylchlorid in Methanol erhält man ebenfalls bei äquimolarem Umsatz in fast quantitativer Ausbeute *(1,2-Bis-[diphenylphosphano]-ethan)-chloro-methyl-palladium*[2]:

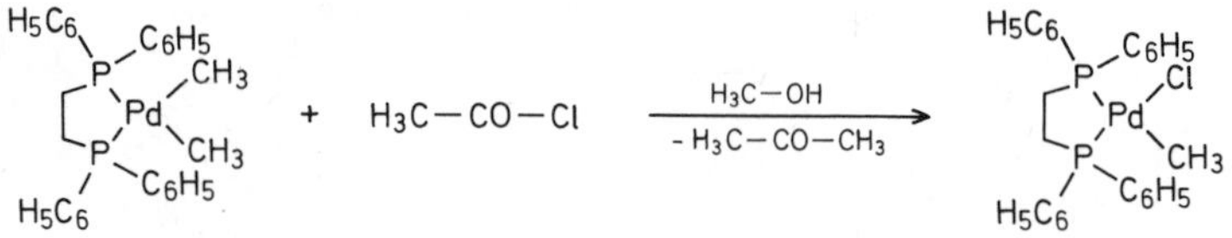

(2,2'-Bipyridyl)-dimethyl-palladium liefert mit Heptafluor-1-jod-propan neben *(2,2'-Bipyridyl)-(heptafluorpropyl)-methyl-palladium* (48%; F: 206–207°) auch das entmethylierte Produkt *(2,2'-Bipyridyl)-jodo-methyl-palladium*[3]:

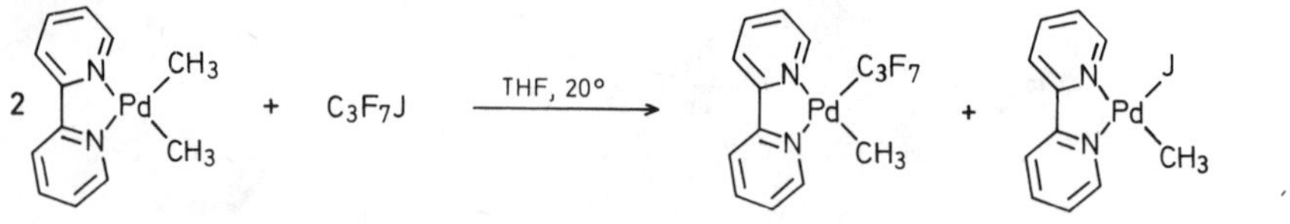

b) Organo-ylid-palladium-Verbindungen

1. aus Palladiumhalogeniden mit Methyl-phosphonium-Salzen bzw. P-Yliden

Acyl-, Cyan- bzw. Silyl-stabilisierte Methyl-phosphonium-Salze eignen sich besonders für die Herstellung von Palladium-Ylid-Komplexen. Aus den Phosphoniumsalzen I entstehen mit Natrium-tetrachloropalladat(II) die Bis-phosphonium-hexachloro-dipalladate II, die mit Natriumacetat zu den Yliden III umgesetzt werden[4]:

[1] M. Rudler-Chauvin u. H. Rudler, J. Organometal. Chem. **134**, 115 (1977).

[2] P. W. N. M. van Leeuwen, C. F. Roobeek u. R. Huis, J. Organometal. Chem. **142**, 243 (1977).

[3] P. M. Maitlis u. F. G. A. Stone, Chem. & Ind. **1962**, 1865.

[4] H. Nishiyama, K. Itoh u. Y. Ishii, J. Organometal. Chem. **87**, 129 (1975).

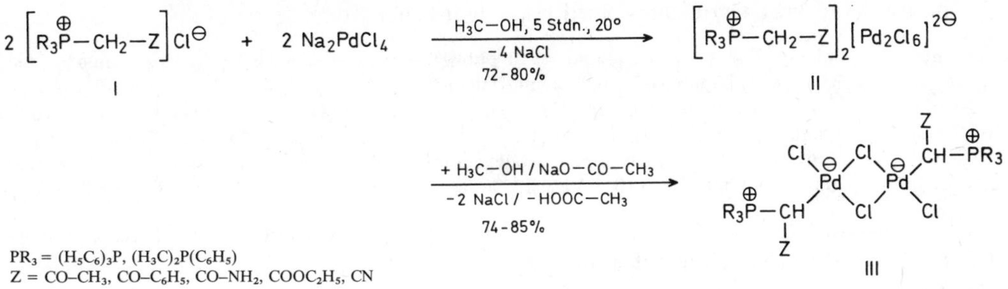

$$2 \left[R_3\overset{\oplus}{P}-CH_2-Z\right]Cl^{\ominus} \;+\; 2\; Na_2PdCl_4 \xrightarrow[-4\, NaCl]{\underset{72-80\%}{H_3C-OH,\, 5\, Stdn.,\, 20°}} \left[R_3\overset{\oplus}{P}-CH_2-Z\right]_2\left[Pd_2Cl_6\right]^{2\ominus}$$

I   II

$$\xrightarrow[\underset{74-85\%}{-2\, NaCl\,/\,-HOOC-CH_3}]{+\,H_3C-OH\,/\,NaO-CO-CH_3}$$

PR$_3$ = (H$_5$C$_6$)$_3$P, (H$_3$C)$_2$P(C$_6$H$_5$)
Z = CO–CH$_3$, CO–C$_6$H$_5$, CO–NH$_2$, COOC$_2$H$_5$, CN   III

Eine repräsentative Arbeitsvorschrift ist im folgenden beschrieben.

Di-μ-chloro-bis-{chloro-[1-(dimethyl-phenyl-phosphonio)-2-oxo-2-phenyl-ethyl]-palladium} [1]:
Bis-[dimethyl-(2-oxo-2-phenyl-ethyl)-phenyl-phosphonium]-(hexachloro-dipalladat): Eine Mischung von 0,177 g (1 mmol) Palladium(II)-chlorid, 0,177 g (3 mmol) Natriumchlorid und 5 *ml* Methanol wird 5 Stdn. bei 20° gerührt. Überschüssiges Natriumchlorid wird abfiltriert. 5 *ml* einer methanol. Lösung von 0,292 g (1 mmol) Dimethyl-(2-oxo-2-phenyl-ethyl)-phenyl-phosphonium-chlorid wird tropfenweise zum Filtrat gegeben. Dabei fallen sofort braune Kristallnadeln aus, die abfiltriert und mit viel Wasser gewaschen werden; Ausbeute: 0,371 g (79%); F: 179°.
Di-μ-chloro-bis-{chloro-[1-(dimethyl-phenyl-phosphonio)-2-oxo-2-phenyl-ethyl]-palladium}: Zu einer Suspension von 0,469 g (0,5 mmol) Bis-[dimethyl-(2-oxo-2-phenyl-ethyl)-phenyl-phosphonium]-(hexachloro-dipalladat) in 10 *ml* Methanol wird tropfenweise eine Lösung von 0,090 g (1,1 mmol) Natriumacetat in 5 *ml* Methanol unter kräftigem Rühren gegeben. Die Mischung wird 5 Stdn. bei 20° gerührt. Die Farbe des Niederschlags geht in orangegelb über. Es wird abfiltriert und mit viel Wasser Natriumchlorid frei gewaschen; Ausbeute: 0,369 g (85%); F: 280° (Zers.)

Von 1,2-Bis-[diphenylphosphano]-ethan und Bis-[diphenylphosphano]-methan abgeleitete acylstabilisierte Ylide reagieren mit Bis-[benzonitril]-dichloro-palladium in Dichlormethan bei 20°, wobei die Ylid-Liganden unter Ausbildung von Fünf- oder Sechsringen über den Ylid-Kohlenstoff und den Phosphin-Phosphor an das Metall gebunden werden[2]:

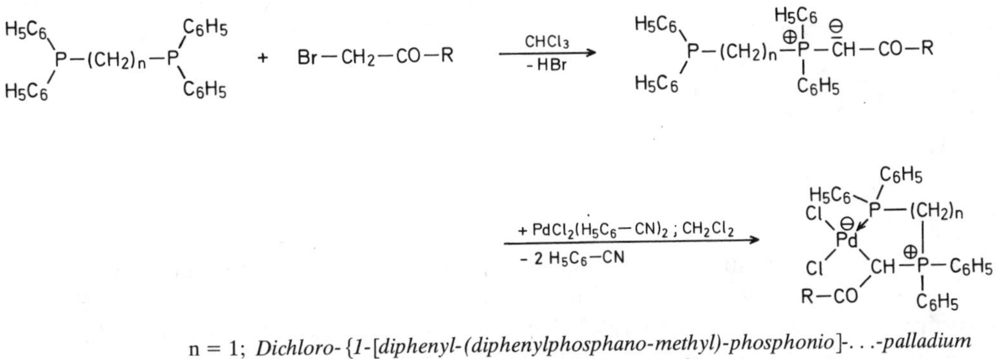

n = 1; *Dichloro-{1-[diphenyl-(diphenylphosphano-methyl)-phosphonio]-...-palladium*
     R = C$_6$H$_5$; ....-2-oxo-2-phenyl-ethyl}...; 78%; F: 283–285°
     R = CH$_3$; ....-2-oxo-propyl}-...; 85%; F: 296–298°
     R = OCH$_3$; ...-methoxycarbonyl-methyl}-...; 80%; F: 294–296°.
n = 2; *Dichloro-{1-[diphenyl-(2-diphenylphosphano-ethyl)-phosphonio]-....-palladium*
     R = CH$_3$; ....-2-oxo-propyl}-...; 56%; F: 258–260°
     R = OC$_2$H$_5$; ...-ethoxycarbonyl-methyl}-...; 85%; F: 250–252°

[1] H. Nishiyama, K. Itoh u. Y. Ishii, J. Organometal. Chem. **87**, 129 (1975).
[2] T. Saito et al., J. Organometal. Chem. **122**, 113 (1976).

Eine typische Arbeitsvorschrift wird im Folgenden wiedergegeben.

Dichloro-{1-[diphenyl-2-diphenylphosphano-ethyl)-phosphonio]-2-oxo-2-phenyl-ethyl}-palladium[1]: Eine Lösung von 3,1 g (0,6 mmol) Diphenyl-2-(diphenylphosphano-ethyl)-(2-oxo-2-phenyl-ethyliden)-phosphoran in 30 *ml* Dichlormethan wird tropfenweise unter Rühren zu einer Lösung von 2,3 g (0,6 mmol) Bis-[benzonitril]-dichloro-palladium in 30 *ml* Dichlormethan bei 20° gegeben. 10 *ml* Hexan wird zu der Mischung gegeben und auf 30−40 *ml* eingeengt. Dabei fallen gelbe Kristalle aus, die abfiltriert und mit zwei 5-*ml*-Portionen Ether gewaschen und anschließend bei 130−140° i. Vak. 12 Stdn. getrocknet werden; Ausbeute: 3,4 g (82%).

Die Umwandlung in stabile kationische Ylid-Komplexe erfolgt durch Erhitzen mit 4-Methyl-pyridin und Natrium-tetraphenylboranat in Aceton, z.B. *Chloro-{1-[diphenyl-(2-diphenylphosphano-ethyl)-phosphonio]-2-oxo-2-phenyl-ethyl}-(4-methyl-pyridinium)-palladium-tetraphenylboranat* (34%; F: 147°)[2]:

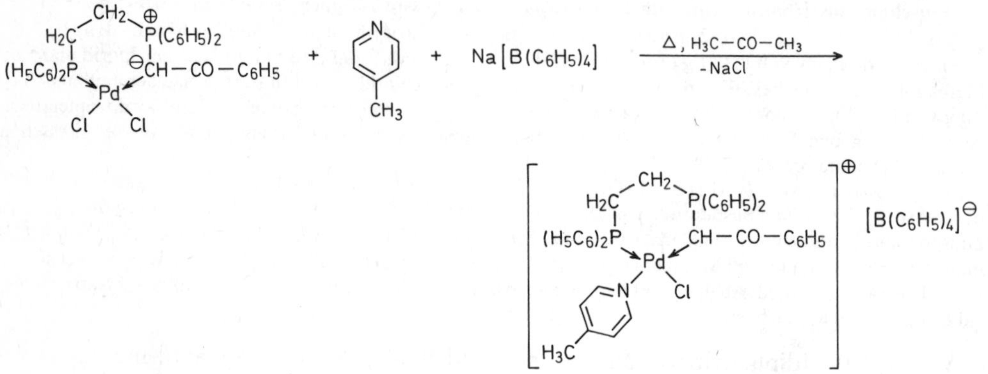

Analog läßt sich *{1-[Dibenzyl-(2-dibenzylphosphano-ethyl)-phosphonio]-2-oxo-2-phenyl-ethyl}-dichloro-palladium* herstellen[3].

Aus Dimethyl-phenyl-(trimethylsilyl-methylen)-phosphoran und Bis-[benzonitril]-dichloro-palladium in Benzol bei 20° (24 Stdn.) erhält man *Di-μ-chloro-bis-{chloro-[(dimethyl-phenyl-phosphonio)-trimethylsilyl-methyl]-palladium}* (94%; F: 135−140°, Zers.)[4]:

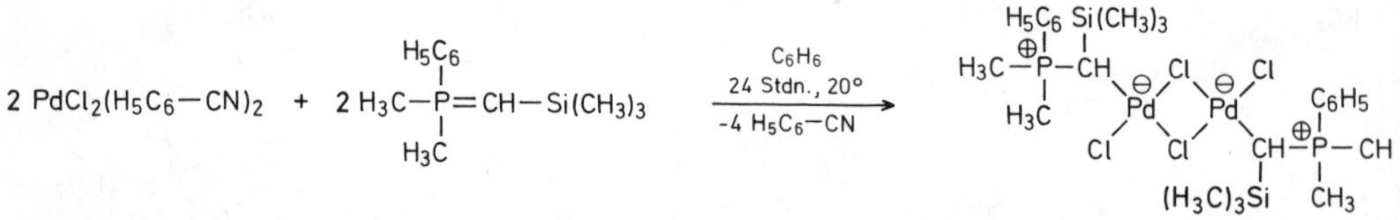

Wasserfreies Palladium(II)-chlorid und Bis-[trimethylphosphoranyliden]-methan (Molverhältnis 1:4) ergeben nach Zusatz von wenig Trimethylphosphan als Reaktionsvermittler *Bis-[2,2,4,4-tetramethyl-3-dehydro-2,4-diphospha-pentan-1,4-dien-1,5-diyl]-palladium* (25%; F: 193°; Subl.p.: 140°/10^{-4} Torr)[5]:

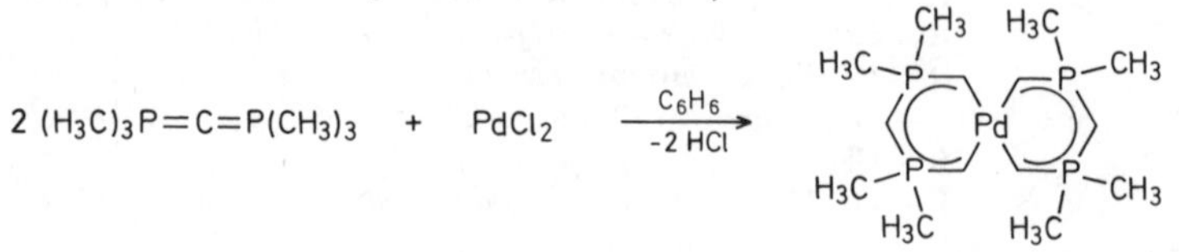

[1] T. SAITO et al., J. Organometal. Chem. **122**, 113 (1976).
[2] T. SAITO et al., J. Organometal. Chem. **121**, 81 (1976).
[3] N. SUGITA, T. MIYAMOTO u. Y. SASAKI, Chem. Lett. **1976**, 659.
[4] K. ITOH, M. FUKUI u. Y. ISHII, J. Organometal. Chem. **129**, 259 (1977).
[5] H. SCHMIDBAUR et al., B. **110**, 3517 (1977).

Durch Umsetzung von Dichloro-bis-[trimethylphosphan]-palladium mit lithiiertem Bis-[diphenylphosphano]-methan in Tetrahydrofuran entsteht über das unlösliche Derivat I (98%; Zers.p.: 190°) mit Diethyl-methyl-methylen-phosphoran unter Verdrängung von Bis-[diphenylphosphano]-methan der Komplex II[1, 2]:

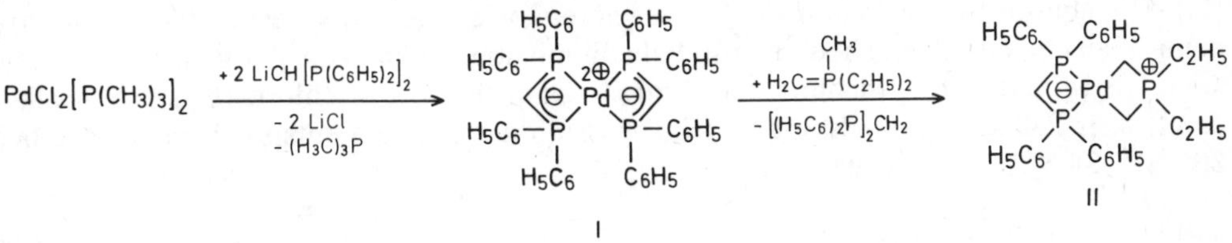

1,1-Diethyl-3,3-[bis-(diphenylphosphano)-methanid]-1,3-phosphoniapalladetan[2]: Eine Suspension von 2,18 g (2,5 mmol) Palladium(II)-bis-[bis-(diphenylphosphano)-methanid][3] in Benzol wird mit 0,28 g (2,5 mmol) Diethyl-methyl-methylen-phosphoran behandelt. Die entstehende gelbe Lösung wird i. Vak. eingeengt und der Rückstand in 5 ml Toluol gelöst. Durch vorsichtige Zugabe wird mit Pentan überschichtet. Dabei kristallisieren gelbe Kristalle aus; Ausbeute: 0,74 g (75%); F: 150°.

Dichloro-bis-[trimethylphosphan]-palladium reagiert mit Trimethyl-methylen-phosphoran, 1-Methyl-1-methylen-λ^5-phospholan und -phosphorinan zu den polyspirocyclischen Verbindungen.

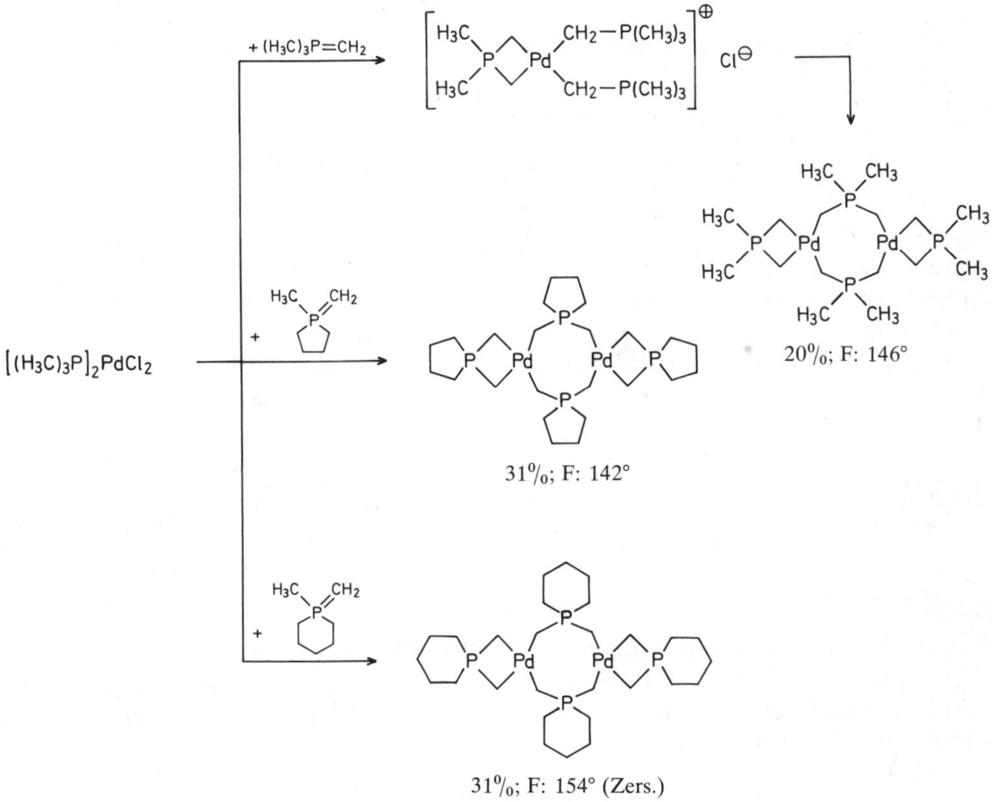

31%; F: 142°

20%; F: 146°

31%; F: 154° (Zers.)

---

[1] H. Schmidbaur u. J. R. Mandl, Ang. Ch. **89**, 679 (1977).

[2] J. M. Bassett, J. R. Mandl, u. H. Schmidbaur, B. **113**, 1145 (1980).

[3] K. Issleib et al., J. Prakt. Chem. **312**, 456 (1970); Z. anorg. Ch. **388**, 89 (1972).

Als Zwischenprodukt bei der Umsetzung mit Trimethyl-methylen-phosphoran läßt sich das *1,1-Dimethyl-3,3-bis-[trimethylphosphano-methyl]-1,3-phosphoniapalladetan-chlorid* (78%; F: 185–186°) isolieren[1].

2. aus Palladiumhalogeniden mit Sulfoniumyliden

Acyl-stabilisierte Sulfonium-Ylide reagieren wie die entsprechenden Phosphonium-Ylide in guten Ausbeuten mit Palladiumhalogeniden. Als Ausgangsverbindung kann Bis-[benzonitril]-dichloro-palladium, Di-μ-chloro-bis-[chloro-(η^2-styrol)-palladium] oder Palladium(II)-chlorid in Dimethylsulfoxid mit dem entsprechenden Ylid bei 20° (12–24 Stdn.) umgesetzt werden[2,3]:

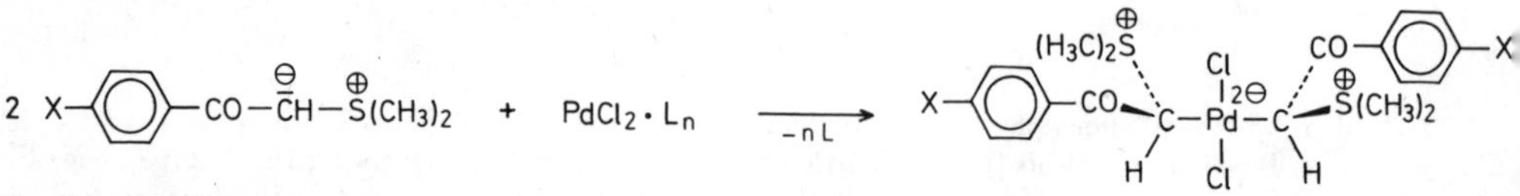

L = H_5C_6–CH = CH_2, H_5C_6–CN, $(H_3C)_2SO$
X = H; CH_3, OCH_3, Br, NO_2

Dichloro-bis-[1-dimethylsulfonio-2-aryl-2-oxo-ethyl]-palladat; allgemeine Arbeitsvorschrift[2]: 2 mmol einer Lösung des entsprechenden Dimethyl-(2-aryl-2-oxo-methylen)-sulfurans in 15 *ml* Chloroform werden zu einer Lösung von 0,38 g (1 mmol) Bis-[benzonitril]-dichloro-palladium in 10 *ml* Chloroform gegeben. Nach 24 Stdn. Stehen bei 20° wird der Niederschlag abfiltriert, mit Chloroform gewaschen und aus warmem Dimethylsulfoxid oder Dimethylsulfoxid-Wasser umkristallisiert und bei 50° i. Vak. getrocknet. Die Ausbeuten sind fast quantitativ.

Auf diese Weise erhält man u. a. folgende *Dichloro-bis-[1-dimethylsulfonio-. . .-ethyl]-palladat*

X = H; . . .-2-oxo-2-phenyl-. . .	~100%; F: 194°
X = Br; . . .-2-(4-brom-phenyl)-2-oxo-. . .	95%; F: 198°
X = NO_2; . . .-2-(4-nitro-phenyl)-2-oxo-. . .	92%; F: 196°
X = OCH_3; . . .-2-(4-methoxy-phenyl)-2-oxo-. . .	95%; F: 190–192°
X = CH_3; . . .-2-(4-methyl-phenyl)-2-oxo-. . .	98%; F: 188°

Analog verläuft die Umsetzung mit Di-μ-chloro-bis-[chloro-(η^2-styrol)-palladium] in Benzol oder mit Palladium(II)-chlorid in Dimethylsulfoxid.

Als Ausgangsverbindung kann auch *trans*-Dichloro-bis-[dimethylsulfan]-palladium (Dichlormethan, 20°) eingesetzt werden. Man erhält so z.B. *Dichloro-bis-[2-(4-chlor-phenyl)-1-(methyl-phenyl-sulfonio)-2-oxo-ethyl]-palladat* (60%; F: 173°, Zers.)[4]:

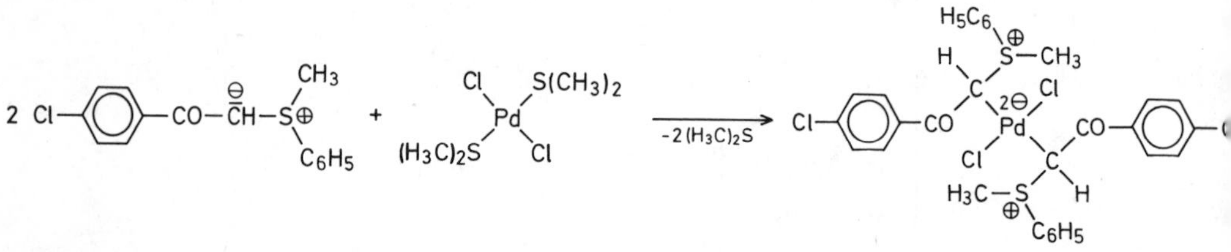

Wird eine methanolische Suspension von Bis-[dimethyl-(2-oxo-2-phenyl-ethyl)-sulfonium]-tetrabromopalladat(II) mit einer Lösung von Natriumacetat in Methanol versetzt, so erhält man *Dibromo-bis-[1-(dimethylsulfonio)-2-oxo-2-phenyl-ethyl]-palladat* (100%; F: 240°, Zers.)[5]:

[1] H. Schmidbaur u. H.P. Scherm, B. **111**, 797 (1978).
[2] P. Bravo et al., J. Organometal. Chem. **74**, 143 (1974).
[3] P. Bravo et al., G. **103**, 623 (1973).
[4] H. Koezuka, G.E. Matsubayashi u. T. Tanaka, Inorg. Chem. **13**, 443 (1974).
[5] H. Nishiyama, J. Organometal. Chem. **165**, 407 (1979).

$$\left[H_5C_6-CO-CH_2-\overset{\oplus}{S}\overset{CH_3}{\underset{CH_3}{\diagdown}}\right]_2 [PdBr_4]^{2\ominus} \xrightarrow[\substack{-2\,NaBr \\ -2\,H_3C-COOH}]{\substack{+2\,NaO-CO-CH_3\,/\,H_3C-OH \\ 4\,Stdn.,\,20°}} \begin{array}{ccc} H_5C_6-CO & Br & CO-C_6H_5 \\ | & |2\ominus| & | \\ (H_3C)_2\overset{\oplus}{S}-CH- & Pd & -CH-\overset{\oplus}{S}(CH_3)_2 \\ & | & \\ & Br & \end{array}$$

Die Umsetzung von Di-μ-chloro-bis-[chloro-(η^2-styrol)-palladium] mit Dimethyl-methylen-sulfuran ergibt einen nicht acyl-stabilisierten Sulfonium-ylid-Komplex[1]:

$$2\,^\ominus|CH_2-\overset{\oplus}{S}(CH_3)_2 \;+\; [(H_5C_6-CH{=}CH_2)\,PdCl_2]_2 \;+\; 4\,J^\ominus \xrightarrow[-2\,H_5C_6-CH=CH_2\,/\,-4\,Cl^\ominus]{}$$

$$(H_3C)_2\overset{\oplus}{S}-CH_2 \diagdown \overset{J}{\underset{J}{Pd\,2\ominus\,Pd}} \diagup \overset{J}{\underset{CH_2-\overset{\oplus}{S}(CH_3)_2}{\diagdown}}$$

Di-μ-jodo-bis-[jodo-(dimethylsulfonio-methyl)-palladat][1]: 1,15 g (0,02 mol) Di-μ-chloro-bis-[chloro-(η-styrol)-palladium] wird zu einer Lösung von Dimethyl-methylen-sulfuran [hergestellt aus 2,4 g (0,012 mol) Trimethylsulfonium-jodid und 0,29 g (0,012 mol) Natriumhydrid in 15 ml Dimethylsulfoxid] gegeben. Nach 24 Stdn. Stehen bei 20° wird die Lösung mit 50 ml Wasser verdünnt. Der braune Niederschlag wird abfiltriert und gründlich mit Wasser gewaschen, in Dimethylsulfoxid aufgelöst und mit Wasser wieder ausgefällt; Ausbeute: 1,4 g (80%); F: 204°.

Aus Di-μ-chloro-bis-[chloro-(η^2-styrol)-palladium] mit Dimethyl-methylen-oxo-λ^6-sulfuran in Dimethylsulfoxid ist *Di-μ-jodo-bis-[(2-methyl-2-oxo-2λ^5-sulfonia-propan-1,3-diyl)-palladium]* (60%; F: ~200°, Zers.)[2] zugänglich:

$$2\,[(H_3C)_3\overset{\oplus}{S}{=}O]\,J^\ominus \xrightarrow[-2\,HJ]{} 2\,H_3C-\overset{\overset{O}{\|}}{\underset{\underset{H_3C}{|}}{S}}{=}CH_2 \xrightarrow[\substack{-4\,HCl \\ -4\,H_5C_6-CH=CH_2}]{+2\,HJ\,/\,[(H_5C_6-CH=CH_2)_2PdCl_2]_2\,/\,(H_3C)_2S=O}$$

$$\underset{H_3C}{\overset{O}{\diagdown}}\overset{\oplus}{S}\diagup\diagdown\overset{\ominus}{Pd}\overset{J}{\diagup}\diagdown\overset{\ominus}{Pd}\diagup\diagdown\overset{\oplus}{S}\overset{O}{\diagup}\underset{CH_3}{}$$

c) 1-Alkenyl-palladium(II)-Verbindungen

1. aus Palladiumhalogeniden durch nucleophile Substitution von Halogen

α) mit 1-Alkenyl-metall-Verbindungen

Die Umsetzung von Palladiumhalogeniden mit 1-Alkenyl-metall-Verbindungen hat auf Grund der einfacheren Synthesemöglichkeit über die oxidative Addition von 1-Halogen-1-alkenen an Palladium(0)-Verbindungen kaum Bedeutung.

Wird zum Beispiel *trans*-Dichloro-bis-[triethylphosphan]-palladium mit Trifluorvinyl-lithium (aus Brom-trifluor-ethen und Butyllithium) in Tetrahydrofuran bei –78° umgesetzt und dann auf 20° gebracht, so erhält man *trans*-Bis-[triethylphosphan]-bis-[trifluorvinyl]-palladium (55%; F: 120–121°)[3]:

---

[1] P. Bravo et al., J. Organometal. Chem. **74**, 143 (1974).
[2] P. Bravo, G. Fronza u. C. Ticozzi, J. Organometal. Chem. **118**, C 78 (1976).
[3] A. J. Rest, D. T. Rosevear u. F. G. A. Stone, Soc. [A] **1967**, 66.

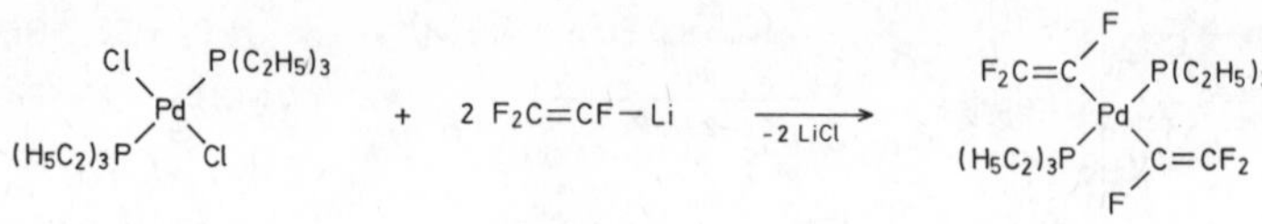

Bei der Reaktion von Bis-[benzonitril]-dichloro-palladium mit äquimolaren Mengen von 2-Chlor-vinyl-quecksilberchlorid in Benzol soll *Chloro-(2-chlor-vinyl)-palladium* entstehen[1].

β) mit ungesättigten Verbindungen durch interne Metallierung (Cyclopalladierung)

anti-1-Acetyl-cyclohexen-oxim reagiert mit Lithium-tetrachloro-palladat(II) in Methanol unter Chlorwasserstoff-Abspaltung zum cyclopalladierten Palladium-Komplex:

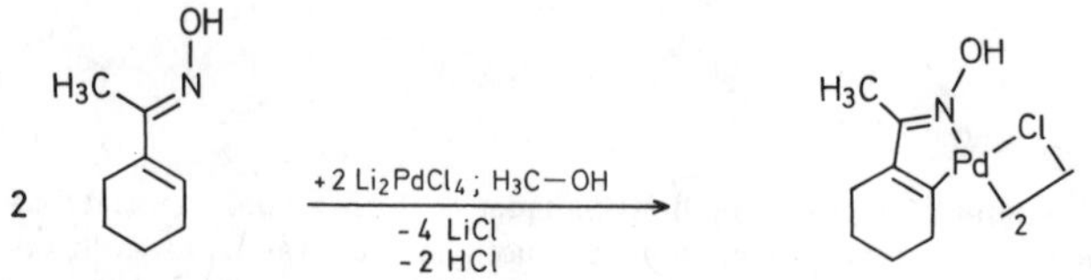

Di-μ-chloro-bis-{[2-(1-hydroxyimino-ethyl)-1-cyclohexenyl]-palladium}[2]: Zu einer Lösung von 0,6 g (4,3 mmol) *anti*-1-Acetyl-cyclohexen-oxim in 5 *ml* Methanol werden 1,13 g (4,3 mmol) Lithium-tetrachloropalladat(II) in 10 *ml* Methanol zugegeben und die Lösung 3 Tage bei 20° stehen gelassen. Dabei fallen gelbe Kristalle aus, die abfiltriert, pulverisiert und mit 3 *ml* Methanol und 10 *ml* Ether gewaschen und bei 100° getrocknet werden; Ausbeute: 1,10 g (91%); F: 160–165° (Zers.).

Analog wird *Di-μ-chloro-bis-{[(2-hydroxyimino-cyclohexyliden)-phenyl-methyl]-palladium}* (95%; F: 175–177°, Zers.) durch Cyclopalladierung von 1-Benzyliden-2-hydroxyimino-cyclohexan mit Lithium-tetrachloropalladat(II) erhalten[2]:

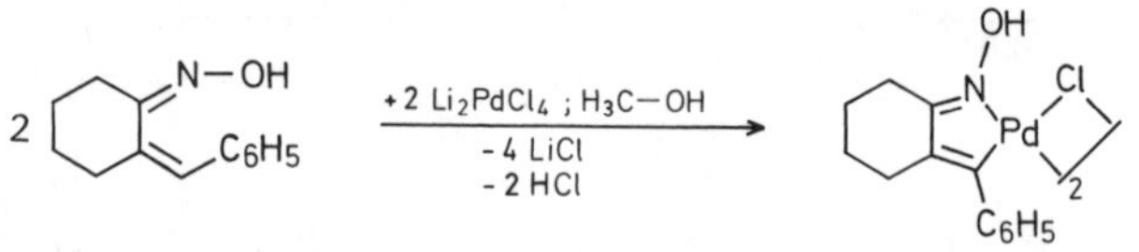

Auch die Umsetzung von Phosphan-substituierten Stilbenen ist ein Beispiel für eine interne Metallierung unter Pd-sp²-C-Bildung. Wird ein Palladiumhalogenid [Bis-(benzonitril)-dichloro-palladium, Kalium-tetrabromopalladat(II), Palladiumchlorid/Natriumjodid sowie Dijodo-bis-(triphenylphosphan)-palladium] mit Phosphan-substituierten Stilbenen am Rückfluß in einem geeigneten Lösungsmittel (Benzol, 1,3,5-Trimethyl-benzol, 2-Methoxy-ethanol) erhitzt, so entsteht zunächst der Donor-Komplex, der unter interner Metallierung und Halogenwasserstoffentwicklung ein thermisch sehr stabiles Chelat mit planarer σ-Vinyl-Gruppe bildet.

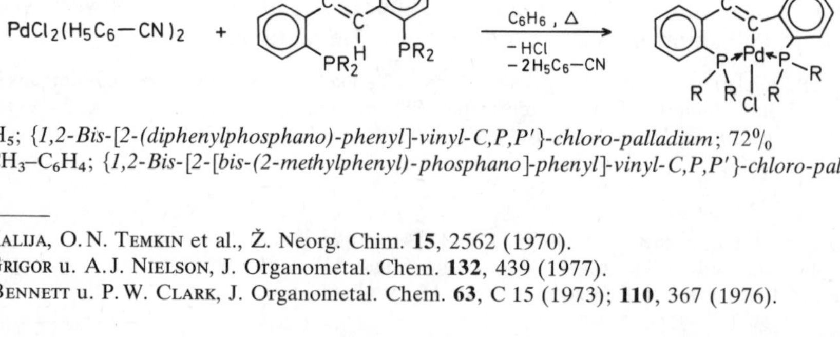

R = C₆H₅; {*1,2-Bis-[2-(diphenylphosphano)-phenyl]-vinyl-C,P,P'*}-*chloro-palladium*; 72%

R = 2-CH₃–C₆H₄; {*1,2-Bis-[2-[bis-(2-methylphenyl)-phosphano]-phenyl]-vinyl-C,P,P'*}-*chloro-palladium*; 62%[3]

---

[1] O.L. KALIJA, O.N. TEMKIN et al., Ž. Neorg. Chim. **15**, 2562 (1970).

[2] B.A. GRIGOR u. A.J. NIELSON, J. Organometal. Chem. **132**, 439 (1977).

[3] M.A. BENNETT u. P.W. CLARK, J. Organometal. Chem. **63**, C 15 (1973); **110**, 367 (1976).

2-Butenthiosäure-dimethylamid setzt sich mit Palladiumchlorid in siedendem Methanol oder HMPTA zu *Di-μ-chloro-bis-{[2-(dimethylamino-thiocarbonyl)-1-methyl-vinyl]-palladium}* (90%) um[1]:

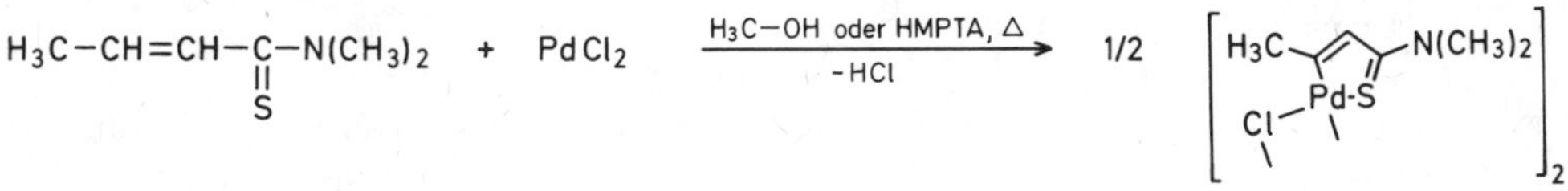

2. aus Pd-X mit ungesättigten Verbindungen durch Addition

α) an Alkine

α₁) aus Palladium-σ-Kohlenstoff-Verbindungen

αα₁) aus Alkyl-palladium-Verbindungen

Additions-Reaktionen (Insertions-Reaktionen) von Acetylenen an Palladium-σ-gebundene Kohlenstoff-Bindungen sind bekannt bei Alkyl-, Alkenyl- und Alkinyl-palladium-Verbindungen. Es sind Mono- und auch Diinsertionen möglich. Die Einschiebung in die Methyl-Palladium-Bindung gelingt besonders gut mit Acetylendicarbonsäure-dimethylester und mit Hexafluor-2-butin. Die Reaktionen werden in einem geeigneten Lösungsmittel (Dichlormethan) bei 20° durchgeführt (~ 30 Min. Rühren) und die entstandenen Produkte mit Ether ausgefällt. Wird [1,2-Bis-(diphenylphosphano)-ethan]-methyl-nitrato-palladium mit Acetylendicarbonsäure-dimethylester in Dichlormethan umgesetzt, so entstehen je nach dem eingesetzten Molverhältnis das Monoinsertionsprodukt *[1,2-Dimethoxycarbonyl-1-propenyl]-[1,2-bis-(diphenylphosphano)-ethan]-nitrato-palladium* (75%; F: 98–100°, Zers.) bzw. das Diinsertionsprodukt *[1,2-Bis-(diphenylphosphano)-ethan]-nitrato-[1,2,3,4-tetramethoxycarbonyl-1,3-pentadienyl]-palladium* (70%; F: 170–173°)[2]:

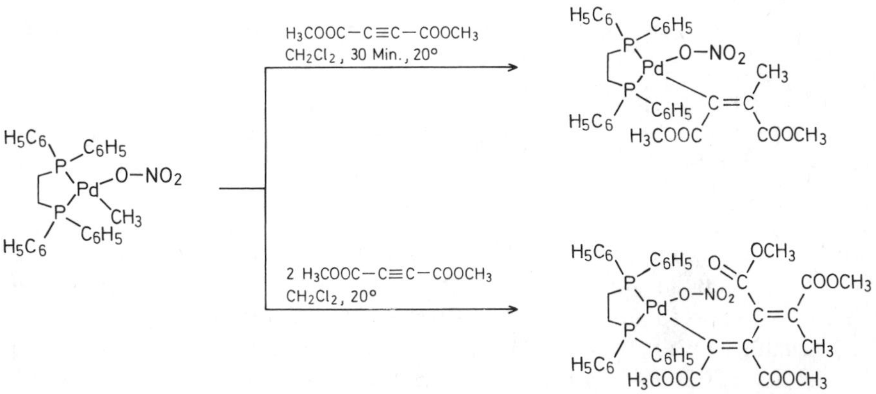

Analog ergibt Jodo-methyl-bis-[triethylphosphan]-palladium unter Insertion von Acetylendicarbonsäure-dimethylester in die Pd-sp³-C-Bindung *Jodo-[1,2-dimethoxycarbonyl-1-propenyl]-bis-[triethylphosphan]-palladium* (40%)[3]:

[1] Y. Tamaru, M. Kagotani u. Z. Yoshida, Ang. Ch. **93**, 1031 (1981).
[2] H. C. Clark, C. R. C. Milne u. C. S. Wong, J. Organometal. Chem. **136**, 265 (1977).
[3] Y. Tohda, K. Sonogashira u. N. Hagihara, Chem. Commun. **1975**, 54.

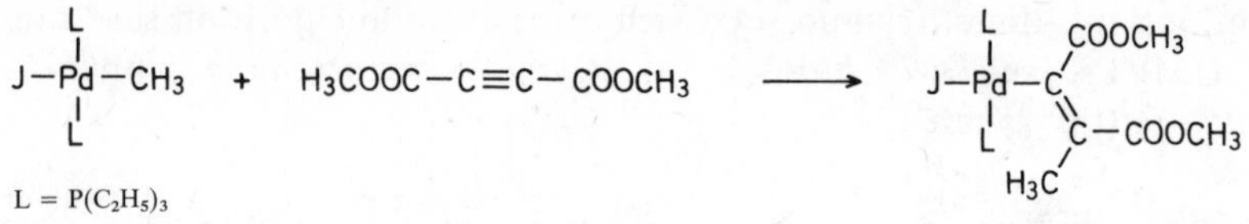

Das solvatisierte {[1,2-Bis-(diphenylphosphano)-ethan]-methyl-(tetrahydrofuran)-palladium}-hexafluorophosphat ergibt ebenfalls in Gegenwart stöchiometrischer Mengen Triphenylphosphan das Monoinsertionsprodukt {[*1,2-Dimethoxycarbonyl-1-propenyl*]-[*1,2-bis-(diphenylphosphano)-ethan*]-*triphenylphosphan-palladium*}-*hexafluorphosphat* (80%; F: 140–141°, Zers.) bzw. das Diinsertionsprodukt {[*1,2-Bis-(diphenylphosphano)-ethan*]-*(1,2,3,4-tetramethoxycarbonyl-1,3-pentadienyl)-triphenylphosphan)-palladium*}-*hexafluorophosphat* (70%; F: 130–131°)[1]:

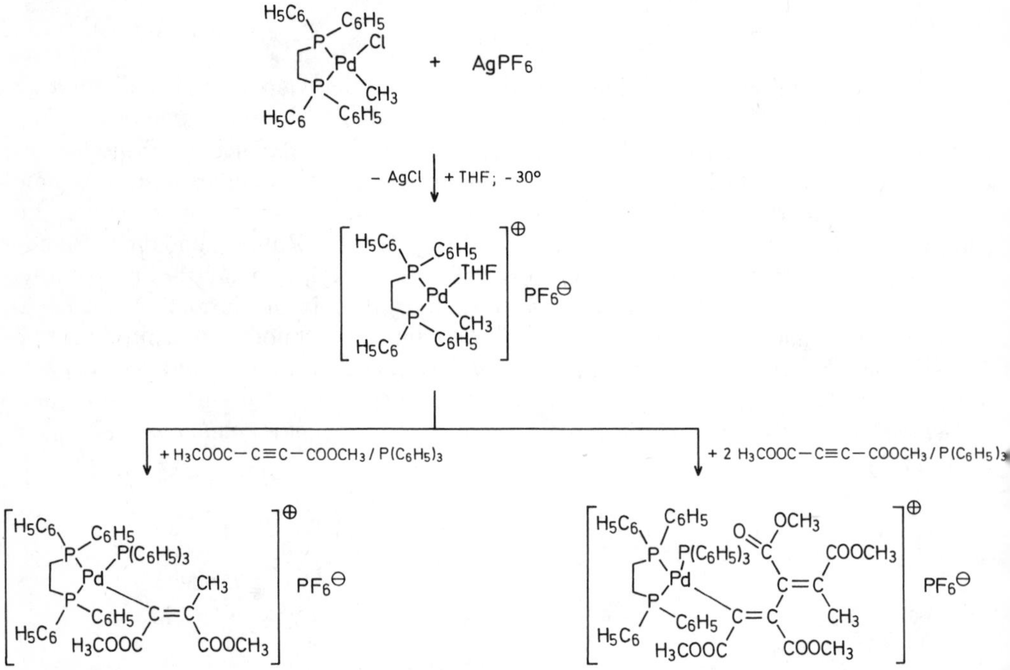

Chloro-(1,2-bis-[diphenylphosphano]-ethan)-methyl-palladium ergibt dagegen stets, auch bei Unterschuß an Acetylen, das Diinsertionsprodukt *(1,2-Bis-[diphenylphosphano]-ethan)-chloro-(1,2,3,4-tetramethoxycarbonyl-1,3-pentadienyl)-palladium* (69% beim Molverhältnis 1 : 2; F: 124–127°)[1]. Die Umsetzung mit äquimolaren Mengen Hexafluor-2-butin liefert *1,2-Bis-[diphenylphosphano]-ethan)-(1,2-bis-[trifluormethyl]-1-propenyl)-chloro-palladium* (65%; F: 198–200°, Zers.)[1]. Die analoge Umsetzung von (2,2'-Bipyridyl)-chloro-methyl-palladium liefert *(2,2'-Bipyridyl)-(1,2-bis-[trifluormethyl]-1-propenyl)-chloro-palladium*[2]:

---

[1] H.C. CLARK, C.R.C. MILNE u. C.S. WONG, J. Organometal. Chem. **136**, 265 (1977).
[2] N. CHAUDHURY, M.G. KEKRE u. R.J. PUDDEPHATT, J. Organometal. Chem. **73**, C 17 (1974).

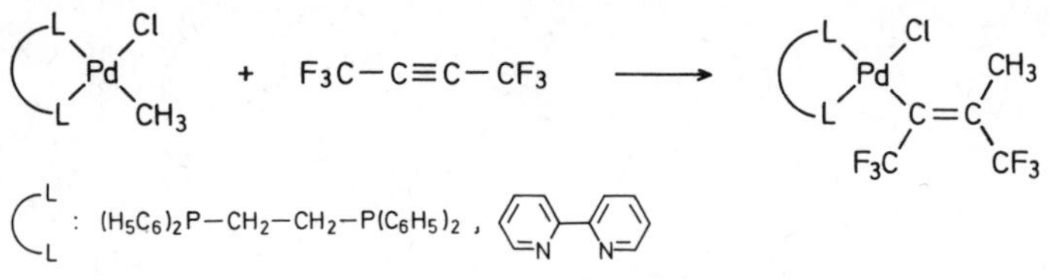

Stickstoff-chelatisierte Benzyl-palladium-Verbindungen können ebenfalls mit Hexafluor- 2-butin unter Insertion reagieren. So erhält man aus Di-μ-acetato-bis-[(2-dimethyl-amino-benzyl)-palladium] *Di-μ-acetato-bis- {[1,2-bis-(trifluormethyl)-3-(2-dimethyl-amino-phenyl)-1-propenyl]-palladium}* [1]:

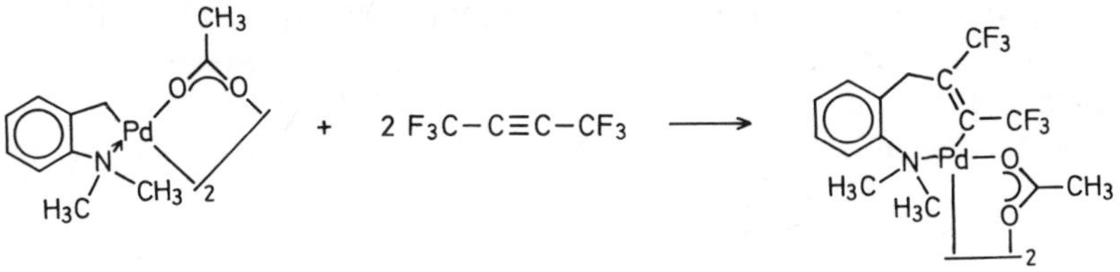

Bis-[2,4-pentandionato]-palladium reagiert mit Hexafluor-2-butin in Benzol bei 60° (über intermediäre σ–C-Pd-Verbindungen) zu dem luftstabilen cis-*Bis-[3-acetyl-1,2-bis-(trifluormethyl)-4-oxo-1-pentenyl-O,C^1]-palladium* [2,3]:

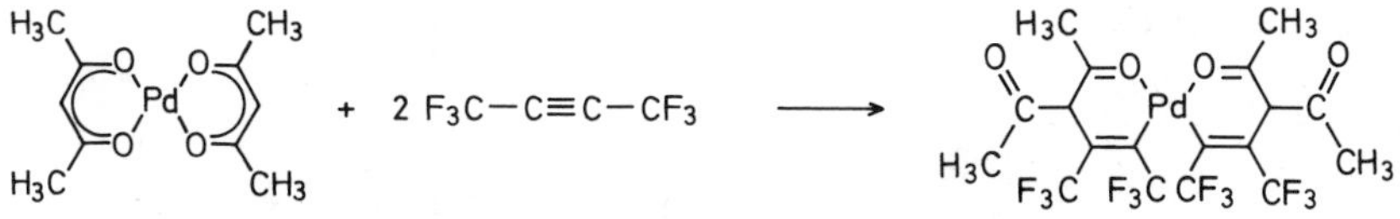

Analog erhält man folgende Derivate [2]:

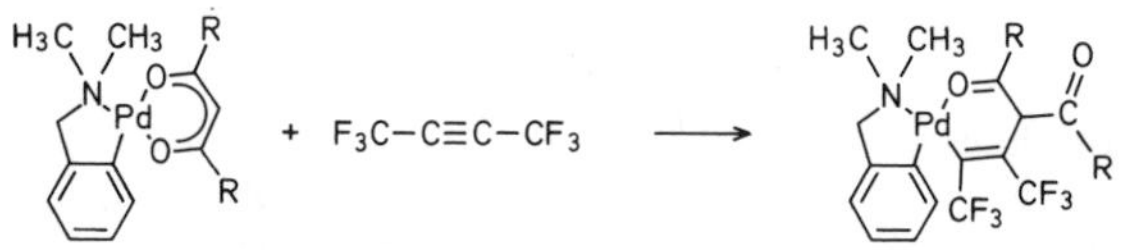

R = CH₃; *ab-[3-Acetyl-1,2-bis-(trifluormethyl)-4-oxo-1-pentenyl-O,C^1]-cd-[2-(dimethylamino-methyl)-phenyl-C^1, N]-palladium*

R = C(CH₃)₃; *ab-[1,2-Bis-(trifluormethyl)-3-(tert-butylcarbonyl)-5,5-dimethyl-4-oxo-1-hexenyl-O,C^1]-cd-[2-(dimethylamino-methyl)-phenyl-C^1, N]-palladium*

$\alpha\alpha_2$) aus 1-Alkenyl- bzw. Aryl-palladium-Verbindungen

Für die Addition von Acetylenen an 1-Alkenyl-palladium-Verbindungen und anschließende Umlagerung zur neuen 1-Alkenyl-palladium-Verbindung (Insertion in die Pd–sp²–C-Bindung) ist nur ein Beispiel bekannt [4]:

[1] C. MUTET u. M. PFEFFER, J. Organometal. Chem. **171**, C 34 (1979).

[2] D. R. RUSSELL, P. A. TUCKER et al., J. Organometal. Chem. **66**, C 53 (1974).

[3] D. R. RUSSELL u. P. A. TUCKER, Soc. [Dalton] **1975**, 1743; mit Röntgenstrukturanalyse.

[4] Y. TOHDA, K. SONOGASHIRA u. N. HAGIHARA, Chem. Commun. **1975**, 54.

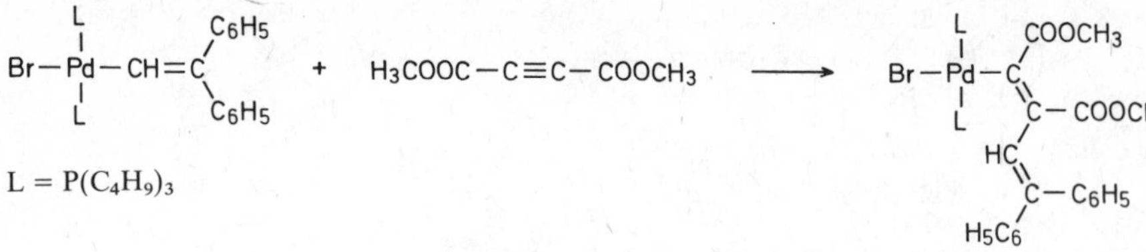

$$L-Pd-CH=C \overset{C_6H_5}{\underset{C_6H_5}{}} + H_3COOC-C\equiv C-COOCH_3 \longrightarrow Br-Pd-C\cdots$$

(Br, L, COOCH₃, C—COOCH₃, HC, C—C₆H₅, H₅C₆ as shown in structure)

L = P(C₄H₉)₃

Bromo-[4,4-diphenyl-1,2-dimethoxycarbonyl-1,3-butadienyl]-bis-
[tributylphosphan]-palladium; 74%

Auch Aryl-palladium-Verbindungen können solche Insertionsreaktionen eingehen. Die Reaktionen von cyclopalladierten aromatischen Aminen mit disubstituierten Alkinen ergeben die Mono- bzw. Diinsertions-Produkte in teilweise hohen Ausbeuten. Cyclopalladierte Verbindungen von Benzyl-dimethyl-amin, 8-Methyl-chinolin, Benzo[h]chinolin und 1-Dimethylamino-naphthalin ergeben solche Insertions-Reaktionen mit Diphenylethin, 1-Phenyl-1-propin oder Hexafluor-2-butin[1].

Mit cyclopalladiertem Azobenzol konnten keine Insertionsprodukte isoliert werden.

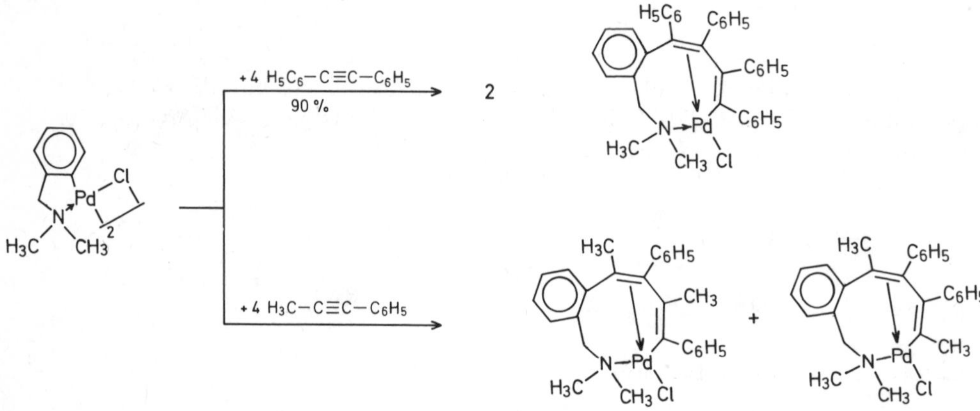

Chloro-{3,4-η²-4-[2-(dimethylamino-methyl)-phenyl]-1,2,3,4-tetraphenyl-1,3-butadienyl-(C,N)}-palladium[1]: Eine Mischung von 0,22 g (0,4 mmol) Di-μ-chloro-bis-{[2-(dimethylamino-methyl)-phenyl-C,N]-palladium} und 0,30 g (1,7 mmol) Diphenylethin (Tolan) in 60 ml Dichlormethan wird 24 Stdn. unter Rühren am Rückfluß erhitzt. Die orangefarbene Reaktionsmischung wird filtriert und i. Vak. zur Trockne eingeengt. Der Rückstand wird im Soxhlet mit 200 ml Pentan extrahiert und die gelbe Lösung wird bei 20° eingeengt; Ausbeute: 90%.

Analog werden u.a. folgende Verbindungen hergestellt[1]:

Chloro-{3,4-η²-4-[2-(dimethylaminomethyl)-phenyl]-1,3-diphenyl-2-methyl-1,3-pentadienyl}-palladium
35–40%
Chloro-{3,4-η²-4-[2-(dimethylaminomethyl)-phenyl]-2,3-diphenyl-1-methyl-1,3-pentadienyl}-palladium
15–20%
Di-μ-chloro-bis-⟨{2-[2-(dimethylaminomethyl)-phenyl]-1,2-bis-(trifluormethyl)-ethenyl}-palladium⟩
80–90%
Di-μ-chloro-bis-{[3-(8-chinolyl)-1,2-bis-(trifluormethyl)-1-propenyl]-palladium}
80%
Di-μ-chloro-bis-⟨{2-(10-benzo[h]chinolyl)-1,2-bis-(trifluormethyl)-ethenyl}-palladium⟩
17%

Auch Iminoacyl-palladium-Verbindungen mit sp²-Kohlenstoff am Palladium können über Additions- und Umlagerungsreaktionen mit Acetylenen in Alkenyl-palladium-Verbindungen überführt werden. Chloro-[1-(4-methyl-phenylimino)-ethyl]-bis-(triethyl-

---

[1] J. DEHAND et al., Soc. [Dalton] **1979**, 547; mit Röntgenstruktur; siehe dort weitere Beispiele.

phosphan)-palladium reagiert mit äquimolaren Mengen Acetylendicarbonsäure-dimethylester in Chloroform zu *Chloro-[5-methoxycarbonylmethyliden-1-(4-methyl-phenyl)-4-oxo-4,5-dihydro-2-pyrrolyl]-bis-[triethylphosphan]-palladium* (F: 176°; $\nu_{C=O}$: 1728, 1667 cm^{-1}; $\nu_{C=C}$: 1631 cm^{-1})[1]:

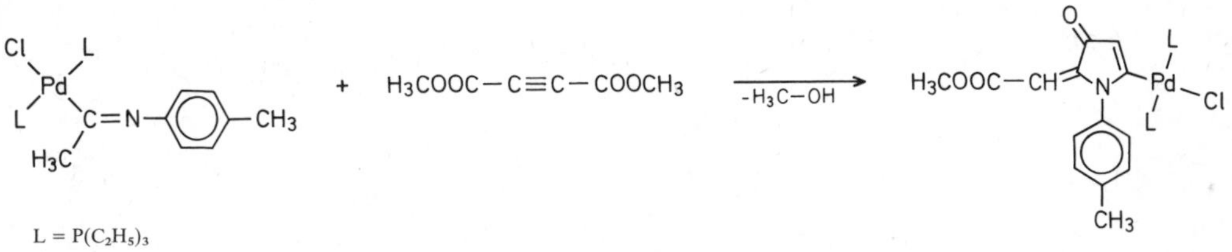

L = P(C$_2$H$_5$)$_3$

Analog addiert Hexafluor-2-butin[1]; z.B.:

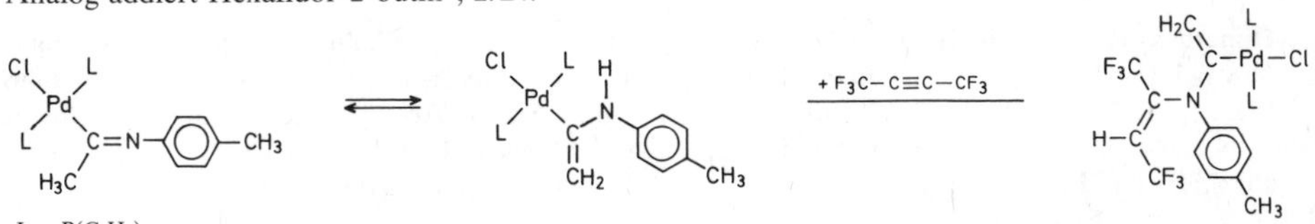

L = P(C$_2$H$_5$)$_3$

Chloro-{1-[(4-methyl-phenyl)-(3,3,3-trifluor-1-trifluormethyl-trans-1-propenyl)-amino]-vinyl}-bis-[triethylphosphan]-palladium

$\alpha\alpha_3$) aus 1-Alkinyl-palladium-Verbindungen

Auch 1-Alkinyl-palladium-Verbindungen können mit aktivierten Acetylenen unter Quasiinsertion in die Pd–sp–C-Bindung (Addition und Umlagerung) zu Alkenyl-palladium-Verbindungen reagieren. *trans*-Chloro-(phenylethinyl)-bis-[triethylphosphan]-palladium ergibt so mit Acetylendicarbonsäure-dimethylester in 1,4-Dioxan bei 85° (2 Stdn. Rühren, dann Chromatographie an Aluminiumoxid) *Chloro-[1,2-dimethoxycarbonyl-4-phenyl-1-buten-3-in-1-yl]-bis-[triethylphosphan]-palladium* (F: 163°)[2]:

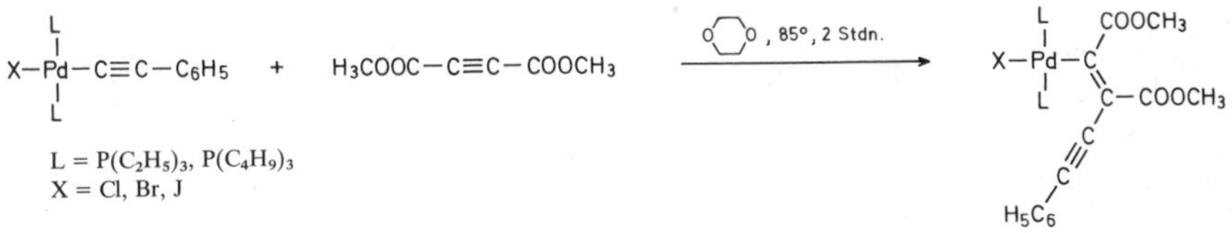

L = P(C$_2$H$_5$)$_3$, P(C$_4$H$_9$)$_3$
X = Cl, Br, J

α_2) aus Hydrido-palladium-Verbindungen

Hydrido-palladium-Verbindungen können sich auch an C≡C-Dreifachbindungen addieren. Die Umsetzung von *trans*-Hydrido-(phenylethinyl)-bis-[triethylphosphan]-palladium mit Acetylendicarbonsäure-dimethylester ergibt *(1,2-Dimethoxycarbonyl-vinyl)-(phenylethinyl)-bis-[triethylphosphan]-palladium*[3]:

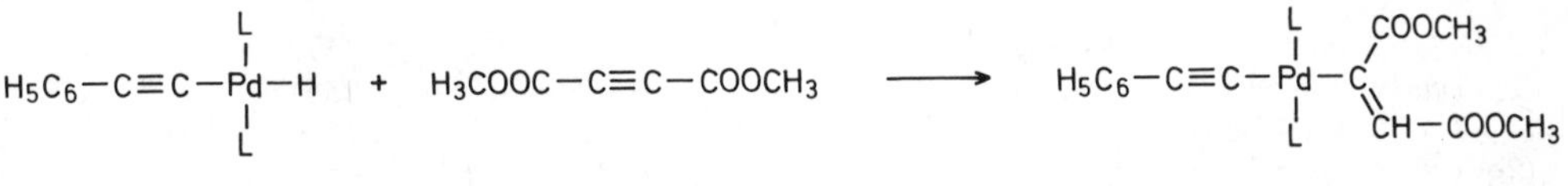

L = P(C$_2$H$_5$)$_3$

---

[1] H.C. Clark, C.R.C. Milne u. N.C. Payne, Am. Soc. **100**, 1164 (1978); mit Röntgenstruktur und Mechanismus.

[2] Y. Tohda, K. Sonogashira u. N. Hagihara, Chem. Commun. **1975**, 54.

[3] N. Kasai et al., Bl. chem. Soc. Japan **50**, 2888 (1977); mit Röntgenstruktur.

Da Hydrido-(phenylethinyl)-bis-[triethylphosphan]-palladium relativ instabil ist, wird vorteilhafterweise ein Vorgänger dieser Stufe hergestellt, die Hydrido-palladium-Verbindung in situ erzeugt, und dann mit Acetylenen umgesetzt:

$$Cl-\underset{\underset{L}{|}}{\overset{\overset{L}{|}}{Pd}}-C\equiv C-C_6H_5 \quad \xrightarrow[-\,LiCl]{+\,H_9C_4-Li} \quad H_9C_4-\underset{\underset{L}{|}}{\overset{\overset{L}{|}}{Pd}}-C\equiv C-C_6H_5 \quad \xrightarrow[-\,H_2C=CH-CH_2-CH_3]{H_3COOC-C\equiv C-COOCH_3}$$

$$\underset{H_3COOC}{\overset{H_3COOC-CH}{>}}C-\underset{\underset{L}{|}}{\overset{\overset{L}{|}}{Pd}}-C\equiv C-C_6H_5 \quad \xrightarrow[-\,H_5C_6-C\equiv CH]{HCl\,/\,(H_5C_2)_2O} \quad \underset{H_3COOC}{\overset{H_3COOC-CH}{>}}C-\underset{\underset{L}{|}}{\overset{\overset{L}{|}}{Pd}}-Cl$$

$L = P(C_2H_5)_3$

(1,2-Dimethoxycarbonyl-vinyl)-(phenylethinyl)-bis-[triethylphosphan]-palladium[1]: 1 mmol Butyl-lithium in Hexan wird bei $-78°$ zu 0,479 g (1 mmol) *trans*-Chloro-(phenylethinyl)-bis-[triethylphosphan]-palladium in 30 *ml* Ether gegeben. Man läßt die Temp. auf 20° kommen, gibt 1,5 mmol Acetylendicarbonsäure-dimethylester in 10 *ml* Ether zu und rührt die Reaktionsmischung 1 Stde. unter Stickstoff (es wird 1-Buten frei); Chromatographie ergibt 0,305 g (52%); F: 87–88°; $\nu_{C=O}$:1720, 1710, 1690 cm^{-1}, $\nu_{C\equiv C}$: 2100 cm^{-1}.

Der Phenylethinyl-Rest kann durch Behandeln mit Chlorwasserstoff-Gas in Ether leicht abgespalten werden, dabei entsteht *(1,2-Dimethoxycarbonyl-vinyl)-chloro-bis-[triethylphosphan]-palladium* (84%; F: 158–162°)[1].

trans-Hydrido-nitrato-bis-[tricyclohexylphosphan]-palladium und [*trans*-Acetonitril-hydrido-bis-[tricyclohexylphosphan]-palladium]-hexafluorophosphat reagieren unter milden Bedingungen (20°, einige Min. bis 8 Stdn. Rühren, Inertgas-Atmosphäre) mit Acetylenen, die mindestens eine elektronenanziehende Gruppe besitzen, zu σ-1-Alkenyl- palladium-Verbindungen. Die Geometrie der entstehenden Alkenyl-Liganden läßt auf *cis*-Addition und Addition des hydridischen Wasserstoffs an den acetylenischen Kohlenstoff, der die elektronenziehende Gruppe enthält, schließen, zum Beispiel:

$$\underset{L}{\overset{NO_3}{>}}Pd\underset{H}{\overset{L}{<}} \quad + \quad H-C\equiv C-COOCH_3 \quad \longrightarrow \quad \underset{L}{\overset{NO_3}{>}}Pd\underset{\underset{H}{\overset{|}{C}}=\underset{COOCH_3}{\overset{H}{C}}}{\overset{L}{<}}$$

Acetylene mit zwei elektronenanziehenden Gruppen bilden Gemische von σ-1-Alkenyl- und nullwertigen Acetylen-π-Komplexverbindungen.

(trans-2-Methoxycarbonyl-vinyl)-nitrato-bis-[tricyclohexylphosphan]-palladium[2]: 0,250 g *trans*-Hydrido-nitrato-bis-[tricyclohexylphosphan]-palladium werden in 10 *ml* Dichlormethan gelöst und die äquimolare Menge des entsprechenden Acetylens zugefügt (unter Stickstoff). Nach 4 Stdn. wird das Lösungsmittel i. Vak. entfernt und der Rückstand in Benzol aufgenommen und durch eine Chromatographie-Säule an Florisil eluiert. Methanol wird zum Filtrat gegeben, wobei farblose Kristalle ausfallen. Man erhält so z. B. folgende . . .-*nitrato-bis-[tricyclohexylphosphan]-palladium-Verbindungen*:

(2-Methoxycarbonyl-1-methyl-vinyl)-. . .	73%; F: 140–142°; $\nu_{C=C}$: 1572 cm^{-1}
(2-Methoxycarbonyl-1-phenyl-vinyl)-. . .	71%; F: 134–135°; $\nu_{C=C}$: 1554 cm^{-1}
(3,3,3-Trifluor-1-phenyl-1-propenyl)-. . .	65%; F: 155–157°; $\nu_{C=C}$: 1576 cm^{-1}
(2-Methoxycarbonyl-vinyl)-. . .	68%; F: 110–112°; $\nu_{C=C}$: 1558 cm^{-1}
(3,3,3-Trifluor-1-trifluormethyl-1-propenyl)-. . .	45%; F: 174°; $\nu_{C=C}$: 1616 cm^{-1}

[1] Y. TOHDA, K. SONOGASHIRA u. N. HAGIHARA, J. Organometal. Chem. **110**, C 53 (1976).
[2] H. C. CLARK u. C. R. MILNE, J. Organometal. Chem. **161**, 51 (1978).

Gibt man zu einer Lösung von Acetonitril-hydrido-bis-[tricyclohexylphosphan]-palladium]-hexafluorophosphat in Dichlormethan, Acetonitril oder Aceton äquivalente Mengen Acetylen mit elektronenziehender Gruppe zu und fügt nach 3 Stdn. überschüssiges Lithiumchlorid gelöst in Methanol zu, so erhält man z.B.[1]:

Chloro-(2-methoxycarbonyl-1-methyl-vinyl)-bis-[tricyclohexylphosphan]-palladium	68%;	F: 145–146°
Chloro-(2-methoxycarbonyl-1-phenyl-vinyl)-bis-[tricyclohexylphosphan]-palladium	65%;	F: 139–141°
Chloro-(3,3,3-trifluor-1-phenyl-1-propenyl)-bis-[tricyclohexylphosphan]-palladium	61%;	F: 165–167°
Chloro-(2-methoxycarbonyl-vinyl)-bis-[tricyclohexylphosphan]-palladium	72%;	F: 117–119°

α_3) *aus Chloro-palladium-Verbindungen*

Umsetzungen von Palladiumhalogeniden mit Acetylen oder mit monosubstituierten Acetylenen führen häufig zu polymeren Verbindungen undefinierter Struktur (Harzbildung). Disubstituierte und einige monosubstituierte Acetylene geben meist je nach Temperatur, Lösungsmittel und Molverhältnis Cyclodimerisationen, Cyclotrimerisationen des Acetylens oder stabile π-Komplexe[2]; z.B.:

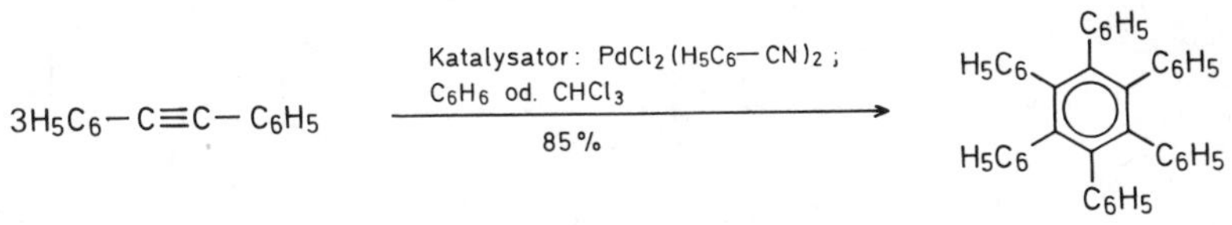

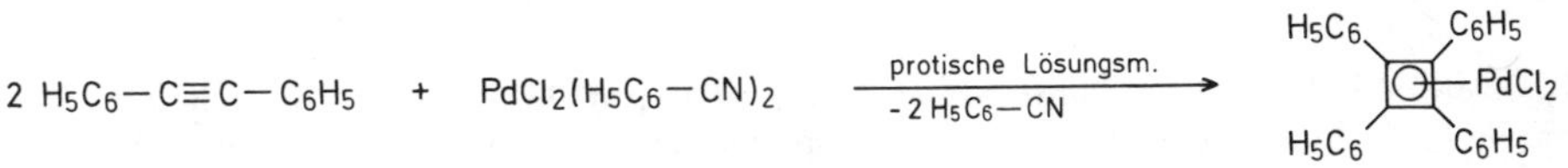

Bei Acetylenen mit sterisch raumbeanspruchenden Resten gelingt die Isolierung von σ-Alkenyl-palladium-Verbindungen in guten Ausbeuten. Die Umsetzung von 4,4-Dimethyl-2-pentin mit Bis-[benzonitril]-dichloro-palladium ist von den Reaktionsbedingungen abhängig[3,4]:

[1] H.C. CLARK u. C.R. MILNE, J. Organometal. Chem. **161**, 51 (1978).
[2] Übersichtsliteratur zum Beispiel: J. TSUJI, *Organic Synthesis with Palladium Compounds*, Springer-Verlag, 1980; P.M. MAITLIS, *The Organic Chemistry of Palladium*, Vol. I und II, Academic Press 1971; weitere Literatur siehe Kapitel Bibliographie.
[3] E.A. KELLEY u. P.M. MAITLIS, Soc. [Dalton] **1979**, 167.
[4] E.A. KELLEY, P.M. BAILEY u. P.M. MAITLIS, Chem. Commun. **1977**, 289; mit Röntgenstruktur.

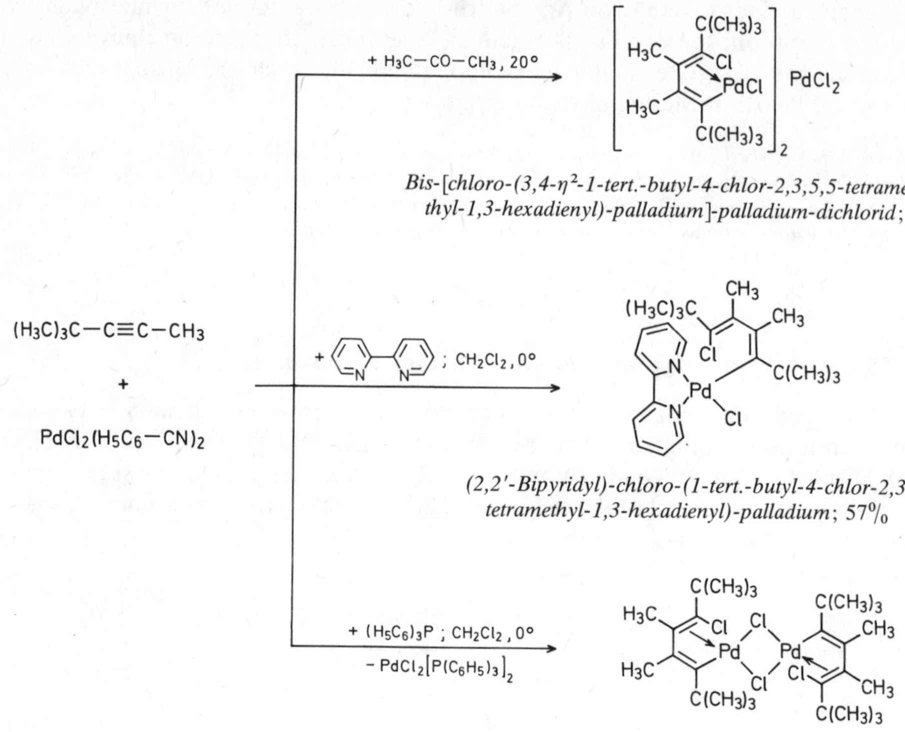

Bis-[chloro-(3,4-η²-1-tert.-butyl-4-chlor-2,3,5,5-tetrame-thyl-1,3-hexadienyl)-palladium]-palladium-dichlorid; 61%

$(H_3C)_3C-C\equiv C-CH_3$

+

$PdCl_2(H_5C_6-CN)_2$

(2,2'-Bipyridyl)-chloro-(1-tert.-butyl-4-chlor-2,3,5,5-tetramethyl-1,3-hexadienyl)-palladium; 57%

72%

Di-μ-chloro-bis-[(3,4-η²-1-tert.-butyl-4-chlor-2,3,5,5-tetramethyl-1,3-hexadienyl)-palladium][1]:   0,48 g (5,0 mmol) 4,4-Dimethyl-2-pentin werden unter Rühren zu einer Lösung von 0,96 g (2,5 mmol) Bis-[benzonitril]-dichloro-palladium in 20 *ml* Dichlormethan bei 0° gegeben (unter Stickstoff). Nach 10 Min. werden 0,65 g (2,5 mmol) Triphenylphosphan gelöst in 5 *ml* Dichlormethan zugefügt, wobei ein gelber Niederschlag von Dichloro-bis-[triphenylphosphan]-palladium ausfällt. Die Suspension wird filtriert und das Filtrat bei 0° i. Vak. eingeengt. Die feste gelbe Substanz wird mit Petrolether (Kp: 30–50°) gewaschen und an der Luft getrocknet; Ausbeute: 0,53 g (72%).

Die dimeren Chloro-verbrückten Palladium-Derivate können durch die üblichen Donoren wie 2,4-Pentandionato-thallium(I) (79%), Natrium-dimethyldithiocarbamat (60%) oder 1,2-Bis-[methylthio]-ethan (48%) in die entsprechenden monomeren Palladium-Verbindungen überführt werden[1,2].

Wird Bis-[benzonitril]-dichloro-palladium in Toluol mit 3,3-Dimethyl-1-butin im Molverhältnis 1:3 30 Min. bei –10° umgesetzt, so bildet sich in Lösung das Diinsertionsprodukt *Di-μ-chloro-bis-[(η²-3,3-dimethyl-butin)-(1-tert.-butyl-4-chlor-5,5-dimethyl-1,3-hexadienyl)-palladium]*, das mit 1,2-Bis-[methylthio]-ethan in das stabile *(1-tert.-Butyl-4-chlor-5,5-dimethyl-1,3-hexadienyl)-chloro-(1,2-bis-[methylthio]-ethan)-palladium* (60%) überführt werden kann[3]:

---

[1] E. A. Kelley u. P. M. Maitlis, Soc. [Dalton] **1979**, 167.
[2] E. A. Kelley, P. M. Bailey u. P. M. Maitlis, Chem. Commun. **1977**, 289; mit Röntgenstruktur.
[3] B. E. Mann, P. M. Bailey u. P. M. Maitlis, Am. Soc. **97**, 1275 (1975); mit Röntgenstrukturanalyse.

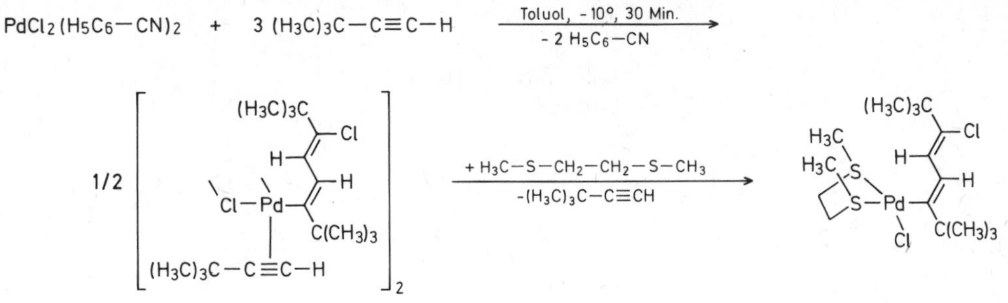

PdCl$_2$(H$_5$C$_6$—CN)$_2$ + 3 (H$_3$C)$_3$C—C≡C—H $\xrightarrow[\text{- 2 H}_5\text{C}_6\text{—CN}]{\text{Toluol, - 10°, 30 Min.}}$

$$1/2 \begin{bmatrix} \text{(H}_3\text{C)}_3\text{C} \\ \text{Cl—Pd} \\ \text{(H}_3\text{C)}_3\text{C—C≡C—H} \end{bmatrix}_2 \xrightarrow[\text{-(H}_3\text{C)}_3\text{C—C≡CH}]{\text{+ H}_3\text{C—S—CH}_2\text{—CH}_2\text{—S—CH}_3}$$

Auch (2,4,6-Trimethyl-phenyl)-acetylene liefern in inerten Lösungsmitteln σ-1,3-Butadienyl-palladium-Verbindungen, die durch eine zusätzliche π-Bindung stabilisiert sind; z.B.:

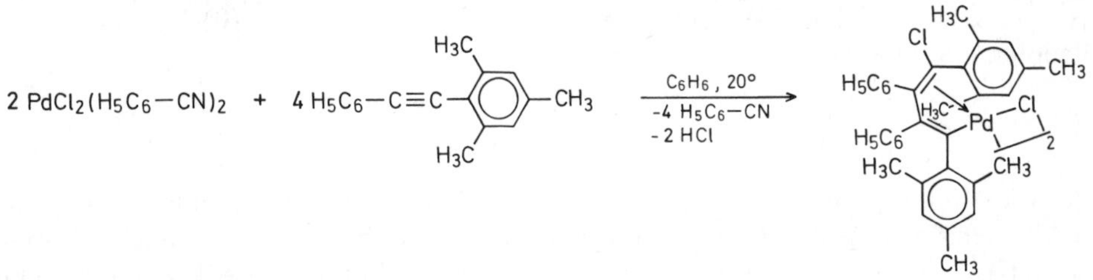

2 PdCl$_2$(H$_5$C$_6$—CN)$_2$ + 4 H$_5$C$_6$—C≡C—C$_6$H$_2$(CH$_3$)$_3$ $\xrightarrow[\substack{\text{-4 H}_5\text{C}_6\text{—CN} \\ \text{- 2 HCl}}]{\text{C}_6\text{H}_6 \, , \, 20°}$

Di-μ-chloro-bis-{[cis-3,4-η^2-chlor-1,4-bis-(2,4,6-trimethyl-phenyl)-2,3-diphenyl-1,3-butadienyl]-palladium}[1]: Eine Lösung von 0,60 g (1,56 mmol) Bis-[benzonitril]-dichloro-palladium in 30 *ml* Benzol wird mit einer Lösung von 1,0 g (4,55 mmol) (2,4,6-Trimethyl-phenyl)-phenyl-acetylen in 5 *ml* Benzol behandelt. Nach 48 Stdn. bei 20° wird das Lösungsmittel i. Vak. entfernt und der ölige Rückstand mit Petrolether verrieben. Das Rohprodukt wird an Aluminiumoxid mit Diethylether als Eluierungsmittel chromatographiert; Ausbeute: 0,40 g (42%); F: 165°, Zers.

Setzt man Palladium(II)-chlorid mit 3-Hexin in Dimethylformamid um, so erhält man *Di-μ-chloro-bis-{[1,2-diethyl-3-(pentamethyl-2,4-cyclopentadienyl)-1,3-pentadienyl]-palladium}* (38%)[2]:

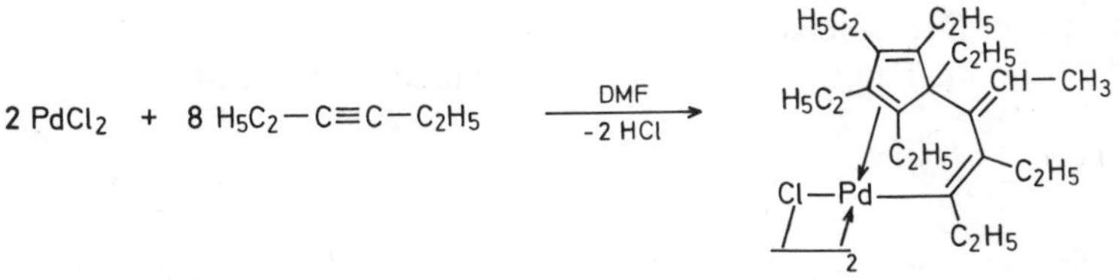

2 PdCl$_2$ + 8 H$_5$C$_2$—C≡C—C$_2$H$_5$ $\xrightarrow[\text{- 2 HCl}]{\text{DMF}}$

Mit 2-Butin[2, 3] und 2-Pentin[2] werden analoge Produkte gebildet.

Aktivierte Acetylene (mit Organooxycarbonyl-, Trifluormethyl-Gruppen) reagieren mit der zweikernigen Palladium-Verbindung 1,2-Dihalogeno-1,2-bis-[bis-(diphenylphosphano)-methan-(P^1–Pd^1; P^2–Pd^2)]-dipalladium zu den verbrückten μ-Vinylen-palladium-Verbindungen[4]:

---

[1] M. Avram et al., J. Organometal. Chem. **136**, C 15 (1977).
[2] A. Sisak u. F. Ungváry, Acta Chim. Acad. Sci. Hung. **99**, 209.(1979); Chem. Inform. **7929** –314.
[3] Vergleiche auch: H. Reinheimer, J. Moffat u. P.M. Maitlis, Am. Soc. **92**, 2285 (1970).
[4] C. Lee, C.T. Hunt u. A.L. Balch, Inorg. Chem. **20**, 2498 (1981).

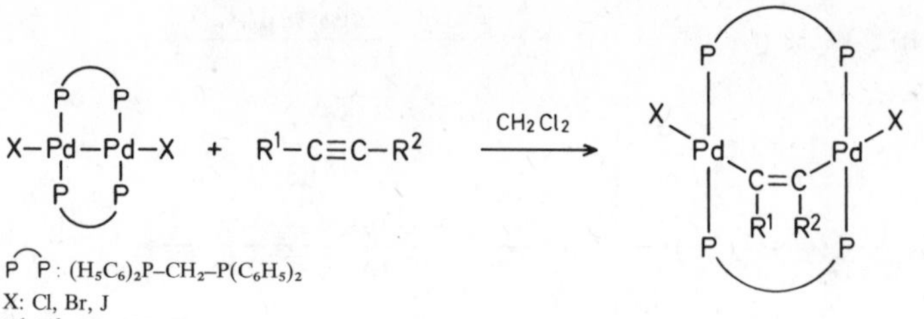

P⌒P: $(H_5C_6)_2P$–CH_2–$P(C_6H_5)_2$
X: Cl, Br, J
R^1, R^2: CF_3, COOH, $COOCH_3$, $COOC_2H_5$

Im allgemeinen wird die Palladium-Ausgangsverbindung in Dichlormethan gelöst, filtriert, das Acetylen zugegeben und die Lösung unter Stickstoff 10–18 Stdn. stehen gelassen. Die Endprodukte werden mit Ether ausgefällt und aus Dichlor-methan-diethylether umkristallisiert (Ausbeute: 65–86%)[1].

Über die Umsetzung von Acetylendicarbonsäure-dimethylester mit Palladiumhalogeniden zu Alkyl-palladium-Verbindungen s. S. 736 und mit Palladium(0)-Verbindungen zu Palladolen s. S. 808.

β) mit Alkenen

Für die Bildung von 1-Alkenyl-palladium-Verbindungen aus Palladiumhalogeniden und Alkenen sind einige interne Metallierungsreaktionen bekannt. Aber auch Pd–sp^3–C- sowie Pd–sp^2–C-Bindungen sind unter Insertion oder Addition von Alkenen (Mechanismus teilweise nicht geklärt) zur σ-1-Alkenyl-palladium-Bildung befähigt. So ergibt die Addition von Tetracyanethen an (2,2'-Bipyridyl)-chloro-methyl-palladium unter Acetonitril-Abspaltung *(2,2'-Bipyridyl)-chloro-(tricyanvinyl)-palladium*[2]:

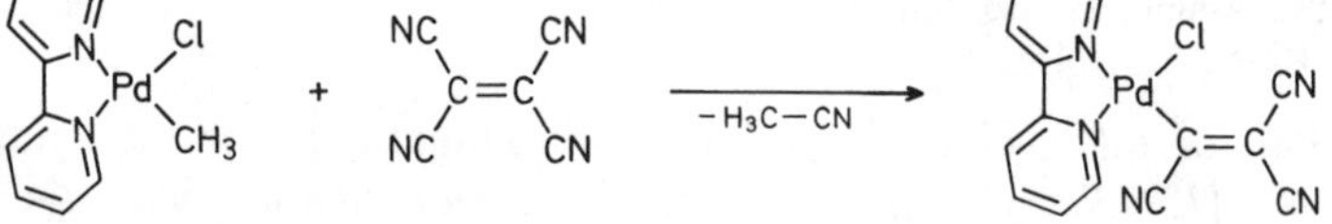

Die Cyclopalladierung aromatischer Amine erleichtert die Insertion von Olefinen in die Pd–sp^2–C-Bindung. Das einzige bisher bekannte Beispiel ist die Umsetzung von Di-μ-chloro-bis-{[2-(dimethylamino-methyl)-phenyl]-palladium} mit Styrol:

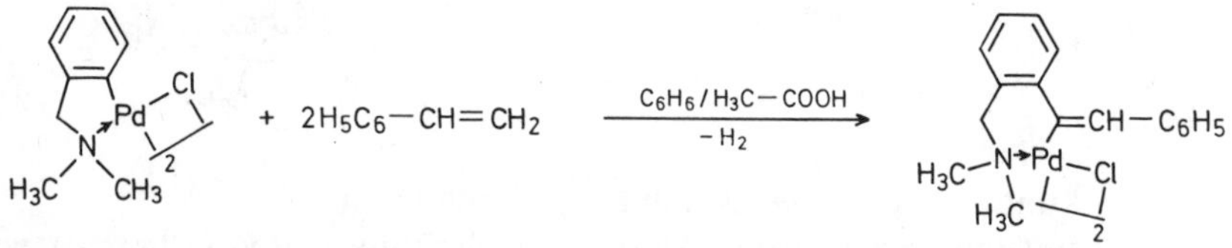

Di-μ-chloro-bis-⟨{1-[2-(dimethylamino-methyl)-phenyl]-2-phenyl-vinyl}-palladium⟩[3]: Eine Lösung von 0,175 ml (1,53 mmol) Styrol in 15 ml Essigsäure wird zu einer Lösung von 0,405 g (0,74 mmol) Di-μ-chloro-bis-{[2-(dimethylamino-methyl)-phenyl]-palladium} in 15 ml Benzol gegeben. Die Reaktionsmischung wird bei 50° thermostatiert und 0,2 mol Natrium- oder Lithiumperchlorat in Essigsäure zugefügt. Nach 1–2 Stdn. Rühren wird ausgefallenes Palladium abfiltriert und das Filtrat i. Vak. eingeengt. Der Rückstand wird in Chloroform aufgelöst, die Chloroform-Lösung mit Wasser gewaschen, über Magnesiumsulfat getrocknet und an Kieselgel mittels Säulenchromatographie mit Chloroform eluiert. Die erste hellgelbe Bande enthält das Produkt. Es wird nach Konzentrierung mit Heptan ausgefällt; Ausbeute: 24%; F: 151–156° (Zers.); IR ν: 1610, 1585, 1560 cm^{-1} (C=C), 975 cm^{-1} (*trans*-H–C=C–Pd).

[1] C. LEE, C. T. HUNT u. A. L. BALCH, Inorg. Chem. **20**, 2498 (1981).
[2] N. CHAUDHURY, M. G. KEKRE u. R. J. PUDDEPHATT, J. Organometal. Chem. **73**, C 17 (1974).
[3] A. D. RYABOV u. A. K. YATSIMIRSKY, Tetrahedron Letters **21**, 2757 (1980).

Tab. 7: 1-Alkenyl-halogeno-bis-[tert.-phosphan]-palladium durch oxidative Addition von 1-Halogen-1-alkenen an Tetrakis-[tert.-phosphan]-palladium(0)

Halogen-alken	Lösungs-mittel	Temp. [°C]	Reaktionsprodukt	Ausbeute [%]	F [°C]	Lite-ratur
Br–CF=CF$_2$	Aceton	–196, 70	Bromo-(trifluorvinyl)-bis-[triphenylphosphan]-palladium	80	230–231	1
Cl–CF=CF$_2$	Aceton	–196, 70	Chloro-bis-[diphenyl-methyl-phosphan]-(trifluorvinyl)-palladium	90	146	1
Cl$_2$C=CCl$_2$	Benzol	80	Chloro-(trichlorvinyl)-bis-[triphenylphosphan]-palladium	94	259–262	2
Cl$_2$C=CHCl	Toluol	90	Chloro-(2,2-dichlor-vinyl)-bis-[diphenyl-methyl-phosphan]-palladium	81	156	3
	Benzol	80	Chloro-(2,2-dichlor-vinyl)-bis-[triphenylphosphan]-palladium	93	310–312	2,4
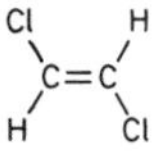 Cl–CH=CH–Cl (Cl,H / H,Cl)	Toluol	90	Chloro-(trans-2-chlor-vinyl)-bis--[diphenyl-methyl-phosphan]-palladium	78	120	3 ·
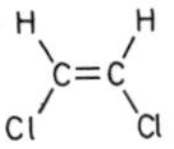 Cl–CH=CH–Cl (H,H / Cl,Cl)	Benzol	80	Chloro-(cis-2-chlor-vinyl)-bis[triphenylphosphan]-palladium	85	279–283	2,4
Br–CH=CH–C$_6$H$_5$	Benzol	80	Bromo-(2-phenyl-vinyl)-bis-[triphenylphosphan]-palladium (cis, trans)	80	171–175	5
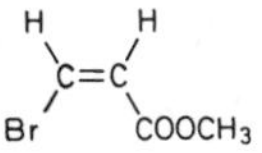 H,H / Br,COOCH$_3$	Toluol	20	Bromo-(cis-2-methoxycarbonyl-vinyl)-bis-[triphenylphosphan]-palladium	78	132–133	6
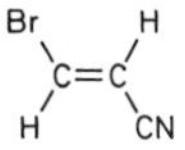 Br,H / H,CN	Benzol	20	Bromo-(trans-2-cyan-vinyl)-bis-[triphenylphosphan]-palladium	80	177–181	7,8
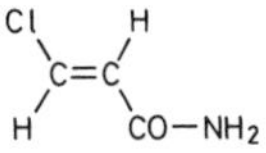 Cl,H / H,CO–NH$_2$	Benzol	60	Chloro-(trans-2-aminocarbonyl-vinyl)-bis-[triphenylphosphan]-palladium	90	125–131	7
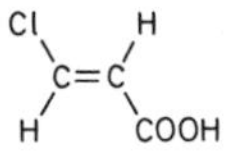 Cl,H / H,COOH	Benzol	20	Chloro-(trans-2-carboxy-vinyl)-bis-[triphenylphosphan]-palladium	61	147–155	7
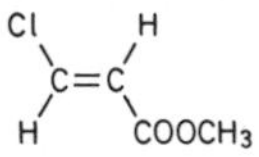 Cl,H / H,COOCH$_3$	Benzol	20	Chloro-(trans-2-methoxycarbonyl-vinyl)-bis-[triphenylphosphan]-palladium	98	125–127	7

1 A.J. MUKHEDKAR, M. GREEN u. F.G.A. STONE, Soc. [A] 1969, 3023.
2 P. FITTON u. J.E. MC KEON, Chem. Commun. 1968, 4.
3 B.F.G. JOHNSON, J. LEWIS et al., Soc. [Dalton] 1974, 34.
4 I. MORITANI, Y. FUJIWARA u. S. DANNO, J. Organometal. Chem. 27, 279 (1971).
5 J.F. FAUVARQUE u. A. JUTAND, Bl. 1976, 765.
6 S. OTSUKA u. K. ATAKA, Soc. [Dalton] 1976, 327.
7 G. OEHME u. H. PRACEJUS, Z. 14, 24 (1974).
8 G. OEHME u. H. BAUDISCH, Tetrahedron Letters 1974, 4129.

Tab. 7 (Forts.)

Halogen-alken	Lösungs-mittel	Temp. [°C]	Reaktionsprodukt	Ausbeute [%]	F [°C]	Lite-ratur
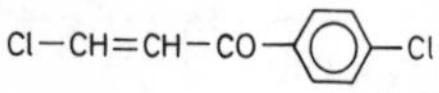 Cl—CH=CH—CO—⟨C₆H₄⟩—Cl	Benzol	20	*Chloro-[trans-3-(4-chlor-phenyl)-3-oxo-1-propenyl]-bis-[tri-phenylphosphan]-palladium*	31	126	1
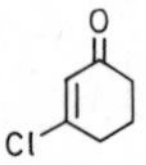 (3-Chlor-2-cyclohexenon)	Benzol	60	*Chloro-(3-oxo-1-cyclohexenyl)-bis-[triphenylphosphan]-palladium*	84	191	1
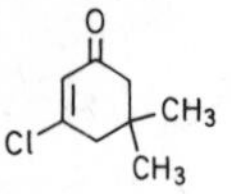 (3-Chlor-5,5-dimethyl-2-cyclohexenon, CH₃ CH₃)	Benzol	60	*Chloro-(5,5-dimethyl-3-oxo-1-cyclohexenyl)-bis-[triphenyl-phosphan]-palladium*	28	146	1
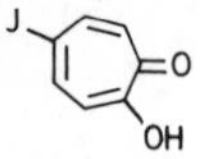 (Tropolon, J, O, OH)	Toluol	20	*Jodo-bis-[triphenylphosphan]-(5-tropolonyl)-palladium*	89	214	2
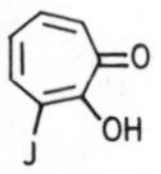 (Tropolon, O, OH, J)	Toluol	20	*Jodo-bis-[triphenylphosphan]-(3-tropolonyl)-palladium*	80	213	2
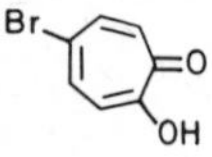 (Tropolon, Br, O, OH)	Toluol	20	*Bromo-bis-[triphenylphosphan]-(5-tropolonyl)-palladium*	53	186	2
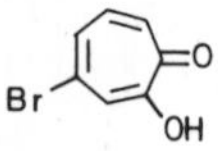 (Tropolon, O, OH, Br)	Toluol	20	*Bromo-bis-[triphenylphosphan]-(4-tropolonyl)-palladium*	69	210	2
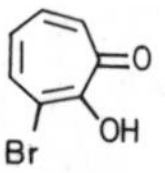 (Tropolon, O, OH, Br)	Toluol	20	*Bromo-bis-[triphenylphosphan]-(3-tropolonyl)-palladium*	89	218	2
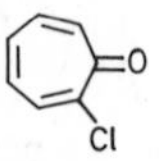 (Tropon, O, Cl)	Toluol	20	*Chloro-bis-[triphenylphosphan]-(2-troponyl)-palladium*	85	210	2

3. aus Palladium(0)-Verbindungen durch oxidative Addition von 1-Halogen-1-alkenen

Eine einfache Methode zur Bildung einer sp²-C–P-Bindung stellt die oxidative Addition von 1-Halogen-1-alkenen an Palladium(0)-Verbindungen dar. Zu einer Suspension der Palladium(0)-Verbindung, in der Regel Tetrakis-[tert.-phosphan]-palladium(0), in einem geeigneten Lösungsmittel (Benzol, Toluol, Aceton) wird unter Inertgas-Atmosphäre (z.B. Stickstoff) die äquimolare Menge 1-Halogen-1-alken gegeben und bei 20° oder unter Rückfluß gerührt. Die Addition erfolgt in *trans*-Stellung:

[1] M. Onishi, H. Yamamoto u. K. Hiraki, Bl. chem. Soc. Japan **51**, 1856 (1978).
[2] H. Horino, N. Inoue u. T. Asao, Tetrahedron Letters **22**, 741 (1981).

$$PdL_4 \; + \; \begin{array}{c} R^2 \\ R^1 \end{array}C{=}C\begin{array}{c} R^3 \\ X \end{array} \xrightarrow[-2\,L]{Solvens} \begin{array}{c} R^2 \\ R^1 \end{array}C{=}C\begin{array}{c} R^3 \\ \end{array}\begin{array}{c} L \\ Pd \\ L \quad X \end{array}$$

L, z.B.: $P(C_6H_5)_3$, $P(CH_3)(C_6H_5)_2$, $P(CH_3)_2(C_6H_5)$ etc.
X = Cl, Br
R^1, R^2, R^3 = H, Alkyl, Aryl, Halogen, CN, COOH, COOCH$_3$, CO–NH$_2$
Solvens = Benzol, Toluol, Aceton

Hergestellte 1-Alkenyl-palladium-Verbindungen, eingesetzte 1-Halogen-1-alkene, Lösungsmittel und Reaktionsbedingungen sind in Tab. 7 (S. 801) zusammengestellt. Eine allgemeine, häufig verwendete Arbeitsmethode (in Benzol) sowie ein spezielles Herstellungsverfahren (in Toluol) werden im folgenden beschrieben.

1-Alkenyl-halogeno-bis-[tert.-phosphan]-palladium-Verbindungen; allgemeine Arbeitsvorschrift[1]: Zu einer Suspension von Tetrakis-[tert.-phosphan]-palladium(0) in Benzol werden äquimolare Mengen 1-Halogen-1-alkene gegeben und 2 Stdn. unter Rückfluß gerührt (Stickstoff-Atmosphäre). Das Lösungsmittel wird abgezogen und der stabile Komplex wird aus Benzol umkristallisiert.

trans-Chloro-bis-[diphenyl-methyl-phosphan]-(trichlor-vinyl)-palladium[2]: 0,4 g Tetrakis-[diphenyl-methyl-phosphan]-palladium in 20 ml Toluol werden mit 3 ml Tetrachlor-ethen versetzt und bei 90° 1 Stde. erhitzt. Die hellgelbe Lösung wird filtriert und das Lösungsmittel am Rotationsverdampfer abgezogen. Das hellgelbe zurückbleibende Öl wird mit Petrolether (Kp: 40–60°) versetzt, wobei eine farblose Verbindung ausfällt. Umkristallisieren aus Dichlormethan-Ethanol ergibt farblose Kristalle; Ausbeute: 0,24 g (81%); F: 165°; IR $\nu_{C=C}$: 1535 cm^{-1}.

Gasförmige 1-Halogen-1-alkene werden bevorzugt durch Kondensieren bei $-196°$ im Carius-Gefäß mit dem vorgelegten Tetrakis-[tert.-phosphan]-palladium in Gegenwart von etwas tert.-Phosphan in Aceton umgesetzt.

Bromo-(trifluorvinyl)-bis-[triphenylphosphan]-palladium[3]: 1,6 g (10 mmol) Brom-trifluor-ethen werden bei $-196°$ in einem 200 ml Carius-Gefäß, das 1,15 g (1,0 mmol) Tetrakis-[triphenylphosphan]-palladium(0) und 0,53 g (2,0 mmol) Triphenylphosphan in 60 ml wasserfreiem Aceton enthält, kondensiert. Das Carius-Gefäß wird verschlossen, auf 70° gebracht und 100 Stdn. bei dieser Temp. gehalten. Danach werden die flüchtigen Bestandteile i. Vak. entfernt und das Ether-unlösliche Material an Florisil chromatographiert. Eluieren mit Dichlormethan ergibt hellgelbe Kristalle; Ausbeute: 0,63 g (80%); F: 230–231°.

Eine Variante der bisher beschriebenen Methoden besteht darin, von einer Suspension der Dichloro-bis-[tert.-phosphan]-palladium(II)-Verbindung auszugehen, diese in Gegenwart des 1-Halogen-1-alkens mit Hydrazin in Ethanol in die Palladium(0)-Verbindung zu überführen, die direkt mit dem Halogen-olefin zu dem gewünschten oxidativen Additionsprodukt weiterreagiert:

$$\begin{array}{c} Cl \quad L \\ Pd \\ L \quad Cl \end{array} \; + \; \begin{array}{c} H_5C_6 \\ H \end{array}C{=}C\begin{array}{c} H \\ Br \end{array} \xrightarrow[-2\,Cl^{\ominus}]{H_2N{-}NH_2 \cdot H_2O,\; H_5C_2{-}OH} \begin{array}{c} Br \quad L \\ Pd \\ L \end{array}\begin{array}{c} H \\ C{=}C \\ H \quad C_6H_5 \end{array}$$

L: $P(CH_3)_2(C_6H_5)$

Bromo-bis-[dimethyl-phenyl-phosphan]-(trans-2-phenyl-vinyl)-palladium[4]: 0,423 g (2.31 mmol) trans-β-Brom-styrol und dann 1,0 ml Hydrazin-Monohydrat werden zu einer Suspension von 0,920 g (2 mmol) Dichloro-bis-[dimethyl-phenyl-phosphan]-palladium(II) in 10 ml Ethanol gegeben. Ein Gas entwickelt sich und der Palladium-Komplex löst sich auf, wobei eine orangefarbene Lösung entsteht. Es wird kurz auf dem Wasserbad bei 50° erwärmt, dabei entsteht eine gelbe Lösung. Beim Abkühlen scheiden sich farblose Kristalle ab; Ausbeute: 0,336 g (29%).

[1] I. MORITANI, Y. FUJIWARA u. S. DANNO, J. Organometal. Chem. **27**, 279 (1971).
[2] B. F. G. JOHNSON, J. LEWIS et al., Soc. [Dalton] **1974**, 34.
[3] A. J. MUKHEDKAR, M. GREEN u. F. G. A. STONE, Soc. [A] **1969**, 3023.
[4] B. E. MANN, B. L. SHAW u. N. I. TUCKER, Soc. [A] **1971**, 2667.

Analog erhält man mit 1-Brom-2,2-diphenyl-ethen *Bromo-bis-[dimethyl-phenyl-phos-phan]-(2,2-diphenyl-vinyl)-palladium*[1].

4. durch Umlagerungen (unter Spaltung von Pd–C)

(Alkinyloxy-carbonyl)-palladium-Verbindungen enthalten eine Dreifachbindung im Molekül und sind zur internen Addition der C≡C-Dreifachbindung an Palladium und Umlagerung in die σ-1-Alkenyl-palladium-Verbindung befähigt[2]:

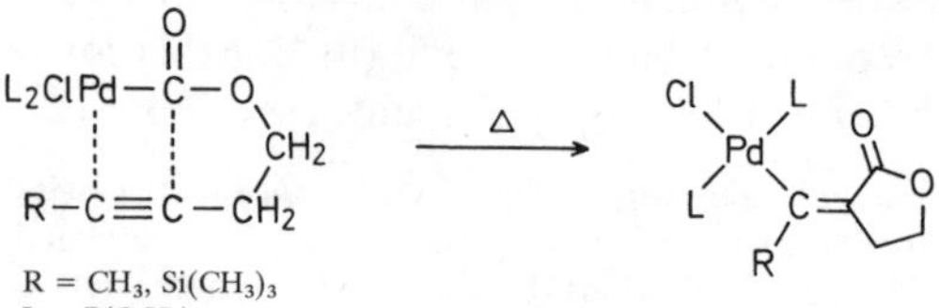

R = CH₃, Si(CH₃)₃
L = P(C₆H₅)₃

Chloro-[1-(2-oxo-tetrahydrofuran-3-yliden)-ethyl]-bis-[triphenylphosphan]-palladium[2]:　Eine Lösung von 0,97 mmol Chloro-[(3-pentinyloxy)-carbonyl]-bis-[triphenylphosphan]-palladium in 0,80 *ml* Xylol wird 30 Min. unter Rückfluß erhitzt und dann filtriert (alles unter Stickstoff). Zum Filtrat werden 200 *ml* Hexan gegeben. Der entstehende Niederschlag wird aus Dichlormethan-Hexan umkristallisiert; Ausbeute: 60%; IR *ν*: 1725, 1610 cm⁻¹.

Auf ähnliche Weise wird *Chloro-[trimethylsilyl-(2-oxo-tetrahydrofuran-2-yliden)-me-thyl]-bis-[triphenylphosphan]-palladium* (58%) erhalten[2].

5. aus π-Komplexen durch π→σ-Umwandlung

α)　aus π-Acetylen-Komplexen durch Addition von Elektrophilen an den π-gebundenen Liganden

π-Acetylen-Komplexe lassen sich durch Addition von Elektrophilen an den π-gebundenen Liganden in σ-Alkenyl-palladium-Verbindungen überführen; z.B.:

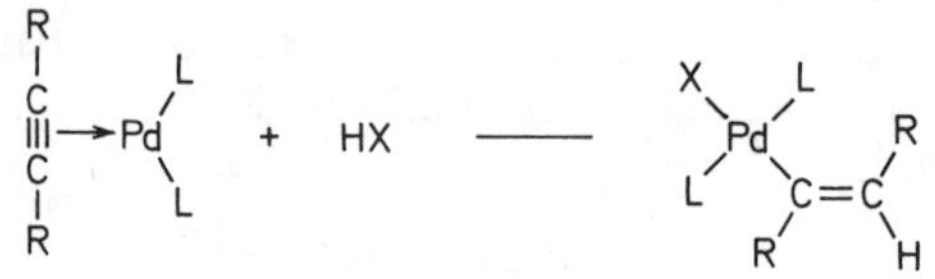

π-Komplexe des Palladiums wie (Hexafluor-2-butin)-bis-[triphenylphosphan]- bzw. (1,2-Bis-[diphenylphosphano]-ethan)-(hexafluor-2-butin)-palladium reagieren mit Tri-fluor- bzw. Trichloressigsäure zu den 1-Alkenyl-palladium-Verbindungen[3]:

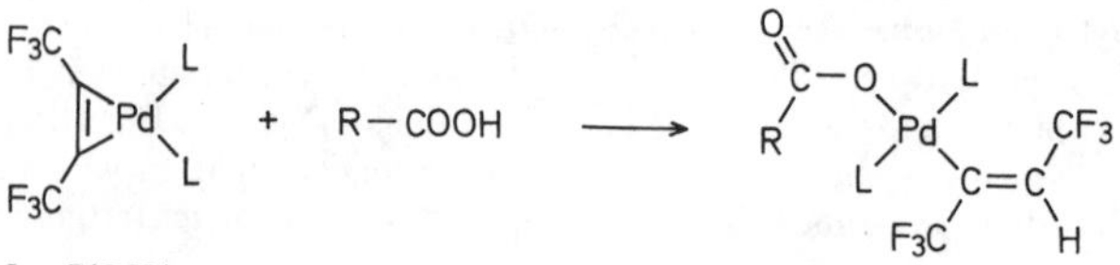

L = P(C₆H₅)₃
⌢L = (H₅C₆)₂P–CH₂–CH₂–P(C₆H₅)₂
R = CF₃, CCl₃

---

[1] B. E. MANN, B. L. SHAW u. N. I. TUCKER, Soc. [A] **1971**, 2667.
[2] T. F. MURRAY u. J. R. NORTON, Am. Soc. **101**, 4107 (1979).
[3] J. BURGESS, R. D. W. KEMMITT u. G. W. LITTLECOTT, J. Organometal. Chem. **56**, 405 (1973).

trans- (3,3,3-Trifluor-1-trifluormethyl-1-propenyl)- (trifluoracetato)- bis-[triphenylphosphan]-palladium[1]:
0,2 g (Hexafluor-2-butin)-bis-[triphenylphosphan]-palladium und 0,1 ml Trifluoressigsäure in 10 ml Chloroform werden 30 Min. geschüttelt. Petrolether (Kp: 100–120°) wird hinzugefügt und die Lösungsmittel i. Vak. entfernt. Es bleibt eine hellgelbe Festsubstanz zurück, die aus Dichlormethan/Hexan bei –78° umkristallisiert wird; Ausbeute: 0,2 g (91%); F: 165–169°; $\nu_{C=C}$: 1620 cm^{-1}.

Auf ähnliche Weise erhält man z. B.:

(Trichloracetato)-trans-(3,3,3-trifluor-1-trifluormethyl-1-propenyl)-bis-   54%; F: 105–108°
    [triphenylphosphan]-palladium

cis-(1,2-Bis-[diphenylphosphano]-ethan)-trans-(3,3,3-trifluor-1-trifluormethyl-   89%; F: 212–214°
    1-propenyl)-(trifluoracetato)-palladium

β) aus π-Komplexen durch Addition von Nucleophilen an das Metall

Diesen Reaktionstypus findet man bei der Reaktion von 1–3–η^3-Cyclobutenyl-palladium-Verbindungen mit Donoren. Trägt die 1–3–η^3-Cyclobutenyl-Gruppe einen *endo*-Phenyl-Substituenten, so unterliegen sie bei Zugabe von tert. Phosphanen in Dichlormethan bei 0° einer normalen Ringöffnung unter stereospezifischer Bildung der σ-1,3-Butadienyl-palladium-Verbindungen:

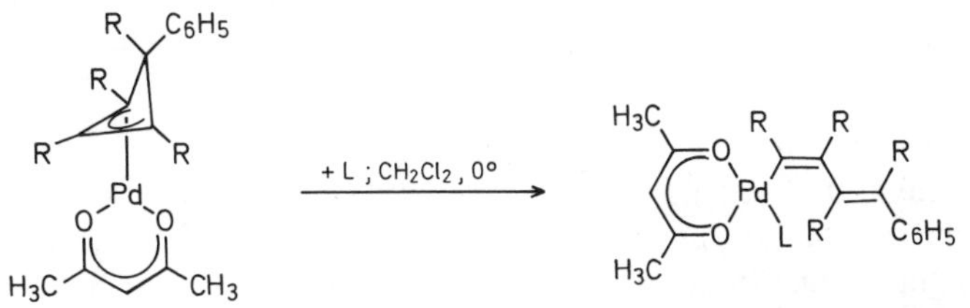

R = 4-CH$_3$–C$_6$H$_4$; L = P(CH$_3$)$_2$(C$_6$H$_5$); *(Dimethyl-phenyl-phosphan)-(2,4-pentandionato)-
(1,2,3,4-tetrakis-[4-methyl-phenyl]-4-phenyl-1,3-butadienyl)-palladium*[2,3]; 53%; F: >100°

Weitere Beispiele zeigt die folgende Umsetzung:

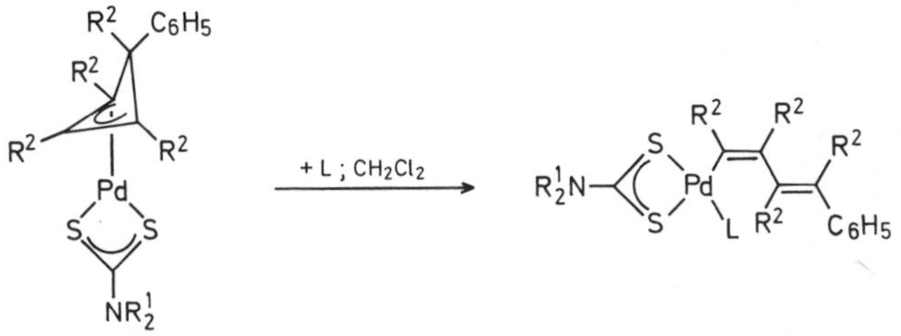

R^2 = 4-CH$_3$–C$_6$H$_4$
R^1 = CH$_3$; L = P(OCH$_3$)$_3$
R^1 = CH$_3$; L = P(C$_2$H$_5$)$_3$
R^1 = CH(CH$_3$)$_2$; L = P(CH$_3$)$_2$(C$_6$H$_5$)

(N,N-Diisopropyl-dithiocarbamato)-(dimethyl-phenyl-phosphan)-(1,2,3,4-tetrakis-[4-methyl-phenyl]-4-phenyl-1,3-butadienyl)-palladium[2]: 0,107 g (0,78 mmol) Dimethyl-phenyl-phosphan werden unter Rühren zu einer Lösung von 0,60 g (0,78 mmol) (N,N-Diisopropyl-dithiocarbamato)-(1-3-η^3-1,2,3,4-tetrakis-[4-methyl-phenyl]-4-*endo*-phenyl-cyclobutenyl)-palladium in 10 ml Dichlormethan bei 0° gegeben. Nach 15 Min. wird das Lösungsmittel i. Vak. entfernt und der Rückstand in Ether an Silikagel chromatographiert. Umkristallisieren aus Dichlormethan-Methanol ergibt gelbe Kristalle; Ausbeute: 0,56 g (71%); F: 165–175°.

---

[1] J. Burgess, R. D. W. Kemmitt u. G. W. Littlecott, J. Organometal. Chem. **56**, 405 (1973).
[2] S. H. Taylor u. P. M. Maitlis, Am. Soc. **100**, 4700 (1978).
[3] P. M. Bailey, S. H. Taylor u. P. M. Maitlis, Am. Soc. **100**, 4711 (1978); mit Röntgenstruktur.

Auf gleiche Weise erhält man

(N,N-Dimethyl-dithiocarbamato)-(1,2,3,4-tetrakis-[4-methyl-phenyl]-4-phenyl-1,3-butadienyl)-
(trimethoxyphosphan)-palladium　　　　　　　　　　　　　　　　　　65%; F: >180°
(N,N-Dimethyl-dithiocarbamato)-(1,2,3,4-tetrakis-[4-methyl-phenyl]-phenyl-1,3-butadienyl)-
(triethylphosphan)-palladium　　　　　　　　　　　　　　　　　　　51%; F: >180°

Beim Erhitzen der Dithiocarbamato-(1–3-η^3-cyclobutenyl)-palladium-Verbindungen in siedendem Chloroform ohne Donoren entstehen dagegen die *cis,cis*-isomeren σ,π-1,3-Butadienyl-palladium-Verbindungen; z.B.[1,2]:

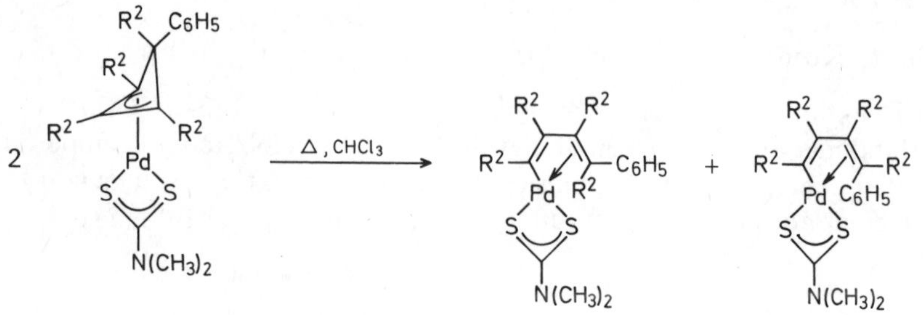

R²: 4-CH₃–C₆H₄; *(Dimethyldithiocarbamato)-(3,4-η^2-1,2,3,4-tetrakis-[4-methyl-phenyl]-*
4-phenyl-1,3-butadienyl)-palladium; 58%; F: >160°

Eine Ringöffnung tritt auch bei der Umsetzung von Di-μ-chloro-bis-[(η^4-tetraphenyl-cyclobutadien)-palladium] mit Malonsäure-diestern bzw. 2,5-Pentandion in Ether in Gegenwart von Natriumcarbonat ein (die Reaktion dürfte über die Stufe der 1–3-η^3- Cyclobutenyl-palladium-Verbindung verlaufen)[3,4]:

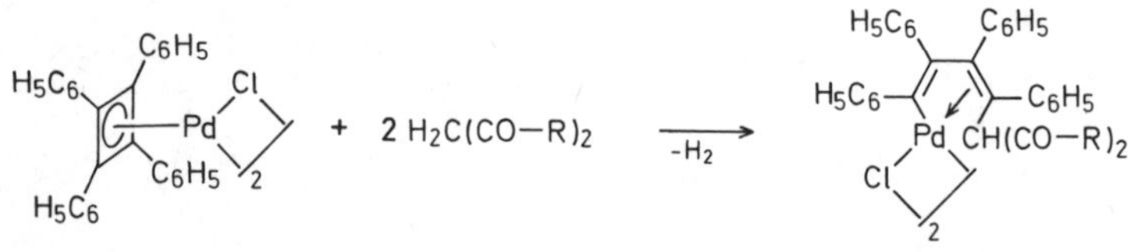

Di-μ-chloro-bis-[(3,4-η^2-. . . -palladium]
R = CH₃; . . . -*5-acetyl-6-oxo-1,2,3,4-tetraphenyl-1,3-heptadienyl)-*. . .
R = OCH₃; . . . -*5,5-dimethoxycarbonyl-1,2,3,4-tetraphenyl-1,3-*
pentadienyl)-. . .

Auch 1–3-η^3-Cyclobutenyl-palladium-Verbindungen mit *endo*-Methoxy- oder -Ethoxy-Substituenten ergeben Ringöffnungs-Reaktionen unter Bildung der entsprechenden σ-Butadienyl-palladium-Komplexe[5,6]:

---

[1] S.H. Taylor u. P.M. Maitlis, Am. Soc. **100**, 4700 (1978).
[2] P.M. Bailey, S.H. Taylor u. P.M. Maitlis, Am. Soc. **100**, 4711 (1978); mit Röntgenstruktur.
[3] H. Takahashi u. J. Tsuji, Am. Soc. **90**, 2387 (1968).
[4] Vergl. jedoch: P.M. Maitlis, *The Organic Chemistry of Palladium*, Vol. I, S. 168, Academic Press, New York London **1971**.
[5] J. Powell et al., Chem. Commun. **1975**, 369; mit Röntgenstruktur.
[6] T.R. Jack, C.J. May u. J. Powell, Am. Soc. **100**, 5057 (1978).

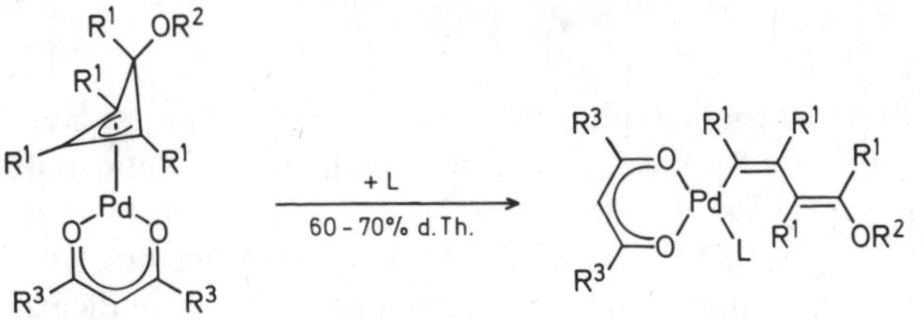

z. B.: L = P(CH$_3$)$_2$(C$_6$H$_5$); R^1 = C$_6$H$_5$; R^3 = CH$_3$; ... -(*dimethyl-phenyl-phosphan*)-*(2,4-pentandionato)-
palladium*[1]

R^2 = CH$_3$; *(4-Methoxy-1,2,3,4-tetraphenyl-1,3-butadienyl)*- ...; F: 109–110°

R^2 = C$_2$H$_5$; *(4-Ethoxy-1,2,3,4-tetraphenyl-1,3-butadienyl)*- ...; F: 143–145°

R^3 = CF$_3$; ... -(*dimethyl-phenyl-phosphan*)-*(1,1,1,5,5,5-hexafluor-
2,4-pentandionato)-palladium*

R^2 = CH$_3$; *(4-Methoxy-1,2,3,4-tetraphenyl-1,3-butadienyl)*- ...; F: 76–80°

R^2 = C$_2$H$_5$; *(4-Ethoxy-1,2,3,4-tetraphenyl-1,3-butadienyl)*- ...; F: 70–75°

6. aus anderen σ-C-Palladium-Verbindungen durch Reaktionen am Metall (Ringöffnungsreaktionen von Palladolen)

σ-1,3-Alkadienyl-palladium-Verbindungen lassen sich durch spezielle Ringöffnungsreaktionen von Palladolen erhalten. So reagiert 1,1-Bis-[triphenylphosphan]-2,3,4,5-tetramethoxycarbonyl-palladol mit Bromwasserstoff bzw. mit Trifluoressigsäure/Bromid zu *Bromo-(1,2,3,4-tetramethoxycarbonyl-1,3-butadienyl)-bis-[triphenylphosphan]-palladium*[2]:

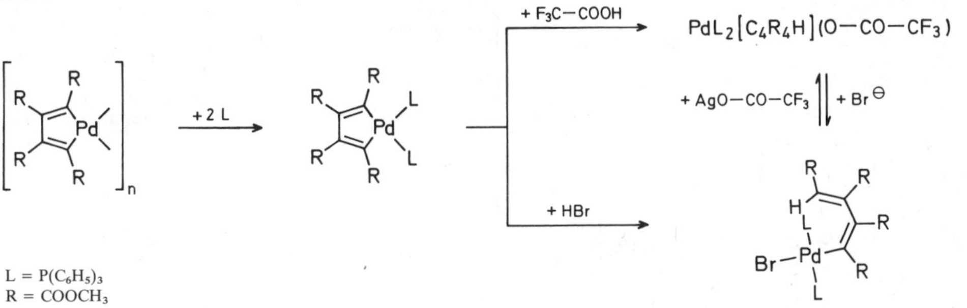

L = P(C$_6$H$_5$)$_3$
R = COOCH$_3$

Wird eine äquimolare Mischung von 1,1'-(2,2'-Bipyridyl)-2,3,4,5-tetramethoxycarbonyl-palladol und N,N-Dichlor-tert.-butyl- bzw. -(4-methyl-benzoyl)-amin in Benzol bei 20° 10 Stdn. gerührt, so erhält man *(2,2'-Bipyridyl)-chloro-(4-chlor-1,2,3,4-tetramethoxycarbonyl-1,3-butadienyl)-palladium* (64 bzw. 73%; F: 168–170°)[3]:

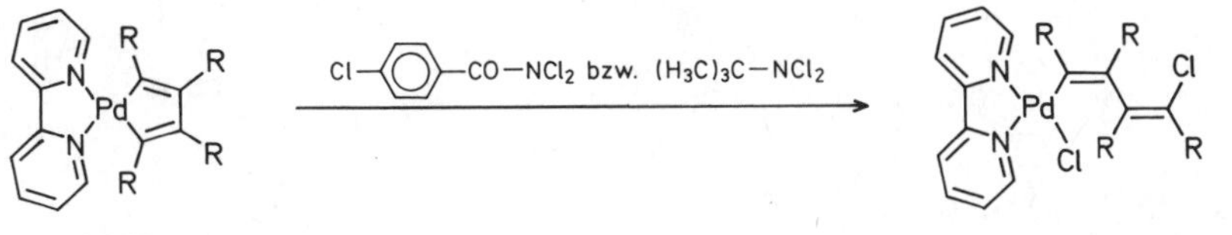

R = COOCH$_3$

Die Reaktion mit N,N-Dichlor-benzolsulfonamid und 4,N,N-Trichlor-benzamid ergibt ebenfalls substituierte 1,3-Butadienyl-palladium-Verbindungen (84 bzw. 57%)[3].

[1] T. R. JACK, C. J. MAY u. J. POWELL, Am. Soc. **100**, 5057 (1978).

[2] D. M. ROE, P. M. BAILEY, K. MOSELEY u. P. M. MAITLIS, Chem. Commun. **1972**, 1273; mit Röntgenstrukturanalyse.

[3] H. SUZUKI et al., Chem. Letters **1975**, 197.

d) Palladole

Von den vielfältigen Möglichkeiten Metallole herzustellen (s. Bd. XIII/9a), hat beim Palladium bisher nur eine Methode, die Umsetzung von π-Olefin-palladium-Verbindungen mit Acetylenen, zum Erfolg geführt. So kann *2,3,4,5-Tetramethoxycarbonyl-palladol* aus Bis-[3-oxo-1,5-diphenyl-1,4-pentadien]-palladium oder aus Tris-[3-oxo-1,5-diphenyl-1,4-pentadien]-dipalladium mit überschüssigem Acetylendicarbonsäure-dimethylester erhalten werden[1,2]:

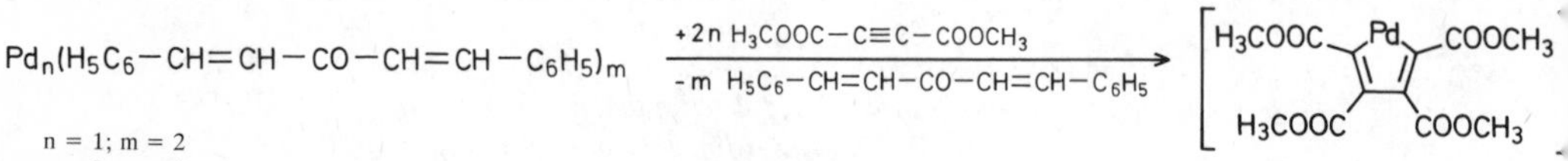

n = 1; m = 2
n = 2; m = 3

2,3,4,5-Tetramethoxycarbonyl-palladol[1]: 0,76 g (5,3 mmol) Acetylendicarbonsäure-dimethylester werden tropfenweise zu einer Suspension von 1 g (1,7 mmol) Bis-[3-oxo-1,5-diphenyl-1,4-pentadien]-palladium in 10 *ml* Aceton gegeben. Die so erhaltene Lösung wird 5 Min. auf 50° erwärmt, wobei sich ein gelber Niederschlag bildet. Die Lösung wird gekühlt und das Produkt abfiltriert; Ausbeute: 0,65 g (95%).

Die Verbindung ist in organischen Lösungsmitteln nur schlecht löslich.

Das schlecht lösliche polymere 2,3,4,5-Tetramethoxycarbonyl-palladol kann mit verschiedenen N-, P- und S-Donor-Liganden sowie mit Dienen in die leichter löslichen monomeren Palladole überführt werden[1–3]:

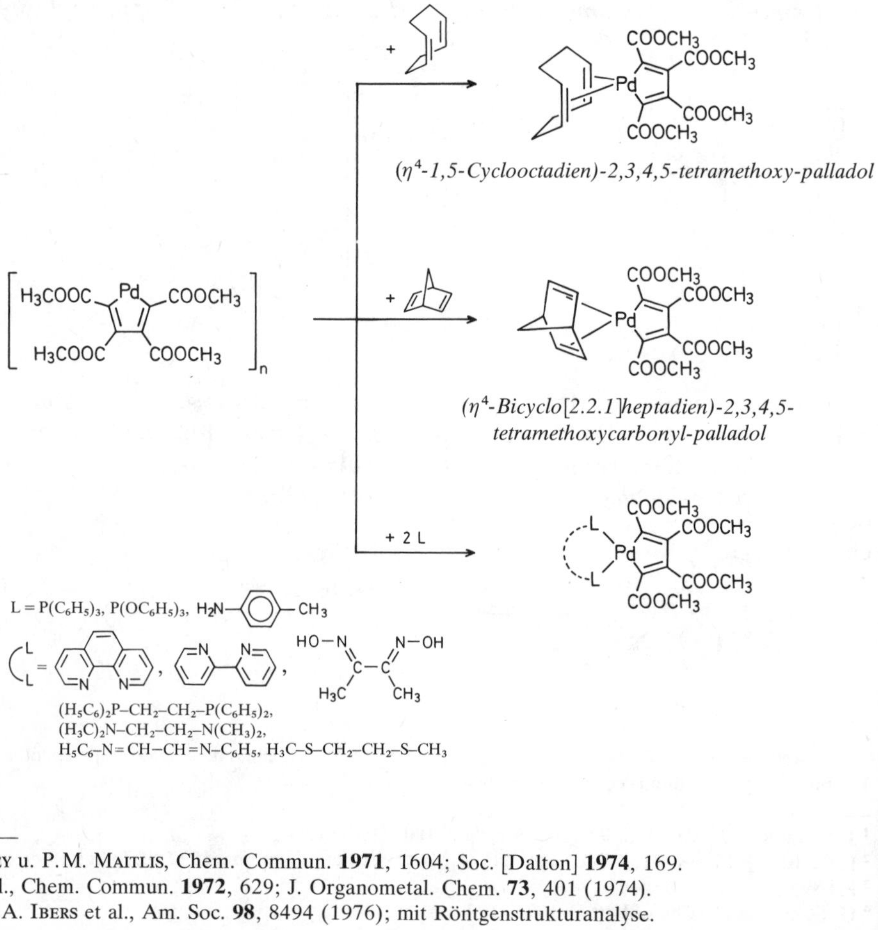

(η^4-1,5-Cyclooctadien)-2,3,4,5-tetramethoxy-palladol

(η^4-Bicyclo[2.2.1]heptadien)-2,3,4,5-tetramethoxycarbonyl-palladol

L = P(C_6H_5)_3, P(OC_6H_5)_3, H_2N—◯—CH_3

(H_5C_6)_2P–CH_2–CH_2–P(C_6H_5)_2,
(H_3C)_2N–CH_2–CH_2–N(CH_3)_2,
H_5C_6–N=CH–CH=N–C_6H_5, H_3C–S–CH_2–CH_2–S–CH_3

[1] K. MOSELEY u. P. M. MAITLIS, Chem. Commun. **1971**, 1604; Soc. [Dalton] **1974**, 169.
[2] T. ITO et al., Chem. Commun. **1972**, 629; J. Organometal. Chem. **73**, 401 (1974).
[3] K. ITOH, J. A. IBERS et al., Am. Soc. **98**, 8494 (1976); mit Röntgenstrukturanalyse.

Wird das polymere 2,3,4,5-Tetramethoxycarbonyl-palladol mit nur einem Äquivalent Pyridin, 2-Methyl-, 2,5- oder 2,6-Dimethyl-pyridin oder Triphenylphosphan umgesetzt, so entstehen dimere 2,3,4,5-Tetramethoxycarbonyl-palladol-Donor-Verbindungen (76–97%) folgender Struktur[1]:

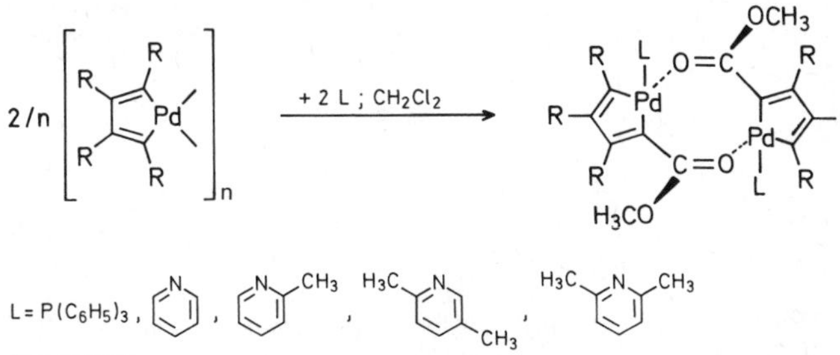

$$L = P(C_6H_5)_3,$$

$$R = COOCH_3$$

Bei der Bestrahlung von $(\eta^3$-Allyl)-$(\eta^5$-cyclopentadienyl)-palladium und Hexafluor-2-butin in Hexan bei 20° entsteht *(η^3-Allyl)-[η^5-cyclopentadienyl-2,3,4,5-tetramethoxy-carbonyl-palladol)]-palladium* (64%; F: 119–120°, Zers.)[2]:

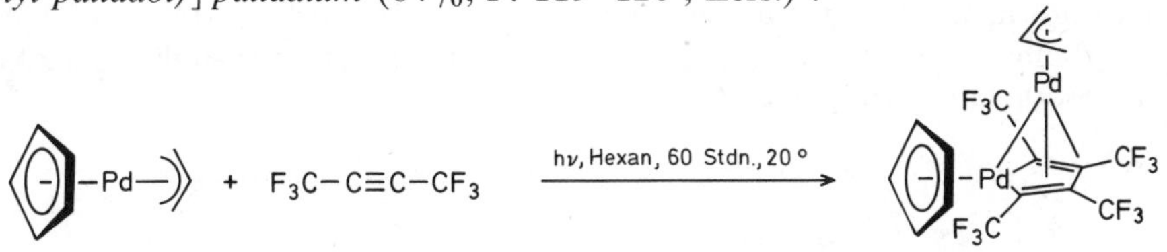

e) 1-Alkinyl-palladium(II)-Verbindungen

1. aus Halogeno-palladium-Verbindungen mit 1-Alkinyl-metall-Verbindungen durch nucleophile Substitution

Palladiumhalogenide können nach folgendem allgemeinen Schema alkyniliert werden:

$$X = Cl, Br, J, CN$$
$$M = MgX, Na, K. Li, Cu, Pd$$

Wird Dihalogeno-bis-[tert.-phosphan]-palladium mit 1-Alkinyl-magnesiumhalogeniden im Molverhältnis 1:2 in Ether unter Stickstoff umgesetzt, so erhält man die entsprechenden Bis-[alkinyl]-bis-[tert.-phosphan]-palladium-Verbindungen:

$$[(H_5C_2)_3P]_2PdX_2 + 2R{-}C{\equiv}C{-}MgX \xrightarrow[-2MgX_2]{} [(H_5C_2)_3P]_2Pd(C{\equiv}C{-}R)_2$$

z.B.: X = Cl; R = CF₃; *trans-Bis-[triethylphosphan]-bis-[trifluorpropinyl]-palladium*[3]; 43%; F: 95–97°
X = Br; R = C₆H₅; *trans-Bis-[triethylphosphan]-bis-[phenylethinyl]-palladium*[4]; 66%; F: 162–164° (Zers.)

[1] J.A. Ibers et al., Am. Soc. **100**, 8232 (1978).
[2] F.G.A. Stone et al., Soc. [Dalton] **1976**, 2044.
[3] F.G.A. Stone et al., Soc. [A] **1968**, 356.
[4] G. Calvin u. G.E. Coates, Chem. and Ind. **1958**, 160; Soc. **1960**, 2008.

Die Umsetzungen von Dihalogeno-bis-[tert.-phosphan]-palladium mit Natrium-acetyliden in flüssigem Ammoniak liefern in guten Ausbeuten die entsprechenden *trans*-Bis-[alkinyl]-bis-[tert.-phosphan]-palladium-Verbindungen[1]:

$$X-\underset{\underset{L}{|}}{\overset{\overset{L}{|}}{Pd}}-X \ + \ 2 \ Na-C\equiv C-R \ \xrightarrow[-2\,NaX]{} \ R-C\equiv C-\underset{\underset{L}{|}}{\overset{\overset{L}{|}}{Pd}}-C\equiv C-R$$

L = P(C₂H₅)₃, P(CH₃)₃, P(C₆H₅)₃
X = Cl, Br
R = CH₂F, C≡C–C₆H₅, C≡C–H, CH=CH₂, C₆H₅

L = P(C₂H₅)₃; R = CH₂F; *Bis-[3-fluor-1-propinyl]-bis-[triethylphosphan]-palladium*; F: 74–75°
          R = C≡C–C₆H₅; *Bis-[4-phenyl-1,3-butadiinyl]-bis-[triethylphosphan]-palladium;* F: 170°
                                                                  (Zers.)
          R = C≡CH *Bis-[1,3-butadiinyl]-bis-[triethylphosphan]-palladium;* F: 100° (Zers.)
L = P6CH₃)₃; R = CH = CH₂; *Bis-[3-buten-1-inyl]-bis-[trimethylphosphan]-palladium*; F: 110–112° (Zers.)
          R = C₆H₅; *Bis-[phenylethinyl]-bis-[trimethylphosphan]-palladium*; F: 160° (Zers.)
L = P(C₆H₅)₃; R = C₆H₅; *Bis-[phenylethinyl]-bis-[triphenylphosphan]-palladium;* F: 118–120° (Zers.)

cis-Bis-[1-alkinyl]-(1,2- bis-[diphenylphosphano]-ethan)-palladium-Verbindungen werden durch die Umsetzung von *cis*-Dichloro-(1,2-bis-[diphenylphosphano]-ethan)-palladium mit Natrium- oder Lithiumacetyliden in flüssigem Ammoniak oder Methylamin synthetisiert[2]:

$$\underset{\substack{H_5C_6 \\ \\ H_5C_6}}{\overset{\substack{H_5C_6 \\ \\ }}{}} \ + \ 2 \ M-C\equiv C-R \ \xrightarrow[-\,2\,MCl]{fl.\ NH_3\ od.\ H_3C-NH_2} $$

M = Na, Li
R = H, CH₃, C₆H₅

Alle Umsetzungen werden unter sorgfältigem Ausschluß von Luft und Feuchtigkeit und Verwendung wasserfreier Lösungsmittel unter Stickstoff-Atmosphäre durchgeführt.

Diethyl-(1,2-bis-[diphenylphosphano]-ethan)-palladium[2]: Eine Lösung von 0,642 g (1,11 mmol) Dichloro-(1,2- bis- [diphenylphosphano]-ethan)-palladium in 60 *ml* flüssigem Ammoniak wird mit einer filtrierten Lösung von 0,102 g (2,12 mmol) Natriumacetylid in 50 *ml* flüssigem Ammoniak versetzt. Der sofort gebildete eigelbe Niederschlag wird 10 Min. in siedendem Ammoniak gerührt, abfiltriert, 3mal mit je 40 *ml* flüssigem Ammoniak gewaschen und 15 Stdn. bei 20° i. Hochvak. getrocknet; braungelbes Pulver; Ausbeute: ~70%; IR ν_{C≡C}: 1966, 1952 cm⁻¹, ν_{H–C≡}: 3279 cm⁻¹.

Analog erhält man

(1,2-Bis-[diphenylphosphano]-ethan)-bis-[phenylethinyl]-palladium   70%; IR ν_{C≡C}: 2112, 2101 cm⁻¹
(1,2-Bis-[diphenylphosphano]-ethan)-bis-[1-propinyl]-palladium   30%; IR ν_{C≡C}: 2125, 2110 cm⁻¹

Durch Umsetzung von Chloro-hydrido-bis-[triphenylphosphan]-palladium mit Natriumacetyliden in flüssigem Ammoniak erhält man substituierte *Ethinyl-hydrido-bis-[triphenylphosphan]-palladium*-Verbindungen in Ausbeuten von 80–90% (s. S. 814)[3]:

$$[(H_5C_6)_3P]_2\underset{\underset{Cl}{}}{\overset{\overset{H}{}}{Pd}} \ + \ Na-C\equiv C-R \ \xrightarrow[-\,NaCl]{fl.\ NH_3} \ [(H_5C_6)_3P]_2Pd$$

---

[1] H. MASAI, K. SONOGASHIRA u. N. HAGIHARA, J. Organometal. Chem. **26**, 271 (1971).
[2] R. NAST, H. P. MÜLLER u. V. PANK, B. **111**, 1627 (1978).
[3] G. A. CHUKHADZHYAN, Z. K. EVOYAN u. L. N. MELKONYAN, Ž. obšč. Chim. **45**, 1114 (1975); engl.: 1096.

Auch Umsetzungen mit Lithiumacetyleniden sind bekannt:

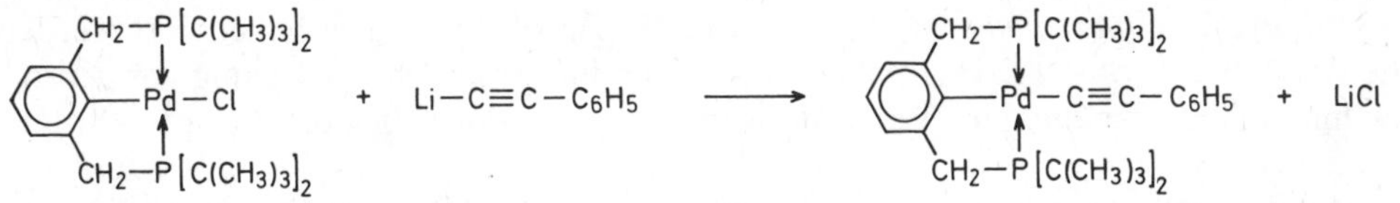

(2,6-Bis-[di-tert.-butylphosphano-methyl]-phenyl)-(phenylethinyl)-palladium[1]: (2,6-Bis-[di-tert.-butyl-phosphano-methyl]-phenyl)-chloro-palladium wird zu einer Mischung aus 0,09 g (0,87 mmol) Phenylacetylen, 0,87 mmol (in 0,47 *ml* Hexan) Butyllithium und 2 *ml* abs. Benzol gegeben. Die Mischung wird 4 Stdn. am Rückfluß gehalten, gekühlt, Wasser zugefügt und das Produkt mit Benzol isoliert; Ausbeute: 0,22 g (93%); F: 267–273° (Zers.); IR $\nu_{C\equiv C}$: 2095 cm^{-1}.

Eine Kupferjodid-katalysierte Dehydrohalogenierung bei der Umsetzung von Acetylenen mit Palladiumhalogeniden in Gegenwart von sekundären Aminen verläuft über die intermediäre Bildung von Kupferacetyliden[2-5]:

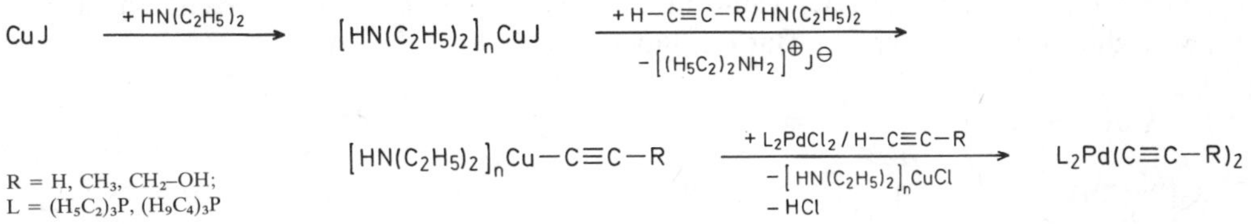

Bis-[alkinyl]-bis-[triethylphosphan]-palladium; allgemeine Arbeitsvorschrift[2]: 2 mmol des Acetylens werden entweder direkt (3-Hydroxy-1-propin) zugefügt oder gasförmig (Acetylen, Propin) eingeleitet in 40 *ml* einer Diethylamin-Lösung von 1 mmol des Dichloro-bis-[triethylphosphan]-palladiums und 0,01 mmol des Kupferjodids unter Stickstoff. Es wird 30 Min. bei 20° gerührt. Das Lösungsmittel wird abgezogen, Wasser zu dem trockenen Rückstand gegeben und die Mischung mit Benzol extrahiert. Nach Chromatographie der benzolischen Lösungen an Aluminiumoxid und Umkristallisieren erhält man die Verbindungen in 70–87%iger Ausbeute.

Wird *trans*-Bis-[1,3-butadiinyl]-bis-[tributylphosphan]-palladium mit *trans*-Dichloro-bis-[tributylphosphan]-palladium bei 20° in Diethylamin in Gegenwart katalytischer Mengen Kupferjodid umgesetzt, so erhält man *Poly-(1,3-butadiin-1,4-diyl)-poly-[bis-(tributylphosphan)-palladium]*[4] (85%; F: 153°, Zers.; $\nu_{C\equiv C}$: 1978 cm^{-1}:

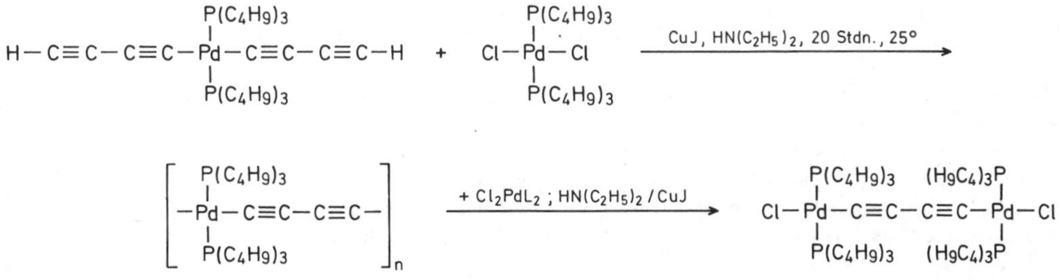

---

[1] C.J. MOULTON u. B.L. SHAW, Soc. [Dalton] **1976**, 1020.
[2] N. HAGIHARA et al., Chem. Commun. **1977**, 291.
[3] K. SONOGASHIRA, Y. TOHDA u. N. HAGIHARA, Tetrahedron Letters **1975**, 4467.
[4] N. HAGIHARA et al., J. Organometal. Chem. **160**, 319 (1978).
[5] Y. FUJIKURA, K. SONOGASHIRA u. N. HAGIHARA, Chem. Lett. **1975**, 1067.

Der polymere Palladium-Komplex kann durch Zugabe von Dichloro-bis-[tributylphos-phan]-palladium in Diethylamin unter Zusatz von wenig Kupferjodid zu *1,4-Bis-[chloro-bis-(tributylphosphan)-palladio]-1,3-butadiin* (90%; F: 102°) depolymerisiert werden[1]. Die Herstellung von 1-Alkinyl-palladium-Verbindungen durch Umsetzung von Acetyle-nen mit Halogeno-palladium-Verbindungen gelingen jedoch auch ohne Kupfer-Katalyse (s.S. 814).

1-Alkinyl-palladium-Verbindungen können auch als Alkinylierungs-Reagens einge-setzt werden; z.B.[1]:

$$H_5C_6-C\equiv C-\underset{\underset{P(C_4H_9)_3}{|}}{\overset{\overset{P(C_4H_9)_3}{|}}{Pd}}-C\equiv C-C_6H_5 \quad + \quad Cl-\underset{\underset{P(C_4H_9)_3}{|}}{\overset{\overset{P(C_4H_9)_3}{|}}{Pd}}-Cl \quad \xrightarrow[\text{30 Min., 25°}]{\text{CuJ, HN(C}_2\text{H}_5)_2} \quad 2\ H_5C_6-C\equiv C-\underset{\underset{P(C_4H_9)_3}{|}}{\overset{\overset{P(C_4H_9)_3}{|}}{Pd}}-Cl$$

Chloro-(phenylethinyl)-bis-[tributylphosphan]-palladium; 90%

Komplexe Acetylide von Palladium erhält man aus Lösungen von Kalium-tetracyano-palladat(II) bzw. Palladium(II)-cyanid in flüssigem Ammoniak mit überschüssigem Ka-liumacetylid und Ausfällen mit Bariumthiocyanat[1]:

$$K_2[Pd(CN)_4] \quad + \quad 2\,K-C\equiv C-R \quad \xrightarrow[-2\,KCN]{} \quad K_2[Pd(CN)_2(C\equiv C-R)_2]$$

$$K_2[Pd(CN)_2(C\equiv C-R)_2] \quad + \quad Ba(SCN)_2 \quad \xrightarrow[-2\,KSCN]{} \quad Ba[Pd(CN)_2(C\equiv C-R)_2]$$

R = H, C$_6$H$_5$

Barium-[dicyano-bis-(phenylethinyl)-palladat(II)][2]: Zu einer Lösung von 0,435 g (1,5 mmol) Kalium-tetra-cyanopalladat(II) in 80 *ml* flüssigem Ammoniak werden im Ammoniak-Gegenstrom 0,980 g (7 mmol) festes Phenylethinyl-kalium gegeben und die filtrierte Lösung mit 0,253 g (1 mmol) Bariumthiocyanat in 40 *ml* flüssi-gem Ammoniak versetzt, wobei augenblicklich der farblose Komplex ausfällt. Nach Filtrieren, 4- bis 5maligem Waschen mit je 50–60 *ml* Ammoniak wird 2 Stdn. bei 20° i.Hochvak.getrocknet; Ausbeute: 0,373 g (75%).

Analog erhält man *Barium-[bis-(ethinyl)-dicyano-palladat(II)]* (80%)[2].

σ-Acetylide von Palladium können auch durch Umsetzung von Dicyano-(1,2-diamino-ethan)-palladium mit Kaliumacetyliden hergestellt werden:

$$\underset{\underset{H_2}{\overset{H_2}{|}}}{\overset{}{}}\begin{matrix}N\\Pd\\N\end{matrix}\begin{matrix}CN\\CN\end{matrix} \quad + \quad 4\,K-C\equiv C-CH_2-\underset{\underset{R}{|}}{\overset{\overset{R}{|}}{C}}-CN \quad \xrightarrow[-2\,KCN]{} \quad K_2\left[Pd(C\equiv C-CH_2-\underset{\underset{R}{|}}{\overset{\overset{R}{|}}{C}}-CN)_4\right]$$

R = CH$_3$, C$_6$H$_5$

Kalium-[tetrakis-(4-cyan-4,4-diphenyl-1-butinyl)-palladat(II)][3]: Eine Lösung von 0,38 g (1,74 mmol) Di-cyano-(1,2-diamino-ethan)-palladium in flüssigem Ammoniak wird zu einer Lösung von 1,78 g (6,96 mmol) 4-Cyan-4,4-diphenyl-1-butinyl-kalium gegeben in einem Gefäß, das mit einer G4-Fritte ausgerüstet ist. Nach 48 Stdn. bei −70° wird das gelborange Pulver abfiltrier.

Das Produkt ist diamagnetisch, luftstabil und zersetzt sich erst ab 150°.

Analog wird *Kalium-[tetrakis-(4-cyan-4,4-dimethyl-1-butinyl)-palladat(II)]* erhalten[3].

---

[1] N. HAGIHARA et al., J. Organometal. Chem. **160**, 319 (1978).
[2] R. NAST u. W. HÖRL, B. **95**, 1470 (1962).
[3] V. MORENO et al., Inorg. Chim. Acta **31**, 165 (1978).

2. aus Halogeno-palladium-Verbindungen mit 1-Alkinen unter Halogenwasser-stoff-Abspaltung

Eine Pd–sp–C-Bindungsknüpfung ist auch möglich durch intermolekulare Halogenwas-serstoff-Abspaltung zwischen Halogeno-palladium-Verbindungen und monosubstituier-ten Acetylenen. Die Reaktion wird in flüssigem Ammoniak durchgeführt.

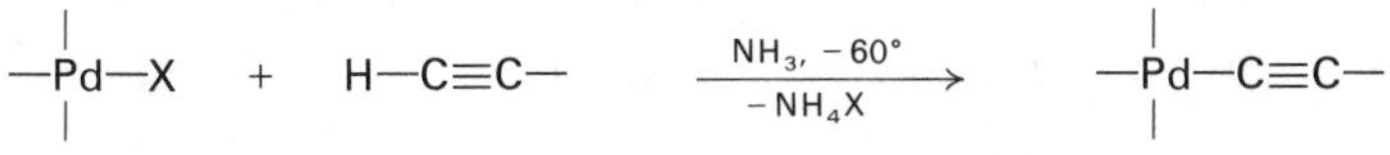

$$\overset{\mid}{\underset{\mid}{-}}Pd-X \quad + \quad H-C\equiv C- \quad \xrightarrow[-NH_4X]{NH_3,\,-60°} \quad \overset{\mid}{\underset{\mid}{-}}Pd-C\equiv C-$$

X = Cl, Br, J

Durch Umsetzung von Verbindungen des Typs *trans*-Dihalogeno-bis-[triethylphos-phan]-palladium mit Lösungen von 1,2-Bis-[ethinyl]-benzol in flüssigem Ammoniak wer-den *trans*-[(2-Ethinyl-phenyl)-ethinyl]-chloro(bzw. *-bromo-;* bzw. *-jodo)-bis-[triethyl-phosphan]-palladium* hergestellt[1]:

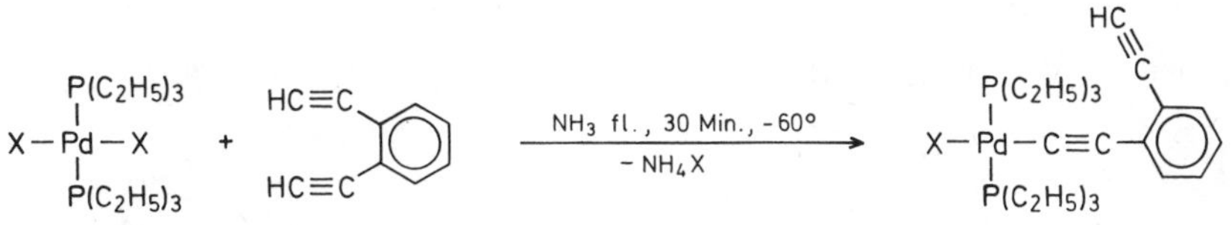

X = Cl, Br, J

trans-[(2-Ethinyl-phenyl)-ethinyl]-chloro-bis-[triethylphosphan]-palladium[1]:   0,813 g (1,96 mmol) *trans*-Dichloro-bis-[triethylphosphan]-palladium werden im Stickstoff-Gegenstrom in 50 *ml* flüssiges Ammoniak (−60°) eingebracht und hierzu 0,25 *ml* (1,94 mmol) 1,2-Diethinyl-benzol pipettiert. Unter ständigem Rühren wird das Reaktionsgemisch ~ 30 Min. am Sieden gehalten und die Lösung zur Trockne eingedampft. Der Rück-stand wird 2mal mit je 30 *ml* Benzol (30°) extrahiert, vom Unlöslichen abfiltriert, das Filtrat bei 30° i. Vak. zur Trockne eingeengt und der Rückstand aus 30 *ml* Ether bei −30° umkristallisiert; Ausbeute: 0,739 g (75%); F: 109–110° (Zers.).

Analog erhält man

[*(2-Ethinyl-phenyl)-ethinyl]-bromo-bis-[triethylphosphan]-palladium*   66%; F: 115–117°
[*(2-Ethinyl-phenyl)-ethinyl]-jodo-bis-[triethylphosphan]-palladium*   40%; F: 92–94° (Zers.)

Dichloro-(1,2-bis-[diphenylphosphano]-ethan)-palladium reagiert mit 1,2-Bis-[ethin-yl]-benzol in flüssigem Ammoniak zu [*(2-Ethinyl-phenyl)-ethinyl]-(1,2-bis-[diphenyl-phosphano]-ethan)-chloro-palladium* (95%.; F >240°, Zers.)[2]:

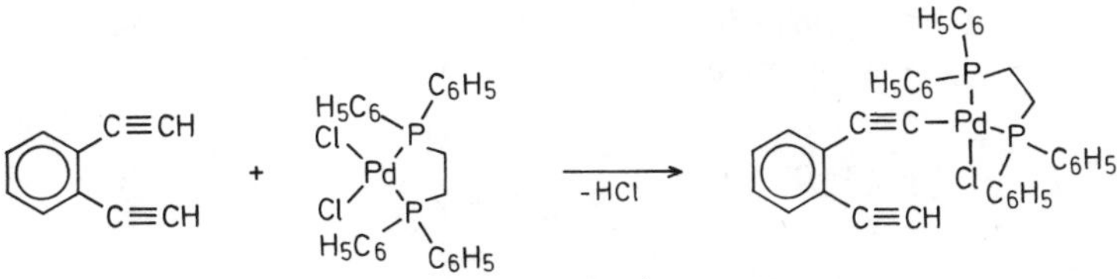

[1] R. Nast u. V. Pank, J. Organometal. Chem. **129**, 265 (1977); mit Röntgenstrukturanalyse.
[2] R. Nast, H. P. Müller u. V. Pank, B. **111**, 1627 (1978).

3. aus Palladium(0)-Verbindungen durch oxidative Addition

α) von 1-Alkinen

Die oxidative Addition monosubstituierter Acetylene an Palladium(0)-Verbindungen liefert je nach dem eingesetzten Molverhältnis Alkinyl-hydrido-[1] bzw. Bis-[alkinyl]-bis-[tert.-phosphan]-palladium[2]:

$$Pd\left[P(C_6H_5)_3\right]_4 \; + \; H{-}C{\equiv}C{-}R \quad \xrightarrow[-2\,P(C_6H_5)_3]{} \quad (H_5C_6)_3P{-}\overset{\overset{\displaystyle P(C_6H_5)_3}{|}}{\underset{\underset{\displaystyle H}{|}}{Pd}}{-}C{\equiv}C{-}R$$

R = C$_6$H$_5$, C$_4$H$_9$, C(CH$_3$)$_3$, –C(CH$_3$)=CH$_2$

$$Pd\left[P(C_6H_5)_3\right]_4 \; + \; 2\,R{-}C{\equiv}C{-}H \quad \xrightarrow[-2\,P(C_6H_5)_3\,/\,-H_2]{} \quad R{-}C{\equiv}C{-}\overset{\overset{\displaystyle P(C_6H_5)_3}{|}}{\underset{\underset{\displaystyle P(C_6H_5)_3}{|}}{Pd}}{-}C{\equiv}C{-}R$$

$$PdL_2(H_2C{=}CH_2) \; + \; 2\,R{-}C{\equiv}C{-}H \quad \xrightarrow[\substack{-H_2C=CH_2 \\ -H_2}]{} \quad R{-}C{\equiv}C{-}\overset{\overset{\displaystyle L}{|}}{\underset{\underset{\displaystyle L}{|}}{Pd}}{-}C{\equiv}C{-}R$$

Alkinyl-hydrido-bis-[triphenylphosphan]-palladium; allgemeine Arbeitsvorschrift[1]: Unter Stickstoff werden 0,46 g Tetrakis-[triphenylphosphan]-palladium(0), 0,5 ml des Acetylens und 40 ml Benzol gemischt. Nach 2 Stdn. Rückfluß wird das Lösungsmittel i. Vak. entfernt, der harzartige Rückstand mit 10 bis 15 ml Heptan gerührt, der Niederschlag abfiltriert, mit Äther gewaschen und getrocknet.

Auf diese Art erhält man u.a.

Hydrido-(phenylethinyl)-bis-[triphenylphosphan]-palladium	90%	(90%)[a];	F: 100°
(1-Hexinyl)-hydrido-bis-[triphenylphosphan]-palladium	60%	(80%)[a];	F: 108°
(3,3-Dimethyl-1-butinyl)-hydrido-bis-[triphenylphosphan]-palladium	70%	(85%)[a];	F: 98°
Hydrido-(3-methyl-3-buten-1-inyl)-bis-[triphenylphosphan]-palladium	55%	(80%)[a];	F: 96°

[a] Nach der Natriumacetylid-Methode (vgl. S. 810)

Die Umsetzungen von Palladium(0)-Verbindungen mit einem Überschuß an monosubstituierten Acetylenen führen zu Bis-[alkinyl]-palladium-Verbindungen. Vier verschiedene Methoden sind möglich[2].

Methode ①: Tetrakis-[triphenylphosphan]-palladium(0) wird direkt mit überschüssigem Acetylen umgesetzt:

$$Pd[P(C_6H_5)_3]_4 \; + \; 2\,R{-}C{\equiv}CH \quad \xrightarrow[\substack{-2\,(H_5C_6)_3P \\ -H_2}]{\substack{C_6H_6,\ H_3C-OH \\ N_2,\ 20°}} \quad [(H_5C_6)_3P]_2Pd(C{\equiv}C{-}R)_2$$

Methode ②: Dichloro-bis-[triphenylphosphan]-palladium(II) wird mit überschüssigem Triphenylphosphan und Natriumboranat in die Palladium(0)-Verbindung überführt, die dann mit dem Acetylen reagiert:

$$PdCl_2[P(C_6H_5)_3]_2 \quad \xrightarrow[\substack{2.\ +2\ HC\equiv C-R}]{\substack{1.\ +NaBH_4/(H_5C_6)_3P}} \quad [(H_5C_6)_3P]_2Pd(C{\equiv}C{-}R)_2$$

[1] G. A. Chukhadzhyan, Z. K. Evoyan u. L. N. Melkonyan, Ž. obšč. Chim. **45**, 1114 (1975); engl.: 1096.
[2] J. H. Nelson et al., Inorg. Chem. **13**, 27 (1974).

Methode ③: Mit Bis-[2,4-pentandionato]-palladium(II); sonst wie Methode ②:

$$H_3C \quad CH_3 \qquad \xrightarrow{+ 2\ P(C_6H_5)_3 / 2\ R-C\equiv CH;\ Na[BH_4]} \qquad [(H_5C_6)_3P]_2 Pd(C\equiv C-R)_2$$

Methode ④: Als Palladium(0)-Verbindung wird (η^2-Ethen)-bis-[triphenylphosphan]-palladium(0) eingesetzt:

$$[(H_5C_6)_3P]_2 Pd(H_2C=CH_2) \ + \ 2\ R-C\equiv C-H \quad \xrightarrow[-\ H_2C=CH_2]{-\ H_2} \quad [(H_5C_6)_3P]_2 Pd(C\equiv C-R)_2$$

Am einfachsten ist Methode ②, die besten Ausbeuten liefert Methode ④. In Tab. 8 (S. 816) sind so hergestellte Verbindungen zusammengestellt.

Bis-[(1-hydroxy-cyclopentyl)-ethinyl]-bis-[triphenylphosphan]-palladium:
Methode ④[1]: Zu 0,45 g (0,685 mmol) (η^2-Ethen)-bis-[triphenylphosphan]-palladium(0), frisch hergestellt unter Stickstoff[2] und mit 50 ml abs. Ether unter Stickstoff gewaschen, werden 25 ml abs. Benzol, 5 ml abs. Ethanol und 2,266 g (20,6 mmol) 1-Ethinyl-1-hydroxy-cyclopentan bei 0° gegeben. Die sich ergebende dunkelrote Lösung läßt man langsam unter Stickstoff auf 20° kommen. Nach 24 Stdn. ist die Lösung fast farblos und enthält farblose Kristalle. Es wird filtriert und das Produkt mit 10 ml abs. Ethanol und 50 ml abs. Ether gewaschen. Nach Auflösen in sehr wenig Dichlormethan, Abfiltrieren von Spuren Palladium, Einengen, wird die Verbindung mit abs. Ether ausgefällt; Ausbeute: 0,35 g (60%); F: 160–163° (Zers.).
Methode ②[1]: Zu einer Suspension von 0,30 g (0,427 mmol) *trans*-Dichloro-bis-[triphenylphosphan]-palladium(II) und 0,35 g (1,34 mmol) Triphenylphosphan in 50 ml abs. Benzol wird eine Lösung zugefügt, die 0,22 g (1,6 mmol) 1-Ethinyl-1-hydroxy-cyclopentan in 15 ml abs. Ethanol enthält. Zu dieser Suspension wird unter heftigem Rühren portionsweise 0,1 g (2,56 mmol) Natriumboranat zugegeben. Sofortiges Aufschäumen wird bei Zugabe des Natriumboranats beobachtet, und die gelbe Suspension hellt allmählich auf. Die Lösung wird unter Luft weiter gerührt, bis die Gasentwicklung aufhört. Dann wird das Gefäß verschlossen und weitere 48 Stdn. gerührt. Das farblose kristalline Produkt, das sich aus der farblosen Lösung abscheidet, wird abfiltriert und mit 50 ml abs. Ethanol und 50 ml abs. Ether gewaschen. Dann wird der Niederschlag in 75 ml Dichlormethan gelöst, filtriert, das Filtrat fast zur Trockne eingeengt und 30 ml abs. Ether zugefügt; Ausbeute: 0,120 g (33%); F: 163–166° (Zers.).

β) von 1-Halogen-1-alkinen

Die oxidative Addition von 1-Brom- bzw. 1-Chlor-2-phenyl-acetylen an Tetrakis-[triphenylphosphan]-palladium in siedendem Benzol oder in absolutem Ether bei 20° liefert *Bromo*- (85%; F: 157–162°, Zers.)[3, 4] bzw. *Chloro-(phenylethinyl)-bis-[triphenylphosphan]-palladium*[3]:

$$Pd[P(C_6H_5)_3]_4 \ + \ X-C\equiv C-C_6H_5 \quad \xrightarrow{-2\ P(C_6H_5)_3} \quad X-\underset{\underset{P(C_6H_5)_3}{|}}{\overset{\overset{P(C_6H_5)_3}{|}}{Pd}}-C\equiv C-C_6H_5$$

X = Cl, Br

Chloro-(phenylethinyl)-bis-[triphenylphosphan]-palladium[3]: 0,38 g (0,33 mmol) Tetrakis-[triphenylphosphan]-palladium und ein Überschuß an Chlor-phenyl-ethin werden als Suspension in abs. Diethylether unter Stickstoff bei 20° gerührt. Nach 24 Stdn. wird das hellgelbe Produkt abfiltriert, mit Diethylether gewaschen und i. Vak. getrocknet; Ausbeute: 0,2 g (80%); F: 149–157° (Zers.); IR$\nu_{C\equiv C}$: 2125 cm^{-1}, ν_{Pd-Cl}: 331 cm^{-1}.

---

[1] J.H. NELSON et al., Inorg. Chem. **13**, 27 (1974).
[2] R. VAN DER LINDE u. R.O. JONGH, Chem. Commun. **1971**, 563.
[3] R.D.W. KEMMITT et al., Soc. [Dalton] **1978**, 1577.
[4] G.A. CHUKHADZHYAN, Z.K. EVOYAN u. L.N. MELKONYAN, Ž. obšč. Chim. **45**, 1114 (1975); engl.: 1096.

Tab. 8: Bis[ethinyl]-bis-[tert.-phosphan]-palladium durch oxidative Addition[1]

Ligand L	Alkin	Verbindung	F[°C] (Zers.)	Methoden (s.S. 814, 815)
P(C₆H₅)₃	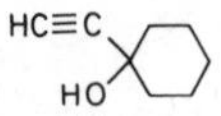 HC≡C, HO (cyclohexyl)	Bis-[(1-hydroxy-cyclohexyl)-ethinyl]-bis-[triphenylphosphan]-palladium	155–157	①–④
	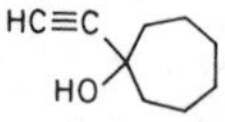 HC≡C, HO (cycloheptyl)	Bis-[(1-hydroxy-cycloheptyl)-ethinyl]-bis-[triphenylphosphan]-palladium	126–128	①–③
	HC≡C—C(C₆H₅)(C₆H₅)—OH	Bis-[3,3-diphenyl-3-hydroxy-1-propinyl]-bis-[triphenylphosphan]-palladium	161–164	①–③
	HC≡C—C(CH₃)(CH₃)—OH	Bis-[3-hydroxy-3-methyl-1-butinyl]-bis-[triphenylphosphan]-palladium	144–146	①–④
	HC≡C—C(CH₃)(C₂H₅)—OH	Bis-[3-hydroxy-3-methyl-1-pentinyl]-bis-[triphenylphosphan]-palladium	147–149	①–④
	HC≡C—C(CH₃)(C₆H₅)—OH	Bis-[3-hydroxy-3-phenyl-1-butinyl]-bis-[triphenylphosphan]-palladium	148–150	①–③
	HC≡C–C₆H₅	Bis-[phenylethinyl]-bis-[triphenylphosphan]-palladium	145–147	①–④
(H₃C)₂P–C₆H₅	HC≡C–C₆H₅	Bis-[dimethyl-phenyl-phosphan]-bis-[phenylethinyl]-palladium	137–141	④

4. aus σ–C-Palladium-Verbindungen mit 1-Alkinen unter Kohlenwasserstoff-Abspaltung

Wird Dimethyl-bis-[triethylphosphan]-palladium mit überschüssigem (4-Nitro-phenyl-(ethin) (Molverhältnis 1:4) in Benzol bei 20° umgesetzt (2 Tage), so erhält man *Bis-[(4-nitro-phenyl)-ethinyl]-bis-[triethylphosphan]-palladium* (F: 123–125°, Zers.)[2]:

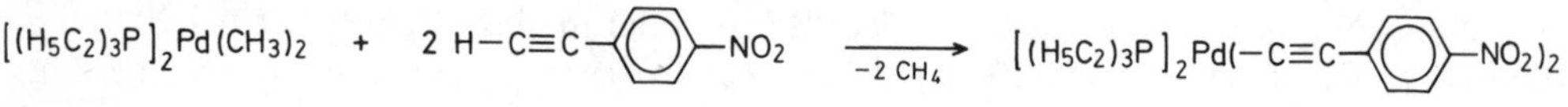

$$[(H_5C_2)_3P]_2Pd(CH_3)_2 + 2\ H{-}C{\equiv}C{-}\langle\bigcirc\rangle{-}NO_2 \xrightarrow[-2\ CH_4]{} [(H_5C_2)_3P]_2Pd(-C{\equiv}C{-}\langle\bigcirc\rangle{-}NO_2)_2$$

f) Aryl- bzw. Heteroaryl-palladium(II)-Verbindungen

1. aus Halogeno-palladium-Verbindungen durch nucleophile Substitution

α) aus Halogeno-palladium-Verbindungen und Aryl-metall-Verbindungen

Nach folgendem allgemeinen Schema lassen sich Aryl-palladium-Verbindungen herstellen:

$$-\overset{|}{\underset{|}{Pd}}{-}X\ +\ M{-}Aryl \xrightarrow{-MX} -\overset{|}{\underset{|}{Pd}}{-}Aryl$$

X = Halogen
Aryl = Aryl, Hetaryl, Quasiaryl
M = MgX, Li, Hg, Tl, Pd usw.

---

[1] J.H. Nelson et al., Inorg. Chem. **13**, 27 (1974).
[2] G. Calvin u. G.E. Coates, Soc. **1960**, 2008.

α_1) *mit Aryl-magnesiumhalogeniden*

Die Umsetzung von Dihalogeno-bis-[donor]-palladium mit Aryl-magnesiumhalogeniden in Tetrahydrofuran oder Diethylether zunächst bei $-78°$, dann bei $0°$ oder $20°$ führt je nach dem eingesetzten Molverhältnis (1:1 bzw. 1:2) zu **Aryl-halogeno-bis-[donor]** bzw. **Diaryl-bis-[donor]-palladium**:

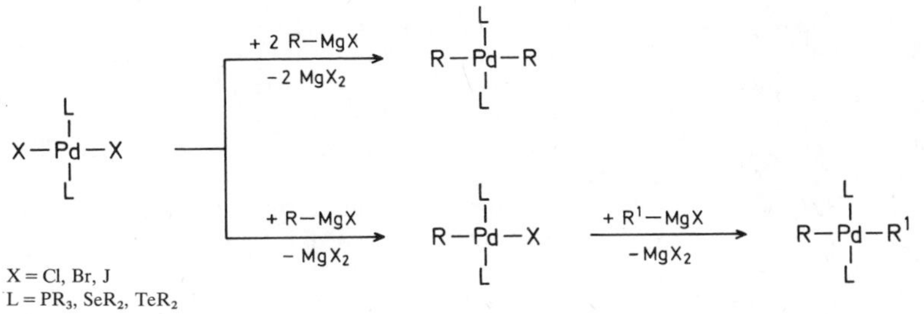

Bei der Herstellung der Monoaryl-palladium-Verbindungen ist die Grignard-Methode der Organo-lithium-Methode (vgl. S. 821) vorzuziehen. Die so hergestellten Verbindungen sind in Tab. 9 (S. 818) zusammengestellt.

Chloro-bis-[diphenyl-methyl-phosphan]-(pentafluorphenyl)-palladium[1]: Zu einer Mischung von 0,577 g (1,0 mmol) Dichloro-bis-[diphenyl-methyl-phosphan]-palladium und 25 *ml* Diethylether wird unter Rühren bei 0° tropfenweise eine Lösung von (Pentafluorphenyl)-magnesiumbromid (hergestellt aus 0,494 g Brom-pentafluor-benzol, 0,061 g Magnesiumspäne und 5 *ml* abs. Diethylether) zugefügt. Die Mischung wird 30 Min. bei 0° gerührt. Man läßt dann auf 20° kommen und rührt weitere 6 Stdn. Das Lösungsmittel wird i. Vak. entfernt und der hellbraune Rückstand mit 40 *ml* Hexan-Benzol (6:1) extrahiert, filtriert und gekühlt. Dabei fallen die farblosen Kristalle aus; Ausbeute: 0,515 g (72%); F: 196–198°.

Die Grignard-Verbindung kann auch in situ erzeugt und direkt mit der Chloro-palladium-Verbindung umgesetzt werden, in dem man z.B. eine Lösung von Dichloro-bis-[triphenylphosphan]-palladium, Magnesium und Hexachlorbenzol (Molverhältnis 1:4:4) in Tetrahydrofuran-Benzol unter Rückfluß erhitzt; z.B.[2]:

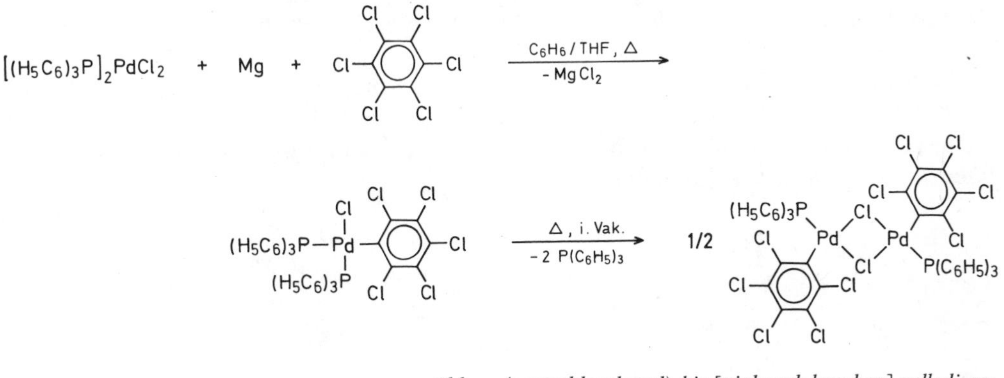

Chloro-(pentachlorphenyl)-bis-[triphenylphosphan]-palladium; 40%; F: 280–290°

---

[1] M.D. Rausch u. F.E. Tibbetts, J. Organometal. Chem. **21**, 487 (1970).
[2] J.M. Coronas u. J. Sales, J. Organometal. Chem. **94**, 107 (1975).

Tab. 9: Monoaryl- und Diaryl-palladium-Verbindungen nach der Grignard-Methode

L$_2$PdX$_2$		R–MgX	Aryl-palladium-Verbindung	Ausbeute [%]	F [°C]	Literatur
L	X	R				
P(C$_2$H$_5$)$_3$	Br	C$_6$H$_5$	Bromo-phenyl-bis-[triethylphosphan]-palladium	–	89	1, 2
		2,4,6-(CH$_3$)$_3$–C$_6$H$_2$	Bromo-bis-[triethylphosphan]-(2,4,6-trimethyl-phenyl)-palladium	19	162	1
		4-CF$_3$–C$_6$H$_4$	Bromo-bis-[triethylphosphan]-(4-trifluormethylphenyl)-palladium	–	145–146	1
		C$_6$Cl$_5$	Bromo-(pentachlorphenyl)-bis-[triethylphosphan]-palladium	40	178–179	3
		4-F–C$_6$H$_4$	(4-Fluor-phenyl)-phenyl-bis-[triethylphosphan]-palladium	50	103	4
		3-F–C$_6$H$_4$	(3-Fluor-phenyl)-phenyl-bis-[triethylphosphan]-palladium		107–108	4
H$_3$C–P(C$_6$H$_5$)$_2$	Br	C$_6$F$_5$	Bromo-bis-[diphenyl-methyl-phosphan]-(pentafluorphenyl)-palladium	60	185–168	5
	Cl	C$_6$F$_5$	Chloro-bis-[diphenyl-methyl-phosphan]-(pentafluorphenyl)-palladium	72	196–198	6
		C$_6$Cl$_5$	Chloro-bis-[diphenyl-methyl-phosphan]-(pentachlorphenyl)-palladium	12	251–253	6
P(C$_6$H$_5$)$_3$	Cl	C$_6$Cl$_5$	Chloro-(pentachlorphenyl)-bis-[triphenylphosphan]-palladium	40	280–290	7
Se(C$_2$H$_5$)$_2$	Br	C$_6$H$_5$	Bromo-bis-[diethylselan]-phenyl-palladium	–	73–75	8
	Cl	C$_6$H$_5$	Chloro-bis-[diethylselan]-phenyl-palladium	–	60–64	8
Te(C$_2$H$_5$)$_2$	Br	C$_6$H$_5$	Bromo-bis-[diethyltelluran]-phenyl-palladium	–	88–92	8

Chloro-(pentachlorphenyl)-bis-[triphenylphosphan]-palladium kann durch Erhitzen im Vakuum in Di-μ-chloro-bis-[pentachlorphenyl-triphenylphosphan-palladium] überführt werden[7].

Werden die Halogeno-verbrückten zweikernigen Komplexe Di-μ-chloro-bis-[chloro-(tert.-phosphan)-palladium] mit Pentafluorphenyl-magnesiumbromid umgesetzt und nachfolgend mit Lithiumbromid behandelt, so erhält man Di-μ-bromo-bis-[(pentafluorphenyl)-(tert.-phosphan)-palladium][9]:

L = P(C$_2$H$_5$)$_3$, P(C$_4$H$_9$)$_3$, P(C$_6$H$_5$)$_3$

[1] G. Calvin u. G. E. Coates, Soc. 1960, 2008.
[2] G. Calvin u. G. E. Coates, Chem. & Ind. 1958, 160.
[3] J. M. Coronas, G. Muller u. J. Sales, Synth. React. Inorg. Metal-org. Chem. 6, 217 (1976).
[4] G. W. Parshall, Am. Soc. 96, 2360 (1974).
[5] A. J. Mukhedkar, M. Green u. F. G. A. Stone, Soc. [A] 1969, 3023.
[6] M. D. Rausch u. F. E. Tibbetts, J. Organometal. Chem. 21, 487 (1970).
[7] J. M. Coronas u. J. Sales, J. Organometal. Chem. 94, 107 (1975).
[8] S. Sergi et al., J. Organometal. Chem. 33, 403 (1971); neun weitere substituierte Aryl-palladium-Verbindungen.
[9] R. Uson, J. Fornies u. F. Martines, J. Organometal. Chem. 132, 429 (1977).

Di-μ-bromo-bis-[(pentafluorphenyl)-(tert.-phosphan)-palladium]; allgemeine Arbeitsvorschrift[1]: Ein (3,5:1)-Überschuß der Grignard-Verbindung Pentafluorphenyl-magnesiumbromid wird zu einer ether. Lösung oder Suspension von Di-μ-chloro-bis-[chloro-(tert.-phosphan)-palladium] gegeben. Die Mischung wird 30 Min. bei 20° gerührt und 1 Stde. am Rückfluß gehalten. Nach Einengen der Lösung i. Vak. zur Trockne wird warmes Wasser hinzugegeben, um die Grignard-Verbindung zu zerstören. Der Rückstand wird mit Aceton extrahiert, Wasser hinzugegeben, wobei ein brauner Niederschlag ausfällt, und mit Ether extrahiert. Die ether. Phase wird etwas eingeengt, wobei gelbe Kristalle ausfallen, die eine Mischung der Chlor- und Brom-Verbindung darstellen. Die Mischung wird durch Behandeln einer Aceton-Lösung von Lithiumbromid quantitativ in das Brom-Derivat überführt. Die Lösung wird zur Trockne eingeengt und wiederholt mit Wasser halogenidfrei gewaschen; Ausbeuten: 40–50%.

Di-μ-chloro-bis-[(pentachlorphenyl)-triethylphosphan-palladium] (41%; F: 284°, Zers.) wird direkt aus Di-μ-chloro-bis-[chloro-(triethylphosphan)-palladium], Magnesium und Hexachlorbenzol in siedendem Tetrahydrofuran-Benzol erhalten[1]:

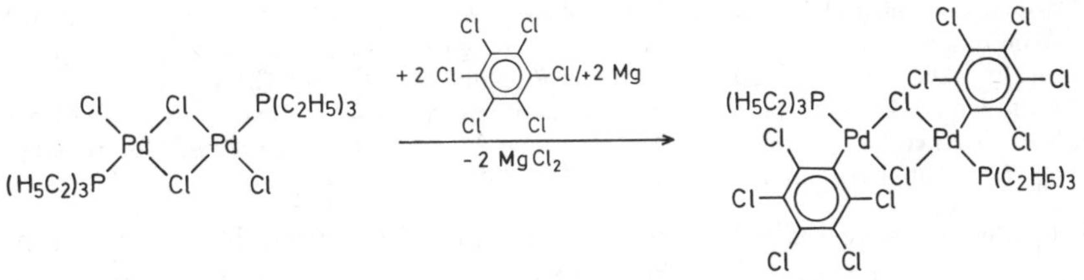

Wird Bromo-(η^5-cyclopentadienyl)-(tert.-phosphan)-palladium mit Phenyl-magnesiumbromid in Toluol/Ether bei −78° (15 Min.) unter Stickstoff umgesetzt, so erhält man z.B. *(η^5-Cyclopentadienyl)-phenyl-(triphenylphosphan)-* (F: 110–115°, Zers.)[2], *-(triisopropyl-phosphan)-*[2] bzw. *-(triethylphosphan)-palladium*[3]:

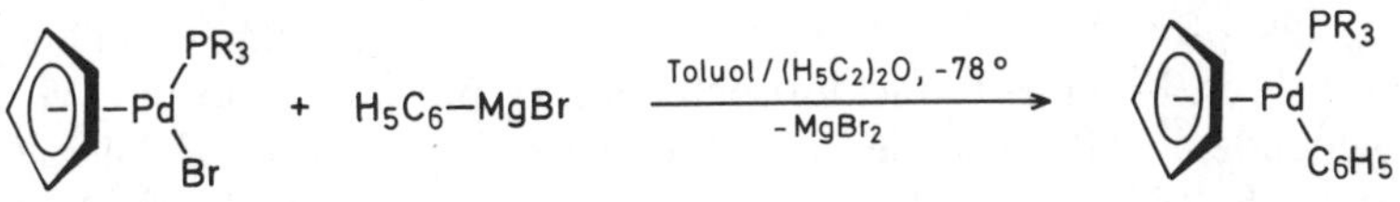

$$R = C_6H_5, \ CH(CH_3)_2, \ CH_2-CH_3$$

Wird eine etherische Lösung von Pentafluorphenyl-magnesiumbromid mit Kaliumtetrachloropalladat(II) umgesetzt (Molverhältnis 8:1), erhitzt, das Lösungsmittel abgezogen und mit Tetrabutylammoniumbromid versetzt, so erhält man in guter Ausbeute *Tetrabutylammonium-[tetrakis-(pentafluorphenyl)-palladat(II)]*:

$$K_2PdCl_4 \quad + \quad 4\,F_5C_6-MgBr \quad \xrightarrow[\substack{-2\,MgBrCl,\\-2\,KCl,\\-2\,MgBr_2}]{2\,N(C_4H_9)_4Br} \quad [(H_9C_4)_4N]_2^{\oplus}[Pd(C_6F_5)_4]^{2\ominus}$$

---

[1] R. Uson, J. Fornies u. F. Martines, J. Organometal. Chem. **132**, 429 (1977).
[2] G.K. Turner u. H. Felkin, J. Organometal. Chem. **121**, C 29 (1976).
[3] R.J. Cross u. R. Wardle, Soc. [A] **1971**, 2000.

Tetrabutylammonium-[tetrakis-(pentafluorphenyl)-palladat(II)][1]**:** Zu einer frisch bereiteten Lösung von 4,64 g (17,1 mmol) Pentafluorphenyl-magnesiumbromid in 40 *ml* Diethylether wird bei 120° 0,7 g (2,14 mmol; 8:1) getrocknetes und pulverisiertes Kalium-tetrachloropalladat(II) zugefügt. Die Mischung wird 4 Stdn. unter Rückfluß erhitzt, 15 Stdn. bei 20° gerührt, mit feuchtem Ether hydrolysiert und zur Trockne eingeengt. Der Rückstand wird mit 30 *ml* Aceton extrahiert, durch Magnesiumsulfat – Kieselgel filtriert und i. Vak. eingeengt. Das schwarze Öl wird in 20 *ml* Ethanol aufgelöst. Zugabe von 1,37 g (4,25 mmol) Tetrabutylammoniumbromid in 10 *ml* Ethanol ergibt bei teilweisem Einengen das kristalline Produkt; Ausbeute: 1,47 g (56%); F: 158°.

Die Umsetzung von Dichloro-bis-[tetrahydrothiophen]-palladium mit Pentafluorphenyl-magnesiumbromid ergibt in hoher Ausbeute die bis-arylierte Palladium-Verbindung:

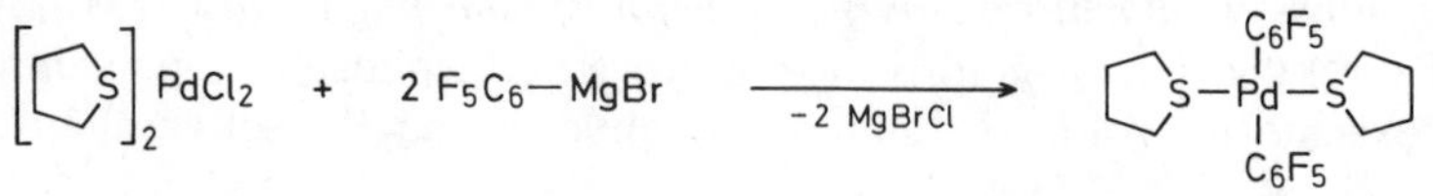

trans-Bis-[pentafluorphenyl]-bis-(tetrahydrothiophen)-palladium[1]**:** Zu 4,81 g (17,7 mmol) Pentafluorphenyl-magnesiumbromid in 40 *ml* abs. Diethylether werden 2 g (5,6 mmol) Dichloro-bis-[tetrahydrothiophen]-palladium zugefügt. Die Mischung wird 1,5 Stdn. unter Rückfluß erhitzt, durch 12 Stdn. Rühren an feuchter Luft hydrolysiert und zur Trockne eingeengt. Der Rückstand wird mit 50 *ml* Aceton extrahiert, durch Magnesiumsulfat – Kieselgel filtriert und das Filtrat auf ∼ 10 *ml* eingeengt. Man gibt 30 *ml* Ethanol zu, filtriert und wäscht den Niederschlag mit Ethanol-Hexan; Ausbeute: 2,60 g (75%); F: 150° (Zers.).

Wird die zweikernige Palladiumverbindung Tetrabutylammonium-[di-μ-bromo-tetrabromo-dipalladat(II)] mit Pentafluorphenyl-magnesiumbromid (1:4,2) umgesetzt, so erhält man *Tetrabutyl-ammonium-{di-μ-bromo-bis-[bis-(pentafluorphenyl)-palladat(II)]}* (81%; F: 147°)[1]:

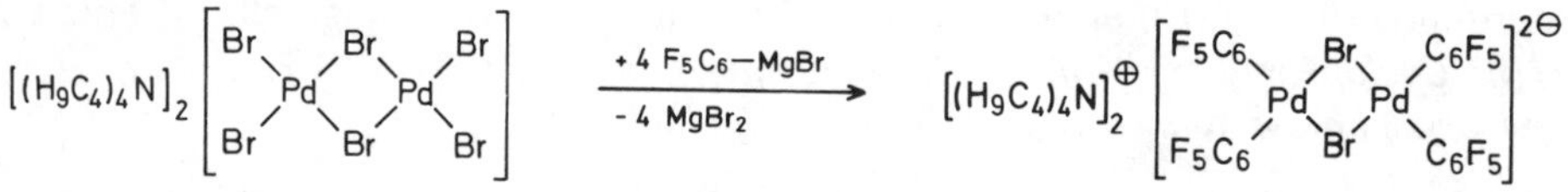

Lösungen, die offensichtlich Bis-[pentafluorphenyl]-palladium enthalten, entstehen durch Reaktion von Kalium-[tetrachloropalladat(II)] mit Pentafluorphenyl-magnesiumbromid in siedendem THF. Aus diesen werden nach Zugabe von 1,4-Dioxan (Ausfällen von Magnesium-Salzen) abhängig vom Reaktantenverhältnis und den Reaktionsbedingungen verschiedene 1,4-Dioxan-Addukte isoliert[2]:

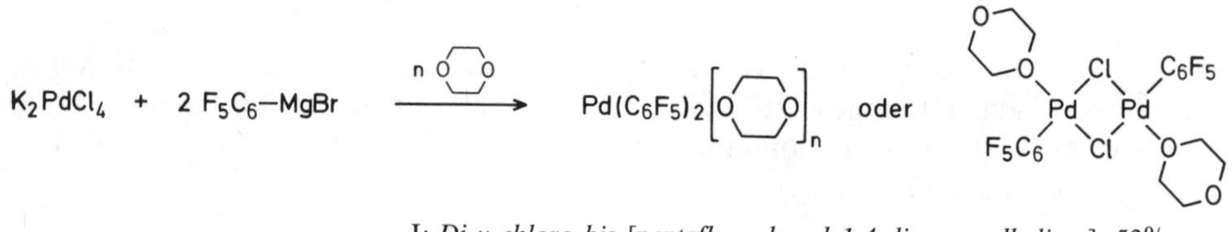

I; *Di-μ-chloro-bis-[pentafluorphenyl-1,4-dioxan-palladium]*; 53%
II; n = 1; *cis-Bis-[pentafluorphenyl]-1,4-dioxan-palladium*; 33%
　　n = 2; *Bis-[pentafluorphenyl]-bis-[1,4-dioxan]-palladium*; 80%
　　n = 3; *trans-Bis-[pentafluorphenyl]-tris-[1,4-dioxan]-palladium*; 71%

[1] R. Usón et al., Soc. [Dalton] **1980**, 888.
[2] G. Garcia u. G. Lopez, Inorg. Chim. Acta **52**, 87 (1981).

α_2) *mit Aryl-lithium*

Die Organolithium-Methode wird vor allem bei der quantitativen Substitution aller Halogene am Palladium angewendet:

$$L_2PdX_2 \quad + \quad 2\,RLi \quad \longrightarrow \quad L_2PdR_2 \quad + \quad 2\,LiX$$

$$L_2PdR^1X \quad + \quad R^2Li \quad \longrightarrow \quad L_2PdR^1R^2 \quad + \quad LiX$$

L; z. B.: $P(C_2H_5)_3$, $P(CH_3)(C_6H_5)_2$, $(H_5C_6)_2P–CH_2–CH_2–P(C_6H_5)_2$,
$H_2N–CH_2–CH_2–NH_2$, $(H_3C)_2N–CH_2–CH_2–N(CH_3)_2$, Pyridin, $As(C_6H_5)_3$

Tab. 10: Aryl-palladium-Verbindungen aus Bis-[donor]-dichloro-palladium(II)-Verbindungen mit Organo-lithium-Verbindungen

Aryl-palladium-Verbindung	Ausbeute [%]	F [°C]	Literatur
Diphenyl-bis-[triethylphosphan]-palladium	55	95	[1,2]
Bis-[4-dimethylamino-phenyl]-bis-[triethylphosphan]-palladium	80	99–100	[1,2]
Phenyl-bis-[triethylphosphan]-[4-trifluormethyl-phenyl]-palladium	85	74–75	[1]
(Pentachlorphenyl)-(pentafluorphenyl)-bis-[triethylphosphan]-palladium	53	249	[3]
Bis-[diphenyl-methyl-phosphan]-bis-[pentafluorphenyl]-palladium	56	199–202	[4]
trans-Chloro-(pentafluorphenyl)-bis-[triethylphosphan]-palladium	9	111–112	[5]
trans-Bis-[pentafluorphenyl]-bis-[triethylphosphan]-palladium	74	216–218	[5]
cis-Bis-[pentafluorphenyl]-bis-[triethylphosphan]-palladium	8	153–154	[5]
[1,2-Bis-(diphenylphosphano)-ethan]-bis-[pentafluorphenyl]-palladium	66	257	[6]
Bis-[benzylamin]-bis-[pentafluorphenyl]-palladium	75		[7]
(2,2'-Bipyridyl)-bis-[pentafluorphenyl]-palladium	79	334–335	[4,6]
(2,2'-Bipyridyl)-bis-[pentachlorphenyl]-palladium	30	335–337	[4]
Bis-[pentafluorphenyl]-(1,10-phenanthrolin)-palladium	70	320	[6]
(1,2-Diamino-ethan)-bis-[pentafluorphenyl]-palladium		238	[6]
Bis-[pentafluorphenyl]-bis-[pyridin]-palladium		252	[6]
Bis-[pentachlorphenyl]-bis-[pyridin]-palladium	60	250	[8]
[1,2-Bis-(dimethylamino)-ethan]-bis-[pentafluorphenyl]-palladium	85	263	[6]
(1,2-Diamino-propan)-bis-[pentafluorphenyl]-palladium	44	246	[9]
Bis-[pentachlorphenyl]-bis-[tetrahydrothiophen]-palladium	60	230	[8]
Bis-[pentafluorphenyl]-bis-[tetrahydrothiophen]-palladium	60	150	[10]
Bis-[pentachlorphenyl]-bis-[triphenylarsan]-palladium	60	210	[8]
Bis-[pentafluorphenyl]-bis-[triphenylarsan]-palladium (cis-trans-Gemisch)	70		[7]

[1] G. CALVIN u. G. E. COATES, Soc. **1960**, 2008.
[2] G. CALVIN u. G. E. COATES, Chem. & Ind. **1958**, 160.
[3] R. USÓN, J. FORNIES u. F. MARTINEZ, J. Organometal. Chem. **132**, 429 (1977).
[4] M. D. RAUSCH u. F. E. TIBBETTS, J. Organometal. Chem. **21**, 487 (1970).
[5] F. G. A. STONE et al., Soc. [A] **1966**, 1326.
[6] R. USÓN et al., J. Organometal. Chem. **81**, 115 (1974).
[7] R. USÓN et al., Inorg. Chim. Acta **33**, 69 (1979).
[8] R. USÓN et al., Inorg. Chim. Acta **25**, 269 (1977).
[9] R. USÓN, J. FORNIES u. R. NAVARRO, J. Organometal. Chem. **96**, 307 (1975).
[10] R. USÓN et al., Soc. [Dalton] **1980**, 888.

Verwendung finden Stickstoff-, Phosphor-, Schwefel- oder Arsen-Donor-Liganden. Die Umsetzungen werden unter Stickstoff in Ether oder Tetrahydrofuran bei $-78°$ durchgeführt. In einigen Fällen können Gemische entstehen (s. Tab. 10, S. 821)[1]:

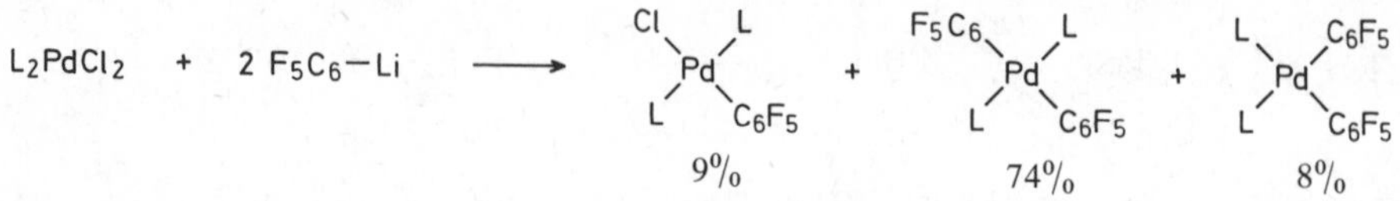

Diphenyl-bis-[triethylphosphan]-palladium[2]: 7,04 g (10 mmol) Dichloro-bis-[triethylphosphan]-palladium in 200 ml abs. Ether unter Stickstoff werden bei $-75°$ innerhalb 35 Min. mit 20 mmol Phenyl-lithium versetzt und danach 40 Min. bei $-75°$ gerührt. Man läßt auf 20° kommen, hydrolysiert bei 0° und engt die etherische Phase ein, wobei man 7,8 g gelbgrünes Produkt erhält. Nach Waschen mit wenig Methanol und Umkristallisieren aus Aceton erhält man 4,7 g (55%) farblose Kristalle; F: 95°.

(Pentachlorphenyl)-(pentafluorphenyl)-bis-[triethylphosphan]-palladium[3]: 2 mmol Chloro-(pentachlorphenyl)-bis-[triethylphosphan]-palladium wird zu einer Lösung von 6 mmol Pentafluorphenyl-lithium in 25 ml abs. Ether bei $-78°$ gegeben (Stickstoffatmosphäre) und die Mischung 30 Min. bei dieser Temp. und 3 Stdn. bei 20° gerührt. Der Niederschlag von Lithiumhalogenid wird durch Zentrifugieren abgetrennt. Die Lösung wird i. Vak. zur Trockne eingeengt und der Rückstand mit Benzol extrahiert und die Lösung filtriert. Durch teilweises Einengen der Lösung und Zufügen von Ethanol erhält man farblose Kristalle; Ausbeute: 53%; F: 249°.

(2,2′-Bipyridyl)-bis-[pentafluorphenyl]-palladium[4]: Zu einer Lösung von Pentafluorphenyl-lithium (5,0 mmol; hergestellt aus Brom-pentafluor-benzol und Butyl-lithium) in 20 ml abs. Ether werden unter Rühren bei $-78°$ 0,68 g (2,0 mmol) (2,2′-Bipyridyl)-dichloro-palladium in kleinen Portionen gegeben. Die Mischung wird 1 Stde. bei $-78°$ gerührt. Man läßt auf 20° kommen, wobei bei $-10°$ ein Farbwechsel von gelb nach farblos auftritt. Die Mischung wird 2 Stdn. bei 20° gerührt und das Lösungsmittel i. Vak. abgezogen. Der Rückstand wird mit 50 ml siedendem Aceton extrahiert, die Extrakte filtriert und gekühlt, wobei farblose Kristalle ausfallen; Ausbeute: 0,94 g (79%); F: 334–335° (aus Methanol).

Analog hergestellte Verbindungen sind in Tab. 10 (S. 821) zusammengestellt.

Die Umsetzungen von Dichloro-bis-[donor]-palladium mit Pentachlorphenyl-lithium gelingen nur bei Verbindungen, die N–, As- oder S-Liganden enthalten, nicht jedoch mit Phosphan-Komplexen[5]:

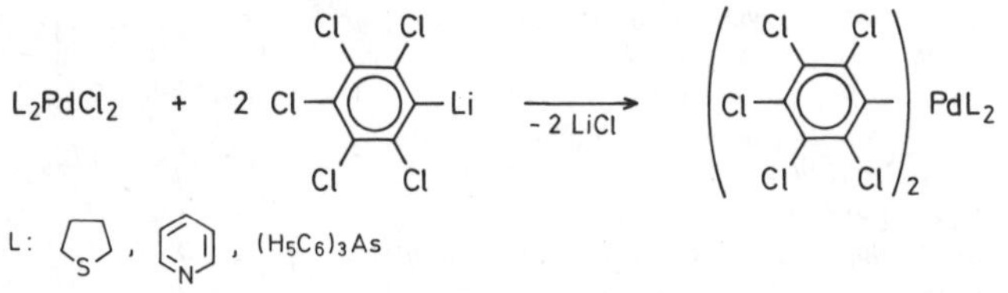

Die entsprechenden Beispiele sind in Tabelle 10 (S. 821) aufgenommen. Die Phosphan-Komplexe und andere Ligandenkomplexe lassen sich jedoch durch Ligandenaustausch aus Bis-[pentachlorphenyl]-bis-[tetrahydrothiophen]-palladium in 70–80% herstellen[5]:

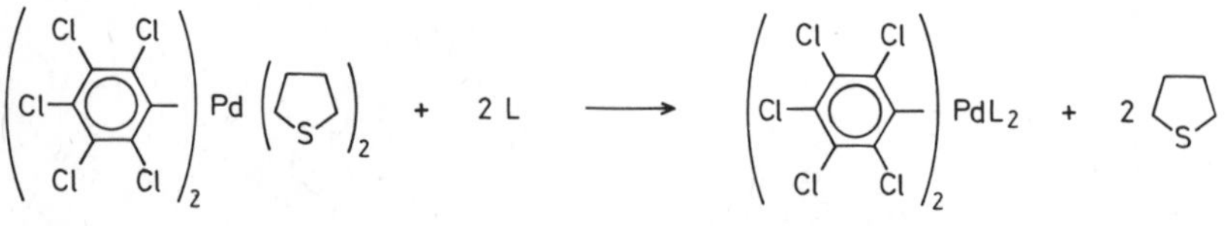

L = $(H_5C_2)_3P$, $(H_5C_6)_3P$, $(H_5C_6)_3As$, $H_5C_6-CH_2-NH_2$, $(H_5C_6)_3Sb$
$(H_5C_6)_2As-CH_2-As(C_6H_5)_2$

[1] F. G. A. Stone et al., Soc. [A] **1966**, 1326.
[2] G. Calvin u. G. E. Coates, Soc. **1960**, 2008.
[3] R. Usón, J. Fornies u. F. Martinez, J. Organomet. Chem. **132**, 429 (1977).
[4] M. D. Rausch u. F. E. Tibbetts, J. Organometal. Chem. **21**, 487 (1970).
[5] R. Usón et al., Inorg. Chim. Acta **25**, 269 (1977).

Läßt man auf (2,2'-Bipyridyl)-dichloro-palladium 1-Lithium-2-phenyl-1,2-dicarbaclosododecaboran(12) in Ether bei −20° einwirken, so erhält man *(2,2'-Bipyridyl)-[2-phenyl-1,2-dicarbadodecaboran(12)-1,2'-diyl]-palladium*[1]:

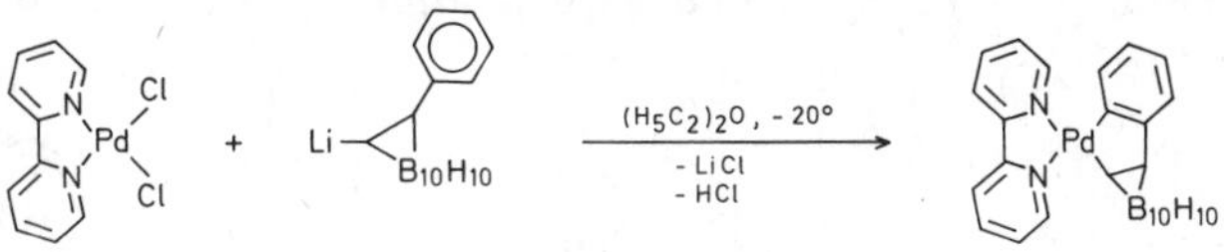

Bei der Reaktion von Bis-[diethylsulfan]- bzw. Bis-[benzonitril]-dichloro-palladium mit 2-Lithium-1-(dimethylaminomethyl)-benzol erhält man die C,N-Chelat-Verbindung *cis-Bis-[2-(dimethylaminomethyl)-phenyl]-palladium* (51%; F: 180–210°)[2,3]. Analog wird cis-*Bis-[2-(diethylaminomethyl)-phenyl]-palladium* (60%; F: 141°) hergestellt[2]:

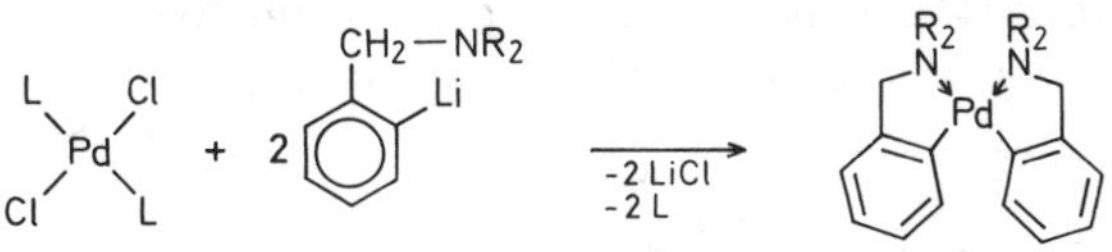

L = $(H_5C_2)_2S$, H_5C_6–CN
R = CH_3, C_2H_5

Die C,N-Chelat-Verbindung *trans-Bis-[2-(dimethylaminomethyl)-phenyl]-palladium* (78%; F: 200°, Zers.) erhält man aus Di-μ-chloro-bis-{[2-(dimethylaminomethyl)-phe-nyl]-palladium} mit 2-(Dimethylaminomethyl)-phenyl-lithium in Tetrahydrofuran[4]:

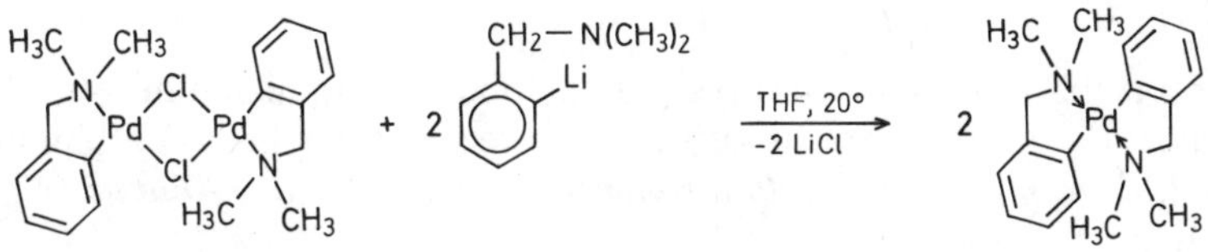

Setzt man Dibromo-(η^4-1,5-cyclooctadien)-palladium mit 2,6-Bis-[dimethylaminome-thyl]-phenyl-lithium in Diethylether bei 20° um, so erhält man *[2,6-Bis-(dimethylamino-methyl)-phenyl-C,N,N']-bromo-palladium*[5]:

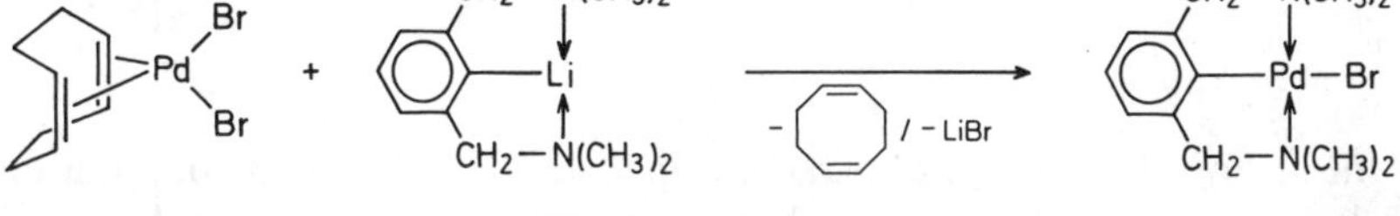

[2-(Dimethylaminomethyl)-phenyl-C,N]-[2-(1-pyrazolyl)-phenyl-C,N²]-palladium (85%; F: 205–207°) entsteht aus Di-μ-chloro-bis-{[2-(1-pyrazolyl)-phenyl-C,N²]-palla-dium} und 2-(Dimethylaminomethyl)-phenyl-lithium[4]:

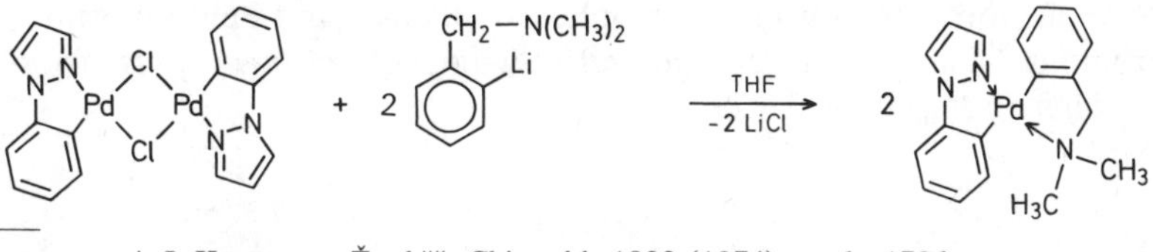

[1] L. I. Zakharkin u. A. I. Kovredov, Ž. obšč. Chim. **44**, 1832 (1974); engl.: 1796.
[2] G. Longoni et al., J. Organometal. Chem. **39**, 413 (1972).
[3] A. Kasahara u. T. Izumi, Bl. chem. Soc. Japan **42**, 1765 (1969).
[4] S. Trofimenko, Inorg. Chem. **12**, 1215 (1973).
[5] G. van Koten, J. G. Noltes et al., Chem. Commun. **1978**, 250.

Analog lassen sich auch C,P-Chelate herstellen. So erhält man aus Bis-[diethylsulfan]-dichloro-palladium und 2-(Diphenylphosphano-methyl)-phenyl-lithium *Di-μ-chloro-bis-{[2-(diphenyl-phosphanomethyl)-phenyl]-palladium}* (76%; F: 148–156°; *cis-trans-*Isomerengemisch)[1]:

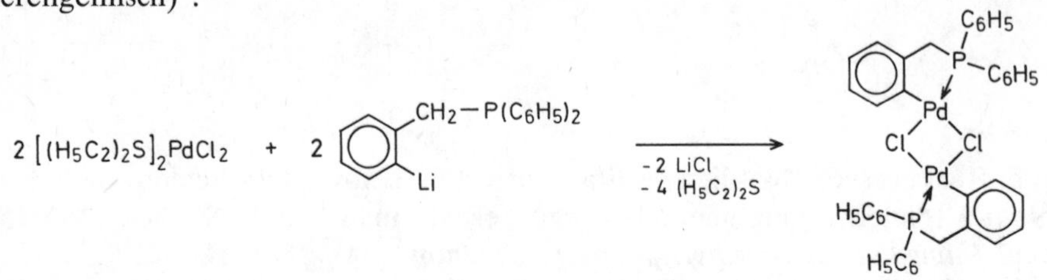

Bei der Umsetzung von Di-μ-chloro-bis-{[2-(di-tert.-butylphosphano-methyl)-phenyl]-palladium} mit 2-(Diphenylphosphano-methyl)-phenyl-lithium entsteht das *cis-*Chelat [*2-(Di-tert.-butylphosphano-methyl)-phenyl]-[2-(diphenylphosphano-methyl)-phenyl]-palladium* (87%; F: 209–212°)[1]:

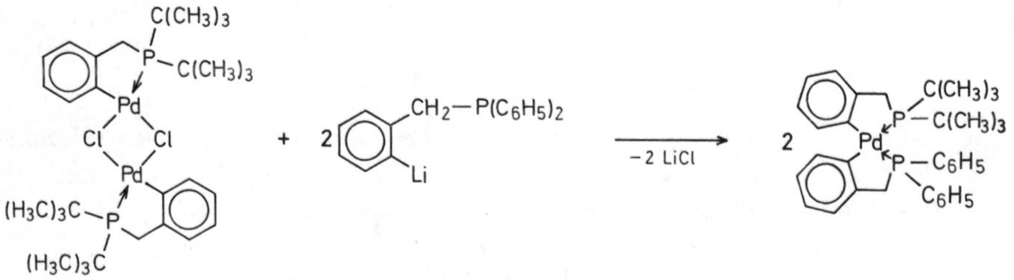

Die Umsetzung von Dibromo-bis-[triethylphosphan]-palladium mit 1,4-Bis-[2-li-thium-phenoxy]-butan führt nicht zu der entsprechenden Chelat-Verbindung, sondern zu *1,4-Bis-{2-[bromo-bis-(triethylphosphan)-palladio]-phenoxy}-butan* (47%; F: 154–158°)[2].

Analog erhält man *1,4-Bis-{2-[chloro-bis-(triethylphosphan)-palladio]-phenoxy}-butan* (21%; F: 125–130°)[2]:

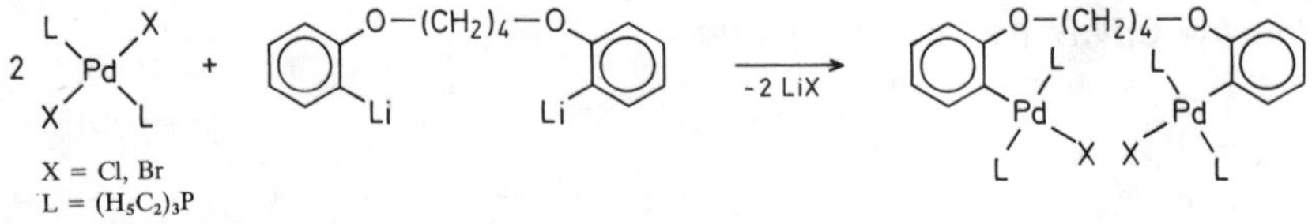

Die Umsetzung von Kalium-tetrachloropalladat(II), Dichloro-bis-[tetrahydrothio-phen]-palladium oder Bis-[tetrabutylammonium]-[di-μ-bromo-tetrabromo-dipalladat (II)] mit überschüssigem Pentafluorphenyl-lithium ergibt nach Hydrolyse und Umsetzung mit Tetrabutylammoniumbromid kristallines *Tetrabutylammonium-[tetrakis-(penta-fluorphenyl)-palladat(II)]* (bis zu 70%; F: 158°)[3].

Setzt man Dichloro-bis-[tetrahydrothiophen]-palladium mit Pentafluorphenyl-lithium im Molverhältnis 1:2 um, so erhält man *trans-Bis-[pentafluorphenyl]-bis-[tetrahydrothio-phen]-palladium* (60%; F: 150°, Zers.)[3]:

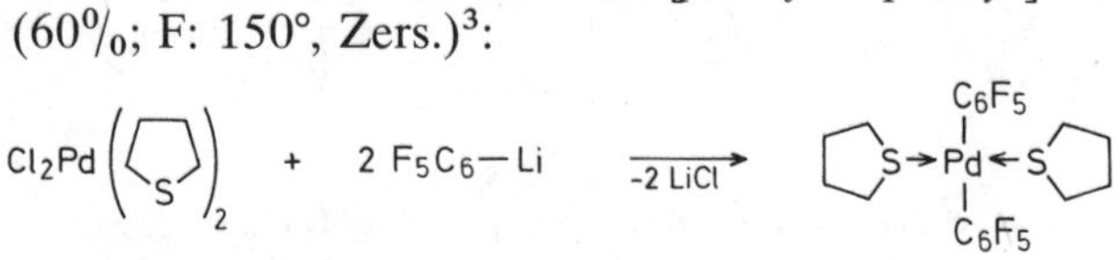

[1] H.P. ABICHT u. K. ISSLEIB, J. Organomet. Chem. **149**, 209 (1978).
[2] L.C. SAWKINS, B.L. SHAW u. B.L. TURTLE, Soc. [Dalton] **1976**, 2053.
[3] R. USON et al., Soc. [Dalton] **1980**, 888.

Wird $(\eta^3$-Allyl)-chloro-(triphenylphosphan)-palladium mit Pentafluorphenyl-lithium in Tetrahydrofuran umgesetzt, so erhält man *(η^3-Allyl)-(pentafluorphenyl)-(triphenyl-phosphan)-palladium* (42%; F: 142°, Zers.)[1] (ähnliche Vorschrift s.S. 827):

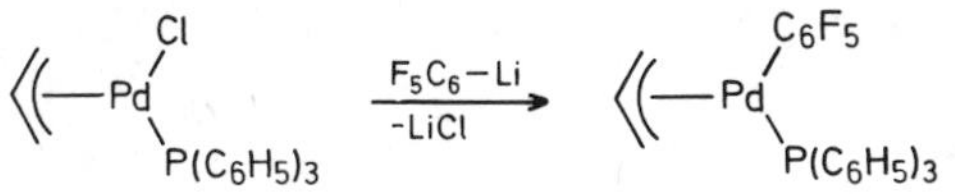

Aus 1,1'-Bis-[chloro-(pentafluorphenyl)-(triphenylphosphan)-palladio]-4,4'-bipyridyl und Pentafluorphenyl-lithium in Ether bei −78° und dann bei 20° erhält man *1,1'-Bis-[bis-(pentafluorphenyl)-(triphenylphosphan)-palladio]-4,4'-bipyridyl* (68%; F: 185°, Zers.)[2]:

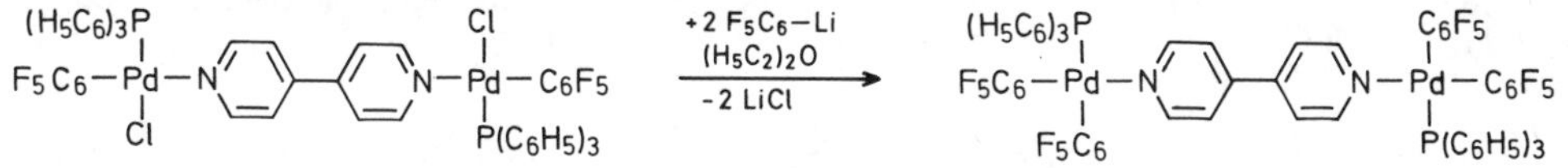

α_3) mit Aryl-quecksilber-Verbindungen

Auch Aryl-quecksilber-Verbindungen können als Arylierungsreagenzien bei Palladiumhalogeniden eingesetzt werden. So lassen sich Dichloro-bis-[tert.-phosphan]-palladium-Verbindungen mit Diphenyl-quecksilber arylieren:

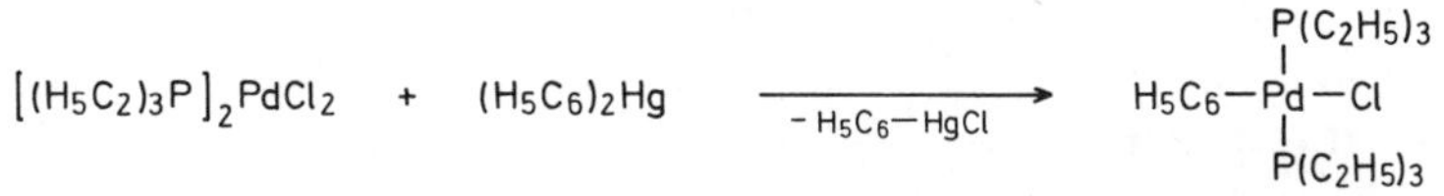

Chloro-phenyl-bis-[triethylphosphan]-palladium[3]: 0,35 g (1 mmol) Diphenyl-quecksilber werden zu einer Lösung von 0,42 g (1 mmol) Dichloro-bis-[triethylphosphan]-palladium in 40 *ml* Ethanol gegeben und die Mischung 2 Stdn. unter Rückfluß gehalten. Etwas Metall wird abfiltriert und die Lösung gekühlt. 0,22 g (70%) Phenyl-quecksilberchlorid kristallisieren aus und werden abfiltriert. Das Filtrat wird i. Vak. eingeengt und der Rückstand aus Ethanol und dann aus Hexan umkristallisiert; Ausbeute: 0,22 g (45%); F: 101–102°.

Nach der gleichen Methode läßt sich aus Dichloro-bis-[triethylphosphan]-palladium und Bis-[2-phenylazo-phenyl]-quecksilber das nicht cyclopalladierte *Chloro-(2-phenyl-azo-phenyl)-bis-[triethylphosphan]-palladium* (85%; F: 116–118°) herstellen[4]:

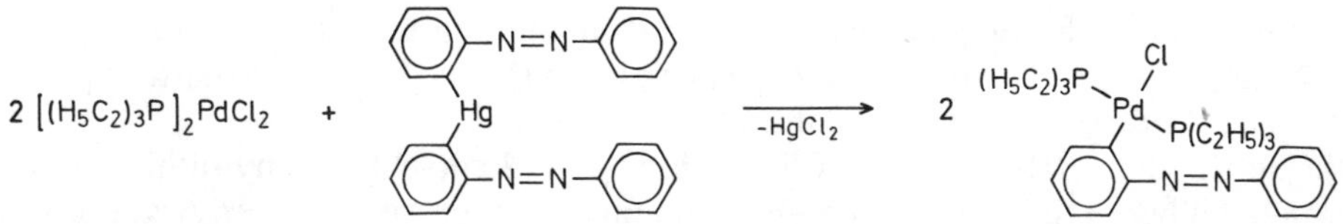

Analog erhält man

Chloro-[2-(2-methyl-phenylazo)-4-chlor-phenyl]-bis-[triethylphosphan]-palladium	F: 130–132°
Chloro-[2-(3-methyl-phenylazo)-4-chlor-phenyl]-bis-[triethylphosphan]-palladium	F: 165–167°
Chloro-[2-(4-methyl-phenylazo)-4-chlor-phenyl]-bis-[triethylphosphan]-palladium	F: 154–156°

[1] S. Numata, R. Okawara u. H. Kurosawa, Inorg. Chem. **16**, 1737 (1977).

[2] R. Uson et al., Transition Met. Chem. **5**, 284 (1980).

[3] R. J. Cross u. R. Wardle, Soc. [A] **1970**, 840.

[4] R. J. Cross u. N. H. Tennent, J. Organometal. Chem. **72**, 21 (1974).

Die Organoquecksilber-Methode eignet sich auch zur Herstellung von ortho-metallierten Diarylazo-palladium-Verbindungen:

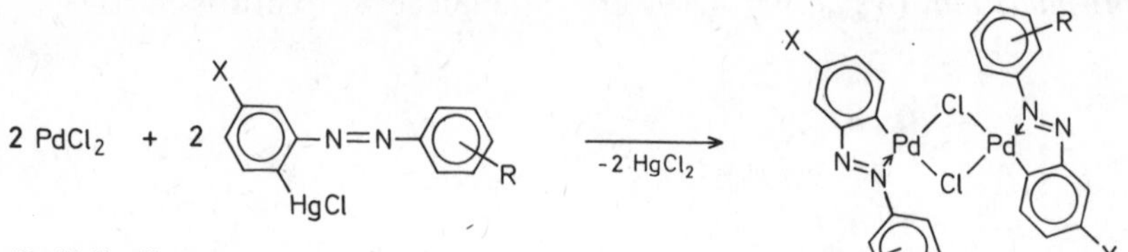

X = H; R = H
X = Cl; R = 2-CH₃, 3-CH₃, 4-CH₃, 3,5-Br₂

Di-μ-chloro-bis-[(2-phenylazo-phenyl-C²,N')-palladium] [1]: Eine Suspension von 0,1868 g (1,1 mmol) Palladium(II)-chlorid und 0,5093 g (1,2 mmol) 2-Phenylazo-phenyl-quecksilberchlorid in 100 ml Methanol wird bei 20° 14 Stdn. gerührt. Der orange Niederschlag wird durch Filtrieren entfernt und mit Methanol gewaschen. Das Filtrat enthält Quecksilber(II)-chlorid. Das orangefarbene Produkt wird aus Benzol umkristallisiert; Ausbeute: 0,2821 g (83%); F: 272–275°, Zers. (braune Kristalle).

Analog werden *Di-μ-chloro-bis-⟨⟨2-[2-methyl* (bzw. *3-methyl-, 4-methyl-* und *-3,5-dibrom)-phenylazo]-4-chlor-phenyl-C²,N'⟩-palladium⟩* hergestellt[1].

α₄) mit Aryl-thallium-Verbindungen

Bromo-bis-[pentafluorphenyl]-thallium ist ein geeignetes Reagens zur Synthese von chloro-verbrückten Aryl-palladium-Verbindungen[2,3]:

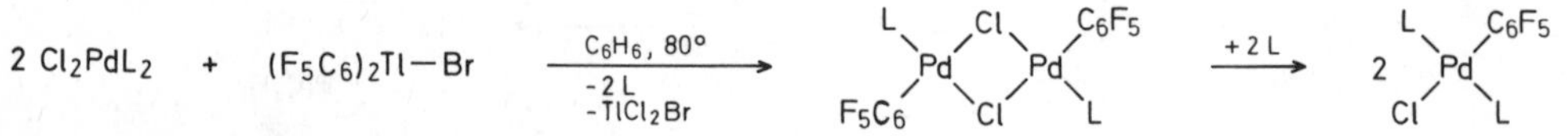

Di-μ-chloro-bis-[(pentafluorphenyl)-triphenylphosphan-palladium] [2]: Eine Mischung von 1,249 g (2,0 mmol) Bromo-bis-[pentafluorphenyl]-thallium und 1,40 g (20 mmol) Dichloro-bis-[triphenylphosphan]-palladium in 40 ml Benzol wird 4 Stdn. bei Rückfluß gehalten, Thalliumchlorid-dibromid abzentrifugiert und die Lösung zum Kristallisieren gestellt. Die gelben Kristalle werden abfiltriert und mit Ether gewaschen. Ausbeute: 0,46 g (41%); F: 251°, Zers.

Analog werden erhalten:

Di-μ-chloro-bis-[(diphenyl-methyl-phosphan)-(pentafluorphenyl)-palladium]   38%; F: 220°, Zers.
Di-μ-chloro-bis-[(pentafluorphenyl)-(triphenylarsan)-palladium]   25%; F: 210°, Zers.

Eine Brückenaufspaltung gelingt durch Erhitzen mit überschüssigem Phosphan, wobei die entsprechenden Chloro-(pentafluorphenyl)-bis-[tert.-phosphan]-palladium-Verbindungen nahezu quantitativ entstehen[2].

Die aus Thallium(III)-chlorid und Tetrachlor- oder Pentachlorphenyl-lithium in Ether leicht herstellbaren Triaryl-thallium-Verbindungen eignen sich gut zur Arylierung von (η³-Allyl)-chloro-(donor)-palladium-Verbindungen[4,5]:

[1] R.J. Cross u. N.H. Tennent, J. Organometal. Chem. **72**, 21 (1974).
[2] R. Uson et al., J. Organometal. Chem. **90**, 367 (1975).
[3] R.S. Nyholm u. P. Royo, Chem. Commun. **1969**, 421.
[4] S. Numata, H. Kurosawa u. R. Okawara, J. Organometal. Chem. **102**, 259 (1975).
[5] S. Numata u. H. Kurosawa, J. Organometal. Chem. **131**, 301 (1977).

$$R^1-\!\!\!\left(\!\!\!\left(\!\!-\underset{\underset{Cl}{|}}{\overset{\overset{R^2}{|}}{Pd}}\!\!\diagdown\!\!\!\begin{array}{c}L\end{array}\right.\right. + R_3^3Tl \xrightarrow[-R_2^3Tl-Cl]{} R^1-\!\!\!\left(\!\!\!\left(\!\!-\underset{\underset{R^3}{|}}{\overset{\overset{R^2}{|}}{Pd}}\!\!\diagdown\!\!\!\begin{array}{c}L\end{array}\right.\right.$$

$R^1 = H, CH_3;$
$R^2 = H, CH_3, COOC_2H_5$
$R^3 = 2,3,5,6\text{-}Cl_4\text{-}C_6H, C_6Cl_5$
$L = (H_5C_6)_3P, (H_5C_6)_3Sb, Pyridin$

Die Palladium-Verbindung wird meist in Dichlormethan gelöst, das Thallium-Reagens in Benzol hinzugegeben und bei 20° gerührt. Das entstandene schwer lösliche Diaryl-chloro-thallium wird abfiltriert, das Filtrat eingeengt und das Produkt aus Benzol/Methanol umkristallisiert.

(η^3-2-Methyl-allyl)-(pentachlorphenyl)-(triphenylphosphan)-palladium[1]: Zu 70 ml einer THF-Lösung von Pentachlorphenyl-lithium, hergestellt aus 0,9 g (4,1 mmol) Hexachlorbenzol und der äquimolaren Menge Butyllithium in Hexan, werden tropfenweise 1,1 g (2,4 mmol) Chloro-(η^3-2-methyl-allyl)-(triphenylphosphan)-palladium in 100 ml THF unter Stickstoff bei −78° zugefügt. Es wird bei dieser Temp. 1 Stde. heftig gerührt. Dann läßt man die Reaktionsmischung auf 20° kommen und entfernt das Lösungsmittel i. Vak. Der gelbe Rückstand wird mit 20 ml Benzol extrahiert und durch Säulenchromatographie an Aluminiumoxid gereinigt; Ausbeute: 0,85 g (53%); F: 148°, Zers. (aus Benzol/Methanol).

Auf ähnliche Weise erhält man u. a.

(η^3-Allyl)-(2,3,5,6-tetrachlor-phenyl)-(triphenylphosphan)-palladium[2]	F: 118°
(η^3-Allyl)-(pyridin)-(2,3,5,6-tetrachlor-phenyl)-palladium[2]	
(η^3-2-Methyl-allyl)-(2,3,5,6-tetrachlor-phenyl)-(triphenylphosphan)-palladium[1]	F: 150°
(η^3-1-Methyl-allyl)-(2,3,5,6-tetrachlor-phenyl)-(triphenylstiban)-palladium[1]	F: 110°

α_5) *mit anderen Aryl-palladium-Verbindungen*

Aryl-palladium-Verbindungen sind ebenfalls zur Arylierung von Palladium(II)-chlorid geeignet. So reagiert Bis-[donor]-bis-[pentachlorphenyl]- bzw. -[pentafluorphenyl]-palladium mit Palladium(II)-chlorid in Aceton oder Aceton-Suspension zu Di-μ-chloro-bis-[donor-(perhalogenphenyl)-palladium][3]:

$$(X_5C_6)_2PdL_2 + PdCl_2 \xrightarrow{H_3C-CO-CH_3} \underset{X_5C_6}{\overset{L}{\diagdown}}\!Pd\!\underset{Cl}{\overset{Cl}{\diagup\diagdown}}\!Pd\!\underset{L}{\overset{C_6X_5}{\diagup}}$$

$X = Cl, F$
$L = (H_5C_6)_3P, (H_5C_6)_3As, (H_5C_6)_3Sb, Pyridin, H_2N-CH_2-C_6H_5,$ ⟨S⟩

Di-μ-chloro-bis-[donor-(perhalogenphenyl)-palladium]; allgemeine Arbeitsvorschrift[3]: Man läßt acetonische Lösungen von Bis-[donor]-bis-[perhalogenphenyl]-palladium mit stöchiometrischen Mengen Palladium(II)-chlorid reagieren, bis alles Palladiumchlorid vollständig gelöst ist. Die meisten Reaktionen werden bei Rückflußtemp. durchgeführt. Die Reaktionszeiten reichen von 3–20 Stunden. Beim Triphenylstiban muß bei 20° gerührt werden, da sich bei Rückflußtemp. der Komplex zu metallischem Palladium zersetzt. Die Komplexe fallen entweder während der Reaktion aus oder die acetonischen Lösungen werden zur Trockne eingeengt, mit Benzol extrahiert, filtriert, konzentriert und durch Zugabe von Ether oder Hexan das Produkt ausgefällt. Die Ausbeuten liegen zwischen 50 und 78%.

Auf diese Weise werden hergestellt (F = Zersetzungspunkt)[3]:

Di-μ-chloro-bis-[(pentafluorphenyl)-pyridin-palladium]	72%; F: 267°
Di-μ-chloro-bis-[(pentafluorphenyl)-(triphenylphosphan)-palladium]	69%; F: 250°
Di-μ-chloro-bis-[(pentafluorphenyl)-(triphenylstiban)-palladium]	50%; F: 148°
Di-μ-chloro-bis-[(pentafluorphenyl)-(tetrahydrothiophen)-palladium]	75%; F: 267°
Di-μ-chloro-bis-[(pentachlorphenyl)-pyridin-palladium]	65%; F: 248°
Di-μ-chloro-bis-[benzylamin-(pentachlorphenyl)-palladium]	61%; F: 219°
Di-μ-chloro-bis-[(pentachlorphenyl)-(triphenylarsan)-palladium]	78%; F: 282°

---

[1] S. NUMATA u. H. KUROSAWA, J. Organometal. Chem. **131**, 301 (1977).
[2] S. NUMATA, H. KUROSAWA u. R. OKAWARA, J. Organometal. Chem. **102**, 259 (1975).
[3] R. USON et al., Inorg. Chim. Acta **33**, 69 (1979); dort zahlreiche weitere Beispiele.

Die dimeren verbrückten Palladium-Komplexe können mit neutralen Liganden in monomere Komplexe überführt werden, die bisher auf anderem Wege nicht herstellbar waren (Brückenspaltungsreaktionen)[1]:

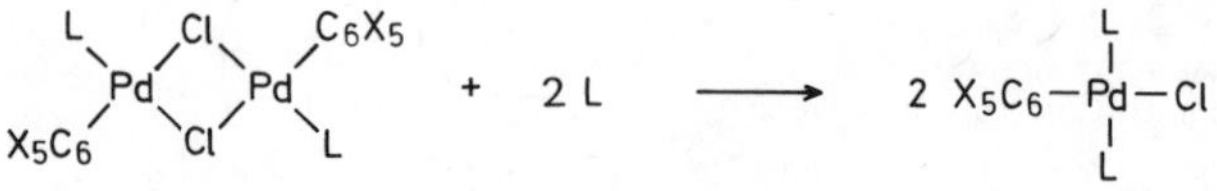

z. B.: L = Py; X = F; *Chloro-(pentafluorphenyl)-bis-[pyridin]-palladium*
L = Thiophen; X = Cl; *Chloro-(pentachlorphenyl)-bis-[tetrahydrothiophen]-palladium*

α_6) *aus Dicyanopalladat(0) mit Tetraarylphosphonium- bzw. -arsonium-halogeniden bzw. aus Palladium(II)-chlorid mit Tetrakis-[triphenylphosphan]-palladium(0)*

Wird Kalium-dicyanopalladat(0) mit Tetraphenylphosphonium- bzw. -arsoniumchlorid umgesetzt, so entsteht unter Redox-Reaktion und Arylierung *Kalium-[tricyano-(phenyl)-palladat(II)]*

Nach Filtrieren vom schwer löslichen Triphenylarsan kann das Aryl-palladat mit großräumigen Kationen ausgefällt werden (z. B. mit Tetraphenylarsonium- oder -phosphonium-chlorid).

Kalium-[tricyano-(phenyl)-palladat(II)]-Lösung in flüssigem Ammoniak[2]: Eine aus 0,156 g (4,0 mmol) Kalium und 0,578 g (2,0 mmol) Kalium-tetracyanopalladat(II) in 70 *ml* flüssigem Ammoniak bei −40° erhaltene Lösung von Kalium-dicyanopalladat(0) wird mit einer Lösung von 0,838 g (2,0 mmol) Tetraphenylarsoniumchlorid in 60 *ml* des gleichen Solvens versetzt. Der zunächst gebildete schwach gelbe Niederschlag wird nach kurzem Aufsieden des Ammoniaks farblos. Nach Abfiltrieren des praktisch vollständig ausgefallenen Triphenylarsans erhält man als Filtrat die Lösung von Kalium-[tricyano-(phenyl)-palladat(II)].

Aus der konzentrierten Lösung kann man mit Tetraphenylphosphonium- bzw. -arsoniumchlorid oder Methyl-triphenyl-phosphoniumbromid in die entsprechenden farblosen, kristallinen *Tetraphenylphosphonium-* (80%), *Tetraphenylarsonium-* (85%) bzw. *Methyl-triphenyl-phosphonium-* (50%) Salze ausfällen.

Bei der Umsetzung von Tetrakis-[triphenylphosphan]-palladium mit Palladium(II)-chlorid in Dimethylsulfoxid bei 130° unter Stickstoff entsteht neben Dichloro-bis-[triphenylphosphan]-palladium auch das Arylierungsprodukt *trans-Chloro-phenyl-bis-[triphenylphosphan]-palladium* (F: 149−150°), wobei Triphenylphosphan als Arylierungsreagens innerhalb der Koordinationssphäre wirkt[3]:

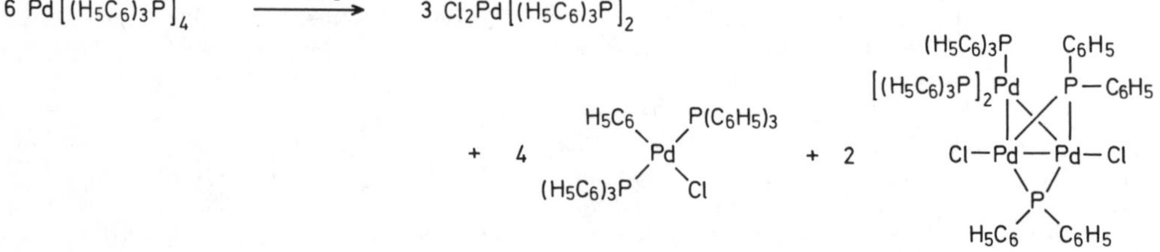

---

[1] R. Usón et al., Inorg. Chim. Acta **33**, 69 (1979).
[2] R. Nast, J. Bülck u. R. Kramolowsky, B. **108**, 3461 (1975).
[3] D. R. Coulson, Chem. Commun. **1968**, 1530.

β) mit donor-substituierten Arenen durch intramolekulare Halogenwasserstoff-Abspaltung (ortho-Palladierung)

Cyclometallierungs-Reaktionen des Palladiums sind mit Stickstoff-, Phosphor-, Schwefel-, Sauerstoff- und Carben-Donoren bekannt[1]. C_{Aryl}-Pd-σ-Bindungen bilden sich durch intramolekulare C–H Bindungsspaltung mittels eines Palladium-halogenids oder -acetats unter Palladium-Chelat-Bildung und Halogenwasserstoff- bzw. Essigsäure-Abspaltung:

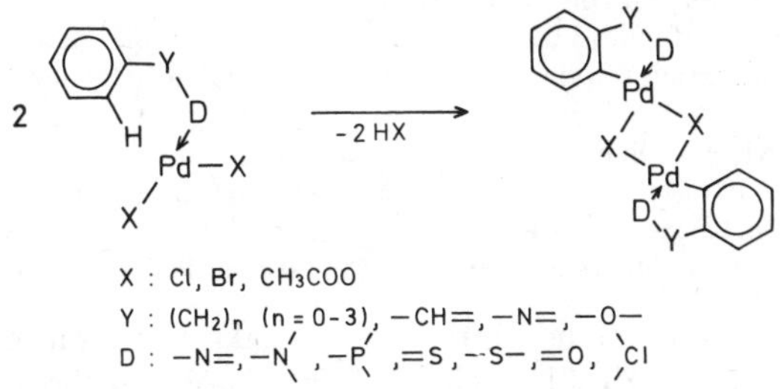

$$X : Cl, Br, CH_3COO$$
$$Y : (CH_2)_n \ (n = 0\text{-}3), -CH=, -N=, -O-$$
$$D : -N=, -N\backslash, -P\backslash, =S, -S-, =O, \ Cl$$

Zu ortho-Metallierungsreaktionen sind u.a. befähigt:

Azobenzol	Amidine	1-Benzoylimino-pyridinium-Betaine
Azoxybenzol	Benzylamine	aromatische Phosphane
aromatische Oxime	Stickstoff-Heterocyclen	Thiobenzophenone
Hydrazone	Amino-arene (polyclische)	Benzylsulfide
Osazone	aromatische Phosphinimide	Carbenoide

β₁) *Ortho-Palladierung von N-Donoren*

ββ₁) von Azobenzol, Azoxybenzol

Die Herstellung der ortho-metallierten Palladium-Komplexe von Azobenzolen erfolgt auf einfache Weise durch Umsetzen äquimolarer Mengen Palladium(II)-chlorid und Azobenzol in Methanol bei 20° in Suspension[2]. Wegen der Schwerlöslichkeit der dimeren chlor-verbrückten Komplexe werden die Verbindungen mit η^5-Cyclopentadienyl-thallium(I) in die η^5-Cyclopentadienyl-Derivate übergeführt[2]:

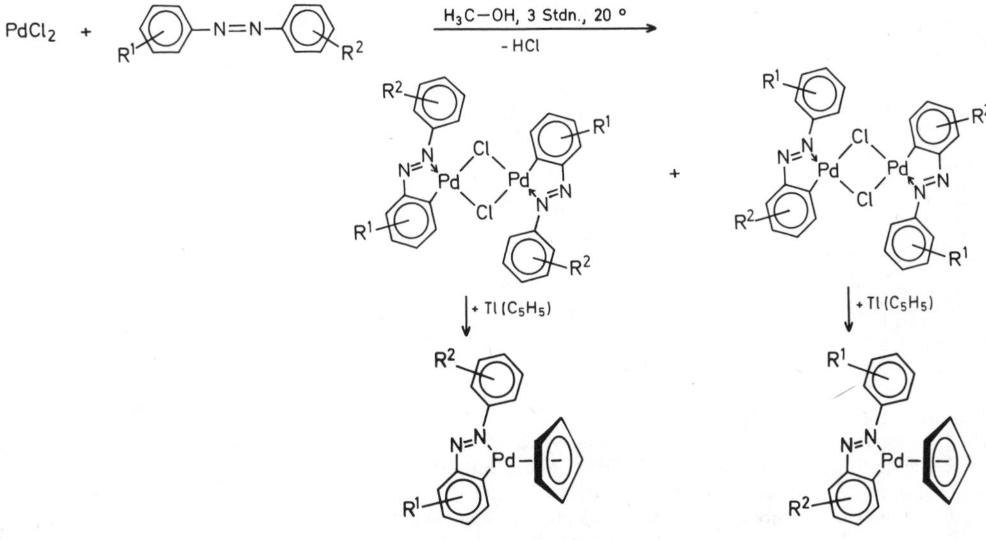

---

[1] Übersichtsartikel: J. DEHAND u. M. PFEFFER, Coord. Chem. Rev. **18**, 327 (1976).
[2] M. I. BRUCE, B. L. GOODALL u. F. G. A. STONE, Soc. [Dalton] **1978**, 687.

Alternativ können die Umsetzungen auch homogen in methanolischer Lösung mit Lithium-tetrachloropalladat(II) durchgeführt werden. Statt Palladium(II)-chlorid kann auch Palladium(II)-acetat verwendet werden[1].

Di-μ-chloro-bis-[(phenylazo-phenyl)-palladium]- sowie (η^5-Cyclopentadienyl)-(2-phenylazo-phenyl)-palladium-Verbindungen; allgemeine Arbeitsvorschrift[2]: 2,0 mmol des Azobenzols werden zu einer Suspension von 2,0 mmol Palladium(II)-chlorid in 40 ml Methanol gegeben und die Mischung bei 20° 3 Stdn. gerührt. Der sich ergebende orangerote Niederschlag der dimeren chlorverbrückten Palladium-Verbindung (Ausbeute: ~90%) wird abfiltriert und mit Methanol und Diethylether gewaschen.

Alternativ dazu kann eine klare braune Lösung von Lithium-tetrachloropalladat(II), hergestellt durch Zugabe von 2 Moläquivalenten Lithiumchlorid zu einer Suspension von Palladium(II)-chlorid in Methanol, mit Azobenzol behandelt werden.

Die (η^5-Cyclopentadienyl)-palladium-Verbindungen werden erhalten durch Zugabe von überschüssigem η^5-Cyclopentadienyl-thallium(I) (4,0 mmol) zu der entsprechenden Chloro-palladium-Verbindung (1,5 mmol) in 40 ml abs. THF und 1 Stde. Kochen unter Rückfluß. Filtrieren, Reduzieren des Volumens und Chromatographie ergibt die dunkelblauen Produkte (Ausbeute: 80–95%), die mit Petrolether/Diethylether eluiert werden.

In den meisten Fällen ergeben die Metallierungsreaktionen von substituierten Azobenzolen Isomeren-Gemische[2]. Tab. 11 gibt eine Übersicht über ortho-palladierte Azobenzole.

Führt man die Umsetzung von Azobenzol mit Bis-[benzonitril]-dichloro-palladium in Dichlormethan (statt Methanol) durch, so erhält man kein ortho-Metallierungsprodukt, sondern einen Donor-Komplex, der ein mögliches Intermediär-Produkt bei der ortho-Palladierung von Azobenzol darstellt[3,4]:

$$PdCl_2(NC-C_6H_5)_2 \;+\; 2\,H_5C_6-N=N-C_6H_5 \;\xrightarrow[-2\,H_5C_6-CN]{CH_2Cl_2}$$

Tab. 11: Ortho-palladierte Azobenzole aus Palladium(II)-chlorid und Azobenzolen

Azobenzole	Ortho-palladierte Azobenzole	Ausbeute [%]	F [°C]	Literatur
	Di-μ-chloro-bis-[(phenylazo-phenyl)-palladium]	85	272–275	5, 6
	Di-μ-acetato-bis-[(phenylazo-phenyl)-palladium]	57	208–210	1
	Di-μ-chloro-bis-{[2-(3-fluor-phenylazo)-phenyl]-palladium}	72		2, 7
	Di-μ-chloro-bis-{[2-(4-fluor-phenylazo)-phenyl]-palladium}	54		2

[1] J. M. Thompson u. R. F. Heck, J. Org. Chem. **40**, 2667 (1975).
[2] M. I. Bruce, B. L. Goodall u. F. G. A. Stone, Soc. [Dalton] **1978**, 687.
[3] A. L. Balch u. D. Petridis, Inorg. Chem. **8**, 2247 (1969).
[4] R. J. Doedens et al., Inorg. Chem. **14**, 2475 (1975); Röntgenstrukturanalyse.
[5] A. C. Cope u. R. W. Siekman, Am. Soc. **87**, 3272 (1965).
[6] R. J. Cross u. N. H. Tennent, J. Organometal. Chem. **72**, 21 (1974).
[7] M. I. Bruce, B. L. Goodall u. F. G. A. Stone, Chem. Commun. **1973**, 558.

Tab. 11 (1. Forts.)

Azobenzole	Ortho-palladierte Azobenzole	Ausbeute [%]	F [°C]	Literatur
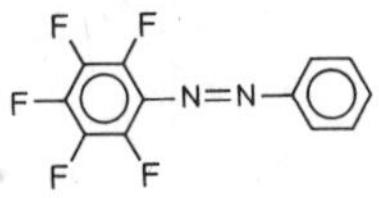	Di-μ-chloro-bis-{[2-(pentafluor-phenylazo)-phenyl]-palladium}	90		[1, 2]
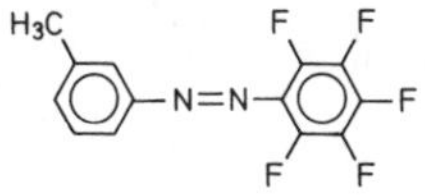	Di-μ-chloro-bis-{[5-methyl-2-(pentafluor-phenylazo)-phenyl]-palladium}	90		[3]
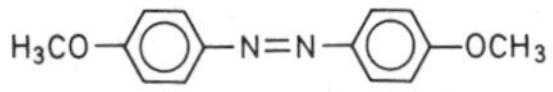	Di-μ-chloro-bis-{[5-methoxy-2-(4-methoxy-phenylazo)-phenyl]-palladium}	100	280–283	[4]
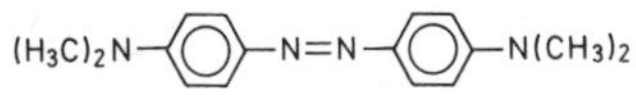	Di-μ-chloro-bis-{[5-dimethylamino-2-(4-dimethylamino-phenylazo)-phenyl]-palladium}	90	223–225	[5]
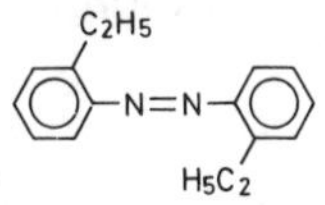	Di-μ-chloro-bis-{[3-ethyl-2-(2-ethyl-phenylazo)-phenyl]-palladium}	95	210–215	[6]
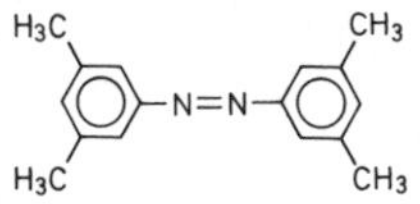	Di-μ-chloro-bis-{[4,6-dimethyl-2-(3,5-dimethyl-phenylazo)-phenyl]-palladium}		270–275	[6]
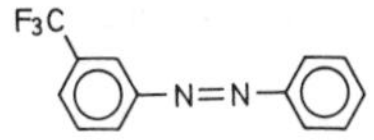	Di-μ-chloro-bis-{[2-(3-trifluormethyl-phenylazo)-phenyl]-palladium}	90		[3]
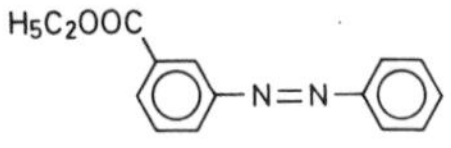	Di-μ-chloro-bis-{[6-ethoxy-carbonyl-2-phenylazo-phenyl]-palladium}	90		[3]
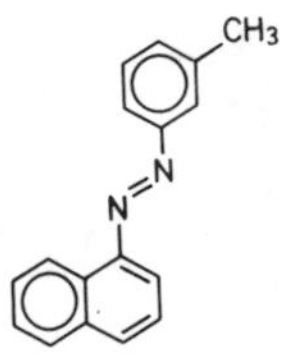	Di-μ-acetato-bis-{[1-(3-methyl-phenylazo)-2-naphthyl]-palladium}	91		[7]

---

[1] M. I. BRUCE, F. G. A. STONE et al., Chem. Commun. **1974**, 185.

[2] M. I. BRUCE et al., Soc. [Dalton] **1975**, 591.

[3] M. I. BRUCE, B. L. GOODALL u. F. G. A. STONE, Soc. [Dalton] **1978**, 687; dort viele weitere Beispiele.

[4] P. L. PAUSON et al., Soc. [C] **1969**, 1534.

[5] R. L. BENNETT, M. I. BRUCE u. I. MATSUDA, Austral. J. Chem. **28**, 1265 (1975).

[6] A. C. COPE u. R. W. SIEKMAN, Am. Soc. **87**, 3272 (1965).

[7] A. J. KLAUS u. P. RYS, Helv. **64**, 1452 (1981); 15 Beispiele; ortho-Palladierung mit Palladiumacetat in Chloroform oder Dichlormethan, mit Natrium-tetrachloropalladat in Methanol bei 20°.

Tab. 11 (2. Forts.)

Azobenzole	Ortho-palladierte Azobenzole	Ausbeute [%]	F [°C]	Lite-ratur
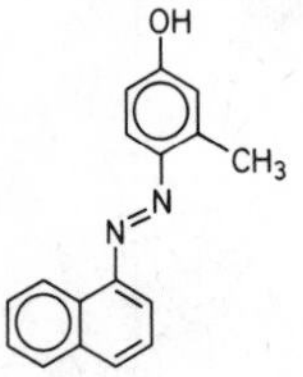	*Di-μ-chloro-bis-*{[1-(4-hydroxy-2-methyl-phenylazo)-2-naphthyl]-palladium}	92		1
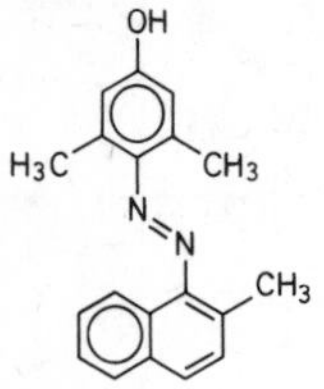	*Di-μ-chloro-bis-*{[1-(2,6-di-methyl-4-hydroxy-phenylazo)-2-methyl-8-naphthyl]-palladium}			2

Ortho-palladiertes Azobenzol kann mit überschüssigem Triethylphosphan in *Chloro-(2-phenylazo-phenyl)-bis-(triethylphosphan)-palladium* übergeführt werden[3, 4]:

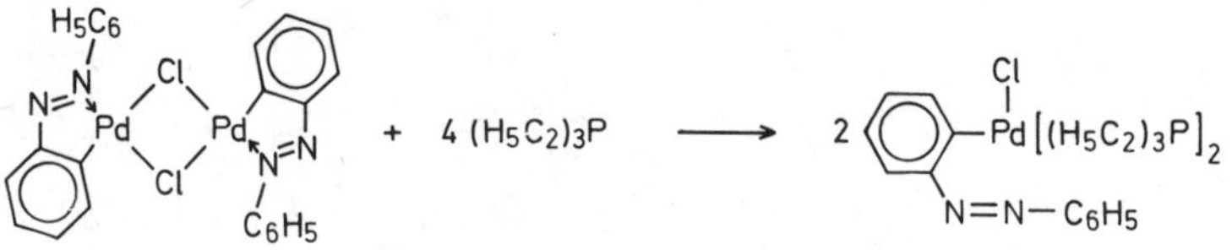

Eine Reduktion der ortho-palladierten Azobenzole kann mit Natrium-tetracarbonyl-ferrat(-II) in Tetrahydrofuran vorgenommen werden[5]:

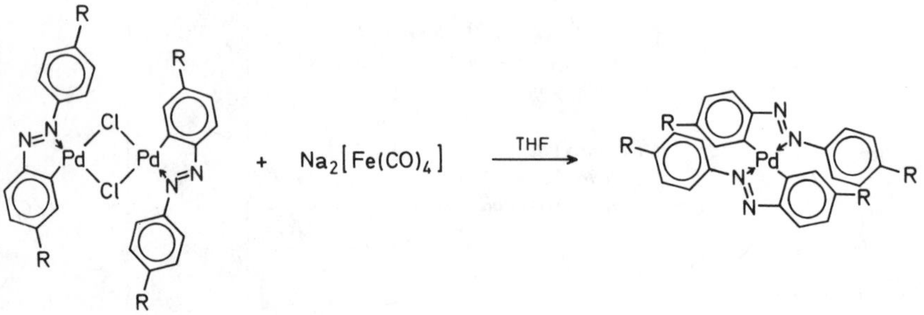

R = CH₃; *Bis-[5-methyl-2-(4-methyl-phenylazo)-phenyl]-palladium*; 5%; F: 200–201°
R = OCH₃; *Bis-[5-methoxy-2-(4-methoxy-phenylazo)-phenyl]-palladium*; 10%; F: 204–205°

Azoxybenzole lassen sich mit Lithium-tetrachloropalladat(II) in siedendem Methanol ortho-palladieren:

[1] P. Rys et al., Inorg. Chem. **21**, 2493 (1982).
[2] P. Rys et al., Helv. **65**, 1202 (1982); viele weitere Beispiele.
[3] R. W. Siekman u. D. L. Weaver, Chem. Commun. **1968**, 1021.
[4] D. L. Weaver, Inorg. Chem. **9**, 2250 (1970); Röntgenstrukturanalyse.
[5] P. L. Pauson et al., Soc. [C] **1969**, 1534.

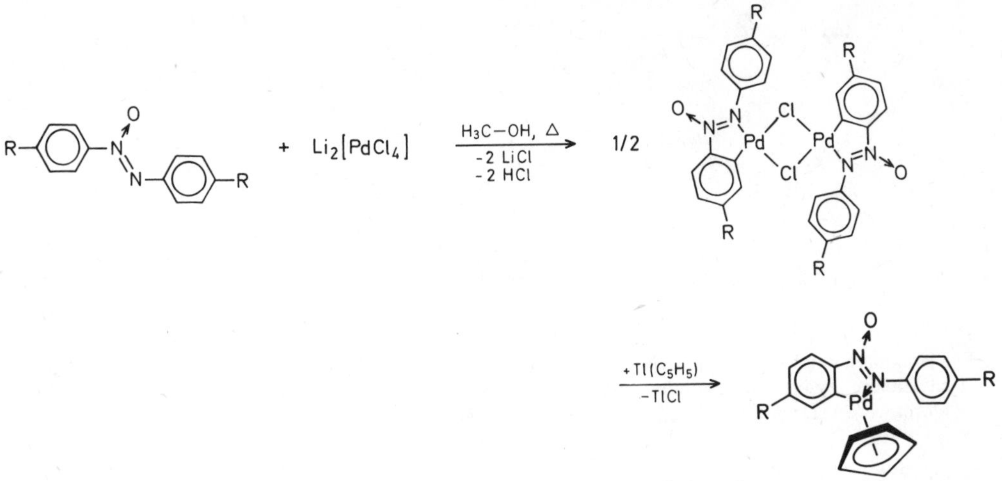

Di-μ-chloro-bis-[(2-phenylazoxy-phenyl)-palladium] [1]: Eine Lösung von 1,5 g Lithium-tetrachloropalladat (II) in 30 *ml* Methanol wird zu einer Lösung gefügt, die 1,0 g Azoxybenzol in 30 *ml* Methanol enthält. Die Mischung wird 2 Tage unter Rückfluß erhitzt. Dabei bildet sich ein gelber Niederschlag, der abfiltriert und mit Methanol gewaschen wird; Ausbeute: 1,0 g (52%).

Die Reinigung erfolgt durch Soxhlet-Extraktion in Dichlormethan; F: >320°, goldfarbene Kristallnadeln.

Analog läßt sich *Di-μ-chloro-bis-{[5-methoxy-2-(4-methoxy-phenylazoxy)-phenyl]-palladium}* (80%; F: >330°) aus 4,4′-Dimethoxy-azoxybenzol herstellen [2]. Zur besseren Charakterisierung und wegen der Schwerlöslichkeit werden die Chloro-verbrückten ortho-palladierten Azoxybenzole mit Cyclopentadienyl-thallium in Tetrahydrofuran in die entsprechenden (Cyclopentadienyl)-(2-phenylazoxy-phenyl)-palladium-Verbindungen überführt [2].

Ortho-Hydroxy-diarylazo-Verbindungen können sowohl Chelat-Komplexe des Typs I als auch C-metallierte Verbindungen vom Typ II geben:

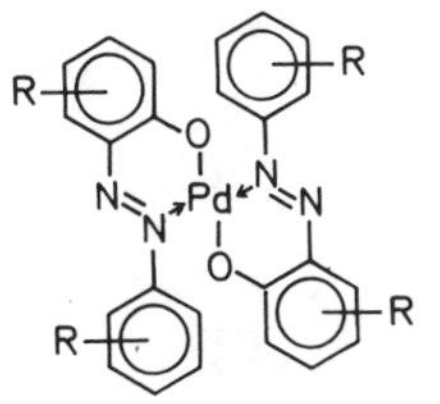

Typ I 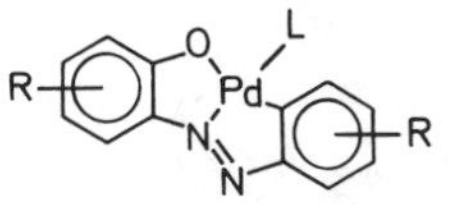   Typ II

Wird 1-(5-tert.-Butyl-2-hydroxy-phenylazo)-2-methyl- bzw. 4-Brom-(5-tert.-butyl-2-hydroxy-3-methyl-phenylazo)-benzol mit Kalium-tetrachloropalladat(II) in Dimethylsulfoxid/Pyridin umgesetzt, so erhält man ein Gemisch ungefähr gleicher Teile (1:2)-Komplexe vom Typ I und der C-metallierten Verbindungen [*2-(5-tert.-Butyl-2-phenolatoazo)-3-methyl-phenyl]-(pyridin)-palladium* bzw. [*2-(5-tert.-Butyl-3-methyl-2-phenolatoazo)-5-brom-phenyl]-(pyridin)-palladium* [3]:

---

[1] A.L. BALCH u. D. PETRIDIS, Inorg. Chem. **8**, 2247 (1969).
[2] R.L. BENNETT, M.I. BRUCE u. I. MATSUDA, Austral. J. Chem. **28**, 1265 (1975).
[3] E. STEINER u. F.A. L'EPLATTENIER, Helv. **61**, 2264 (1978).

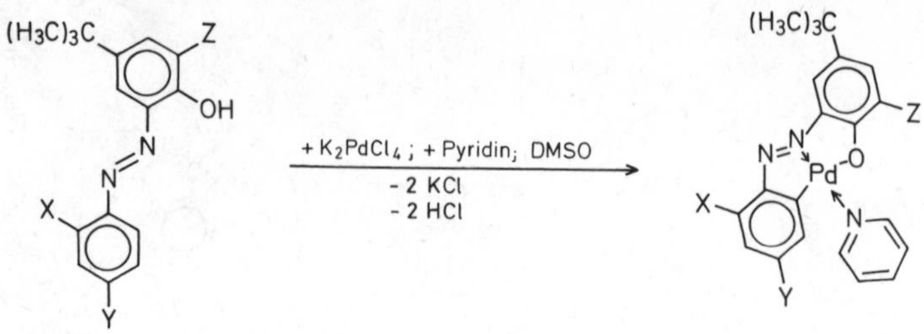

X = CH₃; Y, Z = H
X = H; Y = Br; Z = CH₃

Die Trennung der Komplexgemische wird durch Säulenchromatographie an Kieselgel mit Benzol/Pyridin (9:1) als Eluierungsmittel durchgeführt. Die filtrierten und i. Vak. eingedampften Fraktionen werden aus Ethanol/Chloroform (9:1) umkristallisiert und bei 90° i. Vak. getrocknet.

$\beta\beta_2$) von Azomethinen, Oximen, Hydrazonen, Azinen, Osazonen, Amidinen

Imine mit einer sp²-C-Aryl-Gruppe lassen sich leicht mit Palladiumhalogeniden in der ortho-Stellung palladieren:

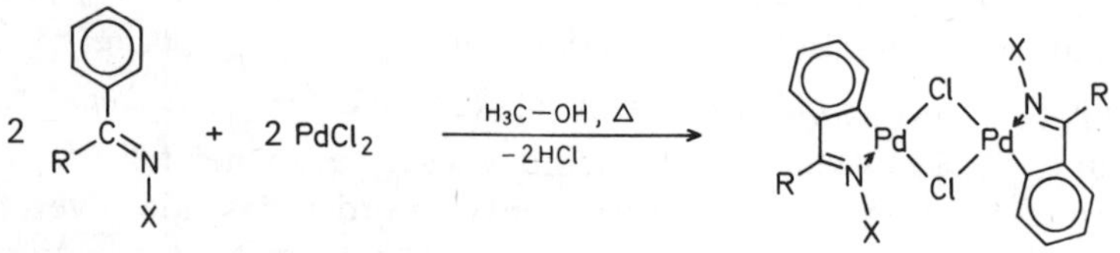

Zu diesem Typus gehören

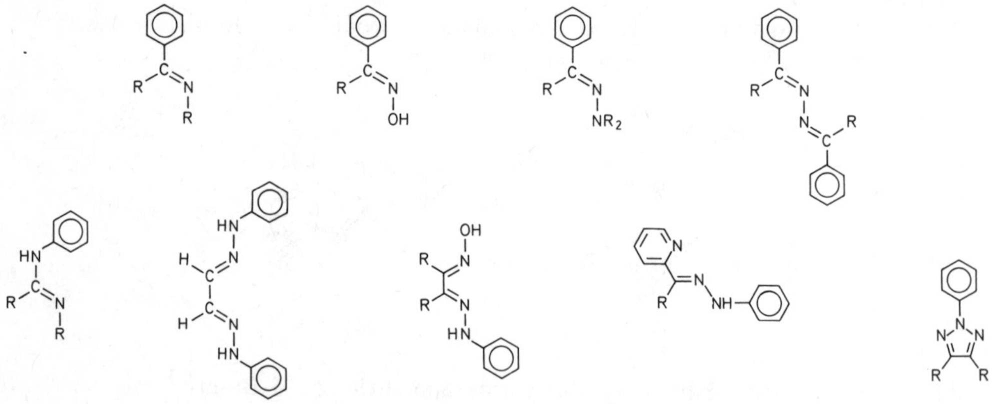

Die ortho-Palladierungen werden meistens mit Lithium-tetrachloropalladat(II) oder Bis-[benzonitril]-dichloro-palladium in Methanol oder mit Palladium(II)-acetat in Essigsäure bei 20° oder unter Rückfluß durchgeführt. Im folgenden werden einige charakteristische Beispiele für die ortho-Palladierung von Azomethinen, Oximen, Hydrazonen und Azinen beschrieben. Tab. 12 (S. 836) gibt eine Übersicht über die ortho-Palladierungsprodukte dieser Verbindungsklassen.

Ortho-Palladierung von Iminen; allgemeine Arbeitsvorschrift:

.mit Bis-[benzonitril]-dichloro-palladium in Methanol[1]: 1,04 mmol Bis-[benzonitril]-dichloro-palladium wird in 100 *ml* Methanol unter leichtem Erwärmen gelöst. Eine Lösung von 5 mmol Imin in 100 *ml* Me-

---

[1] S.P. MOLNAR u. M. ORCHIN, J. Organometal. Chem. **16**, 196 (1969).

thanol wird zugefügt und die Reaktionsmischung auf Rückfluß erhitzt. Die Farbe der Mischung schlägt fast augenblicklich beim Mischen von dunkelrot nach gelb um. Beim Erreichen der Rückflußtemp. wird die Lösung trübe durch ausfallendes Produkt. Nach 3 Stdn. Erhitzen unter Rückfluß wird die Reaktionsmischung auf 20° abgekühlt, filtriert und der Komplex mit Methanol gewaschen; Ausbeute: 80–100% d. Th.

mit Palladium(II)-acetat in Essigsäure[1]: Eine Lösung von 10,5 mmol Imin und 2,15 g (10 mmol) Palladium(II)-acetat in 50 ml Essigsäure wird erhitzt. Dabei schlägt die Farbe der Reaktionsmischung von dunkelrot nach gelb um. Nach 30 Min. unter Rückfluß wird die Reaktionsmischung gekühlt, mit Wasser verdünnt und mit Dichlormethan extrahiert. Der Extrakt wird konzentriert und an Kieselgel (50 g) chromatographiert. Nach Einengen des Dichlormethan-Extrakts wird aus Dichlormethan/Hexan umkristallisiert.

von Oximen[2]: Zu einer Lösung von 20 mmol Lithium-tetrachloropalladat(II) in 40 ml Methanol wird eine methanolische Lösung von 20 mmol Oxim und 20 mmol Natriumacetat-Trihydrat zugefügt. Es fallen entweder nach 2 Tagen direkt die ortho-palladierten gelben Verbindungen aus, oder es fallen zunächst geringe Mengen nichtmetallierter dunkelroter N-Donor-Komplexe aus, die abfiltriert werden. Die gelben Metallierungsprodukte fallen dann durch Zugabe von Wasser zum Filtrat aus. Die Ausbeuten liegen zwischen ~60 und 100%.

von Hydrazonen: Di-μ-chloro-bis-{[2-(1-phenylhydrazono-ethyl)-phenyl]-palladium}[3,4]: 150 ml frisch destilliertes Acetophenon werden zu 33 g trans-Dichloro-bis-[phenylhydrazin]-palladium[5] gegeben. Die Mischung wird 10 Min. auf 80° erhitzt, bis die Suspension klar wird und eine dunkelrote Lösung entsteht. Überschüssiges Acetophenon wird i. Vak. abdestilliert. Der feste Rückstand wird mit Dichlormethan gewaschen, um entstandenes Phenylhydrazon zu entfernen. Schließlich wird mit Diethylether gewaschen und i. Vak. getrocknet. Soxhlet-Extraktion dieser Festsubstanz mit Dichlormethan ergibt das reine Produkt. Ausbeute: 22 g (75%); F: 200°.

Die ortho-Palladierung von Hydrazonen gelingt auch direkt durch Erhitzen des entsprechenden Hydrazons mit Palladium(II)-acetat in Essigsäure[6].

von Azinen; Di-μ-acetato-bis-{[2-benzylidenhydrazono-methyl)-phenyl]-palladium}[6]:

$$2\ Pd(O-CO-CH_3)_2\ +\ 2\ H_5C_6-CH=N-N=CH-C_6H_5\ \xrightarrow[-2\ H_3C-COOH]{H_3C-COOH}$$

Eine Mischung von 2,18 g (10,5 mmol) Benzaldazin und 2,24 g (10 mmol) Palladium(II)-acetat in 50 ml Essigsäure wird 45 Min. unter Rückfluß erhitzt. Nach Kühlen wird Wasser zugefügt und die Festsubstanz durch Filtrieren abgetrennt, gründlich mit Wasser gewaschen, an der Luft getrocknet und aus Benzol–Hexan umkristallisiert; Ausbeute: 2,86 g (77%); F: 218–222° (Zers.; hellrote Nadeln).

Da die Halogen-verbrückten Dipalladium-Verbindungen teilweise schwer löslich sind und sich schlecht charakterisieren lassen, werden sie vorteilhaft durch Brückenspaltungsreaktionen in die entsprechenden monomeren ortho-palladierten Verbindungen übergeführt:

L = $R_3P^{1,3,7}$, $(H_5C_6)_3As^3$, $(H_5C_6)_3Sb^3$, RNH_2^7,

[1] H. ONOUE u. I. MORITANI, J. Organometal. Chem. 43, 431 (1972).
[2] H. ONOUE, K. MINAMI u. K. NAKAGAWA, Bl. chem. Soc. Japan 43, 3480 (1970).
[3] J. DEHAND, M. PFEFFER u. M. ZINSIUS, Inorg. Chim. Acta 13, 229 (1975).
[4] P. BRAUNSTEIN, J. DEHAND u. M. PFEFFER, Inorg. Nucl. Chem. Letters 10, 521 (1974).
[5] J. DEHAND u. M. PFEFFER, Bl. 1974, 2782.
[6] J.M. THOMPSON u. R.F. HECK, J. Org. Chem. 40, 2667 (1975).
[7] M. NONOYAMA, Inorg. Nucl. Chem. Lett. 12, 709 (1976).
[8] J. DEHAND u. M. PFEFFER, C.r. [C] 281, 363 (1975).
[9] M.I. BRUCE et al., Soc. [Dalton] 1972, 1787.

Tab. 12: Ortho-Palladierung von Azomethinen, Oximen und Hydrazonen

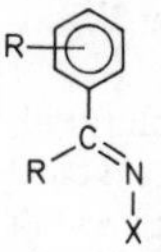 (Edukt)	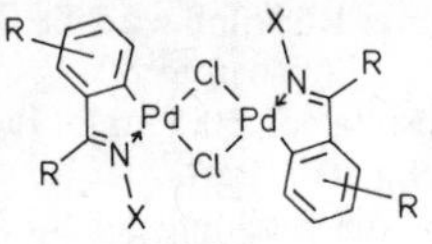 (Produkt)	Ausbeute [%]	F [°C]	Literatur
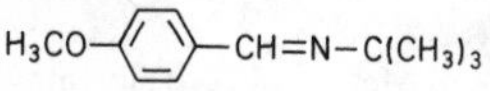 H_3CO—⟨⟩—CH=N—C(CH$_3$)$_3$	Di-μ-chloro-bis-{[2-(tert.-butylimino-methyl)-5-methoxy-phenyl]-palladium}	–	–	1
H_5C_6—CH=N—C$_6$H$_5$	Di-μ-chloro-bis-{[2-(phenyliminomethyl)-phenyl]-palladium}	96	286–288	2, 3
	Di-μ-acetato-bis-{[2-(phenyliminomethyl)-phenyl]-palladium}	96	210–220	4, 5
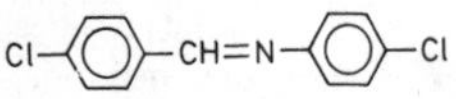 Cl—⟨⟩—CH=N—⟨⟩—Cl	Di-μ-chloro-bis-{[5-chlor-2-(4-chlor-phenyliminomethyl)-phenyl]-palladium}	82	275–280	2
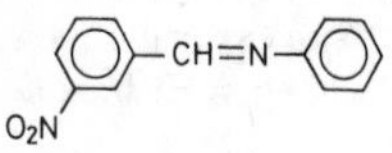 O_2N—⟨⟩—CH=N—⟨⟩	Di-μ-chloro-bis-{[4-nitro-2-(phenylimino-methyl)-phenyl]-palladium}	95	262–265	2
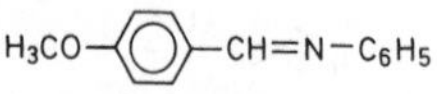 H_3CO—⟨⟩—CH=N—C$_6$H$_5$	Di-μ-chloro-bis-{[5-methoxy-2-(phenylimino-methyl)-phenyl]-palladium}	94	240–245	2
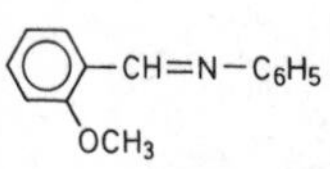 ⟨⟩(OCH$_3$)—CH=N—C$_6$H$_5$	Di-μ-chloro-bis-{[3-methoxy-2-(phenyl-iminomethyl)-phenyl]-palladium}	95		3
H_5C_6—CH=N—CH$_3$	Di-μ-chloro-bis-{[2-(methyliminomethyl)-phenyl]-palladium}	45	250	6
	Di-μ-acetato-bis-{[2-(methyliminomethyl)-phenyl]-palladium}	99	222–225	4
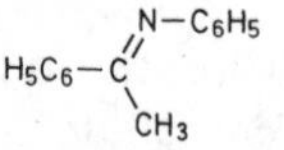 H_5C_6—C(CH$_3$)=N—C$_6$H$_5$	Di-μ-chloro-bis-{[2-(1-phenylimino-ethyl)-phenyl]-palladium}	85	285–290	2
	Di-μ-acetato-bis-{[2-(1-phenylimino-ethyl)-phenyl]-palladium}	99	225	4, 5
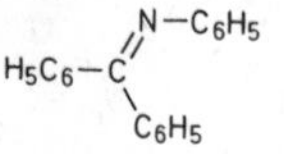 H_5C_6—C(C$_6$H$_5$)=N—C$_6$H$_5$	Di-μ-chloro-bis-{[2-(phenyl-phenylimino-methyl)-phenyl]-palladium}	75	300–305	2
	Di-μ-acetato-bis-{[2-(phenyl-phenylimino-methyl)-phenyl]-palladium}	87	233–235	4
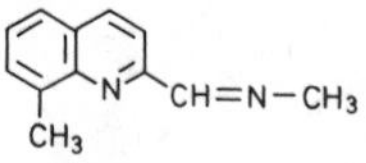 (8-methyl-quinoline-2-CH=N—CH$_3$)	Di-μ-chloro-bis-{[2-(methyliminomethyl)-8-methyl-3-chinolyl]-palladium}	23		7, 8
	Di-μ-acetato-bis-{[2-(methyliminomethyl)-8-methyl-3-chinolyl]-palladium}	67		8
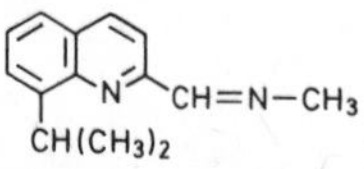 (8-isopropyl-quinoline-2-CH=N—CH$_3$)	Di-μ-chloro-bis-{[8-isopropyl-2-(methyl-iminomethyl)-3-chinolyl]-palladium}	64		8

[1] I. R. Girling u. D. A. Widdowson, Tetrahedron Letters 23, 1957 (1982), viele weitere Beispiele.
[2] S. P. Molnar u. M. Orchin, J. Organometal. Chem. 16, 196 (1969).
[3] I. Moritani et al., Tetrahedron Letters 1974, 3749.
[4] H. Onoue u. I. Moritani, J. Organometal. Chem. 43, 431 (1972).
[5] J. M. Thompson u. R. F. Heck, J. Org. Chem. 40, 2667 (1975).
[6] M. I. Bruce et al., Soc. [Dalton] 1972, 1787.
[7] A. J. Deeming u. I. P. Rothwell, Chem. Commun. 1978, 344.
[8] A. J. Deeming et al., Soc. [Dalton] 1979, 1899.

Tab. 12 (Forts.)

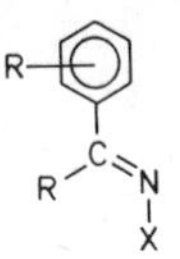 (Ausgangsstoff)	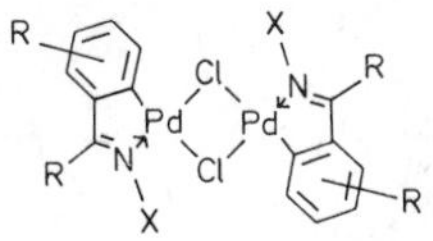 (Produkt)	Ausbeute [%]	F [°C]	Lite-ratur
$H_5C_6-CH=N-C(CH_3)_3$	Di-μ-chloro-bis-{[2-(tert-butylimino-methyl)-phenyl]-palladium}	33	230	[1]
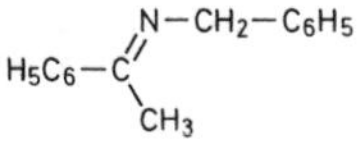 $H_5C_6-C(CH_3)=N-CH_2-C_6H_5$	Di-μ-chloro-bis-⟨{2-[1-(benzylimino)-ethyl]-phenyl}-palladium⟩	20		[2,3]
$H_5C_6-CH=N-OH$	Di-μ-chloro-bis-{[2-(hydroxyiminomethyl)-phenyl]-palladium}	77	200	[4]
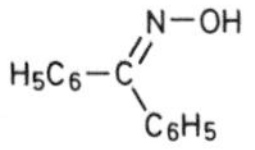 $H_5C_6-C(C_6H_5)=N-OH$	Di-μ-chloro-bis-⟨{2-[(hydroxyimino)-(phenyl)-methyl]-phenyl}-palladium⟩	68	150–152	[4]
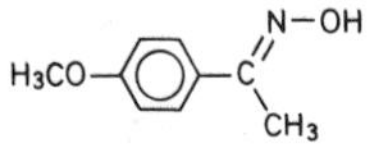 $H_3CO-C_6H_4-C(CH_3)=N-OH$	Di-μ-chloro-bis-⟨{5-methoxy-2-[1-(hydroxy-imino)-ethyl]-phenyl}-palladium⟩	91	245–250	[4]
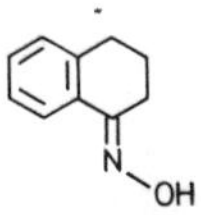 (1-tetralone oxime)	Di-μ-chloro-bis-[(1-tetralonoxim-C^2,N)-palladium]	96	302	[5]
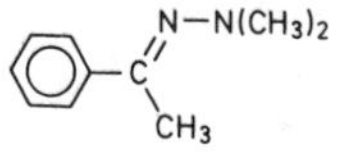 $C_6H_5-C(CH_3)=N-N(CH_3)_2$	Di-μ-chloro-bis-⟨{2-[1-(dimethylhydrazono)-ethyl]-phenyl]-palladium⟩	100	188–190	[6]
	Di-μ-acetato-bis-⟨{2-[1-(dimethylhydrazono-ethyl]-phenyl}-palladium⟩	61	230–235	[7]
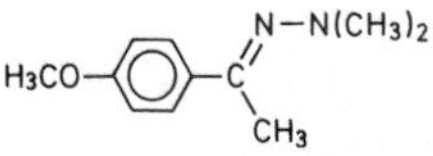 $H_3CO-C_6H_4-C(CH_3)=N-N(CH_3)_2$	Di-μ-chloro-bis-⟨{2-[1-(dimethylhydrazono)-ethyl]-5-methoxy-phenyl}-palladium⟩			[8]
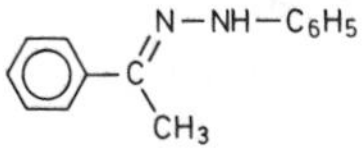 $C_6H_5-C(CH_3)=N-NH-C_6H_5$	Di-μ-chloro-bis-⟨{2-[1-(phenylhydrazono)-ethyl]-phenyl}-palladium⟩	75	200	[9–11]
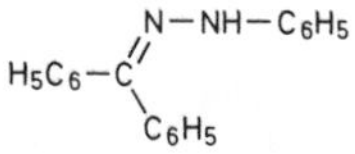 $H_5C_6-C(C_6H_5)=N-NH-C_6H_5$	Di-μ-chloro-bis-⟨{2-[(phenyl)-(phenylhydra-zono)-methyl]-phenyl}-palladium⟩	56		[12]

[1] S. Trofimenko, Inorg. Chem. 12, 1215 (1973).
[2] J. Dehand u. M. Pfeffer, C.r. [C] 281, 363 (1975).
[3] J. Dehand, J. Jordanov u. M. Pfeffer, Soc. [Dalton] 1976, 1553.
[4] H. Onoue, K. Minami u. K. Nakagawa, Bl. chem. Soc. Japan 43, 3480 (1970).
[5] A.J. Nielson, Soc. [Dalton] 1981, 205; 9 weitere Beispiele.
[6] W.S. McDonald, B.L. Shaw et al., Soc. (Dalton) 1980, 1992.
[7] J.M. Thompson u. R.F. Heck, J. Org. Chem. 40, 2667 (1975).
[8] W.S. McDonald, B.L. Shaw et al., Chem. Commun. 1978, 1061.
[9] J. Dehand, M. Pfeffer u. M. Zinsius, Inorg. Chim. Acta 13, 229 (1975).
[10] P. Braunstein, J. Dehand u. M. Pfeffer, Inorg. Nucl. Chem. Letters 10, 521 (1974).
[11] J. Dehand et al., Inorg. Chem. 15, 2675 (1976); mit Röntgenstruktur.
[12] J. Lewis et al., Soc. [Dalton] 1973, 404.

Auch eine Aufspaltung der Halogenbrücke mit Kohlenmonoxid ist bekannt[1]:

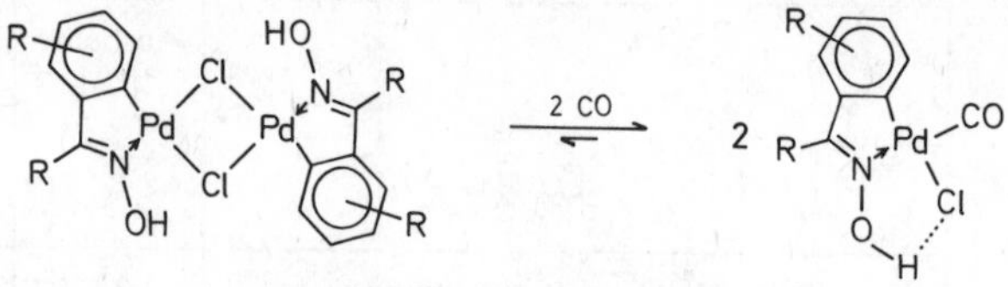

Mit überschüssigen Donor-Liganden wie Triethylphosphan kann der Chelat-Fünfring des ortho-Palladierungsproduktes ganz aufgespalten werden, und man erhält zum Beispiel *Chloro-{2-[1-(phenylazo)-ethyl]-phenyl}-bis-(triethylphosphan)-palladium*[2]:

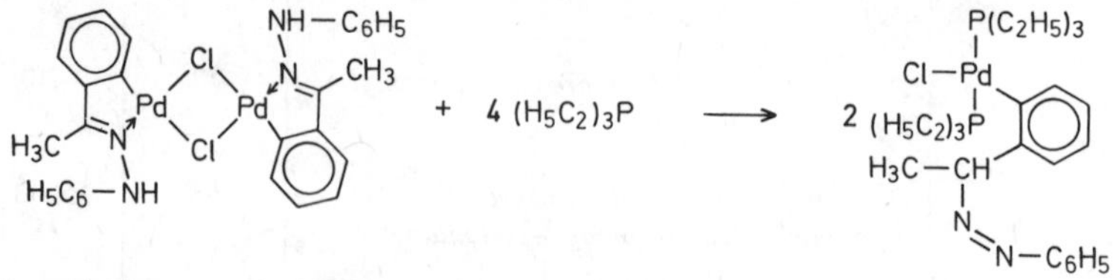

Analog den Aromaten ist auch (1-Hydrazono-ethyl)-ferrocen zur Cyclopalladierung unter elektrophiler Substitution befähigt, wobei *Di-μ-chloro-bis-⟨{2-[1-(dimethylhydrazono)-ethyl]-ferrocenyl}-palladium⟩* (84%) entsteht[3]:

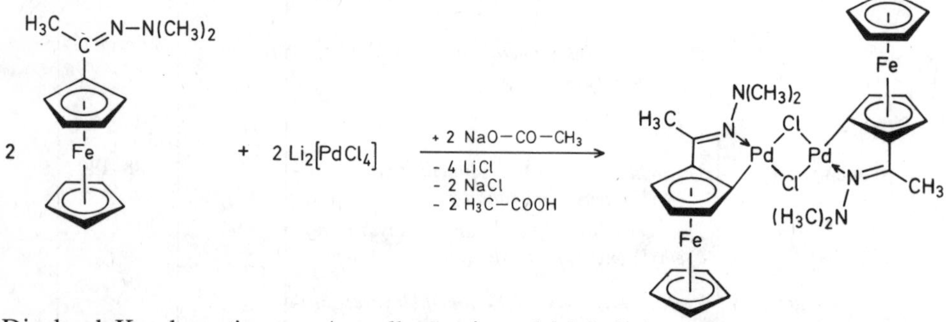

Die durch Kondensation von Acetylhydrazin und 4-Methyl-acetophenon, Acetyl-ferrocen bzw. 2-Acetyl-thiophen gebildeten Acetylhydrazone (42–78%) reagieren mit aus Lithiumchlorid und Palladium(II)-chlorid in situ hergestelltem Lithium-tetrachloropalladat(II) in Gegenwart von Natriumacetat zu den cyclopalladierten Verbindungen[4]:

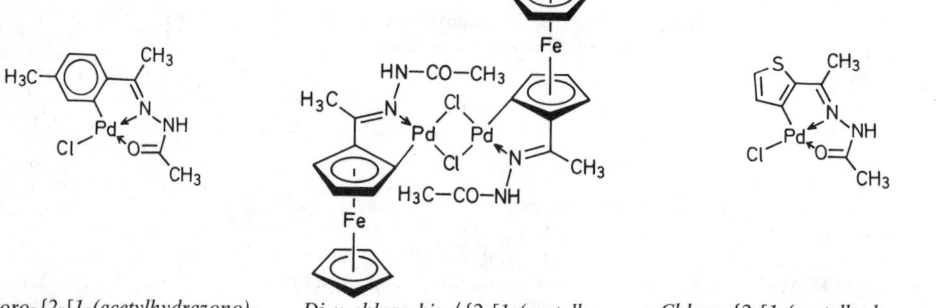

Chloro-{2-[1-(acetylhydrazono)-ethyl]-5-methyl-phenyl}-palladium; 79%; F: 215°, Zers.

Di-μ-chloro-bis-⟨{2-[1-(acetylhydrazono)-ethyl]-ferrocenyl}-palladium⟩; 79%; F: 190°, Zers.

Chloro-{2-[1-(acetylhydrazono)-ethyl]-3-thienyl}-palladium; 70%; F: 225°, Zers.

[1] H. ONOUE, K. NAKAGAWA u. I. MORITANI, J. Organometal. Chem. **35**, 217 (1972).
[2] J. DEHAND et al., Inorg. Chim. Acta **13**, 229 (1975); Inorg. Chem. **15**, 2675 (1976); mit Röntgenstruktur.
[3] M. NONOYAMA, Inorg. Nucl. Chem. Letters **12**, 709 (1976).
[4] M. NONOYAMA u. M. SUGIMOTO, Inorg. Chim. Acta **35**, 131 (1979).

Die Cyclopalladierung der Acetylhydrazone von Acetyl-arenen, -heteroarenen und -ferrocen verläuft analog der Arbeitsvorschrift für die Cyclopalladierung von Butandion-monoxim-arylhydrazon.

Das Osazon von 2,3-Dioxo-butan mit N-Methyl-N-phenyl-hydrazin bildet mit Bis-[benzonitril]-dichloro-palladium in Dichlormethan einen *cis*-Dichloro-osazon-palladium(II)-Komplex, der bei der Behandlung mit Kieselgel in Dichlormethan in den ortho-palladierten Komplex *Chloro-{2-[(3-phenylazo-2-buten-2-yl)-azo]-phenyl}-palladium* übergeht[1-3]:

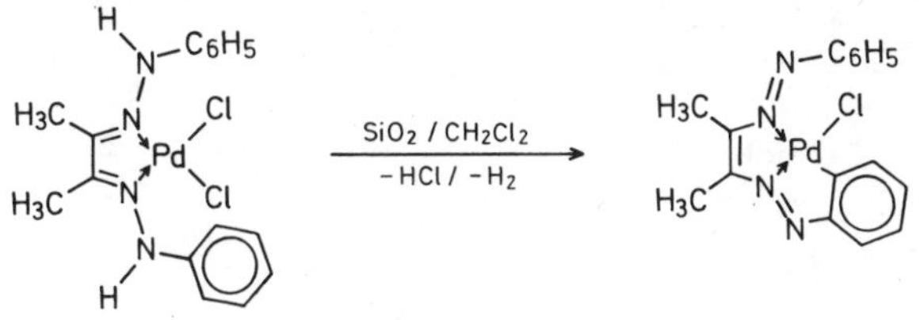

Eine vom Typ her ähnliche Reaktion findet bei der Umsetzung von Butandion-monoxim-arylhydrazonen mit Lithium-tetrahalogeno-palladat(II) statt. In Abwesenheit von Natriumacetat lassen sich die N-Donor-palladium-Chelat-Komplexe isolieren, während die Reaktion in Gegenwart des Acetats zu den ortho-palladierten Produkten führt[4,5]:

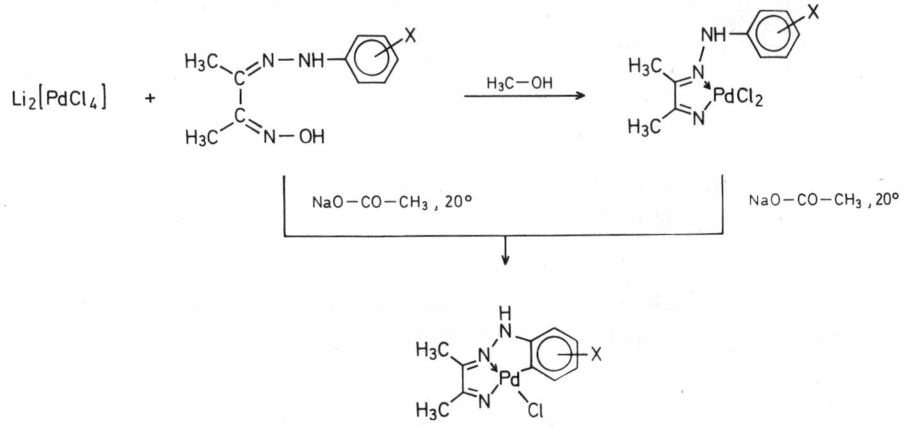

...-1,6-dihydro-⟨benzo-1,2,5,6-triazapalladocin⟩
z.B.: X = H; *6-Chlor-3,4-dimethyl-*...; 84%; F: 220°
X = 7-CH$_3$; *6-Chlor-3,4,7-trimethyl-*...; 87%; F: 215°
X = 9-Cl; *6,9-Dichlor-3,4-dimethyl-*...; 90%; F: 200°
X = 9-NO$_2$; *6-Chlor-3,4-dimethyl-9-nitro-*...; 23%; F: 250°

Die Cyclopalladierung gelingt nicht, wenn die Arylhydrazono-Gruppe N-Methyl-substituiert ist.

Cyclopalladierung von Butandionmonoxim-arylhydrazonen; allgemeine Arbeitsvorschrift[4]: Zu einer Mischung aus 1 mmol Palladium(II)-chlorid, 2,5 mmol Lithiumchlorid (oder -bromid) und 1 mmol Butandion-monoxim-arylhydrazon in 40 ml Methanol wird 1 mmol Natriumacetat hinzugefügt. Die resultierende Mischung wird dunkelbraun und wechselt allmählich nach orangefarben. Es wird so lange bei 20° gerührt, bis sich die Farbe der

---

[1] L. Caglioti et al., Inorg. Chim. Acta **7**, 538 (1973).
[2] L. Maresca, G. Natile et al., Soc. [Dalton] **1975**, 1601.
[3] L. Cattalini et al., Proc. Int. Conf. Coord. Chem., 16th, 1974; C.A. **85**, 108754 (1976).
[4] M. Nonoyama, J. Organometal. Chem. **154**, 169 (1978).
[5] M. Nonoyama, Inorg. Nucl. Chem. Letters **13**, 439 (1977).

Mischung nicht mehr ändert (gewöhnlich mehrere Tage). Das orangefarbene Produkt wird gesammelt, mit Methanol gewaschen und dann an der Luft getrocknet. Die entsprechenden Bromo- oder Jodo-Verbindungen erhält man durch Metathesereaktionen mit Lithiumbromid oder -jodid in Dimethylsulfoxid.

Die 1:1-molare Umsetzung von 2-[1-(4-Methyl-phenylhydrazono)-ethyl]-pyridin mit Lithium-tetrachloro- oder -bromopalladat(II) in Gegenwart molarer Mengen Natriumacetat in Methanol (bei 20°, 5 Tage) führt zu den vierfach koordinierten cyclopalladierten Palladium(II)-Komplexen *Bromo-* bzw. *Chloro-{2-[1-(2-pyridyl)-ethylidenhydrazino]-5-methyl-phenyl}-palladium* (83%) mit anionischem, dreizähnig-gebundenen Liganden[1]:

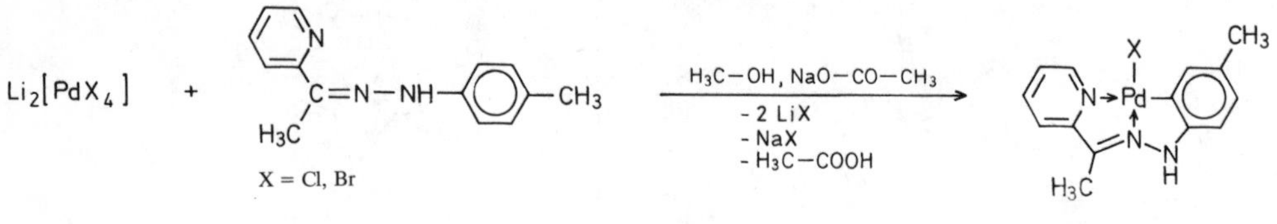

Auch 2-arylsubstituierte 1,2,3-Triazole können Cyclometallierungsreaktionen mit Lithium-tetrachloropalladat(II) eingehen:

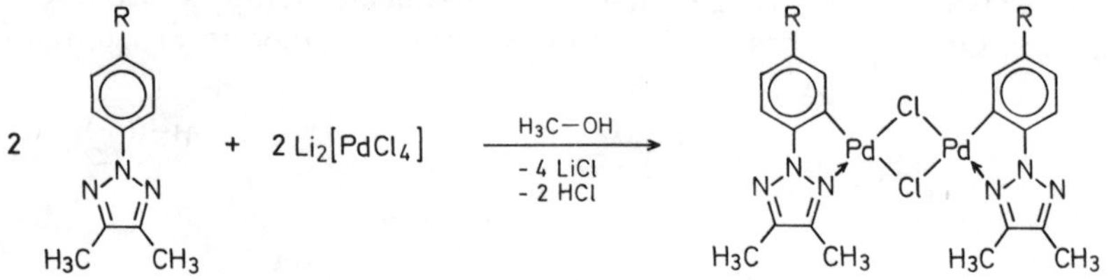

R = H; *Di-μ-chloro-bis-{[2-(4,5-dimethyl-1,2,3-triazolyl-2)-phenyl]-palladium}[2]*; 82%; F: 295°; Zers.
R = CH₃; *Di-μ-chloro-bis-{[2-(4,5-dimethyl-1,2,3-triazolyl-2)-5-methyl-phenyl]-palladium}[2]*; 62%; F: 305°,
Zers.

Die Imine aus Benzaldehyd bzw. Acetophenon und Benzylamin werden dagegen nicht an dem Aryl-Rest, der sich an der C=N-Doppelbindung befindet, metalliert, sondern am benzylischen Aryl-Rest[3]:

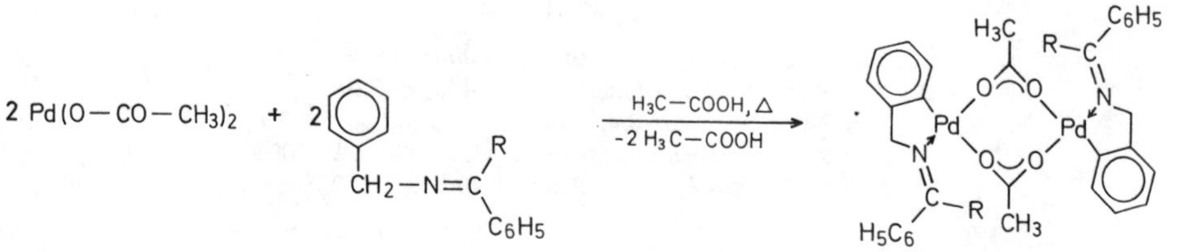

Di-μ-acetato-bis-{[2-(benzylidenamino-methyl)-phenyl]-palladium}[3] (R = H): Eine Mischung von 2,24 g (10 mmol) Palladium(II)-acetat und 2,05 g (10,5 mmol) (Benzylidenamino-methyl)-benzol in 50 ml Essigsäure wird 50 Min. unter Rückfluß erhitzt. Nach Kühlen wird Wasser zugefügt und die ausgefallene Festsubstanz abfiltriert. Nach Waschen mit Wasser und Trocknen an der Luft wird das Produkt aus Benzol umkristallisiert; Ausbeute: 3,00 g (80%); F: 194° (Zers.; goldgelbe Kristalle); NMR τ_{CH₂}: 5,50 (AB Quartett).

Analog wird *Di-μ-acetato-bis-⟨{2-[(1-phenyl-ethylidenamino)-methyl]-phenyl}-palladium⟩* (44%; F: 245–249°, Zers.) erhalten[3].

---

[1] M. NONOYAMA, Inorg. Chim. Acta **28**, L 163 (1978).
[2] M. NONOYAMA u. C. HAYATA, Transition Met. Chem. **3**, 366 (1978).
[3] J.M. THOMPSON u. R.F. HECK, J. Org. Chem. **40**, 2667 (1975).

Hydrazone, die nicht an der C=N-Doppelbindung aryliert sind, sondern am benachbarten Stickstoff-Atom, lassen sich ebenfalls ortho-palladieren[1]:

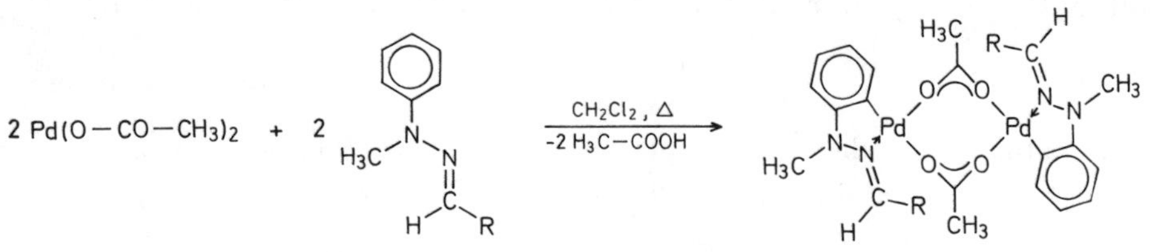

Di-μ-acetato-bis-{[2-ethyliden-hydrazino)-phenyl]-palladium}[1] (R = CH$_3$): Eine Mischung von 0,85 g (6,3 mmol) des 1-Methyl-1-phenyl-hydrazons von Formaldehyd und 1,42 g (6,3 mmol) Palladium(II)-acetat mit 50 ml Dichlormethan wird 45 Min. unter Rückfluß erhitzt. Es wird etwas Aktivkohle zugegeben und die Mischung filtriert. Nach Abziehen des Lösungsmittels i. Vak. wird aus Benzol durch dreimalige Zugabe von Hexan unter 35° umkristallisiert; Ausbeute: 1,11 g (58%); F: 193° (Zers.; gelbe Kristalle); NMR τ_{CH_2}: 3,80; 4,60 (2d, J: 8 Hz); τ_{N-CH_3}: 7,40; τ_{OCOCH_3}: 7,85.

Analog wird *Di-μ-acetato-bis-{[2-(propyliden-hydrazino)-phenyl]-palladium}*; (R = CH$_3$; 45%; F: 138°, Zers.) aus dem 1-Methyl-1-phenyl-hydrazon von Acetaldehyd erhalten[1].

Auch phenyl- bzw. 4-methyl-phenyl-substituierte Amidine reagieren mit Kalium-tetrachloropalladat(II) oder Palladium(II)-chlorid in wäßrigem Methanol bei Rückflußtemperatur zu den wenig löslichen ortho-metallierten Sechsring-Komplexverbindungen *Di-μ-chloro-bis-{{[2-(1-phenylimino-ethylamino)-phenyl]-* bzw. *Di-μ-chloro-bis-{{5-methyl-2-[1-(4-methyl-phenylimino)-ethylamino]-phenyl}-palladium}*[2]:

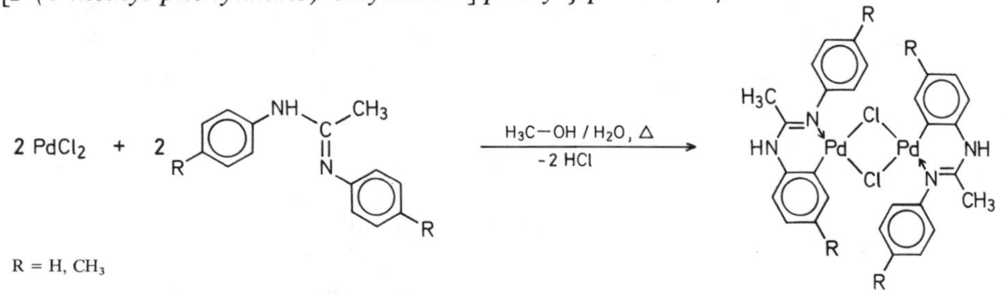

R = H, CH$_3$

Mit den gängigen Brückenspaltungsreaktionen (Thallium-2,4-pentandionat, Cyclopentadienyl-natrium etc.) können die Verbindungen in die leichter löslichen monomeren Chelat-Verbindungen überführt werden[2].

$\beta\beta_3$) von Verbindungen des Benzylamin-Typs

Die ortho-Palladierung von Benzylaminen gelingt auf einfache Weise durch Umsetzung mit äquimolaren Mengen Natrium-[3] bzw. Lithium-tetrachloropalladat(II)[4] oder Palladium(II)-acetat[1] gewöhnlich in Methanol oder Ethanol bei 20° oder unter Rückfluß. Natriumacetat[5], Triethylamin[6], Diisopropyl-ethyl-amin[6] oder N-Cyclohexyl-piperidin[7] erleichtern die ortho-Metallierung (durch Abfangen des sich bildenden Chlorwasserstoffs).

---

[1] J.M. Thompson u. R.F. Heck, J. Org. Chem. **40**, 2667 (1975).
[2] N.D. Cameron u. M. Kilner, Chem. Commun. **1975**, 687.
[3] z. Bsp. J. Lewis et al., Soc. [Dalton] **1973**, 404.
[4] z. Bsp. A.C. Cope u. E.C. Friedrich, Am. Soc. **90**, 909 (1968).
[5] M.G. Clerici, B.L. Shaw u. B. Weeks, Chem. Commun. **1973**, 516.
[6] R.A. Holton u. R.G. Davis, Am. Soc. **99**, 4175 (1977).
[7] US.P. 3 770 785 (1969/73), Du Pont, Erf.: S. Trofimenko; C.A. **80**, 37 290 (1974).

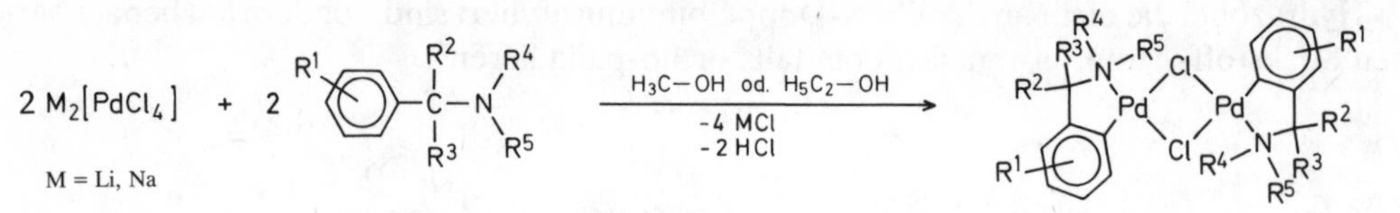

$$2\ M_2[PdCl_4]\ +\ 2\ \text{(structure)} \xrightarrow[\substack{-4\ MCl \\ -2\ HCl}]{H_3C-OH\ \text{od.}\ H_5C_2-OH} \text{(structure)}$$

M = Li, Na

Eine interne Dipalladierung gelingt nicht mit 1,2-Bis-[benzyl-methyl-amino]-ethan bzw. 1,3-Bis-[benzyl-methyl-amino]-propan[1]:

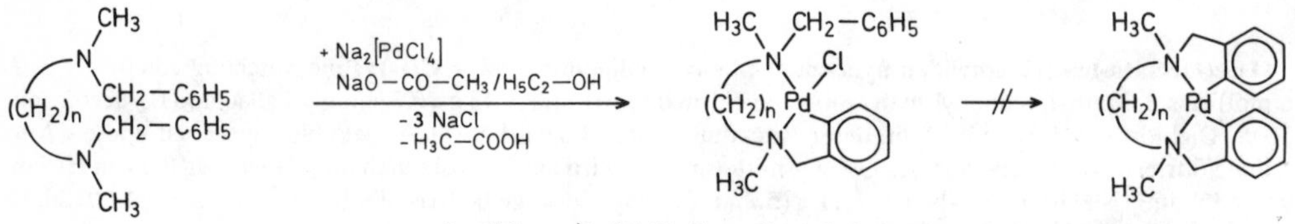

$$\text{(structure)} \xrightarrow[\substack{-3\ NaCl \\ -H_3C-COOH}]{\substack{+Na_2[PdCl_4] \\ NaO-CO-CH_3/H_5C_2-OH}} \text{(structure)} \nrightarrow \text{(structure)}$$

n = 2; *Chloro-⟨2-{N-[2-(benzyl-methyl-amino)-ethyl]-N-methyl-amino-methyl}-phenyl⟩-palladium*

n = 3; *Chloro-⟨2-{N-[3-(benzyl-methyl-amino)-propyl]-N-methyl-aminome-thyl}-phenyl⟩-palladium*

Bis-[dialkylamino-methyl]-benzole lassen sich dagegen zweifach ortho-palladieren[2,3,4]:

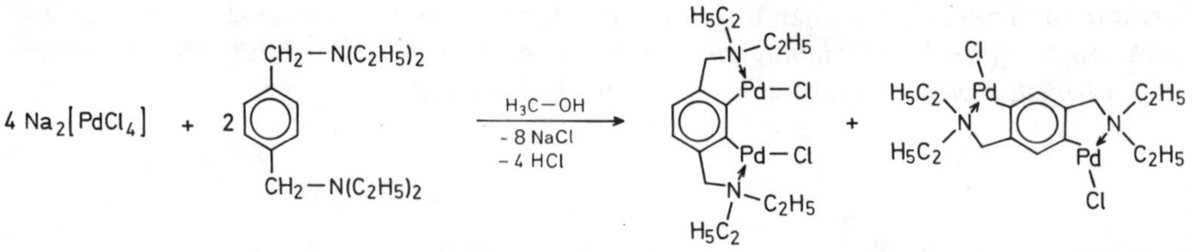

$$4\ Na_2[PdCl_4]\ +\ 2\ \text{(structure)} \xrightarrow[\substack{-8\ NaCl \\ -4\ HCl}]{H_3C-OH} \underset{I}{\text{(structure)}}\ +\ \underset{II}{\text{(structure)}}$$

I; *1,4-Bis-[diethylamino]-2,3-bis-[chloropalladio]-benzol*; 27%

II; *1,4-Bis-[diethylamino]-2,5-bis-[chloropalladio]-benzol*, 83%

Asymmetrische Palladium-Komplexe lassen sich zur teilweisen Spaltung racemischer tert. Phosphane verwenden[5,6].

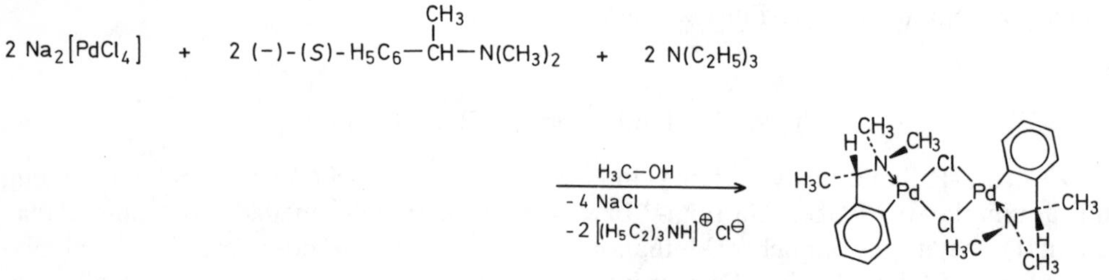

$$2\ Na_2[PdCl_4]\ +\ 2\ (-)-(S)-H_5C_6-\overset{CH_3}{\underset{}{CH}}-N(CH_3)_2\ +\ 2\ N(C_2H_5)_3$$

$$\xrightarrow[\substack{-4\ NaCl \\ -2\ [(H_5C_2)_3NH]^{\oplus}Cl^{\ominus}}]{H_3C-OH} \text{(structure)}$$

Di-μ-chloro-bis-{[2-(1-dimethylamino-ethyl)-phenyl]-palladium}

[1] M. G. CLERICI, B. L. SHAW u. B. WEEKS, Chem. Commun. 1973, 516.

[2] US.P. 3883570 (1969/75), Du Pont, Erf.: S. TROFIMENKO; C. A. 83, 114641 (1975).

[3] US.P. 3770785 (1969/73), Du Pont, Erf.: S. TROFIMENKO; C. A. 80, 37290 (1974).

[4] S. TROFIMENKO, Inorg. Chem. 12, 1215 (1973).

[5] S. OTSUKA et al., Am. Soc. 93, 4301 (1971).

[6] J. A. IBERS, S. OTSUKA et al., Am. Soc. 99, 7876 (1977).

Auch (Dialkylamino-methyl)-ferrocene[1] sowie -ruthenocene[2] lassen sich auf Grund des aromatischen Charakters dieser Verbindungen ortho-palladieren:

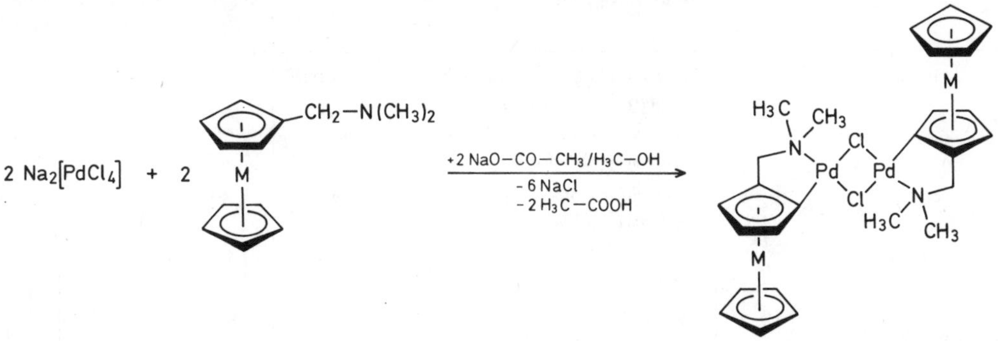

M = Fe; *Di-μ-chloro-bis-{[2-(dimethylamino-methyl)-ferrocenyl]-palladium}*; 84%
M = Ru; *Di-μ-chloro-bis-{[2-(dimethylamino-methyl)-ruthenocenyl]-palladium}*; 78%

Ein tert. Stickstoff-Atom ist nicht prinzipiell notwendig, da in einigen Fällen auch prim. und sek. Benzylamine ortho-Metallierung ergeben[3]. Bei kernsubstituierten Benzylaminen erfolgt die ortho-Palladierung aus sterischen Gründen bevorzugt in para-Stellung zum Substituenten[4]. In einigen Fällen wird jedoch auch in ortho-Stellung zum zweiten Kernsubstituenten metalliert, wenn ein ortho-dirigierender Effekt durch ein zweites Donor-Atom vorhanden ist[4]:

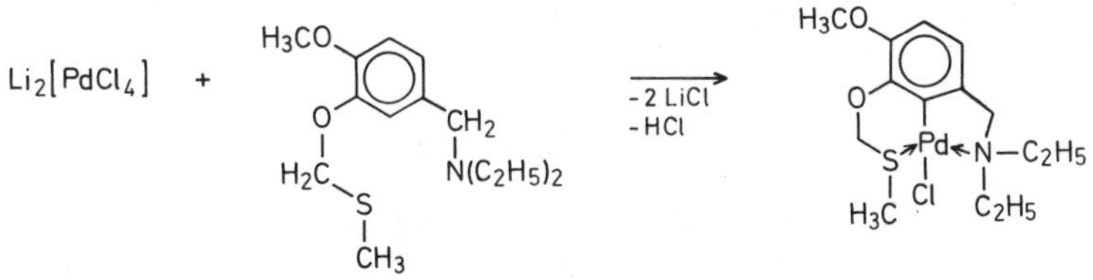

In Tab. 13 (s. S. 844), sind die obigen Beispiele und weitere ortho-metallierte Benzylamine zusammengestellt. Einige typische Arbeitsmethoden für die ortho-Palladierung von Benzylaminen werden im folgenden beschrieben.

(+)-Di-μ-chloro-bis-{[2-(1-dimethylamino-ethyl)-phenyl]-palladium}[5]: Eine Mischung von 0,02 mol Natrium-tetrachloropalladat(II), 0,02 mol (–)-(S)-Dimethyl-(1-phenyl-ethyl)-amin und 0,02 mol Triethylamin in 100 *ml* Methanol wird bei 20° unter Stickstoff 2 Stdn. gerührt. Die erhaltene Festsubstanz wird abfiltriert, mit Methanol gewaschen, i. Vak. getrocknet und aus Benzol umkristallisiert; Ausbeute: 7,5 g (65%); F: 186–189°, Zers.; $[\alpha]^{26}$ + 72,1° (c: 0,36, C_6H_6).

---

[1] J.C. GAUNT u. B.L. SHAW, J. Organometal. Chem. **102**, 511 (1975).
V.I. SOKOLOV u. L.L. TROITSKAYA, Chimia **32**, 122 (1978); C.A. **89**, 43 708 (1978).
T. IZUMI et al., Bl. chem. Soc. Japan **51**, 663 (1978).
L.L. TROITSKAYA, V.I. SOKOLOV u. O.A. REUTOV, Dokl. Akad. Nauk SSSR **236**, 371 (1977); C.A. **88**, 7023 (1978).
A. KASAHARA, T. IZUMI u. H. WATABE, Bl. chem. Soc. Japan **52**, 957 (1979).
V.I. SOKOLOV, L.L. TROITSKAYA u. O.A. REUTOV, J. Organometal. Chem. **133**, C 28 (1977).
[2] S. KAMIYAMA et al., Bl. chem. Soc. Japan **52**, 142 (1979).
[3] J. LEWIS et al., Soc. [Dalton] **1973**, 404.
[4] R.A. HOLTON u. R.G. DAVIS, Am. Soc. **99**, 4175 (1977).
[5] J.A. IBERS, S. OTSUKA et al., Am. Soc. **99**, 7876 (1977).

Tab. 13: Ortho-Palladierung von Benzylaminen mit Dinatrium-tetrachloropalladat(II)

Amin	Reaktionsprodukt	Ausbeute [%]	F [°C]	Lite- ratur
$H_5C_6-CH_2-N(CH_3)_2$	Di-μ-chloro-bis-{[2-(dimethylamino-methyl)-phenyl]-palladium}	96	185–187	[1,2]
$H_5C_6-CH_2-N(C_2H_5)_2$	Di-μ-acetato-bis-{[2-(diethylamino-methyl)-phenyl]-palladium}	66	189–192	[3]
$H_5C_6-CH_2-N(C_3H_7)_2$	Di-μ-chloro-bis-{[2-(dipropylamino-methyl)-phenyl]-palladium}	89	174–175	[4]
$H_5C_6-CH_2-N\langle$pyrrolidine$\rangle$	Di-μ-acetato-bis-{[2-(pyrrolidino-methyl)-phenyl]-palladium}	45	164	[3]
$H_3C-\langle$aryl$\rangle-CH_2-N(CH_3)_2$	Di-μ-chloro-bis-{[2-(dimethylamino-methyl)-5-methyl-phenyl]-palladium}	85	–	[5]
H_3C-aryl-$CH_2-N(CH_3)_2$	Di-μ-chloro-bis-{[2-(diethylamino-methyl)-4-methyl-phenyl]-palladium}	99	171–172	[4]
$H_3CO-\langle$aryl$\rangle-CH_2-N(CH_3)_2$	Di-μ-chloro-bis-{[2-(dimethylamino-methyl)-5-methoxy-phenyl]-palladium}	50	184–185	[1]
H_3CO-aryl(H_3CO)-$CH_2-N(CH_3)_2$	Di-μ-chloro-bis-{[2-(dimethylamino-methyl)-4,6-dimethoxy-phenyl]-palladium}	66	138–140	[1]
$H_5C_6-CH_2-N\begin{smallmatrix}CH_3\\C_6H_5\end{smallmatrix}$	Di-μ-chloro-bis-⟨{[(N-methyl-anilino)-methyl]-phenyl}-palladium⟩	51	–	[5]
naphthyl-$CH_2-N(CH_3)_2$	Di-μ-chloro-bis-{[2-(dimethylamino-methyl)-1-naphthyl]-palladium}	80	–	[5]
$(H_5C_6)_3C-NH-CH_3$	Di-μ-chloro-bis-⟨{2-[diphenyl-(methyl-amino)-methyl]-phenyl}-palladium⟩	60	–	[5]
HO-aryl(H_3CO)-$CH_2-N(C_2H_5)_2$	Di-μ-chloro-bis-{[2-(diethylamino-methyl)-4-hydroxy-5-methoxy-phenyl]-palladium}	95	158–160	[6]
H_3CO-CH_2-O-aryl(H_3CO)-$CH_2-N(C_2H_5)_2$	Di-μ-chloro-bis-{[2-(diethylamino-methyl)-4-(methoxy-methoxy)-5-methoxy-phenyl]-palladium}	85	155–156	[6]
H_3CO, $O-CH_2-S-C_6H_5$-aryl-$CH_2-N(C_2H_5)_2$	Chloro-{[4-(diethylamino-methyl)-3-methoxy-2-(phenylthio-methoxy)-phenyl-C,N,S]-palladium}	42	197–199	[6]
$H_5C_6-\underset{\substack{CH_3}}{CH}-N(CH_3)_2$	Di-μ-chloro-bis-{[2-(1-dimethylamino-ethyl)-phenyl]-palladium} (zwei Stereo-isomere)	94	195–200	[7,8]

[1] A.C. COPE u. E.C. FRIEDRICH, Am. Soc. **90**, 909 (1968).
[2] A.D. RYABOV u. A.K. YATSIMIRSKY, Tetrahedron Letters **21**, 2757 (1980).
[3] J.M. THOMPSON u. R.F. HECK, J. Org. Chem. **40**, 2667 (1975).
[4] S. TROFIMENKO, Inorg. Chem. **12**, 1215 (1973).
[5] J. LEWIS et al., Soc. [Dalton] **1973**, 404.
[6] R.A. HOLTON u. R.G. DAVIS, Am. Soc. **99**, 4175 (1977).
[7] N.K. ROBERTS u. S.B. WILD, Soc. [Dalton] **1979**, 2015.
[8] N.K. ROBERTS u. S.B. WILD, Am. Soc. **101**, 6254 (1979).

Tab. 13 (Forts.)

Amin	Reaktionsprodukt	Ausbeute [%]	F [°C]	Literatur
CH₃ CH–N(CH₃)₂	*Di-μ-chloro-bis-{[2-(1-dimethylamino-ethyl)-3-naphthyl]-palladium}*	65	201–203	[1–3]
CH₃ CH–N(CH₃)₂	*Di-μ-chloro-bis-{[1-(1-dimethylamino-ethyl)-2-naphthyl]-palladium}*	89	–	[4]
(H₃C)₂N N(CH₃)₂	*Chloro-(2,6-bis-[dimethylaminomethyl]-phenyl)-palladium*	–	–	[5]

Chloro-[6-(diethylamino-methyl)-3-methoxy-2-(methylthio-methoxy)-phenyl-C,N,S]-palladium[6]: Eine Lösung von 0,426 g Lithium-tetrachloropalladat(II) in 20 *ml* Methanol unter Stickstoff wird auf 0° gekühlt. Zu dieser roten Lösung wird mit einer Injektionsspritze eine auf 0° vorgekühlte Mischung von 0,23 *ml* Triethylamin, 0,434 g 5-(Diethylamino-methyl)-2-methoxy-1-(methylthio-methoxy)-benzol und 20 *ml* Methanol gegeben, wobei sich sofort eine gelbe Lösung und ein gelber Niederschlag bildet. Der Niederschlag wird abfiltriert, mit Methanol gewaschen und getrocknet; Ausbeute: 0,630 g (95%); F: 150–152° (aus Chloroform/Hexan).

Di-μ-acetato-bis-{[2-(dimethylamino-methyl)-phenyl]-palladium}[7]: Zu 150 *ml* Methanol wird in einer Stickstoffatmosphäre unter Rühren 5,40 g (40 mmol) Dimethyl-benzyl-amin und 4,48 g (20 mmol) Palladium(II)-acetat zugegeben. Nach 3 Stdn. Rühren bei 20° wird die Lösung filtriert und das Lösungsmittel i. Vak. bei 20° abgezogen. Der feste Rückstand wird in Benzol gelöst und durch Chromatographie an Kieselgel gereinigt. Nach Einengen des gelben Eluats wird aus Benzol/Hexan umkristallisiert; Ausbeute: 2,86 g (47%); F: 210–211°; NMRτ₋CH₃: 7,61 und 8,02, τ_CH₃COO: 7,94; τ_CH₂: 6,8 (AB Quartett, J: 21,5 Hz).

Wird (1-Acetyl-2-oxo-propyl)-(benzylamin)-(2,4-pentandionato)-palladium (s. S. 726) in benzolischer Lösung 20–30 Min. unter Rückfluß gekocht, so wird der C-gebundene 2,4-Pentandionato-Ligand unter Bildung der orthometallierten Verbindung *(2-Aminomethyl-phenyl)-(2,4-pentandionato)-palladium* (51%) eliminiert[8]:

ββ₄) von heterocyclischen bzw. polycyclischen aromatischen Aminen

Die ortho-Palladierung von heterocyclischen Aminen wird meist mit Natrium- oder Lithium-tetrachloropalladat(II) bzw. Palladium(II)-chlorid in Methanol oder Ethanol bei 20° durchgeführt. Eine Übersicht über derartige elektrophile Substitutionen mit Ausgangsprodukt (der Ort der elektrophilen Substitution wird angezeigt) und Art des verwendeten Palladiumhalogenids sowie Lösungsmittels wird in Tab. 14 (S. 846) gegeben.

Drei typische Beispiele werden im folgenden erläutert.

---

[1] J. A. IBERS, S. OTSUKA et al., Am. Soc. **99**, 7876 (1977).
[2] S. OTSUKA et al., Am. Soc. **93**, 4301 (1971).
[3] Jap. P. 56628 (1971/73), Japan Synthetic Rubber Co, Erf.: S. OTSUKA u. K. TANI; C. A. **80**, 15070 (1974).
[4] S. B. WILD et al., Inorg. Chem. **21**, 1007 (1982); Racematspaltung.
[5] G. VAN KOTEN et al., Am. Soc. **104**, 4285 (1982).
[6] R. A. HOLTON u. R. G. DAVIS, Am. Soc. **99**, 4175 (1977).
[7] J. M. THOMPSON u. R. F. HECK, J. Org. Chem. **40**, 2667 (1975).
[8] S. BABA u. S. KAWAGUCHI, Inorg. Nucl. Chem. Letters **11**, 415 (1975).

Tab. 14: Ortho-Palladierung von Stickstoff-Heterocyclen

Ausgangsprodukt (→: Ort der elektroph. Subst.)	Palladium(II)-halogenid/ Lösungsmittel	Reaktionsprodukt	Ausbeute [%]	F [°C]	Literatur
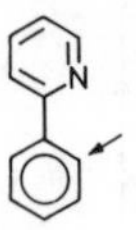	Na$_2$[PdCl$_4$]/ H$_5$C$_2$–OH od. H$_3$C–OH	Di-μ-chloro-bis-{[2-(2-pyridyl)-phenyl]-palladium}	70 60	270	[1] [2]
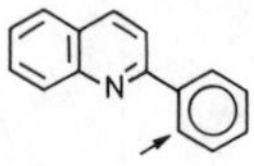	Na$_2$[PdCl$_4$]/ H$_5$C$_2$–OH	Di-μ-chloro-bis-{[2-(2-chinolyl)-phenyl]-palladium}		270	[1]
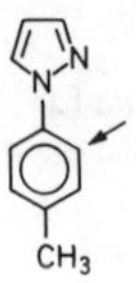	Li$_2$[PdCl$_4$]/ H$_3$C–OH	Di-μ-chloro-bis-{[5-methyl-2-(1-pyrazolyl)-phenyl]-palladium}	67	280	[3]
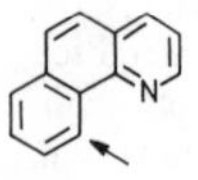	PdCl$_2$/H$_3$C–OH Li$_2$[PdCl$_4$]/ H$_3$C–OH	Di-μ-chloro-bis-{(benzo[h]chinolin-10-yl-C^{10}, N^1)-palladium}			[4] [5]
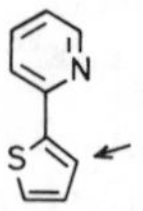	PdCl$_2$, LiCl, H$_3$C–OH, NaOCOCH$_3$	Di-μ-chloro-bis-{[2-(2-pyridyl)-3-thienyl]-palladium}	95	285	[6]
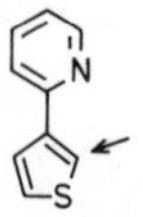	PdCl$_2$, LiBr, H$_3$C–OH, NaOCOCH$_3$	Di-μ-bromo-bis-{[3-(2-pyridyl)-2-thienyl]-palladium}	70	230	[6]
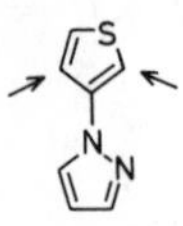	PdCl$_2$	Di-μ-chloro-bis-{[4-(1-pyrazolyl)-3-thienyl]-palladium} + Di-μ-chloro-bis-{[3-(1-pyrazolyl)-2-thienyl]-palladium}			[7]
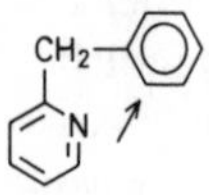	Pd(OCOCH$_3$)$_2$	Di-μ-acetato-bis-{[2-(2-pyridyl-methyl)-phenyl]-palladium}	56		[8]

[1] A. Kasahara, Bl. chem. Soc. Japan **41**, 1272 (1968).
[2] J. Lewis et al., Soc. [Dalton] **1973**, 404.
[3] M. Nonoyama u. H. Takayanagi, Transition Met. Chem. **1**, 10 (1975/76).
[4] M. Nonoyama u. K. Yamasaki, Nippon Kagaku Zasshi **91**, 1058 (1970).
[5] G. E. Hartwell, R. V. Lawrenze u. M. J. Smas, Chem. Commun. **1970**, 912.
[6] M. Nonoyama u. S. Kajita, Transition Met. Chem. **6**, 163 (1981).
[7] M. Nonoyama, J. Organometal. Chem. **229**, 287 (1982).
[8] K. Hiraki, Y. Fuchita u. K. Takechi, Inorg. Chem. **20**, 4316 (1981).

Di-μ-chloro-bis-[(2-pyrazolyl-phenyl)-palladium] [1]:

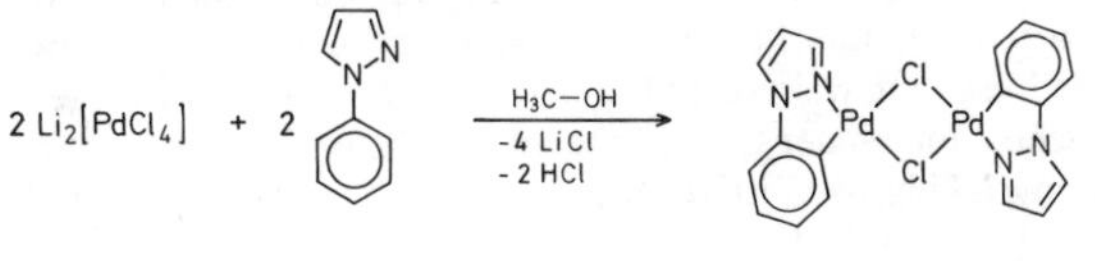

0,532 g (3 mmol) Palladium(II)-chlorid und 0,381 g (9 mmol) Lithiumchlorid werden in 500 ml Methanol gelöst. Zu dieser Lösung werden 0,432 g (3 mmol) 1-Phenyl-pyrazol gegeben und die Mischung bei 20° 3 Tage gerührt. Der sich ergebende gelbe Niederschlag wird abfiltriert, mit Methanol gewaschen und an der Luft getrocknet; Ausbeute: 0,710 g (83%); F: 290° (Zers.).

Nitrato-[2-(2-pyridyl)-3-thienyl]-[2-(2-thienyl)-pyridin]-palladium [2]:

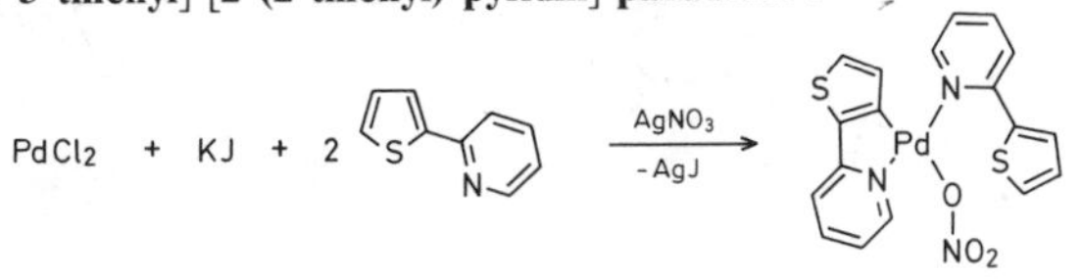

0,177 g (1,0 mmol) Palladium(II)-chlorid werden in 50 ml Aceton suspendiert. 0,71 g (4,3 mmol) Kaliumjodid werden zugefügt und die Mischung 5 Stdn. gerührt. Die Mischung wird dann filtriert und 0,36 g (2,3 mmol) 2-(2-Thienyl)-pyridin zugegeben, gefolgt von 1,9 g (6,5 mmol) Silbernitrat gelöst in 10 ml Wasser. Auf Zugabe von Silbernitrat wird die violette Lösung hellgelb, Silberhalogenide fallen aus. Die Mischung wird weitere 5 Stdn. gerührt und filtriert. Man läßt Aceton vom Filtrat verdunsten und filtriert das anfallende gelbe Festprodukt ab. Das Produkt wird an der Luft getrocknet und in einem Minimum an Dichlormethan aufgenommen. Man läßt Dichlormethan an der Luft verdunsten, dabei kristallisieren gelbe Kristalle aus, die abfiltriert und mit Diethylether und Petrolether gewaschen werden; Ausbeute: 60%.

Di-μ-chloro-bis-{[2-(2-pyridyl)-ferrocenyl]-palladium} [3]:

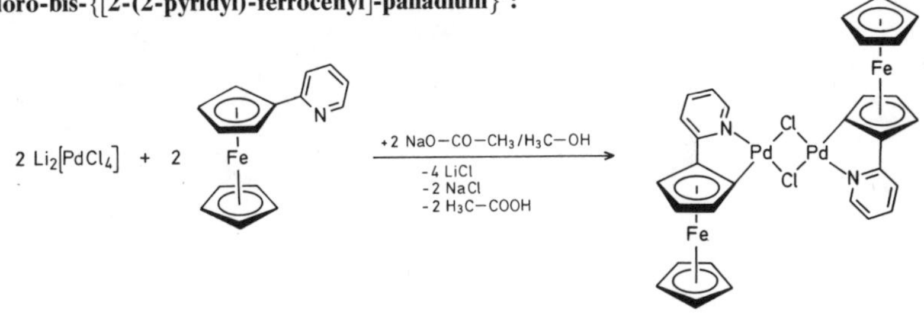

Eine Lösung von 1,31 g (5 mmol) (2-Pyridyl)-ferrocen in 30 ml Methanol wird zu einer Mischung von 1,31 g (5 mmol) Lithium-tetrachloropalladat(II) und 0,68 g (5 mmol) Natriumacetat-Trihydrat in 50 ml Methanol gegeben. Diese neue Mischung wird dann 20 Stdn. bei 20° gerührt und der rötliche Niederschlag, der sich bildet, abfiltriert und getrocknet; Ausbeute: 4,20 g (99%); F: 240–244° (Zers.; aus Chloroform/Cyclohexan).

Auch polycyclische aromatische Amine wie z. B. 1-Dimethylamino-naphthalin lassen sich mit Lithium-tetrachloropalladat(II) in Methanol in Gegenwart von Triethylamin bei 20° zu *Di-μ-chloro-bis-[(8-dimethylamino-1-naphthyl-C^1N)-palladium]* ortho-palladieren [4,5]:

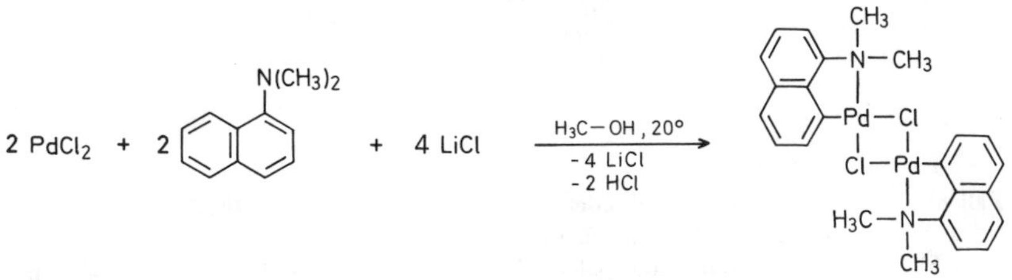

---

[1] M. Nonoyama u. H. Takayanagi, Transition Met. Chem. **1**, 10 (1975/76).
   S. Trofimenko, Inorg. Chem. **12**, 1215 (1973).
[2] T. J. Giordano u. P. G. Rasmussen, Inorg. Chem. **14**, 1628 (1975).
[3] A. Kasahara, T. Izumi u. M. Maemura, Bl. chem. Soc. Japan **50**, 1878 (1977).
   vgl. a. T. Izumi et al., Bl. chem. Soc. Japan **51**, 663 (1978).
[4] T. Komatsu u. M. Nonoyama, J. Inorg. & Nuclear Chem. **39**, 1161 (1977).
[5] A. C. Cope u. E. C. Friedrich, Am. Soc. **90**, 909 (1968).

Di-μ-chloro-bis-[(8-dimethylamino-1-naphthyl-C¹N)-palladium] [1]: Eine Lösung von 0,885 g (5 mmol) Palladium(II)-chlorid und 0,475 g (11,2 mmol) Lithiumchlorid in 150 ml Methanol wird mit 0,905 g (5,3 mmol) 1-Dimethylamino-naphthalin gemischt und 1 Stde. bei 20° gerührt. Zu der Lösung werden 0,500 g (4,9 mmol) Triethylamin zugefügt und die Mischung weitere 17 Stdn. gerührt. Der entstandene gelbe Niederschlag wird abfiltriert, mit Methanol gewaschen und an der Luft getrocknet; Rohausbeute: ~100%; (das Produkt ist rein genug für weitere Umsetzungen); nach Umkristallisieren aus Benzol/Hexan, Ausbeute: 0,904 g (58%); F: 220° (Zers.).

1-Amino- und 1,5-Diamino-naphthalin reagieren mit Bis-[2,4-pentandionato]-palladium zu den cyclometallierten Produkten[2].

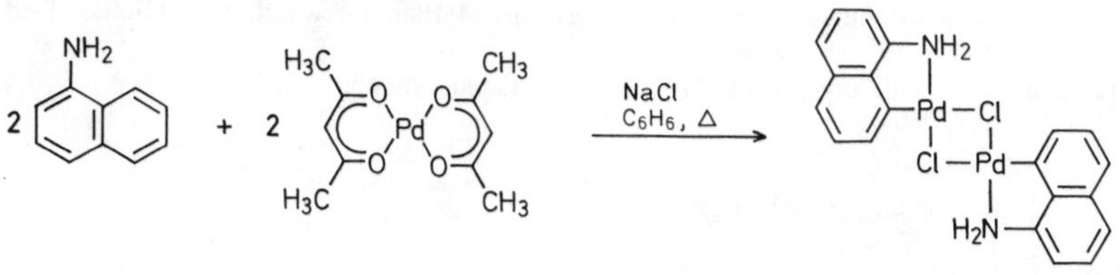

Di-μ-chloro-bis-[(8-amino-1-naphthyl)-palladium]

ββ₅) von sonstigen N-Donor-Verbindungen

Die Umsetzung von Palladium(II)-chlorid mit 1-Benzoylimino-pyridinium-betain führt zu *Di-μ-chloro-bis-{[2-(pyridiniumiminocarbonyl)-phenyl]-palladium}*, in dem die Phenyl-Gruppe des organischen Liganden in ortho-Stellung metalliert ist und der Ligand außerdem über sein Imino-N-Atom am Palladium koordiniert ist[3]:

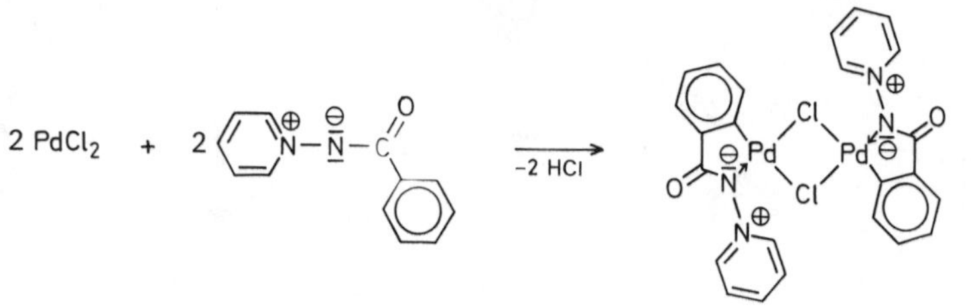

Auch tert. Arylphosphinimide lassen sich an der Phenyl-Gruppe, die an Phosphor gebunden ist, in ortho-Stellung metallieren. Der Stickstoff der P=N-Doppelbindung des Phosphanimids wirkt als N-Donor[4]:

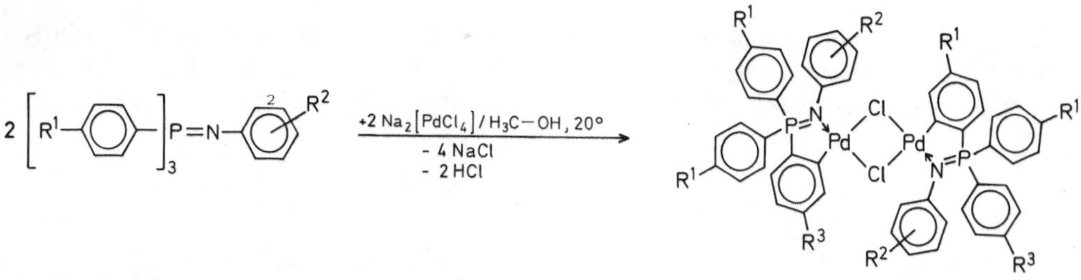

Ortho-Palladierung von Aryl-phosphanimiden; allgemeine Arbeitsvorschrift[2]: Eine methanolische Lösung (15 bis 25 ml) von 1,5 mmol des tert. Arylphosphanimids wird langsam zu einer methanol. Lösung (20 bis 23 ml) von 0,441 g (1,5 mmol) Natrium-tetrachloropalladat(II) gegeben. Die Mischung wird 2,5–4 Stdn. bei 20° gerührt, dabei fällt das cyclopalladierte Produkt aus. Der Niederschlag wird filtriert, mit kaltem Methanol und dann mit Ether gewaschen und i. Vak. getrocknet. Die Komplexe sind luftstabil.

---

[1] T. KOMATSU u. M. NONOYAMA, J. Inorg. Nucl. Chem. **39**, 1161 (1977).
[2] S. BABA u. S. KAWAGUCHI, Inorg. Nucl. Chem. Letters **11**, 415 (1975).
[3] S. A. DIAS, A. W. DOWNS u. W. R. McWHINNIE, Inorg. Nucl. Chem. Letters **10**, 233 (1974).
[4] H. ALPER, J. Organometal. Chem. **127**, 385 (1977).

Auf diese Weise erhält man u. a.

R¹ = H; R² = 3–CH₃; R³ = H; *Di-μ-chloro-bis-⟨{2-[(3-methyl-phenylimino)-diphenyl-phosphoranyl]-phenyl}-palladium⟩*; 56%; F: 168–169°

R¹ = H; R² = 4–CH₃; R³ = H; *Di-μ-chloro-bis-⟨{2-[(4-methyl-phenylimino)-diphenyl-phosphoranyl]-phenyl}-palladium⟩*; 97%; F: 189–190°

R¹ = H; R² = 4-OCH₃; R³ = H; *Di-μ-chloro-bis-⟨{2-[(4-methoxy-phenylimino)-diphenyl-phosphoranyl]-phenyl}-palladium⟩*; F: 176–177°

R¹ = 4-CH₃; R² = 4-OCH₃; R³ = 5-CH₃; *Di-μ-chloro-bis-⟨{2-[(4-methoxy-phenylimino)-bis-(4-methyl-phenyl)-phosphano]-5-methyl-phenyl}-palladium⟩*; 61%;
F: 173–174°

Während N-Methyl-N-nitroso-benzylamin nicht cyclopalladiert wird, verläuft die ortho-Metallierung von N-Methyl-N-nitroso-anilin mit Natrium-tetrachloropalladat(II) ohne Schwierigkeiten:

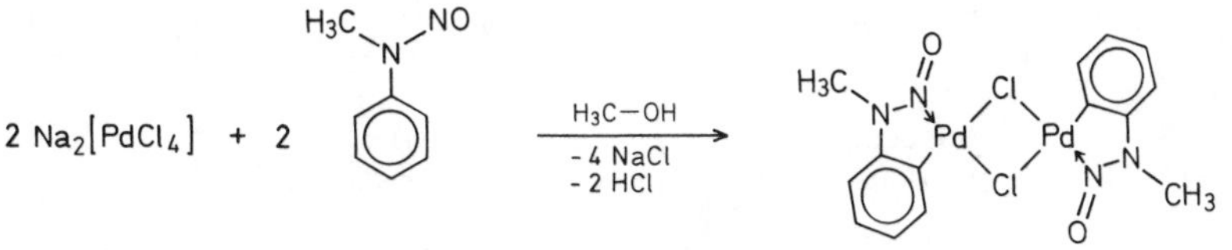

Di-μ-chloro-bis-{[2-(N-methyl-N-nitroso-amino)-phenyl]-palladium}[1]: 1,12 g (8,23 mmol) N-Methyl-N-nitroso-anilin wird zu einer Lösung von 1,33 g (3,92 mmol) Natrium-tetrachloro-palladat(II) in 5 *ml* Methanol gegeben. Die entstehende Lösung wird bei 20° 5 Stdn. im Dunkeln stehengelassen. Das Produkt wird abfiltriert, mit Wasser gewaschen und getrocknet; Ausbeute: 0,495 g (46%); F: 245–250° (Zers.; orangefarbene Kristallnadeln).

Analog entstehen

Di-μ-chloro-bis-{[2-(N-ethyl-N-nitroso-amino)-phenyl]-palladium}   43%; F: 223–225°
Di-μ-chloro-bis-{[5-methoxy-2-(N-methyl-N-nitroso-amino)-phenyl]-palladium}   40%; F: 268–271°

β₂) *von P-Donor-Verbindungen*

Arylmethyl- bzw. Heteroarylmethyl-phosphane und Aryl-phosphite lassen sich leicht am Phenyl-Kern in ortho-Stellung mit Palladiumhalogeniden metallieren:

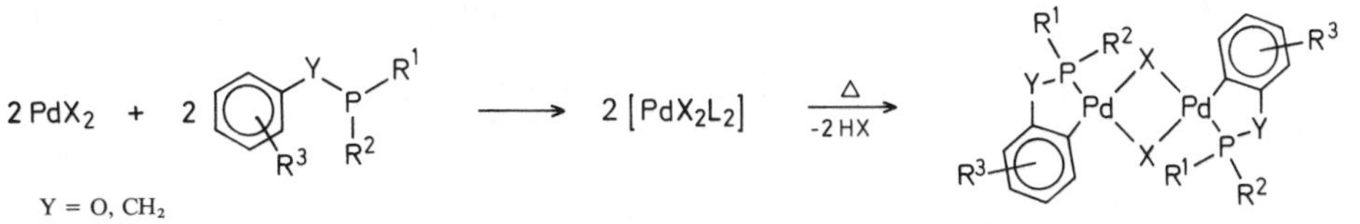

Y = O, CH₂
X = Cl, Br
R¹ = , ≠ R²: C(CH₃)₃, C₆H₅, CH₂–C₆H₅, −O−⟨⟩−R⁴
R³ = 2-, 3-, 4-CH₃, 4-Cl
R⁴ = 2-, 3-, 4-CH₃, 4-Cl
statt PdX₂ auch Na₂[PdX₄], PdCl₂(NC–C₆H₅)₂

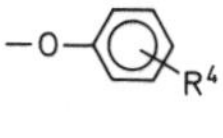

Für die ortho-Palladierung können entweder Palladiumhalogenide und die zu metallierende Verbindung direkt umgesetzt werden, oder es wird zunächst die Donor-palladium-Verbindung, *trans*-Dihalogeno-bis-[tert.-phosphan]-palladium, hergestellt, die dann thermisch vorzugsweise in Dekalin oder 2-Methoxy-ethanol mit oder ohne Katalysator (Natrium-, Lithiumacetat) ortho-metalliert wird. Für die verschiedenen Methoden und Verbindungstypen werden im folgenden charakteristische Beispiele wiedergegeben. Weitere ortho-palladierte P-Donor-Verbindungen sind in Tab. 15 (S. 850) zusammengestellt.

---

[1] A. G. Constable, W. S. McDonald u. B. L. Shaw, Soc. [Dalton] **1980**, 2282.

Tab. 15: Ortho-Palladierung von Arylmethylphosphanen und Arylphosphiten

Ausgangsprodukt	Methode	Reaktionsprodukt	Ausbeute [%]	F [°C]	Literatur
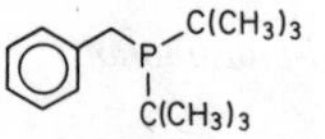	PdCl$_2$L$_2$, NaOCOCH$_3$, H$_3$CO–CH$_2$–CH$_2$–OH		76	248–251	1
	PdCl$_2$L$_2$, (H$_5$C$_2$)$_3$N, Dekalin	Di-μ-chloro-bis-{[2-(di-tert.-butylphosphano-methyl)-phenyl]-palladium}	64		1
	PdCl$_2$L$_2$, H$_3$CO–CH$_2$–CH$_2$–OH, ohne Kat.		64		1
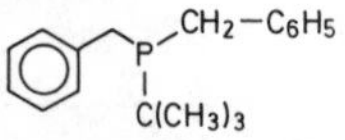	PdCl$_2$L$_2$, NaO–CO–CH$_3$, H$_3$CO–CH$_2$–CH$_2$–OH	Di-μ-chloro-bis-{[2-(benzyl-tert.-butyl-phosphanomethyl)-phenyl]-palladium}	17	245–250	1
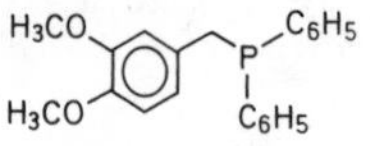	PdCl$_2$L$_2$, NaOCOCH$_3$, H$_3$CO–CH$_2$–CH$_2$–OH	Di-μ-chloro-bis-{[2-(diphenyl-phosphano-methyl)-4,5-di-methoxy-phenyl]-palladium}	46	237–238	2
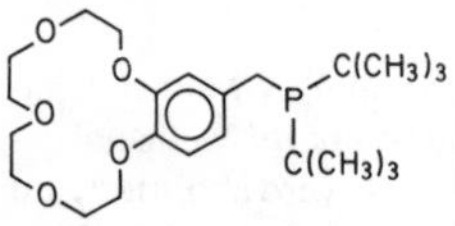	PdCl$_2$L$_2$, NaO–CO–CH$_3$, H$_3$CO–CH$_2$–CH$_2$–OH	Di-μ-chloro-bis-{[16-(di-tert.-butylphosphano-methyl)-⟨benzo-1,4,7,10,13-pentaoxa-cyclo pentadecen-15-yl⟩-palladium}	43	250–253	2
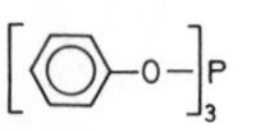	PdCl$_2$L$_2$, Dekalin	Chloro-{2-[bis-(phenoxy)-phosphanoxy]-phenyl}-(tri-phenoxyphosphan)-palladium	50	143	3
	PdL$_2$,	(Hexafluor-2,4-pentandionato)-{2-(bis-[phenoxy]-phos-phanoxy)-phenyl}-palladium	71	–	4
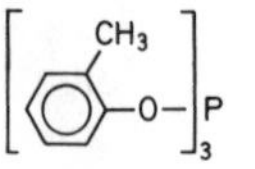	PdCl$_2$L$_2$, Dekalin	Chloro-{2-[bis-(2-methyl-phen-oxy)-phosphanoxy]-3-methyl-phenyl}-[tris-(2-methyl-phe-noxy)-phosphan]-palladium	50	154–155	3
	PdBr$_2$L$_2$, Dekalin	Bromo-{2-[bis-(2-methyl-phen-oxy)-phosphanoxy]-3-methyl-phenyl}-[tris-(2-methyl-phe-noxy)-phosphan]-palladium	20	151	3
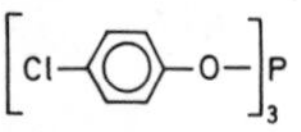	PdCl$_2$L$_2$, Dekalin	Chloro-{2-[bis-(4-chlor-phen-oxy)-phosphanoxy]-5-chlor-phenyl}-[tris-(4-chlor-phen-oxy)-phosphan]-palladium	80		3

[2,6-Bis-(di-tert.-butylphosphano-methyl)-phenyl]-chloro-palladium[5]:

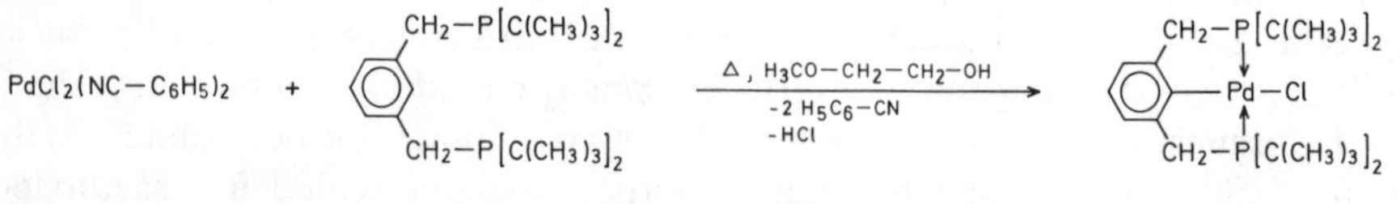

$$PdCl_2(NC-C_6H_5)_2 \quad + \quad \text{[Aryl]} \xrightarrow[\substack{-2\,H_5C_6-CN \\ -HCl}]{\Delta,\ H_3CO-CH_2-CH_2-OH} \text{[Produkt]}$$

[1] B. L. Shaw u. M. M. Truelock, J. Organometal. Chem. **102**, 517 (1975).
[2] E. M. Hyde, B. L. Shaw u. I. Shepherd, Soc. [Dalton] **1978**, 1696.
[3] S. D. Robinson et al., Soc. [Dalton] **1973**, 1151.
[4] A. R. Siedle et al., Am. Soc. **104**, 6584 (1982).
[5] C. J. Moulton u. B. L. Shaw, Soc. [Dalton] **1976**, 1020.

2,06 g (5,38 mmol) Bis-[benzonitril]-dichloro-palladium werden zu einer Suspension von 2,13 g (5,39 mmol) 1,3-Bis-[di-tert.-butylphosphano-methyl]-benzol in 14 *ml* 2-Methoxy-ethanol hinzugefügt. Diese Mischung wird 25 Min. unter Rückfluß erhitzt, das Lösungsmittel i. Vak. abgezogen und aus Ethanol umkristallisiert; Ausbeute: 2,16 g (75%); Subl.p.: 270–294°.

sym. Di-μ-chloro-bis-{[2-(di-tert.-butylphosphano-methyl)-phenyl]-palladium}; R = C(CH₃)₃[1]:

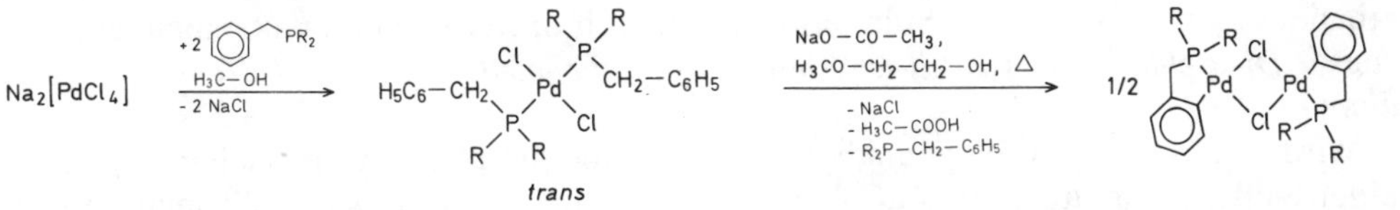

Eine Mischung von 0,38 g (0,58 mmol) *trans*-Dichloro-bis-[benzyl-di-tert.-butyl-phosphan]-palladium (hergestellt aus Benzyl-di-tert.-butyl-phosphan und Natrium-tetrachloropalladat in Methanol im Molverhältnis 2 : 1 bei 20°) und 1,69 g (20 mmol) Natriumacetat wird in 15 *ml* 2-Methoxy-ethanol suspendiert und 30 Min. unter Rückfluß erhitzt bis zur klaren gelben Lösung. 50 *ml* Wasser wird zugefügt, der ausgefallene Niederschlag abfiltriert und aus Dichlormethan/Petrolether (Kp: 80–100° umkristallisiert. Ausbeute: 0,33 g (76%); F: 248–251° (Zers.; gelbe Kristalle).

Di-μ-chloro-bis-⟨{2-[bis-(2-methyl-phenoxy)-phosphanoxy]-3-methyl-phenyl}-palladium⟩[2]:

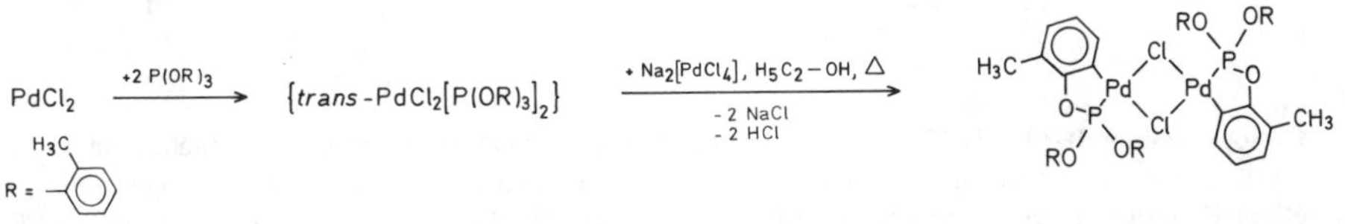

3,5 *ml* (11 mmol) Tris-[2-methyl-phenoxy]-phosphan werden bei 20° zu einer Suspension von 1,0 g (5,5 mmol) Palladium(II)-chlorid und 0,65 g (11 mmol) Natriumchlorid in 50 *ml* Ethanol hinzugegeben. Nach 2stdg. Rühren hat sich ein farbloser Niederschlag des Dichloro-bis-[tert.-phosphan]-palladium-Komplexes gebildet. Die Mischung wird daraufhin noch einmal mit 1,0 g (5,5 mmol) Palladium(II)-chlorid und 0,65 g (11 mmol) Natriumchlorid versetzt und 1,5 Stdn. unter sehr langsamem Rückfluß erhitzt. Nach Abziehen des Lösungsmittels i. Vak. wird das verbleibende Öl über Kieselgel mit Dichlormethan/Pentan 1 : 1 chromatographiert. Die erste orangefarbene Fraktion enthält das Produkt, die zweite rote Fraktion den Ausgangskomplex. Die erste Fraktion wird erneut chromatographiert. Das Eluat wird eingeengt; Ausbeute: 2,9 g (60% d. Th.); F: 131°.

Auch Heteroarylmethyl-phosphane lassen sich ortho-palladieren[3]:

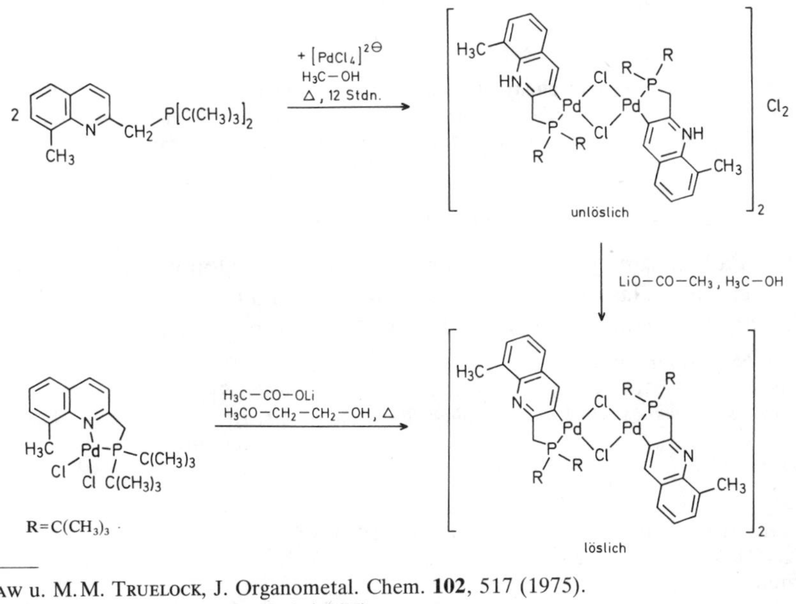

---

[1] B.L. Shaw u. M.M. Truelock, J. Organometal. Chem. **102**, 517 (1975).

[2] D.J. Tune u. H. Werner, Helv. **58**, 2240 (1975).

[3] A.J. Deeming, M.B. Hursthouse et al., Soc. [Dalton] **1980**, 1974.

Nach obigem Schema erhält man aus (Di-tert.-butyl)-(8-methyl-2-chinolylmethyl)-phosphan mit Natrium-tetrachloropalladat(II) in Methanol unter Rückfluß das unlösliche (in Methanol, Chloroform) *Di-μ-chloro-bis-*{[2-*(di-tert.-butylphosphano-methyl)-8-methyl-chinolinium-3-yl]-palladium*}*-dichlorid* (63%) und aus Dichloro-[(8-methyl-2-chinolylmethyl)-(di-tert.-butyl)-phosphan]-palladium mit Lithiumacetat in 2-Methoxy-ethanol unter Rückfluß (1,5 Stdn. erhitzen, danach filtrieren und i.Vak. einengen) lösliches *Di-μ-chloro-bis-*{[2-*(di-tert.-butylphosphano-methyl)-8-methyl-3-chinolyl]-palladium*} (61%)[1].

Wird Chloro-(η^5-cyclopentadienyl)-[tris-(2-methyl-phenoxy)-phosphan]-palladium einer Säulenchromatographie an Aluminiumoxid unterworfen, so erhält man ebenfalls unter Chlorwasserstoff-Eliminierung eine ortho-Metallierung des Tris-[2-methyl-phenoxy]-phosphans:

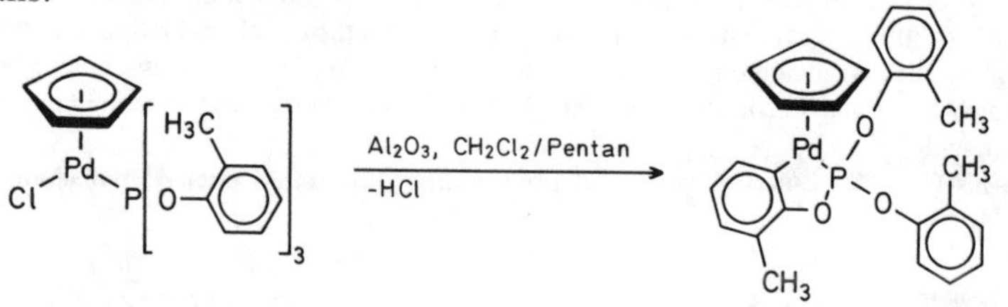

(η^5-Cyclopentadienyl)-{2-[bis-(2-methyl-phenoxy)-phosphanoxy]-3-methyl-phenyl}-palladium[2]: 0,030 g (0,05 mmol) Chloro-(η^5-cyclopentadienyl)-[tris- (2-methyl-phenoxy)-phosphan]-palladium werden in 5 *ml* Dichlormethan/Pentan 1:1 gelöst und auf eine mit Aluminiumoxid gefüllte Säule gegeben. Während der Chromatographie verschwindet die zunächst vorhandene blaue Zone, und es wird stattdessen eine gelbe Lösung eluiert. Nach Verdampfen des Lösungsmittels erhält man orangefarbene Kristalle, die aus Pentan umkristallisiert werden; Ausbeute: 0,025 g (90%); F: 110–112°.

Auch eine ortho-Palladierung, die zu Vierring-Systemen führt, ist bekannt[3]:

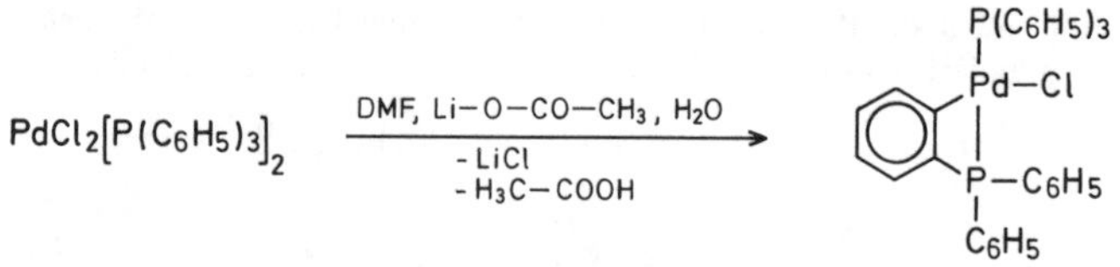

Chloro-[2-(diphenylphosphano)-phenyl]-(triphenylphosphan)-palladium[3]: Zu einer 100 *ml* Lösung von 2,5 g Dichloro-bis-[triphenylphosphan]-palladium in DMF unter Stickstoff wird eine 10 *ml* Lösung von 0,5 g Lithiumacetat in 20 *ml* Wasser zugefügt. Das Produkt fällt als hellgelbe Festsubstanz aus; Zers.p.: 80–100°.

β_3) von S-Donoren

Die ortho-Palladierung gelingt auch mit Arenen, die S-Donor-Liganden am aromatischen Kern tragen. So lassen sich Thiobenzophenone und (tert.-Butyl-thiocarbonyl)-ferrocen mit Natrium-tetrachloropalladat(II) in Methanol bei 20° in

Di-μ-chloro-bis-{[2-*(phenylthiocarbonyl)-phenyl-C,S]-palladium*}[4]	
Di-μ-chloro-bis-{[5-*methyl-2-(4-methyl-phenylthiocarbonyl)-phenyl-C,S]-palladium*}[4]	61%; F: 237–239°
Di-μ-chloro-bis-{[5-*methoxy-2-(4-methoxy-phenylthiocarbonyl)-phenyl-C,S]- palladium*}[4]	54%; F: 261–263°
Di-μ-chloro-bis- {[2-*(2,2-dimethyl-1-thioxo-propyl)-ferrocenyl]-palladium*}[5]	62%; F: 220° (Zers.)

[1] A.J. Deeming, M.B. Hursthouse et al., Soc. [Dalton] **1980**, 1974.
[2] D.J. Tune u. H. Werner, Helv. **58**, 2240 (1975).
[3] D.M. Fenton, J. Org. Chem. **38**, 3192 (1973).
[4] H. Alper, J. Organomet. Chem. **61**, C 62 (1973).
[5] H. Alper, J. Organomet. Chem. **80**, C 29 (1974).

überführen. Die Chloro-verbrückten ortho-palladierten Thiobenzophenone sind schlecht löslich. Brückenspaltungsreaktionen mit Triphenylphosphan in Dichlormethan bei 20° ergeben gut lösliche, luftstabile, rote Produkte[1]:

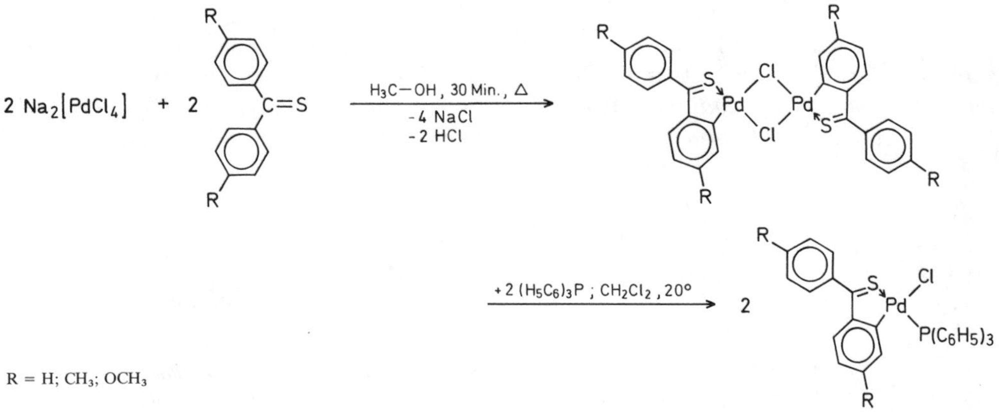

R = H; CH₃; OCH₃

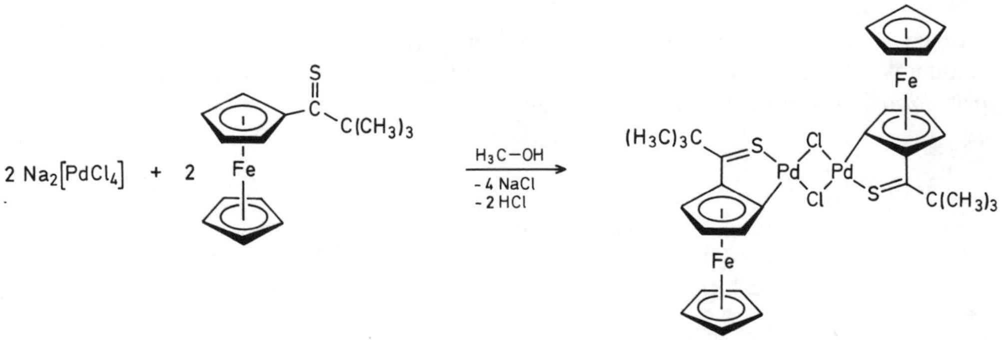

Wie die Benzylamine und -phosphane lassen sich auch Phenylmethylsulfane ortho-palladieren. Palladiumacetat liefert bei 15–20° in Benzol mit Benzyl-tert.-butyl-sulfan das Primärprodukt (Donor-Addukt) Diacetato-bis-[benzyl-tert.-butyl-sulfan]-palladium (56%), das sich in siedendem Methanol in das Acetato-verbrückte, cyclopalladierte Dimere *Di-μ-acetato-bis-{[2-(tert.-butylthiomethyl)-phenyl]-palladium}* (29%) umwandelt[2]:

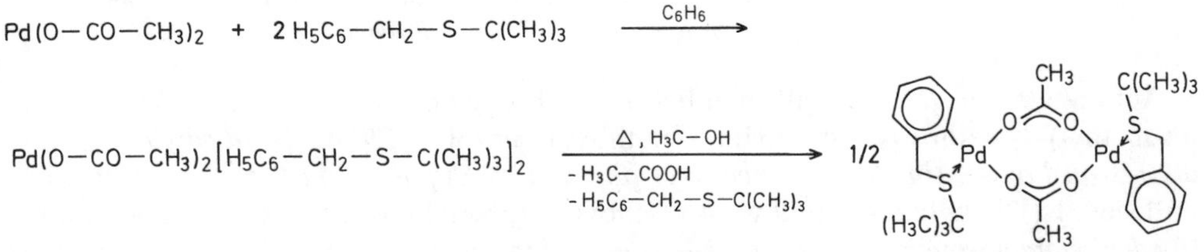

1,3-Bis-[tert.-butylthio-methyl]-benzol reagiert mit Natrium-tetrachloropalladat(II) zu *Chloro-[2,6-bis-(tert.-butylthio-methyl)-phenyl]-palladium* (53%; F: 220–222°)[3]:

[1] H. ALPER, J. Organometal. Chem. **61**, C 62 (1973).
[2] K. HIRAKI, Y. FUCHITA u. T. MARUTA, Inorg. Chim. Acta **45**, L 205 (1980).
[3] J. ERRINGTON, W.S. McDONALD u. B.L. SHAW, Soc. [Dalton] **1980**, 2312.

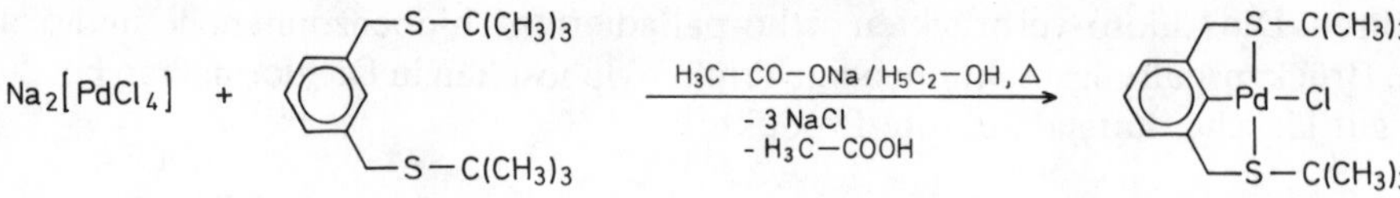

Eine Umsetzung von Dibenzylsulfan bzw. -sulfoxid mit verschiedenen Palladium(II)-acetaten führt ebenfalls zu ortho-palladierten Produkten *Di-μ-acetato-bis-{[2-(benzyl-thiomethyl)-phenyl]-palladium}*, *Di-μ-acetato-bis-{[2-(benzylsulfinylmethyl)-phenyl]-palladium}* und *Di-μ-trifluoracetato-bis-{[2-(benzylsulfinylmethyl)-phenyl]-palladium}*[1]:

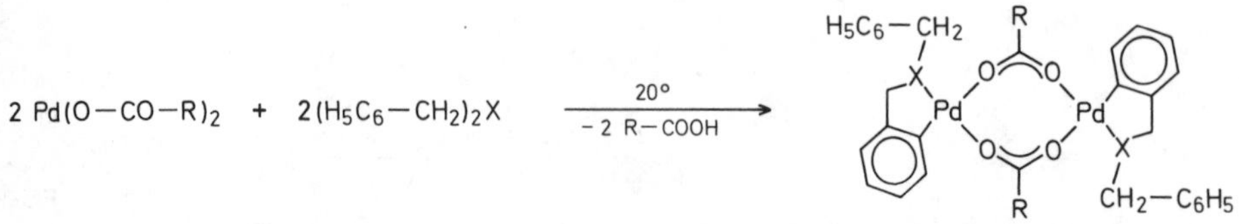

R = CH₃; X = S; *Di-μ-acetato-bis-{[2-(benzylthiomethyl)-phenyl]-palladium}*
R = CH₃; X = SO; *Di-μ-acetato-bis-{[2-(benzylsulfinylmethyl)-phenyl]-palladium}*
R = CF₃; X = SO; *Di-μ-trifluoracetato-bis-{[2-(benzylsulfinylmethyl)-phenyl]-palladium}*

Benzyl-tert.-butyl- bzw. Benzyl-(1-methyl-propyl)-sulfan liefert mit Palladiumacetat in Methanol oder Essigsäure *Di-μ-acetato-bis-{[2-tert.-butylthiomethyl-* (bzw. *2-methyl-propylthiomethyl)-phenyl]-palladium}* $(34-63\%)$[2]:

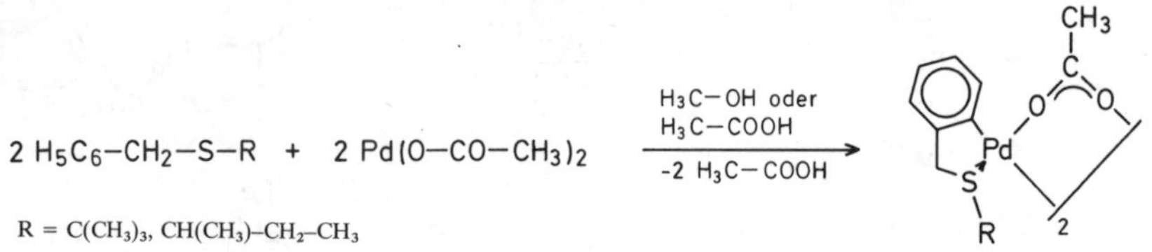

R = C(CH₃)₃, CH(CH₃)–CH₂–CH₃

Auch Methylthiomethoxy-Reste am Aren können als S-Donor-Liganden fungieren[3]:

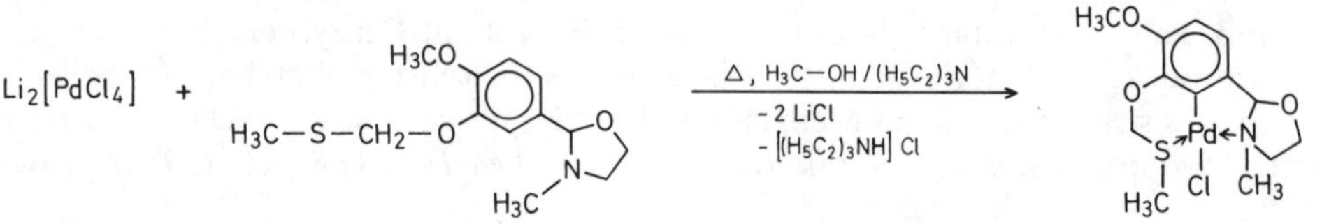

· *Chloro-[3-methoxy-6-(3-methyl-1,3-oxazolidin-2-yl)-2-(methylthio-methoxy)-phenyl-C,N,S]-palladium*; 93%; F: 235–237° (Zers.)

Auf die gleiche Weise erhält man bei 0° durch Cyclopalladierung aus 1-(Diethylami-no-methyl)-4-methoxy-3-(methylthio-methoxy)-benzol *Chloro-[6-(diethylamino-me-thyl)-3-methoxy-2-(methylthio-methoxy)-phenyl-C,N,S]-palladium* (95%; F: 150–152°) und aus 1-(Diethylamino-methyl)-4-methoxy-3-(phenylthio-methoxy)-benzol *Chloro-[6-(diethylamino-methyl)-3-methoxy-2-(phenylthio-methoxy)-phenyl-C,N,S]-palladium* (42%; F: 197–199°)[3,4]. Die ortho-Palladierung des Methylthio-phenoxy-methans miß-lingt dagegen[3].

[1] G.M. SHELDRICK et al., Ang. Ch. **93**, 389 (1981).
[2] K. HIRAKI et al., Soc. [Dalton] **1981**, 2045.
[3] R.A. HOLTON u. R.G. DAVIS, Am. Soc. **99**, 4175 (1977).
[4] s.S. 843.

Heterocyclen mit Thiocarbonyl-Funktionen sind ebenfalls leicht ortho-palladierbar (75–95%)[1]:

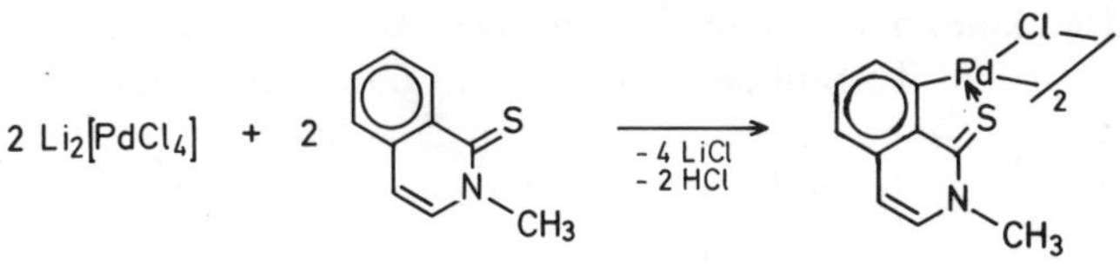

$$2\ Li_2[PdCl_4]\ +\ 2\quad \xrightarrow[-2\ HCl]{-4\ LiCl}$$

Y = O, N–CH₃

$$2\ Li_2PdCl_4\ +\ 2\quad \xrightarrow[-2\ HCl]{-4\ LiCl}$$

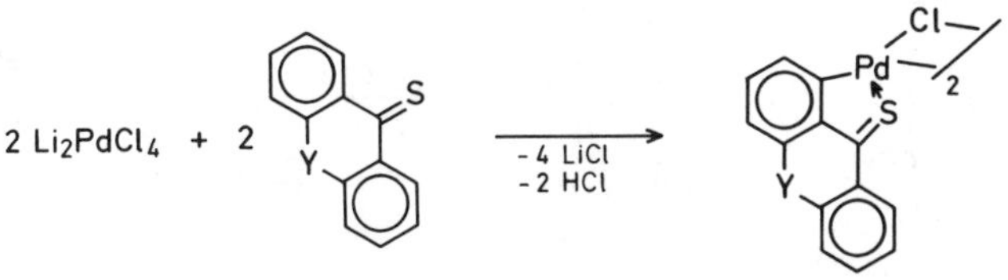

Die Umsetzung von 1-(Phenyl-thiocarbonyl)-pyrrolidin mit Palladium(II)-chlorid in siedendem Methanol liefert *Di-μ-chloro-bis-{[2-(pyrrolidinyl-thiocarbonyl)phenyl]-palladium}* (94%)[2].

β₄) *von O-Donoren*

N-Aryl-acetamide sind die einzigen bekannten Arene mit O-Donor-Funktion, bei denen eine ortho-Palladierung gelingt:

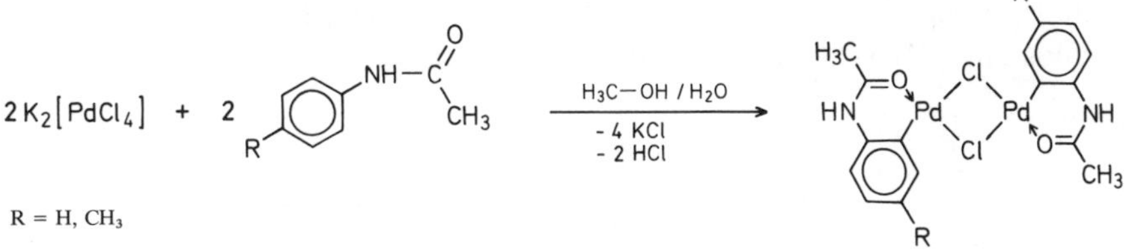

$$2\ K_2[PdCl_4]\ +\ 2\quad \xrightarrow[-2\ HCl]{H_3C-OH\ /\ H_2O\quad -4\ KCl}$$

R = H, CH₃

Auf diese Weise werden die kaum löslichen Verbindungen *Di-μ-chloro-bis-[(2-acetyl-amino-phenyl)-* (R = H) und *Di-μ-chloro-bis-[(2-acetylamino-5-methyl-phenyl)-palladium]* (R = CH₃) erhalten[3].

Substituierte Di-μ-acetato-bis-[(2-acetylamino-phenyl)-palladium]- Verbindungen (38–99%) entstehen aus Acetaniliden mit Palladiumacetat[4]:

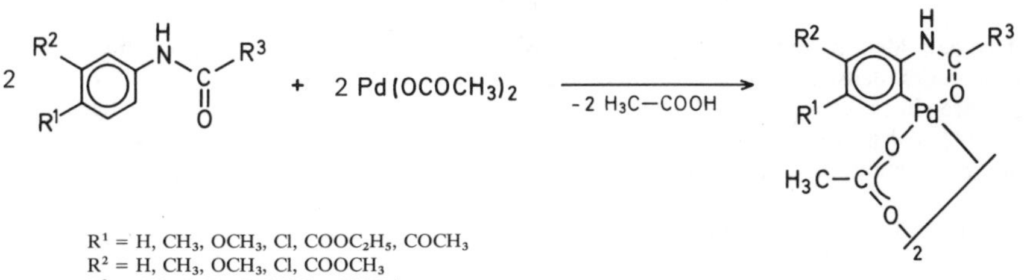

$$2\quad +\ 2\ Pd(OCOCH_3)_2\quad \xrightarrow{-2\ H_3C-COOH}$$

R¹ = H, CH₃, OCH₃, Cl, COOC₂H₅, COCH₃
R² = H, CH₃, OCH₃, Cl, COOCH₃
R³ = CH₃, C₂H₅, CH(CH₃)₂, C(CH₃)₃

---

[1] D. Leaver et al., Tetrahedron Letters **1979**, 3339.
[2] Y. Tamaru, M. Kagotani u. Z. Yoshida, Ang. Ch. **93**, 1031 (1981).
[3] N. D. Cameron u. M. Kilner, Chem. Commun. **1975**, 687.
[4] H. Horino u. N. Inoue, J. Org. Chem. **46**, 4416 (1981); viele Beispiele.

β₅) Cyclopalladierte Carben-Komplexe

Als Donor-Atom kann bei ortho-Palladierungen auch der Carben-Kohlenstoff fungieren. So reagiert 1,1′,3,3′-Tetraphenyl-2,2′-bi-(1,3-imidazolidinyliden) mit Di-μ-chloro-bis-[(3-tert.-butylthio-2-methoxy-2-methyl-propyl)-palladium] zum Chloro-verbrückten cyclopalladierten Carben-Komplex *Di-μ-chloro-bis-[(1,3-diphenyl-2-imidazolidinylide-nato (C²,C²ʹ)-palladium]* (46%; F>300°)[1]:

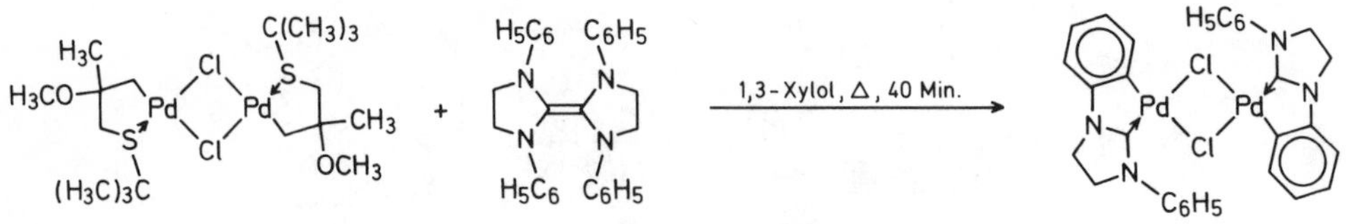

2. aus Palladium(0)-Verbindungen bzw. Palladium-Metall durch oxidative Addition

α) Von Halogenarenen

Eine sehr einfache Methode, die in der Regel in hohen Ausbeuten zu Halogeno-aryl-bis-[tert.-phosphan]-palladium führt, ist die oxidative Addition von Halogen-arenen an Tetrakis-[tert.-phosphan]-palladium(0) oder andere Palladium(0)-Verbindungen. Hierzu wird die Palladium(0)-Verbindung mit überschüssigem Halogenaren in Benzol[2], Toluol[3], Hexan[4] oder Ether[5] bei der Temperatur des siedenden Lösungsmittels oder im verschlossenen Reaktionsgefäß durch Erhitzen in Benzol[6] hergestellt.

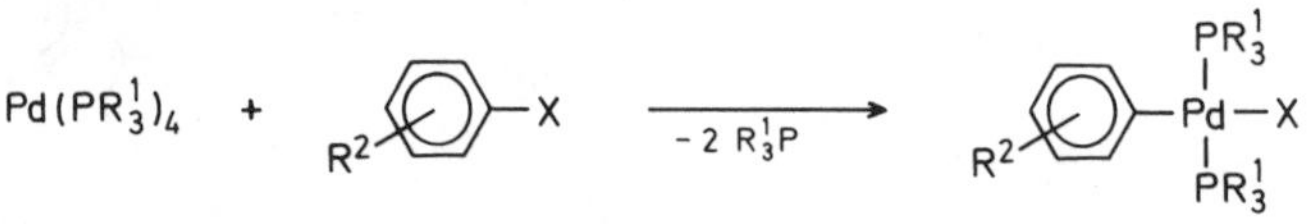

Zwei typische Arbeitsvorschriften (Arbeiten unter Rückfluß bzw. im verschlossenen Rohr) werden im folgenden beschrieben.

(4-Fluor-phenyl)-jodo-bis-[triethylphosphan]-palladium[3]: Eine Lösung von 2,9 g (5,0 mmol) Tetrakis-[triethylphosphan]-palladium(0) und 3,33 g (15 mmol) 4-Fluor-1-jod-benzol in 15 *ml* Toluol wird unter Rückfluß (Stickstoffatmosphäre) 1 Stde. erhitzt (außer bei Cyan-Substituenten ist diese Rückflußzeit ausreichend). Die hellgelbe Lösung wird i. Vak. eingeengt und der Rückstand aus Hexan umkristallisiert; Ausbeute: 2,56 g (91%); F: 131–132°.

Aryl-halogeno-bis-[tert.-phosphan]-palladium aus Tetrakis-[triphenylphosphan]-palladium und Halogenaren; allgemeine Arbeitsvorschrift[6]: Eine Mischung von 2,2 g Tetrakis-[triphenylphosphan]-palladium(0) und 1 g Halogenaren in 15 *ml* entgastem Benzol wird 12 Stdn. in einem verschlossenen dickwandigen Polymergefäß erhitzt. Nach Kühlen auf 20° wird das Benzol i. Vak. abgezogen und die Festsubstanz mit Ether verrieben und abgenutscht. Die Produkte können aus Benzol, Dichlormethan/Hexan oder Chloroform/Hexan umkristallisiert werden.

So hergestellte Verbindungen sind in Tab. 16 (S. 857) zusammengestellt.

---

[1] K. HIRAKI, M. ONISHI u. K. SUGINO, J. Organometal. Chem. **171**, C 50 (1979).

[2] J.F. FAUVARQUE u. A. JUTAND, Bl. **1976**, 765.

[3] G.W. PARSHALL, Am. Soc. **96**, 2360 (1974).

[4] R.A. SCHUNN, Inorg. Chem. **15**, 208 (1976).

[5] H. WERNER u. W. BERTLEFF, J. Chem. Research (M) **1978**, 2720.

[6] P. FITTON u. E.A. RICK, J. Organometal. Chem. **28**, 287 (1971).

Tab. 18. Aryl-halogeno-bis-[tert.-phosphan]-palladium durch oxidative Addition von Halogenarenen an Tetrakis-[tert.-phosphan]-palladium(0)

R	X	R¹	Reaktionsprodukt	Ausbeute [%]	F [°C]	Literatur
CH₃	J	H	Jodo-phenyl-bis-[trimethylphosphan]-palladium	82	124	1
	CN	H	Cyano-phenyl-bis-[trimethylphosphan]-palladium	42	130	1
C₂H₅	Cl	3-F	Chloro-(3-fluor-phenyl)-bis-[triethylphosphan]-palladium		89–90	2
		4-F	Chloro-(4-fluor-phenyl)-bis-[triethylphosphan]-palladium		99–100	2
	Br	H	Bromo-phenyl-bis-[triethylphosphan]-palladium	87	96–98	3
	J	4-F	(4-Fluor-phenyl)-jodo-bis-[triethylphosphan]-palladium	91	131–132	2
	CN	H	Cyano-phenyl-bis-[triethylphosphan]-palladium	37	85–90	4
		3-F	Cyano-(3-fluor-phenyl)-bis-[triethylphosphan]-palladium		109–110	2
CH(CH₃)₂	J	H	Jodo-phenyl-bis-[triisopropylphosphan]-palladium	43	94–96	1
C₆H₅	Cl	H	Chloro-phenyl-bis-[triphenylphosphan]-palladium	85	149–150	3.5.6
		2-NO₂	Chloro-(2-nitro-phenyl)-bis-[triphenylphosphan]-palladium	94	215–217	7.8
		2,4-(NO₂)₂	Chloro-(2,4-dinitro-phenyl)-bis-[triphenylphosphan]-palladium	90	172–175	7.8
		4-CN	Chloro-(4-cyan-phenyl)-bis-[triphenylphosphan]-palladium	97	224–226	7.8
		4-H₃COOC	Chloro-(4-methoxycarbonyl-phenyl)-bis-[triphenylphosphan]-palladium	83	172–178	7.8
		4-F₃C	Chloro-(4-trifluormethyl-phenyl)-bis-[triphenylphosphan]-palladium	89	208–210	7.8
		4-Cl	Chloro-(4-chlor-phenyl)-bis-[triphenylphosphan]-palladium	92	215–220	7.8
		4-H₅C₆-CO	(4-Benzoyl-phenyl)-chloro-bis-[triphenylphosphan]-palladium	89	195–198	7.8
		3-H₃CO-4-NO₂	Chloro-(3-methoxy-4-nitro-phenyl)-bis-[triphenylphosphan]-palladium	94	172–175	7.8
	Br	H	Bromo-phenyl-bis-[triphenylphosphan]-palladium	95	216–220	3.6.7
		4-H₃C-CO	(4-Acetyl-phenyl)-bromo-bis-[triphenylphosphan]-palladium	93	180–183	7.8
	J	H	Jodo-phenyl-bis-[triphenylphosphan]-palladium		171–186	3.6.9
		4-HOOC	(4-Hydroxycarbonyl-phenyl)-jodo-bis-[triphenylphosphan]-palladium	31	170	6
		2-HOOC	(2-Hydroxycarbonyl-phenyl)-jodo-bis-[triphenylphosphan]-palladium	51	200–210	6
H₃C-P(C₆H₅)₂	J	H	Bis-[diphenyl-methyl-phosphan]-jodo-phenyl-palladium	83	134–136	1
H₃C-P(C₆H₅)₂	Cl	C₆F₅	Chloro-bis-[diphenyl-methyl-phosphan]-(pentafluorphenyl)-palladium	65	203–204	10
(H₅C₆)₂P-CH₂-CH₂-P(C₂H₆)₂	J	H	(1,2-Bis-[diphenylphosphano]-ethan)-jodo-phenyl-palladium	85	210–215	6

[1] H. WERNER u. W. BERTLEFF, J. Chem. Research (M) 1978, 2719.
[2] G. W. PARSHALL, Am. Soc. 96, 2360 (1974).
[3] P. E. GARROU u. R. F. HECK, Am. Soc. 98, 4115 (1976); viele Beispiele.
[4] R. A. SCHUNN, Inorg. Chem. 15, 208 (1976); Addition an Tris-[triethyl-phosphan]-palladium.
[5] D. R. COULSON, Chem. Commun. 1968, 1530.
[6] J.F. FAUVARQUE u. A. JUTAND, Bl. 1976, 765.
[7] P. FITTON u. E. A. RICK, J. Organometal. Chem. 28, 287 (1971); viele Beispiele.
[8] A.P. 3674825 (1972), P. FITTON u. E.A. RICK; C.A. 77, 88664 (1972).
[9] P. FITTON, M.P. JOHNSON u. J.E. McKEON, Chem. Commun. 1968, 6.
[10] A.J. MUKHEDKAR, M. GREEN u. F.G.A. STONE, Soc. [A] 1969, 3023; Addition von Pentafluor-benzoylchlorid, Decarbonylierung.

Auch Halogen-substituierte Heteroarene addieren sich oxidativ an Palladium(0)-Verbindungen. So reagiert Tetrakis-[triphenylphosphan]-palladium(0) mit 2-, 3- und 4-Brom-pyridin in Toluol bei 90° zu den stabilen Kohlenstoff-gebundenen Pyridyl-palladium-Verbindungen *Bromo-2-pyridyl-* (55%), *-3-pyridyl-* (90%) bzw. *-4-pyridyl-bis-[triphenylphosphan]-palladium* (73%)[1], z.B.:

$$Pd\left[(H_5C_6)_3P\right]_4 \; + \; \underset{Br}{\text{(pyridyl)}} \; \xrightarrow{-2\,(H_5C_6)_3P} \; \text{(Pyridyl–Pd complex)}$$

Die Addition von 2,6-Dichlor-pyridin an Tetrakis-[triphenylphosphan]-palladium ergibt *Chloro-(6-chlor-2-pyridyl)-bis-[triphenylphosphan]-palladium* (95%)[2].

Die Einführung von Kronenether-Gruppen in Palladium-Komplexe gelingt über die oxidative Addition von 15-Jod-benzo-15-krone-5 bzw. 18-Jod-benzo-18-krone-6 an Tetrakis-[triphenylphosphan]-palladium(0) zu *(15-σ-C-Benzo-15-krone-5)-* (83%; F: 134−145°) bzw. *(18-σ-C-Benzo-18-krone-6)-jodo-bis-[triphenylphosphan]-palladium* (F: 85−89°)[3]:

$$\text{(iodo-benzo-crown)} \; + \; Pd\left[(H_5C_6)_3P\right]_4 \; \xrightarrow{-2\,(H_5C_6)_3P} \; \text{(Pd crown ether complex)}$$

Auch aktivierte Palladium-Atome können mit Halogenarenen in Gegenwart von tert. Phosphanen unter oxidativer Addition Dihalogeno-aryl-bis-[tert.-phosphan]-palladium ergeben:

$$R^1X \; \xrightarrow{"Pd"} \; [R^1-Pd-X] \; \xrightarrow{2\,PR_3^2} \; (R_3^2P)_2\overset{R^1}{\underset{\;}{Pd}}-X$$

$R^1 = C_6F_5, C_6H_5$
$PR_3^2 = P(C_6H_5)_3, P(C_2H_5)_3, P(C_6H_5)(CH_3)_2$
$X = Cl, Br, J$

Palladium-Dampf und Halogenbenzol werden bei −196° cokondensiert und dann das Phosphan eindestilliert. So werden z.B. *Bromo-(pentafluorphenyl)-bis-[triethylphosphan]-palladium* (30%)[4] und *Chloro-phenyl-bis-[triethylphosphan]-palladium*[4] hergestellt.

Bromo-pentafluorphenyl-palladium kann als eine der wenigen σ-Organo-palladium-Verbindungen der Koordinationszahl 2 auch ohne Donor-Liganden isoliert werden.

Bromo-pentafluorphenyl-palladium[5]: Palladium-Dampf (~1 g, 10 mg-Atom) und Brom-pentafluor-benzol (~50 *ml*, 394 mmol) werden innerhalb von 2 Stdn. cokondensiert. Der Reaktor wird auf 20° erwärmt und überschüssiges Brom-pentafluor-benzol i. Vak. entfernt. Der Reaktor wird mit Stickstoff unter Druck gesetzt und der Inhalt mit drei 20 *ml* Portionen gereinigtem und sauerstofffreiem Aceton unter Stickstoff gewaschen. Es wird filtriert, das Aceton i. Vak. entfernt und das verbleibende orangefarbene Öl mit 20 *ml* absol., sauerstofffreiem Benzol (oder Toluol) gewaschen. Die so erhaltene benzol. Lösung wird unter heftigem Magnetrühren in 400 *ml* absol., sauerstofffreies Pentan gegeben. Es bildet sich ein feiner orangefarbener Niederschlag, der abgenutscht wird; Ausbeute: 10%; F: 105° (Zers.).

---

[1] S. Kawaguchi et al., Am. Soc. **102**, 2475 (1980).
[2] H. Tanaka, K. Isobe u. S. Kawaguchi, Inorg. Chim. Acta. **54**, L 201 (1981).
[3] B.L. Shaw et al., J. Organometal. Chem. **168**, 103 (1979).
[4] K.J. Klabunde u. J.Y.F. Low, Am. Soc. **96**, 7674 (1974).
[5] K.J. Klabunde, B.B. Anderson u. K. Neuenschwander, Inorg. Chem. **19**, 3719 (1980).

Apparativ einfacher und in besseren Ausbeuten gelingt die Umsetzung von Palladium(II)-bromid oder -chlorid mit Triethylphosphan zu isoliertem oder in situ hergestelltem Dihalogeno-bis-[triethylphosphan]-palladium, Reduktion mit Kalium zu hochaktiven Palladium(0)-Spezies, die direkt mit Arylhalogeniden zu Aryl-halogeno-bis-[triethylphosphan]-palladium weiterreagieren[1,2]. Palladiumhalogenid, Triethylphosphan und Kalium können auch in einer Eintopfreaktion in Tetrahydrofuran oder 1,2-Dimethoxy-ethan unter Argon gekocht (5–22 Stdn.) und dann mit dem entsprechenden Arylhalogenid versetzt werden (bis 37 Stdn. Rückfluß). Die Mischung wird gekühlt, filtriert und das Filtrat konzentriert. Dabei kristallisieren die Aryl-palladium-Verbindungen in Ausbeuten von 26–76% aus[1,2]:

$$PdX_2^1 + 2(H_5C_2)_3P \longrightarrow (H_5C_2)_3P-\underset{\underset{X^1}{|}}{\overset{\overset{X^1}{|}}{Pd}}-P(C_2H_5)_3 \xrightarrow[2.\,+\,ArX^2]{1.\,+\,K} (H_5C_2)_3P-\underset{\underset{Ar}{|}}{\overset{\overset{Ar}{|}}{Pd}}-P(C_2H_5)_3$$

$Ar = C_6H_5,\ C_6F_5$
$X^2 = Br,\ Cl,\ J,\ CN$ isoliert oder in situ
$X^1 = Br,\ Cl$

trans-Jodo-phenyl-bis-[triethylphosphan]-palladium ($X^2 = J$; $Ar = C_6H_5$)[1,2]: Ein 50-*ml*-Dreihalskolben mit Magnetrührer und Rückflußkühler mit Argon-Einleitungsrohr wird mit 0,959 g (2,32 mmol) *trans*-Dichloro-bis-[triethylphosphan]-palladium und 0,181 g (4,63 mmol) Kalium (frisch geschnitten und gereinigt) und dann mit 10 *ml* frisch destilliertem THF gefüllt. Die gelbe Lösung wird unter heftigem Rühren 22 Stdn. unter Rückfluß erhitzt. Dabei entsteht ein schwarzes Metallpulver in der gelben Lösung. Man läßt die Reaktionsmischung auf 20° kommen, fügt 26 *ml* (2,3 mmol) Jodbenzol zu und rührt 1 weitere Stde. Dann wird filtriert, der Rückstand mit Dichlormethan gewaschen und das Lösungsmittel i. Vak. abgezogen. Das Rohprodukt wird in Hexan gelöst, mit Aktivkohle behandelt und filtriert. Langsames Verdampfen des Lösungsmittels ergibt große gelbe Kristalle; Ausbeute: 0,639 g (51%); F: 111–112°.

Sind die Kristalle ölbedeckt, muß die Umkristallisation aus Hexan wiederholt werden.

Auf prinzipiell gleiche Weise, manchmal auch ohne Isolierung des Phosphan-Zwischenkomplexes direkt aus Palladiumhalogeniden, Triethylphosphan, Kalium und Halogenarenen werden hergestellt[1,2].

Bromo-phenyl-bis-[triethylphosphan]-palladium   63%; F: 107°
Cyan-phenyl-bis-[triethylphosphan]-palladium   26%; F: 112–116°
Chloro-phenyl-bis-[triethylphosphan]-palladium   54%; F: 99°
Bromo-(pentafluorphenyl)-bis-[triethylphosphan]-palladium   76%; F: 125–126°

Die Reduktion von Palladium(II)-jodid gelingt auch mit Lithium und Naphthalin in 1,2-Dimethoxy-ethan zu hochreaktivem Palladium-Pulver. Anschließende Umsetzung mit Jod-pentafluor-benzol ergibt *Jodo-(pentafluorphenyl)-palladium,* isoliert als Triethylphosphan-Addukt *Jodo-(pentafluorphenyl)-bis-[triethylphosphan]-palladium* (43%; F: 152–154°)[2]:

$$PdJ_2 \xrightarrow[-2\,LiJ]{+2\,Li\,/\,\text{Naphthalin}} \text{"Pd"} \xrightarrow{+\,F_5C_6-J} [F_5C_6-Pd-J] \xrightarrow{+\,2\,(H_5C_2)_3P}$$

$$F_5C_6-\underset{\underset{P(C_2H_5)_3}{|}}{\overset{\overset{P(C_2H_5)_3}{|}}{Pd}}-J$$

1,2-Dijod-benzol reagiert mit der zweikernigen Palladium(0)-Verbindung Tris-[bis-(diphenylphosphano)-methan]-dipalladium(0) zur phenylen-verbrückten Palladium-

---

[1] R.D. RIEKE et al., Am. Soc. **99**, 4159 (1977).
[2] R.D. RIEKE u. A.V. KAVALIUNAS, J. Org. Chem. **44**, 3069 (1979).

Verbindung *Bis-μ-[bis-(diphenylphosphano)-methan]-μ-1,2-phenylen-dijodo-dipalladium* (79%)[1]:

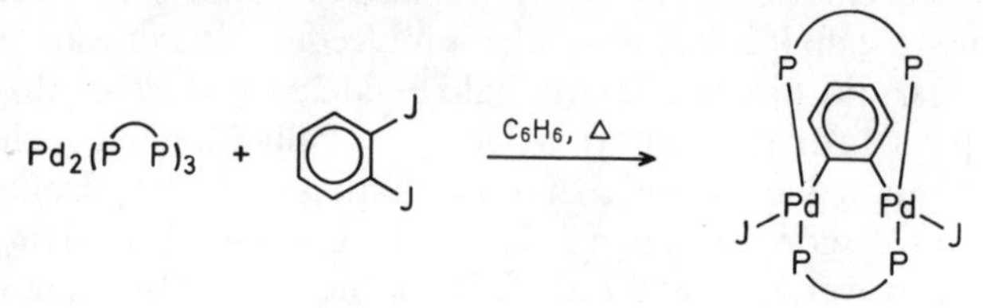

Pd$_2$(P⌒P)$_3$ + [1,2-diiodobenzene] $\xrightarrow{C_6H_6, \Delta}$ [product structure]

β) von Aryl-quecksilber-Verbindungen

Aryl-quecksilberhalogenide können sich ebenfalls oxidativ an Palladium(0)-Verbindungen addieren. So erhält man bei der Reaktion von Tris- oder Tetrakis-[triphenylphosphan]-palladium mit 4-Methyl-phenyl-quecksilberchlorid zunächst eine σ-Palladium-Quecksilber-Verbindung, die dann unter Abspaltung von Quecksilber die Aryl-palladium-Verbindung *Chloro-(4-methyl-phenyl)-bis-[triphenylphosphan]-palladium* ergibt[2]:

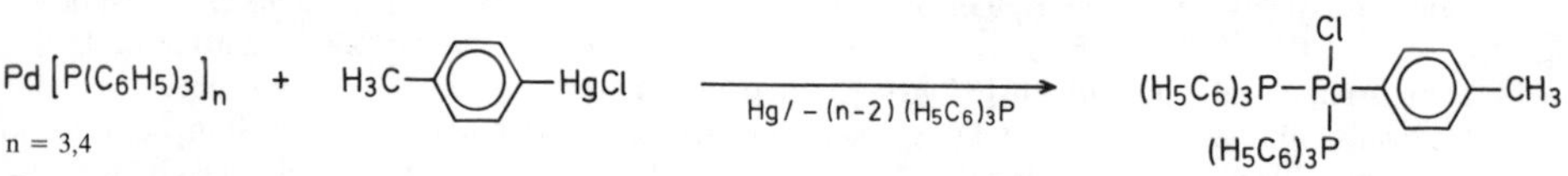

Pd[P(C$_6$H$_5$)$_3$]$_n$ + H$_3$C—⟨⟩—HgCl $\xrightarrow{\quad Hg / - (n-2)\,(H_5C_6)_3P \quad}$ (H$_5$C$_6$)$_3$P—Pd—⟨⟩—CH$_3$

n = 3,4

Dieses Verfahren ist besonders dann vorzuziehen, wenn die direkte oxidative Addition der Halogen-Verbindung nur geringe Ausbeuten ergibt oder versagt. Als Palladium(0)-Verbindung kann auch Tris-[1,5-diphenyl-3-oxo-1,4-pentadien]-dipalladium(0) statt der Phosphin-Verbindung eingesetzt werden:

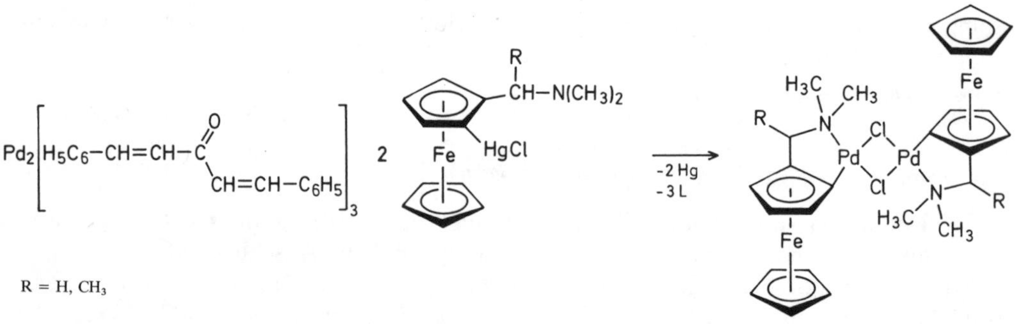

Pd$_2$[H$_5$C$_6$—CH=CH—C(O)CH=CH—C$_6$H$_5$]$_3$ + 2 [ferrocenyl-HgCl compound] $\xrightarrow[\;-3\,L\;]{-2\,Hg}$ [product structure]

R = H, CH$_3$

Di-μ-chloro-bis-[(2-dimethylaminomethyl-ferrocenyl-C^1,N)-palladium][3]: 8,4 g Tris-[1,5-diphenyl-3-oxo-1,4-pentadienyl]-dipalladium (mit Kristallbenzol) werden unter Stickstoff zu einer Lösung von 8,1 g 2-Chlormercuri-1-(dimethylamino-methyl)-ferrocen in 100 *ml* abs. Benzol gegeben. Die Lösung wird 2 Tage gerührt, das metallische Quecksilber abfiltriert (3,6 g) und die benzol. Lösung zur Trockne eingeengt. Der Rückstand wird in Aceton gelöst, filtriert, das Vol. der Lösung reduziert und gekühlt; Ausbeute: 3,65 g (57%); F: 170–172° (aus Benzol/Petrolether; rote Kristalle).

Analog wird *Di-μ-chloro-bis-{[2-(1-dimethylamino-ethyl)-ferrocenyl-(C^1,N)]-palladium}* hergestellt[4]. Die Umsetzung von Bis-[2-phenylazo-phenyl]-quecksilber mit Tris-[1,5-diphenyl-3-oxo-pentadienyl]-dipalladium ergibt in guter Ausbeute Bis-chelat-Verbindungen des Palladiums:

[1] A.L. BALCH et al., Am. Soc. **103**, 3764 (1981).
[2] V.I. SOKOLOV et al., J. Organometal. Chem. **71**, C 41 (1974).
[3] V.I. SOKOLOV, L.L. TROITSKAYA et al., Doklady Akad. SSSR **228**, 367 (1976); engl.: 358.
[4] V.I. SOKOLOV, L.L. TROITSKAYA u. O.A. REUTOV, J. Organometal. Chem. **133**, C 28 (1977); Einsatz von optisch aktiven Verbindungen.

$$Pd_2\left[H_5C_6-CH=CH-C\underset{CH=CH-C_6H_5}{\overset{O}{\diagup}}\right]_3 + 4 \quad \begin{array}{c} R-\langle\rangle-N=N-\langle\rangle-R \\ Hg \\ R-\langle\rangle-N=N-\langle\rangle-R \end{array}$$

$$\xrightarrow[-3\,(H_5C_6-CH=CH)_2CO]{-2\,Hg} \quad 2 \quad \text{[Komplex]}$$

R = H, CH₃

Bis-[2-phenylazo-phenyl]-palladium[1]: 0,563 g (1 mmol) Bis-[2-phenylazo-phenyl]-quecksilber und 0,5 g (0,5 mmol) Tris-[1,5-diphenyl-3-oxo-1,4-pentadienyl]-dipalladium (mit 1 mol Kristallbenzol) in Benzol suspendiert, werden 16 Stdn. unter Argon gerührt. Metallisches Quecksilber (~0,200 g) wird abgetrennt und das Filtrat durch eine kurze Kieselgelsäule mit Benzol eluiert; Ausbeute: 0,375 g (80%); F: 163–165° (Zers.).

Analog erhält man *Bis-[2-(4-methyl-phenylazo)-5-methyl-phenyl]-palladium* (85%; F: 172–176°, Zers.)[1].

γ) von Benzoylhalogeniden und Decarbonylierung

Nur ein Beispiel ist für den Reaktionstyp der oxidativen Addition von Benzoyl-halogeniden an Palladium(0) unter gleichzeitiger Decarbonylierung zur Aryl-palladium-Verbindung bekannt:

$$PdL_4 + F_5C_6-C\underset{Cl}{\overset{O}{\diagup}} \xrightarrow{-2\,L} \left[Cl-Pd-C\underset{C_6F_5}{\overset{O}{\diagup}}\right] \xrightarrow{-CO} Cl-Pd-C_6F_5$$

L = P(CH₃)(C₆H₅)₂

Chloro-(pentafluorphenyl)-bis-[diphenyl-methyl-phosphan]-palladium[2]: 0,46 g (2 mmol) Pentafluorbenzoylchlorid in 5 *ml* Benzol wird tropfenweise bei 20° unter Rühren zu einer Lösung von 0,91 g (1,0 mmol) Tetrakis-[diphenyl-methyl-phosphan]-palladium in 40 *ml* Benzol gegeben. Nach 8 Stdn. wird zunächst farbloses Phosphoniumchlorid abfiltriert (0,40 g; F: 154–155°). Anschließend wird das Filtrat i. Vak. vom Lösungsmittel befreit und der Rückstand aus Dichlormethan-Ethanol umkristallisiert. Ausbeute: 0,47 g (65%); F: 203–204°.

g) Acyl- bzw. Iminoacyl-palladium(II)-Verbindungen

1. Aus Palladium(0)-Verbindungen durch oxidative Addition

α) mit Acylhalogeniden bzw. Carbonsäure-halogenid-imiden

Eine einfache Methode zur Herstellung der Acyl-palladium-Verbindungen besteht in der oxidativen Addition von Carbonsäure-halogeniden oder Benzoylhalogeniden an Tetrakis-[tert.-phosphan]-palladium(0) unter Bildung von Acyl-halogeno-bis-[tert.-phosphan]-palladium(II):

$$PdL_4 + R-C\underset{X}{\overset{O}{\diagup}} \longrightarrow R-CO-Pd-X + 2\,L$$

L (z.B.) = P(C₆H₅)₃, P(CH₃)(C₆H₅)₂, P(C₂H₅)₃, P(OC₆H₅)₃
X = vorwiegend Cl
R = Alkyl, Acyl, Aryl

[1] V. I. SOKOLOV, L. L. TROITSKAYA u. O. A. REUTOV, J. Organometal. Chem. **93**, C 11 (1975).
[2] A. J. MUKHEDKAR, M. GREEN u. F. G. A. STONE, Soc. [A] **1969**, 3023.

Tab. 17: Acyl-chloro-bis-[tert.-phosphan]-palladium(II) durch oxidative Addition

R–CO–Cl R	PdL₄ L	Reaktionsprodukt	Ausbeute [%]	F [°C]	Literatur
CH₃	P(C₆H₅)₃	*Acetyl-chloro-bis-[triphenylphosphan]-palladium*		166–172	1
	P(CH₃)₃	*Acetyl-chloro-bis-[trimethylphosphan]-palladium*	63	114–116	2
	P[CH(CH₃)₂]₃	*Acetyl-chloro-bis-[triisopropylphosphan]-palladium*			2
CH₂–C₆H₅	P(C₆H₅)₃	*Chloro-(phenyl-acetyl)-bis-[triphenylphosphan]-palladium*			3
CH(CH₃)–C₆H₅	P(C₆H₅)₃	*Chloro-(2-phenyl-propanoyl)-bis-[triphenylphosphan]-palladium*	82		3, 4
C₃F₇	H₃C–P(C₆H₅)₂	*Chloro-(heptafluorbutanoyl)-bis-[diphenyl-methyl-phosphan]-palladium*	25	137–138	5
C₆H₅	P(CH₃)₃	*Benzoyl-chloro-bis-[trimethylphosphan]--palladium*	82	148	2
	P(OC₆H₅)₃	*Benzoyl-chloro-bis-[triphenoxyphosphan]-palladium*	64	129–132	6
COOC₂H₅	P(C₂H₅)₃	*Ethoxalyl-chloro-bis-[triphenylphosphan]-palladium*	84		7
COOCH₃	P(C₆H₅)₃	*Chloro-methoxalyl-bis-[triphenyl-phosphan]-palladium*			7, 8
	H₃C–P(C₆H₅)₂	*Chloro-methoxalyl-bis-[diphenyl-methyl-phosphan]-palladium*			7

Eine Auswahl der so hergestellten Verbindungen ist in Tab. 17 zusammengefaßt.

Die oxidativen Additionsreaktionen werden in inerten Lösungsmitteln wie Benzol oder Toluol unter Stickstoff- oder Kohlenmonoxid-Atmosphäre meist bei 20° durchgeführt. Zwei typische Beispiele werden im folgenden wiedergegeben.

Chloro-(2-phenyl-propanoyl)-bis-[triphenylphosphan]-palladium[3]: Zu einer entgasten benzol. Lösung von 1,73 g (1,5 mmol) Tetrakis-[triphenylphosphan]-palladium(0) werden 0,261 g (1,55 mmol) chirales 2-Phenyl-propanoylchlorid zugefügt. Nach 12 Stdn. Rühren unter Stickstoff wird der entstandene farblose, kristalline Niederschlag abfiltriert und mit Ether gewaschen; Ausbeute: 0,978 g (82%); IR $\nu_{C=O}$: 1670 cm⁻¹.

Ethoxalyl-chloro-bis-[triphenylphosphan]-palladium[6]: 0,313 g (2,3 mmol) Oxalsäure-chlorid-ethylester werden zu einer Lösung von 2,66 g (2,30 mmol) Tetrakis-[triphenylphosphan]-palladium in 40 *ml* Toluol bei 0° gegeben. Nach 15 Min. Rühren bei 0° wird der Komplex durch Zugabe von 80 *ml* Ether ausgefällt. Nach Filtrieren und Waschen mit Ether wird getrocknet; Ausbeute: 1,47 g (84%); IR $\nu_{C=O}$: 1670, 1720 cm⁻¹.

Auch andere Palladium(0)-Komplexe wie Bis-[tert.-butylisocyanid]-palladium ergeben unter oxidativer Addition von Acetylchlorid bzw. Benzoylchlorid in Toluol bei 0° *Acetyl-* (92%; F: 105–110°)[6] bzw. *Benzoyl-bis-[tert.-butylisocyanid]-chloro-palladium* (F: 135–136°, Zers.)[6,9]:

$$Pd[(H_3C)_3C-NC]_2 + R-C\overset{O}{\underset{Cl}{\big/\big\backslash}} \xrightarrow{H_5C_6-CH_3,\ 0°} R-CO-\underset{CN-C(CH_3)_3}{\overset{CN-C(CH_3)_3}{Pd}}-Cl$$

R = CH₃, C₆H₅

[1] P. FITTON, M. P. JOHNSON u. J. E. McKEON, Chem. Commun. **1968**, 6.
[2] H. WERNER u. W. BERTLEFF, J. Chem. Research (M) **1978**, 2720.
[3] K. S. Y. LAU, P. K. WONG u. J. K. STILLE, Am. Soc. **98**, 5832 (1976).
[4] K. S. Y. LAU, R. W. FRIES u. J. K. STILLE, Am. Soc. **96**, 4983 (1974).
[5] A. J. MUKHEDKAR, M. GREEN u. F. G. A. STONE, Soc. [A] **1969**, 3023.
[6] S. OTSUKA et al., Am. Soc. **95**, 3180 (1973).
[7] E. D. DOBRZYNSKI u. R. J. ANGELICI, Inorg. Chem. **14**, 59 (1975).
[8] R. J. ANGELICI et al., J. Organometal. Chem. **59**, C 33 (1973).
[9] S. OTSUKA, A. NAKAMURA u. T. YOSHIDA, Am. Soc. **91**, 7196 (1969).

Auch andere Palladium(0)-Verbindungen mit Olefinen als Ligand können oxidative Additionsreaktionen eingehen; z. B.:

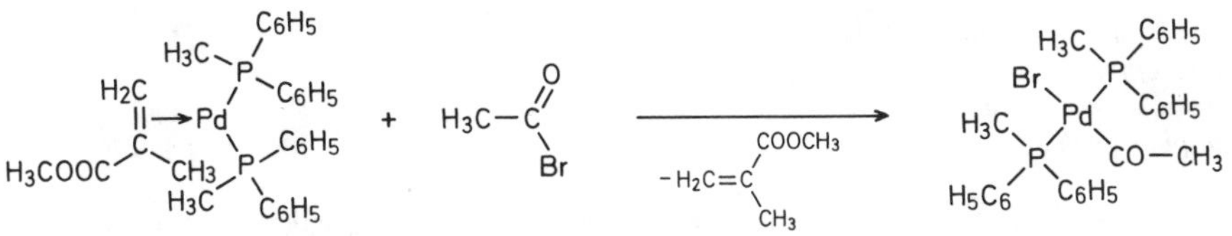

Acetyl-bromo-bis-[diphenyl-methyl-phosphan]-palladium[1]: Zu einer braunen heterogenen Mischung von 2 *ml* Diethylether und 0,23 g (0,38 mmol) Bis-[diphenyl-methyl-phosphan]-(η^2-2-methyl-acrylsäure-methyl-ester)-palladium werden 60 *µl* (0,74 mmol) Acetylbromid mittels einer Spritze zugefügt. Die Mischung wird 1 Stde. bei 20° gerührt, wobei die Farbe der heterogenen Mischung nach gelb umschlägt. Es wird keine Gasentwicklung beobachtet, und 95% des 2-Methyl-acrylsäureesters (GLC) werden freigesetzt. Der Niederschlag wird filtriert und aus Aceton umkristallisiert; Ausbeute: 0,20 g (84%); IR $\nu_{C=O}$: 1670 cm^{-1}.

Die oxidative Addition von Acylhalogeniden an feinstverteiltes, aktives Palladium liefert ebenfalls Acyl-palladium-Verbindungen. Werden Palladium-Dampf und Heptafluor-butanoylchlorid bei −196° cokondensiert, auf −78° erwärmt, überschüssiges Substrat i. Vak. entfernt und Triethylphosphan zugegeben, so kann man *Chloro-(heptafluorbuta-noyl)-bis-[triethylphosphan]-palladium* (15%; Öl) isolieren[2,3]:

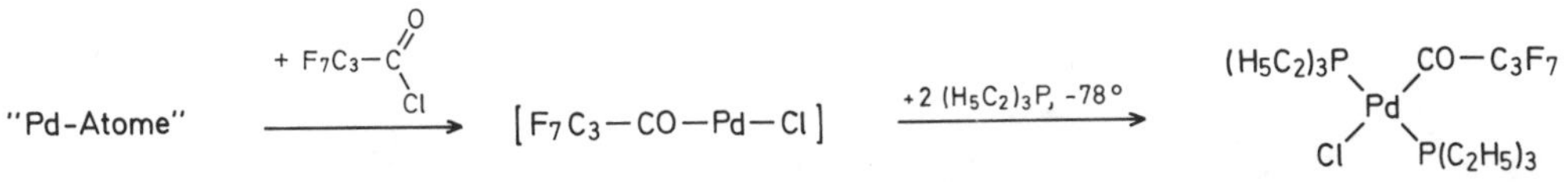

Die oxidative Addition von Carbonsäure-imid-halogeniden an Palladium(0)-Verbindungen liefert (1-Imino-alkyl)-palladium-Verbindungen. Tetrakis-[triphenylphosphan]-palladium reagiert mit Carbonsäure-imid-chloriden unter Abspaltung von Triphenylphosphan zu *trans*-isomeren (1-Imino-alkyl)-palladium-Verbindungen mit planquadratischer Struktur[4]:

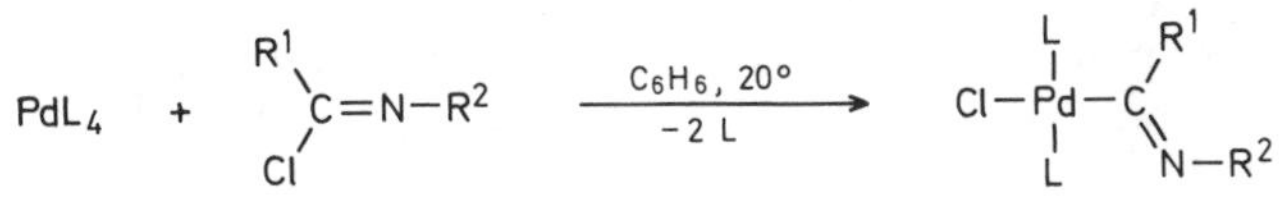

L = P(C$_6$H$_5$)$_3$

Chloro-(1-imino-alkyl)-bis-[triphenylphosphan]-palladium; allgemeine Arbeitsvorschrift[4]: Zu einer Lösung von 0,54−0,63 mmol Tetrakis-[triphenylphosphan]-palladium in 15−20 *ml* Benzol werden 2 Äquivalente eines Carbonsäure-chlorid-imids gegeben. Die Reaktionsmischung wird bei 20° 15−20 Stdn. gerührt, i. Vak. eingeengt und der Rückstand mit Diethylether behandelt, um Triphenylphosphan zu entfernen. Umkristallisiert bzw. umgefällt wird aus Lösungsmittelgemischen, z. B. Dichlormethan/Hexan oder Dichlormethan/Diethylether.

Auf diese Weise werden u. a. erhalten[4]:

Chloro-[(2-furanyl)-(4-methoxy-phenylimino)-methyl]-bis-[triphenyl-phosphan]-palladium   86%; F: 231−234°; $\nu_{C=N}$: 1559 cm^{-1}
Chloro-[phenyl-(phenylimino)-methyl]-bis-[triphenylphosphan]-palladium   81%; F: 253°; $\nu_{C=N}$: 1566 cm^{-1}

[1] A. YAMAMOTO et al., J. Organomet. Chem. **168**, 375 (1979).
[2] K. J. KLABUNDE et al., Am. Soc. **96**, 1984 (1974).
[3] K. J. KLABUNDE u. J. Y. F. LOW, Am. Soc. **96**, 7674 (1974).
[4] M. TANAKA u. H. ALPER, J. Organomet. Chem. **168**, 97 (1979).

Chloro-[phenyl-(4-chlor-phenylimino)-methyl]-bis-[triphenylphosphan]-   77%; F: 245°;
  palladium $\nu_{C=N}$: 1564 cm^{-1}
Chloro-[(4-methyl-phenylimino)-phenyl-methyl]-bis-[triphenylphosphan]-   91%; F: 258°;
  palladium $\nu_{C=N}$: 1571 cm^{-1}
[(4-Brom-phenyl)-(phenylimino)-methyl]-chloro-bis-[triphenylphosphan]-   55%; F: 229°;
  palladium $\nu_{C=N}$: 1565 cm^{-1}
Chloro-[(4-methoxy-phenyl)-(phenylimino)-methyl]-bis-[triphenyl-   85%; F: 231°
  phosphan]-palladium $\nu_{C=N}$: 1562 cm^{-1}

Analog reagieren 2-Oxo-carbonsäure-chlorid-imide mit Tetrakis-[triphenylphosphan]-palladium unter oxidativer Addition zu den entsprechenden (1-Imino-2-oxo-alkyl)-palladium-Verbindungen (bis zu 90%)[1]

R = 4-OCH₃-C₆H₄; *Chloro-[1-(4-methoxy-phenylimino)-2-oxo-propyl]-bis-[triphenylphosphan]-palladium*;
55%

R = C(CH₃)₃; *(1-tert.-Butylimino-2-oxo-propyl)-chloro-bis-[triphenylphosphan]-palladium*; 90%

Addition von Phenylisocyaniddichlorid an Tris-[bis-(diphenylphosphano)-methan]-dipalladium liefert *Bis-μ-[bis-(diphenylphosphano)-methan]-μ-phenyliminomethylen-dichloro-dipalladium* (49%)[2].

β) mit Halogen-alkanen, -alkenen bzw. -arenen

Die oxidative Addition von Halogen-alkanen, -alkenen bzw. -arenen an Carbonyl-tris-[triphenylphosphan]-palladium führt über eine nicht isolierbare Alkyl-palladium-Zwischenstufe unter formaler Insertion (Alkyl-Wanderung) von koordiniertem Kohlenmonoxid zu Acyl-palladium-Verbindungen[3,4].

R–X: H₃C–J, H₂C = CH–CH₂–Cl, H₂C=CH–CH₂–Br, H₂C=CH–Cl, H₂C=C(CH₃)–CH₂–Cl, H₅C₆–CH₂–Br, H₅C₆–J etc.

Chloro-(1-oxo-3-butenyl)-bis-[triphenylphosphan]-palladium[3]: 0,16 g Carbonyl-tris-[triphenylphosphan]-palladium werden mit 0,3 ml Allylchlorid in 10 ml Toluol bei 20° 1 Stde. stehengelassen, man fügt Hexan zu, hellgelbe Kristallnadeln fallen aus; Ausbeute: 0,11 g (82%); F: 115° (Zers.).

Die Reaktion mit Jodmethan ergibt analog *Acetyl-jodo-bis-[triphenylphosphan]-palladium*. Leitet man Vinylchlorid (3 Min. 20°) durch eine Toluol-Lösung von Carbonyl-tris-[triphenylphosphan]-palladium, so erhält man trans-*Chloro-propenoyl-bis-[triphenylphosphan]-palladium* (12%)[3]. Mit 2-Methyl-acrylsäure-chlorid erhält man *Chloro-(3-*

---

[1] B. CROCIANI et al., J. Organometal. Chem. **206**, C 11 (1981).
[2] A.L. BALCH et al., Am. Soc. **103**, 3764 (1981).
[3] K. KUDO, M. HIDAI u. Y. UCHIDA, J. Organometal. Chem. **33**, 393 (1971).
[4] K. KUDO, M. SATO, M. HIDAI u. Y. UCHIDA, Bl. chem. Soc. Japan **46**, 2820 (1973).

methyl-3-butenoyl)-bis-[triphenylphosphan]-palladium (91%; F: 70°; Zers.), mit Allyl-bromid entsteht ein Gemisch aus *Bromo-(3-butenoyl)-* und *Bromo-(2-butenoyl)-bis-[triphenylphosphan]-palladium* (insgesamt 95%) und mit Jodbenzol *Benzoyl-jodo-bis-[triphenylphosphan]-palladium* (95%; F: 107°, Zers.)[1].

1-Brom-1-phenyl-ethan wird an Carbonyl-tris-[triphenylphosphan]-palladium unter Kohlenmonoxid-Atmosphäre zu *Bromo-(2-phenyl-propanoyl)-bis-[triphenylphosphan]-palladium* addiert[2,3]:

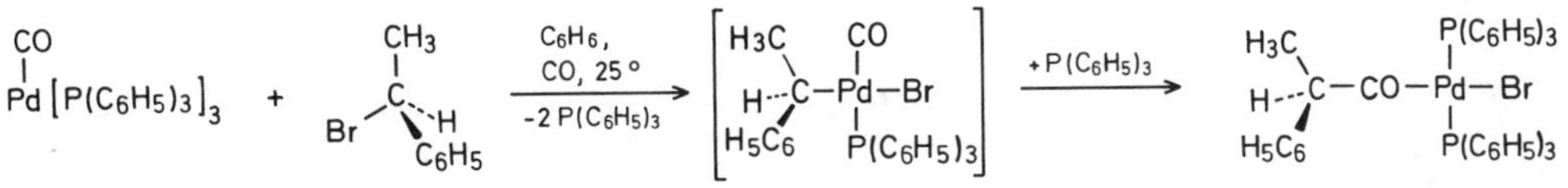

$$
\begin{array}{c}
\text{CO} \\
| \\
\text{Pd}[P(C_6H_5)_3]_3
\end{array}
+
\begin{array}{c}
\text{CH}_3 \\
| \\
\text{C} \cdots \text{H} \\
\diagup \quad | \\
\text{Br} \quad \text{C}_6\text{H}_5
\end{array}
\xrightarrow[-2\,P(C_6H_5)_3]{\substack{C_6H_6, \\ CO,\ 25°}}
\left[
\begin{array}{c}
\text{H}_3\text{C} \quad \text{CO} \\
\diagdown \quad | \\
\text{H}\cdots\text{C}-\text{Pd}-\text{Br} \\
\diagup \quad | \\
\text{H}_5\text{C}_6 \quad P(C_6H_5)_3
\end{array}
\right]
\xrightarrow{+P(C_6H_5)_3}
\begin{array}{c}
\text{H}_3\text{C} \quad P(C_6H_5)_3 \\
\diagdown \quad | \\
\text{H}\cdots\text{C}-\text{CO}-\text{Pd}-\text{Br} \\
\diagup \quad | \\
\text{H}_5\text{C}_6 \quad P(C_6H_5)_3
\end{array}
$$

In gleicher Weise gelingt so auch die Herstellung von *Bromo-* bzw. *Chloro-(phenylacetyl)-bis-[triphenylphosphan]-palladium* (37%)[2]:

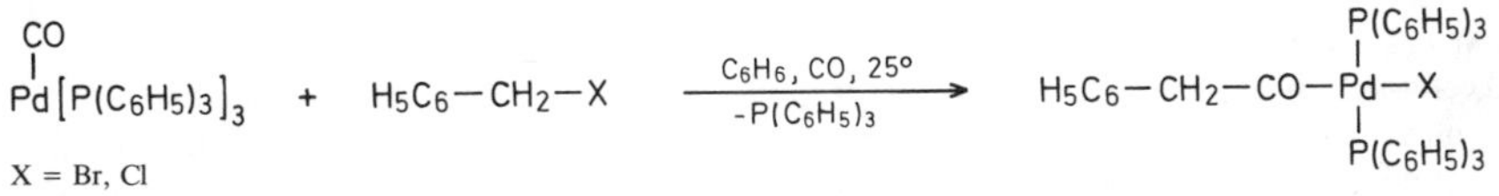

$$
\begin{array}{c}
\text{CO} \\
| \\
\text{Pd}[P(C_6H_5)_3]_3
\end{array}
+
\text{H}_5\text{C}_6-\text{CH}_2-\text{X}
\xrightarrow[-P(C_6H_5)_3]{C_6H_6,\ CO,\ 25°}
\text{H}_5\text{C}_6-\text{CH}_2-\text{CO}-
\begin{array}{c}
P(C_6H_5)_3 \\
| \\
\text{Pd}-\text{X} \\
| \\
P(C_6H_5)_3
\end{array}
$$

X = Br, Cl

Bromo-(phenylacetyl)-bis-[triphenylphosphan]-palladium[1,2]: Zu einer Lösung von 1,38 g (1,5 mmol) Carbonyl-tris-[triphenylphosphan]-palladium(0) in 50 *ml* mit Kohlenmonoxid ges. abs. Benzol werden 0,273 g (1,6 mmol; 5%iger Überschuß) Benzylbromid gegeben. Nach 17 Stdn. Rühren bei 25° wird die Reaktionsmischung mit Hexan versetzt und der ausgefallene farblose Niederschlag abfiltriert, gründlich mit Ether gewaschen und i. Vak. getrocknet; Ausbeute: 1,11 g (89%); IR $\nu_{C=O}$: 1670 cm^{-1}; F: 105°, Zers.

Die Umsetzung von Carbonyl-tris-[triphenylphosphan]-palladium(0) mit Brommethan und Brombenzol liefert keine Acyl-palladium-Verbindungen.

2. aus σ-C-Palladium-Verbindungen durch formale Insertion

α) von Kohlenmonoxid (Carbonylierung)

Quadratisch planare Palladium(II)-Verbindungen des Typs *trans*-Alkyl- bzw. Aryl-halogeno-bis-[tert.-phosphan]-palladium reagieren leicht mit Kohlenmonoxid bei 1–3 Atmosphären Kohlenmonoxid-Druck und 20° zu den entsprechenden *trans*- A c y l - h a l o g e -n o - b i s - [t e r t . - p h o s p h a n] - p a l l a d i u m - V e r b i n d u n g e n :

$$
\begin{array}{c}
\text{R}_3\text{P} \quad \text{R} \\
\diagdown \diagup \\
\text{Pd} \\
\diagup \diagdown \\
\text{X} \quad \text{PR}_3
\end{array}
+ \text{CO}
\longrightarrow
\begin{array}{c}
\text{R}_3\text{P} \quad \text{CO}-\text{R} \\
\diagdown \diagup \\
\text{Pd} \\
\diagup \diagdown \\
\text{X} \quad \text{PR}_3
\end{array}
$$

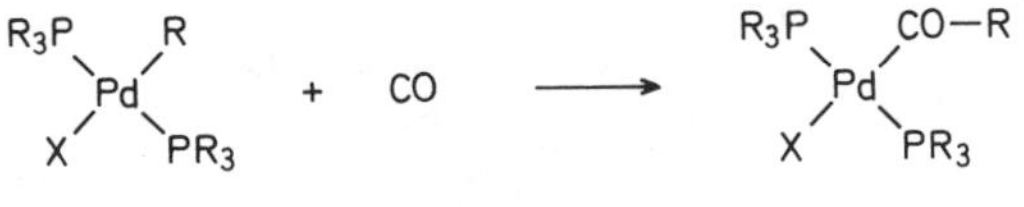

Die Reaktionen können in Benzol, Diethylether, Petrolether oder halogenierten Kohlenwasserstoffen (Dichlormethan) durchgeführt werden. Die Zersetzungspunkte (Decarbonylierung) liegen in der Regel beim Schmelzpunkt der entsprechenden Alkyl- bzw. Aryl-palladium-Verbindungen[4]. Auch Halogeno-verbrückte Alkyl-palladium-Verbindungen lassen sich analog carbonylieren[5]:

[1] K. KUDO, M. SATO, M. HIDAI u. Y. UCHIDA, Bl. chem. Soc. Japan **46**, 2820 (1973).
[2] K. S. Y. LAU, P. K. WONG u. J. K. STILLE, Am. Soc. **98**, 5832 (1976).
[3] K. S. Y. LAU, R. W. FRIES u. J. K. STILLE, Am. Soc. **96**, 4983 (1974).
[4] s. z. B. P. E. GARROU u. R. F. HECK, Am. Soc. **98**, 4115 (1976).
[5] T. BOSCHI et al., Inorg. Chim. Acta **25**, 61 (1977).

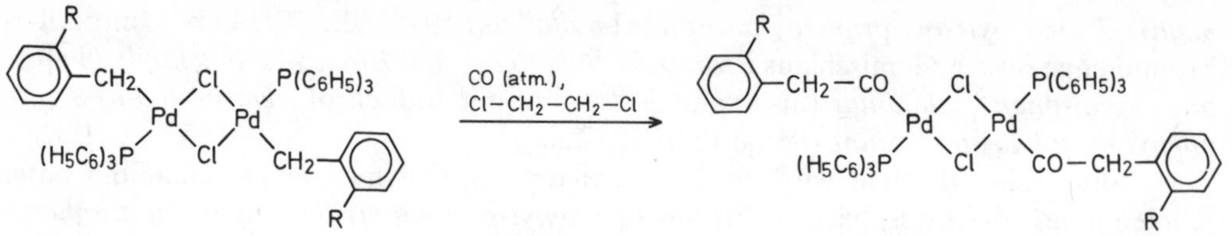

Eine Zusammenstellung der so hergestellten Verbindungen wird in Tab. 18 (S. 867) gegeben.

Acyl- bzw. Aroyl-halogeno-bis-[tert.-phosphan]-palladium; allgemeine Arbeitsvorschrift[1]: In einen 100-ml-Kolben mit Magnetrührer wird ein Teflon-Gefäß mit dem Palladium-Komplex eingehängt (die Menge des Komplexes ist so bemessen, daß die Kohlenmonoxid-Aufnahme ~ 10 ml beträgt; ~ 0,45–0,5 g Komplex). Der Kolben wird dann an eine thermostatisierte Mikrohydrierungsapparatur angeschlossen, das ganze System wird mehrere Male mit Kohlenmonoxid gespült. Dann werden 25–50 ml 1,1,2,2-Tetrachlor-ethan in den Kolben injiziert und das Teflon-Gefäß durch Drehen eines Schliffes in den Kolben gegeben. Anhand der 10-ml-Mikrogasbürette (mit 0,05-ml-Markierungen) der mit Kohlenmonoxid gefüllten Hydrierungsapparatur kann man die Kohlenmonoxid-Absorption verfolgen. Nach beendeter Absorption wird das Lösungsmittel i. Vak. entfernt und das Produkt aus Ether/Hexan umkristallisiert.

trans-Acetyl-jodo-bis-[trimethylphosphan]-palladium[2]: Über einer ges. Lösung von 0,600 g (1,5 mmol) trans-Jodo-methyl-bis-[trimethylphosphan]-palladium in ~ 7 ml Diethylether wird die Stickstoffatmosphäre durch Kohlenmonoxid ersetzt. Es wird 20 Stdn. bei 20° gerührt und das Lösungsmittel i. Vak. entfernt. Nach Umkristallisieren aus Dichlormethan/Diethylether erhält man blaßgelbe Kristalle; Ausbeute: 0,640 g (100%) F: 115°, Zers.; IR $\nu_{C=O}$: 1668 cm^{-1}.

trans-Benzoyl-jodo-bis-[trimethylphosphan]-palladium[2]: Eine Lösung von 0,525 g (1,13 mmol) trans-Jodo-phenyl-bis-[trimethylphosphan]-palladium in 5 ml Dichlormethan wird 48 Stdn. unter einer Kohlenmonoxid-Atmosphäre gerührt. Man gibt wenig Diethylether zu, bis sich eine beginnende Kristallisation zeigt. Das Reaktionsgemisch wird dann 12 Stdn. unter einem geringen Kohlenmonoxid-Überdruck gerührt. Nach Abziehen des Solvens erhält man einen gelben Feststoff, der aus Dichlormethan/Diethylether umkristallisiert wird. Ausbeute: 0,550 g (100%); F: 145° (Zers.); IR $\nu_{C=O}$: 1633 cm^{-1}.

Die Alkyl-palladium-Verbindung kann auch in situ durch Umsetzung von Tetrakis-[triphenylphosphan]-palladium mit Halogen-alkan gebildet und dann in einer Eintopf-Reaktion unter Kohlenmonoxid-Atmosphäre zur Acyl-palladium-Verbindung carbonyliert werden:

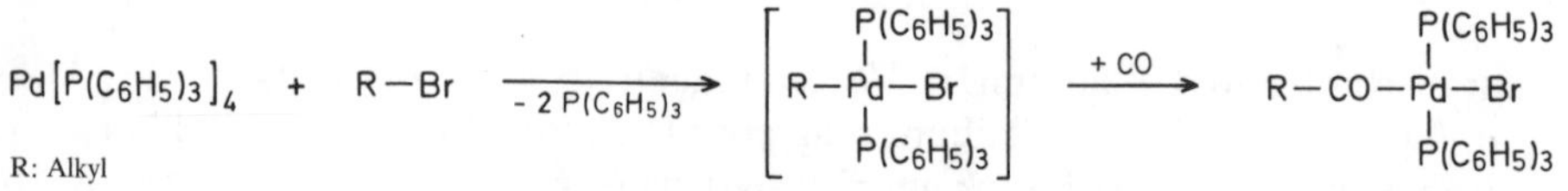

Bromo-(α-deuterio-phenyl-acetyl)-bis-[triphenylphosphan]-palladium (R = CHD–C$_6$H$_5$)[3]: Nach Auflösen von 6,30 g (5,45 mmol) Tetrakis-[triphenylphosphan]-palladium in 65 ml Kohlenmonoxid-ges. Benzol werden 1,87 g (10,9 mmol) (R)–(–)–α-Deuterio-benzylbromid zugegeben. Die Lösung wird unter Kohlenmonoxid bei 25° 69 Stdn. gerührt. Dabei scheidet sich ein farbloser Niederschlag ab, der abfiltriert, mit 10 ml Benzol gewaschen und i. Vak. getrocknet wird (5,3 g). Der Niederschlag besteht aus einer Mischung von 4,5 g Bromo-(α-deuterio-phenyl-acetyl)-bis-[triphenylphosphan]-palladium (100%; $\nu_{C=O}$: 1670 cm^{-1}) und 0,8 g (α-Deuterio-benzyl)-triphenyl-phosphoniumbromid.

Analog wird Bromo-(2-phenyl-propanoyl)-bis-[triphenylphosphan]-palladium hergestellt[4].

Die Carbonylierung von Dimethyl-bis-[triethylphosphan]-palladium ergibt dagegen instabile Produkte[5].

[1] P. E. Garrou u. R. F. Heck, Am. Soc. **98**, 4115 (1976).
[2] H. Werner u. W. Bertleff, J. Chem. Research (M) **1978**, 2720.
[3] D. Milstein u. J. K. Stille, Am. Soc. **101**, 4981 (1979).
[4] J. K. Stille u. K. S. Y. Lau, Am. Soc. **98**, 5841 (1976).
[5] G. Booth u. J. Chatt, Soc. [A] **1966**, 634.

Tab. 18: Acyl-bzw. Aroyl-halogeno-bis-[tert.-phosphan]-palladium-Verbindungen durch direkte Carbonylierung

Reaktionsprodukt	Ausbeute [%]	F [°C]	Literatur
Acetyl-bromo-bis-[triethylphosphan]-palladium		50–52	1, 2
Acetyl-chloro-bis-[triethylphosphan]-palladium	20	65–67	1, 2
Acetyl-jodo-bis-[triethylphosphan]-palladium		75–77	1
Acetyl-jodo-bis-[triisopropylphosphan]-palladium	100	80	3
Acetyl-jodo-bis-[triphenylphosphan]-palladium		150–155	4
Acetyl-chloro-bis-[dimethyl-phenyl-phosphan]-palladium	40	129–130	5
Acetyl-jodo-bis-[diphenyl-methyl-phosphan]-palladium	100	115	3
Benzoyl-bromo-bis-[triphenylphosphan]-palladium		178–180	4
Benzoyl-jodo-bis-[triphenylphosphan]-palladium		180–182	4, 6
Benzoyl-jodo-bis-[diphenyl-methyl-phosphan]-palladium	100	140	3
Chloro-(phenylacetyl)-bis-[triphenylphosphan]-palladium	80–90	135–140	7, 8
Chloro-(α-deuterio-phenylacetyl)-bis-[triethylphosphan]-palladium	94	65–66	9
Chloro-(α-deuterio-phenylacetyl)-bis-[triphenylphosphan]-palladium	94		10, 11
Chloro-[(2-cyan-phenyl)-acetyl]-bis-[triphenylphosphan]-palladium	80–90	125–140	8
Bromo-(phenylacetyl)-bis-[triethylphosphan]-palladium	58	73–74	9
Bromo-(2-phenyl-propanoyl)-bis-[triphenylphosphan]-palladium	92		11
Bromo-(4-cyan-benzoyl)-bis-[triphenylphosphan]-palladium		204–208	4
Jodo-(4-nitro-benzoyl)-bis-[triphenylphosphan]-palladium			6
Jodo-(4-methoxy-benzoyl)-bis-[triphenylphosphan]-palladium			6
Di-μ-chloro-bis-[phenylacetyl-triphenylphosphan-palladium]	78	165–175	8
Di-μ-chloro-bis-{[(2-cyan-phenyl)-acetyl]-triphenylphosphan-palladium}	92	170–176	8

Wird Bis-[benzonitril]- bzw. Bis-[acetonitril]-dichloro-palladium mit den entsprechenden Olefinen und anschließend mit Diethylamin umgesetzt, so entstehen σ-Alkyl-palladium-Verbindungen, die sich durch Kohlenmonoxid-Insertion (Behandlung mit Kohlenmonoxid unter Druck) in stabile Acyl-palladium-Verbindungen überführen lassen[12, 13]:

R = H, CH₃, C₂H₅

[1] G. Booth u. J. Chatt, Pr. chem. Soc. 1961, 67.
[2] G. Booth u. J. Chatt, Soc. [A] 1966, 634.
[3] H. Werner u. W. Bertleff, J. Chem. Research (M) 1978, 2720.
[4] P. E. Garrou u. R. F. Heck, Am. Soc. 98, 4115 (1976).
[5] H. C. Clark u. R. J. Puddephatt, Inorg. Chem. 9, 2670 (1970).
[6] N. Sugita, J. V. Minkiewicz u. R. F. Heck, Inorg. Chem. 17, 2809 (1978).
[7] J. K. Stille u. K. S. Y. Lau, Am. Soc. 98, 5841 (1976).
[8] T. Boschi et al., Inorg. Chim. Acta 25, 61 (1977).
[9] Y. Becker u. J. K. Stille, Am. Soc. 100, 838 (1978).
[10] P. K. Wong, K. S. Y. Lau u. J. K. Stille, Am. Soc. 96, 5956 (1974).
[11] K. S. Y. Lau, P. K. Wong u. J. K. Stille, Am. Soc. 98, 5832 (1976).
[12] L. S. Hegedus u. K. Siirala-Hansén, Am. Soc. 97, 1184 (1975).
[13] L. S. Hegedus et al., Inorg. Chem. 16, 1887 (1977); mit Röntgenstruktur.

Chloro-(diethylamino)-(3-diethylamino-propanoyl)-palladium[1]: 2,69 g (10 mmol) Bis-[acetonitril]-dichloro-palladium werden in 130 *ml* THF gelöst und in einem Druckgefäß 10 Min. bei 25° unter ~ 2 atm Ethen-Druck gerührt. Das Druckgefäß wird dann allmählich auf −50° (Trockeneis-Acetonitril) gekühlt, der Ethen-Druck ausgeschaltet und 5,0 *ml* (50 mmol) Diethylamin tropfenweise innerhalb 4 Min. zugegeben. Es wird wieder auf ~ 4 atm Ethen-Druck gebracht und die Reaktionsmischung 30 Min. bei −50° gerührt. Die Temp. wird allmählich auf 0° gebracht, der Ethen-Druck ausgeschaltet und Kohlenmonoxid bis auf ~ 8 atm aufgepreßt. Die Mischung wird sofort schwarz. Nach 6 Stdn. Rühren wird die Reaktionsmischung filtriert und das Filtrat bei 0° i. Vak. zur Trockne eingeengt. Das Rohprodukt wird in abs. Ethanol aufgenommen, filtriert und eingeengt; Ausbeute: 2,6 g (73%); F: 120−130° (aus abs. Ethanol/Petrolether) (Zers.); IR ν_{NH}: 3240, $\nu_{C=O}$: 1665 cm^{-1}.

Analog erhält man mit

Propen → *Chloro-(diethylamino)-[3-(diethylamino)-butanoyl]-palladium*; 72%; F: 135−140° (Zers.)
1-Buten → *Chloro-(diethylamino)-[3-(diethylamino)-pentanoyl]-palladium*; 58%; F: 120−130° (Zers.)

Werden (2-Amino-5-cyclooctenyl)-palladium-Derivate mit Kohlenmonoxid in aprotischen Lösungsmitteln behandelt, so erhält man unter formaler Insertion von Kohlenmonoxid in die σ−Pd−C-Bindung Acyl-palladium-Verbindungen[2]:

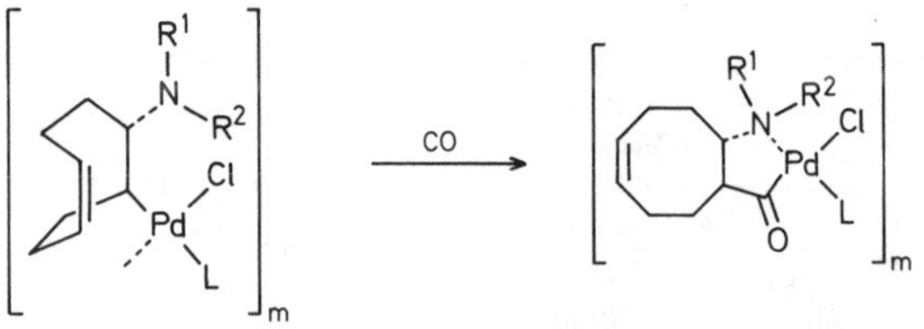

R^1 = R^2 = H; L = Pyridin; m = 2; [*(2-Amino-5-cyclooctenyl)-carbonyl]-chloro-(pyridin)-palladium, Dimer*
R^1 = H; R^2 = CH$_2$–C$_6$H$_5$; L = P(C$_6$H$_5$)$_3$; m = 2; [*(2-Benzylamino-5-cyclooctenyl)-carbonyl]-chloro-(triphenylphosphan)-palladium, Dimer*

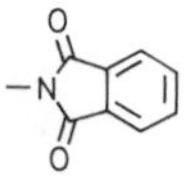

; L = Pyridin; m = 1; *Chloro-[(2-phthalimino-5-cyclooctenyl)-carbonyl]-(pyridin)-palladium*

β) von Isocyaniden

Alkyl-halogeno-bis-[tert.-phosphan]- bzw. -bis-[isocyanid]-palladium-Verbindungen können mit Isocyaniden unter formaler Insertion zu (1-Imino-alkyl)-palladium-Verbindungen reagieren. Je nach der Art des Liganden, der σ-gebundenen Organo-Gruppe oder des Halogens, der Art des Isocyanids sowie dem eingesetzten Molverhältnis der Reaktanden können mehrere Insertionsreaktionen ablaufen:

[1] L. S. Hegedus et al., Inorg. Chem. **16**, 1887 (1977); mit Röntgenstruktur.
[2] H. Hemmer, J. Rambaud u. I. Tkatchenko, J. Organometal. Chem. **97**, C 57 (1975).

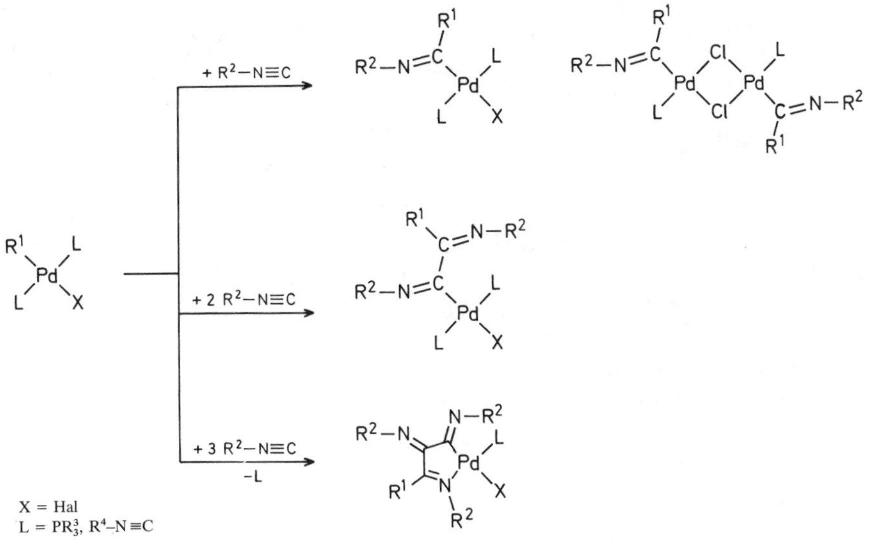

X = Hal
L = PR$_3^3$, R^4–N≡C

Wird z. B. Alkyl- oder Aryl-halogeno-bis-[tert.-phosphan]-palladium mit äquimolaren Mengen Isocyanid in inerten Lösungsmitteln (Benzol, Toluol, Dichlormethan) bei 5° unter Stickstoff umgesetzt, so erhält man in Ausbeuten von 33–89% die entsprechenden einfachen Insertionsprodukte[1-4]:

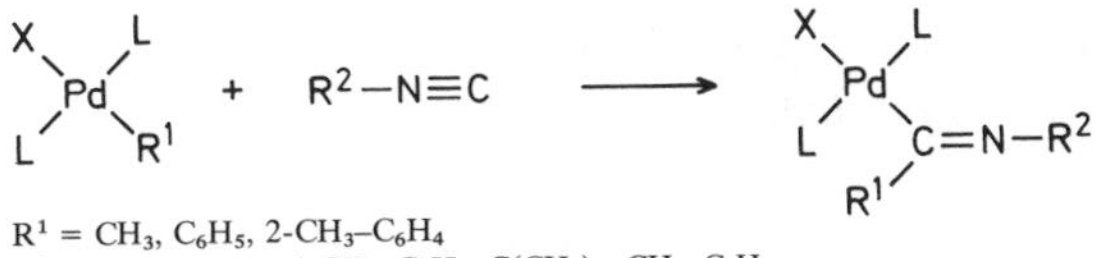

R^1 = CH$_3$, C$_6$H$_5$, 2-CH$_3$–C$_6$H$_4$
R^2 = C$_6$H$_{11}$, C$_6$H$_5$, 4-CH$_3$–C$_6$H$_4$, C(CH$_3$)$_3$, CH$_2$–C$_6$H$_5$
L = P(C$_6$H$_5$)$_3$, P(C$_6$H$_5$)$_2$(CH$_3$), P(C$_6$H$_5$)(CH$_3$)$_2$, P(CH$_3$)$_3$, P(C$_4$H$_9$)$_3$, P(C$_6$H$_5$)$_2$(C$_6$H$_{11}$), P(C$_2$H$_5$)$_3$
X = Cl, Br, J

Eine typische Arbeitsvorschrift, die analog auch für andere Ausgangsverbindungen anwendbar ist, sei im folgenden wiedergegeben.

(1-Cyclohexylimino-ethyl)-bis-[dimethyl-phenyl-phosphan]-jodo-palladium[1]: Zu einer Lösung von 0,28 g (0,55 mmol) *trans*-Bis-[dimethyl-phenyl-phosphan]-jodo-methyl-palladium in 20 *ml* abs. Benzol werden unter Stickstoff 0,065 g (0,55 mmol) Cyclohexylisocyanid bei 5° zugefügt. Nach 2 Stdn. wird das Lösungsmittel i. Vak. bis zur Trockne abgezogen. Umkristallisieren des Rückstandes aus Benzol – Hexan ergibt gelbe Kristalle; Ausbeute: 0,25 g (73%); F: 166–169°; IR $\nu_{C=N}$: 1625 cm^{-1}.

Analog erhält man *Chloro-[1-(4-methyl-phenylimino)-ethyl]-bis-[triethylphosphan]-palladium* aus Chloro-methyl-bis-[triethylphosphan]-palladium und 4-Methyl-phenylisocyanid (85%)[4]. Ist der Ligand Diphenyl-methyl-phosphan und das Isocyanid Cyclohexyl- bzw. tert.-Butyl-isocyanid, so erhält man dagegen die Jodo-verbrückten Verbindungen *Di-μ-jodo-bis-[(1-cyclohexylimino-ethyl)-* (49%; F: 134–137°) bzw. Di-μ-jodo-bis-[(1-tert.-butyl-imino-ethyl)-(diphenyl-methyl-phosphan)-palladium]* (53%; F: 156–159°)[1]:

[1] Y. Yamamoto u. H. Yamazaki, Inorg. Chem. **13**, 438 (1974).
[2] Y. Yamamoto u. H. Yamazaki, Bl. chem. Soc. Japan **43**, 2653 (1970).
[3] Y. Yamamoto u. H. Yamazaki, Bl. chem. Soc. Japan **43**, 3634 (1970).
[4] H. C. Clark, C. R. C. Milne u. N. C. Payne, Am. Soc. **100**, 1164 (1978).

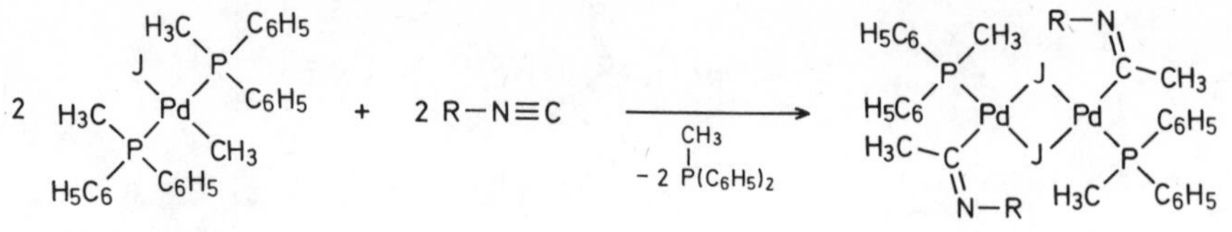

R = C$_6$H$_{11}$, C(CH$_3$)$_3$

Statt eines tert. Phosphans kann der Ligand auch ein sterisch gehindertes Isocyanid sein. Bis-[tert.-butyl-isocyanid]-jodo-methyl-palladium lagert sich in Lösung zu Di-μ-jodo-bis-[(tert.-butyl-isocyanid)-(1-tert.-butylimino-ethyl)-palladium] um, das durch Donor-Moleküle wie tert.-Butyl-isocyanid bzw. Triphenylphosphan als [1-tert.-Butylimino-ethyl]-bis-[tert.-butyl-isocyanid]-jodo-palladium (F: 135–138°, Zers.) bzw. als (1-tert.-Butylimino-ethyl)-(tert.-butyl-isocyanid)-jodo-(triphenylphosphan)-palladium (F: 95–97°) isoliert werden kann[1]:

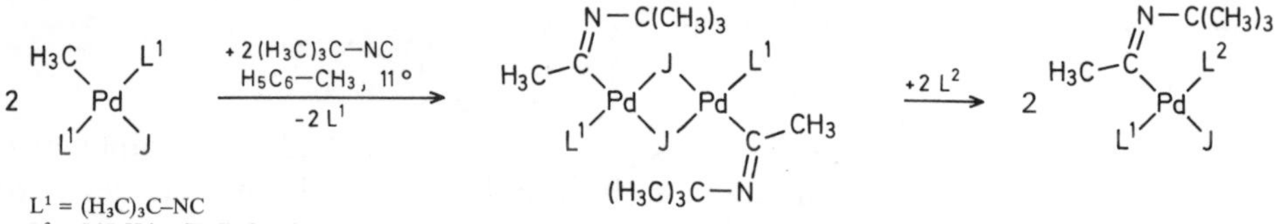

L^1 = (H$_3$C)$_3$C–NC
L^2 = P(C$_6$H$_5$)$_3$, (H$_3$C)$_3$C–NC

Wird eine Lösung von trans-Chloro-bis-[cyclohexylisocyanid]-(5-exo-methoxy-tricyclo[2.2.1.0^{2,6}]heptan-3-yl)-endo-palladium in Benzol unter Stickstoff mit äquimolaren Mengen Cyclohexylisocyanid behandelt (1 Stde. Rückfluß mit Aktivkohle) so erhält man trans-Chloro-bis-[cyclohexylisocyanid]-{cyclohexylimino-(5-exo-methoxy-tricyclo[2.2.1.0^{2,6}]heptan-3-yl)-methyl}-palladium (gelbbraun; F: 83°, Zers.) zurück[2]:

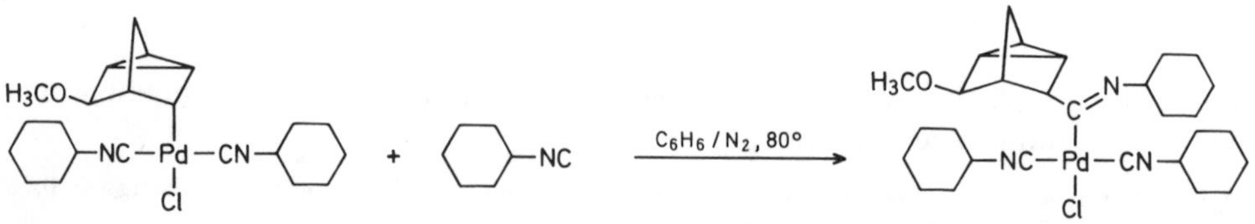

Zweistündiges Erhitzen von Di-μ-chloro-bis-[methylisocyanid-pentafluorphenyl-palladium] in Benzol ergibt das Einschiebungsprodukt Bis-μ-[methylimino-pentafluorphenyl-methyl]-bis-[chloro-palladium] (93%)[3].

Die Addition von Benzylchlorid bzw. cis-3-Brom-acrylsäure-methylester an Bis-[tert.-butylisocyanid]-palladium ergibt die Insertionsprodukte Di-μ-chloro-bis-[(1-tert.-butylimino-2-phenyl-ethyl-(tert.-butylisocyanid)-palladium] (F: 100–102°) bzw. Di-μ-bromo-bis-[(1-tert.-butylimino-3-methoxycarbonyl-allyl)-(tert.-butylisocyanid)-palladium] (80%; F: 118–121°, Zers.; Isomeren-Gemisch)[4]:

[1] S. Otsuka, A. Nakamura u. T. Yoshida, Am. Soc. 91, 7196 (1969).
[2] U. Belluco et al., J. Organometal. Chem. 82, 421 (1974).
[3] R. Uson et al., Soc. [Dalton] 1982, 2389.
[4] S. Otsuka u. K. Ataka, Soc. [Dalton] 1976, 327.

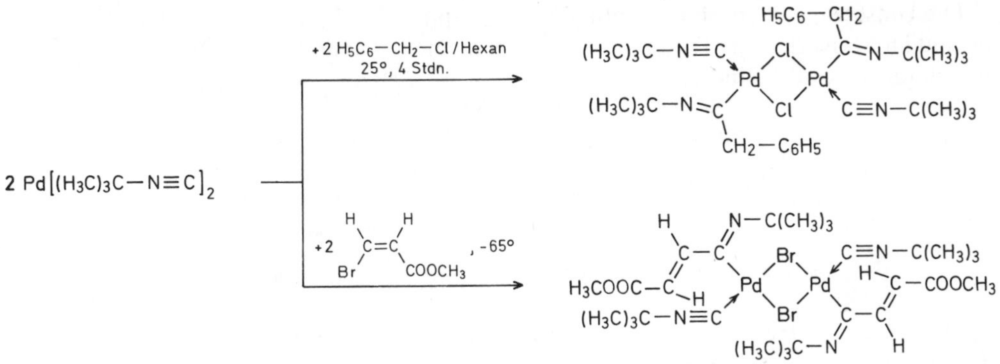

Auch N–C-chelatisierte Palladium-Verbindungen können Insertions-Reaktionen mit Isocyaniden eingehen. Die Reaktion von Di-μ-chloro-bis-{[2-(dimethylamino-methyl)-phenyl]-palladium} mit Isocyaniden führt zunächst unter Spaltung der Halogenid-Brücken in fast quantitativer Ausbeute zu den monomeren Aryl-palladium-Verbindungen, die beim Erhitzen in Tetrahydrofuran durch intramolekulare Einlagerung von koordiniertem Isocyanid die dimeren (1-Imino-alkyl)-palladium-Verbindungen liefern[1]:

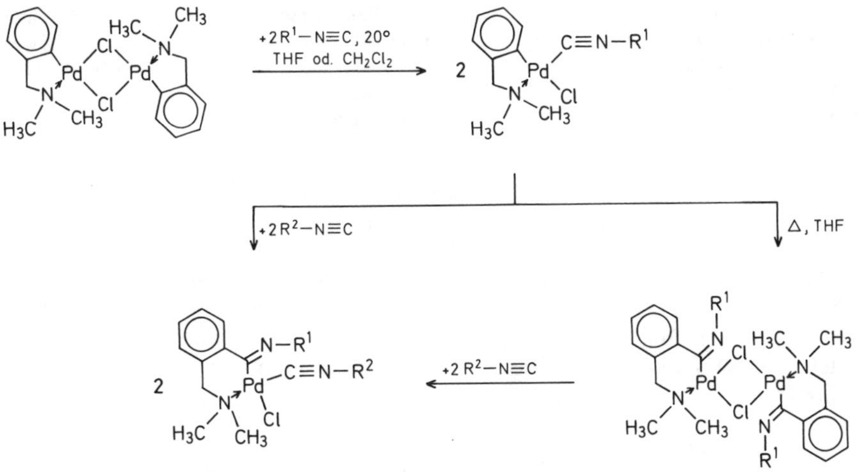

R^1 = bzw. ≠ R^2 = 2–CH$_3$–C$_6$H$_4$, C$_6$H$_5$, C(CH$_3$)$_3$

Wird der monomere cyclopalladierte Komplex mit weiterem Isocyanid versetzt, so erhält man ebenfalls eine Insertion von koordiniertem Isocyanid.

Di-μ-chloro-bis-⟨{[2-(dimethylamino-methyl)-phenyl]-(2-methyl-phenylimino)-methyl}-palladium⟩[1]:
Eine Mischung von 1,14 g (2,0 mmol) Di-μ-chloro-bis-{[2-(dimethylamino- methyl)-phenyl]-palladium} und 9,47 g (4,0 mmol) 2-Methyl-phenylisocyanid in 10 ml THF wird 1 Stde. unter Rückfluß erhitzt. Das Lösungsmittel wird i. Vak. abgezogen und der gelbe Rückstand aus Dichlormethan/Hexan umkristallisiert; Ausbeute: 1,25 g (75%); F: 216–217° (Zers.).

Analog erhält man *Di-μ-chloro-bis-⟨{[2-(dimethylamino-methyl)-phenyl]-(phenyl-imino)-methyl}-palladium⟩* (63%; F: 218–222°)[1].

---

[1] Y. Yamamoto u. H. Yamazaki, Inorg. Chim. Acta **41**, 229 (1980).

Die Umsetzungen von Jodo-methyl-bis-[tert.-phosphan]-palladium mit Cyclohexylisocyanid im Molverhältnis 1:2 ergeben im allgemeinen eine doppelte Insertion des Isocyanids in die σ–C–Pd-Bindung[1]:

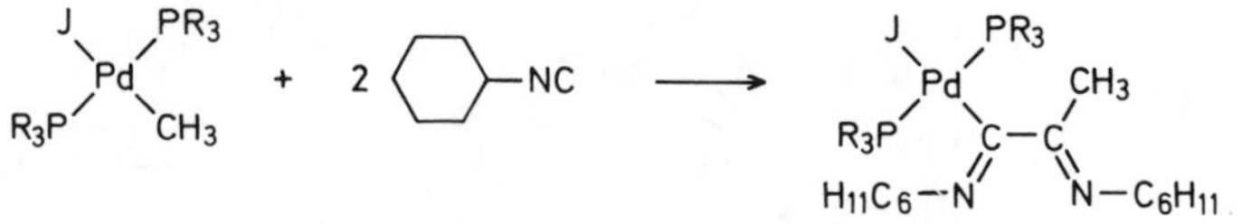

PR$_3$ = P(C$_6$H$_5$)$_3$, P(CH$_3$)(C$_6$H$_5$)$_2$, P(CH$_3$)$_2$(C$_6$H$_5$), P(CH$_3$)$_3$, P(C$_4$H$_9$)$_3$ [42–57%]

Mit dem voluminösen Cyclohexyl-diphenyl-phosphan als Liganden gelingt auch bei einem Molverhältnis 1:2 nur eine einfache Einschiebung.

Auch eine dreifache Insertion ist möglich:

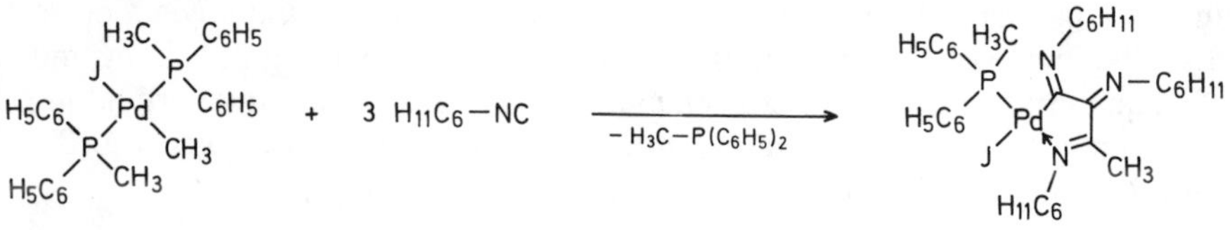

Jodo-(diphenyl-methyl-phosphan)-[1,2,3-tris-(cyclohexylimino)-butyl-C,N^3]-palladium[1]: Zu einer Lösung von 0,39 g (0,56 mmol) *trans*-Jodo-methyl-(diphenyl-methyl-phosphan)-palladium in 25 *ml* Benzol werden 0,21 g (2,0 mmol) Cyclohexylisocyanid bei 5° unter Stickstoff zugefügt und die Mischung 3 Stdn. bei dieser Temp. gehalten. Das Lösungsmittel wird i. Vak. entfernt und der Rückstand aus Benzol/Hexan bei 25° umkristallisiert; Ausbeute: 0,37 g (69%); F: 149–152°; IR$\nu_{C=N}$: 1636, 1598 cm^{-1}.

γ) aus Halogeno-palladium-Verbindungen, Olefinen und Kohlenmonoxid in Gegenwart von tert. Phosphanen

Das System Dichloro-bis-[triphenylphosphan]-palladium/Triphenylphosphan ist ein Katalysator für die Hydrocarboxylierung von Propen[2]. Läßt man die Reaktionslösung nach der Carbonylierung (in Butanol) mehrere Stdn. bei 20° stehen (entweder in Gegenwart oder in Abwesenheit von Wasserstoff), so erhält man in guter Ausbeute *Butanoyl-chloro-bis-[triphenylphosphan]-palladium* (70%)[2]:

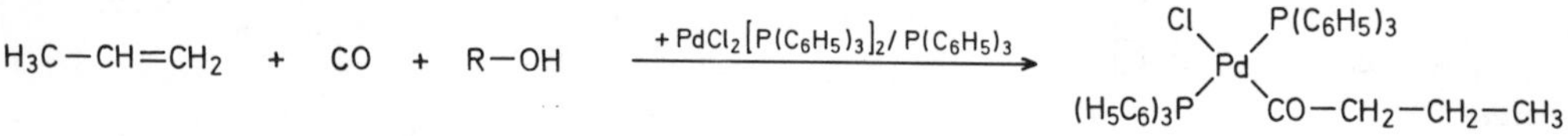

3. aus anderen σ–C–Pd-Verbindungen unter Erhalt der C–Pd-Bindung durch Reaktionen am σ–C-gebundenen Liganden

Die Reaktion von *cis*-Dichloro-phenylisocyanid-(triphenylphosphan)-palladium mit einer Reihe von Aryl-Derivaten von Schwermetallen (Diphenylquecksilber, Tetraphenylblei, Chlor-triphenyl-blei, Tetraphenylzinn und Triphenylwismut) liefert *Di-μ-chloro-bis-[(α-phenylimino-benzyl)-triphenylphosphan-palladium]* (75–80%; F: 225°, Zers.)[3,4]:

[1] Y. Yamamoto u. H. Yamazaki, Inorg. Chem. **13**, 438 (1974).
[2] L. Toniolo et al., Inorg. Chim. Acta **35**, L 345 (1979).
[3] B. Crociani, M. Nicolini u. T. Boschi, J. Organometal. Chem. **33**, C 81 (1971).
[4] B. Crociani, M. Nicolini u. R.L. Richards, J. Organometal. Chem. **104**, 259 (1976).

$$n = 2;\ M = Hg$$
$$n = 3;\ M = Bi$$
$$n = 4;\ M = Sn,\ Pb$$

Bei der Reaktion von *cis*-Dichloro-bis-[isocyanid]-palladium bzw. *trans*-Bis-[isocyanid]-dijodo-palladium mit Dimethyl- bzw. Diphenylquecksilber erhält man zunächst unter formaler Insertion eines Isocyanids Di-μ-halogeno-bis-[1-imino-alkyl-isocyanid-palladium], das durch nachfolgende Addition von tert. Phosphanen unter erneuter Insertion von koordiniertem Isocyanid zu (1,2-Bis-[arylimino]-alkyl)-halogeno-bis-[tert.-phosphan]-palladium-Derivaten weiter reagiert[1-3]:

$$X = Cl,\ J$$
$$R^1 = C_6H_{11},\ C_6H_5,\ 4\text{-}CH_3\text{-}C_6H_4,\ 4\text{-}OCH_3\text{-}C_6H_4$$
$$R^2 = CH_3,\ C_6H_5$$
$$L = P(C_6H_5)_3,\ P(CH_3)(C_6H_5)_2$$

(1,2-Bis-[arylimino]-2-phenyl-ethyl)-chloro-bis-[triphenylphosphan]-palladium; allgemeine Arbeitsvorschrift[1]: 0,355 g (1 mmol) Diphenylquecksilber in 20–30 *ml* Benzol wird tropfenweise unter Rühren zu einer Suspension von 1 mmol *cis*-Dichloro-bis-[arylisocyanid]-palladium in 50–70 *ml* Benzol bei 0° gegeben. Eine augenblickliche Reaktion findet statt (plötzlicher Farbwechsel von gelb nach dunkelbraun) und Phenyl-quecksilber-chlorid fällt aus. Nach 30 Min. werden 0,524 g (2 mmol) Triphenylphosphan zugegeben. Man läßt 30 Min. reagieren, wobei die Farbe nach dunkelrot umschlägt. Die Mischung wird mit Aktivkohle behandelt und filtriert. Die klare rote Lösung kann durch Säulenchromatographie an Kieselgel mit Benzol/Ether (1/1) als Eluierungsmittel weiter gereinigt werden. Die Produkte werden schließlich durch Zugabe von Diethylether zu den konz. Lösungen ausgefällt. Geringe Mengen Phenyl-quecksilber-chlorid werden durch Sublimation (70–80°/10⁻² Torr) und erneute Umfällung aus Dichlormethan/Ether entfernt. Die Ausbeuten variieren zwischen 50 und 60%. Geringe Mengen Monoinsertionsprodukt können durch fraktioniertes Ausfällen abgetrennt werden.

[1,2-Bis-(4-methoxy-phenylimino)-propyl]-chloro-bis-(triphenylphosphan)-palladium[2]: 2,24 g (5 mmol) *cis*-Dichloro-bis-[4-methoxy-phenylisocyanid]-palladium werden in 150 *ml* Benzol suspendiert und mit einer benzol. Lösung von Dimethylquecksilber **hochgiftig** (12,5 *ml* einer 0,615 M Lösung; 7,5 mmol) behandelt. Die Mischung wird 7–8 Stdn. gerührt und mit 2,62 g (10 mmol) Triphenylphosphan versetzt. Bei Zugabe des tert. Phosphans ändert sich die Farbe der Lösung von gelbgrün nach dunkelrot. Nach 15 Min. ist die Reaktion beendet (fortlaufende IR-spektroskopische Untersuchung der Lösung). Die Lösung wird mit Aktivkohle behandelt, filtriert und i. Vak. auf 5–6 *ml* eingeengt. Zugabe von Diethylether ergibt einen gelben Niederschlag, der abfiltriert, mit Ether gewaschen und i. Vak. getrocknet wird. Methyl-quecksilber-chlorid wird durch Sublimation (80–100°, 10⁻² Torr, 3 Stdn.) entfernt und das Produkt durch Umfällen aus Dichlormethan mit Diethylether gereinigt; Ausbeute: 75–80%; $\nu_{C=N}$: 1616, 1555 cm⁻¹.

Analog erhält man u. a.

(1,2-Bis-[cyclohexylimino]-propyl)-chloro-bis-[triphenylphosphan]-palladium[2]; 50%; F: 163°
(1,2-Bis-[cyclohexylimino]-propyl)-chloro-bis-[diphenyl-methyl-phosphan]-palladium[2]
Chloro-[1-(cyclohexylimino)-2-(4-methoxy-phenylimino)-propyl]-bis-[triphenylphosphan]-palladium[3]; 40%; F: 134°

---

[1] B. CROCIANI, M. NICOLINI u. R.L. RICHARDS, J. Organometal. Chem. **104**, 259 (1976).

[2] B. CROCIANI, M. NICOLINI u. R.L. RICHARDS, Soc. [Dalton] **1978**, 1478.

[3] B. CROCIANI u. R.L. RICHARDS, J. Organometal. Chem. **154**, 65 (1978).

Nach dem gleichen Schema kann auch Natrium-tetraphenylboranat als Arylierungsreagens wirken. Man erhält so *(1,2-Bis-[phenylimino]-2-phenyl-ethyl)-chloro-bis-[triphenyl-phosphan]-palladium* (75%; F: 165–170°, Zers.)[1]:

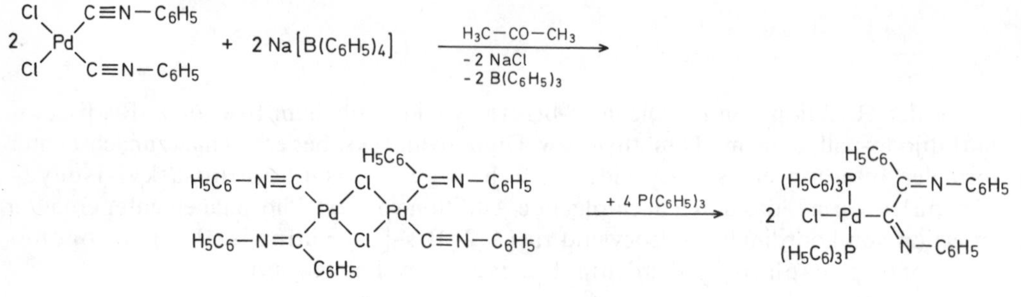

I

II

Die obige Palladium-Verbindung II kann mit ihrer 1,4-Diaza-butadien-Gruppe als zweizähnige Liganden Chelate mit anderen Palladium- und Platin-Verbindungen[2] sowie mit Rhodium-Verbindungen[3] bilden[4].

h) Alkoxycarbonyl, Aminocarbonyl- bzw. (Amino-thiocarbonyl)-palladium(II)-Verbindungen

1. Alkoxycarbonyl-palladium(II)-Verbindungen

Vier Methoden werden zur Herstellung von Alkoxycarbonyl-palladium-Verbindungen angewendet:

① Nucleophile Addition von Alkoholen an kationische Carbonyl-palladium-Zwischenstufen.
② Oxidative Addition von Chlorameisensäureestern an Palladium(0)-Verbindungen.
③ Decarbonylierung von Alkoxalyl-palladium-Verbindungen.
④ Deprotonierung von Amino-alkoxy-carben-palladium-Verbindungen

α) aus Halogeno-, Isocyanato-, Acetato- und Azido-palladium(II)-Verbindungen mit Kohlenmonoxid und Alkanolaten (bzw. Alkoholen)

Eine einfache Methode zur Herstellung von Alkoxycarbonyl-palladium-Verbindungen ist die Umsetzung von Dihalogeno-bis-[tert.-phosphan]-palladium-Verbindungen mit Kohlenmonoxid und Alkoholen in Gegenwart von Basen (z.B. tert. Amine[5,6], Natrium-methanolat[7] bzw. -carbonat[7]):

$$PdX_2L_2 \ + \ CO \ + \ ROH \ \xrightarrow{+B} \ PdX(COOR)L_2 \ + \ [HB]^{\oplus}X^{\ominus}$$

B = Base; z. B. $N(C_2H_5)_3$, $N(C_8H_{17})_3$, $NaOCH_3$, Na_2CO_3
X = Cl, Br
L = PR_3; z. B. $P(C_6H_5)_3$, $P(CH_3)_2(C_6H_5)$, $P(C_2H_5)_3$
R = CH_3

[1] B. Crociani, M. Nicolini u. R.L. Richards, J. Organometal. Chem. **104**, 259 (1976).
[2] B. Crociani, M. Nicolini u. A. Mantovani, J. Organometal. Chem. **177**, 365 (1979).
[3] B. Crociani, U. Belluco u. P. Sandrini, J. Organometal. Chem. **177**, 385 (1979).
[4] Es handelt sich um keine Neuknüpfung von σ–C–Pd-Bindungen, darum wird nicht näher auf diesen Reaktionstyp eingegangen.
[5] H.C. Clark u. K. von Werner, Synth. React. Inorg. Metal-org. Chem. **4**, 355 (1974).
[6] M. Hidai, M. Kokura u. Y. Uchida, J. Organometal. Chem. **52**, 431 (1973).
[7] E.D. Dobrzynski u. R.J. Angelici, Inorg. Chem. **14**, 59 (1975).

Der Mechanismus verläuft über eine kationische Zwischenstufe und nucleophilem Angriff des Alkanolat-Anions:

$$L_nPdX \quad \xrightleftharpoons{CO} \quad [L_nPd(CO)]^{\oplus}X^{\ominus} \quad \xrightarrow{RO^{\ominus}} \quad L_nPd(COOR) \quad + \quad X^{\ominus}$$

Die Base B dient zum Erzeugen des Alkanolat-Anions und zum Binden des freigesetzten Halogenids:

$$B \quad + \quad ROH \quad \rightleftharpoons \quad [HB]^{\oplus} \quad + \quad RO^{\ominus}$$

(Alkoxycarbonyl)-halogeno-bis-[tert.-phosphan]-palladium; Triethylamin-Methode; allgemeine Arbeits-vorschrift[1]: Eine Suspension von 0,5 mmol Dihalogeno-bis-[tert.-phosphan]-palladium in 15 *ml* Methanol und 5 *ml* Triethylamin wird unter Kohlenmonoxid 2–10 Stdn. gerührt. Die ausgefallenen Verbindungen werden abgesaugt, mit Methanol und Ether gewaschen und i. Vak. getrocknet.
Auf diese Weise werden u. a. hergestellt:

Bromo-(methoxycarbonyl)-bis-[triphenylphosphan]-palladium[1]	73%; F: 193°
Chloro-bis-[dimethyl-phenyl-phosphan]-(methoxycarbonyl)-palladium[1]	75%; F: 109–110°
Chloro-(methoxycarbonyl)-bis-[triphenylphosphan]-palladium	75%; F: 175–185° (Zers.)[2]
(mit Trioctylamin)[2]	
Chloro-(methoxycarbonyl)-bis-[triphenylphosphan]-palladium[2]	38%; F: 175–185° (Zers.)
(aus Chloro-nitro-bis-[triphenylphosphan]-palladium)	

Eine andere Variante arbeitet mit Natriummethanolat als Base[3].

Chloro-(methoxycarbonyl)-bis-(triphenylphosphan)-palladium; Methanolat-Methode[3]: Eine Suspension von 0,74 g (1,0 mmol) *trans*-Dichloro-bis-[triphenylphosphan]-palladium und 0,057 g (1,0 mmol) Natrium- methanolat in 50 *ml* Methanol wird unter Kohlenmonoxid (1 atm) 5 Stdn. bei 25° gerührt. Der Niederschlag wird filtriert und mit Ether gewaschen; Ausbeute: 0,67 g (88%); IR $\nu_{C=O}$: 1655 cm^{-1}; NMR τ_{CH_3}: 7,60.

Die dritte Methode mit Natriumcarbonat in Methanol unter Kohlenmonoxid-Atmosphäre führt nur zu geringen Ausbeuten; man erhält so *Chloro-(methoxycarbonyl)-bis-[triethylphosphan]-palladium* (32%)[3].

Über eine nucleophile Addition von Methanol an kationische Carbonyl-palladium-Zwischenstufen unter gleichzeitigem Verlust einer Acetato-Gruppe verläuft wahrscheinlich auch die Umsetzung von Diacetato-bis-[triphenylphosphan]-palladium mit Methanol und Kohlenmonoxid (50 atm/20°), wobei *Acetato-(methoxycarbonyl)-bis-[triphenylphosphan]-palladium* $(48\%; F: 129–136°)$ entsteht[4,5]:

$$Pd(O-CO-CH_3)_2[P(C_6H_5)_3]_2 \quad \xrightarrow{+ H_3C-OH \ / \ CO; \ 50 \ atm.} \quad Pd(COOCH_3)(O-CO-CH_3)[P(C_6H_5)_3]_2$$

Die Einführung einer zweiten Methoxycarbonyl-Gruppe gelingt nach der oben besprochenen Methode aus Chloro-(methoxycarbonyl)-bis-[triphenylphosphan]-palladium mit Kohlenmonoxid und Methanol in Gegenwart von Natrium-methanolat und führt zu *Bis-[methoxycarbonyl]-bis-[triphenylphosphan]-palladium* $(\sim 90\%; F: 118–134°)$[4]:

$$Cl-Pd(COOCH_3)[P(C_6H_5)_3]_2 \quad + \quad H_3C-OH \quad + \quad CO \quad + \quad NaOCH_3 \quad \xrightarrow{-NaCl} \quad Pd(COOCH_3)_2[P(C_6H_5)_3]_2$$

[1] H. C. CLARK u. K. VON WERNER, Synth. React. Inorg. Metal-org. Chem. **4**, 355 (1974).
[2] M. HIDAI, M. KOKURA u. Y. UCHIDA, J. Organometal. Chem. **52**, 431 (1973).
[3] E. D. DOBRZYNSKI u. R. J. ANGELICI, Inorg. Chem. **14**, 59 (1975).
[4] F. RIVETTI u. U. ROMANO, J. Organometal. Chem. **154**, 323 (1978).
[5] F. RIVETTI u. U. ROMANO, Chim. Ind. (Milano) **62**, 7 (1980).

Nach ähnlichem Mechanismus verläuft die Umsetzung des Isocyanato-Komplexes Bis-[isocyanato]-bis-[triphenylphosphan]-palladium mit Kohlenmonoxid und Alkoholen (Methanol, Ethanol) zu den Alkoxycarbonyl-palladium-Verbindungen *(Ethoxycarbonyl)-isocyanato-bis-[triphenylphosphan]-palladium* (80–90%; F: 162–163°) bzw. *Isocyanato-(methoxycarbonyl)-bis-[triphenylphosphan]-palladium* (80–90%; F: 225–228°)[1].

$$-\overset{|}{\underset{|}{Pd}}-NCO \underset{-R-OH}{\overset{+R-OH}{\rightleftarrows}} -\overset{|}{\underset{|}{Pd}}-NH-COOR \xrightarrow[-H_2N-COOR]{R-OH,CO} \left[-\overset{|}{\underset{|}{Pd}}-CO\right]^{\oplus} OR^{\ominus}$$

$$\longrightarrow -\overset{|}{\underset{|}{Pd}}-COOR$$

Auf ähnliche Weise gelangt man vom Bis-[trifluoracetato]-bis-[triphenylphosphan]-palladium zur Methoxycarbonyl-palladium-Verbindung:

$$[(H_5C_6)_3P]_2 Pd(OOC-CF_3)_2 \xrightarrow[-F_3C-COOH]{+2\,H_3C-OH\,/\,CO} [(H_5C_6)_3P]_2 Pd(OOC-CF_3)(COOCH_3)$$

(Methoxycarbonyl)-(trifluoracetato)-bis-[triphenylphosphan]-palladium[2]: 1,23 g (1,44 mmol) Bis-[trifluoracetato]-bis-[triphenylphosphan]-palladium werden in 70 *ml* ethanol-freiem Dichlormethan gelöst und 15 *ml* Methanol zugegeben. Unter Rühren wird ein langsamer Kohlenmonoxid-Strom durch die Lösung geleitet, wobei die ursprünglich gelbe Farbe allmählich verblaßt. Nach 10 Stdn. wird das Lösungsmittel bis auf ~ 10 *ml* i. Hochvak. abgezogen und das ausgefallene Produkt nach kurzem Kühlen abfiltriert. Das rosafarbene Rohprodukt wird 3mal mit je 10 *ml* Ether gewaschen und unter Zugabe von etwas Triphenylphosphan aus Dichlormethan/Ether umkristallisiert; Ausbeute: 1,0 g (90%); F: 157°.

Wird das verbrückte Di-μ-azido-bis-[bis-(triphenylphosphan)-palladium]-bis-[tetrafluorborat] mit Kohlenmonoxid in Methanol behandelt, so erhält man [*Carbonyl-(methoxycarbonyl)-bis-(triphenylphosphan)-palladium(II)]-tetrafluorborat* (35%)[2]:

$$\left[\begin{array}{c}(H_5C_6)_3P \\ (H_5C_6)_3P\end{array}\!\!\diagdown\!\!Pd\!\!\diagup\!\!\begin{array}{c}N_3 \\ N_3\end{array}\!\!\diagdown\!\!Pd\!\!\diagup\!\!\begin{array}{c}P(C_6H_5)_3 \\ P(C_6H_5)_3\end{array}\right]^{2\oplus} 2\,[BF_4]^{\ominus} + 2\,CO \xrightarrow[-2\,N_2]{20°,\,1\,atm.}$$

$$2\left[\begin{array}{c}(H_5C_6)_3P \\ (H_5C_6)_3P\end{array}\!\!\diagdown\!\!Pd\!\!\diagup\!\!\begin{array}{c}CO \\ NCO\end{array}\right]^{\oplus} [BF_4]^{\ominus} \xrightarrow[-H_2N-COOCH_3]{+2\,H_3C-OH\,,\,CO} \left[\begin{array}{c}(H_5C_6)_3P \\ (H_5C_6)_3P\end{array}\!\!\diagdown\!\!Pd\!\!\diagup\!\!\begin{array}{c}CO \\ COOCH_3\end{array}\right]^{\oplus} [BF_4]^{\ominus}$$

β) aus Palladium(0)-Verbindungen mit Chlorameisensäureestern durch oxidative Addition

Die einfachste Methode zur Herstellung von Alkoxycarbonyl-palladium-Verbindungen ist die oxidative Addition von Chlor-ameisensäureestern an Palladium(0)-Verbindungen, die i. a. mit hohen Ausbeuten abläuft:

$$\overset{(0)}{PdL_n} + Cl-COOR \xrightarrow{-(n-2)L} Cl-\overset{\overset{\displaystyle COOR}{|}}{Pd}L_2$$

L = PR¹₃ (n = 3,4); (H₃C)₃C–NC (n = 2)

[1] W. BECK u. K. VON WERNER, B. **104**, 2901 (1971).
[2] K. VON WERNER u. W. BECK, B. **105**, 3947 (1972).

Chloro-(methoxycarbonyl)-bis-[triphenylphosphan]-palladium[1]: Zu einer Lösung von 0,67 g (0,58 mmol) Tetrakis-[triphenylphosphan]-palladium in 20 *ml* Benzol unter Stickstoff werden 0,054 g (0,58 mmol) Chlor-ameisensäure-methylester zugefügt. Nach 5 Stdn. Rühren bei 25° wird das Lösungsmittel i. Vak. entfernt und der Rückstand mit Diethylether gewaschen; Ausbeute: 0,34 g (80%); F: 190° (aus Dichlormethan/Hexan); $\nu_{C=O}$: 1655 cm^{-1}; τ_{OCH_3}: 7,60.

Nach Lit.[2] wird in siedendem Benzol 5 Stdn. gerührt (83%; F: 190–192°, Zers.).

Analog werden mit den entsprechenden Chlorameisensäureestern die folgenden Verbindungen hergestellt:

(Ethoxycarbonyl)-chloro-bis-[triphenylphosphan]-palladium[2,3]   F: 170–190° (Zers.)[2];
                                                                         F: 232–237°[3]

(Ethoxycarbonyl)-chloro-bis-[triphenoxyphosphan]-palladium[2]   95%; F: 128–136° (Zers.)
Chloro-[(3-pentin-oxy)-carbonyl]-bis-[triphenylphosphan]-palladium[4]   88%
Chloro-[(4-trimethylsilyl-3-butin-oxy)-carbonyl]-bis-[triphenylphosphan]-palladium[4]   88%

Bis-[tert.-butylisocyanid]-chloro-(methoxycarbonyl)-palladium[2]: 0,1 *ml* (leichter Überschuß) Chlor-ameisensäure-methylester werden unter Rühren zu einer Suspension von 0,34 g (1,3 mmol) Bis-[tert.-butylisocyanid]-palladium in 10 *ml* Toluol bei −78° gegeben. Man nimmt die Kühlung weg und läßt die Mischung innerhalb von 30 Min. unter Rühren 20° erreichen. Nach 1 Stde. bei 20° wird das Lösungsmittel i. Vak. entfernt und der feste Rückstand aus Toluol/Hexan umkristallisiert; Ausbeute: 0,30 g (65%); F: 106–108°; IR $\nu_{C\equiv N}$: 2205; $\nu_{C=O}$: 1680 cm^{-1}.

Analog werden *(Ethoxycarbonyl)-* (F: 98–100°) und *(Benzyloxycarbonyl)-bis-[tert.-butylisocyanid]-chloro-palladium* (F: 137–139°) hergestellt[2].

γ) aus Alkoxalyl-palladium(II)-Verbindungen durch Decarbonylierung

Eine weitere Methode zur Herstellung von Alkoxycarbonyl-palladium-Verbindungen ist die Decarbonylierung von Alkoxalyl-palladium-Verbindungen in Dichlormethan, Chloroform oder Benzol bei 25° zu *Chloro-(ethoxy-carbonyl)-* bzw. *Chloro-(methoxycarbonyl)-bis-[triphenylphosphan]-palladium*[5]:

$$Cl-Pd(CO-COOR)\left[P(C_6H_5)_3\right]_2 \quad \xrightarrow[-CO]{25°} \quad Cl-Pd(COOR)\left[P(C_6H_5)_3\right]_2$$

R = CH$_3$, C$_2$H$_5$

δ) aus (Amino-alkoxy-carben)-palladium(II)-Verbindungen durch Deprotonierung

Die Deprotonierung von (Amino-alkoxy-carben)-palladium-Verbindungen mit Basen wie Kaliumhydroxid führt ebenfalls zu Alkoxycarbonyl-palladium-Derivaten. Man erhält so aus (Anilino-methoxy-carben)-dichloro-(triphenylphosphan)-palladium *Di-μ-chloro-bis-[(methoxy-phenylimino-methyl)-triphenylphosphan-palladium]* (92%), das mit Triphenylphosphan in *Chloro-(methoxy-phenylimino-methyl)-[triphenylphosphan]-palladium* (100%) umgewandelt wird[6]:

[1] E.D. Dobrzynski u. R.J. Angelici, Inorg. Chem. **14**, 59 (1975).
[2] S. Otsuka et al., Am. Soc. **95**, 3180 (1973).
[3] P. Fitton, M.P. Johnson u. J.E. McKeon, Chem. Commun. **1968**, 6.
[4] T.F. Murray u. J.R. Norton, Am. Soc. **101**, 4107 (1979).
[5] J. Fayos, E. Dobrzynski, R.J. Angelici u. J. Clardy, J. Organomet. Chem. **59**, C 33 (1973).
[6] B. Crociani u. T. Boschi, J. Organometal. Chem. **24**, C 1 (1970).

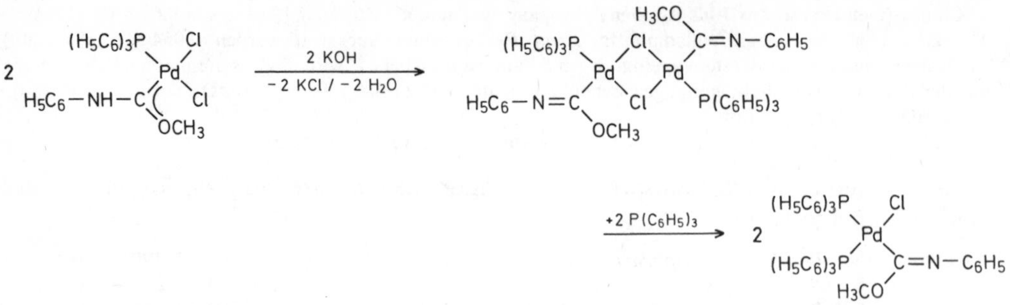

2. Aminocarbonyl- bzw. Aminothiocarbonyl-palladium(II)-Verbindungen

α) aus Halogeno-palladium(2)-Verbindungen, Kohlenmonoxid und Aminen

Zwei allgemeine Methoden sind zur Herstellung von Aminocarbonyl- (bzw. Amino-thiocarbonyl)-palladium-Verbindungen möglich[1]. Die einfachste Methode besteht darin, Kohlenmonoxid in eine Lösung des entsprechenden prim. oder sek. Amins und des Di-chloro-bis-[donor]-palladium-Komplexes einzuleiten:

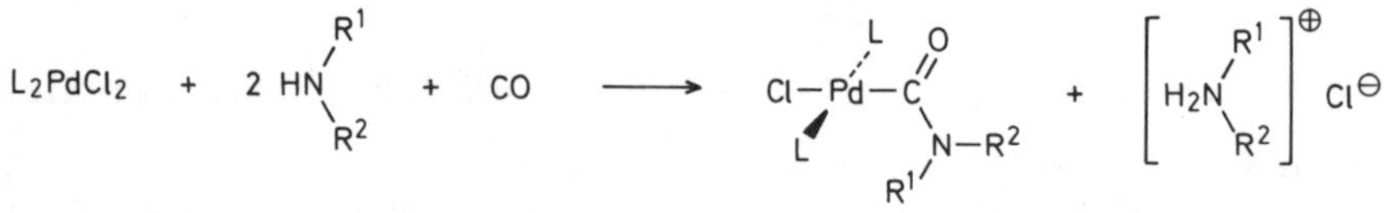

Der Mechanismus verläuft wahrscheinlich über die intermediäre Bildung eines kationi-schen Carbonyl-palladium-Komplexes, der dann mit dem Amin reagiert.

Chloro-(dimethylaminocarbonyl)-bis-[triphenylphosphan]-palladium[1]: Kohlenmonoxid wird in eine Suspen-sion von 1,0 g (1,4 mmol) Dichloro-bis-[triphenylphosphan]-palladium in 25 ml einer 50:50 Lösung von Ace-ton/Dimethylamin bei 0° gegeben. Nach 15 Min. ergibt die gelbe Mischung eine farblose Lösung, die zur Trockne i. Vak. eingeengt wird. Der Rückstand wird mit Wasser extrahiert, um das Dimethylammoniumchlorid zu entfer-nen, und dann i. Vak. getrocknet; Ausbeute: 0,85 g (80%); NMR τ_{CH_3}: 7,29; 8,27 IR $\nu_{C=O}$: 1605 cm^{-1} (in Di-chlormethan).

Analog wird [(*Ethyl-methyl-amino*)-*carbonyl*]-*chloro-bis-*[*triphenylphosphan*]-*palla-dium* hergestellt[1]. Bei prim. Aminen erniedrigt ein Überschuß von Amin die Ausbeuten. In diesem Fall wird von der Diamino-dichloro-palladium-Verbindung in Gegenwart von tert. Phosphan ausgegangen und Kohlenmonoxid eingeleitet.

Chloro-(methylaminocarbonyl)-bis-[triphenylphosphan]-palladium[1]: Eine Mischung von 2,4 g (10 mmol) Dichloro-bis-[methylamino]-palladium und 6,0 g (23 mmol) Triphenylphosphan in Dichlormethan wird unter 0,5 atm Kohlenmonoxid-Druck 1 Stde. gerührt. Nach Filtrieren wird die Lösung mit Ether behandelt, wobei das hellgelbe Produkt ausfällt; Ausbeute: 1,2 g (16%).

Wiederholtes Behandeln des Restes mit zusätzlichem Triphenylphosphan und Kohlenmonoxid ergibt Aus-beuten bis zu 67%; NMR τ_{NH}: 5,45; τ_{CH_3}: 8,46; IR $\nu_{C=O}$: 1628; ν_{NH}: 3458 cm^{-1}.

β) aus Palladium(0)-Verbindungen und Chlor-ameisensäure-amiden bzw. -thioameisensäure-amiden durch oxidative Addition

Eine weitere Methode besteht in der oxidativen Addition von Chlorameisensäure-ami-den bzw. -thioameisensäure-amiden an Palladium(0)-Verbindungen:

---

[1] C. R. Green u. R. J. Angelici, Inorg. Chem. **11**, 2095 (1972).

$$L_4Pd \quad + \quad Cl-C\underset{N(CH_3)_2}{\overset{Y}{\diagup}} \quad \xrightarrow{-2\,L} \quad Cl-\underset{L}{\overset{L}{\underset{|}{Pd}}}-C\underset{N(CH_3)_2}{\overset{Y}{\diagup}}$$

L = PR₃
Y = O, S

Im Falle der Aminocarbonyl-palladium-Verbindungen sind die Ausbeuten geringer ($\sim 25\%$) als bei der ersten Methode (mit Kohlenmonoxid und Aminen). Bei den Amino-thiocarbonyl-palladium-Verbindungen sind die Ausbeuten quantitativ.

Chloro-(dimethylaminothiocarbonyl)-bis-[triphenylphosphan]-palladium[1]: 0,25 g (1,9 mmol) frisch sublimiertes Chlor-thioameisensäure-dimethylamid werden zu einer Lösung von 0,79 g (0,68 mmol) Tetrakis-[triphenylphosphan]-palladium in 50 ml frisch destilliertem Benzol unter Stickstoff gegeben. Es bildet sich sofort ein hellgelber Niederschlag. Das Benzol wird i. Vak. entfernt und das Produkt mit Ether gewaschen; Ausbeute: 0,51 g (98%).

III. Organo-palladium(IV)-Verbindungen

Die Tendenz von d⁸-Komplexen zur Bildung von oxidierten Addukten mit d⁶-Konfiguration in einer Triade nimmt von oben nach unten und innerhalb der Gruppe 8 von rechts nach links zu. Es ist daher nicht erstaunlich, daß es nur wenige σ-Organo-palladium(IV)-Verbindungen mit der Elektronenkonfiguration $4\,s^2p^6d^6$ gibt. Stabile σ-Kohlenstoff-palladium(IV)-Verbindungen werden nicht durch Neuknüpfung von C–Pd-Bindungen hergestellt, sondern durch Oxidation von σ-Organo-palladium(II)-Verbindungen unter Erhalt der σ-C–Pd-Bindung.

Die gelbe Farbe der Palladium(IV)-Verbindungen hat ihre Ursache in der Charge-Transfer-Bande bei $\sim 22\,000\ cm^{-1}$. Der Extinktionskoeffizient läßt sich nicht bestimmen wegen der raschen Zersetzung der Komplexe in Dichlormethan-Lösung.

Die Oxidationsreaktionen gelingen bei Aryl-palladium(II)-Verbindungen mit Halogenen (Chlor und Brom)[2-4]. So werden Bis-[pentafluorphenyl]-(chelat)-palladium(II)-Verbindungen durch oxidative Addition von Chlor in Dichloro-bis-[pentafluorphenyl]-(chelat)-palladium(IV)-Verbindungen überführt[2]

(II)
$(F_5C_6)_2Pd(L-L)$ $\xrightarrow{+\,Cl_2\,;\ CH_2Cl_2}$ (IV)
$Cl_2(F_5C_6)_2Pd(L-L)$

L–L: $H_2N-CH_2-CH_2-NH_2$, $H_3C-\underset{NH_2}{\underset{|}{CH}}-CH_2-NH_2$,

Dichloro-(1,2-diamino-ethan)-bis-[pentafluorphenyl]-palladium(IV)[2]: Ein Strom trockenes Chlor wird 1 Stde. durch eine Lösung von 0,5 g (1,2-Diamino-ethan)-bis-[pentafluorphenyl]-palladium(II) in absol. Dichlormethan geleitet, bis eine leichte Trübung zu beobachten ist. Die Lösung wird evakuiert, um überschüssiges Chlor schnell zu entfernen und dann fast zur Trockne konzentriert. Gelbe Kristalle kristallisieren aus, die filtriert, mit einigen Tropfen Ether gewaschen und i. Vak. getrocknet werden; Ausbeute: 0,39 g (70%); F: 213–215° (Zers.).

Die Verbindung ist luftstabil.

[1] C. R. Green u. R. J. Angelici, Inorg. Chem. **11**, 2095 (1972).

[2] R. Uson, J. Fornies u. R. Navarro, J. Organometal. Chem. **96**, 307 (1975).

[3] R. Uson, J. Fornies u. R. Navarro, Synth. React. Inorg. Metal-org. Chem. **7**, 235 (1977).

[4] L. I. Zakharkin u. A. I. Kovredov, Ž. obšč. Chim. **44**, 1832 (1974); engl.: 1796.

Analog werden u.a. hergestellt[1]:

(2,2'-Bipyridyl)-dichloro-bis-[pentafluorphenyl]-palladium(IV)   *65%*; F: 303° (Zers.)
Dichloro-bis-[pentafluorphenyl]-(1,10-phenanthrolin)-palladium(IV)   *70%*; F: 310–315° (Zers.)
Dichloro-(1,2-diamino-propan)-bis-[pentafluorphenyl]-palladium(IV)   *61%*; F: 196–198° (Zers.)

Die Addition von Chlor an Chloro-(pentafluorphenyl)-(chelat)-palladium(II)-Verbindungen ergibt Trichloro-(pentafluorphenyl)-(chelat)-palladium(IV)-Verbindungen[2]:

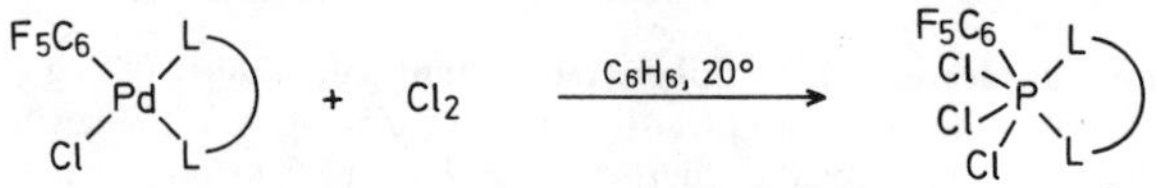

. . .-*(pentafluorphenyl)-palladium(IV)*

L͡L = (H₃C)₂N–CH₂–CH₂–N(CH₃)₂; *Trichloro-(1,2-bis-[dimethylamino]-ethan)-*. . .; 75%

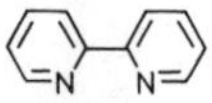

; *(2,2'-Bipyridyl)-(trichloro)-*. . .; 78%

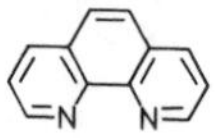

; *Trichloro-(1,10-phenanthrolin)-*. . .; 80%

Läßt man auf (2,2'-Bipyridyl)-[2-phenyl-1,2-dicarbadodecaboran(12)-1,2'-diyl]-palladium Brom in Dichlormethan bei 20° einwirken, so wird die Palladium(II)- zur Palladium(IV)-Verbindung *(2,2'-Bipyridyl)-dibromo-[2-phenyl-1,2-dicarbadodecaboran(12)-1,2'-diyl]-palladium(IV)* (94%) oxidiert[3]:

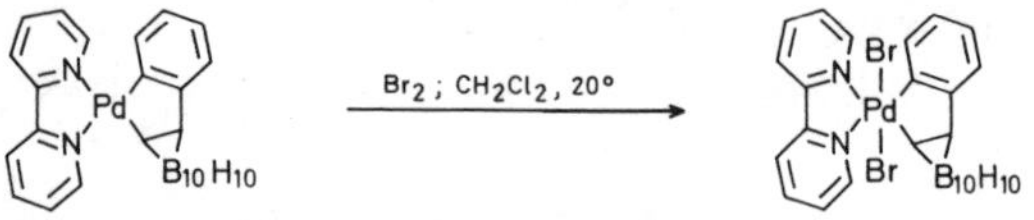

Stabile Alkyl-palladium(IV)-Verbindungen sind nicht bekannt. Jedoch spielen Alkyl-palladium(IV)-Verbindungen als intermediäre Zwischenstufen eine wichtige Rolle bei der Umalkylierung von Alkyl-palladium(II)-Verbindungen (s. S. 784)[4,5], bei Kupplungsreaktionen[4,5] sowie bei Spaltungsreaktionen[6] (s. S. 917, 921).

[1] R. USON, J. FORNIES u. R. NAVARRO, J. Organometal. Chem. **96**, 307 (1975).
[2] R. USON, J. FORNIES u. R. NAVARRO, Synth. React. Inorg. Metal-org. Chem. **7**, 235 (1977).
[3] L.I. ZAKHARKIN u. A.I. KOVREDOV, Ž. obšč. Chim. **44**, 1832 (1974); engl.: 1796.
[4] D. MILSTEIN u. J.K. STILLE, Am. Soc. **101**, 4992 (1979).
[5] D. MILSTEIN u. J.K. STILLE, Am. Soc. **101**, 4981 (1979).
[6] H.D. McPHERSON u. J.L. WARDELL, Inorg. Chim. Acta **35**, L 353 (1979).

B. Umwandlung

(Reaktionen an der Pd–C–σ-Bindung, auch an in situ gebildeten)

I. Spaltungs-Reaktionen

Palladium(II)-Salze bilden π-Komplexe mit Olefinen. Durch diese Koordinierung nimmt die Elektronendichte der Olefine ab, so daß der Angriff verschiedener Nucleophile ermöglicht wird. Der Angriff der Nucleophile mit gleichzeitiger Bildung der Pd–C–σ-Bindung wird „Palladierung" genannt und ist ausführlich im Abschnitt „Herstellung" beschrieben. Die Palladierungsprodukte zerfallen rasch, wenn sie nicht mit Donor-Atomen chelatisiert sind. Nach dem Palladierungsschritt sind prinzipiell zwei Reaktionen möglich. Beide Schritte stellen eine Spaltung der Pd–C–σ-Bindung dar:

1. Eine Eliminierung von HPdCl mit Zerfall zu Pd(0) und Chlorwasserstoff (thermolytische Spaltung, β-Eliminierung)
2. Substitution des Palladiums mit einem anderen Nucleophil (Wasser, Basen, Alkohole, Phenole, Carbonsäuren, Acetate, Carbanionen, Amine, Cyanid, Chlorid etc.)

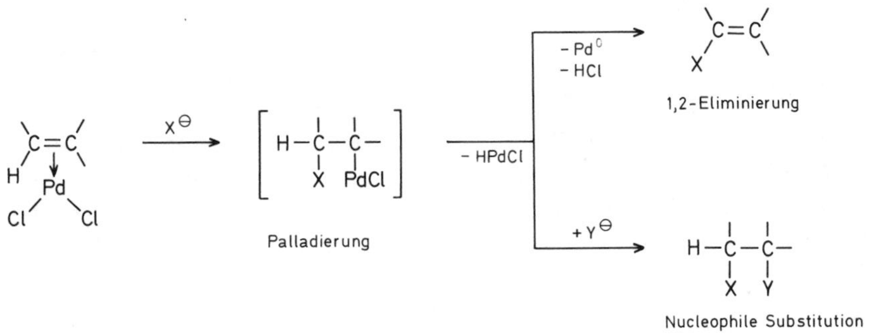

Wie die Reaktion verläuft hängt ab von

a) den Substituenten am Olefin
b) dem Nucleophil
c) den Reaktionsbedingungen

Nucleophile, die mit koordiniertem Olefin reagieren können, sind Wasser, Alkohole, Carbonsäuren, Ammoniak, Amine, Enamine, Azide sowie Carbanionen. Spaltungsreaktionen dieser Art werden in den ersten Abschnitten beschrieben. Es folgen heterolytische Spaltungen von σ–C–Pd Verbindungen mit Wasserstoff, reduzierenden Agenzien, Halogenen, Halogenwasserstoff, Halogenalkanen, Säurehalogeniden und Metallhalogeniden. Nach den oxidativen Spaltungen wird die oben erwähnte 1,2-Eliminierung und die Photolyse beschrieben. Die β-Eliminierung von H–Pd setzt β-ständigen Wasserstoff voraus. Ummetallierungen mit Organo-quecksilber-Verbindungen und verwandte Reaktionen werden im Anschluß besprochen. Danach werden Acetoxylierungen an Arenen, Fragmentierungs- und Umlagerungsreaktionen beschrieben. Kupplungsreaktionen von Alkanen, Alkenen, Alkinen und Aromaten, die über PD–C–σ-Bindungen verlaufen, werden im letzten Abschnitt zusammengestellt.

a) mit Wasser

Leitet man Ethen in eine wäßrige Lösung von Palladium(II)-chlorid, so werden *Acetaldehyd* und metallisches Palladium gebildet[1]. Diese Reaktion kann in einen katalytischen Prozeß umgeformt werden, wenn das Palladium(0) in situ wieder zu Palladium(II) mit Kupfer(II)-Salzen oxidiert wird. Dabei wird Kupfer(I) gebildet, das leicht durch Luft wieder zu Kupfer(II)-Ionen oxidiert wird. Trotz der sehr kleinen Gleichgewichtskonstante des Redox-Prozesses Pd(0)/Cu(II) gelingt die Reaktion, offensichtlich begünstigt durch Komplexierung mit den Halogenen (z.B. Chlorid). Vereinfacht setzt sich der Wacker-Prozeß aus drei Redoxreaktionen zusammen:

$$H_2C{=}CH_2 \ + \ PdCl_2 \ + \ H_2O \ \longrightarrow \ H_3C{-}CHO \ + \ Pd \ + \ 2\,HCl$$
$$Pd \ + \ 2\,CuCl_2 \ \longrightarrow \ PdCl_2 \ + \ 2\,CuCl$$
$$2\,CuCl \ + \ 2\,HCl \ + \ 0{,}5\,O_2 \ \longrightarrow \ 2\,CuCl_2 \ + \ H_2O$$

$$H_2C{=}CH_2 \ + \ 0{,}5\,O_2 \ \longrightarrow \ H_3C{-}CHO$$

Wird die Reaktion in deuteriertem Wasser durchgeführt, so findet man keinen deuterierten Acetaldehyd, das deutet auf eine Hydrid-Verschiebung und nicht auf Vinylalkohol als Zwischenstufe[2,3]. Nebenprodukte des Wacker-Prozesses sind Chloracetaldehyd und 2-Chlor-ethanol. Propen wird hauptsächlich zu *Aceton* und längerkettige terminale Olefine ausschließlich zu Methyl-ketonen in hohen Ausbeuten oxygeniert[4,5]. Die Reaktionen werden in Gegenwart von Kupfer(II)-chlorid unter Sauerstoff-Atmosphäre mit einer katalytischen Menge Palladium(II)-chlorid bei 20° oder 60 bis 80° durchgeführt. Andere Reoxidationsmittel für Palladium(0) sind Kupfer(II)-acetat, Kupfer(II)-nitrat, Eisen(III)-chlorid, 1,4-Benzochinon, Dichromat, Salpetersäure, Kaliumperoxidisulfat, Wasserstoffperoxid und tert.-Butylhydroperoxid. Als Nebenreaktionen können π-Allylpalladium-Bildungen auftreten. Olefine mit innenständiger C,C-Doppelbindung und cyclische Olefine werden langsam oxygeniert, dadurch sind regio-selektive Oxygenierungen möglich[4,6]; z.B.:

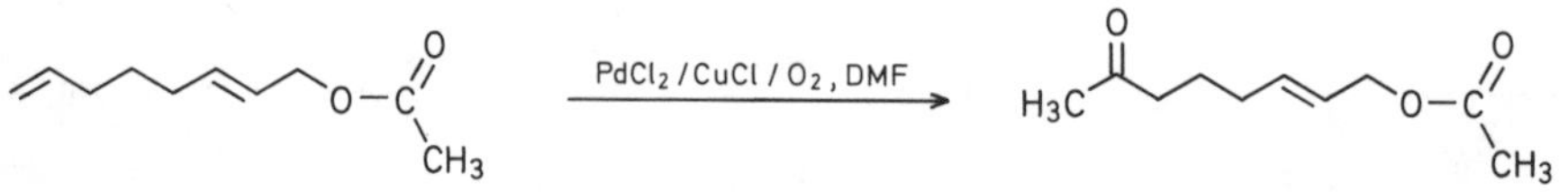

Carbonyl-Verbindungen:

Oxygenierung gasförmiger Olefine; allgemeine Arbeitsvorschrift[3]: 100 *ml* Palladium-Salzlösung werden in einer 250 *ml* fassenden Schüttelente mit Heizmantel mit dem umzusetzenden Gas geschüttelt. Die Reaktionszeit beträgt je nach Temp. und Zusammensetzung der Lösung 5 Min. bis mehr als 2 Stdn. Wenn die Gasaufnahme praktisch zum Stillstand gekommen bzw. das Palladium-Salz weitgehend zum Metall reduziert ist, wird mit Leitungswasser gekühlt. Die entstandenen Carbonyl-Verbindungen werden über eine ~ 15 cm lange Füllkörperkolonne herausdestilliert und gaschromatographisch bestimmt.

Beispiel: 1,64 g Kalium-tetrachloropalladat(II) werden in 100 *ml* 0,3 *n* Perchlorsäure gelöst und 10 Min. bei 70° in Propen-Atmosphäre geschüttelt. Die Gasaufnahme beträgt ~ 110 *ml*. Verhältnis *Propanal : Aceton* = ~ 1 : 10.

[1] F.C. Philips, Am. **16**, 255 (1894).

[2] J. Smidt et al., Ang. Ch. **74**, 93 (1962); engl.: **1**, 80.

[3] W. Hafner et al., B. **95**, 1575 (1962).

[4] Übersicht: J. Tsuji, *Organic Synthesis with Palladium Compounds*, Springer-Verlag, Berlin · Heidelberg · New York 1980.

[5] Übersicht: R. Jira u. W. Freiesleben, Organometall. Reactions **3**, 1 (1972).

[6] T. Takahashi, I. Minami u. J. Tsuji, Tetrahedron Letters **1981**, 2651.

Oxygenierung flüssiger Olefine; allgemeine Arbeitsvorschrift[1]: In einem Dreihalskolben mit Rührer, Rückflußkühler und Thermometer wird überschüssiges Olefin mit der Palladium-Salzlösung kräftig gerührt, bis der größte Teil der Palladium-Verbindung zum Metall reduziert ist. Anschließend werden die Reaktionsprodukte mit Wasserdampf abgetrieben. Das Destillat wird mehrmals mit Ether extrahiert, die vereinigten Extrakte werden getrocknet und gaschromatographiert.

Beispiel: 4,1 g Kalium-tetrachloropalladat(II) werden in 250 ml 1 n Perchlorsäure gelöst und mit 4 g 1-Hepten 1,5 Stdn. bei 70° gerührt. Verhältnis *Heptanal : Heptanon* = ~ 1 : 22.

Eine Übersicht gibt Lit.[2].

1,3-[3], 1,4-[3] und 1,5-Diketone[4] lassen sich aus den entsprechenden ungesättigten Ketonen herstellen; z.B.:

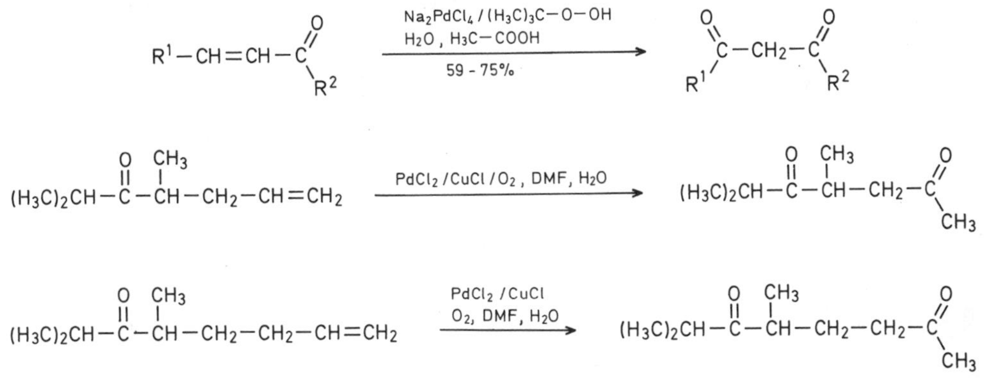

1,1-Disubstituierte Ethene ergeben Oxygenierung unter Umlagerung[5]:

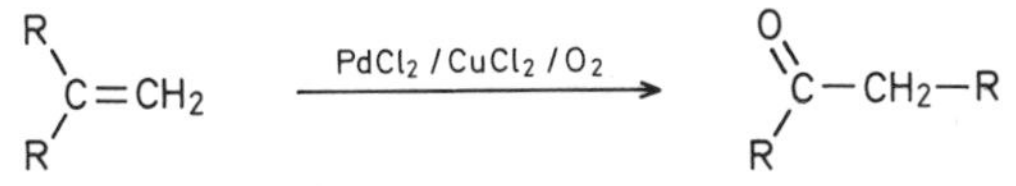

Methylen-cyclobutane werden unter Ringerweiterung zu Cyclopentanonen (75%)[5] und Cyclopropyl-benzol zu *Propiophenon* (65%) und *Phenyl-aceton* (30%) (neben Eliminierungsprodukt; 5%) oxygeniert[6]:

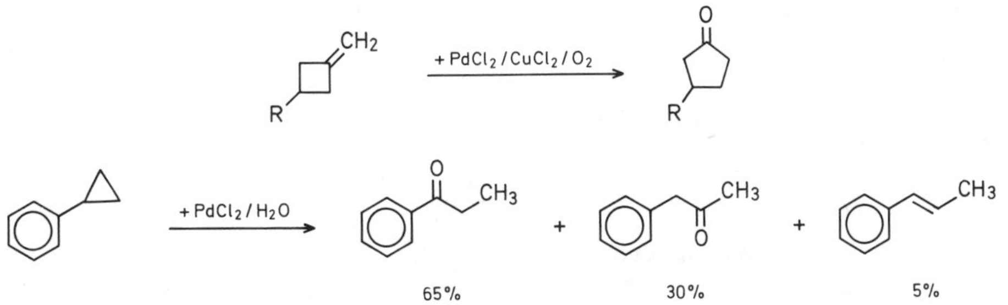

[1] W. Hafner et al., B. **95**, 1575 (1962).
[2] Übersichtsartikel: J. Tsuji, *Organic Synthesis with Palladium Compounds*, Springer-Verlag, Berlin · Heidelberg · New York 1980.
  R. Jira u. W. Freiesleben, Organometal. Reactions **3**, 1 (1972).
  J. Tsuji et al., Tetrahedron Letters **1979**, 3741.
[3] J. Tsuji, I. Shimizu u. K. Yamamoto, Tetrahedron Letters **1976**, 2975.
[4] J. Tsuji, H. Nagashima u. K. Hori, Chem. Letters **1980**, 257.
[5] P. Boontanonda u. R. Grigg, Chem. Commun. **1977**, 583.
[6] R.J. Ouellette u. C. Levin, Am. Soc. **93**, 471 (1971).

Tab. 19: Aldehyde bzw. Ketone durch Oxygenierung von Olefinen[1]

Olefin	Reaktionsbedingungen	Reaktionsprodukt	Ausbeute [%]
$H_3C-CH=CH_2$	$PdCl_2$	$H_3C-\overset{O}{\overset{\|}{C}}-CH_3$	96
$H_3C-CH_2-CH=CH_2$	$PdCl_2$	$H_3C-CH_2-\overset{O}{\overset{\|}{C}}-CH_3$	95
$H_3C-CH=CH-CH_3$	$PdCl_2$	$H_3C-CH_2-\overset{O}{\overset{\|}{C}}-CH_3$	95
$H_9C_4-CH=CH_2$	$PdCl_2/CuCl_2/O_2$	$H_9C_4-\overset{O}{\overset{\|}{C}}-CH_3$	95
$H_2C=CH-CH=CH_2$	$PdCl_2$	$H_3C-CH=CH-CHO$	34
(cyclohexene)	$PdCl_2$	(cyclohexanone)=O	65
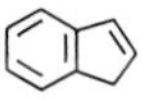 (indene)	$PdCl_2$	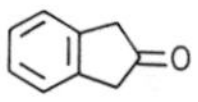 (indanone)=O	66
$H_5C_6-CH=CH_2$	$PdCl_2$	$H_5C_6-\overset{O}{\overset{\|}{C}}-CH_3$	57
$H_3C-CH_2-CH=CH-COOH$	$PdCl_2$	$H_5C_2-\overset{O}{\overset{\|}{C}}-CH_3$	88
$H_2C=\overset{CH_3}{\overset{\|}{C}}-COOH$	$PdCl_2$	H_3C-CH_2-CHO	61
$\overset{CH-COOH}{\underset{CH-COOH}{\|}}$	$PdCl_2$	$H_3C-\overset{O}{\overset{\|}{C}}-COOH$	25
$H_2C=CH-Cl$	$PdCl_2$	H_3C-CHO	100
$H_2C=CH-CH_2-Cl$	$PdCl_2$	$H_3C-\overset{O}{\overset{\|}{C}}-CHO$	65
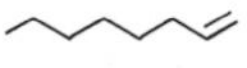 (1-heptene)	$PdCl_2/CuCl/O_2$	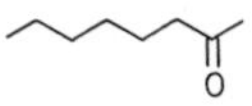 (2-heptanone)	
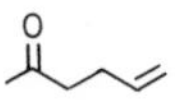 (pent-4-en-2-one)	$PdCl_2/CuCl/DMF/H_2O$	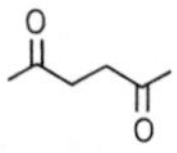 (2,4-pentanedione derivative)	95
 (myrcene-type)	$PdCl_2/CuCl/DMF/H_2O$	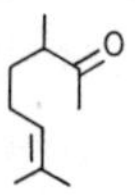 (ketone)	15
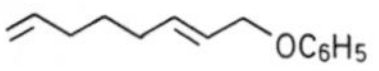 (phenyl ether alkene, OC_6H_5)	$PdCl_2/CuCl/H_2O$	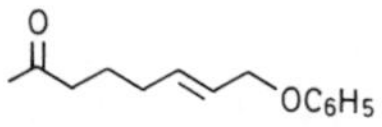 (ketone, OC_6H_5)	76

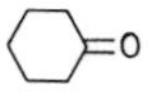

[1] Übersichtsartikel: J. Tsuji, *Organic Synthesis with Palladium Compounds*, Springer-Verlag, Berlin · Heidelberg · New York 1980.
R. Jira u. W. Freiesleben, Organometal. Reactions **3**, 1 (1972).
J. Tsuji et al., Tetrahedron Letters **1979**, 3741.

Auch Ringverengungsreaktionen sind bekannt[1]; z.B.:

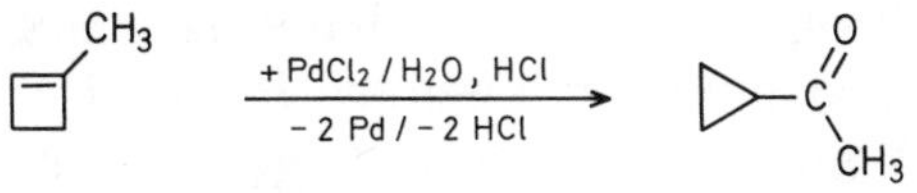

2-Butenol ergibt über Allylumlagerung, Oxygenierung und Dehydratisierung folgende Produkte[2]:

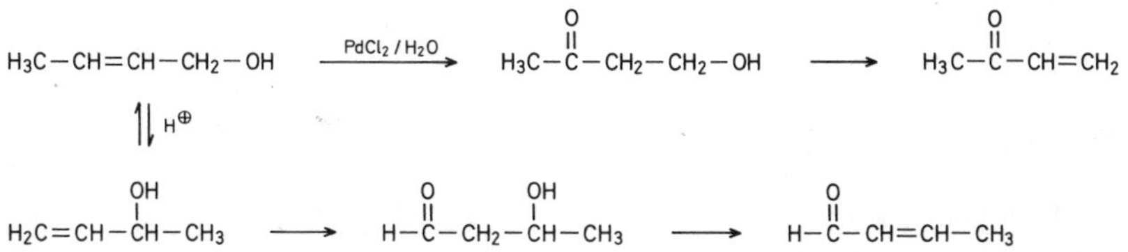

Die Reaktion von Ethen in wäßrigem Ammoniak liefert unter dimerisierender Dehydrierung Ethyl-pyridine[3, 4]:

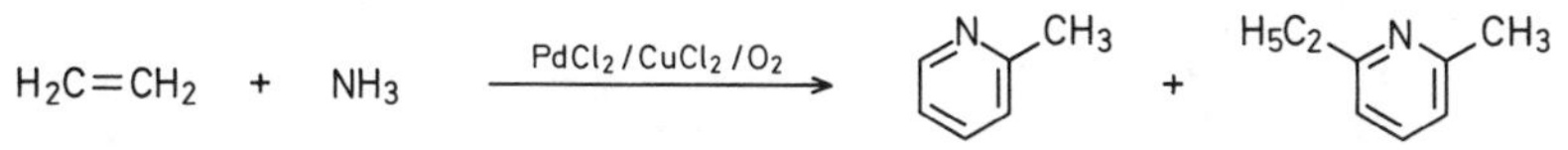

Die Hydrolyse von Acetyl-substituierten α-palladierten Thioamiden führt zu Dihydrofuran-Derivaten (48%)[5]:

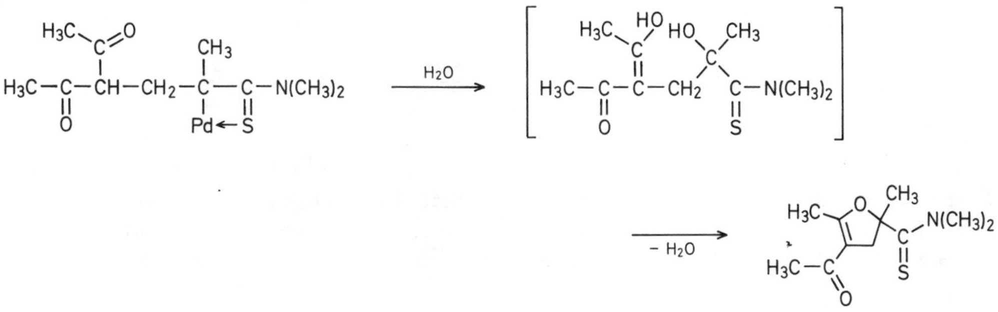

Mit Dihydroxy-(2,2'-bipyridyl)-hydrato-palladium gelingt die regioselektive Hydratisierung von Acrylnitril zu *Acrylamid* (22%)[6]:

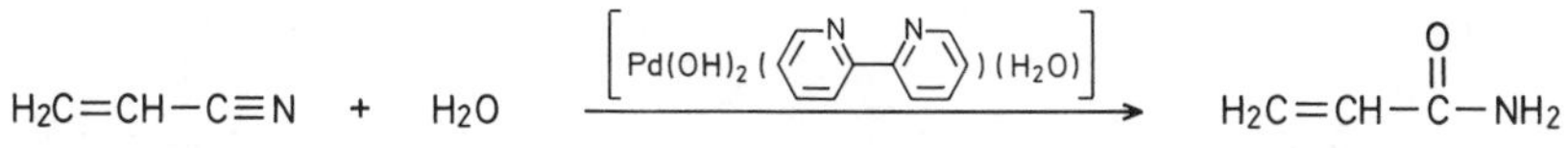

[1] J. HALPERN et al., Chem. Commun. **1971**, 40.
[2] R. JIRA, Tetrahedron Letters **1971**, 1225.
[3] Y. KUSUNOKI u. H. OKAZAKI, Hydrocarbon Proc. **1974**, 129.
[4] Y. KUSUNOKI u. H. OKAZAKI, Nippon Kagaku Kaishi **1980**, 1734; Chem. Inform. 8111–252.
[5] Y. TAMARU, M. KAGOTANI u. Z. YOSHIDA, J. Org. Chem. **44**, 2816 (1979).
[6] G. VILLAIN, P. KALCK u. A. GASET, Tetrahedron Letters **21**, 2901 (1980).

b) mit Alkoholen, Phenolen, anderen Hydroxy-Verbindungen bzw. Thiolen

Der erste Schritt der Reaktion von Olefinen mit Palladium-Salzen in Alkoholen ist die π-Komplexbildung. In Gegenwart von Basen findet ein nucleophiler Angriff des Alkanolat- oder Phenolat-Anions auf die koordinierte C,C-Doppelbindung statt, und es kommt zur Ausbildung einer σ–C-Palladium-Bindung. Im Falle von Diolefinen und chelatisierten Monoolefinen sind mehrere derartige alkoxypalladierte σ-Alkyl-palladium-Verbindungen isoliert worden.

Bei nicht stabilisierten Olefinen tritt als nächster Schritt die Substitution des Palladiums durch die Alkoxy- oder Phenoxy-Gruppe ein. Als Konkurrenzreaktion kann bei β-ständigem Wasserstoff HPdCl eliminiert werden. Man erhält so aus terminalen Olefinen Acetale als Hauptprodukte sowie Vinylether als Nebenprodukte[1, 2].

$$R^1-CH=CH_2 \;+\; R^2-OH \quad \xrightarrow[\substack{-\,Pd \\ -\,HCl}]{+\,PdCl_2} \quad R^1-\underset{\underset{OR^2}{|}}{C}=CH_2 \;+\; R^1-\underset{\underset{OR^2}{|}}{\overset{\overset{OR^2}{|}}{C}}-CH_3$$

Da in O-deuteriertem Methanol kein Deuterium übertragen wird, kann das Acetal nicht durch Addition von Methanol an Methyl-vinyl-ether entstanden sein[3]:

$$H_2C=CH_2 \;+\; 2\,H_3C-OD \quad \xrightarrow[\substack{-\,2\,DCl \\ -\,Pd}]{+\,PdCl_2} \quad H_3C-\underset{\underset{OCH_3}{|}}{\overset{\overset{OCH_3}{|}}{C}H}-OCH_3$$

Von besonderem Wert sind intramolekulare Alkoxypalladierungen, die zu Heterocyclen führen. Auch Naturstoff-Synthesen sind über die Reaktion von Hydroxy-olefinen oder 1-Alkenyl-phenolen mit Palladium(II)-chlorid in Gegenwart von Luftsauerstoff durchgeführt worden. Tab. 20 (S. 887) gibt einen Überblick über die Möglichkeiten dieses Reaktionstyps.

Kationische (2-Cyan-benzyl)-palladium-Komplexe werden durch weniger basische Thiole an der Pd–C-Bindung gespalten[4].

X = CH₃, Br

[1] I. I. Moiseev, M. N. Vargaftik u. Y. K. Syrkin, Doklady Akad. SSSR 133, 377 (1960).
[2] E. W. Stern u. M. L. Spector, Pr. chem. Soc. 1961, 370.
[3] I. I. Moiseev u. M. N. Vargaftik, Izv. Akad. SSSR 1965, 759.
[4] R. Ros et al., Inorg. Chim. Acta 35, 43 (1979).

Tab. 20: Reaktion von Alkoholen und Phenolen mit Olefinen (OAc = O–CO–CH$_3$)

Ausgangsprodukt	Reaktionsbedingungen	Reaktionsprodukt	Ausbeute [%]	Lite-ratur
H$_2$C=CH$_2$, H$_3$C–OH H$_3$C–CH=CH$_2$, H$_3$C–OH	PdCl$_2$ PdCl$_2$	H$_3$C–CH(OCH$_3$)$_2$ H$_3$C–C=CH$_2$ (OCH$_3$) + H$_3$C–C–CH$_3$ (OCH$_3$)$_2$	36	1, 2, 3 2, 3
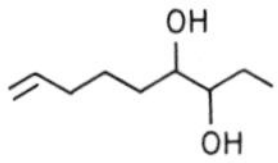 (structure: diol, OH, OH)	PdCl$_2$/CuCl$_2$/ DMF	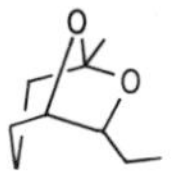 (bicyclic structure)	45	4
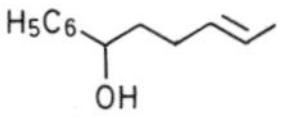 H$_5$C$_6$ (structure, OH)	Pd(OAc)$_2$/ Cu(OAc)$_2$/O$_2$	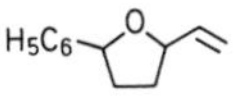 H$_5$C$_6$ (tetrahydrofuran structure with vinyl)	40	5
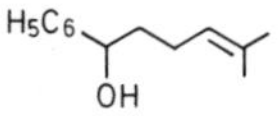 H$_5$C$_6$ (structure, OH)	Pd(OAc)$_2$/ Cu(OAc)$_2$/O$_2$	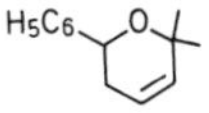 H$_5$C$_6$ (pyran structure)	45	5
(structure), H$_5$C$_6$–OH	PdCl$_2$L$_2$ L = P(C$_6$H$_5$)$_3$	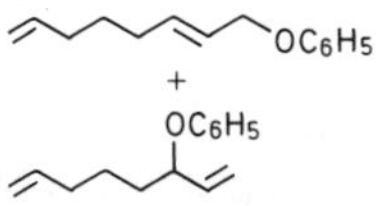 (structure OC$_6$H$_5$) + (structure OC$_6$H$_5$)	89	6 6
(aryl ketone, OH, CH=CH–C$_6$H$_5$)	NaOCH$_3$/ Li$_2$PdCl$_4$	(chromone, C$_6$H$_5$)	65	7
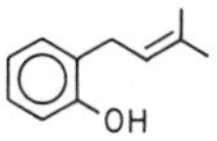 (aryl, prenyl, OH)	Pd(OAc)$_2$/ NaOAc PdCl$_2$/ NaOAc	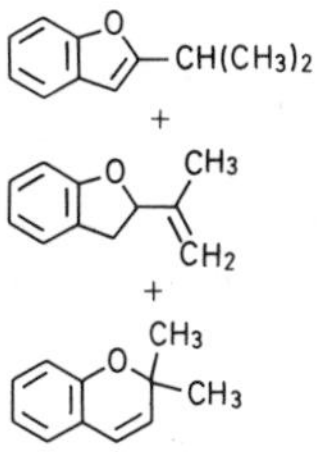 (benzofuran–CH(CH$_3$)$_2$) + (benzofuran CH$_3$, CH$_2$) + (chromene CH$_3$, CH$_3$)	variabel	8, 9, 10
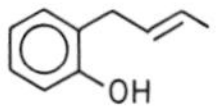 (aryl, allyl, OH)	Pd(OAc)$_2$/ Cu(OAc)$_2$/O$_2$	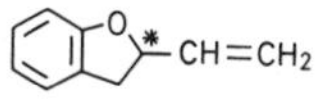 (benzofuran *CH=CH$_2$)	12	11
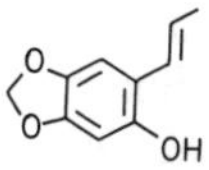 (methylenedioxy aryl, vinyl, OH)	PdCl$_2$	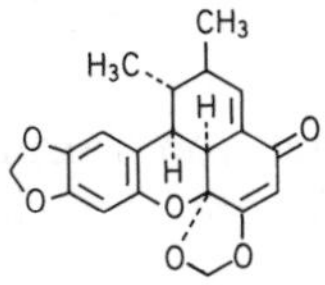 (polycyclic structure, H$_3$C, CH$_3$, O)	62	12

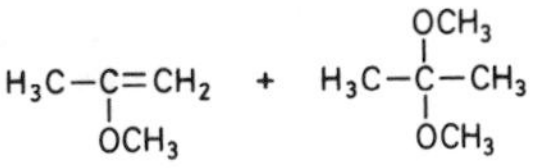

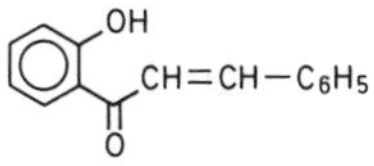

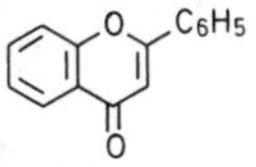

[1] I. I. Moiseev u. M. N. Vargaftik, Izv. Akad. SSSR 1965, 759.
[2] I. I. Moiseev, M. N. Vargaftik u. Y. K. Syrkin, Doklady Akad. SSSR 133, 377 (1960).
[3] E. W. Stern u. M. L. Spector, Pr. chem. Soc. 1961, 370.
[4] N. T. Byrom, R. Grigg u. B. Kongkathip, Chem. Commun. 1976, 216.
[5] T. Hosokawa, A. Sonoda et al., Tetrahedron Letters 1976, 1821.
[6] J. Tsuji, T. Yamakawa u. T. Mandai, Tetrahedron Letters 1979, 3741.
[7] A. Kasahara, T. Izumi u. M. Ooshima, Bl. chem. Soc. Japan 47, 2526 (1974).
[8] T. Hosokawa, I. Moritani et al., Tetrahedron Letters 1973, 739.
[9] T. Hosokawa, H. Ohkata u. I. Moritani, Bl. chem. Soc. Japan 48, 1533 (1975).
[10] T. Hosokawa, A. Sonoda et al., Bl. chem. Soc. Japan 49, 3662 (1976).
[11] T. Hosokawa, A. Sonoda et al., Chem. Commun. 1978, 687.
[12] O. Chapman et al., Am. Soc. 93, 6696 (1971).

Tab. 20 (Forts.)

Ausgangsprodukt	Reaktions-bedingungen	Reaktionsprodukt	Ausbeute [%]	Lite-ratur
(Struktur: Phenol mit C₆H₅-vinyl)	PdCl₂	(Benzofuran mit C₆H₅)		1, 2
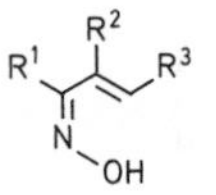 (Struktur mit R¹, R², R³ und N–OH)	PdCl₂L₂/NaOC₆H₅ L=P(C₆H₅)₃ oder PdCl₂/ Na₂CO₃	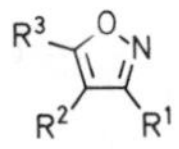 (Isoxazol mit R¹, R², R³)	39–92	3, 4
(Struktur H₃C–N, CH₃, OH)	PdCl₂L₂/NaOC₆H₅ L=P(C₆H₅)₃	(Pyridin mit CH₃)	20	4
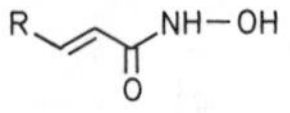 (Struktur R–CH=CH–C(O)–NH–OH)	Li₂PdCl₄/N(C₂H₅)₃/ H₃C–CN	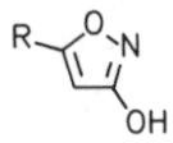 (Isoxazol mit R und OH)	28–35	5

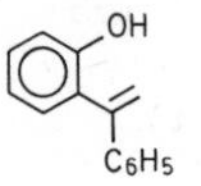

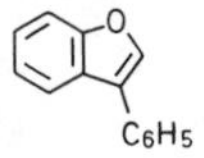

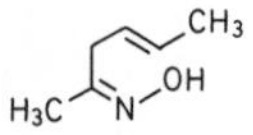

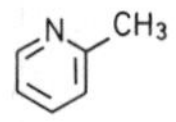

Die Addition von Alkoholen, basischen Thiolen und Aminen sowie Wasser an die koordinierte Cyan-Gruppe führt zu den stabilen N-gebundenen α-Imino-ethern, α-Imino-sulfanen und Amidinen sowie zum Amid (keine Pd–C-Spaltung)[6].

c) mit Carbonsäuren

Acetat-Anionen als Nucleophil sind ebenfalls in der Lage, π-Olefin-palladium-Komplexe in (2-Acetoxy-alkyl)-palladium-Verbindungen zu überführen:

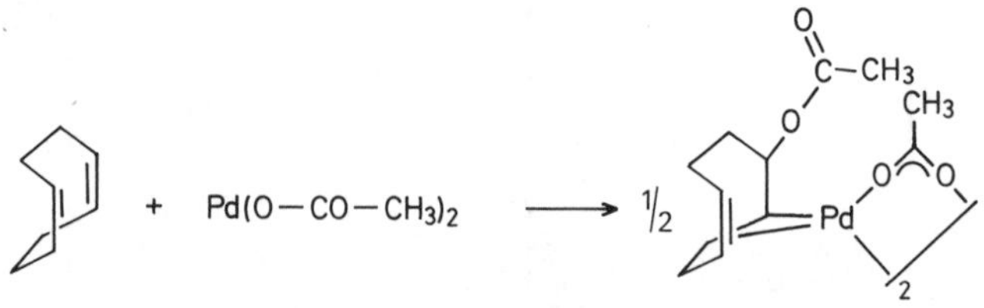

Aus Ethen und Palladiumchlorid entsteht in Eisessig in Gegenwart von Natriumacetat[7] bzw. Natriumphosphat[8] *Essigsäure-vinylester* (Acetoxypalladierung gefolgt von Eliminierung von HPdX). In Abwesenheit von Natriumacetat wird der Ester dagegen nicht gebildet[7]. *Essigsäure-vinylester* wird großtechnisch in flüssiger Phase ($Pd^{2\oplus}/Cu^{2\oplus}/O_2$)[9] und in Gasphase[10-12] hergestellt.

[1] G. CASIRAGHI et al., Synthesis **1977**, 122.

[2] B. CARDILLO, M. CORNIA u. L. MERLINI, G. **105**, 1151 (1975).

[3] I. MORITANI et al., Tetrahedron Letters **1975**, 5075.

[4] T. HOSOKAWA et al., Tetrahedron Letters **1976**, 383.

[5] A. KASAHARA u. T. IZUMI, Chem. & Ind. **1979**, 318.

[6] R. Ros et al., Inorg. Chim. Acta **35**, 43 (1979).

[7] I. I. MOISEEV, M. N. VARGAFTIK u. Y. K. SYRKIN, Doklady Akad. SSSR **133**, 377 (1960).

[8] E. W. STERN u. M. L. SPECTOR, Pr. chem. Soc. **1961**, 370.

[9] Brit. P. 964001 (1964), ICI, Erf.: D. CLARK, P. HAYDEN, W. D. WALSH u. W. E. JONES; C. A. **61**, 13199 (1964).

[10] W. SCHWERDTEL, Chem. & Ind. **1968**, 1559; Hydrocarbon Proc. **47**, 187 (1968).

[11] DBP 1185604 ≡ Fr. P. 1346219 (1963), Bayer AG, Erf.: H. HOLZRICHTER, W. KROENIG u. B. FRENZ; C. A. **60**, 11902 (1964).

[12] US.P. 3190912 ≡ Fr. P. 1397164 ≡ Brit. P. 976613 (1961), National Distillers; C. A. **62**, 14505 (1965).

$$\begin{bmatrix} H_2C \\ H_2C \end{bmatrix} Pd \begin{matrix} Cl \\ Cl \end{matrix}_2 + 2\ H_3C-\overset{O}{\underset{\|}{C}}-ONa \longrightarrow \left[H_3C-CO-O-CH_2-CH_2 \diagdown Pd \diagup \begin{matrix} Cl \\ O-CO-CH_3 \end{matrix} \right]$$

$$\xrightarrow[\substack{-\ 2\ NaCl \\ -\ Pd}]{-\ HPd(O-CO-CH_3)} \qquad H_3C-\overset{O}{\underset{\|}{C}}-O-CH=CH_2$$

Essigsäure-vinylester entsteht auch durch Reaktion mit Palladium(II)-acetat. Längerkettige Olefine geben hauptsächlich 1-Acetoxy-1-alkene, bzw. -2-alkene und 1(2)Acetoxy-2(1)hydroxy-alkane[1,2].

Verschiedene Reaktionsbedingungen können angewandt werden:

ⓐ PdCl₂/NaOCOCH₃
ⓑ Pd(OCOCH₃)₂
ⓒ PdCl₂/NaOCOCH₃/Cu(II)-Salz

Temperatur, Lösungsmittel und Zeit beeinflussen ebenfalls den Reaktionsverlauf. Tab. 21 (S. 890) gibt einen Überblick über die Anwendungsbreite der Acetoxylierung von Olefinen[1]. Die Carbonsäure-Funktion kann auch Teil des Olefins sein und dadurch intramolekulare Cyclisierungen bewirken. Im folgenden sei ein typisches Beispiel der Acetoxylierung unter Reduktion zu Palladium(0) und ein Beispiel mit katalytischen Mengen Palladium(II)-Salz angeführt.

Acetoxylierung von nicht konjugierten Dienen mit Palladiumacetat in Eisessig (Reduktion zu Palladium)[3]:
1 g (4,3 mmol) Palladiumacetat in 40 ml Eisessig wird in einen 100-ml-Kolben mit Rückflußkühler und Magnetrührer gegeben. Nach Zugabe des 10fachen Überschusses Dien (43 mmol) wird die Mischung bei 50° 5–7 Stdn. gerührt, bis alles Palladium ausgefallen ist. Das Palladium-Metall wird durch Zentrifugieren aus der Reaktionsmischung abgetrennt und die überstehende Lösung abdekantiert und mit 300 ml Ether gemischt. Die ether. Lösung wird nacheinander mit Wasser, 30%iger Natriumhydrogencarbonat-Lösung und ges. Natriumchlorid-Lösung gewaschen und getrocknet. Ether und überschüssiges Dien werden durch Destillation zurückgewonnen. Der Rückstand wird i. Vak. destilliert und das Rohdestillat durch präparative GLC getrennt.

syn-7-Acetoxy-exo-2-chloro-bicyclo[2.2.1]heptan[4]:

$$\text{(Bicyclo[2.2.1]hepten)} + NaO-CO-CH_3 + 2\ CuCl_2 \xrightarrow[\substack{-\ 2\ CuCl \\ -\ NaCl}]{+\ PdCl_2,\ H_3C-COOH} \text{(Produkt mit } O-\overset{O}{\underset{\|}{C}}CH_3 \text{ und } Cl)$$

Zu 200 ml Eisessig werden 20,0 g (0,21 mol) Bicyclo[2.2.1]hepten, 16,0 g (0,20 mol) wasserfreies Natriumacetat, 50,0 g (0,37 mol) wasserfreies Kupfer(II)-chlorid und 1,0 g (0,056 mol) wasserfreies Palladiumchlorid gegeben. Das Gemisch wird erhitzt und bei 80° 72 Stdn. gerührt. Die gekühlte Reaktionsmischung wird filtriert und der Filterkuchen 2mal mit 50–100 ml Portionen Eisessig gewaschen. Das Filtrat und die Waschlösung wird vereinigt und 1500 ml Wasser zugegeben. Das Produkt wird 5mal mit je 100 ml Pentan extrahiert. Die vereinigten Pentan-Extrakte werden 2mal mit je 25 ml 10%iger Natriumcarbonat-Lösung und 2mal mit je 25 ml Wasser gewaschen. Die Pentan-Lösung wird über Magnesiumsulfat getrocknet und das Lösungsmittel am Rotationsverdampfer abgezogen; Rohausbeute: 32,5 g. Das Rohprodukt wird i. Vak. destilliert; Ausbeute: 29,3 g (84%); Kp₀,₁: 63–65°; Reinheit nach GC 95%.

---

[1] Ausführliche Übersicht in J. Tsuji, *Organic Synthesis with Palladium Compounds*, Springer Verlag, Berlin · Heidelberg · New York **1980**.
[2] W. Kitching et al., Am. Soc. **88**, 2054 (1966).
[3] T. Matsuda et al., Bl. chem. Soc. Japan **48**, 521 (1975).
[4] W. C. Baird, J. Org. Chem. **31**, 2411 (1966).

Eine intramolekulare aromatische Kern-Acetoxylierung erhält man aus Phenylessigsäure mit Palladiumacetat und Kaliumpersulfat. Es entsteht *2-Oxo-2,3-dihydro-1-benzofuran* (17%)[1]:

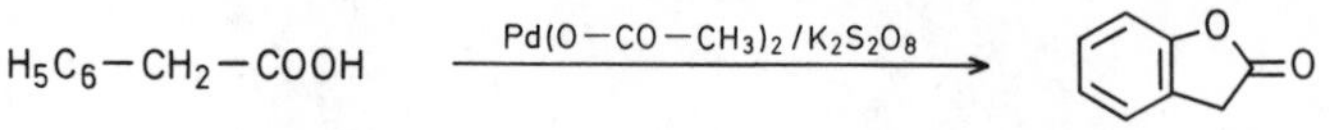

$$H_5C_6-CH_2-COOH \xrightarrow{Pd(O-CO-CH_3)_2 / K_2S_2O_8}$$

Tab. 21: Acetoxylierung von Olefinen (Ac = O–CO–CH₃)

Ausgangsprodukt	Reaktions-bedingungen	Reaktionsprodukt	Ausbeute [%]	Literatur
$H_2C=CH_2$	$PdCl_2/NaOAc$	$H_2C=CH-OAc$		2
	$Pd(OAc)_2$	$H_2C=CH-OAc$		2
	$PdCl_2/AcOH/$ Na_2HPO_4	$H_2C=CH-OAc$		3
	$PdCl_2/AcOH/$ $LiNO_3/O_2$	$HO-CH_2-CH_2-OAc$		4
	$CuCl_2/NaOAc/$ $PdCl_2/AcOH/$ H_2O	$Cl-CH_2-CH_2-OAc$, $HO-CH_2-CH_2-OAc$, $AcO-CH_2-CH_2-O-Ac$		5–7
$H_2C=CH-CH_3$	$Pd(OAc)_2/$ $AcOH$	$H_2C=CH-CH_2-OAc$	90	8
	$Pd(OAc)_2/$ $AcOH$	$H_2C=\underset{\underset{OAc}{\mid}}{C}-CH_3$	99	8, 9
	$PdCl_2/AcONa/$ $AcOH$	$H_3C-CH=CH-OAc$	53	8, 10, 11
$H_2C=C(CH_3)_2$	$AcOH/O_2/$ $100-200°,$ Pd auf Al_2O_3	$H_2C=C\underset{CH_3}{\overset{CH_2-OAc}{<}}$ $H_2C=C\underset{CH_2-OAc}{\overset{CH_2-OAc}{<}}$		12
$H_2C=CH-CH=CH_2$	2 Mol AcOH/Pd(II)	$AcO-CH_2-CH=CH-CH_2-OAc$ + $H_2C=CH-\underset{\underset{AcO}{\mid}}{CH}-CH_2-OAc$		13

[1] T. Fukagawa, Y. Fujiwara u. H. Taniguchi, J. Org. Chem. **47**, 2491 (1982).
[2] I. I. Moiseev, M. N. Vargaftik u. Y. K. Syrkin, Doklady Akad. SSSR **133**, 377 (1960). Weitere Literatur s. J. Tsuji, *Organic Synthesis with Palladium Compounds*, Springer Verlag, Berlin · Heidelberg · New York 1980, s. S. 11.
[3] E. W. Stern u. M. L. Spector, Pr. chem. Soc. **1961**, 370.
[4] M. Tamura, M. Tsutsumi u. A. Yasui, Kogyo Kagaku Zasshi **72**, 585 (1969).
[5] P. M. Henry, J. Org. Chem. **32**, 2575 (1967).
[6] M. Tamura u. A. Yasui, Kogyo Kagaku Zasshi **72**, 568 (1969).
[7] S. Uemura u. K. Ichikawa, Nippon Kagaku Zasshi **88**, 893 (1967).
[8] S. Tab. in J. Tsuji, *Organic Synthesis with Palladium Compounds,* Springer Verlag, Berlin · Heidelberg · New York 1980, S. 18.
[9] W. Kitching et al., Am. Soc. **88**, 2054 (1966).
[10] I. I. Moiseev et al., Izv. Akad. SSSR **1963**, 1527.
[11] I. I. Moiseev et al., Izv. Akad. SSSR **1965**, 2204.
[12] S. Nakamura u. A. Yasui, Synth. Commun. **1**, 137 (1971).
[13] DOS 2424539 ≡ Brit. P. 1138366 (1965), ICI, Erf.: D. A. White; C. A. **70**, 87056 (1969).

Tab. 21 (1. Forts.)

Ausgangsprodukt	Reaktions-bedingungen	Reaktionsprodukt	Ausbeute [%]	Lite-ratur
1,5-Hexadien	Pd(OAc)₂/ AcOH	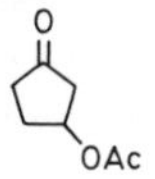	64	1
Diallylether	Pd(OAc)₂/AcOH	H₂C=CH–CH₂–O–CH₂–CH=CH–OAc	*cis* 41 *trans* 43	1
	PdCl₂/NaOAc/ 1,4-Benzochinon	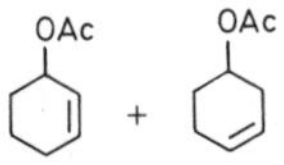	76	2–7
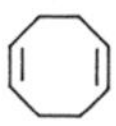	Pd(OAc)₂/hν	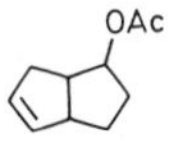	55	8
	PdCl₂/AcOH/ Pb(OAc)₄	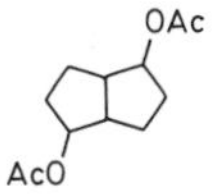	70	9
	PdCl₂/CuCl₂/ AcONa/AcOH	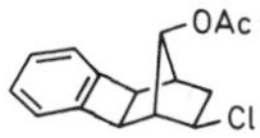	53 47	10, 11
	Pd(OAc)₂/ AcOH	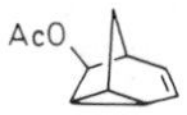		12
	PdCl₂/CuCl₂/ AcONa	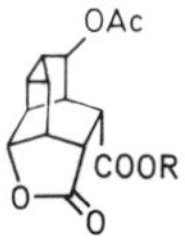	74	13
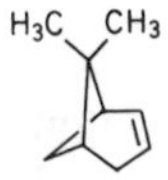	PdCl₂/AcONa	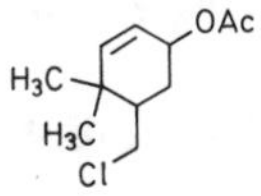	44	14

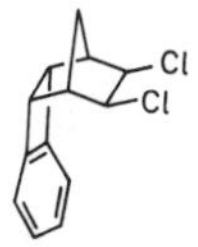

¹ T. Matsuda et al., Bl. chem. Soc. Japan **48**, 521 (1975).
² M. Green, R. N. Haszeldine u. J. Lindley, J. Organometal. Chem. **6**, 107 (1966).
³ C. B. Anderson u. S. Winstein, J. Org. Chem. **28**, 605 (1963).
⁴ S. Wolfe u. P. G. C. Campbell, Am. Soc. **93**, 1497 (1971); 1499 (1971).
⁵ P. M. Henry, Am. Soc. **94**, 7305 (1972).
⁶ T. Matsuda, T. Mitsuyasu u. Y. Nakamura, Kogyo Kagaku Zasshi **72**, 1751 (1969).
⁷ P. M. Henry u. G. A. Ward, Am. Soc. **93**, 1494 (1971).
⁸ C. B. Anderson u. B. J. Burreson, Chem. & Ind. **1967**, 620.
⁹ P. M. Henry et al., Chem. Commun. **1974**, 112.
¹⁰ M. A. Battiste u. J. W. Nebzydoski, Am. Soc. **91**, 6887 (1969).
¹¹ R. Baker, D. E. Halliday u. T. J. Mason, Tetrahedron Letters **1970**, 591.
¹² M. Sakai, Tetrahedron Letters **1973**, 347.
¹³ T. Sasaki, K. Kanematsu u. A. Kondo, Soc. Perkin I, **1976**, 2516.
¹⁴ R. M. Giddings u. D. Whittaker, Tetrahedron Letters **1978**, 4077.

Tab. 21 (2. Forts.)

Ausgangsprodukt	Reaktions-bedingungen	Reaktionsprodukt	Ausbeute [%]	Lite-ratur
$R-CH=CH-CH_2-COOH$	$Li_2PdCl_4/H_2O/$ Na_2CO_3	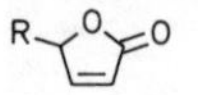 R = H R = CH$_3$	38 32	1
$R-CH=CH-CH_2-CH_2-COOH$	Li_2PdCl_4	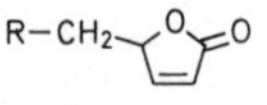 R = H R = CH$_3$	38 30	1
$R^2-CH=CH-\underset{R^1}{C}=CH-COOH$ R^1, R^2: H, CH$_3$, C$_6$H$_5$	$Li_2PdCl_4/H_2O/$ Na_2CO_3	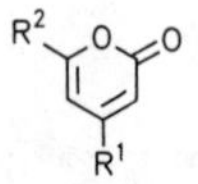	65–75	2
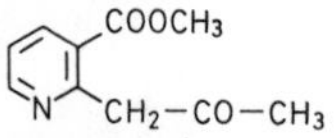	$PdCl_2(H_3C-CN)_2/$ Na_2CO_3/THF	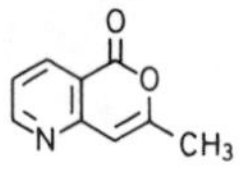	61	3
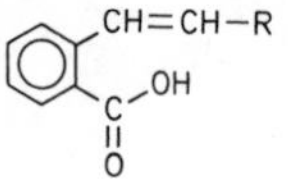	$Li_2PdCl_4/H_2O/$ Na_2CO_3	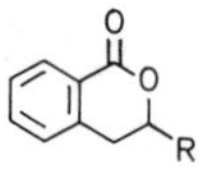 R = H R = C$_6$H$_5$	46 42	1
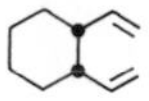	$PdCl_2/CuCl_2/$ HOAc/NaOAc	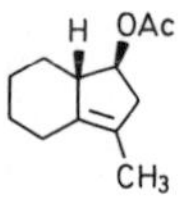	77	4

Ortho-palladierte Benzylamine lassen sich in Essigsäure bei 80° an der Pd–C(Aryl)-Bindung leicht spalten[5]:

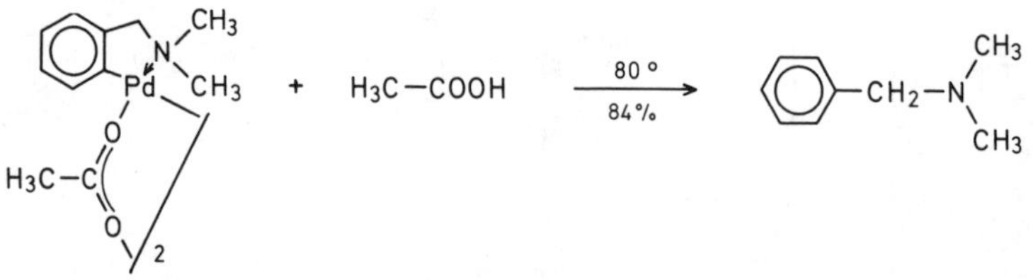

d) mit Carbanionen (C–C-Knüpfung)

Eine wichtige Methode der C–C-Knüpfung sind Spaltungs-Reaktionen von σ-Kohlenstoff-Palladium-Verbindungen mit Carbanionen. Die Spaltung mit Carbanionen (mit Lithium-, Natrium-, Kalium-Salzen, Grignard-Verbindungen sowie mit Organo-zink-Verbindungen) kann an σ-Alkyl-, 1-Alkenyl-, Aryl- sowie Acyl-palladium-Verbindungen (häufig in situ) erfolgen. Folgende Möglichkeiten werden in diesem Abschnitt beschrieben:

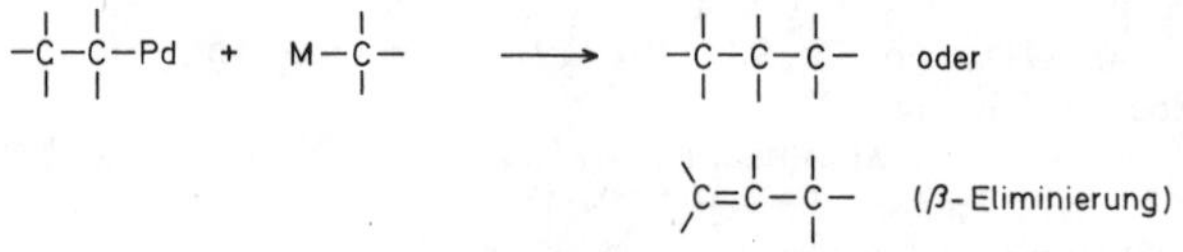

[1] A. KASAHARA et al., Bl. chem. Soc. Japan **50**, 1899 (1977); 7 Beispiele.
[2] T. IZUMI u. A. KASAHARA, Bl. chem. Soc. Japan **48**, 1673 (1975); 6 Beispiele.
[3] D.E. KORTE, L.S. HEGEDUS u. R.K. WIRTH, J. Org. Chem. **42**, 1329 (1977); 7 Beispiele.
[4] A. HEUMANN, M. REGLIER u. B. WAEGELL, Ang. Ch. **91**, 924 (1979).
[5] T. SAKAKIBARA, Y. DOGOMORI u. Y. TSUZUKI, Bl. chem. Soc. Japan **52**, 3592 (1979).

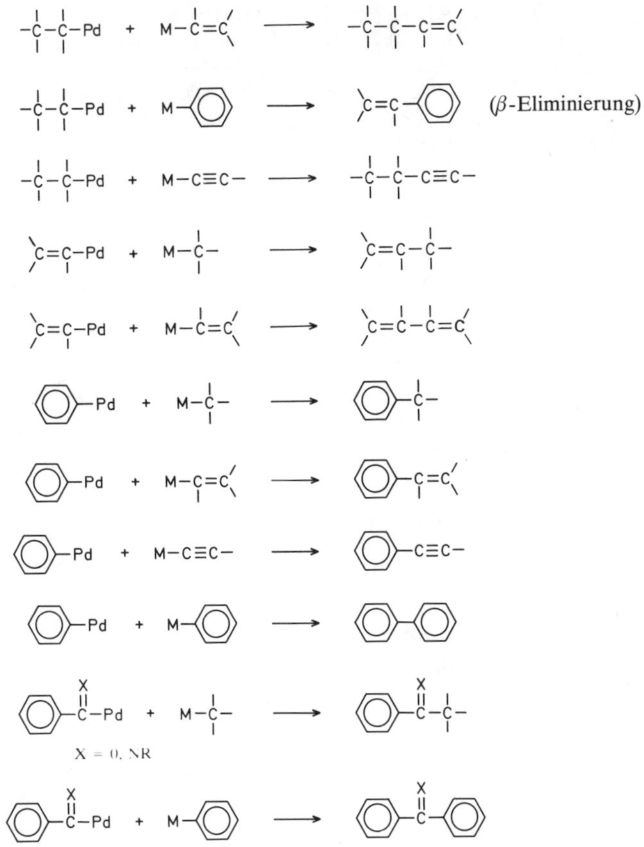

So können beispielsweise Olefine durch Carbopalladierung in die σ-Alkyl-palladium-Verbindungen überführt werden, die dann wie im Fall des 1,5-Cyclooctadiens intermolekular oder intramolekular durch Carbanionen gespalten werden können[1, 2]:

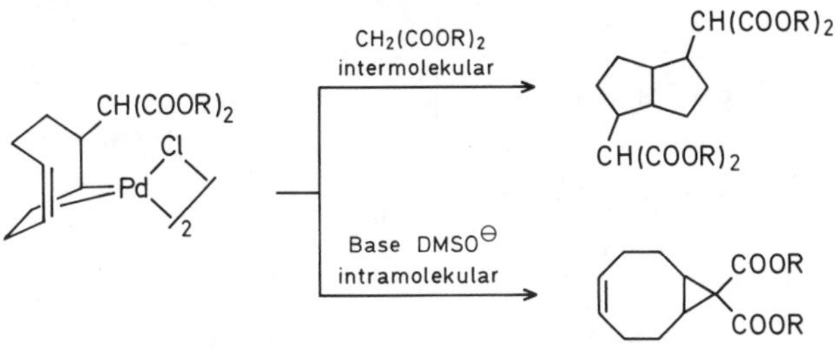

Die Carbopalladierung von Monoolefinen mit Carbanionen von CH-aciden Verbindungen vorzugsweise in Gegenwart von tertiären Aminen führt nach der Palladierung und Alkylierung zu einer Spaltung unter Eliminierung[3, 4] (Beispiele s. Tab. 22, S. 894):

[1] J. Tsuji u. H. Takahashi, Am. Soc. **87**, 3275 (1965).
[2] H. Takahashi u. J. Tsuji, Am. Soc. **90**, 2387 (1968).
[3] T. Hayashi u. L. S. Hegedus, Am. Soc. **99**, 7093 (1977).
[4] G. P. Chiusoli et al., Transition Met. Chem. **5**, 379 (1980).

Tab. 22: Alkylierung von Olefinen in Gegenwart von
PdCl₂(RCN)₂ (R: CH₃, C₆H₅) und Triethylamin

Olefin	Anion	Reaktionsprodukte	Ausbeute [%]	Lite-ratur
$H_2C=CH_2$	$NaC(CH_3)(COOC_2H_5)_2$	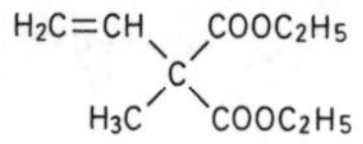 $H_2C=CH$ ... $COOC_2H_5$	92	1
		H_5C_2 ... $COOC_2H_5$ (+)	7	
	$NaC(COOCH_3)_2$ | C_6H_{13}	$H_{13}C_6$ ... $COOCH_3$	87	1
		$H_5C_2-C(CH_3)(C_2H_5)-COOCH_3$	55	2
	$LiC(CH_3)(COOCH_3)$ | C_2H_5	(+) $H_2C=CH-C(CH_3)(C_2H_5)-COOCH_3$	14	
	$LiC(CH_3)(COOCH_3)$ | C_6H_5	H_5C_6 ... $COOCH_3$ (H_3C, C_2H_5)	4	2
		(+) H_5C_6 ... $COOCH_3$ (H_3C, $CH=CH_2$)	85	
$H_2C=CH-CH_3$	$NaCH(COOCH_3)_2$	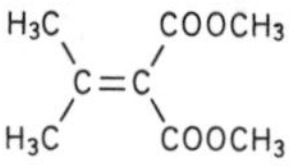 H_3C ... $C=C$ ... $COOCH_3$	58	1
$H_3C-CH=CH-C_6H_5$	$LiCH_2-SO-C_6H_5$	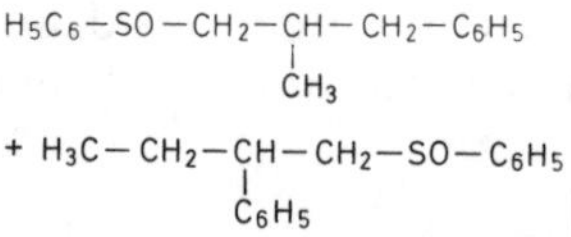 $H_5C_6-SO-CH_2-CH-CH_2-C_6H_5$ | CH_3		3
		(+) $H_3C-CH_2-CH-CH_2-SO-C_6H_5$ | C_6H_5		
$H_2C=CH-NH-CO-CH_3$	$ClMg-CH_2-C_6H_5$	$H_5C_6-CH_2-CH-CH_3$ | $NH-CO-CH_3$	70	4
⬡ (Cyclopenten)	$NaC(CH_3)(COOC_2H_5)_2$	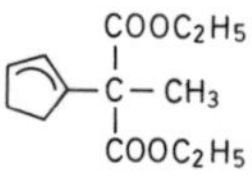 ⬡ $-C(COOC_2H_5)_2-CH_3$	31	1
⬠O (Furan)	$NaCH(COOC_2H_5)_2$	⬠O $-CH(COOC_2H_5)_2$	50–76	5
Dihydropyran-O-CO-CH₃	$NaC(COOCH_3)_2$ | $NH-CO-CH_3$	H_3COOC ... $NH-CO-CH_3$ / $COOCH_3$	83–90	5

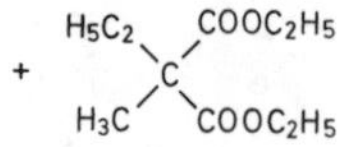

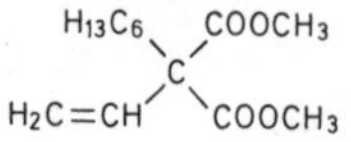

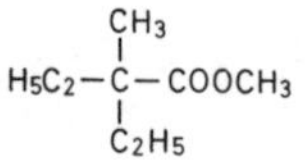

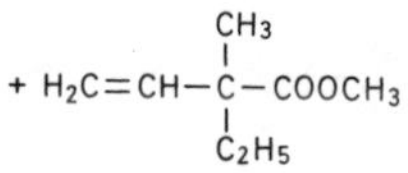

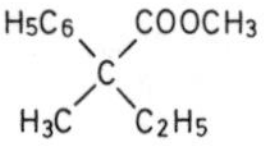

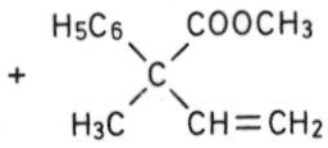

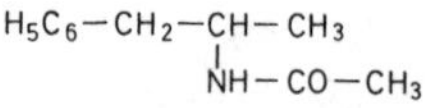

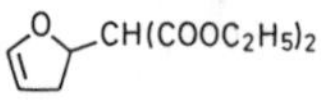

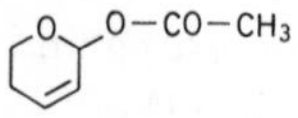

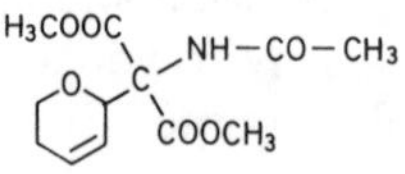

¹ T. Hayashi u. L.S. Hegedus, Am. Soc. 99, 7093 (1977); beschreibt auch Isolierung unter Hydrierung.
² G.P. Chiusoli et al., Transition Met. Chem. 5, 379 (1980); dort zahlreiche Beispiele.
³ A. Solladie-Cavallo et al., Tetrahedron Letters 23, 939 (1982); viele Beispiele.
⁴ L.S. Hegedus u. M.A. Mc Guire, Organometallics 1, 1175 (1982).
⁵ L.V. Dunkerton u. A.J. Serino, J. Org. Chem. 47, 2812 (1982); viele Beispiele.

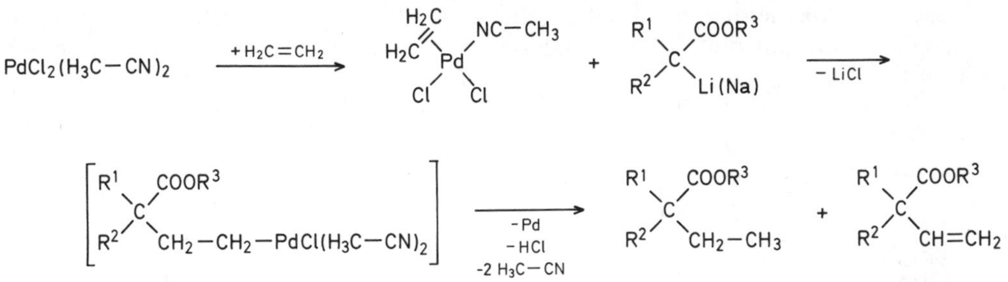

Allgemeine Arbeitsvorschrift für die Alkylierung von Olefinen[1]: Ethen oder Propen wird in eine Suspension von 0,26 g (1 mmol) Bis-[acetonitril]-dichloro-palladium in 10 ml abs. THF unter Stickstoff eingeleitet. Die Lösung wird dann auf −78° gekühlt. 0,28 ml (2 mmol) Triethylamin werden tropfenweise zugefügt, die Mischung wird 20 Min. gerührt und die Lösung, die das Carbanion (4 mmol) in 10 ml THF enthält, wird innerhalb 20 Min. zugefügt. Nach 2 Stdn. Rühren bei −50° läßt man die Reaktionsmischung auf 20° kommen. Nach 24 Stdn. wird auf ~50° erwärmt. Die Reaktionsmischung wird durch Kieselgel filtriert, in 100 ml ges. wäßr. Ammoniumchlorid-Lösung gegeben und mit Diethylether extrahiert. Die vereinigten organ. Schichten werden mit Wasser gewaschen und über wasserfreiem Natriumsulfat getrocknet. Nach Filtrieren und Abdestillieren des Lösungsmittels erhält man ein Öl, das durch präparative GLC gereinigt wird.

Eine Alkylierung in Allyl-Stellung gelingt ausgehend von Essigsäure-allylestern mit Carbanionen von CH-aciden Verbindungen. In Gegenwart von Bis-[1,5-diphenyl-3-oxo-1,4-pentadien]-palladium(0) werden Essigsäure-allylester mit Natrium-malonsäure-diester oder mit Cyclopentadienyl-natrium umgesetzt[2].

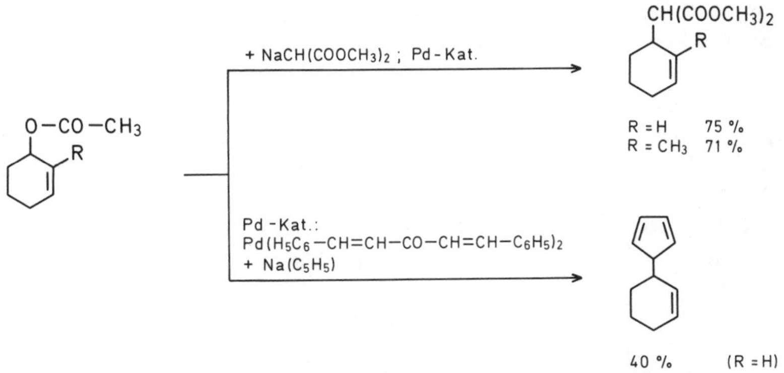

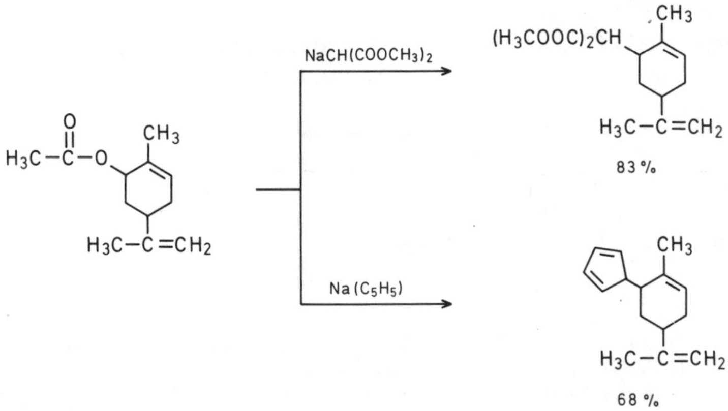

---

[1] G.P. Chiusoli et al., Transition Met. Chem. **5**, 379 (1980).
[2] J.C. Fiaud u. J.L. Malleron, Tetrahedron Letters **1980**, 4437; weitere Beispiele.

Diese Allyl-Alkylierung ist eine allgemeine Methode und gelingt auch mit Tetrakis-[triphenylphosphan]-palladium(0) als Katalysator bei O-Acetyl-endiolen[1] sowie bei optisch aktiven Lactonen[2]:

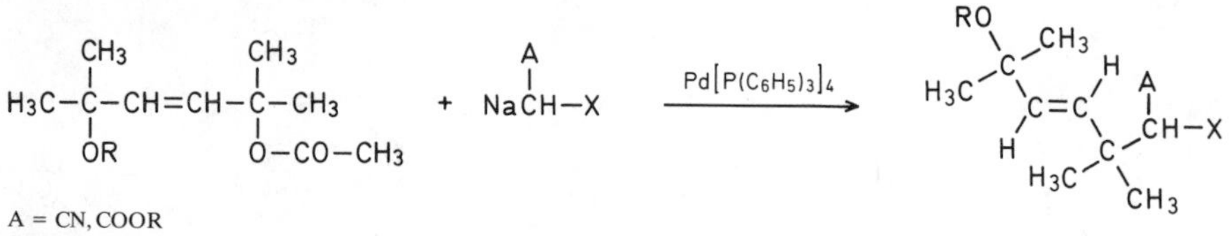

$$H_3C-\underset{\underset{OR}{|}}{\overset{\overset{CH_3}{|}}{C}}-CH=CH-\underset{\underset{O-CO-CH_3}{|}}{\overset{\overset{CH_3}{|}}{C}}-CH_3 \quad + \quad Na\overset{\overset{A}{|}}{C}H-X \xrightarrow{Pd[P(C_6H_5)_3]_4}$$

A = CN, COOR
X = CN; COOR, SO$_2$–C$_6$H$_5$, usw.

R = H, 60–95 %
R = COCH$_3$, 65–90 %

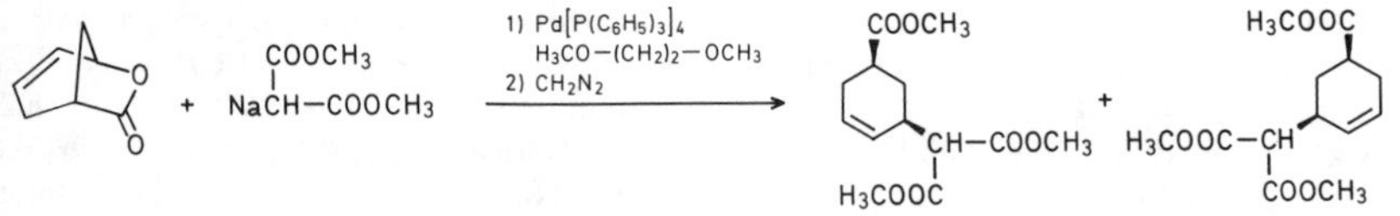

+ Na$\overset{}{C}$H–COOCH$_3$ $\xrightarrow[\text{2) CH}_2\text{N}_2]{\overset{\text{1) Pd[P(C}_6\text{H}_5)_3]_4}{H_3CO-(CH_2)_2-OCH_3}}$

COOCH$_3$ ... CH–COOCH$_3$, H$_3$COOC ... + ... H$_3$COOC–CH, COOCH$_3$

Die Reaktion von Pentan-2,4-dion mit Styrol in Gegenwart von Palladium(II)-chlorid/Kupfer(II)-chlorid (1:50) ergibt die folgenden nucleophilen Substitutionsprodukte in geringer Ausbeute[3]:

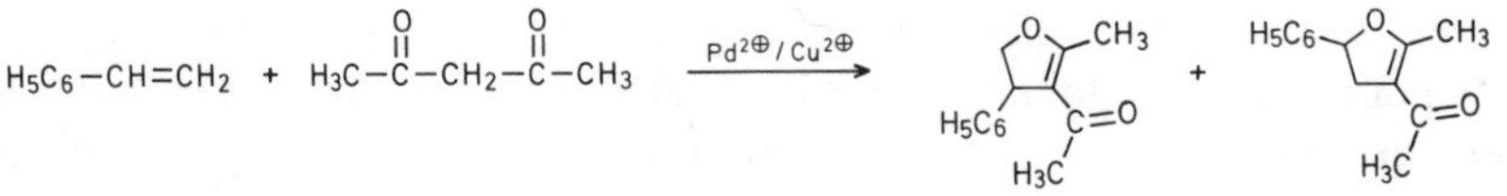

$$H_5C_6-CH=CH_2 \quad + \quad H_3C-\overset{\overset{O}{||}}{C}-CH_2-\overset{\overset{O}{||}}{C}-CH_3 \xrightarrow{Pd^{2\oplus}/Cu^{2\oplus}}$$

Bei der Synthese von 3-Oxo-jonon-Derivaten zur Herstellung von Rhodoxanthin und Zeaxanthin wird ein Oxiran mit Aceton in Gegenwart von Tetrakis-[triphenylphosphan]-palladium kondensiert[4]:

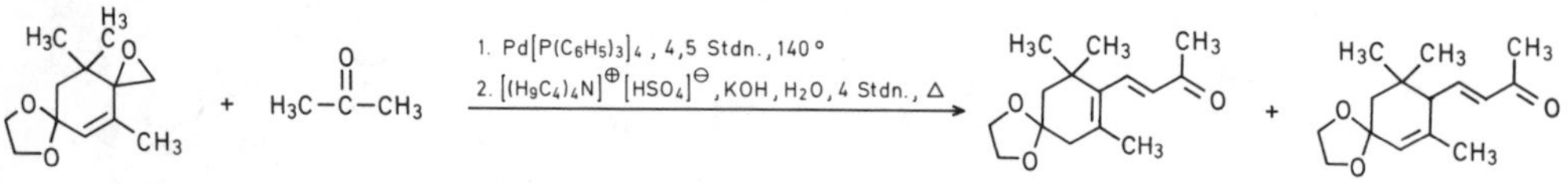

+ H$_3$C–$\overset{\overset{O}{||}}{C}$–CH$_3$ $\xrightarrow[\text{2. [(H}_9\text{C}_4)_4\text{N]}^{\oplus}\text{[HSO}_4]^{\ominus}\text{,KOH,H}_2\text{O,4 Stdn., }\Delta]{\text{1. Pd[P(C}_6\text{H}_5)_3]_4\text{, 4,5 Stdn., 140}°}$

3-Oxo-8-phenoxy-6-octensäure-methyl-ester cyclisiert in Gegenwart von Palladium-acetat und Triphenylphosphan zum *2-Methoxycarbonyl-1-oxo-3-vinyl-cyclopentan*[5]:

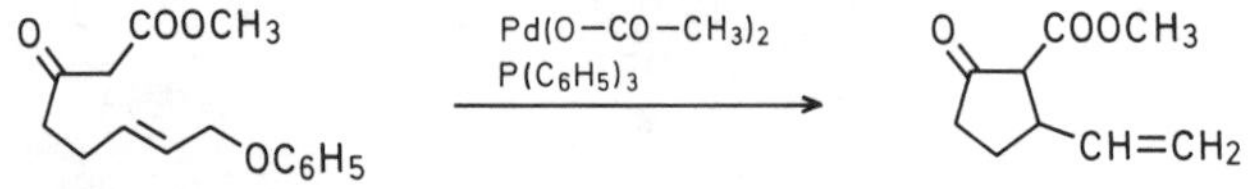

$\xrightarrow[\text{P(C}_6\text{H}_5)_3]{\text{Pd(O–CO–CH}_3)_2}$

Olefine reagieren in Gegenwart von Palladiumacetat und Triphenylphosphan mit Polyhalogen-alkanen unter Bildung von 1:1-Addukten (58–90%)[6]:

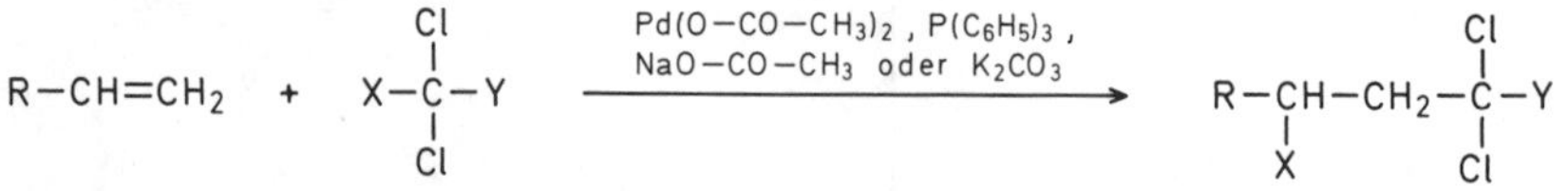

$$R-CH=CH_2 \quad + \quad X-\underset{\underset{Cl}{|}}{\overset{\overset{Cl}{|}}{C}}-Y \xrightarrow[\text{NaO–CO–CH}_3 \text{ oder K}_2\text{CO}_3]{\text{Pd(O–CO–CH}_3)_2\text{, P(C}_6\text{H}_5)_3,} R-\underset{\underset{X}{|}}{C}H-CH_2-\underset{\underset{Cl}{|}}{\overset{\overset{Cl}{|}}{C}}-Y$$

R = C$_8$H$_{17}$, –(CH$_2$)$_8$–COOCH$_3$, CH$_2$–O–CO–CH$_3$
X, Y = Br, Cl, COOCH$_3$

[1] J.P. GENET et al., J. Org. Chem. **46**, 2414 (1981); Tetrahedron Letters **23**, 331 (1982); viele Beispiele.
[2] B.M. TROST u. N.R. SCHMUFF, Tetrahedron Letters **1981**, 2999.
[3] S. UEMURA u. K. ICHIKAWA, Bl. chem. Soc. Japan **40**, 1016 (1967).
[4] E. WIDMER et al., Helv. **65**, 944 (1982).
[5] Y. KOBAYASHI u. J. TSUJI, Tetrahedron Letters **22**, 4295 (1981).
[6] J. TSUJI, K. SATO u. H. NAGASHIMA, Chem. Lett. **1981**, 1169.

Analog reagieren Tetrahalogenmethane mit Allylalkoholen zu γ-Trichlorketonen (39–87%)[1]:

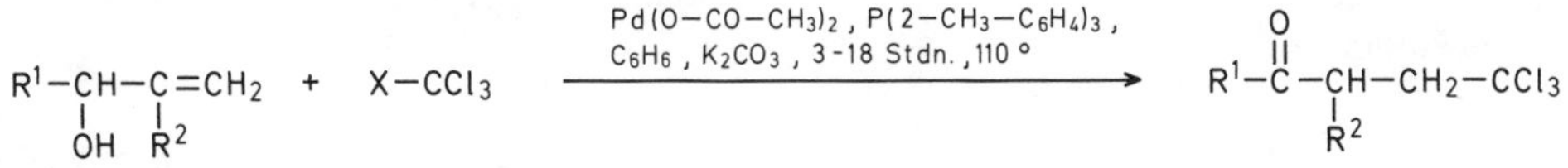

$$R^1-CH-C=CH_2 + X-CCl_3 \xrightarrow[\substack{C_6H_6 , K_2CO_3 , 3-18\ Stdn. , 110\ °}]{Pd(O-CO-CH_3)_2 , P(2-CH_3-C_6H_4)_3 ,}} R^1-\overset{O}{\overset{\|}{C}}-CH-CH_2-CCl_3$$

X: Cl, Br
R¹ = Alkyl, Aryl
R² = H, CH₃

Während die direkte Alkylierung von Olefinen mit Grignard-Reagenzien in Gegenwart von Palladiumchlorid nicht gelingt (Ausbeuten: $<5\%$)[2], erhält man aus Styrol mit Phenyl-magnesiumbromid unter Insertion von Alken und β-Eliminierung *1,2-Diphenyl-ethen*[3]:

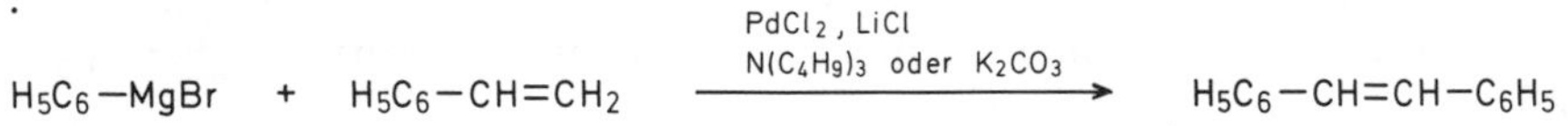

$$H_5C_6-MgBr + H_5C_6-CH=CH_2 \xrightarrow[N(C_4H_9)_3\ oder\ K_2CO_3]{PdCl_2 , LiCl} H_5C_6-CH=CH-C_6H_5$$

Aus Phenyl-lithium und 1-Hexen in Gegenwart von Dichloro-bis-[acetonitril]-palladium entsteht *1-Phenyl-hexan*[4]:

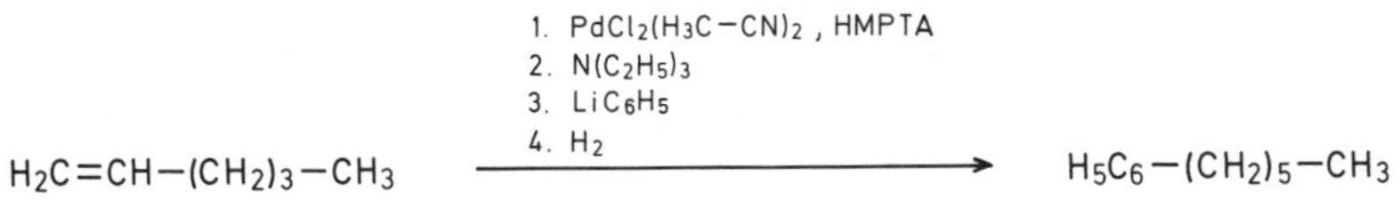

$$H_2C=CH-(CH_2)_3-CH_3 \xrightarrow[\substack{4.\ H_2}]{\substack{1.\ PdCl_2(H_3C-CN)_2 , HMPTA \\ 2.\ N(C_2H_5)_3 \\ 3.\ LiC_6H_5}} H_5C_6-(CH_2)_5-CH_3$$

Methyl-lithium liefert in Gegenwart von Bis-[2,4-pentandionato]-palladium *1-Phenyl-propen* (90%)[5]. Natrium-malonsäure-diethylester greift am α-ständigen C-Atom des Styrols an (18%)[5].

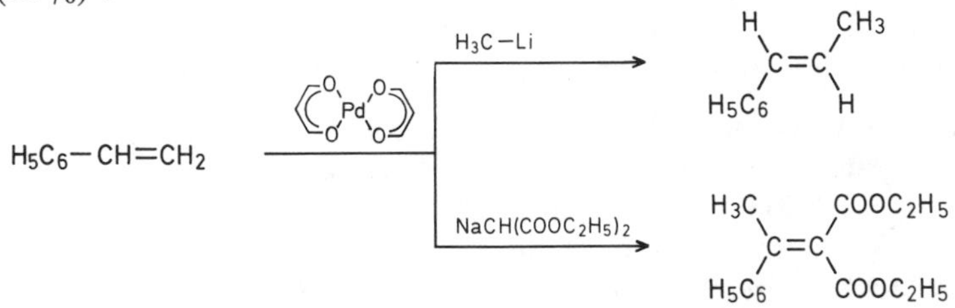

Auch isolierte Alkyl-palladium-Verbindungen lassen sich mit Carbanionen spalten. So erhält man aus Benzyl-chloro-bis-[triphenylphosphan]-palladium mit Methyl-lithium unter anderem *Ethyl-benzol*[6].

Die Umsetzung von Bromo-methyl-bis-[triphenylphosphan]-palladium mit Benzyl-magnesiumbromid ergibt als Hauptprodukt ebenfalls Ethylbenzol (52%)[6].

Alkyl-palladium-Verbindungen lassen sich auch mit 1-Alkenyl-lithiumcupraten unter sp^3-C – sp^2-C –Knüpfung spalten[7]:

---

[1] H. Nagashima, K. Sato u. J. Tsuji, Chem. Letters **1981**, 1605.
[2] H. Okada u. H. Hashimoto, Kogyo Kagaku Zasshi **70**, 2152 (1967).
[3] N. Luong-Thi u. H. Riviere, Chem. Commun. **1978**, 918.
[4] L.S. Hegedus u. M.Mc Guire, Organometallics **1**, 1175 (1982).
[5] S.I. Murahashi, M. Yamamura u. N. Mita, J. Org. Chem. **42**, 2870 (1977).
[6] D. Milstein u. J.K. Stille, Am. Soc. **101**, 4981 (1979).
[7] R.C. Larock, J.P. Burkhart u. K. Oertle, Tetrahedron Letters **23**, 1071 (1982).

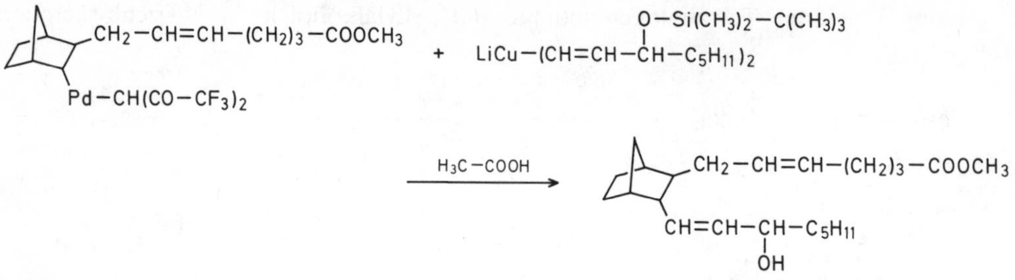

Die aus Vinylhalogeniden und Tetrakis-[triphenylphosphan]-palladium(0) leicht zugänglichen Halogeno-bis-[triphenylphosphan]-vinyl-palladium-Verbindungen werden in teilweise sehr guter Ausbeute unter vollständiger Retention der Konfiguration mit Organo-lithium oder -magnesiumhalogeniden alkyliert, alkenyliert bzw. aryliert[1] (s. Tab. 23, S. 899):

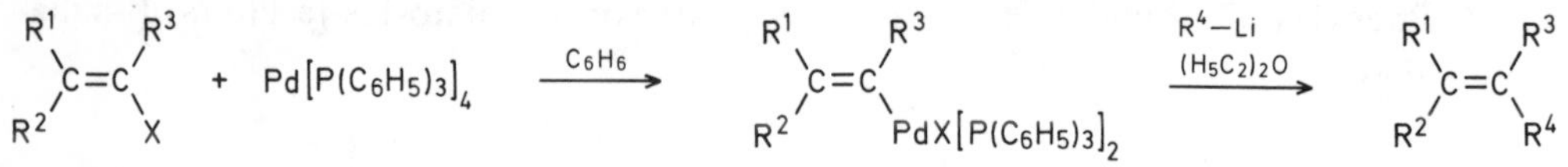

in situ,
nicht isoliert

(E)-Propenyl-benzol[1]: Zu 1,154 g (1 mmol) Tetrakis-[triphenylphosphan]-palladium in einem 50-*ml*-Kolben wird eine Lösung von 1 mmol (*E*)-*ω*-Brom-styrol in 10 *ml* Benzol unter Argon zugefügt. Die Mischung wird bei 20° 2 Stdn. gerührt. Die Farbe der Suspension wechselt von grüngelb nach weißgelb. Zu der Mischung wird eine Lösung von 1 mmol Methyl-lithium in 5 *ml* abs. Ether innerhalb 10 Min. gegeben. Nach weiteren 50 Min. Rühren wird der gesamte Niederschlag abfiltriert und mit 20 *ml* Ether gewaschen. Die ether. Lösung wird mit Wasser gewaschen, getrocknet und destilliert; Ausbeute: 0,10 g (85%).

Die gaschromatographische Analyse ergibt eine Isomeren-Reinheit von 100% (kein Z-Isomer).

Die Reaktion läßt sich bei Alkyl-Grignard-Verbindungen mit katalytischen Mengen Palladium-Katalysator durchführen. Die Kopplung von 2-Phenyl-vinyl- und Methyl-Gruppen durch Reaktion der *(E)*- und *(Z)*-(2-Phenyl-vinyl)-bromo-bis-[tert.-phosphan]-palladium-Verbindungen mit Methyl-lithium in Benzol bei 20° erfolgt in hoher Ausbeute (über 98%) unter Bildung von *(E)*- und *(Z)-Propenyl-benzol*[2]:

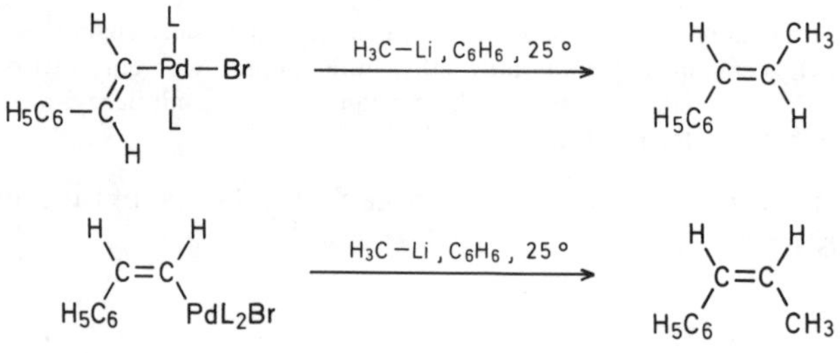

L = P(C₆H₅)₃, P(C₆H₅)₂(CH₃)

Werden die Reaktionen bei −78° in THF durchgeführt, so erhält man die jeweiligen *cis*- und *trans*-Verbindungen, die bei Temperaturanstieg die obigen Propenylbenzole ergeben; z.B.[2]:

[1] M. Yamamura, I. Moritani u. S.I. Murahashi, J. Organometal. Chem. **91**, C39 (1975).
[2] M.K. Loar u. J.K. Stille, Am. Soc. **103**, 4174 (1981).

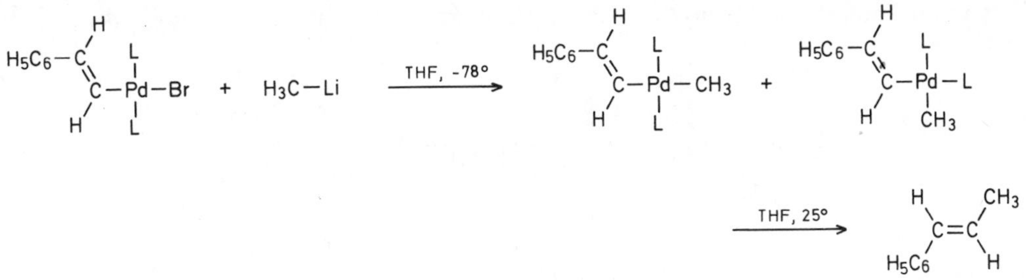

$$H_5C_6-\overset{\overset{\displaystyle H}{|}}{C}=\underset{\underset{\displaystyle H}{|}}{C}\overset{\overset{\displaystyle L}{|}}{\underset{\underset{\displaystyle L}{|}}{Pd}}-Br \;+\; H_3C-Li \xrightarrow{\text{THF, }-78°} H_5C_6-\overset{\overset{\displaystyle H}{|}}{C}=\underset{\underset{\displaystyle H}{|}}{C}\overset{\overset{\displaystyle L}{|}}{\underset{\underset{\displaystyle L}{|}}{Pd}}-CH_3 \;+\; H_5C_6-\overset{\overset{\displaystyle H}{|}}{C}=\underset{\underset{\displaystyle H}{|}}{C}\overset{\overset{\displaystyle L}{|}}{\underset{\underset{\displaystyle CH_3}{|}}{Pd}}-L$$

$$\xrightarrow{\text{THF, 25°}} \quad \underset{H_5C_6}{\overset{H}{}}C=C\overset{CH_3}{\underset{H}{}}$$

Tab. 23: Alkylierung, Alkenylierung, Arylierung von Vinylhalogeniden über Vinyl-palladium-Verbindungen

Vinylhalogenid	Organo-metall-Verbindung	Reaktionsprodukt	Ausbeute [%]	Literatur
$H_2C=CH-Br$	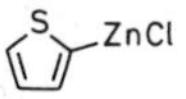 thiophenyl–ZnCl	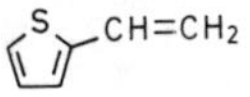 thiophenyl–CH=CH$_2$		1
$H_2C=CH-Br$	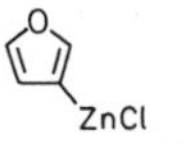 furyl–ZnCl	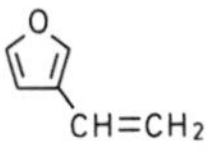 furyl–CH=CH$_2$	85	1
$H_3C-CH=CH-Br$	JZn–C$_3$F$_7$	$H_3C-CH=CH-C_3F_7$		2
$(H_3C)_3C-CH=CH-J$	ClMg–CH=C=C(CH$_3$)$_2$	$(H_3C)_3C-CH=CH-CH=C=C(CH_3)_2$	98	3
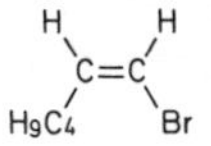 vinyl (H$_9$C$_4$, H / Br)	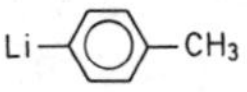 Li–C$_6$H$_4$–CH$_3$	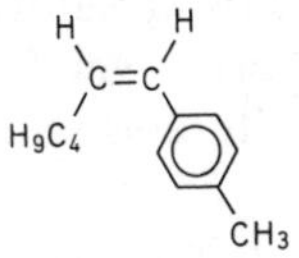 vinyl-aryl product (H$_9$C$_4$)	81	4
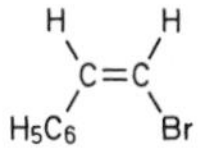 vinyl (H$_5$C$_6$, H / Br)	Li–CH$_3$	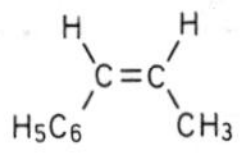 vinyl product (H$_5$C$_6$, CH$_3$)	88	4
	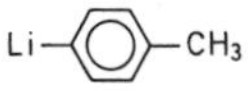 Li–C$_6$H$_4$–CH$_3$	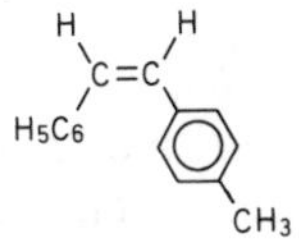 vinyl-aryl product (H$_5$C$_6$)	98	4
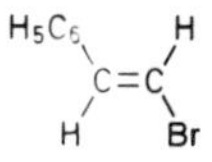 vinyl (H$_5$C$_6$, H / H / Br)	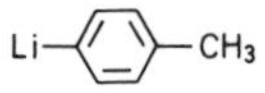 Li–C$_6$H$_4$–CH$_3$	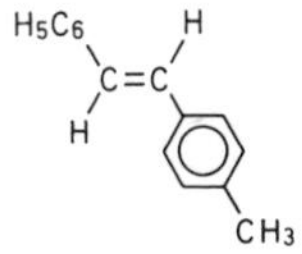 vinyl-aryl product	98	4
	JMg–CH$_3$	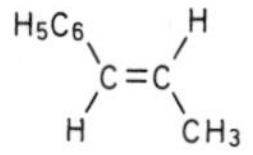 vinyl product (H$_5$C$_6$, CH$_3$)	99	4
	BrMg–CH=CH$_2$	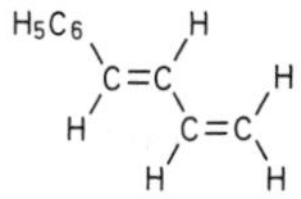 diene product	91	4

[1] E. Negishi et al., Heterocycles **18**, 117 (1982).
[2] T. Kitazume u. N. Ishikawa, Chem. Letters **1982**, 137; viele Beispiele.
[3] K. Ruitenberg et al., J. Organometal. Chem. **224**, 399 (1982); viele Beispiele.
[4] M. Yamamura, I. Moritani u. S.I. Murahashi, J. Organometal. Chem. **91**, C 39 (1975).

Cyclopalladierte 1-Alkenyl-palladium-Verbindungen lassen sich analog alkylieren[1]; z.B.:

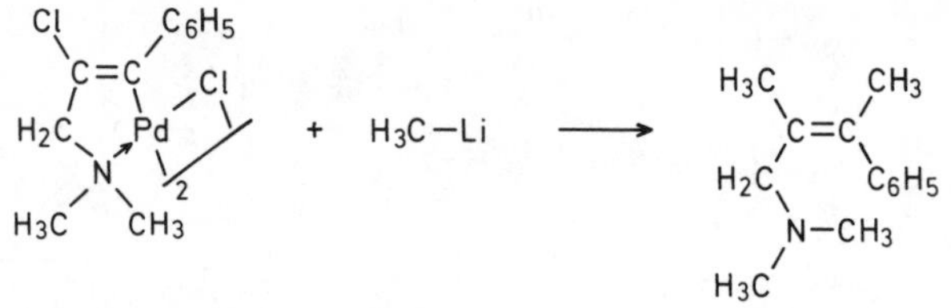

Auch Alkylierungen von Diphenylacetylen sind bekannt. Bei der Reaktion von Bis-[benzonitril]-dichloro-palladium oder Dichloro-(norbornadien)-palladium mit Methyl-lithium oder Methyl-magnesiumbromid entsteht ein sehr reaktives Alkylierungsreagens, das Diphenylacetylen zu *2,3-Diphenyl-2-buten* (65%) und *1,2-Diphenyl-1-propen* methyliert[2]:

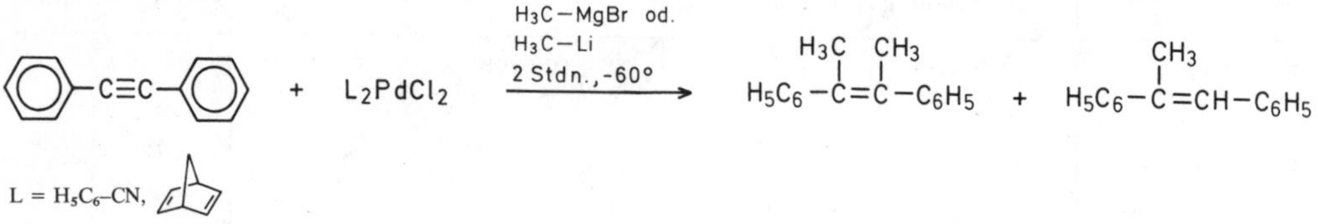

Reaktionen zwischen disubstituierten Alkinen und reduzierenden Organo-magnesium-halogeniden werden durch Palladiumchlorid in Gegenwart von HMPTA, das sowohl schwache Liganden- als auch Lösungsmitteleigenschaften besitzt, katalysiert. Neben den durch Reduktion bzw. Dialkylierung gebildeten Alkenen werden konjugierte Diene erhalten (meistens in Form reiner Stereoisomeren)[3]:

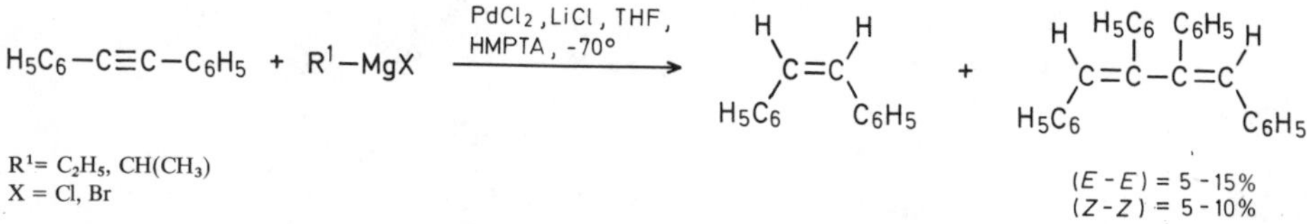

$R^1 = C_2H_5, CH(CH_3)$
X = Cl, Br

Ortho-palladierte Donor-substituierte Arene lassen sich ebenfalls durch Carbanionen spalten. Dabei entstehen die entsprechenden Alkyl-aryl- oder Aryl-aryl-Kupplungsprodukte, z.B.:

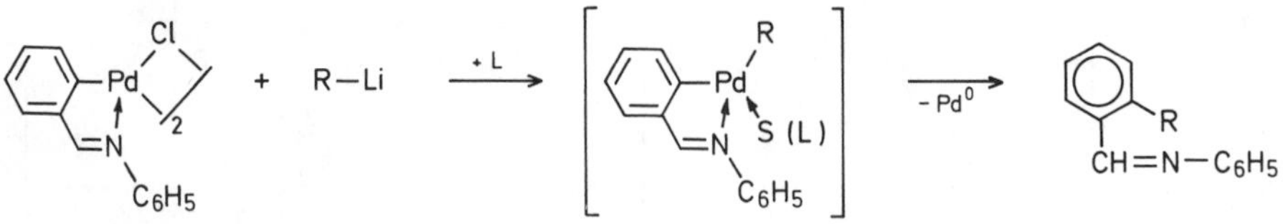

S = Solvens
L = $P(C_6H_5)_3$

In Gegenwart von Triphenylphosphan wird bei langkettigen Alkanen die β-Eliminierung zurückgedrängt. Tab. 24 (S. 901) gibt eine Übersicht über derartige Reaktionen.

---

[1] S. I. Murahashi et al., J. Org. Chem. **43**, 4099 (1978).
[2] N. Garty u. M. Michman, J. Organometal. Chem. **36**, 391 (1972).
[3] C. Broquet u. H. Riviere, J. Organometal. Chem. **226**, 1 (1982).

Tab. 24: Alkylierung bzw. Arylierung von ortho-palladierten Aryl-palladium-Verbindungen

Aryl-palladium-Verbindung	Organo-metall-Verbindung	Reaktionsprodukt	Ausbeute [%]	Literatur
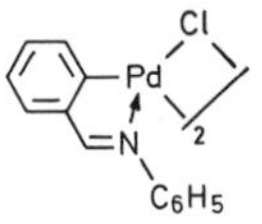 (Struktur: ortho-palladierte Aryl-Pd-Verbindung mit Cl, Pd, =N−C$_6$H$_5$, Index 2)	LiCH$_3$	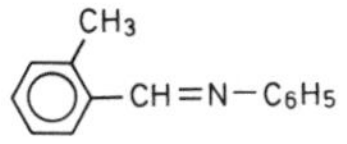 (Produkt: Benzolring mit CH$_3$ und −CH=N−C$_6$H$_5$)	76	[1,2]
	LiC$_4$H$_9$	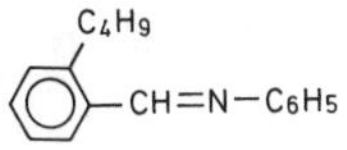 (Produkt: Benzolring mit C$_4$H$_9$ und −CH=N−C$_6$H$_5$)	5	[1,2]
		+ H$_5$C$_6$−CH=N−C$_6$H$_5$	91	[1,2]
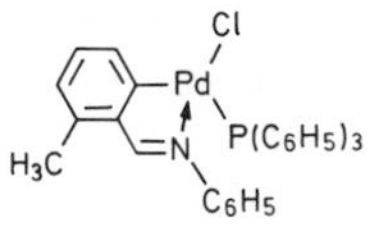 (Struktur mit H$_3$C, Cl, Pd, =N, P(C$_6$H$_5$)$_3$, C$_6$H$_5$)	LiCH$_3$ JMgCH$_3$	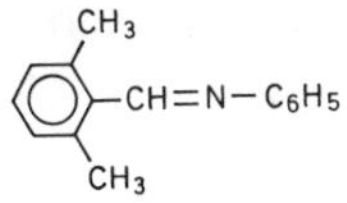 (Produkt: Benzolring mit CH$_3$, −CH=N−C$_6$H$_5$, CH$_3$)	86 70	[1,2] [1,2]
	LiCH(CH$_3$)$_2$	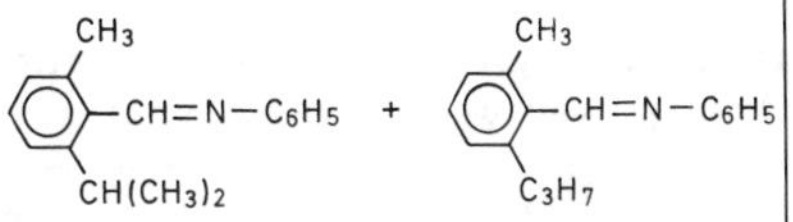 (Produkt: Benzolring mit CH$_3$, −CH=N−C$_6$H$_5$, CH(CH$_3$)$_2$) + (Benzolring mit CH$_3$, −CH=N−C$_6$H$_5$, C$_3$H$_7$)		[2,3]
	H$_5$C$_6$−Li	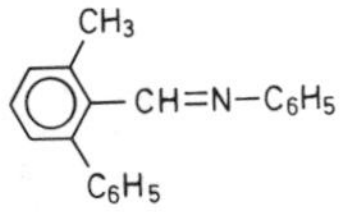 (Produkt: Benzolring mit CH$_3$, −CH=N−C$_6$H$_5$, C$_6$H$_5$)	60	[1,2]
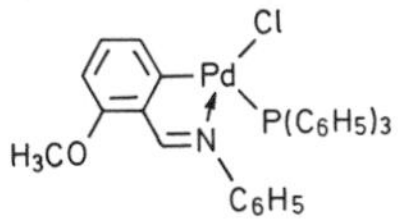 (Struktur mit H$_3$CO, Cl, Pd, =N, P(C$_6$H$_5$)$_3$, C$_6$H$_5$)	LiCH$_3$	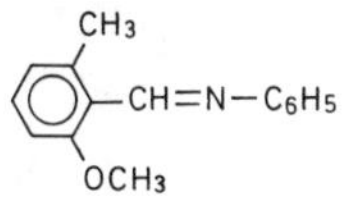 (Produkt: Benzolring mit CH$_3$, −CH=N−C$_6$H$_5$, OCH$_3$)	85	[1,2]
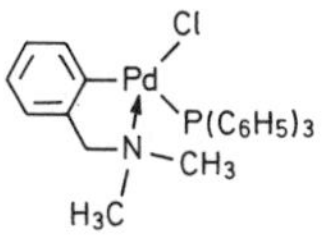 (Struktur mit Cl, Pd, P(C$_6$H$_5$)$_3$, N−CH$_3$, H$_3$C)	LiCH$_3$	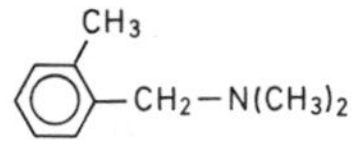 (Produkt: Benzolring mit CH$_3$, −CH$_2$−N(CH$_3$)$_2$)	99	[1,2]
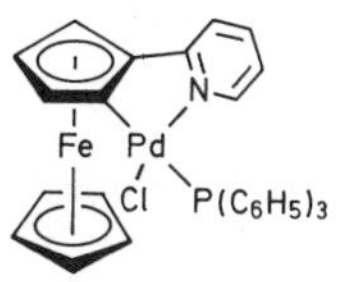 (Ferrocen-Pyridin-Pd-Struktur mit Fe, Pd, N, Cl, P(C$_6$H$_5$)$_3$)	LiC$_4$H$_9$	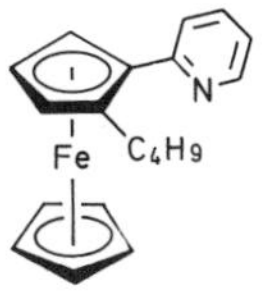 (Produkt: Ferrocen-Pyridin mit Fe, N, C$_4$H$_9$)	34	[4]

Kupplungsreaktionen von Aryl-palladium-Verbindungen sind auch bei nicht ortho-palladierten Produkten mit Carbanionen möglich, als Nebenprodukt entsteht dabei häufig Biphenyl:

$$RM \ + \ H_5C_6−PdJL_2 \ \xrightarrow[\substack{-Pd^0 \\ -MJ \\ -L}]{} \ H_5C_6−R \ + \ H_5C_6−C_6H_5$$

M = MgX, ZnX, Li
X = Halogen

[1] S. I. MURAHASHI, I. MORITANI et al., Tetrahedron Letters 1974, 3749.
[2] S. I. MURAHASHI et al., J. Org. Chem. 43, 4099 (1978).
[3] M. YAMAMURA, I. MORITANI u. S. I. MURAHASHI, Chem. Letters 1974, 1423.
[4] A. KASAHARA, T. IZUMI u. M. MAEMURA, Bl. chem. Soc. Japan 50, 1878 (1977).

Reaktionen dieses Typs sind in Tab. 25 zusammengestellt. 1-Methyl-2-pyrrolyl-magnesiumbromid bzw. -zinkchlorid reagieren in Gegenwart von Palladiumphosphan-Katalysatoren mit Halogen-arenen zu 2-Aryl-1-methyl-pyrrol[1]:

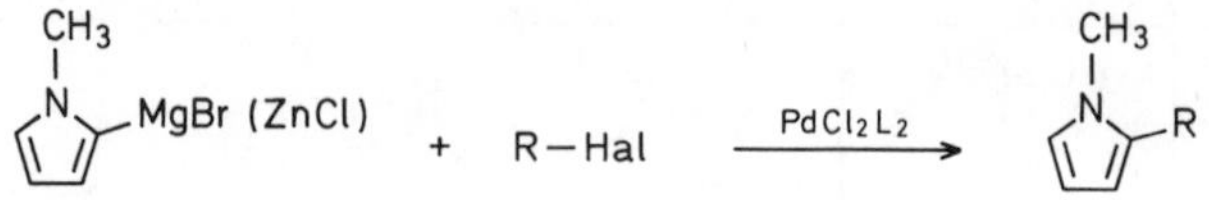

L = tert.-Phosphan
R = C_6H_5 (87%); 3-Thienyl (73%); 2-Pyridyl (75%)

Aromatische und heterocyclische Dihalogen-Verbindungen setzen sich mit Alkyl- und Aryl-Grignard-Verbindungen oder den entsprechenden Zink-Verbindungen in Diethylether oder Tetrahydrofuran unter Katalyse durch Palladium-Komplexe zu Monosubstitutionsprodukten um. Die disubstituierten Verbindungen entstehen nur in geringen Ausbeuten[2].

Tab. 25: Alkylierung, Benzylierung, Alkenylierung, Alkinylierung und Arylierung von Aryl-palladium-Verbindungen (auch in situ hergestellt)

Aryl-palladium-Verbindung	Organo-metall-Verbindung	Reaktionsprodukt	Ausbeute [%]	Literatur
H_5C_6–PdJ[P(C_6H_5)$_3$]$_2$	$BrMgCH_3$	H_5C_6–CH_3	62	3
	$LiCH_3$	H_5C_6–CH_3	81	3
	$BrMgC_6H_5$	H_5C_6–C_6H_5	70	3
	$BrMg$–CH_2–C_6H_5	$(H_5C_6)_2CH_2$	76	3
	$BrMg$–$CH=CH_2$	H_5C_6–$CH=CH_2$	66	3
	$BrMg$–$C{\equiv}C$–C_6H_5	H_5C_6–$C{\equiv}C$–C_6H_5	53	3
	JZn–CF_3	H_5C_6–CF_3	87	4
	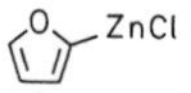	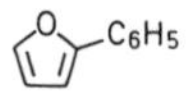	89	5
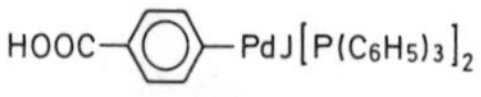	$BrZn$–CH_2–$COOC_2H_5$	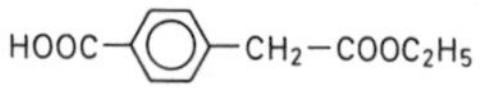	85	6
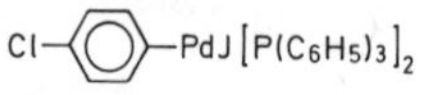	$(H_3C)_2C=C=CH$–MgCl (Cu, Ag, ZnCl)	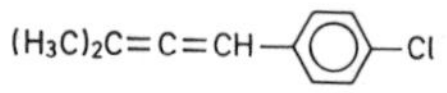	bis 98	7
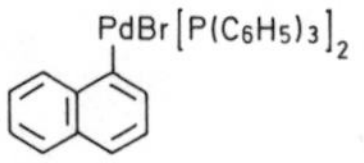	$LiCH_3$	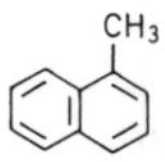	90	8
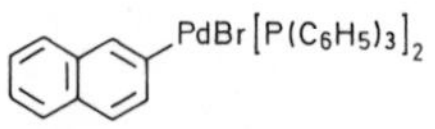	$LiCH_3$	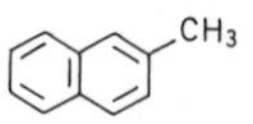	88	8
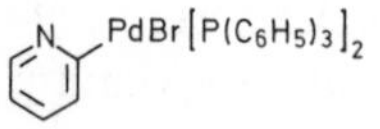	$ClZn$–C_6H_5	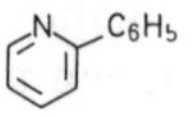	79	5

[1] M. Kumada et al., Tetrahedron Letters 22, 5319 (1981).
[2] M. Kumada et al., Tetrahedron Letters 1980, 845.
[3] J.F. Fauvarque u. A. Jutand, Bl. 1976, 765.
[4] T. Kitazume u. N. Ishikawa, Chem. Letters 1982, 137.
[5] E. Negishi et al., Heterocycles 18, 117 (1982).
[6] J.F. Fauvarque u. A. Jutand, J. Organomet. Chem. 132, C 17 (1977); Reformatsky-Reagens.
[7] K. Ruitenberg et al., J. Organomet. Chem. 224, 399 (1982).
[8] S.I. Murahashi et al., J. Org. Chem. 43, 4099 (1978).

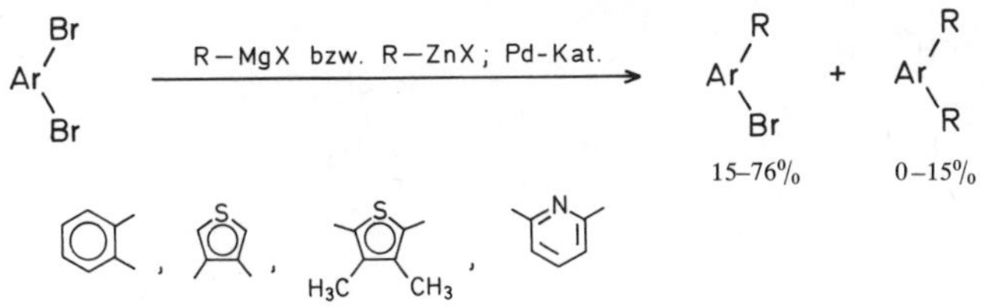

R = CH$_3$, C$_4$H$_9$, H$_5$C$_6$–CH$_2$, C$_6$H$_5$

Pd-Katalysator = Pd[P(C$_6$H$_5$)$_3$]$_4$, PdCl$_2$[(H$_5$C$_6$)$_2$P–(CH$_2$)$_4$–P(C$_6$H$_5$)$_2$]

Acyl-palladium-Verbindungen werden durch Alkyl- oder Aryl-lithium an der Pd–C Sigma-Bindung unter Keton-Bildung gespalten[1]:

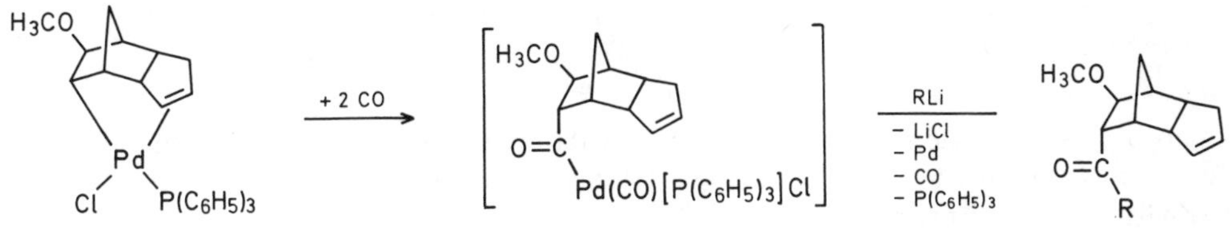

Iminoacyl-palladium-Verbindungen lassen sich an der Iminoacyl-Pd-Bindung mit Methyl-lithium oder -magnesiumjodid spalten[2]:

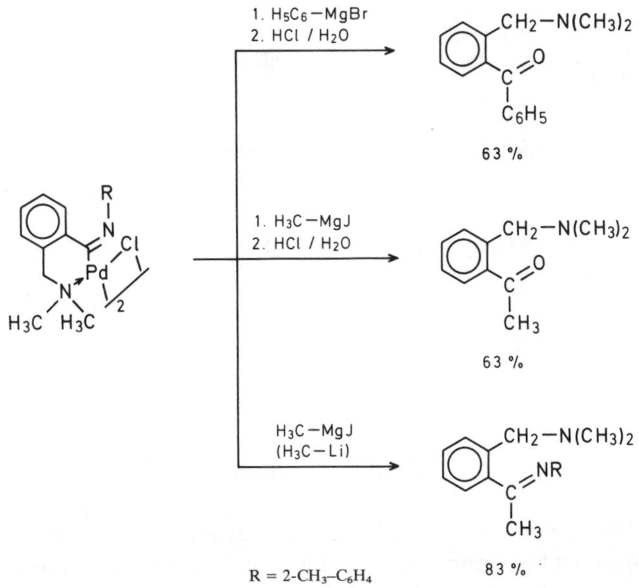

R = 2-CH$_3$–C$_6$H$_4$

Die Spaltung von Alkyl-palladium-Verbindungen gelingt auch mit Acetylid-Anionen unter sp^3–C + sp–C–Knüpfung; z.B.[3]:

---

[1] G. CARTURAN et al., Soc. [Dalton] **1972**, 262.

[2] Y. YAMAMOTO u. H. YAMAZAKI, Inorg. Chim. Acta **41**, 229 (1980).

[3] R. C. LAROCK, J. P. BURKHART u. K. OERTLE, Tetrahedron Letters **23**, 1071 (1982).

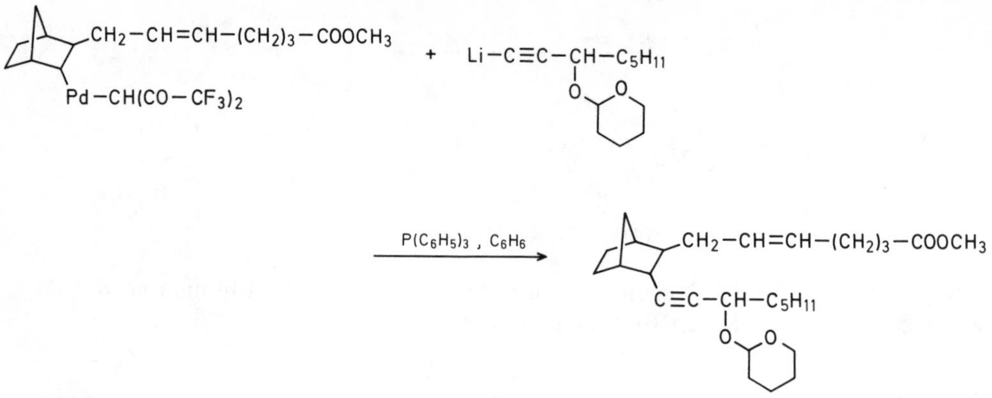

$$\text{CH}_2-\text{CH}=\text{CH}-(\text{CH}_2)_3-\text{COOCH}_3 \quad + \quad \text{Li}-\text{C}\equiv\text{C}-\text{CH}-\text{C}_5\text{H}_{11}$$

$$\xrightarrow{\ P(C_6H_5)_3\,,\ C_6H_6\ }$$

48–76%

Das Jod-Atom in den B-Jod-carboranen wird durch Trimethylsilylmethyl-magnesium-chlorid in Gegenwart von Dichloro-bis-[triphenylphosphan]-palladium gegen den Tri-methylsilylmethyl-Rest ausgetauscht[1]:

$$\text{o-, m-HCB}_{10}\text{H}_9(9\text{-J})\text{CH} \quad + \quad (\text{H}_3\text{C})_3\text{Si}-\text{CH}_2-\text{MgCl} \quad \longrightarrow \quad \text{o-, m-HCB}_{10}\text{H}_9\left[9\text{-CH}_2-\text{Si}(\text{CH}_3)_3\right]\text{CH}$$

o–;83%
m–;71%

Die Kupplung von Heteroaryl-zink-Verbindungen mit 1-Brom-1-alkinen gelingt in Gegenwart von Tetrakis-[triphenylphosphan]-palladium[2]; z.B.:

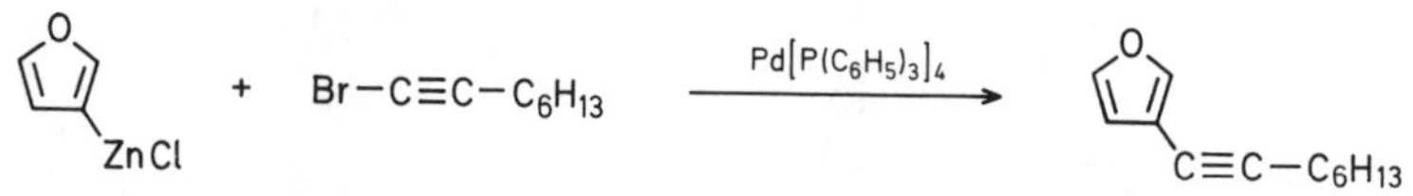

Man kann auch von 1-Alkinyl-zinkchlorid und dem Halogenheteroaren ausgehen[2]:

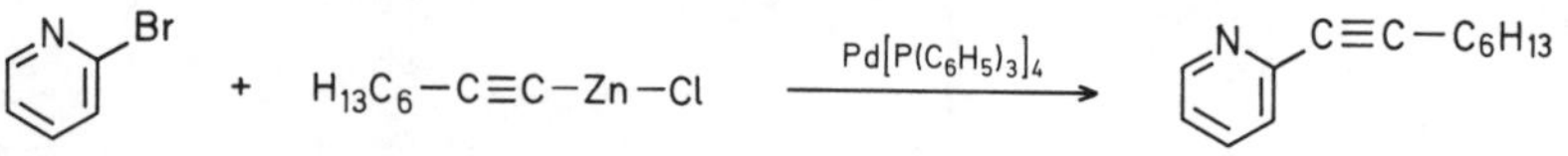

e) mit Aminen

Die direkte Synthese von Enaminen durch Aminierung von Olefinen in Gegenwart von Palladium(II)-Salzen ist bisher noch nicht gelungen[3]. Bei der Aminierung von Ethen-pal-ladium-Komplexen mit Butylamin erhält man das Imin in geringer Ausbeute[4].

Eine Vinylierung gelingt mit Pyrrolidon und ε-Caprolactam zu *N-Vinyl-pyrrolidon* und *N-Vinyl-caprolactam*[5]:

[1] L.I. ZAKHARKIN et al., Ž. obšč. Chim. **51**, 2383 (1981).
[2] E. NEGISHI et al., Heterocycles **18**, 117 (1982).
[3] Siehe J. TSUJI, *Organic Synthesis with Palladium Compounds*, Springer Verlag, Berlin · Heidelberg · New York **1980**, S. 32.
[4] H. HIRAI, H. SAWAI u. S. MAKISHIMA, Bl. chem. Soc. Japan **43**, 1148 (1970).
[5] H. HIRAI u. H. SAWAI, Bl. chem. Soc. Japan **43**, 2208 (1970).

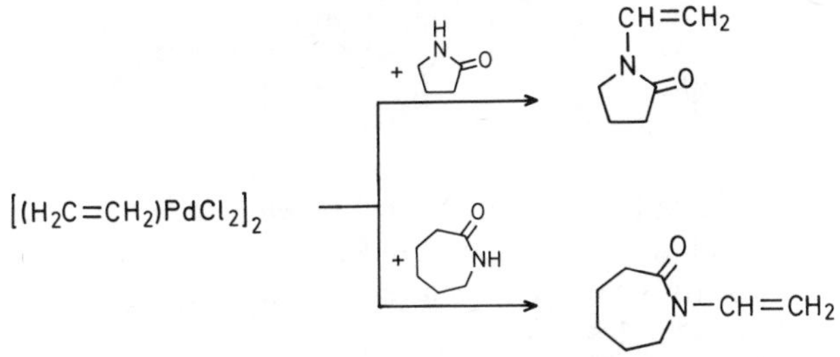

Aminopalladierungen von Olefinen, die zu stabilen σ-Alkyl-palladium-Verbindungen führen, sind auf S. 775f. beschrieben. Die Umsetzung von Dichloro-(η^4-1,5-cyclooctadien)-palladium mit Ammoniak führt zur Bildung eines isolierbaren σ-Komplexes, der mit Natriumboranat zu *Cyclooctylamin* (60%) und *5-Amino-cycloocten* (5%) gespalten wird[1]:

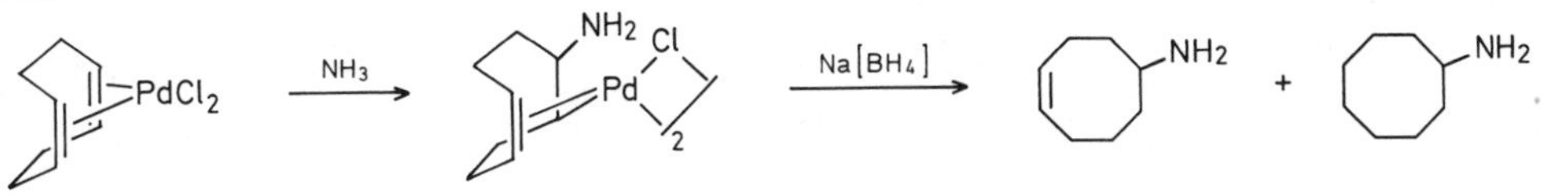

Tertiäre Amine erhält man durch Reaktion von Olefin-palladium-Komplexen mit sekundären Aminen bei −50° und anschließender Reduktion des Aminopalladierungsproduktes mit Wasserstoff, Lithiumalanat, Natriumboranat oder konzentrierter Salzsäure. Terminale Olefine geben Amine in hohen Ausbeuten, während Olefine mit innenständiger Doppelbindung nur mäßige Ausbeuten ergeben[2-5]. Die Aminopalladierung ist eine *trans*-Addition[6]. Acetoxyamine werden durch Oxidation mit Blei(IV)-acetat erhalten[7]:

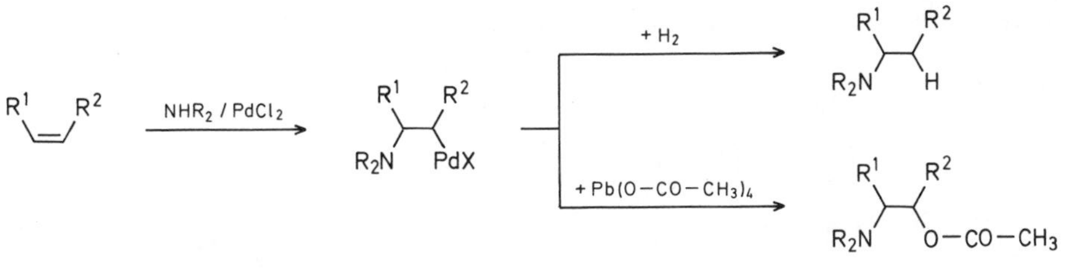

Amine; allgemeine Arbeitsvorschrift[2]: Der Palladium-Komplex des zu aminierenden Olefins (1,57 mmol) wird in einer Lösung des selben Olefins (1 *ml*) in 1 *ml* abs. THF unter Stickstoffatmosphäre suspendiert. Die Mischung wird 15 Min. bei 0° gerührt. Dann wird auf −50° gebracht und 1 *ml* des Amins in 5 *ml* THF innerhalb von 30 Min. tropfenweise zugefügt. Es wird 1 Stde. bei −50° weitergerührt, anschließend mit Wasserstoff begast und unter Wasserstoff-Atmosphäre auf 20° gebracht. Nach ∼ 1–5 Stdn. ist die Reduktion normalerweise vollständig. Es wird filtriert und mit 15 *ml* THF gewaschen. Man vereinigt die Filtrate und verdünnt mit 25 *ml* THF. Die Produkte können nach Abdestillieren des Lösungsmittels durch präparative GLC erhalten werden. Die Reduktion gelingt auch mit Lithiumalanat und Natriumboranat sowie Hydrolyse mit konzentrierter Salzsäure.

Stereospezifische *cis*-Diaminierung von Olefinen erhält man durch in situ Oxidation des aminopalladierten Produktes in Gegenwart von Aminen mit 3-Chlor-perbenzoesäure (oder Brom, N-Brom-succinimid)[8]:

[1] M. TADA, Y. KURODA u. T. SATO, Tetrahedron Letters **1969**, 2871.
[2] L.S. HEGEDUS et al., J. Organometal. Chem. **72**, 127 (1974).
[3] L.S. HEGEDUS u. K. SIIRALA-HANSÉN, Am. Soc. **97**, 1184 (1975).
[4] B. ÅKERMARK u. J.E. BÄCKVALL, Tetrahedron Letters **1975**, 819.
[5] B. ÅKERMARK et al., Tetrahedron Letters **1974**, 1363.
[6] A. PANUNZI, A. DE RENZI u. G. PAIARO, Am. Soc. **92**, 3488 (1970).
[7] J.E. BÄCKVALL, Tetrahedron Letters **1975**, 2225.
[8] J.E. BÄCKVALL, Tetrahedron Letters **1978**, 163.

$$R^1-CH=CH-R^2 \xrightarrow[\substack{+ \text{PdCl}_2(\text{H}_5\text{C}_6-\text{CN})_2 \\ + R_2\text{NH} \; ; \; -40°}]{} \left[\begin{array}{c} R_2\text{NH} \quad \text{PdCl} \\ R^1 \qquad R^2 \end{array} \right] \xrightarrow[\langle O \rangle, R_2\text{NH}]{} \begin{array}{c} R_2\text{N} \quad \text{NR}_2 \\ R^1 \qquad R^2 \end{array}$$

In Gegenwart eines Palladium-Katalysators und eines Amin-Liganden werden Olefine über π-Komplexe mit sekundären Aminen in (2-Amino-alkyl)-palladium-Verbindungen übergeführt, die in Gegenwart von Essigsäure zu β-Acetoxy-aminen oxygenierend gespalten werden (20–81%). Durch Verwendung optisch aktiver Amine kann eine Diastereomeren-Anreicherung erzielt werden[1]:

$$R^1-CH=CH-R^2 \xrightarrow[]{+ \text{PdCl}_2(\text{H}_5\text{C}_6-\text{CN})_2 \, / \, L} \quad \begin{array}{c} R^1-CH=CH-R^2 \\ L-\overset{\text{Cl}}{\underset{}{\text{Pd}}}-L \end{array} \xrightarrow[]{+ \substack{R^3 \\ \text{NH} \\ R^4}}$$

Struktur:

$$\begin{array}{c} R^4-N \overset{R^3}{\underset{}{}} \\ H-\overset{R^1}{\underset{L-\text{Pd}-L}{C}}-\overset{H}{\underset{Cl}{C}}\!\!\!\!-R^2 \end{array} \xrightarrow[]{+ \langle O \rangle, \, H_3C-\text{COOH}} \begin{array}{c} R^4-N \overset{R^3}{\underset{}{}} \quad O-CO-CH_3 \\ H-\overset{R^1}{\underset{}{C}}-\overset{H}{\underset{R^2}{C}} \end{array}$$

$$R^3R^4\text{NH} = \text{NH(CH}_3)_2,\ \text{NH(C}_2\text{H}_5)_2,\ \text{H}_5\text{C}_6\text{-}\overset{*}{\text{CH}}(\text{CH}_3)\text{-NH-CH}_3$$
$$R^1 = \text{H, CH}_3$$
$$R^2 = \text{CH}_3,\ \text{C}_2\text{H}_5,\ \text{CH}_2\text{-O-C}_6\text{H}_5$$

Die Anwendungsbreite der Aminierung von Olefinen (auch intramolekular möglich) zeigt Tab. 26 (S. 907).

Acetylenische Aminoalkohole ergeben bei Behandlung mit Palladium(II)-Katalysatoren unter intramolekularer Cyclisierung Pyrrole (17–100%)[2]:

$$\begin{array}{c} \overset{OH}{\underset{}{}} \\ R^1-\overset{|}{C}-C\equiv C-R^2 \\ \overset{|}{CH_2-NH_2} \end{array} \xrightarrow[]{\text{Pd(II)}} \quad \begin{array}{c} \text{(Pyrrol)} \; R^2 \\ R^1 \end{array}$$

$$R^1 = \text{H, C}_2\text{H}_5,\ \text{C(CH}_3)_3$$
$$R^2 = \text{C}_6\text{H}_{13},\ \text{C}_6\text{H}_5$$

Auch Aminierungen unter Dimerisierung des zugrundeliegenden Allens[3] bzw. 1,3-Diens[4] sind bekannt; z.B.:

$$2\ H_2C=C=CH_2 \ + \ HN\!\!<\!\!\text{O} \xrightarrow[72\%]{\substack{\text{PdCl}_2,\ \text{P(C}_6\text{H}_5)_3 \\ 100-110°}} \begin{array}{c} H_2C=C-C=CH_2 \\ H_3C \quad CH_2-N\!\!<\!\!\text{O} \end{array}$$

$$2\ \begin{array}{c} H_2C\overset{CH_2}{\diagup} \\ CH_3 \end{array} + NH_3 \xrightarrow[82\%]{Pd(\ldots)_2,\ \text{P(C}_6\text{H}_5)_3}$$

(Produkte):
$$\begin{array}{c} H_3C \qquad H_3C \quad NH_2 \\ H_2C \qquad\qquad CH_2 \end{array}$$
$$+ \quad \begin{array}{c} H_3C \qquad NH_2 \\ H_2C \qquad\qquad CH_2 \\ CH_3 \end{array}$$

---

[1] J. E. Bäckvall et al., Tetrahedron Letters 23, 943 (1982).
[2] K. Utimoto, H. Miwa u. H. Nozaki, Tetrahedron Letters 22, 4277 (1981).
[3] S. S. Zhukovskii et al., Ž. vses. Chim. obšč. 27, 235 (1982); Cheminform 8241 – 237.
[4] W. Keim u. M. Röper, J. Org. Chem. 46, 3702 (1981).

Tab. 26: Aminierung von Olefinen (Ac = OCOCH$_3$)

en	Amin	Reaktionsbedingungen	Reaktionsprodukt	Ausbeute [%]	Literatur
=CH$_2$	(H$_5$C$_2$)$_2$NH	PdCl$_2$/Na$_2$HPO$_4$	(H$_5$C$_2$)$_3$N	100	1
	H$_3$C–CO–NH$_2$	PdCl$_2$(H$_5$C$_6$–CN)$_2$/THF,H$_2$	H$_3$C–CO–NH–C$_2$H$_5$	–	2
=CH–C$_2$H$_5$	(H$_3$C)$_2$NH	PdCl$_2$(H$_5$C$_6$–CN)$_2$/THF,H$_2$	(H$_3$C)$_2$N–C$_4$H$_9$	90	1,3
		PdCl$_2$(H$_5$C$_6$–CN)$_2$/Pb(OAc)$_4$	H$_5$C$_2$–CH–CH$_2$–O–Ac | N(CH$_3$)$_2$	84	4
=CH–C$_4$H$_9$	(H$_3$C)$_2$NH	PdCl$_2$(H$_5$C$_6$–CN)$_2$/ 3-Cl–C$_6$H$_4$–CO–OOH	(H$_3$C)$_2$N–CH$_2$–CH–C$_4$H$_9$ | N(CH$_3$)$_2$	56	5
=CH–C$_8$H$_{17}$	H$_3$C–NH	1. PdCl$_2$(H$_5$C$_6$–CN)$_2$ 2. Br	CH$_3$ N-aziridin–C$_8$H$_{17}$	43	6
	(H$_3$C)$_2$NH	PdCl$_2$(H$_5$C$_6$–CN)$_2$/THF, H$_2$	(H$_3$C)$_2$N–C$_{10}$H$_{21}$	92	1
=CH–C$_6$H$_5$	H$_3$C–NH$_2$	1. PdCl$_2$(H$_5$C$_6$–CN)$_2$ 2. Br$_2$	CH$_3$ N-aziridin–C$_6$H$_5$	–	6
	(H$_3$C)$_2$NH	PdCl$_2$(H$_5$C$_6$–CN)$_2$/THF, H$_2$	(H$_3$C)$_2$N–CH(CH$_3$)–C$_2$H$_5$	44	1,3,7
C=C (H / CH$_3$)		PdCl$_2$(H$_5$C$_6$–CN)$_2$/Pb(O–Ac)$_4$	(H$_3$C)$_2$N–C(CH$_3$)(H)–CH(O–Ac)(H) H$_3$C	58	4
	(H$_3$C)$_2$NH	PdCl$_2$(H$_5$C$_6$–CN)$_2$/THF, H$_2$	H$_9$C$_5$–N(CH$_3$)$_2$	62	1
	H$_2$N–COOC$_2$H$_5$	PdCl$_2$/H$_2$	cyclohexen–NH–COOC$_2$H$_5$	38	8
=CH–O–Ac	succinimid (NH)	Na$_2$PdCl$_4$	N–CH=CH$_2$ (succinimid)	85	9
	caprolactam (NH)	Na$_2$PdCl$_4$	N–C$_2$H$_5$ (caprolactam)	85	9
=CH–CO–CH$_3$	X–C$_6$H$_4$–NH–R	1–10% PdCl$_2$(H$_3$C–CN)$_2$/ LiCl/THF, 1,4-Benzochinon	X–C$_6$H$_4$–N(R)–CH=CH–CO–CH$_3$		10
	cyclopentyl–vinyl–NH–Tos	PdCl$_2$(H$_3$C–CN)$_2$/Na$_2$CO$_3$/LiCl	Tos N-bicyclus–CH$_3$	85	11
=CH–COOCH$_3$ $_8$C=CH–CN	X–C$_6$H$_4$–NH–R	1–10% PdCl$_2$(H$_3$C–CN)$_2$/LiCl THF, 1,4-Benzochinon	X–C$_6$H$_4$–N(R)–CH=CH–COOCH$_3$ (CN)	16–73	10

[1] L. S. HEGEDUS et al., J. Organometal. Chem. **72**, 127 (1974).
[2] E. W. STERN u. M. L. SPECTOR, Pr. chem. Soc. **1961**, 370.
[3] B. ÅKERMARK, J. E. BÄCKVALL et al., Tetrahedron Letters **1974**, 1363.
[4] J. E. BÄCKVALL, Tetrahedron Letters **1975**, 2225.
[5] J. E. BÄCKVALL, Tetrahedron Letters **1978**, 163.
[6] J. E. BÄCKVALL, Chem. Commun. **1977**, 413.
[7] B. ÅKERMARK u. J. E. BÄCKVALL, Tetrahedron Letters **1975**, 819.
[8] S. OZAKI u. A. TAMAKI, Bl. chem. Soc. Japan **51**, 3391 (1978).
[9] E. BAYER u. K. GECKELER, Ang. Ch. **1979**, 568.
[10] J. J. BOZELL u. L. S. HEGEDUS, J. Org. Chem. **46**, 2561 (1981).
[11] L. S. HEGEDUS u. J. M. MC KEARIN, Am. Soc. **104**, 2444 (1982); viele Beispiele.

Tab. 26 (Forts.)

Alken	Amin	Reaktionsbedingungen	Reaktionsprodukt	Ausbeute [%]	L... ra
$H_2C=C-CO-NH-CO-NH_2$		$Li_2PdCl_4/H_2O/Na_2CO_3$	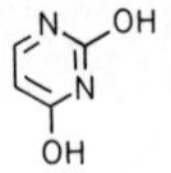 (Pyrimidin-diol-Struktur)	42	
$R^1-CH=C(R^2)-CO-NH-NH_2$	–	$Li_2PdCl_4/H_3C-CN/$ $(H_5C_2)_3N$	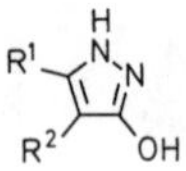 (Pyrazol-Struktur mit R^1, R^2, OH)	33–42	
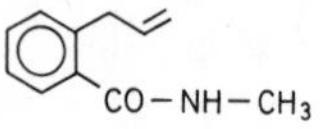 (2-Allyl-benzamid) $CO-NH-CH_3$	–	$PdCl_2(H_3C-CN)_2/LiCl$, THF, 1,4-Benzochinon	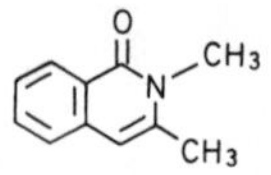 (Isochinolinon, N–CH_3, CH_3)	91	
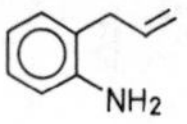 (2-Allyl-anilin) $-NH_2$	–	1. $PdCl_2(H_3C-CN)_2/THF$ 2. $(H_5C_2)_3N$ (stöchiom.) od. $LiCl/THF$,1,4-Benzochinon	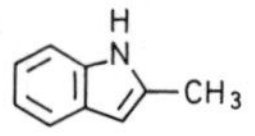 (Indol, 2-CH_3)	85 / 86	
$H_2C=CH-CH_2-\overset{R^1}{\underset{R^2}{C}}-CH_2-\overset{\oplus}{N}H_2-R^3$	–	$PdCl_2(H_5C_6-CN)_2/(H_5C_2)_2NH$	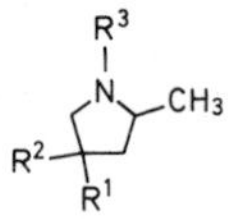 (Pyrrolidin mit R^1, R^2, R^3, CH_3)	30–78	
$H_2C=CH-(CH_2)_4-\overset{\oplus}{N}H_3$	–	$PdCl_2(H_5C_6-CN)_2/(H_5C_2)_2NH$	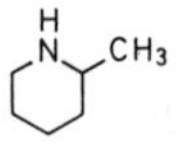 (Piperidin, 2-CH_3)	76	
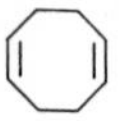 (Cyclooctadien)	$R-NH_2$	$PdCl_2$ (1. + CO; 2. + Pyridin)	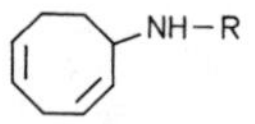 (Cycloocten–$NH-R$)		
	$CO(NH_2)_2$	$PdCl_2/H_2$	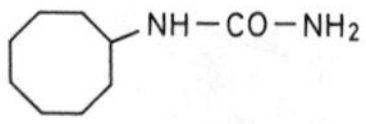 (Cyclooctan–$NH-CO-NH_2$)	58	
$R-CH=CH-CH=CH-CO-NH_2$	–	$Li_2PdCl_4/H_3C-CN/(H_5C_2)_3N$	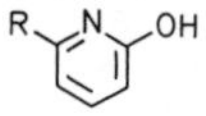 (Pyridinol mit R, OH)	~60	

Aminierungen bei 3-Komponenten-Systemen verlaufen wie folgt:

a) Arylierung von 1,4-Dienen und Aminierung[10]:

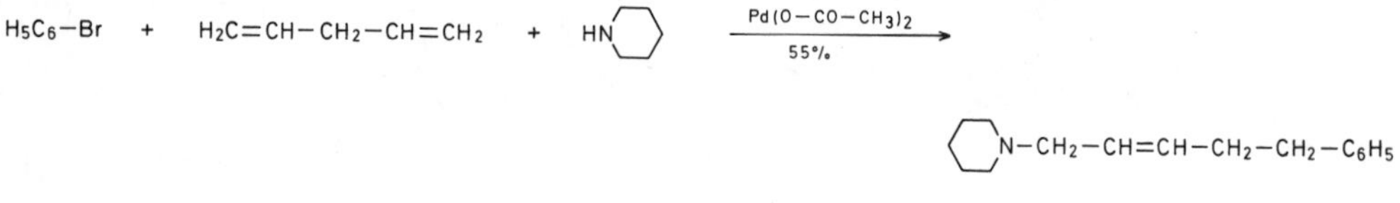

$$H_5C_6-Br \;+\; H_2C=CH-CH_2-CH=CH_2 \;+\; HN\!\!\bigcirc \xrightarrow[55\%]{Pd(O-CO-CH_3)_2}$$

$$\bigcirc\!\!N-CH_2-CH=CH-CH_2-CH_2-C_6H_5$$

[1] A. Kasahara u. N. Fukuda, Chem. & Ind. **1976**, 485; vier Beispiele.
[2] A. Kasahara, Chem. & Ind. **1976**, 1032.
[3] D. E. Korte, L. S. Hegedus u. R. K. Wirth, J. Org. Chem. **42**, 1329 (1977).
[4] L. S. Hegedus et al., Am. Soc. **100**, 5800 (1978).
[5] L. S. Hegedus, G. F. Allen u. E. L. Waterman, Am. Soc. **98**, 2674 (1976).
[6] B. Pugin u. L. M. Venanzi, J. Organometal. Chem. **214**, 125 (1981).
[7] H. Hemmer, J. Rambaud u. I. Tkatchenko, J. Organometal. Chem. **97**, C 57 (1975).
[8] S. Ozaki u. A. Tamaki, Bl. chem. Soc. Japan **51**, 3391 (1978).
[9] A. Kasahara u. T. Saito, Chem. & Ind. **1975**, 745.
[10] D. D. Bender, F. G. Stakem u. R. F. Heck, J. Org. Chem. **47**, 1278 (1982); dort weitere Beispiele.

b) Vinylierung von 1,4-Dienen und Aminierung[1]:

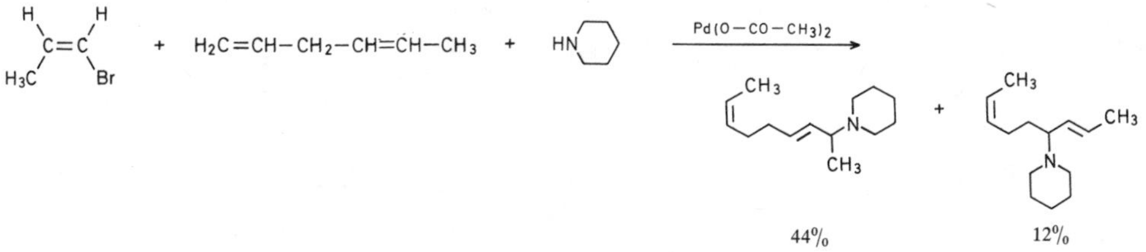

44%   12%

c) Vinylierung von Allylalkoholen und Aminierung[2]:

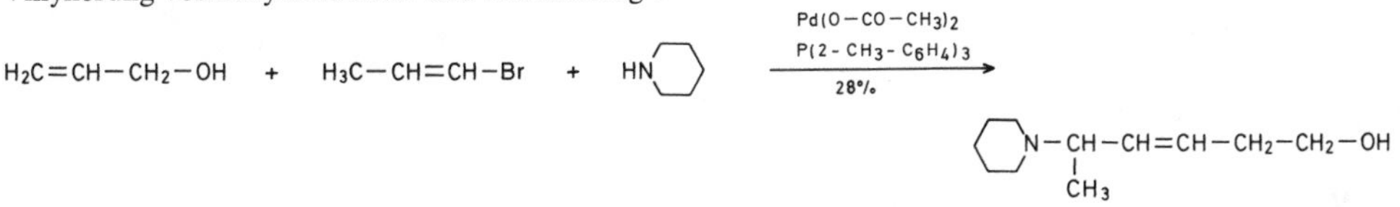

$H_2C=CH-CH_2-OH$ + $H_3C-CH=CH-Br$ + $HN\langle\rangle$

$$\xrightarrow[28\%]{\substack{Pd(O-CO-CH_3)_2 \\ P(2-CH_3-C_6H_4)_3}}$$

$\langle\rangle N-CH-CH=CH-CH_2-CH_2-OH$
         $|$
        CH_3

f) mit Cyanid, Chlorid bzw. Disilanen

Die Cyanierung von Ethylen mit Palladium(II)-cyanid in Benzonitril unter Druck (55 kg/cm²) liefert *Acrylnitril* (51%) und *Propansäure-nitril* (7%)[3]:

$H_2C=CH_2$ + $Pd(CN)_2$ $\xrightarrow{H_5C_6-CN,\ 150°,\ 5\ Stdn.}$ $H_2C=CH-CN$ + H_3C-CH_2-CN

Auch Gasphasenreaktionen von Olefinen mit Cyanwasserstoff und Sauerstoff in Gegenwart von Palladium-Trägerkatalysatoren sind beschrieben[4]. Butadien ergibt *1,4-Dicyan-2-buten* (40%) und *1,4-Dicyan-1-buten* (cis 20%, trans 12%)[5].

Die asymmetrische Addition von Cyanwasserstoff an Olefine gelingt mit einem nullwertigen Palladium-Komplex. Man erhält so aus Bicyclo[2.2.1]hepten *2-exo-Cyan-bicyclo[2.2.1]heptan* (80%; 28% optische Induktion) und aus dem Dien *5-exo-Cyan-bicyclo[2.2.1]hepten* (40%)[6].

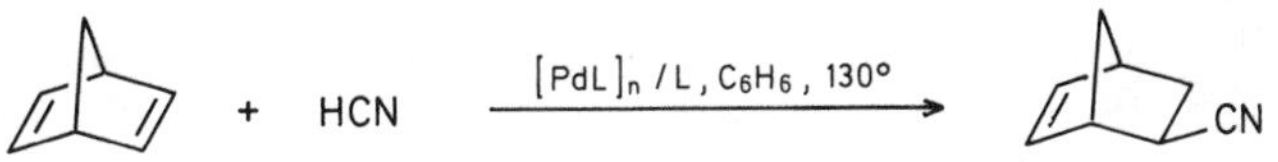

Die ebenso katalysierte Addition von Cyanwasserstoff an terminale Alkene wie 1-Decen und 1-Penten liefert vorwiegend die terminalen *anti*-Markownikoff-Nitrile neben den Markownikoff-Nitrilen im 7:1-Verhältnis[6]:

$R-CH=CH_2$ + HCN $\xrightarrow{[PdL]_n\ /\ L}$ $R-CH_2-CH_2-CN$ + $R-CH-CH_3$
                                                                    $|$
                                                                   CN

$R = C_3H_7, C_8H_{17}$ 7 : 1

Cyanid wird häufig zur Spaltung von Pd–C-Bindungen herangezogen. Eine interessante Synthese ist die Spaltung von Di-μ-chloro-bis-[η^2-2-(1-chlor-ethyl)-5-cyclooctenyl]-dipalladium zu *9-Methyl-trans-bicyclo[6.1.0]non-4-en* (90–100%)[7]:

[1] D.D. BENDER, F.G. STAKEM u. R.F. HECK, J. Org. Chem. **47**, 1278 (1982); dort weitere Beispiele.
[2] R.F. HECK et al., J. Org. Chem. **47**, 1267 (1982); viele Beispiele.
[3] Y. ODAIRA et al., Am. Soc. **88**, 4105 (1966).
[4] N. KOMINAMI et al., Kogyo Kagaku Zasshi **74**, 2269; 2272 (1971).
[5] Brit. P. 1497414 (1975), ICI, Erf.: D.Y. WADDAR et al; C.A. **89**, 42481 (1978).
[6] P.S. ELMES u. W.R. JACKSON, Am. Soc. **101**, 6128 (1979).
[7] M.F. RETTIG, D.E. WILCOX u. R.S. FLEISCHER, J. Organometal. Chem. **214**, 261 (1981).

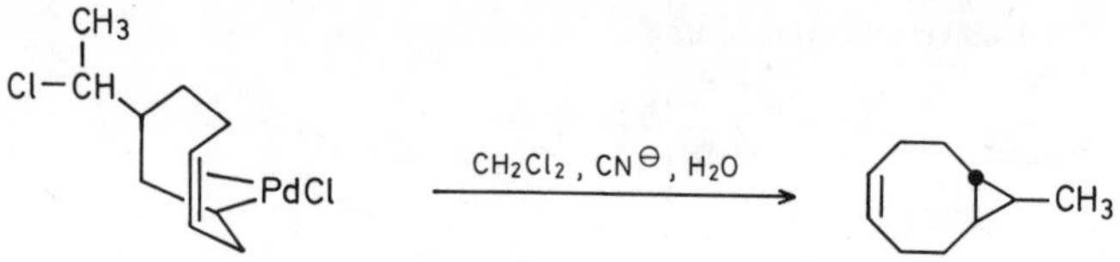

Vinylchlorid wird in hoher Ausbeute (80%) aus Ethen und Palladium(II)-chlorid in stark polaren Lösungsmitteln wie Formamid und N-Methyl-acetamid unter hohem Ethen-Druck bei 100° erhalten. Durch Zusatz von Tetrachlor-1,4-benzochinon kann die Reaktion katalytisch ablaufen[1].

$$H_2C=CH_2 \ + \ PdCl_2 \ \xrightarrow[\substack{-Pd^0 \\ -HCl}]{H-CO-NH_2} \ H_2C=CH-Cl$$

Weitere Chloropalladierungsprodukte (*cis* und *trans*) sowie Spaltungsprodukte sind in Tab. 27 (S. 911) zusammengestellt.

In Gegenwart von Tetrakis-[triphenylphosphan]-palladium addieren sich Methoxy-me-thyl-disilane an 1-Alkine zu den entsprechenden 1,2-Bis-[methoxy-methyl-silyl]-alkenen (12–76%)[2]:

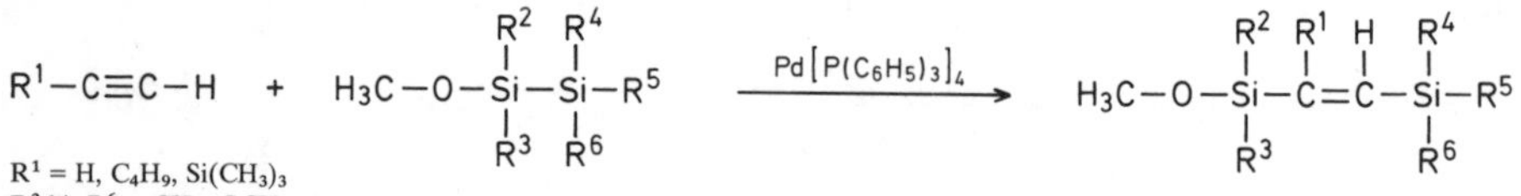

$$R^1 = H, C_4H_9, Si(CH_3)_3$$
$$R^2 \text{ bis } R^6 = CH_3, OCH_3$$

g) Reduzierende Spaltung

Eine reduzierende Spaltung von Pd–C-σ-Bindungen (Alkyl, Aryl) gelingt meist mit Wasserstoff (bzw. Deuterium) und Boranaten oder Alanaten in nahezu quantitativer Ausbeute. In einigen Fällen ist auch in siedendem Alkohol mit oder ohne Natriumalkanolat, mit Hydrazin in Benzol oder mit heißer Salzsäure die σ-Bindung reduktiv gespalten worden (Übersicht: Tab. 28, S. 912). Die Hydrierung wird meist zur Strukturaufklärung oder zur Isolierung des organischen Liganden verwendet. Bei der Aminopalladierung von Olefinen ist der Hydrierungsschritt eine unumgängliche Reaktionsstufe zur Isolierung der aminierten Verbindung, daher sind solche Hydrierungen dort beschrieben (s. S. 907).

In vielen Fällen ist eine Isolierung der stabilen σ-Organo-palladium-Komplexe nicht notwendig. Man kann auf einfache Weise aus Donor-olefinen mit Palladiumhalogeniden den cyclopalladierten Palladium-Komplex herstellen (durch Carbopalladierung, Aminierung, Ethoxylierung, Acetoxylierung etc.) und diesen σ-Komplex ohne weiteres in Lösung hydrieren, wobei die Gesamtausbeuten in der Regel über 90% liegen. Ein Beispiel wird im folgenden skizziert:

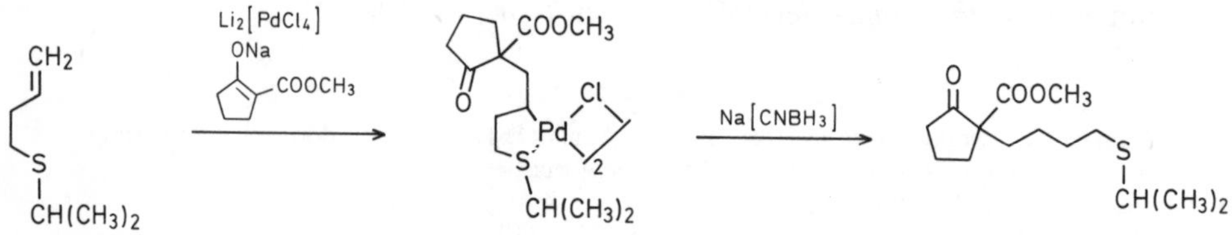

[1] H. A. Tayim, Chem. & Ind. **1970**, 1468.
[2] H. Watanabe et al., J. Organometal. Chem. **216**, 149 (1981).

Tab. 27: Chloropalladierung von Olefinen

Olefin	Reaktions-bedingungen	Chloropalladierungs-produkt	Spaltungsprodukt	Ausbeute [%]	Lite-ratur
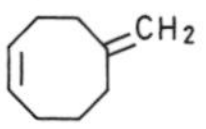	PdCl$_2$/CuCl$_2$/ HOAc/NaOAc	nicht isoliert	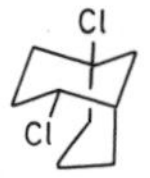 u. a.		1
	1. PdCl$_2$ 2. Pb(OCOCH$_3$)$_4$ in H$_3$C–COOH	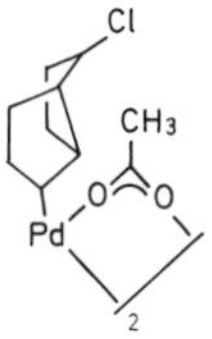	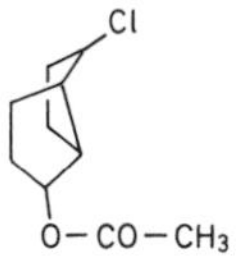	60	2
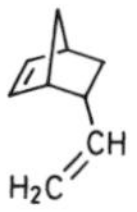	1. PdCl$_2$(R–CN)$_2$ R = C$_6$H$_5$ 2. NaOOC–CH$_3$ 3. H$_2$	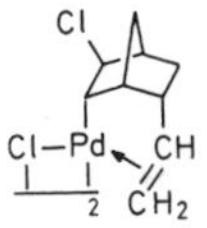	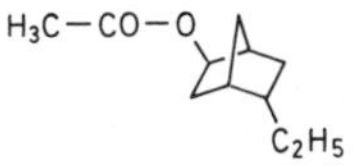	67	3
	PdCl$_2$/CuCl$_2$/ HOAc/NaOAc	nicht isoliert	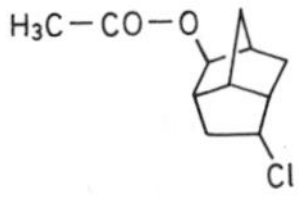	70	4
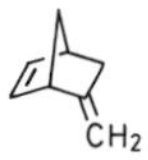	PdCl$_2$/CuCl$_2$/ HOAc/NaOAc	nicht isoliert	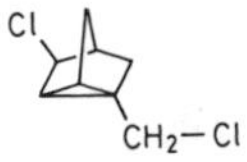	75	4
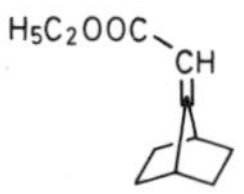	1. PdCl$_2$(R–CN)$_2$ R: H$_5$C$_6$ 2. H$_3$C–OH 3. NaCN	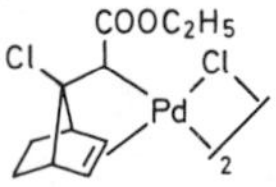	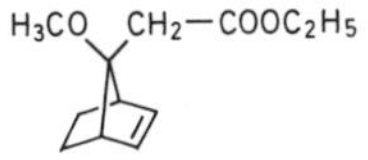	87	5
	1. PdCl$_2$(R–CN)$_2$ R: H$_5$C$_6$ 2. NaBH$_4$	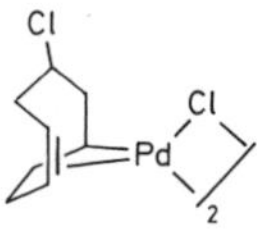	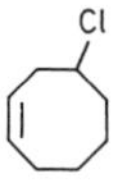	67	6
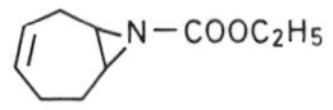	1. PdCl$_2$(R–CN)$_2$ R: H$_5$C$_6$ 2. NaCN	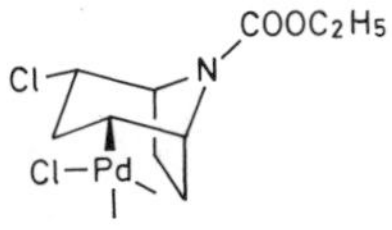	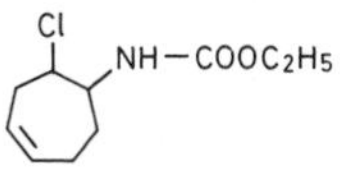	30	7

[1] A. HEUMANN, M. REGLIER u. B. WAEGELL, Ang. Ch. **91**, 925 (1979).
[2] S. K. CHUNG u. A. I. SCOTT, Tetrahedron Letters **1975**, 49.
[3] W. T. WIPKE u. G. L. GOEKE, Am. Soc. **96**, 4244 (1974).
[4] A. HEUMANN, M. REGLIER u. B. WAEGELL, Ang. Ch. **91**, 924 (1979).
[5] G. WIGER, G. ALBELO u. M. F. RETTIG, Soc. [Dalton] **1974**, 2242.
[6] G. ALBELO, G. WIGER u. M. F. RETTIG, Am. Soc. **97**, 4510 (1975).
[7] G. R. WIGER u. M. F. RETTIG, Am. Soc. **98**, 4168 (1976).

Tab. 28: Hydrierung von σ-Organo-palladium-Verbindungen

Ausgangsverbindung	Reaktions-bedingungen	Reaktionsprodukt	Ausbeute [%]	Lite-ratur
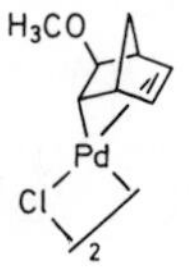	H_2 oder Na[BH$_4$]	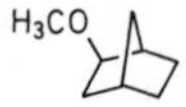	37	1
	Na[BH$_4$]	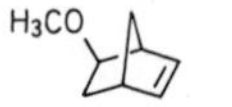	64	2
	D_2 oder Na[BD$_4$]	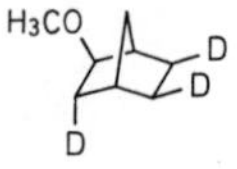		1
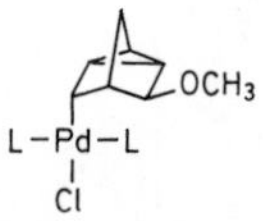	Na[BD$_4$]	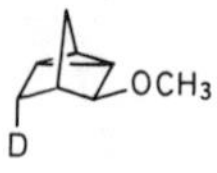	85	2
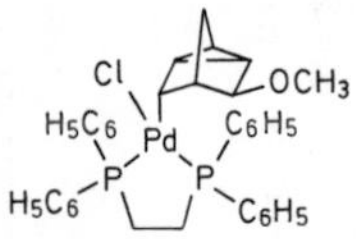	Li[AlH$_4$]			3
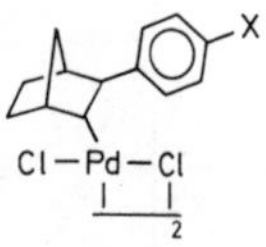	Na[BH$_4$]	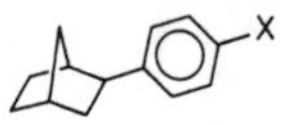		4
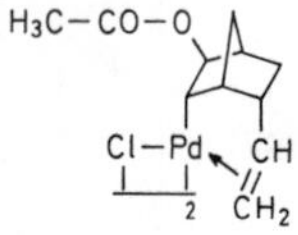	H_2	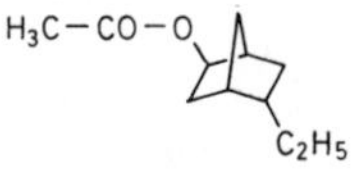	67	5
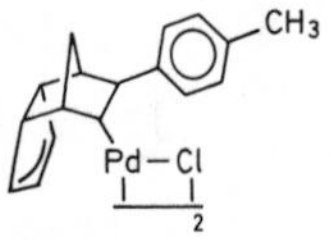	H_2	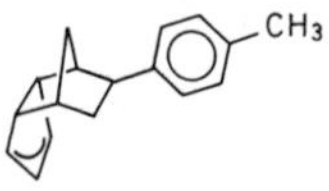	100	6
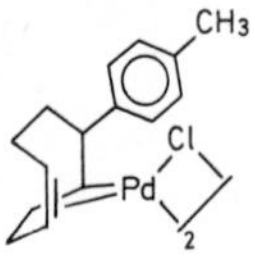	H_2	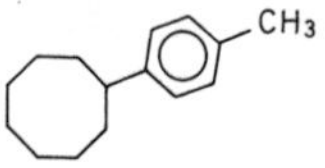	89	6, 7
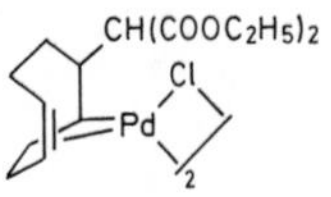	Na[BH$_4$]	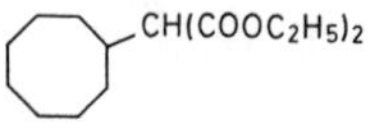		8
	NaOC$_2$H$_5$/ H$_5$C$_2$–OH	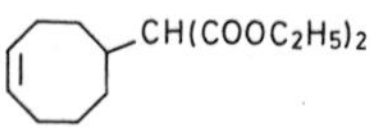		8

[1] J. K. STILLE u. R. A. MORGAN, Am. Soc. **88**, 5135 (1966).
[2] E. VEDEJS u. M. F. SALOMON, Am. Soc. **92**, 6965 (1970); die Doppelbindung im Norbornen bleibt erhalten bei Überschuß von Norbornen.
[3] D. R. COULSON, Am. Soc. **91**, 200 (1969).
[4] H. HORINO, M. ARAI u. N. INOUE, Tetrahedron Letters **1974**, 647.
[5] W. T. WIPKE u. G. L. GOEKE, Am. Soc. **96**, 4244 (1974).
[6] Y. TAMARU u. Z. YOSHIDA, Tetrahedron Letters **1978**, 4527.
[7] A. KASAHARA et al., Bl. chem. Soc. Japan **47**, 1967 (1974).
[8] H. TAKAHASHI u. J. TSUJI, Am. Soc. **90**, 2387 (1968).

Tab. 28 (1. Forts.)

Ausgangsverbindung	Reaktions-bedingungen	Reaktionsprodukt	Ausbeute [%]	Lite-ratur
	Na[BH₄]/THF	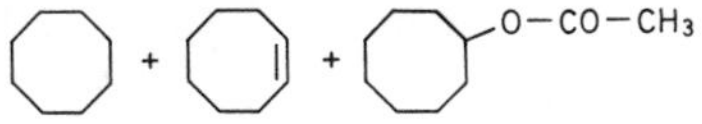		1
	Na[BH₄]		67	2
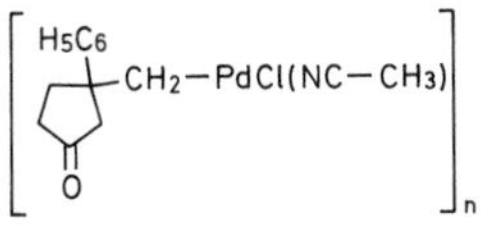	H₂	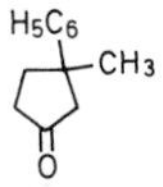	100	3
R = C(CH₃)₃	Na[BH₄]	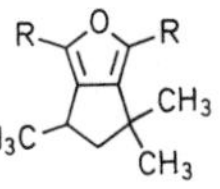	93	4
R = CH₃	H₃C–OH/NaOCH₃ oder H₂/THF oder H₂N–NH₂/C₆H₅			5
	H₂		82	6
	H₂/THF oder Na[BH₄]	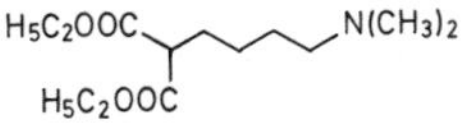	90	7, 8
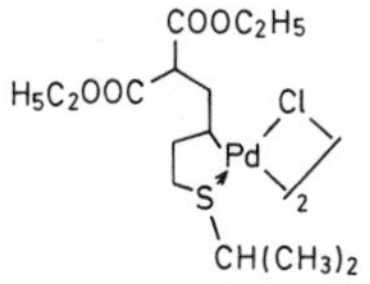	H₂ oder Na[BH₄]	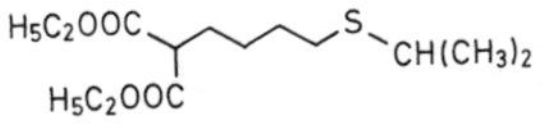	92	7, 8

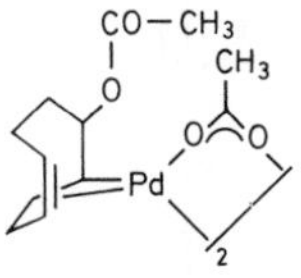

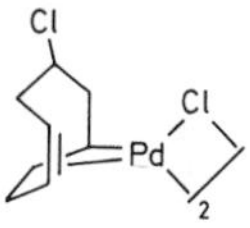

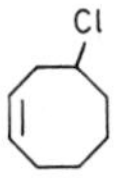

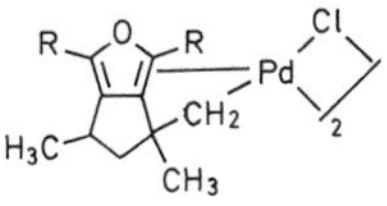

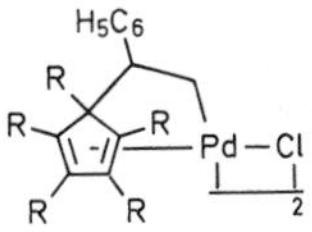

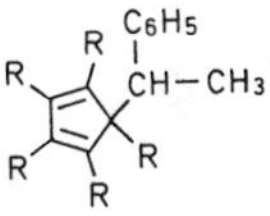

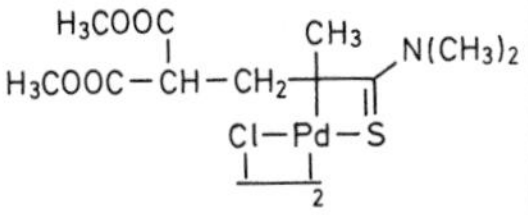

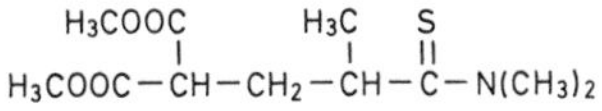

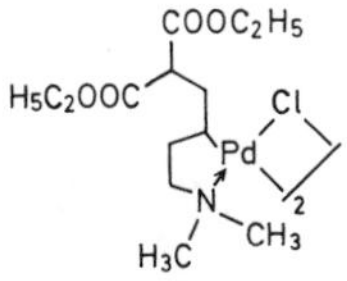

[1] C.B. Anderson u. B.J. Burreson, J. Organometal. Chem. **7**, 181 (1967).
[2] G. Albelo, G.R. Wiger u. M.F. Rettig, Am. Soc. **97**, 4510 (1975).
[3] Y. Ito, H. Aoyama u. T. Saegusa, Am. Soc. **102**, 4519 (1980); weitere Beispiele.
[4] M. Avram et al., B. **108**, 1830 (1975).
[5] T. Hosokawa u. P.M. Maitlis, Am. Soc. **94**, 3238 (1972).
[6] Y. Tamaru, M. Kagotani u. Z. Yoshida, J. Org. Chem. **44**, 2816 (1979).
[7] R.A. Holton u. R.A. Kjonaas, J. Organometal. Chem. **142**, C 15 (1977).
[8] R.A. Holton u. R.A. Kjonaas, Am. Soc. **99**, 4177 (1977).

Tab. 28 (2. Forts.)

Ausgangsverbindung	Reaktions-bedingungen	Reaktionsprodukt	Ausbeute [%]	Lite-ratur
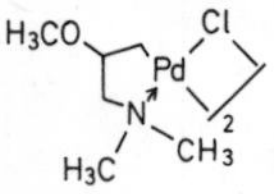 (structure)	Li[AlH$_4$]	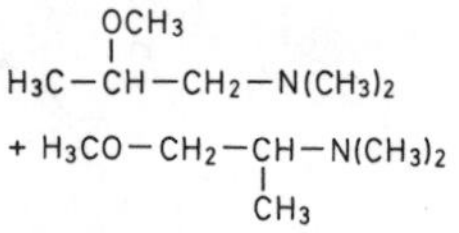 OCH$_3$ H$_3$C–CH–CH$_2$–N(CH$_3$)$_2$	35	1
		+ H$_3$CO–CH$_2$–CH–N(CH$_3$)$_2$ CH$_3$	32	
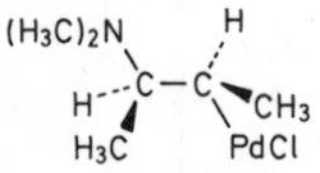 (H$_3$C)$_2$N ... (structure)	Li[AlD$_4$]	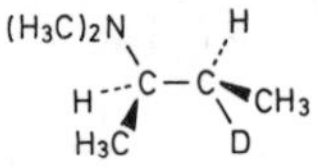 (H$_3$C)$_2$N ... (structure)		2
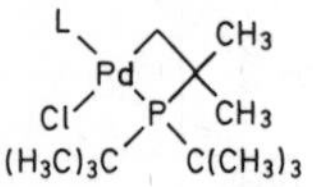 (structure)	Na[BH$_4$]	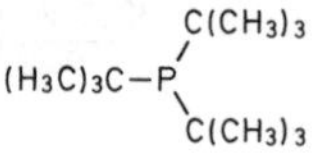 C(CH$_3$)$_3$ (H$_3$C)$_3$C–P C(CH$_3$)$_3$		3
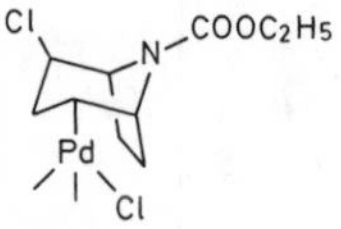 (structure)	Na[BH$_4$]	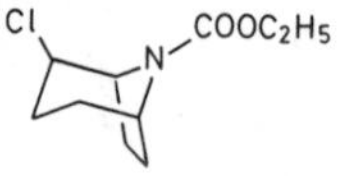 (structure with COOC$_2$H$_5$)	30	4
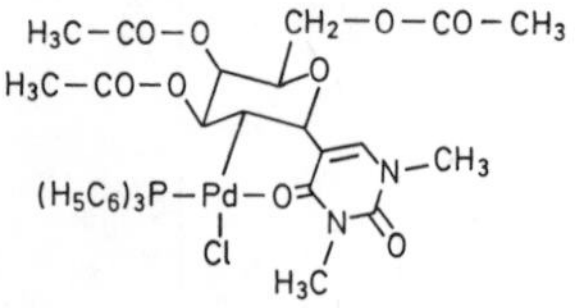 (structure)	H$_2$/THF, 2 Stdn.	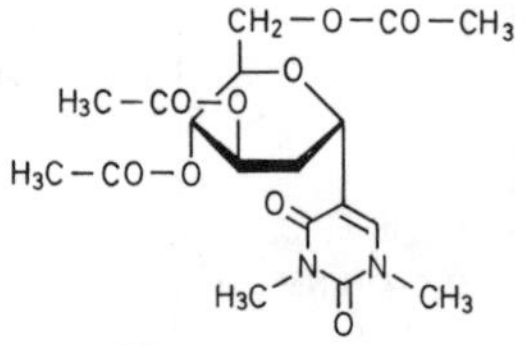 (structure)		5
(structure)	H$_2$	(structure with C$_6$H$_5$)	90	6
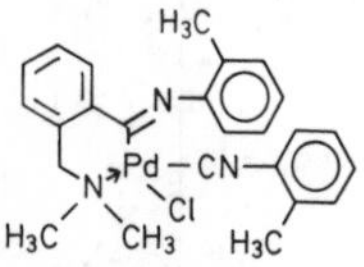 (structure)	Li[AlH$_4$]	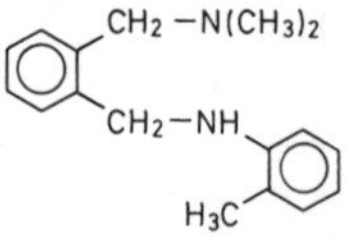 CH$_2$–N(CH$_3$)$_2$ CH$_2$–NH (structure)	70	7
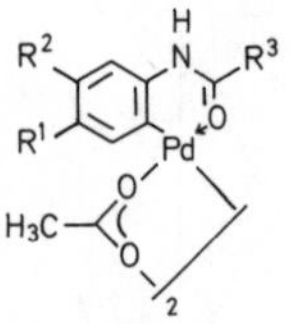 (structure)	Na[BH$_4$] oder H$_2$	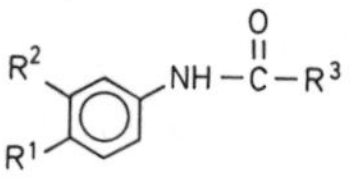 R^2 ... NH–C–R^3 (structure)		8
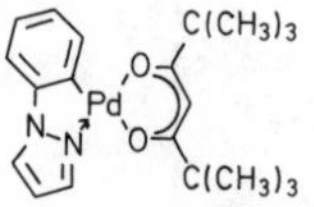 (structure)	H$_3$C–OD oder D$_2$	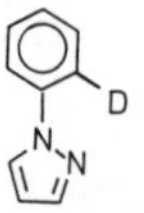 (structure with D)		9

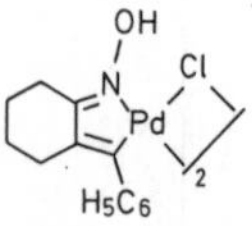

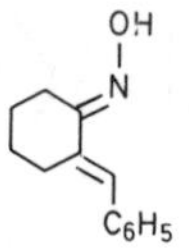

[1] A.C. Cope, J.M. Kliegman u. E.C. Friedrich, Am. Soc. **89**, 287 (1967).
[2] J.E. Bäckvall u. B. Åkermark, Chem. Commun. **1975**, 82.
[3] H.C. Clark, A.B. Goel u. S. Goel, Inorg. Chem. **18**, 2803 (1979).
[4] G.R. Wiger u. M.F. Rettig, Am. Soc. **98**, 4168 (1976).
[5] I. Arai u. G.D. Daves, Am. Soc. **103**, 7683 (1981).
[6] B.A. Grigor u. A.J. Nielson, J. Organometal. Chem. **132**, 439 (1977).
[7] Y. Yamamoto u. H. Yamazaki, Inorg. Chim. Acta **41**, 229 (1980).
[8] H. Horino u. N. Inoue, J. Org. Chem. **46**, 4416 (1981).
[9] D.A. White u. G.W. Parshall, Inorg. Chem. **9**, 2358 (1970).

Tab. 28 (3. Forts.)

Ausgangsverbindung	Reaktions-bedingungen	Reaktionsprodukt	Ausbeute [%]	Lite-ratur
	Li[AlD₄]			1
	Li[AlD₄]			2

1-Isopropylthio-4-(1-methoxycarbonyl-2-oxo-cyclopentyl)-butan (Hydrierungsschritt mit Natrium-cyano-boranat)[3]: 0,130 g (1,0 mmol) Isopropyl-(3-butenyl)-sulfan wird zu einer Lösung von 0,262 g (1,0 mmol) Li-thium-[tetrachloropalladat(II)] in 15 ml abs. THF unter Stickstoff bei 20° gegeben. Zu der rotorangen Lösung wird mit einer Injektionsspritze eine Lösung von 0,164 g (1,0 mmol) des Natrium-Salzes von 2-Methoxycarbo-nyl-1-oxo-cyclopentan in 5 ml THF gegeben. Es wird 20 Min. bei 20° gerührt, wobei die Farbe der Lösung nach hellgelb umschlägt. Die gelbe Lösung wird auf 0° gekühlt und eine Lösung von 0,5 g Natrium-cyanoboranat in 10 ml Methanol zugefügt. Dabei entsteht sofort ein schwarzer Niederschlag von Palladium. Nach Abfiltrieren des Palladiums wird die Lösung mit Chloroform verdünnt, mit Wasser extrahiert, über Natriumsulfat getrocknet und eingeengt; Ausbeute: 0,254 g (93%) farbloses Öl.

Allgemeine Arbeitsvorschrift für die Hydrierung

mit Wasserstoff[4]: Eine Suspension von 3 bis 5 g der σ-Organo-palladium-Verbindung und ein Überschuß von 2 Äquivalenten Natriumacetat in 50 bis 75 ml des Lösungsmittels (Methanol oder THF) werden in einer Hy-drierapparatur (Bd. IV/1c, S. 39) bei 25 psi (0,45 kg/6,45 cm²) Wasserstoff-Druck geschüttelt, bis kein Wasser-stoff mehr aufgenommen wird. Die Hydrierung ist in jedem Falle nach 30 Min. beendet. Die Lösung wird filtriert und Hydriergefäß und Filter werden mit zwei 25 ml-Portionen Pentan gewaschen. Die vereinigten Filtrate und Waschlösungen werden fraktioniert destilliert, um das Produkt zu isolieren.

mit Natriumboranat[4]: Eine Suspension von Natriumboranat in 50 bis 75 ml trockenem 2-Methoxyethanol wird innerhalb 30 Min. unter Rühren zur Organo-palladium-Verbindung gegeben (Molverhältnis 2:1). Die Lö-sung wird 1 Stde. bei 20° gerührt. Das gleiche Vol. Wasser wird zugefügt und die Lösung auf dem Dampfbad (oder siedendem Wasserbad) 1 Stde. erhitzt. Nach Abkühlen der Reaktionsmischung wird das Palladium-Metall abfil-triert. Kolben und Niederschläge werden gründlich mit drei 75-ml-Portionen Pentan gewaschen. Die Waschlö-sungen werden benutzt, um das wäßr. 2-Methoxy-ethanol-Filtrat zu extrahieren. Die vereinigten Pentan-Ex-trakte werden über Natriumcarbonat 12 Stdn. getrocknet und dann fraktioniert destilliert.

h) mit Halogenwasserstoffen

Die Spaltung von σ-Palladium-Kohlenstoff-Bindungen mit Halogenwasserstoff wird meist zur Konstitutionsaufklärung von Organo-palladium-Verbindungen herangezogen. Die Umsetzungen verlaufen ohne Komplikationen in hoher Ausbeute zu den entspre-chenden Kohlenwasserstoffen und Palladiumhalogenid. Es kann sowohl mit konz. Salz-säure als auch mit verdünnter Salzsäure in Aceton gearbeitet werden. Meist werden die Reaktionen jedoch mit gasförmigem Chlorwasserstoff in Dichlormethan, Chloroform

---

[1] A. KASAHARA, Bl. chem. Soc. Japan **41**, 1272 (1968).
[2] A. KASAHARA, T. IZUMI u. M. MAEMURA, Bl. chem. Soc. Japan **50**, 1878 (1977).
[3] R. A. HOLTON u. R. A. KJONAAS, J. Organometal. Chem. **142**, C 15 (1977).
[4] J. K. STILLE u. R. A. MORGAN, Am. Soc. **88**, 5135 (1966).

oder Benzol bei 20° durchgeführt. Alkyl-, 1-Alkenyl-, Aryl- und Acyl-palladium-Verbindungen lassen sich spalten[1-8] (s. Tab. 28, S. 912).

In einigen Fällen verläuft die Spaltung nicht direkt. Im folgenden Beispiel erfolgt die Protonierung am Cyclopentadien-Ring mit anschließender Spaltung[9]:

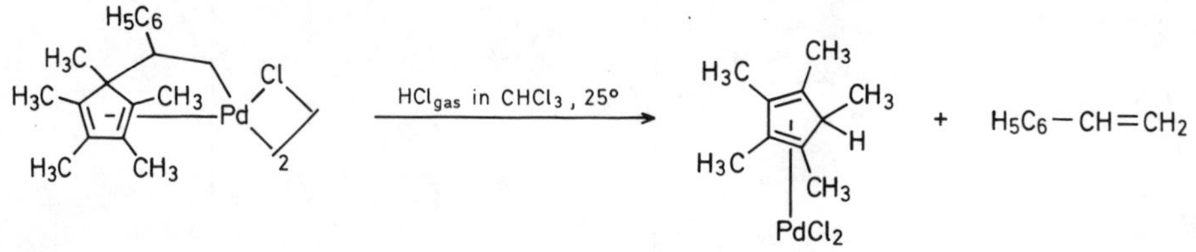

Manchmal versagt die Spaltung der σ-Alkyl-palladium-Bindung[10]:

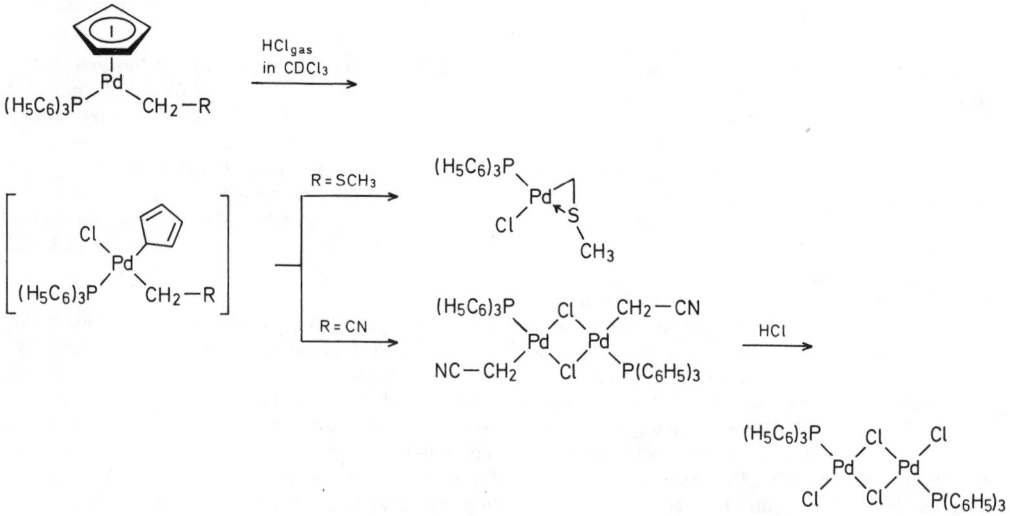

Die Pentachlorphenyl-palladium-Bindung ist so stabil, daß mit Chlorwasserstoff in Chloroform bei 20° keine Spaltung erfolgt[11]:

$$PdX(C_6Cl_5)[P(C_6H_5)_3]_2 \xrightarrow{HCl_{gas} \text{ in } CHCl_3,\, 20°} PdCl(C_6Cl_5)[P(C_6H_5)_3]_2$$

Auch Spaltungsreaktionen mit konz. Schwefelsäure[12] und Essigsäure[13] sind bekannt.

[1] P. DIVERSI, G. INGROSSO u. A. LUCHERINI, Chem. Commun. 1978, 735.
[2] P. DIVERSI et al., Soc. [Dalton] 1980, 1633.
[3] M. AVRAM et al., Rev. Roum. Chim. 20, 637 (1975); C. A. 83, 179280 (1975); Spaltung verbunden mit einer Umlagerung.
[4] J.K. STILLE u. K.S.Y. LAU, Am. Soc. 98, 5841 (1976).
[5] I. ARAI u. G.D. DAVES, Am. Soc. 103, 7683 (1981).
[6] E.A. KELLEY u. P.M. MAITLIS, Soc. [Dalton] 1979, 167.
[7] N.K. ROBERTS u. S.B. WILD, Soc. [Dalton] 1979, 2015.
[8] M. GRAZIANI et al., Soc. [Dalton] 1972, 262.
[9] T. HOSOKAWA u. P.M. MAITLIS, Am. Soc. 94, 3238 (1972).
[10] K. SUZUKI u. K. HANAKI, Inorg. Chim. Acta 20, L 15 (1976).
[11] J.M. CORONAS u. J. SALES, J. Organometal. Chem. 94, 107 (1975).
[12] T. ITO, H. TSUCHIYA u. A. YAMAMOTO, Bl. chem. Soc. Japan 50, 1319 (1977).
[13] T. SAKAKIBARA, Y. DOGOMORI u. Y. TSUZUKI, Bl. chem. Soc. Japan 52, 3592 (1979).

i) mit Halogenen bzw. Metallhalogeniden

Halogenierungen unter Spaltung von σ-C–Pd-Bindungen dienen häufig zur Strukturaufklärung von σ-Organo-palladium-Verbindungen. Chloriert wird gewöhnlich in Dichlor-, Tetrachlor-methan oder Gemischen dieser beiden Lösungsmittel. Umsetzungen mit Brom werden meist in Dichlormethan bei $-78°$, $0°$ oder $20°$ durchgeführt. Die Reaktionen mit Jod werden vorteilhafter Weise in Arenen (Benzol, Toluol) bei $20°$ vorgenommen. Es sind auch Umsetzungen mit Pseudohalogenen wie Dithiocyan bekannt. Alkyl-, 1-Alkenyl- und Aryl-palladium-Verbindungen lassen sich mit Halogenen spalten. Dabei entstehen über eine oxidative Addition von Halogen an die Organo-palladium(II)-Verbindung zunächst die sechsfachkoordinierten Palladium(IV)-Zwischenverbindungen (s. S. 879). Bei der anschließenden reduktiven Eliminierung werden die Halogen-kohlenwasserstoffe abgespalten.

$$\underset{(\text{II})}{L_2Pd(R)X} \;+\; X_2 \longrightarrow \underset{(\text{IV})}{L_2Pd(R)X_3} \longrightarrow \underset{(\text{II})}{R-X \;+\; L_2PdX_2}$$

L = Donor-Ligand
X = Halogen

Acyl-palladium-Verbindungen lassen sich ebenfalls halogenieren, jedoch sind die entstehenden Carbonsäurehalogenide sehr instabil. Sie werden daher durch Umsetzungen mit Alkoholen oder Aminen in die Ester bzw. Säureamide überführt:

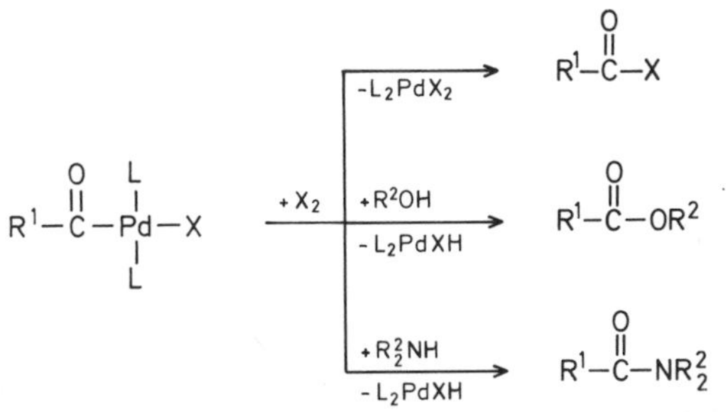

Tab. 29 (S. 918) gibt eine Übersicht über die Anwendungsbreite der Reaktion. Im folgenden sind je eine allgemeine Arbeitsvorschrift für die Halogenierung in Dichlormethan bzw. in Methanol und eine spezielle Arbeitsvorschrift für die Halogenierung von Acyl-palladium-Verbindungen und anschließender Veresterung mit Methanol beschrieben.

Allgemeine Arbeitsvorschrift für die Halogenierung von Organo-palladium-Verbindungen
in Dichlormethan[1]: Unter starkem Rühren gibt man zu einer Lösung der Organo-palladium-Verbindung in Dichlormethan die äquivalente Menge Brom oder eine titrierte Lösung von Chlor in Tetrachlormethan. Die Mischung wird bei $20°$ 5 Min. gerührt, das ausgefallene Palladium-Salz durch Filtrieren entfernt und mit Ether gewaschen. Zugabe von Pentan fällt weiteren Palladium-Komplex aus, der ebenfalls abfiltriert und mit Ether gewaschen wird. Alle Filtrate werden i. Vak. konzentriert und mit mehreren kleinen Portionen Pentan extrahiert. Die vereinigten Pentan-Extrakte werden nacheinander mit verd. Salzsäure und wäßr. Natriumhydrogencarbonat gewaschen und über Magnesiumsulfat getrocknet. Das Lösungsmittel wird i. Vak. entfernt und die Produkte durch präparative GLC getrennt und durch NMR charakterisiert (Beispiele s. Tab. 29, S. 918).
in Methanol[1]: Unter starkem Rühren wird eine Suspension der Organo-palladium-Verbindung in Methanol mit der äquivalenten Menge Brom oder durch Überleiten eines leichten Chlor-Stroms über die Suspension halogeniert. Die Reaktionsmischung wird 5 Min. bei $20°$ gerührt. Die ausgefallene Palladiumhalogenid-Verbindung wird filtriert und mit Methanol gewaschen. Die vereinigten Filtrate werden i. Vak. eingeengt und der Rückstand mit mehreren kleinen Portionen Pentan extrahiert, die vereinigten Pentan-Extrakte mit verd. Salzsäure und wäßr. Natriumhydrogencarbonat-Lösung gewaschen und über Magnesiumsulfat getrocknet. Pentan wird i. Vak. entfernt, die Produkte durch präparative GLC getrennt und durch NMR charakterisiert (Beispiele s. Tab. 29).

---

[1] P.K. WONG u. J.K. STILLE, J. Organometal. Chem. **70**, 121 (1974).

Tab. 29: Halogenierung von Alkyl-, Alkenyl-, Aryl- und Acyl-palladium-Verbindungen

Ausgangsprodukt	Reaktionsbedingungen	Halogenkohlenwasserstoff	Ausbeute [%]	Literatur
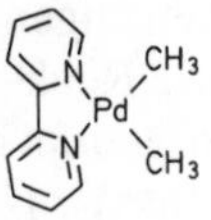 (Pyridyl-Pd Komplex mit CH₃-Gruppen)	Jod/Toluol	$H_3C–J$	–	1
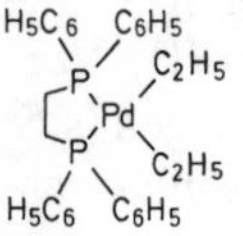 (Diphosphin-Pd-Komplex mit C_2H_5)	J_2/C_6H_6, 20°	$H_5C_2–J$	74	2
$[(H_5C_6)_3P]_2Pd(CH_2–S–R)Cl$ R = CH₃	$Br_2/CHCl_3$	$H_3C–S–CH_2Br$ $+H_3C–S–CH_2Cl$	80 20	3
R = C₆H₅	$Cl_2/CHCl_3$	$H_5C_6–S–CH_2–Cl$	100	3
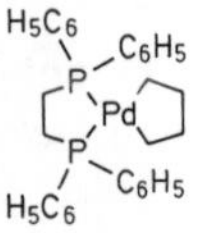 (Diphosphin-Pd-cyclopentyl)	Br_2/CH_2Cl_2 1. –78° 2. 20°	$Br–(CH_2)_4–Br$	100	4,5
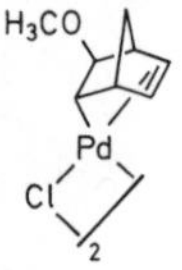 (H₃CO-norbornen-Pd-Cl Komplex)	$Cl_2/CH_2Cl_2/$ $CCl_4/20°$	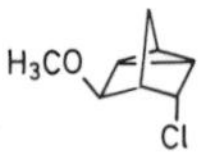 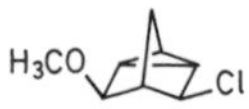 (H₃CO-bicyclisches Produkt mit Cl) + (H₃CO-Produkt mit Cl)	83 17	6
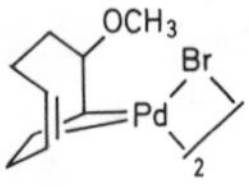 (OCH₃-Alkenyl-Pd-Br Komplex)	$Br_2/CH_2Cl_2/20°$	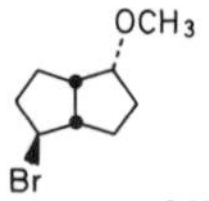 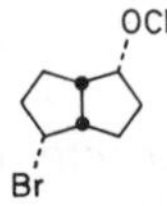 (OCH₃ bicyclisches Produkt mit Br) + (OCH₃ Produkt mit Br)	95 5	6
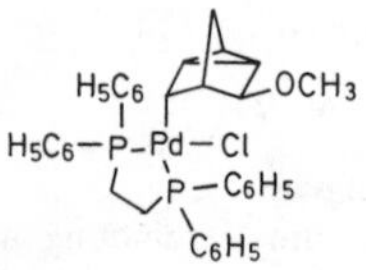 (H_5C_6-bicyclisches OCH₃ Pd-Cl Phosphin Komplex)	X_2/CH_2Cl_2 X: Br, Cl	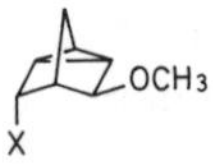 (bicyclisches OCH₃ Produkt mit X)	–	7

[1] P. M. MAITLIS u. F. G. A. STONE, Chem. & Ind. **1962**, 1865.
[2] T. ITO, H. TSUCHIYA u. A. YAMAMOTO, Bl. chem. Soc. Japan **50**, 1319 (1977); als Nebenprodukte entstehen Alkane und Alkene; weitere Beispiele.
[3] H. D. MC PHERSON u. J. L. WARDELL, Inorg. Chim. Acta **35**, L 353 (1979).
[4] P. DIVERSI, G. INGROSSO u. A. LUCHERINI, Chem. Commun. **1978**, 735.
[5] P. DIVERSI et al., Soc. [Dalton] **1980**, 1633.
[6] P. K. WONG u. J. K. STILLE, J. Organometal. Chem. **70**, 121 (1974).
[7] D. R. COULSON, Am. Soc. **91**, 200 (1969).

Tab. 29 (Forts.)

Ausgangsprodukt	Reaktionsbedingungen	Halogenkohlenwasserstoff	Ausbeute [%]	Literatur
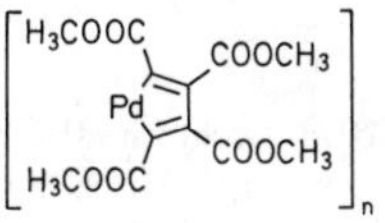 (Struktur)	$Br_2/CH_2Cl_2/0°$	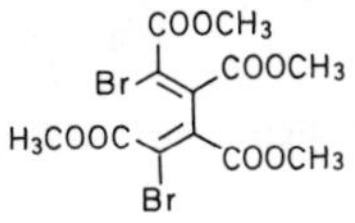 (Struktur)	90	[1,2]
$PdCl(C_6Cl_5)[P(C_6H_5)_3]_2$	$Cl_2/CCl_4/20°$	C_6Cl_6	–	[3]
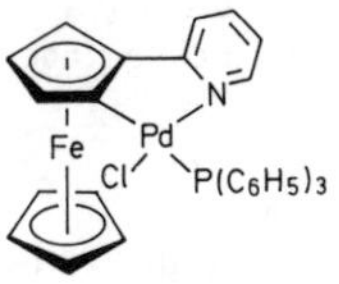 (Struktur)	$Br_2/CHCl_3/20°$	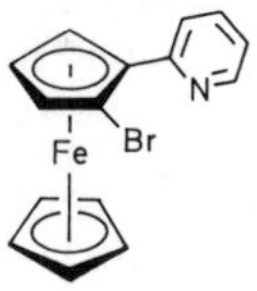 (Struktur)	35	[4]
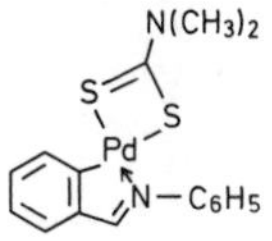 (Struktur)	NCS–SCN	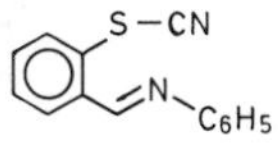 (Struktur)	–	[5]
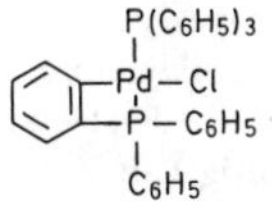 (Struktur)	CCl_4	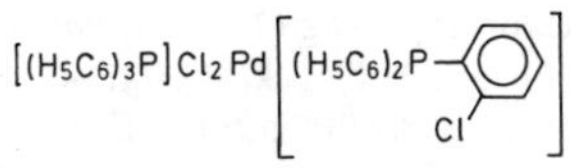 $[(H_5C_6)_3P]Cl_2Pd\left[(H_5C_6)_2P-\underset{Cl}{\bigcirc}\right]$	–	[6]
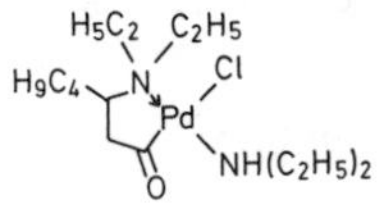 (Struktur)	1. $Br_2/CH_2Cl_2/-78°$ 2. H_3C-OH, 25°	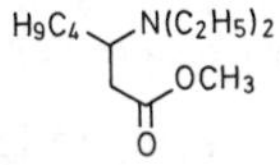 (Struktur)	86	[7]
	1. $Br_2/CH_2Cl_2/-78°$ 2. konz. NH_4OH	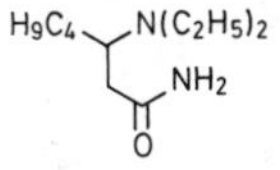 (Struktur)	100	[7]
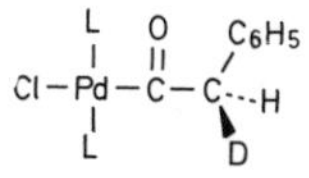 (Struktur)	1. $Br_2/-78°$ 2. $H_3C-OH/25°$	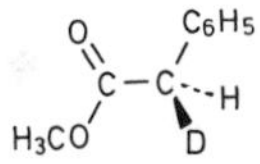 (Struktur)	78	[8]
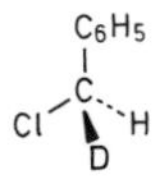 (Struktur)	1. $Pd[P(C_6H_5)_3]_3(CO)$ 2. $Cl_2/-78°$	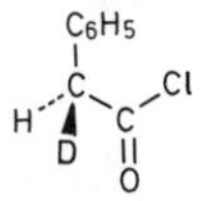 (Struktur)	31	[8]

[1] K. Moseley u. P.M. Maitlis, Chem. Commun. **1971**, 1604.
[2] K. Moseley u. P.M. Maitlis, Soc. [Dalton] **1974**, 169.
[3] J.M. Coronas u. J. Sales, J. Organometal. Chem. **94**, 107 (1975).
[4] A. Kasahara, T. Izumi u. M. Maemura, Bl. chem. Soc. Japan **50**, 1878 (1977).
[5] D. Leaver et al., Tetrahedron Letters **1979**, 3339.
[6] D.M. Fenton, J. Org. Chem. **38**, 3192 (1973).
[7] L.S. Hegedus et al., Inorg. Chem. **16**, 1887 (1977); weitere Beispiele.
[8] K.S.Y. Lau, P.K. Wong u. J.K. Stille, Am. Soc. **98**, 5832 (1976).

3-Diethylamino-propansäure-methylester[1]:

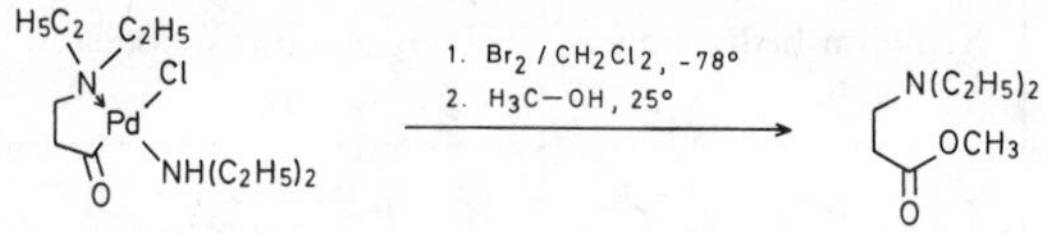

0,211 g (0,67 mmol) Chloro-(diethylamino)-(3-diethylamino-propanoyl)-palladium in 10 *ml* Dichlormethan wird auf −78° gekühlt und 0,098 g (0,62 mmol) Brom in 3 *ml* Dichlormethan bei −78° zugefügt. Die Mischung wird bei −78° 30 Min. gerührt. Dann fügt man 2 *ml* Methanol zu und läßt die Reaktionsmischung auf 25° kommen. Die Reaktionsmischung wird zur Trockne eingeengt, in 10 *ml* Chloroform aufgenommen und mit 20 *ml* Natriumsulfit-Lösung gewaschen. Die wäßr. Phase wird mit 3 10-*ml*-Portionen Chloroform gewaschen und die vereinigten organ. Extrakte über wasserfreiem Magnesiumsulfat getrocknet und anschließend zur Trockne eingeengt. Das halbfeste Produkt wird mit 20 *ml* Petrolether verrieben und filtriert und das Filtrat zur Trockne eingeengt; Ausbeute: 0,086 g (96%) (gelbes Öl); IR $\nu_{C=O}$: 1740 cm^{-1}.

Weitere Beispiele siehe Tabelle 29 (S. 919).

Analog den Spaltungsreaktionen mit Halogen gelingt auch die Spaltung mit Quecksilber(II)-chlorid. Ein typisches Beispiel wird im folgenden beschrieben:

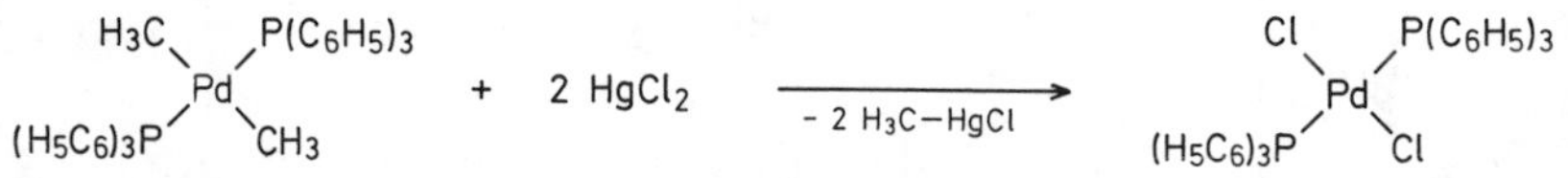

Methyl-quecksilberchlorid[2]: 0,37 g (1 mmol) *trans*-Dimethyl-bis-[triethylphosphan]-palladium wird zu einer Suspension von 0,27 g (1 mmol) Quecksilber(II)-chlorid in 20 *ml* Benzol zugefügt. Die Lösung schlägt sofort nach gelb um. Es wird 18 Stdn. bei 20° gerührt. Das Lösungsmittel wird i. Vak. abgezogen und die gelbe Festsubstanz bei 0,5 Torr und 80° erwärmt. Dabei sublimiert Methyl-quecksilberchlorid (**Achtung, hochgiftig!**) ab; Ausbeute: 0,1 g (40%).

Der gelbe Rückstand, mit Metall verunreinigt, wird aus Methanol umkristallisiert; Ausbeute: 0,22 g (50%) *trans-Dichloro-bis-[triethylphosphan]-palladium*; F: 140–141°.

Auf ähnliche Weise erhält man folgende Organo-quecksilber-Verbindungen[3-5]:

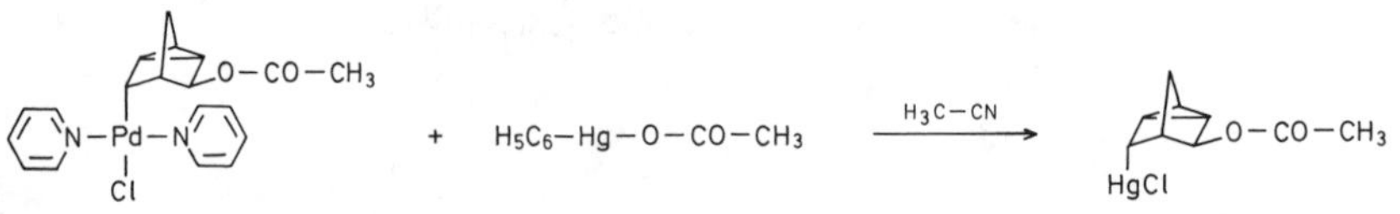

57%[3]

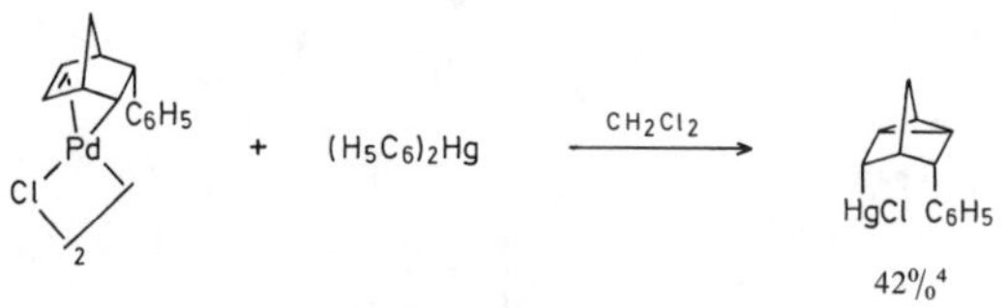

42%[4]

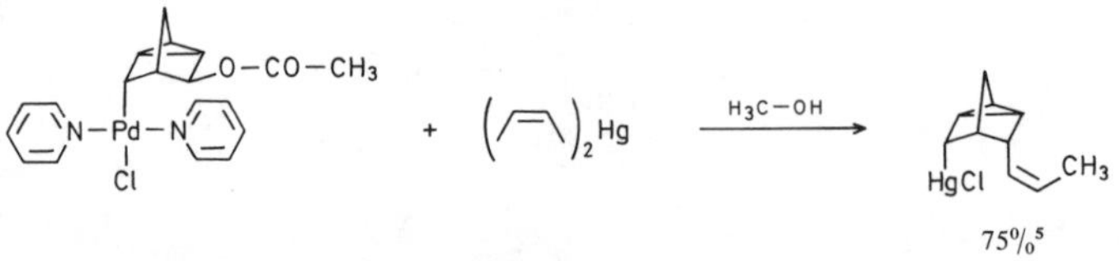

75%[5]

[1] L.S. HEGEDUS et al., Inorg. Chem. **16**, 1887 (1977).
[2] R.J. CROSS u. R. WARDLE, Soc. [A] **1970**, 840.
[3] E. VEDEJS u. M.F. SALOMON, J. Org. Chem. **37**, 2075 (1972); Chem. Commun. **1971**, 1582.
[4] P.M. MAITLIS, A. SEGNITZ et al., J. Organometal. Chem. **124**, 113 (1977).
[5] E. VEDEJS u. P.D. WEEKS, Chem. Commun. **1974**, 223.

Die für die organische Synthese wichtigen Umwandlungen von Organo-quecksilber-Verbindungen in die hochreaktiven Organo-palladium-Verbindungen werden auf S. 723 beschrieben.

Aryl-dichlor-methan bzw. 1,2-Diaryl-1,2-dihalogen-ethane reagieren in Gegenwart von Tetrakis-[triphenylphosphan]-palladium (über σ–C–Pd) mit symmetrischen Disilanen unter reduktiver Kupplung zu Stilbenen oder bei Verwendung der halben molaren Menge Disilan zu Dichlorethanen[1]:

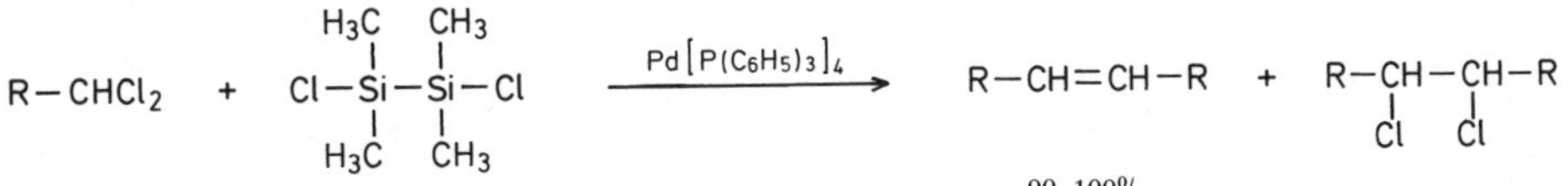

$$R-CHCl_2 \ + \ \underset{\substack{| \ \ \ | \\ H_3C \ \ CH_3}}{\overset{\substack{H_3C \ \ CH_3 \\ | \ \ \ |}}{Cl-Si-Si-Cl}} \ \xrightarrow{Pd[P(C_6H_5)_3]_4} \ R-CH=CH-R \ + \ \underset{\substack{| \ \ | \\ Cl \ \ Cl}}{R-CH-CH-R}$$

R = C₆H₅, 2-Cl–C₆H₄,
4-Cl–C₆H₄, 2,4-Cl₂–C₆H₃

90–100%

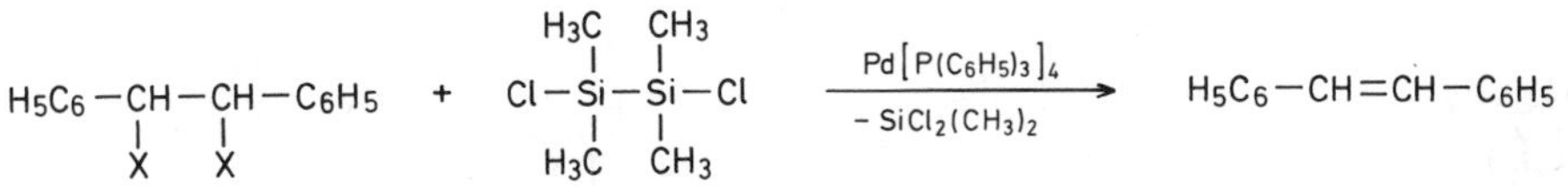

$$\underset{\substack{| \ | \\ X \ X}}{H_5C_6-CH-CH-C_6H_5} \ + \ \underset{\substack{| \ \ \ | \\ H_3C \ \ CH_3}}{\overset{\substack{H_3C \ \ CH_3 \\ | \ \ \ |}}{Cl-Si-Si-Cl}} \ \xrightarrow[- \ SiCl_2(CH_3)_2]{Pd[P(C_6H_5)_3]_4} \ H_5C_6-CH=CH-C_6H_5$$

X = Cl, Br

100%

j) mit Halogenalkanen bzw. Acylhalogeniden (C–C-Knüpfung)

Möglichkeiten der C–C-Knüpfung ergeben sich, wenn man σ-Organo-palladium-Verbindungen mit Alkyl-, 1-Alkenyl-, Aryl- und Acyl-Gruppen am Pd-Atom mit Halogenalkanen spaltet. Durch oxidative Addition des Halogenalkans an die Organo-palladium(II)-Verbindung entstehen zunächst die sechsfachkoordinierten Palladium(IV)-Zwischenverbindungen (s. S. 880), die unter reduktiver Eliminierung (Kopplungsprodukte und β-Eliminierungsprodukte) wieder zerfallen (entstehende Produktgemische s. Tab. 30, S. 922); z.B.[2]:

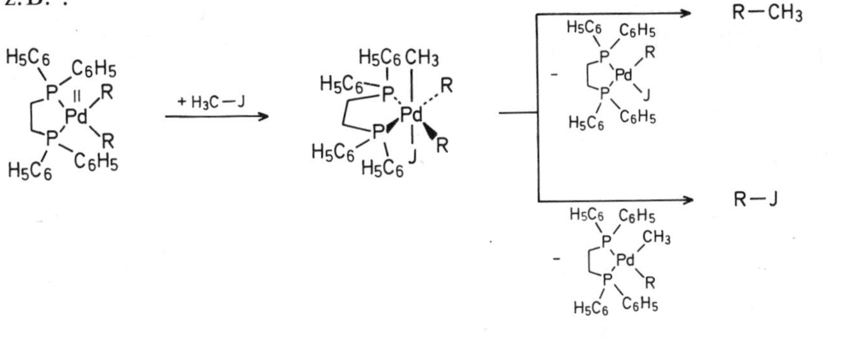

Eindeutig verlaufen die Reaktionen in der Regel nur, wenn keine β-Eliminierungen auftreten können (Beispiele s. Tab. 30, S. 922). Nur in diesen Fällen ist die Methode geeignet für C–C-Knüpfungen.

4-tert.-Butyl-7-chlor-2,5,6,8,8-pentamethyl-1,4,6-nonatrien[3]: 0,1 g (1,1 mmol) 3-Chlor-2-methyl-1-propen wird zu einer Lösung von 0,52 g (1 mmol) (2,2′-Bipyridyl)-chloro-(1-tert.-butyl-4-chlor-2,3,5,5-tetramethyl-1,3-hexadienyl)-palladium in 20 ml Benzol gegeben und die Mischung 3 Stdn. unter Rückfluß erhitzt. Nach Abkühlen der Reaktionsmischung wird das gelbe Dichloro-(2,2′-bipyridyl)-palladium abfiltriert und das Filtrat i. Vak. eingeengt. Das zurückbleibende Öl wird an Kieselgel mit Pentan chromatographiert. Einengen des Eluats i. Vak. ergibt das Produkt als farbloses Öl; Ausbeute: 0,24 g (84%).

[1] T. Nakano et al., Chem. Letters **1982**, 613.
[2] T. Ito, H. Tsuchiya u. A. Yamamoto, Bl. chem. Soc. Japan **50**, 1319 (1977).
[3] E. A. Kelley u. P. M. Maitlis, Soc. [Dalton] **1979**, 167.

Tab. 30: Spaltung von Organo-palladium-Verbindungen mit Halogenalkanen oder Acylhalogeniden (C–C-Knüpfung)

Ausgangsprodukt	Halogenalkan oder Acylhalogenid	Reaktionsprodukt	Ausbeute [%]	Literatur
	J–CH₃	H₃C–CH₃	100	1
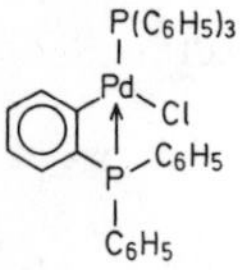	X–R	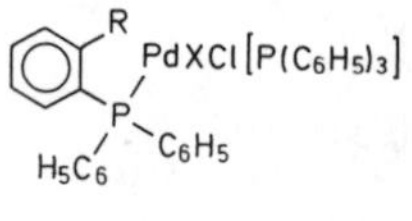	–	2
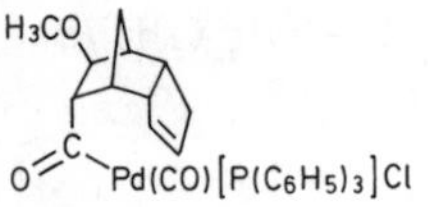	J–CH₃	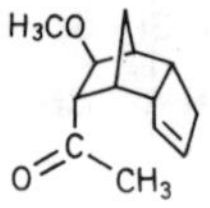	–	3
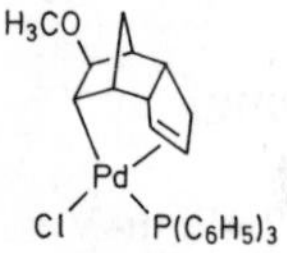	Cl–CO–CH₃	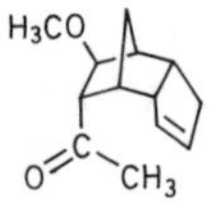	–	3

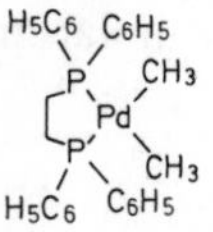

Auch Acylhalogenide sind zur Spaltung von σ–Pd–C-Bindungen befähigt (s. Tab. 30). Dieses Reaktionsverhalten kann zur Herstellung von Ketonen ausgenutzt werden. Über Alkyl-palladium-Zwischenstufen verlaufen auch die Umsetzungen von Aryl-brom-methanen und Carbonsäure-chloriden in Gegenwart eines Gemisches aus Zink-staub und Dichloro-bis-[triphenylphosphan]-palladium-Katalysator unter reduktiver Kupplung zu Benzylketonen. Als Nebenprodukte werden 1,2-Diphenyl-alkane gebildet[4]:

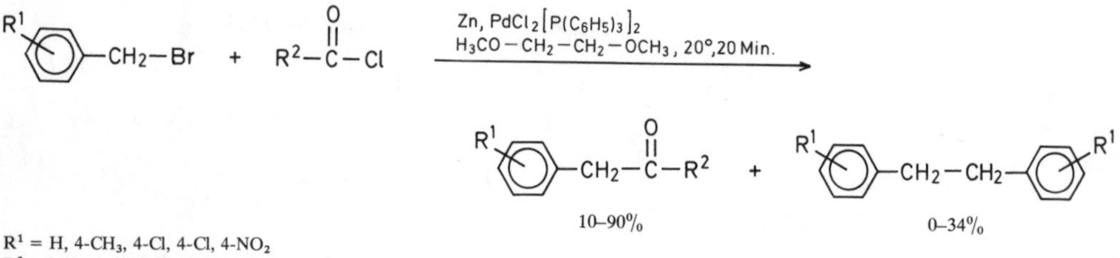

R^1 = H, 4-CH₃, 4-Cl, 4-Cl, 4-NO₂
R^2 = C₆H₅, 4-Cl–C₆H₄, 5-CH₃-2-furyl, C₃H₇, CH(CH₃)₂, C₈H₁₇,
       CH = CH–CH₃, –(CH₂)₄–COOCH₃

Tetrahydrofuran sowie andere Ether reagieren mit Acylchloriden in Gegenwart von Palladium(II)-Salzen und Zinn-Verbindungen zu den Estern unter Spaltung der Ether-Bindung[5]:

[1] T. Ito, H. Tsuchiya u. A. Yamamoto, Bl. chem. Soc. Japan **50**, 1319 (1977); mit anderen Alkyl-palladium-Verbindungen werden Gemische erhalten.
[2] US.P. 3720697 (1973), Union Oil Co., Erf.: D. M. Fenton; C. A. **78**, 136410 (1973).
[3] M. Graziani, U. Belluco et al., Soc. [Dalton] **1972**, 262.
[4] T. Fujisawa et al., Chem. Letters **1981**, 1135.
[5] I. Pri-Bar u. J. K. Stille, J. Org. Chem. **47**, 1215 (1982); viele weitere Beispiele.

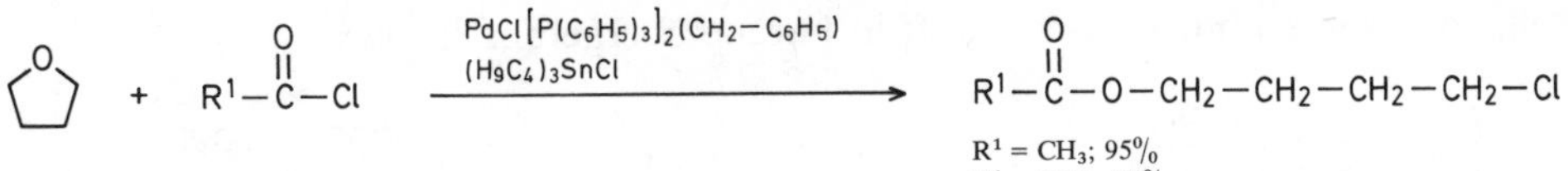

$$\text{(Tetrahydrofuran)} + R^1-\overset{\overset{\textstyle O}{\|}}{C}-Cl \xrightarrow[\text{(H}_9\text{C}_4)_3\text{SnCl}]{\text{PdCl}[\text{P(C}_6\text{H}_5)_3]_2(\text{CH}_2-\text{C}_6\text{H}_5)} R^1-\overset{\overset{\textstyle O}{\|}}{C}-O-CH_2-CH_2-CH_2-CH_2-Cl$$

$R^1 = CH_3;\ 95\%$
$R^1 = C_6H_5;\ 85\%$

k) Oxidative Spaltung

Oxidative Zersetzungsreaktionen von Organo-palladium-Verbindungen sind relativ wenig beschrieben worden. So spaltet 3-Chlor-benzoesäure Benzyl-chloro-bis-[triphenylphosphan]-palladium unter Bildung von *3-Chlor-benzoesäure-benzylester*[1]. Der Komplex I ergibt unter den gleichen Bedingungen *3-(3-Chlor-benzoyloxy)-5-methoxy-tricyclo[2.2.1.0²,⁶]heptan*[1]:

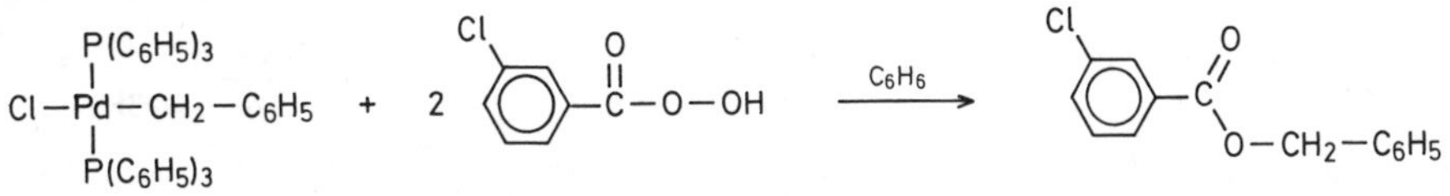

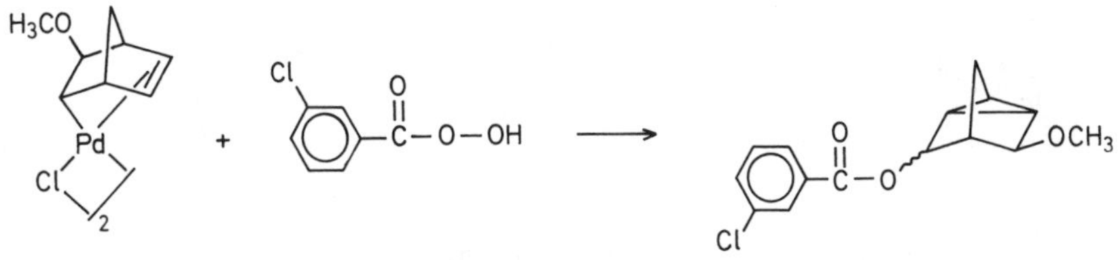

$$\text{Cl}-\overset{\overset{\textstyle P(C_6H_5)_3}{|}}{\underset{\underset{\textstyle P(C_6H_5)_3}{|}}{Pd}}-CH_2-C_6H_5 + 2\ \text{(3-Cl-C}_6\text{H}_4)-\overset{\overset{\textstyle O}{\|}}{C}-O-OH \xrightarrow{C_6H_6} \text{(3-Cl-C}_6\text{H}_4)-\overset{\overset{\textstyle O}{\|}}{C}-O-CH_2-C_6H_5$$

(Komplex I) + $\text{(3-Cl-C}_6\text{H}_4)-\overset{\overset{\textstyle O}{\|}}{C}-O-OH \longrightarrow$ (Produkt, OCH₃)

I   *exo, endo*

[(3-Oxo-cyclopentyl)-methyl]-palladium-Verbindungen werden je nach Substituenten am Cyclopentanon-Ring durch Oxidation mit Kupfer(II)-chlorid unter Spaltung der Pd–C-Bindung und Ringerweiterung zu 3-Oxo-cyclohexenen, 1-Chlor-3-oxo-bicyclo[n.3.1]alkanen sowie Oxo-tricyclo[n.3.1.0¹,ˣ]alkanen umgewandelt[2]:

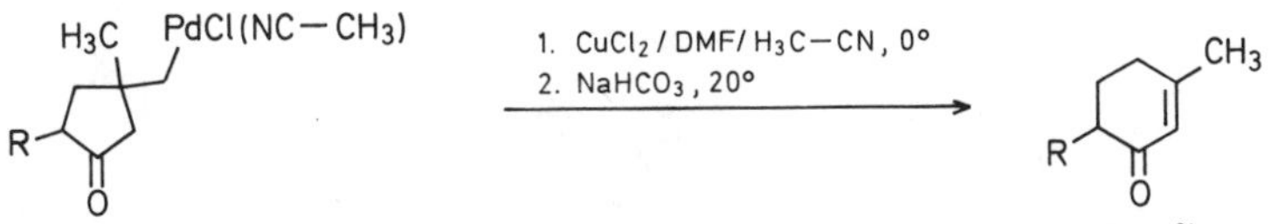

Reaktion 1: $\xrightarrow[\text{2. NaHCO}_3,\ 20°]{\text{1. CuCl}_2/\text{DMF}/\text{H}_3\text{C–CN},\ 0°}$

$R = H;\ 85\%$
$R = CH_3;\ 82\%$

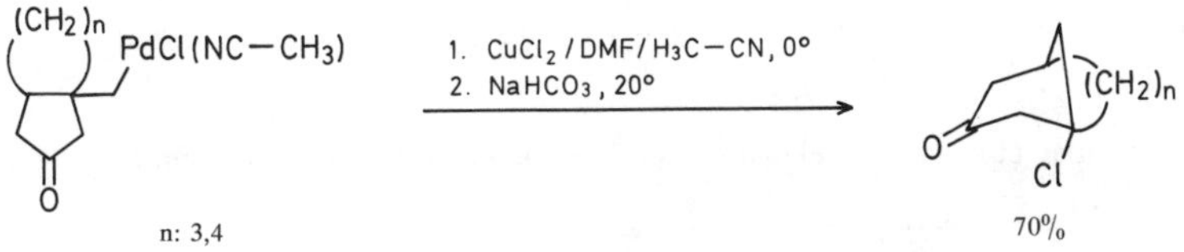

Reaktion 2: $\xrightarrow[\text{2. NaHCO}_3,\ 20°]{\text{1. CuCl}_2/\text{DMF}/\text{H}_3\text{C–CN},\ 0°}$

n: 3,4   70%

Reaktion 3: $\xrightarrow{\text{CuCl}_2/\text{DMF}/\text{H}_3\text{C–CN},\ 0°}$

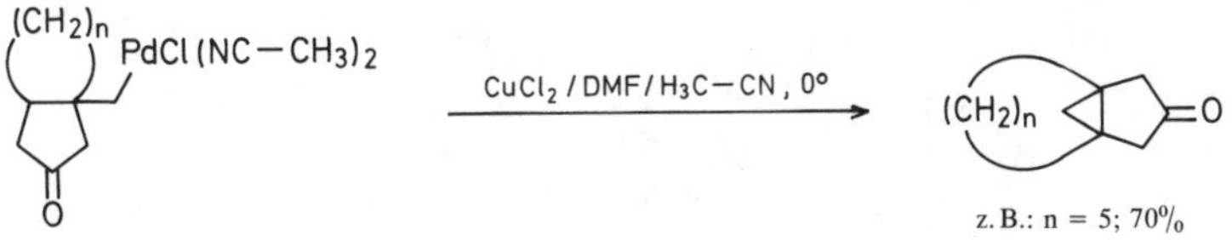

z.B.: n = 5; 70%

---

[1] I.J. HARVIE u. F.J. Mc QUILLIN, Chem. Commun. **1976**, 369.
[2] Y. ITO, H. AOYAMA u. T. SAEGUSA, Am. Soc. **102**, 4519 (1980).

Palladole werden mit Luftsauerstoff in Furane übergeführt[1]; z.B.:

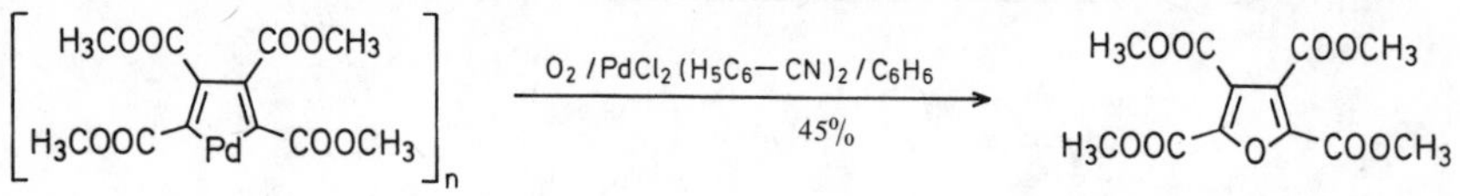

1,3-Butadienyl-palladium-Verbindungen, die in 1,4-Stellung Palladium und einen 2,4,6-Trimethyl-phenyl-Rest besitzen, lassen sich durch Chromtrioxid-Pyridin-Addukt in Dichlormethan bei 20° in Cycloheptatrienone überführen. Eine ortho-ständige Methyl-Gruppe des 2,4,6-Trimethyl-phenyl-Restes wird mit dem an Palladium gebundenem sp²–C-Atom verknüpft unter oxidativer Eliminierung von Palladium. Die Methylen-Brücke wird anschließend durch das Chrom(VI)-oxid zur Carbonyl-Gruppe oxygeniert[2]; z.B.:

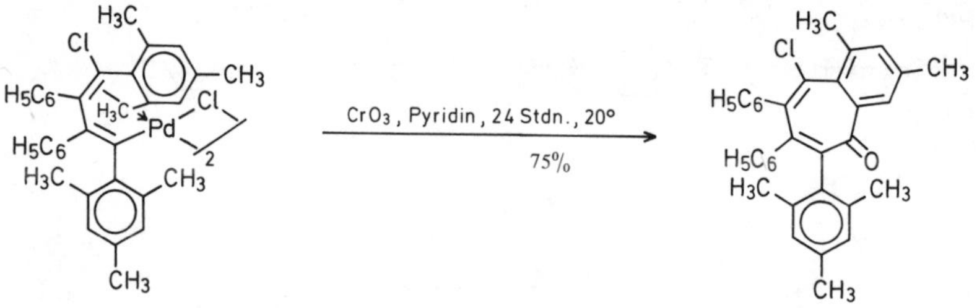

l) durch Thermolyse

Thermische Spaltungen von Organo-palladium-Verbindungen sind auf dreierlei Weise denkbar:

1. Heterolytisch unter β-Eliminierung von HPdX:

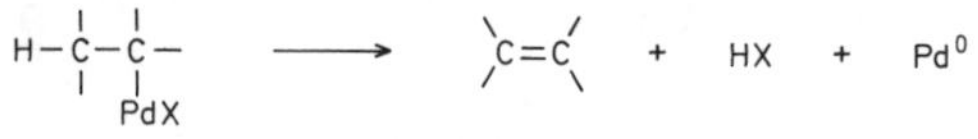

2. Heterolytisch unter α-Eliminierung

am C-Atom:

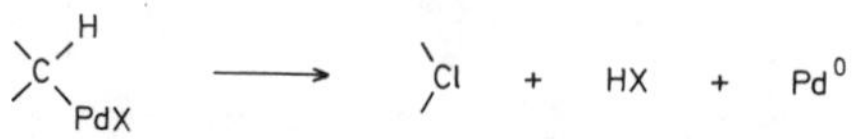

am Palladium:

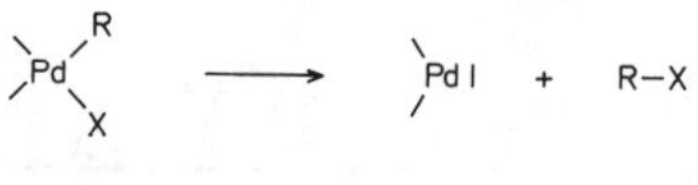

3. Homolytisch über eine intramolekulare oder intermolekulare reduktive Eliminierung (C–C-Knüpfung):

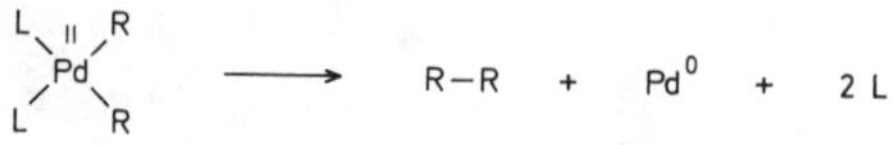

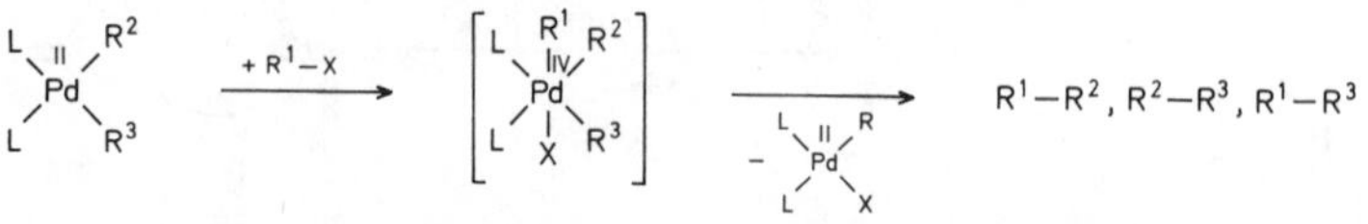

---

[1] K. Moseley u. P.M. Maitlis, Soc. [Dalton] **1974**, 169.
[2] M. Avram et al., J. Organometal. Chem. **136**, C 15 (1977).

Der bei weitem häufigste Reaktionstyp ist die z. B. bei der Palladierung von Olefinen auftretende β-Eliminierung, wenn zum Palladium β-ständiger Wasserstoff vorhanden ist (vereinfacht dargestellt):

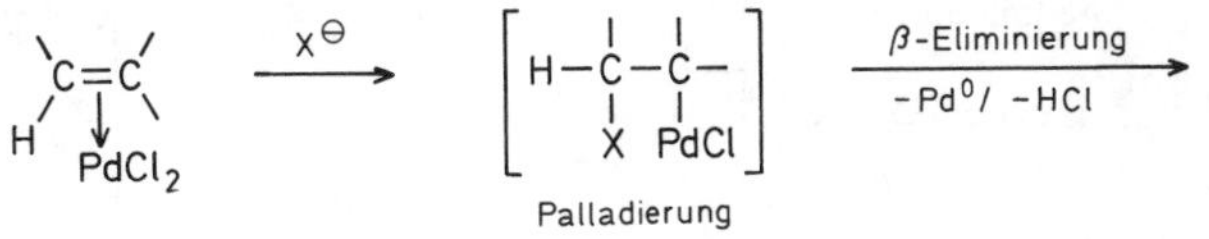

So gelingt es, einfachste Palladierungsprodukte des Ethens zu isolieren und die β-Eliminierung zu untersuchen[1]:

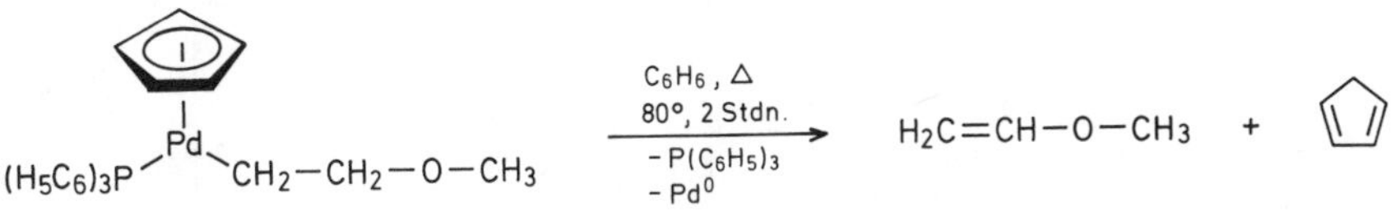

Auf Grund dieses Mechanismus ist es vielfach nicht möglich, die entsprechenden Alkyl-palladium-Verbindungen zu isolieren; z. B. bei Grignard-Reaktionen[2]

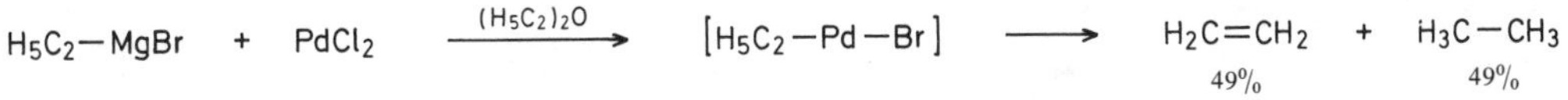

oder bei oxidativen Additionen an Palladium(0)-Verbindungen[3]:

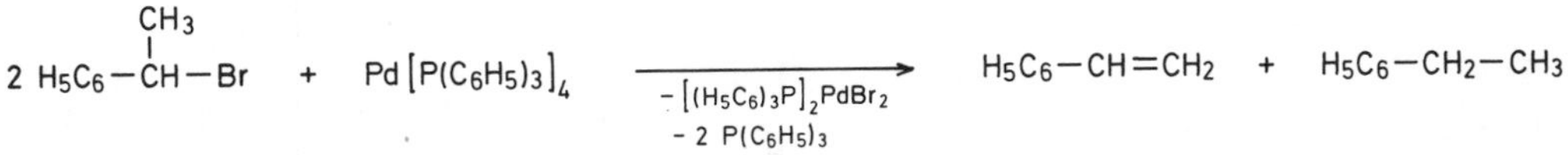

Neben dem Eliminierungsprodukt können die gesättigten Kohlenwasserstoffe und die isomerisierten Olefine auftreten[4]:

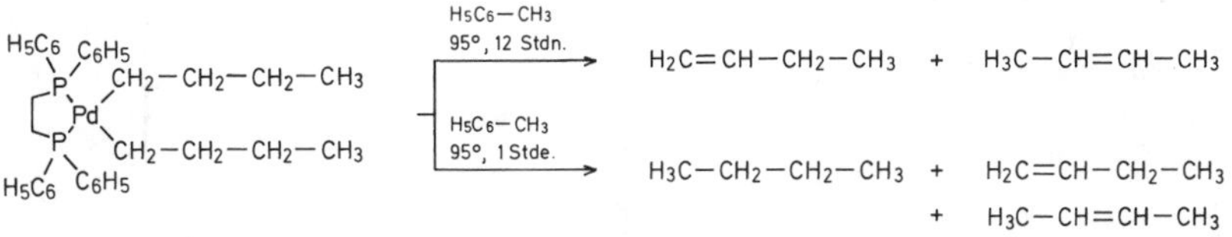

Einige weitere Beispiele für die Thermolyse von stabilen, isolierten σ-Alkyl-palladium-Verbindungen, die nach einem β-Eliminierungs-Mechanismus verlaufen, sind in Tabelle 31, (S. 926) zusammengefaßt.

Reduktive 1,1-Eliminierungen an Palladium sind an cis-Dimethyl-bis-[tert.-phosphan]-palladium-Verbindungen untersucht worden[5-8]:

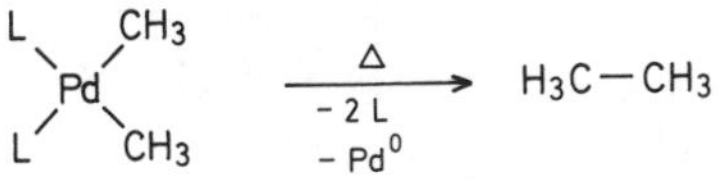

$L = P(C_6H_5)_3, P(C_6H_5)_2(CH_3), P(C_2H_5)_3,$
$\widehat{L}\ L = (H_5C_6)_2P-CH_2-CH_2-P(C_6H_5)_2$

[1] T. MAJIMA u. H. KUROSAWA, Chem. Commun. **1977**, 610; viele Beispiele.
[2] I. I. MOISEEV u. M. N. VARGAFTIK, Doklady Akad. SSSR **166**, 370; engl.: 80 (1966); C. A. **64**, 11248 (1966).
[3] J. K. STILLE u. K. S. Y. LAU, Am. Soc. **98**, 5841 (1976).
[4] P. Diversi, G. INGROSSO u. A. LUCHERINI, Chem. Commun. **1978**, 735.
[5] A. GILLIE u. J. K. STILLE, Am. Soc. **102**, 4933 (1980).
[6] D. MILSTEIN u. J. K. STILLE, Am. Soc. **101**, 4992 (1979).
[7] G. CALVIN u. G. E. COATES, Soc. **1960**, 2008.
[8] T. ITO, H. TSUCHIYA u. A. YAMAMOTO, Bl. chem. Soc. Japan **50**, 1319 (1977).

Tab. 31: Thermolysen von Alkyl-palladium-Verbindungen, die nach einem β-Eliminierungs-Mechanismus verlaufen

Ausgangsprodukt	Reaktions-bedingungen	Reaktionsprodukte	Ausbeute [%]	Literatur
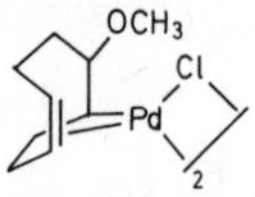	Na_2CO_3/H_3C-OH, $\triangle$	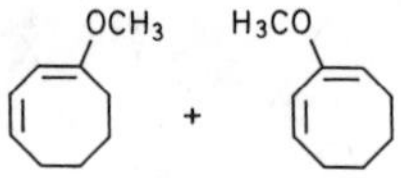	36	1
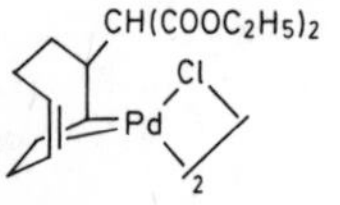	Na_2CO_3/C_6H_6	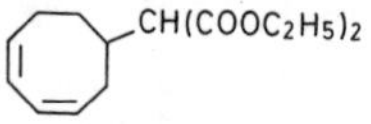	80	2
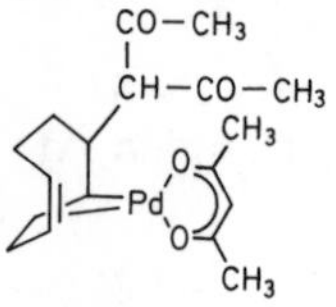	$P(C_6H_5)_3/$ $(H_5C_2)_2O$	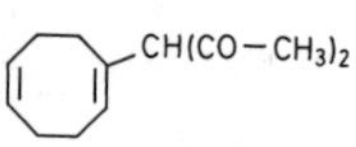	–	3
		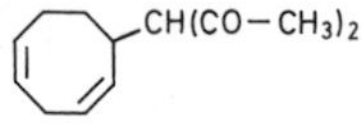	–	
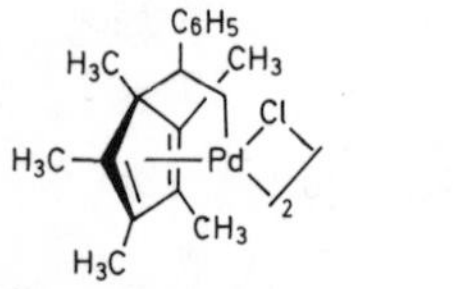	$P(C_6H_5)_3/$ CCl_4 oder $CHCl_3$	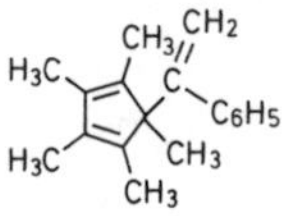	78	4, 5
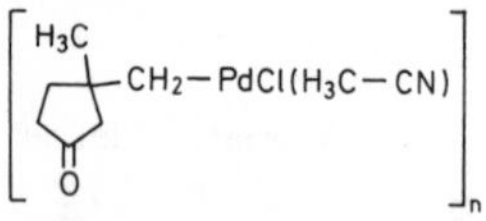	H_3C-CN	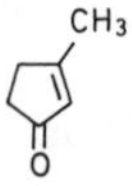	87	6, 7
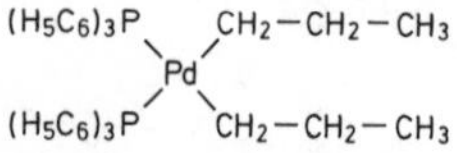	$\triangle$ i. Vak. 40°	$H_3C-CH=CH_2$ $+ H_3C-CH_2-CH_3$	50	8
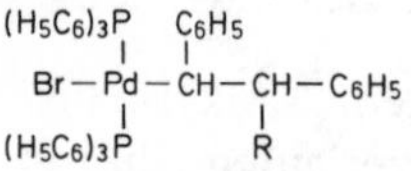 R= Br, O–CO–CH₃, O–SO₂–CH₃, SCH₃	C_6H_6, 80°	$H_5C_6-CH=CH-C_6H_5$	–	9
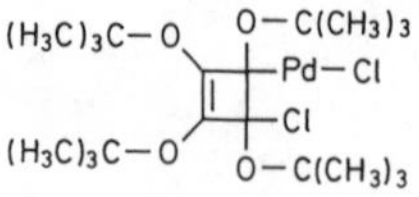	H_3C-CN, $\triangle$	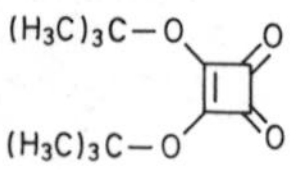	52	10

[1] R. G. Schultz, J. Organometal. Chem. 6, 435 (1966).
[2] H. Takahashi u. J. Tsuji, Am. Soc. 90, 2387 (1968).
[3] B. F. G. Johnson, J. Lewis et al., Soc. [A] 1969, 1793.
[4] T. Hosokawa u. P. M. Maitlis, Am. Soc. 94, 3238 (1972).
[5] P. M. Maitlis et al., Am. Soc. 95, 4914, 4924 (1973).
[6] Y. Ito et al., Am. Soc. 101, 494 (1979).
[7] Y. Ito, H. Aoyama u. T. Saegusa, Am. Soc. 102, 4519.
[8] T. Ito, H. Tsuchiya u. A. Yamamoto, Bl. chem. Soc. Japan 50, 1319 (1977); weitere Beispiele.
[9] T. Sugita et al., Bl. chem. Soc. Japan 52, 3629 (1979).
[10] A. Bou, M. A. Pericas u. F. Serratosa, Tetrahedron Letters 23, 361 (1982).

Tab. 31 (Forts.)

Ausgangsprodukt	Reaktions-bedingungen	Reaktionsprodukte	Ausbeute [%]	Literatur
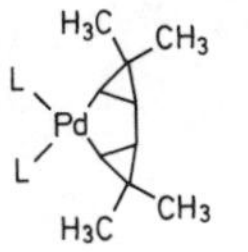 (Pd-Komplex, H_3C, CH_3, L)	Dekalin, 200°	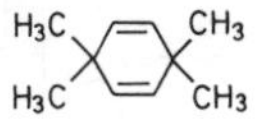 (Dien, H_3C, CH_3)	–	1
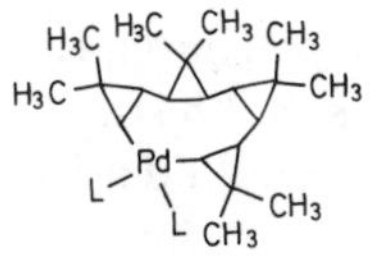 (Pd-Komplex, H_3C, CH_3, L)	$(H_5C_2)_2O$, 35°	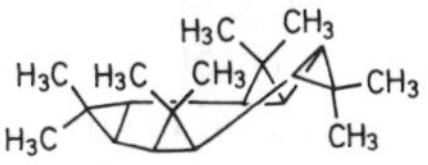 (H_3C, CH_3 Struktur)	–	1
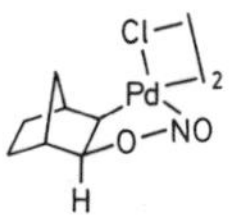 (Pd-Komplex, Cl, O–NO, H)	Toluol, N_2, 48 Stdn., 25°	 (bicyclische Struktur mit O)	90	2
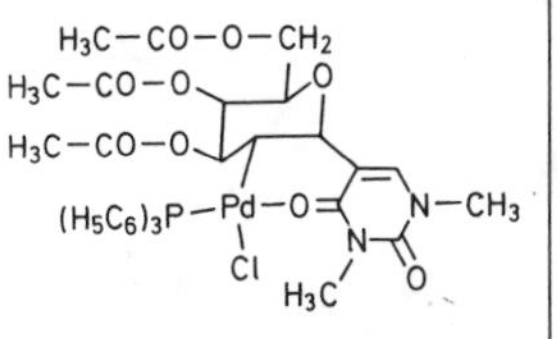 ($H_3C–CO–O–CH_2$, $H_3C–CO–O$, $H_3C–CO–O$, $(H_5C_6)_3P–Pd–O$, Cl, $N–CH_3$, H_3C)	Toluol, △ 10 Min.	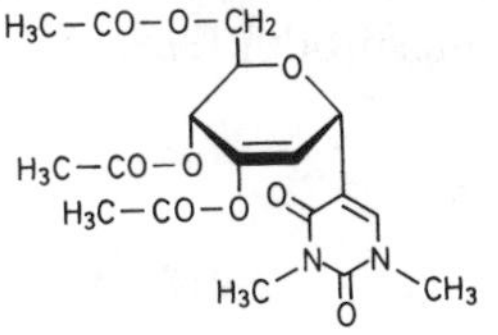 ($H_3C–CO–O–CH_2$, $H_3C–CO–O$, $H_3C–CO–O$, $N–CH_3$, H_3C)	–	3

Die *cis*-Komplexe unterliegen in Gegenwart koordinierender Lösungsmittel wie DMSO, DMF oder THF bei 60° innerhalb 6 Stdn. der reduktiven Eliminierung von Ethan (C–C-Knüpfung)[4]. Wie crossover-Versuche mit deuterierten Verbindungen zeigen, verläuft die Eliminierung intramolekular. Die analogen *trans*-Komplexe isomerisieren in polaren Lösungsmitteln und unterliegen dann der reduktiven Eliminierung. Der Komplex I zeigt diese Reaktion auch bei 100° in DMSO nicht. Bei Zugabe von Jod-trideuterio-methan zu einer DMSO-Lösung bei 25° entwickelt sich *1,1,1-Trideuterio-ethan*, was auf eine intermediär gebildete Palladium(IV)-Verbindung deutet[4]:

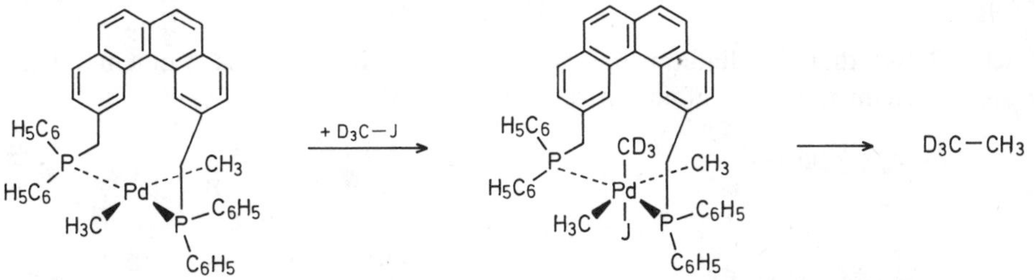

Die Eliminierungsgeschwindigkeiten für die 1,1-reduktive Eliminierung von Ethan aus *cis*-Dimethyl-bis-[tert.-phosphan]-palladium(II) sind in polaren Lösungsmitteln (DMSO, Aceton, Acetonitril) geringer als in nicht polaren wie Benzol. Niedrige Aktivierungsenergien, aber hohe negative Aktivierungsentropien in polaren Lösungsmitteln stehen im Einklang mit einer Eliminierung, die einen koordinativ ungesättigten Palladium(0)-Komplex liefert und einen späteren Übergangszustand mit koordiniertem Lösungsmittel ergibt[5].

---

[1] P. BINGER et al., Ang. Ch. **94**, 66 (1982).
[2] M.A. ANDREWS u. C.W.F. CHENG, Am. Soc. **104**, 4268 (1982).
[3] I. ARAI u. G.D. DAVES, Am. Soc. **103**, 7683 (1981).
[4] A. GILLIE u. J.K. STILLE, Am. Soc. **102**, 4933 (1980).
[5] A. MORAVSKIY u. J.K. STILLE, Am. Soc. **103**, 4182 (1981).

Die Reaktion von *cis*-Dimethyl-bis-[tert.-phosphan]-palladium(II) mit Jodmethan liefert ebenfalls Ethan und Jod-methyl-bis-[tert-phosphan]-palladium. In polaren Lösungsmitteln sind diese Geschwindigkeiten größer als bei der 1,1-reduktiven Eliminierung. In nichtpolaren Lösungsmitteln sind die Geschwindigkeiten vergleichbar[1]:

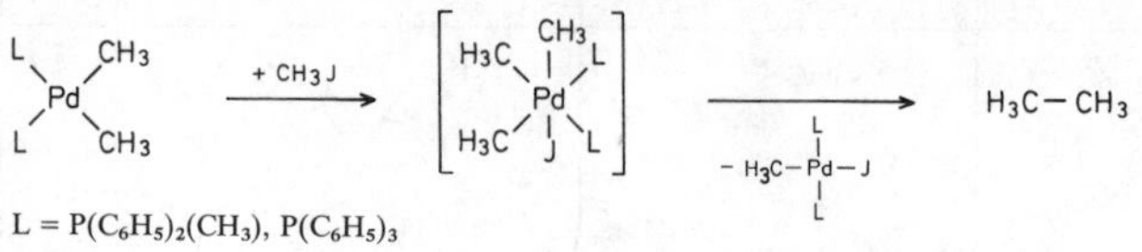

$$L = P(C_6H_5)_2(CH_3),\ P(C_6H_5)_3$$

Zur Kopplung (über Thermolyse) von 2-Phenyl-vinyl- und Methyl-Gruppen durch Reaktion von 2-Phenyl-vinyl-palladium-Verbindungen mit Methyl-lithium s. S. 984ff.

(Cyan-dideutero-methyl)-palladium-Verbindungen ergeben als Hauptprodukt der Pyrolyse *Trideutero-acetonitril* (50%; keine C–C-Neuknüpfung)[2]:

$$Pd(CD_2-CN)_2 \xrightarrow{\Delta} D_3C-CN$$

Verbindungen des folgenden Typs zersetzen sich beim Erhitzen (freier Radikalmechanismus) zu Kupplungsprodukten[3]:

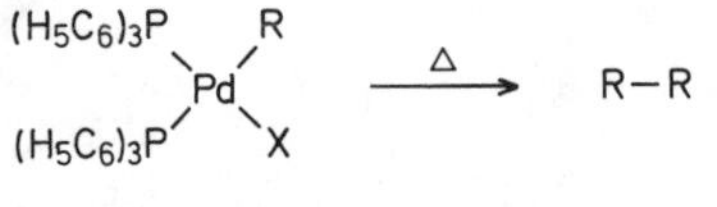

X = Halogen
R = 9-Fluorenyl, CH(C₆H₅)–COOC₂H₅, Si(CH₃)₃

Dagegen soll die Zersetzung der folgenden Verbindungen über Carbanionen verlaufen[3]:

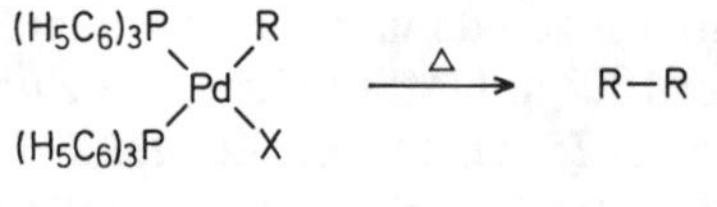

X = Halogen
R = 1-Indenyl, CH₂–CO–C₆H₅

Auch 1,3-Butadienyl-palladium-halogenide können thermisch nach einem 1,1-Eliminierungs-Mechanismus am Palladium zersetzt werden[4]; z.B.:

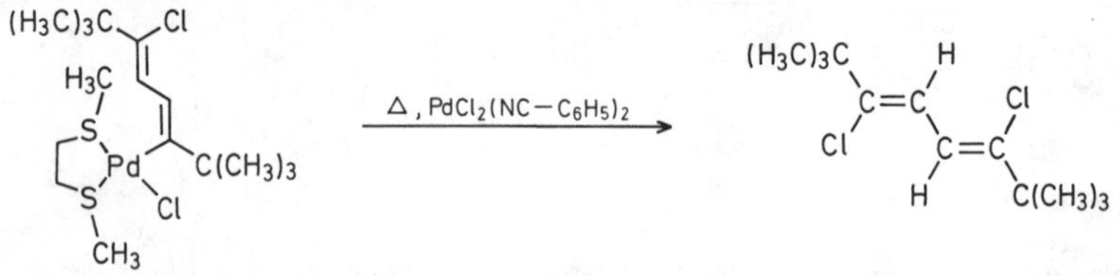

[1] A. Moravskiy u. J.K. Stille, Am. Soc. **103**, 4182 (1981).
[2] G. Öhme u. H. Baudisch, Tetrahedron Letters **1974**, 4129.
[3] J.K. Stille u. K.S.Y. Lau, Am. Soc. **98**, 5841 (1976).
[4] E.A. Kelley, G.A. Wright u. P.M. Maitlis, Soc. [Dalton] **1979**, 178.

m) durch Ummetallierungen mit Organo-quecksilber-Verbindungen bzw. verwandte Reaktionen (einschl. C–C-Knüpfung)

Quecksilber(II) bildet wie Palladium(II) σ-gebundene Organometall-Verbindungen mit Olefinen und Aromaten:

$$
MX_2 \quad
\begin{cases}
\xrightarrow{\;+\,R-CH=CH_2\;} & R-\underset{X}{\overset{|}{C}}H-\underset{MX}{\overset{|}{C}}H_2 \\[2em]
\xrightarrow{\;+\,C_6H_6\;} & H_5C_6-MX
\end{cases}
$$

M = Hg, Pd

Im Gegensatz zu den meisten Organo-palladium-Verbindungen sind die analogen Quecksilber-Verbindungen jedoch relativ stabil, leicht isolierbar und gut handhabbar. Da sich die Quecksilber-Verbindungen jedoch leicht mit Palladium-Salzen ummetallieren lassen, ergeben sich eine Vielzahl neuer Synthese-Möglichkeiten (HECK-Chemie). Die hochreaktiven Organo-palladium-Verbindungen können so in situ erzeugt werden und mit Olefinen und Arenen weiter umgesetzt werden oder auch unter β-Eliminierung reduktiv zerfallen. Die ersten solcher Ummetallierungsreaktionen wurden im Zusammenhang mit der Wacker-Reaktion untersucht. So ergeben die folgenden Ummetallierungen *Acetaldehyd, Ethoxy-ethen* und *Essigsäure-vinylester*[1]:

$$PdCl_2 + ClHg-CH_2-CH_2-OH \longrightarrow [Cl-Pd-CH_2-CH_2-OH] \xrightarrow[-Pd]{-HCl} H_3C-CHO$$

$$PdCl_2 + ClHg-CH_2-CH_2-OC_2H_5 \xrightarrow[-Pd]{-HCl} H_2C=CH-OC_2H_5$$

$$PdCl_2 + ClHg-CH_2-CH_2-O-CO-CH_3 \xrightarrow[-Pd]{-HCl} H_2C=CH-O-CO-CH_3$$

Palladierungsprodukte von Aryl-, 1-Alkenyl-, Alkoxycarbonyl- und Alkyl-quecksilber-Verbindungen ohne β-ständigen Wasserstoff können in situ für die Reaktionen mit Olefinen verwendet werden[2–6]. Styrole werden bei der Reaktion von Phenylquecksilber-Verbindungen, Palladium(II)-acetat und Olefinen gebildet. Die Anwendungsbreite dieser Methode ist mit den verschiedensten Olefinen und Quecksilber-Verbindungen untersucht worden[7,8].

$$H_5C_6-Hg-X \xrightarrow{+PdX_2} [H_5C_6-Pd-X] \xrightarrow{+R-CH=CH_2} \left[R-\underset{H_5C_6}{\overset{|}{C}}H-\underset{PdX}{\overset{|}{C}}H_2 + R-\underset{PdX}{\overset{|}{C}}H-\underset{C_6H_5}{\overset{|}{C}}H_2 \right]$$

$$\xrightarrow[-Pd]{-HX} R-\underset{C_6H_5}{\overset{|}{C}}=CH_2 + R-CH=CH-C_6H_5$$

[1] I. I. MOISEEV u. M. N. VARGAFTIK, Doklady Akad. Nauk SSSR **166**, 370 (1966); engl.: **80**; C. A. **64**, 11248 (1966).

[2] R. F. HECK, Am. Soc. **90**, 5518, 5526, 5531, 5535, 5538, 5542, 5546 (1968).

[3] R. F. HECK, Am. Soc. **91**, 6707 (1969).

[4] R. F. HECK, Am. Soc. **93**, 6896 (1971).

[5] R. F. HECK, J. Organometal. Chem. **37**, 389 (1972).

[6] R. F. HECK, Organometal. i. Chem. Synth. **1**, 455 (1972).

[7] P. M. HENRY u. G. A. WARD, Am. Soc. **94**, 673 (1972).

[8] A. KASAHARA et al., Bl. chem. Soc. Japan **45**, 894, 951, 1256 (1972); **46**, 665, 1220 (1973); **47**, 183, 1967 (1974).

Die Richtung der Insertion von substituierten Olefinen wird hauptsächlich durch sterische und weniger durch elektronische Effekte bestimmt. Palladium addiert sich an den am wenigsten substituierten Kohlenstoff. Die Reaktion von Propen mit Phenyl-quecksilberacetat/Palladium(II)-acetat in Methanol bei 30° ergibt in 66%iger Ausbeute eine Mischung von *trans-* (60%), *cis-1-Phenyl-propen* (9%), *3-* (15%) und *2-Phenyl-propen* (15%)[1,2]:

$$H_5C_6-Hg-O-CO-CH_3 \xrightarrow[- Hg(O-CO-CH_3)_2]{+ Pd(O-CO-CH_3)_2} [H_5C_6-Pd-O-CO-CH_3]$$

$$\downarrow + H_3C-CH=CH_2$$

$$\left[\begin{array}{c} H_5C_6-CH-CH_2-Pd-O-CO-CH_3 \\ | \\ CH_3 \end{array} \right] \qquad \left[\begin{array}{c} H_5C_6-CH_2-CH-Pd-O-CO-CH_3 \\ | \\ CH_3 \end{array} \right]$$

$$-[HPd-O-CO-CH_3]\downarrow \qquad\qquad -[HPd-O-CO-CH_3]\downarrow$$

$$H_5C_6-\underset{\underset{CH_3}{|}}{C}=CH_2 \qquad\qquad \underset{H_5C_6}{\overset{H}{}}C=\underset{CH_3}{\overset{H}{}}C \;+\; \underset{H}{\overset{H_5C_6}{}}C=\underset{CH_3}{\overset{H}{}}C$$

$$+ \quad H_5C_6-CH_2-CH=CH_2$$

Tab. 32 (S. 931 ff.) gibt eine Übersicht über die Arylierung von Olefinen mit Aryl-palladium-Verbindungen via Ummetallierung. Arylierungen von Olefinen (z.B. 1,3-Butadienen) mit Aryl-quecksilber-Verbindungen und Palladium(II)-Salzen, die über π-Allylpalladium-Komplexe verlaufen[3], werden im Bd. E 18 besprochen. Die Ummetallierung kann auch mit anderen Organo-metall-Verbindungen (wie z.B. Organo-blei- und -zinn-Verbindungen) durchgeführt werden. Die Reaktionen können mit katalytischen Mengen Palladium-Salz durchgeführt werden, wenn als Reoxidationsmittel Kupfer(II)-chlorid eingesetzt wird.

Die Umsetzung von Aryl-quecksilberchlorid, Olefinen, Kupfer(II)-chlorid und katalytischen Mengen Palladium(II)-chlorid ergibt 1-Aryl-2-chlor-alkane. Die Reaktion von Allylalkoholen liefert Carbonyl-Verbindungen. Eine Reihe von typischen Beispielen für die Arylierung von linearen und cyclischen Olefinen sowie von Heterocyclen sind in Tab. 32 (S. 931 ff.) aufgeführt. Arylierungsreagenzien gemäß Aromaten-Definition können auch Quecksilber-Verbindungen von Hetarenen und von Ferrocen sein. Auch Ringschlußreaktionen und oxidative Kupplung von Arenen sind über Mercurierungs-Reaktionen möglich. Eine kleine Übersicht über die Anwendungsbreite dieser Arylierungsreaktionen gibt Tab. 32 (S. 934). Im folgenden wird ein allgemeines Verfahren für die Alkylierung oder Arylierung von Olefinen via Organo-quecksilber-, -blei- und -zinn-Verbindungen beschrieben.

Alkylierung oder Arylierung von Olefinen mit Organo-quecksilber-, -blei- und -zinn-Verbindungen; allgemeine Arbeitsvorschrift[4]: Mischungen der Organo-metall-Verbindung, der äquivalenten Menge Olefin (oder besser zweifacher oder mehrfacher Überschuß) und Lösungsmittel werden gerührt und die Gruppe VIII-Metallverbindung, z.B. Lithium-trichloropalladat(II), Lithium-tetrachloropalladat(II) oder Palladium(II)-acetat, werden als Festsubstanz oder in Lösung zugefügt. Das Rühren wird für 12 Stdn. bei 20° fortgesetzt. I. a. sollte das Organometall-Reagens so dosiert werden, daß eine 0,1–1,0 M Lösung entsteht. Eine konz. Lösung läßt sich in der Regel nicht gut anwenden, da sich die erhaltenen Dispersionen schlecht rühren lassen. Gasförmige Olefine werden unter Druck zugefügt. In der Regel reichen 30 psi (entspricht 2,1 kg/cm²).

[1] R.F. Heck, Am. Soc. **91**, 6707 (1969).
[2] R.F. Heck, Am. Soc. **93**, 6896 (1971).
[3] Siehe z.B. F.G. Stakem u. R.F. Heck, J. Org. Chem. **45**, 3584 (1980).
[4] R.F. Heck, Am. Soc. **90**, 5518 (1968).

Tab. 32: Arylierung von Olefinen mit Aryl-palladium-Verbindungen via Ummetallierung

Organoquecksilber oder andere Metall-Verbindungen	Palladium-Salz	Olefin	Reaktionsprodukt	Ausbeute [%]	Literatur
H_5C_6–HgCl	Li[PdCl$_3$]	H_2C=CH–CH$_2$–Cl	H_5C_6–CH$_2$–CH=CH$_2$	61	1,2
		H_2C=C(Cl)–CH$_2$–Cl	H_5C_6–CH$_2$–C(Cl)=CH$_2$	68	1
	Li[PdCl$_3$]/CuCl$_2$	H_2C=CH–CH=CH$_3$ (Cl)	H_5C_6–CH$_2$–CH=CH–CH$_3$	50	1
		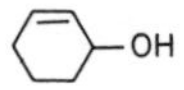 2-Cyclohexen-1-ol (OH)	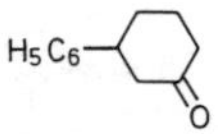 3-Phenylcyclohexanon (H_5C_6, =O)	25	3
		H_2C=CH–OC$_4$H$_9$	trans-H_5C_6–CH=CH–C$_6$H$_5$	11	4
			+ H_5C_6–C$_6$H$_5$	48	
			+ H_5C_6–Cl	31	
	Li$_2$[PdCl$_4$]/CuCl$_2$	H_2C=CH–Cl	trans-H_5C_6–CH=CH–C$_6$H$_5$	35	4
	Li$_2$[PdCl$_4$]/CuCl$_2$/LiCl	H_2C=CH$_2$	H_5C_6–CH$_2$–CH$_2$–Cl	76	5
		(D,H)C=C(H,D)	threo-Produkt (H, H_5C_6, D, Cl)	20–80	6
			erythro-Produkt (Cl, H_5C_6, H, D)	20–30	
		H_2C=CH–C(=O)–CH$_3$	H_5C_6–CH$_2$–CH(Cl)–C(=O)–CH$_3$	80	5

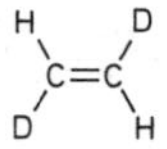

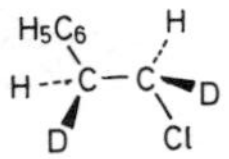

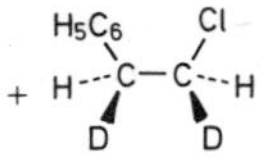

[1] R.F. Heck, Am. Soc. 90, 5531 (1968).
[2] R.F. Heck, J. Organometal. Chem. 33, 399 (1971).
[3] R.F. Heck, Am. Soc. 90, 5526 (1968).
[4] R.F. Heck, Am. Soc. 90, 5535 (1968).
[5] R.F. Heck, Am. Soc. 90, 5538 (1968).
[6] J.E. Bäckvall u. R.E. Nordberg, Am. Soc. 102, 393 (1980).

Tab. 32 (1. Forts.)

Organoquecksilber oder andere Metall-Verbindungen	Palladium-Salz	Olefin	Reaktionsprodukt	Ausbeute [%]	Literatur
H_5C_6—HgCl (Forts.)	$Pd(O$—CO—$CH_3)_2$	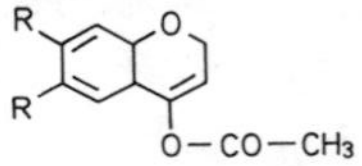 (Chromen-Derivat, R, O—CO—CH₃)	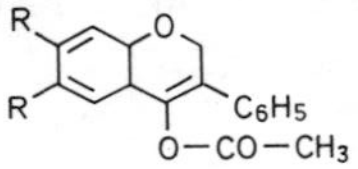 (Produkt mit C_6H_5, O—CO—CH₃)	—	1
	$Li[PdCl_3]/$ H_3C—CN	$H_2C=CH$—CO—Cl	$[H_5C_6$—CH_2—$CH=C=O]$ (Zwischenprodukt); H_5C_6—CH_2—CH_2—CO—O—$CH(CH_3)_2$	16	2
	$Li_2[PdCl_4]$, R—OH	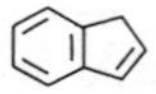 (Inden)	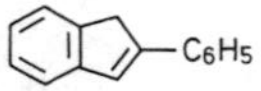 (Indan-Derivat mit C_6H_5); R=H; R=CO—CH₃	26 / 50 / 35	3,4
H_3C_6—Hg—O—CO—CH₃	$Li_2[PdCl_4]$	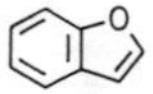 (Benzofuran)	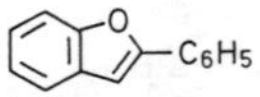 (Benzofuran mit C_6H_5)	77	5
		(Methylcyclopenten)	(mit C_6H_5, CH₃)	83	6
	$Pd(O$—CO—$CH_3)_2$	(Cyclohexen)	(Cyclohexenyl—C_6H_5)	—	6,7
		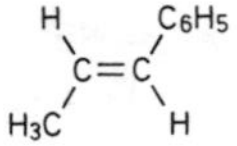 $\begin{array}{c}H\quad C_6H_5\\ \diagdown C=C\diagup\\ H_3C\quad H\end{array}$	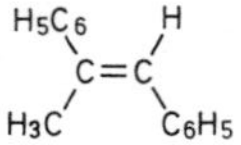 $\begin{array}{c}H_5C_6\quad H\\ \diagdown C=C\diagup\\ H_3C\quad C_6H_5\end{array}$	86	8

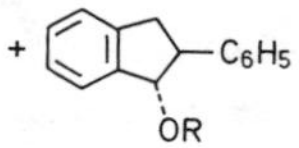

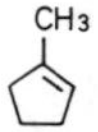

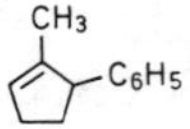

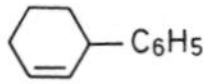

[1] R. Saito, T. Izumi u. A. Kasahara, Bl. chem. Soc. Japan 46, 1776 (1973).
[2] R. F. Heck, J. Organometal. Chem. 33, 399 (1971).
[3] H. Horino u. N. Inoue, Bl. chem. Soc. Japan 44, 3210 (1971).
[4] H. Horino, M. Arai u. N. Inoue, Bl. chem. Soc. Japan 47, 1683 (1974).
[5] A. Kasahara et al., Bl. chem. Soc. Japan 46, 1220 (1973).
[6] R. F. Heck, Am. Soc. 93, 6896 (1971).
[7] P. M. Henry u. G. A. Ward, Am. Soc. 94, 673 (1972).
[8] R. F. Heck, Am. Soc. 91, 6707 (1969).

Tab. 32 (2. Forts.)

Organoquecksilber oder andere Metall-Verbindungen	Palladium-Salz	Olefin	Reaktionsprodukt	Ausbeute [%]	Literatur
$H_5C_6-Hg-O-CO-CH_3$	$Pd(O-CO-CH_3)_2$	$H_2C=CH-CH_2-OH$	$H_5C_6-CH_2-CH_2-CHO$	35	1
		$H_2C=\underset{CH_3}{C}-CH_2-OH$	$H_5C_6-CH_2-\underset{CH_3}{CH}-CHO$	58	1,2
		$H_3C-CH=CH-\underset{OH}{CH}-CH_3$ trans	$H_5C_6-\underset{CH_3}{CH}-CH_2-\overset{O}{\overset{\|}{C}}-CH_3$	51	1
		$H_2C=CH-O-CO-CH_3$	$H_5C_6-CH=CH-O-CO-CH_3$ cis / trans	14 / 31	3
		$H_3C-CO-O-CH_2-CH=CH_2$	$H_3C-CO-O-CH_2-CH=CH-C_6H_5$	63	4
		$H_2C=CH-COOCH_3$	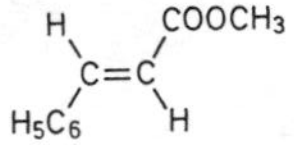 $\underset{H_5C_6}{\overset{H}{}}C=C\overset{COOCH_3}{\underset{H}{}}$	84	5
		$H_2C=\underset{CH_3}{C}-COOCH_3$	$H_5C_6-CH_2-\overset{CH_2}{\overset{\|}{C}}-COOCH_3$ + $\underset{H_5C_6}{\overset{H}{}}C=C\overset{COOCH_3}{\underset{CH_3}{}}$	72	6
	$Pd(O-CO-CH_3)_2/$ $Pb(O-CO-CH_3)_4$	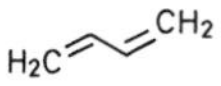 $H_2C=\overset{}{\underset{CH_2}{}}$	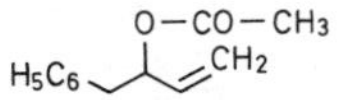 $H_5C_6-\overset{O-CO-CH_3}{\underset{CH_2}{}}$	78	7

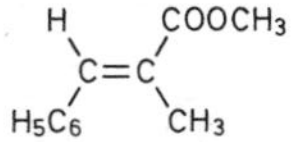

[1] R.F. Heck, Org. Synth. **51**, 17 (1971).
[2] R.F. Heck, Am. Soc. **90**, 5526 (1968).
[3] R.F. Heck, Organometal. i. Chem. Synth. **1**, 455 (1972).
[4] R.F. Heck, Am. Soc. **90**, 5518 (1968).
[5] R.F. Heck, Am. Soc. **93**, 6896 (1971).
[6] R.F. Heck, Am. Soc. **91**, 6707 (1969).
[7] R.F. Heck, Am. Soc. **90**, 5542 (1968).

Tab. 32 (3. Forts.)

Organoquecksilber oder andere Metall-Verbindungen	Palladium-Salz	Olefin	Reaktionsprodukt	Ausbeute [%]	Literatur
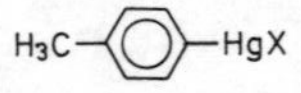 H₃C–⬡–HgX X = Cl	Li₂PdCl₄	H₅C₆–CH=CH₂	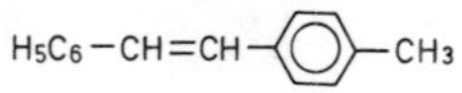 H₅C₆–CH=CH–⬡–CH₃	48	1
X = O–CO–CH₃	PdCl₂ oder Pd(O–CO–CH₃)₂		H₃C–⬡–⬡–CH₃ + Stellungsisomere	60	2
				35	3
H₃C–⬡(CH(CH₃)₂)–HgCl (H₃C)	Li[PdCl₃]/CuCl₂	H₂C=CH–CH₂–OH	H₃C–⬡(H₃C)–CH₂–CH₂–CHO	13	4
(H₃C)₂CH–⬡(CH(CH₃)₂)–Hg–O–CO–CH₃ (H₃C)₂CH	Pd(O–CO–CH₃)₂	H₂C=CH–C₆H₅	(H₃C)₂CH–⬡(CH(CH₃)₂)–CH=CH–C₆H₅	40	5
Cl–⬡–HgCl	1. Li[PdCl₃] 2. Na[BH₄]	(Norbornen)	Cl–⬡– (chlorphenyl-bicyclo-Produkt)	–	6
HO–⬡–HgCl	PdCl₂, [(H₉C₄)₄N]⊕Cl⊖	H₅C₆–CH=CH–C(=O)–CH₂–C₆H₅	2-(CH₂–C₆H₅)-4-(C₆H₅)-chroman-2-ol (OH)	91	6
		H₅C₆–CH=CH–C(=O)–C₆H₅	C₆H₅–CO–CH₂–CH(–C₆H₄OH) (OH)	50ᵃ	6
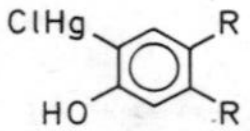 ClHg–⬡(R)(R)–OH (HO)	Li₂[PdCl₄]	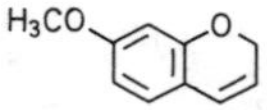 H₃CO–(Chromen)	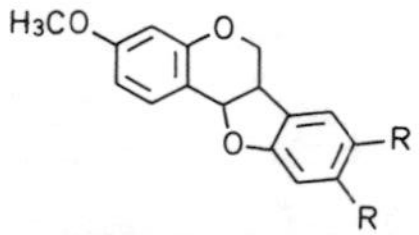 H₃CO–⬡–O–... (R, R) Pterocarpan	85	7

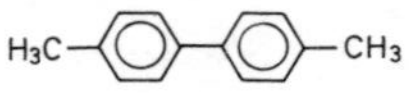

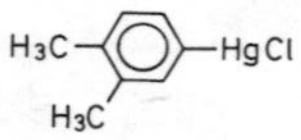

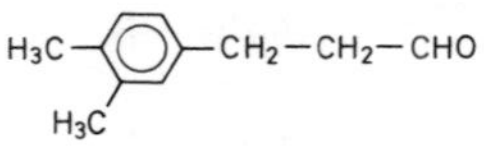

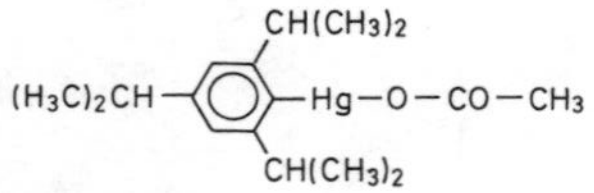

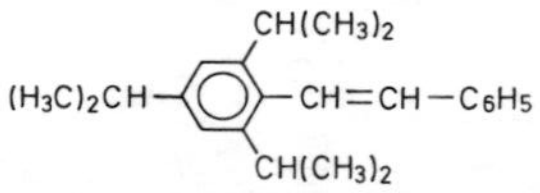

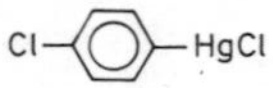

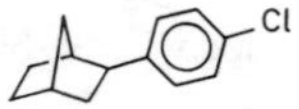

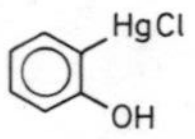

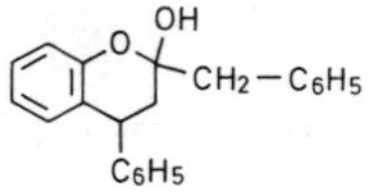

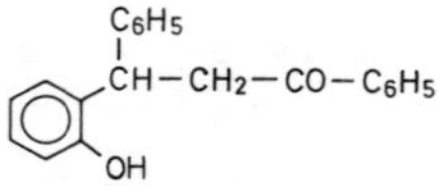

ᵃ + 40% *2,4-Diphenyl-4H-chromen*

¹ R.F. HECK, Am. Soc. **90**, 5518 (1968).
² M.O. UNGER u. R.A. FOUTY, J. Org. Chem. **34**, 18 (1969).
³ R.F. HECK, Am. Soc. **90**, 5526 (1968).
⁴ R.F. HECK, Am. Soc. **91**, 6707 (1969).
⁵ H. HORINO, M. ARAI u. N. INOUE, Tetrahedron Letters **1974**, 647.
⁶ S. CACCHI, D. MISITI u. G. PALMIERI, J. Org. Chem. **47**, 2995 (1982); viele Beispiele.
⁷ H. HORINO u. N. INOUE, Chem. Commun. **1976**, 500.

Tab. 32 (4. Forts.)

Organoquecksilber oder andere Metall-Verbindungen	Palladium-Salz	Olefin	Reaktionsprodukt	Ausbeute [%]	Literatur
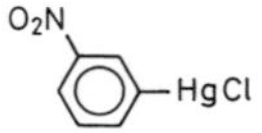 O$_2$N–C$_6$H$_4$–HgCl	Li[PdCl$_3$]/ CuCl$_2$	H$_2$C=C(Cl)–CH$_2$–Cl	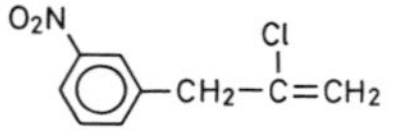 O$_2$N–C$_6$H$_4$–CH$_2$–C(Cl)=CH$_2$	87	1
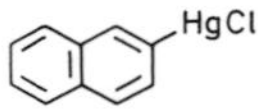 Naphthyl–HgCl	Li[PdCl$_3$]	H$_2$C=CH–CN	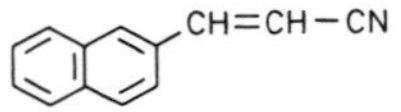 Naphthyl–CH=CH–CN	30	2
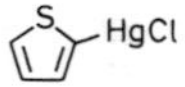 Thienyl–HgCl	Li$_2$[PdCl$_4$]	H$_2$C=CH–COOCH$_3$	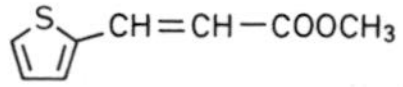 Thienyl–CH=CH–COOCH$_3$	36	2
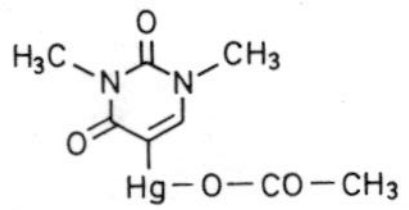 (Uracil-Derivat) Hg–O–CO–CH$_3$	Li$_2$[PdCl$_2$X$_2$]/ H$_3$C–CN	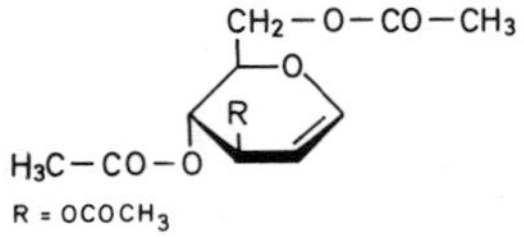 (Zucker-Furanose) CH$_2$–O–CO–CH$_3$, R = OCOCH$_3$	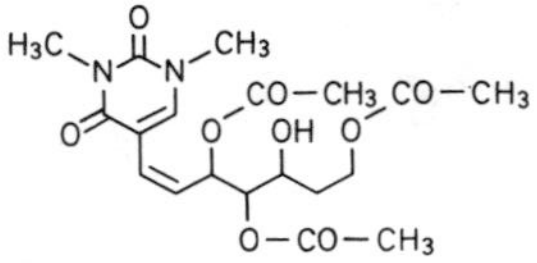 (Nucleosid-C-Glycosid)	72	3
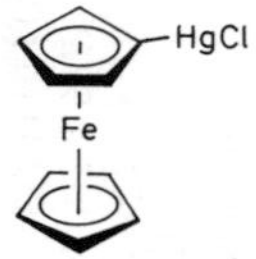 Ferrocenyl–HgCl	Li$_2$[PdCl$_4$]	H$_2$C=CH–C$_6$H$_5$	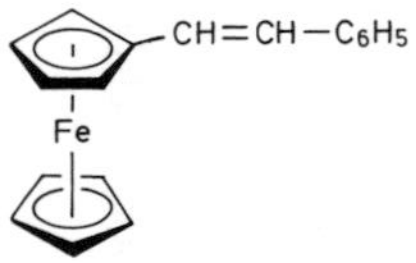 Ferrocenyl–CH=CH–C$_6$H$_5$	52	4,5
(H$_5$C$_6$)$_2$Hg	Li[PdCl$_3$]	H$_2$C=CH$_2$	H$_5$C$_6$–CH=CH$_2$	63	2
		H$_2$C=CH–CHO	H$_5$C$_6$–CH=CH–CHO	60	2
		H$_2$C=CH–CO–CH$_3$	H$_5$C$_6$–CH=CH–CO–CH$_3$	64	2
(H$_5$C$_6$)$_4$Sn	Li$_2$[PdCl$_4$]	H$_2$C=CH–COOCH$_3$	H$_5$C$_6$–CH=CH–COOCH$_3$	100	2
(H$_5$C$_6$)$_4$Pb	Li$_2$[PdCl$_4$]	H$_2$C=CH–COOCH$_3$	H$_5$C$_6$–CH=CH–COOCH$_3$	82	2
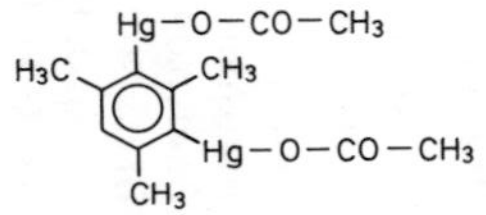 (Mesityl) Hg–O–CO–CH$_3$	Li[PdCl$_3$]	H$_3$C–CH=CH–COOCH$_3$	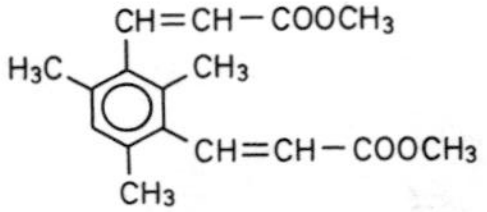 (Trimethylphenyl) CH=CH–COOCH$_3$	20	2

[1] R. F. HECK, Am. Soc. 90, 5531 (1968).
[2] R. F. HECK, Am. Soc. 90, 5518 (1968).
[3] G. D. DAVES et al., Organometallics 1, 742 (1982).
[4] A. KASAHARA et al., Bl. chem. Soc. Japan 45, 895 (1972).
[5] A. KASAHARA u. T. IZUMI, Bl. chem. Soc. Japan 46, 665 (1973).

Methanol, Eisessig, Ethanol oder Acetonitril werden gewöhnlich als Lösungsmittel eingesetzt. Acetonitril gibt dabei niedrigere Ausbeuten als die anderen Lösungsmittel. Die Produkte werden (wenn löslich) filtriert, um den Niederschlag zu entfernen. Das Lösungsmittel wird i. Vak. abdestilliert. Das Produkt kann entweder direkt aus dem Rückstand destilliert werden oder der Rückstand wird in einem Lösungsmittel aufgenommen, das die Salze nicht auflöst, wie Dichlormethan. Nach Filtrieren und Abziehen des Lösungsmittels i. Vak. wird destilliert bzw. Festprodukte umkristallisiert. Bei katalytischen Reaktionen wird ein leichter Überschuß des oxidierenden Salzes [Kupfer(II)-chlorid, Eisen(III)-nitrat] anfangs zugefügt. Die Palladium-Verbindung wird in einer Menge von 0,01 bis 1,0 Gew.% bezogen auf das oxidierende Salz eingesetzt.

Auch Alkenyl-palladium-Verbindungen können via Ummetallierung mit Olefinen reagieren wie die folgende Übersicht zeigt.

Tab. 33: 1-Alkenylierung von Olefinen mit 1-Alkenyl-palladium-Verbindungen via Ummetallierung

Alkenylierungsreagens	Pd-Salz	Olefin	Reaktionsprodukt	Ausbeute [%]	Literatur
	1. Li₂[PdCl₄] 2. H₂	H₂C=CH₂	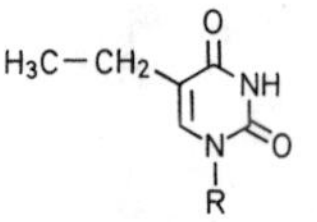	86	1,2
	Li₂[PdCl₄]	H₂C=CH–CH₂–Cl	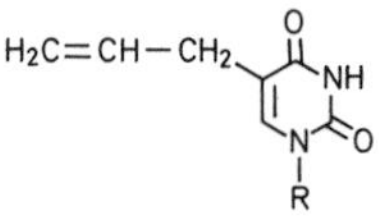	64–84	3
			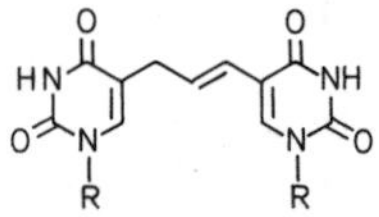 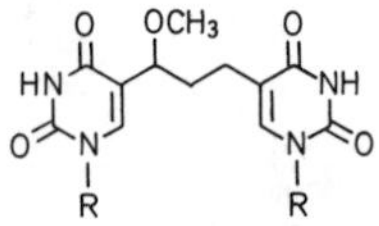	12	
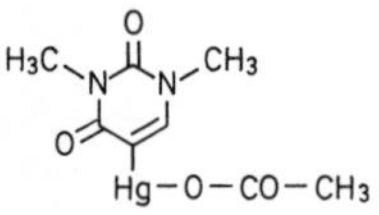	Li₂[PdCl₂X₂]		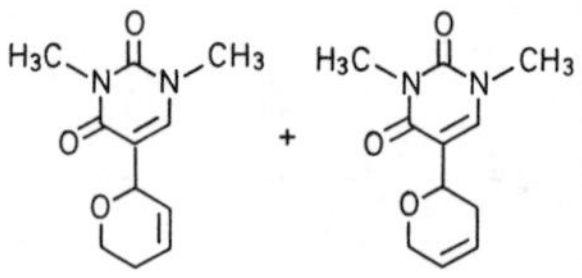	91	4,5

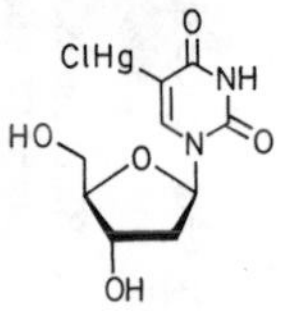

Alkyl-palladium-Zwischenprodukte mit β-ständigem H-Atom unterliegen leicht der β-Eliminierung. Deshalb können sie nicht über die Ummetallierung von Alkyl-quecksilber-Verbindungen hergestellt werden. Sind jedoch keine β-ständigen H-Atome vorhanden, können die entsprechenden Alkyl-palladium-Verbindungen leicht in situ entste-

[1] D. E. Bergstrom u. J. L. Ruth, Am. Soc. 98, 1587 (1976).
[2] D. E. Bergstrom u. M. K. Ogawa, Am. Soc. 100, 8106 (1978).
[3] D. E. Bergstrom, J. L. Ruth u. P. Warwick, J. Org. Chem. 46, 1432 (1981).
[4] I. Arai u. G. D. Daves, Am. Soc. 100, 287 (1978).
[5] I. Arai u. G. D. Daves, J. Org. Chem. 43, 4110 (1978).

hen[1]. Als Alkyl-Gruppen eignen sich z. B. die Methyl-, Benzyl-, 2,2-Dimethyl-propyl- und 2-Methyl-2-phenyl-ethyl-Gruppe (s. Tab. 34, S. 938). 2-Methyl-2-phenyl-ethyl-palladiumacetat ergibt dabei über eine ortho-Palladierungsstufe eine Umlagerungsreaktion[1]:

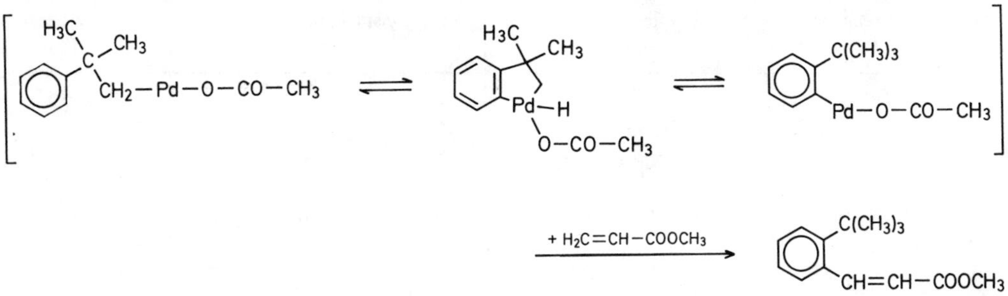

$$\left[\; C_6H_5C(CH_3)_2CH_2-Pd-O-CO-CH_3 \;\rightleftharpoons\; \text{(ortho-palladiertes Zwischenprodukt)} \;\rightleftharpoons\; \text{o-}(CH_3)_3C-C_6H_4-Pd-O-CO-CH_3 \;\right]$$

$$\xrightarrow{+\; H_2C=CH-COOCH_3}\quad \text{o-}(CH_3)_3C-C_6H_4-CH=CH-COOCH_3$$

Tab. 34 (S. 938) gibt eine Übersicht über die Alkylierung von Olefinen mit Organo-palladium-Verbindungen via Ummetallierung.

Die Umsetzung der *threo-* und *erythro-*Organo-quecksilber-Verbindungen mit Bis-[benzonitril]-dichloro-palladium liefert unter Erhaltung der Konfiguration des Alkyl-Liganden die *threo-* und *erythro-*Substitutionsprodukte, die mit Lithiumaluminiumdeuterid zu den entsprechenden Aminen deuteriert werden[2]:

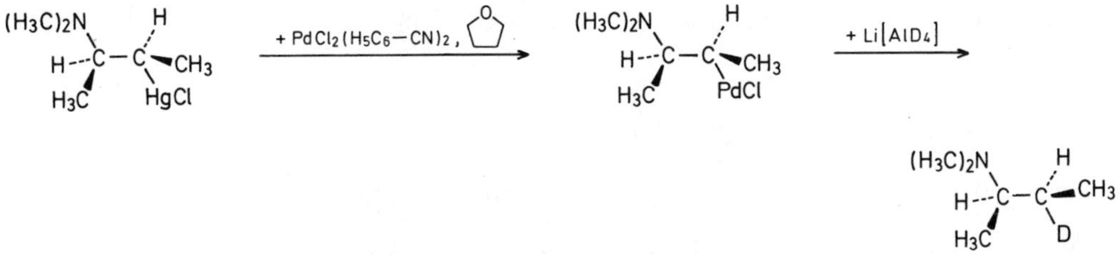

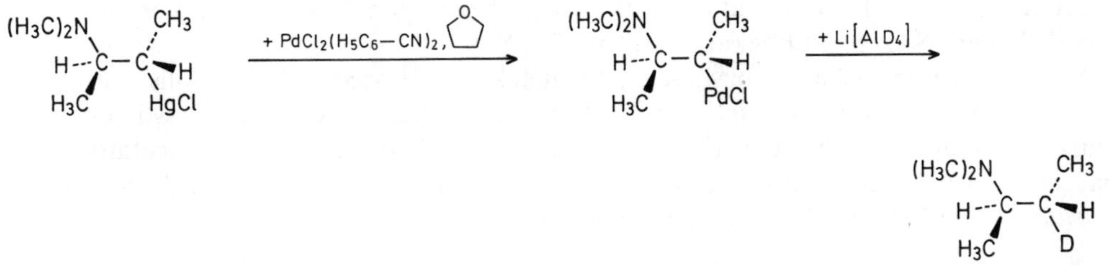

$$\xrightarrow{+\; PdCl_2(H_5C_6-CN)_2,\; \text{THF}}\qquad \xrightarrow{+\; Li[AlD_4]}$$

$$\xrightarrow{+\; PdCl_2(H_5C_6-CN)_2,\; \text{THF}}\qquad \xrightarrow{+\; Li[AlD_4]}$$

Carbonyl-Verbindungen werden in hohen Ausbeuten bei der Hydroxymercurierung von Olefinen und anschließender Behandlung mit Palladiumchlorid in wäßrigem THF auch bei katalytischen Mengen Palladiumsalz erhalten[3].

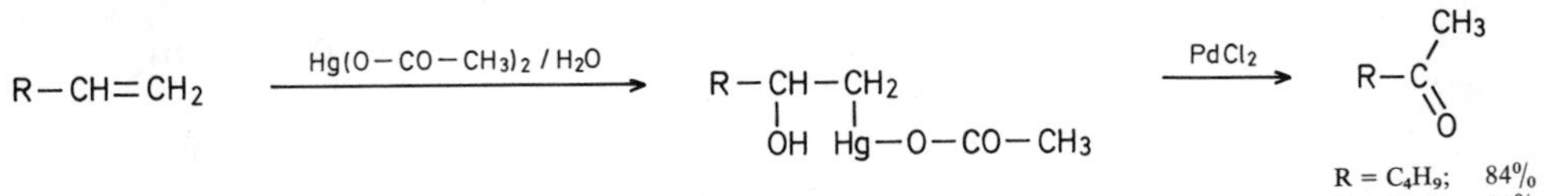

$$R-CH=CH_2 \xrightarrow{Hg(O-CO-CH_3)_2\, /\, H_2O} \underset{\substack{|\qquad\quad|\\ OH\;\; Hg-O-CO-CH_3}}{R-CH-CH_2} \xrightarrow{PdCl_2} R-\overset{CH_3}{\underset{O}{C}}$$

R = C₄H₉; 84%
R = C₉H₁₉; 89%
R = C₆H₅; 40%

R = C_4H_9; 84%
R = C_9H_{19}; 89%
R = C_6H_5; 40%

[1] R. F. Heck, J. Organometal. Chem. **37**, 389 (1972).
[2] J. E. Bäckvall u. B. Åkermark, Chem. Commun. **1975**, 82.
[3] G. T. Rodeheaver u. D. F. Hunt, Chem. Commun. **1971**, 818.

Tab. 34: Alkylierung von Olefinen mit Organo-palladium-Verbindungen via Ummetallierung[1]

Palladiumsalz: $Pd(O-CO-CH_3)_2$
Lösungsmittel: H_3C-CN

Alkylierungsreagens	Olefin	Reaktionsprodukt	Ausbeute [%]
$H_3C-Hg-O-CO-CH_3$	$H_5C_6-\overset{\text{CH}_3}{\underset{\|}{C}}=CH_2$	$H_2C=\overset{\text{C}_6\text{H}_5}{\underset{\|}{C}}-CH_2-CH_3$	78
	$H_2C=CH-COOCH_3$	$H_3C-CH=CH-COOCH_3$ (trans)	84
$(H_3C)_3C-CH_2-Hg-O-CO-CH_3$	$H_2C=CH-COOCH_3$	$(H_3C)_3C-CH_2-CH=CH-COOCH_3$ (trans)	94
$H_5C_6-CH_2-Hg-O-CO-CH_3$	$H_2C=CH-COOCH_3$	$H_5C_6-CH_2-CH=CH-COOCH_3$ (trans)	60
	$H_2C=CH-CH_2-O-CO-CH_3$	$H_5C_6-CH_2-CH=CH-CH_2-O-CO-CH_3$	23
$H_5C_6-\overset{\text{CH}_3}{\underset{\underset{\text{CH}_3}{\|}}{\overset{\|}{C}}}-CH_2-Hg-O-CO-CH_3$	$H_5C_6-CH=CH_2$	$H_5C_6-CH=CH-O-CO-CH_3$	46
		$+ \langle\bigcirc\rangle\!\!-CH=CH-C_6H_5$ $C(CH_3)_3$ (trans)	50
$(H_3C)_4Sn$	$H_2C=CH-COOCH_3$	$H_3C-CH=CH-COOCH_3$ (trans)	94
$(H_3C)_3Pb(O-CO-CH_3)$	$H_5C_6-\overset{\text{CH}_3}{\underset{\|}{C}}=CH_2$	$H_2C=\overset{\text{C}_6\text{H}_5}{\underset{\|}{C}}-CH_2-CH_3$	91

In Glykol wird ein Acetal gebildet[2].

$$R-CH=CH_2 \;+\; Hg(O-CO-CH_3)_2 \;+\; HO-CH_2-CH_2-OH \quad\xrightarrow{PdCl_2}\quad \overset{R\;\;CH_3}{\underset{O\;\;\smile\;\;O}{}}$$

Auch Alkoxycarbonylierungen von Alkanen, Alkenen, Alkinen, Arenen sowie Hetarenen mit Kohlenmonoxid und Alkoholen über Organo-quecksilber-Verbindungen mit Palladium-Salzen sind bekannt (s. Tab. 35, S. 939).

Methoxycarbonyl-chloro- bzw. -acetato-quecksilber lassen sich ebenfalls mit Palladium-Salzen ummetallieren und zur Methoxycarbonylierung verwenden. Mit Olefinen entstehen hauptsächlich die nicht-konjugierten Ester. Die Reaktion von Acetato-methoxycarbonyl-palladium mit 2-Phenyl-propen ergibt ungesättigte Ester mit *3-Phenyl-3-butensäure-methylester* (83%) als Hauptprodukt[3,4]:

$$HgX_2 \;+\; CO \;+\; H_3C-OH \longrightarrow X-Hg-COOCH_3 \xrightarrow[-HgX_2]{Pd(O-CO-CH_3)_2}$$

$$\left[H_3C-O-\overset{O}{\overset{\|}{C}}-Pd-O-\overset{O}{\overset{\|}{C}}-CH_3 \right] \xrightarrow{+H_2C=\overset{\text{CH}_3}{\underset{\text{C}_6\text{H}_5}{C}}} H_3C-\overset{C_6H_5}{\underset{Pd-O-CO-CH_3}{C}}-CH_2-CO-OCH_3$$

$$\xrightarrow{-[HPd-O-CO-CH_3]} H_2C=\overset{}{\underset{C_6H_5}{C}}-CH_2-COOCH_3 \;+\; \overset{H_3C\qquad COOCH_3}{\underset{H_5C_6\qquad H}{C=C}}$$

[1] R. F. Heck, J. Organometal. Chem. 37, 389 (1972).
[2] D. F. Hunt u. G. T. Rodeheaver, Tetrahedron Letters 1972, 3595.
[3] R. F. Heck, Am. Soc. 91, 6707 (1969).
[4] R. F. Heck, Am. Soc. 93, 6896 (1971).

Tab. 35: Alkoxycarbonylierungen (bzw. Hydroxycarbonylierungen) über
Ummetallierungsreaktionen

Ausgangsprodukt	CO/ROH/ Palladiumsalz	Reaktionsprodukt	Ausbeute [%]	Lite- ratur
	CO/H₃C–OH/ Li₂[PdCl₄]/ H₃C–COONa	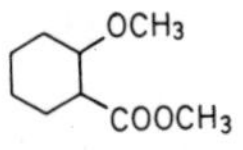	7	1
	CO/H₃C–OH/ PdCl₂	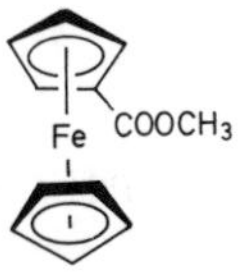	32	2
	CO/H₃C–OH/ PdCl₂	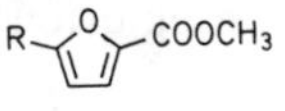	30 (R = H)	3
		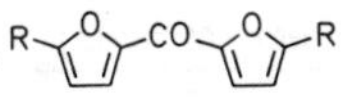	35 (R = H)	
		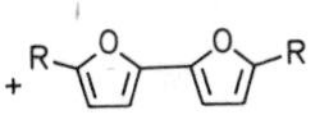	8 (R = H)	
	CO/R–OH/ Li₂[PdCl₄]	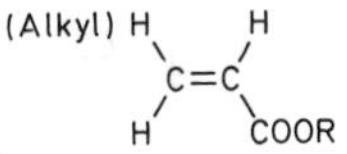	67–100	4–6
	CO/Li₂[PdCl₄]	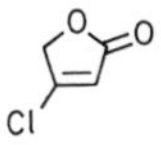	96	7, 8
$(H_5C_6-C\equiv C)_2Hg$	CO/H₃C–OH/ 2 PdCl₂	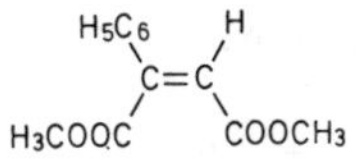	58	9
$H_5C_6-CH=CH_2 / HgCl_2$	CO/H₃C–OH/PdCl₂	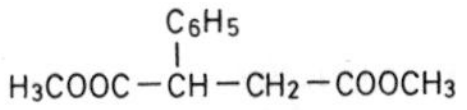 $H_3COOC-\overset{\underset{\displaystyle C_6H_5}{\mid}}{CH}-CH_2-COOCH_3$	86	10
		$+ H_5C_6-CH=CH-COOCH_3$	11	
$H_5C_6-C\equiv C-H / HgCl_2$	CO/H₃C–OH/PdCl₂		–	10
	CO/H₃C–OH/ PdCl₂, H₃C–COONa	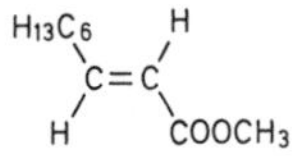	93	11

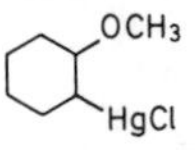

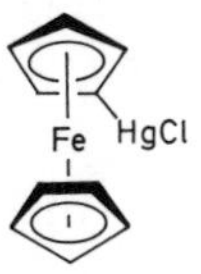

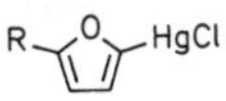

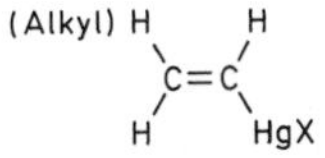

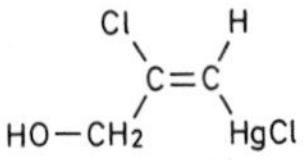

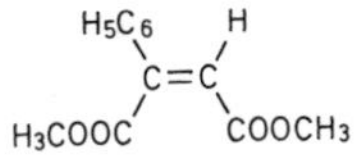

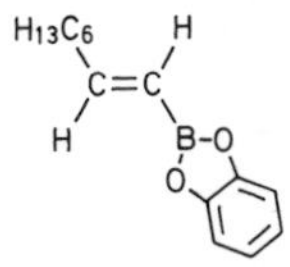

[1] J. K. STILLE u. P. K. WONG, J. Org. Chem. **40**, 335 (1975).
[2] A. KASAHARA, T. IZUMI u. S. OHNISHI, Bl. chem. Soc. Japan **45**, 951 (1972).
[3] T. IZUMI, T. IINO u. A. KASAHARA, Bl. chem. Soc. Japan **46**, 2251 (1973); viele Beispiele, auch mit Thiophenen.
[4] R. C. LAROCK, J. Org. Chem. **40**, 3237 (1975).
[5] R. C. LAROCK, Ang. Ch. **90**, 28 (1978). Übersichtsartikel: „Organoquecksilber-Verbindungen in der organischen Synthese".
[6] S. M. BRAILOVSKII et al., Ž. org. Chim. **13**, 1158 (1977); C. A. **87**, 135718 (1977).
[7] R. C. LAROCK u. B. RIEFLING, Tetrahedron Letters **1976**, 4661.
[8] R. C. LAROCK, B. RIEFLING u. C. A. FELLOWS, J. Org. Chem. **43**, 131 (1978).
[9] A. KASAHARA, T. IZUMI u. A. SUZUKI, Bl. chem. Soc. Japan **50**, 1639 (1977).
[10] R. F. HECK, Am. Soc. **94**, 2712 (1972).
[11] N. MIYAURA u. A. SUZUKI, Chem. Letters **1981**, 879; weitere Beispiele.

Analog reagiert 1-Hexen[1]:

$$H_3C-(CH_2)_3-CH=CH_2 \xrightarrow{[H_3COOC-Pd-O-CO-CH_3]}$$

$$H_3C-(CH_2)_2-CH=CH-CH_2-COOCH_3 \quad + \quad H_3C-(CH_2)_3-CH=CH-COOCH_3$$
$$59\% \qquad\qquad\qquad\qquad\qquad\qquad 41\%$$

Acht- bis zehngliedrige cyclische Olefine liefern nicht-konjugierte Ester[1]; z.B.:

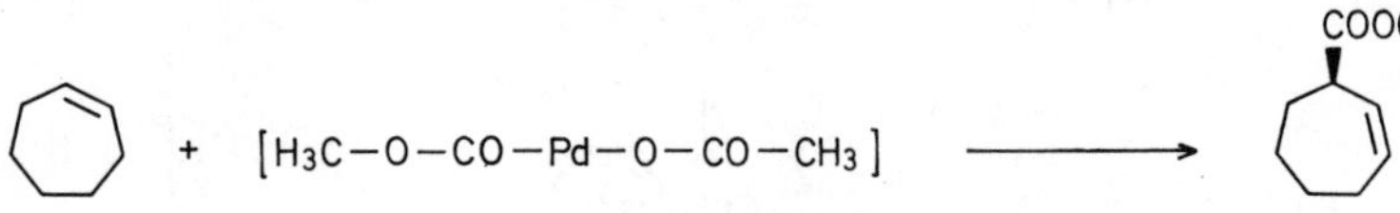

Styrol ergibt neben dem konjugierten Ester das zweifach methoxycarbonylierte Produkt[2]:

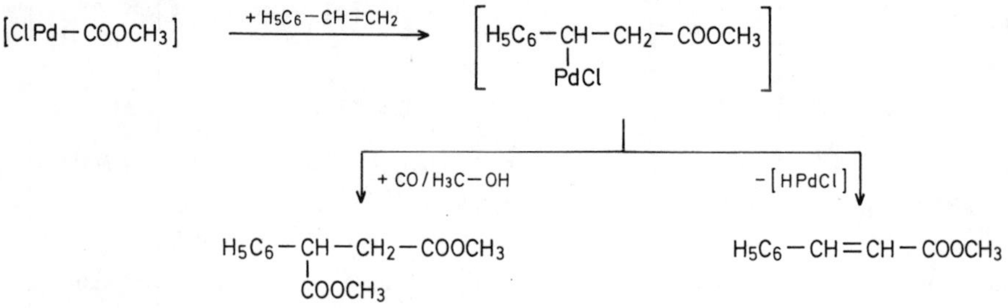

Carbonylierungsreaktionen sind auch über Ummetallierungsreaktionen möglich (als Nebenprodukt auch bei der Methoxycarbonylierung von Arenen, s.Tab. 35, S. 939)[3]; z.B.:

$$2\ H_5C_6-Hg-Cl \quad + \quad PdCl_2 \quad + \quad CO \xrightarrow{Druck} H_5C_6-CO-C_6H_5$$

Auch oxidative Kupplungsreaktionen (C–C-Knüpfung) sind über 1-Alkenyl-quecksilber-Verbindungen möglich[4,5]; z.B.:

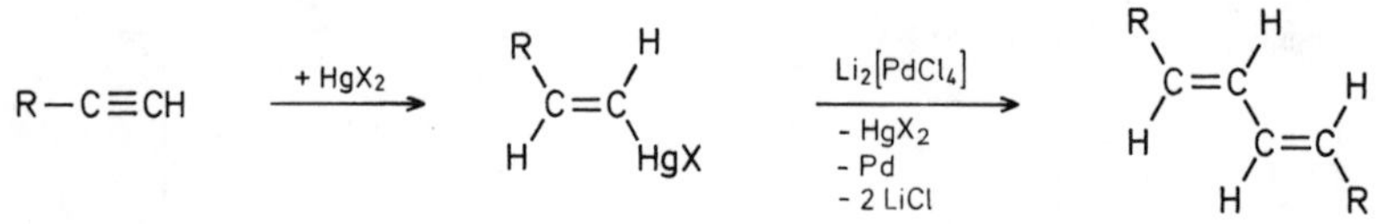

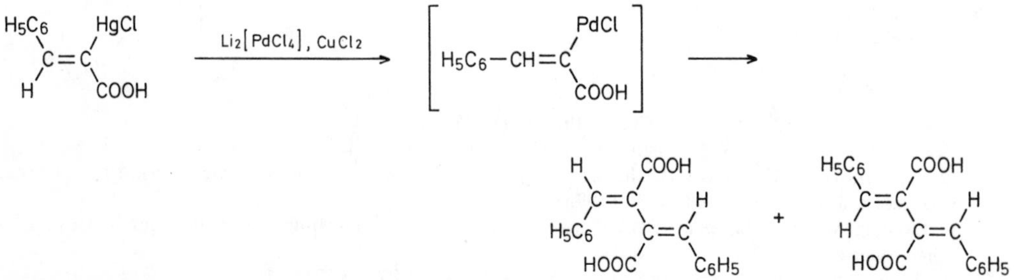

[1] R.F. Heck, Am. Soc. **93**, 6896 (1971).
[2] R.F. Heck, Am. Soc. **91**, 6707 (1969).
[3] R.F. Heck, Am. Soc. **90**, 5546 (1968).
[4] H.L. Elbe u. G. Köbrich, B. **107**, 1654 (1974).
[5] R.C. Larock, J. Org. Chem. **41**, 2241 (1976).

Bei einem Unterschuß an Palladium(II)-chlorid [auch bei Kupfer(II)-chlorid als Oxidationsmittel] in Benzol in Gegenwart von Amin erhält man Kopf-Schwanz-Kupplung[1]:

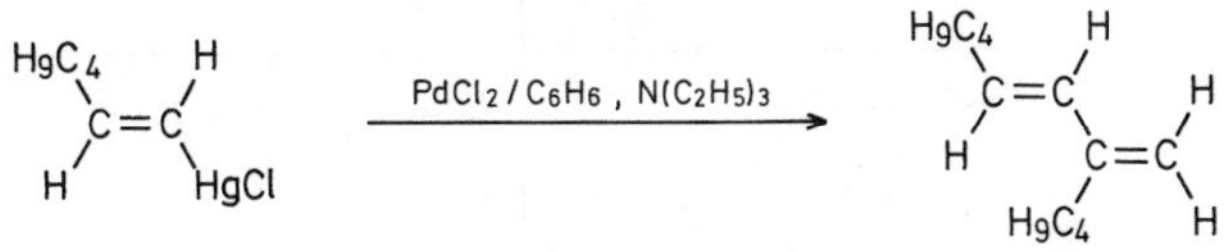

$$H_9C_4, H \quad C=C \quad H \quad \xrightarrow{PdCl_2/C_6H_6, \ N(C_2H_5)_3} \quad H_9C_4, H \quad C=C \quad H$$

Die Einführung von Nucleophilen in den Benzol-Ring ist möglich durch die Reaktion von Phenyl-quecksilber-Verbindungen mit Palladium(II) in Gegenwart oxidierender Agenzien wie Chrom(VI) und Blei(IV)[2]:

$$H_5C_6-HgX \ + \ X^\ominus \ \xrightarrow[-Hg^{2\oplus}]{Pd^{2\oplus}/Cr^{6\oplus} \ od. \ Pb^{4\oplus}} \ H_5C_6-X$$

$X^\ominus = H_3C-COO^\ominus, \ N_3^\ominus, \ CN^\ominus, \ Cl^\ominus, \ SCN^\ominus$

Ummetallierungsreaktionen gelingen auch mit Organo-thallium-Verbindungen. Arylthallium-Verbindungen und Olefine ergeben in Gegenwart von Palladium-Salzen Styrole[3]. Die Reaktion kann durch Zusatz von Kupfer(II)-chlorid katalytisch geführt werden:

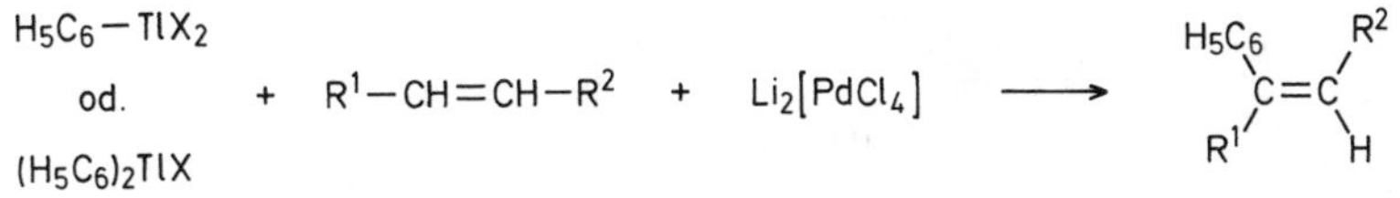

$$H_5C_6-TlX_2 \quad od. \quad (H_5C_6)_2TlX \quad + \ R^1-CH=CH-R^2 \ + \ Li_2[PdCl_4] \ \longrightarrow \ H_5C_6, R^2 \quad C=C \quad R^1, H$$

$X = O-CO-CH_3, \ O-CO-CF_3, \ Cl$
$R^1 = H, \ C_6H_5$
$R^2 = H, \ COOCH_3$

Tab. 36 (S. 942) zeigt Möglichkeiten der C–C-Knüpfung mit 1-Alkenboronsäure-Derivaten. Tab. 37 (S. 943) gibt eine Übersicht über C–C-Knüpfungen mit Organo-zinn-, -aluminium-, -selen- und -silicium-Verbindungen in Gegenwart von Palladium-Katalysatoren. Auch Methoxycarbonylierungen von 1-Alkenyl-silicium-Verbindungen gelingen in Gegenwart von Palladiumchlorid in hohen Ausbeuten (s. Tab. 37, S. 943).

Natrium-Salze von Arensulfinaten reagieren mit Palladiumchlorid unter Schwefeldioxid-Entwicklung zu Aryl-palladium-Verbindungen, die für Kupplungs-Reaktionen, Carbonylierungen und 1-Alkenylierungen verwendet werden können[4-7]; z.B.:

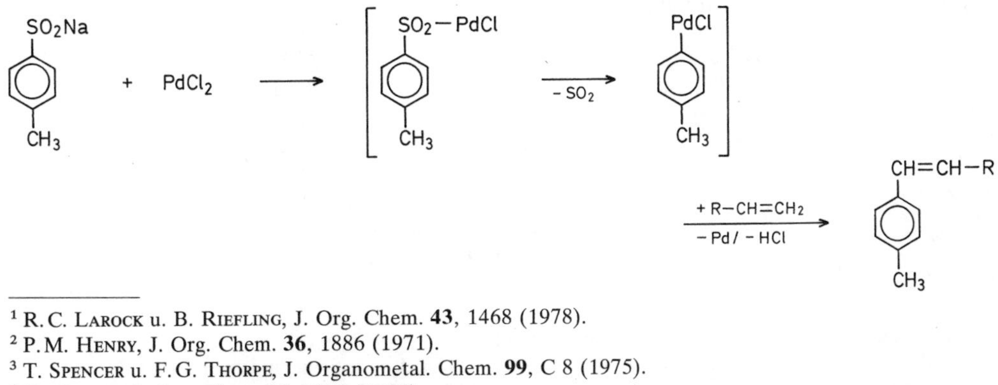

[1] R.C. Larock u. B. Riefling, J. Org. Chem. **43**, 1468 (1978).
[2] P.M. Henry, J. Org. Chem. **36**, 1886 (1971).
[3] T. Spencer u. F.G. Thorpe, J. Organometal. Chem. **99**, C 8 (1975).
[4] K. Garves, J. Org. Chem. **35**, 3273 (1970).
[5] R. Selke u. W. Thiele, J. pr. **313**, 875 (1971).
[6] B. Chiswell u. L.M. Venanzi, Soc. [A] **1966**, 1246.
[7] Y. Tamaru u. Z. Yoshida, Tetrahedron Letters **1978**, 4527.

Tab. 36: C–C-Knüpfung mit 1-Alkenboronsäure-Derivaten

Ausgangsprodukte	Palladiumverbindung	Reaktionsprodukt	Ausbeute [%]	Lite-ratur
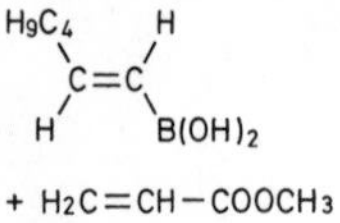 H_9C_4 ... $B(OH)_2$ $+ H_2C=CH-COOCH_3$	$Pd(O-CO-CH_3)_2$	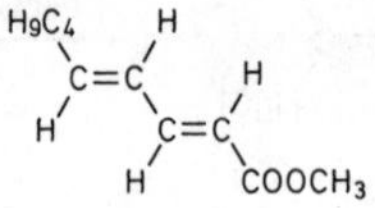 H_9C_4 ... $COOCH_3$	82	1
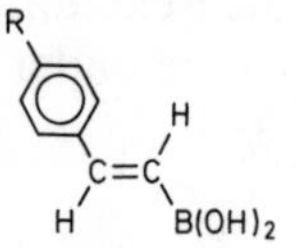 R ... $B(OH)_2$ $R = H, CH_3, OCH_3$	Katalysator: $PdCl_2$, LiCl/ $N(C_2H_5)_3$/THF	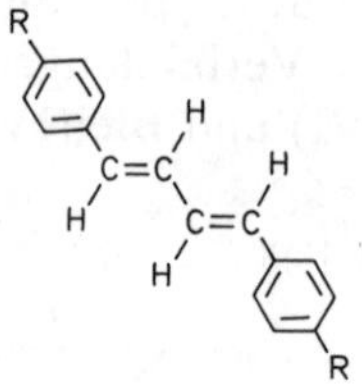 R ... R	94	2
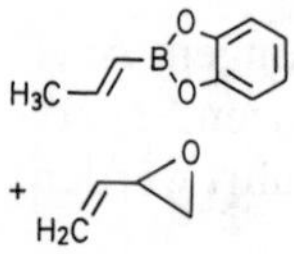 H_3C ... B ... $+$ H_2C ... O	$Pd(O-CO-CH_3)_2$	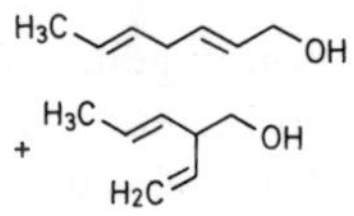 H_3C ... OH $+$ H_3C ... OH H_2C	–	3
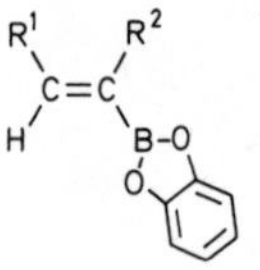 R^1 R^2 $+ R^3-X$ ... B–O ... $R^1=C_2H_5, C_4H_9, C_6H_{13}, C_6H_5$ $R^2=H, C_2H_5$ $R^3 = Aryl$	1. $Pd[P(C_6H_5)_3]_4$, C_6H_6 2. H_5C_2ONa, H_5C_2OH 3. H_2O_2/NaOH	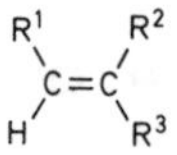 R^1 R^2 ... R^3	50–100	4
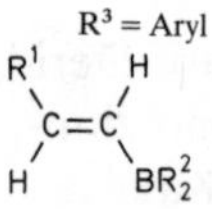 R^1 H ... BR^2_2 $R^1 = C_6H_5, C(CH_3)_3, -(CH_2)_3-Cl$ $R^2 = CH(CH_3)-CH(CH_3)_2, C_6H_{11}$	$Pd(O-CO-CH_3)_2$, $N(C_2H_5)_3$	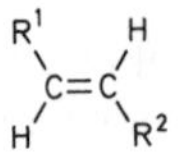 R^1 H ... R^2	58–98	5

Ummetallierungen zu anderen stabilen σ-Organo-Übergangsmetall-Verbindungen gelingen ausgehend von ortho-palladierten Palladium-Verbindungen mit Natrium-cobaltaten, -manganaten und -rhenaten[6]:

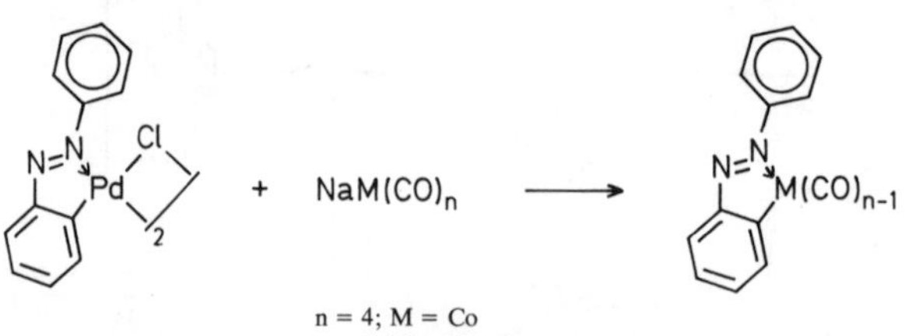

n = 4; M = Co
n = 5; M = Mn, Re

[1] H. A. Dieck u. R. F. Heck, J. Org. Chem. 40, 1083 (1975).
[2] V. V. Ramana Rao, C. Vijaya Kumar u. D. Devaprabhakara, J. Organometal. Chem. 179, C 7 (1979).
[3] N. Miyaura et al., J. Organometal. Chem. 233, C 13 (1982); viele Beispiele.
[4] N. Miyaura u. A. Suzuki, Chem. Commun. 1979, 866.
[5] H. Yatagai, Y. Yamamoto u. K. Maruyama, Chem. Commun. 1977, 852.
[6] R. F. Heck, Am. Soc. 90, 313 (1968).

Tab. 37: C–C-Knüpfungen mit Organo-zinn-, -aluminium-, -selen- und -silicium-Verbindungen

Organo-metall-Reagens	Palladium-Salz	Reaktionspartner	Reaktionsprodukt	Ausbeute [%]	Literatur
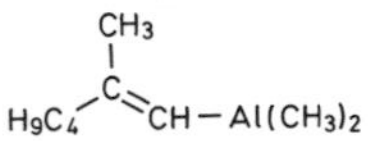 H_9C_4–C(CH$_3$)=CH–Al(CH$_3$)$_2$	Pd[P(C$_6$H$_5$)$_3$]$_4$	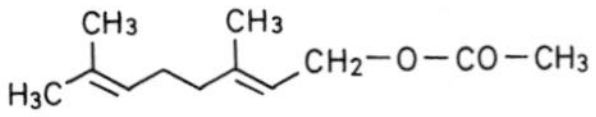 (Terpenoid mit CH$_3$, CH$_3$)–CH$_2$–O–CO–CH$_3$	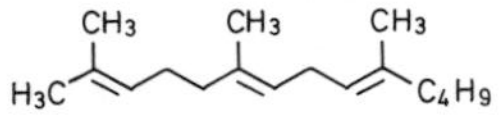 (Terpenoid mit CH$_3$, CH$_3$, CH$_3$, C$_4$H$_9$)	100	1
(H$_3$C)$_3$Si–C$_6$H$_5$	Li$_2$[PdCl$_4$]	H$_5$C$_6$–CH=CH$_2$	H$_5$C$_6$–CH=CH–C$_6$H$_5$	94	2
H$_5$C$_6$–CH=CH–Si(CH$_3$)$_3$	PdCl$_2$	H$_2$C=CH–COOCH$_3$	H$_5$C$_6$–CH=CH–CH=CH–COOCH$_3$ + H$_5$C$_6$–CH=CH–CH=CH–C$_6$H$_5$	–	3
K$_2$[R–SiF$_5$] R = 1-Alkenyl, C$_6$H$_5$	PdX$_2$	H$_2$C=CH–COOR	R–CH=CH–COOR	–	4
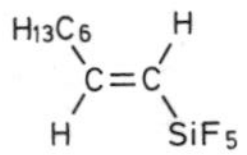 (H$_3$C$_6$)(H)C=C(H)(SiF$_5$)	PdCl$_2$, NaO–CO–CH$_3$	CO/H$_3$C–OH	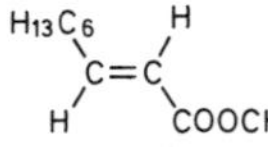 H$_3$C$_6$(H)C=C(H)–COOCH$_3$	91	5
(H$_9$C$_4$)$_3$Sn–CH$_2$–CO–CH$_3$	PdCl$_2$[P(C$_6$H$_4$-2-CH$_3$)$_3$]$_2$	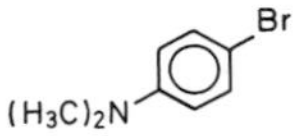 Br–C$_6$H$_4$–N(CH$_3$)$_2$	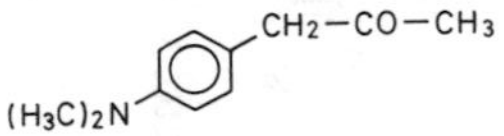 (H$_3$C)$_2$N–C$_6$H$_4$–CH$_2$–CO–CH$_3$	–	6
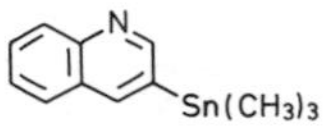 Chinolin-3-yl–Sn(CH$_3$)$_3$	PdCl$_2$[P(C$_6$H$_5$)$_3$]$_2$	H$_3$C–CO–Cl	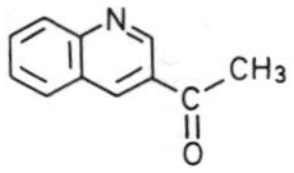 Chinolin-3-yl–C(=O)–CH$_3$	82	7
(H$_9$C$_4$)$_3$Sn–C≡C–C$_6$H$_5$	PdCl$_2$[P(C$_6$H$_5$)$_3$]$_2$	H$_3$C–CO–Cl	H$_3$C–CO–C≡C–C$_6$H$_5$	95	8
H$_5$C$_6$–SeBr	PdCl$_2$, P(C$_6$H$_5$)$_3$, NaO–CO–CH$_3$	H$_2$C=CH–COOC$_2$H$_5$	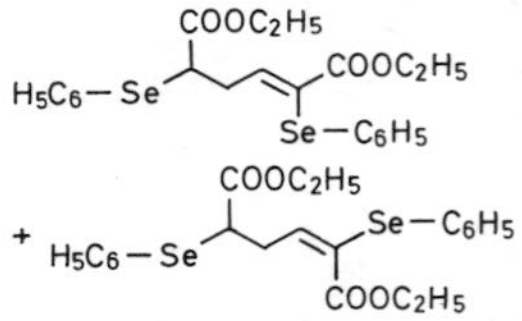 H$_5$C$_6$–Se–CH=C(COOC$_2$H$_5$)(Se–C$_6$H$_5$)(COOC$_2$H$_5$) + H$_5$C$_6$–Se–CH=C(Se–C$_6$H$_5$)(COOC$_2$H$_5$)	37 / 30	9

1 E. NEGISHI et al., Tetrahedron Letters 22, 3737 (1981).
2 M. E. VOLPIN et al., J. Organometal. Chem. 72, 163 (1974).
3 W. P. WEBER et al., Tetrahedron Letters 1971, 4701.
4 M. KUMADA et al., Tetrahedron Letters 1978, 2161.
5 K. TAMAO, T. KAKUI u. M. KUMADA, Tetrahedron Letters 1979, 619.
6 T. MIGITA et al., Chem. Letters 1982, 939.
7 Y. YAMAMOTO u. A. YANAGI, Chem. Pharm. Bull. 30, 2003 (1982).
8 M. W. LOGUE u. K. TENG, J. Org. Chem. 47, 2549 (1982); viele Beispiele.
9 T. Y. LUH, SO WAN HUNG u. S. W. TAM, J. Organometal. Chem. 218, 261 (1981).

n) Acetoxylierungsreaktionen an Arenen

Acetoxylierungen von Arenen (Spaltungsreaktionen mit Carbonsäuren, S. 890) finden deshalb Interesse, weil man ausgehend von Benzol direkt zu Phenol-Abkömmlingen gelangen kann[1-8]; z. B.:

$$C_6H_6 + Pd(O-CO-CH_3)_2 \xrightarrow[\substack{-Pd \\ -H_3C-COOH}]{} H_5C_6-O-CO-CH_3$$

Bei geeigneter Wahl der Reaktionsbedingungen kann die C–C-Knüpfung (Biphenyl-Bildung) zu Gunsten der Acetoxylierung zurückgedrängt werden. So erhält man mit Palladium(II)-nitrat in Essigsäure hauptsächlich acetoxylierte Produkte, während in Gegenwart von Wasser und Oxidationsmitteln die Kupplungsprodukte überwiegen[9]. Bei elektronenziehenden Gruppierungen am Aren werden hauptsächlich ortho- und para-, bei elektronenschiebenden Gruppierungen vorwiegend meta-Acetoxylierungen bei Zweitsubstitution beobachtet. Bei Chlorbenzol erhält man mit Palladiumacetat in Eisessig unter Sauerstoff ein o:m:p-Verhältnis von 3:88:9[10-12]. Bei Toluol ist das Verhältnis 2:5:3 (außerdem entsteht Essigsäure-benzylester)[13]:

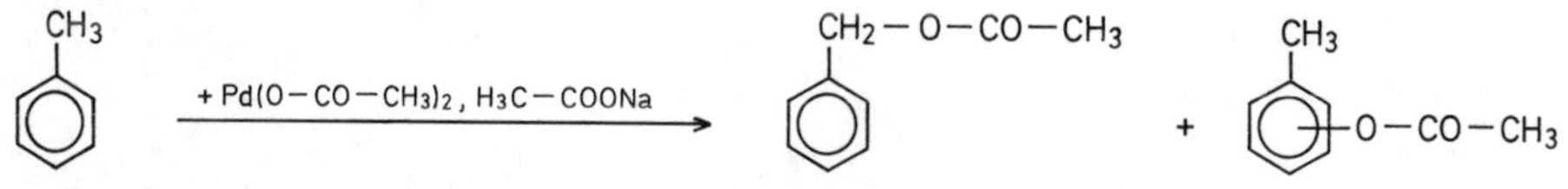

Naphthalin wird in 1- und 2-Stellung acetoxyliert[14]:

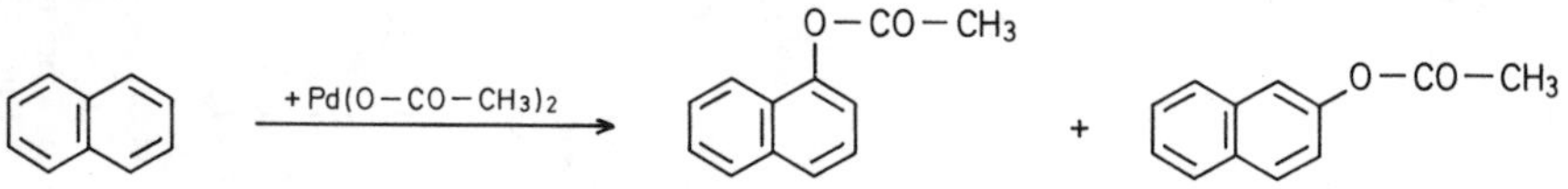

N,N-Dimethyl-anilin ergibt mit Palladiumacetat dagegen keine Acetoxylierung am aromatischen Kern, sondern *Bis-[4-dimethylamino-phenyl]-methan* (72%) und *Acetoxy-tris-[4-dimethylamino-phenyl]-methan* (16%; *Kristallviolett*)[15]:

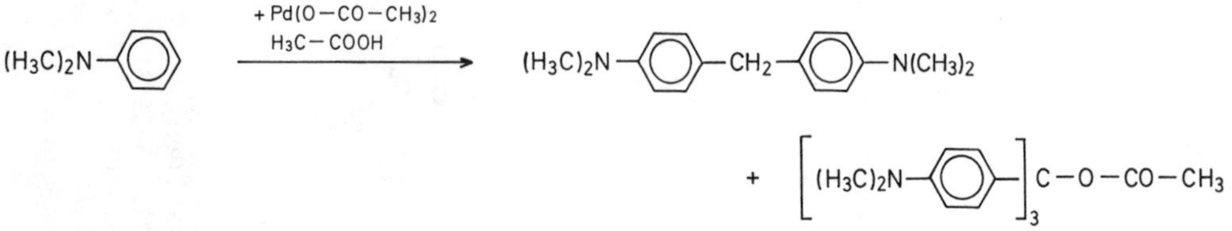

[1] J. M. Davidson u. C. Triggs, Soc. [A] **1968**, 1324.
[2] J. M. Davidson u. C. Triggs, Chem. & Ind. **1967**, 1361.
[3] D. J. Rawlinson u. G. Sosnovsky, Synthesis **1973**, 567; Übersicht.
[4] L. Eberson u. L. Gomez-Gonzales, Acta chem. scand. B **27**, 1162 (1973).
[5] D. R. Bryant, J. E. Mc Keon u. B. C. Ream, Tetrahedron Letters **1968**, 3371.
[6] J. M. Davidson u. C. Triggs, Chem. & Ind. **1966**, 457.
[7] J. M. Davidson u. C. Triggs, Soc. [A] **1968**, 1331.
[8] C. H. Bushweller, Tetrahedron Letters **1968**, 6123.
[9] K. Ichikawa, S. Uemura u. T. Okada, Nippon Kagaku Zasshi **90**, 212 (1969).
[10] L. Eberson u. L. Gomez-Gonzales, Chem. Commun. **1971**, 263.
[11] L. Eberson u. L. Gomez-Gonzales, Acta chem. scand. B **27**, 1249 (1973).
[12] L. Eberson u. L. Gomez-Gonzales, Acta chem. scand. B **27**, 1255 (1973).
[13] Siehe weitere Literatur in J. Tsuji, *Organic Synthesis with Palladium Compounds*, Springer Verlag, Berlin · Heidelberg · New York **1980**, S. 54.
[14] G. G. Arzoumanidis u. F. C. Rauch, J. Org. Chem. **38**, 4443 (1973).
[15] T. Sakakibara, J. Kotobuki u. Y. Dogomori, Chem. Letters **1977**, 25.

o) Fragmentierungs- und Umlagerungsreaktionen

8-Acetoxy-3,7,9,9-tetramethyl-2,4,6-decatriendisäure-1-ethylester wird durch Tetrakis-[triphenylphosphan]-palladium(0) zu *3,7,9-Trimethyl-2,4,6,8-decatetraensäure-ethylester* (68%) fragmentiert[1]:

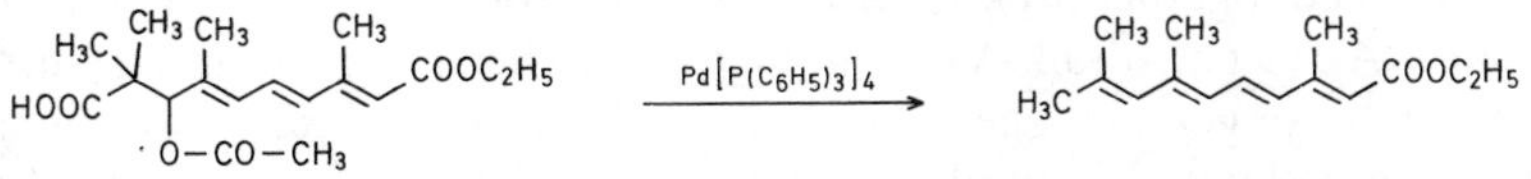

2-Alkoxycarbonyl-1-(1,3-butadienyl)-cyclopropane werden mit Palladium(0)-Katalysatoren zu 4-Alkoxycarbonyl-3-vinyl-cyclopentenen umgelagert[2]:

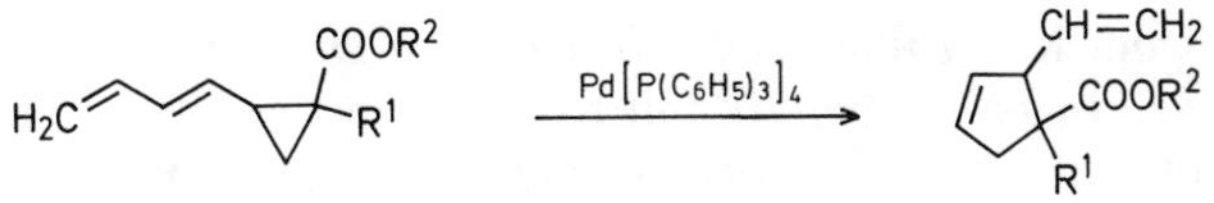

R¹ = COOCH₃; R² = CH₃;	87%
R¹ = COCH₃; R² = CH₃;	96%
R¹ = Tosyl; R² = C₂H₅;	89%

Umlagerungen von Allylestern spielen eine Schlüsselrolle bei Prostaglandin-Synthesen[3] (vgl. Bd. VI/1b):

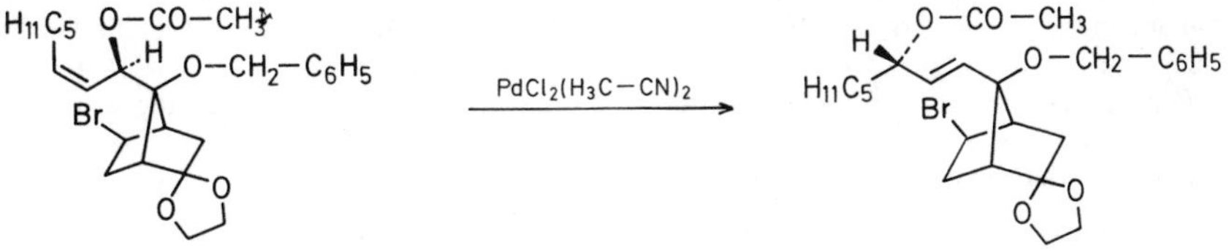

3-Acetoxy-1,4-diene isomerisieren mit Palladium(II) zu 1-Acetoxy-2,4-dienen (95–100%)[4] (vgl. Bd. VI/1b):

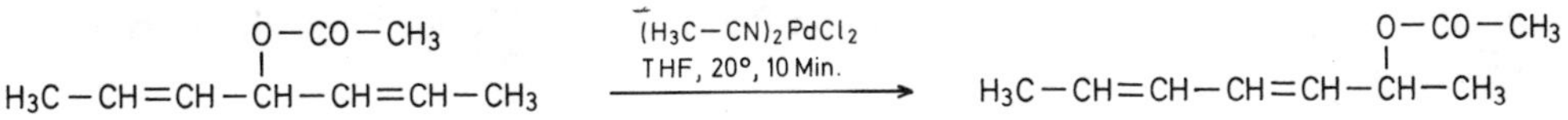

1-Alkinyl-oxirane lassen sich mit Palladium(0) in 2,3-Alkadienalkohole (über 98%) umwandeln, z.B.[5]:

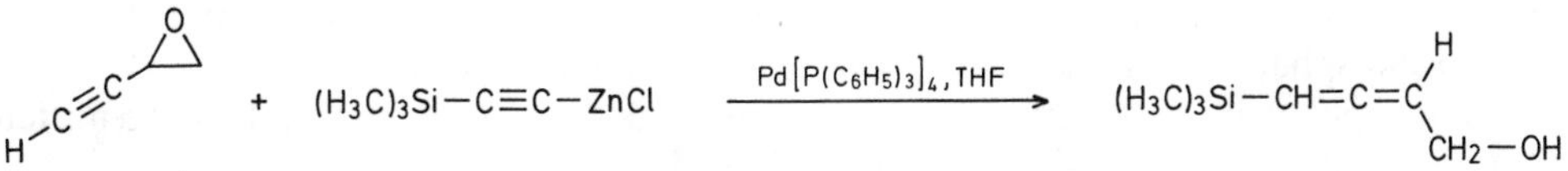

---

[1] B.M. Trost u. J.M.D. Fortunak, Tetrahedron Letters **22**, 3459 (1981).
[2] Y. Morizawa, K. Oshima u. H. Nozaki, Tetrahedron Letters **23**, 2871 (1982); viele Beispiele.
[3] P.A. Grieco, P.A. Tuthill u. H.L. Sham, J. Org. Chem. **46**, 5005 (1981).
[4] B.T. Golding, C. Pierpoint u. R. Aneja, Chem. Commun. **1981**, 1030; viele Beispiele.
[5] H. Kleijn et al., J.R. Neth., Chem. Soc. **101**, 97 (1982); viele Beispiele.

II. Insertions-Reaktionen

a) Carbonylierung

Im allgemeinen gelingt die direkte Carbonylierung von Organo-palladium-Verbindungen zu stabilen Acyl-palladium-Verbindungen in nahezu quantitativer Ausbeute (s. S. 865 ff.). Carbonylierungen in Gegenwart von Alkoholen mit stöchiometrischen und katalytischen Mengen Palladium-Komplexen, die zu Carbonsäureestern führen, werden auf S. 948 besprochen. Carbonylierungen über Ummetallierung (s. S. 938 f.) und über Spaltung von isolierten Acyl-palladium-Verbindungen mit Halogenwasserstoff (S. 915) sowie mit Halogenen (S. 917) oder Halogenalkanen (S. 921) sind an anderer Stelle erwähnt. Die Kohlenmonoxid-Insertion und Zersetzung zu Ketonen gelingt i. a. bei erhöhter Temperatur mit überschüssigem Kohlenmonoxid. So reagieren Dialkyl-bis-[tert.-phosphan]-palladium-Verbindungen in Toluol bei 20° mit Kohlenmonoxid unter Bildung der entsprechenden Dialkylketone neben Carbonyl-palladium-Verbindungen verschiedener Zusammensetzung[1].

$$L_2PdR_2 \;+\; CO \;\longrightarrow\; [\,L_2Pd(CO-R)R\,] \;\xrightarrow{+CO}\; R-CO-R \;+\; Pd_x(CO)_yL_z \;+\; L$$

R = Alkyl
L = tert.-Phosphan

Ketone[1]: Ein evakuierter Kolben, der eine Mischung von 0,0465 g (0,125 mmol) Dimethyl-bis-[triethylphosphan]-palladium und 1 ml Toluol (auf −198° abgekühlt) enthält, wird mit Kohlenmonoxid gefüllt. Die Farbe des Systems schlägt nach rot um. Man läßt das Toluol schmelzen und erhöht die Temperatur. Bei 20° erhält man eine klare, rote Lösung. Es wird keine Gasentwicklung beobachtet. Im GLC wird die Bildung von 0,108 mmol (86,4%) Aceton festgestellt.

Auf diese Weise erhält man u. a. aus

$(H_3C)_2Pd[P(C_2H_5)_3]_2$ → *Aceton*; 86%
$(H_3C)_2Pd[P(C_6H_5)_2(CH_3)]_2$ → *Aceton*; 90%
$(H_5C_2)_2Pd[P(C_2H_5)_3]_2$ → *3-Pentanon*; 100%
$(H_5C_2)_2Pd[P(C_6H_5)_2(CH_3)]_2$ → *3-Pentanon*; 100%
$(H_7C_3)_2Pd[P(C_6H_5)_2(CH_3)]_2$ → *4-Heptanon*; 100%

Analog erhält man bei der Reaktion von Palladolen mit Kohlenmonoxid *Cyclopentanon*[2].

$$L_2Pd\langle\rangle \;+\; CO \;\longrightarrow\; O{=}\langle\rangle$$

L = $P(C_6H_5)_3$; L͡L = 2,2'-Bipyridyl-, $(H_3C)_2N{-}CH_2{-}CH_2{-}N(CH_3)_2$

Überraschenderweise gelingt die Carbonylierung nicht oder nur in schlechter Ausbeute bei dem Phosphan-Liganden 1,2-Bis-[diphenylphosphano]-ethan[1,2].

Olefine ergeben in Abwesenheit von Alkoholen oder Wasser in inerten Lösungsmitteln mit Kohlenmonoxid und Palladiumchlorid 3-Chlor-alkansäure-chloride[3]:

$$R{-}CH{=}CH_2 \;+\; PdCl_2 \;+\; CO \;\xrightarrow{-Pd}\; R{-}\underset{\underset{Cl}{|}}{CH}{-}CH_2{-}\overset{\overset{O}{\parallel}}{C}{\Big\langle}^{\!}_{Cl}$$

[1] T. Ito, H. Tsuchiya u. A. Yamamoto, Bl. chem. Soc. Japan **50**, 1319 (1977).
[2] P. Diversi, G. Ingrosso et al., Soc. [Dalton] **1980**, 1633.
[3] J. Tsuji, M. Morikawa u. J. Kiji, Tetrahedron Letters **1963**, 1061.

Behandelt man Cyclopropan mit Palladiumchlorid und carbonyliert anschließend in Benzol, so entsteht ein Produktgemisch[1]:

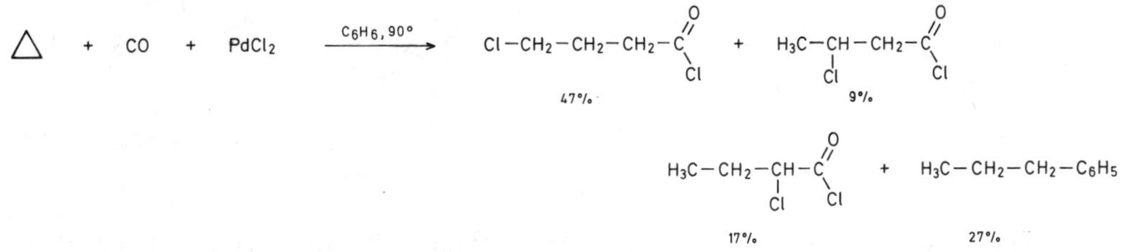

Werden Alkine mit Kohlenmonoxid in Gegenwart von Bis-[benzonitril]-dichloro-palladium in siedendem Chlorbenzol umgesetzt, so erhält man wahrscheinlich über 1,3-Butadienyl-palladium-Verbindungen die entsprechenden Cyclopentadienone[2]. Bei der Bildung von *Tetraphenyl-cyclopentadienon* entsteht zusätzlich in einer Konkurrenzreaktion *Hexaphenylbenzol* durch Cyclotrimerisierung (s. S. 979f.)[2].

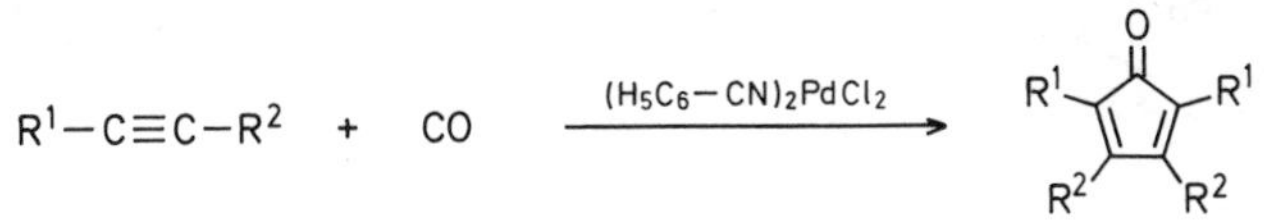

2,5-Di-tert.-butyl-3,4-dimethyl-cyclopentadienon[2]: Eine Lösung von 0,48 g (10 mmol) 4,4-Dimethyl-2-pentin in 5 ml Chlorbenzol wird innerhalb 10 Min. zu einer siedenden Lösung von 0,038 g (0,1 mmol) Bis-[benzonitril]-dichloro-palladium in Chlorbenzol, das etwas Benzonitril enthält (1 mmol), gegeben. Es wird ein stetiger Strom von Kohlenmonoxid durchgeleitet. Nach insgesamt 20 Min. wird die dunkelrote Lösung gekühlt, filtriert, auf 5 ml i. Vak. eingeengt und 20 ml Pentan zugefügt. Abziehen des Pentans i. Vak. ergibt orangerote Kristalle; Ausbeute: 0,18 g (37%); F: 32°.

Oxidative Carbonylierung von Acetylen mit Palladiumchlorid in Benzol liefert ein Gemisch aus *Maleinsäure*, *Fumarsäure* und *Muconsäure*[3]:

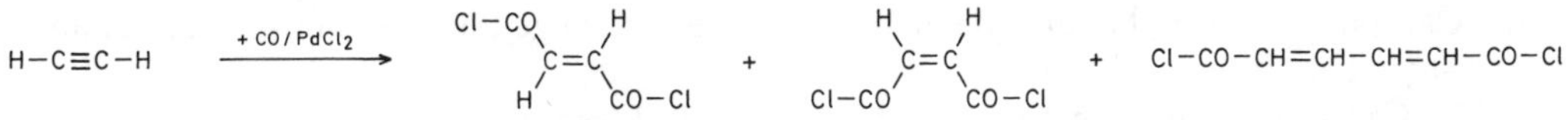

Muconsäure-methylester wird bei der Carbonylierung in Methanol, das Thioharnstoff und katalytische Mengen Palladiumchlorid enthält, erhalten, wenn man Acetylen und Sauerstoff durch die Lösung leitet[4]:

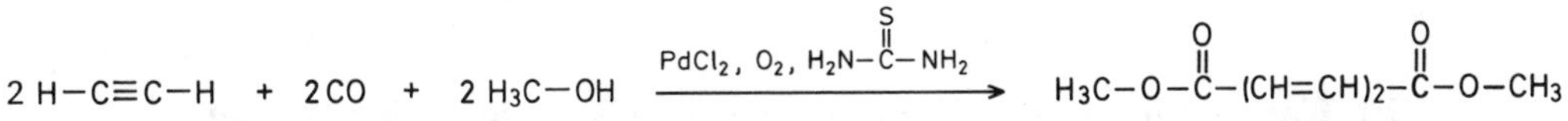

Arene werden mit Kohlenmonoxid (15 bar) in Gegenwart eines Palladiumkatalysators direkt in die Carbonsäureanhydride übergeführt[5]:

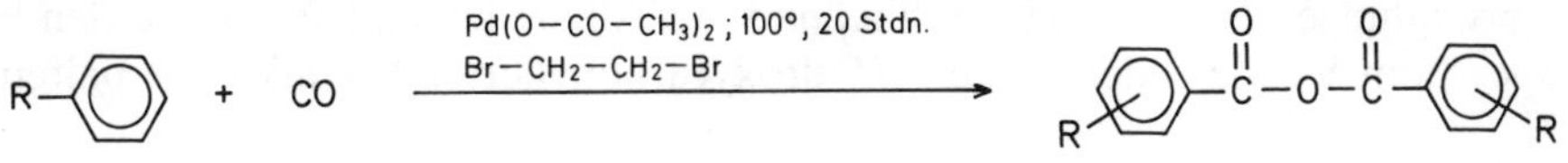

R = H, OCH₃, CH₃, Cl

---

[1] J. Tsuji, M. Morikawa u. J. Kiji, Tetrahedron Letters **1965**, 817.
[2] E. A. Kelley, G. A. Wright u. P. M. Maitlis, Soc. [Dalton] **1979**, 167, 178.
[3] J. Tsuji, M. Morikawa u. N. Iwamoto, Am. Soc. **86**, 2095 (1964).
[4] G. P. Chiusoli, C. Venturello u. S. Merzoni, Chem. & Ind. **1968**, 977.
[5] Y. Fujiwara et al., Chem. Commun. **1982**, 132.

Bei der Carbonylierung in Methanol können neben den methoxy-carbonylierten Produkten auch Ketone auftreten[1]:

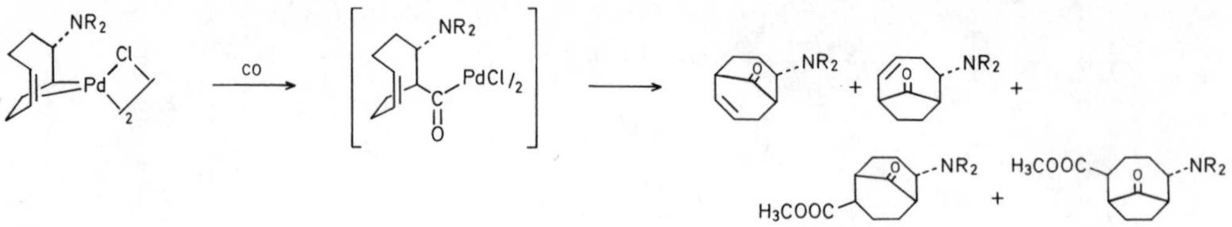

Häufig führt die Carbonylierung von σ-C-Pd-Verbindungen, die noch C,C-Doppelbindungen im organischen Rest haben, nicht direkt zu Zersetzungsprodukten, sondern zu stabilen π-Komplexen, die im π-gebundenen Liganden eine Carbonyl-Funktion besitzen[2-4] (siehe auch σ→π-Umwandlungen):

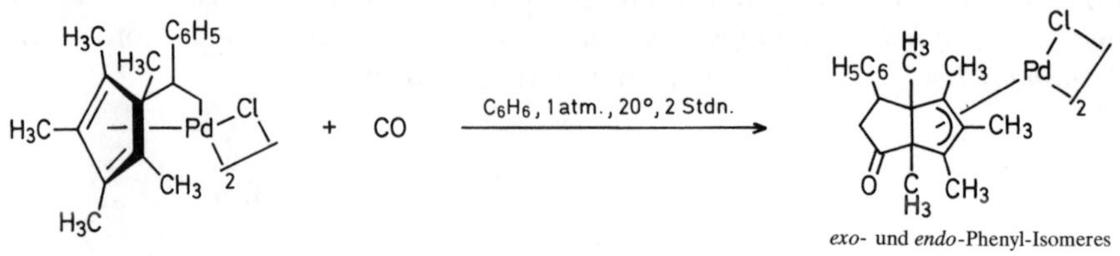

exo- und endo-Phenyl-Isomeres

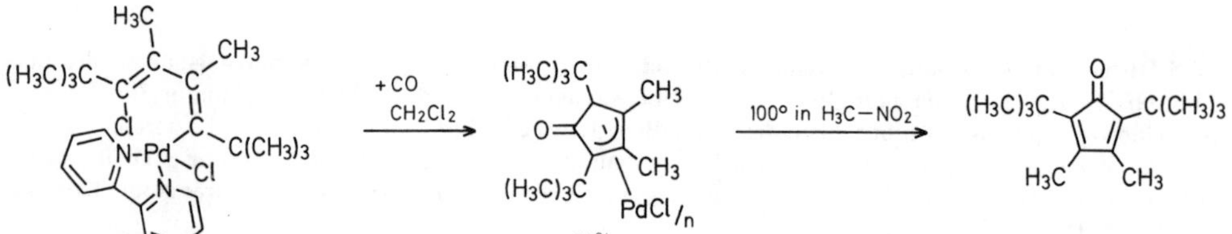

In vielen Fällen, vor allem bei ortho-palladierten Arenen mit Stickstoff-Donoren, führt die Carbonylierung zu Heterocyclen, die auf anderem Wege teilweise nur schwer herstellbar sind. Tab. 38 (S. 949) gibt eine Übersicht.

Die Carbonylierung von Nitro-Verbindungen in Gegenwart von Palladium(II), die zu Isocyanaten führt, ist im Bd. E 18 beschrieben.

$$R-NO_2 \;+\; CO \;\xrightarrow{\text{Pd (II)}}\; R-NCO \;+\; CO_2$$

b) Carbonylierung in Gegenwart von Alkoholen oder Wasser (Alkoxycarbonylierung, Hydroxycarbonylierung)

σ-Organo-palladium-Verbindungen können leicht carbonyliert werden, die Acyl-palladium-Verbindungen isoliert und anschließend mit Alkoholen und Wasser zu den Estern (Alkoxycarbonylierung) oder Säuren (Hydroxycarbonylierung) reduktiv gespalten werden:

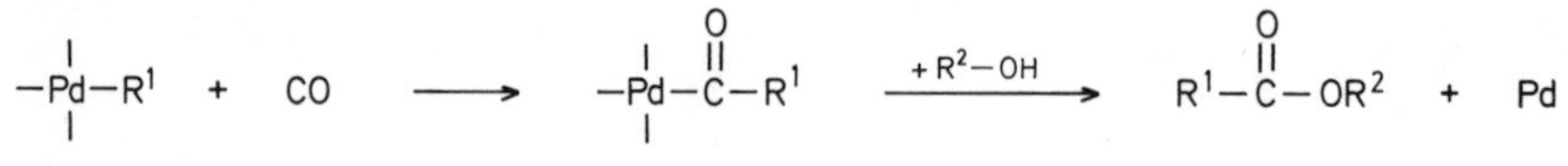

R[1] = Alkyl, Aryl

[1] H. HEMMER, J. RAMBAUD u. I. TKATCHENKO, J. Organometal. Chem. **97**, C 57 (1975).
[2] T. HOSOKAWA u. P.M. MAITLIS, Am. Soc. **94**, 3238 (1972).
[3] P.M. MAITLIS et al., Am. Soc. **95**, 4914, 4924 (1973).
[4] E.A. KELLEY, G.A. WRIGHT u. P.M. MAITLIS, Soc. [Dalton] **1979**, 167, 178.

Tab. 38: Heterocyclen durch Carbonylierung von ortho-palladierten Arenen

Ausgangs-produkte	Reaktions-bedingungen	Reaktionsprodukte	Ausbeute [%]	Lite-ratur
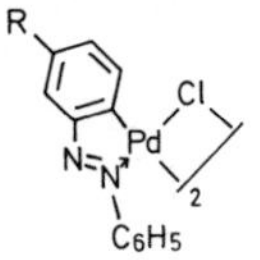		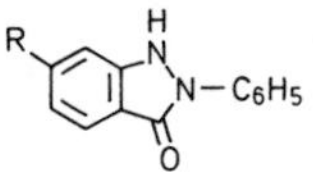		
R=H	CO (150 atm), H₅C₂–OH, 100°		97	1, 2, 3
R = CH₃	CO (88 atm), H₅C₂–OH, 100°		84	1
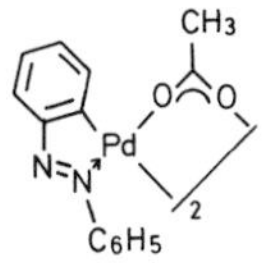	1. CO, 100°, Xylol 2. H₃C–OH	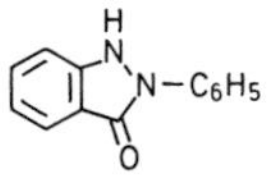	75	4
		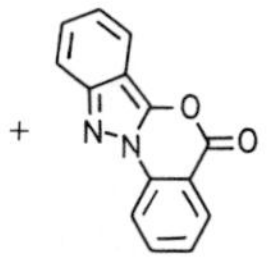	25	
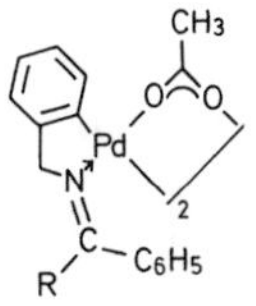 R = H	CO, Xylol, 100°	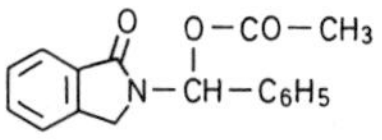	48	4
R = CH₃	CO, Xylol, 100°	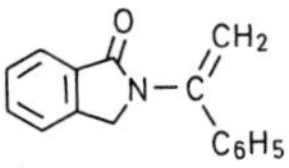	49	4
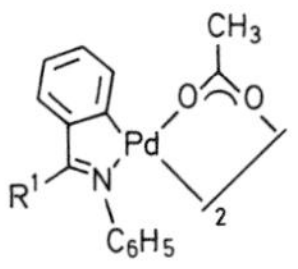 R¹: H, CH₃	CO, H₃C–OH oder H₅C₂–OH, 50°	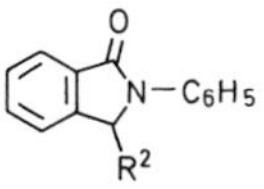 R²: OCH₃, OC₂H₅, NH–C₆H₅	24–58	4
R¹ = CH₃	CO/Xylol, 100°	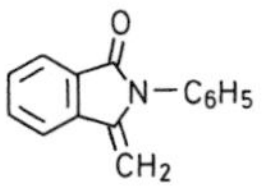	86	4
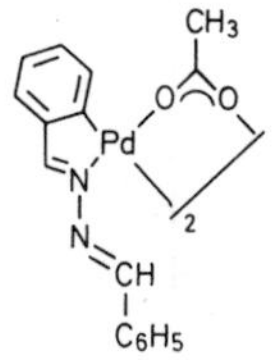	CO/Xylol, 100°	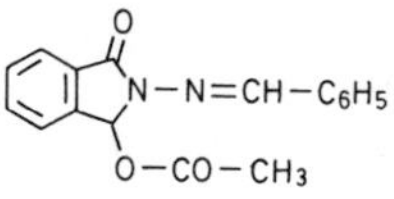	48	4
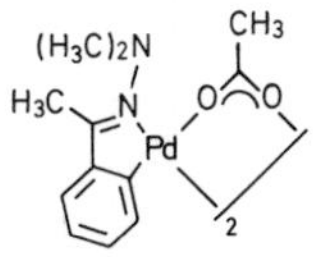	CO/Xylol, 100°	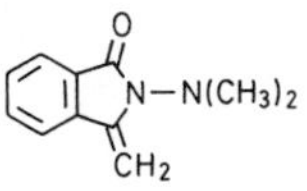	61	4

[1] H. Takahashi u. J. Tsuji, J. Organometal. Chem. **10**, 511 (1967).
[2] E. Steiner u. F. A. L'Eplattenier, Helv. **61**, 2264 (1978).
[3] Y. Yamamoto u. H. Yamazaki, Synthesis **1976**, 750; CO/H₃C–OH in Gegenwart von (H₃C)₃C–CN.
[4] J. M. Thompson u. R. F. Heck, J. Org. Chem. **40**, 2667 (1975).

Tab. 38 (Forts.)

Ausgangs-produkte	Reaktions-bedingungen	Reaktionsprodukte	Ausbeute [%]	Lite-ratur
(Struktur mit R, CH₃, N, Pd; R = CH₃, C₂H₅)	CO	(Isoindolinon N–R) und (+ COOH / CH₂–NR₂ Struktur)	– / –	1
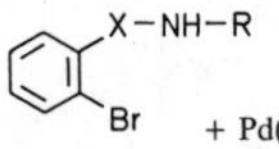 (Struktur X–NH–R, Br) + Pd(O–CO–CH₃)₂	CO/P(C₆H₅)₃/ N(C₄H₉)₃/ HMPT/100°	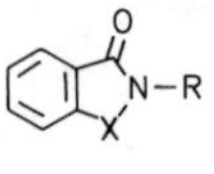 (Isoindolinon N–R, X)	17–83	2
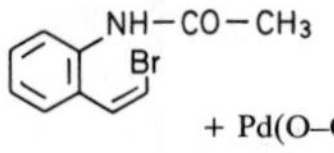 (Struktur NH–CO–CH₃, Br) + Pd(O–CO–CH₃)₂	CO/P(C₆H₅)₃/ N(C₄H₉)₃/ HMPT/70°	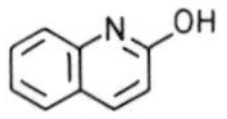 (N / OH Chinolinon)	68	2

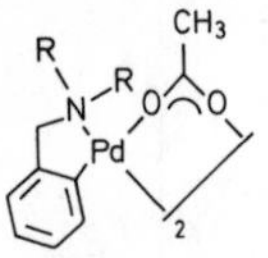

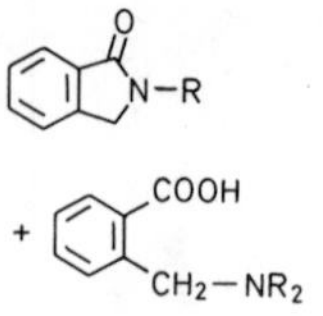

Tab. 39 gibt eine Übersicht über einige isolierte Acyl-palladium-Verbindungen, die auf diese Weise reduktiv gespalten werden.

Tab. 39: Reduktive Spaltung von isolierten Acyl-palladium-Verbindungen mit Alkoholen

Acyl-palladium-Verbindung	Alkohol, Reaktions-bedingungen	Reaktionsprodukt	Ausbeute [%]	Lite-ratur
$P(C_6H_5)_3$ / $Cl-Pd-CO-CH_2-CH_2-CH_3$ / $P(C_6H_5)_3$	H_9C_4-OH/ $P(C_6H_5)_3$	$H_3C-CH_2-CH_2-COOC_4H_9$ + $(H_3C)_2CH-COOC_4H_9$	– / –	3
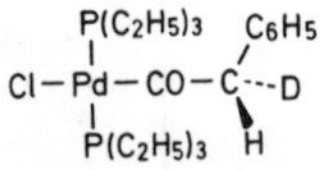 $P(C_2H_5)_3$ C_6H_5 / $Cl-Pd-CO-C\cdots D$ / $P(C_2H_5)_3$ H	1. Cl_2, –78° 2. H_3C-OH	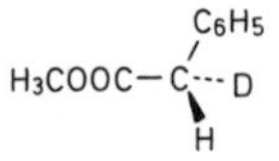 C_6H_5 / $H_3COOC-C\cdots D$ / H	78	4
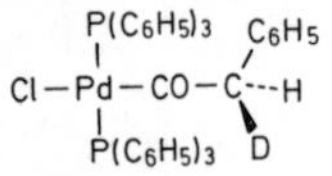 $P(C_6H_5)_3$ C_6H_5 / $Cl-Pd-CO-C\cdots H$ / $P(C_6H_5)_3$ D	1. Br_2, CH_2Cl_2, –78° 2. H_3C-OH, 25°	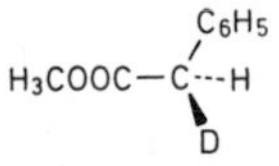 C_6H_5 / $H_3COOC-C\cdots H$ / D	–	5
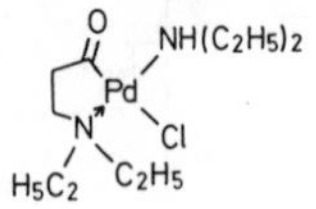 (Pd-Struktur O, NH(C₂H₅)₂, N, Cl, H₅C₂, C₂H₅)	H_3C-OH, $(H_5C_6)_2P-CH_2-CH_2-P(C_6H_5)_2$	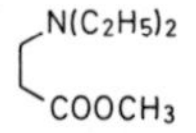 $N(C_2H_5)_2$ / $COOCH_3$	–	6
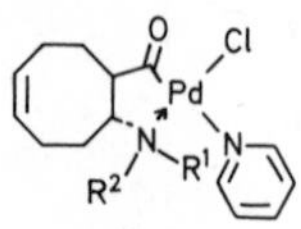 (Pd-Struktur O, Cl, N, R², R¹, Pyridin)	H_3C-OH	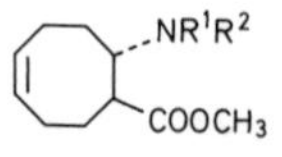 (Ring) NR^1R^2 / $COOCH_3$	–	7

[1] J.M. THOMPSON u. R.F. HECK, J. Org. Chem. 40, 2667 (1975).
[2] Y. BAN et al., Heterocycles (Sendai, Japan) 13, 329 (1979); Chem. Inform 8106–156.
[3] L. TONIOLO et al., Inorg. Chim. Acta 35, L 345 (1979).
[4] Y. BECKER u. J.K. STILLE, Am. Soc. 100, 838 (1978).
[5] P.K. WONG, K.S.Y. LAU u. J.K. STILLE, Am. Soc. 96, 5956 (1974).
[6] L.S. HEGEDUS et al., Inorg. Chem. 16, 1887 (1977).
[7] H. HEMMER, J. RAMBAUD u. I. TKATCHENKO, J. Organometal. Chem. 97, C 57 (1975).

Tab. 40: Alkoxycarbonylierung von σ-Alkyl- oder Aryl-palladium-Verbindungen

Alkyl- oder Aryl-palladium-Verbindung	Reaktionsbedingungen	Reaktionsprodukte	Ausbeute [%]	Literatur
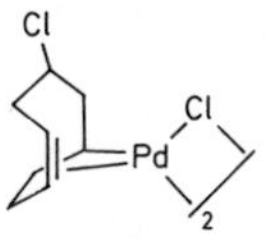	KOH, H₃C–OH, CO	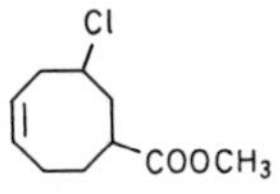	82	1
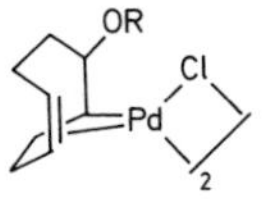 R = H	Na₂CO₃, CO, H₃C–OH	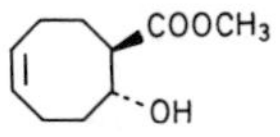	70	2
	NaO–CO–CH₃, CO, H₂O	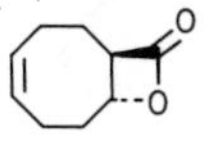	78	2
R = CH₃	H₃C–OH, NaO–CO–CH₃, CO (40 atm)	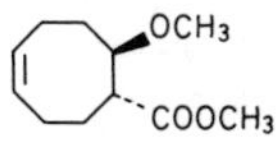	77	3
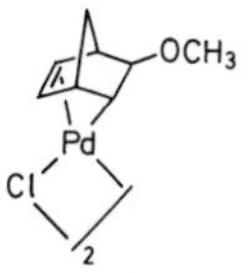	H₃C–OH, CO (45 atm), 20°, 72 Stdn.	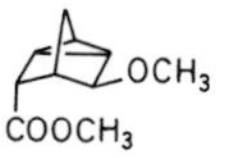	73	3
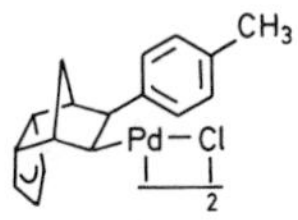	CO, H₃C–OH, Pyridin 100°, 8 Stdn.	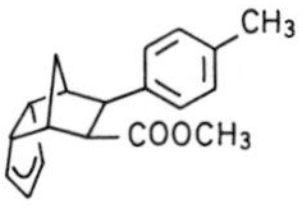	88	4
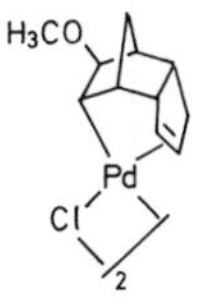	H₃C–OH, NaO–CO–CH₃, CO (43 atm)	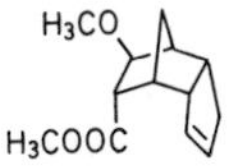	83	3
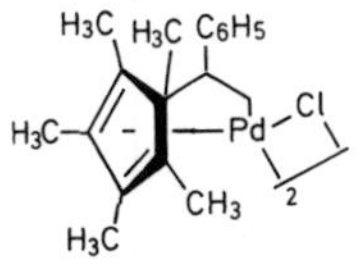	CO, H₃C–O–Na, H₃C–OH, C₆H₆, 20 Min.	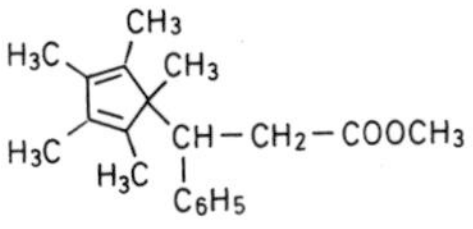	96	5, 6
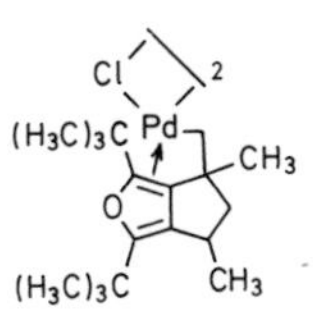	CO, H₃C–OH, 4 Stdn.	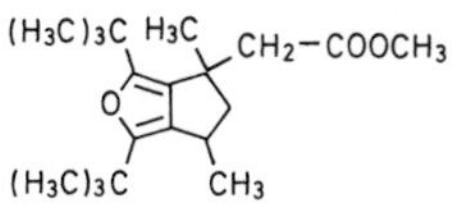	93	7

[1] G. Albelo, G. Wiger u. M.F. Rettig, Am. Soc. **97**, 4510 (1975).
[2] J.K. Stille u. D.E. James, Am. Soc. **97**, 674 (1975).
[3] L.F. Hines u. J.K. Stille, Am. Soc. **94**, 485 (1972).
[4] Y. Tamaru u. Z. Yoshida, Tetrahedron Letters **1978**, 4527.
[5] T. Hosokawa u. P.M. Maitlis, Am. Soc. **95**, 4924 (1973).
[6] T. Hosokawa u. P.M. Maitlis, Am. Soc. **94**, 3238 (1972).
[7] M. Avram et al., B. **108**, 1830 (1975).

Tab. 40 (Forts.)

Alkyl- oder Aryl-palladium-Verbindung	Reaktionsbedingungen	Reaktionsprodukte	Ausbeute [%]	Literatur
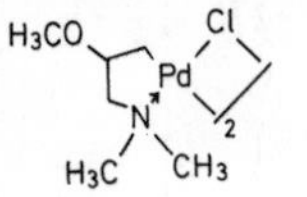 (Struktur) H_3CO, Pd, Cl, $N(CH_3)_2$	CO, H_5C_2-OH	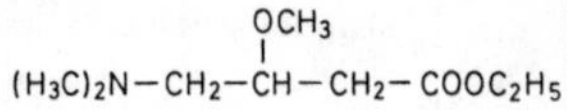 $(H_3C)_2N-CH_2-\underset{\underset{OCH_3}{\mid}}{CH}-CH_2-COOC_2H_5$	50	1
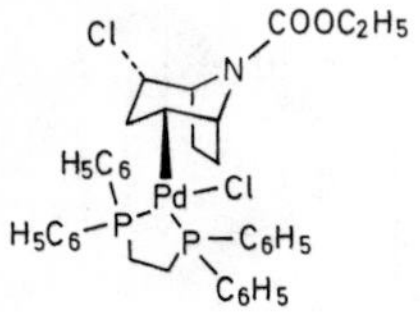 (Struktur) Cl, $COOC_2H_5$, N, $H_5C_6-P-Pd-Cl$, $P-C_6H_5$, C_6H_5	CO, KOH, H_3C-OH, 1 Stde.	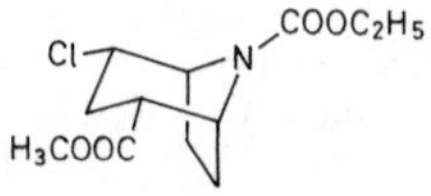 (Struktur) Cl, $COOC_2H_5$, N, H_3COOC	75	2
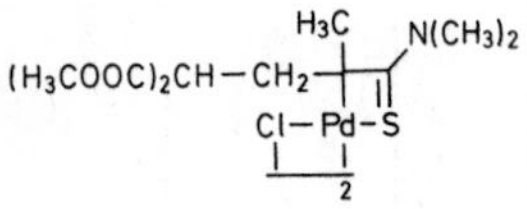 $(H_3COOC)_2CH-CH_2-\underset{\underset{Cl-Pd-S}{\mid}}{\overset{\overset{N(CH_3)_2}{\mid}}{C}}{}_2$ H_3C	CO (30 atm), H_3C-OH, Pyridin, 80°, 8 Stdn.	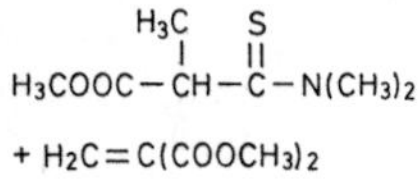 $H_3COOC-\underset{\overset{\mid}{CH}}{CH}-\overset{\overset{S}{\parallel}}{C}-N(CH_3)_2$ H_3C $+ H_2C=C(COOCH_3)_2$	100	3
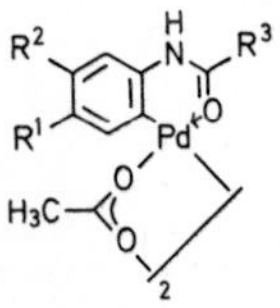 (Struktur) R^2, R^3, R^1, Pd, O, H_3C, O	CO, H_5C_2-OH	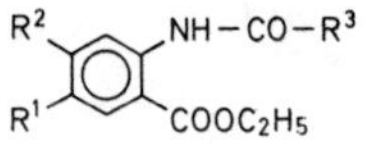 (Struktur) R^2, $NH-CO-R^3$, R^1, $COOC_2H_5$	30–99	4
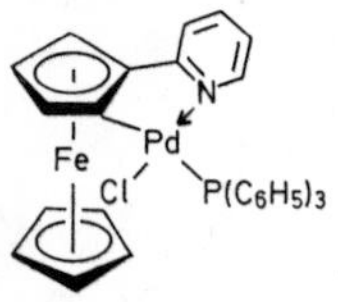 (Ferrocen-Struktur) Fe, Pd, Cl, $P(C_6H_5)_3$, N	CO (80 atm), 100°, H_5C_2-OH, 10 Stdn.	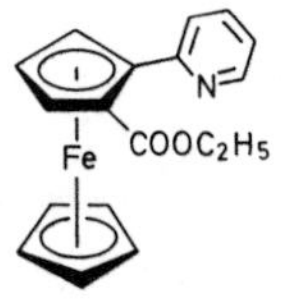 (Ferrocen-Struktur) Fe, N, $COOC_2H_5$	37	5
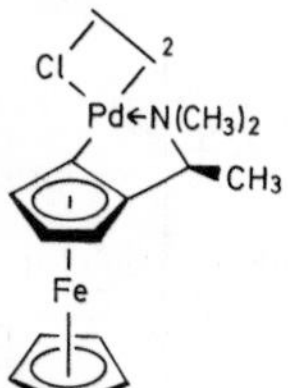 (Ferrocen-Struktur) Cl, $Pd\leftarrow N(CH_3)_2$, CH_3, Fe	CO (70 atm), H_5C_2-OH, $P(C_6H_5)_3$, 100°, 10 Stdn.	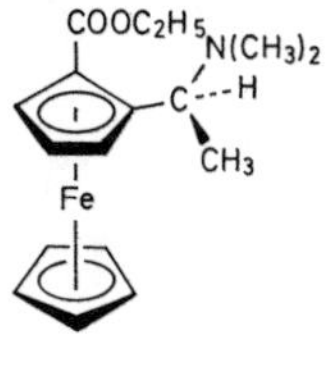 (Ferrocen-Struktur) $COOC_2H_5$, C, $N(CH_3)_2$, H, CH_3, Fe	25	6
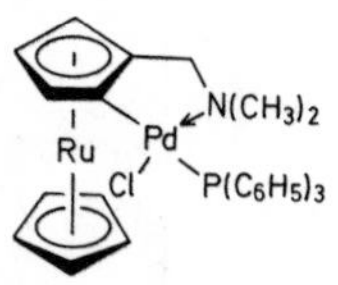 (Ruthenocen-Struktur) Ru, Pd, $N(CH_3)_2$, Cl, $P(C_6H_5)_3$	CO (80 atm), H_5C_2-OH, 50 Stdn., 100°	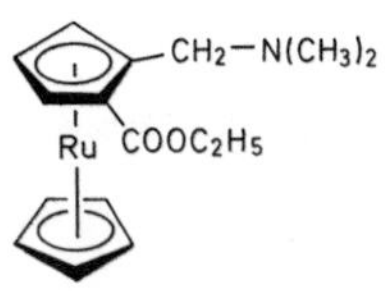 (Ruthenocen-Struktur) $CH_2-N(CH_3)_2$, Ru, $COOC_2H_5$	40	7

[1] D. MEDEMA, R. VAN HELDEN u. C.F. KOHLL, Inorg. Chim. Acta **3**, 255 (1969).

[2] G. WIGER u. M.F. RETTIG, Am. Soc. **98**, 4168 (1976).

[3] Y. TAMARU, M. KAGOTANI u. Z. YOSHIDA, J. Org. Chem. **44**, 2816 (1979).

[4] H. HORINO u. N. INOUE, J. Org. Chem. **46**, 4416 (1981).

[5] A. KASAHARA, T. IZUMI u. M. MAEMURA, Bl. chem. Soc. Japan **50**, 1878 (1977).

[6] A. KASAHARA, T. IZUMI u. H. WATABE, Bl. chem. Soc. Japan **52**, 957 (1979).

[7] S. KAMIYAMA et al., Bl. chem. Soc. Japan **52**, 142 (1979).

Die Alkoxycarbonylierung kann auch direkt von den isolierten σ-Organo-palladium-Verbindungen ausgehen, ohne die intermediäre Acyl-palladium-Verbindung zu isolieren. Dabei kann die Veresterung intramolekular über Hydroxy-Gruppen am σ-C-gebundenen Liganden erfolgen. Eine Reihe von Beispielen sind in Tab. 40 (S. 950) zusammengestellt. In den meisten Fällen entstehen bei der Umsetzung von Olefinen mit Palladium-Salzen in Gegenwart von Nucleophilen jedoch sehr labile σ-Alkyl-palladium-Verbindungen, die rasch mit Kohlenmonoxid reagieren und durch Methanol spontan in die Metall-freien Carbonsäureester zerfallen. Diese Reaktion kann durch Zugabe von Kupfer(II)-chlorid katalytisch bezüglich des Palladiums geführt werden. Da auch β-Eliminierungsreaktionen (z.B. von Chlorwasserstoff) auftreten können, sind Dicarbonylierungen unter bestimmten Bedingungen möglich[1] (vgl. Tab. 41).

$$R\text{–CH}=\text{CH}_2 \xrightarrow[\text{Cu}^{2\oplus}]{+\,\text{Pd}^{2\oplus}/\text{Nu}^{\ominus}} \left[\begin{array}{c} R\text{–CH(Nu)–CH}_2\text{–Pd} \\ + \\ R\text{–CH(Pd)–CH}_2\text{–Nu} \end{array} \right] \xrightarrow{\text{CO}/\text{R–OH}} \begin{array}{c} R\text{–CH(Nu)–CH}_2\text{–COOH} \\ + \\ R\text{–CH(COOR)–CH}_2\text{–Nu} \end{array}$$

Tab. 41: Alkoxycarbonylierungen bzw. Hydroxycarbonylierungen von Olefinen

Olefin	Reaktionsbedingungen	Reaktionsprodukte	Literatur
$H_2C=CH_2$	CO, ROH, $PdCl_2$, $CuCl_2$, O_2	$ROOC–CH_2–CH_2–COOR$	2, 3
	CO, ROH, $PdCl_2$, $FeCl_3$, O_2	$RO–CH_2–CH_2–COOR$ $+\ ROOC–CH_2–CH_2–COOR$	3
	CO, $H_3C–OH$, $PdCl_2$, $CuCl_2$, $H_7C_3–COONa$, $HC(OCH_3)_3$	$H_3COOC–CH_2–CH_2–COOCH_3$	1
	CO, $PdCl_2$, H_2O, $H_3C–CN$ (mit und ohne $CuCl_2$)	⬜=O (β-Lacton)	4, 5
$\overset{D}{\underset{H}{}}C=C\overset{D}{\underset{H}{}}$	CO, $PdCl_2$, H_2O, $H_3C–CN$	D⬜=O (deuteriertes β-Lacton)	5
$H_3C–CH=CH_2$	CO, $H_3C–OH$, $PdCl_2$, $CuCl_2$, $H_7C_3–COONa$, $HC(OCH_3)_3$	$H_3COOC–CH(CH_3)–CH_2–COOCH_3$	1
	CO, O_2, $PdCl_2$, $CuCl_2$, $H_3C–COOH$	$H_3C–CH=CH–COOH$	6
	CO, $H_9C_4–OH$, $PdCl_2L_2$ oder $PdClL_2(COC_3H_7)$, $P(C_6H_5)_3 = L$, 100°, 4 Stdn.	$H_3C–CH_2–CH_2–COOC_4H_9$ $+\ (H_3C)_2CH–COOC_4H_9$	7
$H_7C_3–CH=CH_2$	CO(3 atm), $H_3C–OH$, $PdCl_2$, $CuCl_2$	$H_7C_3–\underset{\overset{|}{OCH_3}}{CH}–CH_2–COOCH_3$	8
	CO (3 atm), $H_3C–OH$, $PdCl_2$, $CuCl_2$, $NaOCOCH_3$	$H_3COOC–\underset{\overset{|}{C_3H_7}}{CH}–CH_2–COOCH_3$	8

[1] J.K. Stille u. R. Divakaruni, J. Org. Chem. **44**, 3474 (1979).
[2] US.P. 3481845 (1968); 3397225 (1964); 3397226 (1965), Union Oil Co. of California, Erf.: D.M. Fenton; C.A. **72**, 38322 (1970); **69**, 76660, 66919 (1968).
[3] D.M. Fenton u. P.J. Steinwand, J. Org. Chem. **37**, 2034 (1972).
[4] J.K. Stille u. R. Divakaruni, Am. Soc. **100**, 1303 (1978).
[5] J.K. Stille u. R. Divakaruni, J. Organometal. Chem. **169**, 239 (1979).
[6] K.L. Olivier, D.M. Fenton u. J. Biale, Hydrocarbon Proc. **51**, 95 (1972).
[7] L. Toniolo et al., Inorg. Chim. Acta **35**, L 345 (1979).
[8] D.E. James u. J.K. Stille, Am. Soc. **98**, 1810 (1976); viele weitere Beispiele.

Tab. 41 (1. Forts.)

Olefin	Reaktionsbedingungen	Reaktionsprodukte	Literatur
$H_{13}C_6-CH=CH_2$	CO, H_5C_2-OH, $PdCl_2$, $CuCl_2$	$H_5C_2OOC-CH-CH_2-COOC_2H_5$ $\quad\quad\quad\quad\quad\lvert$ $\quad\quad\quad\quad\quad C_6H_{13}$	[1, 2]
$H_5C_6-CH_2-CH=CH_2$	CO, H_3C-OH, $PdCl_2$, $CuCl_2$, $H_7C_3-COONa$, $HC(OCH_3)_3$	$H_3COOC-CH-CH_2-COOCH_3$ $\quad\quad\quad\quad\quad\lvert$ $\quad\quad\quad\quad\quad CH_2-C_6H_5$ $+ H_3CO-CH-CH_2-COOCH_3$ $\quad\quad\quad\quad\quad\lvert$ $\quad\quad\quad\quad\quad CH_2-C_6H_5$	[3]
$H_2C=CH-CH_2-CH_2-CH=CH_2$	CO, H_3C-OH, $PdCl_2$, $CuCl_2$, $H_7C_3-COONa$, $HC(OCH_3)_3$	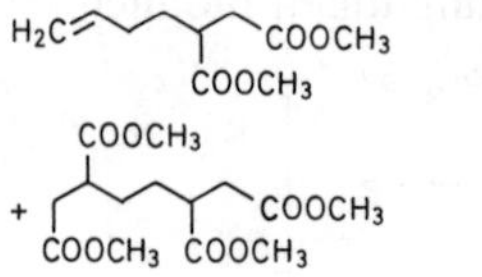	[3]
$H_5C_6-CH=CH_2$	CO, H_3C-OH, $PdCl_2$, $CuCl_2$, $NaOCOCH_3$	$H_3COOC-CH-CH_2-COOCH_3$ $\quad\quad\quad\quad\quad\lvert$ $\quad\quad\quad\quad\quad C_6H_5$	[4, 5]
	CO, H_3C-OH, $PdCl_2$, $CuCl_2$, $NaOCOCH_3$, $MgCl_2$	$H_5C_6-CH=CH-COOCH_3$ (Hauptprodukt) $\quad\quad\quad\quad\quad C_6H_5$ $\quad\quad\quad\quad\quad\lvert$ $+ H_3COOC-CH-CH_2-COOCH_3$ $\quad\quad\quad\quad\quad C_6H_5$ $\quad\quad\quad\quad\quad\lvert$ $+ H_3CO-CH-CH_2-COOCH_3$	[6]
$\quad\quad CH_3$ $\quad\quad\lvert$ $H_5C_6-C=CH_2$	CO, H_3C-OH, $PdCl_2$, $CuCl_2$, Base	$\quad\quad\quad\quad CH_2-COOCH_3$ $\quad\quad\quad\quad\lvert$ $H_5C_6-CH-CH_2-COOCH_3$	[4]
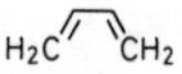 $H_2C=CH_2$	CO, H_3C-OH, $PdCl_2$, $CuCl_2$, $H_7C_3-COONa$, $HC(OCH_3)_3$	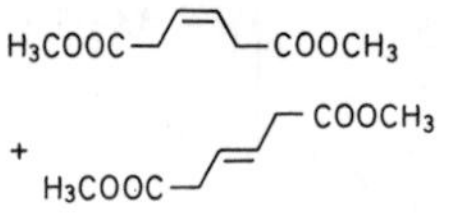	[3]
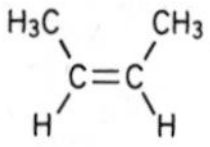	CO, H_3C-OH, $PdCl_2$, $CuCl_2$	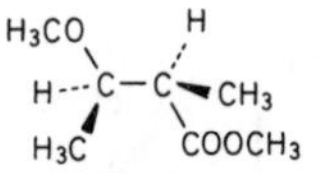 threo	[7, 8]
	CO, H_3C-OH, $PdCl_2$, $CuCl_2$, $NaO-CO-CH_3$	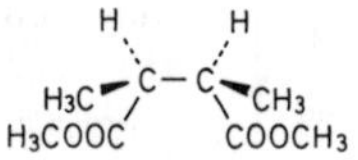 meso	[7, 8]
	CO, H_3C-OH, $PdCl_2$, $CuCl_2$	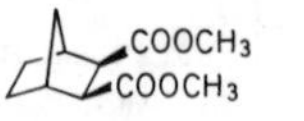 (Hauptprodukt) 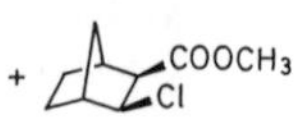 $+$	[4]

[1] D. M. FENTON u. P. J. STEINWAND, J. Org. Chem. 37, 2034 (1972).
[2] D. M. FENTON, J. Org. Chem. 38, 3192 (1973).
[3] J. K. STILLE u. R. DIVAKARUNI, J. Org. Chem. 44, 3474 (1979); viele weitere Beispiele.
[4] D. E. JAMES u. J. K. STILLE, Am. Soc. 98, 1810 (1976); viele weitere Beispiele.
[5] T. JUKAWA u. S. TSUTSUMI, J. Org. Chem. 34, 738 (1969).
[6] G. COMETTI u. G. P. CHIUSOLI, J. Organometal. Chem. 181, C14 (1979).
[7] D. E. JAMES, L. F. HINES u. J. K. STILLE, Am. Soc. 98, 1806 (1976).
[8] J. K. STILLE, D. E. JAMES u. L. F. HINES, Am. Soc. 95, 5062 (1973).

Tab. 41 (2. Forts.)

Olefin	Reaktionsbedingungen	Reaktionsprodukte	Literatur
(Cyclopenten-CH₃)	CO, H₃C–OH, PdCl₂, CuCl₂, Base	H₃COOC⌇COOCH₃ / CH₃	1
(Cyclooctadien)	CO, H₂O, PdCl₂, CuCl₂, NaOCOCH₃	(bicyclisches Lacton, O, O)	2, 3
(Cyclooctadien)	CO, H₃C–OH, PdCl₂, CuCl₂, NaOCOCH₃	OCH₃ / COOCH₃	3, 4
$H_3C-C(O)-CH=CH_2$	CO, H₃C–OH, PdCl₂, CuCl₂, H₇C₃–COONa, HC(OCH₃)₃	COOCH₃ / H₃C–C(O)–CH–CH₂–COOCH₃	5
(Cyclopentenon)	CO, H₃C–OH, PdCl₂, CuCl₂, H₇C₃–COONa, HC(OCH₃)₃	(Cyclopentanon) COOCH₃ / COOCH₃	5

Katalytische Methoxycarbonylierung von Olefinen; allgemeine Arbeitsvorschrift[5]: Eine Lösung von 26,88 g (200 mmol) Kupfer(II)-chlorid in 75–100 ml Methanol wird nacheinander mit 22,00 g (200 mmol) Natriumbutanoat, 25 mmol Olefin, 3,00 g (28,3 mmol) Orthoameisensäure-trimethylester und 0,1–0,5 g (0,5–2,8 mmol) Palladium(II)-chlorid behandelt. Auf die Mischung werden schnell 1–6 Atmosphären Kohlenmonoxid aufgepreßt. Man läßt die Reaktion laufen, bis die CO-Aufnahme aufhört (bis zu 144 Stdn.). Nach beendeter Reaktion wird i. Vak. konzentriert. Der Rückstand wird mit mehreren Portionen Pentan gerührt. Die Pentan-Extrakte werden vereinigt, filtriert und i. Vak. alles Lösungsmittel entfernt.

Methoxycarbonylierung von Ethen; Bildung von Bernsteinsäure-dimethylester[5]: Eine Mischung von 13,44 g (100 mmol) Kupfer(II)-chlorid und 11,00 g (100 mmol) Natriumbutanoat in 75 ml Methanol werden mit 0,50 g (2,8 mmol) Palladium(II)-chlorid und 3,0 g (28,3 mmol) Orthoameisensäure-trimethylester behandelt. Es wird eine Atmosphäre Ethen aufgepreßt. Anschließend wird der Druck mit Kohlenmonoxid auf insgesamt 3 Atmosphären erhöht. Man läßt 36 Stdn. reagieren. Dann wird keine weitere CO-Aufnahme beobachtet. Nach Extraktion mit Pentan und Abziehen des Lösungsmittels erhält man den Diester in 92%iger Ausbeute.

Auch katalytische Alkoxycarbonylierungen von Olefinen mit Palladium(II)-halogeniden oder -acetaten in Gegenwart von tert.-Phosphanen (Stabilisierung der nullwertigen Oxidationsstufe des Palladiums) sind bekannt. Olefine mit endständigen und internen C,C-Doppelbindungen werden bei 50 Atmosphären Kohlenmonoxid-Druck in Alkoholen bei 100° in hohen Ausbeuten zu gesättigten Estern umgewandelt[6,7]:

$$R^1-CH=CH_2 \ + \ CO \ + \ R^2-OH \ \longrightarrow \ R^1-CH-CH_3 \ + \ R^1-CH_2-CH_2-COOR^2$$
$$\overset{|}{COOR^2}$$

[1] D. E. JAMES u. J. K. STILLE, Am. Soc. **98**, 1810 (1976); viele weitere Beispiele.
[2] J. K. STILLE u. D. E. JAMES, Am. Soc. **97**, 674 (1975).
[3] J. K. STILLE u. D. E. JAMES, J. Organometal. Chem. **108**, 401 (1976).
[4] L. F. HINES u. J. K. STILLE, Am. Soc. **94**, 485 (1972).
[5] J. K. STILLE u. R. DIVAKARUNI, J. Org. Chem. **44**, 3474 (1979).
[6] K. BITTLER, N. V. KUTEPOW, D. NEUBAUER u. H. REIS, Ang. Ch. **80**, 352 (1968).
[7] J. TSUJI, M. MORIKAWA u. J. KIJI, Tetrahedron Letters **1963**, 1437.

Dichloro-bis-[triphenylphosphan]-palladium ist der geeignetste Katalysator. Die Zugabe einer geringen Menge Salzsäure beschleunigt die Reaktion. Die aktiven Spezies scheinen PdL_n oder $H-PdClL_n$ zu sein. Das Verhältnis von verzweigtem zu linearem Ester hängt von den Reaktionsbedingungen wie Temperatur, Kohlenmonoxid-Druck, Phosphan-Liganden und Additiven ab[1,2,3]:

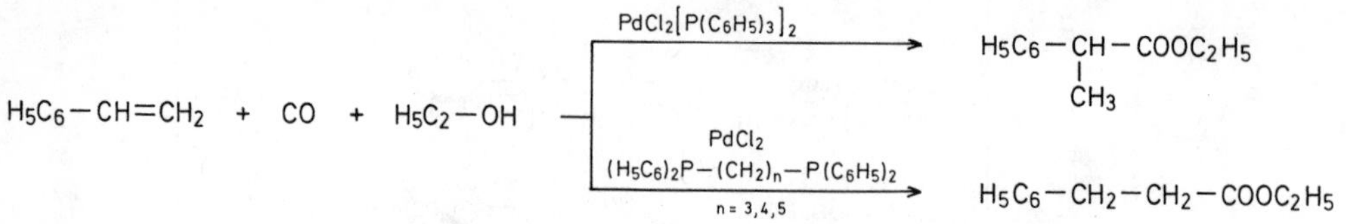

$$H_5C_6-CH=CH_2 + CO + H_5C_2-OH$$

$$\xrightarrow{PdCl_2[P(C_6H_5)_3]_2} H_5C_6-CH-COOC_2H_5 \quad CH_3$$

$$\xrightarrow[n=3,4,5]{PdCl_2 \atop (H_5C_6)_2P-(CH_2)_n-P(C_6H_5)_2} H_5C_6-CH_2-CH_2-COOC_2H_5$$

Lineare und verzweigte Carbonsäuren erhält man, wenn man die Carbonylierung in Eisessig, der Wasser enthält, bei 125–150° durchführt[4]. Das Verhältnis der linearen zu den verzweigten Carbonsäuren hängt ab von der Art der Phosphan-Liganden und den zugesetzten Reagenzien [Chlorwasserstoff, Lithiumchlorid, Eisen(II)-chlorid, Pentacarbonyleisen].

$$R-CH=CH_2 + CO + H_2O \longrightarrow R-CH_2-CH_2-COOH + H_3C-\overset{\displaystyle R}{\underset{\displaystyle |}{CH}}-COOH$$

Asymmetrische Carbonylierungen von prochiralen Olefinen unter Benutzung chiraler Phosphane sind ebenfalls untersucht worden. Die optischen Ausbeuten sind jedoch gering[5].

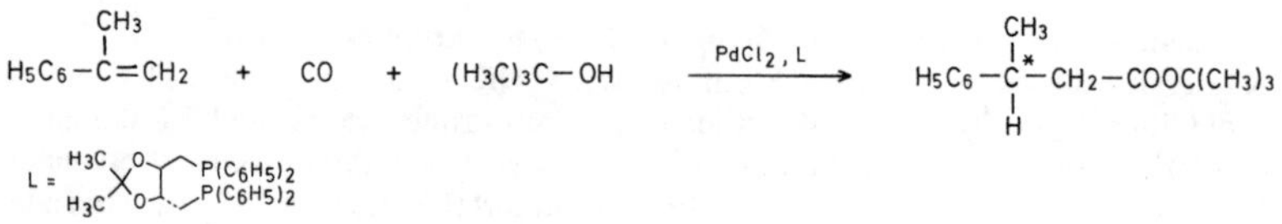

$$H_5C_6-\overset{\displaystyle CH_3}{\underset{\displaystyle |}{C}}=CH_2 + CO + (H_3C)_3C-OH \xrightarrow{PdCl_2, L} H_5C_6-\overset{\displaystyle CH_3}{\underset{\displaystyle H}{\overset{\displaystyle |}{\underset{\displaystyle |}{C}}}}{}^*-CH_2-COOC(CH_3)_3$$

$$L = \begin{array}{c} H_3C \\ H_3C \end{array}\hspace{-4pt}\times\hspace{-4pt}\begin{array}{c} O \\ O \end{array}\hspace{-4pt}\begin{array}{c} P(C_6H_5)_2 \\ P(C_6H_5)_2 \end{array}$$

In einigen Fällen werden auch Oxo-carbonsäureester gebildet[6]:

$$H_2C=CH_2 + CO + R-OH \longrightarrow H_3C-CH_2-COOR + H_3C-CH_2-CO-CH_2-CH_2-COOR$$

Lactone erhält man bei der Carbonylierung (500 atm CO-Druck) von Ethen in aprotischen Lösungsmitteln wie Essigsäure-ethylester oder Acetonitril[7]:

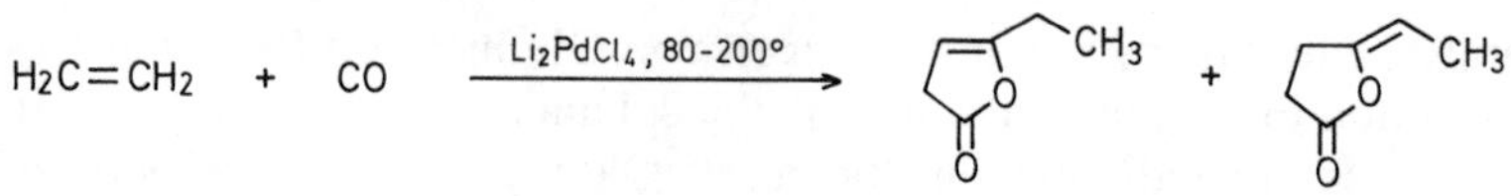

$$H_2C=CH_2 + CO \xrightarrow{Li_2PdCl_4, 80-200°}$$

Katalytische Carbonylierungen von 1,5-Hexadien[8] und 1,5-Cyclooctadien[9,10] ergeben die folgenden Produkte:

[1] Y. Sugi, K. Bando u. S. Shin, Chem. & Ind. **1975**, 397.
[2] J.F. Knifton, J. Org. Chem. **41**, 2885 (1976).
[3] J.F. Knifton, Am. Oil Chem. Soc. **55**, 496 (1978).
[4] D.M. Fenton, J. Org. Chem. **38**, 3192 (1973).
[5] Siehe Übersicht in J. Tsuji, *Organic Synthesis with Palladium Compounds*, Springer Verlag, Berlin · Heidelberg · New York **1980**, S. 82.
[6] J. Tsuji, M. Morikawa u. J. Kiji, Tetrahedron Letters **1963**, 1437.
[7] Brit. P. 1148043 ≡ Holl. P. 6511995 (1964), ICI; C.A. **65**, 7064 (1966).
[8] S. Brewis u. P.R. Hughes, Chem. Commun. **1965**, 489; **1967**, 71.
[9] J. Tsuji et al., Bl. chem. Soc. Japan **39**, 141 (1966).
[10] S. Brewis u. P.R. Hughes, Chem. Commun. **1966**, 6.

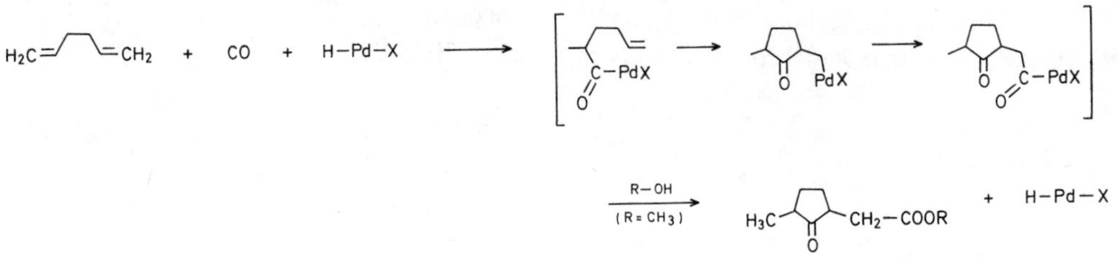

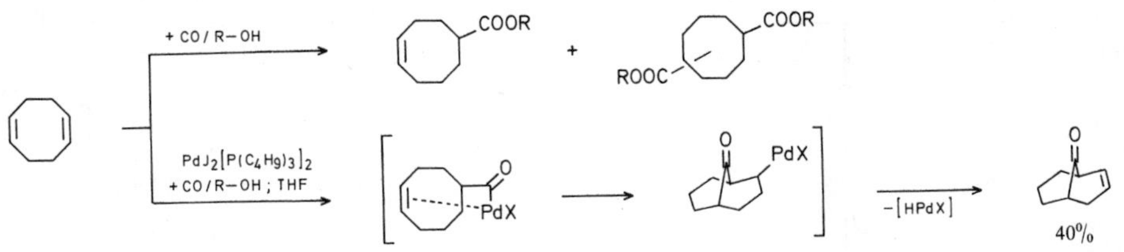

Katalytische Carbonylierung von 1,3-Butadien ergibt je nach den Reaktionsbedingungen 3-Pentensäureester[3,4] oder 3,8-Nonadiensäureester[5,6].

Sukzessive Palladium-Komplexierung von Olefinen, Alkylierung mit Anionen zum Teil in Gegenwart von HMPTA und Methoxycarbonylierung durch Behandlung mit Kohlenmonoxid/Methanol liefert (mit einer Ausnahme) ausschließlich oder überwiegend die am C-2 des Olefins alkylierten difunktionellen Verbindungen[7].

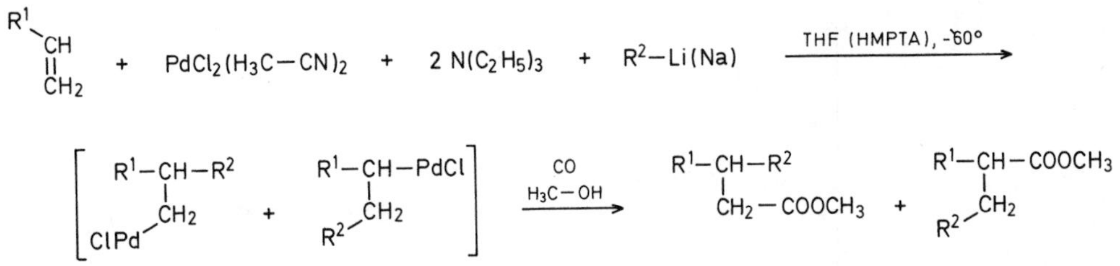

Beispiele s. Tabelle 42 (S. 958).

Aus Olefinen erhält man mit Tetrachlormethan und Kohlenmonoxid in Gegenwart eines Palladium-Katalysators Gemische der γ-trichlorsubstituierten Ester und Chloride[8]:

[1] J. Tsuji et al., Bl. chem. Soc. Japan **39**, 141 (1966).
[2] S. Brewis u. P.R. Hughes, Chem. Commun. **1966**, 6.
[3] S. Brewis u. P.R. Hughes, Chem. Commun. **1965**, 157.
[4] S. Hosaka u. J. Tsuji, Tetrahedron **27**, 3821 (1971).
[5] J. Tsuji, Y. Mori u. M. Hara, Tetrahedron **28**, 3721 (1972).
[6] W.E. Billups, W.E. Walker u. T.C. Shields, Chem. Commun. **1971**, 1067.
[7] L.S. Hegedus u. W.H. Darlington, Am. Soc. **102**, 4980 (1980).
[8] J. Tsuji, K. Sato u. H. Nagashima, Tetrahedron Letters **23**, 893 (1982); weitere Beispiele.

$$R-CH=CH_2 \ + \ CCl_4 \ + \ CO \ + \ H_5C_2-OH \ \xrightarrow{\overset{\text{Pd(O-CO-CH}_3)_2}{\text{P(C}_6\text{H}_5)_3, \text{K}_2\text{CO}_3}}$$

$$R-CH-CH_2-CCl_3 \ + \ R-CH-CH_2-CCl_3$$
$$\underset{\displaystyle COOC_2H_5}{|} \qquad\qquad \underset{\displaystyle Cl}{|}$$
$$\text{12–60\%} \qquad\qquad\qquad \text{15–59\%}$$

Tab. 42: Alkylierung und Methoxycarbonylierung von Olefinen[1]

Olefin	Carbanion	Reaktionsprodukt	Ausbeute [%]
$H_2C=CH_2$	$LiC(CH_3)(COOC_2H_5)_2$	$H_3COOC-CH_2-CH_2-\overset{\overset{\displaystyle CH_3}{\textstyle\vert}}{\underset{\underset{\displaystyle COOC_2H_5}{\textstyle\vert}}{C}}-COOC_2H_5$	63
	$LiC(C_6H_5)(CN)[O-Si(CH_3)_3]$	$H_3COOC-CH_2-CH_2-CO-C_6H_5$ (nach Hydrolyse des Cyanhydrins)	50
$H_3C-CH=CH_2$	$LiC(CH_3)(COOC_2H_5)_2$	$H_3COOC-CH_2-\overset{\overset{\displaystyle H_3C}{\textstyle\vert}}{CH}-\overset{\overset{\displaystyle CH_3}{\textstyle\vert}}{\underset{\underset{\displaystyle COOC_2H_5}{\textstyle\vert}}{C}}-COOC_2H_5$	84
	⬡—OLi	$H_3COOC-CH_2-\overset{\overset{\displaystyle CH_3}{\textstyle\vert}}{CH}$⬡	70
		+ ⬡$-CH_2-\overset{\overset{\displaystyle CH_3}{\textstyle\vert}}{CH}-COOCH_3$	7
$H_5C_6-CH=CH_2$	$LiC(CH_3)(COOC_2H_5)_2$	$H_3COOC-CH_2-\overset{\overset{\displaystyle H_5C_6}{\textstyle\vert}}{CH}-\overset{\overset{\displaystyle CH_3}{\textstyle\vert}}{\underset{\underset{\displaystyle COOC_2H_5}{\textstyle\vert}}{C}}-COOC_2H_5$	26
$H_3C-CO-NH-CH=CH_2$		$H_3COOC-CH_2-\overset{\overset{\displaystyle H_3C-CO-NH}{\textstyle\vert}}{CH}-\overset{\overset{\displaystyle CH_3}{\textstyle\vert}}{\underset{\underset{\displaystyle COOC_2H_5}{\textstyle\vert}}{C}}-COOC_2H_5$	61

1-Alkine reagieren mit Kohlenmonoxid und Alkoholen in Gegenwart von Palladium(II)-chlorid und Kupfer(II)-chlorid zu den entsprechenden 1-Alkoxycarbonyl-1-alkinen[2]:

$$R^1-C\equiv C-H \ + \ CO \ + \ R^2-OH \ \xrightarrow{PdCl_2, CuCl_2} \ R^1-C\equiv C-COOR^2$$
$$R^1 = C_6H_5, C_5H_{11}, CH_2-O-C_6H_5 \qquad\qquad\qquad \text{59–74\%}$$
$$R^2 = CH_3, CH(CH_3)_2$$

Wird Acetylen in Butanol in Gegenwart katalytischer Mengen Dihalogeno-bis-[trialkoxyphosphan]-palladium carbonyliert, so erhält man *Acrylsäure-butylester*[3]:

$$H-C\equiv C-H \ + \ CO \ + \ H_9C_4-OH \ \xrightarrow{Pd[P(OR)_3]_2X_2} \ H_2C=CH-COOC_4H_9$$

---

[1] L. S. Hegedus u. W. H. Darlington, Am. Soc. **102**, 4980 (1980); viele Beispiele.

[2] J. Tsuji, M. Takahashi u. T. Takahashi, Tetrahedron Letters **1980**, 849.

[3] I. A. Orlova et al., Ž. obšč. Chim. **49**, 1601 (1979); engl.: 1398; siehe dort weitere Literatur.

Das Butanol wird zunächst mit Chlorwasserstoff-Gas gesättigt. Zugabe von Lithiumjodid steigert die Wirkung des Palladium-Katalysators beträchtlich. Die Aktivität des Palladium-Komplexes fällt bezüglich der Trialkoxyphosphan-Komponente in der angegebenen Reihenfolge:

$$P(OCH_3)_3 \; > \; P(OC_2H_5)_3 \; > \; P[O–CH(CH_3)_2]_3$$

Bei Trimethoxy- und Triethoxy-phosphan verringert sich die Aktivität mit X wie folgt (bei Triisopropyloxy-phosphan umgekehrt):

$$X = Cl > Br > J > SCN$$

Wird 4-Hydroxy-1-butin in Gegenwart des Systems Palladiumchlorid/Triphenylphosphan/wasserfreies Zinnchlorid/trockenes Acetonitril carbonyliert, so erhält man *2-Methylen-4-butanolid* (32%)[1,2]:

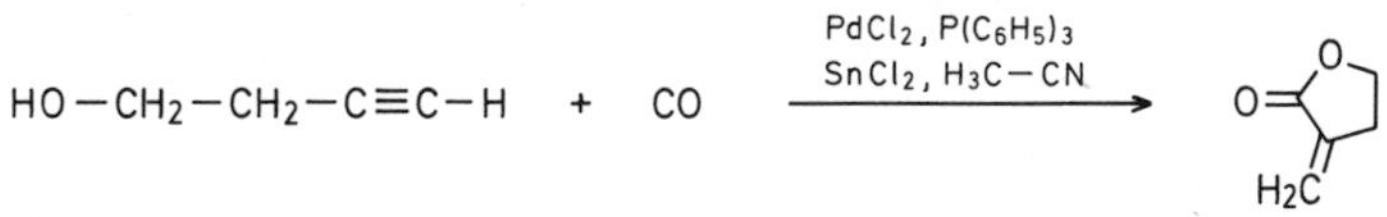

Wird ein 1:1-Gemisch aus 4-Hydroxy-1-butin und 1-Heptin analog carbonyliert, so entstehen die folgenden Produkte[1]:

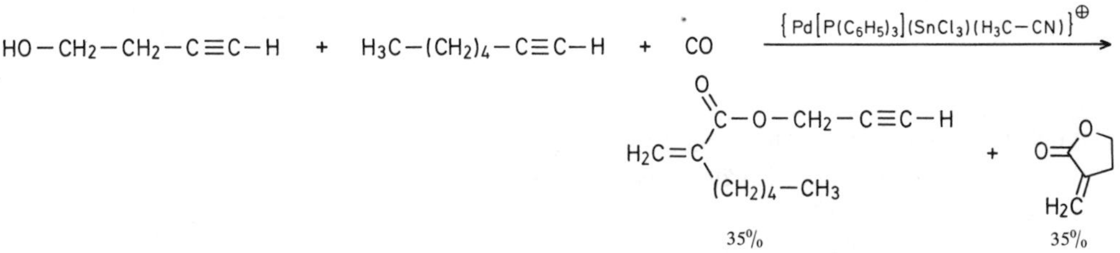

Die oxidative Carbonylierung von Methanol in Gegenwart von Diacetato-bis-[triphenylphosphan]-palladium (oder anderen Phosphan-palladium-Verbindungen) ergibt *Oxalsäure-dimethylester*[3]:

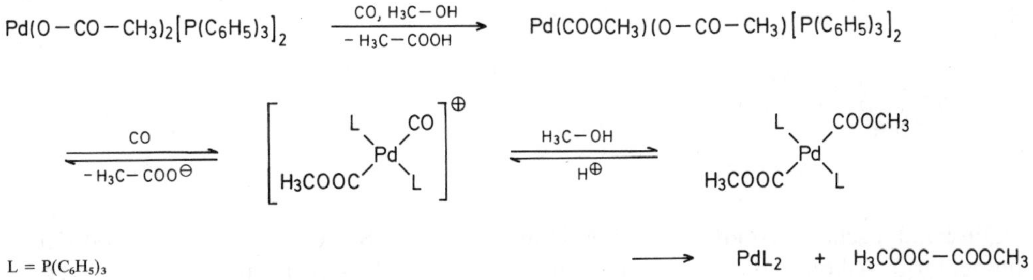

$$L = P(C_6H_5)_3 \qquad\qquad \longrightarrow \quad PdL_2 \; + \; H_3COOC–COOCH_3$$

Aus enolisierbaren Ketonen (Trimethylsilyl-enolether werden eingesetzt) entstehen mit Bis-[benzonitril]-dichloro-palladium mehrkernige Palladium-Komplexe, aus denen man mit Kohlenmonoxid in Methanol 3-Oxo-carbonsäureester synthetisieren kann (über 85%)[4]:

[1] T.F. Murray u. J.R. Norton, Am. Soc. **101**, 4107 (1979).
[2] J.R. Norton et al., Am. Soc. **103**, 7520 (1981).
[3] F. Rivetti u. U. Romano, Chimica e Ind. **62**, 7 (1980).
[4] Y. Ito et al., Tetrahedron Letters **1980**, 2873.

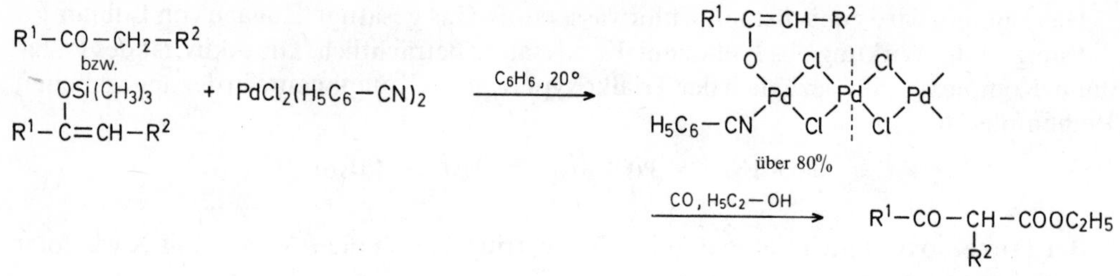

$$R^1 = R^2 = C(CH_3)_3 \ 100\%$$
$$R^1 = C_6H_5, \ R^2 = C(CH_3)_3 \ 86\%$$

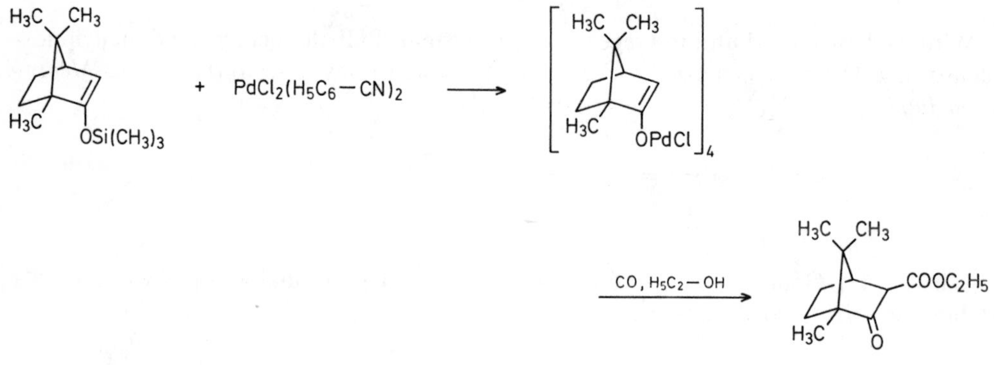

85%
exo:endo = 1:4

Auch oxidative Carbonylierungen von Arenen sind bekannt. So erhält man aus Naphthalin *Methoxy-* und *1,2-Dicarboxy-naphthalin*[1]:

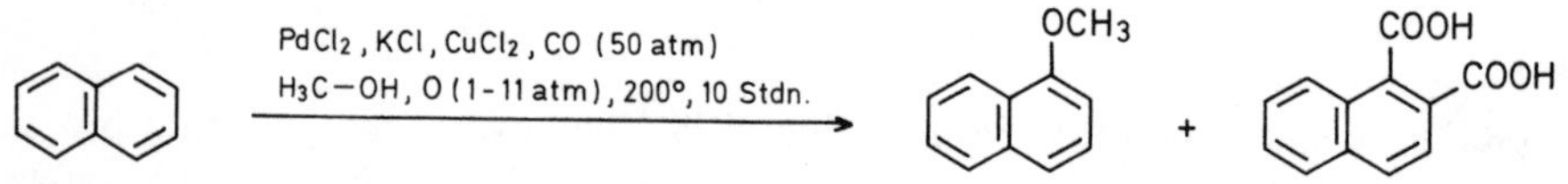

Arene geben mit Natrium-[palladium(II)-malonat] in Eisessig/Essigsäureanhydrid als Hauptprodukte aromatische Carbonsäuren[2,3]:

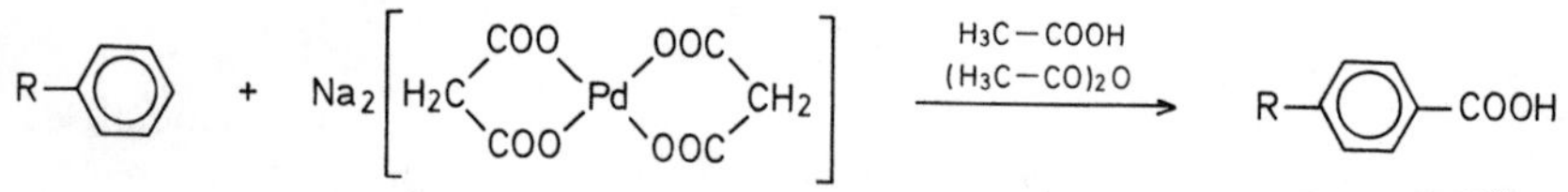

z.B.: R = H; 98%

Die katalytische Carbonylierung von Diaryljodonium-Salzen in Gegenwart von Palladiumchlorid, Alkoholen oder Aminen sowie schwachen Basen (Kaliumacetat oder Trialkylamin) erfolgt bereits unter milden Bedingungen (20°, 1 bar Kohlenmonoxid) unter Bildung von Carbonsäureestern bzw. -amiden[4]:

[1] Jap. P. 76 32, 533 ≡ DOS 2 340 592 (1974), Teijin Ltd., Erf.: W. FUNAKOSHI; C. A. **85**, 94 134 (1976).
[2] T. SAKAKIBARA u. Y. ODAIRA, J. Org. Chem. **41**, 2049 (1976).
[3] T. SAKAKIBARA, T. TERAMOTO u. Y. ODAIRA, Chem. Commun. **1970**, 1563.
[4] M. UCHIYAMA, T. SUZUKI u. Y. YAMAZAKI, Nippon Kagaku Kaishi **1982**, 236; Chem. Inform **8224** – 151.

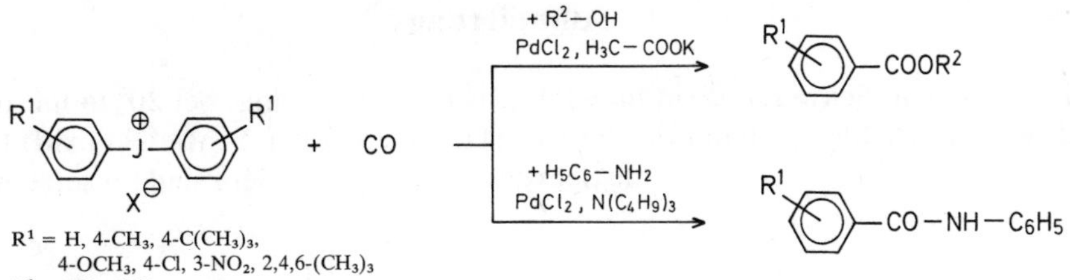

$$R^1 = H, 4\text{-}CH_3, 4\text{-}C(CH_3)_3,$$
$$4\text{-}OCH_3, 4\text{-}Cl, 3\text{-}NO_2, 2,4,6\text{-}(CH_3)_3$$
$$R^2 = CH_3, C_4H_9,$$
$$X = Br, Cl, J$$

Aryl-, Heteroaryl- und Vinylhalogenide reagieren mit Kohlenmonoxid und sekundären Aminen in Gegenwart von Palladium-Katalysatoren zu den 2-Oxo-carbonsäure-amiden und Amiden[1, 2]:

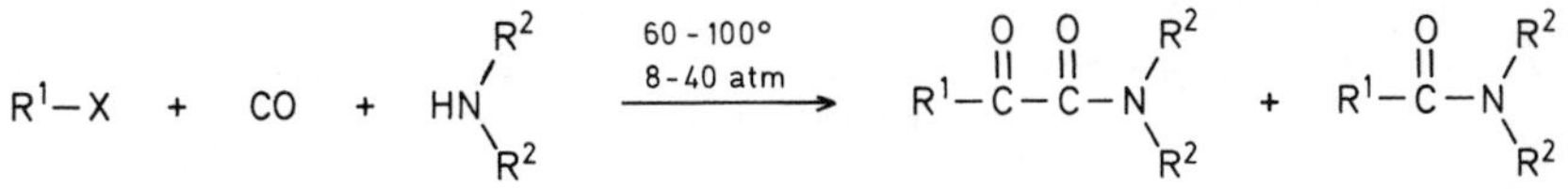

$$R^1 = C_6H_5, 2\text{-Thienyl}, CH=CH-C_6H_5 \qquad\qquad 54–98\% \qquad\qquad 2–45\%$$
$$R^2 = C_2H_5, C_3H_7$$
$$X = Br, J$$

Die cyclisierende Carbonylierung von 2-Brom-anilinen führt zu Benzo[f]-1,4-diazepinen[3]; z.B.:

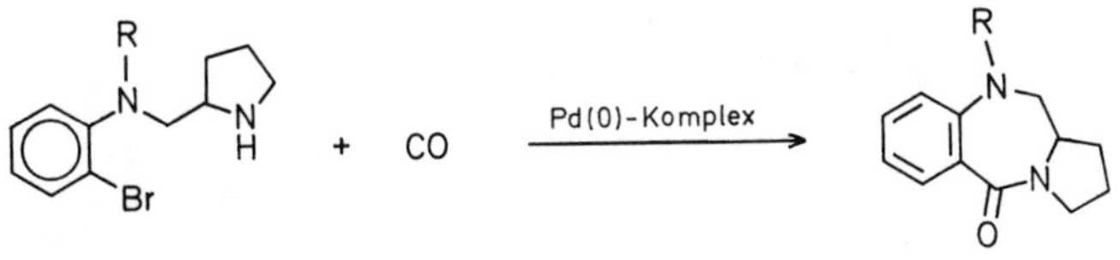

c) Insertion von Isocyaniden

Die Insertion von Isocyaniden, die zu stabilen Acyl-palladium-Derivaten führt, ist auf S. 868 beschrieben. Insertionsprodukte dieser Art können insbesondere bei ortho-palladierten Arenen über Thermolyse zu Heterocyclen führen (z.B. 3-Imino-2-phenyl-indazoline)[4]:

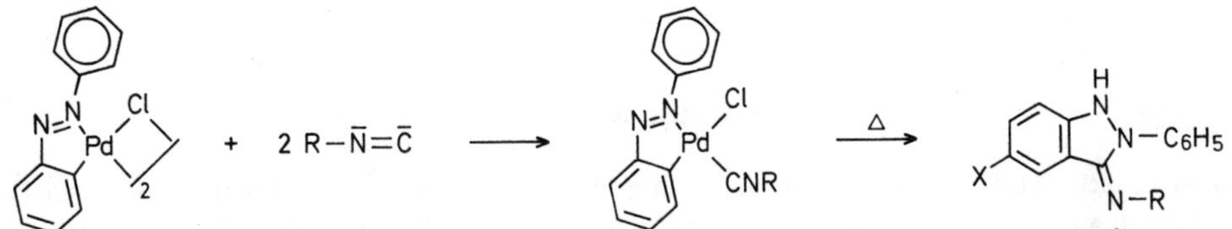

$$67–90\%$$

$$X = H, OCH_3$$
$$R = C(CH_3)_3, C_6H_{11}, 2\text{-}CH_3\text{-}C_6H_4$$

[1] T. Kobayashi u. M. Tanaka, J. Organometal. Chem. **231**, C12 (1982); **233**, C64 (1982); viele weitere Beispiele.

[2] A. Yamamoto et al., Tetrahedron Letters **23**, 3383 (1982); viele Beispiele.

[3] M. Ishikura et al., Heterocycles **19**, 191 (1982); viele Beispiele.

[4] Y. Yamamoto u. H. Yamazaki, Synthesis **1976**, 750.

d) Sulfonierung

Die Insertion von Schwefeldioxid in σ-Pd-C-Bindungen gelingt bei 20° in inerten Lösungsmitteln wie Dichlormethan oder Benzol (Durchleiten von Schwefeldioxid) bzw. in flüssigem Schwefeldioxid bei −40° ohne Schwierigkeiten. Trotzdem sind bis jetzt erst wenige Beispiele beschrieben[1,2].

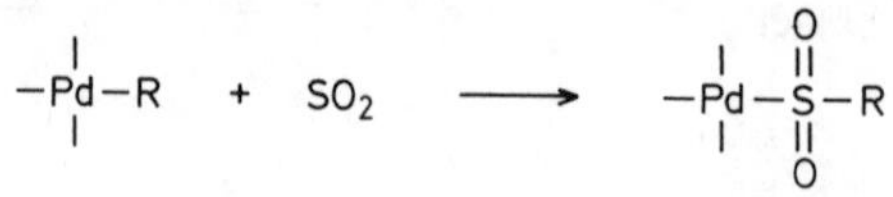

$$-Pd-R \quad + \quad SO_2 \quad \longrightarrow \quad -Pd-\overset{\overset{O}{\|}}{\underset{\underset{O}{\|}}{S}}-R$$

R = Alkyl, Aryl

Die folgende Tabelle 43 gibt eine Übersicht über derartige Reaktionen.

Tab. 43: Insertion von Schwefeldioxid in Alkyl-, Allyl- oder Aryl-palladium-Verbindungen

Ausgangsprodukt	Reaktionsbedingungen	Reaktionsprodukt	Ausbeute [%]	Literatur
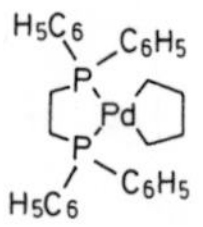	SO₂, −40°	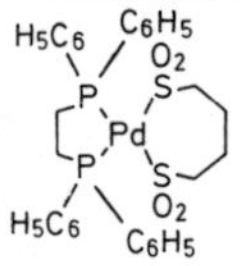	85	3, 4
R = CH₃, C₆H₅	SO₂, C₆H₆, 25°		−	5
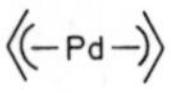	SO₂, −40°	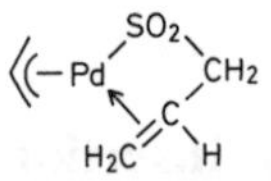	−	6

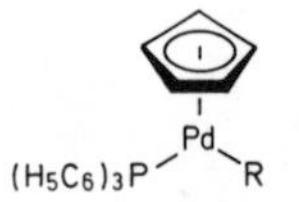

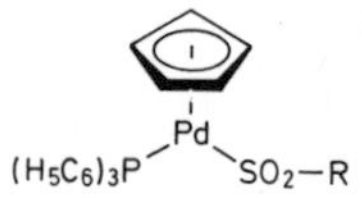

Werden Ethen und Palladiumchlorid suspendiert in Benzol mit Schwefeldioxid erhitzt, so erhält man *(trans-2-Butenyl)-ethyl-sulfon*[7]:

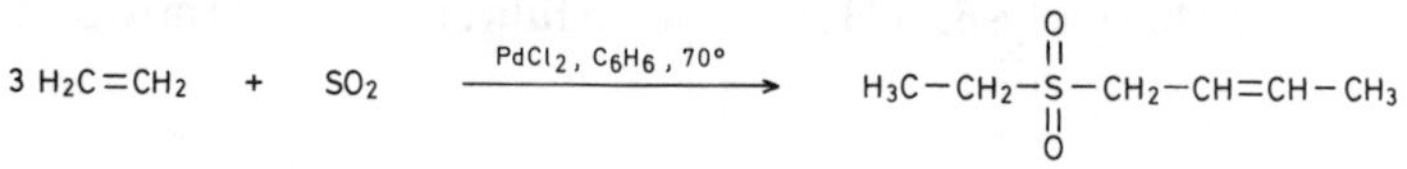

$$3\ H_2C{=}CH_2 \quad + \quad SO_2 \quad \xrightarrow{\ PdCl_2,\ C_6H_6,\ 70°\ } \quad H_3C{-}CH_2{-}\overset{\overset{O}{\|}}{\underset{\underset{O}{\|}}{S}}{-}CH_2{-}CH{=}CH{-}CH_3$$

e) Insertion von Kohlenstoffdioxid

Bisher ist nichts über die Insertion von Kohlendioxid in σ-C-Pd-Bindungen bekannt. π-Allyl-palladium-Verbindungen können vermutlich über σ-Allyl-palladium-Zwischenstufen die entsprechenden Carbonsäureester ergeben[8]:

[1] Übersichtsartikel A. WOJCICKI, *Sulfur Dioxide Insertion Reactions*, Adv. Organometallic Chem. **12**, 31 (1974).
[2] Übersichtsartikel: W. KITCHING u. C. W. FONG, *Insertion of Sulfur Oxides in Metal-Carbon Bonds*, Organometal. Chem. Rev. A, **5**, 281 (1970).
[3] P. DIVERSI et al., Soc. [Dalton] **1980**, 1633.
[4] P. DIVERSI, G. INGROSSO u. A. LUCHERINI, Chem. Commun. **1978**, 735.
[5] G. K. TURNER u. H. FELKIN, J. Organometal. Chem. **121**, C29 (1976).
[6] S. O. BRIEN, Soc. [A] **1970**, 9.
[7] H. S. KLEIN, Chem. Commun. **1968**, 377.
[8] R. SANTI u. M. MARCHI, J. Organometal. Chem. **182**, 117 (1979).

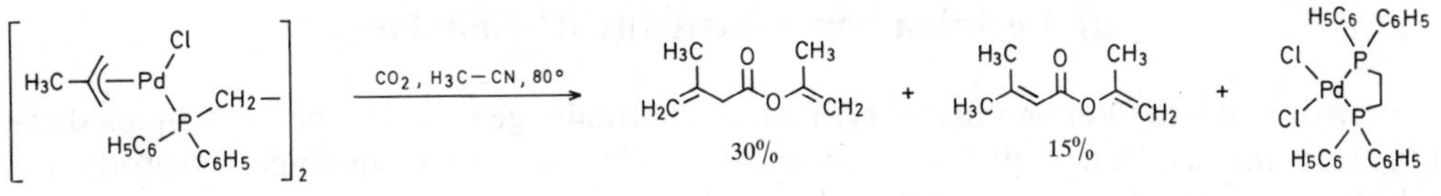

Ein Insertionsprodukt konnte isoliert werden[1].

1,3-Butadien liefert in Gegenwart von Bis-[1,2-bis-(diphenylphosphano)-ethan]-palladium(0) in DMF[2] oder in Gegenwart von π-Allyl-palladium-acetat/Phosphan in Benzol[3] ebenfalls Kohlendioxid-Einschiebungsprodukte.

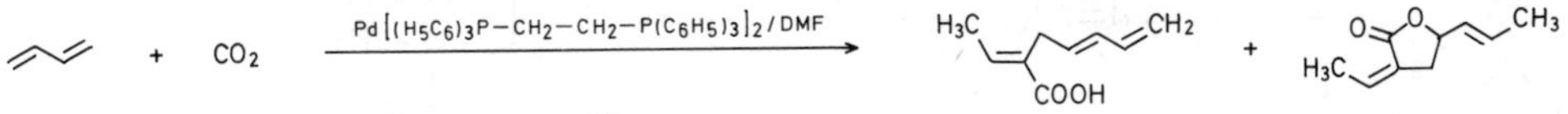

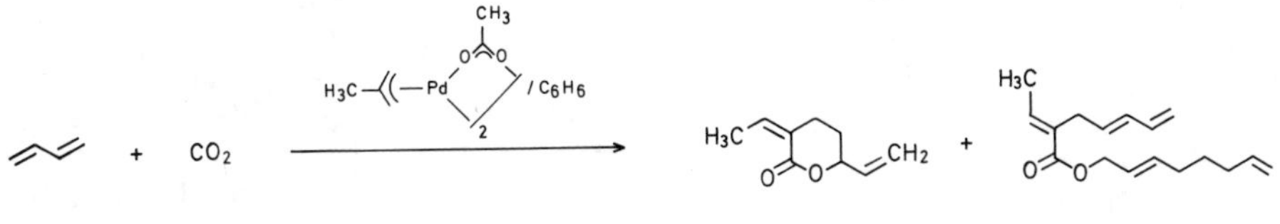

f) Insertion von Schwefelkohlenstoff

Schwefelkohlenstoff reagiert mit Jodo-methyl-bis-[trimethylphosphan]-palladium unter Einlagerung in die Pd-CH_3-Bindung zu einem Dithioacetat-Komplex[4].

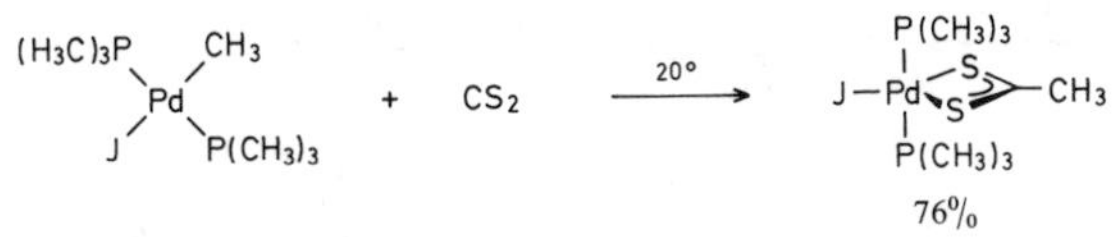

g) Insertion von Sauerstoff

Insertion von Sauerstoff in σ-C-Pd-Bindungen sind noch nicht systematisch untersucht. Ein Beispiel einer Insertion von Sauerstoff in eine Aryl-palladium-Bindung ist bei einem ortho-palladierten Benzylamin bekannt[5]:

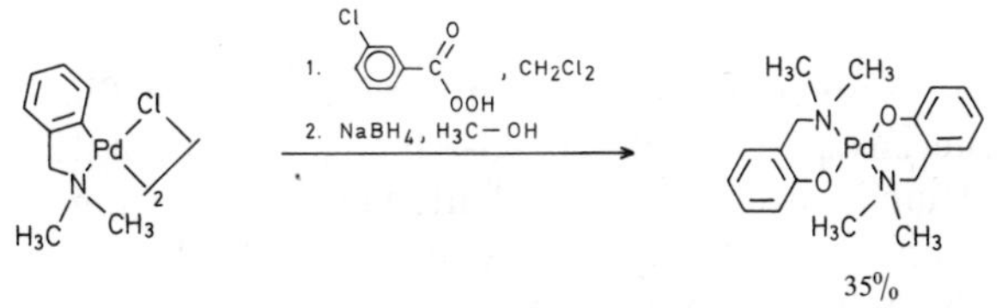

Insertion von Luftsauerstoff in Palladole ergibt Furane[6]:

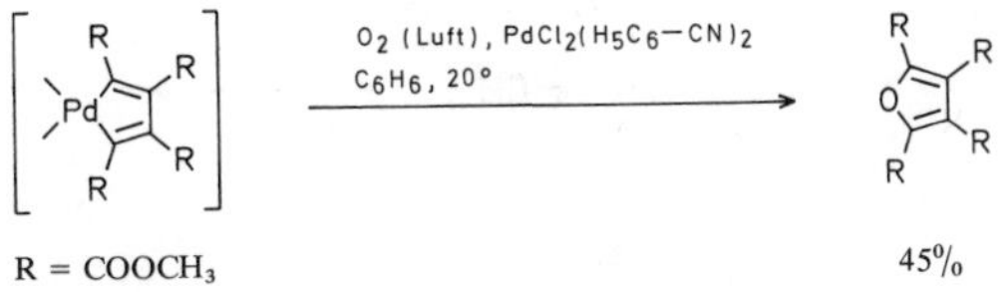

R = $COOCH_3$

45%

---

[1] R. Santi u. M. Marchi, J. Organometal. Chem. **182**, 117 (1979).

[2] Y. Inoue, Y. Sasaki u. H. Hashimoto, Bl. chem. Soc. Japan **51**, 2375 (1978).

[3] A. Musco, C. Perego u. V. Tartiari, Inorg. Chim. Acta **28**, L 147 (1978).

[4] H. Werner u. W. Bertleff, B. **113**, 267 (1980).

[5] B. A. Grigor u. A. J. Nielson, J. Organometal. Chem. **129**, C 17 (1977).

[6] K. Moseley u. P. M. Maitlis, Soc. [Dalton] **1974**, 169.

h) Insertion von Alkenen (C-C-Knüpfung)

Insertionen von Olefinen in σ-Aryl-palladium-Bindungen können bei ortho-palladier-ten Arenen (z.B. Benzyl-dimethyl-amin) zu stabilen isolierten Einschiebungsprodukten führen (s. a. Herstellung von 1-Alkenyl-palladium-Verbindungen), die sich durch konzentrierte Säuren spalten lassen[1]:

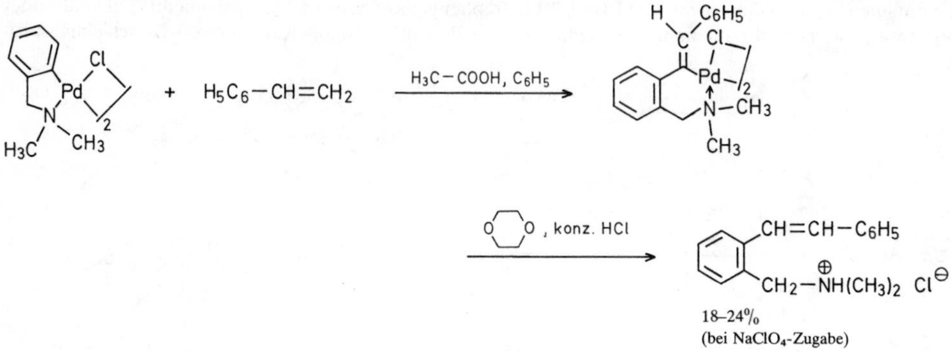

18–24%
(bei NaClO$_4$-Zugabe)

In den meisten Fällen sind derartige Insertionsprodukte jedoch instabil und zerfallen unter [HPdX]-Eliminierung (β-Eliminierung) in (1-Alkenyl)-arene:

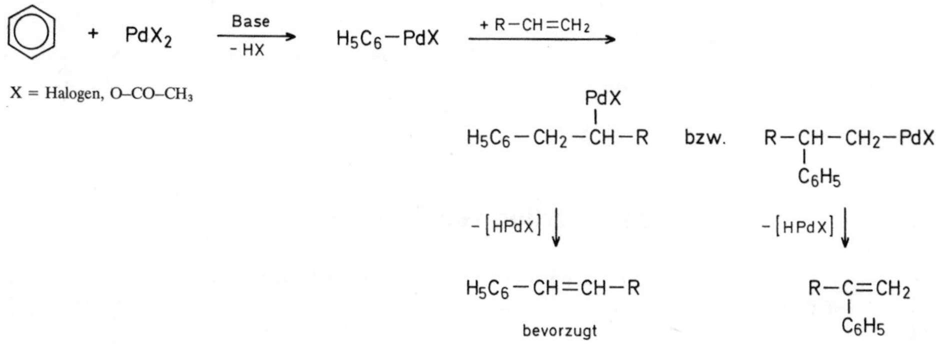

X = Halogen, O–CO–CH$_3$

Man hat auf diese Weise eine Methode, um Arene (einschließlich Ferrocen usw.) und Hetarene zu alkenylieren (sp^2-C-Aryl + sp^2-C-Alkenyl-Knüpfung). Da solche Reaktionen stereospezifisch und auch intramolekular ablaufen können, gewinnen diese Umsetzungen beträchtliche Bedeutung in der Naturstoff-Synthese. In gleicher Weise können auch Olefine mit σ-Alkyl-palladium-Verbindungen mit Olefinen Insertions-Reaktionen ergeben; z.B.[2]:

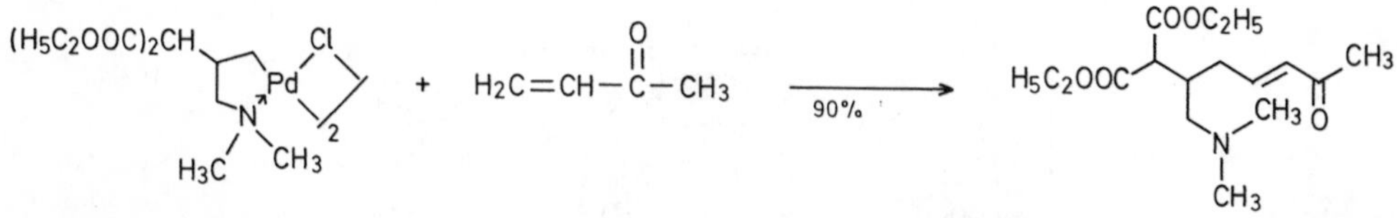

Diese Methode erlaubt die Verknüpfung von sp^3-C-Alkyl- mit sp^2-C-Alkenyl-Resten. Weitere Insertions-Reaktionen von Olefinen in σ-Organo-palladium-Verbindungen zeigt Tab. 44 (S. 965).

---

[1] A. D. RYABOV u. A. K. YATSIMIRSKY, Tetrahedron Letters **1980**, 2757.
[2] R. A. HOLTON u. R. A. KJONAAS, Am. Soc. **99**, 4177 (1977).

Tab. 44: Insertion von Olefinen in σ-Aryl- und σ-Alkyl-palladium-Verbindungen

σ-Aryl- bzw. σ-Alkyl-palladium-Verbindung	Olefin (Reaktionsbedingungen)	Reaktionsprodukt	Ausbeute [%]	Literatur
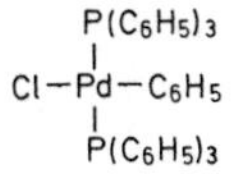 $P(C_6H_5)_3$ $Cl-Pd-C_6H_5$ $P(C_6H_5)_3$	$H_5C_6-CH=CH_2$, $N(C_2H_5)_3$, 80°	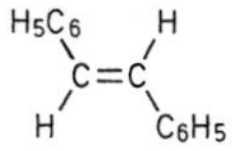	>50	1
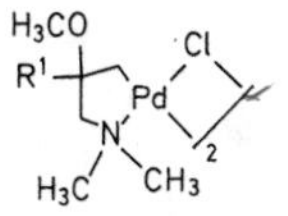	$R^2-CH=CH-CO-R^3$, $H_5C_6-CH_3$, $N(C_2H_5)_3$, $\triangle$	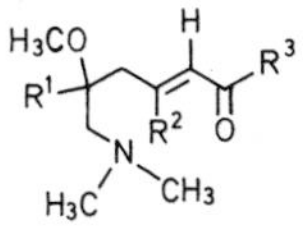	25–86	2
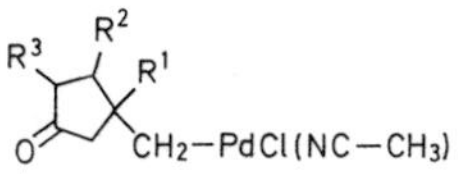	$H_2C=CH-X$, C_6H_6 $X=CHO$, $CO-CH_3$	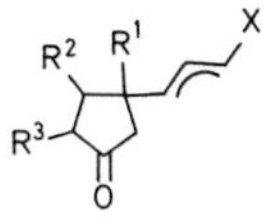	53–86	3
$R^1-C=CH-R^2$	$H_2C=CH_2$ (50 atm), $H_5C_6-CH_3$, 50°, 5 Stdn.	$R^1-\overset{\overset{O}{\|\|}}{C}-\underset{R^2}{CH}-CH=CH_2$	75–87	4
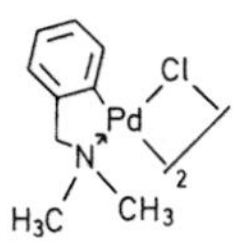	$H_5C_6-CH=CH_2$, $H_3C-COOH$, 20°	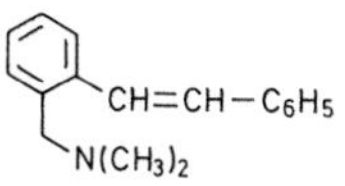	–	5
	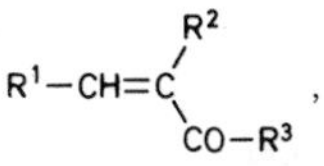 $R^1-CH=\overset{R^2}{\underset{CO-R^3}{C}}$, $N(C_2H_5)_3$, C_6H_6 oder $H_5C_6-CH_3$	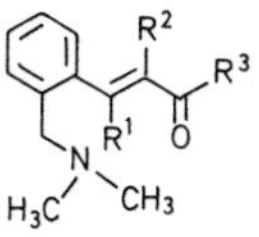	80–96	6
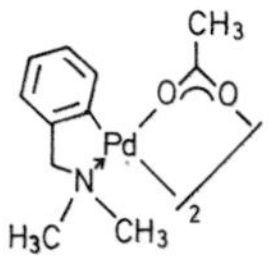	$H_2C=CH-COOCH_3$, H_3C-CN, 150°, 48 Stdn.	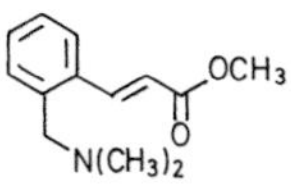	18	7
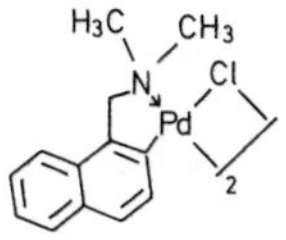	$H_2C=CH-CO-OC_2H_5$, $H_3C-COOH$, 100°	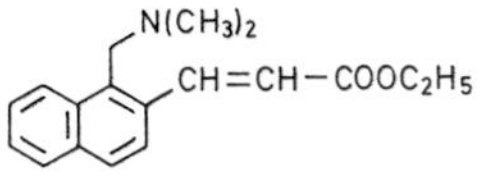	70	8

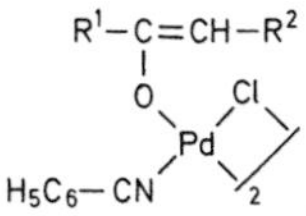

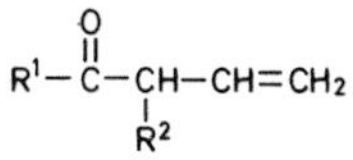

[1] H. A. Dieck u. R. F. Heck, Am. Soc. **96**, 1133 (1974).
[2] R. A. Holton u. R. A. Kjonaas, J. Organometal. Chem. **133**, C5 (1977).
[3] Y. Ito, H. Aoyama u. T. Saegusa, Am. Soc. **102**, 4519 (1980).
[4] T. Saegusa et al., Tetrahedron Letters **1980**, 2873 (1980); Zwischenstufe: $R^1-CO-CHR^2-CH_2-CH_2-PdL_n$.
[5] Übersichtsartikel J. Tsuji, Accounts Chem. Res. **2**, 144 (1969).
[6] R. A. Holton, Tetrahedron Letters **1977**, 355.
[7] R. F. Heck et al., J. Organometal. Chem. **179**, 301 (1979).
[8] M. Julia, M. Duteil u. J. Y. Lallemand, J. Organometal. Chem. **102**, 239 (1975).

Tab. 44 (Forts.)

σ-Aryl- bzw. σ-Alkyl-palladium-Verbindung	Olefin (Reaktionsbedingungen)	Reaktionsprodukt	Ausbeute [%]	Literatur
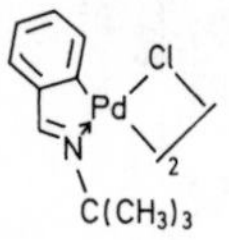	$H_2C=CH-CN$	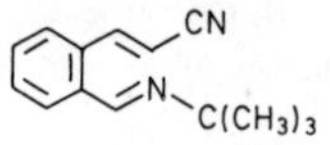	–	1
	$H_2C=CH-C_6H_5$	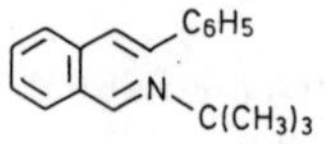	96	2
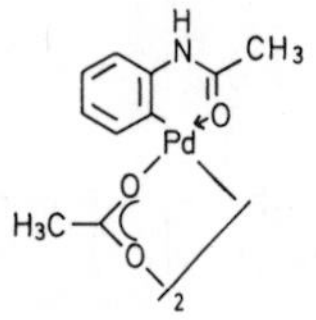	$H_2C=CH-R$	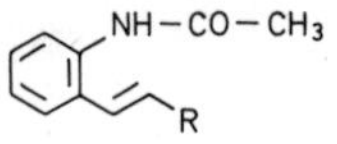	40–98	3
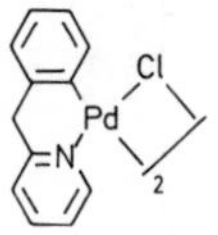	$H_2C=CH-C_6H_5$	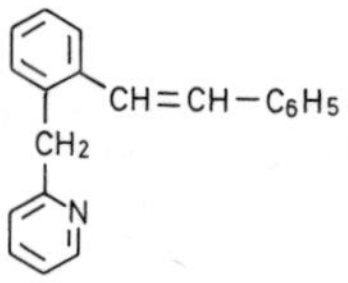	44	4
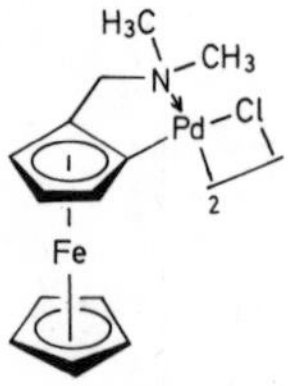	$H_2C=C\genfrac{}{}{0pt}{}{R^1}{R^2}$ $N(C_2H_5)_3$, 5 Stdn.	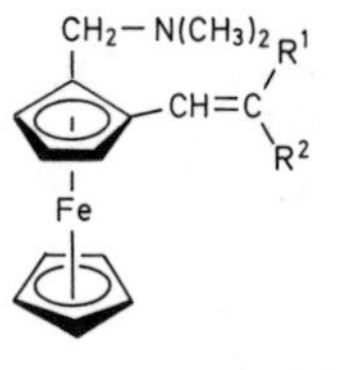	27–59	5
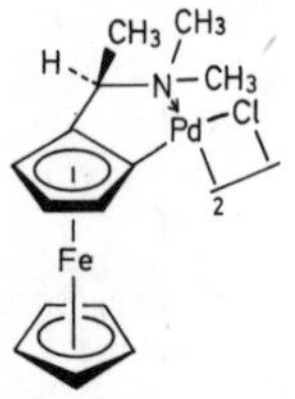	$H_2C=CH-CO-C_6H_5$, N_2, $N(C_2H_5)_3$, 75°	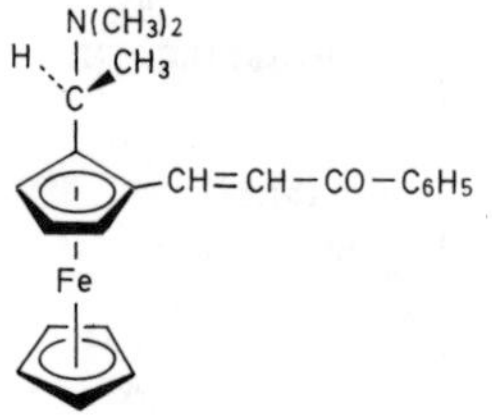	90	6
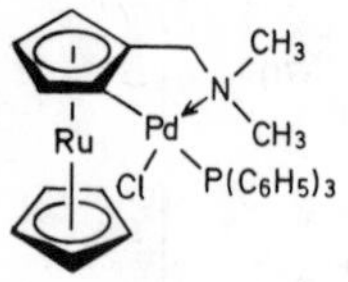	$H_2C=CH-R$, $N(C_2H_5)_3$	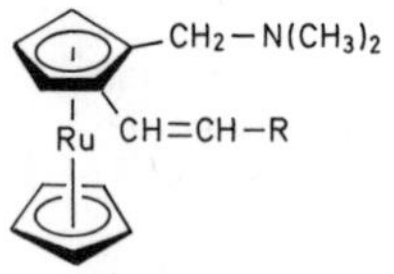	89–94	7

In den meisten Fällen sind die aus Arenen und Palladiumhalogeniden oder -acetaten entstehenden σ-Aryl-palladium-Verbindungen jedoch instabil. Sie reagieren spontan mit den angebotenen Olefinen zu Styrolen:

[1] I. R. GIRLING u. D. A. WIDDOWSON, Tetrahedron Letters **23**, 4281 (1982); viele Beispiele.
[2] I. R. GIRLING u. D. A. WIDDOWSON, Tetrahedron Letters **23**, 1957 (1982).
[3] H. HORINO u. N. INOUE, J. Org. Chem. **46**, 4416 (1981).
[4] K. HIRAKI, Y. FUCHITA u. K. TAKECHI, Inorg. Chem. **20**, 4316 (1981).
[5] A. KASAHARA et al., Bl. chem. Soc. Japan **51**, 663 (1978).
[6] A. KASAHARA, T. IZUMI u. H. WATABE, Bl. chem. Soc. Japan **52**, 957 (1979).
[7] S. KAMIYAMA et al., Bl. chem. Soc. Japan **52**, 142 (1979).

$$\text{C}_6\text{H}_6 \quad + \quad R-CH=CH_2 \quad + \quad Pd(O-CO-CH_3)_2 \quad \xrightarrow[-2\,H_3C-COOH]{-\,Pd} \quad \text{C}_6\text{H}_5-CH=CH-R$$

Als Konkurrenz-Reaktionen treten Kupplungs-Reaktionen sowie Acetoxylierungen von Arenen auf. Bei großem Olefin-Überschuß können oxidative Kupplungen zu 1,3-Butadienen stattfinden. Die Leichtigkeit der Alkenylierung von Arenen steigt in der folgenden Reihe:

Benzol < Naphthalin < Ferrocen < Furan

Die Produktverteilung bei substituierten Benzolen zeigt die folgende Zusammenstellung[1,2]:

$$R-\text{C}_6\text{H}_5 \quad + \quad \text{C}_6\text{H}_5-CH=CH_2 \quad \xrightarrow{Pd(O-CO-CH_3)_2} \quad R-\text{C}_6\text{H}_4-CH=CH-\text{C}_6\text{H}_5$$

R	ortho [%]	meta [%]	para [%]
CH_3	17	24	33
C_2H_5	11	23	48
OCH_3	30	5	48
NO_2	4	29	4
Cl	10	22	32

Tab. 45 (S. 968) gibt eine Übersicht über die 1-Alkenylierung von Arenen, Hetarenen bzw. Quasiarenen.

Alkenylierung von Arenen (bzw. für die Arylierung von Olefinen); allgemeine Arbeitsvorschrift[3]: Mischungen des Palladium-Salzes [Palladium(II)-acetat oder Palladium(II)-chlorid] mit der äquivalenten Menge Olefin, Essigsäure und Aren werden 8 Stdn. unter Rückfluß gerührt. Ein größerer Überschuß des Olefins sollte nicht verwendet werden, um oxidative Kupplungsreaktionen des Olefins zu 1,3-Butadienen zu vermeiden. Die Reaktionen werden mit einem Überschuß des Arens durchgeführt, das gleichzeitig als Reaktant und als Lösungsmittel dient. Gasförmige Olefine werden bei Atmosphärendruck in die Reaktionsmischung eingeleitet. Die Mischung wird filtriert, um Palladium-Metall zu entfernen, das Filtrat in Wasser geschüttet und die organ. Schicht abgetrennt. Die organ. Schicht wird mit wäßr. Natriumhydrogencarbonat-Lösung behandelt, mit Wasser essigsäurefrei gewaschen und dann über wasserfreiem Natriumsulfat getrocknet. Nach Abziehen des Lösungsmittels i. Vak. werden die Produkte durch Säulenchromatographie oder Gaschromatographie isoliert.

Werden Palladium(0)-Verbindungen mit Halogenarenen, -hetarenen, Benzylhalogeniden und Vinylhalogeniden umgesetzt, so entstehen intermediär die σ-Organo-palladium-Verbindungen, die wiederum mit Olefinen Insertionsprodukte ergeben[4]. Die Reaktion kann durch Zugabe von tert. Phosphanen und Aminen katalytisch geführt werden. Das folgende Schema zeigt eine typische Reaktion (Ausbeute: 81%)[5]:

$$Pd(PR_3)_n \quad \xrightarrow[-\,(n-2)\,PR_3]{+\,Br-\text{C}_6\text{H}_4-COOCH_3} \quad Br-Pd(PR_3)_2-\text{C}_6\text{H}_4-COOCH_3 \quad \xrightarrow{+\,H_2C=CH-COOCH_3}$$

$$Br-Pd(R_3P)_2-CH(COOCH_3)-CH_2-\text{C}_6\text{H}_4-COOCH_3 \quad \xrightarrow{-\,[HPd(PR_3)_2Br]} \quad H_3COOC-CH=CH-\text{C}_6\text{H}_4-COOCH_3$$

---

[1] Y. Fujiwara, I. Moritani et al., J. Org. Chem. **41**, 1681 (1976).

[2] Y. Fujiwara et al., Tetrahedron **25**, 4815 (1969).

[3] Y. Fujiwara, I. Moritani et al., Am. Soc. **91**, 7166 (1969).

[4] Übersichtsartikel: R. F. Heck, *Palladium-Catalyzed Reactions of Organic Halides with Olefins*, Accounts Chem. Res. **12**, 146 (1979).

[5] H. A. Dieck u. R. F. Heck, Am. Soc. **96**, 1133 (1974).

Tab. 45: Alkenylierung von Aromaten, Heteroaromaten bzw. Quasiaromaten

Ausgangsprodukte		Reaktions-bedingungen	Reaktionsprodukte		Ausbeute [%]	Literatur
$H_2C=CH_2$	C_6H_6	A	trans-H_5C_6-CH=CH-C_6H_5 +H_5C_6-CH=CH$_2$		16 4	1
	$H_3C-\langle\bigcirc\rangle$	A	$H_3C-\langle\bigcirc\rangle$-CH=CH$_2$		32	1
			$H_3C-\langle\bigcirc\rangle$-CH=CH-$\langle\bigcirc\rangle$-CH$_3$ (trans)		5	
H_3C-CH$_2$-CH=CH$_2$	C_6H_6	A	H_3C-CH$_2$-CH=CH-C_6H_5	trans cis	14 3	1
H_5C_6-CH=CH$_2$	C_6H_6	A	H_5C_6-CH=CH-C_6H_5	trans	90	1
	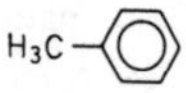 $H_3C-\langle\bigcirc\rangle$	A	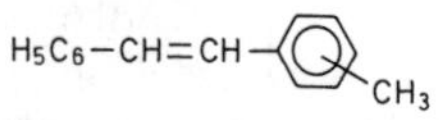 H_5C_6-CH=CH-$\langle\bigcirc\rangle_{CH_3}$	2– 3– 4–	17 24 33	2,3
$(H_5C_6)_2C=CH_2$	C_6H_6	A	$(H_5C_6)_2C=CH-C_6H_5$		72	1
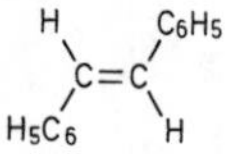 $\overset{H}{\underset{H_5C_6}{}}C=C\overset{C_6H_5}{\underset{H}{}}$	C_6H_6	A	$(H_5C_6)_2C=CH-C_6H_5$		28	1
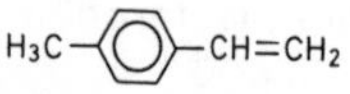 $H_3C-\langle\bigcirc\rangle$-CH=CH$_2$	C_6H_6		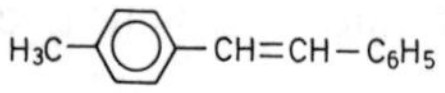 $H_3C-\langle\bigcirc\rangle$-CH=CH-$C_6H_5$		75	1
$\langle\bigcirc\rangle$-CH$_3$	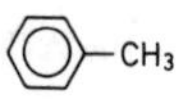	A	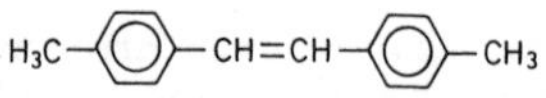 $H_3C-\langle\bigcirc\rangle$-CH=CH-$\langle\bigcirc\rangle$-CH$_3$		55	1
$H_2C=CH$-CN	C_6H_6		H_5C_6-CH=CH-CN	trans- cis	17 8	1
$\langle$X$\rangle$ X= O, S			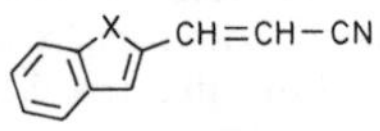 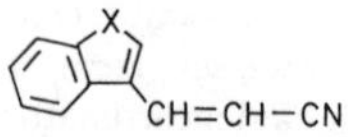 $\langle$X$\rangle$-CH=CH-CN + $\langle$X$\rangle$-CH=CH-CN	cis + trans cis – trans	– –	4
H_5C_6-CH=CH-NO$_2$	C_6H_6	A	$(H_5C_6)_2C=CH-NO_2$		70	5
H_5C_6-CH=C-CH$_2$-C_6H_5 $\overset{|}{NO_2}$	C_6H_6	A	H_5C_6-CH=C-CH(C$_6H_5$)$_2$ $\overset{|}{NO_2}$ Arylierung am allylischen C-Atom	(E) (Z)	66 34 32	5
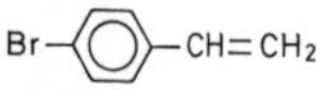 Br-$\langle\bigcirc\rangle$-CH=CH$_2$	C_6H_6	A	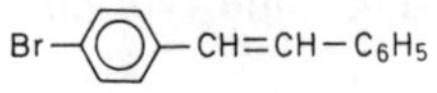 Br-$\langle\bigcirc\rangle$-CH=CH-C_6H_5 + H_5C_6-CH=CH-C_6H_5 + H_5C_6-CH$_2$-CH$_2$-C_6H_5	trans	47 5 12	6
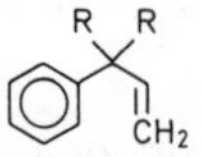 $\langle\bigcirc\rangle\overset{R\ R}{\underset{CH_2}{}}$		A	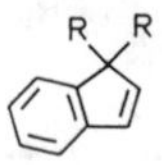 $\langle\bigcirc\rangle\overset{R\ R}{}$	R = CH$_3$ R = C$_6H_5$	54 65	7 7

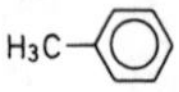

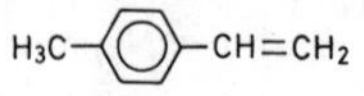

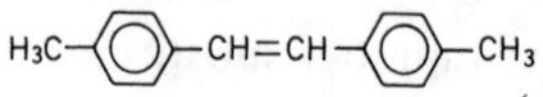

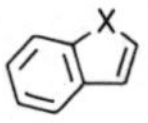

[1] Y. FUJIWARA, I. MORITANI et al., Am. Soc. **91**, 7166 (1969).
[2] Y. FUJIWARA, I. MORITANI et al., J. Org. Chem. **41**, 1681 (1976).
[3] Weitere Beispiele für Produktverteilungen siehe vorangehenden Text.
[4] Y. FUJIWARA et al., J. Org. Chem. **46**, 851 (1981).
[5] K. YAMAMURA u. S. WATARAI, Bl. chem. Soc. Japan **48**, 3757 (1975).
[6] T. TANAKA, Y. FUJIWARA et al., Bl. chem. Soc. Japan **48**, 3372 (1975).
[7] R. O. C. NORMAN et al., Soc. [C] **1970**, 1879.

Tab. 45 (Forts.)

Ausgangsprodukte		Reaktions-bedingungen	Reaktionsprodukte	Ausbeute [%]	Lite-ratur
H_5C_6 CH_3 C=C H R R = NO₂, COOH, COOCH₃, COC₆H₅, C₆H₅	C_6H_6	A	CH(C₆H₅)₂ H₅C₆—CH=C R	45–66	1, 2
H_5C_6—CH=CR(CO—C₆H₅) R = COC₆H₅, NO₂, COOC₂H₅	C_6H_6	A	R (H₅C₆)₂CH—CH—CO—C₆H₅ + (H₅C₆)₂C=C—CO—C₆H₅ R		3
H₂C=CH—R R = CN, C₆H₅, COOCH₃	X X = O, S	A od. B	—CH=CH—R + R—CH=CH——CH=CH—R	15–33 11–46	4, 5
(structure)		1. PdCl₂(H₃C—CN)₂ AgBF₄, N(C₂H₅)₃ 2. NaBD₄, H₃C—OD	(structure)	45	6
(structure) O—CO—C(CH₃)₃		1. PdCl₂(H₃C—CN)₂ AgBF₄, N(C₂H₅)₃ 2. NaBH₄, H₃C—OH	(structure) O—CO—C(CH₃)₃	22	7

A = Pd(O—CO—CH₃)₂, H₃C—COOH, △
B = Pd(O—CO—CH₃)₂, Cu(O—CO—CH₃)₂, 1,4-Dioxan, H₃C—COOH, O₂, 8 Stdn. 100°

Diese Methode wird am besten ausgeführt, in dem man das organische Halogenid, einen leichten Überschuß des Olefins sowie des Amins (gewöhnlich Triethylamin), 1 mol% Palladium(II)-acetat und 2 mol% des Triaryl-phosphans (gewöhnlich Tris-[2-methyl-phenyl]-phosphan) vereinigt. Der ursprünglich gebildete Palladiumace-tat-Phosphan-Komplex wird unter den Reaktionsbedingungen zum Palladium(0)-Phosphan-Katalysator redu-ziert. Die homogene Lösung wird entweder unter Stickstoff unter Rückfluß oder in einem verschlossenen Gefäß im Dampfbad erhitzt. Nach beendeter Reaktion ist die Mischung gewöhnlich halbfest durch die Ammonium-Sal-ze. Zugabe von Wasser löst das Salz auf. Die zurückbleibenden festen Produkte können umkristallisiert, flüssige Produkte extrahiert und destilliert werden. Die Reaktion wird unter Stickstoff durchgeführt, um die Oxidation des Triarylphosphans zu verhindern. Bei Reaktionen von organischen Jod-Verbindungen wird kein Phosphan benötigt, diese Reaktionen können daher in Gegenwart von Luft durchgeführt werden. In Abwesenheit von Phosphan wird Acetonitril als Lösungsmittel bevorzugt, um die Ammonium-Salze in Lösung zu halten[8].

Mit dieser HECK-Chemie hat man eine wichtige Methode, um C–C-Knüpfungen durch-zuführen. Eine Übersicht über die Anwendungsbreite dieser Methode gibt Tab. 46 (S. 970).

Eine weitere Methode der Arylierung und Alkylierung von Olefinen ist die Umsetzung mit Arylaminen oder Hydrazinen über eine C–N-Bindungsspaltung in Gegenwart von Pal-

---

[1] K. YAMAMURA, Soc. [Perkin I] **1975**, 988.
[2] K. YAMAMURA, S. WATARI u. T. KINUGASA, Tetrahedron Letters **1972**, 2829; Chem. Letters **1973**, 91.
[3] K. YAMAMURA, Chem. Commun. **1976**, 438.
[4] Y. FUJIWARA et al., J. Org. Chem. **46**, 851 (1981).
[5] Y. FUJIWARA et al., Chem. Letters **1979**, 1229.
[6] B. M. TROST, S. A. GODLESKI u. J. P. GENÊT, Am. Soc. **100**, 3930 (1978).
[7] B. M. TROST, S. A. GODLESKI u. J. L. BELLETIRE, J. Org. Chem. **44**, 2052 (1979).
[8] Übersichtsartikel: R. F. HECK, Accounts Chem. Res. **12**, 146 (1979).

Tab. 46: Palladium-katalysierte Reaktionen von organischen Halogeniden (Halogenaromaten, -heteroaromaten, Benzyl-halogeniden, Vinylhalogeniden) mit Olefinen

Organische Halogen-Verbindung	Olefin	Reaktionsbedingungen	Reaktionsprodukte	Ausbeute [%]	Literatur
$H_5C_6-CH_2-Cl$	$H_2C=CH-COOCH_3$	$Pd(O-CO-CH_3)_2$, $N(C_4H_9)_3$	$H_5C_6-CH=CH-CH_2-COOCH_3$ $+H_5C_6-CH_2-CH=CH-COOCH_3$	67 9	[1]
$H_5C_6-CH_2-Br$	 (Norbornen)	$Pd[P(C_6H_5)_3]_4$, $H_3C-COOK$	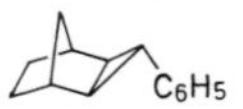 (Norbornan, C_6H_5)	52	[2]
$H_3C-CH=CH-Br$	$H_2C=CH-CH(OCH_3)_2$	$Pd(O-CO-CH_3)_2$, $P(2-CH_3-C_6H_4)_3$, Piperidin	$H_3C-CH=CH-CH=CH-CH(OCH_3)_2$ 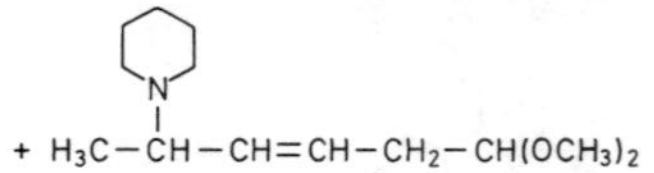 $+ H_3C-CH=CH-CH=CH-CH_2-CH(OCH_3)_2$	22 73	[3]
$H_3C-(CH_2)_5-CH=CH-Br$	 (Norbornen)	$Pd[P(C_6H_5)_3]_4$, $H_3C-COOK$	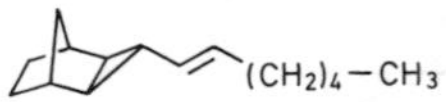 (Norbornan, $(CH_2)_4-CH_3$)	56	[2]
$H_5C_6-CH=CH-CH=CH-Br$	 (Norbornen)	$Pd[P(C_6H_5)_3]_4$, $H_3C-COOK$	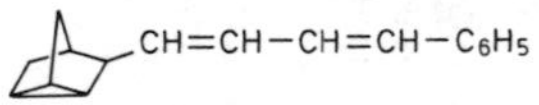 (Norbornan, $CH=CH-CH=CH-C_6H_5$)	32	[2]
$\begin{array}{c}CH_3\\ \mid\\ H_3C-C=CH-Br\end{array}$	$H_2C=CH-COOCH_3$	$Pd(O-CO-CH_3)_2$, $P(C_6H_5)_3$, $N(C_2H_5)_3$	$\begin{array}{c}CH_3\\ \mid\\ H_3C-C=CH-CH=CH-COOCH_3\end{array}$	75	[4]
	$H_9C_4-CH=CH_2$	$Pd(O-CO-CH_3)_2$, 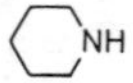 (Piperidin-NH)	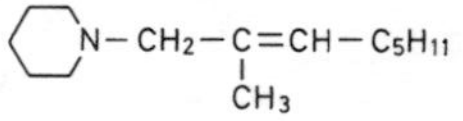 $\begin{array}{c}CH_3\\ \mid\\ N-CH_2-C=CH-C_5H_{11}\end{array}$	93	[5]
$\begin{array}{c}Br\\ \mid\\ H_2C=C-CH_3\end{array}$	$\begin{array}{c}H_2C=CH-CH-CH_3\\ \mid\\ OH\end{array}$	$Pd(O-CO-CH_3)_2$, $P(C_6H_5)_3$, 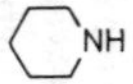 (Piperidin-NH)	$\begin{array}{c}CH_3\\ \mid\\ H_2C=C-CH_2-CH_2-CO-CH_3\end{array}$ $+ \begin{array}{c}OH\\ \mid\\ N-CH_2-C=CH-CH_2-CH-CH_3\end{array}$ 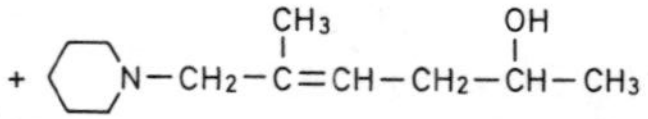	63 33	[3]

[1] R. F. Heck u. J. P. Nolley, J. Org. Chem. 37, 2320 (1972).
[2] M. Catellani, G. P. Chiusoli et al., J. Organometal. Chem. 233, C21 (1982).
[3] R. F. Heck, Accounts Chem. Res. 12, 146 (1979).
[4] H. A. Dieck u. R. F. Heck, J. Org. Chem. 40, 1083 (1975).
[5] B. A. Patel u. R. F. Heck, J. Org. Chem. 43, 3898 (1978).

Tab. 46 (1. Forts.)

Organische Halogen-Verbindung	Olefin	Reaktionsbedingungen	Reaktionsprodukte	Ausbeute [%]	Literatur
$H_5C_6–Br$	$H_2C=CH–CH(OCH_3)_2$		$H_5C_6–CH=CH–CH(OCH_3)_2$ $+H_5C_6–CH=CH–COOCH_3$	56 39	1
	$H_2C=CH–COOH$	$Pd(OCOCH_3)_2$, $P(2–CH_3–C_6H_4)_3$, $N(C_2H_5)_3$	$\begin{array}{c} H_5C_6 \quad H \\ C=C \\ H \quad COOH \end{array}$	98	2
	$H_2C=CH–COOCH_3$ 1:1		$\begin{array}{c} H_5C_6 \quad H \\ C=C \\ H \quad COOCH_3 \end{array}$	95	2,3
	2:1		$\begin{array}{c} H_5C_6 \quad H \\ C=C \\ H_5C_6 \quad COOCH_3 \end{array}$	78	4
	$\begin{array}{c} CH_3 \\ | \\ H_2C=C–COOCH_3 \end{array}$		$\begin{array}{c} CH_3 \quad COOCH_3 \\ C=C \\ H_5C_6 \quad H \end{array}$ $+$ $\begin{array}{c} CH_2 \\ \| \\ H_5C_6–C–CH_2–COOCH_3 \end{array}$	86 8	2
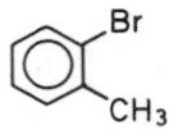 Br–C₆H₄–CH₃	$H_2C=CH_2$	$Pd(OCO–CH_3)_2$, $P(C_6H_5)_3$, $N(C_2H_5)_3$	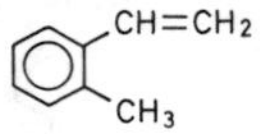 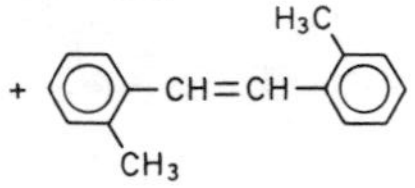 CH=CH₂ (CH₃) $+$ H₃C–C₆H₄–CH=CH–C₆H₄–CH₃	bis 86 bis 34	5
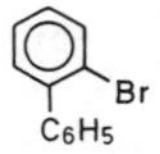 Br–C₆H₄–C₆H₅	$H_2C=CH–COOCH_3$	$Pd(OCOCH_3)_2$, $P(C_6H_5)_3$, $N(C_2H_5)_3$	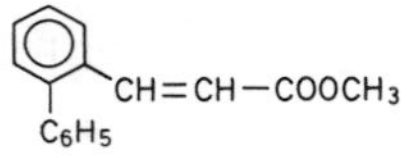 CH=CH–COOCH₃ (C₆H₅)	37	3

[1] T. C. Zebovitz u. R. F. Heck, J. Org. Chem. **42**, 3907 (1977).
[2] R. F. Heck et al., J. Org. Chem. **42**, 3903 (1977); viele weitere Beispiele.
[3] H. A. Dieck u. R. F. Heck, Am. Soc. **96**, 1133 (1974).
[4] R. F. Heck, Accounts Chem. Res. **12**, 146 (1979).
[5] J. E. Plevyak u. R. F. Heck, J. Org. Chem. **43**, 2454 (1978).

Tab. 46 (2. Forts.)

Organische Halogen-Verbindung	Olefin	Reaktionsbedingungen	Reaktionsprodukte	Ausbeute [%]	Literatur
(6-Brom-1,3-benzodioxol)	$H_2C=$ ⌒ $COOH$		(Benzodioxol)–CH=CH–CH=CH–COOH	60	1
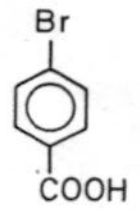 $Br-$(C6H4)$-COOH$	$H_2C=CH-C_6H_5$	Pd(O–CO–CH$_3$)$_2$, P(2–CH$_3$–C$_6$H$_4$)$_3$, N(C$_2$H$_5$)$_3$	C_6H_5–CH=CH–(C6H4)–COOH	74	2
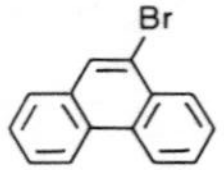 (9-Brom-phenanthren)	$H_2C=CH-COOCH_3$		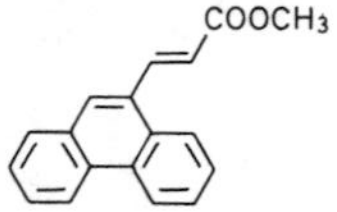 (Phenanthren)–CH=CH–COOCH$_3$	72	2
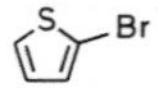 (2-Brom-thiophen)	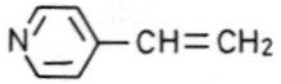 (Pyridin)$-CH=CH_2$	PdCl$_2$(H$_3$C–CN)$_2$	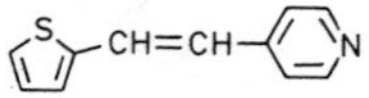 (Thiophen)–CH=CH–(Pyridin)	57	3
$H_3C-(CH_2)_5-CH=CH-J$	$H_2C=CH-CO-CH_3$	Pd(O–CO–CH$_3$)$_2$, N(C$_2$H$_5$)$_3$	$H_3C-(CH_2)_5-CH=CH-CH=CH-CO-CH_3$	85	4
H_5C_6-J	$H_2C=C(CH_3)-CH_2-OH$	Pd(O–CO–CH$_3$)$_2$	$H_5C_6-CH_2-CH(CH_3)-CHO$	82	5, 6
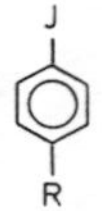 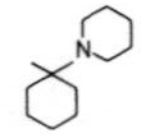 $J-$(C6H4)$-R$ $R=$ (Piperidin-Cyclohexyl)	$H_2C=CH-CN$		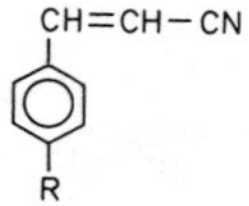 CH=CH–CN ... (C6H4)–R	86	7

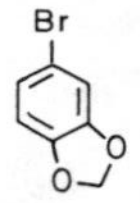

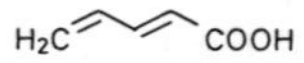

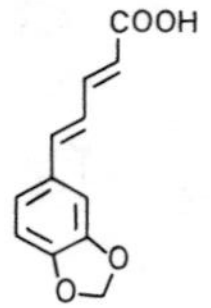

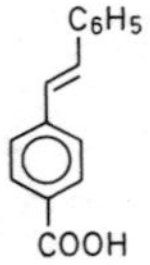

[1] B. A. PATEL, J. E. DICKERSON u. R. F. HECK, J. Org. Chem. 43, 5018 (1978).
[2] R. F. HECK et al., J. Org. Chem. 42, 3903 (1977); viele weitere Beispiele.
[3] W. C. FRANK, Y. C. KIM u. R. F. HECK, J. Org. Chem. 43, 2947 (1978).
[4] F. E. ZIEGLER, U. R. CHAKRABORTY u. R. B. WEISENFELD, Tetrahedron 37, 4035 (1981).
[5] J. B. MELPOLDER u. R. F. HECK, J. Org. Chem. 41, 265 (1976).
[6] A. J. CHALK u. S. A. MAGENNIS, J. Org. Chem. 41, 273 (1976).
[7] P. Y. JOHNSON u. J. Q. WEN, J. Org. Chem. 46, 2767 (1981); viele weitere Beispiele.

Tab. 46 (3. Forts.)

Organische Halogen-Verbindung	Olefin	Reaktionsbedingungen	Reaktionsprodukte	Ausbeute [%]	Literatur
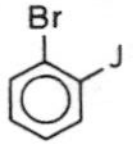 (Aryl-Br)	 Cycloheptatrien	Pd(O–CO–CH₃)₂, N(C₄H₉)₃	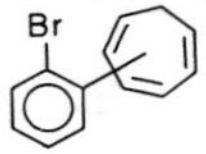 Biphenyl-Br	45	[1]
(Aryl-Br, para)	$H_2C=CH-COOH$	Pd(O–CO–CH₃)₂, N(C₂H₅)₃	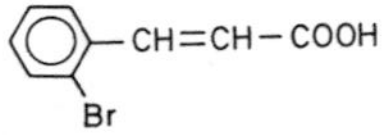 Aryl–CH=CH–COOH, Br	82	[2]
 —	$H_2C=CH-COOCH_3$	Pd(O–CO–CH₃)₂, N(C₂H₅)₃	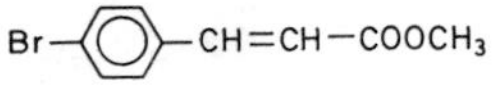 Aryl–CH=CH–COOCH₃, Br	68	[2]
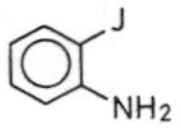 (Aryl–NH₂)	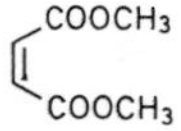 COOCH₃ / COOCH₃ (cis)	Pd(O–CO–CH₃)₂, N(C₂H₅)₃, H₃C–CN	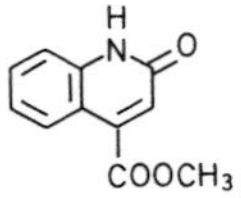 Chinolinon–COOCH₃	71	[3]
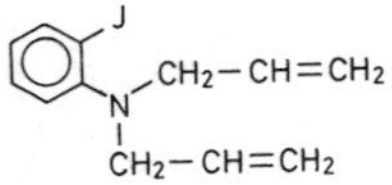 Aryl–N(CH₂–CH=CH₂)₂	—	Pd(O–CO–CH₃)₂, N(C₂H₅)₃, H₃C–CN	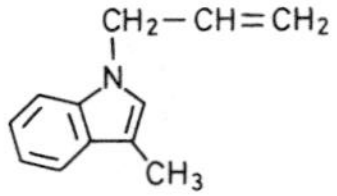 Indol, CH₂–CH=CH₂, CH₃	60–87	[4]
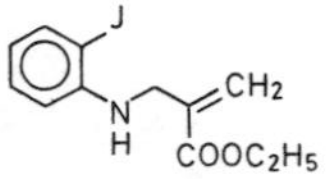 Aryl–N(CH₂, COOC₂H₅), H	—	Pd(O–CO–CH₃)₂, N(C₂H₅)₃, H₃C–CN	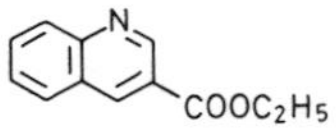 Chinolin–COOC₂H₅	49	[4]
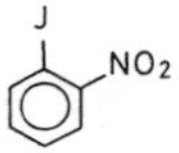 Aryl–NO₂, CH=CH₂–Br	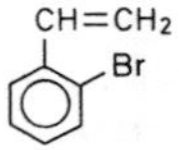 CH=CH₂ / Br	Pd(O–CO–CH₃)₂, H₃C–CN	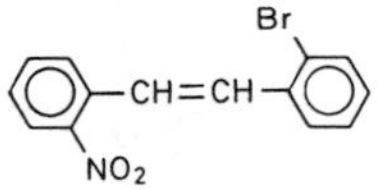 Aryl–CH=CH–, Br, NO₂	73	[5]

[1] K. Yamamura et al., Tetrahedron Letters 1979, 4999.
[2] J.E. Plevyak, J.E. Dickerson u. R.F. Heck, J. Org. Chem. 44, 4078 (1979).
[3] R.F. Heck et al., J. Org. Chem. 43, 2952 (1978).
[4] L.S. Hegedus et al., J. Org. Chem. 45, 2709 (1980).
[5] R.F. Heck, Accounts Chem. Res. 12, 146 (1979).

Tab. 46 (4. Forts.)

Organische Halogen-Verbindung	Olefin	Reaktionsbedingungen	Reaktionsprodukte	Ausbeute [%]	Literatur
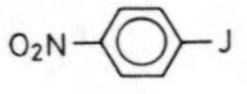 O₂N–⟨⟩–J	$H_2C=CH-CO-CH_3$	Pd(O–CO–CH₃)₂, P(2-CH₃–C₆H₄)₃, (H₅C₂)₃N	O_2N–⟨⟩–$CH=CH-CO-CH_3$	70	1
(structure with OH, O)	R–CH=CH₂, R=COOCH₃, C₆H₅, 2-Pyridyl	Pd[P(C₆H₅)₃]₄	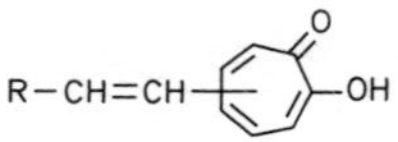 (structure with OH, O) R–CH=CH–	33–83	2
(pyrimidine, J, H₃C, N, N, CH₃)	H₂C=CH–R, R = COOC₂H₅, CN, C₆H₅	Pd(O–CO–CH₃)₂, N(C₂H₅)₃, 80°	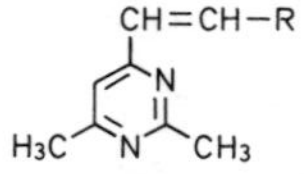 (pyrimidine with CH=CH–R, H₃C, N, N, CH₃)	46–77	3
(benzene CO–Cl, R¹, R², R³)	H₂C=CH–R⁴ R⁴: COOC₂H₅, C₆H₅, CN, COCH₃, etc.	Pd(O–CO–CH₃)₂, tert. Amin	(benzene CH=CH–R⁴, R¹, R², R³)	48–98	4
R¹, R², R³ = H, Cl, CH₃ etc.					

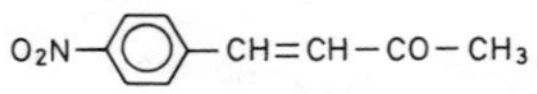

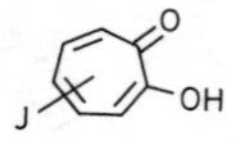

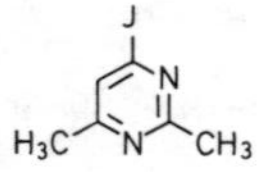

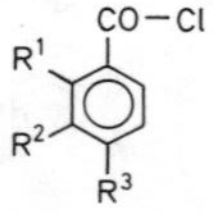

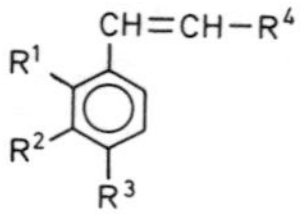

[1] F. E. ZIEGLER, U. R. CHAKRABORTY u. R. B. WEISENFELD, Tetrahedron 37, 4035 (1981).

[2] H. HORINO, N. INOUE u. T. ASAO, Tetrahedron Letters 1981, 741.

[3] T. SAKAMOTO et al., Heterocycles 16, 965 (1981); viele weitere Beispiele.

[4] H. U. BLASER u. A. SPENCER, J. Organometal. Chem. 233, 267 (1982); viele weitere Beispiele.

ladium(II)-Salzen nach folgendem Schema (Mechanismus der Insertion wahrscheinlich über cyclopalladierte Produkte)[1]:

$$R^1{-}NH_2 \quad + \quad \underset{H}{\overset{R^2}{>}}C{=}C\underset{R^3}{\overset{H}{<}} \quad \xrightarrow{\text{Pd(O{-}CO{-}CH}_3)_2} \quad \underset{H}{\overset{R^2}{>}}C{=}C\underset{R^3}{\overset{R^1}{<}}$$

z.B.: $R^1 = C_6H_5$; $R^2 = C_6H_5$; $R^3 = H$; 52%
$R^2 = CHO$; $R^3 = H$; 6%
$R^2 = CO-CH_3$; $R^3 = H$; 15%
$R^2 = R^3 = C_6H_5$; 12%
$R^1 = 4\text{-}CH_3\text{-}C_6H_4$; $R^2 = C_6H_5$; $R^3 = H$; 74%
$R^1 = 4\text{-}OCH_3\text{-}C_6H_4$; $R^2 = C_6H_5$; $R^3 = H$; 62%
$R^1 = 1\text{-Naphthyl}$; $R^2 = C_6H_5$; $R^3 = H$; 48%
$R^1 = NH\text{-}C_6H_5$; $R^2 = C_6H_5$; $R^3 = H$; 30%

Auch die Palladium(0)-katalysierte Arylierung von Ethen mit Aryldiazonium-Salzen ist bekannt[2]:

$$R{-}\overset{\oplus}{\underset{}{\bigcirc}}{-}N_2^{\oplus} \; BF_4^{\ominus} \quad + \quad H_2C{=}CH_2 \quad \xrightarrow[\substack{Pd[(H_5C_6-CH=CH)_2CO]_2 \\ H_3C-COONa, \, H_3C-CO-CH_3 \\ CH_2Cl_2, \, 0-20°, \, 7atm, \, 1-2\,Stdn.}]{} \quad R{-}\bigcirc{-}CH{=}CH_2$$

R = 2-CH_3, 4-CH_3, 2-Cl, 3-Cl, 4-Cl, 4-OCH_3, 4-COOCH_3   61–78%

Es können auch Vinylhalogenide an Pd(0)-Verbindungen addiert werden und anschließend mit Aromaten in arylsubstituierte Olefine überführt werden[3,4]:

$$\underset{X}{\overset{X}{>}}C{=}C\underset{Cl}{\overset{H}{<}} \;+\; PdL_4 \quad \xrightarrow{-2\,L} \quad \underset{X}{\overset{X}{>}}C{=}C\overset{H}{\underset{\underset{Cl}{\overset{|}{Pd}}}{<}}\!\!{}^L_L \quad \xrightarrow[H_3C-COOAg]{+\,\bigcirc{-}R,\,H_3C-COOH} \quad \underset{X}{\overset{X}{>}}C{=}C\overset{H}{<}\!\!\bigcirc{-}R$$

X = Cl, H
R = H, CH_3

Oxidative Kupplungsreaktionen von Olefinen verlaufen möglicherweise auch über [H–Pd–$\overset{|}{C}$=C$\overset{}{<}$]-Zwischenstufen mit anschließender C=C-Insertion. Sie werden deshalb an dieser Stelle mit besprochen. So werden endständige Olefine, die in der 2-Stellung einen Substituenten besitzen, bei der Einwirkung von Palladiumacetat oder Palladiumchlorid in Gegenwart von Natriumacetat zu tetrasubstituierten 1,3-Butadienen gekoppelt[5–7]:

$$\underset{R^2}{\overset{R^1}{>}}C{=}CH_2 \quad + \quad Pd(O{-}CO{-}CH_3)_2 \quad \xrightarrow[\substack{-2\,H_3C-COOH \\ -\,Pd}]{} \quad \underset{R^2}{\overset{R^1}{>}}C{=}CH{-}CH{=}C\underset{R^2}{\overset{R^1}{<}}$$

R^1, R^2 = CH_3, C_6H_5, COOCH_3

[1] Y. Fujiwara et al., J. Org. Chem. **45**, 2359 (1980).
[2] K. Kikukawa et al., Bl.chem. Soc. Japan **52**, 2609 (1979).
[3] I. Moritani, Y. Fujiwara u. S. Danno, J. Organometal. Chem. **27**, 279 (1971).
[4] S. Danno, I. Moritani et al., Bl. chem. Soc. Japan **43**, 3966 (1970).
[5] R. Hüttel, J. Kratzer u. M. Bechter, B. **94**, 766 (1961).
[6] H.C. Volger, R. **86**, 677 (1967).
[7] T. Matsuda u. Y. Nakamura, Kogyo Kagaku Zasshi **72**, 1756 (1969).

Auch Styrol läßt sich so zu 1,4-Diphenyl-1,3-butadien als Hauptprodukt dimerisieren[1]. Die primären Kupplungsprodukte können zu Arenen cyclisieren[2]:

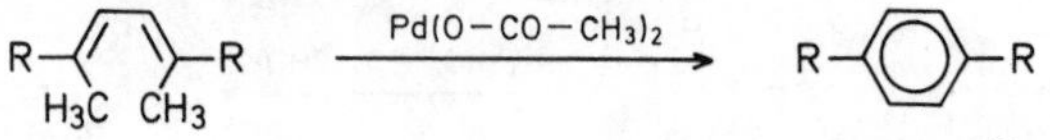

R = C_6H_5; 30%
R = $COOCH_3$; 34%

Die oxidative Kupplung von Vinylacetat ergibt ein Produktgemisch[3]:

$$H_2C{=}CH{-}O{-}CO{-}CH_3 \xrightarrow{+Pd(O-CO-CH_3)_2} H_3C{-}CO{-}O{-}CH{=}CH{-}CH{=}CH{-}O{-}CO{-}CH_3 \;+$$

$$H_3C{-}CO{-}O{-}CH_2{-}CH{=}CH{-}CH(O{-}CO{-}CH_3)_2 \;+\; (H_3C{-}CO{-}O)_2CH{-}CH_2{-}CH_2{-}CH(O{-}CO{-}CH_3)_2$$

Auch Überkreuz-Kupplungen zweier verschiedener Olefine sind möglich[4]:

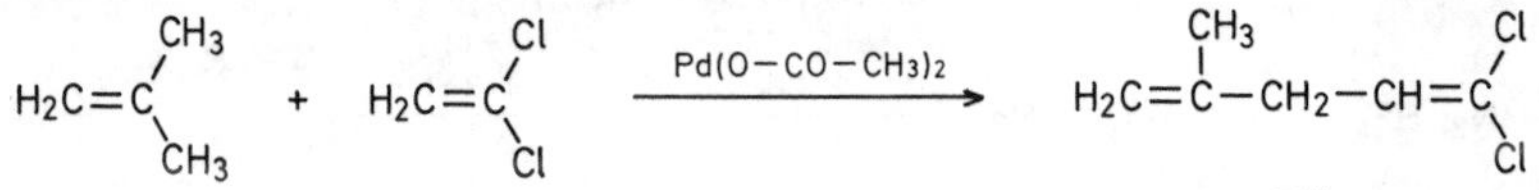

70%

Cyclische Systeme können durch Palladium-katalysierte Oxidation von Diolefinen erhalten werden (s. Tab. 47, S. 977).

Auch oxidative Trimerisierungen von Vinylestern[5,6] und Vinylketonen[5] zu Arenen sind bekannt:

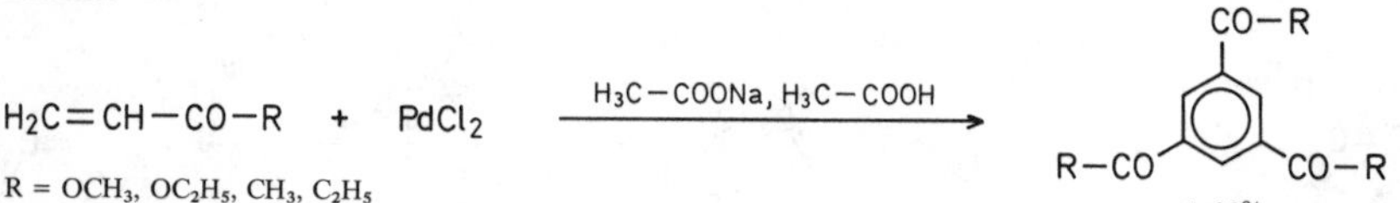

R = OCH_3, OC_2H_5, CH_3, C_2H_5

~ 5–30%

3,3-Dimethyl-cyclopropen wird mit Tetrakis-[triphenylphosphan]-palladium-Katalyse quantitativ trimerisiert[7]:

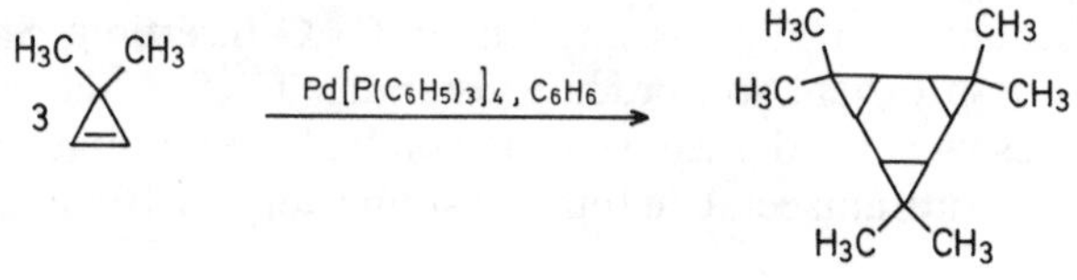

Die katalytische Dimerisierung von 1,3-Butadien verläuft über π-Komplexe, z. B.[8]:

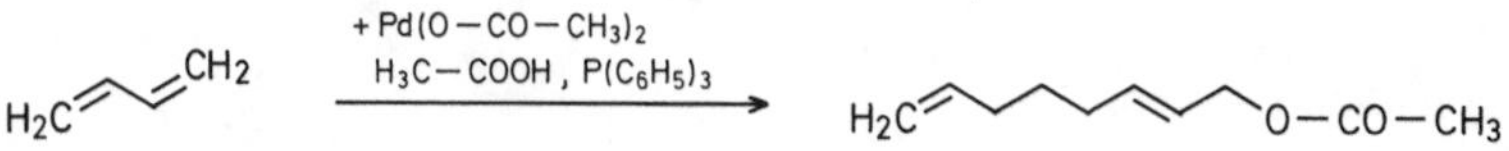

[1] S. Uemura, T. Okada u. K. Ichikawa, Nippon Kagaku Zasshi **89**, 692 (1968).
[2] H. C. Volger, R. **86**, 677 (1967).
[3] C. F. Kohll u. R. van Helden, R. **86**, 193 (1967).
[4] D. Holland, D. J. Milner u. H. W. B. Reed, J. Organometal. Chem. **136**, 111 (1977).
[5] T. Sakakibara et al., Tetrahedron Letters **1971**, 4719; auch katalytisch mit Kupfer(II)-acetat.
[6] R. F. Heck et al., J. Organometal. Chem. **179**, 301 (1979); Katalysator: orthopalladiertes Azobenzol.
[7] P. Binger, G. Schroth u. J. McMeeking, Ang. Ch. **86**, 518 (1974).
[8] T. Takahashi, I. Minami u. J. Tsuji, Tetrahedron Letters **1981**, 2651.

Tab. 47: Cyclisierung von Diolefinen mit Palladium(II)-chlorid

Ausgangs-produkt	Reaktionsbedingungen	Reaktionsprodukte	Ausbeute [%]	Lite-ratur
	PdCl₂, CuCl₂, H₃C–COOH, H₃C–COONa, 25°, 3 Tage	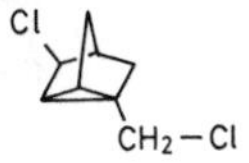	75	1
	PdCl₂, CuCl₂, H₃C–COOH, H₃C–COONa, 80°, 24 Stdn.	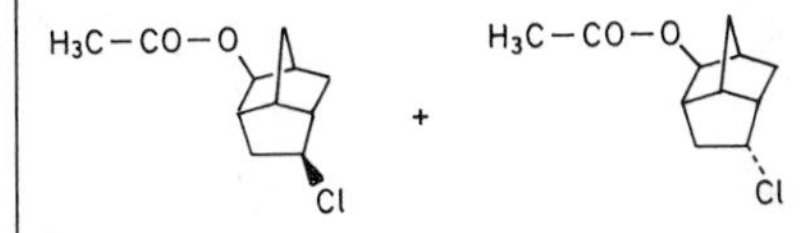	50–70	2
	PdCl₂, CuCl₂, H₃C–COOH, H₃C–COONa, 70°, 1 Stde.	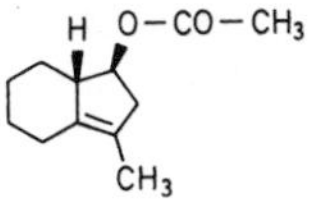	77	2
	Pb(OCOCH₃)₄, PdCl₂, LiCl, H₃C–COOH	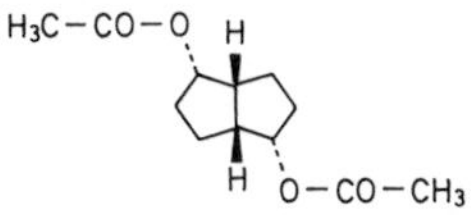	75	3
	PdCl₂, CuCl₂, H₃C–COOH, H₃C–COONa, 25°, 3 Tage	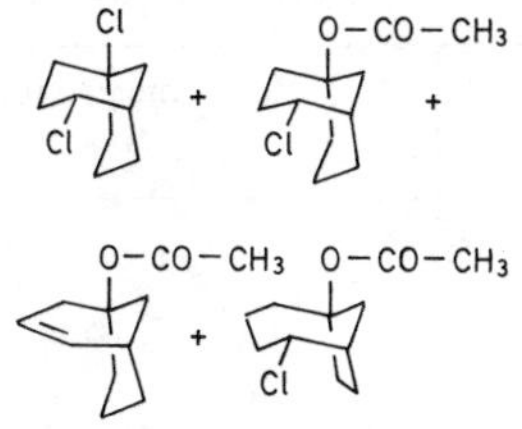	82 (Summe)	4
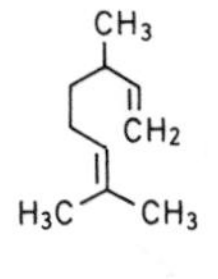		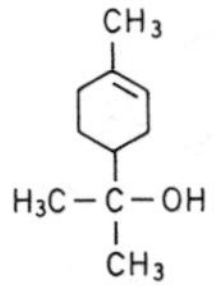		5

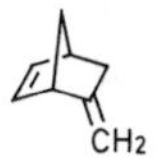

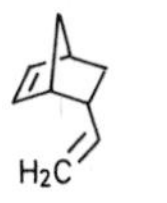

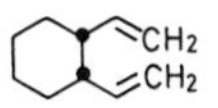

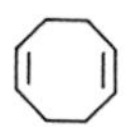

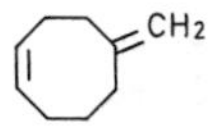

Ebenso treten bei Telomerisierungsreaktionen mit 1,3-Butadien in der Regel π-Allyl-Zwischenstufen auf[6]:

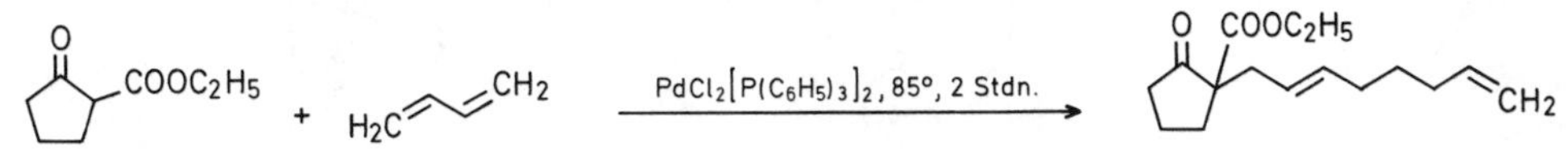

Trimethylsilyl-enolether von 1,5-; 1,6- und 1,7-Dienen cyclisieren mit Palladiumacetat nach folgendem Mechanismus (Übersicht s. Tab. 48, S. 978)[7]:

[1] C. Lasne u. A. Thuillier, C. r. [C] 273, 1258 (1971).
[2] A. Heumann, M. Reglier u. B. Waegell, Ang. Ch. 91, 924 (1979).
[3] K. Yu. Chernyuk, V. I. Melnikova u. K. K. Pivnitskii, Ž. org. Chim. 18, 577 (1982).
[4] A. Heumann, M. Reglier u. B. Waegell, Ang. Ch. 91, 925 (1979).
[5] F. J. McQuillin u. D. G. Parker, Soc. [Perkin I] 1974, 809.
[6] G. A. Tolstikov, N. S. Miftakhov u. F. A. Valeev, Ž. org. Chim. 17, 1441 (1981); Chem. Inform. 8148 – 143.
[7] T. Saegusa et al., Am. Soc. 101, 494 (1979).

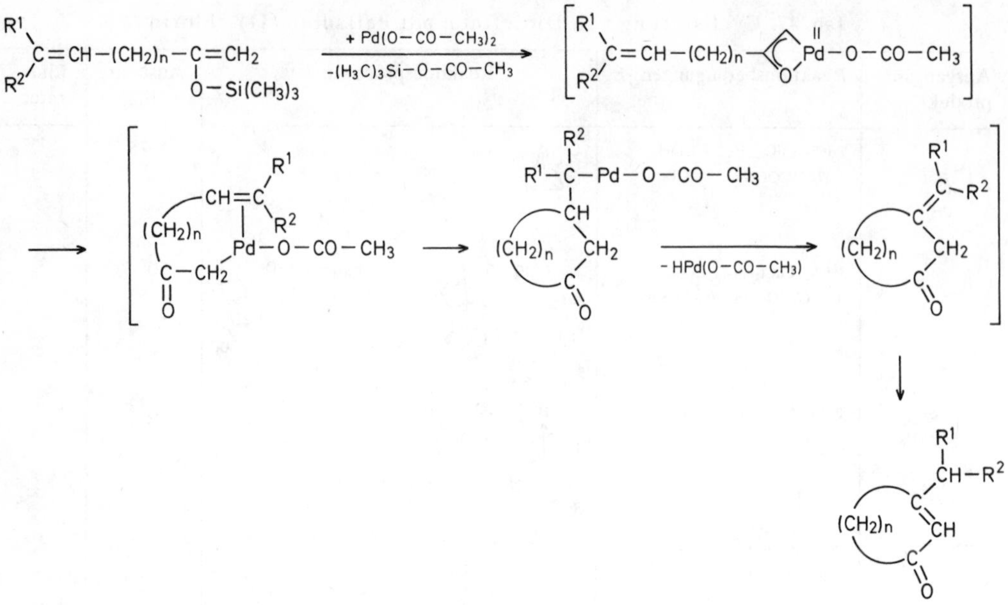

$$\begin{array}{c} R^1 \\ {}^{\diagdown}C=CH-(CH_2)_n-C=CH_2 \\ R^{2\diagup} \qquad\qquad\qquad | \\ O-Si(CH_3)_3 \end{array} \xrightarrow[\ -(H_3C)_3Si-O-CO-CH_3\ ]{+\ Pd(O-CO-CH_3)_2} \left[\begin{array}{c} R^1 \\ {}^{\diagdown}C=CH-(CH_2)_n \qquad Pd-O-CO-CH_3 \\ R^{2\diagup} \qquad\qquad O \end{array}\right]$$

$$\longrightarrow \left[\begin{array}{c} R^1 \\ -CH=C{\diagdown}R^2 \\ (CH_2)_n \qquad Pd-O-CO-CH_3 \\ C-CH_2 \\ \| \\ O \end{array}\right] \longrightarrow \begin{array}{c} R^2 \\ | \\ R^1-C-Pd-O-CO-CH_3 \\ | \\ CH \\ (CH_2)_n \qquad CH_2 \\ C \\ \| \\ O \end{array} \xrightarrow[-HPd(O-CO-CH_3)]{} \begin{array}{c} R^1 \\ {}^{\diagdown}C-R^2 \\ (CH_2)_n \qquad CH_2 \\ C \\ \| \\ O \end{array}$$

$$\downarrow$$

$$\begin{array}{c} R^1 \\ | \\ CH-R^2 \\ (CH_2)_n \qquad CH \\ C \\ \| \\ O \end{array}$$

Tab. 48: Cyclisierung von Silylenolethern von 1,5-, 1,6- und 1,7-Dienen mit
Palladiumacetat[1]

Dien	Reaktionsprodukt	Ausbeute [%]
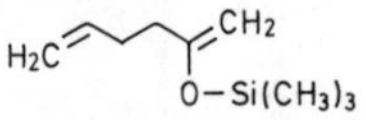 H_2C ... CH_2 / $O-Si(CH_3)_3$	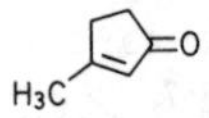 H_3C ... =O	87
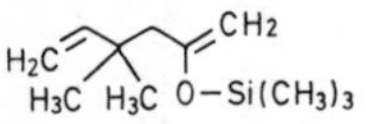 H_2C ... CH_2 / H_3C H_3C $O-Si(CH_3)_3$	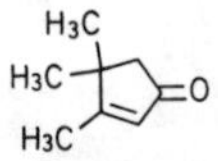 H_3C H_3C H_3C ... =O	100
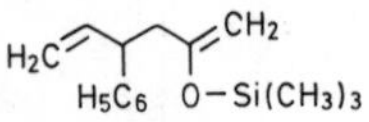 H_2C ... CH_2 / H_5C_6 $O-Si(CH_3)_3$	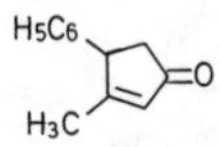 H_5C_6 H_3C ... =O	83
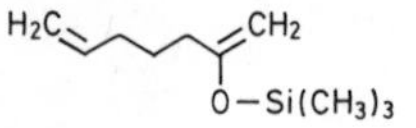 H_2C ... CH_2 / $O-Si(CH_3)_3$	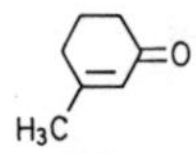 H_3C ... =O	36
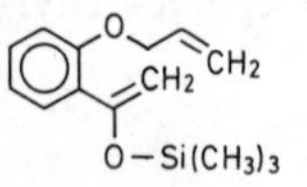 Benzofuran-Dien CH_2 CH_2 / $O-Si(CH_3)_3$	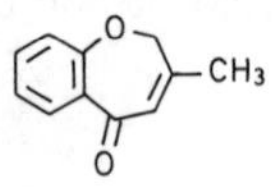 ...O ...CH_3 ...=O	25
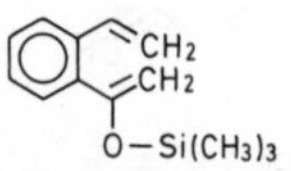 CH_2 CH_2 / $O-Si(CH_3)_3$	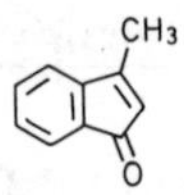 CH_3 ...=O	99

Eine Vielzahl von katalytischen Oligomerisierungen, Co-Oligomerisierungen, Telomerisierungen, Cyclisierungen und Co-Cyclisierungen von Olefinen und von Olefinen mit Acetylenen sind bekannt. Da diese Reaktionen aber keineswegs immer einheitlich verlaufen, sich in erster Reaktionsstufe π-Allylkomplexe bilden oder cyclische Übergangsstufen angenommen werden und σ-C-Pd-Zwischenstufen nicht nachgewiesen wurden, sei auf die Übersichtsliteratur verwiesen (s. Bibliographie, S. 1007).

---

[1] T. SAEGUSA et al., Am. Soc. **101**, 494 (1979).

i) Insertion von Alkinen (C–C-Knüpfung)

Reaktionen von Acetylenen, die unter Insertion in die σ-C-Pd-Bindung zu σ-Alkenyl-, σ-1,3-Butadienyl-palladium-Verbindungen, zu Palladolen und anderen stabilen isolierten Palladium-Verbindungen führen, sind im Kapitel „Herstellung" ausführlich beschrieben worden. An dieser Stelle soll der letzte Reaktionsschritt, ausgehend von den eben erwähnten stabilen Organo-palladium-Verbindungen unter Insertion eines weiteren Acetylens zu den Zersetzungsprodukten beschrieben werden[1]. Eine Cyclotrimerisierung von Acetylenen kann verlaufen über isolierte (bzw. isolierbare) σ-Butadienyl-palladium-Verbindungen[2,3],

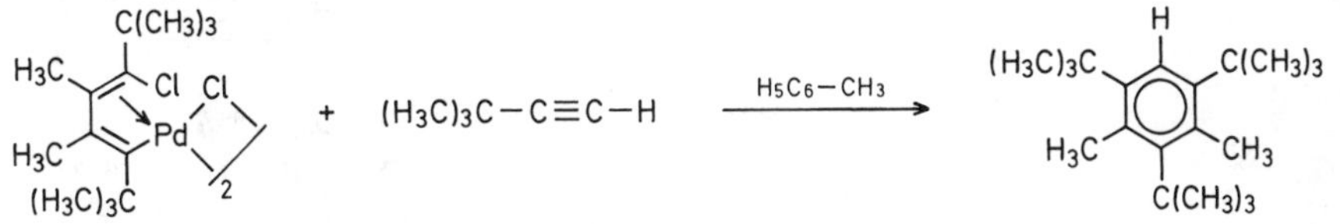

über Cyclopentadienylmethyl-palladium-Verbindungen[4,5]

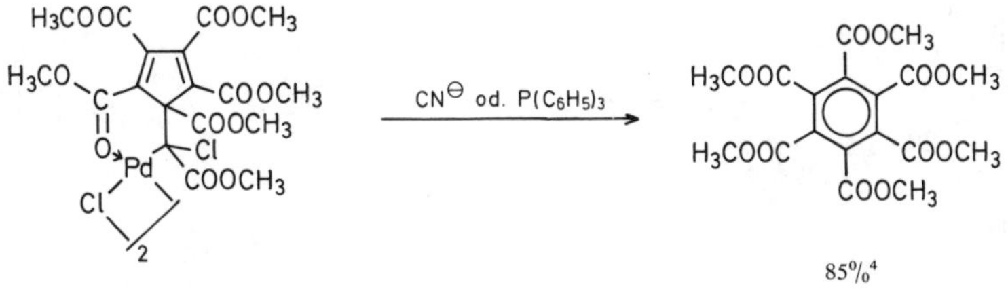

oder über Palladole[6,7]:

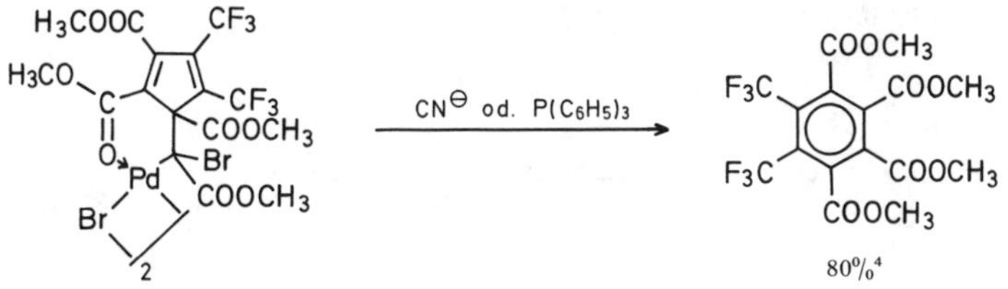

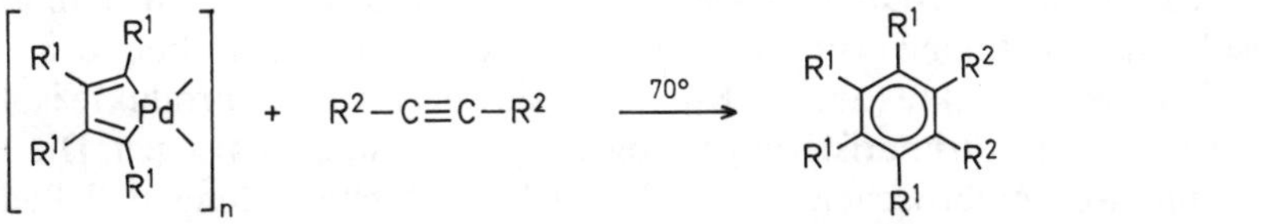

$R^1 = R^2 = COOCH_3$; 64%[6]
$R^1 = COOCH_3$; $R^2 = C_6H_5$; 63%[6]

[1] Eine Diskussion der verschiedenen Mechanismen ist zusammengestellt in: P. M. MAITLIS, Accounts Chem. Res. **9**, 93 (1976).

[2] E. A. KELLEY, G. A. WRIGHT u. P. M. MAITLIS, Soc. [Dalton] **1979**, 178.

[3] E. A. KELLEY u. P. M. MAITLIS, Soc. [Dalton] **1979**, 167.

[4] P. M. MAITLIS et al., Soc. [Dalton] **1975**, 125.

[5] P. M. MAITLIS et al., Chem. Commun. **1973**, 436.

[6] K. MOSELEY u. P. M. MAITLIS, Soc. [Dalton] **1974**, 169.

[7] K. MOSELEY u. P. M. MAITLIS, Chem. Commun. **1971**, 1604.

Nach einem ähnlichen Mechanismus (über Palladole) gelingt die Cyclotrimerisierung von Acetylendicarbonsäure-dimethylester mit Bicyclo[2.2.1]hepten, Cyclopenten und Cyclohexen in Gegenwart von Triphenylphosphan im Molverhältnis 2:1:1 mit dem Palladol-Komplex als Katalysator[1]:

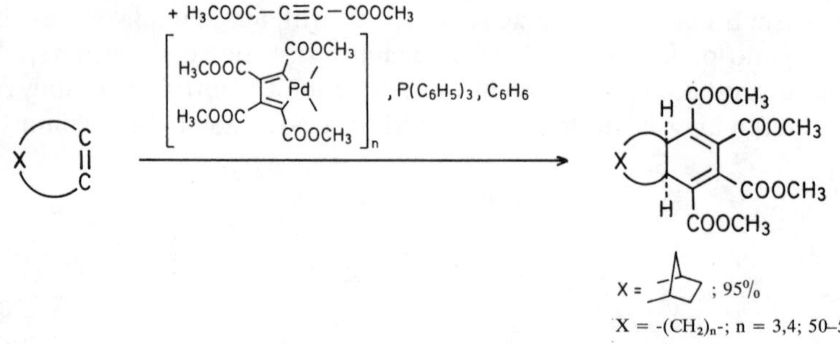

$$X = \text{(bicyclic)} \; ; 95\%$$
$$X = -(CH_2)_n-; \; n = 3,4; \; 50\text{–}56\%$$

σ-1,3-Butadienyl-palladium-Verbindungen können mit Phenyl-acetylen oder 4-Chlor-phenylacetylen Dihydropentalene ergeben[2]:

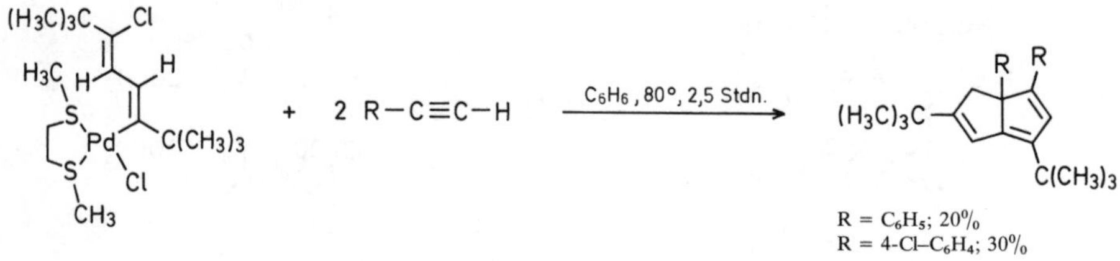

$$R = C_6H_5; \; 20\%$$
$$R = 4\text{-Cl–}C_6H_4; \; 30\%$$

Ortho-palladiertes 1-Dimethylamino-naphthalin liefert mit Hexafluorbutin unter Abspaltung einer N-Methyl-Gruppe und des Metalls ein Insertionsprodukt[3]:

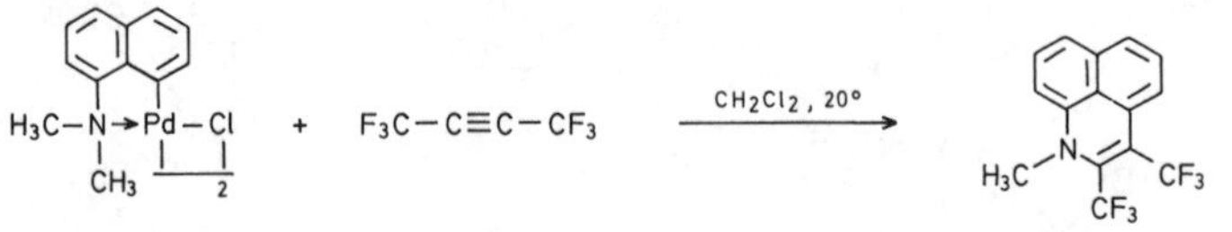

Werden unsubstituiertes Acetylen und monosubstituierte Alkine mit Palladium-Salzen umgesetzt, so erhält man meist (außer bei sterisch gehinderten oder aryl-monosubstituierten Alkinen wie 3,3-Dimethyl-butin und Phenylacetylen) nicht definierbare Polymere. Disubstituierte Alkine ergeben über eines oder mehrere der oben formulierten isolierbaren Zwischenprodukte (auch π-Komplexe sind als Zwischenprodukte isoliert) Cyclodimerisierungen, Cyclotrimerisierungen sowie Cyclotetramerisierungen. Die Reaktionen können mit stöchiometrischen wie auch mit katalytischen Mengen Palladium-Komplexen durchgeführt werden[4,5]. Einige Cyclodi- und -trimerisierungen mit Palladium-Komplexen zu Benzol-Derivaten und anderen Verbindungen sind in Tab. 49 (S. 981) zusammengestellt.

[1] J.A. Ibers et al., Am. Soc. **100**, 8232 (1978).
[2] P.M. Maitlis et al., Chem. Commun. **1976**, 238.
[3] J. Dehand et al., Soc. [Dalton] **1979**, 547.
[4] P.M. Maitlis, Accounts Chem. Res. **9**, 93 (1976).
[5] Übersichtsartikel: P.M. Maitlis, „The Palladium Catalyzed Cyclotrimerization of Acetylenes", Pure Appl. Chem. **33**, 489 (1973).

Tab. 49: Reaktionsprodukte von Alkinen mit Palladium-Verbindungen

Alkin	Reaktions bedingungen	Reaktionsprodukte	Ausbeute [%]	Lite- ratur
H–C≡C–H	Pd(AlCl$_4$)$_2$, 3 Stdn., 20–40°	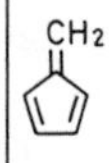 CH$_2$ (Fulven)	30	1
(H$_3$C)$_3$C–C≡C–H	Pd(AlCl$_4$)$_2$·2C$_6$H$_6$, C$_6$H$_6$	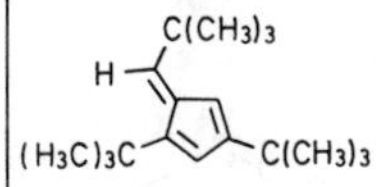 C(CH$_3$)$_3$ / H / (H$_3$C)$_3$C / C(CH$_3$)$_3$		1
	PdCl$_2$(H$_5$C$_6$–CN)$_2$, H$_3$C–CO–CH$_3$, 20°, 24 Stdn.	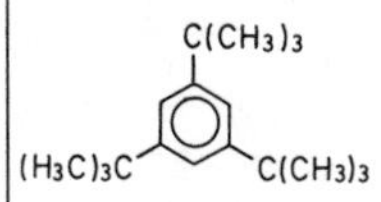 C(CH$_3$)$_3$ / (H$_3$C)$_3$C / C(CH$_3$)$_3$	70	2
H$_5$C$_6$–C≡C–H	Katalysator aus PdCl$_2$ + NaBH$_4$, 100°	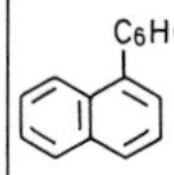 C$_6$H$_5$ (Naphthalin)		3
	PdCl$_2$, HCl, THF–H$_2$O, 20°	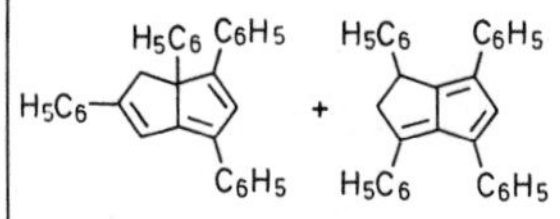 H$_5$C$_6$ C$_6$H$_5$ / H$_5$C$_6$ C$_6$H$_5$ + H$_5$C$_6$ C$_6$H$_5$ / H$_5$C$_6$ C$_6$H$_5$		4
	Pd(AlCl$_4$)$_2$·2C$_6$H$_6$, C$_6$H$_6$	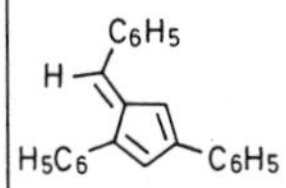 C$_6$H$_5$ / H / H$_5$C$_6$ C$_6$H$_5$	70	1
H–C≡C–CH$_2$–Br	PdCl$_2$, 1,4-Dioxan, 70°	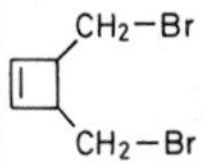 CH$_2$–Br / CH$_2$–Br	41	5
H–C≡C–COOCH$_3$	PdCl$_2$, H$_3$C–COONa, H$_3$C–COOH, 80°	COOCH$_3$ / H$_3$COOC COOCH$_3$ + COOCH$_3$ COOCH$_3$ COOCH$_3$ + H$_3$COOC COOCH$_3$ H$_3$COOC COOCH$_3$		6
H$_3$C–C≡C–CH$_3$	1. PdCl$_2$(H$_5$C$_6$–CN)$_2$, CHCl$_3$ 2. P(C$_6$H$_5$)$_3$, C$_6$H$_6$, 20°, 30 Min.	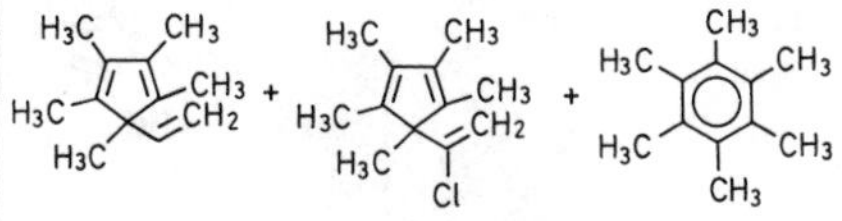 H$_3$C CH$_3$ CH$_3$ CH$_2$ H$_3$C + H$_3$C CH$_3$ CH$_3$ CH$_2$ H$_3$C Cl + H$_3$C CH$_3$ CH$_3$ CH$_3$ H$_3$C CH$_3$		7
H$_5$C$_6$–C≡C–CH$_3$	PdCl$_2$(H$_5$C$_6$–CN)$_2$, CH$_2$Cl$_2$, 40°, 4 Stdn.	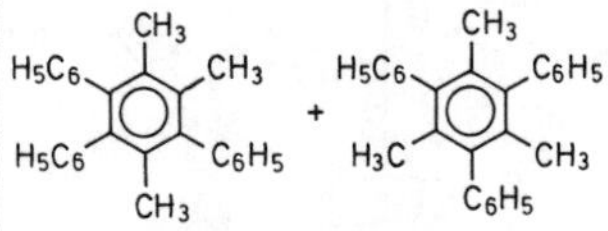 CH$_3$ H$_5$C$_6$ CH$_3$ H$_5$C$_6$ C$_6$H$_5$ CH$_3$ + CH$_3$ H$_5$C$_6$ C$_6$H$_5$ H$_3$C CH$_3$ C$_6$H$_5$	58 + 39	8,9

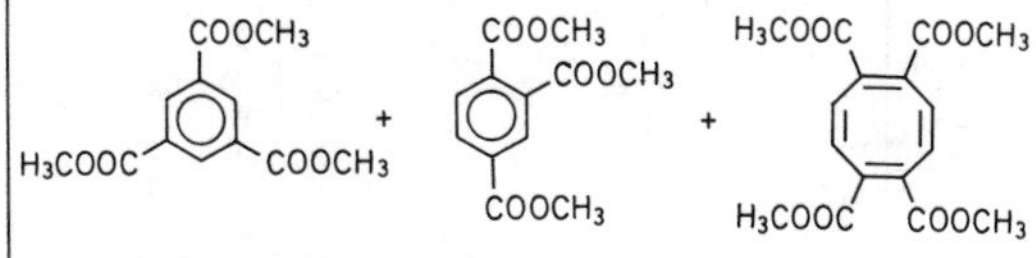

[1] G. A. CHUKHADZHYAN et al., Arm. Khim. Zh. **1975**, 942: C. A. **84**, 105724 (1976); Ž. org. Chim. **17**, 1831 (1981); Fulven als Maleinsäureanhydrid-Addukt isoliert.
[2] M. AVRAM et al., B. **102**, 3996 (1969).
[3] D. BRYCE-SMITH, Chem. & Ind. **1964**, 239.
[4] P. M. MAITLIS et al., Chem. Commun. **1976**, 238.
[5] S. PARASKEWAS, N. JANOVICZ u. D. KONSTANDINIDIS, Chemie-Ing.-Techn. **52**, 157 (1980).
[6] T. SAKAKIBARA et al., Tetrahedron Letters **1971**, 4719.
[7] H. REINHEIMER, J. MOFFAT u. P. M. MAITLIS, Am. Soc. **92**, 2285 (1970).
[8] H. DIETL u. P. M. MAITLIS, Chem. Commun. **1968**, 481.
[9] P. M. MAITLIS et al., Am. Soc. **92**, 2276 (1970).

Tab. 49 (Forts.)

Alkin	Reaktionsbedingungen	Reaktionsprodukte	Ausbeute [%]	Lite-ratur
$H_5C_6–C≡C–C_6H_5$	$PdCl_2(H_5C_6–CN)_2$, C_6H_6, △	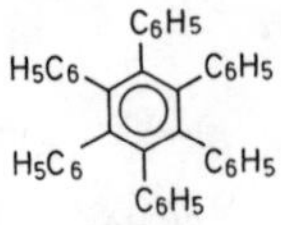	90	[1]
$H_3COOC–C≡C–COOCH_3$	10% Pd/C, C_6H_6, △, 72 Stdn.	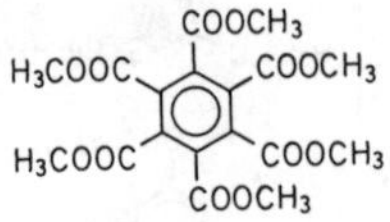	93	[2]
				[3]
	1. $PdCl_2$, C_6H_6 2. $P(C_6H_5)_3$, C_6H_6, △			[3]
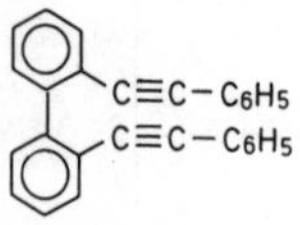		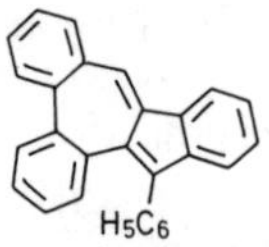		[3]
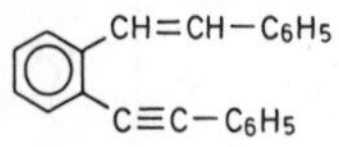	1. $PdCl_2(H_5C_6–CN)_2$, C_6H_6 2. NaOH, H_2O	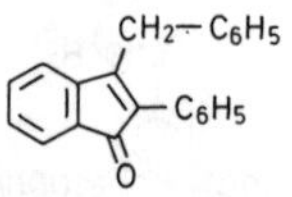	54	[4]
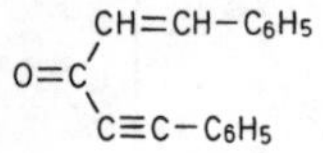	1. $PdCl_2(H_5C_6–CN)_2$, C_6H_6 2. Xylol, △	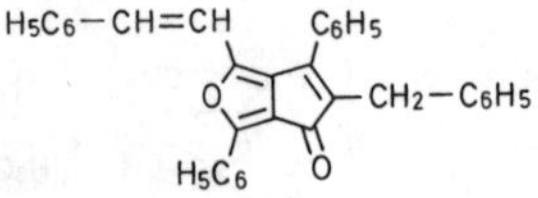	55	[5]
	1. $PdCl_2(H_5C_6–CN)_2$, C_6H_6 2. $H_5C_2–OH$, △	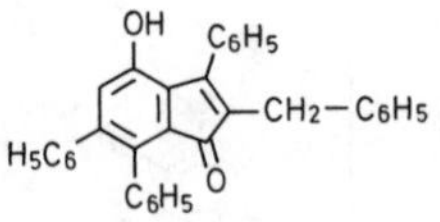	40	[5]
$H_5C_6–C≡C–\overset{\overset{O}{\|}}{C}–C≡C–C_6H_5$	$PdCl_2$, $H_3C–COOC_2H_5$, △	$H_5C_6–C≡C–C≡C–\overset{\overset{O}{\|}}{C}–C_6H_5$		[6]

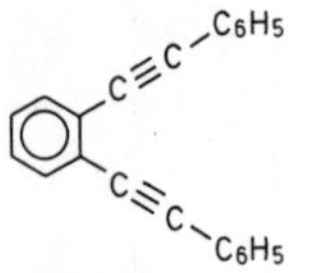

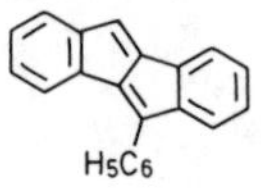

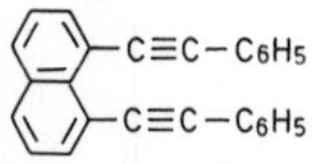

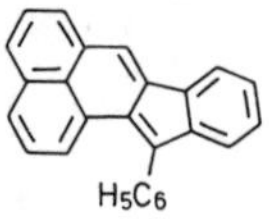

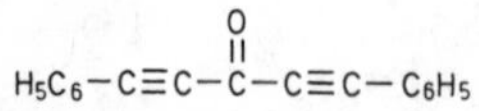

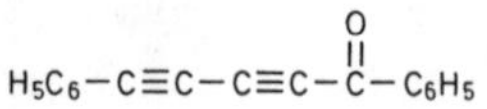

[1] A. T. BLOMQUIST u. P. M. MAITLIS, Am. Soc. **84**, 2329 (1962).
[2] D. BRYCE-SMITH, Chem. & Ind. **1964**, 239.
[3] E. MÜLLER et al., A. **713**, 40 (1968); Tetrahedron Letters **1968**, 1195.
[4] W. MÜNZENMAIER u. H. STRAUB, Synthesis **1976**, 49.
[5] W. MÜNZENMAIER u. H. STRAUB, Ch. Z. **98**, 419 (1974).
[6] E. MÜLLER u. A. SEGNITZ, Synthesis **1970**, 147.

Cotrimerisierung von Diphenylethin (Tolan) mit überschüssigem Ethen ergibt bei 80° nach 4–6 Stunden *trans, trans-3,4-Diphenyl-2,4-hexadien* (35–40%), während man bei längerer Reaktionszeit (24 Stdn.) Inden-Derivate erhält[1, 2]:

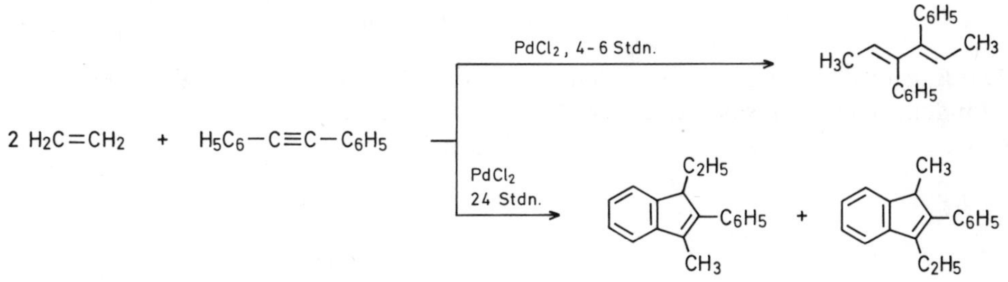

Andererseits können mono- und disubstituierte Alkine mit Styrol in Gegenwart von Palladiumchlorid und Lithiumchlorid in Eisessig bei 20° 1-Chlor-1,3-butadiene ergeben. Die Reaktion läuft unter Sauerstoff mit katalytischen Mengen Palladium-Salz ab[3].

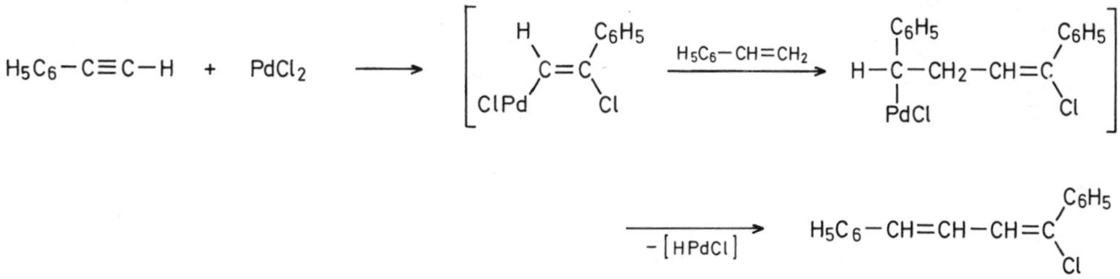

Auch Additionen an N-Heterocyclen sind bekannt[4]:

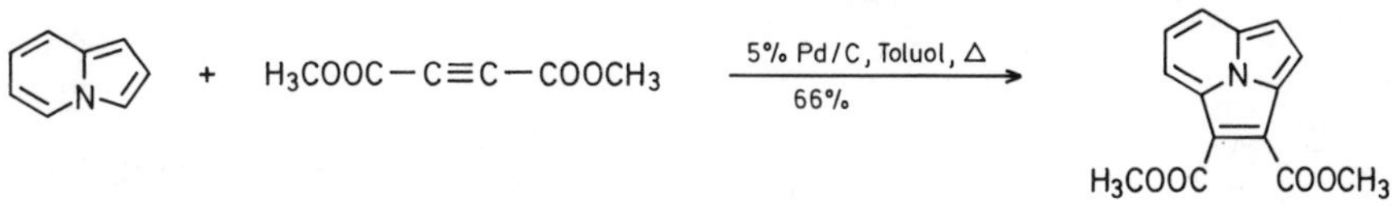

Der folgende Palladium-Komplex cyclisiert beim Erhitzen und wird durch Säure in das freie Lacton gespalten[5]:

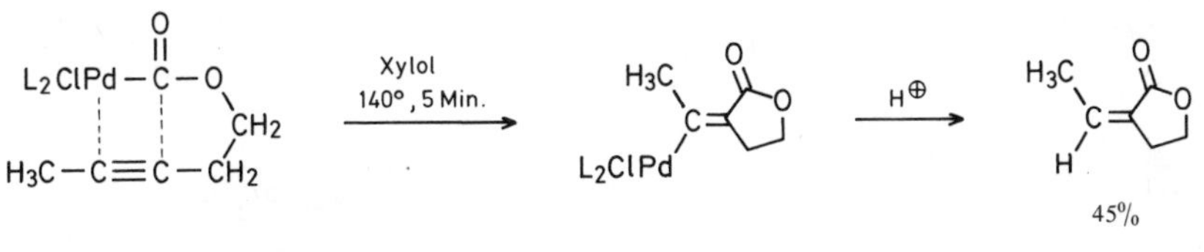

[1] P. Mushak u. M. A. Battiste, Chem. Commun. **1969**, 1146.
[2] W. Münzenmaier u. H. Straub, Synthesis **1976**, 49.
[3] K. Kaneda et al., Tetrahedron Letters **1977**, 2005.
[4] A. Galbraith, T. Small u. V. Boekelheide, J. Org. Chem. **24**, 582 (1959).
[5] T. F. Murray u. J. R. Norton, Am. Soc. **101**, 4107 (1979).

III. Kupplungsreaktionen (C–C-Knüpfungsreaktionen)

a) Übersicht

Die folgende Übersicht zeigt, welche C–C-Knüpfungen praktisch mittels Palladium-Verbindungen möglich sind (katalytisch oder stöchiometrisch, oxidativ oder reduktiv, heterolytisch oder homolytisch, cyclische Mechanismen).

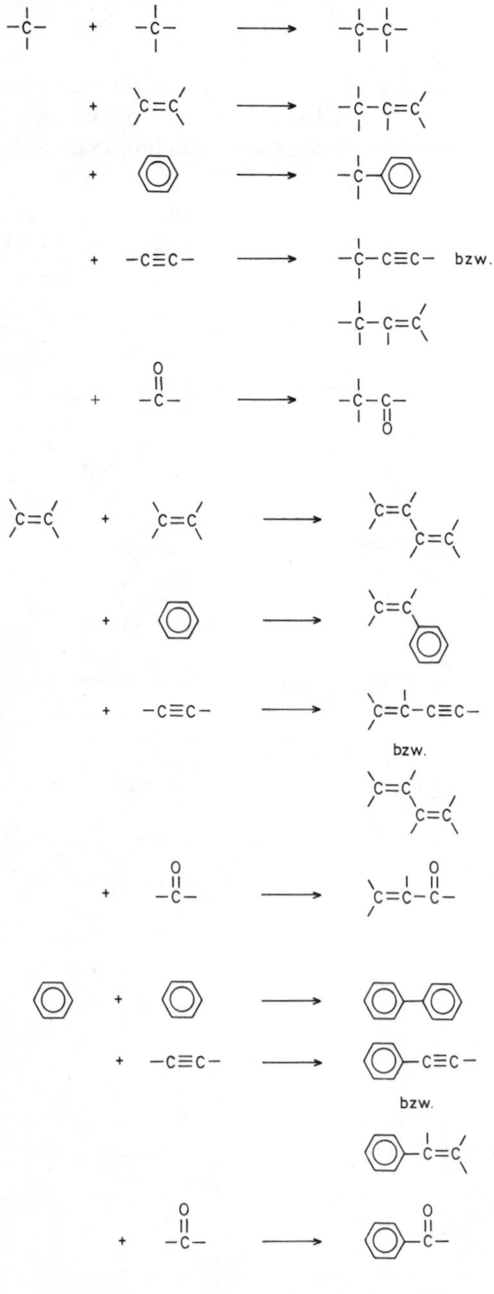

S. 892 ff., 921, 924 ff.

S. 892 f., 897 ff., 900, 937 f., 942 f., 964 ff., 976

S. 892 f., 900 ff., 921

S. 893, 900, 903 f.

S. 902, 921, 939, 946, 951 f.

S. 893, 936, 940 ff., 943, 975

S. 893, 897, 899, 929 ff., 932 ff., 937, 940, 942, 964–975

S. 893, 979 f., 983

S. 938 ff., 943, 946, 949

S. 893, 900 ff., 903

S. 893, 903, 979 ff., 983

S. 902, 939 f., 949 f., 952, 960 f.

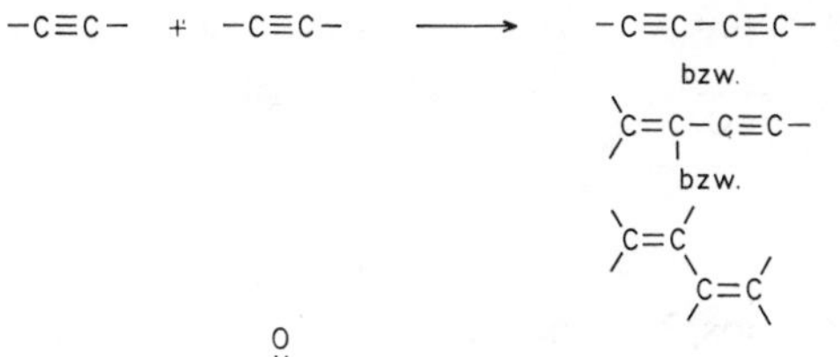

$$-C\equiv C- \ + \ -C\equiv C- \ \longrightarrow \ -C\equiv C-C\equiv C-$$

S. 940, 979, 981f.

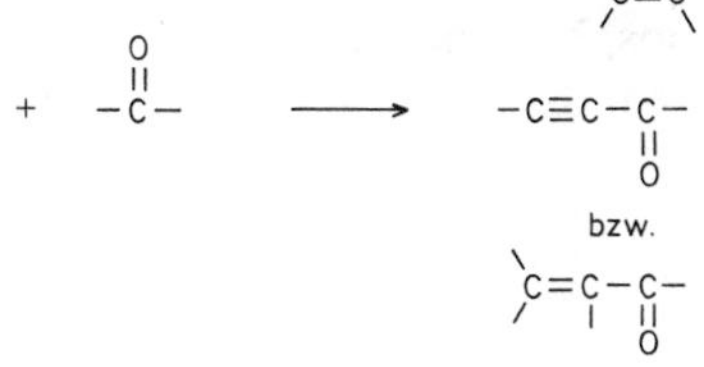

bzw.

$$\underset{/}{\overset{\backslash}{C}}=C-C\equiv C-$$

bzw.

$$\underset{/}{\overset{\backslash}{C}}=\underset{\backslash}{\overset{/}{C}}$$
$$\underset{\backslash}{\overset{/}{C}}=\underset{\backslash}{\overset{/}{C}}$$

$$+ \ -\overset{\overset{O}{\|}}{C}- \ \longrightarrow \ -C\equiv C-\underset{\overset{\|}{O}}{C}-$$

S. 939, 943, 946, 958f., 983

bzw.

$$\underset{/}{\overset{\backslash}{C}}=C-\underset{\overset{\|}{O}}{C}-$$

$$-\underset{\overset{\|}{O}}{C}- \ + \ -\underset{\overset{\|}{O}}{C}- \ \longrightarrow \ -\underset{\overset{\|}{O}}{C}-\underset{\overset{\|}{O}}{C}-$$

S. 959

Im folgenden werden nur die bisher noch nicht erwähnten C–C-Knüpfungen beschrieben.

b) Alkyl-Alkyl-Knüpfung

Die gebräuchlichsten Methoden für Alkyl-Alkyl-Knüpfung sind die Spaltungsreaktionen durch Carbanionen (s.S. 892ff.)

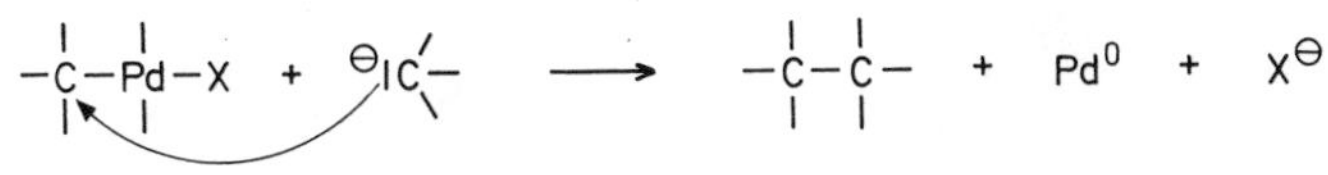

$$-\overset{|}{\underset{|}{C}}-Pd-X \ + \ ^{\ominus}|\overset{|}{\underset{|}{C}}- \ \longrightarrow \ -\overset{|}{\underset{|}{C}}-\overset{|}{\underset{|}{C}}- \ + \ Pd^0 \ + \ X^{\ominus}$$

sowie Thermolyse von Dialkyl-palladium(II)-Verbindungen bzw. Polyalkyl-palladium(IV)-Verbindungen (s.S. 924); z.B.:

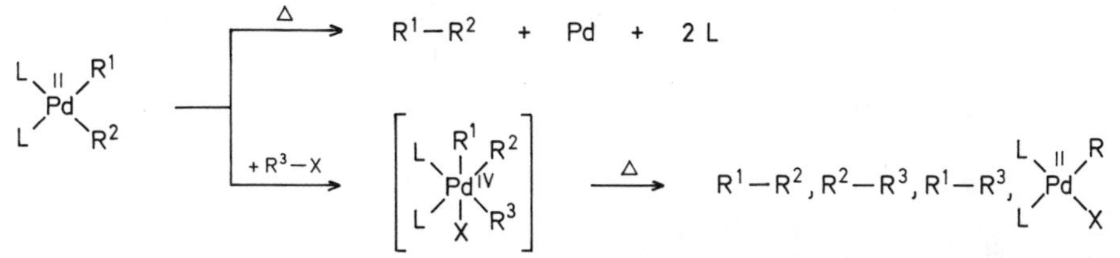

$$\underset{L}{\overset{L}{\diagdown}}\underset{}{\overset{\|}{Pd}}\underset{R^2}{\overset{R^1}{\diagup}} \quad \xrightarrow{\Delta} \quad R^1-R^2 \ + \ Pd \ + \ 2\,L$$

$$\xrightarrow{+R^3-X} \ \left[\underset{L}{\overset{L}{\diagdown}}\underset{X}{\overset{R^1}{\underset{\underset{R^3}{|}}{Pd^{IV}}}}\overset{R^2}{\diagup}\right] \ \xrightarrow{\Delta} \ R^1-R^2, R^2-R^3, R^1-R^3, \ \underset{L}{\overset{L}{\diagdown}}\underset{X}{\overset{\|}{Pd}}\overset{R}{\diagup}$$

Im folgenden sind einige weitere Reaktionen, die über Palladium(IV)-Stufen oder Carbanion-Spaltungen verlaufen, zusammengestellt. So katalysieren Palladium-Verbindungen wie Benzyl-chloro-bis-[triphenylphosphan]-palladium die Kupplung der Alkyl- und Aryl-zinn-Verbindungen mit Benzyl- und Aryl-halogeniden. Verschiedene funktionelle Gruppen stören bei dieser Reaktion nicht. Die Kupplungsprodukte werden in hohen Ausbeuten erhalten. Sauerstoff beschleunigt die Reaktion. Bei Reaktionen von substituierten Brombenzolen bzw. Benzylbromiden mit Tetramethylzinn beschleunigen elektronenanziehende Gruppen die Reaktion[1]:

---

[1] D. MILSTEIN u. J.K. STILLE, Am. Soc. **101**, 4992 (1979).

$$H_5C_6-CH_2-PdCl[P(C_6H_5)_3]_2$$

$$R^1-Br \ + \ R_4^2Sn \xrightarrow{\quad [(H_3C)_2N]_3PO \quad} R^1-R^2 \ + \ R_3^2SnBr$$

$R^1 = CH_2-C_6H_5; \ R^2 = CH_3, C_4H_9, C_6H_5$
$R^1 = C_6H_5; \ R^2 = CH_3, C_6H_5$
$R^1 = 4-CH_3-; \ 4-F; \ 4-OCH_3; \ 4-(CO-CH_3)-C_6H_4; \ R^2 = CH_3$

Die Reaktion von Benzyl-halogeno-bis-[tert.-phosphan]-palladium mit Tetramethyl-zinn führt neben anderen Produkten wie Toluol zu dem Kupplungsprodukt *Ethyl-benzol*[1]:

$$H_5C_6-CH_2-\overset{\overset{\displaystyle L}{|}}{\underset{\underset{\displaystyle L}{|}}{Pd}}-X \ + \ Sn(CH_3)_4 \longrightarrow H_5C_6-CH_2-CH_3$$

$L = P(C_6H_5)_3, P(C_2H_5)_3$
$X = Cl, Br$

Ethylbenzol wird nur in geringer Ausbeute erhalten, wenn Elektronenakzeptoren wie Sauerstoff oder 1,3-Di-nitro-benzol abwesend sind. Es wird aber auch gebildet bei der Reaktion von Methyl-bromo-bis-[triphenylphos-phan]-palladium mit Benzyl-organozinn- und Benzyl-grignard-Verbindungen und aus *cis*-Dimethyl-bis-[triphe-nylphosphan]-palladium[1].

Eine Alkyl-Alkyl-Kupplung tritt auch bei der Umsetzung von 1-Brom-1,2-diphenyl-2-methoxy-ethan mit Tetrakis-[triphenylphosphan]-palladium in siedendem Benzol unter Argon auf[2]:

$$H_5C_6-\overset{\overset{\displaystyle}{|}}{\underset{\underset{\displaystyle Br}{|}}{CH}}-\overset{\overset{\displaystyle}{|}}{\underset{\underset{\displaystyle OCH_3}{|}}{CH}}-C_6H_5 \xrightarrow{\quad Pd[P(C_6H_5)_3]_4, \ C_6H_6, \ 80°, \ Ar \quad} \begin{array}{c} H_5C_6-\overset{\overset{\displaystyle OCH_3}{|}}{CH}-CH-C_6H_5 \\ H_5C_6-CH-\underset{\underset{\displaystyle OCH_3}{|}}{CH}-C_6H_5 \end{array}$$

Grignard-Reagenzien reagieren in Gegenwart von Bis-[diphenylphosphan]-palla-dium-Komplexen mit Allylalkoholen zu Kupplungsprodukten[3]:

$$R-\overset{\overset{\displaystyle}{|}}{\underset{\underset{\displaystyle CH_3}{|}}{CH}}-MgCl \ + \ H_2C=CH-CH_2-OH \xrightarrow{\quad PdCl_2L_2 \quad} R-\overset{\overset{\displaystyle}{|}}{\underset{\underset{\displaystyle CH_3}{|}}{CH}}-CH_2-CH=CH_2$$

$R = C_6H_5, C_6H_{13}$ 26-96%

$L_2 = $ Ferrocen-$P(C_6H_5)_2$ / $P(C_6H_5)_2$; $(H_5C_6)_2P-(CH_2)_n-P(C_6H_5)_2$

$$H_5C_6-\overset{\overset{\displaystyle}{|}}{\underset{\underset{\displaystyle CH_3}{|}}{CH}}-MgCl \ + \ H_3C-CH=CH-CH_2-OH \xrightarrow{\quad PdCl_2L_2 \quad}$$

$$H_2C=CH-\overset{\overset{\displaystyle CH_3}{|}}{\underset{\underset{\displaystyle CH_3}{|}}{CH}}-CH-C_6H_5 \ + \ H_3C-CH=CH-CH_2-\overset{\overset{\displaystyle CH_3}{|}}{CH}-C_6H_5$$

                    23%   44%

---

[1] D. MILSTEIN u. J. K. STILLE, Am. Soc. **101**, 4981 (1979).
[2] T. SUGITA et al., Bl. chem. Soc. Japan **52**, 3629 (1979).
[3] T. HAYASHI, M. KONISHI u. M. KUMADA, J. Organometal. Chem. **186**, C1 (1980).

c) Aryl-Alkinyl-Knüpfung bzw. Alkenyl-Alkinyl-Knüpfung

Eine Aryl-Alkinyl-Knüpfung gelingt in hohen Ausbeuten, wenn Aryl- bzw. Heteroaryl-halogenide (bevorzugt Jod, aber auch Brom und Chlor) mit monosubstituierten Acetylenen in Gegenwart von Palladium(II)-Verbindungen mit oder ohne Kupfer(I)-Salz-Katalyse und in Anwesenheit von Basen wie Aminen als Halogenwasserstoff-Fänger umgesetzt werden[1-4]:

$$\langle C_6H_5 \rangle - X \ + \ H-C\equiv C-R \quad \xrightarrow[- R_2NH_2^\oplus X^\ominus]{Pd(II),\ Cu(I),\ R_2NH} \quad \langle C_6H_5 \rangle - C\equiv C-R$$

X = J, Br
R = H, Alkyl, Aryl
Pd(II) = Pd[P(C$_6$H$_5$)$_3$]$_2$Cl$_2$, Pd[P(C$_6$H$_5$)$_3$]$_2$(O-CO-CH$_3$)$_2$

Eine Knüpfung gelingt auch mit Tetrakis-[triphenylphosphan]-palladium als Katalysator[5]:

$$\langle C_6H_5 \rangle - X \ + \ H-C\equiv C-R \quad \xrightarrow{Pd[P(C_6H_5)_3]_4,\ NaOCH_3,\ DMF} \quad \langle C_6H_5 \rangle - C\equiv C-R$$

X = Br, J
R = H, Alkyl, Aryl

Bei beiden Methoden wird der Mechanismus über instabile Alkinyl-aryl-palladium-Zwischenstufen formuliert:

$$\left[\begin{array}{c} R^1 \\ Pd \\ C\equiv C-R^2 \end{array} \right] \quad \xrightarrow{\Delta} \quad R^1-C\equiv C-R^2$$

R^1 = Aryl, Hetaryl

Tab. 50 (S. 988) gibt eine Übersicht über Aryl-Alkinyl-Knüpfungen.
Auf analoge Weise gelingen auch Alkenyl-Alkinyl-Knüpfungen[1,5]:

$$R-CH=CH-Br \ + \ H-C\equiv C-R \quad \xrightarrow[PdL_2X_2,\ CuJ,\ R_2NH]{PdL_4,\ NaOCH_3\ od.} \quad R-CH=CH-C\equiv C-R$$

Derartige Reaktionen sind in Tab. 51 (S. 991) zusammengestellt. Im folgenden werden zwei typische Arbeitsvorschriften vorgestellt.

Aryl-Alkinyl- bzw. Alkenyl-Alkinyl-Knüpfung von Aryl- bzw. Alkenyl-halogeniden mit monosubstituierten 1-Alkinen, allgemeine Arbeitsvorschrift[5]: Das monosubstituierte 1-Alkin, das organ. Halogenid (~ je 5–10 mmol), der Katalysator PdCl$_2$L$_2$ + L oder PdL$_4$ für L = P(C$_6$H$_5$)$_3$; ~ 2 mol% und DMF (20 ml) werden unter Stickstoff in einen 100 ml Kolben mit Magnetrührer gegeben. Die Mischung wird bei 50–100° gerührt, gekühlt, mit Wasser verdünnt (100 ml) und mit Diethylether (30 ml × 3) extrahiert. Der ether. Extrakt wird mit Wasser gewaschen, über Natriumsulfat getrocknet und i. Vak. eingeengt. Die Acetylene werden durch Destillation oder Sublimation gereinigt.

Diphenylacetylen aus Jodbenzol und Acetylen unter Pd(II)/Cu(I)-Katalyse[1]: Kupferjodid (0,05 mmol) wird zu einer Mischung von Dichloro-bis-[triphenylphosphan]-palladium (0,1 mmol) und einer Diethylamin-Lösung (60 ml) von Jodbenzol (10 mmol) unter einer Stickstoff-Atmosphäre in einem Kolben ausgerüstet mit einem Gaseinleitungsrohr und einem Magnetrührer gegeben. Ein langsamer Strom von Acetylen wird 6 Stdn. bei 20° durch die Reaktionsmischung geleitet. Nach Entfernen des Diethylamins i. Vak. wird Wasser zum Rückstand gegeben. Die Mischung wird mit Benzol extrahiert. Die konzentrierten Benzol-Extrakte werden über eine kurze Aluminiumoxid-Säule gegeben, um den Katalysator zu entfernen. Das Benzol-Eluat wird eingeengt. Zurück bleibt rohes Diphenylacetylen, das aus Ethanol umkristallisiert wird (Ausbeute: 85%).

---

[1] K. SONOGASHIRA, Y. TOHDA u. N. HAGIHARA, Tetrahedron Letters **1975**, 4467.
[2] H. A. DIECK u. R. F. HECK, J. Organometal. Chem. **93**, 259 (1975).
[3] K. TANJI, T. SAKAMOTO u. H. YAMANAKA, Chem. Pharm. Bull. **30**, 1865 (1982).
[4] M. I. BARDAMOVA et al., Izv. Akad. SSSR **1982**, 1184.
[5] L. CASSAR, J. Organometal. Chem. **93**, 253 (1975).

Tab. 50: Aryl-Alkinyl-Knüpfung von Arylhalogeniden mit monosubstituierten Acetylenen unter Palladium(0) oder Palladium(II)/Cu(I)-Katalyse

Halogenaromat	1-Alkin	Reaktionsbedingungen	Reaktionsprodukt	Ausbeute [%]	Literatur
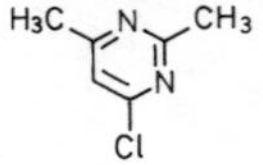 H_3C-Pyrimidin(N,CH_3,N)-Cl	$H-C\equiv C-C_6H_5$	$PdCl_2[P(C_6H_5)_3]_2$, CuJ, $N(C_2H_5)_3$	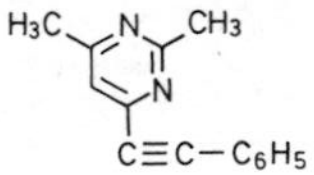 H_3C-Pyrimidin(N,CH_3,N)-$C\equiv C-C_6H_5$	57	1
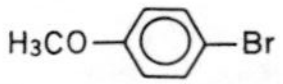 $H_3CO-C_6H_4-Br$	$H-C\equiv C-C_6H_5$	$PdCl_2[P(C_6H_5)_3]_2/2L$, 100°	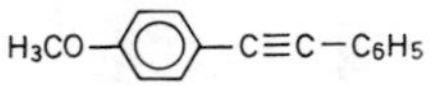 $H_3CO-C_6H_4-C\equiv C-C_6H_5$	77	2
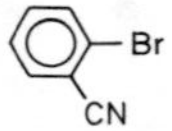 Benzol-Br (o-CN)	$H-C\equiv C-C_6H_5$	$Pd[P(C_6H_5)_3]_4$, H_3C-ONa, DMF	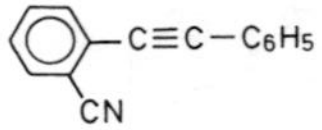 $C\equiv C-C_6H_5$ (o-CN)	93	2
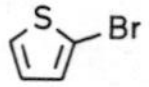 Thiophen-Br (S)	$H-C\equiv C-C_6H_5$	$Pd[P(C_6H_5)_3]_2(OCOCH_3)_2$, Piperidin	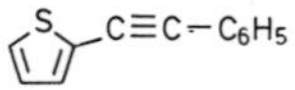 S-Thiophen-$C\equiv C-C_6H_5$	53	3
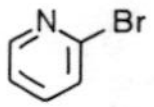 Pyridin-Br (N)	$H-C\equiv C-H$	$PdCl_2[P(C_6H_5)_3]_2$, CuJ $(H_5C_2)_2NH$	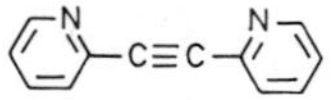 Pyridin-$C\equiv C$-Pyridin (N)	60	4
Pyridin-Br (N)	$H-C\equiv C-C_6H_5$	(dto.)	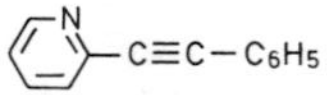 Pyridin-$C\equiv C-C_6H_5$ (N)	99	4
H_5C_6-J	$H-C\equiv C-H$	$Pd[P(C_6H_5)_3]_2(O-CO-CH_3)_2$, Piperidin	$H_5C_6-C\equiv C-H$ / $H_5C_6-C\equiv C-C_6H_5$	50 / 34	2
	$H-C\equiv C-C_3H_7$	$Pd[P(C_6H_5)_3]_4$, H_3C-ONa, DMF, 50°	$H_5C_6-C\equiv C-C_3H_7$	97	2
	$H-C\equiv C-C_4H_9$	$Pd[P(C_6H_5)_3]_2(O-CO-CH_3)_2$, Piperidin	$H_5C_6-C\equiv C-C_4H_9$	62	3
	$H-C\equiv C-C(CH_3)=CH_2$	$Pd[P(C_6H_5)_3]_2(OCOCH_3)_2$, $N(C_2H_5)_3$	$H_5C_6-C\equiv C-C(CH_3)=CH_2$	71	3
	$H-C\equiv C-C_6H_5$	$Pd[P(C_6H_5)_3]_4$ H_3C-ONa, DMF, 50°, 3 Stdn.	$H_5C_6-C\equiv C-C_6H_5$	95	2; s. a. 3,4

[1] K. Tanji, T. Sakamoto u. H. Yamanaka, Chem. Pharm. Bull. 30, 1865 (1982); viele weitere Beispiele.
[2] L. Cassar, J. Organometal. Chem. 93, 253 (1975).
[3] H. A. Dieck u. F. R. Heck, J. Organometal. Chem. 93, 259 (1975).
[4] K. Sonogashira, Y. Tohda u. N. Hagihara, Tetrahedron Letters 1975, 4467.

Tab. 50 (1. Forts.)

Halogenaromat	1-Alkin	Reaktions-bedingungen	Reaktionsprodukt	Ausbeute [%]	Lite-ratur
H_5C_6-J (Forts.)	$H-C\equiv C-CH_2-OH$	$PdCl_2[P(C_6H_5)_3]_2$, CuJ, $(H_5C_2)_2NH$	$H_5C_6-C\equiv C-CH_2-OH$	80	1
X–C₆H₄–J X=H, OCH₃, NO₂	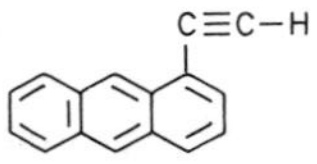 (anthracenyl)–C≡C–H	$PdCl_2$, CuJ	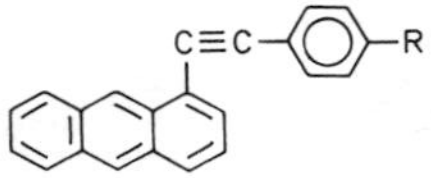 (anthracenyl)–C≡C–C₆H₄–R	71–78	2
X = J	$H-C\equiv C-C_6H_5$	$PdCl_2[P(C_6H_5)_3]_2$, CuJ, $(H_5C_2)_2NH$	 $H_5C_6-C\equiv C-$C₆H₄$-C\equiv C-C_6H_5$	98	1
X = N(CH₃)₂	$H-C\equiv C-C(CH_3)_2-OH$	$Pd[(C_6H_5)_3]_2Cl_2$, CuJ	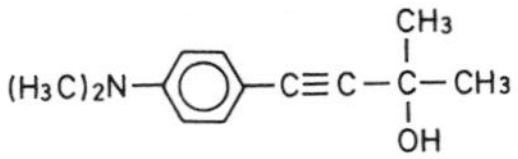 (H₃C)₂N–C₆H₄–C≡C–C(CH₃)₂–OH	87	3
(2-amino-phenyl)–J	$H-C\equiv C-C\equiv C-C(CH_3)_2-OH$	$PdCl_2[P(C_6H_5)_3]_2$, CuJ, $N(C_2H_5)_3$	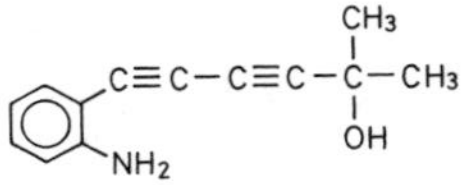 (2-amino-phenyl)–C≡C–C≡C–C(CH₃)₂–OH	68	4
(N-CH₃ indolyl, 2-C≡C–C(CH₃)₂–OH, 3-J)	$H-C\equiv C-C(CH_3)_2-OH$	$PdCl_2[P(C_6H_5)_3]_2$, CuJ, $N(C_2H_5)_3$	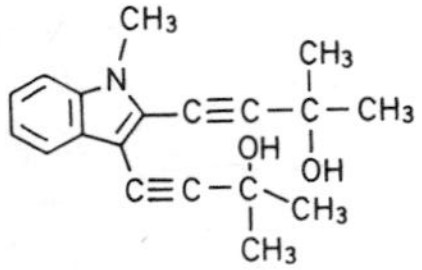 (indolyl mit 2,3-bis[C≡C–C(CH₃)₂–OH])	–	4
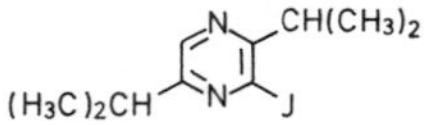 (2,6-J₂-4-CH(CH₃)₂-pyridin)	$H-C\equiv C-R$	$Pd[P(C_6H_5)_3]_4$	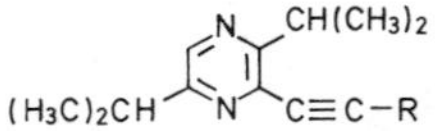 (2,6-bis[C≡C–R]-4-CH(CH₃)₂-pyridin)	–	5

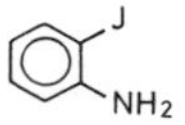

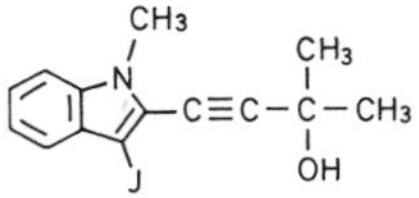

[1] K. Sonogashira, Y. Tohda u. N. Hagihara, Tetrahedron Letters 1975, 4467.

[2] A. A. Moroz, A. V. Piskunov u. M. C. Shvartsberg, Izv. Akad. SSSR 1981, 386; Chem. Inform. 8131 – 186.

[3] M. I. Bardamova et al., Izv. Akad. SSSR 1982, 1184; weitere Beispiele.

[4] M. S. Shvartsberg, S. F. Vasilevskii u. T. A. Prikhodko, Izv. Akad. Nauk SSSR 1982, 2524; Chem. Inform. 8321 – 210.

[5] A. Ohta, Y. Akita u. M. Inoue, Heterocycles 20, 154 (1983).

Tab. 50 (2. Forts.)

Halogenaromat	1-Alkin	Reaktions-bedingungen	Reaktionsprodukt	Ausbeute [%]	Lite-ratur
	H–C≡C–C(CH₃)(OH)–CH₃	PdCl₂[P(C₆H₅)₃]₂, CuJ	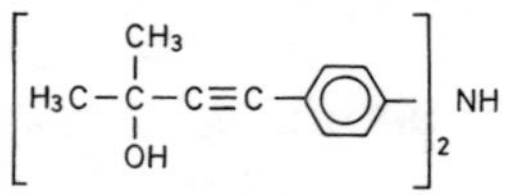	82	1
	H–C≡C–⟨⟩–CH(OC₂H₅)₂	PdCl₂[P(C₆H₅)₃]₂ CuJ		35	2
				42	
	H–C≡C–C₆H₅	PdCl₂, CuJ, (H₅C₂)₂NH, P(C₆H₅)₃	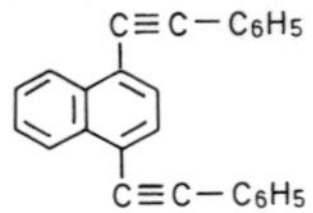	85	3
	2 H–C≡C–C₆H₅	PdCl₂, CuJ, (H₅C₂)₂NH, P(C₆H₅)₃	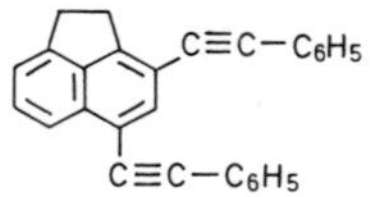	96	3
	2 H–C≡C–C₆H₅	PdCl₂, P(C₆H₅)₃, H₅C₆–N(C₂H₅)₂, Argon, 20°, 5 Stdn.	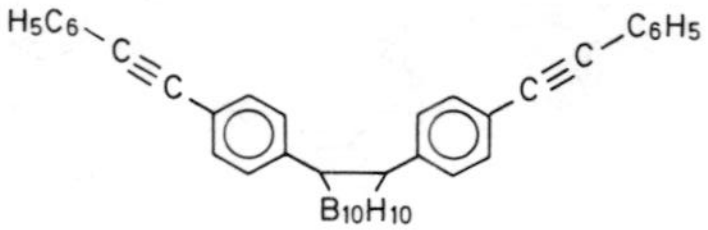	–	4

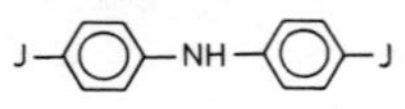

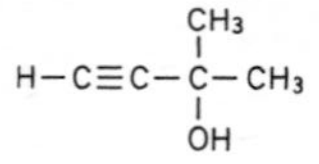

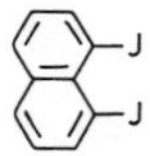

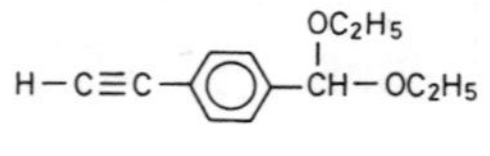

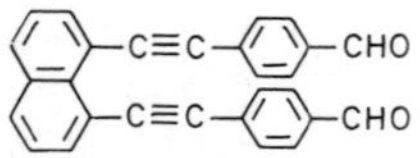

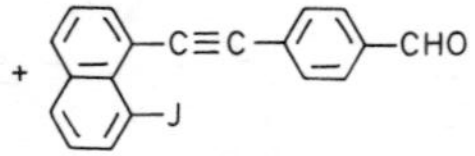

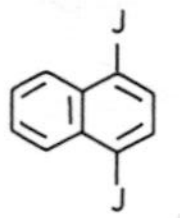

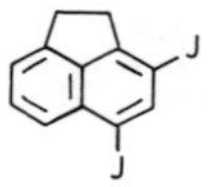

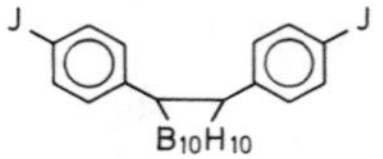

[1] M. I. BARDAMOVA et al., Izv. Akad. SSSR 1982, 1184; weitere Beispiele.
[2] A. KASAHARA, T. IZUMI u. T. KATOU, Chem. Letters 1979, 1373.
[3] A. N. NOVIKOV u. V. K. CHAIKOVSKII, Ž. org. Chim. 16, 157 (1980); engl. 150; Chem. Inform. 8021 – 187.
[4] A. N. NOVIKOV et al., Ž. obšč. Chim. 49, 2121 (1979); engl. 1861; Chem. Inform. 8009 – 270.

Tab. 51: Alkenyl-Alkinyl-Knüpfung von Alkenylhalogeniden mit monosubstituierten Alkinen unter PdL_4 oder $Pd(II)/Cu(I)$-Katalyse

Vinylhalogenid	1-Alkin	Reaktionsbedingungen	Reaktionsprodukt	Ausbeute [%]	Literatur
$H_2C=CH-Br$	$H-C\equiv C-C_6H_5$	$PdCl_2[P(C_6H_5)_3]_2$, CuJ, $(H_5C_2)_2NH$	$H_2C=CH-C\equiv C-C_6H_5$	91	1
$H_2C=C(Br)-CH_3$	$H-C\equiv C-C_6H_5$	$Pd[P(C_6H_5)_3]_3(O-CO-CH_3)_2$, $N(C_2H_5)_3$	$H_2C=C(CH_3)-C\equiv C-C_6H_5$	88	2
$H_5C_6-CH=CH-Br$	$H-C\equiv C-H$	$Pd[P(C_6H_5)_3]_2Cl_2$, CuJ, $(H_5C_2)_2NH$	$H_5C_6-CH=CH-C\equiv C-CH=CH-C_6H_5$	95	1
	$H-C\equiv C-C_6H_5$	$Pd[P(C_6H_5)_3]_2Cl_2$, CuJ, $(H_5C_2)_2NH$	$H_5C_6-CH=CH-C\equiv C-C_6H_5$	90	1, s. a. 3
	$H-C\equiv C-CH_2-OH$	$Pd[P(C_6H_5)_3]_2Cl_2$, CuJ, $(H_5C_2)_2NH$	$H_5C_6-CH=CH-C\equiv C-CH_2OH$	70	1
$(H_5C_6)_2C=CH-Br$	$H-C\equiv C-C_6H_5$	$Pd[P(C_6H_5)_3]_2Cl_2$, CuJ, $(H_5C_2)_2NH$	$(H_5C_6)_2C=CH-C\equiv C-C_6H_5$	99	1
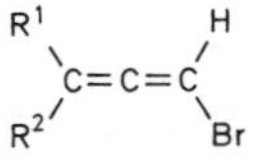 $R^1R^2C=C(H)-Br$	$H-C\equiv C-R^3$	$Pd(C_6H_5)_3]_4$, CuJ,$(H_5C_2)_2NH$	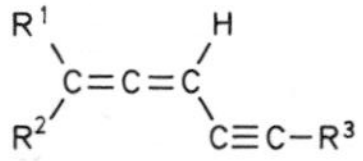 $R^1R^2C=C(H)-C\equiv C-R^3$	70–94	4
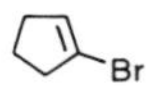 Cyclopentenyl–Br	$H-C\equiv C-C_6H_5$	$Pd[P(C_6H_5)_3]_2Cl_2$, CuJ, $(H_5C_2)_2NH$	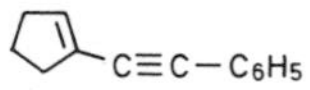 Cyclopentenyl–$C\equiv C-C_6H_5$	95	1
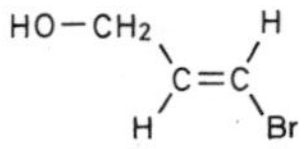 $HO-CH_2-C(H)=C(H)-Br$	$H-C\equiv C-(CH_2)_5-C\equiv C-H$	$Pd[P(C_6H_5)_3]_2Cl_2$, CuJ, $(H_5C_2)_2NH$	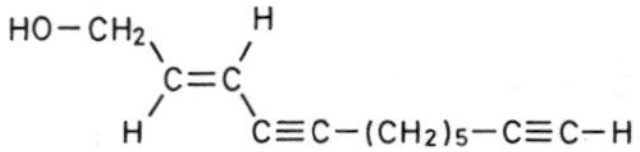 $HO-CH_2-C(H)=C(H)-C\equiv C-(CH_2)_5-C\equiv C-H$	65	5

[1] K. Sonogashira, Y. Tohda u. N. Hagihara, Tetrahedron Letters 1975, 4467.

[2] H. A. Dieck u. R. F. Heck, J. Organometal. Chem. 93, 259 (1975).

[3] L. Cassar, J. Organometal. Chem. 93, 253 (1975).

[4] T. Jeffery-Luong u. G. Linstrumelle, Synthesis 1983, 32; viele Beispiele.

[5] F. Bohlmann u. W. Rotard, A. 1982, 1216.

d) Aryl-Aryl-Knüpfung

Die Reaktion von Benzol, Palladiumchlorid und Natriumacetat in Eisessig ergibt *Biphenyl* (81%). In Abwesenheit von Natriumacetat tritt keine Reaktion auf[1]. Palladiumacetat ist ebenfalls ein gutes Reagens für die Kupplung[2-9].

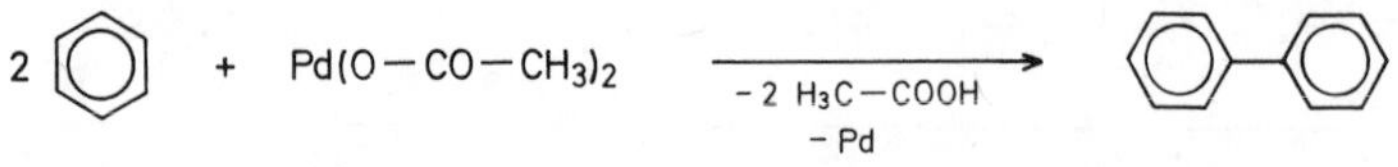

Biphenyl wird in 99%iger Ausbeute bezogen auf Palladium(II) erhalten, wenn äquivalente Mengen Ethen-Komplex des Palladiumchlorids und Silbernitrat verwendet werden[10]. Als Konkurrenzreaktion kann Acetoxylierung auftreten (s. S. 944). Zugabe von Perchlorsäure bei der Kupplung mit Palladiumacetat in Eisessig verringert die Reaktionszeit bei 100° von 16 Stdn. auf 5 Min. und Erniedrigung der Reaktionstemp. eliminiert die Acetoxylierung[11]. Bei der Kupplung von substituierten Arenen erhält man Isomeren-Gemische, beispielsweise mit Toluol und Palladiumacetat in Eisessig in Gegenwart von Perchlorsäure mit folgender Produktverteilung[11]:

		Kupplung von Toluol:					
		2,2'	2,3'	2,4'	3,3'	3,4'	4,4'
50°	90 Min.	0,7	4,6	11,4	6,9	34,2	42,2
100°	60 Min.	0,5	4,8	9,4	9,8	38,2	37,3

Die Kupplungsreaktion verläuft katalytisch unter Sauerstoffdruck[4,5,6,12]. Weitere Kupplungsreaktionen von Aromaten zeigt Tab. 52 (S. 993) (auch intramolekulare Kupplungen).

Oxidative Kupplung von Phthalsäure-dimethylester mit katalytischen Mengen Palladiumacetat unter Sauerstoffdruck[6]:

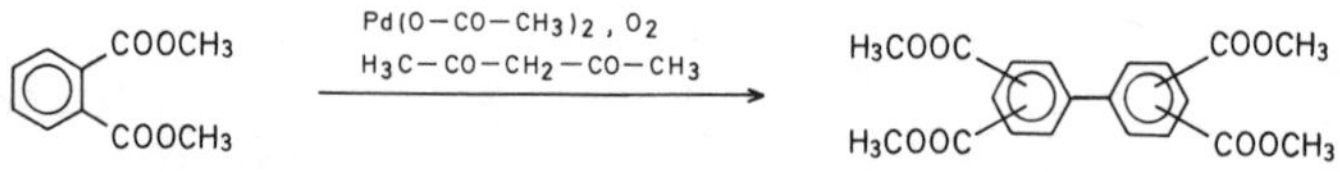

3 kg Phthalsäure-dimethylester, 3,36 g (0,015 mol) Palladiumacetat und 1,5 g (0,015 mol) 2,5-Pentandion werden in einen elektromagnetisch bewegten 5-*l*-Autoklaven mit Probegefäß gegeben. Der Autoklav wird unter 50 kg/cm² Gasdruck (O:N = 1:1) gerührt (500 Umdrehungen pro Min.) und im Ölbad 1 Stde. bei 130–134°, 1 Stde. bei 130–150° und dann 12 Stdn. bei 150° geheizt. Die Temp. des Ölbades muß vorsichtig erhöht werden, da die Reaktion exotherm ist. Während der Reaktion werden Proben für GLC entnommen. Der Autoklav wird auf

[1] R. van Helden u. G. Verberg, R. **84**, 1263 (1965).
[2] Übersichtsartikel: H. W. Krause, R. Selke u. H. Pracejus, Z. **16**, 465 (1976).
[3] R. O. C. Norman et al., Soc. [Perkin I] **1974**, 1289.
[4] R. Nakajima u. T. Hara, Chem. Letters **1972**, 523.
[5] H. Itatani u. H. Yoshimoto, Chem. & Ind. **1971**, 674.
[6] H. Itatani u. H. Yoshimoto, J. Org. Chem. **38**, 76 (1973).
[7] H. Yoshimoto u. H. Itatani, Bl. chem. Soc. Japan **46**, 2490 (1973).
[8] M. Kashima, H. Yoshimoto u. H. Itatani, J. Catalysis **29**, 92 (1973).
[9] H. Itatani u. H. Yamamoto, J. Catalysis **31**, 8 (1973).
[10] Y. Fujiwara et al., Bl. chem. Soc. Japan **43**, 863 (1970).
[11] J. M. Davidson u. C. Triggs, Soc. [A] **1968**, 1324.
[12] J. M. Davidson u. C. Triggs, Chem. & Ind. **1967**, 1361.

20° gebracht, entgast, mit Stickstoff gefüllt (50 kg/cm²) und dann 12 Stdn. stehengelassen. Palladium (1,55 g; 97%) wird abfiltriert und mit Wasser gewaschen. Die vereinigten Filtrate werden am Ölbad konzentriert (3 Torr, 200°). Dabei geht Wasser und Ausgangsprodukt über. Der Rückstand enthält das Rohprodukt (594 g), das weiter durch Destillation und Umkristallisieren aus Methanol mit Aktivkohle gereinigt werden kann.

Tab. 52: Kupplungsreaktionen von Arenen

Ausgangs-produkte	Reaktions-bedingungen	Reaktions-produkte	Ausbeute [%]	Lite-ratur
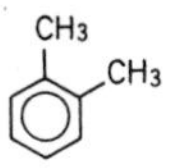	Pd(O–CO–CH₃)₂ oder PdCl₂, H₃C–COONa, H₃C–COOH	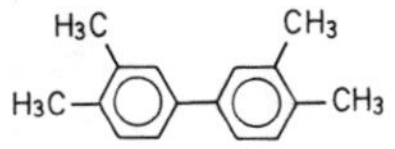	65	1,2
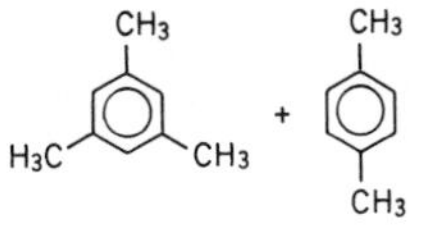	Pd(O–CO–CH₃)₂, F₃C–COOH	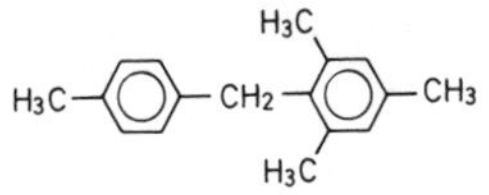	28	3
		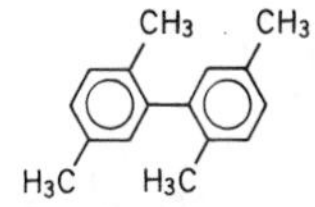	35	
(H₃C)₂N–C₆H₅	Pd(O–CO–CH₃)₂, H₃C–COOH, 80°	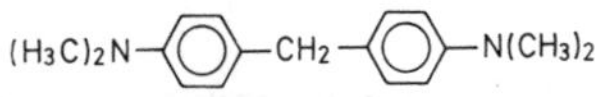	72	4
		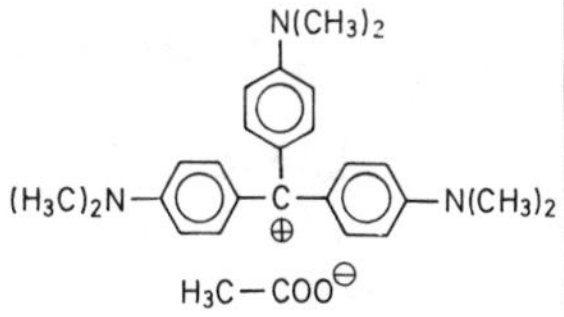	17	
H₅C₆–X–C₆H₅ X=O,NH,NR,CO	Pd(O–CO–CH₃)₂, H₃C–COOH	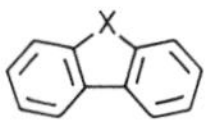	60–90	5, 6
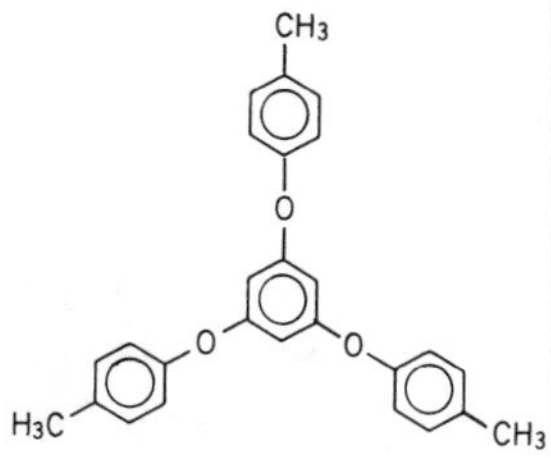	Pd(O–CO–CH₃)₂, H₃C–COOH	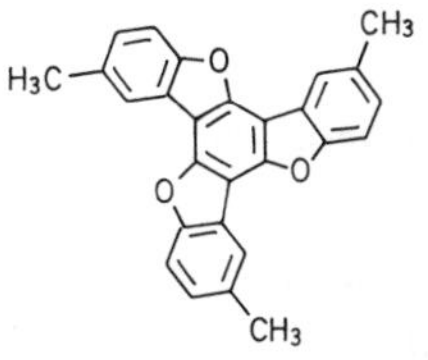	11	7
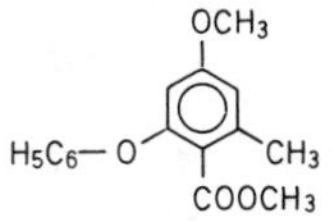	Pd(O–CO–CH₃)₂, H₃C–COOH, △	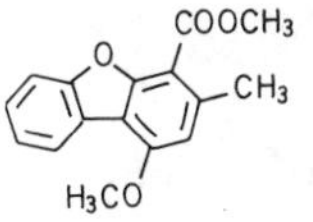		8

[1] H. ITATANI, J. Japan Petrol Inst. **15**, 91 (1972).
[2] R. VAN HELDEN u. G. VERBERG, R. **84**, 1263 (1965).
[3] R. O. C. NORMAN et al., Soc. [Perkin I] **1974**, 1289; Mechanismus über π-Allyl-Komplexe.
[4] T. SAKAKIBARA, Y. DOGOMORI u. Y. TSUZUKI, Bl. chem. Soc. Japan **52**, 3592 (1979).
[5] B. ÅKERMARK et al., J. Org. Chem. **40**, 1365 (1975).
[6] A. SHIOTANI u. H. ITATANI, Soc. [Perkin I] **1976**, 1236 (nur X: O).
[7] J. BERGMAN u. B. EGESTAD, Tetrahedron Letters **1978**, 3143.
[8] M. V. SARGENT u. P. O. STRANSKY, Soc. [Perkin I] **1982**, 1605.

Tab. 52 (Forts.)

Ausgangs-produkte	Reaktions-bedingungen	Reaktions-produkte	Ausbeute [%]	Lite-ratur
[Thiophen structure]	PdCl$_2$ oder Pd(O–CO–CH$_3$)$_2$ mit Cu(II) auf Al$_2$O$_3$, C, SiO$_2$	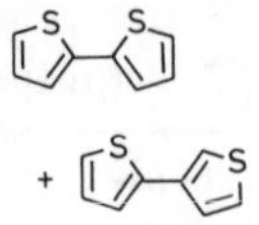 [bithiophene structure]	–	1, 2
		+ [bithiophene structure]	–	
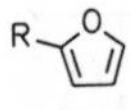 R–[furan]–O R: H>CH$_3$>CHO>COOCH$_3$ >COOC$_2$H$_5$>CH(OCOCH$_3$)$_2$ >COOH (Reaktivität)	Pd(O–CO–CH$_3$)$_2$, 90–130°	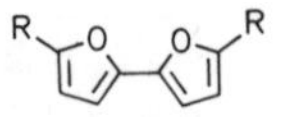 R–[bifuran]–R	–	3
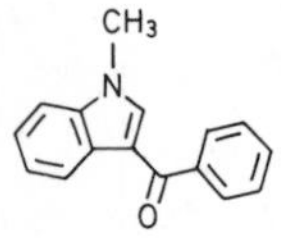 CH$_3$ [indole-benzoyl structure]	Pd(OCOCH$_3$)$_2$, H$_3$C–COOH, N$_2$	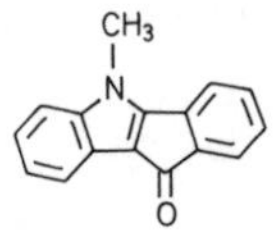 CH$_3$ [fused ring structure]	60	4

IV. σ→π-Umlagerungen

a) σ-Allyl→π-Allyl-Umlagerungen und andere durch Reaktionen am Metall induzierte σ→π-Umlagerungen

σ→π-Umlagerungen können durch Reaktionen am Metall oder durch Reaktionen am Liganden induziert werden. Typische am Metall induzierte σ→π-Umlagerungen sind die Umwandlungen von σ-Allyl- in π-Allyl-palladium-Verbindungen, die meist thermisch bewirkt werden. Reaktionen dieser Art bilden häufig reversible Gleichgewichte aus. Sie sind deshalb ausführlich im Kapitel „Alkyl-palladium-Verbindungen durch Addition von Nucleophilen an η³-Allyl-palladium-Verbindungen (π-Allyl→σ-Allyl-Umlagerungen)" beschrieben (s.S. 744ff.).

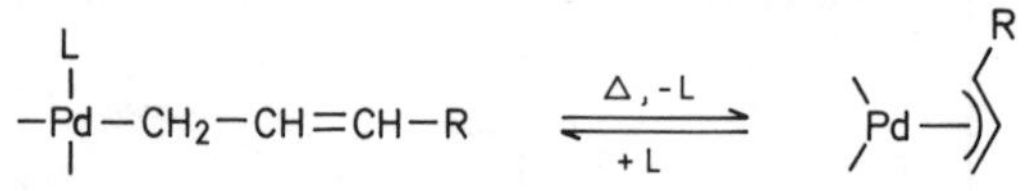

$$-\overset{\underset{|}{L}}{\underset{|}{Pd}}-CH_2-CH=CH-R \quad \underset{+L}{\overset{\Delta,-L}{\rightleftharpoons}} \quad \overset{R}{Pd} - $$

Intramolekulare, simultan ablaufende π-σ- und σ-π-Umlagerungen von zwei organischen Liganden, die nicht der Gegenwart einer Lewis-Base L bedürfen, findet man bei einigen (Cyclopentadienyl)-(2-methyl-allyl)-(tert.-phosphan)-palladium-Verbindungen[5,6],

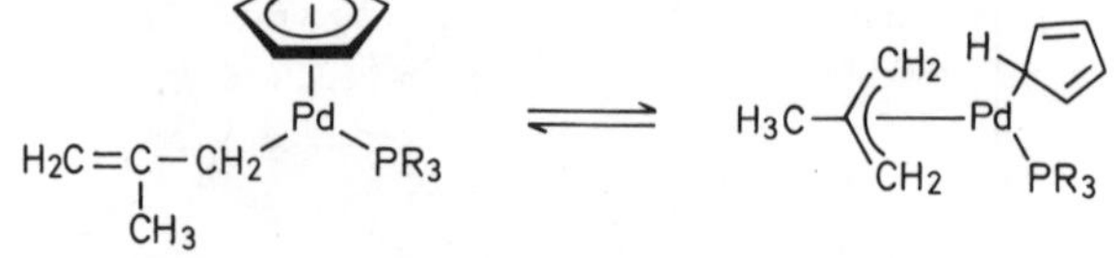

$$H_2C=C-CH_2 \overset{[Cp]}{\underset{CH_3}{Pd}} PR_3 \quad \rightleftharpoons \quad H_3C \overset{CH_2}{\underset{CH_2}{\Big(}}-Pd \overset{H}{\underset{PR_3}{[Cp]}}$$

R = CH(CH$_3$)$_2$, C$_6$H$_{11}$ 40–90%

[1] A.M. Osipov, L.P. Metlova u. T.I. Emelyanova, Ukr. chim. Ž. **1978**, 660; C.A. **89**, 90151 (1978).
[2] E.S. Rudakov u. V.M. Ignatenko, Doklady Akad. SSSR **1978**, 148; C.A. **89**, 128754 (1978).
[3] I.V. Kozhevnikov, React. Kinet. Catal. Lett. **5**, 415 (1976); C.A. **86**, 120465 (1977).
[4] T. Itahara u. T. Sakakibara, Synthesis **1978**, 607.
[5] H. Werner, A. Kühn u. C. Burschka, B. **113**, 2291 (1980).
[6] H. Werner u. A. Kühn, Ang. Ch. **91**, 447 (1979).

sowie bei (σ-Cyclopentadienyl)-(η-cyclopentadienyl)-tert.-phosphan-palladium[1]:

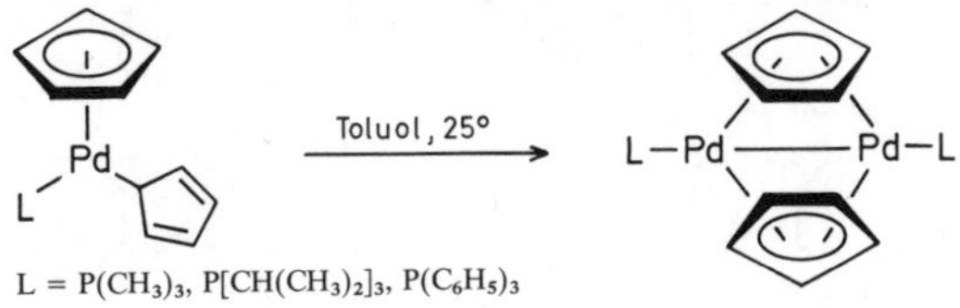

L = P(CH₃)₃, P[CH(CH₃)₂]₃, P(C₆H₅)₃

Die Reaktion von (S)-(–)-*trans*-Chlor-(η¹-α-deuterio-benzyl)-bis-[triethylphosphan]-palladium mit Natrium-tetraphenylborat liefert *(S)-(+)-(η³-α-deuterio-benzyl)-bis-[triethylphosphan]-palladium-tetraphenylborat* (79%), das in Lösung stabil ist und seine optische Aktivität behält. Bei Einwirkung von Lithiumchlorid im Überschuß wird die Ausgangsverbindung mit 44% Retention der Konfiguration am Benzyl-C-Atom erhalten[2]:

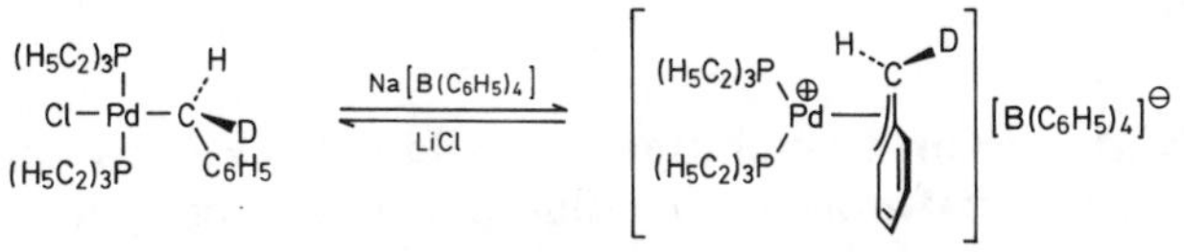

Einkernkomplexe mit über das terminale C-Atom gebundenem 2,4-Dioxo-pentan bzw. 3-Oxo-butansäure-ethylester reagieren mit 2,4-Pentandionato-thallium zu η³-β-Diketonato(2-)-palladium-Verbindungen[3]:

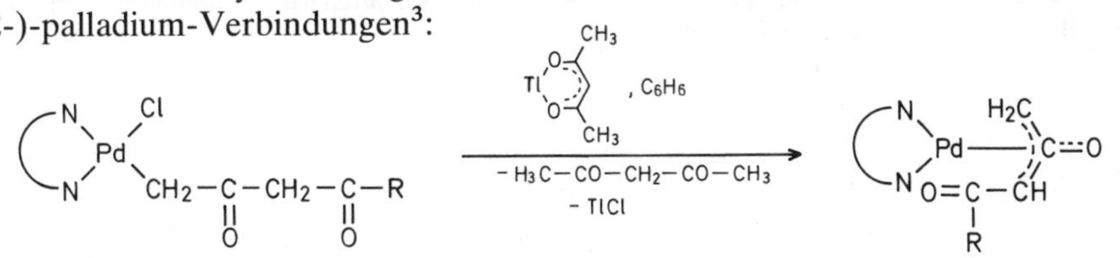

R = CH₃, OC₂H₅

67–99%

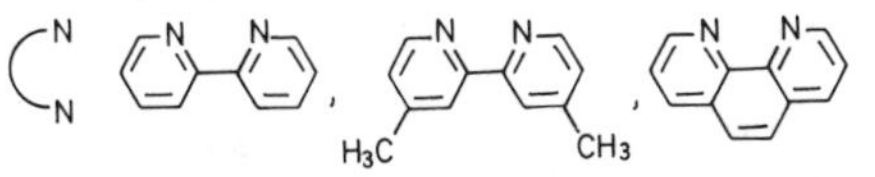

[σ,π-2-(Pentamethylcyclopentadienyl)-2-phenyl-ethyl]-palladium-Verbindungen lagern sich in Chloroform-Lösungen bei 25° zu (η³-1,2,3,4,5-Pentamethyl-6-*endo*- und -6-*exo*-phenyl-4-dehydro-bicyclo[3.2.0]hept-2-en)-palladium-Verbindungen um. Die Bildung der C–C-Bindung im Cyclobutan-Ring ist reversibel[4–6]:

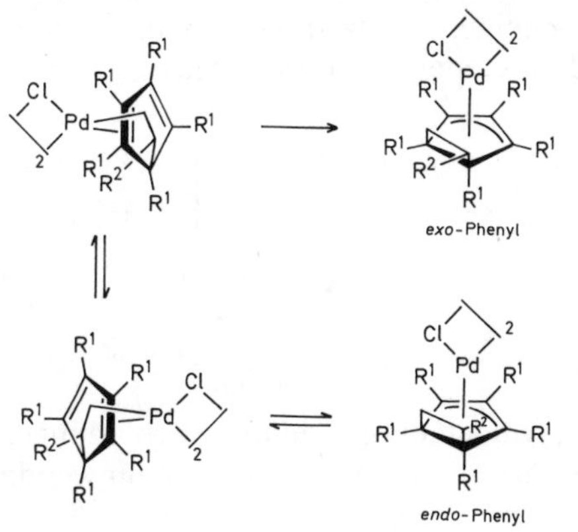

R¹ = CH₃; R² = C₆H₅

[1] H. Werner u. H. J. Kraus, Ang. Ch. **91**, 1013 (1979).
[2] Y. Becker u. J. K. Stille, Am. Soc. **100**, 845 (1978).
[3] N. Yanase, Y. Nakamura u. S. Kawaguchi, Inorg. Chem. **19**, 1575 (1980).
[4] D. J. Mabbott u. P. M. Maitlis, Soc. [Dalton] **1977**, 254.
[5] D. J. Mabbott, P. M. Bailey u. P. M. Maitlis, Chem. Commun. **1975**, 521.
[6] P. M. Maitlis et al., Am. Soc. **95**, 4914 (1973).

Auch Umwandlungen von σ,π-gebundenen Cyclooctenyl-palladium-Verbindungen in π-Allyl-palladium-Verbindungen sind bekannt[1]:

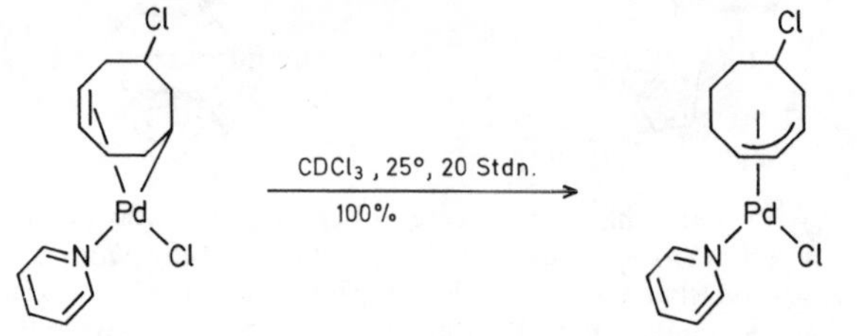

b) Bildung von Cyclobutadien-palladium-Verbindungen aus σ,π-Butadienyl-palladium-Verbindungen

4-Chlor-σ,π-butadienyl-palladium-Verbindungen können über eine erlaubte konrotatorische Cyclisierung intermediär einen instabilen σ-Cyclobutenyl-Komplex geben, der sich durch trans-Eliminierung von Chlorid-Ion zum Cyclobutadien-palladium-Komplex stabilisiert[2,3,4]:

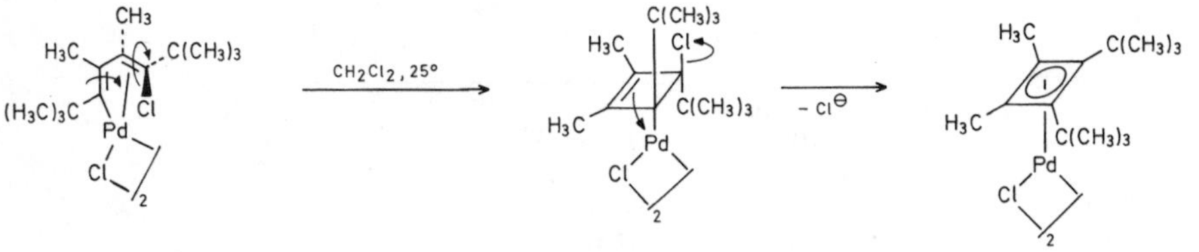

c) durch Hydrid-Abstraktion oder Protonierung

Der zweite Reaktionstyp, die durch Reaktionen am Liganden induzierte σ→π-Umlagerung, kann durch Hydrid-Abstraktion oder Protonierung bewirkt werden. Die Abstraktion von Hydrid-Ionen aus σ-gebundenen Alkyl-palladium-Verbindungen wird bevorzugt in Dichlormethan mit Triphenylmethyl-tetrafluoroborat unter Stickstoff vorgenommen. So erhält man aus Palladiocyclopentanen η^3-3-Dehydro-2-buten-palladium-Verbindungen[5,6]:

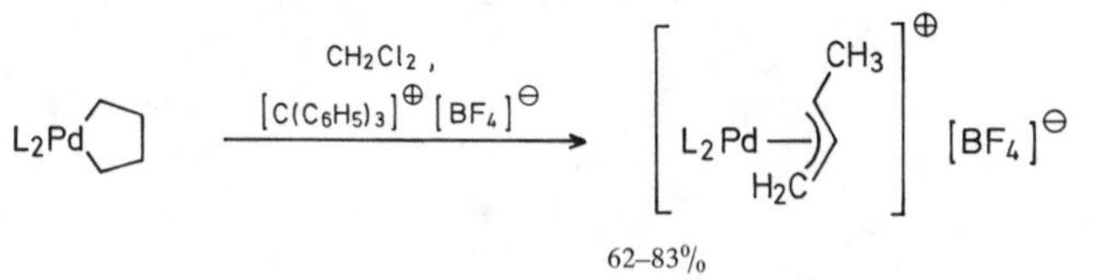

62–83%

$L_2 = (H_5C_6)_2P\text{–}CH_2\text{–}CH_2\text{–}P(C_6H_5)_2$, 2 $P(C_6H_5)_3$,

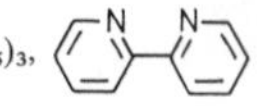

Analog lassen sich σ,π-Cyclooctenyl-palladium-Verbindungen mit Triphenylmethyl-tetrafluorborat oder Fluorborsäure in die π-Komplexe umwandeln[7].

[1] G. Albelo, G. Wiger u. M.F. Rettig, Am. Soc. **97**, 4510 (1975).
[2] E.A. Kelley, P.M. Bailey u. P.M. Maitlis, Chem. Commun. **1977**, 289.
[3] E.A. Kelley u. P.M. Maitlis, Soc. [Dalton] **1979**, 167.
[4] E.A. Kelley, G.A. Wright u. P.M. Maitlis, Soc. [Dalton] **1979**, 178.
[5] P. Diversi, G. Ingrosso u. A. Lucherini, Chem. Commun. **1978**, 735.
[6] P. Diversi et al., Soc. [Dalton] **1980**, 1633.
[7] B.F.G. Johnson, J. Lewis u. D.A. White, Soc. [A] **1970**, 1738.

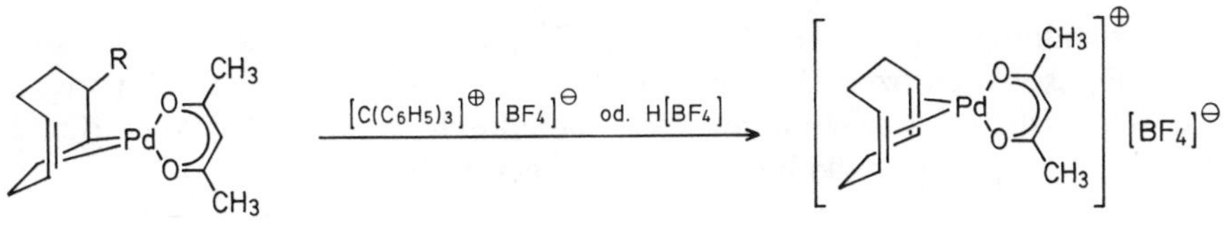

R = CH(CO–CH₃)₂, OH, OCH₃

Der im festen Zustand stabile σ-Allyl-palladium-Komplex Di-μ-chloro-bis-[2,3-η²-2,5-cyclooctadienyl]-dipalladium reagiert mit Elektrophilen wie Chlorwasserstoff und Acetylchlorid nach einem $S_E'2'$-Mechanismus zu den π-Komplexen[1]:

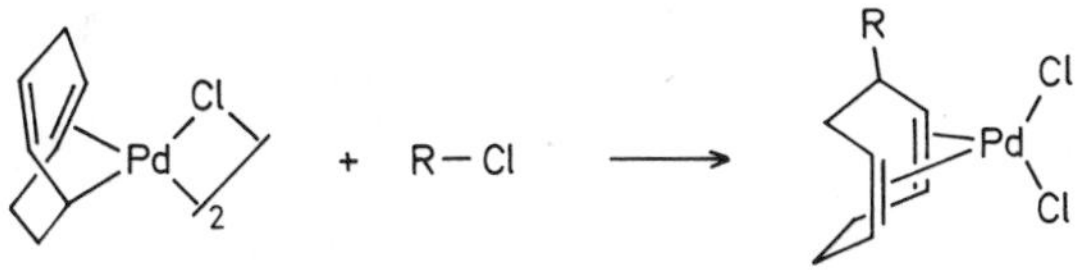

R = H, CO–CH₃

Die Protonierung von (2-Benzylamino-5-cyclooctenyl)-chloro-palladium mit Chlorwasserstoff-Gas in Dichlormethan führt quantitativ zum π-Komplex[2].

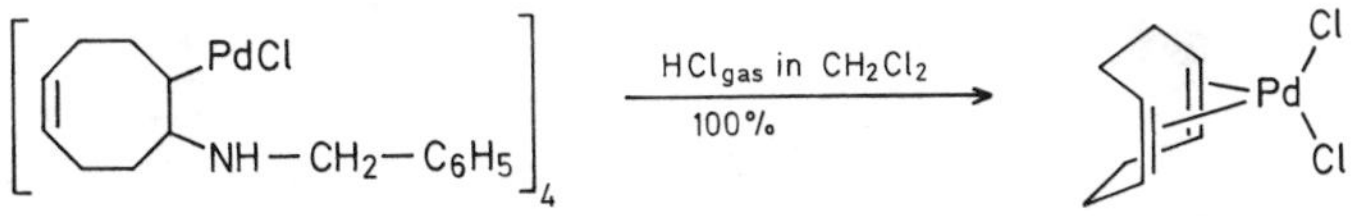

d) durch Spaltung der ursprünglichen σ-Bindung und Einführung eines neuen π-gebundenen Liganden

Über eine Insertion von Kohlenmonoxid in die σ-C-Pd-Bindung und anschließende Umlagerung erhält man aus Di-μ-chloro-bis- [σ,π-2-(pentamethylcyclopentadienyl)-2-phenyl-ethyl]-dipalladium π-Komplexe[3,4]:

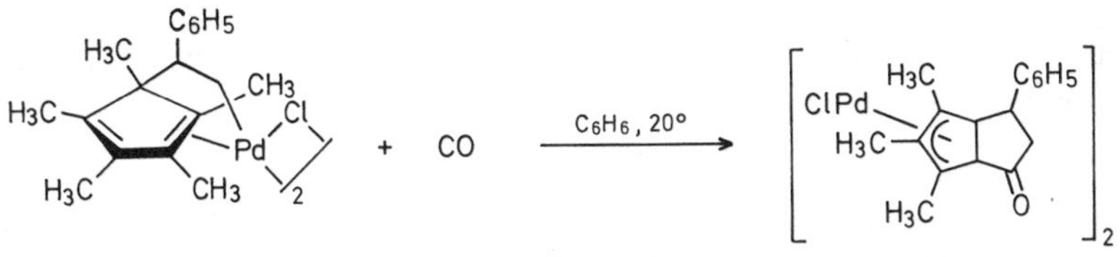

R = CH₃   C₆H₅ = exo und endo

Ähnlich verläuft die Reaktion der 4-Chlor-σ-butadienyl-palladium-Verbindung mit Kohlenmonoxid[5]:

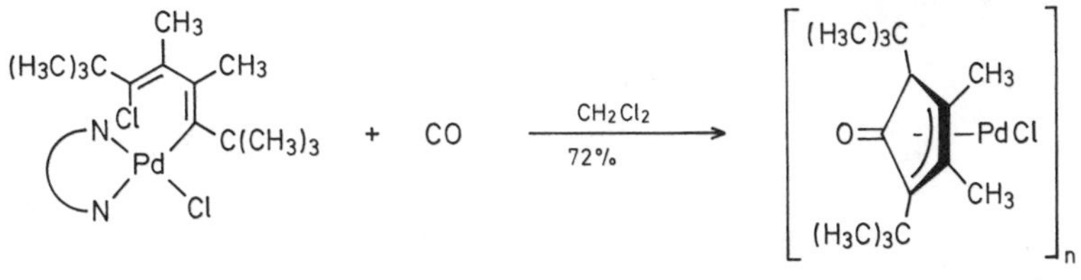

---

[1] J. LEVISALLES et al., Chem. Commun. **1974**, 505.
[2] C. AGAMI, J. LEVISALLES u. F. ROSE-MUNCH, J. Organometal. Chem. **65**, 401 (1974).
[3] T. HOSOKAWA u. P.M. MAITLIS, Am. Soc. **94**, 3238 (1972).
[4] T. HOSOKAWA u. P.M. MAITLIS, Am. Soc. **95**, 4924 (1973).
[5] E.A. KELLEY, G.A. WRIGHT u. P.M. MAITLIS, Soc. [Dalton] **1979**, 178.

Durch Behandlung der dimeren Palladium-Komplexe (I) mit Silber-hexafluorophosphat und Diphosphanen bzw. Diarsanen bilden sich in situ kationische Hydrido-palladium-Komplexe, die bei Reaktion mit Diolefinen durch Addition der Pd-H-Bindung an eine Doppelbindung Allyl-palladium-Verbindungen liefern[1].

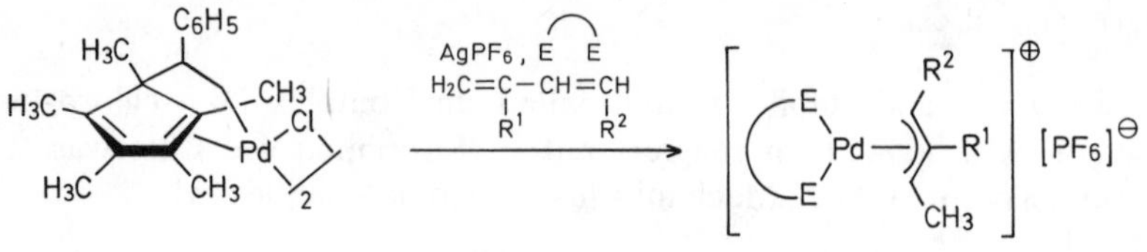

R = CH₃(I)

R¹ = R² = H, CH₃
E͡E: (H₅C₆)₂P–CH₂–CH₂–P(C₆H₅)₂,
(H₅C₆)₂As–CH₂–CH₂–As(C₆H₅)₂

50–72%

Die Reaktion von Norbornenyl-palladium-Verbindungen mit verschiedenen Alkenen ergibt über eine Insertion des 1,2-Diens in die σ-Nortricyclenyl-palladium-Bindung π-Allyl-palladium-Derivate[2].

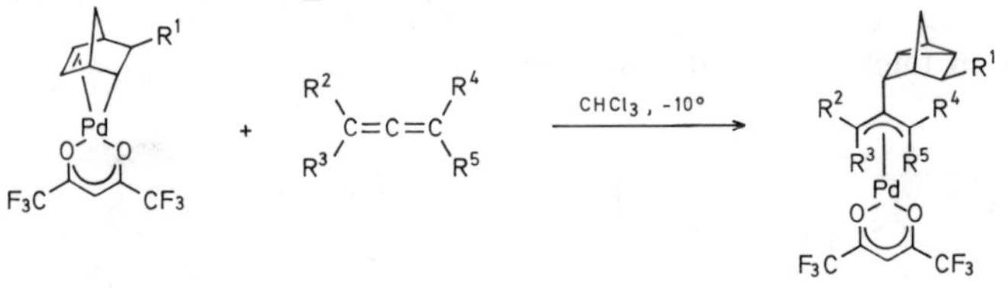

R¹ = OCOCH₂, OCH₃

88–92%

e) Iminoacyl→Carben-Umlagerung

Protonierungen von Iminoacyl-palladium-Verbindungen führen in hoher Ausbeute zu Carben-Komplexen. Einige Beispiele sind in Tab. 53 (S. 999) zusammengestellt.

Die Umsetzung der Imine von 1,2-Dioxo-alkyl-palladium-Verbindungen mit Übergangsmetallhalogeniden in Dichlormethan/Ethanol (10:1) führt zu chelatisierten Carben-palladium-Verbindungen[3]:

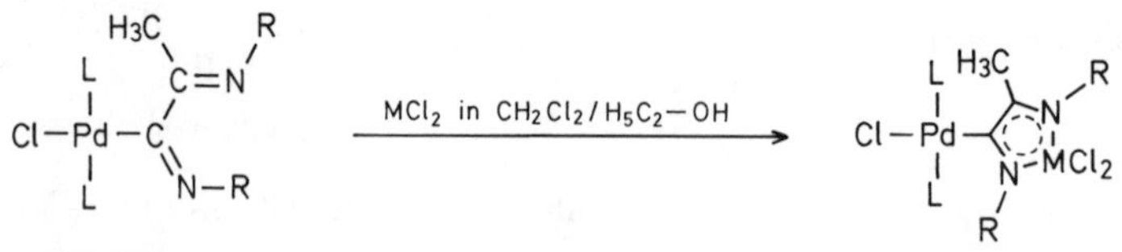

M = Fe,Co,Ni,Cu,Zn
L = P(C₆H₅)₃
R = 4-OCH₃–C₆H₄

70–80%

[1] D.J. MABBOTT u. P.M. MAITLIS, Soc. [Dalton] **1976**, 2156; viele weitere Beispiele auch mit cyclischen Diolefinen.
[2] E. BAN, R.P. HUGHES u. J. POWELL, J. Organometal. Chem. **69**, 455 (1974).
[3] B. CROCIANI, M. NICOLINI u. R.L. RICHARDS, J. Organometal. Chem. **113**, C22 (1976).

Tab. 53: Iminoacyl→Carben-Umlagerungen

Iminoacyl-palladium-Verbindung	Reaktions-bedingungen	Carben-palladium-Verbindung	Ausbeute [%]	Lite-ratur
$(H_5C_6)_3P$, Cl, Pd, $H_5C_6-N=C$, C_6H_5 (/2)	HCl	$(H_5C_6)_3P$, Cl, H_5C_6-NH, Pd, Cl, C, C_6H_5	–	1
Cl, $C\equiv N-R^2$, Pd, CH_3 (/2), C, N, R^1 $\quad$ $R^1 = 4\text{-}OCH_3\text{-}C_6H_4$ $\quad$ $R^2 = C_6H_{11}, C(CH_3)_3$	HCl, C_6H_6	Cl, $C\equiv N-R^2$, Pd, CH_3, Cl, C, $NH-R^1$	50–60	2
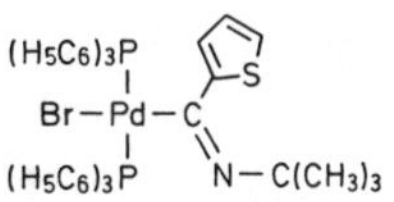 $(H_5C_6)_3P$, S, $Br-Pd-C$, $(H_5C_6)_3P$, $N-C(CH_3)_3$	$HClO_4$, H_3C-OH	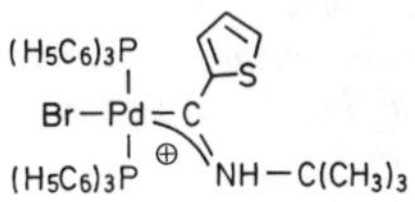 $(H_5C_6)_3P$, S, $Br-Pd=C$, $(H_5C_6)_3P^{\oplus}$, $NH-C(CH_3)_3$, $ClO_4^{\ominus}$	–	3
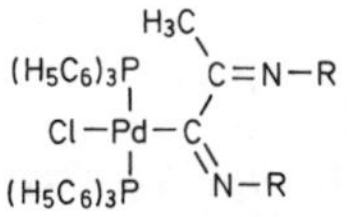 H_3C, $(H_5C_6)_3P$, $C=N-R$, $Cl-Pd-C$, $(H_5C_6)_3P$, $N-R$ $\quad R = C_6H_{11}, 4\text{-}OCH_3\text{-}C_6H_4$	$H^{\oplus}, H_2O$, CH_2Cl_2	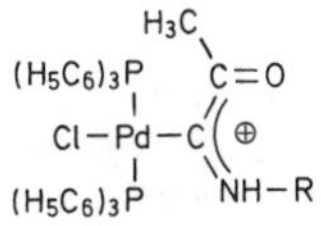 H_3C, $(H_5C_6)_3P$, $C=O$, $Cl-Pd-C^{\oplus}$, $(H_5C_6)_3P$, $NH-R$	60–70	4
$R = 4\text{-}OCH_3\text{-}C_6H_4$	$HClO_4$, H_3C-OH	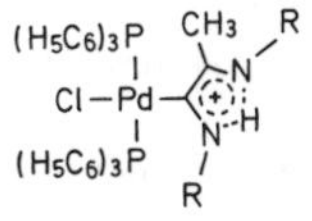 $(H_5C_6)_3P$, CH_3, R, N, $Cl-Pd$, N, H, $(H_5C_6)_3P$, R	90	5

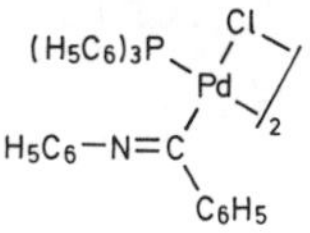

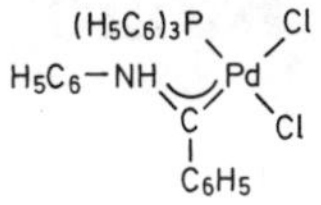

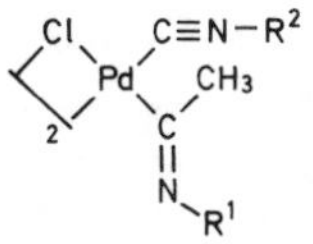

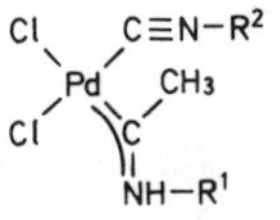

1 B. CROCIANI, M. NICOLINI u. T. BOSCHI, J. Organometal. Chem. **33**, C81 (1971).
2 B. CROCIANI u. R.L. RICHARDS, J. Organometal. Chem. **154**, 65 (1978).
3 A. MANTOVANI, L. CALLIGARO u. A. PASQUETTO, Inorg. Chim. Acta **76**, L 145 (1983).
4 B. CROCIANI, Inorg. Chim. Acta **23**, L 1 (1977).
5 B. CROCIANI, M. NICOLINI u. R.L. RICHARDS, J. Organometal. Chem. **104**, 259 (1976).

Bibliographie

A. Organo-kobalt-Verbindungen

I. Allgemeine Übersichtsreferate

E. KRAUSE u. A. v. GROSSE, *Die Chemie der metall-organischen Verbindungen*, Verlag Bornträger, Berlin, 1937.

G. E. COATES, *Organometallic Compounds*, 2. Aufl., Methuen & Co., London, John Wiley, New York 1960.

D. SEYFERTH u. R. B. KING, *Annual Surveys of Organometallic Chemistry*, Covering the Year 1964, Bd. 1, 268 (1965).

M. DUB, *Compounds of Transition Metals, Covering the Literature from 1937 to 1964, Organometallic Compounds*, Bd. 1, Springer-Verlag, Berlin · Heidelberg · New York 1966.

R. B. KING, *Annual Surveys of Organometallic Chemistry, Covering the Year 1966*, Bd. 3, 377 (1966).

D. SEYFERTH u. R. B. KING, *Annual Surveys of Organometallic Chemistry*, Covering the Year 1965, Bd. 2, 337 (1966).

R. B. KING, *Annual Surveys Covering the Year 1967*, Organometal. Chem. Rev. B. **4**, 107 (1968).

J. W. KANG u. P. M. MAITLIS, *Annual Surveys Covering the Year 1968*, Organometal. Chem. Rev. B. **5**, 656 (1969).

R. B. KING, *Transition-Metal Organometallic Chemistry*, Academic Press, New York · London 1969.

M. GREEN, *Annual Surveys Covering the Year 1969*, Organometal. Chem. Rev. B. **6**, 759 (1970).

M. GREEN u. T. A. KUC, *Annual Surveys Covering the Year 1970*, Organometal. Chem. Rev. B. **10**, 173 (1972).

M. I. BRUCE, *Übersicht der Organo-kobalt-Verbindungen von 1950–1970*, Adv. Organometallic Chem. **10**, 273 (1973).

M. I. BRUCE, *Annual Surveys Covering the Year 1971*, Adv. Organometallic Chem. **11**, 447 (1973).

M. GREEN u. T. A. KUC, *Annual Surveys Covering the Year 1971*, J. Organometal. Chem. **53**, 285 (1973).

M. GREEN u. B. LEWIS, *Annual Surveys Covering the Year 1972*, J. Organometal. Chem. **79**, 305 (1974).

M. E. HOWDEN u. R. D. W. KEMMITT, *Annual Survey Covering the Year 1974*, J. Organometal. Chem. **115**, 327 (1976).

E. R. HAMNER, R. D. W. KEMMITT u. N. S. SRIDHARA, *Annual Survey Covering the Year 1975*, J. Organometal. Chem. **138**, 229 (1977).

E. R. HAMNER, R. D. W. KEMMITT u. N. S. SRIDHARA, *Annual Surveys Covering the Year 1976*, J. Organometal. Chem. **167**, 135 (1979).

R. D. W. KEMMITT, *Annual Surveys Covering the Year 1977*, J. Organometal. Chem. **176**, 339 (1979).

R. D. W. KEMMITT, *Annual Surveys Covering the Year 1978*, J. Organometal. Chem. **211**, 279 (1981).

R. D. W. KEMMITT u. D. R. RUSSELL, *Annual Surveys Covering the Year 1978*, J. Organometal. Chem. **230**, 1 (1982).

R. D. W. KEMMITT u. D. R. RUSSELL, in: G. WILKINSON, F. G. A. STONE u. E. W. ABEL, *Comprehensive Organometallic Chemistry*, Bd. **5**, 1, Pergamon Press, Oxford · New York · Toronto · Sydney · Paris · Frankfurt 1982.

II. Spezielle Übersichtsreferate

J. H. HARWOOD, *Industrial Applications of the Organometallic Compounds*, S. 378, Chapman and Hall, London 1963.

M. L. H. GREEN u. P. L. I. NAGY, *Alkyl Metal Complexes*, Adv. Organometallic Chem. **2**, 326 (1964).

R. B. KING, *Reactions of Alkali Metal Derivatives of Metal Carbonyls and Related Compounds*, Adv. Organometallic Chem., Bd. II, S. 157 (1964).

M. L. H. GREEN u. D. J. JONES, *Hydride Complexes of Transition Metalls*, Adv. Inorg. Chem. **7**, 167 ff. (1965).

R. F. HECK, in R. F. GOULD, *Insertion Reactions of Metal Complexes, Mechanisms of Inorganic Reactions*, Am. Soc. Publ., 1965.

R. F. HECK, *Synthesis and Reactions of Alkylcobalt and Acylcobalt Tetracarbonyls*, Adv. Organometallic Chem. **4**, 243 (1966).

C. W. BIRD, *Transition Metal Intermediates in Organic Synthesis*, Logos Press, Academic Press, London 1967.

M. R. Churchill u. R. Mason, *The Structural Chemistry of Organo-Transition Metal Complexes: Some Recent Developments*, Adv. Organometallic Chem. **5**, 125 (1967).

J. Kwiatek, *Reaktionen von Pentacyanokobalt(II) mit organischen Verbindungen*, Catalysis **1**, 37 (1967).

M. F. Lappert u. B. Prokai, *Insertion Reactions of Compounds of Metals and Metalloids Involving Unsaturated Substrates*, Adv. Organometallic Chem. **5**, 225 (1967).

F. Basolo u. R. G. Pearson, *Mechanisms of Inorganic Reactions, a Study of Metal Complexes in Solution*, S. 526ff., John Wiley, New York · London · Sydney 1967.

F. L. Bowden u. A. B. P. Lever, *The Transition Metal Chemistry of Acetylenes*, Organometal. Chem. Rev. **3**, 227 (1968).

J. P. Candlin, K. A. Taylor u. D. T. Thompson, *Reactions of Transition-Metal Complexes*, Elsevier Publishing Company, Amsterdam · London · New York 1968.

A. J. Chalk u. J. F. Harrod, *Catalysis by Cobalt Carbonyls*, Adv. Organometallic Chem. **6**, 120 (1968).

J. P. Collman, *Patterns of Organometallic Reactions to Homogeneous Catalysis*, Accounts Chem. Research **1**, 136 (1968).

J. P. Collman u. W. R. Roper, *Oxidative-Addition Reactions of d⁸ Complexes*, Adv. Organometallic Chem. **7**, 53 (1968).

R. F. Heck, *Organic Syntheses via Alkyl- and Acylcobalt Tetracarbonyls*, 373, in I. Wender u. P. Pino, *Organic Syntheses via Metal Carbonyl*, Bd. 1, Interscience Publishers, New York · London · Sydney 1968.

G. N. Schrauzer, *Cobaloxime*, Acc. Chem. Res. **1**, 97 (1968).

G. W. Parshall u. J. J. Mrowca, *σ-Alkyl- and -Aryl-Derivatives of Transition Metals*, Adv. Organometallic Chem. **7**, 157 (1968).

J. Tsuji u. K. Ohno, *Decarbonylation Reactions Using Transition Metal Compounds*, Synthesis **1969**, 157.

J. P. Candlin, K. A. Taylor u. D. T. Thompson, *Homogeneous Catalysis in Industry*, Industrie Chimique belge, Bd. 35 (12), S. 1085 (1970).

J. Falbe, *Monoxide in Organic Synthesis*, Springer Verlag, Berlin · Heidelberg · New York 1970.

G. Palyi, F. Piacenti u. L. Marko, *Methinyltricobalt Enneacarbonyl Compounds-Preparation, Structure and Properties*, Inorg. Chim. Acta Rev. **4**, 109 (1970).

G. W. Parshall, *Intramolecular Aromatic Substitution in Transition Metal Complexes*, Accounts Chem. Research **3**, 139 (1970).

J. Grobe, *Metallcarbonyle*, Chemie in unserer Zeit **2**, 50 (1971).

M. Ryang u. Sh. Tsutsumi, *Organic Syntheses by Means of Transition Metal Complexes*, Synthesis **1971**, 55.

C. B. Tolman, *Role of Transition Metal Hydrides in Homogeneous Catalysis*, S. 271, in E. L. Muetterties, *Transition Metal Hydrides*, Marcel Dekker, New York 1971.

R. J. Angelici, *Carbamoyl and Alkoxycarbonyl Complexes of Transition Metals*, Acc. Chem. Res. **5**, 335 (1972).

M. I. Bruce, *Organo-Transition Metal Chemistry – A Guide to the Literature 1950–1970*, Adv. Organometal. Chem. **10**, 273 (1972).

A. J. Carty, *Organometallic Complexes from Organonitrogen Derivatives Containing N-N Bonds*, Organometal. Chem. Rev. A **7**, 191 (1972).

G. Costa, *The Effect of the Nature of Ligands on the Reactivity of the Metal-Carbon Bond in Cobalt Chelates*, Pure Appl. Chem. **30**, 335 (1972).

A. J. Deeming, *Oxidative Addition*, S. 117, *Reaction Mechanisms in Inorganic Chemistry*, Bd. 9, MTP International Review of Science, Butterworths, London 1972.

J. Füssel, R. Gagarin, U. Krüerke, A. Slawisch u. H. M. Sauer, *Kobalt-organische Verbindungen*, Teil I, *Einkernige Verbindungen*, in: Gmelin 8. Aufl., Verlag Chemie, Weinheim/Bergstr., 1973.

M. L. H. Green, *Oxidative-Addition and Related Reactions*, 431, in: E. W. Abel u. F. G. A. Stone, *Organometallic Chem.* **1**, Chemical Society, London 1972.

M. Hancock, M. N. Levy u. M. Tsutsui, *σ–π Rearrangements of Organotransition Metals*, in E. I. Becker u. M. Tsutsui, *Organometallic Reactions*, Bd. IV, S. 1, Wiley-Interscience, New York 1972.

R. D. Johnston, *Carbonyl and other Carbon Donor-Complexes, MTP International Review of Science*, Inorg. Chem. Series I, Bd. 6, Transition Metals-Part 2, S. 1 (1972).

M. Orchin u. W. Rupipius, *On the Mechanism of the Oxo Reactions*, Catal. Rev. **6**, 85 (1972).

F. E. Paulik, *Recent Developments in Hydroformylation Catalysis*, Catal. Rev. **6**, 49 (1972).

F. G. A. Stone, *The Role of Fluorocarbon in Oxidative Addition and Elimination Reactions*, Pure Appl. Chem. **30**, 551 (1972).

Y. Yamamoto u. H. Yamazaki, *Isocyanide Insertion and Related Reaction*, Coord. Chem. Rev. **8**, 225 (1972).

M. I. Bruce, *The Literature of Organo-Transition Metal Chemistry 1971*, Adv. Organometallic Chem. **11**, 447 (1973).

M. I. Bruce, *Oganometallic Structures-Transition Metals 1971*, J. Organometal. Chem. **48**, 303 (1973).

M. I. Bruce, *Organometallic Structures-Transition Metals 1972*, J. Organometal. Chem. **58**, 153 (1973).

D. Dodd u. M. D. Johnson, *The Organic Compounds of Cobalt(III)*, Organometallic Chem. Rev. **52**, 1 (1973).

J. Füssel u. U. Krüerke, *Kobalt-Organische Verbindungen, Teil II, Mehrkernige Verbindungen*, in: Gmelin, 8. Aufl., Verlag Chemie, Weinheim/Bergstr. 1973.

C. A. McAuliffe, *Transition Metal Complexes of Phosphorus, Arsenic and Antimony Ligands*, The McMillan Press Ltd., London (1973).

B. R. Penfold u. B. H. Robinson, *Tricobalt Carbon, an Organometallic Cluster*, Acc. Chem. Res. **6**, 73 (1973).

J. M. Pratt u. P. J. Craig, *Preparation and Reactions of Organocobalt(III)Complexes*, Adv. Organometallic Chem. **11**, 331 (1973).

B. L. Shaw u. A. J. Stringer, *Transition Metal-Allen Complexes*, Inorg. Chem. Acta Rev. **7**, 1 (1973).

P. N. Rylander, *Organic Syntheses with Noble Metal Catalysts, Organic Chemistry*, Bd. XXVIII, S. 215, Academic Press, New York 1973.

M. C. Baird, *Transition Metal-Carbon σ-Bond Scission*, J. Organometal. Chem. **64**, 289 (1974).

M. I. Bruce, *The Literature of Organo-Transition Metal Chemistry 1972*, Adv. Organometallic Chem. **12**, 379 (1974).

M. I. Bruce, *Struktur von Organo-Übergangsmetall-Komplexen*, J. Organometal. Chem. **75**, 335 (1974).

J. Chatt, *The Organic and Hydride Chemistry of Transition Metals*, Adv. Organometallic Chem. **12**, S. 2 (1974).

R. S. Dickson u. P. J. Fraser, *Compounds Derived from Alkynes and Carbonyl Complexes of Cobalt*, Adv. Organometallic Chem. **12**, 323 (1974).

R. F. Heck, *Organotransition Metal Chemistry, A Mechanistic Approach*, in: P. M. Maitlis, F. G. A. Stone u. R. West, *Organometallic Chemistry*, Academic Press, New York · London 1974.

F. D. Mango, *The Removal of Orbital Symmetry Restrictions to Organic Reactions*, Topics in Current Chemistry **45**, 39 (1974).

G. Marr u. R. W. Rockett, *Organic Reactions of Selected π-Complexes, Annual Survey Covering the Year 1973*, J. Organometal. Chem. **79**, 347 (1974).

J. M. Swan u. D. S. C. Black, *Organometallics in Organic Synthesis*, Chapman and Hall Textbook Series, London 1974.

M. M. Taqui khan u. A. E. Martell, *Homogeneous Catalysis by Metal Complexes*, Bd. I und II, Academic Press, New York · London 1974.

L. J. Todd u. J. R. Wilkinson, *^{13}C-NMR-Spectra of Metal Carbonyl Compounds*, J. Organometal. Chem. **77**, 1 (1974).

M. Tsutsui u. C. P. Hrung, *Organometalloporphyrins*, Ann. New York Acad. Sci. **239**, 140 (1974).

A. Wojcicki, *Insertion and Cycloaddition Reactions at Metal-Carbon Bonds*, Ann. New York Acad. Sci. **239**, 100 (1974); Adv. Organometallic Chem. **11**, 87 (1973); **12**, 31 (1974).

B. L. Booth, *Hydrocarbon-Metall-π-Complexes*, Organometallic Chemistry **4**, 293 (1975).

P. S. Braterman, *Transition Metal-Organic Chemistry – Physical Methods and Results of General Interest, 1973*, J. Organometal. Chem. **103**, 307 (1975).

M. I. Bruce, *Structures of Organo-Transition Metal Complexes, Annual Survey for 1973* (Part 2), J. Organometal. Chem. **89**, 215 (1975).

M. I. Bruce, *Complexes containing Metal-Carbon σ-Bonds*, Organometallic Chemistry **3**, 256 (1975).

M. Cooke, *$η^3$-Allylic Complexes*, Organometallic Chemistry **4**, 336 (1975).

D. A. Edwards, *Substitution Reactions of Metal and Organometal carbonyl with Group V and VI Donor Ligands*, Organometallic Chemistry **4**, 199 (1975).

J. Falbe, *Technische Reaktionen von Kohlenmonoxid mit Metallcarbonylen als Katalysatoren*, J. Organometall. Chem. **94**, 213 (1975).

L. J. Manojlovic-Muir u. K. W. Muir, *Diffraction Studies of Organometallic Compounds*, Organometallic Chemistry **4**, 425 (1975).

T. Onak, *Carborane*, Organometallic Chemistry **4**, 57 (1975).

J. A. Osborn, *The Mode of Metal to Carbon Bond Formation by Oxidative Addition, Proceedings of the first Japanese-American Seminar on Prospects in Organotransition-Metal Chemistry*, Hawai/Honolulu, May 1974, in: Y. Ishi u. M. Tsutsui, *Organotransition-Metal Chemistry*, S. 65, Plenum Press, New York · London 1975.

S. B. Robinson, *Oxidative Addition and Related Reactions*, Organometallic Chemistry **4**, 381 (1975).

J. Tsuji, *Organic Synthesis by Means of Transition Metal Complexes*, Springer-Verlag, Berlin · Heidelberg · New York 1975.

W. E. Watts, *π-Cyclopentadienyl-, π-Arene, and Related Compounds*, Organometallic Chemistry **4**, 353 (1975).

C. White, *Homogeneous Catalysis by Transition Metal Complexes*, Organometallic Chemistry **4**, 397 (1975).

F. L. Bowden u. R. Giles, *The Coordination Chemistry of Allenes*, Coord. Chemistry Review **20**, 81 (1976).

M. I. Bruce, *Structures of Organo-Transition Metal Complexes, Annual Survey Covering the Year 1975*, J. Organometal. Chem. **126**, 1 (1976).

P. Chini, G. Longoni u. V. G. Albano, *High Nuclearity Metal Carbonyl Clusters*, Adv. Organometallic Chem. **14**, 285 (1976).

J. Dehand u. M. Pfeffer, *Cyclometallated Compounds*, Coordination Chem. Rev. **18**, 327 (1976).

G. Henrici-Olivé u. S. Olivé, *Olefin Insertion in Transition Metal Catalysis*, Topics in Current Chem. (Fortschr. Chem. Forsch.) **67**, 107 (1976).

S. D. Ittet u. J. A. Ibers, *Coordination of Unsaturated Molecules to Transition Metals*, Adv. Organometallic Chem. XIV, S. 33 (1976).

A.P. KOŻIKOWSKI u. H.F. WETTER, *Transition Metal in Organic Synthesis*, Synthesis **1976**, 561.

M.F. LAPPERT u. P.W. LEDNOR, *Free Radicals in Organometallic Chemistry*, Adv. Organometallic Chem. **14**, 345 (1976).

D. SEYFERTH, *Chemistry of Carbon-Functional Alkylidynecobalt Nonacarbonyl Cluster Complexes*, Adv. Organometallic Chem. **14**, 97 (1976).

A.G. SHARPE, *The Chemistry of Cyano Complexes of Transition Metals*, Academic Press, London · New York · San Franciso, 1976.

S. OTSUKA u. A. NAKAMURA, *Acetylene and Allene Complexes: Their Implication in Homogeneous Catalysis*, Adv. Organometallic Chem. **14**, 245 (1976).

B.L. BOOTH, *Complexes Containing Metal-Carbon σ-Bonds*, Organometallic Chemistry VII, 238 (1978).

M.I. BRUCE, *Cyclometallierungsreaktionen*, Ang. Ch. **89**, 75 (1977).

F. CALDERAZZO, *Synthetische und mechanistische Aspekte anorganischer Insertionsreaktionen, Insertion von Kohlenmonoxid*, Ang. Ch. **89**, 305 (1977).

J.A. CONNOR, *Thermochemical Studies of Organotransition Metal Carbonyls and Related Compounds*, Topics in Current Chem. (Fortschr. Chem. Forsch.) **71**, 71 (1977).

F.R. HARTLEY u. P.N. VEZEY, *Supported Transition Metal Complexes as Catalysts*, Adv. Organometallic Chem. XV, 189 (1977).

D.M.P. MINGOS, *Recent Developments heoretical Organometallic Chemistry*, Adv. Organometallic Chem. XV, S. 1 (1977).

S.D. ROBINSON, *Oxidative Addition and Related Reactions*, Organometallic Chemistry VII, 348 (1978).

J.K. STILLE u. K.S.Y. LAU, *Mechanisms of Oxidative Addition of Organic Halides to Group 8 Transition-Metal Complexes*, Accounts Chem. Research **10**, 434 (1977).

K.P.C. VOLLHARDT, *Transition-Metal-Catalyzed Acetylene Cyclizations in Organic Synthesis*, Acc. Chem. Research **10**, 1 (1977).

I. WENDER u. P. PINO, *Organic Syntheses via Metal Carbonyls*, Bd. 2, J. Wiley & Sons, New York · London · Sydney · Toronto 1977.

M.W. WITMAN u. J.H. WEBER, *Di-Organocobalt Complexes of Macrocyclic Ligands and π-Acceptor Bidentate*, Inorg. Chim. Acta **23**, 263 (1977).

H. BÖNNEMANN, *Cobalt-katalysierte Pyridin-Synthesen aus Alkinen und Nitrilen*, Ang. Ch. **90**, 517 (1978).

M.I. BRUCE, *Structures of Organo-Transition Metal Complexes, Lit. von 1976*, J. Organometal. Chem. **151**, 313 (1978).

B. GOREWIT u. M. TSUTSUI, *σ–π Rearrangements and Their Role in Catalysis*, Adv. Catalysis **27**, 227 (1978).

M.D. JOHNSON, *Reactions of Electrophiles with σ-Bonded Organotransition-Metal Complexes*, Accounts Chem. Res. **11**, 57 (1978).

W.A. HERRMANN, *Organometall-Synthesen mit Diazoalkanen*, Ang. Ch. **90**, 855 (1978).

J.K. KOCHI, *Oxidative Addition* S. 156ff., *Stabilität von Organometal-Verbindungen* S. 229ff., *Organometallic Mechanisms and Catalysis*, Academic Press, New York · San Francisco · London 1978.

K.M. NICHOLAS, M.O. NESTLE u. D. SEYFERTH, *The Potential Utility of Transition Metal-Alkyne Complexes Derived Cluster Compounds as Reagents in Organic Synthesis*, S. 1; *Synthesis and Reaction of Alkylidynetricobalt Nonacarbonyl Complexes*, S. 45, in: *Transition Metal Organometallics* in: *Organic Synthesism*, Bd. II, H. ALPER, Organic Chem., Bd. 33, Academic Press, New York · San Francisco · London 1978.

G. SCHMID, *Tetraedrische Carbonylcobalt-Cluster*, Ang. Ch. **90**, 417 (1978).

H. VAHRENKAMP, *Was wissen wir über die Metall-Metall-Bindung?*, Ang. Ch. **90**, 403 (1978).

M.I. BRUCE, *Structures of Organo-Transition Metal Complexes Determined by Diffraction Methods*, Lit. von 1977, J. Organometal. Chem. **167**, 361 (1979).

M.I. BRUCE, *Cyclometallation Reactions, New Synthetic Methods*, Bd. VI, S. 49, Verlag Chemie, Weinheim · New York 1979.

G.L. GEOFFROY u. M.S. WRIGHTON, *Organometallic Photochemistry*, Academic Press, New York · London · Toronto · Sydney · San Francisco 1979.

R.P. HOUGHTON, *Metal Complexes in Organic Chemistry*, Cambridge University Press, Cambridge · London · New York · Melbourne 1979.

M.I. BRUCE, *Structures of Organo-Transition Metal Complexes Determined by Diffraction Methods, Reports Appearing During 1978*, J. Organometal. Chem. **196**, 295 (1980).

N.G. CONNELLY, *Organometallic Compounds Containing Metal-Metal-Bonds*, Organometallic Chem. **8**, 193 (1980).

W.L. GLADFELTER u. G.L. GEOFFROY, *Mixed-Metal Clusters*, Adv. Organometallic Chem. Bd. XVIII, S. 207 (1980).

S.D. ROBINDON, *Complexes Containing Metal-Carbon σ-Bonds of the Groups Iron, Cobalt and Nickel*, Organometallic Chem. **8**, 296 (1980).

C. MASTERS, *Homogeneous Transition-metal Catalysis*, Science Paperbacks, Chapman and Hall, London 1981.

K. HENRICK u. M. McPARTLIN, *Diffraction Studies of Organometallic Compounds*, Organometallic Chem. **9**, 437 (1981).

S. D. Robinson, *Complexes containing Metal-Carbon σ-Bonds of the Groups Iron, Cobalt and Nickel,* Lit. 1979, Organometallic Chem. **9**, 274 (1981).

III. Vitamin B₁₂ und -Derivate

P. G. Lenhert, *The Structure of Vitamin B₁₂,* Proc. Roy. Soc. Ser. A **303**, 45 (1968).

J. M. Pratt, *Inorganic Chemistry of Vitamin B₁₂,* Academic Press, London 1972.

J. M. Wood u. D. G. Brown, *Die Chemie von Vitamin B₁₂-Coenzymen,* Struct. Bond. **11**, 47 (1972).

D. G. Brown, *The Chemistry of Vitamin B₁₂ and Related Inorganic Model Systems,* 177, in: S. J. Lippard, *Current Research Topics in Bioinorganic Chemistry, Progress in Inorganic Chemistry,* Bd. 18, John Wiley, New York · London · Sydney · Toronto 1973.

R. H. Prince u. D. A. Stotter, *Recent Developments in the Bio-Inorganic Chemistry of Vitamin B₁₂-I, Enzymic Reactions Mediated By B₁₂,* S. 321; *Non-Enzymic Transalkylation,* S. 341, J. Inorg. Nucl. Chem. **1973**, 35.

A. Eschenmoser *Vitamin B₁₂-Organische Naturstoffsynthese,* Naturwiss. **61**, 513 (1974).

J. Halpern, *Some Aspects of Organocobalt Chemistry Related to Vitamin B₁₂,* Ann. N. Y. Acad. Sci **239**, 2 (1974).

W. Friedrich, *Vitamin B₁₂ und verwandte Corrinoide, Fermente-Hormone-Vitamine,* Bd. III/2, Georg Thieme Verlag, Stuttgart 1975.

H. P. C. Hogenkamp, *The Chemistry of Cobalamins and Related Compounds in Cobalamin: Biochemistry and Pathophysiology,* J. Wiley & Sons, Inc., New York 1975.

R. H. Abeles u. D. Dolphin, *Vitamin B₁₂-Coenzym,* Acc. Chem. Res. **9**, 114 (1976).

D. N. Hague, *Reactions of Biochemical Interest,* in A. McAuley, *Inorganic Reaction Mechanisms,* Bd. IV/3, S. 249, Chemical Society, Burlington House, London 1976.

E. A. Koerner von Gustorf, L. H. G. Leenders, I. Fischer u. R. N. Perutz, *Transition-Metal Photochemistry and their biological Implications,* S. 65, Adv. Inorg. Chem. and Radiochemistry **19** (1976).

G. N. Schrauzer, *Neuere Entwicklungen auf dem Gebiet des Vitamin B₁₂: Reaktionen des Cobalt-Atoms in Corrin-Derivaten und Vitamin B₁₂-Modellverbindungen,* Ang. Ch. **88**, 465 (1976).

G. N. Schrauzer, *Neuere Entwicklungen auf dem Gebiet des Vitamins B₁₂: Von einfachen Corrinen und von Coenzym B₁₂ abhängigen Enzymreaktionen,* Ang. Ch. **89**, 239 (1977).

B. Ridge, *Organometallic Compounds in Biological Chemistry,* Organometallic Chem. **9**, 408 (10(1981).

B. Organo-rhodium-Verbindungen

I. Allgemeine Übersichtsreferate

D. Seyferth u. R. B. King, *Annual Surveys of Organometallic Chemistry, Covering the Year 1964,* Bd. 1, 268 (1965).

M. Dub, *Compounds of Transition Metals, Covering the Literature from 1937 to 1964, Organometallic Compounds,* Bd. 1, Springer-Verlag, Berlin · Heidelberg · New York 1966.

R. B. King, *Annual Surveys of Organometallic Chemistry, Covering the Year 1966,* Bd. 3, 377 (1966).

D. Seyferth u. R. B. King, *Annual Surveys of Organometallic Chemistry, Covering the Year 1965,* Bd. 2, 337 (1966).

R. B. King, *Annual Surveys Covering the Year 1967,* Organometal. Chem. Rev. B. **4**, 107 (1968).

R. B. King, *Transition-Metall Organometallic Chemistry,* Academic Press, New York · London 1969.

J. W. Kang u. P. M. Maitlis, *Annual Surveys Covering the Year 1968,* Organometal. Chem. Rev. B. **5**, 656 (1969).

M. Green, *Annual Surveys Covering the Year 1969,* Organometal. Chem. Rev. B. **6**, 759 (1970).

G. E. Coates, M. L. H. Green, P. Powell u. K. Wade, *Einführung in die metallorganische Chemie,* F. Enke Verlag, Stuttgart 1972.

M. Green u. T. A. Kuc, *Annual Surveys Covering the Year 1970,* Organometal. Chem. Rev. B. **10**, 173 (1972).

M. I. Bruce, *Übersicht der Organo-rhodium-Verbindungen von 1950–1970,* Adv. Organometallic Chem. **10**, 273 (1973).

M. I. Bruce, *Annual Surveys Covering the Year 1971,* Adv. Organometallic Chem. **11**, 447 (1973).

M. Green u. T. A. Kuc, *Annual Surveys Covering the Year 1971,* J. Organometal. Chem. **53**, 285 (1973).

M. Green u. B. Lewis, *Annual Surveys Covering the Year 1972,* J. Organometal. Chem. **79**, 305 (1974).

M. E. Howden u. R. D. W. Kemmitt, *Annual Surveys Covering the Year 1974,* J. Organometal. Chem. **115**, 327 (1976).

E. R. Hamner, R. D. W. Kemmitt u. N. S. Sridhara, *Annual Surveys Covering the Year 1975,* J. Organometal. Chem. **138**, 229 (1977).

E. R. Hamner, R. D. W. Kemmitt u. N. S. Sridhara, *Annual Surveys Covering the Year 1976,* J. Organometal. Chem. **167**, 135 (1979).

R.D.W. Kemmitt, *Annual Surveys Covering the Year 1977*, J. Organometal. Chem. **176**, 339 (1979).
R.P. Hughes, in: G. Wilkinson, F.G.A. Stone u. E.W. Abel, *Comprehensive Organometallic Chemistry*, Bd. **5**, 277, Pergamon Press, Oxford · New York · Toronto · Sydney · Paris · Frankfurt 1982.
R.D.W. Kemmitt, *Annual Surveys Covering the Year 1978*, J. Organometal. Chem. **211**, 279 (1981).
R.D.W. Kemmitt u. D.R. Russell, *Annual Surveys Covering the Year 1979*, J. Organometal. Chem. **230**, 1 (1982).

II. Spezielle Übersichtsreferate
(s.a. Bibliographie von Organo-kobalt-Verbindungen S. 1000)

F.E. Paulik, *Recent Developments in Hydroformylation Catalysis*, Catal. Rev. **6**, 49 (1972).
G. Henrici-Olivé u. S. Olivé, *Coordination and Catalysis*, in H.F. Ebel, Monograph in Modern Chemistry **9**, Verlag Chemie, Weinheim/Bergstraße 1977.
R.L. Pruett, *Hydroformylation*, Adv. Organometallic Chem. **17**, 1 (1979).

C. Organo-iridium-Verbindungen (spezielle Übersichtsreferate s. Kobalt)

M. Dub, *Compounds of Transition Metals, Covering the Literature from 1937 to 1964, Organometallic Compounds*, Bd. 1, Springer-Verlag, Berlin · Heidelberg · New York 1966.
D. Seyferth u. R.B. King, *Annual Surveys of Organometallic Chemistry, Covering the Year 1964*, Bd. 1, 268 (1965).
D. Seyferth u. R.B. King, *Annual Surveys of Organometallic Chemistry, Covering the Year 1965*, Bd. 2, 337 (1966).
R.B. King, *Annual Surveys of Organometallic Chemistry, Covering the Year 1966*, Bd. 3, 377 (1966).
R.B. King, *Annual Surveys Covering the Year 1967*, Organometal. Chem. Rev. B. **4**, 107 (1968).
R.B. King, *Transition-Metal Organomettallic Chemistry*, Academic Press, New York · London 1969.
J.W. Kang u. P.M. Maitlis, *Annual Surveys Covering the Year 1968*, Organometal. Chem. Rev. B. **5**, 656 (1969).
M. Green, *Annual Surveys Covering the Year 1969*, Organometal. Chem. Rev. B. **6**, 759 (1970).
M. Green u. T.A. Kuc, *Annual Surveys Covering the Years 1970*, Organometal. Chem. Rev. B. **10**, 173 (1972).
G.E. Coates, M.L.H. Green, P. Powell u. K. Wade, *Einführung in die metallorganische Chemie*, F. Enke Verlag, Stuttgart 1972.
M.I. Bruce, *Übersicht der Organo-iridium-Verbindungen von 1950–1970*, Adv. Organometallic Chem. **10**, 273 (1973).
M.I. Bruce, *Annual Surveys Covering the Year 1971*, Adv. Organometallic Chem. **11**, 447 (1973).
M. Green u. T.A. Kuc, *Annual Surveys Covering the Year 1971*, J. Organometal. Chem. **53**, 285 (1973).
M. Green u. B. Lewis, *Annual Surveys Covering the Year 1972*, J. Organometal. Chem. **79**, 305 (1974).
M.E. Howden u. R.D.W. Kemmitt, *Annual Surveys Covering the Year 1974*, J. Organometal. Chem. **115**, 327 (1976).
E.R. Hamner, R.D.W. Kemmitt u. N.S. Sridhara, *Annual Surveys Covering the Year 1975*, J. Organometal. Chem. **138**, 229 (1977).
E.R. Hamner, R.D.W. Kemmitt u. N.S. Sridhara, *Annual Surveys Covering the Year 1976*, J. Organometal. Chem. **167**, 135 (1979).
R.D.W. Kemmitt, *Annual Surveys Covering the Year 1977*, J. Organometal. Chem. **176**, 339 (1979).
G.J. Leigh u. R.L. Richards, in: G. Wilkinson, F.G.A. Stone u. E.W. Abel, *Comprehensive Organometallic Chemistry*, Bd. **5**, 541, Pergamon Press, Oxford · New York · Toronto · Sydney · Paris · Frankfurt 1982.

D. Organo-nickel-Verbindungen

R. Nast, *Komplexe Acetylide von Übergangsmetallen*, Ang. Ch. **72**, 26 (1960).
P.M. Treichel u. F.G.A. Stone, *Fluorocarbon Derivatives of Metals*, Adv. Organometal. Chem. **1**, 143 (1964).
M. Dub, *Organometallic Compounds*, Vol. I, *Compounds of Transition Metals*, 2nd Ed., Springer-Verlag, Berlin · Heidelberg · New York 1966.
J.P. Collman u. W.R. Roper, *Oxidative Addition Reactions of d^8 Complexes*, Adv. Organometal. Chem. **7**, 53 (1968).
G.W. Parshall u. J.J. Mrowa, *σ-Alkyl and -Aryl Derivatives of Transition Metals*, Adv. Organometal. Chem. **7**, 157 (1968).

J. Halpern, *Oxidative Addition Reactions of Transition Metal Complexes*, Accounts Chem. Res. **3**, 386 (1970).

P. Heimbach, P. W. Jolly u. G. Wilke, *π-Allyl Nickel Intermediates in Organic Synthesis*, Adv. Organometal. Chem. **8**, 29 (1970).

G. W. Parshall, *Intramolecular Aromatic Substitution in Transition Metal Complexes*, Accounts Chem. Res. **3**, 139 (1970).

L. J. Todd, *Transition Metal Carborane Complexes*, Adv. Organometal. Chem. **8**, 87 (1970).

J. H. Nelson u. H. B. Jonassen, *Monoolefin and Acetylene Complexes of Nickel, Palladium, and Platinum*, Coord. Chem. Rev. **6**, 27 (1971).

M. I. Bruce, *Complexes containing Metal-Carbon σ-Bonds*, S. 261–297 in *Organometallic Chemistry*, Vol. 1, *Specialist Report*; The Chemical Society, London 1972.

F. Calderazzo, *Synthesis and Properties of Transition Metal to Carbon Bonds*, Pure Appl. Chem. **33**, 453 (1972).

D. J. Cardin, B. Cetinkaya u. M. F. Lappert, *Transition Metal-Carbene Complexes*, Chem. Rev. **72**, 545 (1972).

F. A. Cotton u. C. M. Lukehart, *Transition Metal Complexes containing Carbenoid Ligands*, Progr. Inorg. Chem. **16**, 487 (1972).

D. R. Fahey, *σ-Bonded Hydride and Carbon Derivatives of Nickel*, Organometal. Chem. Rev. **7**, 245 (1972).

M. Green, *σ-Carbon to Transition Metal Complexes* in *MTP Intern. Rev. Sci., Transition Metals*, Part 2, *Inorganic Chemistry*, Series I, Vol. 6, **1972**, 171.

M. F. Semmelhack, *Formation of C-C Bonds via π-Allyl Nickel Compounds*, Org. React. **1972**, 115.

G. Wilkinson, *The Transition Metal-to-Carbon Sigma Bond*, Pure Appl. Chem. **30**, 627 (1972).

G. P. Chiusoli, *Catalysis of Olefin and Carbon Monoxide Insertion Reactions*, Accounts Chem. Res. **6**, 422 (1973).

K. Fischer, K. Jonas, P. Misbach, R. Stabba u. G. Wilke, *Zum „Nickel-Effekt"*, Ang. Ch. **85**, 1002 (1973).

P. Heimbach, *Cyclooligomerisierungen an Übergangsmetall-Katalysatoren*, Ang. Ch. **85**, 1035 (1973).

E. V. Leonova u. N. S. Kochetkova, *Chemical Reactions of Cobaltocene and Nickelocene*, Usp. Khim. **42**, 615 (1973).

R. F. Heck, *Organotransition Metal Chemistry, a Mechanistic Approach*, Academic Press, New York, London 1974.

P. W. Jolly u. G. Wilke, *The Organic Chemistry of Nickel*, Vol. 1, *Organonickel Complexes*, Academic Press, New · London 1974; Vol. 2, Organic Synthesis, Academic Press, New York · London 1975.

Gmelins *Handbuch der Anorganischen Chemie*, Ergänzungswerk zur 8. Aufl., Bde. 16–18, *Nickel-organische Verbindungen*, Springer-Verlag, Berlin · Heidelberg · New York 1974, 1975.

M. Hidai, Y. Uchida u. J. Ogata, in Y. Ishii u. M. Tsutsui, *Organotransition-Metal Chemistry*, p. 265, Proc. Japan-American Seminar, lst 1974, Plenum Press, New York 1975.

H. Schmidbaur, *Inorganic Chemistry with Ylides*, Accounts Chem. Res. **8**, 62 (1975).

J. Tsuji, *Organic Synthesis by Means of Transition Metal Complexes*, Springer-Verlag, Berlin · Heidelberg · New York 1975.

H. P. Abicht u. K. Issleib, *Ortho-Metallierungen in metall-organischen Verbindungen*, Z. Chem. **17**, 1 (1977).

J. L. Davidson, *Metal-Alkyl, -Aryl, and -Allyl Bond Formation*, Inorg. React. Mech. **5**, 333 (1977).

R. N. Grimes, *Reactions of Metallocarboranes* in E. J. Becker u. M. Tsutsui, *Organometallic Reactions and Syntheses*, Vol. 6, S. 63, Plenum Press, New York · London 1977.

G. Henrici-Olivé u. S. Olivé, *Coordination and Catalysis* in H. F. Ebel, *Monographs in Modern Chemistry*, Vol. 9, Verlag Chemie, Weinheim · New York 1977.

J. K. Stille u. K. S. Y. Lau, *Mechanisms of Oxidative Addition of Organic Halides to Group 8 Transition Metal Complexes*, Accounts Chem. Res. **10**, 434 (1977).

A. I. Borisova, L. P. Safranova, A. S. Medvedeva u. N. S. Vyazankin, *Nickel(II) Acetylide Complexes*, Russ. J. Gen. Chem. **48**, 1857 (1978).

R. E. Kirk u. D. F. Othmer, *Encyclopedia of Chemical Technology*, Vol. 16, S. 551, *The Interscience Encyclopedia*, Inc., New York 1981.

G. P. Chiusoli u. G. Salerno, *Synthetic Applications of Organonickel Complexes in Organic Chemistry*, Adv. Organometal. Chem. **17**, 195 (1979).

T. T. Tsou u. J. K. Kochi, *Mechanism of Biaryl Synthesis with Nickel Complexes*, Am. Soc. **101**, 7547 (1979).

J. P. Collman u. L. S. Hegedus, *Principles and Applications of Organotransition Metal Chemistry*, University Science Books, Mill Valley, California 1980.

K. Jonas u. C. Krüger, *Alkalimetall-Übergangsmetall-π-Komplexe* Ang. Ch. **92**, 513 (1980).

H.-F. Klein, *Trimethylphosphan-Komplexe des Nickels, Cobalts und Eisens – Modellverbindungen für die Homogenkatalyse*, Ang. Ch. **92**, 362 (1980).

E. J. Kuhlmann u. J. J. Alexander, *Carbon Monoxide Insertion into Transition Metal-Carbon Sigma-Bonds*, Coord. Chem. Rev. **33**, 195 (1980).

E. Uhlig u. D. Walther, *Synthesis with Electron-Rich Nickel Triad Complexes*, Coord. Chem. Rev. **33**, 3 (1980).

K. Jonas, *Alkali Metal Transition Metal π-Complexes*, Adv. Organometal. Chem. **19**, 97 (1981).

S. Bresadola, *Closo-Carborane-Metal Complexes Containing M-C and M-B σ-Bonds*, in R. S. Grimes, *Met. Interact. Boron Clusters*, Plenum Press, New York · London 1982.

J. Halpern, *Determination and Significance of Transition Metal-Alkyl Bond Dissociation Energies*, Accounts Chem. Res. **15**, 238 (1982).

F. R. Hartley u. S. Patai, *The Structure, Preparation, Thermochemistry, and Characterization of Organometallic Compounds*, Wiley-Interscience, Chichester 1982.

P. W. Jolly, *Nickel*, in G. Wilkinson, F. G. A. Stone u. E. W. Abel *Comprehensive Organometallic Chemistry*, Vol. 6, Pergamon Press, Oxford · New York · Frankfurt · Paris · Sydney · Toronto · Tokyo 1982.

P. W. Jolly, *Organonickel Compounds*, in G. Wilkinson, F. G. A. Stone u. E. W. Abel, *Comprehensive Organometallic Chemistry*, Vol. 8, Pergamon Press, Oxford · New York · Frankfurt · Paris · Sydney · Toronto · Tokyo 1982.

E. Negishi, *Palladium- or Nickel-Catalyzed Cross Coupling*, Accounts Chem. Res. **15**, 340 (1982).

I. Omae, *Organometall-Verbindungen mit intramolekularer π-Olefin-Metall-Koordination*, Ang. Ch. **94**, 902 (1982).

J. Holton, M. F. Lappert, R. Pearce u. P. W. Yarrow, *Bridged Hydrocarbyl or Hydrocarbon Binuclear Transition-Metal Complexes: Classification, Structures, and Chemistry*, Chem. Rev. **83**, 135 (1983).

E. Organo-palladium-Verbindungen

J. L. Davidson u. P. N. Preston, *Use of Transition Organometallic Compounds in Heterocyclic Synthesis*, Adv. Heterocyclic Chem. **30**, 319 (1982).

R. F. Heck, *Palladium-Catalyzed Vinylation of Organic Halides*, Org. React. **27**, 345 (1982).

L. S. Hegedus, *Transition Metals in Organic Synthesis*, Annual Survey 1978, J. Organometal. Chem. **180**, 301 (1979); Annual Survey 1979, J. Organometal. Chem. **207**, 185 (1981); Annual Survey 1980, J. Organometal. Chem. **237**, 231 (1982).

R. C. Larock, *Organomercury, -palladium, -rhodium and-thallium Intermediates in Organic Synthesis*, Fundam. Res. Organomet. Chem. Proc. China-Jpn.-U.S. Trilateral Semin. Organomet. Chem., 1st 1980 (herausgeg. 1982) 861; Reinhold, New York.

E. Negishi, *Palladium- or Nickel-Catalyzed Cross Coupling. A New Selective Method for Carbon-Carbon Bond Formation*, Acc. Chem. Res. **15**, 340 (1982).

A. J. Deeming, *Metal-Carbon Bond Formation and Cleavage, Including Oxidative Addition and Reductive Elimination*, Inorg. React. Mech. **7**, 387 (1981).

P. W. Jolly u. R. Mynott, *The Application of ¹³C-NMR Spectroscopy to Organo-Transition Metal Complexes*, Adv. Organometallic Chem. **19**, 257 (1981).

J. F. Normant u. A. Alexakis, *Carbometallation (C-Metallation) of Alkynes: Stereospecific Synthesis of Alkenyl Derivatives*, Synthesis **1981**, 841.

S. D. Robinson, *Complexes containing Metal-Carbon σ-Bonds of the Groups Iron, Cobalt, and Nickel*, Organometal. Chem., A Specialist Periodical Report, The Chemical Society, London **8**, 296 (1980); **9**, 274 (1981).

D. M. Roundhill, *Nickel, Palladium, and Platinum, Annual Survey*, J. Organometal. Chem. **211**, 397 (1981) (Covering the Year 1979); **196**, 175 (1980); (Covering the Year 1978); **147**, 335 (1978) (Covering the Year 1976).

K. Tatsumi u. M. Tsutsui, *σ–π Rearrangement: Key Process in Organometallic Catalysis*, J. Mol. Catal. **13**, 117 (1981).

J. Tsuji, *Palladium Catalysis in Natural Product Synthesis*, Pure Appl. Chem. **53**, 2371 (1981).

R. Baker, *Carbon-Carbon Bond Forming Reactions of Allyl Complexes of Nickel, Palladium and Iron*, Chem. & Ind. **1980**, 816.

G. P. Chiusoli, *New Aspects of Organic Syntheses Catalyzed by Group VIII Metal Complexes*, Pure Appl. Chem. **52**, 635 (1980).

K. J. Klabunde, *Metal Atoms as Reactive Intermediates*, React. Intermed. (Plenum) **1**, 37 (1980).

E. J. Kuhlmann u. J. J. Alexander, *Carbon Monoxide Insertion into Transition Metal-Carbon Sigma-Bonds*, Coord. Chem. Rev. **33**, 195 (1980).

Z. Paal, *Metal-Catalyzed Cyclization Reactions of Hydrocarbons*, Adv. Catal. **29**, 273 (1980).

J. Schwartz, *Transition Metals in Organic Synthesis*, Bull. Soc. Chim. Fr. **1980**, II–330.

G. A. Tolstikov u. U. M. Dzhemilev, *Synthesis of Heterocyclic Compounds in the Presence of Complexes of Transition Metals*, Khim. Geterotsikl. Soedin. **1980**, 147.

B. M. Trost, *New Rules of Selectivity: Allylic Alkylations Catalyzed by Palladium*, Accounts Chem. Res. **13**, 385 (1980).

J. Tsuji, *Organic Synthesis with Palladium Compounds*, Springer Verlag, Berlin · Heidelberg · New York **1980**.

R. F. Heck, *Palladium-Catalyzed Reactions of Organic Halides with Olefins*, Accounts Chem. Res. **12**, 146 (1979).

A. C. L. Su, *Catalytic Codimerization of Ethylene and Butadiene*, Adv. Organometallic Chem. **17**, 269 (1979).

J. Tsuji, *Palladium-Catalyzed Reactions of Butadiene and Isoprene*, Adv. Organometallic Chem. **17**, 141 (1979).

1008   A. Segnitz: Bibliographie

K.P.C. Vollhardt, *Anwendungen von Übergangsmetallen in der Organischen Synthese*, Chem. Ztg. **103**, 309 (1979).

B.L. Booth, *Complexes containing Metal-Carbon σ-Bonds*, Organomet. Chem., A Specialist Periodical Report, The Chemical Society London **4**, 246 (1975); **5**, 259 (1976); **6**, 238 (1978); **7**, 238 (1978).

M.D. Johnson, *Reactions of Electrophiles with σ-Bonded Organotransition-Metal Complexes*, Accounts Chem. Res. **11**, 57 (1978).

J.K. Kochi, *Organometallic Mechanisms and Catalysis*, Academic Press, New York · San Franciso · London **1978**.

R.C. Larock, *Organoquecksilber-Verbindungen in der organischen Synthese*, Ang. Ch. **90**, 28 (1978).

R.C. Larock, *New Applications of Organomercury-palladium and -rhodium Compounds in Organic Synthesis*, Aspects Mech. Organomet. Chem. (Proc. Symp.) **1978**, 251 (Plenum New York).

E. Negishi, *Selective C-C Bond Formation via Transition Metal Catalysis: is Nickel or Palladium Better Than Copper?*, Aspects Mech. Organomet. Chem. (Proc. Symp.) **1978**, 285 (Plenum, New York).

R. Taube, H. Drevs u. D. Steinborn, *Synthese und Eigenschaften stabiler σ-Organoverbindungen der Übergangsmetalle*, Z. **18**, 425 (1978).

M.I. Bruce, *Cyclometallierungsreaktionen*, Ang. Ch. **89**, 75 (1977); engl.: **16**, 73.

J.L. Davidson, *Metal-alkyl, -aryl, and -allyl bond formation and cleavage*, Inorg. React. Mech. **1977**, 333.

B.M. Trost, *Organopalladium intermediates in organic synthesis*, Tetrahedron **33**, 2615 (1977).

M. Tsutsui u. A. Courtney, *σ–π-Rearrangements of Organotransition Metal Compounds*, Adv. Organometallic Chem. **16**, 241 (1977).

A.J. Birch u. I.D. Jenkins, *Transition Metal Complexes of Olefinic Compounds*, 1; in: H. Alper, *Transition Metal Organometallics in Organic Synthesis*, Vol. I, Academic Press, New York · San Francisco · London **1976**.

P.J. Davidson, M.F. Lappert u. R. Pearce, *Metal σ-Hydrocarbyls*, MR$_n$, Chem. Rev. **76**, 219 (1976).

J. Dehand u. M. Pfeffer, *Cyclometallated Compounds*, Coord. Chem. Rev. **18**, 327 (1976).

H.W. Krause, R. Selke u. H. Pracejus, *Palladiumkatalysierte oxydative Dimerisierung von aromatischen Verbindungen*, Z. **16**, 465 (1976).

P.M. Maitlis, *The palladium(II)-induced oligomerization of acetylenes: an organometallic detective story*, Accounts Chem. Res. **9**, 93 (1976).

R. Noyori, *Coupling Reactions via Transition Metal Complexes*, 83; in: H. Alper, *Transition Metal Organometallics in Organic Synthesis*, Vol. I, Academic Press, New York · San Francisco · London **1976**.

R.R. Schrock u. G.W. Parshall, *σ-Alkyl and -Aryl Complexes of the Group 4–7 Transition Metals*, Chem. Rev. **76**, 243 (1976).

M. Tsutsui, N. Ely u. R. Dubois, *σ-Bonded Organic Derivatives of f Elements*, Accounts Chem. Res. **9**, 217 (1976).

M.I. Bruce, *Complexes containing Metal-Carbon σ-Bonds*, Organomet. Chem., A Specialist Periodical Report, The Chemical Society, London **1**, 261 (1972); **2**, 320 (1973); **3**, 256 (1975).

M. Dub, *Organometallic Compounds*, Vol. I, *Compounds of Transition Metals*, 2nd Ed., Springer-Verlag, Berlin · Heidelberg · New York **1966**, Supplement **1975**.

Gmelin Handbuch der Anorganischen Chemie, 8. Aufl., Ergänzungswerk Band 16, *Nickel-Organische Verbindungen*, Teil 1, Springer Verlag Berlin · Heidelberg · New York 1975 (Literatur bis Mitte 1975).

P.M. Henry, *Palladium-Catalyzed Organic Reactions*, Adv. Organometallic Chem. **13**, 363 (1975).

P.W. Jolly u. G. Wilke, *The Organic Chemistry of Nickel*, Vol. II, Organic Synthesis, Academic Press, New York · San Francisco · London 1975.

P.D. Kaplan, *The platinum metals*, Part II. Platinum and palladium, Annu. Rep. Inorg. Gen. Synth. **1975**, 248 (Published 1976).

D.M. Roundhill, *Organometallic Reactions Involving Hydro-Nickel, -Palladium, and -Platinum Complexes*, Adv. Organometallic Chem. **13**, 273 (1975).

H. Schmidbaur, *Inorganic Chemistry with Ylides*, Accounts Chem. Res. **8**, 62 (1975).

J.S. Thayer, *Organometallic Chemistry: A Historical Perspective*, Adv. Organometallic Chem. **13**, 1 (1975).

J. Tsuji, *Organic Synthesis by Means of Transition Metal Complexes*, Springer Verlag, Berlin · Heidelberg · New York **1975**.

M.C. Baird, *Transition Metal-Carbon σ-Bond Scission*, J. Organometal. Chem. **64**, 289 (1974).

J. Chatt, *The Organic and Hydride Chemistry of Transition Metals*, Adv. Organometal. Chem. **12**, 1 (1974).

F.A. Cotton u. G. Wilkinson, *Anorganische Chemie*, 3. Aufl., Verlag Chemie, Weinheim/Bergstr. **1974**.

Gmelin Handbuch der Anorganischen Chemie, 8. Aufl., Ergänzungswerk Band **17**, *Nickel-Organische Verbindungen*, Teil 2, Springer Verlag Berlin · Heidelberg · New York **1974** (Literatur bis Mitte 1974).

R.F. Heck, *Organotransition Metal Chemistry, A Mechanistic Approach*, Academic Press, New York · London **1974**.

P.W. Jolly u. G. Wilke, *The Organic Chemistry of Nickel*, Vol. I, Organometallic Chemistry, Academic Press, New York · London **1974**.

L. Malatesta u. S. Cenini, *Zerovalent Compounds of Metals*, Academic Press **1974**, London · New York · San Francisco.

K. R. Manolov, *Nickel*; in: *Methodicum Chimicum*, Band **8**, 333 (1974); Georg Thieme Verlag, Stuttgart; Academic Press, New York · London.

J. K. Stille et al., *Synthesis and reactions of palladium-carbon σ-bonded complexes*; Adv. Chem. Ser. **1974**, 90.

A. Wojcicki, *Insertion Reactions of Transition Metal-Carbon σ-Bonded Compounds II: Sulfur Dioxide and Other Molecules*, Adv. Organometallic Chem. **12**, 31 (1974).

F. R. Hartley, *The Chemistry of Platinum and Palladium*, Applied Science Publishers, London **1973**.

B. F. G. Johnson, *Transition Metal Chemistry*; in: Comprehensive Inorganic Chemistry, Vol. 4, S. 673, Pergamon Press, Oxford **1973**.

D. Nicholls, *Nickel*; in: Comprehensive Inorganic Chemistry, Vol. 3, Pergamon Press, Oxford **1973**.

A. Peloso, *Kinetics of Ni-, Pd- and Pt-complexes*, Coord. Chem. Rev. **10**, 123 (1973).

B. L. Shaw u. N. I. Tucker, *Organo-transition Metal Compounds*; in: Comprehensive Inorganic Chemistry, Vol. 4, S. 781, Pergamon Press, Oxford **1973**.

A. Wojcicki, *Insertion Reactions of Transition Metal-Carbon σ-Bonded Compounds I: Carbon Monoxide Insertion*, Adv. Organometallic Chem. **11**, 87 (1973).

E. Singleton, C. Cooke u. J. R. Moss, *Ni, Pd, Pt; Annual Survey* **1973**; J. Organomet. Chem. **106**, 337 (1976).

P. S. Braterman u. R. J. Cross, *Remarks on the Stability of Transition Metal-Carbon Bonds*, Soc. [Dalton] **1972**, 657.

M. I. Bruce, *Organo-Transition Metal Chemistry – A Guide to the Literature 1950–1970*, Adv. Organometallic Chem. **10**, 273 (1972).

D. R. Fahey, *σ-Bonded Hydride and Carbon Derivatives of Nickel*, Organometal. Chem. Rev. [A] **7**, 245 (1972).

M. Green, *σ-Carbon to Transition Metal Complexes*; in: MTP Intern. Rev. Sci., Transition Metals, Part 2, Inorganic Chemistry, Series I, Vol. 6, **1972**, 171.

M. Hancock, M. N. Levy u. M. Tsutsui, *σ-π Rearrangements of Organotransition Metals*, Organometal. Reactions **4**, 1 (1972).

R. Jira u. W. Freiesleben, *Olefin Oxidation and Related Reactions with Group VIII Noble Metal Compounds*, Organometal. Reactions **3**, 1 (1972).

W. Kitching, *Oxymetalation*, Organometal. Reactions **3**, 319 (1972).

J. Tsuji, *Organic synthesis by means of transition-metal complexes. General patterns*. Fortschr. chem. Forsch. **1972**, 41.

T. R. Jack u. J. Powell; *Ni, Pd, Pt; Annual Survey* **1971**; J. Organomet. Chem. **53**, 215 (1973).

P. M. Maitlis, *The Organic Chemistry of Palladium*, Band I und II, Academic Press, New York · London **1971**.

T. Chivers, *Chlorocarbon and Bromocarbon Derivatives of Metals and Metalloids*, Organometal. Chem. Rev. [A] **6**, 1 (1970).

R. Hüttel, *Palladiumsalze und Palladium-Komplexe in der präparativen organischen Chemie*, Synthesis **1970**, 225.

R. P. Hughes u. J. Powell, *Ni, Pd, Pt; Annual Survey* **1970**, Organometal. Chem. Rev. [B] **10**, 207 (1972).

W. Kitching u. C. W. Fong, *Insertion of Sulfur Oxides in Metal-Carbon Bonds*, Organometal. Chem. Rev. [A] **5**, 281 (1970).

J. R. C. Light u. H. H. Zeiss, *Methyl-Transition Metal Systems and Diphenylacetylene*, J. Organomet. Chem. **21**, 517 (1970).

G. W. Parshall, *Intramolecular Aromatic Substitution in Transition Metal Complexes*, Accounts Chem. Res. **3**, 139 (1970).

R. P. A. Sneeden u. H. H. Zeiss, *Alkyl-Transition Metal Compounds VI. Fragmentation and Isomerization Studies*, J. Organomet. Chem. **22**, 713 (1970).

M. Tsutsui, M. Hancock, J. Ariyoshi u. M. N. Levy, *σ-π-Umlagerungen organischer Verbindungen der Übergangsmetalle*, Ang. Ch. **81**, 453 (1969).

J. Tsuji, *Carbon-Carbon Bond Formation via Palladium Complexes*, Accounts Chem. Res. **2**, 144 (1969).

K. Bittler, N. V. Kutepow, D. Neubauer u. H. Reis, *Carbonylierung von Olefinen bei milden Temperaturbedingungen in Gegenwart von Palladium-Komplexen*, Ang. Ch. **80**, 352 (1968).

M. L. H. Green, *Organometallic Compounds, Vol. 2, The Transition Elements*, Methuen & Co., London **1968**.

G. W. Parshall u. J. J. Mrowca, *σ-Alkyl und Aryl Derivatives of Transition Metals*, Adv. Organometallic Chem. **7**, 157 (1968).

D. A. White, *Electrophilic and Nucleophilic Attack on Organo-Transition Metal Compounds*, Organometal. Chem. Rev. [A] **3**, 497 (1968).

G. Wilke, *Über nickelorganische Verbindungen*, Pure Appl. Chem. **17**, 179 (1968).

M. F. Lappert u. B. Prokai, *Insertion Reactions*, Adv. Organometallic Chem. **5**, 225 (1967).

I. I. Kritiskaya, *Conditions for the Formation and Stabilisation of the Carbon-Transition Metal σ-Bond*, Uspechi Chim. **35**, 393 (1966); Russ. Chem. Rev. **35**, 167 (1966).

F. G. A. Stone, *Fluorkohlenstoff-Derivate von Übergangsmetallen*, Endeavour **25**, 33 (1966).

G. A. Razuvaev u. V. N. Latyaeva, *Covalent Organometallic Compounds*, Uspechi Chim. **34**, 585 (1965); Russ. Chem. Rev. **34**, 251 (1965).

F. A. Cotton, *Alkyls and Aryls of Transition Metals*, Chem. Reviews **55**, 551 (1955).

Sachregister

Da in diesem Band nur Verbindungen mit mindestens einer σ-C-Metall-Bindung beschrieben werden und zu dem die Wiedergabe der am Metall zusätzlich vorhandenen π-gebundenen Liganden die Übersicht erschweren, werden im Register **nur die am Metall gebundenen σ-C-Substituenten** aufgeführt.

Wegen der Kompliziertheit vieler Verbindungen wurde das Sachregister nach Stammverbindungen geordnet. Entstehende Verbindungen wurden grundsätzlich aufgenommen. Substituenten werden in alphabetischer Reihenfolge unter Einbeziehung von Di-, Tri-, Tetra-, Bis-, Tris- usw. genannt. Dicarbonsäure-anhydride bzw. -imide sind als zusätzliches Ringsystem registriert. Allen cyclischen und spirocyclischen Verbindungen sind Strukturformeln vorangestellt.

Die Verbindungen und Begriffe der Punkte A und E sind alphabetisch geordnet. Bei der Einordnung der Verbindungen innerhalb der Punkte B–D hat der kleinste Ring Vorrang vor den größeren, der weniger komplizierte vor dem komplizierten, innerhalb des selben Ringsystems erfolgt die Einordnung nach Carbo, Monohetero (O, S, N usw.), Dihetero usw., sowie nach Oxidationsgrad; z. B. Cyclohexadien vor Benzol.

Fettgedruckte Seitenzahlen weisen auf Vorschriften hin.

Inhalt

A. Offenkettige Verbindungen

A

Acetaldehyd 239 ff., 264, 749 f., 882, 884, 929
-dimethylacetal 886 f.
Phenyl- 260, 268

Acetamid
N-Ethyl- 907

Acetanilid
Phenyl- 237

Aceton (subst. s. u. Propan) 252, 266 f., 273 f. **882,**
884, 946
-dimethylacetal 887

Acetonitril
Trideutero- 928

Acetophenon 884, 937

Acetylchlorid
Deutero-phenyl- 919

Acetylen s. u. Ethin

Acrolein (s. a. Zimtaldehyd)

Acrylamid 885

Acrylnitril 240, 264, 909
3-Anilino- 907
3-(2-Furyl)- 969

3-(2-Naphthyl)- 935
3-(2-Thienyl)- 969

Acrylsäure (s. a. Zimtsäure)
3-Anilino- ; -methylester 907
2-Benzoyl-3,3-diphenyl- ; -ethylester 969
2-Benzyl- ; -methylester 933, 971
-butylester 958 f.
3-(9,10-Dihydro-9-phenanthryl)- 972
[1-(Dimethylamino-methyl)-2-naphthyl]- ; -ethyl-
   ester 965
3,3-Diphenyl- ; -methylester 971
2-Diphenylmethyl-3-phenyl- 969
2-Diphenylmethyl-3-phenyl- ; -methylester 969
-ethylester 449
2-(2-Furyl)- ; -methylester 969
-methylester 941
2-Methyl-3-phenyl- ; -methylester 933, 971
3-Phenyl- ; -ethylester 621
3-(2-Thienyl)- ; -methylester 935, 969

Allylalkohol 270

Amin
Benzyl-dimethyl- 892
Benzyliden-phenyl- 901
Bis-[4-(3-hydroxy-3-methyl-1-butinyl)-phenyl]- 990
(2-Butyl-benzyliden)-phenyl- 901
Butyl-dimethyl- 907
Decyl-dimethyl- 907
Dimethyl-(2-methyl-benzyl)- 901
Dimethyl-(1-methyl-propyl)- 907
Dimethyl-pentyl- 907

Tetramethyl- 639f.
(Trimethylamoniono-methyl)- 658
(Triphenylphosphonio-methyl)- 655
(Tetra-1-propinyl)- **664**

Nickel(0)-Verbindungen
(6,7,8-η^3-8-Dehydro-1,6-octadienyl)- 632
Diphenyl- 632
Ethyl- 632
Methyl- **632**
Phenyl- 632

Nickel(II)-Verbindungen
Acetyl- **681**, 683
(1-Alkinyl)-organo- **666**
(2-Allyl-phenyl)- *691*
(Anilinocarbonyl-ethinyl)- 699
Benzoyl- 681, 683
(4-Benzoyl-phenyl)- 675
Benzyl- 634, 642, **643**
Benzyloxycarbonyl- **685**
{1,2-Bis-{[bis-(2-methyl-phenyl)-phosphano]-
   vinyl}- 660
Bis-[1,3-butadienyl]- **665**
Bis-[3-buten-inyl]- **665**
Bis-[3,5-dibrom-2,6-dimethoxy-phenyl]- 700
(2,6-Bis-[di-tert.-butylphosphano-methyl]-phenyl)-
   674
Bis-[2,6-dimethoxy-phenyl]- 672, 698
Bis-[2,6-dimethyl-phenyl]- *700*
{Bis-[diphenyl-(diphenylphosphanomethylen)-
   phosphoranyl]-methyl}- 657
Bis-[2-diphenylphosphano-benzyl]- **640**
Bis-[2-(diphenylphosphano-methyl)-phenyl]- 672
(1,2-Bis-[2-diphenylphosphano-phenyl]-vinyl)- 660
Bis-[4-ethoxy-tetrachlor-phenyl]- 679
Bis-[4-methoxy-tetrafluor-phenyl]- 679
Bis-[2-methyl-phenyl]- 671
Bis-[4-methyl-1,1,2,2-tetrafluor-4-pentenyl]- **652**
Bis-[pentachlor-phenyl]- 672
Bis-[pentafluor-phenyl]- 671f., 677, *689*
Bis-[4-phenyl-3-buten-1-inyl]- **665**
Bis-[phenylethinyl]- **664**, *667*
Bis-[tricyanmethyl]- 640
Bis-[2,4,6-trimethyl-phenyl]- 671, *680*
Bis-[trimethylsilyl-methyl]- 638, 641
Bis-[triphenylmethyl]- 641
(Brom-ethinyl)-(pentachlor-phenyl)- 700
(Brom-phenyl)- 675
3-Butenyl- *691*
Butyl- *697*
(α-tert.-Butylimino-benzyl)- 697
(α-tert.-Butylimino-3-chlor-benzyl)- 697
(1-tert.-Butylimino-ethyl)- 697
(α-tert.-Butylimino-3-methyl-benzyl)- 697
(1-tert.-Butylimino-pentyl)- 697
(8-Chinolyl)- 675
[1-(8-Chinolyl)-ethyl]- 676
(3-Chlor-benzoyl)- 683
(4-Chlor-benzoyl)- 681f.
(3-Chlor-α-cyclohexylimino-benzyl)- 697
(1-Chlor-2,2-difluor-vinyl)- 661
(2-Chlor-ferrocenyl)- 668
(2-Chlor-phenyl)- 675, 677
(3-Chlor-phenyl)- *697*
(4-Chlor-phenyl)- 668, 675
Cyclobutyl- 634
(3-Cycloheptenyl)- *693*
(α-Cyclohexylimino-benzyl)- 697

(1-Cyclohexylimino-ethyl)- 697
(α-Cyclohexylimino-4-methyl-benzyl)- 697
(1-Cyclohexylimino-pentyl)- 697
(4-Cyclooctenyl)- 651
[3-(η^5-Cyclopentadienyl)-propanoyl]- 684
{1-[1-(2,4-Cyclopentadienyl)-2,2,2-trifluor-1-tri-
   fluormethyl-ethylazo]-2,2,2-trifluor-1-trifluor-
   methyl-ethyl}- 651
Cyclopropyl- 634
(Cyclopropyl-methyl)- **645**
(4-Cyclopropyl-3-methylen-butyl)- 654
(6,7,8-η^3-8-Dehydro-2,6-octadienyl)- *696*
(2-Dehydro-tetrahydropyran-2-yl)-(pentachlor-
   phenyl)- ; -perchlorat 700
(2-Dehydro-tetrahydropyran-2-yl)-(2,4,6-tri-
   methyl-phenyl)- ; -perchlorat 659
Dibenzyl- 641
(Dicyan-methyl)- **635**
[1,1- (bzw. 4,4)-Dideutero-3-butenyl] 634
Diethinyl- **664 f.**
Diethyl- 641, *677*, 685, *696*
(2,3-Dimethoxycarbonyl-bicyclo[2.2.1]heptadien-7-
   yl)- 651
[1,2-Dimethoxycarbonyl-2-(dimethyl-thiophos-
   phinyl)-vinyl]- 662
(3,4-Dimethoxycarbonyl-2-phenyl-cyclobuten-
   dienyl)- 694
(2,6-Dimethoxy-phenyl)- 670
(2,6-Dimethoxy-phenyl)-ethinyl- 667
(2,6-Dimethoxy-phenyl)-phenylethinyl- 667
Dimethyl- **637 f.**, 641, *686*, *696*
(3-Dimethylamino-benzoyl)-(pentachlor-phenyl)-
   699
[(3-Dimethylamino-phenyl)-methoxy-carben]-
   (pentachlor-phenyl)- 699
(2-Dimethylamino-phenyl)-(pentachlor-phenyl)-
   672f.
(4-Dimethylamino-phenyl)-(pentachlor-phenyl)-
   683, 699
(6,7,8-η^3-2,7-Dimethyl-8-dehydro-2,6-octadienyl)-
   696
{2,5-Dimethyl-4-isopropyl-3-[2-(1-isopropyl-2-
   methyl-propylimino)-ethylidenamino]-hexyl}-
   641, *642*
{2-(7,7-Dimethyl-6-oxo-bicyclo[3.2.0]hept-2-en-
   3-yl)-2-methyl-propanoyl}- **683**, *688*
(2,2-Dimethyl-4-pentenyl)- 650
(2,6-Dimethyl-phenyl)- 670
(2,6-Dimethyl-phenylethinyl)-(phenylethinyl)- 665
(2,2-Dimethyl-propanoyl)- 681
(2,2-Dimethyl-propyl)- **635**
{[Diphenyl-(diphenylphosphanomethylen)-phos-
   phoranyl]-methyl}- 657
(4-Diphenylphosphano-butyl)- 642
(Diphenylphosphano-methyl)- 642
(2,2-Diphenyl-propanoyl)-methyl- 696
(1,2-Diphenyl-1-propenyl)- **662**, 694
(Di-1-propinyl)- **664 f.**
Ethinyl- 666, *693, 698 f.*
Ethinyl-(pentachlor-phenyl)- 667, 680, *700*
Ethinyl-(trichlor-vinyl)- 667
Ethinyl-(2,4,6-trimethyl-phenyl)- *680*
Ethoxycarbonyl- **685**
(Ethoxy-methyl-carbenyl)-(pentachlor-phenyl)- 699
Ethyl- 635, **641**, 650, 654, 685, *690*
(4-Fluor-phenyl)- 671, 675
(4-Fluor-phenyl)-methyl- 639, 671
(2-Furyl)-(pentachlor-phenyl)- 673
(Heptafluor-propyl)- 642, **643**, 645
(4-Hydroxy-1-butinyl)-phenyl- 667

B. Cyclische Verbindungen

I. Monocyclische

Cyclopropan 264, 266ff., 269

Derivate 253
Acetyl- 885
1-Brom-2,2-diphenyl-1-methyl- 249
1,1-Dimethyl- 456
1,2-Dimethyl-1-tosylmethyl- 255
1,1-Diphenyl-2-methyl- 243
1-(bzw. 2)-Methyl-1-tosylmethyl- 255
2-Phenyl-1-tosylmethyl- 255
Tosylmethyl- 255

Aziridin

1-Methyl-2-octyl- 907
1-Methyl-2-phenyl- 907

Cobaltirin

2,3-Diphenyl- *137*, 139, 160

Rhodirin

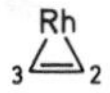

Rh
₃△₂

1-Allyl-2,2,3,3-tetrafluor-dihydro- 301
2,3-Dimethoxycarbonyl- *375*
2-Phenyl- 386

1H-Iridirin

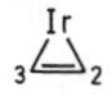

Ir
₃△₂

2,3-Bis-[trifluormethyl]- *551*, 556
2,3-Dimethoxycarbonyl-1-(1,2-dimethoxymethyl-
vinyl)- *556*

Palladirin

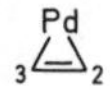

Pd
₃△₂

2,3-Bis-[trifluormethyl]- *804f.*
3,3-Bis-[trifluormethyl]-2,2-dicyan-dihydro- 748
2,3,3-Trifluor-2-trifluormethyl-dihydro- 747f.

Oxapalladiran

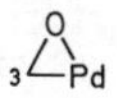

3,3-Bis-[trifluormethyl]- 747

Thiakobaltiran

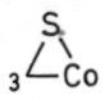

S
₃△Co

3-Thioxo- *227*

Thiarhodiran

2-(Phenylthio-thiocarbonyl)-3-thioxo- 318
3-Thioxo- 422

Thiiridiran

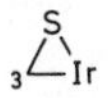

S
₃△Ir

3-Diethylamino- *605*
3-Diethylamino-2-(diethylamino-thiocarbonyl)-
605
3-Methylthio- 604

2H-Wolfrarhodirin

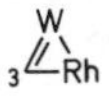

3-(4-Methyl-phenyl)- 438

Dikobaltiran

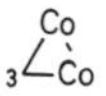

s.a. 1,3-Dikobalta-bicyclo[1.1.0]butan (S..1041)
3-Acetyl-3-tert.-butyloxycarbonyl- 179
3-Butyl- 177
3-(tert.-Butyloxycarbonyl)- 174
3,3-Di-tert.-butyloxycarbonyl- 179
3,3-Diethoxycarbonyl- **174**
3,3-Dimethoxycarbonyl- 174, 179
3,3-Dimethyl- 177
3-Ethoxycarbonyl- 174
3-Ethoxycarbonyl-3-ethoxalyl- 179
3-Ethyl- 177
3-Methyl-3-propyl- 177

Kobaltarhodiran 181, 440

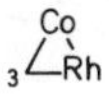

Co
₃△Rh

Dirhodiran 427, 428f.

Rh
₃△Rh

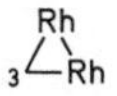

3,3-Bis-[trifluormethyl]- 428
3,3-Diethoxycarbonyl- 427f.
3,3-Diphenyl- 428
3-Methoxycarbonyl- 427
3-Methyl- 427f.
3-Oxo- 425f., 432

Dipalladiran

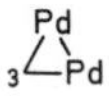

Pd
₃△Pd

3,3-Bis-[trifluormethyl]- 748

Cyclobutan 689

2-(2,2-Dimethyl-1-hydroxy-propyl)-1-oxo- 261
Oxo- 251

Cyclobuten

3,4-Bis-[brommethyl]- 981
3,4-Bis-[tert.-butylimino]-1,2-diphenyl- 281
1,2-Di-tert.-butyloxy-3,4-dioxo- 926

Oxetan

3,4-Dideutero-2-oxo- 953
2-Oxo- 953

Cobaltet

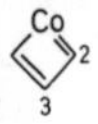

2,3-Diphenyl-4-phenylimino-1,4-dihydro- 137, 160

Rhodet

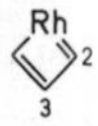

2,2-Dimethyl-1,2-dihydro- 321
2,3,4-Triphenyl-1-hydro- 374

Iridet

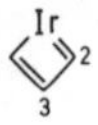

3,4-Bis-[trifluormethyl]-2-oxo-1,2-dihydro- 599
3,3-Dimethyl-tetrahydro- 536

Nickeletan

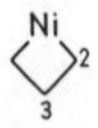

2,4-Bis-[triphenylphosponio]- 656

Palladetan

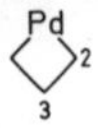

2,2,4,4-Tetracyan- 749

1,2-Oxarhodetan

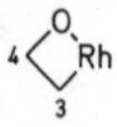

3,3,4,4-Tetracyan- 366

1,2-Oxairidetan

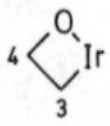

3,3,4,4-Tetracyan- 534

1,2-Oxapalladetan

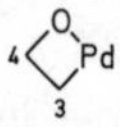

4-Oxo- 748f., 783

1,3-Thiacobaltetan

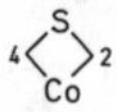

4-Methylimino-2-phenylimino- 166

1,3-Thioniapalladatetan

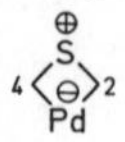

1-Methyl- ; -1-oxid 789

1,3-Azacobaltetidin

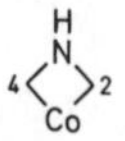

4-Methylimino-2-oxo-1-phenyl- 166
1-Methyl-4-methylimino-2-oxo- 166
1-Methyl-4-methylimino-2-thioxo- 166
1-Methyl-2-oxo-4-phenylimino- 166

1,3 Phosphatacobaltetan

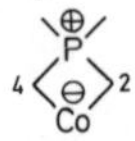

1,1,3,3-Tetramethyl- 118, **119**

1,3-Phosphoniarhodatetan 298f.

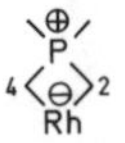

1,3-Phosphoniairidatetan

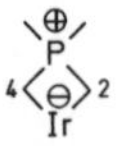

3,3-Bis-[trimethylphosphoniono-methyl]-1,1-
　dimethyl- 477
1,1-Dimethyl 477

1,3-Phosphonianickelatetan

1,1-Dimethyl- 658

1,3-Phosphoniapalladetan

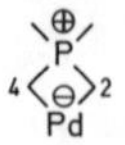

3,3-Bis-[trimethylphosphoniono-methyl]-1,1-
　dimethyl- 787f.
1,1-Diethyl- 787
1,1-Dimethyl- 787

1,3-Silarhodetan

1,1-Dimethyl-3-(trimethylsilyl-methyl)- 368

Palladole

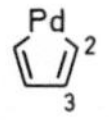

Tetrahydro- 719, *918, 946, 962, 996*
2,3,4,5-Tetrakis-[trifluormethyl]- 809
2,3,4,5-Tetramethoxycarbonyl- *807,* **808**, 809, *919, 924, 963, 979f.*

1,2-Oxazol

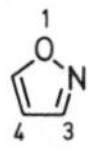

Derivate 888

1,2-Oxacobaltol

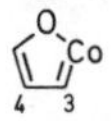

4-Acetyl-5-butyloxy-3-oxo-2,3-dihydro- 151
5-tert.-Butyloxy-4-tert.-butyloxycarbonyl-3-oxo-
    2,3-dihydro- 159
4-tert.-Butyloxycarbonyl-5-methoxy-3-oxo-
    2,3-dihydro- 159
4-Ethoxalyl-5-ethoxy-3-oxo-2,3-dihydro- **159**
5-Methoxy-4-methoxycarbonyl-3-oxo-2,3-dihydro-
    159

1,2-Oxarhodol

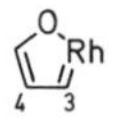

5,5-Bis-[trifluormethyl]-3-(1-propenyl)-tetrahydro-
    365

1,3-Oxarhodol

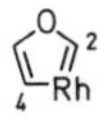

2,2-Bis-[trifluormethyl]-4,4,5,5-tetrafluor-tetra-
    hydro- 365

1,2-Oxairidolan

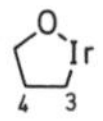

3,3,4,4,5,5-Hexafluor- 511

1,2-Oxanickelol

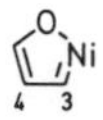

3,4-Dimethyl-5-oxo-2,5-dihydro- 663, *687, 695*
5-Oxo-tetrahydro- 648, *692*

3H-1,2-Dithiol

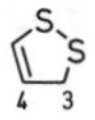

Diphenyl-3-thioxo- 259

1,2-Thiacobaltol

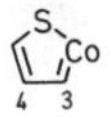

3,4-Dimethoxycarbonyl-5-oxo-2,5-dihydro- 137
3,4-Dimethoxycarbonyl-5-thioxo-2,5-dihydro- 137
3,4-Diphenyl-5-thioxo-2,5-dihydro- 137, *259*

1,2-Thiarhodol

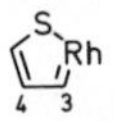

3,4-Dimethoxycarbonyl-5-thioxo-2,5-dihydro- 375

2H-1,2-Thioniarhodol

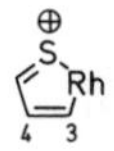

3,4-Dimethoxycarbonyl-5-methylthio- ; -jodid 375

1,3-Thiarhodol

4,5-Dimethoxycarbonyl-2-thioxo-2,3-dihydro- 375

Pyrazol

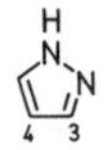

1-(2-Deutero-phenyl)- 914
3-Hydroxy- 908
1-Phenyl- 243

1,2-Azanickelol

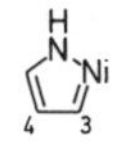

3,4-Diphenyl-5-oxo-2,5-dihydro- 663
5-Oxo-1,3,4-triphenyl-2,5-dihydro- *687, 693, 695*

1,4,2-Dioxarhodolan

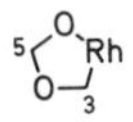

3,3,5,5-Tetrakis-[trifluormethyl]- 366

1,4,2-Dioxairidolan

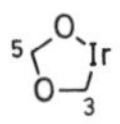

3,5-Dioxo- 603

1,4,2-Dioxanickelolan

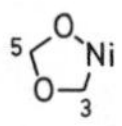

3-Methyl-5-oxo- 648
3,3,5,5-Tetrakis-[trifluormethyl]- 647
3,3,5,5-Tetramethyl- 647

1,2,3-Dioxapalladolan

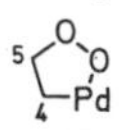

4,4-Dicyan-5,5-dimethyl- **749**

1,4,2-Dioxapalladolan

3,3,5,5-Tetrakis-[trifluormethyl]- **747**

1,4,2-Oxazacobaltol

2,3,5,5-Tetramethyl-2,5-dihydro- ; -jodid 138, 162

1,4,2-Oxazarhodol

2,3-Dihydro- **423**
3-Oxo-5-phenyl-2,3-dihydro- 423

1,2,5-Oxazairidol

2-Hydroxy-3-methyl-4-oxo-4,5-dihydro- 599
3-Methyl-4-oxo-4,5-dihydro- ; -2-oxid 599, 618

1,4,2-Oxazanickelolan

4-Cyclohexyl-3-cyclohexylimino-5-oxo- 648
4-Cyclohexyl-5-oxo-3-propyl- **648**
3,4-Diphenyl-5-oxo- **648**
3,3,5,5-Tetrakis-[trifluormethyl]- 647

1,4,2-Oxazapalladolan

3,3,5,5-Tetrakis-[trifluormethyl]- 747

1,4,2-Dithiacobaltolan

3,5-Bis-[imino]- 166

1,4,2-Dithiarhodolan

5-Bis-[benzoylimino- 426
3,5-Dithioxo- 422
3,5-Dithioxo-2-rhodio- 431

1,4,2-Thiazarhodol

3-Oxo-5-phenyl-2,3-dihydro- **424**, *451*

1,4,2-Diazanickelolan

3,3,5,5-Tetrakis-[trifluormethyl]- 647
3,3,5,5-Tetramethyl- 647

Cyclohexan

2-Benzyliden-1-hydroximino- 914
trans-1,2-Bis-[brommethyl]- 687
4-Brom-1-tert.-butyl- 249
2-Brom-1-methoxy- 249
1,2-Dibrom- 249
1,2-Dimethyl- 692
Ethyliden- 244
2-Hydroxymethyl-2-methyl- 444
2-Methoxy-1-methoxycarbonyl- 939
2-Methyl-1-methylen- 692
Oxo- 249, 884
3-Oxo-1-phenyl- 931
Vinyliden- 244

Cyclohexen

3(bzw. 4)-Acetoxy- 891
6-Acetoxy-4-chlormethyl-3,3-dimethyl- 891
6-(2,4-Cyclopentadienyl)- 4-isopopenyl-1-methyl-
    895
1,4-Dicarboxy-3-methyl-4-(1-propenyl)- 631
6-(Dimethoxycarbonyl-methyl)-4-isopropenyl-1-
    methyl- 895
3-(Dimethoxycarbonyl-methyl)-5-methoxy-
    carbonyl- 896
1,4-Dimethyl-3-oxo- 923
4-(1-Hydroxy-1-methyl-ethyl)-1-methyl- 977
3,3-Methylendioxy-6-(3-oxo-1-butenyl)-1,5,5-
    trimethyl- 896
4,4-Methylendioxy-1-(3-oxo-1-butenyl)-2,6,6-
    trimethyl- 896
1-Methyl-3-oxo- 923, 978
3-Phenyl- 932

1,4-Cyclohexadien

3,3,6,6-Tetramethyl- 927

Benzol

2-Acetamino-1-(1-alkenyl)- 966
2-Acetyl-1-(dimethylamino-methyl)- 903
2-Benzoyl-1-(dimethylamino-methyl)- 903
2-Benzyl-1-brom- 903
3,6(2,5)-Bis-[diethylamino-methyl]-1,2(1,4)-bis-
    [...-pallado]- 842
1,3-(bzw. 1,4)-Bis-[...-kobalto]- 152
1,3-Bis-[...-kobaltomethyl]- 79
2,4-Bis-[2-methoxycarbonyl-vinyl]-1,3,5-trimethyl-
    935
1,4-Bis-[...-nickelo]- 643, 670
1,4-Bis-[...-2-oxo-2-rhodio-ethyl]- 411
1,2-Bis-[...-pallado]- 860
1,4-Bis-[phenylethinyl]- 989
1,2-(bzw. 1,4)-Bis-[...-rhodiocarbonyl]- 408
5,6-Bis-[trifluormethyl]-1,2,3,4-tetramethoxy-
    carbonyl- 626, 979
2-Brom-1-butyl- 903
Brom-cycloheptatrienyl- 973
2-Brom-1-methyl- 903

Brom-pentachlor- 247
4-Brom-1-(2-phenyl-vinyl)- 968
2-(tert.-Butylimino-methyl)-1-(2-phenyl-vinyl)- 966
3-(2-Chlor-allyl)-1-nitro- 935
Chlor-pentafluor- 453
Chlor-(2-phenyl-vinyl)- 967
1,2-Dimethyl- 689
2-(Dimethylamino-methyl)-1-(2-methyl-anilino-
    methyl)- 914
2-(Dimethylamino-methyl)-1-[1-(4-methyl-phenyl-
    imino)-ethyl]- 903
2-(Dimethylamino-methyl)-1-(2-phenyl-vinyl)-
    964f.
4-Dimethylamino-1-(2-oxo-propyl)- 943
2,4-Dimethyl-1,3,5-tri-tert.-butyl- 979
1,2-Diphenyl-tetramethoxycarbonyl- 979
Ethyl- 986
Ethyl-(2-phenyl-ethyl)- 967
Hexachlor- 919
Hexamethoxycarbonyl- 457, **625**, 979, 982
Hexamethyl- 279, 981
Hexaphenyl- 278, 797, 947, 982
Jod-pentafluor- 247
4-Methoxy-1-phenylethinyl- 988
Methoxy-(2-phenyl-vinyl)- 967
Methyl- 445, 623, 689, 902
2-(4-Methyl-benzyl)-1,3,5-trimethyl- 993
Methyl-(2-phenyl-vinyl)- 967
4-Methyl-1-vinyl- 968, 971
Nitro-(2-phenyl-vinyl)- 967
Pentafluor- 263
2-(Phenylethinyl)-1-(trichlor-vinyl)- 678
2-(2-Phenyl-vinyl)-1-(2-pyridylmethyl)- 966
2-(2-Phenyl-vinyl)-1,3,5-triisopropyl- 934
(1-Propenyl)- 453, 897
    (E)- **898**, 899
    (Z) 898, 899
1,2,3,4-Tetraphenyl- 695
1,2,5-Triacetyl- 976
1,3,5-Triethoxycarbonyl- 976
Trifluormethyl- 902
1,3,5-(bzw. 1,2,4)-Trimethoxycarbonyl- 681, 976
1,3,5-Trimethyl- 263
2,4,6-Trimethyl-1,3,5-triphenyl- 981
3,4,6-Trimethyl-1,2,5-triphenyl- 681
3,5,6-Trimethyl-1,2,4-triphenyl- 331
1,3,5-Tripropanoyl- 976
Vinyl- 902, 916, 925, 935, 941, 968

Phenol

2-(Dimethylamino-methyl)- 963
2-(1,2-Diphenyl-3-oxo-propyl)- 934

Thiophenol 256

2H-Pyran

6-Acetoxymethyl-5,4-diacetoxy-2-(1,3-dimethyl-
    2,4-dioxo-1,2,3,4-tetrahydro-5-pyrimidyl)-5,6-
    dihydro- 927
3,6-Bis-[ethyliden]-2-oxo-tetrahydro- 963
2,2-Dimethyl-6-phenyl-5,6-dihydro- 887

Piperidin

2-Methyl- 908

Pyridin

6-Benzyl-2-brom- 903
6-Brom-2-butyl- 903
6-Brom-2-methyl- 903
6-Brom-2-phenyl- 903
1-Butyl-4,5-dimethoxycarbonyl-3,6-diphenyl-2-oxo-
    1,2-dihydro- 280
1-Butyl-2-oxo-tetraphenyl-1,2-dihydro- 280
2-(2-Deutero-phenyl)- 915
3,4-Dimethoxycarbonyl-2,5-diphenyl-6-ethyl- 280
4,5-Dimethoxycarbonyl-2,3-diphenyl-6-methyl- 280
4,5-Dimethoxycarbonyl-2-oxo-1,3,6-triphenyl-1,2-
    dihydro- 280
3,5-Dimethoxycarbonyl-triphenyl- 280
3,4-Dimethyl-2,5-diphenyl-6-isopropyl- 280
6-Ethyl-2-methyl- 885
2-Hydroxy- 908
1-Methoxy-tetraphenyl-2-thioxo-1,2-dihydro- 280
2-Methyl- 885, 888
2-(1-Methyl-2-pyrryl)- 902
6-Methyl-tetraphenyl- 280
2-(1-Octinyl)- 904
2-Oxo-pentaphenyl-1,2-dihydro- 280
Phenyl- 902
2-Phenylethinyl- 988
2-Phenylimino-pentaphenyl-1,2-dihydro- 695
Tetraphenyl-2-vinyl- 280
2-Vinyl- 440

Rhodinan 321

5-Methylen-2-oxo- 357f., *446*

Nickelinan 691

2,6-Bis-[triphenylphosphonio]- 656

1,2-Oxanickelinan

3,6-Dioxo- 682
3,6-Dioxo-4,4,5,5-tetrafluor- 598
3,3,4,4,5,5-Hexafluor-6-oxo- *511*
6-Oxo- 648f., *692*

1,2-Oxapalladinan

6-Oxo- 743

1,4-Palladinan

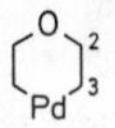

2,6-Dioxo- 748f.

Pyrimidin

5-Allyl-1-(2-dehydro-ribosyl)-2,4-dioxo-1,2,3,4-
    tetrahydro- 936
6-(2-Cyan-vinyl)-2,4-dimethyl- 974
1-(2-Dehydro-ribosyl)-2,4-dioxo-5-ethyl-1,2,3,4-
    tetrahydro- 936
1-(2-Dehydro-ribosyl)-2,4-dioxo-5-(2-propenyl)-
    1,2,3,4-tetrahydro- 936
2,4-Dihydro- 908
1,3-Dimethyl-2,4-dioxo-5-(5,6-dihydro-2H-pyran-
    2-yl)-1,2,3,4-tetrahydro- 936
2,6-Dimethyl-4-(2-ethoxycarbonyl-vinyl)- 974
1,3-Dimethyl-2,4-2,4-dioxo-5-(5-hydroxy-3,4,7-
    triacetoxy-1-heptenyl)-1,2,3,4-tetrahydro- 935
2,6-Dimethyl-4-phenylethinyl- 988
2,6-Dimethyl-4-(2-phenyl-vinyl)- 974

Pyrazin

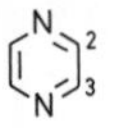

2,5-Diisopropyl-3-ethinyl- 989

1,2-Azanickelinan

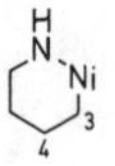

6-Oxo- 649, *692*

1,4-Diiridin

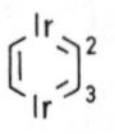

2,3,5,6-Tetrakis-[tetrafluormethyl]-1,4-dihydro- **554**

5H-⟨1,2,6,4-Azoniadiphospharhodatin⟩

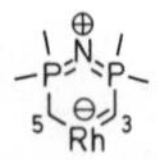

4,5-Dihydro- 298

1-Dehydro-1,2,6,4-azenadiphosphoniairidatinan

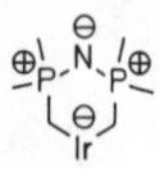

2,2,6,6-Tetramethyl- **477**

Cyclohepten

3-Chlor-2-ethoxycarbonylamino- 911
3-Methoxycarbonyl- 940

Tropolon

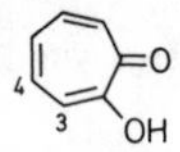

(2-Methoxycarbonyl-vinyl)- 974
(2-Phenyl-vinyl)-974
[2-(2-Pyridyl)-vinyl] 974

Azepan

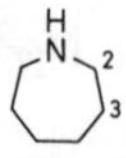

1-Ethyl-2-oxo- 907
2-Oxo-1-vinyl- 904f.

Rhodepan 321

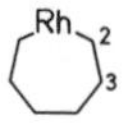

1,2-Oxairidepan

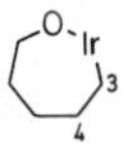

3,7-Dioxo-4,4,5,5,6,6-hexafluor- 598

1,2-Oxanickelepin

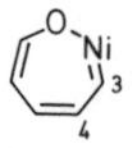

3,4-Bis-[trifluormethyl]-5,6-dimethyl-7-oxo-2,7-
    dihydro- 663
3,4-Dimethoxycarbonyl-5,6-dimethyl-7-oxo-
    2,7-dihydro- 663

Cyclooctan 913

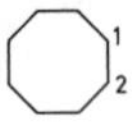

Acetoxy- 903
Amino- 905
(Diethoxycarbonyl-methyl)- 912
(4-Methyl-phenyl)- 912
Ureido- 908

Cyclooocten 913

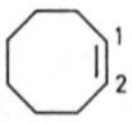

5-Alkoxycarbonyl- 957
5-Amino- 905
6-Amino-5-methoxycarbonyl-4-chlor- 911, 913
4-Chlor-6-methoxycarbonyl- 951
5-(Diethoxycarbonyl-methyl)- 912
6-Hydroxy-5-methoxycarbonyl- 951
6-Methoxy-5-methoxycarbonyl- 951, 955

1,3-Cyclooctadien

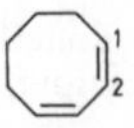

5-(Diethoxycrbonyl-methyl)- 926
1-(bzw. 2)-Methoxy- 926

1,4-Cyclooctadien

6-(1-Acetyl-2-oxo-propyl)- 926
6-Amino- 908

1,5-Cyclooctadien 448

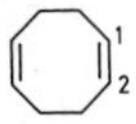

1-Acetoxy- 888
1-(1-Acetyl-2-oxo-propyl)- 926

Cyclooctatetraen

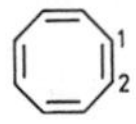

1,2,5,6-Tetramethoxycarbonyl- 981

2H-Oxocin

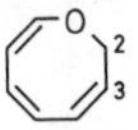

2,8-Dioxo-3,4,5,6,7-pentamethyl-5,8-dihydro- 695
2,8-Dioxo-3,4,6,7-tetramethyl-5,8-dihydro- 695

1,5,3,7-Diphosphoniadirhodatonan 299

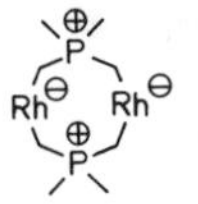

II. bicyclische

3-Rhoda-1-wolfra-bicyclo[1.1.0]but-1-en

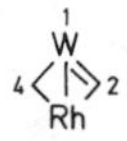

2-(4-Methyl-phenyl)-4-oxo- 440

1,3-Dikobalta-bicyclo[1.1.0]butan 195

2,4-Bis-[imino]- *173*
2,2-Bis-[trifluormethyl]-4-oxo- 171f.
1,3-Diacetyl-2,4-dioxo- 180
2,2-Difluor-4-oxo- 170
1,3-Dimethyl-2,4-dioxo- 176, 180
2,4-Dioxo-1,3-dipropanoyl- 180
2,2-Diphenyl-4-oxo- 174
2-Ethyl- *195*
2-Fluor-2-trifluormethyl-4-oxo- 172, *188*
4-Oxo- 178, *180f.*
4-Oxo-2-phenyl-2-[N-(α-phenylimino-benzyl)-
   anilino]- **169**
2-Phenyl- 195
2-Propyl- 195
2,2,4,4-Tetrafluor- 170
2,4,4-Trifluor-2-trifluormethyl- 170

1,3-Dirhoda-bicyclo[1.1.0]butan 429ff.

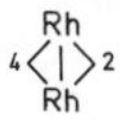

1,3-Diethyl- 431
1,3-Dimethyl- 430f.
2,4-Dioxo-1-methyl- **429**
2,2-Diphenyl- 430
2,2,4,4-Tetraphenyl- 429f.

1,3-Dirhoda-bicyclo[1.1.0]but-1³-en

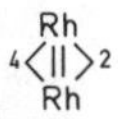

Rh
₄⟨‖⟩₂
Rh

2,4-Dioxo- *428,* **429**, 435
2,2-Diphenyl-4-oxo- *428,* 430

1,3-Diirida-bicyclo[1.1.0]butan 606f.

1,3-Dimethyl- 607

2-Wolfra-1-ferra-4-rhoda-bicyclo[1.1.0]butan

¹
Fe
Rh'↓W₂
₃

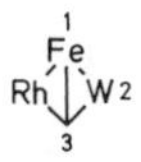

3-(4-Methyl-phenyl)- 440

2-Wolfra-1,4-dirhoda-bicyclo[1.1.0]butan

¹
Rh
Rh'↓W₂
₃

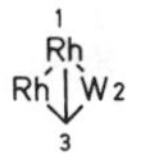

4-(4-Methyl-phenyl)- 440

1,4,5-Trirhoda-bicyclo[2.1.0]penten

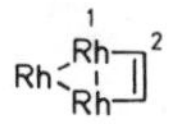

¹
Rh⟨Rh─⟩²
Rh─

2,3-Bis-[pentafluorphenyl]- 437
2,3-Diphenyl- 437

Bicyclo[6.1.0]oct-4-en

9,9-Dialkoxycarbonyl- 893
9-Methyl- 909f.

1,4-Dikobalta-bicyclo[2.2.0]hexadien

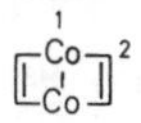

¹
⌈Co⌉²
⌊Co⌋

2,3,5,6-Tetrakis-[trimethylsilyloxy]- 175

Bicyclo[3.2.0]hept-2-en

7,7-Dimethyl-3-(1-methoxycarbonyl-1-methyl-
ethyl)-6-oxo- 688

Benzodüret

1,2-Dihydro- 607

9-Oxa-bicyclo[6.2.0]dec-4-en

10-Oxo- 951, 955

Bicyclo[3.3.0]octan

2-Acetoxy-6-chlor- 911
2,6-Bis-[dialkoxycarbonyl-methyl]- 893
5-Brom-2-methoxy- 918
1,4-Diacetoxy- 891
2,6-Diacetoxy- 977

Bicyclo[3.3.0]oct-2-en

6-Acetoxy- 891
6-Oxo-1,2,3,4,5-pentamethyl-8-phenyl- 948

Pentalen

1,6a-Bis-[4-chlor-phenyl]-3,5-di-tert.-butyl-
6,6a-dihydro- 980
3,5-Di-tert.-Butyl-1,6a-diphenyl-6,6a-dihydro- 680
1,3,4,6-Tetraphenyl-5,6-dihydro- 981
1,3,5,6a-Tetraphenyl-6,6a-dihydro- 181

Bicyclo[2.2.1]heptan 237

7-Acetoxy-2-chlor- **889**
5-Acetoxy-2-ethyl- 911f.
7-(3-Acetoxy-1-octenyl)-
7-Benzyloxy-2-brom-5,5-ethylendioxy- 945
3,5(3,6)-Bis-[2-methyl-2-propenyl]-2,6(2,5)-bis-
[. . .-pallado]- 754
3-Chlor-2-methoxycarbonyl- 954
2-(4-Chlor-phenyl)- 934
2-exo-Cyan- 909
2,3-Dimethoxycarbonyl- 954
2,3-Epoxy- 927
3-(3-Hydroxy-1-octenyl)-2-(6-methoxycarbonyl-
2-hexenyl)- 898
2-Methoxy- 912
3-(6-Methoxycarbonyl-2-hexenyl)-2-(2-tetrahydro-
pyranyloxy-1-octinyl)- 904
3-Methoxycarbonyl-2-oxo-1,7,7-trimethyl- 960
6-Methoxy-2,3,5-trideutero- 912
2-Phenyl- 912

Bicyclo[2.2.1]hepten

5-exo-Cyan- 909
7-Ethoxycarbonyl-7-methoxy- 911
5-Methoxy- 912

4H-⟨Cyclopent[c]furan⟩

5-Benzyl-3,6-diphenyl-4-oxo-1-(2-phenyl-vinyl)-
982
1,3-Di-tert.-butyl-4,6-dimethyl-4-(methoxycarbonyl-methyl)-4,5-dihydro- 951
1,3-Di-tert.-butyl-4,4,6-trimethyl-4,5-dihydro- 913

2-Aza-bicyclo[3.3.0]oct-3-en

2-Methyl-1-tosyl- 907

3-Cobalta-bicyclo[3.3.0]octa-1,4-dien

2,4-Dimethyl- 142

7-Cobalta-bicyclo[2.2.1]heptadien

1,2,3,4,5,6-Hexakis-[trifluormethyl]- 99

Cyclopent[c]rhodol

5,5-Dimethyl-4,6-dioxo-1,3-diphenyl-2,4,5,6-
tetrahydro- **383**, *461*

7-Rhoda-bicyclo[2.2.1]heptadien

1,2,3,4,5,6-Hexakis-[trifluormethyl]- 365f.
1,2,3,4,5,6-Hexamethoxycarbonyl- 365
2,3,5-Trimethoxycarbonyl-1,4,6-triphenyl- 365

1-Irida-bicyclo[3.3.0]octan

2,2,3,3,7,7,8,8-Octafluor- 533f.

7-Irida-bicyclo[2.2.1]heptadien

1,2,3,4,5,6-Hexamethoxycarbonyl- 535

8-Nickela-bicyclo[2.2.1]heptan 639

Bicyclo[4.3.0]nonan

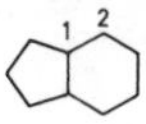

8-Oxo- 692

Bicyclo[4.3.0]hept-6-en

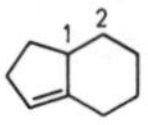

9-Acetoxy-7-methyl- 892, 977

Bicyclo[4.3.0]nona-2,4-dien

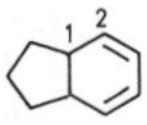

2,3,4,5-Tetramethoxycarbonyl- 970

Inden 691

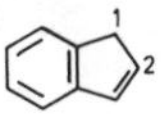

1-Acetoxy-2-phenyl-2,3-dihydro- 932
2-Benzyl-4-hydroxy-1-oxo-3,6,7-triphenyl- 982
3-Benzyl-1-oxo-2-phenyl- 982
5,6-Bis-[trimethylsilyl]-2,3-dihydro- 279
3-Butyl-1-imino-2-phenyl- 281
5,6-Dimethoxycarbonyl-2,3-dihydro- 279
1,1-Dimethyl- 968
2,2-Dimethyl-1,3-dioxo-tetraphenyl-2,3-dihydro-
   459
1,1-Diphenyl- 968
1(bzw. 3)-Ethyl-3(bzw. 1)-methyl-2-phenyl- 983
3-Methyl-1-oxo- 978
2-Oxo-2,3-dihydro- 275, 884
2-Phenyl- 932

1-Benzofuran

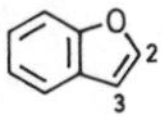

2(3)-(2-Cyan-vinyl)- 968
2-Isopropenyl-2,3-dihydro- 887
2-Isopropyl- 887
2-Oxo-2,3-dihydro- 890
2-Phenyl- 932
2-Vinyl- 887

1-Benzothiophen

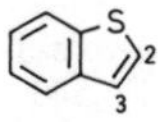

2(3)-(2-Cyan-vinyl)- 968

2-Benzothiophen

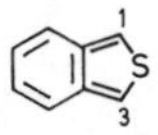

1,3-Diphenyl-tetramethyl- 459

2-Benzoselenophen

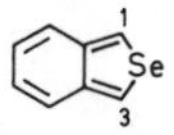

1,3,5,6-Tetraphenyl- ; -4,7-chinon 458

Indol

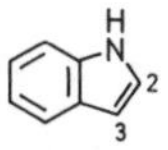

1-Allyl-3-methyl- 973
2,3-Bis-[3-hydroxy-3-methyl-1-butinyl]-1-methyl-
   989
2-Methyl- 908
3-Methyl-1-(2-propenyl)- 973

1H-Isoindol

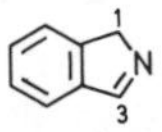

3-Acetoxy-2-benzylidenamino-1-oxo-2,3-dihydro-
   949
2-(α-Acetoxy-benzyl)-1-oxo-2,3-dihydro- 949
3-Anilino-1-oxo-2-phenyl-2,3-dihydro- 949
2-Dimethylamino-3-methylen-1-oxo-2,3-dihydro-
   949
3-Ethoxy-1-oxo-2-phenyl-2,3-dihydro- 949
3-Methoxy-1-oxo-2-phenyl-2,3-dihydro- 949
3-Methylen-1-oxo-2-phenyl-2,3-dihydro- 949
2-Methyl-1-oxo-2,3-dihydro- 950

2H-Isoindol

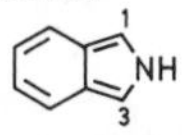

5,6-Dimethyl-1,2,3-triphenyl- ; -4,7-chinon 458
1,2,3,5,6-Pentaphenyl- ; -4,7-chinon 460

8-Aza-bicyclo[3.2.1]octan

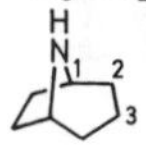

2-Chlor-8-ethoxycarbonyl- 914
4-Chlor-8-ethoxycarbonyl-2-methoxycarbonyl- 952

1-Benzocobaltol

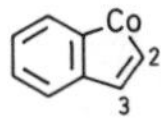

3-Butyl-2-phenyl- 129

8-Kobalta-bicyclo[4.3.0]nona-1⁹,6-dien

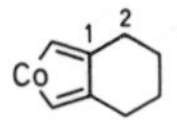

7,9-Bis-[trimethylsilyl]- 142
7,9-Dimethyl- **142**

2H-2-Benzocobaltol

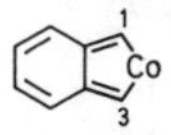

1,3-Dioxo-1,3-dihydro- 160

1H-1-Benzorhodol

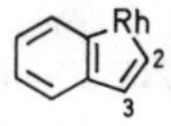

2,3-Dioxo-2,3-dihydro- 395, 413

8-Rhoda-bicyclo[4.3.0]nonan

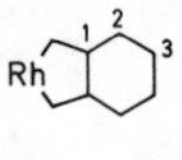

7-Oxo- 356, 446

2H-2-Benzorhodol

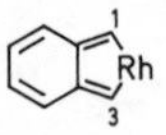

5,6-Dimethyl-1,3-diphenyl- ; -4,7-chinon *460*
1,3-Dioxo-1,3-dihydro- 395, 413
1,3-Diphenyl-4,5,6,7-tetramethyl- *461*
3,4,5,6,7-Pentamethyl-1-phenyl- 384
1,3,5,6-Tetraphenyl- ; -4,7-chinon 382, *460*

2H-2-Benzoiridol

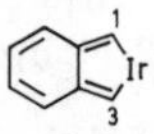

4-(bzw. 6)-Methyl-1-oxo-1,3-dihydro- 540
1-Oxo-1,3-dihydro- **540**

8-Nickela-bicyclo[4.3.0]nonan 687, *692*

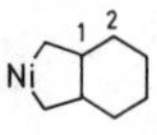

6,8-Dioxa-bicyclo[3.2.1]octan

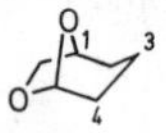

7-Ethyl-5-methyl- 887

3-Oxa-4-nickela-bicyclo[4.3.0]nonan

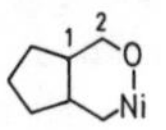

2-Oxo-7-vinyl- 696

1,3-Benzodithiol

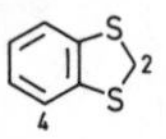

2-(2,2-Diphenyl-vinyl)- 284
2-(1-Phenyl-vinyl)- 284

Indazol

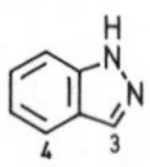

3-tert.-Butylimino-5-methoxy-2-phenyl-2,3-
　　dihydro- 961
3-tert.-Butylimino-2-phenyl-2,3-dihydro- 961
3-Cyclohexylimino-5-methoxy-2-phenyl-2,3-
　　dihydro- 961
3-Cyclohexylimino-2-phenyl-2,3-dihydro- 961
5-Methoxy-3-(2-methyl-phenyl)-2-phenyl-2,3-
　　dihydro- 961
6-Methyl-3-oxo-2-phenyl-2,3-dihydro- 949
3-(2-Methyl-phenylimino)-2-phenyl-2,3-dihydro-
　　961
3-Oxo-2-phenyl-2,3-dihydro- 949

Indolizin

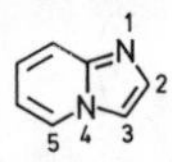

2-(1-Acetoxyimino-ethyl)-1-acetyl- 284

1H-⟨2,1-Benzoazarhodol⟩

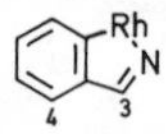

3-Hydroxy- *445*

3H-⟨1,2,3-Benzodiaziridol⟩

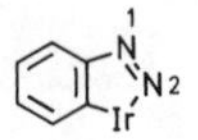

5-Fluor- 580, **581**

Bicyclo[4.2.1]nonan

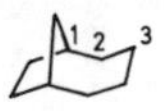

1-Acetoxy-5-chlor- 977

Bicyclo[4.2.1]nona-2,4-dien

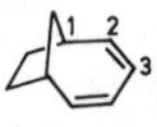

7-Oxo- 456

9-Aza-bicyclo[4.2.1]nona-2,4-dien

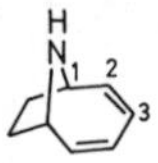

9-Ethoxycarbonyl-7-oxo- 456

2H,6H-⟨Rhodolo[3,4-d]silepin⟩

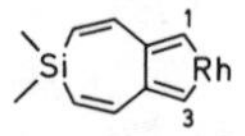

6,6-Dimethyl-1,3-diphenyl- *461*

9-Irida-bicyclo[6.3.0]undec-10-en

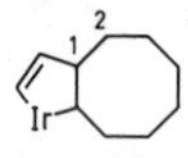

1-(3-Acetyl-1,2-bis-[trifluormethvyl]-4-oxo-1-
　　pentenyl)-10,11-bis-[trifluormethyl]- 541

Bicyclo[4.4.0]deca-2,4-dien

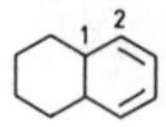

2,3,4,5-Tetramethoxycarbonyl- 980

Tetralin

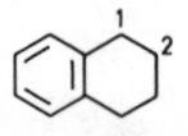

6,7-Bis-[trimethylsilyl]- 279
6,7-Dimethoxycarbonyl- 279
1,2,3,4-Tetramethyl- 278

Naphthalin

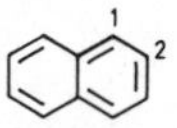

1-(bzw. 2)-Acetoxy- 944
1-Acetyl- 254
1-Benzoyl- 254
1,8-Bis-[8-formyl-phenylethinyl]- 990
2,3-Bis-[. . .-nickelo]- 643
1,4-Bis-[phenylethinyl]- 990
4-Butyl-1,2-dimethoxycarbonyl-3-phenyl-1,2-
   dihydro- 279
1,2-Dicarboxy- 960
2,3-Dimethoxycarbonyl-1,4-dihydro- 279
1-(Dimethylamino-methyl)-2-(2-ethoxycarbonyl-
   vinyl)- 966
8-(4-Formyl-phenylethinyl)-1-jod- 990
1-Methoxy- 960
1-(bzw. 2)-Methyl- 902

1,4-Naphthochinon

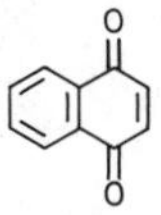

2-Butyl- 280
2-Butyl-3-trimethylsilyl- 280
3-(Diethoxy-methyl)-2-methyl-280
2,3-Diethyl- 280
6,7-Dimethoxycarbonyl-2,3-dimethyl-4,8-diphenyl-
   458
2-Methyl- 282f.

Bicyclo[3.3.1]nonan

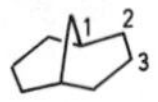

1-Acetoxy-4-chlor- 977
1-Chlor-3-oxo- 923
1,4-Dichlor- 911, 977

Bicyclo[3.3.1]non-2-en

1-Acetoxy- 977
9-Oxo- 957

Bicyclo[2.2.2]octan

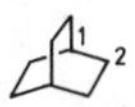

1-Cyan-2,4-dimethyl- 265
1,3-Dimethyl- 265

2H-Chromen

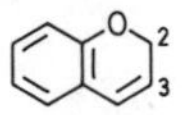

4-Acetoxy-3-phenyl- 932
2-Benzyl-2-hydroxy-4-phenyl-3,4-dihydro- 934
2,2-Dimethyl- 887

Chromon

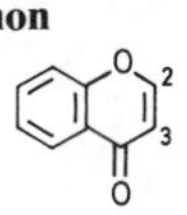

2-Phenyl- 887

Chinolin 451

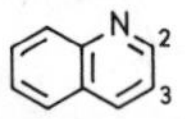

3-Acetyl- 943
1-Anilino-3,4-bis-[trifluormethyl]-2-oxo-1,2-
   dihydro- 280
3-Ethoxycarbonyl- 973
2-Hydroxy- 950
2-Hydroxy-4-methoxycarbonyl- 973
8-Nonanoyl- 457

Isochinolin

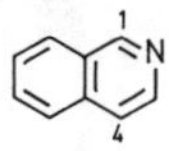

2,3-Dimethyl-1-oxo-1,2-dihydro- 908

1H-⟨Pyrido[3,2-c]pyran⟩

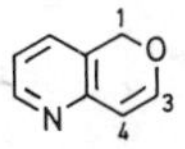

3-Methyl-1-oxo- 892

3H-⟨Benzo[d]-1,2-oxanickelin⟩

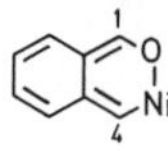

1,4-Dioxo-1,4-dihydro- 682

5H-⟨Cycloheptbenzol⟩

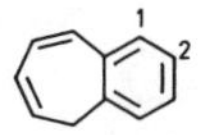

9-Chlor-1,3-dimethyl-7,8-diphenyl-5-oxo-6-(2,4,6-
   trimethyl-phenyl)- 924

Bicyclo[4.3.1]decan

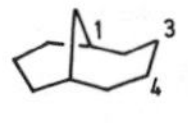

1-Chlor-8-oxo- 923

1-Benzoxepin

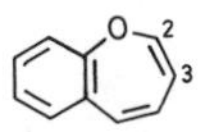

3-Methyl-5-oxo-2,5-dihydro- 978

3H-⟨Benzo[d]silepin⟩

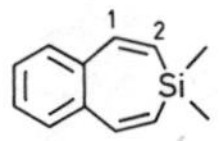

3,3-Dimethyl-6,9-diphenyl- 459

5H-1,5,2-Benzooxaphosphiridepin

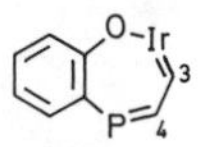

5-tert.-Butyl-3,3-dimethyl-6-methoxy-2,3,4,5-
   tetrahydro- **512**

1,3-(3-Pallada[5])pyridophan

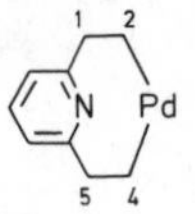

2,4-Diethoxycarbonyl- 734 f.
2,4-Dimethoxycarbonyl- 734 f.

1,2,5,6-Benzotriazapalladocin

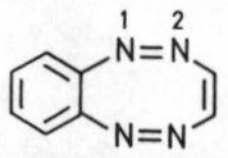

6-Chlor-3,4-dimethyl-1,6-dihydro- 839
6-Chlor-3,4-dimethyl-9-nitro-1,6-dihydro- 839
6-Chlor-3,4,7-trimethyl-1,6-dihydro- 839
6,9-Dichlor-3,4-dimethyl-1,6-dihydro- 839

III. Tricyclische

1,3-Dirhoda-bicyclo[1.1.1.0¹·³]pentan

2,2-Diphenyl-4-oxo- 430
2-Oxo-4,4,5,5-tetraphenyl- 430

1-Phospha-2,3-dikobalta-tetrahedran

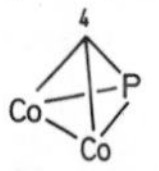

4-(4-Acetyl-phenyl)- 228
4-Methyl- 228
4-Phenyl- 228
4-Trimethylsilyl- 228

1-Arsa-2,3-dikobalta-tetrahedran

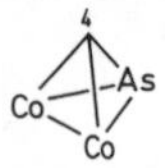

4-Methyl- 228
4-Phenyl- 228

1-Chroma-2,3-dikobalta-tetrahedran 229

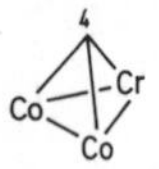

4-Fluor- 229
4-Methyl- 229

1-Molybda-2,3-dikobalta-tetrahedran

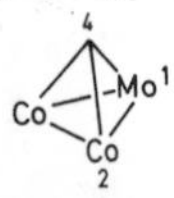

4-Methyl- 653

1-Molybda-3-kobalta-2-nickela-tetrahedran

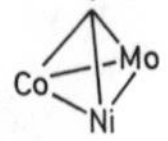

4-Methyl- 653

1-Wolfra-2-ferra-3-kobalta-tetrahedran

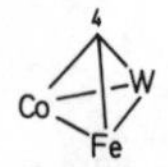

4-(4-Methyl-phenyl)- 230

1-Wolfra-2,3-dikobalta-tetrahedran

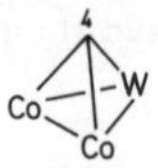

4-Methyl- 230
4-(4-Methyl-phenyl)- 230
4-Phenyl- 229

1-Ferra-2,3-dikobalta-tetrahedran

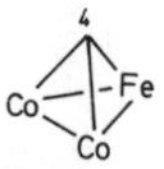

4-Ethyl- **229**
4-Methyl- 229
4-Phenyl- 229

1,2,3-Trikobalta-tetrahedran

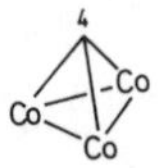

184, *196ff.*, 199f., *299*
Acetoxy- 209
4-Acetyl- *220f.*
4-(Acetylamino-carbonyl)- 214
4-[4-Acetyl-2-(bzw. 3)-chlor-phenyl]- 219
4-(4-Acetyl-2-methyl-phenyl)- **219**
4-(4-Acetyl-3-methyl-phenyl)- 219
4-(4-Acetyl-phenyl)- 219
4-[2-(1-Adamantyl)-ethoxy]- 192
4-Allyl- 185, 196
4-Allyloxycarbonyl- **202**
4-Aminocarbonyl- 202, 215
4-(4-Anilino-benzoyl)- 214
4-(α-Anilino-benzyl)- 225
4-Anilinocarbonyl- 202, 213
4-Anilinomethyl- 225
4-Benzoyl- 184, 205, 221, *222*
4-(4-Benzoyl-2-methyl-phenyl)- 219
4-(4-Benzoyl-phenyl)- 219, *260*
4-Benzyl- 195, 198, *226, 259, 260*
4-Benzylthio- 207
4-(4-Biphenylyl)- 204
4-Boranoxy- 209
4-Brom- 183, 186, *201ff., 204ff., 207f.*, 211
4-(4-Brom-benzoyl)- 221
4-(4-Brom-benzyl)- 221
4-(4-Brom-α-hydroxy-benzyl)- 221
4-(4-Brom-phenyl)- 204
4-Butanoyl- 184
4-(2-Butenoyl)- 219
4-Butyl- 195, 222
4-(tert.-Butylamino-carbonyl)- 206, 213

1,2-Dikobalta-3-nickela-tetrahedran

1,2,3-Trirhoda-tetrahedran 436

1,2,3-Trinickela-tetrahedran

1,4-Dirhoda-tricyclo[2.1.1.0^{1,4}]hex-2-en

2-Thia-1,4-dirhoda-bicyclo[2.1.0.1^{1,4}]hexan

1,4,5-Trirhoda-tricyclo[2.1.1.0^{1,4}]hexen

Tricyclo[4.1.0.0^{2,4}]heptan

5-Nickela-tricyclo[4.1.0.0^{2,4}]heptan

5-Pallada-tricyclo[4.1.0.0^{2,4}]heptan

1,5-Dikobalta-tricyclo[3.1.1.0^{1,5}]heptan

1,6-Dirhoda-tricyclo[3.2.0.0^{1,6}]heptan

2-Oxa-1,5-dikobalta-tricyclo[3.1.1.0^{1,5}]hept-3-en

1,6-Dikobalta-tricyclo[4.1.1.0^{1,6}]octan

Tricyclo[3.2.1.0^{2,4}]octan

Tricyclo[2.2.1.0²⁽⁶⁾]heptan

5-Acetoxy-3-chlor- 918
5-Acetoxy-3-chlormercuri- 920
5-Brom-3-methoxy- 918
3-(3-Chlor-benzoyloxy)-5-methoxy- 923
5-Chlor-2-chlormethyl- 911, 977
3-Chlormercuri-5-phenyl- 920
5-Chlormercuri-3-(1-propenyl)- 920
5-Chlor-3-methoxy- 918
3-Deutero-5-(2-deuteroxy-1,1-dideutero-ethyl)- 444
5-Deutero-3-methoxy- 912
5-Hydroxymethyl- 444
3-Methoxy- 912
3-Methoxy-5-methoxycarbonyl- 951
3-(4-Phenyl-1,3-butadienyl)- 970

3-Oxa-tricyclo[3.2.1.0²⁽⁴⁾]octan 927

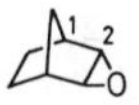

Tricyclo[5.3.1.0¹⁽⁷⁾]undecan

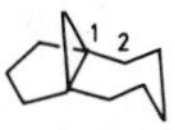

9-Oxo- 923

Tricyclo[3.2.1.0²⁽⁷⁾]octan

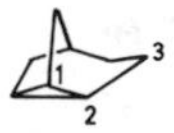

6-Acetoxy- 891

1,3-Dirhoda-tricyclo[3.2.0.0³⁽⁷⁾]heptan

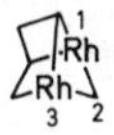

6,6-Dimethyl-2,4-dioxo- 435

Tricyclo[5.2.1.0²⁽⁶⁾]dec-3-en

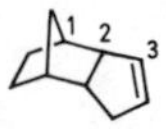

9-Acyl-8-methoxy- 903, 422
8(9)-Methoxycarbonyl-9(8)-(4-methyl-phenyl)- 951
8-Methoxy-9-methoxycarbonyl- 951
8(9)-(4-Methyl-phenyl)- 912

Tricyclo[4.2.1.0⁴⁽⁸⁾]nonan

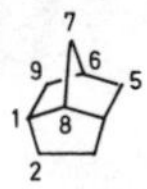

9-Acetoxy-3-chlor- 911, 977

3-Rhoda-tricyclo[5.2.1.0²⁽⁶⁾]deca-4,8-dien

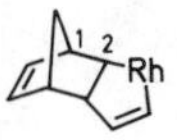

3-(3-Acetyl-1,2-bis-[trifluormethyl]-4-oxo-1-pen-
tenyl)-4,5-bis-[trifluormethyl]- 364

66*

Tricyclo[6.2.1.0²⁽⁷⁾]undeca-3,5-dien

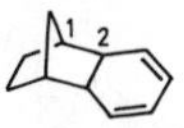

3,4,5 6-Tetramethoxycarbonyl- 980

4H-⟨Indeno[1,2-c]selenophen⟩

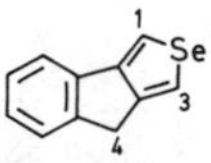

1,3-Diphenyl-4-oxo- 459

Pyrrolo[5,1,2-c,d]indolizin

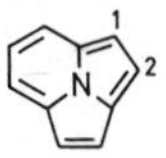

1,2-Dimethoxycarbonyl- 983

Indeno[1,2-c]rhodol

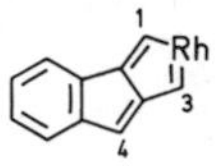

1,3-Diphenyl-4-oxo-2,4-dihydro- 383

4H,6H,8H-⟨2-Benzorhodolo[5,6-c]furan⟩

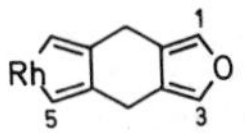

4,8-Dioxo-5,7-diphenyl- 382, *460*

4-Oxa-3-nickela-tricyclo[5.2.1.0²⁽⁶⁾]decan

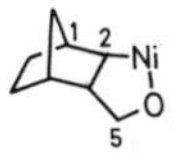

5-Oxo- 648

4H,6H,8H-⟨Isoindolo[5,6-c]thiophen⟩

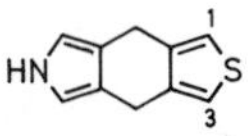

5,7-Dimethyl-4,8-dioxo-1,3,6-triphenyl- 458

4H,6H,8H-⟨2-Benzorhodolo[5,6-c]thiophen⟩

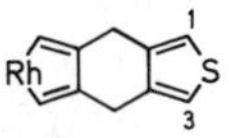

1,3-Dimethyl-4,8-dioxo-5,7-diphenyl- *461*

Rhodolo-[3,4-f]-isoindol

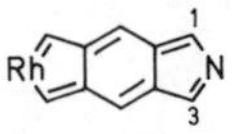

1,3-Dimethyl-2,5,7-triphenyl- ; -4,8-chinon 382, *460*

8H-⟨Benzo[d]-imidazolo[1,2-a]-1,3-azapalladol⟩

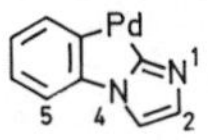

1-Phenyl-1,2,3,8a-tetrahydro- 856

Triazolo[4,5-f]isoindol

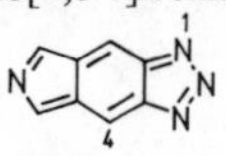

1,5,6,7-Tetraphenyl-1,6-dihydro- ; -4,8-chinon 459

Rhodolo[3,4-f]benzotriazol

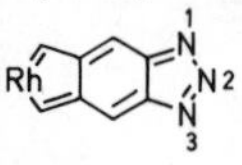

1,5,7-Triphenyl-1,6-dihydro- ; -4,8-chinon 382, *461*

2H-⟨Benzo[f]inden⟩

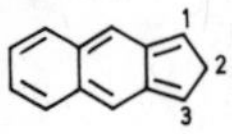

1,3-Diphenyl-2-oxo- ; -5,8-chinon 458

Fluoren

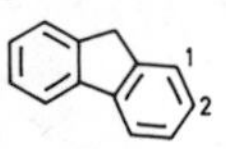

9-Imino- 281
9-Oxo- 274, 993

Acenaphthen

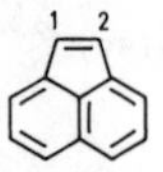

1,2-Bis-[benzyliden]-1,2-dihydro- 442
3,5-Bis-[phenylethinyl]-1,2-dihydro- 980
1,2-Dibenzyl- 442

Naphtho[2,3-c]furan 993

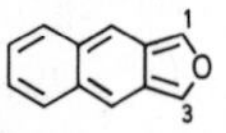

1,3-Diphenyl- ; -4,9-chinon 458, 626
1-Methoxy-4-methoxycarbonyl-3-methyl- 993
5,6,7,8-Tetraphenyl- ; -4,9-chinon 458

Dibenzofuran 248, 266, 272

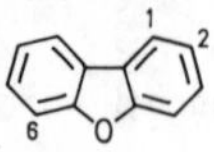

Naphtho[2,3-c]thiophen

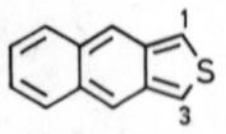

1,3-Diphenyl- ; -4,9-chinon 458, 626

Carbazol 993 (Der.)

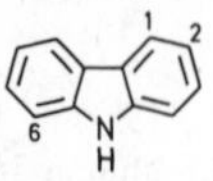

Dibenzokobaltol

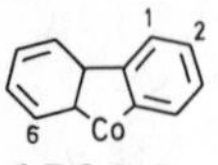

1,2,3,4,6,7,8,9-Octafluor- **149**

2H-⟨Naphtho[2,3-c]rhodol⟩

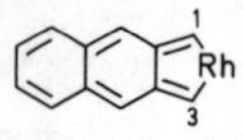

1,3-Diphenyl- ; -4,9-chinon **381**, *460*

5H-⟨Dibenzorhodol⟩ 387 f.

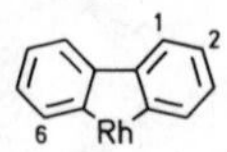

2H-⟨Naphtho[2,3-c]iridol⟩

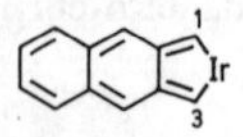

1,3-Diphenyl- ; -4,8-chinon 557, *622, 626*

5H-Dibenzoiridol 563

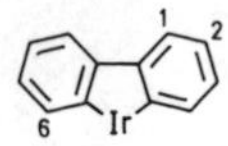

4H-⟨Cyclopent[c]cinnolin⟩

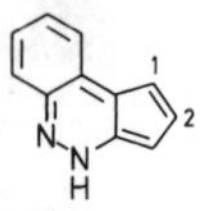

7-Methyl-4-(4-methyl-phenyl)- 688
4-Phenyl- 688

11-Rhoda-tricyclo[4.2.2.1^{2,5}]undec-7-en

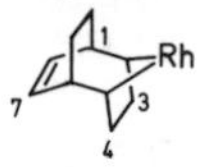

7,8-Bis-[trifluormethyl]- 364

5H-⟨Benzo[e]-pyrrolo[1,2-a]-1,4-diazepin⟩

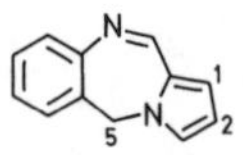

5-Oxo-1,2,3,10,11,11a-hexahydro- 961

10-Kobalta-tricyclo[9.6.0.0^{2,9}]heptadeca-11^{11},2^9-dien 173

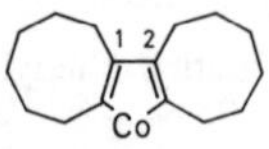

Anthracen

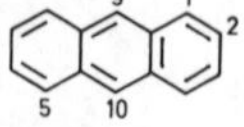

1-Phenylethinyl- 989

9,10-Anthrachinon

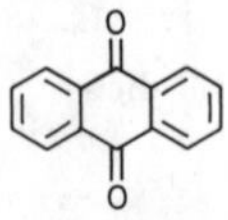

2,3-Bis-[trimethylsilyl]- 279
1,2,3,4-Tetrakis-[trimethylsilyl]- 279
1,2,3,4-Tetraphenyl- 458

8-Rhoda-tetracyclo[7.1.0.0^{2,4}.0^{5,7}]decan

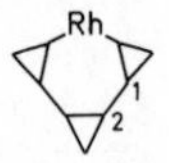

3,3,6,6,10,10-Hexamethyl- 363

Benzo-1,6-dikobalta-tricyclo[4.1.1.0^{1,6}]hept-3-en

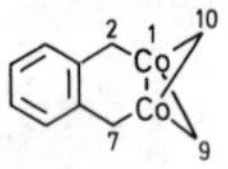

9,10-Dioxo- 177, 279

2-Rhoda-tetracyclo[3.2.2.0^{3,7}.0^{6,9}]nonan

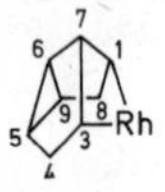

4-Vinyl- 354

2-Rhoda-tetracyclo[3.3.1.0^{4,8}.0^{6,9}]nonan

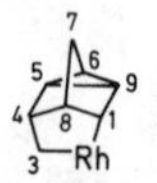

3-Oxo- **357**, *446*

3-Rhoda-tetracyclo[5.3.0.0^{2,5}.0^{4,8}]dec-9-en

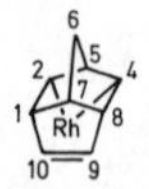

9,10-Bis-[trifluormethyl]- 364

Benzocyclobuteno[1,2-b]-bicyclo[2.2.1]heptan

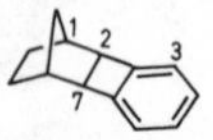

10-Acetoxy-8-chlor- 891
8,9-Dichlor- 891

Cyclopent[f]-benzo[b]-pyrrolizin

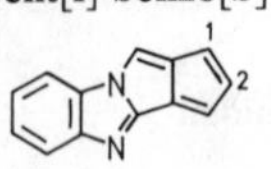

1,3-Diphenyl-2-oxo-2,10-dihydro- 459

Rhodolo[3,4-c]-benzimidazolo[1,2-a]-pyrrol

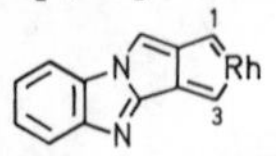

1,3-Diphenyl-2,4-dihydro- 383, *461*

Indeno[2,1-a]inden

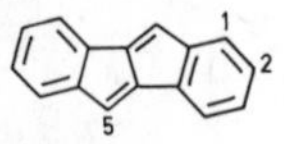

5-Phenyl- 982

Indeno[1,2-b]-indol

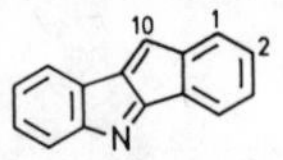

5-Methyl-10-oxo-5,10-dihydro- 994

2H-⟨Acenaphtheno[1,2-c]rhodol⟩

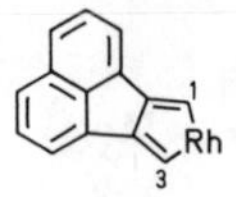

1,3-Diphenyl- 383, *444, 461f.*

2H-⟨Acenaphtheno[1,2-c]iridol⟩

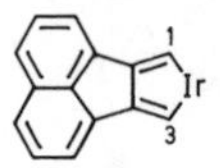

1,6-Diphenyl- 557, *626*

2-Benzothiopheno[2,3-f]-2-benzotellurol

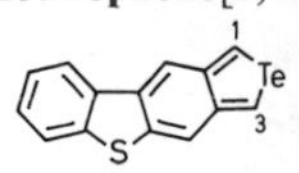

1,3-Diphenyl- ; -4,10-chinon 459

2H-⟨2-Benzorhodolo[5,6-b]-1-benzothiophen⟩

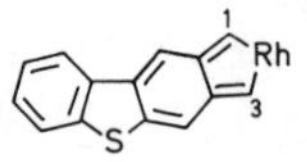

1,3-Diphenyl- ; -4,10-chinon 382, *461*

2H-⟨Dibenzo[e;g]inden⟩

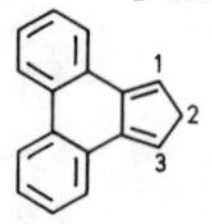

1,3-Diphenyl-2-oxo- 460

Fluoranthen

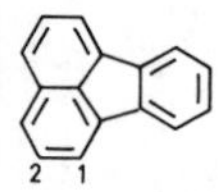

8,9-Dimethoxycarbonyl-7,10-diphenyl- 459
7,8,9,10-Tetraphenyl- 626

Anthra[2,3-c]selenophen

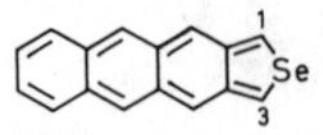

1,3-Diphenyl- ; -4,11-dinon 458

Phenanthro[9,10-c]selenol

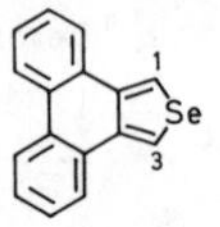

1,3-Diphenyl- 460

2H-⟨Anthra[2,3-c]rhodol⟩

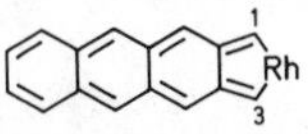

1,3-Dimethyl- 382
1,3-Diphenyl- 382
1,3-Diphenyl- ; -4,11-chinon *457f.*

2H-⟨Phenanthro[9,10-c]rhodol⟩

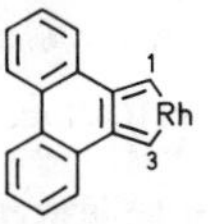

1,3-Diphenyl- 381, *444*

2H-⟨Antra[2,3-c]iridol⟩

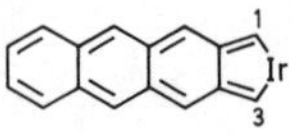

1,3-Diphenyl- ; -4,11-chinon 557

11H-⟨1-Benzofuro[3,2-c]chromen⟩

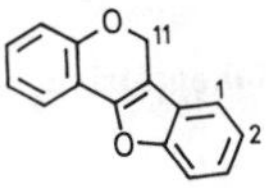

8-Methoxy-5a,11a-dihydro- 934

11H-⟨Indazolo[2,3-a]-3,1-benzoxazin⟩

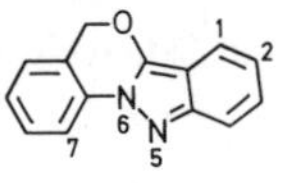

11-Oxo- 949

Dibenzo[a;e]-rhodolo[3,4-c]-cycloheptatrien

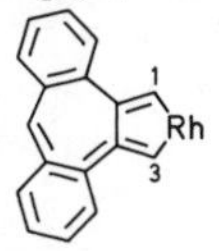

1,3-Diphenyl-8-oxo-2,8-dihydro- 383

2H-⟨Dibenzo[b;f]-rhodolo[3,4-d]-thiepin⟩

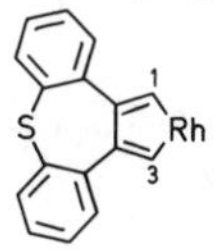

1,3-Diphenyl-... ; -8-oxid 383

2H,8H-⟨Dibenzo[b;f]-rhodo[3,4-d]-silepin⟩

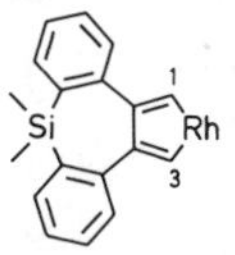

8,8-Dimethyl-1,3-diphenyl-2,8-dihydro- 383

Tetracen

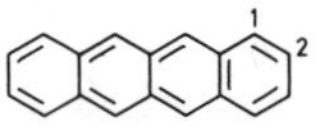

3-Diethylamino-1,4-diphenyl-2-methyl- ; -5,12-
chinon 626
6-Phenyl- ; -5,12-chinon 622
1,2,3-Triphenyl- ; -5,12-chinon 626

Benzo[k,l]xanthen

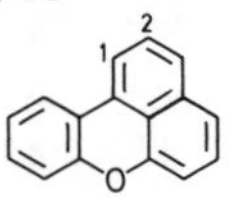

6,6a;9,10-Bis-[methylendioxy]-1,2-dimethyl-4-oxo-
1,2,4,6a,11a,11b-hexahydro- 887

V. pentacyclische

1,3,5-Trirhoda-pentacyclo[3.1.0.0^{1,3}.0^{3,5}.0^{3,6}]hexan

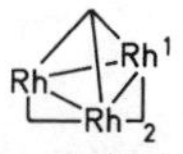

2,4-Dioxo- **436**
2,4-Dioxo-6-methyl- 436

Pentacyclo[9.1.0.0^{2,4}.0^{5,7}.0^{8,10}]dodecan

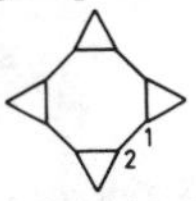

3,3,6,6,9,9,12,12-Octamethyl- 927

11-Pallada-pentacyclo[10.1.0.0^{2,4}.0^{5,7}.0^{8,10}]tridecan

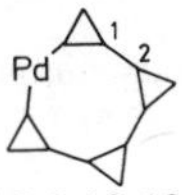

3,3,6,6,9,9,13,13-Octamethyl- 748, *927*

5-Oxa-pentacyclo[5.3.2.0^{2,11}.0^{3,9}.0^{4,12}]dodecan

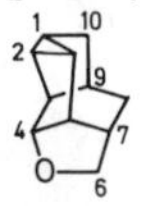

10-Acetoxy-8-alkoxycarbonyl-6-oxo- 891

Dibenzobullvalen

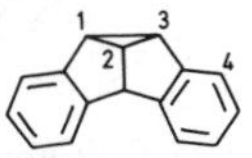

1,2-Dimethoxycarbonyl- 454

Homocuban

2'-Oxo- 454

1a-Rhoda-1,2-dihomo-kuban

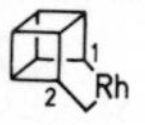

1b-Oxo- 357, *454*

Pentacyclo[8.2.1.1^{4,7}.0^{2,9}.0^{3,8}]tetradeca-5,11-dien
622

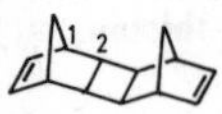

Dibenzo-2-rhoda-tricyclo[4.2.1.0^{3,9}]nona-4,7-dien
355

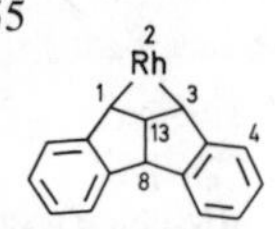

3,8-Dimethoxycarbonyl- 355

Tris-[homo]-cuban

2-Oxo- 454

9-Irida-pentacyclo[9.2.1.1^{4,7}.0^{2,10}.0^{3,8}]pentadeca-5,12-dien 552, 589, 622

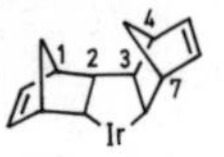

1a-Irida-tris-[homo]-cuban 534

2-Rhoda-pentacyclo[7.3.0.0^{4,8}.0^{5,12}.0^{6,11}]undecan

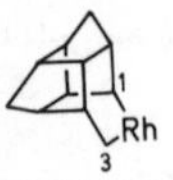

3-Oxo- 357, *456*

9-Irida-pentacyclo[10.2.1.1^{4,7}.0^{2,11}.0^{3,8}]hexadeca-5,13-dien

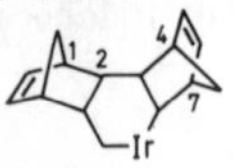

10-Oxo- 589

Dibenzo-2-rhoda-tricyclo[5.2.1.0^{4,10}]deca-4,7-dien

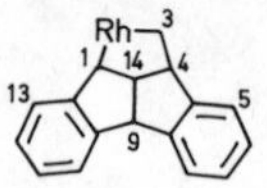

4,14-Dimethoxycarbonyl-3-oxo- *456*
3-Oxo- 357

Bis-[furo][3,4-b; 3′,4′-i]enthracen

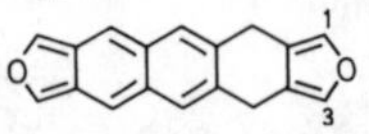

4,12-Dioxo-1,3,7,9-tetraphenyl- ; -6,10-chinon 460

2H,8H-⟨Bis-[rhodolo][3,4-b; 3′,4′-i]anthracen⟩

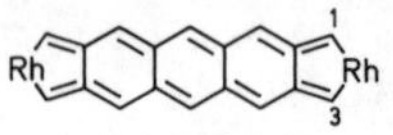

1,3,7,9-Tetraphenyl- ; -4,12;6,10-bis-[chinon] *462*

Indeno[2,1-a]phenalen

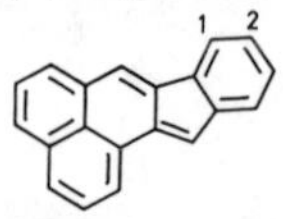

5-Phenyl- *982*

Dibenzo[a;c]-indeno[2,1-e]-cycloheptatrien

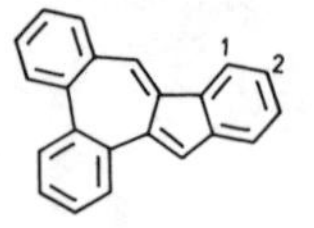

5-Phenyl- *982*

Indolo[3,2]-3-aza-tricyclo[6.3.1.0^{3,9}]dodec-6-en 969

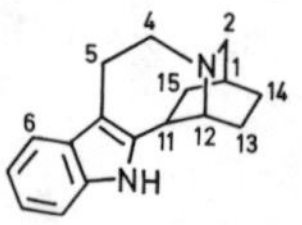

15-Deutero-13-ethyl- 969
13-(2,2-Dimethyl-propanoyloxy)- 969

Pentacen

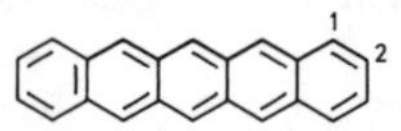

5-Phenyl- ; -6,13-chinon 455

VI. Polycyclische

Tris-[1-benzofuro][2,3-a; 2′,3′-c; 2″,3″-e]-benzol

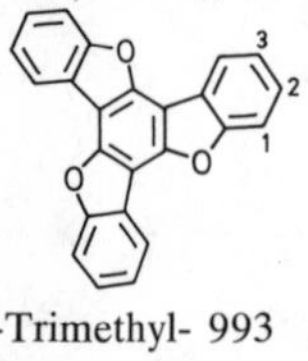

3,8,13-Trimethyl- 993

2H,9H-⟨Bis-[rhodolo][3,4-b; 3′,4′-k]tetracen⟩

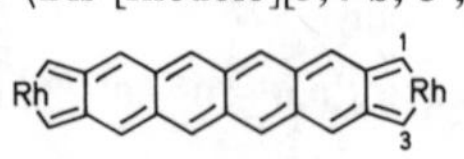

1,3,8,10-Tetraphenyl- ; -4,14;7,11-bis-chinon 381

Tetrabenzoctatetraeno[2,3-f]-2-benzothiophen

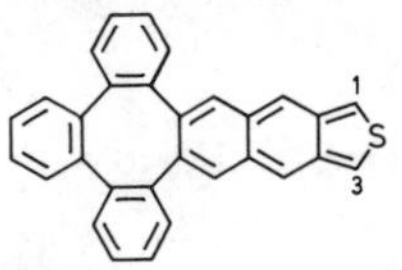

1,3-Diphenyl- ; -4,19-chinon 359
1,3,5,18-tetraphenyl-5,18-dihydro- 461

1,2-Dicarbaclosododecaboran

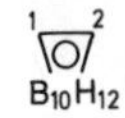

1,2-Bis-[4-phenylethinyl-phenyl]- 990

Palladirino-1,2-dicarbadodecaboran 720

2H-Palladolo-1,2-dicarbadodecaboran

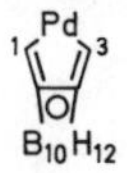

3a,13a-Dihydro- 717

5H-⟨1-Benzopalladolo[2,3-a]-1,2-dicarbadodeca-boran⟩ 719, 823, 880

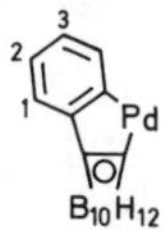

C. Symmmetrische Biaryl- und Biheteroaryl-Verbindungen

1,1′-Biindenyl 928

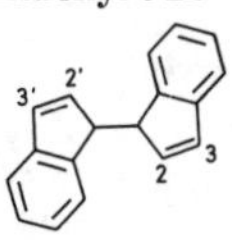

9,9′-Bi-fluorenyl- 928

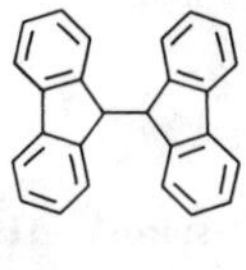

2,2′-Bifuryl 939, 994 (Der.)

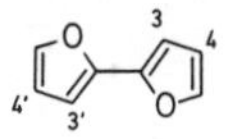

2,2′-Bi-(2,5-dihydro-furanyliden)

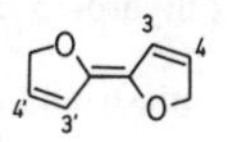

5,5′-Dioxo-3,4′-diphenyl- 277

2,2′-Bi-thienyl 994

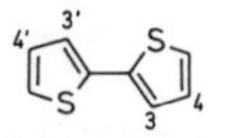

2′,3-Bi-thienyl 994

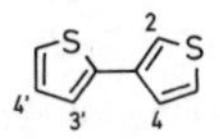

3,3′-Bi-[benzo-1,2,3-diazairidolyl]

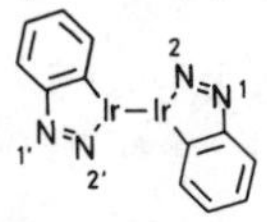

5,5′-Difluor- 608
5,5′-Dimethoxy- 608
5,5′-Dimethyl- **609**
5,5′-Dinitro- 608

Biphenyl 262, 445, 619, 901f., 931, 992

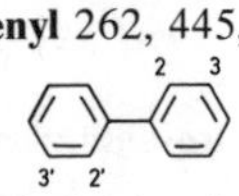

2,2′-Bis-[arylazo]- 453
2,2-Bis-[dimethylamino-methyl]- 266
2,2′-Bis-[dimethylamino-methyl]-5,5′-di-tert.-butyl- 266
4,4′-Bis-[. . .-kobalto]- 152
2,2′-Bis-[. . .-nickelo]- 670
2-Brom- 903
Decachlor- 247
Decafluor- 256, 689
4,4′-Difluor- 252
3,3′-Dimethyl- 262
4,4′-Dimethyl- 252, 262, 623, 934
Dimethyl- 992
2,2′,4,4′,6,6′-Hexamethyl- 263
4-Methyl- 252, 262, **446**
3-Methyl-2-phenylazo- 901
2,3′,3,3′-(bzw. 2,3,3′,4′ usw.)-Tetramethoxycar-bonyl- **992**
2,2′,5,5′- (bzw. 3,3′,4,4′)-Tetramethyl- 993

1,1′-Binaphthyl 254

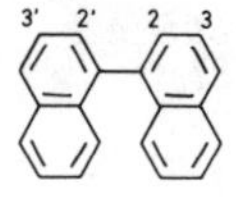

3,9-Diaza-2λ^5,8λ^5-diphospha-4,10-diphosphonia-6-
nickelata-spiro[5.5]undeca-2,8-dien

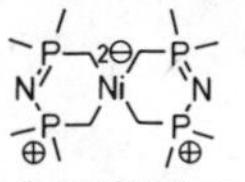

2,2,4,4,8,8,10,10-Octamethyl- 657

2,4,8,10-Tetraphosphonia-3,9-diborata-6-nickelata-
spiro[5.5]undecan

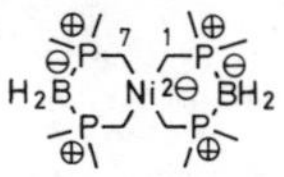

2,2,4,4,8,8,10,10-Octamethyl- 657

Dikobaltiran-⟨1-spiro-1⟩-1-kobalta-bicyclo[3.1.0]hex-
2-en-⟨6-spiro-2⟩-2,5-dihydro-furan

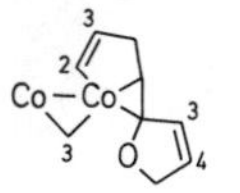

3-Oxo- ; -2,4-dimethyl-4-dehydro- ; -5-oxo-
                                    4-phenyl- 180

8-Nickela-dispiro[2.1.2.2]nonan 649

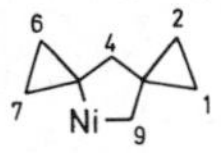

2,6,10,13-Tetraphosphonia-4,8-dinickelata-dispiro
[3.3.3.3]tetradecan 656

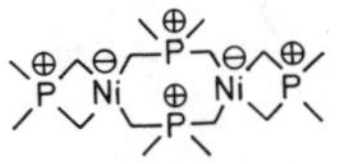

5,9-Diphosphonia-7-nickelata-trispiro[4.1.1.4.1.1]
pentadecan 656

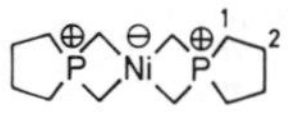

6,10-Diphosphonia-8-nickelata-trispiro[5.1.1.5.1.1]
heptadecan 656

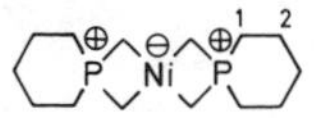

E. Allgemeine Begriffe, Stoffklassen

Acetoxypalladierung 888

Arene
1-Alkenyl- **967**

Caprolactam
1-Vinyl- 904f.

Carbonsäure
-methylester **955**

Carbonylierung 273

Heck-Reaktion 756

Hydroformylierung 13, 273

Methoxycarbonylierung 955

Rhodium-Cluster
Butenoyl-pentadecacarbonyl-hexarhodat 439
Ethoxycarbonyl-undecacarbonyl-tetrarhodium 438

(Isopropylamino-carbonyl)-pentadecacarbonyl-
    hexarhodol 436f.
Isopropyloxy-undecararbonyl-tetrarhodium 438
Methoxycarbonyl-pentadecacarbonyl-hexarhodat438
Methoxycarbonyl-undecacarbonyl-tetrarhodat **438**,
    443
(2-Methyl-propanoyl)-pentadecacarbonyl-hexa-
    rhodat 439
Pentadecacarbonyl-propanoyl-hexarhodat 439
Pentadecacarbonyl-propyloxycarbonyl-hexarhodat
    438f.

Stilben 897, 900, 921, 926, 931, 943, 965, 968

Styrol 902, 916, 925, 935, 941, 968

Tolan 200, 902, **987**, 988

Toluol 445, 623, 689, 902

Wacker-Hoechst-Prozeß 749f.

o-Xylol 689